METHODEN DER
ORGANISCHEN CHEMIE

METHODEN DER ORGANISCHEN CHEMIE

(HOUBEN-WEYL)

VIERTE, VÖLLIG NEU GESTALTETE AUFLAGE

HERAUSGEGEBEN VON

EUGEN MÜLLER

TÜBINGEN

UNTER BESONDERER MITWIRKUNG VON

O. BAYER

LEVERKUSEN

H. MEERWEIN † · K. ZIEGLER †

BAND IV/5b

PHOTOCHEMIE

TEIL II

19 GTV 75

GEORG THIEME VERLAG STUTTGART

PHOTOCHEMIE

TEILBAND II

ANHANG: PLASMACHEMIE

BEARBEITET VON

W. R. ADAMS · W. BUJNOCH · O. BUCHARDT
CARLSTADT/USA TRIER KOPENHAGEN/DÄNEMARK

P. A. CERUTTI · D. DÖPP · H. DÜRR · H. J. HAGEMANN
GAINESVILLE/USA TRIER SAARBRÜCKEN ARNHEIM/HOLLAND

P. HEINRICH · H. KOBER · H. MEIER · A. RITTER
STUTTGART SAARBRÜCKEN TÜBINGEN MÜLHEIM/RUHR

W. RUNDEL · G. P. SCHIEMENZ · J. STREITH
TÜBINGEN KIEL MULHOUSE/FRANKREICH

W. STROHMEIER · H. SUHR · D. VALENTINE
WÜRZBURG TÜBINGEN NUTLEY/USA

J. Y. VANDERHOEK · H.-H. VOGEL · G. WEGNER
JERUSALEM/ISRAEL LUDWIGSHAFEN/RHEIN FREIBURG/BRSG.

MIT 120 TABELLEN
UND 14 ABBILDUNGEN

1975

In diesem Handbuch sind zahlreiche Gebrauchs- und Handelsnamen, Warenzeichen u. dgl. (auch ohne besondere Kennzeichnung), BIOS- und FIAT-Reports, Patente, Herstellungs- und Anwendungsverfahren aufgeführt. Herausgeber und Verlag machen ausdrücklich darauf aufmerksam, daß vor deren gewerblicher Nutzung in jedem Falle die Rechtslage sorgfältig geprüft werden muß. Industriell hergestellte Apparaturen und Geräte sind nur in Auswahl angeführt. Ein Werturteil über Fabrikate, die in diesem Band nicht erwähnt sind, ist damit nicht verbunden.

CIP-Kurztitelaufnahme der Deutschen Bibliothek

Methoden der organischen Chemie / (Houben-Weyl).
Hrsg. von Eugen Müller. Unter bes. Mitw. von O. Bayer ...

NE: Müller , Eugen [Hrsg.]; Houben , Josef [Begr.];
Houben-Weyl , ...
Bd. 4.
5b. → Photochemie

Photochemie. — Stuttgart : Thieme.
Teilbd. 2. Anh. Plasmachemie / bearb. von W. R. Adams ...
  (Methoden der organischen Chemie ; Bd. 4,5b)
  ISBN 3-13-202004-4
NE: Adams , William R. [Mitarb.]

Erscheinungstermin 30. 12. 1975

© 1975. Georg Thieme Verlag, D-7000 Stuttgart 1, Herdweg 63, Postfach 732. — Printed in Germany.
Gesamtherstellung : Brühlsche Universitätsdruckerei, D-6300 Gießen

ISBN 3-13-202004-4

Vorwort zum Band IV/5

Die präparative organische Photochemie im eigentlichen Sinne ist ein noch relativ junges Teilgebiet der organischen Chemie. Ohne an dieser Stelle eine Darstellung der historischen Entwicklung der präparativen organischen Photochemie geben zu wollen, seien im folgenden einige charakteristische Daten hervorgehoben. Beginnend mit Versuchen von G. CIAMICIAN und P. SILBER am Anfang dieses Jahrhunderts, fast 10 Jahre später gefolgt von photochemischen Umsetzungen an Feststoffen (R. STOERMER, H. STOBBE) bahnte sich dem äußeren Zwang folgend durch A. SCHÖNBERG eine systematische Verwendung der Sonneneinstrahlung zur Herstellung neuer organischer Stoffe an. Die Ausführung photochemischer Reaktionen im präparativen Maßstab setzt eine vom Sonnenlicht unabhängige Strahlungsquelle voraus. Die Entwicklung dieser Strahlungsquellen wurde durch die Sulfochlorierung (C. F. REED) sowie der technisch interessanten Photosynthesen des Vitamin D_2 (A. WINDAUS), des Gammexans und des Cyclohexanoxims wesentlich gefördert.

In der Zeit nach dem Zweiten Weltkrieg begann G. O. SCHENCK mit seinen Mitarbeitern sehr erfolgreich die organisch präparative Photochemie zu entwickeln, als deren späterer Höhepunkt die Arbeiten von VAN TAMELEN und Mitarbeitern mit der photochemischen Herstellung des ersten Benzolvalenzisomeren (Dewarbenzol≡Tectadien) hier hervorgehoben seien.

Seit den 60iger Jahren entwickelte sich das Gebiet der präparativen organischen Photochemie fast boomartig, so daß wir gezwungen waren, den hier darzustellenden Stoff auf zwei Bände zu verteilen.

Der erste Teilband beginnt mit der Erläuterung der photophysikalischen und photochemischen Grundlagen sowie der Beschreibung apparativer Hilfsmittel. Es schließt sich die durch beide Teilbände gehende „Revue" sehr vieler organischer Stoffklassen an, beginnend mit den Photoreaktionen der Stammverbindungen (Alkane, Alkene, Alkine, Aromaten und Heteroaromaten).

Es folgt die Beschreibung der Photoreaktionen der Verbindungen mit funktionellen Gruppen (Halogene, Alkohole, Äther, Acetale, Peroxyverbindungen und Nitrite [Barton-Reaktion]).

Im zweiten Teilband werden die Photoreaktionen der carbonylgruppen-haltigen Verbindungen (Aldehyde, Ketone, Enone, Chinone) sowie der Carbonsäuren (z. B. Friessche Umlagerung), Kohlensäure-Derivate und Ketene abgehandelt. Anschließend werden die photochemischen Reaktionen organischer Schwefel- und Stickstoffverbindungen sowie die aus Diazoverbindungen erhältlichen Carbene beschrieben. Andere elementorganische Verbindungen des Phosphors, Arsens, Siliciums, und Bors sowie die Kohlenstoff-Metallsysteme (metall-organische Verbindungen, Carbonyle), folgen.

Photooxidation und -reduktion und als Ergänzung die Beschreibung der Photopolymerisation sowie der Photochromie schließen sich an. Als Beispiel für die Bedeutung der Photochemie für die Biologie haben wir das Kapitel über Nucleinsäuren ausgewählt, da anderenfalls der Umfang des Gesamtbandes zu groß würde.

Nach einer ausführlichen Bibliographie wird, auch unter dem Gesichtspunkt einer nicht konventionellen Methode, eine kurze Übersicht des noch im Anfang der Entwicklung stehenden Gebietes der Plasmachemie gebracht.

Die außerordentliche Vielfalt der hier beschriebenen z. T. recht komplizierten Verbindungen gab Anlaß zu einer Aufteilung des Sachregisters in acyclische und cyclische sowie Bi- und Spiro-Verbindungen.

Jeder cyclischen Stammverbindung ist ein Formelsymbol mit Kernbezifferung und gegebenenfalls mit Kranznumerierung beigegeben. Zusätzlich ist noch ein Trivialnamenregister angelegt worden. Diese Sachregister verdanken wir Herrn Dr. PETER HARTTER, Tübingen.

Den zahlreichen Autoren, die sich an der Gestaltung dieser beiden Teilbände über präparative Photochemie organischer Verbindungen beteiligt haben, sind wir zu großem Dank verpflichtet.

Ferner danken wir den Direktionen der BASF – Ludwigshafen/Rhein sowie der AKZO Research Laboratories – Arnheim/Niederlande für ihre Mithilfe.

Dem Georg Thieme Verlag gebührt ebenfalls herzlicher Dank.

Tübingen, 18. November 1975   EUGEN MÜLLER
                                                               OTTO BAYER

Band IV/5 a*

Photochemie

Teil I

---

* Teil a enthält das Sachregister für beide Teilbände. In Teil b befinden sich das Gesamt-Autorenverzeichnis und das Sachregister für beide Teilbände.

Band IV/5b

Photochemie

Teil II

Zeitschriftenliste

Die Abkürzungen entsprechen der Sigelliste des „Beilstein", nur die mit * bezeichneten Abkürzungen sind der 2. Auflage der Periodica Chimica entnommen, die mit ° bezeichneten den Chemical Abstracts

A.	LIEBIGS Annalen der Chemie
Abh. dtsch. Akad. Wiss. Berlin, Kl. Math. allg. Naturwiss.	Abhandlungen der Deutschen Akademie der Wissenschaften zu Berlin. Klasse für Mathematik und Allgemeine Naturwissenschaften (seit 1950)
Abh. dtsch. Akad. Wiss. Berlin, Kl. Chem., Geol. Biol.	Abhandlungen der Deutschen Akademie der Wissenschaften zu Berlin. Klasse für Chemie, Geologie und Biologie. Berlin
Abstr. Kagaku-Kenkyū-Jo Hōkoku	Abstracts from Kagaku-Kenkyū-Jo Hōkoku (Reports of the Scientific Research Institute, seit 1950)
Abstr. Rom. Tech. Lit.	Abstracts of Roumanian Technical Literature, Bukarest
Accounts Chem. Res.	Accounts of Chemical Research, Washington
A.ch.	Annales de Chimie, Paris
Acta Acad. Åbo	Acta Academiae Aboensis, Finnland Turku
Acta Biochim. Pol.	Acta Biochimica Polonica, Warszawa
Acta chem. scand.	Acta Chemica Scandinavica, Kopenhagen, Dänemark
Acta chim. Acad. Sci. hung.	Acta Chimica Akademiae Scientiarum Hungaricae, Budapest
Acta Chim. Sinica	Acta Chimica Sinica (Ha Hsüeh Hsüeh Pao; seit 1957), Peking
Acta Cient. Venez.	Acta Cientifica Venezolana, Caracas
Acta crystallogr.	Acta Crystallographica [Copenhagen] (bis 1951: [London])
Acta crystallogr., Sect. A	Acta Crystallographica, Section A, London
Acta crystallogr., Sect. B	Acta Crystallographica, Section B, London
Acta Histochem.	Acta Histochemica, Jena
Acta Histochem., Suppl.	Acta Histochemica (Jena), Supplementum
Acta Hydrochimica et Hydrobiologica	Acta Hydrochemica et Hydrobiologica, Berlin
Acta latviens. Chem.	Acta Universitatis Latviensis, Chemicorum Ordinis Series. Riga
Acta pharmc. int. [Copenhagen]	Acta Pharmaceutica Internationalia [Copenhagen]
Acta pharmacol. toxicol.	Acta Pharmacologica et Toxicologica, Kopenhagen
Acta Pharm. Hung.	Acta Pharmaceutica Hungarica, Budapest (seit 1949)
Acta Pharm. Yugoslav.	Acta Pharmaceutica Yugoslavica, Zagreb
Acta Pharm. Suecica	Acta Pharmaceutica Suecica, Stockholm
Acta physicoch. URSS	Acta Physicochimica URSS
Acta physiol. scand.	Acta Physiologica Scandinavica
Acta physiol. scand. Suppl.	Acta Physiologica Scandinavica. Supplementum
Acta phytoch.	Acta Phytochimica, Tokyo
Acta polon. pharmac.	Acta Poloniae Pharmaceutica (bis 1939 und seit 1947)
Advan. Alicyclic Chem.	Advances in Alicyclic Chemistry, New York
Advan. Appl. Microbiol.	Advances in Applied Microbiological, New York
Advan. Biochem. Engng.	Advances in Biochemical Engineering, Berlin
Advan. Carbohydr. Chem. and Biochem.	Advances in Carbohydrate Chemistry and Biochemistry, New York
Advan. Catal.	Advances in Catalysis and Related Subjects, New York
Advan. Chem. Ser.	Advances in Chemistry Series, Washington
Advan. Food Res.	Advances in Food Research, New York
Adv. Biol. Med. Phys.	Advances in Biological and Medical Physics, New York
Adv. Carbohydrate Chem.	Advances in Carbohydrate Chemistry
Adv. Chromatogr.	Advances in Chromatography, New York
Adv. Colloid Int. Sci.	Advance in Colloid and Interface Science, Amsterdam
Adv. Drug Res.	Advance in Drug Research, New York
Adv. Enzymol.	Advances in Enzymology and Related Subjects of Biochemistry, New York
Adv. Fluorine Chem.	Advances in Fluoroine Chemistry, London
Adv. Free Radical Chem.	Advances in Free Radical Chemistry, London

Adv. Heterocyclic Chem.	Advances in Heterocyclic Chemistry, New York
Adv. Macromol. Chem.	Advances in Macromolecular Chemistry, New York
Adv. Magn. Res.	Advances in Magnetic Resonance, England
Adv. Microbiol. Phys.	Advances in Microbiological Physiology, New York
Adv. Org. Chem.	Advances in Organic Chemistry: Methods and Results, New York
Adv. Organometallic Chem.	Advances in Organometallic Chemistry, New York
Adv. Photochem.	Advances in Photochemistry, New York, London
Adv. Protein Chem.	Advances in Protein Chemistry, New York
Adv. Ser.	Advances in Chemistry Series, Washington
Adv. Steroid Biochem. Pharm.	Advances in Steroid Biochemistry and Pharmacology, London/New York
Adv. Urethane Sci. Techn.	Advances in Urethane Science and Technology, Westport, Conn.
Afinidad	Afinidad [Barcelona]
Agents in Actions	Agents in Actions, Basel
Agr. and Food Chem.	Journal of Agricultural and Food Chemistry, Washington
Agr. Biol.-Chem. (Tokyo)	Agricultural and Biological Chemistry, Tokyo
Agr. Chem.	Agricultural Chemicals Baltimore
Agrochimica	Agrochimica, Pisa
Agrokem. Talajtan	Agrokémia és Talajtan (Agrochemie und Bodenkunde), Budapest
Agrokhimiya	Agrokhimiya i Gruntoznavslvo (Agricultural Chemistry and Soil Science), Kiew
Agron. J.	Agronomy Journal, United States (seit 1949)
Aiche J. (A. I. Ch. E.)	American Institute of Chemical Engineers Journal, New York
Allg. Öl- u. Fett-Ztg.	Allgemeine Öl- und Fett-Zeitung, Berlin (1943 vereinigt mit Seifensieder-Ztg., Abkürzung nach Periodica Chimica)
Am.	American Chemical Journal, Washington
A. M. A. Arch. Ind. Health	A. M. A. Archives of Industrial Health (seit 1955)
Am. Dyest. Rep.	American Dyestuff Reporter, New York
Amer. ind. Hyg. Assoc. Quart.	American Industrial Hygiene Association Quarterly, Chicago
Amer. J. Physics	American Journal of Physics, New York
Amer. Petroleum Inst. Quart.	American Petroleum Institute Quarterly, New York
Amer. Soc. Testing Mater.	American Society for Testing Materials, Philadelphia, Pa.
Amino-acid, Peptide Prot. Abstr.	Amino-acid, Peptide and Protein Abstratcs, London
Am. Inst. Chem. Engrs.	American Institute of Chemical Engineers, New York
Am. J. Pharm.	American Journal of Pharmacy (bis 1936) Philadelphia
Am. J. Physiol.	American Journal of Physiology, Washington
Am. J. Sci.	American Journal of Science, New Haven, Conn.
Am. Perfumer	Americ. Perfumer and Essential Oil Reviews (1936–1939: American Perfumer, Cosmetics, Toilet Preparations)
Am. Soc.	Journal of the American Chemical Society, Washington
Anal. Abstr.	Analytical Abstracts, Cambridge (seit 1954)
Anal. Biochem.	Analytical Biochemistry, New York
Anal. Chem.	Analytical Chemistry (seit 1947), Washington
Anal. chim. Acta	Analytica Chimica Acta, Amsterdam
Anales Real Soc. Espan. Fis. Quim (Madrid)	Anales de la Real Sociedad Española de Fisica y Química, Madrid (seit 1936)
Analyst	The Analyst, Cambridge
An. Asoc. quím. arg.	Anales de la Asociación Química Argentina, Buenos Aires
An. Farm. Bioquím. Buenos Aires	Anales de Farmacia y Bioquímica, Buenos Aires
An. Fis.	Anales de la Real Sociedad Española de Fisica y Química, Series A, Madrid
Ang. Ch.	Angewandte Chemie (bis 1931: Zeitschrift für angewandte Chemie); engl.: Angew. Chem. Intern. Ed. Engl. Angewandte Chemie Internationale Edition in Englisch (seit 1962), Weinheim, New York, London
Angew. Makromol. Chem.	Angewandte Makromolekulare Chemie, Basel
Anilinfarben-Ind.	Анилинокрасочная Промышленность (Anilinfarben-Industrie), Moskau
Ann. Acad. Sci. fenn.	Annales Academiae Sicientiarum Fennicae, Helsinki
Ann. Chim. anal.	Annales de Chimie Analytique (1942–1946), Paris
Ann. Chim. anal. appl.	Annales de Chimie Analytique et de Chimie Appliquée (bis 1941), Paris
Ann. Chim. applic.	Annali di Chimica Applicata (bis 1950), Rom
Ann. chim. et phys.	Annales de chimie et de physique (bis 1941), Paris
Ann. Chimica	Annali di Chimica (seit 1950), Rom
Ann. chim. farm.	Annali di chimica farmaceutica (1938–1940), Rom

Ann. Fermentat.	Annales des Fermentations, Paris
Ann. Inst. Pasteur	Annales de l'Institut Pasteur, Paris
Ann. Med. Exp. Biol. Fennicae (Helsinki)	Annales Medicinae Experimentalis et Biologiae Fennicae, Helsinki (seit 1947)
Ann. N. Y. Acad. Sci.	Annals of the New York Academy of Sciences, New York
Ann. pharm. Franç.	Annales Pharmaceutiques Françaises (seit 1943), Paris
Ann. Phys. (New York)	Annals of Physics, New York
Ann. Physik	Annalen der Physik (bis 1943 und seit 1947), Leipzig
Ann. Physique	Annales des Physique, Paris
Ann. Rep. Med. Chem.	Annual Reports on Medicinal Chemistry, New York
Ann. Rep. Org. Synth.	Annual Reports on Organic Synthesis, New York
Ann. Rep. Progr. Chem.	Annual Reports on the Progress of Chemistry, London
Ann. Rev. Biochem.	Annual Review of Biochemistry, Stanford, Calif.
Ann. Rev. NMR Spectr.	Annual Reports of NMR Spectroscopy, London
Ann. Rev. Inf. Sci. Techn.	Annual Review of Information Science and Technology, Chicago
Ann. Rev. phys. Chem.	Annual Review of Physical Chemistry, Palo Alto, Calif.
Ann. Soc. scient. Bruxelles	Annales des la Société Scientifique des Bruxelles, Brüssel
Annu. Rep. Progr. Rubber	Annual Report on the Progress of Rubber Technology, London
Annu. Rep. Shionogi Res. Lab. [Osaka]	Annual Reports of Shionogi Research Laboratory [Osaka]
An. Quím.	Anales de la Real Española de Física y Química, Serie B, Madrid
An. Soc. españ. [A] bzw. [B]	Anales des la Real Española de Fisica y Química (1940–1947 Anales d, Física y Química). Seit 1948 geteilt in: Serie A-Física. Serie B-Química Madrid
An. Soc. cient. arg.	Anales de la Sociedad Cientifica Argentina, Santa Fé (Argentinien)
Antibiot. Chemother.	Antibiotics and Chemotherapy, New York
Antibiotiki (Moscow)	Антибиотики, Antibiotiki (Antibiotika), Moskau
Antimicrob. Agents Chemoth.	Antimicrobial Agents and Chemotherapy, Bethesda, Md.
Appl. Microbiol.	Applied Microbiology, Baltimore, Md.
Appl. Physics	Applied Physics, Berlin
Appl. Polymer Symp.	Applied Polymer Symposia, New York
Appl. scient. Res.	Applied Scientific Research, Den Haag
Appl. Sci. Res. Sect. A u. B	Applied Scientific Research, Den Haag A. Mechanics, Heat, Chemical Engineering, Mathematical Methods B. Electrophysics, Acoustics, Optics, Mathematical Methods
Appl. Spectrosc.	Applied Spectroscopy, Chestnut Hill, Mass.
Ar.	Archiv der Pharmazie (und Berichte der Deutschen Pharmazeutischen Gesellschaft), Weinheim/Bergstr.
Arch. Biochem.	Archives of Biochemistry and Biophysics (bis 1951: Archives of Biochemistry), New York
Arch. des Sci.	Archives des Sciences (seit 1948), Genf
Arch. Environ. Health	Archives of Environmental Health, Chicago (seit 1960)
Arch. Intern. Physiol. Biochim.	Archives Internationales de Physiologie et de Biochimie (seit 1955), Liège
Arch. Math. Naturvid.	Archiv for Mathematik og Naturvidenskab, Oslo
Arch. Mikrobiol.	Archiv für Mikrobiologie (bis 1943 und seit 1948), Berlin
Arch. Pharm. Chemi	Archiv for Pharmaci og Chemi, Kopenhagen
Arch. Phytopath. Pflanzensch.	Archiv für Phytopathologie und Pflanzenschutz, Berlin
Arch. Sci. phys. nat.	Archives des Sciences Physiques et Naturelles. Genf (bis 1947)
Arch. techn. Messen	Archiv für Technisches Messen (bis 1943 und seit 1947), München
Arch. Toxicol.	Archiv für Toxikologie, Berlin, Göttingen, Heidelberg (seit 1954)
Arh. Kemiju	Arhiv za Kemiju, Zagreb (Archives de Chimie) (seit 1946)
Ark. Kemi	Arkiv för Kemi, Mineralogie och Geologi, seit 1949 Arkiv för Kemi (Stockholm)
Arm. Khim. Zh.	Армянский Химический журнал, Armyanskii Khimicheskii Zhurnal (Armenian Chemical Journal) ErewanUdSSR
Ar. Pth.	(NUUNYN-SCHMIEDEBERGS) Archiv für Experimentelle Pathologie und Pharmakologie, Berlin-W.
Arzneimittel-Forsch.	Arzneimittel-Forsch, Aulendorf/Württ.
ASTM Bull.	ASTM (American Society for Testing Materials) Bulletin, Philadelphia
ASTM Spec. Techn. Publ.	ASTM (American Society for Testing Materials). Technical Publications New York

Atti Accad. naz. Lincei, Mem., Cl. Sci. fisiche, mat. natur., Sez. I, II bzw. III	Atti della Accademia Nazionale dei Lincei. Memorie. Classe di Scienze Fisiche, Matematiche e Naturali. Sezione I (Matematica, Meccanica, Astronomia, Geodesia e Geofisica). Sezione II (Fisica, Chimica, Geologia, Paleontologia e Mineralogia). Sezione III (Scienze Biologiche) (seit 1946), Turin
Atti Accad. naz. Lincei, Rend., Cl. Sci. fisiche, mat. natur.	Atti della Accademia Nazionale dei Lincei. Rendiconti. Classe di Scienze Fisiche, Matematiche e Naturali (seit 1946), Rom
Aust. J. Biol. Sci.	Australian Journal of Biological Sciences (seit 1953), Melbourne
Austral. J. Chem.	Australian Journal of Chemistry (seit 1952), Melbourne
Austral. J. Sci.	Australian Journal of Science, Sydney
Austral. J. scient. Res., [A] bzw. [B]	Australien Journal of Scientific Research. Series A. Physical Sciences. Series B. Biological Sciences, Melbourne
Austral. P.	Australisches Patent, Canberra
Azerb. Khim. Zh.	Азербайджанский Химический Журнал Azerbaidschanisches Chemisches Journal

B.	Berichte der Deutschen Chemischen Gesellschaft; seit 1947; Chemische Berichte, Weinheim/Bergstr.
Belg. P.	Belgisches Patent, Brüssel
Ber. Bunsenges. Phys. Chem.	Berichte der Bunsengesellschaft, Physikalische Chemie, Heidelberg (bis 1952)
Ber. chem. Ges. Belgrad	Berichte der Chemischen Gesellschaft Belgrad (Glassnik Chemisskog Druschtwa Beograd, seit 1940), Belgrad
Ber. Ges. Kohlentechn.	Berichte der Gesellschaft für Kohlentechnik (Dortmund-Eving)
Biochem.	Biochemistry, Washington
Biochem. biophys. Acta	Biochimica et biophysica Acta, Amsterdam
Biochem. Biophys. Research Commun.	Biochemical and Biophysical Research Communications, New York
Biochem. J. (London)	The Biochemical Journal, London
Biochem. J. (Kiew)	Biochemical Journal, Kiew, Ukraine
Biochem. Med.	Biochemical Medicine, New York
Biochem. Pharmacol.	Biochemical Pharmacology, London
Biochem. Prepar.	Biochemical Preparations, New York
Biochem. Soc. Trans.	Biochemical Society Transactions, London
Biochimiya	Биохимия (Biochimia)
Biodynamica	Biodynamica, Normandy, Mo., USA
Biofizika	Биофизика (Biophysik), Moskau
Biopolymers	Biopolymers, New York
BIOS Final Rep.	British Intelligence Objectives Subcommittee, Final Report
Bio. Z.	Biochemische Zeitschrift (bis 1944 und seit 1947)
Bitumen, Teere, Asphalte, Peche	Bitumen, Teere, Asphalte, Peche und verwandte Stoffe, Heidelberg
Bl.	Bulletin de la Société Chimique de France, Paris
Bl. Acad. Belgique	Académie Royale de Belgique: Bulletins de la Classe des Sciences, Brüssel
Bl. Acad. Polon.	Bulletin International de l'Académie Polonaise des Sciences et des Lettres, Classe des Sciences Mathématiques et Naturelles, Krakau
Bl. agric. chem. Soc. Japan	Bulletin of the Agricultural Chemical Society of Japan, Tokio
Bl. am. phys. Soc.	Bulletin of the American Physical Society, Lancaster, Pa.
Bl. chem. Soc. Japan	Bulletin óf the Chemical Society of Japan, Tokio
Bl. Soc. chim. Belg.	Bulletin de la Société Chimique des Belgique (bis 1944), Brüssel
Bl. Soc. Chim. biol.	Bulletin des la Société de Chimie Biologique, Paris
Bl. Soc. Chim. ind.	Bulletin de la Société de Chimie Industrielle (bis 1934), Paris
Bl. Trav. Pharm. Bordeaux	Bulletin des Travaux de la Société de Pharmacie de Bordeaux
Bol. inst. quím. univ. nal. auton. Mé.	Boletin del instituto de química de la universidad nacional autonoma de México
Boll. chim. farm.	Bolletino chimico farmaceutico, Mailand
Boll. Lab. Chim. Prov. Bologna	Bolletino dei Laboratori Chimici, Provinciali, Bologna
Bol. Soc. quím. Perú	Boletin de la Sociedad Química del Perú, Lima (Peru)
Botyu Kagaku	Bulletin of the Institute of Insect Control (Kyoto), (Scientific Insect Control)
B. Ph. P.	Beiträge zur Chemischen Physiologie und Pathologie
Brennstoffch.	Brennstoff-Chemie (bis 1943 und seit 1949), Essen
Brit. Chem. Eng.	British Chemical Engineering, London

Brit. J. appl. Physics	British Journal of Applied Physics, London
Brit. J. Cancer	British Journal of Cancer, London
Brit. J. Industr. Med.	British Journal of Industrial Medicine, London
Brit. J. Pharmacol.	British Journal of Pharmacology and Chemotherapy, London
Brit. P.	British Patent, London
Brit· Plastics	British Plastics (seit 1945), London
Brit. Polym. J.	British Polymer Journal, London
Bull. inst. politeh. Jasi	Buletinul institutuluí politehnic din Jasi (ab 1955 mit Zusatz [NF])
Bull. Laboratorarelor	Buletinul Laboratorarelor, Bukarest
Bull. Acad. Polon. Sic., Ser. Sci. Chim. Geol. Geograph. bzw. Ser. Sci. Chim.	Bulletin de l'Académie Polonaise des Sciences, Serie des Sciences, Chimiques, Geologiques et Géographiques (seit 1960 geteilt in ... Serie des Sciences Chimiques und ... Serie des Sciences Geologiques et Géographiques), Warschau
Bull. Acad. Sci. URSS, Div. Chem. Sci.	Izwestija Akademii Nauk. SSSR (Bulletin de l'Académie des Sciences de URSS), Moskau, Leningrad (bis 1936)
Bull. Environ. Contamin. Toxicol.	Bulletin of Environmental Contamination and Toxicology, Berlin/New York
Bull. Inst. Chem. Research, Kyoto Univ.	Bulletin of the Institute for Chemical Research, Kyoto University (Kyoto Daigaku Kagaku Kenkyûsho Hôkoku), Takatsoki, Osaka
Bull. Research Council Israel	Bulletin of the Research Council of Israel, Jerusalem
Bull. Research Inst. Food Sci., Kyoto Univ.	Bulletin of the Research Institute for Food Science, Kyoto University (Kyoto Daigaku Shokuryô-Kagaku Kenkyujo Hôkoku), Fukuoka, Japan
Bull. Soc. roy. Sci. Liège	Bulletin de la Société Royale des Sciences de Liège, Brüssel
C.	Chemisches Zentralblatt, Weinheim/Bergstr.
C. A.	Chemical Abstracts, Washington
Canad. chem. Processing	Canadian Chemical Processing, Toronto, Canada
Canad. J. Chem.	Canadian Journal of Chemistry, Ottawa, Canada
Canad. J. Physics	Canadian Journal of Physics, Ottawa, Canada
Canad. J. Res.	Canadian Journal of Research (bis 1950), Ottawa, Canada
Canad. J. Technol.	Canadian Journal of Technology, Ottawa, Canada
Canad. P.	Canadisches Patent
Cancer (Philadelphia)	Cancer (Philadelphia), Philadelphia
Cancer Res.	Cancer Research, Chicago
Can. Chem. Process.	Canadian Chemical Processing, Toronto (seit 1951)
Can. J. Biochem.	Canadian Journal of Biochemistry, Ottawa
Can. J. Biochem. Physiol.	Canadian Journal of Biochemistry and Physiology, Ottawa (seit 1954)
Can. J. Chem. Eng.	Canadian Journal of Chemical Engineering, Ottawa (seit 1957)
Can. J. Microbiol.	Canadian Journal of Microbiology, Ottawa
Can. J. Pharm. Sci.	Canadian Journal of Pharmaceutical Sciences, Toronto
Can. J. Plant, Sci.	Canadian Journal of Plant Science, Ottawa (seit 1957)
Can. J. Soil Sci.	Canadian Journal of Soil Science, Ottawa (seit 1957)
Carbohyd. Chem.	Carbohydrate Chemistry, London
Carbohyd. Chem. Metab. Abstr.	Carbohydrate Chemistry and Metabolism Abstracts, London
Carbohyd. Res.	Carbohydrate Research, Amsterdam
Catalysis Rev.	Catalysis Review, New York
Cereal Chem.	Cereal Chemistry, St. Paul, Minnesota
Česk. Farm.	Česhoslovenska Farmacie, Prag
Ch. Apparatur	Chemische Apparatur (bis 1943), Berlin
Chem. Age India	Chemical Age of India
Chem. Age London	Chemical Age, London
Chem. Age N. Y.	Chemical Age, New York
Chem. Anal.	Organ Komisjii Analitycznej Komitetu Nauk Chemicznych PAN, Warschau
Chem. Brit.	Chemistry in Britain, London
Chem. Commun.	Chemical Communications, London
Chem. Econ. & Eng. Rev.	Chemical Economy and Engineering Review, Tokyo
Chem. Eng.	Chemical Engineering with Chemical and Metallurgical Engineering (seit 1946), New York
Chem. Eng. (London)	Chemical Engineering Journal, London
Chem. eng. News	Chemical and Engineering News (seit 1943), Washington

Chem. Eng. Progr.	Chemical Engineering Progress, Philadelphia, Pa.
Chem. Eng. Progr., Monograph Ser.	Chemical Engineering Progress. Monograph Series, New York
Chem. Eng., Progr., Symposium Ser.	Chemical Engineering Progress. Symposium Series, New York
Chem. eng. Sci.	Chemical Engineering Science, London
Chem. High Polymers (Tokyo)	Chemistry of High Polymers (Tokyo) (Kobunshi Kagaku), Tokio
Chemical Ind. (China)	Chemical Industry [China], Peking
Chemie-Ing.-Techn.	Chemie-Ingenieur-Technik (seit 1949), Weinheim/Bergstr.
Chemie in unserer Zeit	Chemie in unserer Zeit, Weinheim/Bergstr.
Chemie Lab. Betr.	Chemie für Labor und Betrieb, Frankfurt/Main
Chemie Prag	Chemie (Praha), Prag
Chemie und Fortschritt	Chemie und Fortschritt, Frankfurt/Main
Chem. & Ind.	Chemistry & Industry, London
Chem. Industrie	Chemische Industrie, Düsseldorf
Chem. Industries	Chemical Industries, New York
Chem. Inform.	Chemischer Informationsdienst, Leverkusen
Chemist-Analyst	Chemist-Analyst, Philipsburg, New York, New Jersey
Chem. Letters	Chemistry Letters, Tokyo
Chem. Listy	Chemické Listy pro Vědu a Průmysl. Prag (Chemische Blätter für Wissenschaft und Industrie); seit 1951 Chemické Listy, Prag
Chem. met. Eng.	Chemical and Metallurgical Engineering (bis 1946), New York
Chem. N.	Chemical News and Journal of Industrial Science (1921–1932), London
Chemorec. Abstr.	Chemoreception Abstracts, London
Chemosphere	Chemosphere, London
Chem. pharmac. Techniek	Chemische en Pharmaceutische Techniek, Dordrecht
Chem. Pharm. Bull. (Tokyo)	Chemical & Pharmaceutical Bulletin (Tokyo)
Chem. Process Engng.	Chemical and Process Engineering, London
Chem. Processing	Chemical Processing, London
Chem. Products chem. News	Chemical Products and the Chemical News, London
Chem. Průmysl	Chemický Průmysl, Prag (Chemische Industrie, seit 1951), Prag
Chem. Rdsch. [Solothurn]	Chemische Rundschau [Solothurn]
Chem. Reviews	Chemical Reviews, Baltimore
Chem. Scripta	Chemical Scripta, Stockholm
Chem. Senses & Flavor	Chemical Senses and Flavor, Dordrecht/Boston
Chem. Soc. Rev.	Chemical Society Reviews, London (formerly Quarterly Reviews)
Chem. Tech. (Leipzig)	Chemische Technik, Leipzig (seit 1949)
Chem. Techn.	Chemische Technik, Berlin
Chem. Technol.	Chemical Technology, Easton/Pa.
Chem. Trade J.	Chemical Trade Journal and Chemical Engineer, London
Chem. Umschau, Gebiete, Fette, Öle, Wachse, Harze (ab 1933: Fettchemische Umschau)	Chemische Umschau auf dem Gebiete der Fette, Öle, Wachse und Harze (bis 1933)
Chem. Week	Chemical Week, New York
Chem. Weekb.	Chemisch Weekblad, Amsterdam
Chem. Zvesti	Chemické Zvesti (tschech.). Chemische Nachrichten, Bratislawa
Chim. anal.	Chimie analytique (seit 1947), Paris
Chim. Anal. (Bukarest)	Chimie Analitica, Bukarest
Chim. Chronika	Chimika Chronika, Athen
Chim. et Ind.	Chimie et Industrie, Paris
Chim. farm. Ž.	Chimiko-farmazevtičeskij Žurnal, Moskau
Chim. geterocikl. Soed.	Химия гетеродиклиьнских соединий (Die Chemie der heterocyclischen Verbindungen), Riga
Chimia	Chimia, Zürich
Chimicae Ind.	Chimica e L'Industria, Mailand (seit 1935)
Chim. Therap.	Chimica Therapeutica, Arcueil
Ch. Z.	Chemiker-Zeitung, Heidelberg
CIOS Rep.	Combinde Intelligence Objectives Sub-Committee Report
Clin. Chem.	Clinical Chemistry, New York
Clin. Chim. Acta	Clinica Chimica Acta, Amsterdam
Clin. Sci.	Clinical Science, London
Collect. czech. chem. Commun.	Collection of Czechoslovak Chemikal Communications (seit 1951), Prag

Collect. Pap. Fac. Sci., Osaka Univ. [C]	Collect Papers from the Faculty of Science, Osaka University, Osaka, Series C, Chemistry (seit 1943)
Collect. pharmac. suecica	Collectanea Pharmaceutica, Suecica, Stockholm
Collect. Trav. chim. Tchécosl.	Collection des Travaux Chimiques de Tchécoslovaquie (bis 1939 und 1947–1951; 1939: . . . Tschèques), Prag
Colloid Chem.	Colloid Chemistry, New York
Comp. Biochem. Physiol.	Comparative Biochemistry and Physiology, London
Coord. Chem. Rev.	Coordination Chemistry Reviews, Amsterdam
C. r.	Comptes Rendus Hebdomadaires des Séances de l'Académie des Sciences, Paris
C. r. Acad. Bulg. Sci.	Доклады Болгарской Академии Наук (Comptes rendus de l'académie bulgare des sciences)
Crit. Rev. Tox.	Critical Reviews in Toxicology, Cleveland/Ohio
Croat. Chem. Acta	Croatica Chemica Acta, Zagreb
Curr. Sci.	Current Science, Bangalore
Dän. P.	Dänisches Patent
Dansk Tidsskr. Farm.	Dansk Tidsskrift for Farmaci, Kopenhagen
DAS.	Deutsche Auslegeschrift = noch nicht erteiltes DBP. (seit 1. 1. 1957). Die Nummer der DAS. und des später darauf erteilten DBP. sind identisch
DBP.	Deutsches Bundespatent (München, nach 1945, ab Nr. 800000)
DDRP.	Patent der Deutschen Demokratischen Republik (vom Ostberliner Patentamt erteilt)
Dechema Monogr.	Dechema Monographien, Weinheim/Bergstr.
Delft Progr. Rep.	Delft Progress Report (A: Chemistry and Physics, Chemical and Physical Engineering), Groningen
Die Nahrung	Die Nahrung (Chemie, Physiologie, Technologie), Berlin
Discuss. Faraday Soc.	Discussions of the Faraday Society, London
Dissertation Abstr.	Dissertation Abstracts Ann Arbor, Michigan
Doklady Akad. SSSR	Доклады Академии Наук СССР (Comptes Rendus de l'Académie des Sciences de l'URSS), Moskau
Dokl. Akad. Nauk Arm. SSR	Доклады Академии Наук Армянской ССР Doklady Akademii Nauk Armjanskoi SSR (Berichte der Akademie der Wissenschaften der Armenischen SSR), Erewan
Dokl. Akad. Nauk Azerb. SSR	Доклады Академии Наук Азербайджанской ССР Doklady Akademii Nauk Azerbaidshanskoi SSR (Berichte der Akademie der Wissenschaften der Azerbaidschanischen SSR), Baku
Dokl. Akad. Nauk Beloruss. SSR	Д. А. Н. Белорусской ССР Doklady Akademii Nauk Belorusskoi SSR (Berichte der Akademie der Wissenschaften der Belorussischen SSR), Minsk
Dokl. Akad. Nauk SSSR	Д. А. Н. Советской ССР Doklady Akademii Nauk Sowjetskoi SSR (Berichte der Akademie der Wissenschaften der Vereinigten SSR), Moskau
Dokl. Akad. Nauk Tadzh. SSR	Д. А. Н. Таджикской ССР Doklady Akademii Nauk Tadshikskoi SSR (Berichte der Akademie der Wissenschaften der Tadshikischen SSR)
Dokl. Akad. Nauk Uzb. SSR	Д. А. Н. Узбекской ССР Doklady Akademii Nauk Uzbekskoi SSR (Berichte der Akademie der Wissenschaften der Uzbekischen SSR), Taschkent
Dokl. Bolg. Akad. Nauk	Доклады Болгарской Академии Наук Doklady Bolgarskoi Akademii Nauk (Berichte der Bulgarischen Akademie der Wissenschaften), Sofia
Dopov. Akad. Nauk Ukr. RSR, Ser. A u. B	Доповиди Академии Наук Украинськой РСР Dopowidi Akademii Nauk Ukrainskoi RSR (Berichte der Akademie der Wissenschaften der Ukrainischen RSR), Kiew Serie A und B
DOS	Deutsche Offenlegungsschrift (ungeprüft)
DRP.	Deutsches Reichspatent (bis 1945)
Drug Cosmet. Ind.	Drug and Cosmetic Industry, New York
Dtsch. Apoth. Ztg.	Deutsche Apotheker-Zeitung (1934–1945), seit 1950: vereinigt mit Süddeutsche Apotheker-Zeitung, Stuttgart
Dtsch. Farben-Z.	Deutsche Farben-Zeitschrift (seit 1951), Stuttgart
Dtsch. Lebensmittel-Rdsch.	Deutsche Lebensmittel-Rundschau, Stuttgart
Dyer Textile Printer	Dyer, Textile Printer, Bleacher and Finisher (seit 1934; bis 1934: Dyer and Calico Printer, Bleacher, Finisher and Textile Review), London

Electroanal. Chemistry	Electroanalytical Chemistry, New York
Endeavour	Endeavour, London
Endocrinology	Endocrinology, Boston, Mass.
Endokrinologie	Endokrinologie, Leipzig (1943–1949 unterbrochen)
Environ. Sci. Technol.	Environmental Science and Technology, England
Enzymol.	Enzymologia (Holland), Den Haag
Erdöl Kohle	Erdöl und Kohle (seit 1948), Hamburg
Erdöl, Kohle, Erdgas, Petrochem.	Erdöl und Kohle – Erdgas – Petrochemie, Hamburg, (seit 1960)
Ergebn. Enzymf.	Ergebnisse der Enzymforschung, Leipzig
Ergebn. exakt. Naturwiss.	Ergebnisse der exakten Naturwissenschaften, Berlin
Ergebn. Physiol.	Ergebnisse der Physiologie, Biologischen Chemie und Experimentellen Pharmakologie, Berlin
Europ. J. Biochem.	European Journal of Biochemistry, Berlin, New York
Eur. Polym. J.	European Polymer Journal, Amsterdam
Experientia	Experientia (Basel)
Experientia, Suppl.	Experientia, Supplementum, Basel
Farbe Lack	Farbe und Lack (bis 1943 und seit 1947) Hannover
Farmac. Glasnik	Farmaceutski Glasnik, Zagreb (Pharmazeutische Berichte)
Farmacia (Bucharest)	Farmacia (Bucuresti), Bukarest
Farmaco. Ed. Prat.	Farmaco Edizione Pratica, Pavia
Farmaco (Pavia), Ed. sci.	Il Farmaco (Pavia), Edizione scientifica
Farmac. Revy	Farmacevtisk Revy, Stockholm
Farmakol. Toksikol. (Moscow)	Фармакология и Токсикология (Farmakologija i Tokssikologija) Pharmakologie und Toxikologie, Moskau
Farmatsiya (Moscow)	(фармация), Farmatsiya, Moskau
Farm. sci. e tec. (Pavia)	Il Farmaco, scienza e tecnica (bis 1952), Pavia
Farm. Zh. (Kiev)	Фармацевтичний Журнал (Київ) Farmaziewtischni Zurnal (Kiew), (Pharmazeutisches Journal, Kiew)
Faserforsch. u. Textiltechn.	Faserforschung und Textiltechnik, Berlin
FEBS Letters	Federation of European Biochemical Societies, Amsterdam
Federation Proc.	Federation Proceedings, Washington, D. C.
Fette, Seifen, Anstrichmittel	Fette, Seifen, Anstrichmittel (verbunden mit „Die Ernährungsindustrie") (früher häufige Änderung des Titels), Hamburg
FIAT Final Rep.	Field Information Agency, Technical, United States, Group Control Council for Germany, Final Report
Fibre Chem.	Fibre Chemistry, London
Fibre Sci. Techn.	Fibre Science and Technology, Barking/Essex
Finn. P.	Finnisches Patent
Finska Kemistsamf. Medd.	Finska Kemistsamfundets Meddelanden (Suomen Kemistiseuran Tiedonantoja), Helsingfors
Fiziol. Zh. (Kiev)	Физиологичний Журнал (Київ) Fisiologitschnii Zurnal (Kiew) (Physiologisches Journal (Kiew)
Fiziol. Zh. SSSR im. I. M. Sechenova	Физиологический Журнал СССР имени И. М. Сеченова (Fisiologitschesskii Žurnal SSSR imeni I. M. Setschenowa) Setschenow Journal für Physiologie der UdSSR, Moskau
Fluorine Chem. Rev.	Fluorine Chemistry Reviews, New York
Food	Food, London
Food Engng.	Food Engineering (seit 1951), New York
Food Manuf.	Food Manufacture (seit 1939 Food Manufacture, Incorporating Food Industries Weekly), London
Food Packer	Food Packer (seit 1944), Chicago
Food Res.	Food Research, Champaign. Ill.
Formosan Sci.	Formosan Science, Taipeh
Fortschr. chem. Forsch.	Fortschritte der Chemischen Forschung, New York, Berlin
Fortschr. Ch. org. Naturst.	Fortschritte der Chemie Organischer Naturstoffe, Wien
Fortschr. Hochpolymeren-Forsch.	Fortschritte der Hochpolymeren-Forschung, Berlin
Frdl.	Fortschritte der Teerfarbenfabrikation und verwandter Industriezweige. Begonnen von P. FRIEDLÄNDER, fortgeführt von H. E. FIERZ-DAVID, Berlin
Fres.	Zeitschrift für Analytische Chemie (von C. R. FRESENIUS), Berlin
Fr. P.	Französisches Patent

Fr. Pharm.	France-Pharmacie, Paris
Fuel	Fuel in Science and Practice; ab 1948: Fuel, London
G.	Gazzetta Chimica Italiana, Rom
Gas Chromat.-Mass.-Spectr. Abstr.	Gas Chromatography - Mass-Spectrometry Abstracts, London
Gazow. Prom.	Газовая Промышленность Gasowaja Promychlenost (Gas-Industrie), Moskau
Génie chim.	Génie chimique, Paris
Gidroliz. Lesokhim. Prom.	Гидролизная и Лесохимическая Промышленность Gidrolisnaja i Lessochimitscheskaja Promyschlennost (Hydrolysen- und Holzchemische Industrie), Moskau
Gmelin	GMELIN Handbuch der anorganischen Chemie, Verlag Chemie, Weinheim
Helv.	Helvetica Chimica Acta, Basel
Helv. phys. Acta	Helvetica Physica Acta, Basel
Helv. Phys. Acta Suppl.	Helvetica Physica Acta, Supplementum, Basel
Helv. physiol. pharmacol. Acta	Helvetica Physiologica et Pharmacologica Acta, Basel
Henkel-Ref.	Henkel-Referate, Düsseldorf
Heteroc. Sendai	Heterocycles Sendai
Histochemie	Histochemie, Berlin, Göttingen, Heidelberg
Holl. P.	Holländisches Patent
Hoppe-Seyler	HOPPE-SEYLERS Zeitschrift für Physiologische Chemie, Berlin
Hormone Metabolic Res.	Hormone and Metabolic Research, Stuttgart
Hua Hsueh	Hua Hsueh, Peking
Hung. P.	Ungarisches Patent
Hydrocarbon, Proc.	Hydrocarbon Processing, England
Immunochemistry	Immunochemistry, London
Ind. Chemist	Industrial Chemist and Chemical Manufactorer, London
Ind. chim. belge	Industrie Chimique Belge, Brüssel
Ind. chimique	L'Industrie Chimique, Paris
Ind. Corps gras	Industries des Corps Gras, Paris
Ind. eng. Chem.	Industrial and Engineering Chemistry, Industrial Edition, seit 1948; Industrial and Engineering Chemistry, Washington
Ind. eng. Chem. Anal.	Industrial and Engineering Chemistry, Analytical Edition (bis 1946). Washington
Ind. eng. Chem. News	Industrial and Engineering Chemistry. News Edition (bis 1939), Washington
Indian Forest Rec., Chem.	Indian Forest Records. Chemistry, Delhi
Indian J. Appl. Chem.	Indian Journal of Applied Chemistry (seit 1958), Calcutta
Indian J. Biochem.	Indian Journal of Biochemistry, Neu Delhi
Indian J. Chem.	Indian Journal of Chemistry
Indian J. Physics	Indian Journal of Physics and Proceedings of the Indian Association for the Cultivation of Science, Calcutta
Ind. P.	Indisches Patent
Ind. Plast. mod.	Industrie des Plastiques Modernes (seit 1949; bis 1948: Industrie des Plastiques), Paris
Inform. Quim. Anal.	Informacion de Quimica Analitica, Madrid
Inorg. Chem.	Inorganic Chemistry
Inorg. Synth.	Inorganic Syntheses, New York
Insect Biochem.	Insect Biochemistry, Bristol
Interchem. Rev.	Interchemical Reviews, New York
Intern. J. Appl. Radiation Isotopes	International Journal of Applied Radiation and Isotopes, New York
Int. J. Cancer	International Journal of Cancer, Helsinki
Int. J. Chem. Kinetics	International Journal of Chemical Kinetics, New York
Int. J. Peptide, Prot. Res.	International Journal of Peptide and Protein Research, Copenhagen
Int. J. Polymeric Mat.	International Journal of Polymeric Materials, New York/London
Int. J. Sulfur Chem.	International Journal of Sulfur Chemistry, London/New York
Int. Petr. Abstr.	International Petroleum Abstracts, London
Int. Pharm. Abstr.	International Pharmaceutical Abstracts, Washington

Int. Polymer Sci. & Techn.	International Polymer Science and Technology, Boston Spa, Wetherby, Yorks.
Intra-Sci. Chem. Rep.	Intra-Science Chemistry Reports, Santa Monica/Calif.
Int. Sugar J.	International Sugar Journal, London
Int. Z. Vitaminforsch.	Internationale Zeitschrift für Vitaminforschung, Bern
Inzyn. Chem.	Inzynioria Chemiczina, Warschau
Ion	Ion (Madrid)
Iowa Coll. J.	Iowa State College Journal of Science, Ames, Iowa
Iowa State J. Sci.	Iowa State Journal of Science, Ames, Iowa (seit 1959)
Israel J. Chem.	Israel Journal of Chemistry, Tel Aviv
Ital. P.	Italienisches Patent
Izv. Akad. Azerb. SSR, Ser. Fiz.-Tekh. Mat. Nauk	Известия Академии Наук Азербайджанской ССР, Серия Физико-Технических и Химических Наук Izvestija Akademii Nauk Azerbaidschanskoi SSR, Sserija Fisiko-Technitscheskich i Chimitscheskich Nauk (Nachrichten der Akademie der Wissenschaften der Azerbaidschanischen SSR, Serie Physikalisch-Technische und Chemische Wissenschaften), Baku
Izv. Akad. SSR	Известия Академии Наук Армянской ССР, Химические Науки (Bulletin of the Academy of Science of the Armenian SSR), Erevan
Izv. Akad. SSSR	Известия Академии Наук СССР, Серия Химическая (Bulletin de l'Académie des Sciences de l'URSS, Classe des Sciences Chemiques), Moskau, Leningrad
Izv. Sibirsk. Otd. Akad. Nauk. SSSR	Известия Сибирского Отделения Академии Наук СССР, Серия химических Наук Izvesstija Ssibirskowo Otdelenija Akademii Nauk SSSR, Sserija Chimetscheskich Nauk (Bulletin of the Sibirian Branch of the Academy of Sciences of the USSR), Nowo sibirsk
Izv. Vyssh. Ucheb, Zaved., Neft. Gaz	Известия Высших Учебных Заведений (Баку), Нефть и Газ Izvestija Wysschych Utschebnych Sawedjeni (Baku), Neft i Gas, (Hochschulnachrichten (Baku), Erdöl und Gas, Baku
Izv. Vyss. Uch. Zav., Chim. i chim. Techn.	Известия высших Учебных заведений [Иваново], Химия и химическая технология (Bulletin of the Institution of Higher Education, Chemistry and Chemical Technology), Swerdlowsk
J. Agr. Food Chem.	Journal of Agricultural and Food Chemistry, Washington
J. agric. chem. Soc. Japan	Journal of the agricultural Chemical Society of Japan. Abstracts (seit 1935) (Nippon Nogeikagaku Kaishi), Tokyo
J. agrc. Sci.	Journal of Agricultural Science, Cambridge
J. Am. Leather Chemist's Assoc.	Journal of the American Leather Chemist's Association, Cincinnati (Ohio)
J. Am. Oil Chemist's Soc.	Journal of the American Oil Chemist's Society, Chicago
J. Am. Pharm. Assoc.	Journal of the American Pharmaceutical Association, seit 1940 Practical Edition und Scientific Edition; Practical Edition seit 1961 J. Am. Pharm. Assoc.; Scientific Edition seit 1961 J. Pharm. Sci., Easton, Pa.
J. Anal. Chem. USSR	Журнал Аналитической Химии Shurnal Analititscheskoi Chimii (Journal für Analytische Chemie), Moskau
J. Antibiotics (Japan)	Journal of Antibiotics (Japan)
Japan Analyst	Japan Analyst (Bunseki Kagaku)
Jap. A. S.	Japanische Patent-Auslegeschrift
Jap. Chem. Quart.	Japan Chemical Quarterly, Tokyo
Jap. J. Appl. Phys.	Japanese Journal of Applied Physics, Tokyo
Jap. Pest. Inform.	Japan Pesticide Information, Tokyo
Jap. P.	Japanisches Patent
Jap. Plast. Age	Japan Plastic Age, Tokyo
J. appl. Chem.	Journal of Applied Chemistry, London
J. appl. Elektroch.	Journal of Applied Elektrochemistry, London
J. appl. Physics.	Journal of Applied Physics, New York
J. Appl. Physiol.	Journal of Applied Physiology, Washington, D. C.
J. Appl. Polymer Sci.	Journal of Applied Polymer Science, New York

Jap. Text. News	Japan Textile News. Osaka
J. Assoc. Agric. Chemists	Journal of the Association of Official Agricultural Chemists, Washington, D. C.
J. Bacteriol.	Journal of Bacteriology, Baltimore, Md.
J. Biochem. (Tokyo)	Journal of Biochemistry, Japan, Tokyo
J. Biol. Chem.	Journal of Biological Chemistry, Baltimore
J. Radioakt. Elektronik	Jahrbuch der Radioaktivität und Elektronik, 1924–1945 vereinigt mit Physikalische Zeitschrift
J. Catalysis	Journal of Catalysis, London, New York
J. Cellular compar. Physiol.	Journal of Cellular and Comparative Physiology, Philadelphia, Pa.
J. Chem. Educ.	Journal of Chemical Education, Easton, Pa.
J. chem. Eng. China	Journal of Chemical Engineering, China, Omei/Szechuan
J. Chem. Eng. Data	Journal of Chemical and Engineering Data, Washington
J. Chem. Eng. Japan	Journal of Chemical Engineering of Japan, Tokyo
J. Chem. Physics	Journal of Chemical Physics, New York
J. chem. Soc. Japan	Journal of the Chemical Society of Japan (bis 1948; Nippon Kwagaku Kwaishi), Tokyo
J. chem. Soc. Japan, ind.	Journal of the Chemical Society of Japan, Industrial Chemistry Section (seit 1948; Kogyo Kagaku Zasshi), Tokyo
J. chem. Soc. Japan, pure Chem. Sect.	Journal of the Chemical Society of Japan, Pure Chemistry Section (seit 1948; Nippon Kagaku Zasshi)
J. Chem. U.A.R.	Journal of Chemistry of the U.A.R., Kairo
J. Chim. physique Physico-Chim. biol.	Journal de Chimie Physique et de Physico-Chimie Biologique (seit 1939)
J. chin. chem. Soc.	Journal of the Chinese Chemical Society
J. Chromatog.	Journal of Chromatography, Amsterdam
J. lin. Endocrinol. Metab.	Journal of Clinical Endocrinology and Metabolism, Springfield, Ill. (seit 1952)
J. Colloid Sci.	Journal of Colloid Science, New York
J. Colloid Interface Sci.	Journal of Colloid and Interface Science
J. Color Appear.	Journal of Color and Appearance, New York
J. Dairy Sci.	Journal of Dairy Science, Columbus, Ohio
J. Elast. & Plast.	Journal of Elastomers and Plastics, Westport, Conn.
J. electroch. Assoc. Japan	Journal of the Electrochemical Association of Japan (Denkikwagaku Kyookwai-shi), Tokio
J. Elektrochem. Soc.	Journal of the Electrochemical Society (seit 1948), New York
J. Endocrinol.	Journal of Endocrinology, London
J. Fac. Sci. Univ. Tokyo	Journal of the Faculty of Science, Imperial University of Tokyo
J. Fluorine Chem.	Journal of Fluroine Chemistry, Lausanne
J. Food Sci.	Journal of Food Science, Champaign, Ill.
J. Gen. Appl. Microbiol.	Journal of General and Applied Microbiology, Tokio
J. Gen. Appl. Microbiol., Suppl.	Journal of General and Applied Microbiology, Supplement, Tokio
J. Gen. Microbiol.	Journal of General Microbiology, London
J. Gen. Physiol.	Journal of General Physiology, Baltimore, Md.
J. Heterocyclic Chem.	Journal of Heterocyclic Chemistry, Albuquerque (New Mexico)
J. Histochem. Cytochem.	Journal of Histochemistry and Cytochemistry, Baltimore, Md.
J. Imp. Coll. Chem. Eng. Soc.	Journal of the Imperial Chemical College, Engineering Society
J. Ind. Eng. Chem.	The Journal of Industrial and Engineering Chemistry (bis 1923)
J. Ind. Hyg.	Journal of Industrial Hygiene and Toxicology (1936–1949), Baltimore, Md.
J. indian chem. Soc.	Journal of the Indian Chemical Society (seit 1928), Calcutta
J. indian chem. Soc. News	Journal of the Indian Chemical Society; Industrial and News Edition (1940–1947), Calcutta
J. indian Inst. Sci.	Journal of the Indian Institute of Science, bis 1951 Section A und Section B, Bangalore
J. Inorg. & Nuclear Chem.	Journal of Inorganic & Nuclear Chemistry, Oxford
J. Inst. Fuel	Journal of the Institute of Fuel, London
J. Inst. Petr.	Journal of the Institute of Petroleum, London

J. Inst. Polytech. Osaka City Univ.	Journal of the Institute of Polytechnics, Osaka City University
J. Jap. Chem.	Journal of Japanese Chemistry (Kagaku-no Ryoihi), Tokio
J. Label. Compounds	Journal of Labelled Compounds, Brüssel
J. Lipid Res.	Journal of Lipid Research, Memphis, Tenn.
J. Macromol. Sci.	Journal of Macromolecular Science, New York
J. makromol. Ch.	Journal für makromolekulare Chemie (1943–1945)
J. Math. Physics	Journal of Mathematics and Physics
J. Med. Chem.	Journal of Medicinal Chemistry, New York
J. Med. Pharm. Chem.	Journal of Medicinal and Pharmaceutical Chemistry, New York
J. Mol. Biol.	Journal of Molecular Biology, New York
J. Mol. Spectr.	Journal of Molecular Spectroscopy, New York
J. Mol. Structure	Journal of Molecular Structure, Amsterdam
J. Nat. Cancer Inst.	Journal of the National Cancer Institute, Washington, C. D.
J. New Zealand Inst. Chem.	Journal of the New Zealand Institute of Chemistry, Wellington
J. Nippon Oil Technologists Soc.	Journal of the Nippon Oil Technologists Society (Nippon Yushi Gijitsu Kyo Laishi), Tokio
J. Oil Colour Chemist's Assoc.	Journal of the Oil and Colour Chemist's Association, London
J. Org. Chem.	Journal of Organic Chemistry, Baltimore, Md.
J. Organometal. Chem.	Journal of Organometallic Chemistry, Amsterdam
J. Petr. Technol.	Journal of Petroleum Technology (seit 1949), New York
J. Pharmacok. & Biopharmac.	Journal of Pharmacokinetics and Biopharmaceutics, New York
J. Pharmacol.	Journal of Pharmacologie, Paris
J. Pharmacol. exp. Therap.	Journal of Pharmacology and Experimental Therapeutics, Baltimore, Md.
J. Pharm. Belg.	Journal de Pharmacie de Belgique, Brüssel
J. Pharm. Chim.	Journal de Pharmacie et de Chemie, Paris (bis 1943)
J. Pharm. Pharmacol.	Journal of Pharmacy and Pharmacology, London
J. Pharm. Sci.	Journal of Pharmaceutical Sciences, Washington
J. pharm. Soc. Japan	Journal of the Pharmaceutical Society of Japan (Yakugakuzasshi), Tokio
J. phys. Chem.	Journal of Physical Chemistry, Baltimore
J. Phys. Chem. Data	Journal of Physical and Chemical Data, Washington
J. Phys. Colloid Chem.	Journal of Physical and Colloid Chemistry, Baltimore, Md.
J. Phys. (Paris), Colloq.	Journal de Physique (Paris), Colloque, Paris
J. Physiol. (London)	Journal of Physiology, London
J. phys. Soc. Japan	Journal of the Physical Society of Japan, Tokio
J. Phys. Soc. Japan, Suppl.	Journal of the Physical Society of Japan, Supplement, Tokio
J. Polymer Sci.	Journal of Polymer Science, New York
J. pr.	Journal für Praktische Chemie, Leipzig
J. Pr. Inst. Chemists India	Journal and Proceedings of the Institution of Chemists, India, Calcutta
J. Pr. Roy. Soc. N. S. Wales	Journal and Proceedings of the Royal Society of New South Wales, Sidney
J. Rech. Centre nat. Rech. sci.	Journal des Recherches du Centre de la Recherche Scientifique, Paris
J. Res. Bur. Stand.	Journal of Research of the National Bureau of Standards, Washington, D. C.
J. S. African Chem. Inst.	Journal of the South African Chemical Institute, Johannesburg
J. Scient. Instruments	Journal of Scientific Instruments (bis 1947 und seit 1950), London
J. scient. Res. Inst. Tokyo	Journal of the Scientific Research Institute, Tokyo
J. Sci. Food Agric.	Journal of the Science of Food and Agriculture, London
J. sci. Ind. Research (India)	Journal of Scientific and Industrial Research (India), New Delhi
J. Soc. chem. Ind.	Journal of the Society of Chemical Industry (bis 1922 und seit 1947), London
J. Soc. chem. Ind., Chem. and Ind.	Journal of the Society of Chemical Industry, Chemistry and Industry (1923–1936), London
J. Soc. chem. Ind. Japan Spl.	Journal of the Society of Chemical Industry, Japan. Supplemental Binding (Kogyo Kwagaku Zasshi, bis 1943), Tokio
J. Soc. Cosmetic Chemists	Journal of the Society of Cosmetic Chemists, London
J. Soc. Dyers Col.	Journal of the Society of Dyers and Colourists, Bradford/Yorkshire, England
J. Soc. Leather Trades' Chemists	Journal of the Society of Leather Trades' Chemists, Croydon, Surrey, England
J. Soc. West. Australia	Journal of the Royal Society of Western Australia, Perth

J. Soil Sci.	Journal of Soil Science, London
J. Taiwan Pharm. Assoc.	Journal of the Taiwan Pharmaceutical Association, Taiwan
J. Univ. Bombay	Journal of the University of Bombay, Bombay
J. Virol.	Journal of Virology (Kyoto), Kyoto
J. Vitaminol.	Journal of Vitaminology (Kyoto)
J. Washington Acad.	Journal of the Washington Academy of Sciences, Washington
Kauch. Rezina	Каучук и Резина Kautschuk i Rezina (Kautschuk und Gummi), Moskau
Kaut. Gummi, Kunstst.	Kautschuk, Gummi und Kunststoffe, Berlin
Kautschuk u. Gummi	Kautschuk und Gummi, Berlin (Zusatz WT für den Teil: Wissenschaft und Technik)
Kgl. norske Vidensk Selsk., Skr.	Kgl. Norske Videnskabers Selskab. Skrifter
Khim. Ind. (Sofia)	Химия и Индустрия (София), Chimija i Industrija (Sofia) (Chemie und Industrie (Sofia))
Khim. Nauka i Prom.	Химическая Наука и Промышленность Chimitscheskaja Nauka i Promyschlennost (Chemical Science and Industry)
Khim. Prom. (Moscow)	Химическая Промышленность Chimitscheskaja Promyschlennost (Chemische Industrie), Moskau (seit 1944)
Khim. Volokna	Химические Волокна Chimitscheskije Wolokna (Chemiefasern), Moskau
Kirk-Othmer	Kirk-Othmer, Encyclopedia of Chemical Technology, Interscience Publ. Co., New York, London, Sidney.
Kinetika i Kataliz	Кинетика и Катализ (Kinetik und Katalyse), Moskau
Klin. Wochenschr.	Klinische Wochenschrift, Berlin, Göttingen, Heidelberg
Koks. Khim.	Кокс и Химия Koks i Chimija (Koks und Chemie), Moskau
Koninkl. Nederl. Akad Wetensch.	Koninklijke Nederlandse Akademie van Wetenschappen
Koll. Beih.	Kolloid-Beihefte (Ergänzungshefte zur Kolloid-Zeitschrift, 1931–1943), Dresden, Leipzig
Kolloidchem. Beih.	Kolloidchemische Beihefte (bis 1931), Dresden u. Leipzig
Kolloid-Z.	Kolloid-Zeitschrift, seit 1943 vereinigt mit Kolloid-Beiheften
Koll. Žurnal	Коллоидный Журнал Kolloidnyi Žurnal (Colloid-Journal), Moscow,
Kontakte	Kontakte, Firmenschrift Merck AG, Darmstadt
Kungl. svenska Vetenskapsakad. Handl.	Kungliga Svenska Vetenskasakademiens Handlingar, Stockholm
Kunststoffe	Kunststoffe, München
Kunststoffe, Plastics	Kunststoffe, Plastics, Solothurn
Labor. Delo	Лабораторное Дело Laboratornoje Djelo (Laboratoriumswesen) Moskau
Lab. Invest.	Laboratory Investigation, New York
Labo	Labo, Darmstadt
Lab. Practice	Laboratory Practice
Lack- u. Farben-Chem.	Lack- und Farben-Chemie (Däniken)/Schweiz
Lancet	Lancet, London
Landolt-Börnst.	LANDOLT-BÖRNSTEIN-ROTH-SCHEEL: Physikalisch-Chemische Tabellen, 6. Auflage
Lebensm.-Wiss. Techn.	Lebensmittel-Wissenschaften und Technologie, Zürich
Life Sci.	Life Sciences, Oxford
Lipids	Lipids, Chicago
Listy Cukrov.	Listy Cukrovarnické (Blätter für Zuckerraffinerie), Prag
M.	Monatshefte für Chemie, Wien
Macromolecules	Macromolecules, Easton
Macromol. Rev.	Macromolecular Reviews, Amsterdam
Magyar chem. Folyóirat	Magyar Chemiai Folyóirat, seit 1949: Magyar Kemiai Folyóirat (Ungarische Zeitschrift für Chemie), Budapest
Magyar kem. Lapja	Magyar kemikusok Lapja (Zeitschrift des Vereins Ungarischer Chemiker), Budapest
Makromol. Ch.	Makromolekulare Chemie, Heidelberg
Manuf. Chemist	Manufacturing Chemist and Pharmaceutical and Fine Chemical Trade Journal, London

Materie plast.	Materie Plastiche, Milano
Mat. grasses	Les Matières Grasses.-Le Pétrole et ses Dérivés, Paris
Med. Ch. I. G.	Medizin und Chemie. Abhandlungen aus den Medizinisch-chemischen Forschungsstätten der I. G. Farbenindustrie AG. (bis 1942), Leverkusen
Meded. vlaamse chem. Veren.	Mededelingen van de Vlaamse Chemische Vereniging, Antwerpen
Melliand Textilber.	Melliand Textilberichte, Heidelberg
Mém. Acad. Inst. France	Mémoires de l'Académie des Sciences de France, Paris
Mem. Coll. Sci. Kyoto	Memoirs of the College of Science, Kyoto Imperial University, Tokio
Mem. Inst. Sci. and Ind. Research, Osaka Univ.	Memoirs of the Institute of Scientific and Industrial Research, Osaka University, Osaka
Mém. Poudre	Mémorial des Poudres (bis 1939 und seit 1948), Paris
Mém. Services chim.	Mémorial des Services Chimiques de l'État, Paris
Mercks Jber.	E. MERCKS Jahresbericht über Neuerungen auf den Gebieten der Pharmakotherapie und Pharmazie, Weinheim
Metab., Clin. Exp.	Metabolism. Clinical and Experimental, New York
Methods Biochem. Anal.	Methods of Biochemical Analysis, New York
Microchem. J.	Microchemical Journal, New York
Microfilm Abst.	Microfilm Abstracts, Ann Arbor (Michigan)
Mikrobiol. Ž. (Kiev)	Микробиологичний Журнал (Київ) Mikrobiologitschnii Shurnal (Kiew) (Mikrobiologisches Journal), Kiew
Mikrobiologiya	Микробиология (Mikrobiologija (Mikrobiologie), Moskau
Mikrochemie	Mikrochemie, Wien (bis 1938)
Mikrochem. verein. Mikrochim. Acta	Mikrochemie vereinigt mit Mikrochimica Acta (seit 1938), Wien
Mikrochim. Acta (bis 1938)	Mikrochimica Acta (Wien)
Mikrochim. Acta, Suppl.	Mikrochimica Acta, Supplement, Wien
Mitt. Gebiete, Lebensm. Hyg.	Mitteilungen aus dem Gebiete der Lebensmitteluntersuchung und Hygiene, Bern
Mod. Plastics	Modern Plastics (seit 1934), New York
Mod. Trends Toxic.	Modern Trends in Toxicology, London
Mol. Biol.	Молекулярная Биология Molekulyarnaja Biologija (Molekular-Biologie), Moskau
Mol. Cryst.	Molecular Crystals, England
Mol. Pharmacol.	Molecular Pharmacology, New York, London
Mol. Photochem.	Molecular Photochemistry, New York
Mol. Phys.	Molecular Physics, London
Monatsh. Chem.	Monatshefte Chemie und verwandte Teile anderer Wissenschaften, Leipzig
Nahrung	Nahrung (Chemie, Physiologie, Technologie), Berlin
Nat. Bur. Standards, (U. S.), Ann. Rept. Circ.	National Bureau of Standards (U. S.), Annual Report, Circular, Washington
Nat. Bur. Standards (U. S.), Techn. News Bull.	National Bureau of Standards (U. S.), Technical News Bulletin, Washington
Nation. Petr. News	National Petroleum News, Cleveland/Ohio
Natl. Nuclear Energy Ser., Div. I–IX	National Nuclear Energy Series, Division I–IX, New York
Nature	Nature, London
Naturf. Med. Dtschl. 1939–1946	Naturforschung und Medizin in Deutschland 1939–1946 (für Deutschland bestimmte des FIAT-Review of German Science), Wiesbaden
Naturwiss.	Naturwissenschaften, Berlin, Göttingen
Natuurw. Tijdschr.	Natuurwetenschappelijk Tijdschrift, Vennoofschap
Neftechimiya	Нефтехимия (Petroleum Chemistry)
Neftepererab. Neftekhim. (Moscow)	Нефтепереработка и Нефтехимия (Москва) Neftepererabotka i Neftechimija, Moskau (Erdölverarbeitung und Erdölchemie)
New Zealand J. Agr. Res.	New Zealand Journal of Agricultural Research, Wellington, N. Z.
Niederl. P.	Niederländisches Patent
Nippon Gomu Kyokaishi	Journal of the Society of Rubber Industry of Japan, Tokio
Nippon Nogei Kagaku Kaishi	Journal of the Agricultural Chemical Society of Japan, Tokio
Nitrocell.	Nitrocellulose (bis 1943 und seit 1952), Berlin
Norske Vid. Selsk. Forh.	Kongelige Norske Videnskabers Selskab. Forhandlinger, Trondheim
Norw. P.	Norwegisches Patent
Nuclear Magn. Res. Spectr. Abstr.	Nuclear Magnetic Resonance Spectroscopy Abstracts, London

Nuclear Sci. Abstr. Oak Ridge	U. S. Atomic Energy Commission, Nuclear Science Abstracts, Oak Ridge
Nucleic Acids Abstr.	Nucleic Acids Abstracts, London
Nuovo Cimento	Nuovo Cimento, Bologna
Öl, Kohle	Öl und Kohle (bis 1934 und 1941–1945): in Gemeinschaft mit Brennstoff-Chemie von 1943–1945, Hamburg
Öst. Chemiker-Ztg.	Österreichische Chemiker-Zeitung (bis 1942 und seit 1947), Wien
Österr. Kunst. Z.	Österreichische Kunststoff-Zeitschrift, Wien
Österr. P.	Österreichisches Patent (Wien)
Offic. Gaz., U. S. Pat. Office	Official Gazette, United States Patent Office
Ohio J. Sci.	Ohio Journal of Science, Columbus/Ohio
Oil Gas J.	Oil and Gas Journal, Tulsa/Oklahoma
Organic Mass Spectr.	Organic Mass Spectrometry, London
Organometal. Chem.	Organometallic Chemistry
Organometal. Chem. Rev.	Organometallic Chemistry Reviews, Amsterdam
Organometal. i. Chem. Synth.	Organometallics in Chemical Synthesis, Lausanne
Organometal. Reactions	Organometallic Reactions, New York
Org. Chem. Bull.	Organic Chemical Bulletin (Eastman Kodak), Rochester
Org. Prep. & Proceed.	Organic Preparations and Procedures, New York
Org. Reactions	Organic Reactions, New York
Org. Synth.	Organic Syntheses, New York
Org. Synth., Coll. Vol.	Organic Syntheses, Collective Volume, New York
Paint Manuf.	Paint incorporating Paint Manufacture (seit 1939), London
Paint Oil chem. Rev.	Paint, Oil and Chemical Review, Chicago
Paint, Oil Colour J.	Paint, Oil and Colour Journal (seit 1950), London
Paint Varnish Product.	Paint and Varnish Production (seit 1949; bis 1949: Paint and Varnish Production Manager), Washington
Pak. J. Sci. Ind. Res.	Pakistan Journal of Science and Industrial Research, Karachi
Paper Ind.	Paper Industry (1938–1949: . . . and Paper World), Chicago
Pap. Puu	Paperi ja Puu – Papper och Trä (Paper and Timbre), Helsinki
Papier (Darmstadt)	Das Papier, Darmstadt
P. C. H.	Pharmazeutische Zentralhalle für Deutschland, Dresden
Perfum. essent. Oil Rec.	Perfumery and Essential Oil Record, London
Periodica Polytechn.	Periodica Polytechnica, Budapest
Pest. Abstr.	Pesticides Abstracts, Washington
Pest. Biochem. Phys.	Pesticide Biochemistry and Physiology, New York
Pest. Monit. J.	Pesticides Monitoring Journal, Atlanta
Petr. Eng.	Petroleum Engineer, Dallas/Texas
Petr. Hydrocarbons	Petroleum and Hydrocarbons, Bombay
Petr. Processing	Petroleum Processing, New York
Petr. Refiner	Petroleum Refiner, Houston/Texas
Pharmacol.	Pharmacology, Basel
Pharmacol. Rev.	Pharmacological Reviews, Baltimore
Pharma. Acta Helv.	Pharmaceutica Acta Helvetica, Zürich
Pharmazie	Pharmazie, Berlin
Pharmaz. Ztg.-Nachr.	Pharmazeutische Zeitung - Nachrichten, Hamburg
Pharm. Bull (Tokyo)	Pharmaceutical Bulletin (Tokyo) (bis 1958)
Pharm. Ind.	Die Pharmazeutische Industrie, Berlin
Pharm. J.	Pharmaceutical Journal, London
Pharm. Weekb.	Pharmaceutisch Weekblad, Amsterdam
Philips Res. Rep.	Philips Research Reports, Eindhoven/Holland
Phil. Trans.	Philosophical Transactions of the Royal Society of London
Photochem. and Photobiol.	Photochemistry and Photobiology, New York
Phosphorus	Phosphorus
Physica	Physica. Nederlandsch Tijdschrift voor Natuurkunde, Utrecht
Physik. Bl.	Physikalische Blätter, Mosbach/Baden
Phys. Rev.	Physical Reviews, Nsw York
Phys. Rev. Letters	Physical Reviews Letters, New York
Phys. Z.	Physikalische Zeitschrift (Leipzig)
Plant Physiol.	Plant Physiology, Lancaster, Pa.
Plaste u. Kautschuk	Plaste und Kautschuk (seit 1957), Leipzig

Plasticheskie Massy	Пластический масы (Soviet Plastics), Moskau
Plastics	Plastics (London)
Plastics Inst., Trans. and J.	The (London) Plastics Institute, Transactions Journal
Plastics Technol.	Plastics Technology
Poln. P.	Polnisches Patent
Polymer Age	Polymer Age, Tenderden/Kent
Polymer Ind. News	Polymer Industry News, New York
Polymer J.	Polymer Journal, Tokyo
Polytechn. Tijdschr. (A)	Polytechnisch Tijdschrift, Uitgave A (seit 1946), Haarlem
Postepy Biochem.	Postepy Biochemii (Fortschrifft der Biochemíe), Warschau
Pr. Acad. Tokyo	Proceedings of the Imperial Academy, Tokyo
Pr. Akad. Amsterdam	Proceedings, Koninklijke Nederlandsche Akademie von Wetenschappen (1938–1940 und seit 1943), Amsterdam
Pr. chem. Soc.	Proceedings of the Chemical Society, London
Prep. Biochem.	Preparative Biochemistry, New York
Pr. Indiana Acad.	Proceedings of the Indiana Academy of Science, Indianapolis/Indiana
Pr. indian Acad.	Proceedings of the Indian Academy of Sciences, Bangalore/Indien
Pr. Iowa Acad.	Proceedings of the Iowa Academy of Sciences, Des Moines/Iowa (USA)
Pr. irish Acad.	Proceedings of the Royal Irish Academy, Dublin
Pr. Nation. Acad. India	Proceedings of the National Academy of Sciences, India (seit 1936), Allahabad/Indien
Pr. Nation. Acad. USA	Proceedings of the National Academy of Sciences of the United States of America, Washington
Proc. Amer. Soc. Testing Mater.	Proceedings of the American Society for Testing Materials Philadelphia, Pa.
Proc. Analyt. Chem.	Proceeding of the Society for Analytical Chemistry, London
Proc. Biochem.	Process Biochemistry, London
Proc. Egypt. Acad. Sci.	Proceedings of the Egyptian Academy of Sciences, Kairo
Proc. Indian Acad. Sci., Sect. A	Proceedings of the Indian Academy of Science, Section A, Bangalore
Proc. Japan Acad.	Proceedings of the Japan Academy (seit 1945), Tokio
Proc. Kon. Ned. Acad. Wetensh.	Proceedings, Koninklijke Nederlandse Akademie van Wetenschappen, Amsterdam
Proc. Roy. Austral. chem. Inst.	Proceedings of the Royal Australian Chemical Institute, Melbourne
Produits pharmac.	Produits Pharmaceutiques, Paris
Progress Biochem. Pharm.	Progress Biochemical Pharmacology, Basel
Progr. Boron Chem.	Progress in Boron Chemistry, Oxford
Progr. Org. Chem.	Progress in Organic Chemistry, London
Progr. Physical Org. Chem.	Progress in Physical Organic Chemistry, New York, London
Progr. Solid State Chem.	Progress in Solid State Chemistry, New York
Promysl. org. Chim.	Промышленность Органической Химии
	Promyschlennost Organitscheskoi Chimii (bis 1941: Shurnal Chimitscheskoi Promyschlennosti), (Industrie der Organischen Chemie, Organic Chemical Industry, bis 1940), Moskau
Prostaglandines	Prostaglandines, Los Altos/Calif.
Pr. phys. Soc. London	Proceedings of the Physical Society, London
Pr. roy. Soc.	Proceedings of the Royal Society, London
Pr. roy. Soc. Edinburgh	Proceedings of the Royal Society of Edinburgh, Edinburgh
Przem. chem.	Przemysl Chemiczny (Chemische Industrie), Warschau
Psychopharmacologia	Psychopharmacologia (Berlin), Berlin, Göttingen, Heidelberg
Publ. Am. Assoc. Advan. Sci.	Publication of the American Association for the Advancement of Science
Pure Appl. Chem.	Pure and Applied Chemistry (The Official Journal of the International Union of Pure and Applied Chemistry), London
Quart. J. indian Inst. Sci.	Quarterly Journal of the Indian Institute of Science. Bangalore
Quart. J. Pharm. Pharmacol.	Quarterly Journal of Pharmacy and Pharmacology (bis 1948), London
Quart. J. Studies Alc.	Quarterly Journal of Studies on Alcohol, New Haven, Conn.
Quart. Rev.	Quarterly Reviews, London (seit 1970 Chemical Society Reviews)
Quím. e Ind.	Química e Industria, Sao Paulo (bis 1938 Chimica e Industria)
R.	Recueil des Travaux Chimiques des Pays-Bas. Amsterdam
Radiokhimiya	Радиохимия Radiochimija (Radiochemie), Leningrad
R. A. L.	Atti della Reale Academia Nazionale dei Lincei, Classe di Scienze Fisiche, Mathematiche a Naturali: Rendiconti (bis 1940)

Rasayanam	Journal for the Progress of Chemical Science, Poona, India
Rend. Ist. lomb.	Rendiconti dell'Istituto Lombardo di Scienze e Lettere. Classe di Scienze Mathematiche e Naturali (seit 1944), Mailand
Rep. Government chem. ind. Res. Inst., Tokyo	Reports of the Government Chemical Industrial Research Institute, Tokyo
Rep. Progr. appl. Chem.	Reports on the Progress of Applied Chemistry (seit 1949), London
Rep. sci. Res. Inst.	Reports of Scientific Research Institute (Japan), Kagaku-Kenkyujo-Hokoku, Tokio
Research	Research, London
Rev. Asoc. bioquím, arg.	Reviste de la Asociación Bioquímica Argentina, Buenos Aires
Rev. Chim. (Bucarest)	Revista de Chimie (Bucuresti), Bukarest
Rev. Fac. Cienc. quím.	Revista de la Facultad de Ciencias Químicas, Universidad Nacional de La Plata, La Plata
Rev. Fac. Sci. Istanbul	Revue de la Faculté des Sciences de l'Université d'Istanbul, Istanbul
Rev. Franc. Études Clin. Biol.	Revue Française d'Études Cliniques et Biologiques, Paris
Rev. gén. Matières plast.	Revue Générale des Matières Plastiques, Paris
Rev. gén. Sci.	Revue Générale des Sciences pures et appliquées, Paris
Rev. Ist. franç. Pétr.	Revue de l' Institut Français du Pétrole et Annales des Combustibles Liquides, Paris
Rev. Macromol. Chem.	Reviews in Macromolecular Chemistry, New York
Rev. Mod. Physics	Reviews of Modern Physics
Rev. Phys. Chem. Jap.	Review of Physical Chemistry of Japan, Tokyo
Rev. Plant. Prot. Res.	Review of Plant Protection Research, Tokyo
Rev. Prod. chim.	Revue des Produits Chimiques, Paris
Rev. Pure Appl. Chem.	Reviews of Pure and Applied Chemistry, Melbourne
Rev. Quím. Farm.	Revista de Química e Farmácia, Rio de Janeiro
Rev. Roumaine-Biochim.	Revue Roumaine de Biochimie, Bukarest
Rev. Roumaine Chim.	Revue Roumaine de Chimie (bis 1963: Revue de Chimie, Académie de la République Populaire Roumaine), Bukarest
Rev. Roumaine-Phys.	Revue Roumaine de Physique, Bukarest
Rev. sci.	Revue Scientifique, Paris
Rev. scient. Instruments	Review of Scientific Instruments, New York
Ricerca sci.	Ricerca Scientifica, Rom
Roczniki Chem.	Roczniki Chemii (Annales Societatis Chimicae Polonorum), Warschau
Rodd	Rood's Chemistry of Carbon Compounds, Elsevier Publ. Co., Amsterdam
Rubber Age N. Y.	The Rubber Age, New York
Rubber Chem. Technol.	Rubber Chemistry and Technology, Easton, Pa.
Rubber J.	Rubber Journal (seit 1955), London
Rubber & Plastics Age	The Rubber & Plastics Age, London
Rubber World	Rubber World (seit 1945), New York
Russian. Chem. Reviews	Chemical Reviews (UdSSR)
Sbornik Statei obšč. Chim.	Сборник Статей по Общей Химии Sbornik Statei po Obschtschei Chimii (Sammlung von Aufsätzen über die allgemeine Chemie), Moskau u. Leningrad
Schwed. P.	Schwedisches Patent
Schweiz. P.	Schweizerisches Patent
Sci.	Science, New York, seit 1951, Washington
Sci. American	Scientific American, New York
Sci. Culture	Science and Culture, Calcutta
Scientia Pharm.	Scientia Pharmaceutica, Wien
Scient. Pap. Bur. Stand.	Scientific Papers of the Bureau of Standards (Washington)
Scient. Pr. roy. Dublin Soc.	Scientific Proceedings of the Royal Dublin Society, Dublin
Sci. Ind.	Science et Industrie, Paris (bis 1934)
Sci. Ind. phot.	Science et Industries photographiques, Paris
Sci. Pap. Inst. Phys. Chem. Res. Tokyo	Scientific Papers of the Institute of Physical and Chemical Research, Tokio (bis 1948)
Sci. Publ., Eastman Kodak	Scientific Publications, Eastman Kodak Co., Rochester/N. Y.
Sci. Progr.	Science Progress, London
Sci. Rep. Tohoku Univ.	Science Reports of the Tohoku Imperial University, Tokio
Sci. Repts. Research Insts. Tohoku Univ., (A), (B), (C) bzw. (D)	The Science Reports of the Research Institutes, Tohoku University, Series A, B., C bzw. D, Sendai/Japan

Seifen-Oele-Fette-Wachse	Seifen-Oele-Fette-Wachse. Neue Folge der Seifensieder-Zeitung, Ausburg
Seikagaku	Seikagaku (Biochemie), Tokio
Sen-i Gakkaishi	Journal of the Society of Textile and Cellulose Industry, Japan (seit 1945)
Separation Sci.	Separation Science, New York
Soc.	Journal of the Chemical Society, London
Soil Biol. Biochem.	Soil Biology and Biochemistry, Oxford
Soil Sci.	Soil Science, Baltimore
Soobshch. Akad. Nauk Gruz. SSR	Сообщения Академии Наук Грузинской ССР / Soobschtschenija Akademii Nauk Grusinskoi SSR (Mitteilungen der Akademie der Wissenschaften der Grusinischen SSR) Tbilissi
South African Ind. Chemist	South African Industrial Chemist, Johannesburg
Spectrochim. Acta	Spectrochimica Acta, Berlin, ab 1947 Rom
Spectrochim. Acta (London)	Spectrochimica Acta, London (seit 1950)
Staerke	Stärke, Stuttgart
Steroids	Steroids an International Journal, San Francisco
Steroids, Suppl.	Steroids an International Journal, Supplements, San Francisco
Stud. Cercetari Biochim.	Studii si Cercetari de Biochemie, (Bucuresti)
Stud. Cercetari Chim.	Studii si Cercetari de Chimie (Bucuresti)
Suomen Kem.	Suomen Kemistilehti (Acta Chemica Fennica), Helsinki
Suomen Kemistilehti B	Suomen Kemistilehti B (Finnische Chemiker-Zeitung)
Suppl. nuovo Cimento	Supplemento del Nuovo Cimento (seit 1949), Bologna
Svensk farm. Tidskr.	Svensk Farmaceutisk Tidskrift, Stockholm
Svensk kem. Tidskr.	Svensk Kemisk Tidskrift, Stockholm
Synthesis	Synthesis, International Journal of Methods in Synthetic Organic Chemistry, Stuttgart, New York
Synth. React. Inorg. Metal.-org. Chem.	Synthesis and Reactivity in Inorganic and Metal-organic Chemistry, New York
Talanta	Talanta, International Journal of Analytical Chemistry, London
Tappi	Tappi (Technical Association of the Pulp and Paper Industry), New York
Techn. & Meth. Org., Organometal. Chem.	Techniques and Methods of Organic and Organometallic Chemistry, New York
Tekst. Prom. (Moscow)	Текстил Промышленност Tekstil Promyschlennost (Textil Industrie)
Tenside	Tenside Detergents, München
Teor. Khim. Techn.	Theoretitscheskie Osnovy Chimitscheskoj, Technologie, Moskau
Terpenoids and Steroids	Terpenoids and Steroids, London
Tetrahedron	Tetrahedron, Oxford
Tetrahedron Letters	Tetrahedron Letters, Oxford
Tetrahedron, Suppl.	Tetrahedron, Supplements, London
Textile Chem. Color.	Textile Chemist and Colorist, New York
Textile Prog.	Textile Progress, Manchester
Textile Res. J.	Textile Research Journal (seit 1945), New York
Theor. Chim. Acta	Theoretica Chimica Acta (Zürich)
Tiba	Revue Générale de Teinture, Impression, Blanchiment, Apprêt et de Chimie Textile et Tinctoriale (bis 1940 und seit 1948), Paris
Tidskr. Kjemi, Bergv. Met.	Tidskrift för Kjemi, Bergvesen og Metallurgi (seit 1941), Oslo
Topics Med. Chem.	Topics in Medicinal Chemistry, New York
Topics Pharm. Sci.	Topics in Pharmaceutical Science, New York
Topics Phosph. Chem.	Topics in Phosphorous Chemistry, New York
Topics Stereochem.	Topics in Stereochemistry, New York
Toxicol.	Toxicologie, Amsterdam
Toxicol. Appl. Pharmacol.	Toxicology and Applied Pharmacology, New York
Toxicol. Appl. Pharmacol., Suppl.	Toxicology and Applied Pharmacology, Supplements, New York
Toxicol. Env. Chem. Rev.	Toxicological and Environmental Chemistry Reviews, New York
Trans. Amer. Inst. Chem. Eng.	Transactions of the American Institute of Chemical Engineers, New York
Trans. electroch. Soc.	Transactions of the Electrochemical Society, New York (bis 1949)
Trans. Faraday Soc.	Transactions of the Faraday Society, Aberdeen
Trans. Inst. chem. Eng.	Transactions of the Institution of Chemical Engineers, London
Trans. Inst. Rubber Ind.	Transactions of the Institution of the Rubber Industry, London
Trans. Kirov's Inst. chem. Technol. Kazan	Труды Казанского Химико-Технологического Института им. Кирова Trudy Kasanskovo Chimiko-Technologitscheskovo Instituta im. Kirova (Transactions of the Kirov's Institute for Chemical Technology of Kazan), Moskau

Trans. Pr. roy. Soc. New Zealand	Transactions and Proceedings of the Royal Society of New Zealand (seit 1952 Transactions of the Royal Society of New Zealand), Wellington
Trans. roy. Soc. Canada	Transactions of the Royal Society of Canada, Ottawa
Trans. Roy. Soc. Edinburgh	Transactions of the Royal Society of Edinburgh, Edinburgh
Trav. Soc. Pharm. Montpellier	Travaux de la Société de Pharmacie de Montpellier, Montpellier (seit 1942)
Trudy Mosk. Chim. Techn. Inst.	Труды Московского Химико-Технологического Института им. Д.-И. Менделеева Trudy Moskowskowo Chimiko-Teknologitscheskowo Instituta im. D. I. Mendelejewa (Transactions of the Moscow Chemical-Technological Institute named for D. I. Mendeleev), Moskau
Tschechosl. P.	Tschechoslowakisches Patent
Uchenye Zapiski Kazan.	Ученые Записки Казанского Государственного Университета Utschenye Sapiski Kasanskowo Gossudarstwennowo Universiteta (Wissenschaftliche Berichte der Kasaner staatlichen Universität), Kasan
Ukr. Biokhim. Ž.	Украинський Биохимичний Журнал Ukrainski Biochimitschni Shurnal (Ukrainisches Biochemisches Journal, Kiew
Ukr. chim. Ž.	Украинский Химический Журнал (bis 1938: Українськъй, Charkau bis 1938, Хемічний Журнал) Ukrainisches Chemisches Journal), Kiew
Ukr. Fit. Ž. (Ukr. Ed.)	Украинський физичний Журнал Ukrainski Fisitschni Shurnal (Ukrainisches Physikalisches Journal), Kiew
Ullmann	Ullmann's Enzyklopädie der technischen Chemie, Verlag Urban und Schwarzenberg, München, seit 1971 Verlag Chemie, Weinheim
Umschau Wiss. Techn.	Umschau in Wissenschaft und Technik, Frankfurt
U. S. Govt. Res. Rept.	U. S. Government Research Reports
US. P.	Patent der USA
Uspechi Chim.	Успехи химии Uspetschi Chimii (Fortschritte der Chemie), Moskau, Leningrad
USSR. P.	Sowjetisches Patent
Uzb. Khim. Zh.	Узбекский Химический Журнал / Usbekski Chimitscheski Shurnal (Usbekisches Chemisches Journal), Taschkent
Vakuum-Tech.	Vakuum-Technik (seit 1954), Berlin
Vestn. Akad. Nauk Kaz. SSR	Вестник Академии Наук Казахской ССР / Westnik Akademii Nauk Kasachskoi SSR (Nachrichten der Akademie der Wissenschaften der Kasadischen SSR), Alma Ata
Vestn. Akad. Nauk SSSR	Вестник Академии Наук СССР Westnik Akademii Nauk SSSR (Mitteilungen der Akademie der Wissenschaften der UdSSR), Moskau
Vestn. Leningrad. Univ., Fiz., Khim.	Вестник Ленинградского Университета Серия Физики и Химии / Westnik Leningradskowo Universsiteta, Serija Fisiki i Chimii (Nachrichten der Leningrader Universität, Serie Physik und Chemie), Leningrad
Vestn. Mosk. Univ., Ser. II Chim.	Вестник Московского Университета, Серия, II Химия Westnik Moskowckowo Universsiteta, Serija II Chimija (Nachrichten der Moskauer Universität, Serie II Chemie), Moskau
Virology	Virology, New York
Vitamins. Hormones	Vitamins and Hormones, New York
Vysokomolek. Soed.	Высокомолекулярные Соединония Wyssokomolekuljarnye Sojedinenija (High Molecular Weight Compounds)
Werkstoffe u. Korrosion	Werkstoffe und Korrosion (seit 1950), Weinheim/Bergstr.
Yuki Gosei Kagaku Kyokai Shi	Journal of the Society of Organic Synthetic Chemistry, Japan, Tokio
Z.	Zeitschrift für Chemie, Leipzig
Ž. anal. Chim.	Журнал Аналитической Химии / Shurnal Analititscheskoi Chimii (Journal of Analytical Chemistry), Moskau
Z. ang. Physik	Zeitschrift für angewandte Physik
Z. anorg. Ch.	Zeitschrift für Anorganische und Allgemeine Chemie (1943–1950 Zeitschrift für Anorganische Chemie), Berlin

Zavod. Labor.	Заводская Лаборатория/Sawodskaja Laboratorija (Industrial Laboratory), Moskau
Zbl. Arbeitsmed. Arbeitsschutz	Zentralblatt für Arbeitsmedizin und Arbeitsschutz (seit 1951), Darmstadt
Ž. eksp. teor. Fiz.	Журнал экспериментальной и теоретической физики, Shurnal Experimentalnoi i Theoretitscheskoi Fisiki (Physikalisches Journal, Serie A Journal für experimentelle und theoretische Physik), Moskau, Leningrad
Z. El. Ch.	Zeitschrift für Elektrochemie und Angewandte Physikalische Chemie (seit 1952 Zeitschrift für Elektrochemie, Berichte der Bunsengesellschaft für Physikalische Chemie), Weinheim/Bergstr.
Z. Elektrochemie	Zeitschrift für Elektrochemie
Ž. fiz. Chim.	Журнал физической Химии/Shurnal Fisitscheskoi Chimii (engl. Ausgabe: Journal of Physical Chemistry)
Z. Kristallogr.	Zeitschrift für Kristallographie
Z. Lebensm.-Unters.	Zeitschrift für Lebensmittel-Untersuchung und -Forschung (seit 1943), München, Berlin
Z. Naturf.	Zeitschrift für Naturforschung, Tübingen
Ž. neorg. Chim.	Журнал Неорганической Химии/ShurnalNeorganitscheskoiChimii (engl. Ausgabe: Journal of Inorganic Chemistry)
Ž. obšč. Chim.	Журнал Общей Химии/Shurnal Obschtschei Chimii (engl. Ausgabe: Journal of General Chemistry, London)
Ž. org. Chim.	Журнал Органической Химии/Shurnal Organitscheskoi Chimii (engl. Ausgabe: Journal of Organic Chemistry), Baltimore
Z. Pflanzenernähr. Düng., Bodenkunde	Zeitschrift für Pflanzenernährung, Düngung, Bodenkunde (bis 1936 und seit 1946), Weinheim/Bergstr., Berlin
Z. Phys.	Zeitschrift für Physik, Berlin, Göttingen
Z. physik. Chem.	Zeitschrift für Physikalische Chemie, Frankfurt (seit 1945 mit Zusatz N.F.)
Z. physik. Chem. (Leipzig)	Zeitschrift für Physikalische Chemie, Leipzig
Ž. prikl. Chim.	Журнал Прикладной Химии/Shurnal Prikladnoi Chimii (Journal of Applied Chemistry)
Ž. prikl. Spektr.	Журнал Прикладной Спектроскопии/Shurnal Prikladnoi Spektroskopii (Journal of Applied Spectroscopy), Moskau, Leningrad
Ž. strukt. Chim.	Журнал Структурной Химии /Shurnal Strukturnoi Chimii (Journal of Structural Chemistry), Moskau
Ž. tech. Fiz.	Журнал Технической Физики/Shurnal Technitscheskoi Fisiki (Physikalisches Journal, Serie B, Journal für technische Physik), Moskau, Leningrad
Z. Vitamin-, Hormon- u. Fermentforsch. [Wien]	Zeitschrift für Vitamin-, Hormon- und Fermentforschung [Wien] (seit 1947)
Ž. vses. Chim. obšč.	Журнал Всесоюзного Химического Общества им. Д. И. Менделева Shurnal Wsjesojusnowo Chimitscheskowo Obschtschestwa im. D. I. Mendelejewa (Journal of the All-Union Chemical Society named for D. I. Mendeleev), Moskau
Z. wiss. Phot.	Zeitschrift für Wissenschaftliche Photographie, Photophysik und Photochemie, Leipzig
Z. Zuckerind.	Zeitschrift für die Zuckerindustrie, Berlin
Ж.	Журнал Русского Физико-Химического Общества Shurnal Russkowo Fisikowo-Chimitscheskowo Obschtschestwa (Journal der Russischen Physikalisch-Chemischen Gesellschaft, Chemischer Teil; bis 1930)

Abkürzungen für den Text
der präparativen Vorschriften und der Fußnoten[1]

Abb.	Abbildung
abs.	absolut
Amp.	Ampere
äthanol.	äthanolisch
äther.	ätherische
Anm.	Anmerkung
Anm.	Anmeldung (nur in Verbindung mit der Patentzugehörigkeit)
API	American Petroleum Institute
ASTM	American Society for Testing Materials
asymm.	asymmetrisch
at	technische Atmosphäre
At.-Gew.	Atomgewicht
atm	physikalische Atmosphäre
BASF	Badische Anilin- & Sodafabrik AG, Ludwigshafen/Rhein (bis 1925 und wieder ab 1953), BASF AG (seit 1974)
Bataafsche (Shell)	N. V. Bataafsche Petroleum Mij., s'Gravenhage (Holland)
Shell Develop.	Shell Development Co., San Francisco, Corporation of Delaware
Bayer AG	Bayer AG, Leverkusen (seit 1974)
ber.	berechnet
bez.	bezogen
bzw.	beziehungsweise
cal	Calorien
CIBA	Chemische Industrie Basel, AG (bis 1973)
cycl.	cyclisch
C, bzw. D^{20}	Dichte, bzw. Dichte bei 20° bezogen auf Wasser von 4°
DAB	Deutsches Arznei-Buch
Degussa	Deutsche Gold- und Silberscheideanstalt, Frankfurt a. M.
d. h.	das heißt
Diglyme	2-(2-Methoxy-äthoxy)-äthanol
DIN	Norm
DK	Dielektrizitäts-Konstante
DMF	Dimethylformamid
DMSO	Dimethylsulfoxid
d. Th.	der Theorie
DuPont	E. I. DuPont de Nemours & Co., Wilmington 98 (USA)
E.	Erstarrungspunkt
EMK	Elektromotorische Kraft
F.	Schmelzpunkt
Farbf. Bayer	Farbenfabriken Bayer AG, vormals Friedrich Bayer & Co., Leverkusen-Elberfeld (bis 1925), Farbenfabriken Bayer AG, Leverkusen, Elberfeld, Dormagen und Uerdingen (1953–1974)
Farbw. Hoechst.	Farbwerke Hoechst AG, vormals Meister Lucius & Brüning, Frankfurt/M.-Höchst (bis 1925 und wieder ab 1953 bis 1974)
g	Gramm
gem.	geminal
ges.	gesättigt
Gew., Gew.-%, Gew.-Tl.	Gewicht, Gewichtsprozent, Gewichtsteil
Hoechst AG	Hoechst AG, Frankfurt/M.-Höchst (seit 1974)
I.C.I.	Imperial Chemicals Industries Ltd., Manchester
I.G. Farb.	I. G. Farbenindustrie AG, Frankfurt a.M. (1925–1945)
IUPAC	International Union of Pure and Applied Chemistry
i. Vak.	im Vakuum
k (k_s, k_b).	elektrolytische Dissoziationskonstanten, bei Ampholyten, Dissoziations-konstanten nach der klassischen Theorie

[1] Alle Temperaturangaben beziehen sich auf Grad Celsius, falls nicht anders vermerkt.

K (K_s, K_b)	elektrolytische Dissoziationskonstanten von Ampholyten nach der Zwitterionentheorie
kcal	Kilocalorie
kg	Kilogramm
konz.	konzentriert
korr.	korrigiert
Kp, bzw. Kp_{750}	Siedepunkt, bzw. Siedepunkt unter 750 Torr Druck
kW, kWh	Kilowatt, Kilowattstunde
l	Liter
m (als Konzentrationsangabe)	molar
M	Metall (in Formeln)
$[M]_\lambda^t$	molekulares Drehungsvermögen oder Molekularrotation
mg	Milligramm
Min.	Minute
mm	Millimeter
ml	Milliliter
Mol.-Gew., Mol.-%, Mol.-Refr.	Molekulargewicht, Molprozent, Molekularrefraktion
n_λ^t	Brechungsindex
n (als Konzentrationsangabe)	normal
nm	Nanometer
pd · sq. · inch	0,070307 at = 0,068046 Atm
p_H	negativer, dekadischer Logarithmus der Wasserstoffionen-Aktivität
prim.	primär
Py	Pyridin
quart.	quartär
racem.	racemisch
s.	siehe
S.	Seite
s. a.	siehe auch
sek.	sekundär
Sek.	Sekunde
s. o.	siehe oben
spez.	spezifisch
sq. · inch	$6,451589 \cdot 10^{-4} \, m^2$
Stde., Stdn., stdg.	Stunde, Stunden, stündig
s. u.	siehe unten
Subl. p.	Sublimationspunkt
symm.	symmetrisch
Tab.	Tabelle
techn.	technisch
Temp.	Temperatur
tert.	tertiär
theor.	theoretisch
THF	Tetrahydrofuran
Tl., Tle., Tln.	Teil, Teile, Teilen
u. a.	und andere
usw.	und so weiter
u. U.	unter Umständen
V	Volt
VDE	Verein Deutscher Elektroingenieure
VDI	Verein Deutscher Ingenieure
verd.	verdünnt
vgl.	vergleiche
vic.	vicinal
Vol., Vol.-%, Vol.-Tl.	Volumen, Volumenprozent, Volumenanteil
W	Watt
Zers.	Zersetzung
∇	Erhitzung
$[\alpha]_\lambda^t$	spezifische Drehung
∅	Durchmesser
~	etwa, ungefähr
μ	Mikron

Photochemische Methoden

bearbeitet von

Dr. William R. Adams
Sun Chemical Corp.
Carlstadt/USA

Dr. Jürgen Aretz
Institut für Organische Chemie der
Universität Aachen

Dr. Robin Bernard Boar
Department of Chemistry
University of London

Prof. Dr. Ole Buchardt
Chemisches Laboratorium II
der Universität
Kopenhagen/Dänemark

Dipl. Chem. Walter Bujnoch
Trier

Prof. Dr. Peter A. Cerutti
The I. Hillis Miller Health Center
University of Florida
Gainesville/USA

Prof. Dr. Dietrich Döpp
Chemisches Institut der Universität
Trier-Kaiserslautern

Prof. Dr. Heinz Dürr
Institut für Organische Chemie
der Universität Saarbrücken

Dr. Martin Fischer
BASF AG
Ludwigshafen/Rhein

Prof. Dr. Jörg Fleischhauer
Institut für Organische Chemie
der Universität Aachen

Dr. Hendrik Jan Hagemann
Akzo Research Laboratories
Arnheim/Holland

Dipl. Biochem. Peter Heinrich
Organisch Chemisches Institut
der Universität Tübingen

Dr. Gerd Kaupp
Chemische Laboratorium der
Universität Freiburg/Breisgau

Dr. Helge Kober
Institut für Organische Chemie
der Universität Saarbrücken

Dr. Eberhard Leppin
Du Pont de Nemours GmbH
Neu-Isenburg

Prof. Dr. Herbert Meier
Chemisches Institut der
Universität Tübingen

Prof. Dr. David J. Rawlinson
Department of Chemistry
Western Illinois University
Macomb/USA

Dr. Alfred Ritter
Institut für Strahlenchemie am
Max-Planck-Institut für Kohlenforschung
in Mülheim/Ruhr

Prof. Dr. Wolfgang Rundel
und
Doz. Dr. Michael Sauerbier
Chemisches Institut der Universität
Tübingen

Prof. Dr. Hans-Dieter Scharf
Institut für Organische Chemie
der Universität Aachen

Prof. Dr. Günter P. Schiemenz
Institut für Organische Chemie
der Universität Kiel

Prof. Dr. George Sosnowski
Department of Chemistry
The University of Wisconsin
Milwaukee/USA

Prof. Dr. Jaques Streith
Ecole Supérieure de Chimie
de Mulhouse/Frankreich

Prof. Dr. Walter Strohmeier
Institut für physikalische Chemie
der Universität Würzburg

Dr. Donald Valentine
Hoffmann La-Roche Inc.
Nutley/USA

Dr. Jack Y. Vanderhoek
University Hospital Lipid Research
Jerusalem/Israel

Dr. Hans-Henning Vogel
BASF AG
Ludwigshafen/Rhein

Prof. Dr. Gerhard Wegner
Institut für Makromolekulare Chemie der
Universität Freiburg/Breisgau

Prof. Dr. Valentine Zanker
Institut für physikalische Chemie
und Elektrochemie der
Universität München

Dr. Klaus-Peter Zeller
Chemisches Institut der
Universität Tübingen

Prof. Dr. Howard E. Zimmermann
Department of Chemistry
The University of Wisconsin
Madison/USA

Mit 213 Tabellen

und 74 Abbildungen

Literatur berücksichtigt bis Mitte 1974; teilweise 1975.

Inhalt

Teil I (Bd.IV/5a)

Teil II (Bd. IV/5b)

Photochemie

Teil II

7. an der C=O-Doppelbindung

α) Aldehyde und Ketone

bearbeitet von

Dipl. Biochem. PETER HEINRICH*

Die Vielzahl der photochemischen Reaktionen von Carbonyl-Verbindungen wird in den folgenden Kapiteln nach methodisch, präparativen Gesichtspunkten gegliedert. Es lassen sich folgende Reaktionstypen zusammenfassen:

① unter Erhaltung der Carbonyl-Funktion

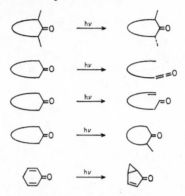

② unter Abwandlung der Carbonyl-Funktion

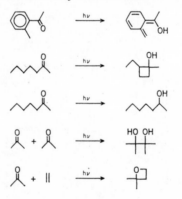

③ unter Fragmentierung

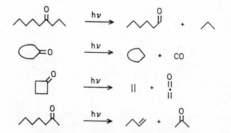

* Chemisches Institut der Universität Tübingen

Naturgemäß kann ein und dieselbe Ausgangsverbindung je nach Bedingungen unterschiedliche Umsetzungen ergeben. Die Zuordnung zu den verschiedenen Reaktionstypen erfolgt nach der Hauptreaktion, Verweise gewährleisten das Verständnis auch von Nebenreaktionen.

Photoreaktionen folgender Verbindungen sind an anderen Stellen ds. Bd. behandelt:

Acyl-cyclopropane	s. S. 185f.	Acylcyclobutane	s. S. 187
Acyl-oxirane	s. S. 675ff.		
Acyl-thiirane	s. S. 1020	Acyl-thietane	s. S. 1019
Acyl-aziridine	s. S. 1079, 1081f. ,1085	Acyl-azetidine	s. S. 1086ff.

α_1) *Spektren*

Die für die Photochemie der Carbonyl-Verbindungen wichtigen Absorptionen sind die π,π^*- und n,π^*-Übergänge[1] der Oxo-Gruppe, die sich in einem Wellenlängenbereich von $\lambda \sim 150$ nm (Formaldehyd, π,π^*-Singulett) bis $\lambda \sim 600$ nm (o-Benzochinon, n,π^*) erstrecken. Je nach Struktur der Carbonyl-Verbindungen können sich die Banden überdecken, ineinander übergehen oder getrennt auftreten, s. Tab. 101 (S. 736).

Die π,π^*-Absorptionen einfacher Carbonyl-Verbindungen liegen bei ~ 150 nm im Vakuum-UV mit einem ε-Wert von ~ 20000. Durch Substituenten oder Konjugation mit einer C=C-Doppelbindung wird die Energie der Übergänge verringert, was sich in einer Rotverschiebung der Bande bemerkbar macht. Die ε-Werte betragen ~ 15000. Eine Verlängerung der Konjugationskette führt zu rotverschobenen π,π^*-Banden bis in einen Bereich, in dem die n,π^*-Banden zu finden sind, so daß diese zum Teil oder völlig überdeckt werden können.

Im Gegensatz zu den intensiven π,π^*-Banden besitzen n,π^*-Banden der Carbonyl-Gruppe nur eine geringe Absorptionsintensität ($\varepsilon : 10$–100), da der Übergang symmetrieverboten ist. Einfache Aldehyde und Ketone zeigen eine charakteristische Absorptionsbande im Bereich von ~ 250 bis 340 nm. Aldehyde und stärker substituierte Ketone absorbieren am langwelligen Ende dieses Bereichs (s. Tab. 101, S. 736). Ein Ersatz des Aldehyd-Wasserstoff-Atoms durch Alkyl-Gruppen bewirkt eine Blauverschiebung (hypsochromer Effekt) der n,π^*-Bande. Den gleichen Effekt zeigen Elektronen-Donatoren wie die Cl-, OH- und NH_2-Gruppe. α,β-ungesättigte Aldehyde bzw. Ketone zeigen eine intensivere Bande ($\varepsilon \sim 100$), die rotverschoben (bathochromer Effekt) ist. Eine signifikante Intensivierung der Bande zeigen außerdem β,γ-ungesättigte und sterisch gehinderte α,β-ungesättigte Ketone. α-Diketone besitzen zwei Banden; eine im normalen n,π^*-Bereich und eine zweite im sichtbaren Teil des Spektrums, die die Farbigkeit vieler Verbindungen verursachen. Ein normales n,π^*-Spektrum findet man bei β-Diketonen. Doppelt verschobene Singulett-Triplett-n,π^*-Übergänge findet man zwischen ~ 400 nm (Formaldehyd) und ~ 500 nm (p-Benzochinon).

---

[1] Eine ausführliche Behandlung geben z. B.:

J. N. MURRELL, *Elektronenspektren organischer Moleküle*, BI Mannheim 1967.

H. H. JAFFÉ u. M. ORCHIN, *Theory and Applications of Ultraviolett Spectroscopy*, John Wiley and Sons, Inc., New York 1962.

J. G. CALVERT u. J. N. PITTS,Jr., *Photochemistry*, John Wiley and Sons, Inc., New York 1967.

Tab. 101: π,π^*- und n,π^*-Absorptionen von Carbonyl-Verbindungen

Verbindung	$\pi\to\pi^*$-Banden			n$\to\pi^*$-Banden		
	λ_{max} [nm]	ε_{max}	Lösungsmittel bzw. Gasphase	λ_{max} [nm]	ε_{max}	Lösungsmittel bzw. Gasphase
H–CHO	155,4	23500	Gasphase[1]	353,8		Gasphase[2]
				396,82(T)		Gasphase[3]
OHC–CHO				455,0	18	Gasphase[4]
H$_3$C–CHO	165,0		Gasphase[5]	339,0		Gasphase[6]
H$_3$C–CO–CO–CH$_3$				448,4	21,4	Heptan[7]
H$_3$C–CO–Cl				235	53	Hexan[8]
H$_3$C–CO–OH				204	41	Äthanol[8]
H$_3$C–CO–OC$_2$H$_5$				204	60	Wasser[8]
H$_3$C–CO–NH$_2$				214		Wasser[8]
H$_3$C–CO–CH$_3$	188,0	900	Gasphase[9]	275,0	22	Cyclohexan[10]
H$_2$C=CH–CHO	193,5	16000	Gasphase[11]	386,0		Gasphase[12]
HC≡C–CHO	212,0	14600	Isooctan[13]			
H$_3$C–H$_2$C–CO–CH$_3$				277	19,4	Chloroform[14]
H$_2$C=CH–CO–CH$_3$	219,0	3600	Äthanol[15]			
HC≡C–CO–CH$_3$	215,0	4000	Äthanol[16]			
H$_7$C$_3$–CO–CH$_3$				279	21,2	Chloroform[14]
H$_3$C–CH=CH–CHO	218,0	17900	Äthanol[17]			
(H$_3$C)$_2$C=CH–CHO	235,5	11900	Äthanol[17]			
(H$_3$C)$_2$C=CH–CO–CH$_3$	249,0	2490	Äthanol[15]			
(H$_3$C)$_3$C–CO–CH$_3$				285	21,2	Chloroform[14]
Cyclopentanon (=O)				278,0	18	Methanol[18]
Cyclohexanon (=O)				–	100	Cyclohexan[19]
2,2-Diphenylcyclohexanon (C$_6$H$_5$, C$_6$H$_5$, =O)				298	125	Äthanol[20]
Cycloheptanon (=O)				283,8	20	Methanol[18]
Bicyclisches Keton (O)				–	300	Cyclohexan[19]
H$_5$C$_6$–CHO	248,0	12700	Gasphase[21]	390,9	10	Hexan[22]
H$_5$C$_6$–CO–CH$_3$				362,8	78	Hexan[22]
H$_5$C$_6$–CO–C$_6$H$_5$	260,0		Äthanol[23]	378,7	33,7	Hexan[22]
				412,1 (T)	0,03	Hexan[22,24]

Lit. s. S. 737

α_2) *unter Erhaltung der Carbonyl-Funktion*

bearbeitet von

Dipl. Biochem. PETER HEINRICH*

$\alpha\alpha$) Isomerisierungen

Der einfachste photochemische Prozeß der Carbonyl-Gruppe ist eine α-Spaltung mit anschließender Rekombination des Radikalpaares. Dieser Prozeß ist nur dann erkennbar, wenn Ausgangsverbindung und Photoprodukt nicht mehr identisch sind, wie im Falle von entsprechend substituierten, cyclischen Ketonen. So wird z. B. *trans-4-Oxo-3-propyl-1-tert.-butyl-cyclohexan* in die *cis*-Verbindung überführt[1]:

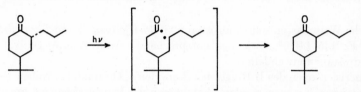

Analog lassen sich 7-Oxo-6-methyl-bicyclo[4.3.0]nonane bzw. -bicyclo[4.4.0]decane an ihrem substituierten Brückenkopf-Kohlenstoff-Atom isomerisieren[2].

Präparativ interessant sind Bestrahlungen von 17-Oxo-steroiden, bei denen eine gegenseitige Umwandlung der 13α- und 13β-Isomeren – also eine Epimerisierung des D-Ringes – erreicht werden kann[3]. Als Konkurrenzreaktion muß gleichzeitig mit der Bildung von Ketenen bzw. deren Folgeprodukten (s. S. 739) und von ungesättigten Aldehyden (s. S. 756) nach der α-Spaltung gerechnet werden[4].

---

* **Chemisches Institut der Universität Tübingen.**
[1] N. J. TURRO u. D. S. WEISS, Am. Soc. **90**, 2155 (1968).
[2] N. C. YANG u. R. H. K. CHEN, Am. Soc. **93**, 530 (1971).
[3] H. WEHRLI u. K. SCHAFFNER, H. **45**, 385 (1962).
[4] J. A. BARLTROP u. J. D. COYLE, Chem. Commun. **1969**, 1081.

Fußnoten zu Tab. 101, S. S 736
[1] G. FLEMING et al., J. Chem. Physics **30**, 351 (1959).
[2] J. C. D. BRAND, Chem. & Ind. **1955**, 167; Soc. **1956**, 858.
[3] G. W. ROBINSON u. V. E. DI GIORGIO, Canad. J. Chem. **36**, 31 (1958).
   S. E. HODGES, J. R. HENDERSON u. J. B. COON, J. Mol. Spectry **2**, 99 (1958).
[4] J. C. D. BRAND, Trans. Faraday Soc. **50**, 431 (1954).
[5] A. D. WALSH, Pr. roy. Soc. **185** [A], 176 (1946).
[6] A. D. WALSH, Soc. **1953**, 2318.
   K. K. INNES, J. Mol. Spectry. **19**, 435 (1961).
[7] L. S. FORSTER, Am. Soc. **77**, 1417 (1955).
[8] H. H. JAFFÉ u. M. ORCHIN, *Theory and Applications of Ultraviolett Spectroscopy*, J. Wiley & Sons, Inc., N. Y. 1962.
[9] J. S. LAKE u. A. J. HARRISON, J. Chem. Physics **30**, 361 (1959).
[10] K. STICH, G. ROTZLER u. T. REICHSTEIN, Helv. **42**, 1480 (1959).
[11] A. D. WALSH, Trans. Faraday Soc. **41**, 498 (1945).
[12] J. M. HOLLAS, Spectrochim. Acta **7**, 1425 (1963).
[13] J. A. HOWE u. J. H. GOLDSTEIN, Am. Soc. **80**, 4846 (1958).
[14] F. O. RICE, Am. Soc. **42**, 727 (1920).
[15] L. K. EVANS u. A. E. GILLAM, Soc. **1941**, 815.
[16] K. BOWDEN et al., Soc. **1946**, 39.
[17] W. FORBES u. R. SHILTON, Am. Soc. **81**, 786 (1959).
[18] E. M. KOSOWER u. G. S. WU, Am. Soc. **83**, 3142 (1961).
[19] H. LABHART u. G. WAGNIERE, Helv. **42**, 2219 (1959).
[20] W. B. BENNET u. A. BURGER, Am. Soc. **75**, 84 (1953).
[21] S. IMANASHI, J. Chem. Physics **19**, 389 (1951).
[22] Y. KANDA, H. KASEDA u. T. MATSUMURA, Spectrochim. Acta **20**, 1387 (1964).
[23] R. N. JONES, Am. Soc. **67**, 2127 (1945).
[24] N. G. KRISHNA, J. Mol. Spectry **13**, 296 (1964).

3-Hydroxy-17-oxo-13α-östratrien-(1,3,5[10]) (Lumi-östron)[1, 2]:

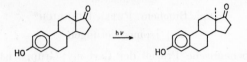

2 g Östron werden in 60 *ml* 1,4-Dioxan gelöst und in einer Quarz-Flasche unter Stickstoff 28 Stdn. mit einer Quarzlampe (Hanau) im Abstand von 20 cm bestrahlt. Beim Einengen der Reaktionslösung fällt ein Niederschlag aus, der nach dem Umkristallisieren aus Äthanol 608 mg Lumi-östron ergibt; aus der 1,4-Dioxan-Mutterlauge können weitere 95 mg isoliert werden; Gesamtausbeute: 703 mg (35% d.Th.); F: 268–269°.

Auf ähnliche Weise lassen sich Androsteron zu *3β-Hydroxy-17-oxo-13α-androstan* (*Lumi-androsteron*, F: 145–146°)[3] sowie das entsprechende Androsten-(5)-Derivat[4] und 3,17-Dioxo-5α-androstan[5] umwandeln.

Über Epimerisierungen des B-Ringes bei Steroiden s. Originallit.[6]. Neben Isomerisierungen von gesättigten Ketonen werden photochemische Isomerisierungen auch bei α,β-ungesättigten Ketonen beobachtet.

Die Bestrahlung von optisch aktiven Verbindungen führt zum Racemat. Aktive *Usninsäure* wird auf diese Weise mit 87% in das Racemat überführt[7]. Mit großer Wahrscheinlichkeit läuft die Umwandlung über ein intermediäres Keten ab:

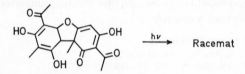

(±)-6-Methoxy-4-oxo-2-methyl-cyclohexadien-(2,5)-⟨1-spiro-2⟩-7-chlor-4,6-dimethoxy-3-oxo-2,3-di-hydro-⟨benzo-[b]-furan⟩ [(±)-Dehydro-griseofulvin][8]: Eine Lösung von 1,4 g (–)-Dehydro-griseofulvin in 20 *ml* Acetonitril wird in einem Quarz-Kolben mit einer Hanovia Typ 16 A 13 Quecksilber-Nieder-druck-Lampe bei 40° belichtet. Nach 30 Min. bildet sich ein kristalliner farbloser Niederschlag. Nach 60 Stdn. wird das Produkt abfiltriert und aus Acetonitril umkristallisiert; Ausbeute: 918 mg (66% d.Th.); F: 288–290°.

Cis-trans-Isomerisierungen sind auf S. 197ff. beschrieben.

α,β-Ungesättigte Ketone lassen sich auch photochemisch in β,γ-ungesättigte Ketone dekonjugieren[9]. Die entsprechende Rückreaktion (Konjugation) wird ebenfalls beschrieben[10].

5-Oxo-2-methyl-hexen-(3) wird mit 75%iger Ausbeute bei Bestrahlung von 12 Stdn. mit einer 450 W Hanovia Lampe (Pyrex) in Äther zu *5-Oxo-2-methyl-hexen-(2)* isomerisiert[11]. Der Mechanismus einer Wasserstoff-Wanderung im sechsgliedrigen Übergangszustand wird durch Photolyse in O-Deutero-methanol erhärtet[11]. Bei doppelt α,β-ungesättigten

[1] A. BUTENANDT, A. WOLFF u. P. KARLSON, B. **74**, 1308 (1941).
[2] A. BUTENANDT, W. FRIEDRICH u. L. POSCHMANN, B. **75**, 1931 (1942).
[3] A. BUTENANDT u. L. POSCHMANN, B. **77**, 394 (1944).
[4] J. P. L. BOTS, R. **77**, 1010 (1958).
[5] D. H. R. BARTON et al., Soc. **1957**, 2698.
[6] R. J. CHAMBERS u. B. A. MARPLESS, Tetrahedron Letters **1971**, 3747.
[7] D. H. R. BARTON u. G. QUINKERT, Soc. **1960**, 1.
[8] D. TAUB et al., Tetrahedron **19**, 1 (1963).
[9] Über die Isomerisierung in der Gasphase s.: C. A. MCDOWELL u. SIFNIADES, Am. Soc. **84**, 4606 (1962).
[10] S. KUWATA u. K. SCHAFFNER, Helv. **52**, 173 (1969).
[11] N. C. YANG u. M. J. JORGENSON, Tetrahedron Letters **1964**, 1203.

acyclischen Ketonen wird die entsprechende doppelte Isomerisierung nur mit geringem Anteil gegenüber der Verschiebung von einer Doppelbindung beobachtet[1]. Isomerisierungen von Doppelbindungen in Ringsystemen wurden ebenfalls beschrieben[2].

17β-Hydroxy-3-oxo-androsten-(5)[3]:

Eine Lösung von 950 mg 10α-Testosteron in 500 ml tert.-Butanol wird 72 Stdn. mit einem Hochdruck-Brenner Q 81 (Quarzlampen GmbH, Hanau) in einem zentral angeordneten, wassergekühlten Quarz-finger bei Zimmertemp. bestrahlt. Nach dem Eindampfen des Lösungsmittels i. Vak. wird der ölige Rückstand an 24 g neutralem Aluminiumoxid (Akt. II) chromatographiert. Mit Benzol wird das Photo-isomere eluiert; Ausbeute: 197 mg (21% d. Th.); F: 173–174° (aus Aceton/Petroläther).

Von einer Umlagerung ist die Isomerisierung von Verbenon zu *Chrysanthenon* begleitet:

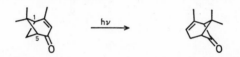

7-Oxo-2,6,6-trimethyl-bicyclo[3.1.1]hepten-(2)[4]: Eine Lösung von 1,25 g 4-Oxo-2,6,6-trimethyl-bicyclo [3.1.1]hepten-(2) in 125 ml Cyclohexan werden unter Rückfluß mit einer Hanovia UVS 500 Quecksilber-Bogenlampe in einen Quarzkolben 3 Stdn. bestrahlt. Anschließend wird das Lösungsmittel abgezogen und der Rückstand in Leichtbenzin aufgenommen, filtriert und an eine Aluminiumoxid-Säule absorbiert. Das mit Leichtbenzin eluierte Produkt wird darauf ein zweites Mal mit Leichtbenzin über Kohle/Celit (1:1) chromatographiert; Ausbeute: 580 mg (47% d. Th.); Kp$_{12}$: 88–89°.

ββ) Keten-Bildung

ββ$_1$) gesättigte und ungesättigte, nicht konjugierte Ketone

Während die „photochemische Hydrolyse" von acyclischen Ketonen ohne präparative Bedeutung ist, führt die Bestrahlung von cyclischen Ketonen in wasserhaltigen Solventien über intermediäre Ketene zu Carbonsäuren:

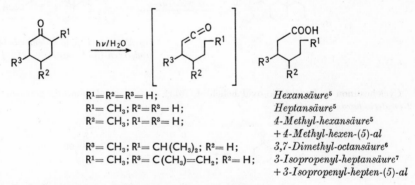

R¹=R²=R³= H;   *Hexansäure*[5]
R¹= CH₃; R²=R³= H;   *Heptansäure*[5]
R²= CH₃; R¹=R³= H;   *4-Methyl-hexansäure*[5]
                                      + *4-Methyl-hexen-(5)-al*
R³= CH₃; R¹= CH(CH₃)₂; R²= H;   *3,7-Dimethyl-octansäure*[6]
R¹= CH₃; R³= C(CH₃)=CH₂; R²= H;   *3-Isopropenyl-heptansäure*[7]
                                      + *3-Isopropenyl-hepten-(5)-al*

[1] K. J. GROWLEY, R. A. SCHNEIDER u. J. MEINWALD, Soc. [C] **1966**, 571.
   s. a. P. J. KROPP u. T. W. GIBSON, Soc. [C] **1967**, 143.
[2] R. Y. LEVINA, V. N. KOSTIN u. P. A. GEMBITSKII, Ž. obšč. chim., engl.: **29**, 2421 (1959).
   J. GLOOR, K. SCHAFFNER u. O. JEGER, Helv. **54**, 1864 (1971).
[3] H. WEHRLI et al., Helv. **46**, 678 (1963).
   Über eine analoge Photolyse s.: D. BELLUS, D. R. KEARNS u. K. SCHAFFNER, Helv. **52**, 971 (1969).
[4] J. J. HURST u. G. H. WHITHAM, Soc. **1960**, 2864.
   s. a. W. F. ERMAN, Am. Soc. **89**, 3828 (1967).
[5] G. CIAMICIAN u. P. SILBER, B. **41**, 1071 (1908).
[6] G. CIAMICIAN u. P. SILBER, B. **40**, 2415 (1907).
[7] G. CIAMICIAN u. P. SILBER, B. **41**, 1928 (1908).

Zahlreiche Untersuchungen an cyclischen Ketonen verschiedener Ringgröße und wechselnden Substitutionsgrades führen, am Beispiel von Steroiden verdeutlicht, zu folgendem Reaktionsmechanismus[1]:

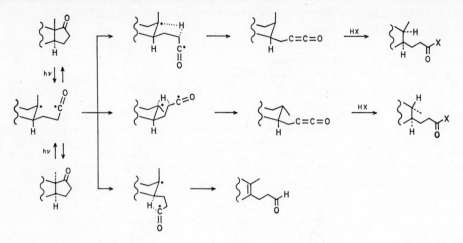

Das elektronisch angeregte Keton bricht homolytisch zwischen der C=O-Gruppe und dem benachbarten Kohlenstoff-Atom auf, welches durch Art und Anzahl seiner Substituenten die Dissoziation am meisten begünstigt. Das entstandene Alkyl-Acyl-Diradikal stabilisiert sich durch Wanderung eines zur Oxo-Gruppe α-ständigen Wasserstoff-Atoms unter Bildung von Ketenen. Mit zugesetzten Nukleophilen entstehen daraus Carbonsäuren bzw. deren Derivate.

In einer Konkurrenzreaktion – ebenfalls durch intramolekulare Disproportionierung des primären Alkyl-Acyl-Diradikals – ist bei der photochemischen Hydrolyse mit der Bildung von ungesättigten Aldehyden (En-al-Bildung, s. S. 756) zu rechnen.

Die intramolekulare Wasserstoff-Wanderung dieser Umsetzungen konnte für die Keten[2]- und die Aldehyd[3]-Bildung mit Hilfe von deuterierten Ketonen nachgewiesen werden. Die Photolyse von 3β-Methoxy-17-oxo-16,16-dideuterio-androsten-(5)[4] in 1,4-Dioxan/Wasser liefert die entsprechende Carbonsäure, in der ein Deuterium-Atom an C-13 des Steroids gewandert ist:

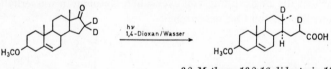

3β-Methoxy-13β,16-dideuterio-13,17-seco-13α-
androsten-(5)-17-säure; F: 112–114°

Cyclohexanon in Dideuterio-oxid belichtet, führt entsprechend dem angegebenen Mechanismus, zu *2-Deuterio-hexansäure-(O–d)*[5]:

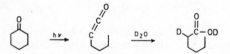

Letztlich konnten Ketene bei Photolysen in abs. Benzol IR-spektroskopisch[4] nach kurzer Belichtungszeit durch die charakteristische Keten-Bande bei 2120 Kaiser nachgewiesen werden.

[1] G. Quinkert, Ang. Ch. 77, 229 (1965); engl.: 4, 211 (1965).
   G. Quinkert, B. Wegemund u. E. Blanke, Tetrahedron Letters 1962, 221.
[2] G. Quinkert et al., B. 97, 958 (1964).
[3] R. Srinivasan, Am. Soc. 81, 1546 (1959).
[4] G. Qinkert, E. Blanke u. F. Homburg, B. 97, 1799 (1964).
[5] G. O. Schenck u. F. Schaller, B. 98, 2056 (1965).

Voraussetzung der „photochemischen Hydrolyse" von gesättigten oder ungesättigten nicht konjugierten cyclischen Ketonen ist ein Wasserstoff-Atom an einem der Lichtabsorbierenden Carbonyl-Gruppe benachbarten Kohlenstoff-Atom, das unter Keten-Bildung wandern kann. Werden z. B. 2-Oxo-1,3,3-trimethyl-bicyclo[2.2.1]heptan (Fenchon)[1] oder 3β-Methoxy-17-oxo-16,16-dimethyl-androsten-(5)[1] in Gegenwart von Wasser bestrahlt, so tritt keine Carbonsäure-Bildung ein.

Daneben können Ringspannungseffekte[2] im cyclischen Übergangszustand auftreten, die eine Carbonsäure-Bildung verhindern. Die Photolyse von 2-Oxo-1,7,7-trimethyl-bicyclo[2.2.1]heptan (Campher) führt nur zum ungesättigten Aldehyd, *2,3,3-Trimethyl-4-formylmethyl-cyclopenten*, aber nicht zur Carbonsäure:

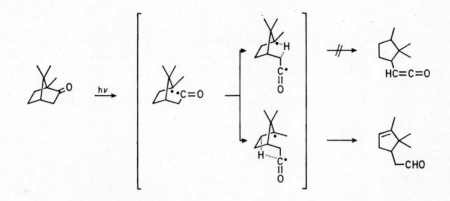

Photolyse von Campher[2] mit Cyclohexylamin als Nucleophil ergibt das entsprechende *(2,2,3-Trimethyl-cyclopentyl)-essigsäure-cyclohexylamid* mit höchstens 1% Ausbeute. Dagegen steigt bei 2-Oxo-1,8,8-trimethyl-bicyclo[3.2.1]octan (Homocampher) in Gegenwart von Cyclohexylamin die Ausbeute an Carbonsäure-amid bereits auf 17% d.Th.[2], was auf den günstigeren sechsgliedrigen Übergangszustand zurückgeführt wird:

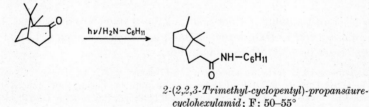

2-(2,2,3-Trimethyl-cyclopentyl)-propansäure-cyclohexylamid; F: 50–55°

Der Anwendungsbereich der „photochemischen Hydrolyse" von gesättigten und ungesättigten nicht konjugierten cyclischen Ketonen ist recht groß. Die Ausbeuten der sauren Reaktionsprodukte bzw. ihrer Derivate liegen zwischen 30 und 70%. Große präparative Bedeutung besitzt diese Methode auf dem Gebiet der Steroide und Terpene, wo sie zur Konstitutionsermittlung und zu Abbau-Reaktionen Verwendung findet.

3-Oxo-5α-cholestan liefert erwartungsgemäß bei der Photolyse in Eisessig/Wasser in etwa gleicher Menge die beiden isomeren Carbonsäuren, je nachdem ob die Spaltung des Ringes A

---

[1] G. QUINKERT, E. BLANKE u. F. HOMBURG, B. **97**, 1799 (1964).
   B. WEGEMUND, Diplomarbeit, Technische Hochschule Braunschweig, 1960.
[2] G. QUINKERT, A. MOSCHEL u. G. BUHR, B. **98**, 2742 (1965).

zwischen C-2 und C-3 oder zwischen C-3 und C-4 erfolgt. Daneben werden noch Photo-reduktionsprodukte (s. S. 811) gebildet[1]:

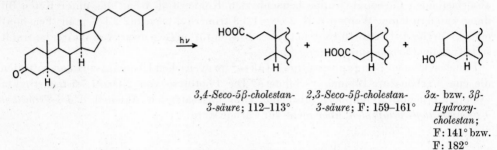

3,4-Seco-5β-cholestan- 3-säure; 112–113°   *2,3-Seco-5β-cholestan- 3-säure;* F: 159–161°   *3α- bzw. 3β- Hydroxy-cholestan;* F: 141° bzw. F: 182°

Das Auftreten von Reduktionsprodukten läßt sich beim 3β-Acetoxy-6-oxo-5α-cholestan durch Variation des Lösungsmittels weitgehend unterdrücken. Photolyse in Eisessig/Wasser und anschließende Hydrolyse des sauren Rohprodukts führt ausschließlich zu *3β-Hydroxy-5,6-seco-cholestan-6-säure* (54% d.Th.; F: 192–195°)[1]. In 1,4-Dioxan/Wasser dagegen sinkt die Ausbeute auf 30% ab, da sich gleichzeitig Reduktionsprodukte bilden[1].

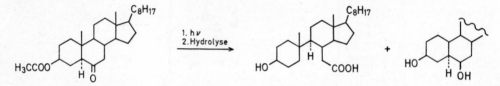

5α- oder 5β-Hydroxy-6-oxo-steroide lassen sich photochemisch stereospezifisch über die entsprechende Ketene in Lactone überführen[2]:

In Übereinstimmung mit der Spaltung der 6-Oxo-steroide tritt bei der photochemischen Ringöffnung von 17-Oxo-steroiden Bindungsbruch zwischen C-13 und C-17 auf, der ebenfalls zu einer primären Carbonsäure führt.

3β-Methoxy-13,17-seco-13α-androsten-(5)-17-säure[3,1]: 25 g 3β-Methoxy-17-oxo-androsten-(5) werden in 450 ml 1,4-Dioxan und 150 ml Wasser gelöst und die Lösung mit einer Xenon-Hochdruck-Lampe (Osram XBF 6000) durch Quarz bestrahlt. Nach 14tägiger Bestrahlung wird das Photolysat zur Trockene gebracht. Die Säure wird an Kieselgel mit Chloroform/Aceton (97:3) chromatographiert und anschließend aus Petroläther/Diisopropyläther umkristallisiert; Ausbeute: 3,98 g; F: 113–115°.

Analog können 3β-Acetoxy-17-oxo-13β- und -13α-androsten-(5) zu *3β-Acetoxy-13,17-seco-13α-androsten-(5)-17-säure* (F: 124–126°) photolysiert werden[3,1].

3β-Acetoxy-13,17-seco-13α-androsten-(5)-17-säure-cyclohexylamid[4]:

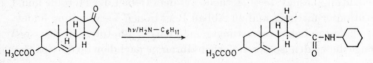

[1] G. Quinkert et al., B. **97**, 958 (1964).
[2] R. C. Cookson, R. P. Ghandi u. R. M. Southam, Soc. **1968**, 2494.
 s. a. W. C. Agosta et al., Tetrahedron Letters **1969**, 4517.
[3] G. Quinkert, B. Wegemund u. E. Blanke, Tetrahedron Letters **1962**, 221.
[4] G. Quinkert, E. Blanke u. F. Homburg, B. **97**, 1799 (1964).

15 g 3β-Acetoxy-17-oxo-androsten-(5) werden in 300 *ml* Benzol und 10 *ml* frisch destilliertem Cyclohexylamin gelöst und 3 Tage mit einem Quecksilber-Hochdruck-Brenner Q 700 (Hanau) unter Sauerstofffreiem Stickstoff bestrahlt. Das Photolysat wird eingeengt und anschließend an 350 g Kieselgel mit Benzol/Chloroform (1:2) chromatographiert; Ausbeute: 3,1 g; F: 138–140°.

3,4-Seco-5α-lanostan-3-säure[1]:

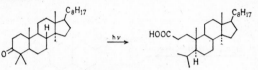

Eine Lösung von 1 g 3-Oxo-5α-lanostan in 250 *ml* Essigsäure/Wasser (9:1) wird 12 Stdn. in einem Pyrex-Kolben bei Rückflußtemp. unter Stickstoff mit einer 125 W Quecksilber-Bogenlampe bestrahlt. Der Verlauf der Reaktion wird durch Intensitätszunahme des Zimmermann-Tests für Triterpenoid-3-ketone verfolgt. Nach Beendigung der Reaktion wird das Lösungsmittel unter Vak. entfernt und der Rest über sauer gewaschenem Aluminiumoxid mit Chloroform/Methanol chromatographiert; Ausbeute: 350 mg; F: 186–188°.

Nach der gleichen Vorschrift können α- und β-Amyron photolysiert werden[1]. Über Keten-Bildung von heteroanalogen 5- und 6-Ring-Ketonen s. Lit.[2].

Eine präparative Bereicherung der photochemischen Spaltung gesättigter oder ungesättigter nicht konjugierter cyclischer Ketone stellt die Bestrahlung in Gegenwart von Sauerstoff dar, die zu ungesättigten Carbonsäuren führt. Obwohl eine endgültige Klärung des Mechanismus noch aussteht, läßt sich aufgrund der isolierten Carbonsäuren folgende Arbeitshypothese[3] annehmen:

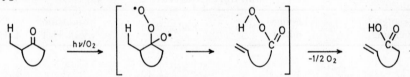

Das angeregte Keton soll mit einem Sauerstoff-Molekül zu einem Hydroxy-hydroperoxy-Diradikal reagieren, das sich intramolekular zur ungesättigten Percarbonsäure umlagert, die schließlich unter Sauerstoff-Abspaltung in eine Carbonsäure übergeht. Voraussetzung ist, daß das Keton mindestens ein zur Oxo-Gruppe β-ständiges Wasserstoff-Atom besitzt, und daß die Wasserstoff-Wanderung innerhalb eines sechsgliedrigen Übergangszustandes ablaufen kann.

Photolysiert man z. B. 3β-Acetoxy-17-oxo-androsten-(5) in abs. Benzol, das Cyclohexylamin enthält, unter Einleiten von Sauerstoff mit einer Quecksilber-Hochdruck-Tauchlampe Q 81 (Hanau), so entsteht mit 13%iger Ausbeute *3β-Hydroxy-13,17-seco-androstadien-(5,13¹⁸)-17-säure* (F: 175–177,5°)[4]:

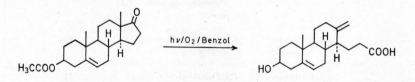

Analog werden 3β-Hydroxy-17-oxo-13α-androsten-(5) und 3β-Acetoxy-17-oxo-13α- bzw. –13β-androstan in die entsprechenden zwischen C-13 und C-18 ungesättigten Säuren über-

---

[1] D. ARIGONI et al., Soc. **1960**, 1900.
[2] G. HAGENS et al., J. Org. Chem. **35**, 3682 (1970).
  P.-Y. JOHNSON u. G. A. BERCHTOLD, J. Org. Chem. **35**, 584 (1970).
[3] G. QUINKERT, Ang. Ch. **77**, 229 (1965).
[4] G. QUINKERT u. H. G. HEINE, Tetrahedron Letters **1963**, 1659.
  G. QUINKERT et al., B. **97**, 958 (1964).

führt[1, 2]. Im Unterschied zu den 17-Oxo-steroiden neigen Naturstoffe wie α- und β-Amyron bei Bestrahlung in Benzol in Gegenwart von Cyclohexylamin und Sauerstoff zur Bildung von ungesättigten Carbonsäuren und auch – wie bei Photolysen unter Sauerstoff-Ausschluß – von Carbonsäure-amiden[1, 2]:

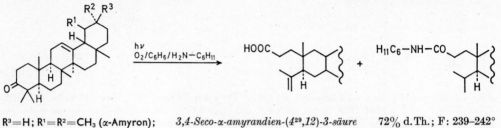

R[3]=H; R[1]=R[2]=CH$_3$ (α-Amyron);   *3,4-Seco-α-amyrandien-(4^{29},12)-3-säure*   72% d.Th.; F: 239–242°
                                       3,4-Seco-α-amyren-(12)-3-säure-   15% d.Th.; F: 194–196°
                                       cyclohexyamid
R[1]=H; R[2]=R[3]=CH$_3$ (β-Amyron);   *3,4-Seco-β-amyrandien-(4^{29},12)-3-säure*   70% d.Th.; F: 199–202°
                                       3,4-Seco-β-amyren-(12)-3-säure-   15% d.Th.
                                       cyclohexylamid

Hingegen liefert 3-Oxo-lanosten-(8) in benzolischer Lösung bei Belichtung in Gegenwart von Sauerstoff und Cyclohexylamin lediglich mit 39%iger Ausbeute *3,4-Seco-lanosten-(8)-3-säure-cyclohexylamid* (F: 174–175°) neben *3,4-Seco-lanostadien-(4^{30},8)-3-säure*[1].

Tab. 102. Photolyse von cyclischen Ketonen unter Bildung von Säuren und deren Derivaten

Ausgangs-verbindung	Lösungs-mittel	Endprodukt	Ausbeute [% d.Th.]	F [° C]	Lite-ratur
R[1]=H; R[2]=D	Methanol	*1,5-Dimethyl-2-methoxy-carbonyldeuteriomethyl-bicyclo[2.1.1]hexan*	a	a	3
R[1]=D; R[2]=H		*1,5-Dimethyl-2-methoxycarbo-nylmethyl-5-deuterio-bicyclo[2.1.1]hexan*	a	a	3
R[1]=R[2]=H	Äthanol	*1,5-Dimethyl-2-äthoxycarbo-nylmethyl-bicyclo[2.1.1] hexan*	66	a	4
	1,4-Dioxan/Wasser	*1,5-Dimethyl-2-carboxy-methyl- . . .*	40	a	
	1,4-Dioxan/Di-deuteriooxid	*1,5-Dimethyl-2-carboxy-deuteriomethyl- . . .*	74	a	
	Benzol/Butyl-amin/Sauer-stoff	*1,5-Dimethyl-2-butylami-nocarbonylmethyl-bicyclo [2.1.1]hexan*	94	130,5–131	

a Keine Angaben.

[1] G. QUINKERT u. H. G. HEINE, Tetrahedron Letters **1963**, 1659.
[2] G. QUINKERT et al., B. **97**, 958 (1964).
[3] J. MEINWALD, R. A. SCHNEIDER u. A. F. THOMAS, Am. Soc. **89**, 70 (1967).
[4] J. MEINWALD u. R. A. SCHNEIDER, Am. Soc. **87**, 5218 (1965).

Tab. 102 (1. Fortsetzung)

Ausgangs-verbindung	Lösungs-mittel	Endprodukt	Ausbeute [% d.Th.]	F [° C]	Lite-ratur
	ohne Lösungs-mittel	*Cyclooctancarbonsäure*	a	a	1
9-Oxo-bicyclo[5.2.1]decan	Cyclopentan/ Cyclohexyl-amin	*Cyclononancarbonsäure-cyclo-hexylamid*	91	154–154,5	2
	Methanol	*3-Methyl-cyclopentadecan-carbonsäure-methylester*	33	(Kp $_{0,04}$: 104)	3
	1,4-Dioxan/ Wasser	*6-Acetoxy-11-oxo-7,14-dimethyl-2-carboxymethyl-10-oxa-tricyclo[7.5.0.0^{3,7}] tetradecan*	a	108–111	4
	tert.-Butanol	*6-Acetoxy-11-oxo-7,14-dimethyl-2-tert.-butyloxycar-bonylmethyl- . . .*		129–130	
	Benzol[b]	*3β-Hydroxy-13,17-seco-13α-androsten-(5)-17-säure*	a	193–196	5
R=H	1,4-Dioxan/ Wasser	*3-Hydroxy-13,17-seco-13α-östratrien-(1,3,5^{10})-17-säure*	a	215–217	6
R=CH$_3$		*3-Methoxy- . . .*	a	116–118	6
R=CH$_3$	Eisessig/Wasser	*3β-Methoxy-5,6-seco-cholestan-6-säure*	a	138–142	6
R=OCCH$_3$	Benzol/Cyclo-hexylamin	*3β-Acetoxy-5,6-seco-cholestan-6-säure-cyclohexylamid*	a	180–182	5

a Keine Angabe.
b mit anschließender Hydrolyse.

1 F. HOMBURG, Dissertation, Technische Hochschule Braunschweig, 1964.
2 C. D. GUTSCHE u. J. W. BAUM, Am. Soc. **90**, 5862 (1968); Tetrahedron Letters **1965**, 2301.
  S. a.: C. D. GUTSCHE u. C. W. ARMBRUSTER, Tetrahedron Letters **1962**, 1297.
3 H. NOZAKI, H. YAMAMOTO u. T. MORI, Canad. J. Chem. **47**, 1107 (1969).
4 W. KOCH, M. CARSON u. R. W. KIERSTEAD, J. Org. Chem. **33**, 1272 (1968).
5 G. QUINKERT, E. BLANKE u. F. HOMBURG, B. **97**, 1799 (1964).
6 G. QUINKERT et al., B. **97**, 958 (1964).

Tab. 102 (2. Fortsetzung)

Ausgangs-verbindung	Lösungs-mittel	Endprodukt	Ausbeute [% d.Th.]	F [° C]	Lite-ratur
H₃CCOO	1,4-Dioxan/ Wasser	3β-Acetoxy-7,8-seco-13α-cholestan-7-säure	a	202–205	1
	Äther/Cyclo-hexylamin	3β-Acetoxy-7,8-seco-cholestan-7-säure-cyclohexylamid	a	168–169,5	2
	Essigsäure/ Wasser	20-Hydroxy-4,4,8β-trimethyl-3,4-seco-18-nor-5α,14α-cholan-3,24-disäure-lacton-(20,24)	a	99–104	3
Friedelin	Chloroform/ Äthanol	3,4-Seco-friedelin-3-säure-äthylester	a	114,5–115	4
HO	1,4-Dioxan/ Wasser	12,13-Seco-hecogenin-12-säure	a	131–135	1
HO	abs. Äthanol	3β-Hydroxy-D-homo-13,17a-seco-13α-androsten-(5)-17a-säure + 3β-Hydroxy-D-homo-13,17a-seco-13β- ...	a a	167–169 203–205	5

ᵃ Keine Angaben.

$\beta\beta_2$) konjugiert ungesättigte Aldehyde

Die Keten-Bildung aus ungesättigten Aldehyden deren C=C-Doppelbindungen mit der Oxo-Gruppe in Konjugation stehen, ist auf wenige Beispiele beschränkt.

2-Formyl-1-(2-phenyl-vinyl)-cyclohexen wird in Äther bei −70° durch eine intramolekulare [1,5]-Wasserstoff-Verschiebung in *2-(2-Phenyl-äthyliden)-1-carbonylen-*

1 G. Quinkert et al., B. 97, 958 (1964).

2 G. Quinkert, E. Blanke u. F. Homburg, B. 97, 1799 (1964).

3 D. Arigoni et al., Soc. 1960, 1900.

4 F. Kohm, A. S. Samson u. Stevenson, J. Org. Chem. 34, 1355 (1969).
  T. Tsuyuki, S. Yamada u. T. Takahashi, Bl. Soc. chem. Japan 41, 511 (1968).
  Über die Bildung einer Nor-Säure aus Friedelin s.: M. Takai et al., Bl. Chem. Soc. Japan 43, 972 (1970).

5 G. Quinkert, A. Moschel u. G. Buhr, B. 98, 2742 (1965).

cyclohexan umgewandelt, welches bis –20° stabil ist. In Gegenwart von Nukleophilen bilden sich daraus zwei verschiedene Carbonsäure-Derivate[1,2]:

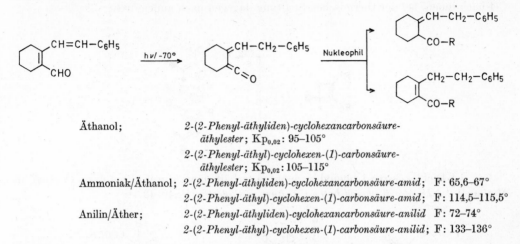

Äthanol;	*2-(2-Phenyl-äthyliden)-cyclohexancarbonsäure-äthylester*; Kp$_{0,02}$: 95–105°
	2-(2-Phenyl-äthyl)-cyclohexen-(1)-carbonsäure-äthylester; Kp$_{0,02}$: 105–115°
Ammoniak/Äthanol;	*2-(2-Phenyl-äthyliden)-cyclohexancarbonsäure-amid*; F: 65,6–67°
	2-(2-Phenyl-äthyl)-cyclohexen-(1)-carbonsäure-amid; F: 114,5–115,5°
Anilin/Äther;	*2-(2-Phenyl-äthyliden)-cyclohexancarbonsäure-anilid* F: 72–74°
	2-(2-Phenyl-äthyl)-cyclohexen-(1)-carbonsäure-anilid; F: 133–136°

Analog wird 2-(2-Phenyl-vinyl)-1-formyl-cyclopenten in Methanol zu *2-(2-Phenyl-äthyliden)-cyclopentancarbonsäure-methylester* und *2-(2-Phenyl-äthyl)-cyclopenten-(1)-carbonsäure-methylester* photolysiert. Mit Ammoniak in Äther bildet sich dagegen lediglich *2-(2-Phenyl-äthyliden)-cyclopentancarbonsäure-amid* (F: 111–113°)[1].

$\beta\beta_3$) ungesättigte, konjugierte, cyclische Ketone

Auch ungesättigte cyclische Ketone, bei denen C=C- und C=O-Doppelbindung in Konjugation stehen, lassen sich zu Ketenen photolysieren, die als Carbonsäuren bzw. Carbonsäure-Derivate isoliert oder als Abfangprodukte erhalten werden. Im Unterschied zu den gesättigten cyclischen Ketonen wird bei den ungesättigten, konjugierten cyclischen Ketonen nach der α-Spaltung kein Wasserstoff-Atom intramolekular übertragen, sondern es findet eine Valenzisomerisierung zum Keten statt.

Die Keten-Bildung wurde während Bestrahlungen von verschiedenen polycyclischen Ketonen bei tiefen Temperaturen IR-spektroskopisch (–190°) und NMR-spektroskopisch (–80°) nachgewiesen[3]; z. B.:

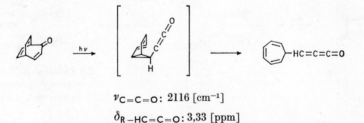

$$\nu_{C=C=O}: 2116 \ [cm^{-1}]$$

$$\delta_{R-HC=C=O}: 3,33 \ [ppm]$$

Über IR-spektroskopische Keten-Nachweise von Tetrachlor-oxo-cyclobuten und 6-Oxo-5-methyl-5-chlormethyl-cyclohexadien-(1,3) vgl. Lit.[4].

Während Oxo-cyclopropene bei Bestrahlung ausschließlich decarbonylieren, können größere ungesättigte, konjugierte Ringketone unter Keten-Bildung reagieren. An Oxo-

[1] P. SCHIESS u. C. SUTER, Helv. **54**, 2636 (1971).
[2] P. SCHIESS u. C. SUTER, Chimia **22**, 483 (1968).
[3] O. L. CHAPMANN et al., Am. Soc. **91**, 6856 (1969).
[4] O. L. CHAPMANN u. J. LASSILA, Am. Soc. **90**, 2449 (1968).

cyclobutenen gelingt eine stereospezifische photochemische Ringöffnung[1,2]. So konnte gezeigt werden, daß sich bei der photochemischen Reaktion der größere Substituent von C-4 nach innen, bei der thermischen Spaltung dagegen nach außen dreht:

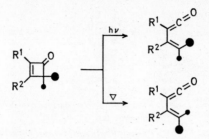

Aus 2,4-Dichlor-3-oxo-1-phenyl-cyclobuten erhält man durch Photolyse (Vycor) in Methanol *2,4-Dichlor-3-phenyl-buten-(3)-säure-methylester* (F: 40–42°)[1]:

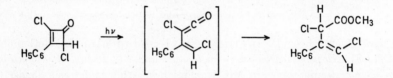

1-Äthoxy-3-oxo-2-methyl-cyclobuten wird bei 5 stdg. Bestrahlung in Äther/Wasser mit 86,5%iger Ausbeute zu *3-Äthoxy-2-methyl-buten-(3)-säure* (F: 134°) umgesetzt[3]. Bei ähnlicher Arbeitsweise wird 2-Oxo-1-methoxycarbonyl-benzocyclobuten in *2-Methoxycarbonylmethyl-benzoesäure-methylester* überführt[1]. Über weitere Beispiele s. Lit.[4].

Analog werden Dioxo-cyclobutene in die entsprechenden Bis-ketene gespalten[5] und mit Nucleophilen in Carbonsäure-Derivate überführt[6]. Dioxo-phenyl-cyclobuten in Methanol photolysiert, ergibt mit 15–25%iger Ausbeute *Phenyl-bernsteinsäure-dimethylester*[7]. Beim Dioxo-diphenyl-cyclobuten kann durch Photolyse von 5 Stdn. mit einer 500 W Quecksilber-Hochdruck-Lampe in Benzol die Bis-keten-Stufe mit 2,6-Dimethyl-phenylisonitril direkt angefangen werden[8]:

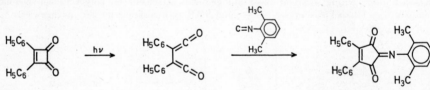

2,6-Dimethyl-N-[2,5-dioxo-3,4-diphenyl-cyclopenten-(3)-yliden]-anilin; 86% d.Th.; F: 142–143°

[1] J. E. Baldwin u. M. C. McDaniel, Am. Soc. **89**, 1537 (1967); **90**, 6118 (1968).

[2] Eine theoretische Interpretation der Selektivität gibt: C. Trindle, Am. Soc. **91**, 4936 (1969).

[3] R. B. Johns u. A. B. Kriegler, Austral. J. Chem. **23**, 1635 (1970).

[4] D. H. R. Barton, Helv. **42**, 2604 (1959).
    R. J. Spangler u. J. C. Sutton, J. Org. Chem. **37**, 1462 (1972).

[5] O. L. Chapman, C. L. McIntosh u. L. L. Barber, Chem. Commun. **1971**, 1162.
    Über die Spaltung von Diäthoxy-dioxo-cyclobuten zum Bis-keten und dessen Decarbonylierung zum äußerst interessanten Diäthoxy-oxo-cyclopropen s.: E. V. Dehmlow, Tetrahedron Letters **1972**, 1271.

[6] M. P. Cava u. R. J. Spangler, Am. Soc. **89**, 4550 (1967).

[7] F. B. Mallory u. J. D. Roberts, Am. Soc. **83**, 393 (1961).

[8] N. Obata u. T. Takizama, Chem. Commun. **1971**, 587.

Dioxo-dimethyl-cyclobuten führt bei Bestrahlung in Methanol über das intermediäre Bis-keten zum *2,3-Dimethyl-bernsteinsäure-dimethylester* (*meso-* und D-Form)[1].

Präparativ interessant ist die Photolyse von 1,2-Dioxo-benzocyclobuten[2-4]. Primär erhält man nach n,π*-Anregung durch Photoisomerisierung das orthochinoide Diketen, das sich beim Fehlen von geeigneten Reaktionspartnern in ein Oxa-carben umlagert (ausführliche Darstellung s. S. 822ff.).

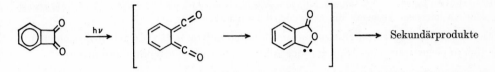

Interessant ist, daß die Bis-keten-Zwischenstufe z. B. nicht mit Alkoholen als entsprechender Diester erhalten werden kann[5]. Sie läßt sich lediglich als Diels-Alder-Addukt mit Maleinsäure-anhydrid oder Naphthochinon-(1,4) abfangen.

1,4-Dihydroxy-naphthalin-2,3-dicarbonsäure-anhydrid[4]:

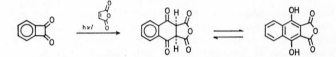

2,6 g (20 mM) Dioxo-benzocyclobuten und 3,9 g (40 mM) Maleinsäureanhydrid in 200 *ml* Dichlormethan und 700 *ml* Cyclohexan werden bei 20° unter Stickstoff mit einer Quecksilber-Hochdruck-Lampe Q 81 (Original Hanau) bestrahlt. Nach jeweils 12 Stdn. filtriert man vom Niederschlag ab und befreit den Kühlmantel der UV-Lampe vom Belag. Nach 48 Stdn. werden auf diese Art insgesamt 2,5 g rohes Photoprodukt abgetrennt. Weitere 500 mg erhält man nach Abdampfen der Lösungsmittel und Chromatographie mit Dichlormethan an Kieselgel (Merck: 0,05–0,2 mm); Ausbeute: 3,0 g (67% d.Th.); F: 265–270° (Zers.).

Bei gleicher Arbeitsweise wird mit Naphthochinon-(1,4) *6,11-Dihydroxy-5,12-dioxo-5,12-dihydro-tetracen* (14% d.Th.; F: 360°) erhalten[4]. Photolyse von Dioxo-benzocyclobuten in Äthanol liefert mit 39% d.Th. ein Dimeres (II) sowie *3-Äthoxy-1-oxo-1,3-dihydro-⟨benzo-[c]-furan⟩*[4]. Ausschließlich Photodimere werden in Pentan/Dichlormethan (2:1) erhalten[4].

Photodimere von 1,2-Dioxo-benzocyclobuten[4]:

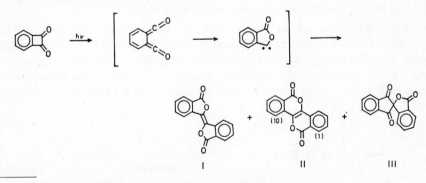

[1] O. L. CHAPMAN u. D. S. WEISS, Org. Photochem. **3**, 197 (1973).
[2] R. F. C. BROWN u. R. K. SOLLY, Tetrahedron Letters **1966**, 169.
[3] H. A. STAAB u. J. IPAKTSCHI, Tetrahedron Letters **1966**, 583.
[4] H. A. STAAB u. J. IPAKTSCHI, B. **101**, 1457 (1968).
[5] Kein Bis-keten findet L. L. BARBER bei Bestrahlungen bei 77° K: L. L. BARBER, Ph. D. Thesis, Iowa State University, 1969.

1,0 g (7,5 mM) Dioxo-benzocyclobuten werden in 450 ml Dichlormethan/Pentan (1:2) mit einer Quecksilber-Hochdruck-Tauchlampe Q 81 (Original Hanau) 9 Stdn. bei 20° unter Stickstoff bestrahlt. Einengen des Photolysats auf ~ 50 ml ergibt einen Kristallbrei, der abfiltriert wird; das Filtrat enthält nicht umgesetzte Ausgangsverbindung. Mit 25 ml kaltem Eisessig wird *6,12-Dioxo-6,12-dihydro-⟨[2]-benzopyrano-[4,3-c]-[2]-benzopyran⟩* (II) herausgelöst; Ausbeute: 40 mg (4% d.Th.); F: 323–325°.

Die in kaltem Eisessig unlöslichen Bestrahlungsprodukte trennt man durch fraktionierte Kristallisation aus Eisessig. *3,3′-Dioxo-1,1′,3,3′-tetrahydro-bi-(⟨benzo-[c]-furan⟩-1-yliden)* (I) ist das leichter lösliche Isomere; Ausbeute: 250 mg (25% d.Th.); F: 347–350°.

Das schwer lösliche *1,3-Dioxo-2,3-dihydro-inden-⟨2-spiro-1⟩-3-oxo-1,3-dihydro-⟨benzo-[c]-furan⟩*[1] (III) fällt mit folgender Ausbeute an: 50 mg (5% d.Th.); F: 290°.

Die bei der Photolyse von Dioxo-benzocyclobuten auftretende Oxacarben-Zwischenstufe läßt sich in Gegenwart von Alkenen oder Alkinen als Spiro-Verbindung abfangen.

3-Oxo-1,3-dihydro-⟨benzo-[c]-furan⟩-⟨1-spiro-9⟩-bicyclo[6.1.0]nonan[2]:

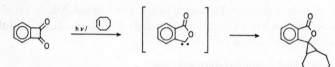

1,3 g (10 mM) Dioxo-benzocyclobuten und 55 g (500 mM) Cycloocten in 100 ml Dichlormethan und 800 ml Cyclohexan werden 24 Stdn. mit einer Quecksilber-Hochdruck-Tauchlampe Q 81 (Original Hanau) bei 20° unter Stickstoff bestrahlt. Man destilliert die Lösungsmittel i. Vak. ab und chromatographiert aus Dichlormethan an Kieselgel (Merck; 0,01–0,2 mm); Ausbeute: 1,6 g (66% d.Th.); F: 149–151° (aus Äthanol/Petroläther [Kp: 60–70°]).

Analog wird erhalten mit[2]:

Propen	→ *2-Methyl-cyclopropan-⟨1-spiro-1⟩-3-oxo-1,3-dihydro-⟨benzo-[c]-furan⟩*;	42% d.Th.; Kp$_{0,1}$: 120°
Isobuten	→ *2,2-Dimethyl-cyclopropan-...*;	65% d.Th.; F: 68–69°
Butadien-(1,3)	→ *2-Vinyl-cyclopropan-...*;	54% d.Th.; F: 101–102°
2,3-Dimethyl-butadien-(1,3)	→ *2-Methyl-2-isopropenyl-cyclopropan-...*;	37% d.Th.; F: 90–91°
Äthylvinyläther	→ *2-Äthoxy-cyclopropan-...*;	47% d.Th.; Kp$_{0,01}$: 110°
Cyclohexen	→ *Bicyclo[4.1.0]heptan-⟨7-spiro-1⟩-...*;	35% d.Th.; F: 87–88°

1,2-Diphenyl-cyclopropen-⟨3-spiro-1⟩-3-oxo-1,3-dihydro-⟨benzo-[c]-furan⟩[2]: 1,3 g (10 mM) Dioxo-benzocyclobuten und 8,9 g (50 mM) Diphenylacetylen in 100 ml Dichlormethan und 800 ml Cyclohexan werden unter Stickstoff 48 Stdn. bei 20° mit einer Quecksilber-Hochdruck-Tauchlampe Q 81 (Original Hanau) bestrahlt. Man entfernt anschließend die Lösungsmittel i. Vak. und wäscht den kristallinen Rückstand zur Entfernung der nicht umgesetzten Ausgangsverbindungen mit 50 ml Petroläther (Kp: 60–70°); Ausbeute: 1,4 g (45% d.Th.); F: 162–163° [aus Benzol/Äthanol (1:1)].

3-Oxo-cyclopentene zeigen recht unterschiedliche Reaktionsweisen. 3-Oxo-4,4-diphenyl- und 3-Oxo-4,4-dimethyl-cyclopenten unterliegen einer Ringverengung. Die Photolyse z. B. in Acetonitril/Wasser mit einer 140 W Hanovia Hochdruck-Lampe (Pyrex) ergibt mit 78%iger Ausbeute (*2,2-Diphenyl-cyclopropyl*)-*essigsäure*. Die Dimethyl-Verbindung führt in Methanol/Wasser mit 62%iger Ausbeute zu (*2,2-Dimethyl-cyclopropyl*)-*essigsäure*[3]:

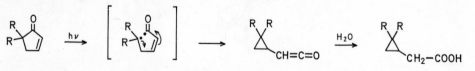

R = CH$_3$; C$_6$H$_5$

[1] R. F. G. Brown u. R. K. Solly, Tetrahedron Letters **1966**, 169.
[2] H. A. Staab u. J. Ipaktschi, B. **101**, 1457 (1968).
[3] W. C. Agosta et al., Tetrahedron Letters **1969**, 4517.
   s. a. W. C. Agosta u. A. B. Smith, Am. Soc. **93**, 5513 (1971).

1-Oxo-3a,7a-dihydro-*cis*-inden zeigt dagegen bei Belichtung ($\lambda > 310$ nm) in Methanol Ringaufspaltung und ergibt *Cycloheptatrienyl-(7)-essigsäure-methylester*[1]:

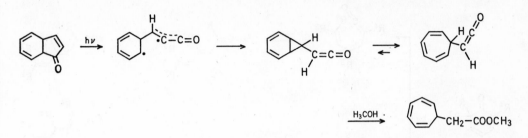

Höher kondensierte Dioxo-cyclopentene, so z. B. 1,2-Dioxo-1,2-dihydro-⟨cyclopenta-[f,g]-acenaphthylen⟩, zeigen bei Photolyse Spaltung in das entsprechende Diketen, das je nach Reaktionsbedingungen weiterreagieren kann.

Anwesenheit von Methanol führt zum *Acenaphthylen-5,6-dicarbonsäure-dimethylester* (30% d.Th.; F: 176–178°)[2], in feuchtem 1,2-Dimethoxy-äthan entsteht *Acenaphthen-5,6-dicarbonsäure-anhydrid*[3], in trockenem 1,2-Dimethoxy-äthan dagegen *Acenaphthylen-5,6-dicarbonsäure-anhydrid*[3]:

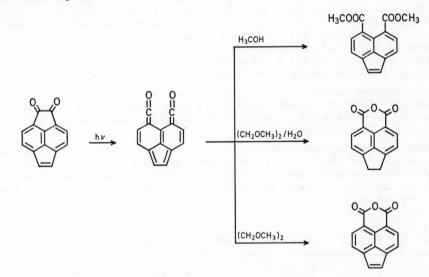

Einen großen präparativen Anwendungsbereich besitzt die photolytische Spaltung von 5-Oxo-cyclohexadienen-(1,3)[4] zu den entsprechenden ungesättigten Carbonsäuren und ihren Derivaten. In einer konkurrierenden Reaktion muß mit der Bildung von Phenolen gerechnet werden (eine ausführliche Behandlung dieser Umlagerung s. S. 770). Dieser Fall tritt bei Bestrahlungen in Abwesenheit eines Protonen-haltigen Nucleophils ein. Außerdem

[1] E. BAGGIOLINI et al., Helv. **50**, 297 (1967).
[2] F. M. BERINGER, R. E. K. WINTER u. J. A. CARTELLANO, Tetrahedron Letters **1968**, 6183.
[3] B. M. TROST, Am. Soc. **91**, 918 (1969).
[4] Über UV-Studien dieser Reaktion s.:
G. QUINKERT et al., Ang. Ch. **82**, 219 (1970).
H. H. PERKAMPUS et al., Ang. Ch. **82**, 222 (1970).

hängt die Phenol-Bildung von der Größe der Substituenten des Dienons ab. Bei Zugabe eines starken Nucleophils (HX) (z. B. primäre Amine) wird die Phenol-Bildung unterdrückt.

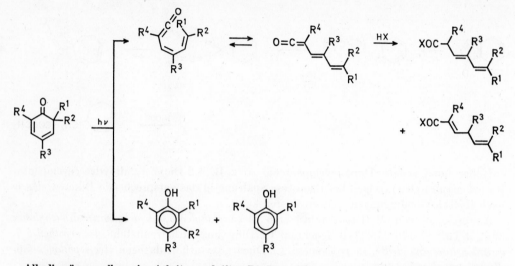

Alkadiensäuren; allgemeine Arbeitsvorschrift[1,2]: Die Bestrahlung wird unter Sauerstoff-freiem Stickstoff in einer Pyrex-Flasche mit einer 250 W Quecksilber-Lampe ausgeführt. Die Entfernung zwischen dem Reaktionsgefäß und der Lichtquelle beträgt 10 cm. Das Lösungsmittel wird durch die Hitze der Lampe am Sieden gehalten (Rückfluß). In Intervallen von 30 Min. werden aliquote Teile dem Reaktionsgefäß entnommen und das UV-Spektrum gemessen. Zeigt das Spektrum keine weitere Veränderung, so wird noch 30 Min. weiter photolysiert und danach wie üblich aufgearbeitet. Die bestrahlten Lösungen enthalten noch ~ 0,1–1% der eingesetzten Cyclohexadienone.

6-Acetoxy-heptadien-(3,5)-säure[1,2]: 1,24 g 5-Acetoxy-6-oxo-5-methyl-cyclohexadien-(1,3) werden in mit Wasser ges. Äther 3 Stdn. bestrahlt. Anschließend wird die ätherische Lösung mit Magnesiumsulfat getrocknet und das Solvens i. Vak. abgezogen. Der Rückstand wird aus Cyclohexan umkristallisiert; Ausbeute: 1,09 g (79% d.Th.); F: 86–87°.

6-Acetoxy-heptadien-(3,5)-säure-cyclohexylamid[1,2]: Eine Lösung von 1,22 g 5-Acetoxy-6-oxo-5-methyl-cyclohexadien-(1,3) und 1,51 g Cyclohexylamin in 800 ml trockenem Äther werden 2 Stdn. bestrahlt. Der Überschuß an Cyclohexylamin wird anschließend mit 4 N Salzsäure entfernt und danach wie oben aufgearbeitet. Die benzolische Lösung des Produkts wird über Kieselgel filtriert und aus Äther umkristallisiert; Ausbeute: 1,55 g; F: 86,5–88°.

Tab. 103. Photolyse von substituierten 5-Oxo-cyclohexadien-(1,3)-Derivaten

Dienon	Nucleophil	Produkt	Ausbeute [% d.Th.]	F [° C]	Literatur
$R^1 = R^2 = R^3 = R^4 = H$ $R^5 = R^6 = CH_3$	Wasser/Äther	*6-Methyl-heptadien-(3,5)-säure*	64	48–50	1
$R^1 = R^2 = R^3 = R^4 = H$ $R^5 = CH_3$; $R^6 = OOCCH_3$	Anilin/Äther	*6-Acetoxy-heptadien-(3,5)-säure-anilid*	a	105–106	1

a Keine Angaben.

[1] D. H. R. Barton u. G. Quinkert, Soc. **1960**, 1.
[2] s. a. D. H. R. Barton, Helv. **42**, 2604 (1959).

Tab. 103 (1. Fortsetzung)

Dienon	Nucleophil	Produkt	Ausbeute [% d.Th.]	F [° C]	Literatur
$R^1=R^2=R^4=H$ $R^3=CH_3$; $R^5=R^6=OOCCH_3$	Wasser/Äther	6,6-Diacetoxy-4-methyl-hexadien-(3,5)-säure	58	70–71	1
$R^1=R^2=R^4=H$ $R^3=R^5=CH_3$; $R^6=OOCCH_3$	Cyclohexylamin/ Äther	6-Acetoxy-4-methyl-heptadien-(2,5)-säure-cyclohexylamid	81	52–54	1
	Deuterio-oxy-methan	6-Acetoxy-4-methyl-2-deuterio-heptadien-(3,5)-säure-methylester	a	a	2
$R^2=R^3=R^4=H$ $R^1=R^5=CH_3$; $R^6=OOCCH_3$	Wasser/Äther	6-Acetoxy-2-methyl-heptadien-(3,5)-säure	50	a	1
	Cyclohexylamin/ Äther	. . .-säure-cyclohexylamid	82	134–135	1
$R^2=R^3=R^4=H$ $R^1=R^5=CH_3$; $R^6=CH_2–CH=CH_2$	Cyclohexylamin/ Äther	2,6-Dimethyl-nonatrien-(2,5,8)-säure-cyclo-hexylamid	26	79–81	1
$R^2=R^3=R^4=H$ $R^1=R^5=R^6=CH_3$	Methanol	2,6-Dimethyl-heptadien-(3,5)-säure-methylester	97	a	3
$R^2=R^4=H$ $R^1=R^3=R^5=CH_3$; $R^6=OOCCH_3$	Methanol	6-Acetoxy-2,4-dimethyl-heptadien-(3,5)-säure-methylester	a	a	2
	Cyclohexylamin/ Äther	. . .-heptadien-(2,5)-säure-cyclohexylamid	84	76–79	3
$R^2=R^4=H$ $R^1=R^3=R^5=CH_3$; $R^6=CH_2–CH=CH_2$	Cyclohexylamin/ Äther	2,4,6-Trimethyl-nonatrien-(2,5,8)-säure-cyclo-hexylamid	84	50–53	3
$R^2=R^4=H$ $R^1=R^3=R^5=C_6H_5$; $R^6=OOCCH_3$	Dimethylamin/ Wasser/Benzol	6-Acetoxy-2,4,6-triphenyl-hexadien-(3,5)-säure-dimethylamid	93	161–163	4
$R^2=R^4=H$ $R^1=R^3=R^5=C_6H_5$; $R^6=OOCC_6H_5$	Dimethylamin/ Wasser/Benzol	6-Benzoyloxy-2,4,6-tri-phenyl-hexadien-(3,5)-säure-dimethylamid	64	157–159	4
$R^1=R^4=H$ $R^2=R^3=R^5=R^6=CH_3$	Äthanol	3,4,6-Trimethyl-heptadien-(3,5)-säure-äthylester	92	a	5
$R^1=R^2=R^3=R^4=R^5=CH_3$ $R^6=OOCCH_3$	Cyclohexylamin/ Äther	6-Acetoxy-2,3,4,5-tetra-methyl-heptadien-(3,5)-säure-cyclohexylamid	a	a	6
$R^1=R^2=R^3=R^4=R^5=$ $R^6=CH_3$	Dimethylamin/ Hexan	2,3,4,5,6-Pentamethyl-heptadien-(3,5)-säure-dimethylamid	92	a	7
	Cyclohexylamin/ Hexan	. . .-cyclohexylamid	93	80–80,5	

a Keine Angaben.

1 D. H. R. Barton u. G. Quinkert, Soc. **1960**, 1.

2 J. E. Baldwin u. M. C. McDaniel, Am. Soc. **90**, 6118 (1968).

3 T. Tominga et al., Bl. chem. Soc. Japan **40**, 2451 (1967).

4 H. Perst u. K. Dimroth, Tetrahedron **24**, 5385 (1968).

5 H. Hart u. R. Lange, J. Org. Chem. **31**, 3776 (1966).

6 M. R. Morris u. A. J. Waring, Chem. Commun. **1969**, 526.

7 J. Griffiths u. H. Hart, Am. Soc. **90**, 3297 (1968).

Tab. 103 (2. Fortsetzung)

Dienon	Nucleophil	Produkt	Ausbeute [% d. Th.]	F [° C]	Lit.
	Methanol	2-(1-Methoxycarbonyl-äthyl)-1-[3-methyl-buten-(2)-yl-(2)]-cyclo-buten	55	a	1
		4 isomere 2-(1-Methoxy-carbonyl-äthyliden)-1-[3-methyl-propyl-(2)-iden]-cyclobutane	a	a	

a Keine Angaben.

Der Reaktionstyp der photochemischen Ringspaltung von 2,4-Cyclohexadienonen ist nicht auf monocyclische Verbindungen beschränkt. Tricyclische Verbindungen wie z. B. Mazdasantonin oder 1-Oxo-2,4-santadien-8α,12-olid können glatt in die entsprechenden ungesättigten Carbonsäuren photochemisch überführt werden.

1-Carboxy-1,10-seco-santadien-(3,5¹⁰)-8α,12-olid²:

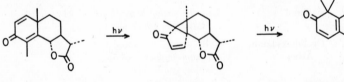

Eine Lösung von 2 g 1-Oxo-santadien-(2,4)-8α,12-olid in 700 *ml* wäßrigem Äther wird 30 Min. mit einer G.E. A H-6 Quecksilber-Lampe bestrahlt. Dann wird die Reaktionslösung bis auf ein kleines Volumen eingeengt und dieses mit 5%iger Natriumhydrogencarbonat-Lösung extrahiert. Der alkalische Extrakt wird angesäuert, mit Äther ausgezogen und die ätherische Lösung getrocknet. Das Lösungsmittel wird anschließend vollkommen abgezogen und der ölige Rest aus einem Äther/Petroläther-Gemisch kristallisiert; Ausbeute: 1,0 g (47% d. Th.); F: 97–98°.

Mazdasantonin stellt ein isolierbares Zwischenprodukt der Photolyse von α-Santonin bzw. Lumisantonin dar (vgl. a. S. 789). Es kann photochemisch unter Ringöffnung weiter-reagieren:

α-Santonin   Lumisantonin   Mazdasantonin

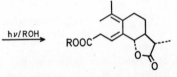

R = H; Photosantoninsäure
R = C₂H₅; Photosantonin

¹ P. J. BASTIANI, D. J. HART u. H. HART, Tetrahedron Letters **1969**, 4841.
² W. G. DAUBEN, D. A. LIGHTNER u. W. K. HAYES, J. Org. Chem. **27**, 1897 (1962).

Photosantonin[1]: 12 g Santonin werden in 600 *ml* Äthanol gelöst und in einer Pyrex-Flasche mit einer 125 W Quecksilber-Bogen-Lampe bestrahlt. Die Reaktion wird IR-spektroskopisch verfolgt. Wenn die neue Absorption in der Carbonyl-Region (1736 K) intensiver als die anderen ist, außer der γ-Lacton-Absorption, wird die Belichtung abgebrochen. Man zieht das Lösungsmittel im Vak. ab und chromatographiert an Kieselgel (450 g) mit Benzol/Leichtpetroleum (1:4); Ausbeute: 4,8 g; F: 67–68,5°.

Wird in den 2,4-Cyclohexadienonen eine C=C-Doppelbindung durch einen Cyclopropan-Ring ersetzt, so läßt sich auch hier eine photochemische Ringöffnung zum Keten unter Spaltung des Dreiringes erreichen:

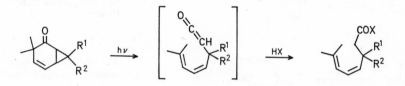

3,3,7-Trimethyl-octadien-(4,6)-säure-cyclohexylamid[2]: Eine Lösung von 5,14 g 5-Oxo-4,4,7,7-tetramethyl-bicyclo[4.1.0]hepten-(2) und 15 *ml* Cyclohexylamin in 1,1 *l* trockenem Äther wird unter Stickstoff bei 15° in einem Quarzgefäß mit einer Hanovia U V S-500 Quecksilber-Bogen-Lampe 36 Stdn. belichtet. Anschließend wird die Reaktionslösung nacheinander mit verd. Salzsäure und Wasser gewaschen und getrocknet. Man engt i. Vak. ein und chromatographiert den Rückstand an 150 g Kieselgel mit Petroläther/Äther (2:1 bis 1:1); Ausbeute: 432 g (55% d.Th.); F: 74–77°.

Durch Photolyse in Methanol erhält man den *3,3,7-Trimethyl-octadien-(4,6)-säure-methyl-ester* (61% d.Th.)[3].

4-Oxo-bicyclo[3.1.0]hexene werden hauptsächlich zu Phenolen (s. S. 785) umgewandelt. Diese Typ-B-Umlagerung wird aber auch von Keten-Bildung begleitet. So wird die in 6-Stellung 2fach phenylierte Verbindung in wäßrigem Lösungsmittel zur *6,6-Diphenyl-hexadien-(3,5)-säure* F: 116–117°) photolysiert[4]. Aus der entsprechenden Dimethyl-Verbindung erhält man dagegen in Cyclohexan *6-Oxo-5,5-dimethyl-cyclohexadien-(1,3)* (70% d.Th.)[5]:

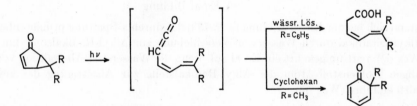

Die Bildung des Ketens und seine Cyclisierung zum 2,4-Cyclohexadienon konnte ebenfalls durch IR-spektroskopische Untersuchungen am Umbellon und Lumisantonin bei ihrer Tieftemperatur-Photolyse (−190°) bestätigt werden[6]. In beiden Fällen werden die

[1] D. H. R. Barton, P. de Mayo u. M. Shafiq, Soc. **1958**, 140.
 vgl. a. E. E. v. Tamelen et al., Am. Soc. 81, 1666 (1959).
[2] A. J. Bellamy u. G. H. Whitham, Soc. **1964**, 4035.
[3] J. E. Baldwin u. S. M. K. Krüger, Am. Soc. 91, 2396 (1969).
[4] H. E. Zimmermann et al., Am. Soc. 88, 4895 (1966).
 H. E. Zimmermann u. H. Schuster, Am. Soc. 84, 4527 (1962).
[5] J. S. Swenton et al., Am. Soc. 90, 2990 (1968).
[6] L. Barber, O. L. Chapman u. J. D. Lassila, Am. Soc. 90, 5933 (1968).

Keten-Abfangprodukte und die 2,4-Cyclohexadienone – beim Umbellon das entsprechende Phenol – erhalten.

Die photochemische Keten-Bildung aus ungesättigten, konjugierten Sieben- und Achtring-Ketonen ist präparativ bei weitem nicht so durchgearbeitet wie die der Sechsring-Ketone. Als Beispiele seien folgende photochemische Umsetzungen genannt, die zu Ketenen bzw. Carbonsäuren oder deren Derivaten führen:

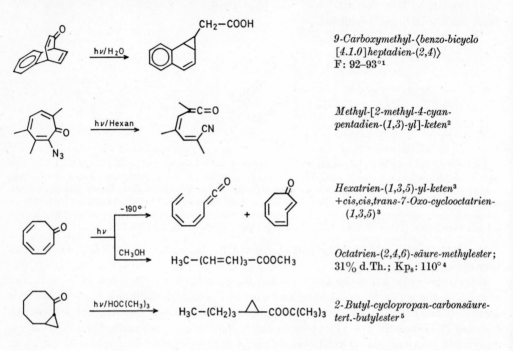

9-Carboxymethyl-⟨benzo-bicyclo [4.1.0]heptadien-(2,4)⟩ F: 92–93°[1]

Methyl-[2-methyl-4-cyan-pentadien-(1,3)-yl]-keten[2]

Hexatrien-(1,3,5)-yl-keten[3] *+cis,cis,trans-7-Oxo-cyclooctatrien-(1,3,5)*[3]

Octatrien-(2,4,6)-säure-methylester; 31% d.Th.; Kp$_8$: 110°[4]

2-Butyl-cyclopropan-carbonsäure-tert.-butylester[5]

γγ) En-al-Bildung

Während sich bei der Keten-Bildung (s. S. 739) das durch α-Spaltung primär entstandene Acyl-Alkyl-Diradikal durch Wasserstoff-Verschiebung zur Alkyl-Radikalstelle hin stabilisiert (Weg ⓐ), tritt umgekehrt ein En-al auf, wenn die Wasserstoff-Abstraktion von einem α-ständigen Kohlenstoff-Atom der Alkyl-Radikalstelle zur Absättigung der acylischen Radikalstelle führt (Weg ⓑ):

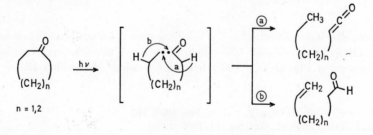

[1] A. S. Kende, Z. Goldschmidt u. P. T. Izzo, Am. Soc. **91**, 6858 (1969).

[2] J. D. Hobson, M. M. Al Holly u. J. R. Mal Pass, Chem. Commun. **1968**, 764.

[3] L. L. Barber, O. L. Chapmann u. J. D. Lassila, Am. Soc. **91**, 531 (1969).

[4] G. Büchi u. E. M. Burgess, Am. Soc. **84**, 3104 (1962).

[5] L. A. Paquette u. R. F. Eizember, Am. Soc. **91**, 7108 (1969).

Auch hier erfolgt die Wasserstoff-Verschiebung am günstigsten über einen sechsgliedrigen Übergangszustand, so daß die Bildung von δ,ε-ungesättigten Aldehyden bevorzugt ist.

$\gamma\gamma_1$) monocyclische Ketone

Zur Bildung von ungesättigten Aldehyden (En-ale) werden hauptsächlich 5- oder 6-Ring-ketone[1] eingesetzt (über photochemische Reaktionen von Cyclopropanonen und Cyclobutanonen s. S. 896). En-al-Bildung an höheren Cycloalkanonen werden selten beobachtet[2].

Während in der Gasphase Cyclopentanon lediglich zu Kohlendioxid, Äthylen, Cyclobutan und polymeren Produkten abgebaut wird[3], erhält man in flüssiger Phase mit einer Hanovia S-100 Quecksilber-Bogenlampe *Penten-(4)-al* (F: 116°, als 2,4-DNP-Derivat)[4]. Umsetzungen mit 2-Oxo-1-alkyl-cyclopentanen in Benzol oder Methanol ($\lambda = 300\,\text{nm}$) zeigen, daß hier die En-al-Bildung zugunsten der Keten-Bildung (s. S. 739) in den Hintergrund tritt[5]. Cyclohexanon wurde in Äthanol/Wasser zu *Hexen-(5)-al* umgesetzt[6-8, s. a. 9]. *trans-* und *cis-Hepten-(5)-al* werden durch Bestrahlung ($\lambda = 313\,\text{nm}$) von 2-Oxo-1-methyl-cyclohexan auf analogem Reaktionsweg erhalten[10] (s. aber Lit.[7]). Über gleiche Photo-Reaktionen von di-[11] bzw. tetramethyliertem[12] Cyclohexanonen s. Orig.-Lit. Gasphasen-Photolyse von Cycloheptanon führt zum *Hepten-(6)-al*[13].

Daß die photochemische Herstellung von δ,ε-unges. Aldehyden aus entsprechend substituierten Cyclohexanonen auf Naturstoffe anwendbar ist, mögen folgende zwei Beispiele verdeutlichen. So geht z. B. 6-Oxo-4-methyl-1-isopropyl-cyclohexan (Menthon) in *2,7-Dimethyl-octen-(5)-al* (Kp: 195°) über[14] und 3-Oxo-4-methyl-1-isopropenyl-cyclohexan (Dehydrocarvon) in *3-Isopropenyl-hepten-(5)-al*[15].

---

[1] A. A. BAUM, Tetrahedron Letters **1972**, 1817.
   J. D. COYLE, Soc. [B] **1971**, 1736; Soc. (Perkin I) **1972**, 683.
   N. J. TURRO et al., Accounts Chem. Res. **5**, 92 (1972).
   W. C. AGOSTA u. W. L. SCHREIBER, Am. Soc. **93**, 3947 (1971).

[2] z. B. S. MOON u. H. BOHM, J. Org. Chem. **36**, 1434 (1971).
   J. K. CRANDALL, J. P. ARRINGTON u. C. F. MAYER, J. Org. Chem. **36**, 1428 (1971).

[3] O. D. SALTMARSCH u. R. G. W. NORRISH, Soc. **1935**, 455.
   S. W. BENSON u. G. B. KISTIAKOWSKY, Am. Soc. **64**, 80 (1942).
   F. E. BLACET u. A. MILLER, Am. Soc. **79**, 4327 (1957).

[4] R. SRINIVASAN, Am. Soc. **81**, 1546 (1959).
   S. a. analoge Photolyse mit 2,2,5,5-Tetradeuterio-cyclopentanon.

[5] J. A. BALTROP u. J. D. COYLE, Chem. Commun. **1970**, 390.

[6] Bestrahlung in der Gasphase s. Lit. [3, 7], sowie: C. H. BAMFORD u. R. G. W. NORRISH, Soc. **1938**, 1521.

[7] R. SRINIVASAN, Am. Soc. **81**, 2601 (1959).

[8] G. CIAMICIAN u. P. SILBER, B. **41**, 1071 (1908).

[9] M. S. KHARASSCH, J. KUDERNA u. W. NUDENBERG: J. Org. Chem. **18**, 1225 (1953).

[10] C. C. BADCOCK et al., Am. Soc. **91**, 543 (1969).

[11] P. J. WAGNER u. R. W. SPOERKE, Am. Soc. **91**, 4437 (1969).
   J. A. BARLTROP u. J. D. COYLE, Chem. Commun. **1969**, 1081.

[12] J. M. BEARD u. R. H. EASTMANN, Tetrahedron Letters **1970**, 3029.

[13] R. SRINIVASAN, Am. Soc. **81**, 5541 (1959).

[14] G. CIAMICIAN u. P. SILBER, B. **40**, 2415 (1907).

[15] G. CIAMICIAN u. P. SILBER, B. **41**, 1928 (1908).

γγ₂) Spiro-ketone

Spiro-Cycloalkanone werden gleichfalls in die entsprechenden γ,δ- und δ,ε-ungesättigten Aldehyde überführt[1], wenn auch mit unbefriedigenden Ausbeuten:

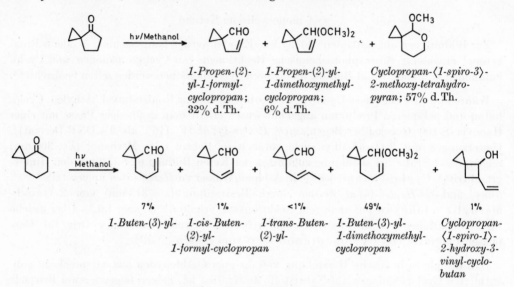

1-Propen-(2)-yl-1-formyl-cyclopropan; 32% d.Th.　　*1-Propen-(2)-yl-1-dimethoxymethyl-cyclopropan;* 6% d.Th.　　*Cyclopropan-⟨1-spiro-3⟩-2-methoxy-tetrahydro-pyran;* 57% d.Th.

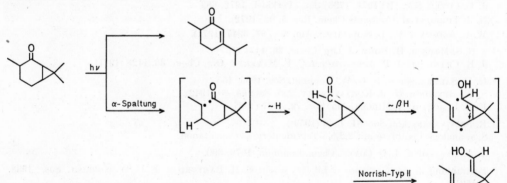

7%　　　　　1%　　　　　<1%　　　　　49%　　　　　1%

1-Buten-(3)-yl- 　*1-cis-Buten-(2)-yl-1-formyl-cyclopropan*　　*1-trans-Buten-(2)-yl-*　　*1-Buten-(3)-yl-1-dimethoxymethyl-cyclopropan*　　*Cyclopropan-⟨1-spiro-1⟩-2-hydroxy-3-vinyl-cyclo-butan*

γγ₃) bi- und polycyclische Ketone

Die Photolyse von bicyclischen Ketonen, besonders von Naturstoffen, stellt im Gegensatz zu den monocyclischen Ketonen einen größeren präparativen Anwendungsbereich dar. 2-Oxo-3,7,7-trimethyl-bicyclo[4.1.0]heptan (2-Caron) kann z. B. in tert.-Butanol mit einer Hanovia 450 W Quecksilber-Bogenlampe (Corex-Filter) bei einer 3 stdgn. Photolyse in *3-Oxo-4-methyl-1-isopropyl-cyclohexen* und *3,3-Dimethyl-octadien-(4,6)-al* umgewandelt werden[2]:

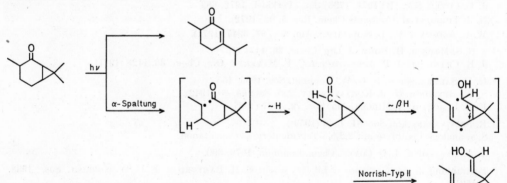

Bei analoger Photolyse von 2-Oxo-3-methyl-bicyclo[4.1.0]heptan in tert.-Butanol wird *2-Buten-(2)-yl-1-formyl-cyclopropan* (15% d.Th.) und *Octadien-(4,6)-al* (44% d.Th.) gefunden[2].

---

[1] J. K. Crandall u. R. J. Seidewand, J. Org. Chem. **35**, 697 (1970).
　s. a.: A. Sonoda et al., Tetrahedron Letters **1969**, 3187.
[2] W. G. Dauben, G. W. Schaffer u. E. J. Deviny, Am. Soc. **92**, 6273 (1970).
　W. G. Dauben u. G. W. Schaffer, Tetrahedron Letters **1967**, 4415.
　Über Gasphasen-Photolysen der Bicyclo[4.1.0]heptane s.: L. D. Hess u. J. N. Pitts, Am. Soc. **89**, 1973 (1967).

Belichtung von 5-Oxo-2,2,7,7,8,8-hexamethyl-*trans*-bicyclo[4.2.0]octan in Gegenwart von 2,3-Dimethyl-buten-(2) überführt den primär entstandenen ungesättigten Aldehyd in Oxetane (s. a. S. 847ff)[1]:

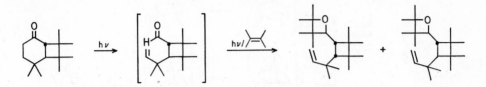

cis- und **trans-3,3,4,4-Tetramethyl-2-[3-methyl-buten-(1)-yl-(3)]-1-[3,3,4,4-tetramethyl-oxetanyl-(2)]-cyclobutan**[1]: Eine Lösung von 2,27 g 2,3-Dimethyl-buten-(2) und 0,46 g 5-Oxo-2,2,7,7,8,8-hexamethyl-*trans*-bicyclo[4.2.0]octan in 9 ml tert.-Butanol wird 245 Stdn. in einem Pyrex-Kolben in einem Rayonet-Reaktor mit einer 350 nm Lampe bestrahlt. Nach Entfernen des Lösungsmittels und des Überschusses von Olefin erhält man ein Rohprodukt (0,72 g), das durch Chromatographie an Kieselgel die zwei Isomere ergibt; F: 53–55°.

Bei der photochemischen Umsetzung von 2-Oxo-*cis*-bicyclo[6.1.0]nonan zu *cis-2-Penten-(4)-yl-1-formyl-cyclopropan, Nonadien-(4,8)-al* und *2-Oxo-trans-bicyclo[6.1.0]nonan* können das α- und β-Spaltungsprodukt (s. S. 891) des ungesättigten Aldehyds nebeneinander isoliert werden[2]:

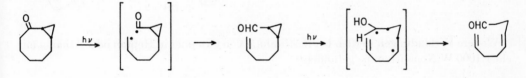

Eine interessante intramolekulare Oxetan-Bildung (s. a. S. 838) zeigen 2-Oxo-bicyclo-[2.1.1]hexan und 2-Oxo-bicyclo[2.2.1]heptan bei Bestrahlung mit einer 550 W Hanovia-Lampe in Pentan, die über intermediäre ungesättigte Aldehyde abläuft[3]:

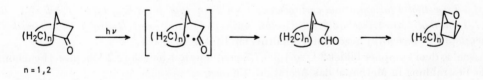

n = 1,2

In Äther lagert sich der entstandene Cyclobuten-(2)-yl-acetaldehyd (n = 2) an die Methylen-Gruppe des Äthers an unter Bildung von *2-Hydroxy-3-äthoxy-1-cyclobuten-(2)-yl-butan* (Kp$_{28}$: 120–122°) (s. a. S. 829ff.)[3].

Eine gut untersuchte Verbindung ist 2-Oxo-1,7,7-trimethyl-bicyclo[2.2.1]heptan (Campher). Eine 7-monatige Einwirkung von Sonnenlicht führt in wäßriger, alkoholischer Lösung nach zwei völlig verschiedenen Mechanismen zu *2,2,3-Trimethyl-cyclopenten-(3)-yl-acetal-*

[1] P. J. NELSON et al., J. Org. Chem. **34**, 811 (1969).

[2] L. PAQUETTE u. R. F. EIZEMBER, Am. Soc. **91**, 7108 (1969).

[3] J. MEINWALD u. R. A. CHAPMAN, Am. Soc. **90**, 3218 (1968).

dehyd (α-*Campholenaldehyd*) (F: 151–152°, Semicarbazon) und *3,3,4-Trimethyl-4-acetyl-cyclopenten* (F: 77–78°)[1–3]:

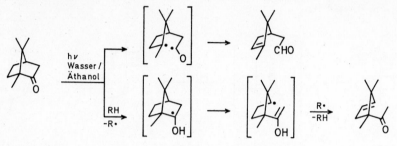

In Pentan führt die Photolyse von Campher durch β-Spaltung des primär gebildeten *2,3,3-Trimethyl-4-formylmethyl-cyclopenten* außerdem zu *1,5,5-Trimethyl-cyclopentadien* und Acetaldehyd[4]. In Äther als Solvens treten folgende Weiterreaktionen ein[5]:

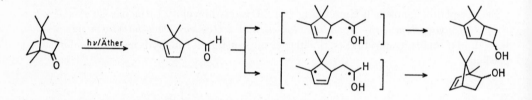

Weitere Verbindungen werden bei Bestrahlung von Campher in Heptan oder Äthanol mit einer 1000 W Xenon-Lampe gefunden[1]:

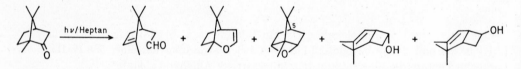

2,3,3-Trimethyl-4-formylmethyl-cyclopenten, 1,8,8-Trimethyl-2-oxa-bicyclo[3.2.1]octen-(3), 6, 6,7-Trimethyl-2-oxa-tricyclo[3.2.1.0³,⁷]octan sowie *endo-* und *exo-7-Hydroxy-3,4,4-trimethyl-bicyclo[3.2.0]hepten-(2)* liegen im Verhältnis 69:10:1,5:15:4 vor.

Analog dem Campher bildet 2-Oxo-1,3,3,7,7-pentamethyl-bicyclo[2.2.1]heptan (Fenchon) bei Bestrahlung in Methanol das Acetal des En-als[6]:

2,3,3-Trimethyl-4-(1,1-dimethoxy-
2-methyl-propyl-(2)-cyclopenten

[1] s. W. C. Agosta u. D. K. Herron, Am. Soc. **90**, 7025 (1968).
[2] G. Ciamician u. P. Silber, B. **43**, 1341 (1910).
[3] Über den Reaktionsmechanismus und Lösungsmittelabhängigkeit der Reaktion: s. R. Srinivasan, Am. Soc. **81**, 2604 (1959).
[4] J. Meinwald u. R. A. Chapman, Am. Soc. **90**, 7025 (1968).
[5] Über Untersuchungen in Cyclohexan s.: H. Takeshita u. Y. Fukazawa, Tetrahedron Letters **1968**, 3395.
[6] P. Yates u. G. Hagens, Tetrahedron Letters **1969**, 3623.

Auch der benzo-kondensierte Bicyclus spaltet unter En-al-Bildung auf; 7-Oxo-⟨benzo-bicyclo[2.2.1]hepten-(2)⟩ wird photolytisch in *2H-Indenyl-(1)-acetaldehyd* (80% d. Th.; Kp_2: 82°) umgewandelt[1].

3-{Bicyclo[2.2.1]hepten-(2)-yl-(2)}-propanal erhält man als Hauptprodukt bei der Photolyse in 1,4-Dioxan/Wasser aus dem entsprechenden *endo-* und *exo-*tricyclischen Keton[2]:

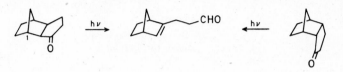

Ein weiteres Beispiel für die En-al-Bildung polycyclischer Ketone stellt die 6–10stdg. Belichtung des folgenden Tetracyclus mit einer 500 W Quecksilber-Hochdruck-Lampe dar[3]:

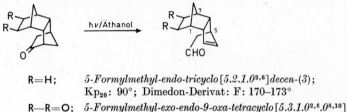

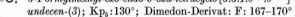

R=H;   *5-Formylmethyl-endo-tricyclo[5.2.1.0²,⁶]decen-(3)*;
        Kp_{20}: 90°; Dimedon-Derivat: F: 170–173°
R—R=O; *5-Formylmethyl-exo-endo-9-oxa-tetracyclo[5.3.1.0²,⁶.0⁸,¹⁰]*
        undecen-(3); Kp_5:130°; Dimedon-Derivat: F: 167–170°

Die eingangs erwähnte große präparative Bedeutung der Bildung von γ,δ- und δ,ε-ungesättigten Aldehyde aus 5- oder 6-Ring polycyclischen Ketonen mögen nachfolgende Beispiele verdeutlichen.

Photocoronopilin[4]:

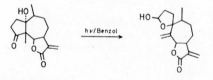

Eine Lösung von 400 mg Coronopilin in 500 *ml* Benzol wird 2 Stdn. mit Stickstoff gespült und dann 2 Stdn. mit einer UV 35 W Lampe ($\lambda = 254$ nm) in einem Rayonet-Reaktor (Model PRP-100) bestrahlt. Der nach Entfernen des Lösungsmittels i. Vak. erhaltene Rückstand wird an Kieselgel (35 g) mit Äther/Chloroform (2:3) als Eluierungsmittel aufgearbeitet; Ausbeute: 140 mg (40% d. Th.); F: 93–97°.

$3\beta,20\xi$-Diacetoxy-12,13-seco-5α-pregnen-(13)-12-al und **12α,14α-Epoxi-3β,20ξ-diacetoxy-5α-pregnan[5]:**

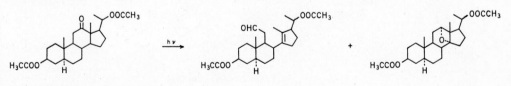

[1] J. Ipaktschi, Tetrahedron Letters **1969**, 2153.
[2] R. R. Sauers u. A. Shurpik, J. Org. Chem. **32**, 3120 (1967).
[3] N. Sugiyama et al., Bl. chem. Soc. Japan **43**, 1879 (1970).
[4] H. Yoshioka et al., J. Org. Chem. **36**, 229 (1971).
    J. Kagan et al., Tetrahedron Letters **1971**, 1849.
[5] P. Bladon, W. McMeekin u. I. A. Williams, Soc. **1963**, 5727; Proc. Chem. Soc. **1962**, 225.

Tab. 104. En-al-Bildung bei Naturstoffen

Ausgangs-verbindung	Reaktions-bedingungen	En-al	Ausbeute [% d.Th.]	F [° C]	Literat
 H₃CCOO	Benzol	 H₃CCOO — CHO *3β-Acetoxy-13,17-seco-andro-stadien-(5,13)-17-al*	a	162,5–163,5	1
 OOCCH₃	Benzol	 OOCCH₃ *3α,6α-Epoxi-17β-acetoxy-5-isopropenyl-A-nor-östran*	30	94–95	2
	Äthanol	 *3,3;20,20-Bis-[äthylen-(1,2)-dioxy]-C-nor-11,12-seco-5α-pregnen-(13)-11-al*	a	122,5–123,5	3
 H₃CCOO	1,4-Dioxan, 8 Stdn.	 OHC H₃CCOO *3β-Acetoxy-13-oxo-12,13-seco-5α-25S-spirosten-(13) (Lumihecogenin-acetat)*	80	143–147	4
	1,4-Dioxan, 36 Stdn.	 H₃CCOO *12α,14α-Epoxi-3β-acetoxy-5α,25S-spirostan (Photo-hecogenin-acetat)*	a	205–206	4
	Hexan, 50 Stdn.	 OHC *5α-Vinyl-10α-formylmethyl-des-A-friedelan*	22	162,5–163,5	5

a Keine Angabe

1 G. Quinkert u. H. G. Heine, Tetrahedron Letters 1963, 1659.
2 K. Kojima, K. Sakai u. K. Tanabe, Tetrahedron Letters 1969, 3399.
3 J. Iriarte, K. Schaffner u. O. Jeger, Helv. 47, 1255 (1964).
4 P. Bladon, W. McMeekin u. I. A. Williams, Soc. 1963, 5727; Proc. Chem. Soc. 1962, 225.
5 R. Aoyagi, Bl. chem. Soc. Japan 43, 3967 (1970).

Eine Lösung von 1,766 g 3β,20ξ-Diacetoxy-12-oxo-5α-pregnan in 180 *ml* 1,4-Dioxan wird mit einer 500 W Hanovia Quecksilber-Mitteldruck-Lampe (Typ UVS 500) in einer wassergekühlten Tauchschacht-Apparatur aus Quarz belichtet. Innerhalb von 9,5 Stdn. ändert sich die optische Drehung von + 94,2° auf $[\alpha]_D^{25} = +7,9°$. Danach wird das Lösungsmittel entfernt und das Rohprodukt an 100 g Aluminium-oxid mit Benzol chromatographiert. Der Aldehyd wird zuerst eluiert; Ausbeute: 511 mg; F: 124–126,5°. Ausbeute des Epoxids: 727 mg; F: 162–167°.

δδ) Umlagerungen über α-Spaltung

Die hier zusammengefaßten Reaktionen von cyclischen Ketonen verlaufen unter α-Spaltung und anschließender intramolekularer Rekombination des intermediär entstandenen Alkoxy-alkyl-Diradikals, wobei Ringverengung und, unter Einbeziehung von Seitenketten in das Reaktionsgeschehen, Ringerweiterung sowie Umlagerung zu Stoffen unveränderter Ringgröße eintreten können.

Photoreaktionen von cyclischen Ketonen, die zu *cis/trans*-isomerisierten oder epimerisierten Verbindungen führen, sind auf S. 737 beschrieben.

δδ₁) unter Ringverengung

Der Prototyp einer Ringverengungsreaktion von cyclischen Ketonen ist die photochemische Herstellung von *2-Oxo-1-methyl-cyclopentan* aus Cyclohexanon[1]:

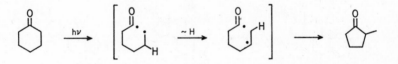

Dieser Reaktionstyp wird an sechs-, sieben- und achtgliedrigen Ringketonen gefunden. Während β,γ-ungesättigte cyclische Ketone unter Allyl-Umlagerung des intermediären Diradikals Cyclobutanone bilden können[2], zeigen 4-Oxo-bicyclo[4.1.0]heptane, wie z. B. (–)-*cis*-4-Caranon, die gleichzeitige Bildung von Cyclobutanonen und Cyclopentanonen[3]:

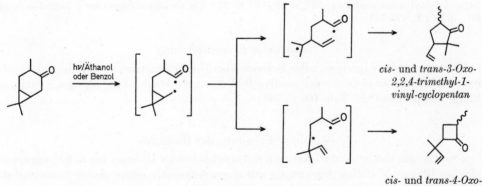

cis- und *trans-3-Oxo-2,2,4-trimethyl-1-vinyl-cyclopentan*

cis- und *trans-4-Oxo-3-methyl-1-[3-methyl-buten-(1)-yl-(3)]-cyclobutan*

---

[1] S. CREMER u. R. SRINIVASAN, Am. Soc. **86**, 4197 (1964).
   Über Isotopenexperimente: S. CREMER u. R. SRINIVASAN, Am. Soc. **87**, 1647 (1965).
[2] D. GRAVEL u. J. GAUTHIER, Tetrahedron Letters **1968**, 5489.
[3] D. C. HECKERT u. P. J. KROPP, Am. Soc. **90**, 4911 (1968).

In Äther als Lösungsmittel entsteht ausschließlich das Cyclopentan-Derivat[1].

Auch bei Steroid-Ketonen kann die photochemisch initiierte Ringverengung erfolgreich durchgeführt werden, s. a. Tab. 105 (S. 766)

17β-Acetoxy-3,7-dioxo-5α,6α- und -5β,6β-(3,3-dimethyl-cyclopropano)-A-nor-androstan[2]:

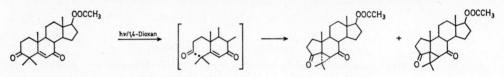

Eine Lösung von 600 mg 17β-Acetoxy-3,7-dioxo-4,4-dimethyl-androsten-(5) wird in 150 ml hochgereinigtem 1,4-Dioxan 24 Stdn. mit einem Quecksilber-Niederdruck-Brenner NK 6/20 (Quarzlampen GmbH, Hanau; λ = 254 nm) unter magnetischer Rührung bestrahlt. Der Photoreaktor besteht aus einem zylindrischen Gefäß mit zentral angeordnetem Brenner, der von einem doppelwandigen Quarzfinger (Kühlung mit Wasser von 25°) umschlossen ist. Anschließend wird das Photolysat im Rotationsverdampfer eingeengt und der Rückstand zusammen mit vier weiteren gleichen Ansätzen mit Hexan/Aceton (8:1) an 350 g Kieselgel chromatographiert. Man erhält 916 mg Ausgangsmaterial, 632 mg eines Gemischs der beiden Photoprodukte und 347 mg einer Fraktion aus allen drei Verbindungen.

Durch fraktionierte Kristallisation aus Hexan/Aceton wird das Photoproduktgemisch getrennt. 5α,6α-Cyclopropano-Derivat; Ausbeute: 434 mg; F: 157–158°. 5β,6β-Cyclopropano-Derivat: Ausbeute: 111 mg; F: 158–159°.

3-Oxo-5α- und -5β-vinyl-A-nor-cholestan[3]:

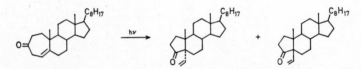

200 mg 3-Oxo-A-homo-cholesten-(4a) in 60 ml tert.-Butanol werden 28 Stdn. mit einem Quecksilber-Hochdruck-Brenner TQ 81 (Quarzlampen GmbH., Hanau; Solidex-Filter) bestrahlt. Nach Abdampfen des Lösungsmittels chromatographiert man an Aluminiumoxid (Akt.-St. II) mit Benzol/Äther (19:1). Nacheinander werden das 5α-Vinyl-Derivat, eine Mischfraktion und dann die 5β-Vinyl-Verbindung eluiert. Nach erneuter chromatographischer Trennung der Mischfraktion ergeben sich insgesamt an 3-Oxo-5α-vinyl-A-nor-cholestan: 53% d.Th.; F: 50–51°. Die Gesamtausbeute des β-Isomeren beträgt 11% d.Th.; F: 132–133°.

$\delta\delta_2$) unter Ringerweiterung

Die vorliegenden experimentellen Befunde über Ringerweiterung von cyclischen Ketonen besitzen bei weitem nicht die präparative Bedeutung wie sie der Ringverengung zukommt. Einige Beispiele enthält Tab. 105 (S.765).

$\delta\delta_3$) unter Erhaltung der Ringgröße

α-Spaltungen von cyclischen Ketonen mit anschließender Umlagerung zu Substanzen mit gleicher Ringgröße stellen gegenwärtig nur einen präparativ interessanten Sonderfall dar. Monocyclische oder bicyclische 1,3-Diketone können so in entsprechende Lactone überführt werden, s. a. Tab. 105 (S. 765).

---

[1] M. S. Carson et al., Tetrahedron Letters **1968**, 6153.
[2] S. Domb et al., Helv. **52**, 2436 (1969).
  s. a. Oxa-di-π-methan-Umlagerung S. 794.
[3] M. Fischer u. B. Zeeh, B. **101**, 2360 (1968).

Tab. 105. Umlagerung von cyclischen Ketonen unter Ringverengung, Ringerweiterung bzw. unter Erhaltung der Ringgröße

Ausgangs-verbindung	Lösungs-mittel	Umlagerungsprodukt	Ausbeute [% d.Th.]	F [° C]	Lite-ratur
(Struktur: Spiro-Cyclohexanon mit Cyclopropanring)	Hexan	4-Oxo-1-methylen-cyclohexan	33		1
(Struktur: Spiro-Cycloheptanon mit Cyclopropanring)	Hexan	4-Oxo-1-methylen-cycloheptan	22		1
(Struktur: Cyclohexanon mit Cyclopropyl-methylen)	Hexan	6-Oxo-cyclononen	44		2
		5-Oxo-cyclononen	29		
(Struktur: Dimedon-artig) R=H	Benzol	6-Methyl-hepten-(5)-5-olid	70	(Kp$_{16}$: 121°)	3
R=CH$_3$		3,3,6-Trimethyl-hepten-(5)-5-olid	85	(Kp$_{2,5}$: 67–68°)	
(Struktur: H$_5$C$_6$, C$_6$H$_5$, C$_6$H$_5$ bicyclisches Keton)	1,4-Dioxan/ Wasser	2,4,5-Triphenyl-phenol	50	113–114	4
(Struktur: dimethyl-cycloheptenon)	Äther	2-Oxo-1-[2-methyl-propen-(1)-yl]-cyclopentan	92		5
(Struktur: dimethyl-bicyclo-octenon)	Pentan	4-Oxo-3-[2-methyl-propen-(1)-yl]-bicyclo[3.1.0]hexan	–[a]		5
(Struktur: Cyclooctenon)	Pentan	2-Oxo-1-vinyl-cyclohexan	–[a]	(Kp$_1$: 40°)	6
(Struktur: Thia-bicyclisches Keton)	Pentan	3-Oxo-2-thia-bicyclo[6.1.0]nonen-(6)	35	44–45	7
(Struktur: bicyclisches Diketon)	Benzol	3-Oxo-2-oxa-bicyclo[4.4.0]decen-(10)	43		8
		3-Oxo-2-oxa-bicyclo[4.4.0]decen-(1^6)	1,5		

[a] Keine Angabe.

[1] A. SONODA et al., Tetrahedron Letters 1969, 3187.
[2] R. G. CARSON u. E. L. BIERSMITH, Chem. Commun. 1969, 1049.
[3] H. NOZAKI et al., Tetrahedron 23, 3993 (1967).
[4] A. S. MONAHAN, J. Org. Chem. 33, 1441 (1968).
[5] L. A. PAQUETTE, R. F. EIZEMBER u. O. COX, Am. Soc. 90, 5133 (1968).
[6] L. A. PAQUETTE u. R. F. EIZEMBER, Am. Soc. 89, 6205 (1967).
[7] A. PADWA, A. BATTISTI u. E. SHEFTER, Am. Soc. 91, 4000 (1969).
[8] H. KATO et al., Tetrahedron 26, 2975 (1970).

Tab. 105 (1. Fortsetzung)

Ausgangs-verbindung	Lösungs-mittel	Umlagerungsprodukt	Ausbeute [% d.Th.]	F [° C]	Lite-ratur
OOCCH₃ (Struktur)	Aceton	*17β-Acetoxy-3-oxo-5α,6α-(3,3-dimethyl-cyclopropano)-A-nor-östran*	19	125–127	1
OOCCH₃ (Struktur)	tert.-Butanol	*17β-Acetoxy-3-oxo-5α-vinyl-A-nor-androstan*	74	122–123	2

cis-2,2-Dimethyl-3-[1-hydroxy-2-methyl-propen-(1)-yl]-cyclopropan-carbonsäure-lacton[3]:

Eine Lösung von 1,4 g 2,4-Dioxo-3,3,6,6-tetramethyl-bicyclo[3.1.0]hexan in 43 *ml* Benzol wird mit einer 200 W Quecksilber-Hochdruck-Lampe (Pyrex-Filter) 9 Stdn. unter Stickstoff bei Raumtemp. bestrahlt. Anschließend wird das Lösungsmittel abgezogen und der Rest destilliert; Ausbeute: 1,37 g (98% d.Th.); Kp_{20}: 115–117°.

Nach gleicher Arbeitsweise wird aus 2,4-Dioxo-3,3-dimethyl-bicyclo[3.1.0]hexan *cis-2-[1-Hydroxy-2-methyl-propen-(1)-yl]-cyclopropan-carbonsäure-lacton* (85% d.Th.; $n_D^{24} = 1,4958$) erhalten[3].

εε) Umlagerungen ohne α-Spaltung

In diesem Abschnitt werden ausnahmslos Gerüstumlagerungen von ungesättigten Ketonen abgehandelt, die nicht mit einer primären α-Spaltung eingeleitet werden. Während ungesättigte Dreiringketone De-carbonylierungen (s. S. 880) bzw. α-Spaltungen mit nachfolgender Keten-Bildung (s. S. 739) oder Keten-Abspaltungen zeigen, überwiegen bei den ungesättigten Fünfringketonen neben den bereits abgehandel-ten α-Spaltungen unter Keten-Bildung (s. S. 739) die Dimerisierungen (s. S. 898 ff.). Cyclohexenone, Cyclo-hexadienone und 3-Oxo-bicyclo[3.1.0]hexene dagegen zeigen eine derart komplexe photochemische Reaktionsweise, daß die Beschreibung ihrer Umlagerungen in einem gesonderten Abschnitt gerecht-fertigt erscheint. Ungesättigte Siebenringketone wurden bis auf wenige Ausnahmen photochemisch intra- oder intermolekular dimerisiert (s. S. 739). Umfangreicheres experimentelles Material über höher-gliedrige ungesättigte Ketone steht noch aus. Obwohl photochemische Reaktionen der ungesättigten Sechsringketone mechanistisch sehr eng miteinander verknüpft sind, scheint es dennoch angebracht, die Umlagerungen streng nach den Ausgangsketonen zu gliedern.

εε₁) von 3-Oxo-cyclohexenen

Photochemische Umsetzungen von Cyclohexenonen sind stark vom Lösungsmittel abhängig. Tert.-Butanol eignet sich für die Umlagerungen am besten, in anderen Solventien treten Reduktionen (s. S. 810ff.), Dimerisierungen (s. S. 903ff.), Isomerisierungen (s. S. 739) und Pinakolisierungen (s. S. 813) in den Vordergrund[4]. Die Anwendung der Typ A-Enon-Umlagerung (s. S. 768) zu 2-Oxo-bicyclo[3.1.0]hexan-Derivaten erstreckt sich auf mono-cyclische, bi- oder polycyclische Enone.

[1] K. KOJIMA, K. SAKAI u. K. TANABE, Tetrahedron Letters **1969**, 1925.
[2] M. FISCHER u. B. ZEEH, B. **101**, 2306 (1968).
[3] T. OKADA et al., Bl. chem. Soc. Japan **43**, 2908 (1970).
[4] Über Substituenten-Effekte von Alkyl-Gruppen bei 3-Oxo-cyclohexenen s. a.: W. G. DAUBEN, G. W. SCHAFFER u. N. D. VIETMEYER, J. Org. Chem. **33**, 4060 (1968).

Wird 6-Oxo-3,3-dimethyl-cyclohexen in tert.-Butanol photolysiert, so bildet sich in 60%iger Ausbeute *2-Oxo-6,6-dimethyl-bicyclo[3.1.0]hexan* neben ∼5% *3-Oxo-1-isopropyl-cyclopenten*. In Essigsäure sinkt die Ausbeute für den umgelagerten Bicyclus auf ∼5% d.Th. ab, während Cyclopentanone in größeren Mengen anfallen: *3-Oxo-1-[2-acetoxy-propyl-(2)]-* (30–40% d.Th.) und *3-Oxo-1-isopropenyl-cyclopentan* (20–25% d.Th.) sowie *3-Oxo-1-isopropyl-cyclopenten*[1]:

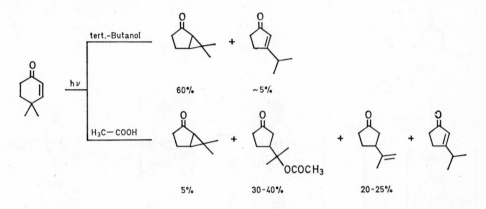

Ein völlig anderes photochemisches Verhalten zeigt 6-Oxo-3,3-diphenyl-cyclohexen[2]. In Äthanol photolysiert, werden zwar *cis-* und *trans-2-Oxo-5,6-diphenyl-bicyclo[3.1.0]hexan* gebildet, jedoch sind sie durch einfache Phenylwanderung entstanden[3,4]:

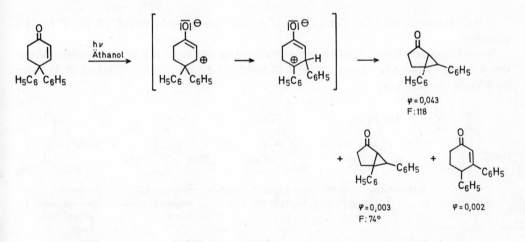

Die Reaktion verläuft mit hoher Stereoselektivität[4], 140:1 für die *trans-* und *cis-*Verbindungen, und mit geringer Quantenausbeute[5].

---

[1] O. L. CHAPMAN et al., Tetrahedron Letters **1963**, 2049.
[2] Über Wanderungstendenzen von 6-Oxo-3,3-diaryl-cyclohexen s.: H. E. ZIMMERMANN, R. D. RIEKE u. J. R. SCHEFFER, Am. Soc. 89, 2033 (1967).
    Wanderungstendenzen von Oxo-dihydro-naphthalinen s.: H. E. ZIMMERMANN et al., Am. Soc. 87, 1138 (1965).
[3] H. E. ZIMMERMANN u. J. W. WILSON, Am. Soc. 86, 4036 (1964).
[4] Mechanistische Untersuchungen wurden durchgeführt von: H. E. ZIMMERMANN u. K. G. HANCOCK, Am. Soc. 90, 3749 (1968).
[5] H. E. ZIMMERMANN u. U. R. ESSER, Am. Soc. 91, 887 (1969).

Mechanistisch davon verschieden stellt sich die Photoumlagerung von 6-Oxo-3,4-diphenyl-cyclohexen dar[1]. Durch Belichtung in 95%igem Äthanol mit einer 450 W Hanovia Hoch-druck-Immersions-Lampe (Pyrex/18 Stdn.) wird *2-Oxo-4,6-diphenyl-bicyclo[3.1.0]hexan* (30% d.Th.; F: 90,0–90,5°) erhalten. ^{14}C-Markierungsversuche zeigen, daß das Produkt überwiegend durch eine Typ A-Umlagerung entsteht und nur ein geringer Prozentsatz durch einfache Phenyl-Wanderung[2]:

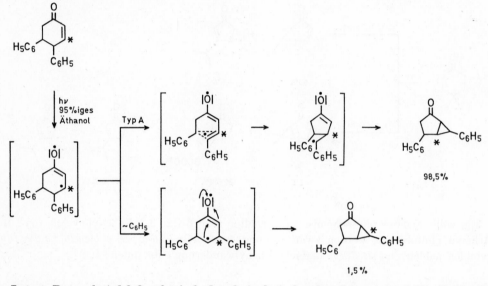

In tert.-Butanol wird *3-Oxo-2-(cis-2-phenyl-vinyl)-1-phenyl-cyclobutan* (9% d.Th.; F: 65-66°) gebildet.

Bestrahlung von 6-Oxo-3,3,4-triphenyl-cyclohexen mit einer 450 W Quecksilber--Mittel druck-Lampe (Hanovia; Pyrex-Filter; 1,75 Stdn.) in 1 *l* tert.-Butanol/Benzol (3:1) führt zu 4 Verbindungen[3]:

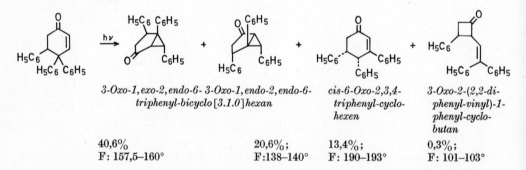

3-Oxo-1,exo-2,endo-6- 3-Oxo-1,endo-2,endo-6-	*cis-6-Oxo-2,3,4-*	*3-Oxo-2-(2,2-di-*
triphenyl-bicyclo[3.1.0]hexan	*triphenyl-cyclo-hexen*	*phenyl-vinyl)-1-phenyl-cyclo-butan*
40,6% 20,6%;	13,4%;	0,3%;
F: 157,5–160° F:138–140°	F: 190–193°	F: 101–103°

Präparativ interessanter sind Umlagerungen von bi- oder tricyclischen Enonen, da nur ein Photoprodukt erhalten wird:

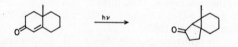

[1] H. E. Zimmermann u. N. Lewin, Am. Soc. **91**, 879 (1969).
[2] H. E. Zimmermann u. D. J. Sam, Am. Soc. 88, 4905, 4114 (1966).
    H. E. Zimmermann, Ang. Ch. 81, 45 (1969).
[3] H. E. Zimmermann u. R. L. Morse, Am. Soc. **90**, 954 (1968).

4-Oxo-6-methyl-tricyclo[4.4.0.0^{1,5}] decan[1,2]: Eine Lösung von 5 g 3-Oxo-6-methyl-bicyclo[4.4.0]decen-(1) in 1,85 l abs. Methanol wird 72 Stdn. mit einer Hanovia Typ L 450 W Quecksilber-Lampe (Pyrex-Filter) unter Stickstoff bestrahlt. Anschließend engt man die farblose Lösung i. Vak. bei 35° ein und destilliert den Rückstand (4,73 g) über eine Vigreux-Kolonne. Man erhält 3,81 g eines farblosen Öls (Kp$_{0,14}$ = 58–72°). Durch weitere gaschromatographische Reinigung (s. Originallit.) werden 21% des Photoprodukts erhalten.

Mit besseren Ausbeuten verlaufen folgende Photolysen:

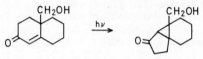

4-Oxo-6-methyl-⟨benzo-tricyclo[4.4.0.0^{1,5}]decen-(7)⟩ ;
57% d. Th.; F: 88,5–89,5°[1-3]

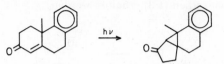

4-Oxo-6-hydroxymethyl-tricyclo[4.4.0.0^{1,5}]decan;
50% d. Th.[4]

Den bereits beschriebenen Weg einer Wanderung eines Restes beinhaltet dagegen die Photolyse von Pummerer's Keton[5]:

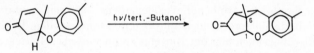

10-Oxo-5,8-dimethyl-⟨benzo-2-oxa-tricyclo[4.3.0.0^{5,7}]
nonen-(3)⟩; 43% d. Th.; F: 86,5–87,5°

Aus der Steroid-Reihe[6] sind gleichfalls Umlagerungen des Typs A bekannt.

2-Oxo-1β,5-cyclo-5β,10α-cholestan (Lumicholestan)[7]:

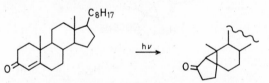

Eine Lösung von 10 g 3-Oxo-cholesten-(4) in 4 l tert.-Butanol wird 168 Stdn. mit einer 200 W Hanovia Quecksilber-Hochdruck-Lampe durch ein 2 mm dickes Pyrex-Glas belichtet. Dann wird die Reaktions-lösung auf ein kleines Volumen i.Vak. eingeengt und das Photodimere (vgl. S. 911) (0,1–0,3g) abfiltriert. Das Filtrat wird zur Trockene eingedampft und der Rückstand aus 50 ml 95%igem Alkohol umkristallisiert; Ausbeute: 2,5 g (25% d.Th.); F: 162–165°.

---

[1] H. E. ZIMMERMANN et al., Am. Soc. **88**, 1965 (1966).
[2] Über Sensibilisierungs- und Quench-Versuche s. a.: H. E. ZIMMERMANN et al., Am. Soc. **88**, 159 (1966).
[3] Über den Anregungszustand s.: O. L. CHAPMAN, J. B. SIEJA u. W. J. WELSTEAD, Jr., Am. Soc. **88**, 161 (1966).
[4] D. I. SCHUSTER u. D. F. BRIZZOLARA, Chem. Commun. **1967**, 1158.
[5] T. MATSUURA u. K. OGURA, Bl. chem. Soc. Japan **40**, 945 (1967).
[6] Weitere Umlagerungen von Steroid-Enonen:
    E. PFENNINGER et al., Helv. **51**, 772 (1968).
    D. BELLUS u. K. SCHAFFNER, Chimia **23**, 182 (1969).
    O. L. CHAPMAN et al., Tetrahedron Letters **1963**, 2049.
    B. MANN et al., Helv. **46**, 2473 (1963); **48**, 1680 (1965).
[7] B. A. SHOULDERS et al., Tetrahedron **21**, 2973 (1965).
    W. W. KWIE, B. A. SHOULDERS u. P. GARDNER, Am. Soc. **84**, 2268 (1962).

εε₂) 5-Oxo-cyclohexadien-(1,3)-Derivate

2,4-Cyclohexadienone werden photochemisch hauptsächlich in Ketene[1] bzw. deren Sekundärprodukte (s. S. 739) und in 4-Oxo-bicyclo[3.1.0]hexene[1] (s. a. S. 772) umgewandelt. Die Ausbeuten an letzteren Verbindungen sind durchweg befriedigend. Eingesetzt werden mono- oder bicyclische Dienone.

Mit über 80%iger Ausbeute kann in Äther *4-Oxo-hexamethyl-bicyclo[3.1.0]hexen-(2)* aus 6-Oxo-hexamethyl-cyclohexadien-(1,3) erhalten werden:

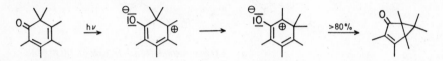

4-Oxo-hexamethyl-bicyclo[3.1.0] hexen-(2) [2]: Eine Lösung von 3 g 6-Oxo-hexamethyl-cyclohexadien-(1,3) wird in wasserfreiem Äther unter Stickstoff mit einer Hanovia Typ S 200 W Lampe ~ 5 Stdn. belichtet. Das nach Entfernen des Lösungsmittels erhaltene Öl wird destilliert (Kp₀,₅: 60°) und zur Kristallisation gebracht; Ausbeute: 1,5 g (50% d. Th.); F: 50–52° (Sublimation).

Auf gleiche Weise kann das entsprechende *4-Oxo-hexaäthyl-bicyclo[3.1.0]hexen-(2)* hergestellt werden[2].

Während im Fall des pentamethylierten 6-Oxo-cyclohexadien-(1,3)[3] noch der Bicyclus gebildet wird, erhält man aus 5-Acetoxy-6-oxo-5-methyl-[4] und 5-Acetoxy-6-oxo-1,3,5-trimethyl-cyclohexadien-(1,3)[4,5] lediglich Phenole[6].

5-Alkanoyloxy-6-oxo-1,3,5-triphenyl-cyclohexadiene können erstaunlicherweise mit guten Ausbeuten in die entsprechenden Bicyclen überführt werden. Bei längerer Photolyse (7 Stdn.) wird allerdings auch hier der Bicyclus zu phenolischen Derivaten umgesetzt[7]. Im Falle der Acetoxy-Verbindung z. B. in *4-Hydroxy-2-acetoxy-1,3,5-triphenyl-benzol* (25% d. Th.; F: 164–165° als Triphenylresorcin) sowie *5-Hydroxy-6-acetoxy-* und *6-Hydroxy-5-acetoxy-1,2,4-triphenyl-benzol* (zus. 40% d. Th.):

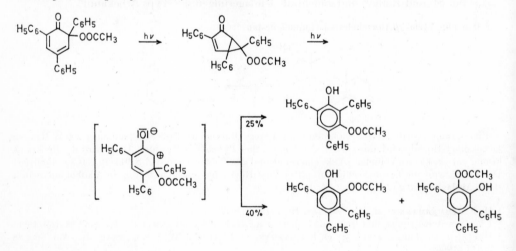

---

[1] Über die elektronischen Anregungen s.: J. GRIFFITHS u. H. HART, Am. Soc. **90**, 5296 (1968).

[2] H. HART et al., Am. Soc. 88, 1005 (1966).
  H. HART u. A. J. WARING, Tetrahedron Letters **1965**, 325.

[3] P. M. COLLINS u. H. HART, Soc. [C] **1967**, 895.

[4] D. H. R. BARTON u. G. QUINKERT, Soc. **1960**, 1.

[5] Über Photolysen von 6-Oxo-1,5-di-tert.-cyclohexadien-(1,3) s. a.: T. MATSUURA u. K. OGURA, Tetrahedron 24, 6175 (1968).

[6] Vgl. aber.: M. R. MORRIS u. A. G. WARING, Chem. Commun. **1969**, 526.

[7] H. PERST, Tetrahedron Letters **1970** 3601.

6-Acetoxy-4-oxo-1,3,6-triphenyl-bicyclo[3.1.0]hexen-(2)[1]: 1,5 g 5-Acetoxy-6-oxo-1,3,5-triphenyl-cyclo-hexadien-(1,3) werden in 200 *ml* Benzol[2] unter Stickstoff 90 Min. bei 25° bestrahlt (Quecksilber-Hochdruck-Brenner 70 W Hanau Q 81; Pyrex-Glas). Nach Abziehen des Lösungsmittels i. Vak. verbleibt ein fast farbloser kristalliner Rückstand, der in Chloroform aufgenommen und durch tropfenweise Zugabe von Äthanol umgefällt wird; Ausbeute: 1,25 g (83% d.Th.); F: 147–148° (Umkristallisieren ist unter erheblichen Verlusten aus Äthanol möglich).

Analog kann *6-Benzoyloxy-4-oxo-1,3,6-triphenyl-bicyclo[3.1.0]hexen-(2)* (75% d.Th.; F: 177–178°) erhalten werden.

Auch bicyclische Dienone, wie z. B. 1-Oxo-2,2,3,4-tetramethyl-1,2-dihydro-naphthalin, können in Äther mit einer 450 W Hanovia Typ L Quecksilber-Bogenlampe (Pyrex) in entsprechende tricyclische Enone umgelagert werden[3]:

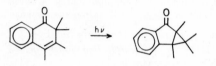

6-Oxo-1,7,8,8-tetramethyl-⟨benzo-bicyclo [3.1.0]hexen-(2)⟩

εε₃) 3-Oxo-cyclohexadien-(1,4)-[4,5] bzw. 4-Oxo-bicyclo[3.1.0]hexen-(2)-Derivate

Die Photochemie der 3-Oxo-cyclohexadiene-(1,4) (I) bzw. deren Derivate ist gekennzeichnet durch das Auftreten von komplexen Produktgemischen. Wie aus der folgenden Übersicht am Beispiel eines bicyclischen Dienons zu ersehen ist, können prinzipiell 3 Reaktionsfolgen unterschieden werden:

① Bildung von 4-Oxo-bicyclo[3.1.0]hexenen (III)
② Bildung von Hydroxy-ketonen (IV und V)
③ Bildung von Phenolen (VIII) und 5-Oxo-cyclohexadien-(1,3)-Verbindungen (IX)

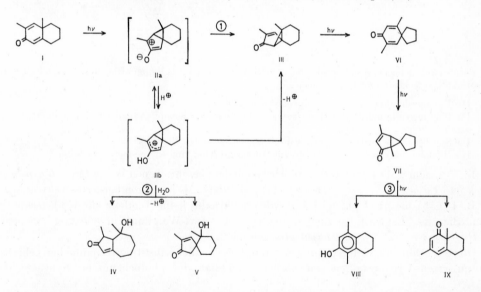

Gemeinsam ist diesen Umlagerungen eine Cyclopropan-Zwischenstufe (IIa, IIb), die unprotonisiert oder protonisiert je nach Lösungsmittel abreagieren kann. Durch Wahl der Lösungsmittel, der Wellenlänge des eingestrahlten Lichts und Ausnutzung von Substituenten-Effekten kann in gewissem Umfang

---

[1] H. PERST u. K. DIMROTH, Tetrahedron **24**, 5385 (1968).
[2] Zu vergleichbaren Ausbeuten führen Photolysen in 1,4-Dioxan, 1,4-Dioxan/Wasser (9:1), Tetrahydrofuran oder Benzol/Methanol (2:1).
[3] H. HART u. R. K. MURRAY, Jr., J. Org. Chem. **32**, 2448 (1967).
[4] Vgl. ds. Handb., Bd. VII/2a, S. 1092.
[5] P. J. KROPP, Org. Photochem. **1**, 1 (1967).

der Ablauf der Umlagerungen gelenkt werden. Als Ausgangsverbindungen zur Herstellung von Phenolen (VIII) und 5-Oxo-cyclohexadienen-(1,3) (IX) lassen sich 3-Oxo-cyclohexadiene-(1,4) (I) bzw. deren Photoprodukt, die 4-Oxo-bicyclo[3.1.0]hexene (III), einsetzen. Obwohl die Verbindungen VI und VII im Reaktionsweg I → VIII und IX faßbare Zwischenprodukte darstellen, die entweder im Reaktionsweg durchlaufen werden oder als Ausgangsverbindungen zur Herstellung von VIII und IX benutzt werden können, werden ihre Bildung aus III bzw. VI des besseren Verständnis halber in den Abschnitt Bildung von Phenolen und 5-Oxo-cyclohexadienen-(1,3) eingeordnet (S. 771).

i₁) Bildung von 4-Oxo-bicyclo[3.1.0]hexen-(2)-Derivaten[1]

Die photochemische Umwandlung von 3-Oxo-cyclohexadien-(1,4)-Derivaten in 4-Oxo-bicyclo[3.1.0]hexen-(2)-Derivate wird durch die photochemische Labilität der Primärprodukte kompliziert. In diesem Abschnitt wird nur die Umlagerung zu den Lumiprodukten beschrieben. Photoumlagerungen der bicyclischen Enone sind auf S. 775 als gesonderte Reaktion zusammengefaßt.

Als klassisches Beispiel sei die photochemische Typ A-Umlagerung von 6-Oxo-4,4-diphenyl-cyclohexadien-(1,4)[2] in *4-Oxo-6,6-diphenyl-bicyclo[3.1.0]hexen-(2)* genannt. Die Quantenausbeute beträgt $\varphi = 0{,}85$ Mol/Einstein[2].

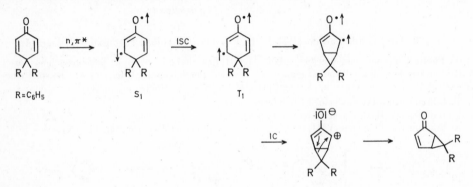

Für den angegebenen Mechanismus, bei dem die eigentliche Umlagerung nicht im angeregten Zustand stattfindet, sprechen folgende Tatsachen:

① Die Umlagerung kann durch Acetophenon sensibilisiert werden.
② Die Bindungsordnung der zur Oxo-Gruppe β-ständigen Kohlenstoff-Atome wird durch die n, π*-Anregung erhöht[3].
③ Die Synthese[4] des Zwitterions und seine Umlagerung in den Bicyclus.
④ Die Rückkehr des bicyclischen Enons zur Ausgangsverbindung ist symmetrie-verboten[3].

In 75%igem wäßrigem 1,4-Dioxan wird nach dem beschriebenen Weg *4-Oxo-6,6-diphenyl-bicyclo[3.1.0]hexen-(2)* (7% d.Th.; F: 144°) erhalten[5]. Als benzokondensiertes Derivat zeigt z. B. 4-Oxo-1-methyl-1-phenyl-1,4-dihydro-naphthalin keine Tendenz zur Umlagerung in den Bicyclus. Es wird lediglich durch einfache Aryl-Wandlung in 55%iger Ausbeute *1-Hydroxy-4-methyl-3-phenyl-naphthalin* gebildet[6].

Obwohl zahlreiche Untersuchungen[7] an unterschiedlich substituierten einfachen gekreuzt konjugierten Cyclohexadienonen vorliegen, besitzt die photochemische Synthese der

[1] Eine Übersicht gibt: H. E. ZIMMERMANN, Ang. Ch. 81, 45 (1969).
[2] H. E. ZIMMERMANN u. D. I. SCHUSTER, Am. Soc. 83, 4486 (1961); 84, 4527 (1962).
[3] H. E. ZIMMERMANN u. J. S. SWENTON, Am. Soc. 89, 906 (1967).
[4] H. E. ZIMMERMANN, D. DÖPP u. P. S. HUYHHER, Am. Soc. 88, 5352 (1966).
[5] H. E. ZIMMERMANN u. D. I. SCHUSTER, Am. Soc. 84, 4527 (1962).
[6] H. E. ZIMMERMANN et al., Am. Soc. 87, 1138 (1965).
[7] D. I. SCHUSTER et al., Am. Soc. 93, 1557 (1971).
    D. J. PATEL u. D. I. SCHUSTER, Am. Soc. 89, 184 (1976); 88, 1825 (1966).
    H. E. ZIMMERMANN u. J. O. GRUNEWALD, Am. Soc. 89, 5163 (1967).
    H. E. ZIMMERMANN et al., Am. Soc. 89, 6589 (1967).

Bicyclo[3.1.0]hexenone nicht den breiten präparativen Anwendungsbereich wie bei bicyclischen Dienonen oder Steroid-Dienonen. Ursache hierfür sind zahlreiche Nebenreaktionen. Zum Beispiel photofragmentiert 6-Oxo-3-methyl-3-trichlormethyl-cyclohexadien-(1,4) zu *4-Hydroxy-1-methyl-benzol*[1]. Die Umlagerung zu *4-Oxo-6-methyl-6-trichlormethyl-bicyclo[3.1.0]hexen-(2)* kann in 1,4-Dioxan als Solvens ablaufen[2]:

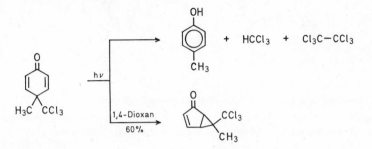

Gleichfalls unter Fragmentierung ergibt die Bestrahlung von 3-Brom- oder 3-Nitro-6-oxo-1,3,5-tri-tert.-butyl-cyclohexadien-(1,4) *6-Hydroxy-1,3,5-tri-tert.-butyl-benzol* (81% d.Th. bzw. 35% d.Th.)[3].

Geht man von 3-Hydroxy-6-oxo-cyclohexadien-(1,4)-Verbindungen aus, so werden über die bicyclischen Lumiprodukte 3-Oxo-cyclopentene erhalten. 3-Hydroxy-6-oxo-3-phenyl-1,5-di-tert.-butyl-cyclohexadien-(1,4) ergibt z. B. bei Bestrahlung in wäßrigem 1,4-Dioxan mit einer Hanovia-Lampe (Pyrex) *5-Oxo-1,4-di-tert.-butyl-3-benzoyl-cyclopenten* (20% d.Th.; F: 157–158,2°)[4]:

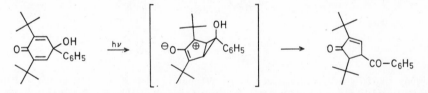

Unterschiedliche Reaktionsprodukte werden bei Photolysen von 3-Hydroxy-6-oxo-1,3,5-tri-tert.-butyl-cyclohexadien-(1,4) in verschiedenen Lösungsmitteln gebildet. In Benzol entsteht *2-Hydroxy-4-oxo-1,3-di-tert.-butyl-3-[3,3-dimethyl-buten-(1)-yl]-cyclobuten*[5], in Methanol fällt *2-Oxo-1,3-di-tert.-butyl-5-(2,2-dimethyl-propanoyl)-bicyclo[2.1.0]pentan* (F: 139–141°) in 60%iger Ausbeute an[6]:

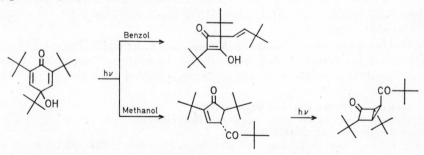

[1] D. I. SCHUSTER u. D. J. PATEL, Am. Soc. **87**, 2515 (1965).
[2] J. KING u. D. LEAVER, Chem. Commun. **1965**, 539.
[3] K. OGURA u. T. MATSUURA, Bl. chem. Soc. Japan, **43**, 3181 (1970).
[4] E. R. ALTWICKLER u. C. D. COOK, J. Org. Chem. **29**, 3087 (1964).
[5] D. A. PLANK, J. C. FLOYD u. W. H. STARNES, Chem. Commun. **1969**, 1003.
[6] T. MATSUURA u. K. OGURA, Tetrahedron **24**, 6167 (1968).

Bei Bestrahlung der entsprechenden Methoxy-Verbindung zeigt sich gleichfalls eine aus-
geprägte Abhängigkeit vom Lösungsmittel. In Essigsäure/Wasser/Äthanol (2:1:2) mit einer
450 W Quecksilber-Hochdruck-Lampe (Ushio UM 450; 20 Min.) können fünf Produkte
erhalten werden[1]:

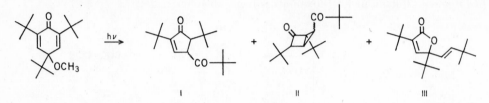

Ia; *trans-5-Oxo-1,4-di-tert.-butyl-3-(2,2-dimethyl-propanoyl)-cyclopenten*;   17% d.Th.; F: 80–81°
Ib; *cis-*...;   11% d.Th.; F: 79,5–80,5°
IIa; *2-Oxo-1,3-di-tert.-butyl-exo-6-(2,2-dimethyl-propanoyl)-bicyclo[2.1.0]pentan*;
                                                                                    18% d.Th.; F: 101–102°
IIb; ...*-endo-6-*...;   4% d.Th.; F: 141–141,5°
III; *5-Oxo-2,4-di-tert.-butyl-2-[3,3-dimethyl-buten-(1)-yl]-2,5-dihydro-furan*;   4% d.Th.; F: 91,5–92,5°

Über weitere analoge Photolysen s. Lit.[2].

Bei Photolyse in Petroläther kann das entsprechende Lumiprodukt I isoliert werden:

**6-Methoxy-4-oxo-3,5,6-tri-tert.-butyl-bicyclo[3.1.0]hexen-(2)(IV), 4-Methoxy-6-oxo-1,3,5-tri-tert.-bu-
tyl-cyclohexadien-(1,4)(V) und 3-Hydroxy-2-methoxy-1,4-di-tert.-butyl-benzol(VI)[3]:**

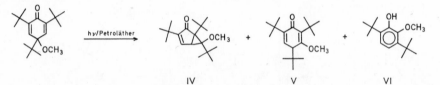

Eine Lösung von 1,7 g 3-Methoxy-6-oxo-1,3,5-tri-tert.-butyl-cyclohexadien-(1,4) in 400 *ml* Petroläther
(Kp: 30–60°) wird 50 Stdn. mit einer 300 W Wolfram-Lampe bestrahlt. Die Reaktionslösung wird mit
Wasser gekühlt und durch einen Stickstoff-Strom durchmischt. Danach wird das Lösungsmittel abgezogen und der Rückstand an 20 g Kieselgel chromatographiert. Eluierung mit 130 *ml* Petroläther/Ben-
zol (7:3) ergeben 762 mg Substanz, die aus der Ausgangsverbindung, dem Cyclohexadienon V, (F:
83–84,5°) und dem Phenol VI (F: 86–87°) bestehen. Weitere Chromatographie mit 185 *ml* Petroläther/
Benzol (7:3) liefert den Bicyclus IV; Ausbeute: 303 mg (18% d.Th.); F: 80,5–81°.

Auf gleiche Weise wird in Äther mit 11%iger Ausbeute aus 3-Methoxy-6-oxo-3-methyl-
1,5-di-tert.-butyl-cyclohexadien-(1,4)   *endo-6-Methoxy-4-oxo-6-methyl-3,5-di-tert.-butyl-bicy-
clo[3.1.0]hexen-(2)* erhalten[4].

Spiro-Verbindungen können zwar nach dem gleichen Prinzip photochemisch in die Lumiprodukte[5] überführt werden, jedoch zeigen sie kein einheitliches Verhalten[6]. Außer Frag-
mentierungsprodukten[7] treten z. T. nur die entsprechenden Phenole auf[8]. Im Falle von

[1] T. Matsuura u. K. Ogura, Am. Soc. **89**, 3850 (1967).
[2] T. Matsuura u. K. Ogura, Bl. chem. Soc. Japan **43**, 3187 (1970).
    H. Perst, Tetrahedron Letters **1970**, 4189.
    Photolyse in abs. Äther: A. Rieker u. N. Zeller, Z. Naturforsch. **23 b**, 463 (1968); Tetrahedron
    Letters **1968**, 463.
[3] T. Matsuura u. K. Ogura, Am. Soc. **89**, 3846 (1967).
[4] T. Matsuura, Bl. chem. Soc. Japan **37**, 564 (1964).
[5] Über Lösungsmittel-Effekte: W. V. Curran u. D. I. Schuster, Chem. Commun. **1968**, 699.
[6] z. B.: D. I. Schuster u. C. J. Polowczyk, Am. Soc. **88**, 1722 (1966); **86**, 4502 (1964).
[7] W. H. Pirkle u. G. F. Koser, Tetrahedron Letters **1968**, 129.
[8] D. I. Schuster u. W. V. Curran, J. Org. Chem. **35**, 4192 (1970).

6-Oxo-1,4-dimethyl-cyclohexadien-(1,4)-⟨3-spiro-1⟩-cyclopentan wird in Äthanol bei 1stdg. Einwirkung einer Quecksilber-Niederdruck-Lampe (Hanau NK 6/20) *4-Oxo-2,5-dimethyl-bicyclo[3.1.0]hexen-(2)-⟨6-spiro-1⟩-cyclopentan* (I; 63% d.Th.), 5-Oxo-3,6-*dimethyl-bicyclo[4.4.0]decadien-(1,3)* (II; 16% d.Th.) und *6-Hydroxy-5,8-dimethyl-tetralin* (III; 10% d.Th.) gebildet[1]. Eine längere Bestrahlungsdauer führt nur zu den beiden Naphthalin-Derivaten (s. a. S. 790).

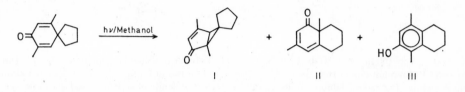

I II III

Analog den substituierten 3-Oxo-cyclohexadien-(1,4)-Derivaten werden bi- oder poly-cyclische gekreuzt konjugierte Cyclohexadienone in die entsprechenden „Lumi-produkte", Bicyclo[3.1.0]hexene, umgewandelt. Man arbeitet in neutralem Medium, wie z. B. 1,4-Dioxan oder Alkohol. In praxi werden überwiegend die nicht hydroxylischen Lösungsmittel verwendet, da sich in Methanol oder Äthanol auch Oxo-äther ergeben können (s. S. 784). Photolysiert man dagegen in saurem Milieu, so kommt es in einer Konkurrenz-Reaktion zur Bildung von Spiroketonen und 9-Oxo-bicyclo[5.3.0]decen-(7)-Verbindungen (s. S. 779).

Zur Erzielung maximaler Ausbeuten spielt die Bestrahlungszeit und die Wellen-länge des eingestrahlten Lichts eine wichtige Rolle, da die 4-Oxo-bicyclo[3.1.0]hexene – im folgenden in Anlehnung an die Umlagerung von α-Santonin → Lumisantonin oft als „Lumi-produkt" bezeichnet – photolabil sind. Lassen sich noch mit 4-methyl-substituierten Dieno-nen mittels Quecksilber-Hochdruck-Lampen hohe Prozentsätze von Lumiprodukten[2,3] erreichen, so gilt dies nicht für unsubstituierte oder 2-methyl-substituierte Systeme, da die Geschwindigkeit der Folgereaktionen größer ist als die für die Bildung der Lumiprodukte.

Photolysiert man dagegen mit Quecksilber-Niederdruck-Lampen ($\lambda = 254$ nm) so liefern die Bestrahlungen gute Ausbeuten an Lumiprodukten. Bei dieser Wellenlänge beträgt die Absorption des Lumiproduktes nur $^1/_6$ von der des Ausgangsdienons, so daß die photo-stationäre Konzentration von 3-Oxo-bicyclo[3.1.0]hexenen hoch ist. Auch andere Licht-quellen liefern unter Umständen gute Ausbeuten[2]. Diesen Sachverhalt verdeutlichen die folgenden Arbeitsvorschriften und Beispiele der Tab. 106 (S. 777).

4-Oxo-3,6-dimethyl-tricyclo[4.4.0.0^{1,5}] decen-(2) [2]:

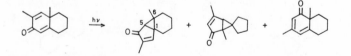

Eine Lösung von 790 mg 3-Oxo-4,6-dimethyl-bicyclo[4.4.0]decadien-(1,4) in 100 *ml* 1,4-Dioxan wird 2 Stdn. mit einer Hanau NH 6/20 Quecksilber-Niederdruck-Lampe ($\lambda = 254$ nm) bestrahlt. Die Reak-tionslösung wird mit einem Stickstoff-Strom durchmischt. Anschließend wird das Photolysat i. Vak. konzentriert und an 24 g Kieselgel chromatographiert. Man eluiert das Lumiprodukt mit 4 *l* Benzol/Hexan (1:1); Ausbeute: 528 mg (67% d.Th.); F: 183–184,5° (Semicarbazon; aus wäßrigem Äthanol).

[1] P. J. Kropp, Tetrahedron **21**, 2183 (1965).
[2] P. J. Kropp, Am. Soc. **86**, 4053 (1964).
[3] W. A. Noyes, Jr., G. S. Hammond u. J. N. Pitts, Jr., Adv. Photochem. **1**, 323 ff. (1960).

Weitere Eluierung mit 1,5 *l* Benzol/Hexan (3:1) ergibt 93 mg eines farblosen Öls, das aus *4-Oxo-2,5-dimethyl-bicyclo[3.1.0]hexen-(2)-⟨6-spiro-1⟩-cyclopentan* (7% d.Th.), *5-Oxo-3,6-dimethyl-bicyclo[4.4.0]decadien-(1,3)* (2% d.Th.) und der Ausgangsverbindung (3% d.Th.) besteht (gaschromatographische Analyse).

17β-Acetoxy-2-oxo-1β,3-dimethyl-1α,5α-cyclo-androsten-(3)[1]:

Eine Lösung von 100 mg 17 β-Hydroxy-3-oxo-2,4-dimethyl-androstadien-(1,4) in 18 *ml* abs. 1,4-Dioxan wird unter Rühren mit einem Hochdruck-Quarzbrenner (Typ Biosol Philips 250 W) 90 Min. bei Zimmertemp. belichtet. Der nach Abdampfen des Lösungsmittels anfallende ölige Rückstand wird mit Acetanhydrid/Pyridin bei Zimmertemp. acetyliert und das erhaltene Acetat an Aluminiumoxid (Akt. II) mit Petroläther/Benzol chromatographiert; Ausbeute: 50 mg (60% d.Th.); F: 158–159°.

17β-Acetoxy-2-oxo-1β-methyl-1β,5β-cyclo-androsten-(3)[2]:

4,8 g von 17 β-Acetoxy-3-oxo-androstadien-(1,4) in 120 *ml* abs. 1,4-Dioxan wird mit einer NK 6/20-Lampe (Quarzlampen GmbH, Hanau, 20 W) 19,5 Stdn. bei Zimmertemp. in einem zylindrischen Quarzgefäß bei magnetischer Rührung photolysiert. Die Lichtquelle ist mit Wasser gekühlt und zentral angeordnet. Nach dem Eindampfen i. Vak. zur Trockene wird der Rückstand an 300 g neutralem Aluminiumoxid (Akt. III) chromatographiert. Mit 1,2 *l* Benzol eluiert man das Produkt; Ausbeute: 3,0 g (62% d.Th.); F: 161–162°.

Lumisantonin[3]:

1 g α-Santonin, gelöst in 100 *ml* abs. 1,4-Dioxan, wird in einem zylinderförmigen Quarz-Gefäß, das mit einem Kühlfinger versehen ist, 1 Stde. mit einem Hochdruck-Quarzbrenner (Typ Biosol Philips 250 W) von außen (Abstand ∼ 10 cm) unter Rühren bestrahlt. Anschließend dampft man das Lösungsmittel i. Vak. ab und chromatographiert den Rückstand an 30 g neutralem Aluminiumoxid (Akt. II) mit Benzol; Ausbeute: 335 mg (42% d.Th.); F: 156–157° (Aceton/Hexan).

Cyclopentan-⟨1-spiro-14⟩-8-oxo-tetracyclo[7.4.1.0.0²,⁷]tetradecen-(2⁷) und Cyclopentan-⟨1-spiro-9⟩-10-oxo-1,2,3,4,5,6,7,8,9,10-decahydro-phenanthren[4]:

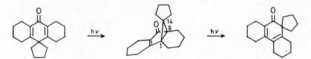

Eine Lösung von 691 mg Cyclopentan-⟨1-spiro-9⟩-10-oxo-1,2,3,4,5,6,7,8,9,10-decahydro-anthracen in 400 *ml* Methanol wird mit einer Hanovia Typ S 200 W Quecksilber-Vakuum-Lampe unter Stickstoff

(Fortsetzung S. 779)

[1] K. Weinberg et al., Helv. **43**, 236 (1960).
[2] H. Dutler et al., Helv. **45**, 2346 (1962).
[3] D. Arigoni et al., Helv. **40**, 1732 (1957).
    D. H. R. Barton, P. de Mayo u. M. Shafiq, Soc. **1958**, 140.
    M. H. Fisch u. J. H. Richards, Am. Soc. **90**, 1547 (1968).
    Über die Bestrahlung bei tiefen Temperaturen: M. H. Fisch, Chem. Commun. **1969**, 1472.
[4] H. Hart u. D. C. Lankin, J. Org. Chem. **33**, 4398 (1968).

Tab. 106. Umlagerung von gekreuzt konjugierten Cyclohexadienon-Derivaten

Ausgangsverbindung	Lösungs- mittel	Lumiprodukt	Ausbeute [% d.Th.]	F [° C]	Lite- ratur
	Methanol	4-Oxo-2,3-dimethyl-endo-6-iso-propyl-bicyclo[3.1.0]hexen-(2)	68	a	1
		+4-Oxo-2,3-dimethyl-exo-6-isopropyl-...	32	a	
	Hexan	4-Oxo-endo-6-methyl-6-iso-propen-(2)-yl-2,3-di-tert.-butyl-bicyclo[3.1.0]hexen-(2)	a	a	2
	1,4-Dioxan				3
$R^1 = R^2 = H$		4-Oxo-6-methyl-tricyclo[4.3.0. $0^{1,5}$]nonen-(2)	55	a	
		+8-Oxo-2-methyl-bicyclo[4.3.0] nonadien-(1,6)	21	a	
$R^1 = H$; $R^2 = CH_3$		4-Oxo-5,6-dimethyl-tricyclo [4.3.0.$0^{1,5}$]nonen-(2)	50	a	
		+8-Oxo-2,7-dimethyl-bicyclo [4.3.0]nonadien-(1,6)	~5	a	
$R^1 = CH_3$; $R^2 = H$		3-Oxo-2,6-dimethyl-tricyclo [4.3.0.$0^{1,5}$]nonen-(2)	67	a	
	1,4-Dioxan		48	a	4
	Essigsäure	4-Oxo-6-methoxycarbonyl-tri-cyclo[4.4.0.$0^{1,5}$]decen-(2)	54		

a Keine Angaben.

[1] T. R. RODGERS u. H. HART, Tetrahedron Letters **1969**, 4845.
[2] B. MILLER u. H. MARGULIS, Am. Soc. **89**, 1678 (1967).
[3] D. CAINE et al., J. Org. Chem. **37**, 706 (1972); Tetrahedron Letters **1968**, 6071.
[4] P. J. KROPP, Tetrahedron Letters **1964**, 3647.

Tab. 106 (Fortsetzung)

Ausgangsverbindung	Lösungsmittel	Lumiprodukt	Ausbeute [% d. Th]	F [° C]	Literatur
$R^1=CH_3$; $R^2=H$	1,4-Dioxan	4-Oxo-5,6-dimethyl-tricyclo [4.4.0.0^{1,5}]decen-(2)	70	(Kp$_{0,3}$: 115°)	1 2
$R^1=H$; $R^2=CH_3$	Hexan	4-Oxo-6,10-dimethyl-tricyclo [4.4.0.0^{1,5}]decen-(2)	10	205–207 (Semicarbazon)	3
	1,4-Dioxan		59	a	1
	1,4-Dioxan	4-Oxo-5,6-dimethyl-9-isopropenyl-tricyclo [4.4.0.0^{1,5}] decen-(2)	a	a	4
	1,4-Dioxan	17β-Acetoxy-3-oxo-1-methyl-4,10; 5,9-dicyclo-9,10-seco-östren-(1)	13	174–175	5
$R^1=R^2=H$; $R^2=CH_3$	1,4-Dioxan	17β-Hydroxy-2-oxo-3β-methyl-1α,5-cyclo-androsten-(3)	60–70	196,5–198,5	6
$R^1=COCH_3$; $R^2=R^3=H$		17β-Acetoxy-2-oxo-1α,5-cyclo-androsten-(3)	11	a	5,7
$R^1=COCH_3$; $R^2=H$; $R^3=CH_3$		17β-Acetoxy-2-oxo-1-methyl-1α,5-cyclo-androsten-(3)	4	150–151	8
	Äthanol	3β-Acetoxy-7-oxo-1,4,4-trimethyl-6,10-cyclo-18,19-dinor-cholesten-(8)	a	158–159	9

a Keine Angabe.

1 P. J. Kropp, Am. Soc. 87, 3914 (1965).
2 W. A. Noyes,Jr., G. S. Hammond u. J. N. Pitts,Jr., Adv. Photochem. 1, 323 (1960).
3 P. J. Kropp u. W. F. Ermann, Am. Soc. 85, 2456 (1963).
4 J. Streith u. A. Blind, Bl. 1968, 2133.
5 H. Dutler et al., Helv. 45, 2346 (1962).
6 K. Weinberg et al., Helv. 43, 236 (1960).
7 H. Dutler, H. Bosshard u. O. Jeger, Helv. 40, 494 (1957).
8 G. Ganter et al., Helv. 47, 627 (1964).
9 D. H. R. Barton, J. F. McGhie u. M. Rosenberger, Soc. 1961, 1215.

bestrahlt. Die Reaktion wird UV-spektroskopisch verfolgt. Nach 50 Min. entfernt man das Lösungsmittel und erhält den Stoff als schwach gefärbtes transparentes Öl; Ausbeute: 627 mg (97% d.Th.).

Bestrahlungen des Lumiproduktes in Äther führen über ein intermediäres Keten (s. S. 755) zum hydrierten Phenanthren-Derivat (57%; F: 69–70°).

Präparativ wichtig sind die Photo-Umlagerungen von bicyclischen 2,5-Cyclohexadienonen mit angularer Hydroxy-Gruppe zu hydrierten Dioxo-azulenen[1]:

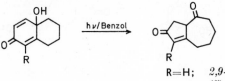

R=H;   *2,9-Dioxo-bicyclo[5.3.0]decen-(7)*; 11% d.Th.

R=CH₃; *2,9-Dioxo-8-methyl-bicyclo [5.3.0]decen-(7)*; 32% d.Th.

i₂) Bildung von Hydroxy-ketonen

Bei der Photolyse von bicyclischen gekreuzt konjugierten Cyclohexadienonen in **saurem Medium** tritt neben der Umlagerung zu 4-Oxo-bicyclo[3.1.0]hexenen (s. S. 755) die Bildung von zwei verschiedenen Hydroxy-ketonen in den Vordergrund. Wird in neutralem Medium dieser Reaktionsweg mehr oder weniger unterdrückt, so stellen die Hydroxy-ketone unter sauren Photolysebedingungen die Hauptprodukte dar. Ihre Bildung läßt sich zwanglos aus der intermediären Cyclopropyl-Stufe[2] erklären.

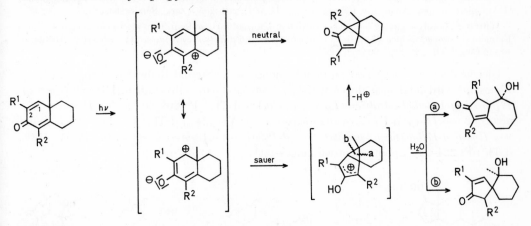

R¹,R²=H;Alkyl

Auch hier zeigt sich eine deutliche Produktabhängigkeit von **Substituenten** des gekreuzt konjugierten Cyclohexadienon-Ringes. Ist er unsubstituiert, so werden beide Wege annähernd gleich beschritten. Die Neigung α-ständig zur Oxo-Gruppe und α-ständig zum Brückenkopf-Kohlenstoff-Atom methylierter Derivate zur Bildung von 2-Hydroxy-9-oxo-bicyclo[5.3.0]decen-(7)-Derivaten läßt sich durch den induktiven Effekt der Methyl-Gruppe deuten, die die positive Ladung am höher substituierten Kohlenstoff-Atom weitgehend lokalisiert. Elektronenziehende Substituenten an C-4 führen nur in Spuren zu Hydroxy-ketonen[3].

[1] G. F. BURKINSHAW, B. R. DAVIS u. P. D. WOODGATE, Chem. Commun. **1967**, 607; Soc. [C] **1970**, 1607.
[2] P. J. KROPP u. W. E. ERMANN, Am. Soc. **85**, 2456 (1963).
    C. GANTER et al., Helv. **45**, 2403 (1962).
    H. E. ZIMMERMANN u. D. I. SCHUSTER, Am. Soc. **84**, 4527 (1962).
    H. E. ZIMMERMANN, Tetrahedron **19**, suppl. 2, 393 (1963).
[3] P. J. KROPP, Tetrahedron Letters **1964**, 3647.

Die Photolyse von *trans*-3-Oxo-5,10-dimethyl-bicyclo[4.4.0]decadien-(1,4) zeigt deutlich die Reaktionsweise bei Abwesenheit eines Substituenten an C-4. Über die Photoreaktion des Lumiproduktes s. S. 790.

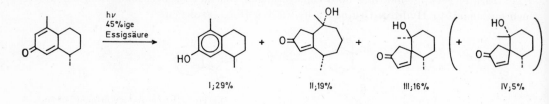

I; 29%   II; 19%   III; 16%   IV; 5%

Photolyse von trans-3-Oxo-5,10-dimethyl-bicyclo[4.4.0] hexadien-(1,4)[1]: Eine Lösung von 800 mg des Dienons in 100 *ml* 45%iger Essigsäure wird 3 Stdn. mit einer Hanovia 200 W Quecksilber-Hochdruck-Lampe photolysiert. Dann wird das Photolysat mit dem gleichen Volumen Toluol verdünnt und i. Vak. zur Trockene eingedampft. Man chromatographiert den verbleibenden Rückstand an 25 g Kieselgel und erhält durch Eluierung mit 1,25 *l* Hexan/Benzol (1:1) *7-Hydroxy-1,5-dimethyl-1,2,3,4-tetrahydro-naphthalin* (I); Ausbeute: 234 mg (29% d.Th.); F: 95–95,5°.

Durch weitere Eluierung mit 1 *l* Benzol, 1 *l* Äther/Benzol (1:19) und schließlich mit 2 *l* Äther/Benzol (1:9) kommt man zum *5-Oxo-cyclopenten-⟨3-spiro-1⟩-t-6-hydroxy-c-2,c-6-dimethyl-cyclohexan* (III); Ausbeute: 141 mg (16% d.Th.); F: 95–97°.

Schließlich kann *t-2-Hydroxy-9-oxo-r-2,t-6-dimethyl-bicyclo[5.3.0]decen-(7)* (II) mit 2,5 *l* Äther/Benzol (1:1) eluiert werden; Ausbeute: 164 mg (19% d.Th.); F: 204–205° (Zers., Semicarbazon).

Wird die Photolyse analog jedoch bei Siedetemp. ausgeführt, so kann man als vierte Verbindung das Epimere *5-Oxo-cyclopenten-⟨3-spiro-1⟩-c-6-hydroxy-r-2,t-6-dimethyl-cyclohexan* (IV) isolieren; Ausbeute: 44 mg (5% d.Th.); F: 89,5–90°.

Gleiche Reaktionsweisen zeigen auch Dienone aus der Steroid-Reihe. In siedender 45%iger Essigsäure wird auf dem analogen Weg 17β-Acetoxy-3-oxo-androstadien-(1,4) zu *2-Hydroxy-17β-acetoxy-4-methyl-östratrien-(1,3,5¹⁰)* (V) (41% d.Th.; F: 208–209°), *10β-Hydroxy-17β-acetoxy-2-oxo-1,5-cyclo-1,10-seco-10α-androsten-(3)* (VI) (24% d.Th.; F: 217,5–218,5°) und *9α-Hydroxy-17β-acetoxy-2-oxo-9aβ-methyl-B(9a)-homo-A-nor-10α-östren-(3)* (VII) (12% d.Th.: F: 224–227°) photochemisch umgesetzt[1]:

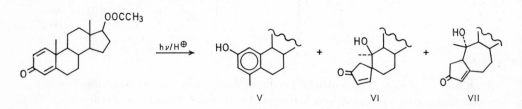

V   VI   VII

Photolysiert man bei 20° so sinkt die Ausbeute des 2-Hydroxy-4-methyl-östratrien-Derivates auf 1% und es wird statt dessen in 21%iger Ausbeute *17β-Acetoxy-1-methyl-östratrien-(1,3,5¹⁰)* (F: 174–176°) erhalten.

Neben Substituenten-Einflüssen und Photolyse-Temperaturen spielt auch das Lösungsmittel bei der Produktverteilung eine Rolle. So wird z. B. 9-Benzoyloxy-3-oxo-6,10,10-trimethyl-bicyclo[4.4.0]decadien-(1,4) zu *5-Oxo-cyclopenten-⟨3-spiro-3⟩-5-benzoyloxy-2,4,4-trimethyl-cyclohexen* (VIII) *6-Hydroxy-2-benzoyloxy-1,1,5-trimethyl-tetralin* (IX) und *t-2-*

[1] P. J. KROPP u. W. F. ERMANN, Am. Soc. **85**, 2456 (1963).

Hydroxy-c-5-benzoyloxy-9-oxo-r-2,6,6-trimethyl-bicyclo[5.3.0]decen-(7) (X) photolysiert[1]. Die
Ausbeuten belaufen sich auf:

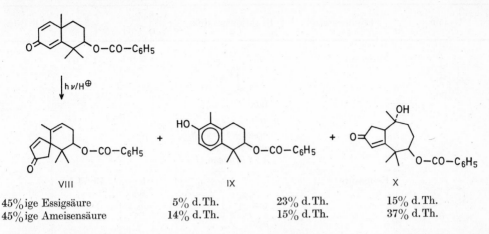

	VIII	IX	X
45%ige Essigsäure	5% d.Th.	23% d.Th.	15% d.Th.
45%ige Ameisensäure	14% d.Th.	15% d.Th.	37% d.Th.

Photolyse von 9-Benzoyloxy-3-oxo-6,10,10-trimethyl-bicyclo[4.4.0]decadien-(1,4)[1]: Eine Lösung von
500 mg des Dienons in 100 *ml* 45%iger Ameisensäure wird 2 Stdn. bei 20° mit einer Hanovia 200 W
Quecksilber-Lampe[2] bestrahlt. Dann neutralisiert man das Reaktionsgemisch mit Natriumcarbonat und
extrahiert 3mal mit je 100 *ml* Essigsäure-äthylester. Die vereinigten Extrakte werden mit ges. Natrium-
chlorid-Lösung gewaschen und mit Natriumsulfat getrocknet. Anschließende Einengung ergeben 586 mg
eines Öls, das an Aluminiumoxid (Woelm, Aktivitätsstufe II) chromatographiert wird. Eluierung mit
450 *ml* Benzol/Hexan (1:3) gibt VIII; Ausbeute: 72 mg (14% d.Th.); F: 130–131°. Mit weiteren 750 *ml*
Benzol/Hexan (1:1) erhält man IX; Ausbeute: 75 mg (15% d.Th.); F: 139–140°. Schließlich fällt durch
Elution mit Äther/Benzol (1:3) X an; Ausbeute: 195 mg (37% d.Th.); F: 166–167° (aus Aceton/Hexan).

Nur das entsprechende Bicyclo[5.3.0]decen-(7)-Derivat erhält man aus Prednison-acetat.

9aα,17α-Dihydroxy-21-acetoxy-2,11,20-trioxo-9aβ-methyl-B-homo-A-nor-19-nor-pregnen-(3)[3]:

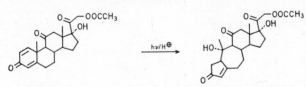

3,1g 17α-Hydroxy-20-acetoxy-3,11,20-trioxo-pregnadien-(1,4), gelöst in 250 *ml* Essigsäure/Wasser (4,5:
5,5), wird 1 Stde. in einem Quarz-Gefäß mit einer 125 W Quecksilber-Lampe photolysiert. Danach zieht
man das Lösungsmittel i. Vak. ab und trennt den Rückstand durch Natriumhydrogencarbonat in eine
neutrale und eine saure Fraktion. Die neutrale Fraktion wird an 150 g Kieselgel chromatographiert.
Eluierung mit Chloroform gibt 450 mg Ausgangsmaterial, mit Aceton/Chloroform (1:4) wird das Photoprodukt erhalten; Ausbeute: 400 mg; F: 240–243° (aus Methanol).

8α-Hydroxy-2-oxo-3,8β-dimethyl-1,2,4,5,6,7,8,8aα-octahydro-azulen[4]: Eine Lösung von 1,5 g
(0,085 Mol) 3-Oxo-2,6-dimethyl-bicyclo[4.4.0]decadien-(1,4)[5] in 225 *ml* 45%iger Essigsäure wird mit
einer Hanovia 450 W Quecksilber-Hochdruck-Lampe[6] 90 Min.[7] unter raschem Rühren und einem
Stickstoff-Strom photolysiert. Das Photolysat wird anschließend mit dem gleichen Volumen Toluol
verdünnt und dann i. Vak. bis zur Trockenheit eingedampft. Man chromatographiert an aktiviertem

(Forts. S. 784)

[1] P. J. KROPP, Am. Soc. **85**, 3779 (1963).
[2] Die Bestrahlungsapparatur wird beschrieben bei: P. J. KROPP u. W. F. ERMANN, Tetrahedron Letters
   1963, 21; Am. Soc. **85**, 2456 (1963).
[3] D. H. R. BARTON u. W. C. TAYLOR, Soc. **1958**, 2500.
[4] D. CAINE u. J. B. DAWSON, J. Org. Chem. **29**, 3108 (1964).
[5] Synthese s. Lit.[2]
[6] Beschreibung der Photolyse-Apparatur: P. J. KROPP u. W. F. ERMANN, Am. Soc. **85**, 2456 (1963).
[7] Bei 30 Min. Bestrahlungszeit sind die Ausbeuten geringer: P. J. KROPP, J. Org.Chem. **29**, 3310 (1964).

Tab. 107. Photolyse von bicyclischen, methylierten Cyclohexadienonen zu 9-Oxo-bicyclo[5.3.0]decen-(7)-Derivaten

Dienon	Lösungsmittel	Reaktionsprodukt	Ausbeute [% d.Th.]	F [° C]	Literatur
	Essigsäure	9-Methoxy-4α-acetoxy-8-oxo-4β-methyl-bicyclo [4.3.0)nonen-(1⁹)	85	54,5–55	1
	Essigsäure	9-Methoxy-4α-acetoxy-8-oxo-4β-methyl-1β-isopropyl-bicyclo[4.3.0] nonen-(1⁹)	91	73–74,5	
	a	6-Hydroxy-9-oxo-6-methyl-bicyclo [5.3.0]decen-(1¹⁰)	10	108,5–109,5	2
	45%ige Essigsäure	c-6-Acetoxy-9-oxo-t-6,10-dimethyl-r-3-isopropenyl-bicyclo [5.3.0]decen-(1¹⁰)	a		3
	Essigsäure/Wasser	t-6-Hydroxy-9-oxo-c-6,10-dimethyl-r-3-(1-methoxycarbonyl-äthyl)-bicyclo [5.3.0]decen-(1¹⁰)	79	Kp₀,₂: 175	4

a keine Angabe

1 D. Caine u. F. N. Tuller, Am. Soc. 93, 6311 (1971).
2 D. Caine u. J. F. Debardeleben, Jr., Tetrahedron Letters 1965, 4585.
3 J. Streith u. A. Blind, B.. 1968, 2133.
4 E. Piers u. K. F. Cheng, Chem. Commun. 1969, 562.

Tab. 107 (1. Fortsetzung)

Dienon	Lösungsmittel	Reaktionsprodukt	Ausbeute [% d. Th.]	F [° C]	Literatur
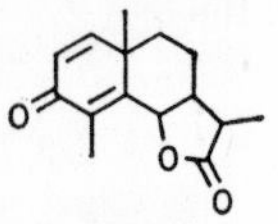 6-epi-α-Santonin	45%ige Essigsäure	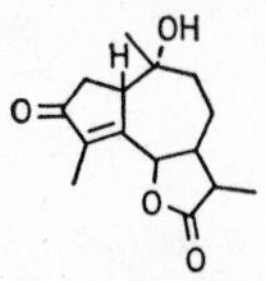 *Photo-santoninsäure-lacton*	24	180–181	[1-3]
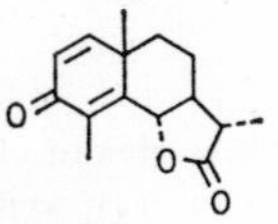 β-Santonin	45%ige Essigsäure	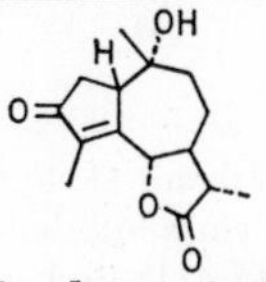 *Isophotosantonin-säure*	19	154–157	[1-3]
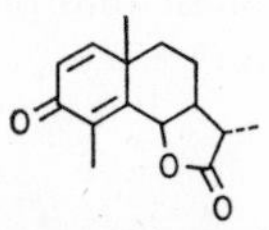 6-epi-β-Santonin	45%ige Essigsäure	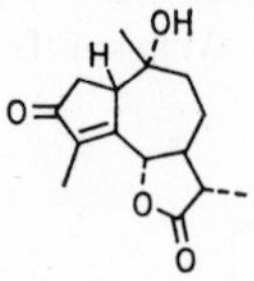	24	200–201	[1-3]
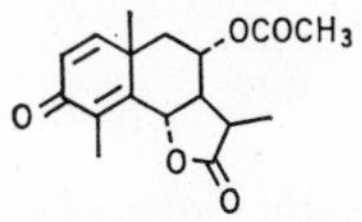 Artemisin-acetate	45%ige Essigsäure	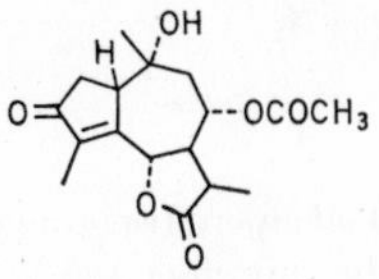	5	230–233	[1-3]
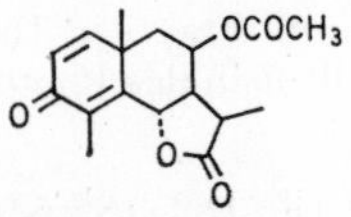 8-epi-Artemisin-acetat	45%ige Essigsäure	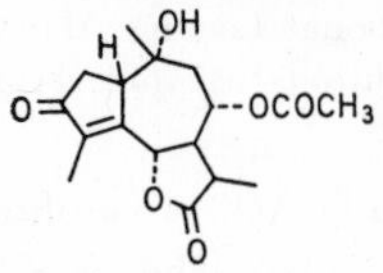	25	174–175	[1-3]
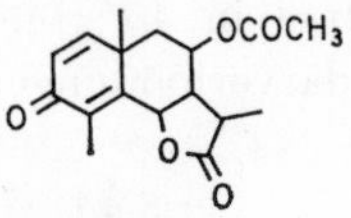 6-epi-8-epi-Artemisin-acetat	45%ige Essigsäure	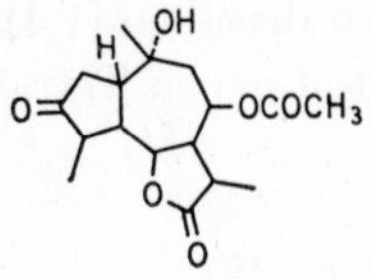	31	171–174	[1-3]
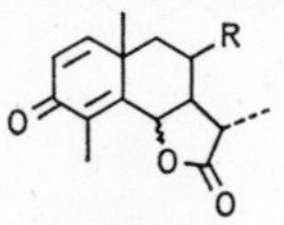 R=O-CO-OC₂H₅ O-SO₂-CH₃	H₂O/Essigsäure	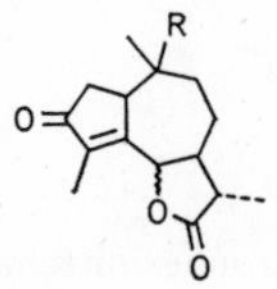	[a]	213–221 164–166	[4]

$R = O-CO-OC_2H_5$
$O-SO_2-CH_3$

[a] keine Angabe

[1] D. H. R. Barton, J. E. D. Levisalles u. J. T. Pinhey, Soc. 1962, 3472.
[2] D. H. R. Barton, Proc. Chem. Soc. 1958, 61.
[3] D. H. R. Barton, Helv. 42, 2604 (1959).
[4] D. H. R. Barton, J. T. Pinhey u. R. J. Wells, Soc. 1964, 2518.

Tab. 107 (2. Fortsetzung)

Dienon	Lösungsmittel	Reaktionsprodukt	Ausbeute [% d. Th.]	F [° C]	Literatur
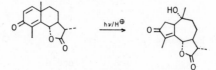	45%ige Essigsäure	*9aα-Hydroxy-17β-acetoxy-2-oxo-3, 9aβ-dimethyl-B-homo-A-nor-östren-(3)*	a	196,5–198,5	1

Kieselgel mit 500 *ml* Hexan und 1 *l* Äther/Hexan (1:4). Weitere Eluierung mit 1 *l* Äther/Hexan (1:3) und 1 *l* Äther/Hexan (1:2) geben 200 mg eines unidentifizierten einheitlichen Öls. Durch 4 weitere Elutionen mit je 1 *l* Äther/Hexan (2:1; 3:1; 4:1) und mit 1 *l* Äther erhält man das erwartete Photoprodukt; Ausbeute: 1,34 g (81% d.Th.); F: 97,2–99° (aus Äther).

Analoges gilt für homo-annulare 3-Oxo-cyclohexadiene-(1,4). So erhält man photochemisch aus α-Santonin[2] in Essigsäure/Wasser Isophoto-α-santoninsäure-lacton[3].

Isophoto-α-santoninsäure-lacton[4]:

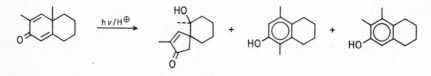

Eine Lösung von 4 g α-Santonin in 110 *ml* einer Mischung aus Essigsäure und Wasser (4:5) wird in einem Quarz-Kolben unter Rückfluß ~ 7 Stdn. mit einer 125 W Quecksilber-Lampe bestrahlt bis die optische Drehung auf ~ 2° fällt. Anschließend zieht man das Lösungsmittel i. Vak. ab und behandelt den Rückstand mit einer Natriumhydrogencarbonat-Lösung. Man erhält eine neutrale und saure Fraktion. Die neutrale Fraktion wird an Kieselgel chromatographiert; mit Äther/Aceton (1:2) erhält man das Photoprodukt; Ausbeute: 1,2 g; F: 165–167°.

Photolysen in Eisessig[5] ergeben O-Acetyl-isophotosantoninsäure-lacton[6] (F: 182–182,5°). O-Methyl- und O-Äthyl-Derivate (Oxo-äther, s. S. 775) lassen sich durch Bestrahlung von α-Santonin in Methanol bzw. Äthanol gewinnen[6].

3-Oxo-4,6-dimethyl-bicyclo[4.4.0]decadien-(1,4) liefert bei der Photolyse in 45%iger Essigsäure lediglich das Spiro-keton neben Tetralin-Derivaten als Sekundärverbindungen des Lumiproduktes (s. S. 790):

[1] K. Weinberg et al., Helv. **43**, 236 (1960).
[2] Über weitere Photolysen in protonischen Lösungsmitteln: K. Schaffner-Saba, Helv. **52**, 1237 (1969). Bestrahlungen in fester Phase: T. Matsuura et al., Tetrahedron Letters **1968**, 4627.
[3] D. H. R. Barton, P. de Mayo u. M. Shafiq, Soc. **1957**, 929. Über die Stereochemie: J. D. M. Asher u. G. A. Sim, Soc. **1965**, 1584.
[4] D. H. R. Barton, P. de Mayo u. M. Shafiq, Soc. **1957**, 929.
[5] E. H. White, S. Eguchi u. J. N. Marx, Tetrahedron **25**, 2099 (1969). G. Büchi, J. M. Kauffmann u. H. J. E. Loewenthal, Am. Soc. **88**, 3403 (1966).
[6] D. Arigoni et al., Helv. **40**, 1732 (1957).

Bestrahlt man dagegen in angesäuertem Methanol, so sinkt die Ausbeute des entsprechenden *5-Oxo-1-methyl-cyclopenten-⟨3-spiro-1⟩-2-methoxy-2-methyl-cyclohexan* auf 10% d.Th.[1].

5-Oxo-1-methyl-cyclopenten-⟨3-spiro-1⟩-2-hydroxy-2-methyl-cyclohexan[1]: Eine Lösung von 547 mg des Dienons in 125 *ml* 45%iger Essigsäure wird 30 Min. bei 20° mit einer Hanovia 200 W Quecksilber-Lampe bestrahlt. Anschließend wird das Photolysat mit dem gleichen Vol. Toluol verdünnt und i. Vak. auf ein kleines Volumen eingeengt. Die restliche Essigsäure entfernt man durch Kodestillation mit Toluol. Danach chromatographiert man an 16 g Kieselgel. Eluierung mit 1 *l* Hexan/Benzol (1:1) ergibt eine Mischung von *6-Hydroxy-5,8-dimethyl-* und *7-Hydroxy-5,6-dimethyl-tetralin* (F: 106–116°). Weitere Eluierung mit 900 *ml* einer Mischung von Äther/Benzol (1:50) und 500 *ml* Äther/Benzol (1:20) ergibt 113 mg einer Mischung nicht identifizierter Produkte. Mit weiteren 1,8 *l* Äther/Benzol (1:20) erhält man das Spiro-keton; Ausbeute: 275 mg (48% d.Th.); F: 201–208° (Semicarbazon).

Befindet sich an C–4 des Dienons eine elektronenanziehende Gruppe, wie z. B. die Formyl-Gruppe, erhält man ausschließlich Bicyclo[5.3.0]decen-(7)-Derivate in guter Ausbeute[2]:

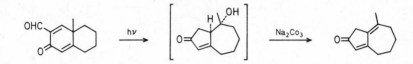

9-Oxo-2-methyl-bicyclo[5.3.0]decadien-(1,7)[2]: Eine 1%ige Lösung von 3-Oxo-6-methyl-4-formyl-bicyclo[4.4.0]decadien-(1,4) in 45%iger Essigsäure wird 3,5 Stdn. bei Raumtemp. mit einer 450 W Hanovia Quecksilber-Hochdruck-Lampe (Pyrex) bestrahlt. Anschließend wird Toluol zugegeben und die Lösungsmittel unter reduziertem Druck abgezogen. Das rohe Photoprodukt, ein viskoses braunes Öl, wird in einer 1%igen Lösung von Natriumcarbonat in Wasser/1,4-Dioxan (1:1) gelöst und 12 Stdn. über einem Dampfbad erhitzt. Danach wird mit Äther extrahiert, gewaschen, getrocknet und die ätherische Phase eingeengt; Ausbeute: 70% d.Th.; $Kp_{0,9}$: 123–127°.

i₃) Bildung von Phenolen und 5-Oxo-cyclohexadien-(1,3)-Verbindungen

Ist man nicht bestrebt, durch Wahl des Lösungsmittels, der Bestrahlungsdauer und der verwendeten Lichtquellen auf die Bildung von 4-Oxo-bicyclo[3.1.0]hexenen hinzuarbeiten (s. S. 772), so lassen sich aus 3-Oxo-cyclohexadien-(1,4)-Verbindungen und aus bzw. über 4-Oxo-bicyclo[3.1.0]hexenen Phenole, 5-Oxo-cyclohexadien-(1,3)- und umgelagerte 3-Oxo-cyclohexadien-(1,4)-Verbindungen darstellen. Die Photolabilität der 4-Oxo-bicyclo-[3.1.0]hexene bedingt es, daß die gekreuzt konjugierten Dienone und die entsprechenden bicyclischen Enone mit gleichem Erfolg eingesetzt werden können. Zur Keten-Bildung s. S. 755.

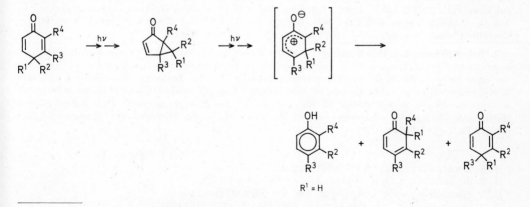

[1] P. J. KROPP, Am. Soc. **86**, 4053 (1964).
[2] D. CAINE u. J. F. DEBARDELEBEN, Jr., Tetrahedron Letters **1965**, 4585.

Ein typisches Beispiel der Phenol-Bildung ist die Photoreaktion von 4-Oxo-6,6-diphenyl-bicyclo[3.1.0]hexen-(2) zu *2,3-Diphenyl-phenol* und wenig *2,4-Diphenyl-phenol*[1]. Der Beweis für den angegebenen Mechanismus dieser Typ B-Umlagerung wurde durch Synthese des Zwitterions und dessen Umlagerung erbracht[2].

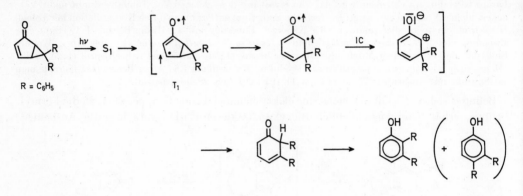

Photolysiert man anstelle des Bicyclo[3.1.0]hexens dessen Vorstufe, 6-Oxo-3,3-diphenyl-cyclohexadien-(1,4), in Wasser/1,4-Dioxan (1:3), so wird *2,3-Diphenyl-phenol* (F: 102,5°) nur in 22–32%iger Ausbeute neben Spuren des isomeren 3,4-Diphenyl-phenols gebildet. Das intermediäre 4-Oxo-6,6-diphenyl-bicyclo[3.1.0]hexen-(2) läßt sich aus dem Photolysat in 7%iger Ausbeute isolieren[3].

In Übereinstimmung hiermit erhält man bei der Photolyse von 4-Oxo-6-phenyl-6-(4-cyan-phenyl)-bicyclo[3.1.0]hexen-(2) hauptsächlich *2-Phenyl-3-(4-cyan-phenyl)-phenol*, aber kein Photoprodukt, welches eine Wanderung der Cyanphenyl-Gruppe voraussetzt[4].

Setzt man höher substituierte 4-Oxo-bicyclo[3.1.0]hexene-(2) ein, so erhält man bessere Ausbeuten an Phenolen, s. a. Tab. 108 (S. 787).

4-Hydroxy-3,5-diäthyl-1,2-diphenyl-benzol[5]:

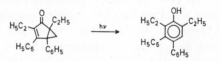

1 g 4-Oxo-3,5-diäthyl-1,2-diphenyl-bicyclo[3.1.0]hexen-(2) werden in 250 *ml* dest. Methanol 4,5 Stdn. mit einer Philips HPK 125 W Lampe belichtet. Aus dem Dünnschichtchromatogramm ist ersichtlich, daß die Reaktion bereits nach einer Stde. beendet ist. Nach Eindampfen i. Vak. isoliert man das gewünschte Phenol; Ausbeute: 0,65 g (65% d.Th.); F: 86–88° (aus Hexan).

3-Chlor-2-hydroxy-4-methyl-1-isopropyl-benzol[6]:
Eine Lösung von 2,08 g 3-Chlor-4-oxo-2-methyl-5-isopropyl-bicyclo[3.1.0]hexen-(2) (α-Chlor-umbellon) in 10 *ml* gereinigtem 1,4-Dioxan wird 168 Stdn. mit einer Sylvania 400 W Quecksilber-Mitteldruck-Lampe bei 25° bestrahlt. Anschließend wird das Lösungsmittel abgezogen. Das zurückbleibende braune visköse Öl wird an Kieselgel chromatographiert mit Hexan, Chloroform und Benzol als Eluierungsmittel. Die Hauptfraktion wird mit Benzol eluiert. Molekulardestillation des erhaltenen Öls bei 70°/1 Torr ergibt das Photoprodukt; Ausbeute: 1,27 g (61% d.Th.); n_D^{25}: 1,5254.

[1] H. E. Zimmermann, Ang. Ch. **81**, 45 (1969).
[2] H. E. Zimmermann u. G. A. Epling, Am. Soc. **94**, 7806 (1972).
[3] H. E. Zimmermann u. D. I. Schuster, Am. Soc. **84**, 4527 (1962).
[4] H. E. Zimmermann u. J. O. Grunewald, Am. Soc. **89**, 3353, 5163 (1967).
[5] H. Dürr, A. **711**, 115 (1968).
[6] H. E. Smith et al., J. Org. Chem. **34**, 136 (1969).

Das unsubstituierte Umbellon läßt sich photochemisch quantitativ zu *3-Hydroxy-4-methyl-1-isopropyl-benzol* umsetzen[1]. Analog lassen sich Spiro-Verbindungen[2,3] zu Phenolen photolysieren. So kann z. B. in einer Mischung aus Methanol (10 *ml*) und 0,1%iger Natronlauge (90 *ml*) *6-Hydroxy-3,3-[äthylen-(1,2)-dioxy]-tetralin* (53% d. Th.) aus 6-Oxo-cyclohexadien-(1,4)-⟨3-spiro-1⟩-3,3-[äthylen-(1,2)-dioxy]-cyclopentan hergestellt werden[4]:

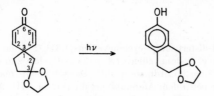

Tab. 108. Photoumlagerungen von 4-Oxo-bicyclo[3.1.0]hexen-(2)-Derivaten zu Phenolen

Ausgangs-verbindung	Lösungs-mittel	Phenol	Ausbeute [% d.Th.]	F [°C]	Lit.
R¹=R⁵=H; R²=R³=R⁴=C₆H₅	1,4-Dioxan/ Wasser	*5-Hydroxy-1,2,4-triphenyl-benzol*	50	97,5–100	5
		5-Hydroxy-1,2,3-triphenyl- ...	9	222–224	
R⁴=H R¹=R²=R³=R⁵=C₆H₅	Äthanol	*6-Hydroxy-1,2,3,5-tetra-phenyl-* ...	90	244–246	6
R¹=R⁵=C₆H₅ R²=R³=4–Cl–C₆H₄		*6-Hydroxy-1,5-diphenyl-2,3-bis-[4-chlor-phenyl]-* ...	92	257–259	7
R¹=R⁵=C₆H₅ R²=R³=4–Br–C₆H₄		*6-Hydroxy-1,5-diphenyl-2,3-bis-[4-brom-phenyl]-* ...	92	274–276	7
R¹=R⁵=C₆H₅ R²=R³=4–CH₃O––C₆H₄		*6-Hydroxy-1,5-diphenyl-2,3-bis-[4-methoxy-phenyl]-* ...	92	230–232	7
R¹=R⁵=C₆H₅ R²=R³=4–(H₃C)₂N–C₆H₄		*6-Hydroxy-1,5-diphenyl-2,3-bis-[4-dimethylamino-phenyl]-* ...	71	245–246	7
R¹=R⁵=C₆H₅ R²=R³=Pyridyl–(2)	1,4-Dioxan oder Aceton	*6-Hydroxy-1,5-diphenyl-2,3-dipyridyl-(2)-* ...	88	184–185	6
R⁴=CH₃; R¹=R⁵=C₂H₅ R²=R³=C₆H₅	Methanol	*4-Hydroxy-6-methyl-3,5-diäthyl-1,2-diphenyl-* ...	88	101–102	6
R¹=R⁵=C₆H₅ R²=R³=Pyridyl–(2)	Äthanol	*4-Hydroxy-6-methyl-3,5-diphenyl-1,2-dipyridyl-(2)-* ...	87	282–283	6

[1] J. W. WHEELER, Jr. u. R. H. EASTMANN, Am. Soc. **81**, 236 (1959).
  s. a.: R. JACQUIER u. J. SAULIER, Bl. **1962**, 1284.
[2] H. STAUDINGER u. ST. BEREZA, A. **380**, 243 (1911).
[3] Über Lösungsmitteleffekte s.: A. A. GRISWALD, Dissertation Abstr. **24**, 3980 (1964).
[4] Z. HORII et al., Chem. Commun. **1972**, 210.
[5] A. S. MONAHAN, J. Org. Chem. **33**, 1441 (1968).
  A. M. SMALL, Chem. Commun. **1965**, 243.
[6] H. DÜRR, A. **711**, 115 (1968).
[7] H. DÜRR u. P. HEITKÄMPER, A. **716**, 212 (1968).

Zum entsprechenden 5-Oxo-cyclohexadien-(1,3)-Derivat führt die folgende Photolyse[1]:

6-Oxo-5-methyl-5-äthyl-1,4-di-tert.-butyl-cyclohexadien-(1,3)[1,2]: Eine Lösung von 1 g 6-Oxo-3-methyl-3-äthyl-1,5-di-tert.-butyl-cyclohexadien-(1,4) in 35 ml Cyclohexan wird mit einer Hanovia 450 W Hochdruck-Lampe (Corex-Filter) 2,5 Stdn. bestrahlt. Danach zieht man das Lösungsmittel i. Vak. ab und chromatographiert an neutralem Aluminiumoxid (Akt.-ST. III); Ausbeute: 0,76 g (63% d. Th.); λ_{max} (Methanol) = 321 nm (ε = 4080).

6-Oxo-5-methyl-5-allyl-1,4-di-tert.-butyl-cyclohexadien-(1,3) wird nach einer ähnlichen Photolyse-Vorschrift aber nur mit 29%iger Ausbeute erhalten[1].

Über ein 3-Oxo-cyclohexadien-(1,4) wird in Hexan 4-Oxo-*exo*-6-methyl-*endo*-6-allyl-3,5-di-tert.-butyl-bicyclo[3.1.0]hexen-(2) in *4-Oxo-1-methyl-exo-6-allyl-3,5-di-tert.-butyl-bicyclo [3.1.0]hexen-(2)* umgelagert[3]:

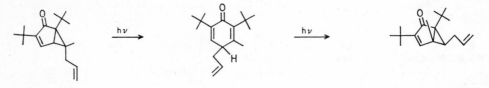

Photolysen der Lumiprodukte zu 5-Oxo-cyclohexadienen-(1,3) und Phenolen sind ebenfalls beschrieben worden[4].

Ein umgelagertes 3-Oxo-cyclohexadien-(1,4) neben einem Phenol erhält man durch Bestrahlung von folgender Verbindung oder von ihrem Lumiketon[5]:

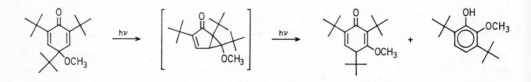

2-Methoxy-6-oxo-1,3,5-tri-tert.-butyl-cyclohexadien-(1,4) und **6-Hydroxy-5-methoxy-1,4-di-tert.-butyl-benzol**[5]: Eine Lösung von 2,5 g 3-Methoxy-6-oxo-1,3,5-tri-tert.-butyl-cyclohexadien-(1,4) in 450 ml Benzol wird 90 Min. mit einer 450 W Quecksilber-Hochdruck-Lampe (Ushio UM 450/Pyrex) unter Kühlung und Stickstoff bestrahlt. Dann zieht man das Lösungsmittel i. Vak. ab und kristallisiert den Rückstand aus Methanol um. Man erhält das Photoketon; Ausbeute: 945 mg (53% d. Th.); F: 83–84,5°. Weitere Umkristallisation des Rückstandes der Mutterlauge mit Methanol, das ein wenig Wasser enthält, liefert das Photophenol; Ausbeute: 667 mg (38% d. Th.); F: 86–87°.

Die Photolyse von bicyclischen und höher kondensierten gekreuzt konjugierten Cyclohexadienonen bzw. deren Lumiprodukten führt je nach Lösungsmittel und verwende-

---

[1] B. Miller u. H. Margulies, Am. Soc. **89**, 1678 (1967); Chem. Commun. **1965**, 314.

[2] Über Herstellung aus dem Lumiprodukt s. Lit.[1].

[3] B. Miller, Am. Soc. **89**, 1690 (1967).

[4] B. Miller, Chem. Commun. **1971**, 574.

[5] T. Matsuura u. K. Ogura, Am. Soc. **89**, 3846 (1967).

ten Lampen zu recht unterschiedlichen Verbindungen. Prinzipiell können 2 unterschiedliche Reaktionswege, die beide selten gleichzeitig zu finden sind, beschritten werden.

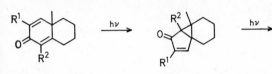

R¹ = R² = H , Alkyl

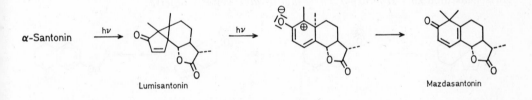

Der Weg ⓐ beinhaltet die 1,2-Wanderung eines Substituenten in α- oder γ-Stellung zur Carbonyl-Gruppe. Der Umlagerungstyp ist auf wenige Beispiele beschränkt; z. B. wird eine 1,2-Wanderung einer angularen Methyl-Gruppe bei der Photolyse des Lumisantonins (s. S. 776) gefunden:

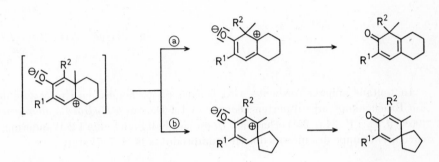

α-Santonin

Lumisantonin   Mazdasantonin

In diesem Fall erhält man das *Mazdasantonin* (F: 118–119°)[1], da der Weg ⓑ zur Spiro-Verbindung durch die *trans*-Kondensation zweier Fünfringe verhindert wird[2]. Die weiteren Reaktionen von Mazdasantonin zu Photosantonin[3] und Photosantoninsäure[4] je nach Wahl des Lösungsmittels sind auf S. 755 beschrieben.

---

[1] Über den Mechanismus s. a.: M. H. Fisch u. J. H. Richards, Am. Soc. **85**, 3029 (1963).
   M. H. Fisch u. J. H. Richards, Am. Soc. **90**, 1547 1553 (1968).
   Zur Bestrahlung in abs. Äther s.: O. C. Chapman u. L. F. Englert, Am. Soc. **85**, 3028 (1963).
[2] P. J. Kropp u. W. F. Ermann, Am. Soc. **85**, 2456 (1963).
   P. J. Kropp, Am. Soc. **85**, 3779 (1963).
   J. W. Barrett u. R. P. Linstead, Soc. **1936**, 611.
[3] D. H. R. Barton, P. de Mayo u. M. Shafiq, Soc. **1958**, 3314.
[4] D. H. R. Barton, P. de Mayo u. M. Shafiq, Soc. **1958**, 140.
   E. E. v. Tamelen et al., Am. Soc. **81**, 1666 (1959).

Lumiprodukte der 1-Oxo-1,2-dihydro-naphthaline[1] zeigen eine 1,2-Wanderung in die γ-Stellung zur Carbonyl-Gruppe[2]:

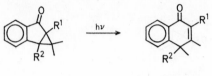

$R^1 = R^2 = CH_3$; *4-Oxo-1,1,2,3-tetramethyl-1,4-dihydro-naphthalin;* 80% d.Th.

$R^1 = H$; $R^2 = C_2H_5$; *4-Oxo-1,2-dimethyl-1-äthyl-...;* 90% d.Th.

In weitaus höherer Ausbeute wird bei der photochemischen Umsetzung des folgenden, am Brückenkopf substituierten Dienons in 1,4-Dioxan *6-Hydroxy-5-äthoxycarbonyl-tetralin* (90% d.Th.; F: 34,5–35°) erhalten[3]. In diesem Fall findet eine 1,2-Wanderung der Äthoxy-carbonyl-Gruppe des intermediären Lumiprodukts (s. S. 777) statt.

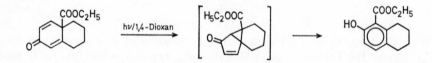

Die Photoreaktion von *4-Oxo-6,10-dimethyl-tricyclo[4.4.0.0^{1,5}]decen-(2)* stellt ein Beispiel für den Weg ⓑ (s. S. 789) zu einem Spiro-keton dar, das hier allerdings über mehrere Zwischenstufen zu *7-Hydroxy-1,5-dimethyl-tetralin* weiter reagiert[3]:

7-Hydroxy-1,5-dimethyl-tetralin[4]: Eine Lösung von 105 mg trans-4-Oxo-6,10-dimethyl-tricyclo[4.4.0. 0^{1,5}]decen-(2) in 13 *ml* 45%iger Essigsäure wird in einem Quarzkolben unter Rühren 5,5 Stdn. mit einer Hanovia Typ 30620 100 W Quecksilber-Lampe bestrahlt. Danach wird das Photolysat mit dem gleichen Volumen Toluol verdünnt und i. Vak. zur Trockene eingedampft. Die letzten Reste an Essigsäure werden durch Kodestillation mit Toluol entfernt. Das verbleibende dunkelgelbe Öl wird an 3 g Kieselgel mit 400 *ml* Benzol/Hexan (1:1) chromatographiert; Ausbeute: 66 mg (63% d.Th.).

Die Photolyse von 3-Oxo-4,6-dimethyl-bicyclo[4.4.0]decadien-(1,4) in Methanol führt je nach Wellenlänge des eingestrahlten Lichtes zu verschiedenen Produktgemischen. Mit einer Hanovia 200 W Quecksilber-Hochdruck-Lampe ergeben sich *5-Oxo-3,6-dimethyl-bicyclo[4.4.0]decadien-(1,3)* (I; 38% d.Th.), *5-Oxo-1-methyl-cyclopenten-⟨3-spiro-1⟩-2-methoxy-2-methyl-cyclohexan* (II; 10% d.Th.) und *6-Hydroxy-5,8-dimethyl-* sowie *7-Hydroxy-5,6-dimethyl-tetralin* (III u. IV; zus. 4% d.Th.). Mit einer Quecksilber-Niederdruck-Lampe (Hanau NK 6/20, λ = 254 nm) wird die Bildung von *4-Oxo-3,6-dimethyl-tricyclo[4.4.0.0^{1,5}]decen-(2)* (V; 40% d.Th.) favorisiert (vgl. a. S. 775). Außerdem fallen *Cyclopentan-⟨1-spiro-*

[1] Über die Photolyse zu den Lumiprodukten s. S. 771.
[2] H. Hart u. R. K. Murray, J. Org. Chem. **35**, 1535 (1970).
[3] P. J. Kropp, Tetrahedron Letters **1964**, 3647.
[4] P. J. Kropp u. W. F. Ermann, Am. Soc. **85**, 2456 (1963).

6⟩-4-oxo-2,5-dimethyl-bicyclo[3.1.0]hexen-(2) (VI; 12% d.Th.) sowie Verbindung I und II
(je 4% d.Th.) an[1]:

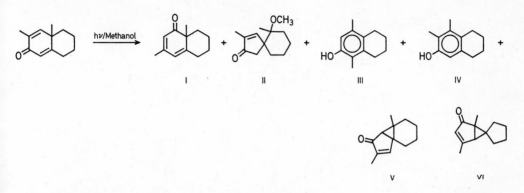

Durch Bestrahlungen von Zwischenprodukten konnte der Ablauf dieser Photoreaktionen mechanistisch geklärt werden. Auch hier wird der Weg ⓑ (S. 789) über das Cyclopentan-⟨1-spiro-3⟩-6-oxo-2,5-dimethyl-cyclohexadien-(1,4) eingeschlagen[2].

5-Oxo-3,6-dimethyl-bicyclo[4.4.0]decadien-(1,3) (I) und 6-Hydroxy-5,8-dimethyl-tetralin (III)[1]:

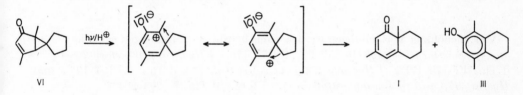

Eine Lösung von 58 mg Cyclopentan-⟨1-spiro-6⟩-4-oxo-2,5-dimethyl-bicyclo[3.1.0]hexen-(2) (VI)
in 10 *ml* 50%iger Essigsäure wird 2 Stdn. mit einer Hanovia 100 W Quecksilber-Lampe (Typ
30620) belichtet. Anschließend wird das Reaktionsgemisch i. Vak. konzentriert und die verbleibenden Spuren von Essigsäure durch Kodestillation mit Toluol entfernt. Das resultierende gelbliche
Öl (60 mg) wird an 3 g Kieselgel chromatographiert. Eluierung mit 120 *ml* Hexan/Benzol (1:1) liefert
das Phenol III; Ausbeute: 19 mg (33% d.Th.); F: 103–105°. Durch weitere Eluierung mit 60 *ml* Hexan/
Benzol (1:1) und 260 *ml* Benzol wird das Dienon I separiert; Ausbeute: 27 mg (47% d.Th.).
Die Photolyse von VI in 45%iger Essigsäure liefert Verbindung I und III nur in 33 bzw. 28%iger
Ausbeute. In Methanol bildet sich lediglich I (57% d.Th.). Zum gleichen Stoff (62% d.Th.) führt auch
die Belichtung des Enons V[1].

Nur *6-Oxo-cyclohexadien-(1,3)-⟨5-spiro-1⟩-3-oxo-2-methyl-2,3-dihydro-1H-isoindol* und kein
intermediäres Lumiprodukt wird mit hoher Ausbeute bei Belichtung in Benzol isoliert[3]:

Auch bei gekreuzt konjugierten Dienonen von Steroiden[4] lassen die anfallenden Verbindungen einen ähnlichen Reaktionsmechanismus vermuten[5]. Photolysiert man z. B.

[1] P. J. KROPP, Am. Soc. **86**, 4053 (1964).
[2] Über Photolysen des Spiroketons s.: P. J. KROPP, Tetrahedron **21**, 2183 (1965).
[3] D. H. HEY, G. E. JONES u. M. J. PERKINS, Chem. Commun. **1971**, 47.
[4] J. FREI et al., Helv. **49**, 1049 (1966).
[5] H. DUTLER et al., Helv. **45**, 2346 (1962).

17β-Acetoxy-3-oxo-androstadien-(1,4)[1] 30 Min. mit einem Quecksilber-Hochdruck-Brenner (Biosol A. Philips 250 W) in 1,4-Dioxan, so werden vier Stoffe isoliert:

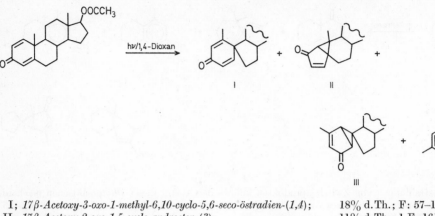

I; *17β-Acetoxy-3-oxo-1-methyl-6,10-cyclo-5,6-seco-östradien-(1,4)*; 18% d.Th.; F: 57–158°
II; *17β-Acetoxy-2-oxo-1,5-cyclo-androsten-(3)*; 11% d.Th.; 1 F: 161–162°
III; *17β-Acetoxy-4-oxo-2-methyl-1,5; 6,10-dicyclo-5,6-seco-östren-(2)*; 2% d.Th.; F: 174–175°
IV; *17β-Acetoxy-1-oxo-3-methyl-6,10-cyclo-5,6-seco-östradien-(2,4)*; 1% d.Th.; F: 148–149°

Vier phenolische Verbindungen werden nach 9 Stdn. Belichtungszeit gebildet[1,2]: *3-Hydroxy-17β-acetoxy-1-methyl-* (15% d. Th.; F: 175–176°), *4-Hydroxy-17β-acetoxy-2-methyl-* (8% d.Th.; F: 170–171°), *1-Hydroxy-17β-acetoxy-4-methyl-* (4% d.Th.; F: 194–195°) und *2-Hydroxy-17β-acetoxy-4-methyl-östratrien-(1,3,5^10)* (2% d.Th.; F: 203–204°).

In wäßriger Essigsäure bei Rückflußtemp. photolysiert, mit anschließender Acetylierung des komplexen Rohgemisches, ergibt zwei identifizierte Produkte[3] aus 17β-Acetoxy-3-oxo-androstadien-(1,4), das *2,17β-Diacetoxy-4-methyl-östratrien-(1,3,5^10)* (52% d. Th.; F: 140–141°) und *10β-Hydroxy-17β-acetoxy-2-oxo-1,5β-cyclo-A-nor-1,10-seco-10α-androsten-(3)* (15% d.Th.; F: 211–213°):

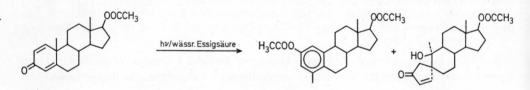

Über Photolysen in Methanol und in Essigsäure s. Lit.[3].

17β-Acetoxy-3-oxo-2-methyl-androstadien-(1,4) liefert bei Belichtung in 1,4-Dioxan fünf Verbindungen, wobei keine mit über 15%iger Ausbeute anfällt[4].

Mit lediglich 9%iger Ausbeute verläuft die Photolyse von 17β-Acetoxy-3-oxo-2-formyl-androstadien-(1,4) zu *1-Hydroxy-17β-acetoxy-4-methyl-östratrien-(1,3,5^10)* (F: 147°)[5].

[1] H. Dutler, H. Bosshard u. O. Jeger, Helv. **40**, 494 (1957).
[2] H. Dutler et al., Helv. **45**, 2346 (1962).
[3] G. Ganter et al., Helv. **45**, 2403 (1962).
[4] G. Ganter et al. **47**, 627 (1964).
[5] E. Altenburger, H. Wehrli u. K. Schaffner, Helv. **46**, 2753 (1963).

11-Oxo-steroide, wie z. B. Prednisonacetat, zeigen ein abweichendes Verhalten:

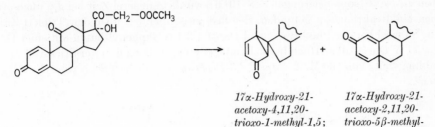

17α-Hydroxy-21-   17α-Hydroxy-21-
acetoxy-4,11,20-   acetoxy-2,11,20-
trioxo-1-methyl-1,5;   trioxo-5β-methyl-
6,10-dicyclo-19-nor-   19-nor-pregnadien-
5,6-seco-pregnen-(2)   (1¹⁰,3)

(Lumiprednisonacetat)   (Neoprednisonacetat)

Lumiprednisonacetat[1,2]: Eine Lösung aus 3,4 g 17α-Hydroxy-21-acetoxy-3,11,20-trioxo-pregnadien-(1,4) in 350 ml Äthanol werden in einem Quarzkolben bei Zimmertemp. ~ 20 Stdn. bestrahlt, bis die optische Drehung auf ~ 0° fällt. Danach zieht man das Lösungsmittel i. Vak. ab und unterwirft den Rückstand einer fraktionierten Kristallisation aus Essigsäure-äthylester/Leichtbenzin bis die optische Drehung konstant bleibt. Als das am wenigsten lösliche Produkt erhält man Lumiprednisonacetat; Ausbeute: 0,8 g (28% d.Th.); F: 224–226° (aus Methanol). Die Chromatographie der Mutterlauge ergibt 7 mg Neoprednisonacetat (F: 230–233°).

Nach analoger Arbeitsvorschrift kann in Essigsäure/Wasser die entsprechende Lumiverbindung *3,17-Dioxo-4,10;5,9-dicyclo-9,10-seco-androsten-(2)* (F: 179–181°) aus 3,11,17-Trioxo-androstadien-(1,4) erhalten werden[1]:

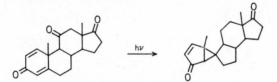

Belichtungen von Prednisonacetat[1] oder Lumiprednisonacetat[1] in 1,4-Dioxan hingegen führen zum entsprechenden Phenol und Isolumiprednisonacetat.

Steroid-Dienone zeigen auch eine Reihe von aus dem Rahmen fallenden Reaktionen[3], von denen als Beispiel die Fragmentierung von 10β,17β-Diacetoxy-3-oxo-19-nor-androstadien-(1,4) genannt sei.

3-Hydroxy-17β-acetoxy-östratrien-(1,3,5¹⁰)[4]:

Eine Lösung von 500 mg 10β,17β-Diacetoxy-3-oxo-19-nor-androstadien-(1,4) in 12,5 ml reinstem 1,4-Dioxan wird bei Raumtemp. mit einer Quecksilber-Niederdruck-Lampe (Hanau NN 15/44) 24 Stdn. bestrahlt. Die Entfernung zwischen Lampe und dem Reaktions-Gefäß aus Quarz beträgt 10 cm. Anschließend wird i. Vak. eingedampft und der Rest über Kieselgel mit Benzol und Benzol/Äther (9:1) chromatographiert; Ausbeute: 162 mg (38% d.Th.); F: 207–208°.

---

[1] D. H. R. BARTON u. W. C. TAYLOR, Soc. **1958**, 2500.
[2] Brit. P. 866362 (1961), Ciba, Erf.: L. RUZICKA u. O. JEGER; C. A. **55**, 22388 (1961).
[3] G. GANTER et al., Helv. **46**, 320 (1963).
[4] G. BOZZATO et al., Am. Soc. **86**, 2073 (1964).
R. WARSZAWSKI, K. SCHAFFNER u. O. JEGER, Helv. **43**, 500 (1960).

εε₄) β,γ-ungesättigte Ketone

Neben *cis-trans*-Isomerisierungen (s. S. 191 ff.) wurde in neuerer Zeit bei β,γ-ungesättigten Ketonen ein Reaktionstyp gefunden, der fast ausschließlich über den Triplett-Zustand[1] abläuft. So wird bei der Photolyse von 4-Oxo-1,1,3,4-tetraphenyl-buten mit einer Hanovia Typ L 450 W Quecksilber-Hochdruck-Lampe (Pyrex) in Benzol, unter Stickstoff und einer Bestrahlungszeit von 90 Min. *trans-2,2,3-Diphenyl-1-benzoyl-cyclopropan* (F: 125–127°) erhalten[2]:

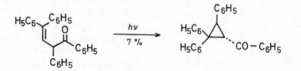

Mit 93%iger Ausbeute verläuft diese Oxa-di-π-methan-Umlagerung[3,4] im Falle der mit Acetophenon sensibilisierten Umlagerung von 4-Oxo-3,3,6-trimethyl-1-phenyl-hepten zu *trans-3,3-Dimethyl-2-phenyl-1-(2-methyl-propanoyl)-cyclopropan*[5]:

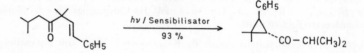

Analog können cyclische[6,7], bicyclische[8] und polycyclische[8] β,γ-ungesättigte Ketone umgelagert werden. Über eine doppelte Oxa-di-π-methan-Umlagerung s. Lit.[9].

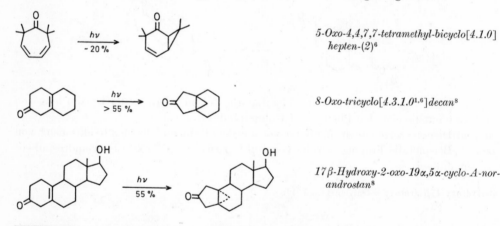

5-Oxo-4,4,7,7-tetramethyl-bicyclo[4.1.0] hepten-(2)[6]

8-Oxo-tricyclo[4.3.1.0^{1,6}]decan[8]

17β-Hydroxy-2-oxo-19α,5α-cyclo-A-nor-androstan[8]

---

[1] Es sind auch Reaktionen aus dem angeregten Singulett-Zustand bekannt:
L. A. Paquette, R. F. Eizember u. O. Cox, Am. Soc. **89**, 6205 (1967).
K. N. Houk u. D. J. Northington, Am. Soc. **94**, 1387 (1972).
T. Mukai, Y. Akasaki u. T. Hagiwara, Am. Soc. **94**, 675 (1972).
T. Mukai u. Y. Akasaki, Tetrahedron Letters **1972**, 1985.
[2] L. P. Tenney, D. W. Boykin, Jr., u. R. E. Lutz, Am. Soc. **88**, 1835 (1966).
[3] Eine ausführliche Darstellung geben:
S. S. Hixson, P. S. Mariano u. H. E. Zimmermann, Chem. Reviews **1973**, 531.
W. G. Dauben, G. Lodder u. J. Ipaktschi, Fortschr. Chem. Forsch. **54**, 73 (1975).
[4] Über die Di-π-methan-Umlagerung s. S. 413 ff.
[5] W. G. Dauben et al., Am. Soc. **92**, 1786 (1970).
[6] L. A. Paquette, R. F. Eizember u. O. Cox, Am. Soc. **90**, 5153 (1968).
[7] K. G. Hancock u. R. O. Grider, Tetrahedron Letters **1971**, 4281; **1972**, 1367.
[8] J. R. Williams u. H. Ziffer, Chem. Commun. **1967**, 194 469; Tetrahedron **24**, 6725 (1968).
[9] P. A. Knott u. J. M. Mellor, Tetrahedron Letters **1970**, 1829; Soc. (Perkin I) **1972**, 1030.

α_3) *unter Abwandlung der Carbonyl-Funktion*

$\alpha\alpha$) Enol-Bildung

bearbeitet von

Dipl. Biochem. PETER HEINRICH

Carbonyl-Verbindungen folgender allgemeiner Struktur können photochemisch unter Triplett-Anregung in die entsprechenden Enole überführt werden[1]. Dieser intramolekulare Prozeß ist formal analog der Norrish Typ II-Reaktion der Aryl-alkyl-ketone:

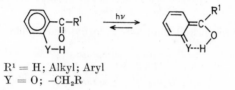

$R^1 = H$; Alkyl; Aryl
$Y = O$; $-CH_2R$

Carbonyl-Verbindungen, die Photoenole bilden, können photochemisch nicht reduziert werden (s. S. 815).

Von technischem Interesse ist die Verwendung von photolytisch enolisierbaren Ketonen, wie z. B. 2-Hydroxy-benzophenon[2] und 2,2'-Dihydroxy-benzophenon, als Photostabilisatoren.

Präparative Bedeutung kommt nur den Abfangprodukten von Photoenolen mit Acetylendicarbonsäure-diestern, Maleinsäureanhydrid, Tetracyanäthylen[4] oder Sauerstoff zu. Die Bestrahlung (24 Stdn.) von 2-Methyl-benzophenon mit äquimolaren Mengen Acetylendicarbonsäure-dimethylester mit einer Hanovia S-200-Lampe in Benzol liefert mit 85%iger Ausbeute *1-Hydroxy-1-phenyl-2,3-dimethoxycarbonyl-1,4-dihydro-naphthalin* (F: 112°), das nach Wasser-Abspaltung in *4-Phenyl-2,3-dimethoxycarbonyl-naphthalin* übergeht[4]:

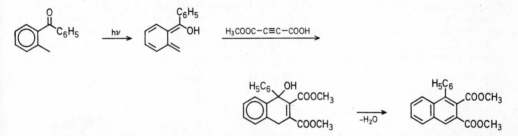

Analog wird 2,6-Dimethyl-benzophenon in Gegenwart von Acetylendicarbonsäure-diäthylester zu *4-Hydroxy-5-methyl-4-phenyl-2,3-diäthoxycarbonyl-1,4-dihydro-naphthalin* (78% d.Th.) photolysiert[5]. Die Enol-Bildung von 2-Benzyl-benzophenon kann durch Deuterium-Austausch bei Photolyse in Gegenwart von deuteriertem Methanol nachgewiesen werden[4].

* **Chemisches Institut der Universität Tübingen.**
[1] E. F. ZWICKER, L. I. GROSSWEILER u. N. C. YANG, Am. Soc. **85**, 2671 (1963).
S. a.: P. H. GORE et al., Photochem. and Photobiol. **11**, 551 (1970).
J. LEMAIRE, J. phys. Chem. **71**, 2653 (1967).
J. LEMAIRE et al., C. r. **267** [C], 33 (1968).
Über die Photoenol-Bildung von sterisch gehinderten Carbonyl-Verbindungen s.: W. G. HERKSTROETER, L. B. JONES u. G. S. HAMMOND, Am. Soc. **88**, 4777 (1966).
[2] G. S. HAMMOND u. P. A. LEERMAKERS, J. phys. Chem. **66**, 1148 (1962).
[3] K. R. HUFFMANN, W. A. HENDERSON, Jr., u. E. F. ULLMANN, Tetrahedron Letters **1967**, 931.
[4] N. C. YANG u. C. RIVAS, Am. Soc. **83**, 2213 (1961).
[5] N. D. HEINDEL, E. W. SARVER u. M. A. PFAU, Tetrahedron Letters **1968**, 3579.

1-Hydroxy-1-phenyl-tetralin-2,3-dicarbonsäure-anhydrid[1]:

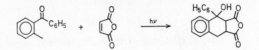

Eine Lösung von 19,6 g 2-Methyl-benzophenon und 9,8 g Maleinsäureanhydrid in 400 *ml* 1,4-Dioxan werden mit einem Quecksilber-Hochdruck-Brenner TQ 81 (Hanau) 72 Stdn. bei Raumtemp. bestrahlt. Anschließend wird die Lösung i. Vak. eingeengt, wodurch 25 g eines 1 Mol 1,4-Dioxan enthaltendes Reaktionsprodukt ausfällt. Weitere 6 g werden durch Zugabe von Petroläther (Kp: 30–70°) zum Filtrat gewonnen. Zur Befreiung vom 1,4-Dioxan erwärmt man das Produkt mehrere Tage auf 60–70° i. Vak. und kristallisiert aus Chloroform um; Ausbeute: 31 g (80% d.Th.); F: 150°.

Nach gleicher Arbeitsweise erhält man aus 2-Methyl-benzophenon in Gegenwart von:

Fumarsäure	→ *1-Hydroxy-1-phenyl-tetralin-trans-2,3-dicarbonsäure*;	53% d.Th.
Maleinsäure	→ *1-Hydroxy-1-phenyl-tetralin-cis-2,3-dicarbonsäure*;	37% d.Th.
2,3-Dideuterio-maleinsäureanhydrid	→ *1-Hydroxy-1-phenyl-2,3-dideuterio-tetralin-2,3-dicarbonsäure-anhydrid*;	70% d.Th.

aus 2-Trideuteromethyl-benzophenon mit

Maleinsäureanhydrid	→ *1-Hydroxy-1-phenyl-4,4-dideuterio-1,2,3-trihydro-naphthalin-2,3-dicarbonsäure-anhydrid*;	47% d.Th.

1-Hydroxy-6,8-dimethyl-1-äthyl-1,4-dihydro-⟨benzo-[d]-1,2-dioxin⟩[2]:

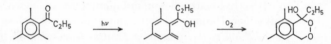

Eine Lösung von 2,0 g 2,4,6-Trimethyl-1-propanoyl-benzol in 400 *ml* Cyclohexan wird 10 Stdn. mit einer 450 W Quecksilber-Hochdruck-Lampe (Ushio Typ UM 450; Pyrex) unter Durchleiten von Sauerstoff belichtet. Danach wird die Reaktionslösung bei 20° i. Vak. zu einem viskosen Rückstand eingeengt, der in Benzol/Petroläther (1:1) gelöst und an Kieselgel chromatographiert wird. Mit Benzol/Petroläther (1:1) als Eluierungsmittel erhält man nicht umgesetztes Ausgangsmaterial zurück, mit Benzol/Chloroform (1:1) das Sauerstoff-Addukt als farblose Kristalle; Ausbeute: 931 mg (65,6% d.Th.); F: 66–68°.

Sauerstoff-Addukte erhält man auch aus 2-Methyl-benzophenon[3] und aus folgenden substituierten 4H-Chromenen[4]:

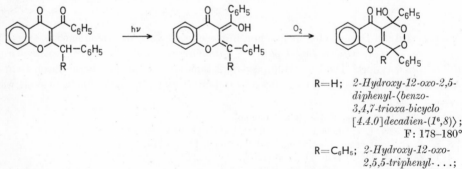

R=H;　*2-Hydroxy-12-oxo-2,5-diphenyl-⟨benzo-3,4,7-trioxa-bicyclo [4.4.0]decadien-(1⁶,8)⟩;*
　　　F: 178–180°

R=C₆H₅;　*2-Hydroxy-12-oxo-2,5,5-triphenyl-. . .;*
　　　F: 213–215°

---

[1] F. Nerdel u. W. Brodowski, B. **101**, 1398 (1968).
　　Über Bestrahlung von 2-Methyl-benzaldehyd in Gegenwart von Maleinsäureanhydrid s.: S. M. Mellows u. P. G. Sammers, Chem. Commun. **1971**, 21.
[2] T. Matsuura u. Y. Kitaura, Tetrahedron **25**, 4487 (1969).
[3] M. A. Pfau, E. W. Sarver u. N. D. Heindel, C. r. **268** [C], 1167 (1969).
[4] W. A. Henderson, Jr., u. E. F. Ullmann, Am. Soc. **87**, 5424 (1965).

$\beta\beta$) reduktive Cyclisierung

bearbeitet von

Dipl. Biochem. PETER HEINRICH*

Ketone können nach photochemischer Anregung durch eine intramolekulare Wasserstoff-Verschiebung in Hydroxy-cycloalkane übergehen:

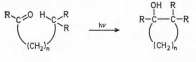

n = 1, 2, 3

Hierbei erfolgt die Ausbildung eines Vierrings (n = 2) durch eine günstige sterische Anordnung im Übergangszustand am leichtesten, so daß die photolytische Hydroxy-cyclobutan-Bildung mechanistisch gut untersucht wurde und mit vielen Beispielen belegt werden kann. Reaktionen, die zu Hydroxy-cyclopropanen (n = 1) oder -pentanen (n = 3) sowie noch höheren Hydroxy-cycloalkanen führen, kommt wenig präparative Bedeutung zu.

$\beta\beta_1$) Hydroxy-cyclopropan-Bildung

Die Wasserstoff-Abstraktion einer photochemisch angeregten Oxo-Gruppe von einer β-ständigen CH-Gruppe erfolgt praktisch nur dann, wenn die Struktur der Ausgangsverbindung keine andere Reaktion begünstigt. So gelingt in 1,4-Dioxan als Lösungsmittel bei 10–15stdg. Bestrahlung mit einer HPW 125-Philips Lampe unter Zwischenschaltung eines Pyrex-Filters folgende Umsetzung[1]:

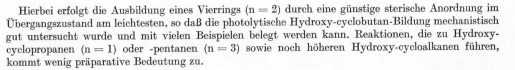

$R^1 = H$; $R^2 = C_6H_5$;   *2-Morpholino-1-hydroxy-1,2-diphenyl-cyclopropan*;
                     85% d.Th.; F: 176–178°

$R^1 = CH_3$; $R^2 = H$;   *3-Morpholino-1-hydroxy-2-methyl-1-phenyl-cyclopropan*;
                     80% d.Th.; F: 113–115°

$R^1 = C_6H_5$; $R^2 = H$;   *3-Morpholino-2-hydroxy-1,2-diphenyl-cyclopropan*;
                     95% d.Th.; F: 141–143,5°

Die Hydroxy-cyclopropan-Bildung läßt sich auch auf ein Steroid übertragen. 3,3; 20,20-Bis-[äthylen-(1,2)-dioxy]-11-oxo-5α-pregnen-(14) kann durch Bestrahlung in Äthanol mit einem Quecksilber-Hochdruck-Brenner Q 81 (Quarzlampen GmbH, Hanau) in 2,5 Stdn. zu *11ξ-Hydroxy-3,3; 20,20-bis-[äthylen-(1,2)-dioxy]-8,11-cyclo-5α,9ξ-pregnen-(14)* F: 130° umgesetzt werden[2]:

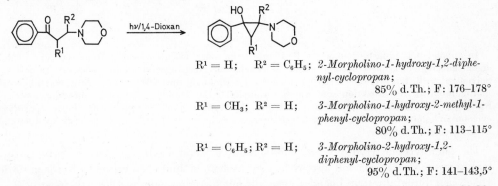

Die Ringerweiterung von 3-Benzoyl-1-tert.-butyl-azetidin zu *3-Phenyl-1-tert.-butyl-pyrrol* kann formal über eine intermediäre Hydroxycyclopropan-Stufe erklärt werden[3].

* **Chemisches Institut der Universität Tübingen.**
[1] H. J. ROTH u. M. H. ELRAIE, Tetrahedron Letters **1970**, 2445.
[2] P. GULL, H. WEHRLI u. O. JEGER, Helv. **54**, 2158 (1971).
[3] T.-Y. CHEN, Bl. Chem. Soc. Japan **41**, 2540 (1968).
    s. a. J. C. SHEEHAN, R. M. WILSON u. A. W. OXFORD, Am. Soc. **93**, 7222 (1971).
        J. C. SHEEHAN u. R. M. WILSON, Am. Soc. **86**, 5277 (1964).
        A. PADWA et al., Am. Soc. **93**, 2928 (1971).

$\beta\beta_2$) Bildung von Hydroxy-cyclobutanen und Heteroanaloger

Bei Ketonen mit einem γ-ständigen Wasserstoff-Atom kann dieses nach photochemischer Anregung der Carbonyl-Gruppe eine 1,5-Wasserstoff-Verschiebung eingehen. Es kommt über einen sechsgliedrigen Übergangszustand zur Bildung eines intermediären 1,4-Diradikals, dem folgende Reaktionsmöglichkeiten offenstehen:

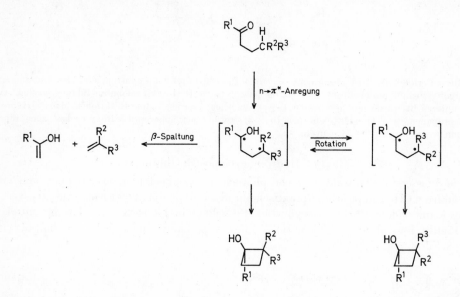

In unpolaren Lösungsmitteln wie z. B. Benzol kann eine strahlungslose Desaktivierung des ersten angeregten Triplett-Zustandes und Rückkehr zur Ausgangsverbindung erfolgen[1]. In polaren Solventien (z. B. tert.-Butanol) dagegen wird das 1,4-Diradikal durch Wasserstoff-Brücken stabilisiert und dadurch die Rückreaktion zum Keton vermindert[2]. Das Diradikal kann nun entweder unter β-Spaltung in ein Keton und ein Olefin zerfallen (s. S. 891) oder durch Ringschluß zu einem Hydroxy-cyclobutan kombinieren[3]. Je nach der Rotationsgeschwindigkeit des Diradikals verläuft die Cyclisierung stereospezifisch oder nicht[4].

Die photolytische Hydroxy-cyclobutan-Bildung bietet vielfältige Anwendungsmöglichkeiten; sie läßt sich mit acyclischen, cyclischen, bi- und polycyclischen Ketonen sowie Diketonen durchführen und gelingt ebenfalls mit β-Amino- oder α-Alkoxy-ketonen.

Aliphatische Aldehyde[5] und halogenierte Ketone mit γ-ständigen Wasserstoff-Atomen gehen im allgemeinen, von wenigen Ausnahmen[6] abgesehen, keine Cyclobutanol-Bildung ein.

Bei der Photolyse acyclischer Ketone z. B. von 2-Oxo-pentan in Cyclohexan, erhält man mit mäßiger 12%iger Ausbeute *1-Hydroxy-1-methyl-cyclobutan* (als Phenylurethan F: 141°) neben *Aceton* und *Äthylen* als Hauptprodukte[3]. 2-Oxo-octan wird mit 17%iger Ausbeute zu *2-Hydroxy-2-methyl-1-propyl-cyclobutan* (Kp$_9$: 67–68°) und 2-Oxo-nonan zu *2-Hydroxy-2-methyl-1-butyl-cyclobutan* (10% d.Th.; Kp$_{0,8}$: 49–50°) cyclisiert[3]. Erheblich

[1] J. N. PITTS, Jr. et al., Am. Soc. **90**, 5900 (1968).
[2] P. J. WAGNER, Tetrahedron Letters **1967**, 1753.
   P. J. WAGNER, Am. Soc. **89**, 5898 (1967).
[3] N. C. YANG u. D. H. YANG, Am. Soc. **80**, 2913 (1958).
[4] N. C. YANG u. S. P. ELLIOTT, Am. Soc. **91**, 7350 (1969).
   N. C. YANG, S. P. ELLIOTT u. B. KIM, Am. Soc. **91**, 7551 (1969).
[5] S. z. B. J. D. COYLE, Soc. [B] **1971**, 2254.
[6] Über die Photolyse von α-Campholenaldehyd:
   J. MEINWALD u. R. A. CHAPMAN, Am. Soc. **90**, 3218 (1968).
   W. C. AGOSTA u. D. K. HERRON, Am. Soc. **90**, 7025 (1968).

befriedigendere Ausbeuten (> 60% d. Th.) erhält man dagegen bei Bestrahlungen von Alkyl-alkanoyl-benzolen[1]:

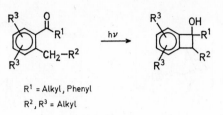

R¹ = Alkyl, Phenyl
R², R³ = Alkyl

1-Hydroxy-4-methyl-1-tert.-butyl-benzocyclobuten[2]: Eine Lösung von 4 g 2,4-Dimethyl-1-(2,2-dimethyl-propanoyl)-benzol[3] in 400 *ml* Isopropanol wird 6 Stdn. mit einem Quecksilber-Hochdruck-Brenner (Philips HPK 125 W; Pyrex) bei 15–20° unter Rühren belichtet. Anschließend dampft man das Photolysat i. Vak. ein und destilliert das zurückgebliebene schwach gelbe Öl im Kugelrohr; Ausbeute: 3,36 g (84% d. Th.); $Kp_{0,36}$: 80–85°.

Über die photochemische Synthese eines Hydroxy-cyclobutans in Gegenwart von Sauerstoff s. Lit.[4].

2-Hydroxy-3,5-dimethyl-benzocyclobuten[5]: Eine Lösung von 2 g 2,4,6-Trimethyl-benzaldehyd[6] in 400 *ml* Isopropanol wird 2 Stdn. unter Stickstoff mit einer 450 W Quecksilber-Hochdruck-Lampe (Ushio Typ UM 450; Pyrex) bestrahlt. Danach wird die Reaktionslösung i. Vak. zu einem gelblichen, viskosen Öl eingeengt, das in Benzol gelöst und über Kieselgel (40 g) chromatographiert wird. Mit Benzol/Chloroform (1:1) als Fließmittel erhält man das Produkt als farblose Kristalle; Ausbeute: 664 mg (33% d. Th.); F: 91–92°.

Vielfach wird die Cyclobutanol-Bildung nicht über das bereits erwähnte intermediäre 1,4-Diradikal, sondern über das entsprechende Photoenol (s. S. 795) formuliert. So läßt sich im Falle von 2,4,6-Trimethyl-acetophenon das entsprechende Photoenol[7] direkt nachweisen:

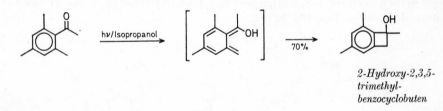

2-Hydroxy-2,3,5-trimethyl-benzocyclobuten

Wie nicht anders zu erwarten, wird in diesen Fällen die Photolyse in Gegenwart von Sauerstoff[5,8] nicht zu Cyclobutanolen, sondern lediglich zu Sauerstoff-Addukten der Photoenole (s. S. 796) oder anderen Sekundärprodukten führen.

In analoger Weise wie acyclische Phenylketone können bicyclische Phenylketone in entsprechende Cyclobutanole umgewandelt werden. Die Bestrahlung von 5-Benzoyl-bicyclo-[2.1.1]hexan in Benzol mit einer 450 W Hanovia-Lampe (Pyrex) liefert in 8 Stdn. mit

---

[1] T. Matsuura u. Y. Kitaura, Tetrahedron 25, 4487 (1969).
Y. Kitaura u. T. Matsuura, Tetrahedron 27, 1597 (1971).

[2] H. G. Heine, A. 732, 165 (1970).

[3] Synthese: H. Suzuki et al., Bl. chem. Soc. Japan 39, 1201 (1966).

[4] J. Grotewold et al., Chem. Commun. 1973, 207.

[5] T. Matsuura u. Y. Kitaura, Tetrahedron 25, 4487 (1969).

[6] Synthese: E. C. Horning, Org. Synth. Coll. Vol. III, S. 549.

[7] M. Pfau, E. V. Sarver u. N. D. Heindel, C. r. 268 [C], 1167 (1969).

[8] H. G. Heine, A. 732, 165 (1970).

66%iger Ausbeute das Norrish Typ II Produkt (s. S. 891) und mit 30%iger Ausbeute die Hydroxy-Verbindung[1]:

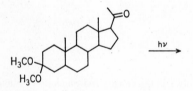

1-Oxo-2-cyclo-penten-(2)-yl-1-phenyl-äthan

66%

30%

6-Hydroxy-6-phenyl-tricyclo [3.2.0.0⁴,⁷]heptan;
F: 137—138°

exo-2-Methyl-2-benzoyl-bicyclo[2.2.1]heptan ergibt bei Belichtung in Benzol dagegen in 95%iger Ausbeute *4-Hydroxy-3-methyl-4-phenyl-tricyclo[3.2.1.0³,⁶]octan*[2]. Über die analoge Reaktion von Adamantyl-(1)-aceton und 1-(2-Oxo-propyl)-bicyclo[2.2.1]heptan vgl. Lit.[3, 4].

Photochemische Cyclobutanol-Bildungen können auch an Steroiden erreicht werden. In vielen Fällen muß mit oft unerwünschten Nebenreaktionen, wie β- oder α-Spaltungen gerechnet werden. 3,3-Dimethoxy-20-oxo-pregnan wird in Methanol zu 4 Produkten umgesetzt. Mit insgesamt 47% Ausbeute lassen sich 2 isomere Cyclobutanole isolieren. Daneben werden noch die β-Spaltungsprodukte I und II erhalten, wobei II aus I entsteht. (Weitere Beispiele s. Tab. 108, S. 804).

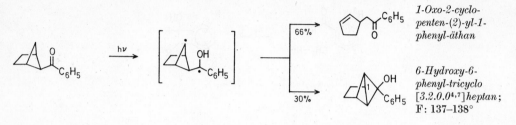

20-Hydroxy-3,3-dimethoxy-18,20-cyclo-pregnan

3,3-Dimethoxy-20-oxo-13,17-seco-pregnen-(13¹⁸)

I

7,7-Dimethoxy-4b-methyl-1-vinyl-2-methylen-per-hydro-phenanthren

II

δ,ε-ungesättigte Ketone, deren γ-ständiger Wasserstoff sich gleichzeitig in Allyl-Stellung befindet, können photochemisch neben Hydroxy-vinyl-cyclobutanen noch 4-Hydroxy-cyclohexene ergeben. 6-Oxo-hepten in Pentan führt bei Bestrahlung mit einer

[1] A. PAWDA u. W. EISENBERG, Am. Soc. **92**, 2590 (1970).
[2] F. D. LEWIS u. R. A. RUDEN, Tetrahedron Letters **1971**, 715.
[3] R. B. GAGOSIAN, J. C. DALTAN u. N. J. TURRO, Am. Soc. **92**, 4752 (1970).
[4] R. R. SAUERS et al., Am. Soc. **93**, 5520 (1971).

Quecksilber-Niederdruck-Lampe zu *2-Hydroxy-2-methyl-1-vinyl-cyclobutan* und *4-Hydroxy-4-methyl-cyclohexen*[1]:

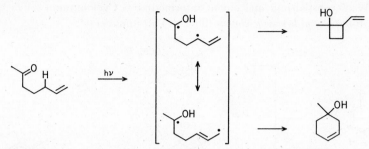

(*4 S*)-(+)-*4-Hydroxy-1-methyl-4-isopropyl-cyclohexen* [(4 *S*)-(+)-Terpinen-4-ol] wird auf die gleiche Weise bei der Bestrahlung einer 10%igen Lösung von (3 *S*)-(+)-6-Oxo-3,7-dimethyl-octen-(1) in Cyclohexan mit einer Quecksilber-Hochdruck-Lampe (Philips HPK 125 W) neben dem *2-Hydroxy-1-methyl-2-isopropyl-1-vinyl-cyclobutan* erhalten[2].

Bei der Bestrahlung **cyclischer Ketone**[3], z. B. von Cyclododecanon in Cyclohexan unter Argon mit einem Quecksilber-Hochdruck-Brenner bei 15° wird *trans-* und *cis-1-Hydroxy-bicyclo[8.2.0]dodecan* erhalten (*trans*: 63% d.Th., F: 148–49°; *cis*: 14% d.Th.; F:29–31°)[3]. Die Reaktion verläuft mit einer ziemlich hohen Quantenausbeute von $\varphi \sim 0,35$.

Eine recht breite Anwendung findet die photochemische Cyclobutanol-Bildung auf dem Steroid-Sektor (s. S. 806ff.). So wird mit 61%iger Ausbeute 3,3;20,20-Bis-[äthylen-(1,2)-dioxy]-11-oxo-5α-pregnan in Äthanol unter Stickstoff bei einer 20stdg. Bestrahlung mit einem Quecksilber-Hochdruck-Brenner Q81 (Hanau) in *11α-Hydroxy-3,3;20,20-bis-[äthylen-(1,2)-dioxy]-11β,19-cyclo-5α-pregnan* (F: 196–197°) umgewandelt[4,5]:

hν/Äthanol

Geht man vom 4,4-dimethylierten Steroid aus, so fällt das Produkt mit höherer Ausbeute an. Dieser Effekt dürfte auf sterische Faktoren[6] zurückzuführen sein. Weitere Beispiele s. Tab. 108 (S. 804).

11α-Hydroxy-3,3;20,20-bis-[äthylen-(1,2)-dioxy]-4,4-dimethyl-11β,19-cyclo-5α-pregnan[6]: 1,5 g 3,3; 20,20-Bis-[äthylen-(1,2)-dioxy]-11-oxo-4,4-dimethyl-5α-pregnan werden in 1,35 *l* mit Kaliumcarbonat ges. Äthanol 28 Stdn. bei Zimmertemp. unter Stickstoff bestrahlt. Als Lichtquelle dient ein Quecksilber-Hochdruck-Brenner Q 81 (Quarzlampen GmbH, Hanau), der zentral angeordnet und von einem mit Wasser temperierten Quarz-Kühler umschlossen ist. Nach dem Abdampfen des Lösungsmittels i. Vak. wird das Rohprodukt mit Wasser digeriert und der unlösliche Rückstand an basischem Aluminiumoxid (Akt. II) chromatographiert. Mit Benzol werden zuerst 120 mg unverändertes Ausgangsmaterial, dann die Hydroxy-Verbindung eluiert; Ausbeute: 1 g (67% d.Th.); F: 242–245°.

α,β-ungesättigte cyclische Ketone zeigen keine Tendenz zur Hydroxycyclobutan-Bildung, sondern neigen eher zu Dimerisierung (s. S. 898ff.), Umlagerungen (s. S. 763ff.) und α-Spaltungen (s. S. 747ff.). 1-Methoxy-3-oxo-2,4,6-tri-tert.-butyl-cyclohexadien-(1,4) wird

[1] N. C. YANG, A. MORDUCHOWITZ u. D.-D. H. YANG, Am. Soc. **85**, 1017 (1963).

[2] K. H. SCHULTE-ELTE u. G. OHLOFF, Tetrahedron Letters **1964**, 1143.

[3] Über Hydroxy-cyclobutan-Bildung bei mittleren und großen Ringketonen s.: K. H. SCHULTE-ELTE et al., Helv. **54**, 1759 (1971).

[4] K. H. SCHULTE-ELTE u. G. OHLOFF, Chimia **18**, 183 (1964).

[5] H. WEHRLI et al., Helv. **44**, 2162 (1961).

[6] J. IRIARTE, K. SCHAFFNER u. O. JEGER, Helv. **46**, 1599 (1963).

z. B. bei der Bestrahlung mit einer 450 W Quecksilber-Hochdruck-Lampe (Ushio UM 450;
Pyrex) in Benzol (118 Stdn.) zu *3-Hydroxy-2-methoxy-1,4-di-tert.-butyl-benzol* (25% d.Th.)
und durch Wasserabspaltung aus einem intermediären Cyclobutanol zu *6-Methoxy-1,1-*
dimethyl-3,5-di-tert.-butyl-benzocyclobuten (38% d.Th.) umgesetzt[1]:

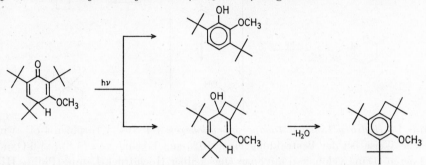

Bei den folgenden beiden substituierten 3-Oxo-cyclopentenen wird zwar ein zur Oxo-
Gruppe γ-ständiges Wasserstoff-Atom abstrahiert, jedoch stabilisiert sich das 1,4-Diradikal
nicht als Cyclobutanol; es erfolgt ein Ringschluß zu Bicyclen[2]:

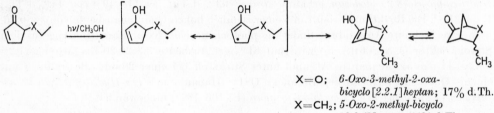

X=O;   *6-Oxo-3-methyl-2-oxa-*
          bicyclo[2.2.1]heptan; 17% d.Th.
X=CH₂; *5-Oxo-2-methyl-bicyclo*
          [2.2.1]heptan; 44% d.Th.

Neben einfachen Ketonen lassen sich auch acyclische und cyclische 1,2-Diketone zu
den entsprechenden Hydroxy-oxo-cyclobutanen umsetzen, z. T. mit sehr guten Ausbeuten[3]:

R¹=CH₃; R²=H
    1-Hydroxy-2-oxo-1-methyl-cyclobutan;   49% d.Th.[4]
R¹=C₂H₅; R²=H
    1-Hydroxy-2-oxo-1-äthyl-cyclobutan;   60% d.Th.[5]
R¹=R²=C₃H₅
    2-Hydroxy-3-oxo-1,2-dipropyl-cyclobutan;   92% d.Th.[5]
R¹=C₄H₉; R²=C₂H₅
    1-Hydroxy-4-oxo-2-äthyl-1-butyl-cyclobutan;   89% d.Th.[5]

Die Belichtung von 1,2-Dioxo-cyclodecan in Benzol führt zu *1-Hydroxy-10-oxo-bicyclo*
[6.2.0]decan (74% d.Th.; F: 49–50°), das seinerseits unter Keten-Abspaltung zu *Cyclo-*
octanon photolysiert wird[4]:

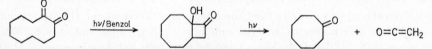

Eine interessante Variante der photochemischen Cyclobutanol-Bildung stellt die Photolyse von α- und β-Amino-ketonen dar. Im Falle der α-Amino-ketone werden in wäßriger,

[1] K. OGURA u. T. MATSUURA, Tetrahedron 26, 445 (1970).
[2] A. B. SMITH u. W. C. AGOSTA, Chem. Commun. 1971, 343.
[3] s. a.: N. J. TURRO u. T. J. LEE, Am. Soc. 91, 5651 (1969).
[4] W. H. URRY, D. J. TRECKER u. D. A. WINEY, Tetrahedron Letters 1962, 609.
[5] W. H. URRY u. D. J. TRECKER, Am. Soc. 84, 118 (1962).

ätherischer Lösung bei Bestrahlung mit einer 200 W Quecksilber-Hochdruck-Lampe mit mäßigen Ausbeuten 3-Hydroxy-azetidine erhalten[1,2]:

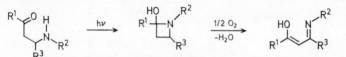

R¹=R²=H; *3-Hydroxy-1-methyl-3-phenyl-azetidin*;
26% d.Th., $Kp_{0,05}$: 72–73°

R¹=H; R²=CH₃; *3-Hydroxy-2-methyl-1-äthyl-3-phenyl-* ...;
9% d. Th.; $Kp_{0,05}5$: 56–57°

R¹=R²=CH₃; *3-Hydroxy-2,2-dimethyl-1-isopropyl-3-*
phenyl- ...; 20% d.Th.; $Kp_{0,05}$: 88–89°

Weitaus bessere Ausbeuten (75 bis >95% d.Th.) werden bei Bestrahlungen vor strukturell ähnlichen α-Amino-ketonen mit einer 450 W Hanovia Quecksilberdampf-Lampe erhalten[3].

Bei den β-Amino-ketonen erfolgt die Wasserstoff-Abstraktion von der γ-ständigen Amino-Gruppe. Wasserstoff-Verschiebung über einen fünfgliedrigen Übergangszustand unter Aminocyclopropan-Bildung wird nicht gefunden. Als primäres Photoprodukt wird ein 2-Hydroxy-azetidin gebildet, welches aber als cyclisches Halbaminal instabil ist und sich unter Dehydrierung zu einem ungesättigten Imin umlagert. Dieser Reaktionstyp läßt sich mit offenkettigen und cyclischen β-Amino-ketonen durchführen, s. Tab. 108 (S. 804). Über Norrish Typ II-Reaktionen von β-Amino-ketonen s. S. 895.

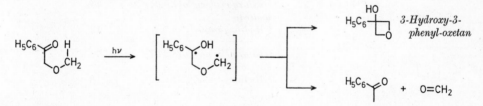

1-Hydroxy-3-phenylimino-1,3-diphenyl-propen[4]: Eine Lösung von 6 g 3-Phenylamino-1-oxo-1,3-diphenyl-propan in 200 *ml* Tetrahydrofuran wird mit einer 125 W Lampe (Philips) unter Sauerstoff 6 Stdn. bestrahlt[5]. Anschließend wird das Lösungsmittel i. Vak. abgezogen, der Rückstand in 15 *ml* Methanol aufgenommen und der Kristallisation überlassen. Man trennt das kristallin abgeschiedene, nicht umgesetzte Ausgangsmaterial ab und erhält nach 3 Tagen das Photoprodukt in Form von gelben Kristallen; Ausbeute: 50% d.Th.; F: 100° (Äthanol).

α-Alkoxy-acetophenone werden photochemisch in Hydroxy-oxetane überführt. Daneben werden Produkte der β-Spaltung gefunden[6]:

3-Hydroxy-3-phenyl-oxetan

---

[1] R. A. CLASEN u. S. SEARLES, Jr., Chem. Commun. **1966**, 289.

[2] Über eine photochemische Synthese von 3-Hydroxy-2-oxo-azetidinen aus 1,2-Dioxo-aminen s.:
B. ÅKERMARK u. N.-G. JOHANSSON, Tetrahedron Letters **1969**, 371.

[3] E. H. GOLD, Am. Soc. **93**, 2793 (1971).

[4] H. J. ROTH u. H. GEORGE, Arch. Pharm. **303**, 725 (1970).

[5] Eine genaue Beschreibung der Bestrahlungsapparatur s. Orig.-Lit.

[6] N. J. TURRO u. F. D. LEWIS, Tetrahedron Letters **1968**, 5845;
F. D. LEWIS u. F. H. HIRSCH, Mol. Photochem. **2**, 259 (1970).
Über Photolysen von α-Cyclo-alkoxy-acetphenonen s.:
T. R. DARLING u. N. J. TURRO, Am. soc. **94**, 4366 (1972).
T. R. DARLING et. al., Am. soc. **96**, 434 (1974).

3-Hydroxy-3-phenyl-2-diphenylphosphinyl-oxetan [1]:

$$H_5C_6-\overset{\overset{C_6H_5}{|}}{\underset{\underset{O}{\|}}{P}}-\overset{\overset{}{|}}{\underset{OCH_3}{CH}}-\overset{\overset{}{}}{\underset{\underset{O}{\|}}{C}}-C_6H_5 \quad \xrightarrow{h\nu} \quad H_5C_6-\overset{\overset{C_6H_5}{|}}{\underset{\underset{O}{\|}}{P}}\underset{O}{\overset{OH}{\diagdown}}C_6H_5$$

1,2 g α-Methoxy-α-diphenylphosphinyl-acetophenon werden in 100 ml Methanol gelöst und 4 Stdn. in einem Bestrahlungsgefäß nach Schenck [2] aus Pyrexglas mit einer Quecksilber-Hochdruck-Lampe (Typ Philips HPK 125 W) photolysiert. Dann wird von einem nicht definierten Produkt abfiltriert und das Filtrat i. Vak. eingedampft. Anreiben mit ∼ 20 ml Äther liefert das rohe Photoprodukt. Die Verbindung wird durch Chromatographie an 60 g Kieselgel (Woelm; 0,05–0,2 mm) mit 400 ml Essigester gereinigt; Ausbeute: 680 mg (57% d.Th.); F: 154°.

Tab. 109. Intramolekulare Wasserstoff-Abstraktion von Carbonyl-Verbindungen unter Cyclobutanol-Bildung

Ausgangs-verbindung	Reaktions-bedingungen	Produkte	Ausbeute [% d.Th.]	F [° C]	Lite-ratur
	Pentan	*4-Hydroxy-3-oxo-2,2,4-tri-methyl-1-vinyl-cyclobutan*	a		3
	Methanol; 6,5 Stdn.	*cis-* und *trans-1-Hydroxy-3-methyl-7-methylen-bicyclo[4.2.0]octan*	93		4
	Cyclohexan	*r-1-Hydroxy-c-3,c-6-di-methyl-7-methylen-bi-cyclo[4.2.0]octan*	70	25	5
	Benzol	*1-Hydroxy-cis-bicyclo[7.2.0] undecan* +*1-Hydroxy-trans-* ...	45 / 13		6
		1-Hydroxy-cis-bicyclo[8.2.0] dodecan +*1-Hydroxy-trans-* ...	70 / 6		6

a Keine Angaben.

[1] M. REGITZ et al., B. **104**, 2177 (1971).
[2] G. O. SCHENCK in A. SCHÖNBERG, *Präparative organische Photochemie*, 1. Aufl., S. 210, Springer-Verlag, Berlin 1958.
[3] R. BISHOP u. N. K. HAMER, Chem. Commun. **1969**, 804.
[4] T. MASUI, A. KOMATSU u. T. MOROE, Bl. Chem. Soc. Japan **40**, 2204 (1967).
[5] R. C. COOKSON et al., Tetrahedron **24**, 4353 (1968).
[6] T. MORI, K. MATSUI u. H. NOZAKI, Tetrahedron Letters **1970**, 1175.

Tab. 109 (1. Fortsetzung)

Ausgangs-verbindung	Reaktions-bedingungen	Produkte	Ausbeute [% d Th.]	F [° C]	Lite-ratur
	250 W Hano-via; Methanol	3-Hydroxy-3-methyl-tricyclo [5.4.0.0^{1,4}]undecan	45		1
R=CH$_3$	a	7-Hydroxy-8-oxo-7-methyl-1-aza-bicyclo[4.2.0]octan	~8	138–139	2
R=C$_6$H$_5$		7-Hydroxy-8-oxo-7-phenyl- . . .	~8	148–150	
R^1=R^2=C$_6$H$_5$ R^3=4–H$_4$NSO$_2$—C$_6$H$_4$	Methanol; 5 Stdn.	1-Hydroxy-3-(4-aminosulfon-yl-phenylimino)-1,3-di-phenyl-propen	19	164–168	3
R^2=R^3=C$_6$H$_5$ R^1=α-Naphthyl	Tetrahydro-furan; 6 Stdn.	1-Hydroxy-3-phenylimino-3-phenyl-1-naphthyl-(1)-propen	70	166	4
	Tetrahydro-furan; 110 Stdn.	3-Hydroxy-2-(α-phenylimino-benzyl)-inden	24	165–168	5
R^1=R^2=C$_6$H$_5$	Tetrahydro-furan/Wasser; 30 Stdn.	4-Hydroxy-3-(α-phenylimino-benzyl)-1,2-dihydro-naphthalin	45	131–132	5
R^1=C$_6$H$_5$ R^2=3–O$_2$N—C$_6$H$_4$	Tetrahydro-furan/Wasser; 200 Stdn.	4-Hydroxy-3-(α-phenylimino-3-nitro-benzyl)- . . .	25	133–135	
R$_1$=4–H$_3$CO—C$_6$H$_4$ R^2=C$_6$H$_5$	Tetrahydro-furan; 110 Stdn.	4-Hydroxy-3-(4-methoxy-phenylimino-benzyl)- . . .	60	148–150	
R^1=α-Naphthyl R^2=C$_6$H$_{11}$	Tetrahydro-furan/Wasser; 30 Stdn.	4-Hydroxy-3-[naphthyl-(1)-imino-cyclohexyl-methyl]- . .	50	156–158	

a Keine Angabe.

1 C. Djerassi u. B. Zeeh, Chem. & Ind. 1967, 358.
2 B. Akermark, N. G. Johanson u. B. Sjoeberg, Tetrahedron Letters 1969, 371.
3 H. J. Roth u. I. Almer, Ar. 303, 741 (1970).
4 H. J. Roth u. H. George, Ar. 303, 725 (1970)
5 H. J. Roth u. F. Assadi, Ar. 303, 732 1970)

Tab. 109 (2. Fortsetzung)

Ausgangs-verbindung	Reaktions-bedingungen	Produkte	Ausbeute [% d.Th.]	F [° C]
	Äthanol; 17 Stdn.	*11α-Hydroxy-3,3;20,20-bis-[äthylendioxy]-11,19-cyclo-5β-pregnan*	1,5	165–165,5
3,3;20,20-Bis-[äthylendioxy] 11-oxo-pregnen-(5)	Äthanol; 25 Stdn.	*11α-Hydroxy-3,3;20,20-bis-[äthylendioxy]-11,19-cyclo-pregnen-(5)*	24	146–147
3,3;20,20-Bis-[äthylendioxy]-1-oxo-4,4-dimethyl-pregnen-(5)	Äthanol; 36 Stdn.	*11α-Hydroxy-3,3;20,20-bis-[äthylendioxy]-4,4-dimethyl-11,19-cyclo-pregnen-(5)*	68	223–225
	Hexan	*20ξ-Hydroxy-3β-acetoxy-18,20-cyclo-5α-pregnan*	34	139–140
3β-Acetoxy-20-oxo-pregnen-(5)	Hexan	*20ξ-Hydroxy-3β-acetoxy-18,20-cyclo-pregnen-(5)*	33	145–146
3,3-Äthylendioxy-20-oxo-pregnen-(5)	Hexan; 2,5 Stdn.	*20ξ-Hydroxy-3,3-äthylendioxy-18,20-cyclo-pregnen-(5)*	25	218–219
		+3,3-Äthylendioxy-20-oxo-13,17-seco-pregnadien-(5,13¹⁸)	7	143–144
		+3,3-Äthylendioxy-D-nor-13,16-seco-androstatrien-(5,13¹⁸,15)	a	

ᵃ Keine Angabe.

[1] M. S. HELLER et al., Helv. **45**, 1261 (1962).
[2] J. IRIARTE, K. SCHAFFNER u. O. JEGER, Helv. **46**, 1599 (1963).
[3] P. BUCHSCHACHER et al., Helv. **42**, 2122 (1959).

Tab. 109 (3. Fortsetzung)

Ausgangs-verbindung	Reaktions-bedingungen	Produkte	Ausbeute [% d. Th.]	F [° C]	Lite-ratur
Äthylendioxy-11α-acetoxy-0-oxo-pregnen-(5)	Äthanol; 6 Stdn.	20α-Hydroxy-3,3-äthylen-dioxy-11α-acetoxy-18,20-cyclo-pregnen-(5)	29	163	1
		3,3-Äthylendioxy-11α-acetoxy-17-nor-13,17-seco-androsta-trien-(5,13¹⁸,15)	17		
11β-Diacetoxy-20-oxo-x-pregnan	Äthanol; 4 Stdn.	20β-Hydroxy-3β,11β-di-acetoxy-18,20-cyclo-5α-pregnan	3	183	1
		+20α-Hydroxy- . . .	17	173	
		+3β,11β-Diacetoxy-13,17-seco-5α-androsten-(13¹⁸)	11	102–103	
		+3β,11β-Diacetoxy-17-nor-13,17-seco-5α-androstadien-(13¹⁸,15)	9	115–116	
	1,4-Dioxan; Stickstoff; 60 Stdn.				2
		20β-Hydroxy-3β-acetoxy-16α,17α-cyclobutano-18,20-cyclo-pregnen-(5)	29	163	
		+20α-Hydroxy- . . .	35	126–127	
	Äthanol; 24 Stdn.				3
		11α-Hydroxy-3-oxo-4,4-di-methyl-11,18-cyclo-cholestan	44	146–147	
	1,4-Dioxan 120 Stdn.		a	252–254	4
		11-Hydro-11,25-cyclo-glycyrethin-säure-methylester			
		+11-Hydro-1,11-cyclo-glycyrethin-säure-methylester	a		

a Keine Angabe.

1 H. WEHRLI et al., Helv. 44, 1927 (1961).
2 P. SUNDER-PLASSMANN et al., J. Org. Chem. 34, 3779 (1969).
3 E. ALTENBURGER, H. WEHRLI u. K. SCHAFFNER, Helv. 48, 704 (1965).
  R. IMHOF et al., Chem. Commun. 1969, 852.
4 M. MOUSSERON-CANET u. J.-P. CHABAND, Bl. 1969, 239.

Tab. 109 (4. Fortsetzung)

Ausgangs-verbindung	Reaktions-bedingungen	Produkte	Ausbeute [% d.Th.]	F [°C]	Li ra
(Struktur)	1,4-Dioxan	(Struktur) *11-Hydroxy-3β-acetoxy-11,25-cyclo-oleanen-(12)*	15	234–235	1
(Struktur) R=H	Äthanol	(Struktur) *16β,20β-Dihydroxy-3β,21α,22-triacetoxy-23-demethyl-16α,20α-cyclo-oleanen-(12)*	—ᵃ	225–227	2
R=OOCCH₃		*16β-Hydroxy-3β,20β,21α,22-Tetraacetoxy-23-demethyl-16α,20α-cyclo-oleanen-(12)*	—ᵃ	223–225	

ᵃ Keine Angabe.

ββ₃) Hydroxy-cyclopentan-Bildung

Abstraktionen von δ-ständigen Wasserstoff-Atomen führen zu hydroxylierten Fünfringen. Sind gleichzeitig γ-Wasserstoff-Abstraktionen möglich, so wird je nach Stabilität der intermediären Diradikale entweder die Hydroxy-cyclobutan- oder Hydroxypentan-Bildung favorisiert[3]. Die Ausbeuten liegen gewöhnlich über 50%.

Aus 8-Benzyl-1-benzoyl-naphthalin erhält man bei der Photolyse in Benzol mit 91%iger Ausbeute (E)- (F: 110–115°) und *(Z)-2-Hydroxy-1,2-diphenyl-acenaphthen* (F: 147–148°)[4]:

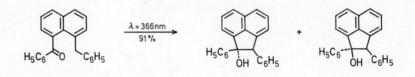

---

[1] B. W. Finucane u. J. B. Thomson, Soc. [C] **1971**, 1569; Chem. Commun. **1969**, 380.

[2] N. Sugiyama, K. Yamada u. H. Aoyama, Soc. [C] **1971**, 830; Chem. Commun. **1968**, 1254.

[3] P. Yates u. J. M. Pal, Chem. Commun. **1970**, 553.

[4] A. G. Schultz et al., Am. Soc. **92**, 6086 (1970).

Analoge Photolysen von 1,2-Diketonen[1] ergeben:

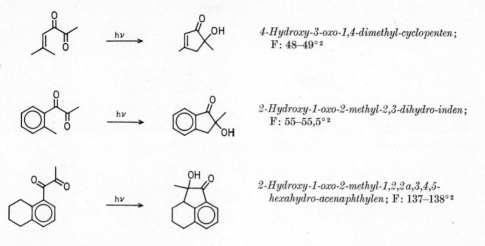

4-Hydroxy-3-oxo-1,4-dimethyl-cyclopenten;
F: 48–49°[2]

2-Hydroxy-1-oxo-2-methyl-2,3-dihydro-inden;
F: 55–55,5°[2]

2-Hydroxy-1-oxo-2-methyl-1,2,2a,3,4,5-
hexahydro-acenaphthylen; F: 137–138°[2]

Geht man von β-Alkoxy-ketonen[3] aus, so werden Hydroxyfuran-Derivate erhalten. *6-Methoxy-2,3-diphenyl-⟨benzo-[b]-furan⟩* (F: 121–122°) wird durch Bestrahlung mit einer Rayonet RPR-100 310 nm Lampe in Benzol aus 4-Methoxy-2-benzyloxy-benzophenon mit über 50%iger Ausbeute erhalten[4]:

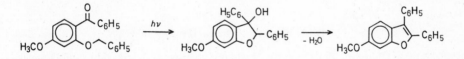

Keine Wasserabspaltung schließt sich dem photolytischen Ringschluß von 2-Benzyloxy-benzaldehyd zu *cis-3-Hydroxy-2-phenyl-2,3-dihydro-⟨benzo-[b]-furan⟩* (F: 126–127°) an[4]. Auch mit 2-Benzyloxy-phenylglyoxylsäureestern[5] können entsprechende 2,3-Dihydro-benzofuran-Derivate mit ~ 90% d. Th. erhalten werden.

$\beta\beta_4$) Bildung von höhergliedrigen Hydroxy-cycloalkanen

Reduktive Cyclisierung unter Ausbildung eines Sechsringes[6] tritt bei der Bestrahlung einer 5%igen Lösung von Cyclodecanon in Cyclohexan ein[7]: Man erhält *9-Hydroxy-cis-dekalin* (F: 64–65°):

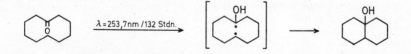

[1] N. K. Hamer u. C. J. Sammel, Chem. Commun. **1972**, 470.
[2] R. Bischop u. N. K. Hamer, Soc. [C] **1970**, 1193; Chem. Commun. **1969**, 804.
[3] L. M. Stephenson u. J. L. Parlett, J. Org. Chem. **36**, 1093 (1971).
   P. J. Wagner u. R. G. Zepp, Am. Soc. **93**, 4958 (1971).
   S. P. Pappas u. R. D. Zehr, Jr., Am. Soc. **93**, 7112 (1971).
[4] S. P. Pappas u. J. E. Blackwell, Tetrahedron Letters **1966**, 1171.
[5] S. P. Pappas, J. E. Alexander u. R. D. Zehr, Am. Soc. **92**, 6927 (1970).
[6] Über die photochemische Synthese eines Benzo-O-hetero-Analogen s. N. K. Hamer u. C. J. Samuel, Soc. (Perkin II) **1973**, 1316.
[7] M. Barnard u. N. C. Yang, Pr. chem. Soc. **1958**, 302.

Quantitativ verläuft die Photolyse von 7-Oxo-bicyclo[3.3.1]-nonan-⟨3-spiro-2⟩-oxiran zu *1,3-Dihydroxy-adamantan* in Cyclohexan[1]:

4-Benzoyl-benzosäureester von Tridecanol und höheren Alkoholen können in Tetrachlormethan zu entsprechenden Hydroxy-Verbindungen cyclisieren[2]:

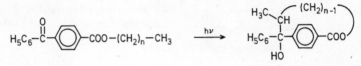

n = 13; *4-(1,14-Dihydroxy-2-methyl-1-phenyl-tetradecyl)-benzoesäure-14-lacton*

γγ) Reduktionen

bearbeitet von

Dipl. Biochem. Peter Heinrich*

Während der Übergang der Oxo- zur Hydroxy-Gruppe in der Regel unter Dimerisierung zu Dihydroxy-Verbindungen, Pinakolen (s. S. 813), verläuft, gibt es auch einige Sonderfälle, bei denen die photolytische Reduktion von Ketonen zu sek. Alkoholen führt. Als Wasserstoff-Donatoren haben sich Alkohole[3], Amine[4] und Tributylstannan[5] bewährt, s. Tab. 109 (S. 811). Reduktionen wurden ebenfalls mit Natriumborhydrid durchgeführt[6].

Phenyl-pyridyl-(4)-carbinol[3]: Eine Lösung von 5 g 4-Benzoyl-pyridin in 60 *ml* 95%igem Äthanol wird 168 Stdn. mit einer PEN-RAY-Quarz Quecksilber-Niederdruck-Lampe bestrahlt. Nach Entfernen des Lösungsmittels erhält man ein rötlich-braunes Öl, das nach Zugabe von Äther und Hexan kristallisiert. Das Produkt wird bei 140°/0,1 Torr destilliert und 2mal aus Benzol/Pentan umkristallisiert; Ausbeute: 2,35 g; F: 125–126,5°.

Phenyl-4-hydroxy-3,5-di-tert.-butyl-phenyl-carbinol[4]: Eine Lösung von 1,5 g 4-Hydroxy-3,5-di-tert.-butyl-benzophenon in 400 *ml* Triäthylamin wird unter Stickstoff mit einer 450 W Quecksilber-Hochdruck-Lampe (USHIO Typ UM 450) 22 Stdn. belichtet. Danach wird das Lösungsmittel i. Vak. abgezogen, der dunkelbraune Rest in Benzol/Petroläther (1:1) gelöst und an einer Kieselgelsäule chromatographiert. Als Laufmittel wird Benzol/Petroläther (1:1), dann reines Benzol verwendet; Ausbeute: 316 mg (30% d.Th.); F: 124–125°.

---

* **Chemisches Institut der Universität Tübingen.**

[1] T. Mori et al., Tetrahedron Letters **1970**, 2419.

[2] R. Breslow u. M. A. Winnin, Am. Soc. **91**, 3083 (1969).

[3] W. L. Bencze, C. A. Burckhardt u. W. L. Yost, J. Org. Chem. **27**, 2856 (1962).
    Über die Reduktion in Isopropanol s.: M. R. Kegelmann u. E. V. Brown, Am. Soc. **75**, 4649 (1953).

[4] T. Matsuura u. Y. Kitaura, Tetrahedron **25**, 4501 (1969).

[5] E. Baggiolini, H. P. Hamlow u. K. Schaffner, Am. Soc. **92**, 4906 (1970).
    E. Baggiolini, K. Schaffner u. O. Jeger, Chem. Commun. **1969**, 1103.

[6] J. A. Waters u. B. Witkop, Am. Soc. **90**, 758 (1968).

Tab. 110. Reduktion von Ketonen zu sek. Alkoholen

Ausgangs-verbindung	Reaktions-bedingungen	Hydroxy-Verbindungen	Ausbeute [% d.Th.]	F [° C]	Lite-ratur
$R^1-CO-CH_2-PO(OR^2)_2$ $R^1=CH_3$; $R^2=C_2H_5$	Äther	2-Hydroxy-propan-1-phosphon-säure-diäthylester	87	(Kp$_{22}$:155 −156 °C)	1
$R^1=R^2=C_2H_5$		2-Hydroxy-butan-1- ...	83		
$R^1=C_2H_5$ $R^2=CH(CH_3)_2$		2-Hydroxy-butan-1-phosphon-säure-diisopropylester	85		
(Naphthalin-CO-CH₃)	Tributylstaman	2-(1-Hydroxy-äthyl)-naph-thalin	95	73–74	2
(C₆H₄-CO-C₆H₄-COOH)	2-Amino-butan oder Dimethyl-butyl-(2)-amin/ Wasser	Phenyl-(4-carboxy-phenyl)-carbinol	>80	167–168	3
(C₆H₅-CO-trimethylphenyl)	Isopropanol	Phenyl-(2,4,6-trimethyl-phenyl)-carbinol	50		4
(Campherchinon)	Methanol oder Isopropanol	endo-2-Hydroxy-3-oxo-1,7,7-trimethyl-bicyclo[2.2.1] heptan	a		5,6
		+endo-3-Hydroxy-2-oxo- ...	a		
(Indandion)	Benzol	2-Hydroxy-2,3-dihydro-inden	50		7
	Cyclohexan		37		8
(Dimethylindandion)	Methanol oder Äthanol	2-Hydroxy-3-oxo-1,1-di-methyl-2,3-dihydro-inden	a	111–115	9
(Fluorenon)	Triäthylamin/ Äthanol/Wasser	9-Hydroxy-fluoren	36	152–153	10
(Cholestanon, C₈H₁₇)	Eisessig/Wasser	3β-Hydroxy-5α-cholestan		141	11
		+3α-Hydroxy- ...		182	

a Keine Angabe.

1 H. Tomioka, Y. Izawa u. Y. Ogata, Tetrahedron 25, 1581 (1969).
2 G. S. Hammond u. P. A. Leermakers, Am. Soc. 84, 207 (1962).
3 S. G. Cohen, N. Stein u. H. Ch. Chao, Am. Soc. 90, 521 (1968).
4 T. Matsuura u. Y. Kitaura, Tetrahedron 25, 4487 (1969).
5 J. Meinwald u. H. O. Klingele, Am. Soc. 88, 2071 (1966).
6 B. M. Monroe u. S. A. Weiner, Am. Soc. 91, 450 (1969).
7 G. Quinkert, K. Opitz u. J. Weinlich, Ang. Ch. 74, 507 (1962).
8 G. Quinkert et al., Tetrahedron Letters 1963, 1863.
9 C. F. Koelsch u. C. D. le Claire, J. Org. Chem. 6, 516 (1941).
10 R. S. Davidson, P. F. Lambeth u. F. A. Younis, Soc. [C] 1969, 2203.
11 G. Quinkert et al., B. 97, 958 (1964).

Tab. 110 (Fortsetzung)

Ausgangs-verbindung	Reaktions-bedingungen	Hydroxy-Verbindungen	Ausbeute [% d. Th.]	F [° C]	Lite-ratur
C₈H₁₇ (HO...H O)	1,4-Dioxan	*3β,6β-Dihydroxy-5α-cholestan* *+3β,6α-Dihydroxy-...*	zus. > 50	189–191 104–108 (Diacetat)	1
OCOCH₃ (O...OH)	2-Propanol, 60 Min.	*3β,5β-Dihydroxy-17β-acetoxy-18-nor-androstan* *+3α,5β-Dihydroxy-...*	22 13	192–193 200–201	2
OCOCH₃ (O...H)	Benzol/Tribu-tylstannan; 60 Min.	*3α-Hydroxy-17β-acetoxy-18-nor-5β-androstan*	66	–	2

Eine präparativ wichtige Methode zur photochemischen Herstellung von sek. Carbinolen ist die im **alkalischen Medium** (Alkohol/Alkanolat) ablaufende Reduktion von Carbonyl-Verbindungen. Voraussetzung zur Reduzierbarkeit der Ketone ist der n,π*-Charakter des Carbonyl-Tripletts (s. a. S. 814). Ketone mit π,π*-Charakter im Triplett-Zustand der Carbonyl-Gruppe, wie z. B. Michlers-Keton oder 1-Benzoyl-naphthalin[3], lassen sich nicht photochemisch reduzieren.

Benzhydrol[1]: 25 g Benzophenon werden in einem 150 *ml* Pyrex-Gefäß mit 125 *ml* Isopropanol, das ein wenig Natrium-isopropanolat (aus 0,25 g Natrium) enthält, vermischt. Nach 7 tägiger Bestrahlung im direkten Sonnenlicht wird mit dem gleichen Volumen angesäuerten Wassers verdünnt. Man engt i. Vak. ein und filtriert die Verbindung ab. Nach dem Absaugen wird getrocknet und aus Petroläther umkristallisiert; Ausbeute: 20 g. Bei geringeren Ansätzen werden bis 98% Ausbeute erhalten.

Unter gleichen Reaktionsbedingungen erhält man auch aus substituierten Benzopheno-nen die entsprechenden Carbinole in sehr guten Ausbeuten[3]:

R¹=H;	R²=CH₃;	*Phenyl-(4-methyl-phenyl)-carbinol*;	95% d.Th.
R¹=H;	R²=OCH₃;	*Phenyl-(4-methoxy-phenyl)-carbinol*;	90% d.Th.
R¹=H;	R²=C₆H₅;	*Phenyl-biphenylyl-(4)-carbinol*;	95% d.Th.
R¹=H;	R²=Cl;	*Phenyl-(4-chlor-phenyl)-carbinol*;	80% d.Th.
R¹=CH₃;	R²=CH₃;	*Bis-[4-methyl-phenyl]-carbinol*;	90% d.Th.
R¹=Cl;	R²=CH₃;	*(4-Chlor-phenyl)-(4-methyl-phenyl)-carbinol*;	80% d.Th.

Studien des Reaktionsmechanismus[4–6] zeigen, daß zwar im ersten Schritt das entsprechende 1,2-Di-hydroxy-äthan gebildet wird, dieses sich aber in Gegenwart eines Alkanolats zum Carbinol zersetzt:

[1] G. QUINKERT et al., B. **97**, 958 (1964).
[2] P. KELLER et al., Helv. **50**, 2259 (1967).
[3] W. E. BACHMANN, Am. Soc. **55**, 391 (1933).
[4] W. E. BACHMANN, Am. Soc. **55**, 355 (1933).
[5] s. aber: S. G. COHEN u. W. V. SHERMAN, Am. Soc. 1642 (1963).
[6] W. D. COHEN, R. **39**, 243 (1920).

$$H_5C_6-\overset{\overset{O}{\|}}{C}-C_6H_5 \xrightarrow{h\nu\ /\ RCH-OH} \left[2\ H_5C_6-\overset{\overset{OH}{|}}{\underset{\underset{H_5C_6}{|}}{C}}\bullet\right] \rightarrow H_5C_6-\overset{\overset{HO}{|}}{\underset{\underset{H_5C_6}{|}}{C}}-\overset{\overset{OH}{|}}{\underset{\underset{C_6H_5}{|}}{C}}-C_6H_5 \xrightarrow{2\ NaOR} H_5C_6-\overset{\overset{NaO}{|}}{\underset{\underset{H_5C_6}{|}}{C}}-\overset{\overset{ONa}{|}}{\underset{\underset{C_6H_5}{|}}{C}}-C_6H_5$$

$$\rightarrow \left[2\ H_5C_6-\overset{\overset{NaO}{|}}{\underset{\underset{H_5C_6}{|}}{C}}\bullet\right] \xrightarrow[\underset{\underset{H_5C_6\ C_6H_5}{}}{NaO\ \ ONa}]{\overset{\overset{HO\ \ OH}{}}{\underset{H_5C_6\ C_6H_5}{H_5C_6-C-C-C_6H_5}}} \left[2\ H_5C_6-\overset{\overset{OH}{|}}{\underset{\underset{H_5C_6}{|}}{C}}\bullet\right] \rightarrow H_5C_6-\overset{\overset{O}{\|}}{C}-C_6H_5\ +\ H_5C_6-\overset{\overset{OH}{|}}{\underset{\underset{H_5C_6}{|}}{C}}-H$$

δδ) reduktive Dimerisierung (Pinakol-Bildung)

bearbeitet von

Dipl. Biochem. PETER HEINRICH*

Die unter Dimerisierung verlaufende Reduktion von Carbonyl-Verbindungen zählt zu den wichtigsten Reaktionen des photochemisch angeregten Chromophors. Als Wasserstoff-Donatoren und meist gleichzeitig als Lösungsmittel kommen Alkohole, Amine neben anderen Verbindungen in Betracht (s. Tab. 112, S. 818). Der Reaktionsmechanismus[1] für Aryl- und Diaryl-Ketone kann wie folgt formuliert werden:

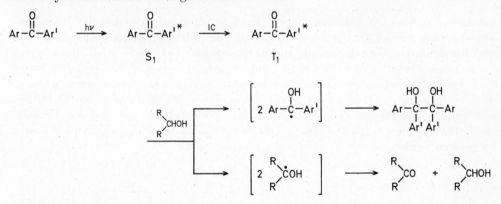

In neuerer Zeit wurde eine Modifizierung[2] vorgeschlagen, bei der im Gegensatz zum obigen Mechanismus nicht 1, sondern 2 Moleküle Keton pro Lichtquant umgesetzt werden:

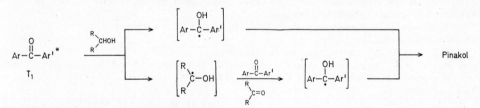

* Chemisches Institut der Universität Tübingen

[1] C. WEISMANN, E. BERGMANN u. Y. HIRSHBERG, Am. Soc. **60**, 1530 (1938).
[2] J. N. PITTS, Jr. et al., Am. Soc. **81**, 1068 (1959).
  G. S. HAMMOND u. W. M. MOORE, Am. Soc. **81**, 6334 (1959).
  W. M. MOORE, G. S. HAMMOND u. R. P. FOSS, Am. Soc. **83**, 2789 (1961).
  G. S. HAMMOND, W. P. BAKER u. W. M. MOORE, Am. Soc. **83**, 2795 (1961).
  E. S. HUYSER u. D. C. NECKERS, Am. Soc. **85**, 3641 (1963).
  D. C. NECKERS, Ph. D. Thesis, University of Kansas 1963.
  Mechanistische Untersuchungen an ¹⁴C-markierten Verbindungen s.: V. FRANZEN, A. **633**, 1 (1960)

Die Quantenausbeuten der Photoreduktion hängen nicht nur von den Eigenschaften des Lösungsmittels als Wasserstoff-Donator ab[1] (s. Tab. 110a), sondern werden entscheidend von der Struktur der zu reduzierenden Verbindung beeinflußt (s. Tab. 111b).

Tab. 110a. Quantenausbeute der Benzophenon Abnahme in verschiedenen Lösungsmitteln[1]

Lösungsmittel	φ Benzophenon	$(H_5C_6)_2CO$ [Mol/l]
Wasser	0,02	10^{-4}
Benzol	0,05	10^{-2}
Hexan	0,67	10^{-2}
Toluol	0,45	10^{-2}
Äthanol	1,0	10^{-4}–10^{-1}
Isopropanol	0,8–2,0	10^{-5}–10^{-1}

Tab. 111b. Quantenausbeuten für die Keton-Abnahme bei 25° in Isopropanol[2]

Keton	φ_{Keton}
Benzophenon	2,0
4,4'-Dimethoxy-benzophenon	2,0
2-tert.-Butyl-benzophenon	0,5
4-Phenyl-benzophenon	0,2
2-Methyl-benzophenon	0,05
4-Hydroxy-benzophenon	0,02
2,4-Dihydroxy-benzophenon	0,005
4-Amino-benzophenon	0
3-Nitro-benzophenon	0
Fluorenon	0

Aufgrund zahlreicher Untersuchungen[3] kann gefolgert werden, daß die Wasserstoff-abstrahierende Spezies der Carbonyl-Verbindung im niedrigsten Triplett-Zustand (T_1) mit n,π*-Konfiguration vorliegt. Es gilt allgemein, daß eine Carbonyl-Verbindung nur dann photochemisch reduzierbar ist, wenn ihr Triplett-Zustand diese n,π*-Konfiguration besitzt. Um bei nicht photochemisch untersuchten Carbonyl-Verbindungen vorhersagen zu können, ob sie reduzierbar sind, ist es nötig, aus den spektroskopischen Daten die Elektronen-Konfiguration des Triplett-Zustandes zu ermitteln. Umgekehrt können aus dem Verhalten bei der Photoreduktion Rückschlüsse auf die elektronische Anordnung des Triplett-Zustandes gezogen werden.

---

[1] A. BECKETT u. G. PORTER, Trans. Faraday Soc. **59**, 2039 (1963).
[2] A. BECKETT u. G. PORTER, Trans. Faraday Soc. **59**, 2051 (1963).
    J. N. PITTS, Jr., H. W. JOHNSON u. T. KUWANA, J. phys. Chem. **66**, 2471 (1962).
[3] Versuche mit paramagnetischen Quenchern:
    W. M. MOORE, G. S. HAMMOND u. R. P. FOSS, Am. Soc. **83**, 2789 (1961).
    Blitzlicht-Spektroskopie:
    J. H. BELL u. H. LINSCHITZ, Am. Soc. **85**, 328 (1963).
    G. PORTER u. F. WILKINSON, Trans. Faraday Soc. **57**, 1686 (1961); Pr. roy. Soc. **264** [A], 1 (1961).
    D. McCLURE u. P. HANST, J. Chem. Physics **23**, 1772 (1955).
    Spektrenanalyse:
    H. L. J. BÄCKSTRÖM u. K. SANDROS, Acta chem. scand. **14**, 48 (1960); **12**, 823 (1958).
    H. L. J. BÄCKSTRÖM, A. STEERYR u. P. PERLMANN, Acta chem. scand. **12**, 8 (1958).
    H. L. J. BÄCKSTRÖM, Z. physik. Chem. (Leipzig) **25** [B], 99 (1934).
    H. L. J. BÄCKSTRÖM u. K. SANDROS, J. Chem. Physics **23**, 2197 (1955).
    J. N. PITTS, Jr., H. W. JOHNSON u. T. KUWANA, J. phys. Chem. **66**, 2456 (1962); Proc. Symp. Reversible Photochem. Processes, Duke University, April 1962.
    Untersuchungen in der Kaliumbromid-Scheibe:
    J. N. PITTS, Jr., J. K. S. WAN u. E. A. SCHUCK, Am. Soc. **86**, 3606 (1964).
    Weitere Untersuchungen s. a.:
    C. WALLING u. M. J. GIBIAN, Am. Soc. **86**, 3902 (1964); **87**, 3361 (1965).
    A. PAWDA, Tetrahedron Letters **1964**, 3465.

Es können also folgende Verbindungen photochemisch nicht reduziert werden:

① Carbonyl-Verbindungen[1], deren T_1-Zustand keine n,π*-, sondern π,π*-Anordnung besitzt; wie z. B. 1-Formyl- und 2-Acetyl-naphthalin[2]. Beide Verbindungen können allerdings in Gegenwart von Tributyl-stannan als Wasserstoff-Donator reduziert werden (vgl. S. 816).

② Aromatische Carbonyl-Verbindungen, die durch entsprechende Substitution in para-Stellung das Elektronen-Defizit im T_1-Zustand am Sauerstoff verringern. Diesen Effekt zeigen die –OH-, –NH$_2$- und –NR$_2$-Gruppen[3]. Durch den Elektronenschub wird die Elektronendichte am Sauerstoff-Atom der Carbonyl-Gruppe erhöht. Dadurch liegt der Triplett-Zustand nicht mehr in der n,π*-Konfiguration vor, sondern in der Konfiguration eines intramolekularen Charge-Transfer-Zustandes[4]. Eine solche Carbonyl-Gruppe ist nicht reaktionsfähig genug, ein Wasserstoff-Atom zu abstrahieren.

4-Amino-benzophenone können dann photoreduziert werden, wenn durch Überführung in das entsprechende Ammoniumsalz die Bildung des CT-Zustandes unterdrückt wird[5]. Aus dem Hydrochlorid des 4-Dimethylamino-benzophenons[6] kann in Isopropanol auf diesem Wege quantitativ das Pinakol, *1,2-Dihydroxy-1,2-diphenyl-1,2-bis-[4-dimethylamino-phenyl]-äthan-Dihydrochlorid* (F: 150–154°) hergestellt werden.

③ Carbonyl-Verbindungen, die photoenolisiert werden (s. S. 795).

Die photochemische Synthese von 1,2-Dihydroxy-äthanen aus Carbonyl-Verbindungen wurde bereits zu Beginn dieses Jahrhunderts gefunden[6]. Ihre Anwendung erstreckt sich von Aldehyden (s. Tab. 112, S. 818) über acyclische und cyclische Ketone bis zu Di- oder Polycarbonyl-Verbindungen.

1,2-Dihydroxy-1,1,2,2-tetraphenyl-äthan[6]: Eine Lösung von 4 g Benzophenon in 20 *ml* absol. Äthanol wird in einer zugeschmolzenen Röhre dem direkten Sonnenlicht ausgesetzt. Nach einigen Tagen färbt sich die Flüssigkeit schwach gelb und es kristallisiert ein farbloses Produkt aus. Nach 8 Tagen wird der Rohrinhalt auf Eis gegossen und das ausgefallene Produkt abfiltriert. Man wäscht mit wenig Isopropanol und trocknet den Stoff an der Luft; Ausbeute: 3,6 g; F: 185–187°.

1,2-Dihydroxy-1,2-diphenyl-1,2-dipyridyl-(3)-äthan[7]:

5,0 g (0,27 M) 3-Benzoyl-pyridin werden in 50 *ml* Isopropanol gelöst, mit einem Tropfen Essigsäure versehen und die Lösung in einem zugeschmolzenen Reagenzglas einen Monat der Sonne ausgesetzt. Nach dieser Zeit können die farblosen Kristalle, welche sich abgeschieden haben, filtriert und aus 1,4-Dioxan umkristallisiert werden; Ausbeute: 3,4 g (68% d.Th.); F: 187–188°.

---

[1] G. S. Hammond, N. J. Turro u. P. A. Leermakers, J. phys. Chem. **66**, 1144 (1962).
 G. S. Hammond u. P. A. Leermakers, J. phys. Chem. **66**, 1148 (1962).
 A. Beckett u. G. Porter, Trans. Faraday Soc. **59**, 2051 (1963).
[2] G. S. Hammond u. P. A. Leermakers, Am. Soc. **84**, 207 (1962).
[3] G. Porter u. P. Suppan, Pr. chem. Soc. **1964**, 191.
[4] G. Porter u. P. Suppan, Pure Appl. Chem. **9**, 499 (1964).
[5] S. G. Cohen u. M. N. Siddiqui, Am. Soc. **86**, 5047 (1964).
[6] G. Ciamician u. P. Silber, B. **33**, 2911 (1900).
 S. a.: W. E. Bachmann, Organic Syntheses, Coll. Vol. II, 71 (1943).
[7] M. R. Kegelmann u. E. V. Brown, Am. Soc. **75**, 4649 (1953).

2,3-Dihydroxy-2,3-dipyridyl-(3)-butan[1]:

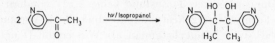

318 g 3-Acetyl-pyridin werden in 240 *ml* Benzol und 1600 *ml* Isopropanol gelöst und mit einer Hanovia 200 W Lampe 71 Stdn. bestrahlt. Anschließend filtriert man und destilliert das Lösungsmittel ab. Man erhält 91,6 g Pinakol und 208 g Ausgangsverbindung. Man setzt dann das nicht umgesetzte Keton unter den gleichen Bedingungen bei einer Belichtungszeit von 79 Stdn. weiter um. Die Trennung von Pinakol und 3-Acetyl-pyridin gibt nur noch 98,7 g Ausgangsmaterial. Dann führt man noch eine letzte Bestrahlung durch. Die gesamte Belichtungszeit beträgt 310 Stdn.; Ausbeute: 282,4 g (88% d. Th.); F: 224–240°.

Neben den Belichtungen in Alkoholen werden mit guten Ausbeuten Photolysen in flüssiger Phase in Gegenwart von **Phenol** angewandt. Entweder wird eine Suspension von an Kieselgel absorbiertem Phenol in dem zu pinakolisierenden Keton bestrahlt, z. B. Acetophenon und seine Methyl-Derivate oder man arbeitet direkt mit einer Lösung von Phenol in dem betreffenden Keton. Auf diese Weise wird z. B. Propanoyl-benzol in *3,4-Dihydroxy-3,4-diphenyl-hexan* (F: 137–138°) überführt[2].

Manche Carbonyl-Verbindungen zeigen mit den üblichen Wasserstoff-Donatoren keine Reaktion. Greift man jedoch zu stärkeren Mitteln, wie **Tributylstannan**, so kann z. B. aus 1-Formyl-naphthalin (s. a. S. 815) *1,2-Dihydroxy-1,2-dinaphthyl-(1)-äthan* F: 185–186° hergestellt werden. Als Nebenprodukt erhält man *1-Hydroxymethyl-naphthalin*[3] (F: 60–61°).

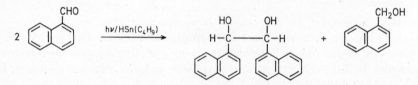

Eine präparative Bereicherung der Photoreduktion wurde in neuerer Zeit durch die Bestrahlung in Gegenwart von **Aminen**[4] geschaffen. Mit Diisopropylamin als Wasserstoff-Donator ist es sogar möglich, 4-Amino-benzophenon[5], das normalerweise erst nach Salzbildung reagiert, in das entsprechende Pinakol zu überführen:

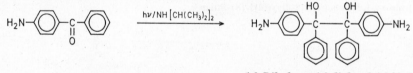

1,2-Dihydroxy-1,2-diphenyl-1,2-bis-[4-aminophenyl]-äthan; 65% d. Th.; F: 179–180°

2,3-Dihydroxy-2,3-bis-[4-hydroxy-3,5-di-tert.-butyl-phenyl]-butan[6]: Eine Lösung von 1,5 g 4-Hydroxy-3,5-di-tert.-butyl-acetophenon in 400 *ml* Triäthylamin wird mit einer 450 W Quecksilber-Hochdruck-Lampe (Ushio Typ UM 450/Pyrex) unter Stickstoff 35 Stdn. bestrahlt. Anschließend wird das Lösungsmittel i. Vak. abgezogen und das zurückgebliebene braune viskose Öl in Benzol/Petroläther (1:1) gelöst und an einer Kieselgel-Säule chromatographiert. Eluierung mit Benzol/Petroläther (1:1) und dann Benzol ergibt das gewünschte Pinakol; Ausbeute: 290 mg (33% d. Th.); F: 216–217°.

[1] W. L. Benoze, C. A. Burckhardt u. W. L. Yost, J. Org. Chem. **27**, 2865 (1962).
[2] H. D. Becker, J. Org. Chem. **32**, 2140 (1967).
[3] G. S. Hammond u. P. A. Leermakers, Am. Soc. **84**, 207 (1962).
[4] S. G. Cohen u. R. J. Baumgarten, Am. Soc. **87**, 2996 (1965).
  S. G. Cohen u. B. Green, Am. Soc. **91**, 6824 (1969).
[5] S. G. Cohen u. J. I. Cohen, Am. Soc. **89**, 164 (1967).
[6] T. Matsuura u. Y. Kitaura, Tetrahedron **25**, 4501 (1969).

Bei Di- oder Polycarbonyl-Verbindungen ist eine intermolekulare oder/und intramolekulare Photopinakolisierung möglich. Die intermolekulare Reaktion stellt den Normalfall der reduktiven Dimerisierung dieser Verbindungen dar (s. Tab. 112, S. 818). Während 2,3-Dioxo-butan sich glatt dimerisieren läßt, führen Benzil[1] und 1,4-Dioxo-1-phenyl-pentan[2] nur zu uneinheitlichen Reaktionsprodukten.

Intramolekulare Photopinakolisierung wird durch einen transannularen Effekt im Molekül begünstigt und ist auf wenige präparativ verwertbare Beispiele beschränkt. *cis-6b,12b-Dihydroxy-6b,12b-dihydro-⟨acenaphtho-[1,2-a]-acenaphthylen⟩* (F: 316–318°) kann durch 1-stdge. Bestrahlung (Hanovia/Pyrex) in Isopropanol mit 55%iger Ausbeute aus *7,14-Dioxo-7H,14H-⟨cycloocta-[1,2,3-d,e;5,6,7-d′,e′]-dinaphthalin⟩* erhalten werden[3]:

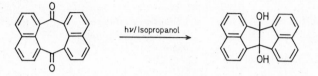

Analog den Aldehyden und Ketonen lassen sich auch 2-Oxo-carbonsäuren bzw. -ester photochemisch pinakolisieren. So läßt sich Phenylglyoxylsäure in Gegenwart von Isopropanol durch längere Sonnenlicht-Einwirkung in *Diphenylweinsäure* (F: 155°) dimerisieren. Diese läßt sich zu D,L-*1,2-Dihydroxy-1,2-diphenyl-äthan* decarboxylieren[4]:

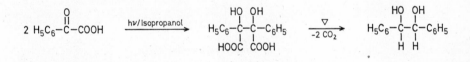

In Gegenwart von Benzhydrol erhält man in Benzol als Lösungsmittel durch Bestrahlung mit einer Hanovia 450 W Quecksilber-Hochdruck-Lampe aus Benztraubensäure *Dimethylweinsäure*[5]. Mit Butanol als Wasserstoff-Donator wird Phenylglyoxylsäure-äthylester zum *Diphenyl-weinsäure-diäthylester* (F: 118–120°) umgesetzt[6].

Ist die sterische Anordnung zwischen einer Hydroxy- und einer Carboxy-Gruppe im Pinakol günstig, so bildet sich über das Dimerisierungsprodukt hinaus das entsprechende Lacton[7]:

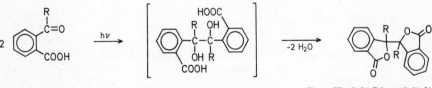

R = H; *3,3′-Dioxo-1,1′-diphenyl-1,1′,3,3′-tetrahydro-1,1′-bi-⟨benzo-[c]-furanyl⟩*; F: 265–266°

[1] D. L. BUNBURY u. C. T. WANG, Canad. J. Chem. **46**, 1473 (1968).
[2] T. MATSUURA, Y. KITAURA u. R. NAKASHIMA, Tetrahedron **24**, 6601 (1968).
[3] W. C. AGOSTA, Am. Soc. **89**, 3505 (1967).
[4] A. SCHÖNBERG et al., Soc. **1951**, 1364.
[5] P. A. LEERMAKERS u. G. F. VESLEY, Am. Soc. **85**, 3776 (1963).
[6] E. S. HUYSER u. D. C. NECKERS, J. Org. Chem. **29**, 276 (1964).
[7] D. B. LIMAYE, J. Univ. Bombay **1**, II 52 (1932); C. A. **27**, 2097 (1933).

Tab. 112. Reduktive Dimerisierung von Carbonyl-Verbindungen zu 1,2-Dihydroxy-äthanen

Ausgangs-verbindung	Lösungs-mittel	Pinakol	Ausbeute [% d. Th.]	F [° C]	Lite-ratur
$F_3C-CO-CF_3$	Isopropanol	*Hexafluor-2,3-dihydroxy-2,3-bis-[trifluormethyl]-butan*	63	26	1
$H_3C-CO-CO-CH_3$	Isopropanol		98	–	2
	Cyclohexan	*3,4-Dihydroxy-2,5-dioxo-3,4-dimethyl-hexan*	37	–	
	1,4-Dioxan		18	–	
▷-CO-CO-◁	Isopropanol	*2,3-Dihydroxy-1,4-dioxo-1,2,3,4-tetracyclopropyl-butan*	~ 100	–	3
▷-CO-CO-C_6H_5		*2,3-Dihydroxy-1,4-dioxo-2,3-dicyclopropyl-1,4-diphenyl-butan*	~ 100		
(Barbitursäure-Struktur)	Äthanol oder Isopropanol	*5,5'-Dihydroxy-2,2',4,4',6,6'-hexaoxo-1,1'-bipyrimidyl*	a	235	4
(Bicyclo-dion-Struktur)	Cyclohexan	*3,7-Dihydroxy-tricyclo[3.3.1.0³,⁷]nonan*	100	297–298	5
R-⟨⟩-CHO				138–139	6
R = H	Äthanol	*1,2-Dihydroxy-1,2-diphenyl-äthan*	a		
R = OCH_3	Äthanol	*1,2-Dihydroxy-1,2-bis-[4-methoxy-phenyl]-äthan*	a	174	6
	Äther		a		
⟨⟩-CO-R R = CH_3	Äthanol		a	122	6
	Isopropanol	*2,3-Dihydroxy-2,3-diphenyl-butan*	a		7
	Butanol		78		8

a Keine Angabe.

1 W. J. Middleton u. R. V. Lindsey, Jr., Am. Soc. 86, 4948 (1964).
2 W. G. Bentrude u. K. R. Darnall, Chem. Commun. 1968, 810.
3 J. Kelder u. H. Cerfontain, Tetrahedron Letters 1972, 1307.
4 R. Monbasher u. A. M. Othman, Am. Soc. 72, 2667 (1950).
5 T. Mori et al., Tetrahedron Letters 1970, 2419.
6 G. Ciamician u. P. Silber, B. 34, 1530 (1901).
7 C. Weizmann, E. Bergmann u. Y. Hirschberg, Am. Soc. 60, 1530 (1938).
8 W. L. Benoze, C. A. Burckhardt u. W. L. Yost, J. Org. Chem. 27, 2865 (1962).

Tab. 112 (1. Fortsetzung)

Ausgangs-verbindung	Lösungs-mittel	Pinakol	Ausbeute [% d.Th.]	F [° C]	Lite-ratur
R=Cyclobutyl	Äthanol	1,2-Dihydroxy-1,2-dicyclo-butyl-1,2-diphenyl-äthan	94	150–151	1
	Benzol		10		
R=CH₂–C₆H₅	Isopropanol	2,3-Dihydroxy-1,2,3,4-tetra-phenyl-butan	80		2
R=CH₂P(OC₂H₅)₂	Äther	1,2-Dihydroxy-1,2-bis-[di-äthoxy-phosphono-methyl]-1,2-diphenyl-äthan	a	190–192	3
⟨N⟩–CO–CH₃	Isopropanol	2,3-Dihydroxy-2,3-dipyridyl-(2)-butan	71		4
R² R³ R⁴ / R¹–⟨⟩–CO–⟨⟩–R⁵ / R¹=CH₃ R³=R³=R⁴=R⁵=H	Isopropanol oder Amylalkohol	1,2-Dihydroxy-1,2-diphenyl-1,2-bis-[4-methyl-phenyl]-äthan	a		5
R¹=R⁵=CH₃ R²=R³=R⁴=H	Propanol	1,2-Dihydroxy-tetrakis-[4-methyl-phenyl]-äthan	a		
R²=C₆H₅ R¹=R²=R³=R⁴=H	Isopropanol	1,2-Dihydroxy-1,2-diphenyl-1,2-dibiphenylyl-(3)-äthan	a	81	6
R¹=Cl R²=R³=R⁴=R⁵=H	Amylalkohol	1,2-Dihydroxy-1,2-diphenyl-1,2-bis-[4-chlor-phenyl]-äthan	a		5
R¹=CH₃; R⁴=Cl R²=R³=R⁵=H	Propanol	1,2-Dihydroxy-1,2-bis-[2-chlor-phenyl]-1,2-bis-[4-methyl-phenyl]-äthan	a		
R¹=Cl; R⁵=CH₃ R²=R³=R⁴=H	Propanol	1,2-Dihydroxy-1,2-bis-[4-chlor-phenyl]-1,2-bis-[4-methyl-phenyl]-äthan	a		

ᵃ Keine Angabe.

1 A. PAWDA, E. ALEXANDER u. M. NIEMCYZK, Am. Soc. 91, 456 (1969).
2 F. BERGMANN u. Y. HIRSCHBERG, Am. Soc. 65, 1429 (1943);
   G. GÖTH, P. CERUTTI u. H. SCHMID, H. 48, 1395 (1965).
3 H. TOMIOKA, Y. IZAWA u. Y. OGATA, Tetrahedron 25, 1501 (1969).
4 W. L. BENOZE, C. A. BURCKHARDT u. W. L. YOST, J. Org. Chem. 27, 2865 (1962).
5 W. D. COHEN, R. 39, 243 (1920).
6 H. H. HATT, A. PILGRIM u. E. F. M. STEPHENSON, Soc. 1941, 478.

Tab. 112 (2. Fortsetzung)

Ausgangs-verbindung	Lösungs-mittel	Pinakol	Ausbeute [% d.Th.]	F [° C]	Lite-ratur
$R^1 = R^5 = Cl$ $R^2 = R^3 = R^4 = H$	Isopropanol	1,2-Dihydroxy-tetrakis-[4-chlor-phenyl]-äthan	a		1
$R^1 = R^3 = R^4 = R^5 = Cl$ $R^2 = H$	Propanol	1,2-Dihydroxy-tetrakis-[2,4-dichlor-phenyl]-äthan	a		2
$R^1 = OCH_3$ $R^2 = R^3 = R^4 = R^5 = H$	Isopropanol	1,2-Dihydroxy-1,2-diphenyl-1,2-bis-[4-methoxy-phenyl]-äthan	a		
$R^1 = R^5 = OCH_3$ $R^2 = R^3 = R^4 = H$	Isopropanol		a		1
	Äthanol	1,2-Dihydroxy-tetrakis-[4-methoxy-phenyl]-äthan	a		3
	Äthanol oder Isopropanol	2,2'-Dihydroxy-1,1',3,3'-tetraoxo-2,2',3,3'-tetrahydro-bi-indenyl-(2)	a		4
	Isopropanol	1,1'-Dihydroxy-1,1',2,2',3,3',4,4'-octahydro-bi-naphthyl-(1)	75	192	5
	Methanol	4,4'-Dihydroxy-3,3',4,4'-tetrahydro-bi-[1H-2-benzo-thiopyranyl-(4)]-2,2;2', 2'-bis-dioxid	30	305	6
$R^1 = R^2 = R^3 = H$	Methanol	4,4'-Dihydroxy-2,2',3,3'-tetrahydro-bi-[4H-1-benzo-thiopyranyl-(4)]-1,1;1' 1'-bis-dioxid	31	275	6
$R^1 = CH_3$ $R^2 = R^3 = H$		4,4'-Dihydroxy-2,2'-di-methyl- . . .	23	295	

a Keine Angabe.

1 A. Schönberg u. A. Mustafa, Soc. **1944**, 67.
2 W. D. Cohen, R. **39**, 243 (1920).
3 M. Migata, Bl. chem. Soc. Japan **7**, 334 (1932); C. A. **27**, 716 (1933).
4 A. Schönberg u. R. Monbasher, Soc. **1949**, 212.
5 F. Bergmann u. Y. Hirschberg, Am. Soc. **65**, 1429 (1943).
  G. Göth, P. Cerutti u. H. Schmid, H. **48**, 1395 (1965).
6 I. W. J. Still u. M. T. Thomas, J. Org. Chem. **33**, 2730 (1968).

Tab. 112 (3. Fortsetzung)

Ausgangs-verbindung	Lösungs-mittel	Pinakol	Ausbeute [% d. Th.]	F [° C]	Lite-ratur
$R^2=CH_3$ $R^1=R_3=H$	Methanol	4,4'-Dihydroxy-3,3'-di-methyl-2,2',3,3'-tetrahydro-bi-[4H-1-benzothiopyranyl-(4)]-1,1';1,1'-bis-dioxid	15	235	1
$R^3=CH_3$ $R^1=R^2=H$		4,4'-Dihydroxy-8,8'-di-methyl- . . .	17	265	
$R^1=COOCH_3$ $R^2=H$		4,4'-Dihydroxy-2,2'-di-methoxycarbonyl- . . .	5	223	
	Isopropanol	2,2'-Dihydroxy-1,1',3,3'-tetra-oxo-2,2',3,3'-tetrahydro-bi-phenalenyl-(2)	a		2
	Triäthylamin/ Wasser	meso- und d,l-2,3-Dihydroxy-2,3-dinaphthyl-(2)-butan	38	165–171	3
	Toluol	1,2-Dihydroxy-1,2-dianthryl-(9)-äthan	–		4
		+ 2,3-Dihydroxy-tetrabenzo-tetracyclo[6.2.2.2^{4,7}.0^{1,4}] tetradecatetraen-(5,9,11,13)	–	–	
	Triäthylamin/ Äthanol (1:1)	9,9'-Dihydroxy-bi-fluorenyl-(9)	28	190–191	3
	N,N-Dimethyl-anilin		58	–	5
	N,N-Dimethyl-anilin	9,9'-Dihydroxy-bi-xanthenyl-(9)	56	–	5

a Keine Angabe

1 I. W. J. STILL u. M. T. THOMAS, J. Org. Chem. 33, 2730 (1968).
2 R. MONBASHER u. A. MUSTAFA, Soc. 1947, 130.
3 R. S. DAVIDSON, P. F. LAMBETH u. F. A. YOUNIS, Soc. [C] 1969, 2203.
4 D. A. WARWICK u. C. H. J. WELLS, Tetrahedron Letters 1968, 4401.
5 R. S. DAVIDSON u. P. F. LAMBETH, Chem. Commun. 1967, 1265.

εε) Ringerweiterung über Oxacarbene

bearbeitet von

Dipl. Biochem. PETER HEINRICH*

Photochemisch angeregten Kleinring-Ketonen stehen nach der α-Spaltung sowohl in der Gasphase wie in der Lösung 3 Reaktionsmöglichkeiten offen:

① Decarbonylierung (s. S. 880 ff.)

② Cyclo-eliminierung (Abspaltung von Ketenen; s. S. 890)

③ Ringerweiterung unter Oxacarben-Bildung[1]

Die Oxacarbene entstehen durch Ringschluß des primär erzeugten Alkyl-acyl-Diradikals, dessen Existenz mittels ESR-Spektroskopie[2] an Photolysen bei 77° K bewiesen wurde. Die Oxacarbene stabilisieren sich durch Umlagerung (s. unten) oder werden üblicherweise durch Protonen-Donatoren abgefangen. Mit Alkoholen z. B. bilden sich α-alkoxylierte cyclische Äther. Es gelingt sogar in einigen Fällen mit 2n Salzsäure das Oxacarben als cyclisches Halbacetal abzufangen (s. Tab. 113, S. 824). Die Bildung von Oxacarbenen wird verstärkt durch Substitution der α-ständigen Kohlenstoff-Atome der Ausgangsketone.

Die Photolyse von 2-Oxo-1-isopropyliden-cyclobutan in Methanol oder deuteriertem Methanol ergibt in 95%iger Ausbeute direkt *2-Methoxy-3-isopropyliden-tetrahydrofuran* bzw. das deuterierte Derivat. Photolysiert man in Pentan (1%ige Lösung) und fügt im Dunkeln Methanol zu, so wird ebenfalls das Ringerweiterungsprodukt erhalten. In Pentan

---

* Chemisches Institut der Universität Tübingen.

[1] N. J. TURRO u. R. SOUTHAM, Tetrahedron Letters **1967**, 545.

Dieser Reaktionstyp wurde zuerst bei der Photolyse von 3-Oxo-4,7,7-trimethyl-tricyclo[2.2.1.0^{2,6}]heptan in Methanol oder Äthanol gefunden: P. YATES u. L. KILMURRY, Tetrahedron Letters **1964**, 1739.

Ausführliche Übersichten, z. T. mechanistischer Art, geben:

W.-D. STOHRER et al., Fortschr. chem. Forsch. **46**, 181 (1974).

N. J. TURRO u. D. R. MORTON, Adv. Photochem. **9**, 197 (1974).

P. YATES u. R. O. LOUTFY, Accounts Chem. Res. **8**, 209 (1975).

Über Stereoselektivität der Ringöffnung bei Cyclobutanonen s. N. J. TURRO u. D. M. McDANIEL, Am. Soc. **92**, 5727 (1970).

[2] U. HOSTETTLER, Helv. **49**, 2417 (1966).

und in Gegenwart von Sauerstoff entsteht photolytisch *2-Oxo-3-isopropyliden-tetrahydro-furan*[1]:

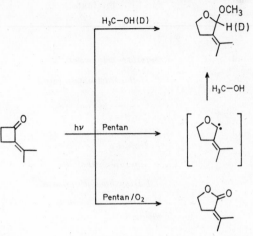

Bei der Photolyse von 2-Oxo-3-[2-hydroxy-propyl-(2)]-1-isopropyliden-cyclobutan[1] wird das intermediäre Oxacarben sogar intramolekular abgefangen[1].

In Methanol (oder in deuteriertem Methanol) erhält man mit 95%iger Ausbeute direkt *2-Methoxy-5-[2-hydroxy-propyl-(2)]-3-isopropyliden-tetrahydrofuran*. Führt man die Belichtung in Benzol aus und fügt dem Photolysat im Dunkeln Methanol zu, so fällt das Tetrahydrofuran-Derivat nur mit 60% an. Eine rasche Aufarbeitung der benzolischen Lösung (ohne Methanol-Zusatz) ergibt dagegen mit 40% das bicyclische Abfangprodukt. *3,3-Dimethyl-6-isopropyliden-2,7-dioxa-bicyclo[2.2.1]heptan* wird bei Methanol-Zugabe quantitativ in die Methoxy-Verbindung umgewandelt:

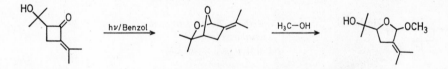

In Abwesenheit von Protonen-Donatoren kann das intermediäre Oxacarben mit acyclischen (s. a. S. 750) oder cyclischen Alkenen abgefangen werden. So wird das oben erwähnte 2-Oxo-1-isopropyliden-cyclobutan bei Photolyse in Benzol und in Gegenwart von Cyclopentadien zu *3-Isopropyliden-tetrahydrofuran-⟨2-spiro-5-⟩-cyclohexadien-(1,3)* umgesetzt[2]:

Eine analoge Reaktion von Dioxo-benzocyclobuten wurde bereits auf S. 749 beschrieben.

Ringerweiterungen über Oxacarbenen werden bei Oxo-cyclobutanen, -cyclopentanen und -cyclohexanen gefunden. Diene können mono-, bi- oder im Falle eines Steroids polycyclisch sein. Eine Übersicht der photochemischen Reaktionsweisen von ausgewählten Cyclobutanonen in Lösung gibt Tab. 113 (S. 824).

---

[1] N. J. Turro et al., Tetrahedron Letters **1969**, 2991.
[2] D. R. Morton u. N. J. Turro, Am. Soc. **75**, 3947 (1973).

Tab. 113. Photolysen von Cyclobutanonen in Lösung

Keton	Lösungs-mittel	Produkte	Ausbeute [% d. Th.]	Literatur
	Methanol	*Essigsäure-methylester* + *2-Methoxy-tetrahydrofuran*	48 8	1
	Methanol	*5-Methoxy-2,2-dimethyl-tetra-hydrofuran* + *Essigsäure-methylester* + *1,1-Dimethyl-cyclopropan* + *2-Methyl-propansäure-methylester*	41 32 8 3	1
H₅C₆	Methanol	*5-Methoxy-2,2-dimethyl-3-phenyl-tetrahydrofuran* + *2-Methyl-3-phenyl-propen-(2)*	87 15	2
	Methanol	*5-Methoxy-2,2-dimethyl-4-isopropyliden-tetrahydrofuran*	100	3
	Methanol	*5-Methoxy-2,2,4,4-tetramethyl-tetrahydrofuran* + *2-Methyl-propansäure-methylester* + *1,1,2,2-Tetramethyl-cyclopropan*	68 13 –	1
HO	Methanol	*trans-3-Hydroxy-5-methoxy-2,2,4,4-tetramethyl-tetrahydro-furan*[a] + *cis-* . . . + *2-Methyl-propansäure-methylester* + *2-Methyl-propanal* + *3-Hydroxy-1,1,2,2-tetramethyl-cyclopropan*	36 31 } 15 –	1

[a] Nach Lit.[3] entsteht in 70%iger Ausbeute das Tetrahydrofuran-Isomeren-Gemisch und keine De-carbonylierungs- oder Cyclo-eliminierungsprodukte.

[1] D. R. Morton et al., Am. Soc. **92**, 4349 (1970).
  s. a. N. J. Turro u. R. M. Southam, Tetrahedron Letters **1967**, 545.
[2] D. R. Morton u. N. J. Turro, Am. Soc. **95**, 3947 (1973).
  s. a. N. J. Turro u. D. R. Morton, Am. Soc. **93**, 2569 (1971).
[3] U. Hostettler, Helv. **49**, 2417 (1966).

Tab. 113 (1. Fortsetzung)

Keton	Lösungs-mittel	Produkte	Ausbeute [% d.Th.]	Literatur
	Methanol	3-Dimethylamino-5-methoxy-2,2,4,4-tetramethyl-tetrahydro-furan	37	1
		+ 3-Dimethylamino-1,1,2,2,-tetra-methyl-cyclopropan	25	
	tert.-Butanol	3-Dimethylamino-5-tert.-butyloxy-2,2,4,4-tetramethyl-tetrahydro-furan	43	
		+ 3-Dimethylamino-1,1,2,2-tetra-methyl-cyclopropan	40	
	2 n Salzsäure	3-Dimethylamino-5-hydroxy-2,2,4,4-tetramethyl-tetrahydro-furan	50	
		+ 3-Dimethylamino-1,1,2,2-tetra-methyl-cyclopropan	30	
	Methanol	3,3-Dichlor-1,1,2,2-tetramethyl-cyclopropan	35	1
		+ 3,3-Dichlor-5-methoxy-2,2,4,4-tetramethyl-tetrahydrofuran	30	
	Methanol	5-Methoxy-3-methylimino-2,2,4,4-tetramethyl-tetrahydrofuran	73	1
		+ 3,3-Dimethoxy-1,1,2,2-tetra-methyl-cyclopropan	23	
$R=CH_3$	Äthanol	5-Äthoxy-3-dimethylamino-2,2,4,4-tetramethyl-tetrahydro-furan	60	1
		+ 3,3-Diäthoxy-1,1,2,2-tetra-methyl-cyclopropan	23	
$R=C_4H_9$	Isopropanol	5-Isopropyloxy-3-butylimino-2,2,4,4-tetramethyl-tetrahydro-furan		1
$R=C_6H_{11}$	Methanol	5-Methoxy-3-cyclohexylimino-2,2,4,4-tetramethyl-tetrahydro-furan		1
		+ 3,3-Dimethoxy-1,1,2,2-tetra-methyl-cyclopropan	22	
	Methanol	c-5-Methoxy-c-4,r-2-dimethyl-2,4-diphenyl-3-methylen-tetrahy-drofuran	a	2
		+ t-5-Methoxy- , , ,		

1 U. HOSTETTLER, Helv. 49, 2417 (1966).
2 G. QUINKERT u. P. JAKOBS, B. 107, 2473 (1974).

Tab. 113 (2. Fortsetzung)

Keton	Lösungs-mittel	Produkte	Ausbeute [% d. Th.]	Literatur
R=H	Methanol	anti-2-Methoxy-tetrahydrofuran-⟨3-spiro-1⟩-2,2-dimethyl-cyclopropan	44	1
		+ syn- ...	44	
		+ 2,2-Dimethyl-1-methoxy-carbonyl-cyclopropan		
R=CH₃	Methanol	anti-5-Methoxy-2,2-dimethyl-tetrahydrofuran-⟨4-spiro-1⟩-2,2-dimethyl-cyclopropan	50	1
		+ syn- ...	50	
	Methanol	syn-Oxiran-⟨2-spiro-3⟩-5-methoxy-2,2,4,4-tetramethyl-tetrahydrofuran	55	2
		+ anti- ...	31	
		+ 3-Oxo-1,1,2,2-tetramethyl-cyclobutan	12–14	
	Methanol	Cyclopentan-⟨1-spiro-4⟩-5-methoxy-3-oxo-tetrahydrofuran-⟨2-spiro-1⟩-cyclopentan	~6	3

Für die photochemische Ringerweiterung zu Oxacarbenen finden sich auch Beispiele aus der Steroid-Reihe. So wird das 3β-Methoxy-16-oxo-D-nor-androstan in Äthanol zu den Konstitutions-Isomeren I und II photolysiert. In Benzol tritt dagegen Photocycloeliminierung (s. S. 891) zu III und Keten (als Acetylcyclohexylamid abgefangen) sowie Photodecarbonylierung (s. S. 887) zu IV auf[4]:

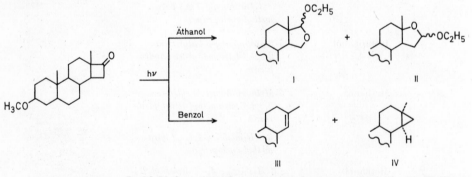

I; 3β-Methoxy-17ξ-äthoxy-16-oxa-androstan;   12% d.Th.; F: 70–73°

II; 3β-Methoxy-16ξ-äthoxy-17-oxa-androstan;   54% d.Th.; F: 86–90°

III; 3β-Methoxy-D-trinor-androstan-(13)

IV; 3β-Methoxy-D-dinor-13α,14α-androstan;   F: 40–43°

1 U. HOSTETTLER, Helv. 49, 2417 (1966).
2 N. J. TURRO et al., Tetrahedron Letters 1971, 2535.
3 K. KIMURA et al., Chem. Commun. 1974, 685.
4 G. QUINKERT, E. CIMBOLLEK u. G. BUHR, Tetrahedron Letters 1966, 4573.

Über 2 verschiedene Oxacarbene, als Folge der beiden möglichen Orientierungen bei der α-Spaltung, werden die Photolyse-Produkte von 7-Oxo-2,6,6-trimethyl-bicyclo[3.2.0] hepten-(2) erklärt[1]:

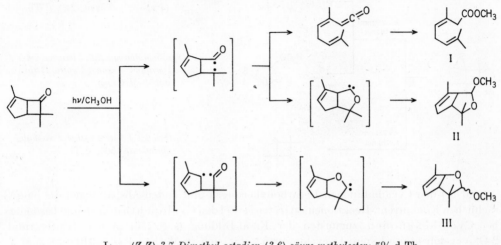

I; *(Z,Z)-3,7-Dimethyl-octadien-(3,6)-säure-methylester*; 5% d.Th.

II; *exo-4-Methoxy-2,2,6-trimethyl-3-oxa-bicyclo[3.3.0]octen-(6)*; 11% d.Th.

IIIa; *endo-3-Methoxy-4,4,8-trimethyl-2-oxa-bicyclo[3.3.0]octen-(7)*; 2% d.Th.

IIIb; *exo-3-Methoxy-...*; 3% d.Th.

Demgegenüber verläuft die Umsetzung von 6-Oxo-7,7-dimethyl-bicyclo[3.2.0]hepten-(2) in Methanol quantitativ und führt zu einheitlichen Produkten. Neben *7-Methyl-octadien-(4,6)-säure-methylester* (50% d.Th.; Kp$_{734}$: 244°) entsteht lediglich *2-Methoxy-4,4-dimethyl-3-oxa-bicyclo[3.3.0]octen-(6)* (50% d.Th.; Kp$_{733}$: 197°)[2]:

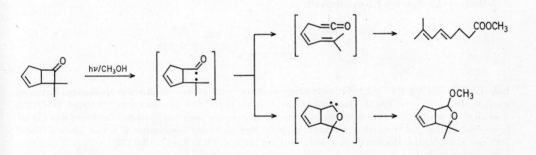

Eine signifikante Abhängigkeit von der Wellenlänge zeigt die Photolyse von 3-Oxo-2,2,4,4-tetramethyl-cyclobutan-⟨1-spiro-2⟩-thiiran. Bei Bestrahlung mit

[1] W. F. ERMANN, Am. Soc. **89**, 3828 (1967).

[2] H. U. HOSTETTLER, Tetrahedron Letters **1965**, 687.

$\lambda > 280$ nm in Methanol erfolgt ausschließlich Decarbonylierung und Oxacarben-Bildung; mit $\lambda = 254$ nm tritt nur Schwefel-Abspaltung ein[1]:

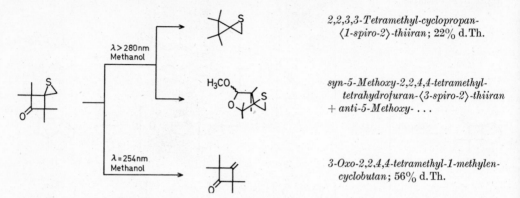

2,2,3,3-Tetramethyl-cyclopropan-⟨1-spiro-2⟩-thiiran; 22% d.Th.

syn-5-Methoxy-2,2,4,4-tetramethyl-tetrahydrofuran-⟨3-spiro-2⟩-thiiran + anti-5-Methoxy- . . .

3-Oxo-2,2,4,4-tetramethyl-1-methylen-cyclobutan; 56% d.Th.

Sind bei den Cyclobutanonen Decarbonylierungen und Keten-Abspaltungen die hauptsächlichen Konkurrenz-Reaktionen, so treten sie bei den Cyclopentanonen und besonders bei Cyclohexanonen zugunsten der En-al-Bildung (s. S. 756) in den Hintergrund. 2-Oxo-cyclopentan-⟨1-spiro-1⟩-cyclopropan setzt sich in Methanol ($\lambda = 310$ nm) zum *1-Allyl-1-formyl-cyclopropan* (32% d.Th.), dem entsprechenden Acetal (6% d.Th.) und zu *2-Methoxy-tetrahydro-pyran-⟨3-spiro-1⟩-cyclopropan* (57% d.Th.), dem Oxacarben-Folgeprodukt um[2]:

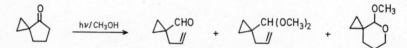

Aus dem homologen 2-Oxo-cyclohexan-⟨1-spiro-1⟩-cyclopropan lassen sich nur noch ungesättigte Aldehyde (s. S. 758) bzw. ein entsprechendes Acetal isolieren, die Oxacarben-Bildung wird völlig unterdrückt[2]. 2-Oxo-1,1-diphenyl-silacyclohexan[3] kann dagegen photochemisch in das entsprechende Oxacarben überführt werden[4].

7-Methoxy-2,2-diphenyl-1,2-oxasilepan[4]:

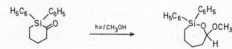

Eine Lösung von 1 g 2-Oxo-1,1-diphenyl-silacyclohexan in 25 *ml* sauerstofffreiem trockenem Methanol wird 30 Min. mit einer 100 W Quecksilber-Tauchlampe unter durchströmendem Stickstoff bestrahlt. Anschließend wird die Reaktionslösung mit Stickstoff in ein Aufnahme-Gefäß gedrückt und das Photolyse-Gefäß einmal mit trockenem Methanol gespült. Man zieht das Lösungsmittel i. Vak. ab und destilliert den Rückstand i. Hochvak.; Ausbeute: 404 mg (36% d.Th.); Kp$_{0,04}$: 130–132°.

In Abwesenheit von Methanol gelingt in Fumarsäure-diäthylester seine Addition an das intermediäre Oxacarben.

[1] J. G. Pacifici u. C. Diebert, Am. Soc. **91**, 4595 (1969).
[2] J. K. Crandall u. R. J. Seidewald, J. Org. Chem. **35**, 697 (1970).
  S. a. N. J. Turro u. D. R. Morton, Am. Soc. **93**, 2569 (1971).
    D. R. Morton u. N. J. Turro, Am. Soc. **95**, 3947 (1973).
[3] Ringerweiterung eines Oxo-tetrahypyrans über Oxacarben s.: P. M. Collins, N. N. Oparaeche u.
  B. R. Whitton, Chem. Commun. **1974**, 292.
[4] A. G. Brook, H. W. Kucera u. R. Pearce, Canad. J. Chem. **49**, 1618 (1971).

trans-2,3-Diäthoxycarbonyl-cyclopropan-⟨1-spiro-7⟩-2,2-diphenyl-1,2-oxasilepan[1]:

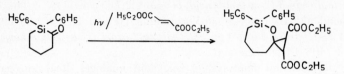

Eine Lösung von 5 g 2-Oxo-1,1-diphenyl-silacyclohexan in 31 g frisch destilliertem Fumarsäure-diäthyl-ester wird unter Stickstoff 6 Stdn. mit einer Quecksilber-Niederdruck-Lampe (Blak-Ray, Modell B-100 A) bestrahlt. Anschließend wird fraktioniert; Ausbeute: 6,5 g (78% d.Th.); Kp$_{0,01}$: 190–200° (Kugelrohr).

Mit Cyclohexen als Solvens kann in einigen Fällen die Carben-Stufe als Cyclopropan-Derivat nachgewiesen werden. Eine 1%ige Lösung von 3-Oxo-4,7,7-trimethyl-tricyclo [2.2.1.0^{2,6}]heptan führt mit geringer Ausbeute zum entsprechenden Cyclopropan-Derivat (F: 37–39°)[2]:

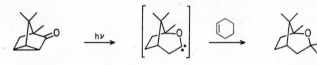

1,8,8-Trimethyl-2-oxa-bicyclo [3.2.1]octan-⟨3-spiro-7⟩-bicyclo[4.1.0]heptan

ζζ) Additionen

bearbeitet von

Dipl. Biochem. PETER HEINRICH*

ζζ$_1$) von gesättigten CH-Gruppen

Die photochemische Addition einer Methyl-Gruppe an die Carbonyl-Gruppe besitzt keine präparative Bedeutung und ist auf wenige Beispiele beschränkt. *d,l-2,3-Dioxo-1,7,7-trimethyl-bicyclo[2.2.1]heptan* (*d,l*-Campherchinon) ergibt bei Bestrahlung (9 Stdn.) mit einer Hanovia 200 W Immersionslampe in einem Pyrex-Behälter in Gegenwart von 1,4-Dimethyl-benzol *d,l-exo-3-Hydroxy-2-oxo-1,7,7-trimethyl-endo-3-(4-methyl-benzyl)-bicyclo[2.2.1]heptan* (45% d.Th.; F: 110°), den isomeren 2-Hydroxy-3-oxo-bicyclus (20% d.Th.; F: 90–91°) und 6% einer Mischung von *2-Hydroxy-3-oxo-* und *3-Hydroxy-2-oxo-1,7,7-trimethyl-bicyclo[2.2.1]heptan*[3]:

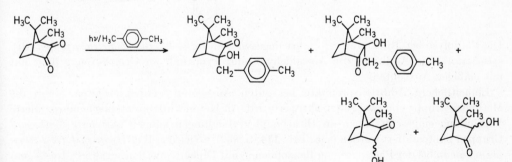

* **Chemisches Institut der Universität Tübingen.**

[1] A. G. BROOK, R. PEARCE u. J. B. PIERCE, Canad. J. Chem. **49**, 1622 (1971).

[2] P. YATES u. L. KILMURRY, Am. Soc. **88**, 1563 (1966); Tetrahedron Letters **1964**, 1739.
    Über Photolysen von Campher s.: W. C. AGOSTA u. D. K. HERRON, Am. Soc. **90**, 7025 (1968).
    Über Photolysen von Fenchon s.: P. YATES u. A. G. FALLIS, Tetrahedron Letters **1967**, 4621.

[3] M. R. RUBIN u. R. G. LABARGE, J. Org. Chem. **31**, 3283 (1966).
    M. B. RUBIN, Tetrahedron Letters **1969**, 3931.

In Gegenwart von 1,2-Dimethyl-benzol wird *d,l*-Campherchinon zu *d,l-exo-3-Hydroxy-2-oxo-1,7,7-trimethyl-endo-3-(2-methyl-benzyl)-bicyclo[2.2.1]heptan* (44% d.Th.; F: 132–133,5°), der entsprechenden 2-Hydroxy-3-oxo-Verbindung (18% d.Th.; F: 80–90,5°) und einer Mischung aus *2ξ-Hydroxy-3-oxo-* und *3ξ-Hydroxy-2-oxo-1,7,7-trimethyl-bicyclo[2.2.1]heptan* (11% d.Th.; F: 108–131°) umgesetzt.

d-Campher in Methanol photolysiert zeigt ein analoges Reaktionsverhalten, da *2-Hydroxy-3-oxo-* und *3-Hydroxy-2-oxo-1,7,7-trimethyl-bicyclo[2.2.1]heptan*, sowie *3-Hydroxy-2-oxo-1,7,7-trimethyl-3-hydroxymethyl-* und das isomere *2-Hydroxy-3-oxo-1,7,7-trimethyl-2-hydroxymethyl-bicyclo[2.2.1]heptan* als Photoprodukte auftreten[1]. Bei der Photolyse in Isopropanol werden ausschließlich die beiden sek. Alkohole erhalten[1]. In diesem Falle findet also lediglich Photoreduktion statt.

Die Tendenz zur Addition an eine **nichtaktivierte Methylen-Gruppe** ist bei Aldehyden und Ketonen äußerst gering und besitzt daher kaum Bedeutung. So liefert z. B. die Photolyse mit Aceton in Gegenwart von Cyclohexan[2,3] nur 12% *2-Hydroxy-2-cyclohexyl-propan* und in Gegenwart von Methylcyclohexan[4] nur 21% *2-Hydroxy-2-(2-methyl-cyclohexyl)-propan*:

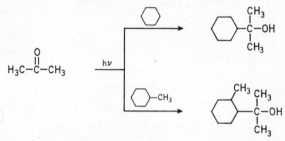

Eine **Aktivierung der CH₂-Gruppe** erhöht die Additionsbereitschaft an Ketone beträchtlich, während die der Aldehyde kaum Bedeutung in der präparativen Photochemie besitzt. So führt die Photolyse von Aceton in Cyclohexen bei 20° nach 100 Stdn. zu einem Additionsprodukt; neben *2-Hydroxy-2-cyclohexen-(2)-yl-propan* (30% d.Th.; Kp₃₀: 82°) erhält man außerdem *3,3′-Bi-cyclohexenyl*[5]:

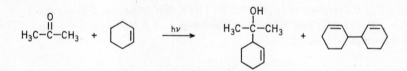

Die Photolyse bei Rückflußtemp. führt dagegen zum *trans-1,2-Bis-[2-hydroxy-propyl-(2)]-cyclohexan*[5]. Die Addition von Acetaldehyd[5] und Propanal[5] an Cyclohexen gelingt nur mit mäßigen Ausbeuten.

Einheitlichere Additionsprodukte bei guten Ausbeuten werden erhalten, wenn die Methylen-Gruppe von zwei Seiten aktiviert wird. Als Keton wird die entsprechende oxidierte Verbindung eingesetzt. Auch an Dicarbonyl-Verbindungen können aktivierte Methylen-Gruppen photoaddiert werden (s. a. Tab. 114, S. 832). So wird z. B. *1-Hydroxy-1,1,2,2-tetra-phenyl-äthan* bei der Photolyse von Benzophenon mit Diphenylmethan erhalten[6]. Im Gegen-

[1] B. M. Monroe u. S. A. Weiner, Am. Soc. **91**, 450 (1969).
   B. M. Monroe, S. A. Weiner u. G. S. Hammond, Am. Soc. **90**, 1913 (1968).
[2] N. C. Yang u. D.-D. H. Yang, Am. Soc. **80**, 2913 (1958).
[3] E. J. Bowen u. A. T. Horton, Soc. **1936**, 1685.
[4] K. Shima u. S. Tsutsumi, J. chem. Soc. Japan, ind. Chem. Sect. **64**, 460 (1961).
[5] P. de Mayo, J. B. Stothers u. W. Templeton, Canad. J. Chem. **39**, 488 (1961).
[6] E. Paterno u. G. Chieffi, G. **39** II, 415 (1909).

satz dazu wird Bis-[4-methoxy-phenyl]-methan mit Benzophenon zu 3 Verbindungen photochemisch umgesetzt, die durch verschiedene Kombination der entstandenen Radikale zu verstehen sind[1]:

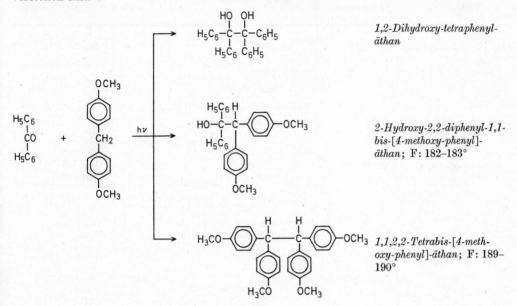

1,2-Dihydroxy-tetraphenyl-äthan

2-Hydroxy-2,2-diphenyl-1,1-bis-[4-methoxy-phenyl]-äthan; F: 182–183°

1,1,2,2-Tetrabis-[4-methoxy-phenyl]-äthan; F: 189–190°

9-Hydroxy-bi-9H-⟨cyclopenta-[1,2-b:4,3-b′]-dipyridin⟩-yl- (9)[2]:

Eine Lösung von 0,9 g 9-Oxo-9H-⟨cyclopenta-[1,2-b:4,3-b′]-dipyridin⟩ und 0,8 g 9H-⟨Cyclopenta-[1,2-b:4,3-b′]-dipyridin⟩ in 70 ml Benzol wird 3 Stdn. unter Stickstoff bei Rückflußtemp. mit einer Quecksilber-Immersionslampe Q 81 (Hanau) bestrahlt. Anschließend wird das Lösungsmittel abgezogen und der Rückstand aus Aceton kristallisiert; Ausbeute: 1,5 g (85% d.Th.); F: 203–206° (Zers.).

1-Hydroxy-2-oxo-1,2-diphenyl-1-acenaphthenyl-(1)-äthan[3,4]:

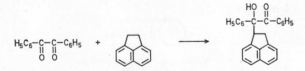

15 g Benzil und 11 g Acenaphthen werden in 50 ml Benzol in einem Kolben aus Pyrex unter Stickstoff mit einer Hanovia 85 W HC 3 Lampe 2 Tage belichtet. Anschließend wird der gebildete Niederschlag gesammelt und aus Essigsäure-äthylester umkristallisiert; Ausbeute: 1,2 g; F: 237–239°.

Ein Beispiel für die Addition einer tert.-CH-Gruppe an eine Carbonyl-Verbindung – an sich ein Reaktionstyp ohne präparative Bedeutung – ist die Addition von 4-Nitro-benzal-

[1] E. BERGMANN u. S.-I. FUGISE, A. 483, 65 (1930).
[2] A. SCHÖNBERG u. K. JUNGHANS, B. 95, 2137 (1962).
[3] P. DE MAYO u. A. STOESSE, Canad. J. Chem. 40, 57 (1962).
[4] E. OLIVERI-MANDALA, A. GIACALONE u. E. DELEO, G. 69, 104 (1939).

Tab. 114. Photoadditionen von Ketonen an Methylen-Gruppen

Carbonyl-Verbindung	Methylen-Komponente	Additionsverbindung	Ausbeute [% d. Th.]	F [° C]	Literatur
$H_3C-\overset{O}{\underset{\parallel}{C}}-\overset{O}{\underset{\parallel}{C}}-O-CH_2-CH_3$	Cyclohexen	$H_3C-\overset{OH}{\underset{\mid}{C}}-COO-CH_2-CH_3$ *2-Hydroxy-2-cyclohexen-(2)-yl-propansäure-äthylester*	80	(Kp$_{0,2}$: 64–66)	[1]
$H_3C-\overset{O}{\underset{\parallel}{C}}-\overset{O}{\underset{\parallel}{C}}-CH_3$	Cyclohexen	$H_3C-\overset{HO}{\underset{\mid}{C}}-\overset{O}{\underset{\parallel}{C}}-CH_3$ *2-Hydroxy-3-oxo-2-cyclo-hexen-(2)-yl-butan*	–	195–197 (Semicarb.)	[1]
(2,2,6,6-tetramethyl-cyclohexan-1,3-dion)	Cyclohexen	*2-Hydroxy-3-oxo-1,1,4,4-tetramethyl-2-cyclohexen-(2)-yl-cyclohexan* (2 Diastereomere)	47	67–68 bzw. 71–72	[2]
		+ 11,11,14,14-Tetramethyl-2,9-dioxa-tricyclo[8.4.0.0³,⁸] tetradecen-(1¹⁰)	7		[2]
(Cyclooctanon)	Diäthyläther	$\overset{HO}{\underset{}{}}$ CH–CH$_3$ / O–CH$_2$–CH$_3$ *1-Hydroxy-1-(1-äthoxy-äthyl)-cyclooctan*	–	–	[3]
(bicyclo[6.1.0]nonan-3-on)	Diäthyläther	CH–CH$_3$ / O–CH$_2$–CH$_3$ *3-Hydroxy-3-(1-äthoxy-äthyl)-bicyclo[6.1.0]nonan*	26	–	[3]

[1] P. W. Jolly u. P. de Mayo, Canad. J. Chem. **42**, 170 (1964).
[2] G. E. Gremm, M. Mular u. J. C. Paice, Tetrahedron Letters **1970**, 3479.
[3] S. Moon u. H. Bohm, J. Org. Chem. **36**, 1434 (1971).

Tab. 114 (1. Fortsetzung)

Carbonyl-Verbindung	Methyl- bzw. Methylen-Komponente	Additionsverbindung	Ausbeute [% d.Th.]	F [° C]	Literatur
	Toluol	1-Hydroxy-2-oxo-3,3-dimethyl-1-benzyl-2,3-dihydro-inden	51	76–77	1
	Cyclohexen	1-Hydroxy-2-oxo-3,3-di-methyl-1-cyclohexen-(2)-yl-2,3-dihydro-inden	15	91–93	2
		+ 2-Oxo-3,3-dimethyl-2,3-di-hydro-inden-⟨1-spiro-8⟩-7-oxa-bicyclo[4.2.0]octan	22	78–80	2
	Toluol	1-Hydroxy-2-oxo-3,3-diphenyl-1-benzyl-2,3-dihydro-inden	23	193–194	1
		3-Hydroxy-2-oxo-3-(1-äthoxy-äthyl)-1,1-diphenyl-2,3-dihydro-inden	–	145	1
	Diäthyläther	+ 3-(1-Äthoxy-äthoxy)-2-oxo-1,1-diphenyl- . . .	20	109–110	1
	Cyclohexen	2-Hydroxy-3-oxo-1,1,4,4-tetramethyl-2-cyclohexen-(2)-yl-1,2,3,4-tetrahydro-naphthalin	70	92–93	2
		+ 4,4,9,9-Tetramethyl-⟨5,6-benzo-2,9-dioxa-tricyclo-[8.4.0.0³,⁸]tetra-decadien-(3⁸,5)⟩	6	70,5–72	2

¹ J. RIGANDY u. N. PAILLONS, Bl. **1971**, 576, 585.
² G. E. GREMM, M. MULAR u. J. C. PAICE, Tetrahedron Letters **1970**, 3479.

Tab. 114 (2. Fortsetzung)

Carbonyl-Verbindung	Methyl- bzw. Methylen-Komponente	Additionsverbindung	Ausbeute [% d.Th.]	F [° C]	Literatur
(Benzophenon)	Phenylessig-säure	H_5C_6 H / H_5C_6—C—C—COOH / HO C_6H_5 *3-Hydroxy-2,3,3-triphenyl-propansäure*	–	205–208	1
	Xanthen	*9-(Hydroxy-diphenyl-methyl)-xanthen*	–	160	2
(Xanthon)	Xanthen	*9-Hydroxy-9,9′-bixanthenyl*	80	194	2
(Thioxanthon)	Xanthen	*9-[9-Hydroxy-thioxanthyl-(9)]-xanthen*	–	214	3
(Steroid) OOCCH₃	1,4-Dioxan	*7-Hydroxy-3,3-äthylendioxy-17-acetoxy-4,4-dimethyl-7-(1,4-dioxanyl)-androsten-(6)*	–	–	4

dehyd an O-Benzyl-serin-äthylester zum *2-Amino-3-hydroxy-2-benzyloxymethyl-3-(4-nitrophenyl)-propansäure-äthylester* (F: 136°)[5]:

[1] E. PATERNO u. G. CHIEFFI, G. **40** II, 321 (1910).
[2] A. SCHÖNBERG u. A. MUSTAFA, Soc. **1944**, 67.
[3] A. SCHÖNBERG u. A. MUSTAFA, Soc. **1945**, 551.
[4] S. DOMB et al., Helv. **52**, 2436 (1969).
[5] E. D. BERGMANN, H. BENDAS u. C. RESNICK, Soc. **1953**, 2564.

ζζ₂) von ungesättigten CH-Gruppen

Photochemische Additionen von Olefinen[1] oder Acetylenen[2] an Carbonyl-Verbindungen sind äußerst selten beschrieben worden und besitzen keine Bedeutung. Das wenige experimentelle Material beschränkt sich ausschließlich auf Additionen an Aldehyde. Äthanal[3] z. B., in Gegenwart von Octen-(1) belichtet, addiert sich zum *2-Oxo-decan* (Kp₃₇: 117°), Heptanal[3] analog zum *7-Oxo-pentadecan* (F: 31–32°). Bestrahlungen von Äthanal[4] und Hexin führen zu uneinheitlichen Produkten.

Im Gegensatz hierzu können die aromatischen CH-Gruppen von Phenolen in acetonischer Lösung mit aromatischen Ketonen zu den entsprechenden Triphenylcarbinolen umgesetzt werden. In Gegenwart von geringen Mengen von Mineralsäuren spalten sie Wasser ab und man erhält die daraus resultierenden Fuchsone.

Diphenyl-4-hydroxy-3,5-dimethoxy-phenyl-carbinol[5]:

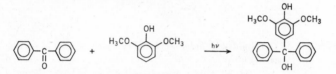

1,54 g 2,6-Dimethoxy-phenol und 0,91 g Benzophenon in 100 *ml* Aceton werden bei 16° unter Stickstoff mit einer G.E. 100 W Quecksilber-Lampe (Typ H-100 A 4/T) 3,5 Stdn. bestrahlt. Nach 30 Min. beginnt sich ein farbloser Niederschlag abzuscheiden, der nach Reaktionsende abfiltriert wird.

Zur Erhöhung der Ausbeute wird das Filtrat i. Vak. eingedampft und der Rückstand mit dem durch Filtration gewonnenen Material vereinigt; Ausbeute: 1,15 g (68% d.Th.); F: 207–208°.

Zur Synthese von Fuchsonen wird nach der Photolyse in Aceton das Produkt in Methanol aufgenommen und angesäuert. Photolysiert man dagegen in angesäuertem Methanol, so bleibt die Reaktion nicht auf der Stufe des Fuchsons stehen, sondern es lagert sich ein weiteres Mol Phenol zum entsprechenden Tetraphenylmethan-Derivat an. Die Reaktion wird durch Benzo- oder Acetophenon[6] sensibilisiert. So läßt sich z. B. 2,6-Di-tert.-butyl-phenol an Benzophenon mit ~ 70%iger Ausbeute zum *Diphenyl-bis-[4-hydroxy-3,5-di-tert.-butyl-phenyl]-methan* anlagern:

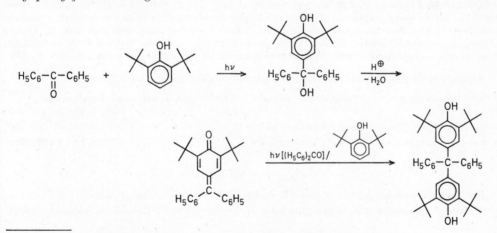

[1] K. SHIMA, T. KAWAMURA u. K. TANABE, Bl. chem. Soc. Japan **47**, 2347 (1974).
   H.-S. RYANG, K. SHIMA u. H. SAKURAI, Am. Soc. **93**, 5270 (1971).
[2] K. FUJITA, K. YAMAMOTO u. T. SHONO, J. chem. Soc. Japan **1973**, 1933.
   M. PFAU, E. W. SARVER u. N. D. HEINDEL, Bl. **1973**, 183.
[3] M. S. KHARRASCH, W. H. URY u. B. M. KUDERNA, J. Org. Chem. **14**, 248 (1949).
[4] H. H. SCHLUBACH, V. FRANZEN u. E. DAHL, A. **587**, 124 (1954).
[5] H. D. BECKER, J. Org. Chem. **32**, 2124 (1967).
[6] H. D. BECKER, J. Org. Chem. **32**, 2131 (1967); J. Org. Chem. **34**, 2472 (1969).

6-Oxo-1,5-di-tert.-butyl-3-[phenyl-(4-methyl-phenyl)-methylen]-cyclohexadien-(1,4)[1]: 2,06 g 2,6-Di-tert.-butyl-phenol und 0,98 g 4-Methyl-benzophenon in 100 *ml* Aceton werden bei 16° unter Stickstoff mit einer G.E. 100 W Quecksilber-Lampe (Typ H-100 A 4/T) 5 Stdn. bestrahlt. Die leicht gelbe Reaktionslösung wird am Vak. eingeengt, der ölige gelbe Rückstand in 20 *ml* Methanol gelöst und mit einem Tropfen konz. Salzsäure (in 1 *ml* Methanol gelöst) angesäuert. Die ausgefallenen gelben Kristalle werden abfiltriert und aus wenig Chloroform unter Methanol-Zugabe umkristallisiert; Ausbeute: 1,1 g (57% d.Th.); F: 203–204°.

Bei gleicher Arbeitsweise können eine große Anzahl von Fuchsonen synthetisiert werden[1], z. B.:

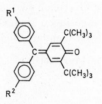

R¹=H; R²=COOCH₃;	*6-Oxo-1,5-di-tert.-butyl-3-[phenyl-(4-methoxycarbonyl-phenyl)-methylen]-cyclohexadien-(1,4)*;	54% d.Th.; F: 187–188°
R¹=H; R²=Cl;	*...-3-[phenyl-(4-chlor-phenyl)-methylen]-...*;	52% d.Th.; F: 201–202°
R¹=H; R²=Br;	*...-3-[phenyl-(4-brom-phenyl)-methylen]-...*;	56% d.Th.; F: 209–210°
R¹=H; R²=OH;	*...-3-[phenyl-(4-hydroxy-phenyl)-methylen]-...*;	51% d.Th.; F: 258–260°
R¹=R²=COOCH₃	*...-3-(bis-[4-methoxycarbonyl-phenyl]-methylen)-...*;	63% d.Th.; F: 262–263°
R¹=R²=Cl;	*...-3-(bis-[4-chlor-phenyl]-methylen)-...*;	50% d.Th.; F: 223–224°

Diphenyl-bis-[4-hydroxy-3,5-di-tert.-butyl-phenyl]-methan[2]: Eine Lösung von 4,12 g 2,6-Di-tert.-butyl-phenol und 1 g Benzophenon in abs. Methanol, das 0,1 *ml* konz. Salzsäure enthält, wird unter Stickstoff bei 14–16° 24 Stdn. mit einer G.E. 100 W Quecksilber-Lampe (Typ H-100 A 4/T ohne Glasmantel) bestrahlt. Man verwendet einen mit innen liegender Wasserkühlung versehenen und der Beleuchtung dienenden Reaktor mit Ringspalt (∅ = 50 mm) aus Pyrex und den standardisierten Paßstücken in Kegelform, sowie ausgerüstet mit Anschlußstücken für ein inertes Schutzgas. Die beleuchtete Reaktionszone hat eine Dicke von 5 mm. Im Laufe der Belichtung wird weiteres Benzophenon zugegeben. Nach 1 Stde. (1,0 g), 2 Stdn. (1 g), 5 Stdn. (1 g), 6 Stdn. (1,46 g) und 21 Stdn. (0,91 g). Im ganzen werden 0,035 Mol Benzophenon verbraucht. 45 Min. nach Beginn der Bestrahlung fallen bereits farblose Kristalle aus. Dem leicht gelben Reaktionsgemisch werden 100 *ml* Methanol zugegeben und dann die Lösung erhitzt, um mitabgeschiedenes Benzpinakol zu lösen. Filtration ergibt das farblose Reaktionsprodukt. Eine weitere Aufarbeitung erhöht die Ausbeute geringfügig; Ausbeute: 3,92 g (68% d.Th.); F: 235°.

Analog ergibt 2,6-Di-tert.-butyl-phenol photolysiert[1, 3] mit:

4-Chlor-benzophenon	→ *Phenyl-4-chlor-phenyl-bis-[4-hydroxy-2,6-di-tert.-butyl-phenyl]-methan*;	
		57% d.Th.; F: 124–215°
4-Hydroxy-benzophenon	→ *Phenyl-4-hydroxy-phenyl-...*	10% d.Th.; F: 259–260°
4-Acetoxy-benzophenon	→ *Phenyl-4-acetoxy-phenyl-...*	57% d.Th.; F: 220–221°

ζζ₃) von Alkoholen

Die photochemische Addition von Alkoholen an Ketone führt zu gemischten Pinakolen[4]. Allerdings muß mit Nebenprodukten gerechnet werden. Methanol, an Aceton[5] addiert,

[1] H. D. Becker, J. Org. Chem. **32**, 2124 (1967).
[2] H. D. Becker, J. Org. Chem. **32**, 2115 (1967).
[3] Über die sensibilisierte Anlagerung von Phenolen an Fuchson zu Tetraphenylmethanen s. a.: H. D. Becker, J. Org. Chem. **32**, 2131 (1967).
[4] Über Isotopen-Versuche s. a.:
G. O. Schenck, G. Koltzenburg u. E. Roselius, Z. Naturforsch. **24b**, 222 (1969).
S. P. Singh u. J. Kagan, Chem. Commun. **1969**, 1121.
[5] G. Ciamician u. P. Silber, B. **44**, 1280 (1911); **48**, 190 (1915).

liefert z. B.: *Isopropanol, Glykol* und *1,2-Dihydroxy-2-methyl-propan*:

$$H_3C-\overset{\overset{O}{\|}}{C}-CH_3 \ + \ HO-CH_3 \ \xrightarrow{\text{Sonne}} \ H_3C-\overset{\overset{OH}{|}}{CH}-CH_3 \ + \ \overset{\overset{HO}{|}}{H_2C}-\overset{\overset{OH}{|}}{CH_2} \ + \ \overset{\overset{HO}{|}}{H_2C}-\underset{\underset{CH_3}{|}}{\overset{\overset{OH}{|}}{C}}-CH_3$$

Äthanol[1] kann analog an Aceton zum *2,3-Dihydroxy-2-methyl-butan* addiert werden. Mit guter Ausbeute dagegen verläuft die photochemische Anlagerung von Benzhydrol[2] an Benzophenon zum *1,2-Dihydroxy-tetraphenyl-äthan*. Um symmetrische Pinakole photochemisch herzustellen, dimerisiert man aber zweckmäßiger eine Carbonyl-Verbindung (s. S. 813ff.).

Photochemische **Acetalisierungen** unter Addition von 2 Molen Alkohol wurden beim 3-Oxo-tricyclo[2.2.1.0²,⁶]heptan (3-Oxo-tricyclan)[3], 2-Chlor-cyclohexanon[4] und einer Reihe von α-Aryloxy-acetonen[5] beschrieben.

ζζ₄) von Triphenylsiliciumhydrid

Als Einzelfall ist die Anlagerung von Triphenylsilan an 2 Moleküle Benzophenon anzusehen:

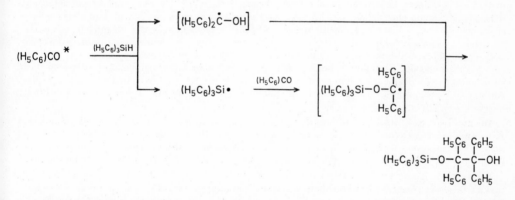

2-Hydroxy-1-triphenylsiloxy-1,1,2,2-tetraphenyl-äthan[6]: Eine Lösung von 3,64 g Benzophenon und 2,62 g Triphenylsilan in 60 *ml* Benzol wird unter Stickstoff bei 16° mit einer 100 W G.E. Quecksilber-Lampe (Typ H-100 A 4/T) 3,5 Stdn. bestrahlt. Anschließend wird das Lösungsmittel i. Vak. entfernt. und der hellgelbe Rückstand in 50 *ml* Äther gelöst. Man läßt die ätherische Lösung 3 Stdn. stehen. Die ausgefallenen Kristalle werden abgesaugt; Ausbeute: 3,5 g (56% d.Th.); F: 132–133° (Zers.).

---

[1] G. CIAMICIAN u. P. SILBER, B. **44**, 1280 (1911); **48**, 190 (1915).

[2] A. SCHÖNBERG u. A. MUSTAFA, Soc. **1943**, 276;
W. M. MOORE, G. S. HAMMOND u. R. P. FOSS, Am. Soc. **83**, 2789 (1961).

[3] P. YATES, Pure Appl. Chem. **16**, 93 (1968).

[4] D. C. NECKERS, *Mechanistic Organic Photochemistry*, S. 235, Reinhold, New York 1967.

[5] M. K. M. DIRANA u. J. HILL, Soc. [C] **1968**, 1311.
J. R. COLLIER, M. K. M. DIRANA u. J. HILL, Soc. [C] **1970**, 155.
M. K. M. DIRANA u. J. HILL, Soc. [C] **1971**, 1213.

[6] H. D. BECKER, J. Org. Chem. **34**, 2469 (1969).

$\eta\eta$) Cycloadditionen (Paterno-Büchi-Reaktion[1])

bearbeitet von

Prof. Dr. Herbert Meier*

Die Photocycloaddition von Carbonyl-Verbindungen und Olefinen zu Oxetanen wurde bereits im Jahre 1909 am Beispiel der Umsetzung von Benzophenon mit 2-Methyl-buten-(2) entdeckt[2]:

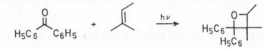

3,3,4-Trimethyl-2,2-diphenyl-oxetan

Die zunächst in Vergessenheit geratene Reaktion wurde wesentlich später mechanistisch untersucht[3]. Die Paterno-Büchi-Reaktion stellt die bequemste und variationsfähigste Methode zur Herstellung von Oxetanen dar.

Im ersten Reaktionsschritt erfolgt die Anregung der Carbonyl-Komponente in den S_1 $(n\pi^*)$-Zustand. Dazu kann man in das langwelligste, infolge des Überlappungsverbots intensitätsschwache Maximum einstrahlen. Das braucht jedoch nicht selektiv zu geschehen, d. h. meistens lassen sich auch die kurzwelligeren Absorptionen ($S_0 \rightarrow S_{2,3}$), die $n\sigma^*$- bzw. $\pi\pi^*$-Übergängen entsprechen, verwenden. Bei aliphatisch substituierten Carbonyl-Verbindungen ist dann eine "internal conversion" $S_{2,3} \rightarrow S_1$ denkbar, bei aromatischen Resten ist die $n\pi^*/\pi\pi^*$-Energie-Aufspaltung ohnehin so klein, daß eine Vermischung der Zustände wahrscheinlich ist. Es gibt aber Fälle, bei denen die Paterno-Büchi-Reaktion von der Wellenlänge abhängig ist. So reagiert der Anthracen-9-carbaldehyd, dessen langwelligste Absorption bei 455 nm ein $\pi\pi^*$-Übergang ist, nur unter $\lambda = 410$ nm mit Olefinen zu Oxetan-Ringen, oberhalb $\lambda = 410$ nm dimerisiert er sich[4].

Im zweiten Schritt kann der angeregte Singulett-Zustand mit der Olefin-Komponente ein 1,4-Kohlenstoff-Diradikal mit antiparallelen Elektronenspins bilden. Dasselbe Zwischenprodukt – nur im Triplett-Zustand – wird erhalten, wenn vor der Addition ein strahlungsloses "intersystem crossing" $[S_1(n\pi^*) \rightarrow T_1(n\pi^*)]$ in den untersten Triplett-Zustand der Carbonyl-Verbindung stattfindet.

Im dritten Reaktionsschritt schließt sich das 1,4-Diradikal zum Oxetan, oder es zerfällt wieder rückwärts in seine Ausgangskomponenten, wobei sich das eingesetzte Olefin *cis-trans*-isomerisieren kann. Geht die Reaktion über das Triplett-Diradikal, so sind auf dieser Zwischenstufe Rotationen um Einfachbindungen viel wahrscheinlicher als bei dem kurzlebigeren Singulett-Zustand. Man erhält dann unabhängig davon, ob das eingesetzte Olefin *cis*- oder *trans*-Konfiguration hatte, ein Gemisch stereoisomerer Oxetane. Geht die Reaktion dagegen über den Singulett-Zustand, so bleibt die ursprüngliche Konfiguration des Olefins beim Ringschluß weitgehend erhalten (Stereoselektivität).

---

* **Organisches Institut der Universität Tübingen**
[1] Ausführliche Darstellungen dieser Reaktion:
  D. R. Arnold, Adv. Photochem. **6**, 301 (1968).
  L. L. Muller u. J. Hamer, *1,2-Cycloaddition Reactions*, Interscience Publishers, New York 1967.
  O. L. Chapman u. G. Lenz, in O. L. Chapman, *Photocycloaddition Reactions* in *Organic Photochemistry* 1, 283, M. Dekker, New York 1967.
[2] E. Paterno u. G. Chieffi, G. **39**, 341 (1909).
[3] G. Büchi, C. G. Inman u. E. S. Lipinsky, Am. Soc. **76**, 4327 (1954).
[4] N. C. Yang et al., Tetrahedron Letters **1964**, 3657.
  N. C. Yang, Pure Appl. Chem. **9**, 591 (1964).
  N. C. Yang, R. Loeschen u. D. Mitchell, Am. Soc. **89**, 5465 (1967).

Bei der Addition unsymmetrischer Olefine lassen sic   strukturisomere Oxetane formulieren (I a–d und II a–d):

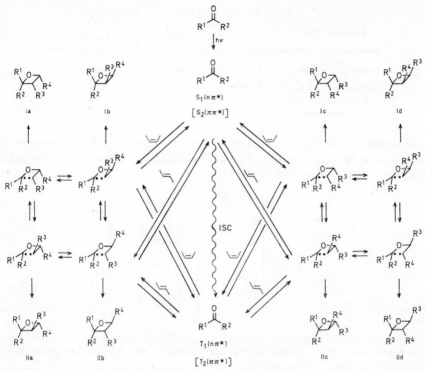

Häufig dominiert – wie die Cycloaddition von Benzophenon und Isobuten zeigt[1] – das stabilste 1,4-Diradikal als Zwischenstufe:

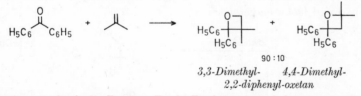

90 : 10

3,3-Dimethyl-   4,4-Dimethyl-
2,2-diphenyl-oxetan

Im allgemeinen verläuft die Paterno-Büchi-Reaktion bei elektronenreichen Olefinen bevorzugt über den $n\pi^*$-Triplett-Zustand. Durch zugefügte Triplett-Quencher kann gelegentlich eine stereoselektivere Synthese über den Singulett-Zustand erzwungen werden. Ein gut untersuchtes Beispiel dafür ist die Reaktion von Aceton mit cis- bzw. trans-1-Methoxy-buten-(1)[2]:

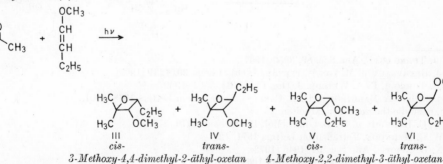

III   IV   V   VI
cis-   trans-   cis-   trans-
3-Methoxy-4,4-dimethyl-2-äthyl-oxetan   4-Methoxy-2,2-dimethyl-3-äthyl-oxetan

[1] D. R. ARNOLD, R. L. MINMAN u. A. M. GLIEK, Tetrahedron Letters 1964, 1425.
[2] N. J. TURRO u. P. A. WRIEDE, Am. Soc. 90, 6863 (1968); 92, 320 (1970).

Tab. 115. Isomerenverhältnisse der Oxetane III–VII in
Abhängigkeit von den Reaktionsbedingungen (s. S. 839)

Reaktions-bedingungen	cis-1-Methoxy-buten-(1)		trans-1-Methoxy-buten-(1)
	III:IV	V:VI	III:IV
Aceton als Solvens	1,35	0,88	1,20
Aceton und 0,4 m Pentadien-(1,3) als Quencher	4,50	2,20	2,70

Für die Reaktion mit elektronenarmen Olefinen wurde ein „quasisynchroner" Mechanismus vorgeschlagen um die größere Stereoselektivität zu erklären[1]. Aus stereoelektronischen Gründen reagiert zuerst das π^*-Elektron:

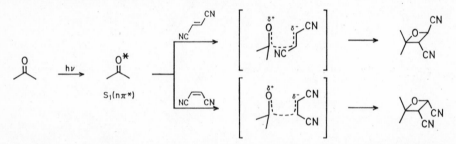

Für den Reaktionsablauf nach einem synchronen oder biradikalischen Mechanismus sind Substituenteneinflüsse ganz entscheidend[2]. Bei der Beurteilung von Stereo- oder Regioselektivität sollte allerdings die Exciplex-Bildung nicht vergessen werden.

Der Ablauf der Cycloaddition wird außer durch die Vielfalt an möglichen struktur- und stereoisomeren Oxetanen noch durch Nebenreaktionen kompliziert. Dies sei am Beispiel von Benzaldehyd und Isobuten gezeigt[3]:

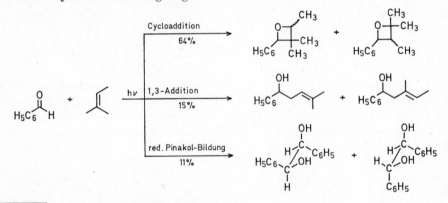

[1] N. J. Turro et al., Am. Soc. **89**, 3950 (1967).
　J. J. Beerebaum u. M. von Wittenan, J. Org. Chem. **30**, 1231 (1965).
　N. J. Turro u. P. A. Wriede, J. Org. Chem. **34**, 3562 (1969).
　Vgl. auch J. A. Barltrop u. H. A. Carless, Tetrahedron Letters **1968**, 3901.
[2] vgl. dazu die theoretischen Arbeiten:
　W. C. Herndon u. W. B. Giles, Mol. Photochem. **1970**, 277.
　W. C. Herndon, Tetrahedron Letters **1971**, 125.
　N. D. Epiotis, Am. Soc. **94**, 1946 (1972).
[3] N. C. Yang et al., Tetrahedron Letters **1964**, 3657.
　N. C. Yang, Pure Appl. Chem. **9**, 591 (1964).
　N. C. Yang, R. Loeschen u. D. Mitchell, Am. Soc. **89**, 5465 (1967).

Der genetische Zusammenhang für die Bildung der einzelnen Produkte wird noch deutlicher bei der Umsetzung von Aceton und 2,3-Dimethyl-buten-(2)[1]:

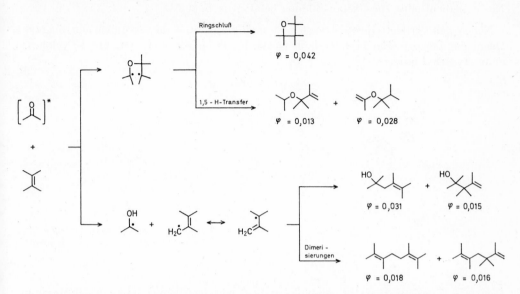

Eine weitere Einschränkung erfährt die Paterno-Büchi-Reaktion durch den **Energie-Transfer**:

$$T_1 \text{ (Carbonyl-Verb.)} + S_0 \text{ (Olefin)} \rightarrow T_1 \text{ (Olefin)} + S_0 \text{ (Carbonyl-Verb.)}$$

der immer dann wahrscheinlich ist, wenn die Triplett-Energie der Olefin-Komponente kleiner ist als die der Carbonyl-Komponente. Daraus läßt sich folgern, daß aromatische Ketone ($E_T < 75$ kcal/Mol) für die Reaktion besser geeignet sind als aliphatische, und daß Monoolefine ($E_T \sim 80$ kcal/Mol) günstigere Reaktionspartner sind als konjugierte Diene ($E_T < 60$ kcal/Mol). Ein klassisches Beispiel ist die Belichtung von Norbornen (Bicyclo-[2.2.1]hepten] in Gegenwart von Ketonen[2]:

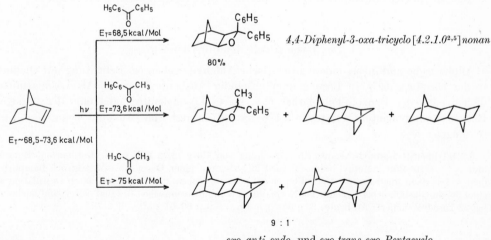

4,4-Diphenyl-3-oxa-tricyclo[4.2.1.0²,⁵]nonan

9 : 1

exo, anti, endo- und *exo, trans, exo-*Pentacyclo [8.2.1.1⁴,⁷.0²,⁹.0³,⁸]tetradecan

[1] H. A. J. CARLESS, Chem. Commun. **1973**, 316; Soc. Perkin II **1974**, 834.
[2] D. SCHARF u. F. KORTE, Tetrahedron Letters **1963**, 821.
    D. R. ARNOLD, D. J. TRECKER u. E. B. WHIPPLE, Am. Soc. **87**, 2596 (1965).

Beim Norbornadien führt der Energie-Transfer zur intramolekularen Cycloaddition unter Quadricyclan-Bildung (vgl. S. 232). Quadricyclan seinerseits ist jedoch genau wie das Norbornadien selbst zur Oxetan-Bildung befähigt (s. S. 862)[1].

Neben dem Triplett-Energietransfer ist in untergeordnetem Maß auch ein Singulett-Quenching möglich. Ein Beispiel dafür ist die Reaktion von Fluorenon mit 1-Cyclohexyl-imino-2-methyl-propen-(1)[2]:

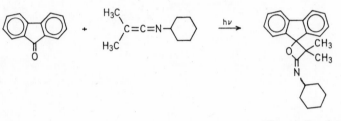

Fluoren-⟨9-spiro-2⟩-4-cyclo-hexylimino-3,3-dimethyl-oxetan

Bei 0,02 m Konzentration an Ketenimin hat die Quantenausbeute mit $\varphi \sim 0,7$ ein Maximum. Mit steigender Konzentration wird sie genauso wie die Fluoreszenz-Quantenausbeute rasch kleiner, was ein Beweis für das Quenching des Fluorenon-Singuletts S_1 durch Ketenimin-Moleküle ist.

Als **Carbonylverbindungen** sind Aldehyde, Ketone, Diketone, Chinone, Carbonsäure-fluoride, Urethane, Acylnitrile, Alkoxycarbonylnitrile, Thiocarbonyl-Verbindungen und bestimmte Ester geeignet. Als **Reaktionspartner** kommen Olefine, Allene, Acetylene, Enone, Ketenimine, Ketenacetale etc. in Frage. Neben den intermolekularen kennt man auch intramolekulare Paterno-Büchi-Reaktionen. Alle diese Details werden in den folgenden Abschnitten behandelt – mit Ausnahme der Chinone, Carbonsäure-Derivate und Thioketone, die in eigenen Kapiteln (vgl. S. 941 ff., 985 ff., 1060 ff.) beschrieben werden.

$\eta\eta_1$) von Aldehyden mit Olefinen

Aliphatische und insbesondere aromatische Aldehyde geben bei Belichtung mit Olefinen in der Gasphase bzw. in Lösung in wechselnder Ausbeute Oxetane. Als Lösungsmittel dienen entweder Benzol, Petroläther u. a. inerte Lösungsmittel oder eine der flüssigen Reaktionskomponenten selbst. Tab. 116 (S. 843) bringt eine Auswahl bekannter Umsetzungen.

3,3,4-Trimethyl-2-propyl-oxetan[3]: Eine Mischung von 196 g (2,72 Mol) frisch destilliertem Butanal und 174 g (2,48 Mol) 2-Methyl-buten-(2) wird 29 Stdn. mit einer Quecksilber-Mitteldruck-Lampe belichtet. Das nicht umgesetzte 2-Methyl-buten-(2) wird abgezogen, der Rückstand durch Destillation an einer 36-cm-Glasfüllkörper-Kolonne bei Normaldruck vom überschüssigen Butanal befreit und nochmals bei 22 Torr fraktioniert; Ausbeute: 23 g (6,5% d.Th.); Kp_{22}: 59–61°; $n_D^{25} = 1,4178$.

[1] A. A. GORMAN u. R. L. LEYLAND, Tetrahedron Letters **1972**, 5345.

[2] L. A. SINGER u. G. A. DAVIS, Am. Soc. **89**, 158 (1967).

[3] G. BÜCHI, C. G. INMAN u. E. S. LIPINSKY, Am. Soc. **76**, 4327 (1954).

Tab. 116. Oxetane aus Aldehyden und Olefinen

Aldehyd	Olefin	...-oxetan[a]	Ausbeute [% d. Th.]	Literatur
Acetaldehyd	Tetrafluor-äthylen[b]	*3,3,4,4-Tetrafluor-2-methyl-* ...	2,8	[1]
	Styrol	*cis*-und *trans-4-Methyl-3-phenyl-* ...	49	[2]
	cis-Buten-(2)	*r-2, c-3, c-4-* und *r-2, c-3, t-4-* sowie *r-2, t-3, c-4-Trimethyl-*... (48:41:11)	–	[3]
	trans-Buten-(2)	*r-2, c-3, c-4-* und *r-2, c-3, t-4-* sowie *r-2, t-3, c-4-Trimethyl-*... (5:42:53)	–	[3]
Trifluor-acetaldehyd	Hexafluor-propen	*cis-* und *trans-3,4,4-Trifluor-2,3-bis-[trifluormethyl]-* ... (1:1)	32	[4]
	4 H-Perfluor-buten-(1)	*3,4,4-Trifluor-2-trifluormethyl-3-(1,1,2,2-tetrafluor-äthyl)-* ...	66	[4]
Propanal	1-Propyloxy-2-methyl-propen-(1)	*4-Propyloxy-3,3-dimethyl-2-äthyl-* ... + *3-Propyloxy-4,4-dimethyl-2-äthyl-* ... }	–	[5]
	Äthyl-vinyl-äther	*4-Äthoxy-2-äthyl-* ...	10	[6]
Benzaldehyd	*cis-* und *trans-*Buten-(2)	*3,4-Dimethyl-2-phenyl-*...	64–68	[3]
	Isobuten	*3,3-Dimethyl-2-phenyl-* ...	–	[7]
	2-Methyl-buten-(2)	*3,3,4-Trimethyl-2-phenyl-* ... + *3,4,4-Trimethyl-2-phenyl-* ... (~ 1,6:1) }	94	[7–10]
	Methylen-cyclopentan	*Cyclopentan-⟨1-spiro-3⟩-2-phenyl-* ...	15	[11]
	Cyclohexen	*8-Phenyl-7-oxa-bicyclo[4.2.0]octan*	38	[12,13]
	2,4,4-Trimethyl-penten-(2)	*3,3-Dimethyl-4-tert.-butyl-2-phenyl-* ...	63	[13]
3-Methoxy-benzaldehyd	*cis-* und *trans-*Buten-(2)	*3,4-Dimethyl-2-(3-methoxy-phenyl)-*...	63–59	[3]
4-Methoxy-benzaldehyd	*cis-* und *trans-*Buten-(2)	*3,4-Dimethyl-2-(4-methoxy-phenyl)-*...	53–43	[3]
3,4-Methylen-dioxy-benz-aldehyd	*cis-* und *trans-*Buten-(2)	*3,4-Dimethyl-2-(3,4-methylendioxy-phenyl)-*...	42–55	[3]

[a] In Klammern rel. Mengenverhältnisse.
[b] Belichtung in der Gasphase.
[c] Quantenausbeute $\varphi \sim 0,05$.

[1] E. R. BISSELL u. D. E. FIELDS, J. Org. Chem. **29**, 249 (1964).
[2] H. SAKURAI, K. SHIMA u. J. AONO, Bl. chem. Soc. Japan **38**, 1227 (1965).
  G. JONES u. J. C. STAIRES, Tetrahedron Letters **1974**, 2099.
[3] N. C. YANG, M. KIMURA u. W. EISENHARDT, Am. Soc. **95**, 5058 (1973).
[4] J. F. HARRIS u. D. D. COFFMAN, Am. Soc. **84**, 1553 (1962).
  US. P. 2995572 (1961), DuPont, Erf.: J. F. HARRIS; C. A. **57**, 8548 (1962).
[5] S. H. SCHROETER, Chem. Commun. **1969**, 12.
[6] K. SHIMA u. H. SAKURAI, Bl. chem. Soc. Japan **42**, 849 (1969).
[7] H. KRISTINSSON u. G. W. GRIFFIN, Am. Soc. 88, 1579 (1966).
[8] G. BÜCHI, C. G. INMAN u. E. S. LIPINSKY, Am. Soc. **76**, 4327 (1954).
[9] N. C. YANG et al., Tetrahedron Letters **1964**, 3657.
  N. C. YANG, Pure Appl. Chem. **9**, 591 (1964).
  N. C. YANG, R. LOESCHEN u. D. MITCHELL, Am. Soc. **89**, 5465 (1967).
[10] J. P. STEPANOV, O. A. IKONOPISTSEVA u. T. J. TEMNIKOVA, J. Org. Chem. U.S.S.R. **2**, 2216 (1966).
[11] Y. SASAJIMA, K. SHIMA u. H. SAKURAI, J. chem. Soc. Japan, pure Chem. Sect. **86**, 1299 (1965); C. A. **65**, 13491 (1966).
[12] J. S. BRADSHAW, J. Org. Chem. **31**, 237 (1966).
[13] US. P. 3146180 (1964); Rohm & Haas Co., Erf.: H. J. CENCI; C. A. **61**, 10658 (1964).

Tab. 116 (1. Fortsetzung)

Aldehyd	Olefin	...-oxetan[a]	Ausbeute [% d. Th.]	Literatur
Naphthalin-1-carbaldehyd	2-Methyl-buten-(2)	3,3,4-Trimethyl-2-naphthyl-(1)- ... + 3,4,4-Trimethyl-2-naphthyl-(1)- ... (~ 3:2)	} 70[b]	1
	2,5-Dimethyl-thiophen	1,3-Dimethyl-6-naphthyl-(1)-7-oxa-2-thia-bicyclo[3.2.0]hepten-(3)	50	2
Naphthalin-2-carbaldehyd	cis-Buten-(2)	c-3, c-4-Dimethyl-r-2-naphthyl-(2)-... + t-3, t-4-Dimethyl-r-2-naphthyl-(2)-... (42:37)	} 44–57	3
	trans-Buten-(2)	c-3, t-4-Dimethyl-r-2-naphthyl-(2)-... + t-3, c-4-Dimethyl-r-2-naphthyl-(2)-... (36:58)	} 39–64	3
	2-Methyl-buten-(2)	3,3,4-Trimethyl-2-naphthyl-(2)- ... + 3,4,4-Trimethyl-2-naphthyl-(1)- ... (~ 3:2)	} 70[b]	1
Anthracen-9-carbaldehyd	2-Methyl-buten-(2)	3,3,4-Trimethyl-2-anthryl-(9)- ...	b	1
	2,3-Dimethyl-buten-(2)	3,3,4,4-Tetramethyl-2-anthryl-(9)- ...	b	1

[a] In Klammern rel. Mengenverhältnisse.
[b] Quantenausbeute $\varphi \sim 0{,}05$.

$\eta\eta_2$) von Ketonen mit Olefinen

In Tab. 117 (S. 845) ist eine Auswahl der in der Literatur beschriebenen Photocycloadditionen von Ketonen und Monoolefinen wiedergegeben.

cis- bzw. trans-4,4-Dimethyl-2,3-dicyan-oxetan[4]: Eine Lösung von 90 g Fumarsäure-dinitril in 1350 ml Aceton wird mit einer 450 W Hanovia-Lampe 56 Stdn. belichtet. Zur Vermischung des Reaktionsguts läßt man einen Strom von gereinigtem Stickstoff durchperlen. Nach Entfernung des Acetons bleibt ein öliger Rückstand, der nach der gaschromatographischen Analyse aus 14% Fumarsäure-dinitril, 12% Maleinsäure-dinitril, 64% trans-4,4-Dimethyl-2,3-dicyan-oxetan und 22,5% cis-4,4-Dimethyl-2,3-dicyan-oxetan besteht. Zur Isolierung destilliert man das Gemisch an einer Drehband-Kolonne mit einem Rücklaufverhältnis von 5:1. Fraktion 1 (Kp$_4$: 83–86°) besteht aus 26,7 g einer Mischung von Fumar- und Maleinsäure-dinitril. Fraktion 2 (Kp$_1$: 88–91°) gibt aus Äther/Hexan umkristallisiert reines trans-Oxetan; Ausbeute: 45 g; F: 41–42,3°. Fraktion 3 (Kp$_1$: 117–118°) liefert aus Äther umkristallisiert das cis-Oxetan; Ausbeute: 19,7 g; F: 59,5–60,2°.

Die analoge Reaktion mit Maleinsäure-dinitril führt zu einem höheren cis-Anteil.

1,4-Dimethyl-3,3-diphenyl-2-oxa-bicyclo[2.2.0]hexan[5]:

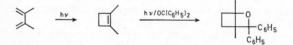

Eine Lösung von 2,36 g 2,3-Dimethyl-butadien-(1,3) (Fluka AG, 90% monomer) in 350 ml spektroskopisch reinem Pentan wird 6,5 Stdn. mit einer 450 W Hanovia-Lampe belichtet und weitere 10,5 Stdn. mit einem vorgeschalteten Vycor-Filter. Während der Reaktion perlt ein schwacher Helium-Strom durch die Lösung. Nach 17 Stdn. ist aus dem 2,3-Dimethyl-butadien-(1,3) praktisch vollständig 1,2-Dimethyl-cyclobuten entstanden.
(Fortsetzung S. 847)

[1] N. C. Yang et al., Tetrahedron Letters **1964**, 3657.
    N. C. Yang, Pure Appl. Chem. **9**, 591 (1964).
    N. C. Yang, R. Loeschen u. D. Mitchell, Am. Soc. **89**, 5465 (1967).
[2] C. Rivas u. R. A. Bolivar, J. Heterocycl. Chem. **10**, 967 (1973).
[3] N. C. Yang, M. Kimura u. W. Eisenhardt, Am. Soc. **95,** 5058 (1973).
[4] J. J. Beereboom u. M. von Wittenau, J. Org. Chem. **30**, 1231 (1965).
[5] J. Saltiel, R. M. Coates u. W. G. Dauben, Am. Soc. 88, 2745 (1966).

Tab. 117. Oxetane aus Ketonen und Olefinen

Keton	Olefin	...-oxetan[a]	Ausbeute [% d. Th.]	Literatur
Aceton	cis-Buten-(2)	cis- und trans-2,2,3,4-Tetramethyl-... (1:1,6)	–	1
	trans-Buten-(2)	cis- und trans-2,2,3,4-Tetramethyl-... (1:2)	–	1
	Isobuten	2,2,4,4-Tetramethyl- ... + 2,2,3,3-Tetramethyl- ... (4,5:1)	< 5	1, 2
	2-Methyl-buten-(2)	2,2,3,3,4-Pentamethyl-... + 2,2,3,4,4-Pentamethyl-... (1,6:1)	–	1
	2,3-Dimethyl-buten-(2)	2,2,3,3,4,4-Hexamethyl-...	21	3
	1-Äthoxy-2-äthyl-buten-(1)	4-Äthoxy-2,2-dimethyl-3,3-diäthyl- ... + 3-Äthoxy-4,4-dimethyl-2,2-diäthyl-... (85:15)	–	4
	Cyclopenten	7,7-Dimethyl-6-oxa-bicyclo[3.2.0]heptan	28	5
	Cyclohexen	8,8-Dimethyl-7-oxa-bicyclo[4.2.0]octan	8	6,7
	Cycloocten	10,10-Dimethyl-cis- und trans-9-oxa-bicyclo[6.2.0]decan	–	8
	trans-3,4-Di-acetoxy-trans-6-acetoxymethyl-5,6-dihydro-4H-pyran	4,5-Diacetoxy-8,8-dimethyl-3-acetoxy-methyl-2,7-dioxa-bicyclo[4.2.0]octan	33	9
	Acrylnitril	2,2-Dimethyl-4-cyan-oxetan	–	10
	Methacrylnitril	2,2,4-Trimethyl-4-cyan-...	–	10
	cis-Buten-(2)-säure-nitril	2,2,3-Trimethyl-4-cyan-...	–	10
Hexafluoraceton	Äthylen	2,2-Bis-[trifluormethyl]- ...	80	11
	Fluor-äthylen	3-Fluor-2,2-bis-[trifluormethyl]- ... + 4-Fluor-2,2-bis-[trifluormethyl]-... (1,6:1)	} 80	11

[a] In Klammern Angaben von rel. Mengenverhältnissen.

[1] H. A. J. CARLESS, Tetrahedron Letters 1973, 3173.
[2] N. J. TURRO et al., Am. Soc. 89, 3950 (1967).
[3] H. A. J. CARLESS, Chem. Commun. 1973, 316; Soc. (Perkin II) 1974, 834.
S. M. JAPAR, J. A. DAVIDSON u. E. W. ABRAHAMSON, J. Phys. Chem. 76, 478 (1972).
[4] S. H. SCHROETER, Chem. Commun. 1969, 12.
S. H. SCHROETER u. C. M. ORLANDO, J. Org. Chem. 34, 1181 (1969).
[5] E. H. GOLD u. D. GINSBURG, Ang. Ch. 78, 207 (1966).
[6] J. CHANG, D. M. HERCULES u. D. K. ROE, Elektrochim. Acta 1968, 1197.
[7] J. S. BRADSHAW, J. Org. Chem. 31, 237 (1966).
vgl. a. P. DE MAYO, J. B. STOTHERS u. W. TEMPLETON, Canad. J. Chem. 39, 488 (1961).
P. BORRELL u. J. SEDLAR, Trans. Faraday Soc. 66, 1670 (1970).
[8] K. SHIMA, Y. SAKAI u. M. SAKURAI, Bl. chem. Soc. Japan 44, 215 (1971).
[9] K. S. ONG u. R. L. WHISTLER, J. Org. Chem. 37, 572 (1972).
K. MATSUURA, Y. ARAKI u. Y. ISHIDO, B. Chem. Soc. Japan 45, 3496 (1972).
[10] J. A. BARLTROP u. M. A. J. CARLESS, Am. Soc. 94, 1951 (1972).
[11] E. W. COOK u. B. F. LANDRUM, J. Heterocyclic Chem. 2, 327 (1965).

Tab. 117 (1. Fortsetzung)

Keton	Olefin	...-oxetan[a]	Ausbeute [% d.Th.]	Literatur
Hexafluoraceton	Tetrafluor-äthylen	3,3,4,4-Tetrafluor-2,2-bis-[trifluor-methyl]-...	–	[1]
1,1,3,3-Tetra-fluor-1,3-di-chlor-2-oxo-propan	Trifluor-chlor-äthylen	3,4,4-Trifluor-3-chlor-2,2-bis-[difluor-chlor-methyl]-...	11	[2]
	Perfluor-propen	3,4,4-Trifluor-3-trifluormethyl-2,2-bis-[difluor-chlor-methyl]-...	56	[2, 3]
2-Oxo-butan	Methacrylnitril	2,4-Dimethyl-2-äthyl-4-cyan-...	35	[4]
3-Oxo-pentan	Methacrylnitril	4-Methyl-2,2-diäthyl-4-cyan-...	26	[4]
	Acrylnitril	2,2-Diäthyl-4-cyan-...	15	[4]
Hexafluor-cyclobutanon	Perfluor-propen	Hexafluor-cyclobutan-⟨1-spiro-2⟩-3,4,4-trifluor-3-trifluormethyl-...	33	[2,3,5]
Cyclopentanon	Methacrylnitril	Cyclopentan-⟨1-spiro-2⟩-4-methyl-4-cyan-...	34	[4]
Cyclohexanon	Methacrylnitril	Cyclohexan-⟨1-spiro-2⟩-4-methyl-4-cyan-...	55	[4]
Cyclohexanon	Fumarsäure-dinitril	Cyclohexan-⟨1-spiro-2⟩-trans-3,4-dicyan-...	89	[6]
Acetophenon	Isobuten	2,3,3-Trimethyl-2-phenyl-...	35	[7]
	2-Methyl-buten-(2)	2,3,3,4-Tetramethyl-2-phenyl-... +2,3,4,4-Tetramethyl-2-phenyl-... (9:1)	[b]	[8]
	Cyclohexen	8-Methyl-8-phenyl-7-oxa-bicyclo[4.2.0] octan	15	[9]
Benzophenon	Buten-(2)	cis- und trans-3,4-Dimethyl-2,2-di-phenyl-oxetan (6:1)	79	[7, 10, 11]
	Isobuten	3,3-Dimethyl-2,2-diphenyl-...	–	[11]
		+4,4-Dimethyl-2,2-diphenyl-... (9:1)	–	
	2-Methyl-buten-(2)	3,3,4-Trimethyl-2,2-diphenyl-... +3,4,4-Trimethyl-2,2-diphenyl-...	[c]	[7, 10] [12, 13]

[a] In Klammern Angaben von rel. Mengenverhältnissen.
[b] $\varphi \sim 0,1$
[c] $\varphi \sim 0,45$

[1] Niederl. P. 6404593 (1964) Allied Chem. Corp.; C. A. **62**, 11782 (1965).
[2] J. F. HARRIS u. D. D. COFFMAN, Am. Soc. **84**, 1553 (1962).
[3] US. P. 2995571 (1957), DuPont, Erf.: J. F. HARRIS; C. A. **56**, 5934 (1962).
[4] J. A. BARLTROP u. M. A. J. CARLESS, Am. Soc. **94**, 1951 (1972).
[5] US. P. 3125581 (1964), DuPont, Erf.: D. D. COFFMAN u. J. F. HARRIS; C. A. **60**, 15832 (1964).
[6] H. A. J. CARLESS, Tetrahedron Letters **1973**, 3173.
[7] D. R. ARNOLD, unveröffentlicht.
[8] E. PATERNO u. G. CHIEFFI, G. **39**, 341 (1909).
   G. BÜCHI, C. G. INMAN u. E. S. LIPINSKY, Am. Soc. **76**, 4327 (1954).
[9] J. S. BRADSHAW, J. Org. Chem. **31**, 237 (1966).
[10] D. R. ARNOLD, R. L. HINMAN u. H. GLICK, Tetrahedron Letters **1964**, 1425.
[11] R. A. CALDWELL, G. W. SOVOCOOL u. R. P. GAJEWSKI, Am. Soc. **95**, 2549 (1973).
[12] N. C. YANG et al., Tetrahedron Letters **1964**, 3657.
   N. C. YANG, Pure Appl. Chem. **9**, 591 (1964).
   N. C. YANG, R. LOESCHEN u. D. MITCHELL, Am. Soc. **89**, 5465 (1967).
[13] P. G. PETRELLIS et al., Am. Soc. **89**, 1967 (1967).

Tab. 117 (2. Fortsetzung)

Keton	Olefin	...-oxetan[a]	Ausbeute [% d.Th.]	Literatur
Benzophenon	1-Propyloxy-propen	*3-Propyloxy-4-methyl-2,2-diphenyl-* ... *+ 4-Propyloxy-3-methyl-2,2-diphenyl-* ... (56:44)	–	1
	Cyclohexen	*8,8-Diphenyl-7-oxa-bicyclo[4.2.0]octan*	13	2
4,4'-Dimethoxy-benzophenon	Isobuten	*3,3-Dimethyl-2,2-bis-[4-methoxy-phenyl]-oxetan*	80	3
Anthron	Isobuten	*9,10-Dihydro-anthracen-⟨9-spiro-2⟩-3,3-dimethyl-* ...	55	4
2-Benzoyl-naphthalin	2-Methyl-buten-(2)	*3,3,4-Trimethyl-2-phenyl-2-naphthyl-(2)-* ...	62[b]	5
Chloracetyl-pyrazin	Bicyclo[2.2.1]hepten	*4-Chlormethyl-4-(pyrazinyl-3-oxa-tri-cyclo[4.2.1.0²,⁵]nonan*	83	6
5-Methyl-4-benzoyl-1,2,3-triazol	Isobuten	*3,3-Dimethyl-2-phenyl-2-[5-methyl-1,2,3-triazolyl-(4)]-oxetan*	~100	7

[a] In Klammern Aufgaben von rel. Mengenverhältnissen.
[d] $\varphi \sim 0{,}005$

(Fortsetzung v. S. 844)

Man gibt nun 6,5 g Benzophenon hinzu und belichtet unter Verwendung eines Pyrex-Filters weitere 12,5 Stdn. Während dieser Zeit fallen 2,0 g gebildetes Benzpinakol (31% d.Th.) aus der Lösung aus. Das auf ~ 7 g eingeengte Filtrat, ein gelbes Öl, wird an 170 g basischem Aluminiumoxid (Woelm, Aktivitätsstufe III) chromatographiert. Beim Eluieren mit Pentan erhält man zunächst 0,5 g ölige Produkte, ein Kohlenwasserstoff-Gemisch, und dann das Oxetan; Ausbeute: 3,6 g (48% d.Th.); F: 112,1–112,9° (aus Äthanol).

$\eta\eta_3$) intramolekulare Oxetan-Bildung von ungesättigten Carbonyl-Verbindungen

Die Cycloaddition zwischen einer C=O- und einer C=C-Doppelbindung kann unter geeigneten räumlichen Voraussetzungen auch intramolekular ablaufen. Aus dem Enon entstehen dabei je nach Additionsorientierung ein 2,3-annelliertes und/oder ein 2,4-verbrücktes Oxetan:

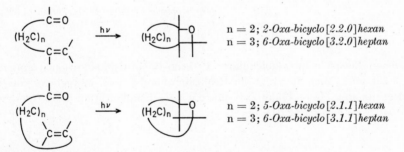

n = 2; *2-Oxa-bicyclo[2.2.0]hexan*
n = 3; *6-Oxa-bicyclo[3.2.0]heptan*

n = 2; *5-Oxa-bicyclo[2.1.1]hexan*
n = 3; *6-Oxa-bicyclo[3.1.1]heptan*

[1] S. H. SCHROETER, Chem. Commun. **1969**, 12;
  S. H. SCHROETER u. C. M. ORLANDO, J. Org. Chem. **34**, 1181 (1969).
[2] J. S. BRADSHAW, J. Org. Chem. **31**, 237 (1966).
[3] D. R. ARNOLD, R. L. HINMAN u. H. GLICK, Tetrahedron Letters **1964**, 1425.
[4] D. R. ARNOLD, unveröffentlicht.
[5] N. C. YANG et al., Tetrahedron Letters **1964**, 3657.
  N. C. YANG, Pure Appl. Chem. **9**, 591 (1964).
  N. C. YANG, R. LOESCHEN u. D. MITCHELL, Am. Soc. **89**, 5465 (1967).
[6] J. J. MAHER u. G. R. EVANEGA, unveröffentlicht.
[7] J. VAN THIELEN, T. VAN THIEN u. F. C. SCHRYVER, Tetrahedron Letters **1971**, 3031.

Für $n = 0$ ergibt sich der interessante Fall der Bildung eines Oxets aus einem konjugierten Enon[1]:

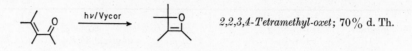

2,2,3,4-Tetramethyl-oxet; 70% d. Th.

Für $n = 1$, also für homokonjugierte Enone sind bisher nur wenige Reaktionsbeispiele bekannt – z. B. die Bildung von *1,9-Dimethyl-3-tert.-butyl-8-oxa-tricyclo[4.3.0.0⁶,⁹]nonan*[2]:

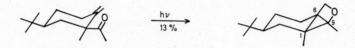

Unterschiedliche Reaktivität wird bei den Enonen Ia/Ib in Abhängigkeit von der Ringgröße beobachtet. Während die Fünfring-Verbindung photostabil ist, zeigt die Sechsring Verbindung eine γ-Wasserstoff-Abstraktion mit anschließender Cyclobutanol-Bildung; *8-Hydroxy-tricyclo[6.4.0.0²,⁷]dodecen-(2)* fällt in 80%iger Ausbeute an. Die Sieben- und Achtring-Verbindungen ergeben dagegen Oxetane[3]:

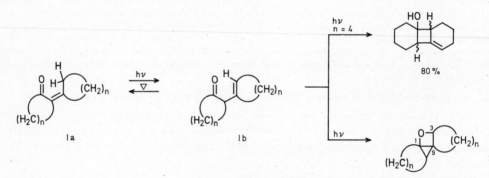

n = 5; *2-Oxa-tetracyclo[7.6.0.0¹,¹⁰.0³,⁹]pentadecan*; 32% d. Th.
n = 6; *2-Oxa-tetracyclo[8.7.0.0¹,¹¹.0³,¹⁰]heptadecan*; <25% d. Th.

Die meisten Beispiele intramolekularer Paterno-Büchi-Cycloadditionen sind für n = 2 und n = 3 bekannt. Auch da hängt der Reaktionsablauf jedoch weitgehend von den sterischen Gegebenheiten ab. So bildet z. B. nur die *trans*-Konfiguration des 6-Oxo-heptens-(2) *1,3-Dimethyl-2-oxa-bicyclo[2.2.0]hexan*[4]:

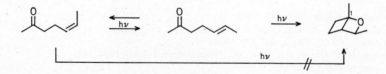

[1] L. B. FRIEDRICH u. G. B. SCHUSTER, Am. Soc. **91**, 7204 (1969); **94**, 1193 (1972).
[2] J. C. DALTON u. F. H. CHAN, Tetrahedron Letters **1974**, 3351.
[3] R. C. COOKSON u. N. R. ROGERS, Soc. (Perkin I) **1974** 1037.
[4] S. R. KUROWSKY u. H. MORRISON, Am. Soc. **94**, 507 (1972).

Zu ganz unterschiedlichen Produkten führt die Photolyse der beiden folgenden Stereo-isomeren von 3,6-Dimethyl-4-acetyl-cyclohexen[1]:

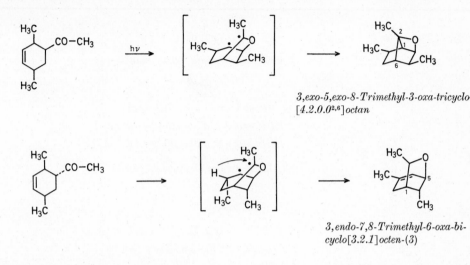

3,exo-5,exo-8-Trimethyl-3-oxa-tricyclo [4.2.0.0²,⁶]octan

3,endo-7,8-Trimethyl-6-oxa-bi-cyclo[3.2.1]octen-(3)

Verschiedene Valenzisomerisierungen zeigen auch die (Z)- und (E)-Konfigurationen des folgenden Dienons[2]:

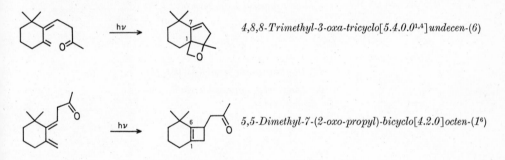

4,8,8-Trimethyl-3-oxa-tricyclo[5.4.0.0¹,⁴]undecen-(6)

5,5-Dimethyl-7-(2-oxo-propyl)-bicyclo[4.2.0]octen-(1⁶)

In der Tab. 118 (S. 850) wird ein Überblick über die intramolekularen Paterno-Büchi-Reaktion gegeben.

2-Oxa-tetracyclo[5.2.1.0³,¹⁰.0⁴,⁹]decan[3]: Eine Lösung von 35,5 g (0,26 Mol) 5-Formyl-bi-cyclo[2.2.2]octen-(2) in 5 *l* reinem Benzol wird 30 Min. mit trockenem, Sauerstoff-freiem Stickstoff gespült. Anschließend wird die Lösung unter Stickstoff 14 Tage mit einer 450 W Hanovia Quecksilber-Mitteldruck-Lampe mit einem Corex-Filter bestrahlt. Nach etwa 7 Tagen muß der entstandene Lampen-beschlag entfernt werden. Das rohe Oxetan erhält man nach Abdestillieren des Benzols bei vermindertem Druck durch Sublimation bei 150° (60 Torr); Ausbeute: 23,1 g (65% d.Th.); F: 160–163°.

$\eta\eta_4$) intermolekulare Oxetan-Bildung von ungesättigten Carbonylverbindungen mit Olefinen

Ungesättigte Carbonylverbindungen sind prinzipiell als Carbonyl- oder als Olefin-Kom-ponente für die Paterno-Büchi-Reaktion geeignet. Die Verwendung als Carbonyl-

(Forts. S. 852)

[1] J. R. SCHEFFER et al., Tetrahedron Letters **1973**, 1413.
[2] A. VAN WAGENINGEN u. M. CERFONTAIN, Tetrahedron Letters **1972**, 3679.
[3] R. R. SAUERS u. J. A. WHITTLE, J. Org. Chem. **34**, 3579 (1969).

Tab. 118. Intramolekulare Oxetan-Bildung

Ausgangsverbindung	Produkt	Ausbeute [% d.Th.]	Literatur
	 1-Methyl-2-oxa-bicyclo[2.2.0]hexan *+1-Methyl-5-oxa-bicyclo[2.1.1]hexan*	44	1, 2
	1,3-Dimethyl-2-oxa-bicyclo[2.2.0]hexan *+ 1,6-Dimethyl-5-oxa-bicyclo[2.1.1]hexan*	30	2, 3
	1,4-Dimethyl-2-oxa-bicyclo[2.2.0] hexan	–	2
	 3,4-Dimethyl-2,5-dioxa-bicyclo[2.2.0] *hexan*	40	4
	1,3,3-Trimethyl-2-oxa-bicyclo[2.2.0] *hexan* *+1,6,6-Trimethyl-5-oxa-bicyclo[2.1.1]* *hexan*	56	2
	 2,2-Dimethyl-6-oxa-bicyclo[3.2.0]heptan	–	5
	2,2-Dimethyl-7-isopropyl-6-oxa-bicyclo *[3.2.0]heptan* *+2,2-Dimethyl-7-isopropyl-6-oxa-* *tricyclo[3.1.1.0]heptan*	–	5
 O=C–R R=H R=CH₃ R=C₂H₅ R=C₆H₅ R=CH₂–C₆H₅ R=Naphthyl-(1) R=Naphthyl-(2)	 *2-Oxa-tetracyclo[4.2.1.0³,⁹.0⁴,⁸] nonan* *1-Methyl-...* *1-Äthyl-...* *1-Phenyl-...* *1-Benzyl-...* *1-Naphthyl-(1)-...* *1-Naphthyl-(2)-...*	– – – – – – –	6

[1] R. SRINIVASAN, Am. Soc. **82**, 775 (1960).
P. DE MAYO u. S. T. REID, Quart. Rev. **15**, 393 (1961).
[2] N. C. YANG, M. NUSSIM u. D. R. COULSON, Tetrahedron Letters **1965**, 1525.
[3] H. MORRISON, Am. Soc. **87**, 932 (1965).
[4] J. C. DALTON u. S. J. TREMONT, Tetrahedron Letters **1973**, 4025.
[5] J. KOSSANYI, B. GUIARD u. B. FURTH, Bl. **1974**, 305.
[6] R. R. SAUERS, W. SCHINSKI u. M. M. MASON, Tetrahedron Letters **1969**, 79.
R. R. SAUERS u. A. D. ROUSSEAU, Am. Soc. **94**, 1776 (1972).

Tab. 118 (1. Fortsetzung)

Ausgangsverbindung	Produkt	Ausbeute [% d.Th.]	Literatur
R=H	*2-Oxa-tetracyclo[4.3.1.0³,¹⁰.0⁴,⁸] decan*	35	1
	+9-Oxa-tetracyclo[3.3.2.0²,¹⁰.0³,⁷] decan	10	
R=CH₃	*1-Methyl-2-oxa-tetracyclo[4.3.1.0³,¹⁰.0⁴,⁸] decan*	41	
	+1-Methyl-9-oxa-tetracyclo [3.3.2.0²,¹⁰.0³,⁷]decan	21	
R=H R=CH₃ R=C₆H₅	*2-Oxa-tetracyclo[5.2.1.0³,¹⁰.0⁴,⁹] decan* *1-Methyl-...* *1-Phenyl-...*	65 88 –	2
	9-Oxa-tetracyclo[3.3.2.1³,⁷.0]undecan	33	3
	11-Oxa-tricyclo[5.3.1.0¹,⁶]undecan	55	4
	Photohecogenin-acetat	~38	5
	1α,5α-Epoxi-3β-acetoxy-cholestan *+1ξ,5ξ-Epoxi-3β-acetoxy-10ξ-cholestan*	31 4	6

¹ R. R. SAUERS u. K. W. KELLY, J. Org. Chem. **35**, 498 (1970).
² R. R. SAUERS u. J. A. WHITTLE, J. Org. Chem. **34**, 3579 (1969).
³ T. MORI et al., Tetrahedron Letters **1970**, 2419.
⁴ G. L. LANGE u. M. BOSCH, Tetrahedron Letters **1971**, 315.
⁵ P. BLADON, W. McMEEKIN u. J. A. WILLIAMS, Soc. **1963**, 5727.
⁶ M. L. MIHAILOVIC et al., Helv. **54**, 2281 (1971).

Komponente führt bei Belichtung in Gegenwart von Olefinen jedoch hauptsächlich zu Cyclobutan-Ringschlüssen (Wege ⓐ und ⓑ) (vgl. a. S. 898 ff.):

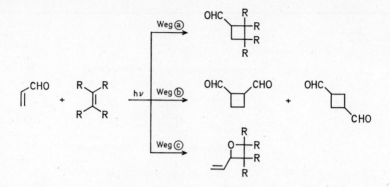

Gelegentlich beobachtet man gleichzeitig an einem Molekül Cyclobutan- und Oxetan-Bildung[1]:

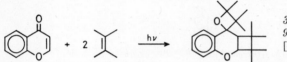

3,3,4,4-Tetramethyl-oxetan-⟨2-spiro-7⟩-9,9,10,10-tetramethyl-⟨benzo-2-oxa-bicyclo [4.2.0]octen-(3)⟩

Schließlich besteht bei ungesättigten Carbonyl-Verbindungen die Möglichkeit eines intramolekularen Oxetan-Ringschlusses (vgl. S. 847 ff.).

Wie sehr der Reaktionsablauf vom Einzelfall abhängt, zeigt das folgende Beispiel[2]:

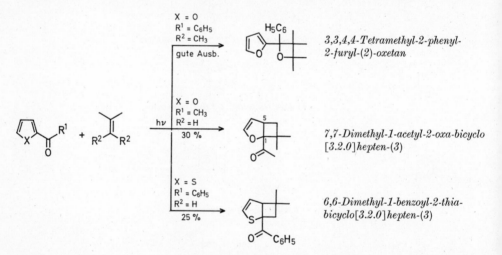

3,3,4,4-Tetramethyl-2-phenyl-2-furyl-(2)-oxetan

7,7-Dimethyl-1-acetyl-2-oxa-bicyclo [3.2.0]hepten-(3)

6,6-Dimethyl-1-benzoyl-2-thia-bicyclo[3.2.0]hepten-(3)

Entscheidend dafür, ob Cyclobutan- oder Oxetan-Ringbildung stattfindet, scheint die Konfiguration des untersten Triplett-Zustandes zu sein. $\pi\pi^*$-Anregung führt zum Cyclobutan-, $n\pi^*$-Anregung zum Oxetan[2].

In Tab. 119 (S. 853) sind die Paterno-Büchi-Reaktionen mit ungesättigten Carbonyl-Verbindungen als Carbonylkomponente zusammengefaßt (Chinone s. S. 944 ff., 947 ff.).

Die Verwendung einer ungesättigten Carbonyl-Verbindung als Olefin-Komponente ist ebenfalls wesentlich eingeschränkt. Erstens gelingt kaum eine direkte selektive Anregung

[1] J. W. Hanifin u. E. Cohen, Tetrahedron Letters 1966, 5421.
[2] T. S. Contrell, Chem. Commun. 1972, 155.

eines Aldehyds bzw. Ketons in Gegenwart einer ungesättigten Carbonyl-Verbindung und zweitens muß ein Energie-Transfer von der Carbonyl-Komponente auf die ungesättigte

(Forts. S. 854)

Tab. 119. Oxetane aus ungesättigten Carbonyl-Verbindungen und Olefinen

Ungesättigte Car-bonyl-Verbindung	Olefin	Oxetan[a]	Ausbeute [% d.Th.]	Literatur
Acrolein	Furan	*6-Vinyl-2,7-dioxa-bicyclo [3.2.0]hepten-(3)*	11	[1]
Crotonaldehyd	Furan	*6-Propen-(1)-yl-2,7-dioxa-bicyclo[3.2.0]hepten-(3)*	11	[1]
	2-Methyl-buten-(2)	*3,3,4-Trimethyl-2-propen-(1)-yl-oxetan*	–	[2]
Zimtaldehyd	2-Methyl-buten-(2)	*3,3,4-Trimethyl-2-(2-phenyl-vinyl)-oxetan*	–	[2]
6-Oxo-3-methyl-3-trichlormethyl-cyclohexadien (1,4)	Isobuten	*6-Methyl-6-trichlor-methyl-cyclohexadien-(1,4)-⟨3-spiro-2⟩-3,3 dimethyl-oxetan*	–	[3]
	2-Methyl-buten-(2)	*6-Methyl-6-trichlor-methyl-cyclohexa-dien-(1,4)-⟨3-spiro-2⟩-3,3,4-trimethyl-oxetan*	–	[3]
4 H-Chromen	1,1-Dimethoxy-äthylen	*10,10-Dimethoxy-⟨benzo-2-oxa-bi-cyclo[4.2.0]octen-(3)⟩-⟨7-spiro-2⟩-3,3-dimethoxy-oxetan*	–	[4]
3-Oxo-butin	Isobuten	*2,3,3-Trimethyl-2-äthinyl-oxetan* +*2,4,4-Trimethyl-...* (86:14)	64	[5]
2-Oxo-octin-(3)		*2,3,3-Trimethyl-2-hexin-(1)-yl-oxetan* +*2,4,4-Trimethyl-...* (80:20)	82	[5]
3,5-Dioxo-cyclopenten	Isobuten	*5-Oxo-cyclopenten-⟨3-spiro-2⟩-3,3-dimethyl-oxetan* +*...-4,4-dimethyl-oxetan* (81:19)	–	[6]

[a] In Klammern rel. Mengenverhältnisse.

[1] K. SHIMA u. H. SAKJAI, Bl. chem. Soc. Japan 39, 1806 (1966).
G. R. EVANEGA u. E. B. WHIPPLE, Tetrahedron Letters 1967, 2163.
Vgl. a. E. B. WHIPPLE u. G. R. EVANEGA, Tetrahedron 24, 1299 (1968).
[2] N. C. YANO, Pure Appl. Chem. 9, 591 (1964).
[3] D. J. PATEL u. D. J. SCHUSTER, Am. Soc. 89, 184 (1967).
[4] J. W. HANIFIN u. E. COHEN, Tetrahedron Letters 1966, 5421.
[5] M. J. JORGENSON, Tetrahedron Letters 1966, 5811.
[6] Z. I. YOSHIDA, M. KIMURA u. S. YONEDA, Tetrahedron Letters 1974, 2519.

Tab. 119 (1. Fortsetzung)

Ungesättigte Carbonyl-Verbindung	Olefin	Oxetan[a]	Ausbeute [% d.Th.]	Literatur
3,5-Dioxo-4,4-di-methyl-cyclopenten	Isobuten	5-Oxo-4,4-dimethyl-cyclopenten-⟨3-spiro-2⟩-3,3-dimethyl-oxetan +...-4,4-dimethyl-oxetan (78:22)	–	1
	2,3-Dimethyl-buten-(2)	5-Oxo-4,4-dimethyl-cyclopenten-⟨3-spiro-2⟩-3,3,4,4-tetramethyl-oxetan	~90	1
Dimethyl-maleinsäure-anhydrid	Inden	anti-Benzo-6-oxa-bicyclo[3.2.0]hepten-(2)-⟨9-spiro-2⟩-5-oxo-3,4-dimethyl-2,5-dihydro-furan +syn-... (8:2)	–	2
Phthalsäure-anhydrid		anti-Benzo-6-oxa-bicyclo[3.2.0]hepten-(2)-⟨9-spiro-1⟩-3-oxo-1,3-dihydro-⟨benzo-[c]-furan⟩ +syn-... (1:1)	–	2
Naphthalin-1,8-di-carbonsäure-anhydrid	1,1-Dimethyl-inden	syn-6,6-Dimethyl-⟨benzo-6-oxa-bicyclo[3.2.0]hepten-(2)⟩-⟨9-spiro-1⟩-3-oxo-1H,3H-⟨naphtho-[1,8-c,d]-pyran⟩	–	2

[a] In Klammern rel. Mengenverhältnisse.

Carbonyl-Verbindung als Olefin-Komponente vermieden werden, sonst dimerisiert sich die letztere unter Bildung eines Cyclobutan-Rings:

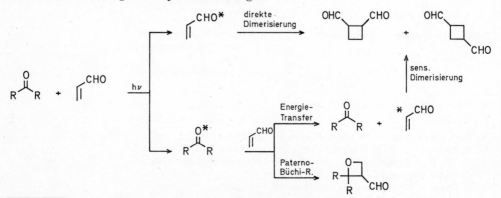

[1] Z. I. Yoshida, M. Kimura u. S. Yoneda, Tetrahedron Letters **1974**, 2519;
[2] S. Farid u. S. E. Shealer, Chem. Commun. **1973**, 296.

Tab. 120. Oxetane aus einer ungesättigten Carbonyl-Verbindung und einer weiteren Carbonyl-Komponente

Carbonyl-Komponente	ungesättigte Carbonylverbindung	Produkt	Ausbeute [% d. Th.]	Literatur
Aceton	Maleinsäureanhydrid	*4,4-Dimethyl-oxetan-2,3-dicarbonsäureanhydrid*		[1]
Cyclopentanon		*Cyclopentan-⟨1-spiro-2⟩-oxetan-3,4-dicarbonsäureanhydrid*	34-67	
Cyclohexanon		*Cyclohexan-⟨1-spiro-2⟩-oxetan-3,4-dicarbonsäureanhydrid*		
Benzaldehyd	2-Oxo-4,5-dimethyl-1,3-diacetyl-2,3-dihydro-imidazol	*3-Oxo-1,5-dimethyl-7-phenyl-2,4-diacetyl-6-oxa-2,4-diaza-bicyclo[3.2.0]heptan*	50	[2]
Acetophenon		*3-Oxo-1,5,7-trimethyl-7-phenyl-2,4-diacetyl-6-oxa-2,4-diaza-bicyclo[3.2.0]heptan*	34	[2]
Benzophenon	2-Oxo-1,3-diacetyl-2,3-dihydro-imidazol	*3-Oxo-7,7-diphenyl-2,4-diacetyl-6-oxa-2,4-diaza-bicyclo[3.2.0]heptan*	100	[2]
	2-Oxo-4,5-dimethyl-1,3-diacetyl-2,3-dihydro-imidazol	*3-Oxo-1,5-dimethyl-7,7-diphenyl-2,4-diacetyl-6-oxa-2,4-diaza-bicyclo[3.2.0]heptan*	80	[2]
	6-Oxo-3-(hydroxydiphenyl-methyl)-cyclohexadien-(1,4)	*2-Oxo-5-(hydroxy-diphenyl-methyl)-8,8-diphenyl-7-oxa-bicyclo[4.2.0]octen-(3)*	–	[3]

[1] N. J. TURRO et al., Am. Soc. **89**, 3950 (1967).
[2] G. STEFFAN u. G. O. SCHENCK, B. **100**, 3961 (1967).
[3] H. D. BECKER, J. Org. Chem. **32**, 2115, 2124 (1967).

Tab. 120 (1. Fortsetzung)

Carbonyl-Komponente	ungesättigte Carbonylverbindung	Produkt	Ausbeute [% d. Th.]	Literatur
Benzophenon	Thymin	3,5-Dioxo-6-methyl-8,8-diphenyl-7-oxa-2,4-diaza-bicyclo[4.2.0]octan	–	1
Fluorenon	2-Oxo-4,5-dimethyl-1,3-diacetyl-2,3-di-hydro-imidazol	Fluoren-⟨9-spiro-7⟩-3-oxo-1,5-dimethyl-2,4-di-acetyl-6-oxa-2,4-diaza-bicyclo[3.2.0]heptan	20	2
Benzil	2-Oxo-1,3-dioxol	3-Oxo-7-phenyl-7-benzoyl-2,4,6-trioxa-bicyclo[3.2.0]heptan	37	3
1,2-Dioxo-1,2-dihy-dro-acenaphthylen		2-Oxo-1,2-dihydro-ace-naphthylen-⟨1-spiro-7⟩-3-oxo-2,4,6-trioxa-bicyclo[3.2.0]heptan	81	3

3-Oxo-7,7-diphenyl-2,4,6-trioxa-bicyclo[3.2.0]heptan[3]: 1,82 g (10 mMol) Benzophenon und 4,32 g (50 mMol) Vinylencarbonat werden in 250 ml Benzol unter Argon bei 15–20° 120 Stdn. belichtet. Als Strahlungsquelle dient ein Philips HPK 125 W Quecksilber-Hochdruck-Brenner mit einem GWC-Filter. Nach Abziehen des Benzols nimmt man den Rückstand in 70 ml Äther auf, verdünnt mit 30 ml Petrol-äther (Kp: 50–70°) und kühlt auf −20° ab, wobei das Reaktionsprodukt ausfällt; Ausbeute: 1,37 g (51% d. Th.); F: 117–118° (Methanol).

Xanthen-⟨9-spiro-7⟩-3-oxo-2,4-diacetyl-6-oxa-2,4-diaza-bicyclo[3.2.0]heptan[4]: 1,3 g 2-Oxo-1,3-di-acetyl-2,3-dihydro-imidazol und 1,0 g Xanthon werden mit einer Philips HPK 125 W Quecksilber-Hochdruck-Lampe mit Solidex-Filter 104 Stdn. unter Argon in 170 ml Aceton belichtet. Nach Einengen auf ∼ 10 ml scheiden sich 0,4 g farbl. Kristalle vom F: 190–200° ab; Ausbeute: 0,345 g (15% d. Th.); F: 200–202° (Zers.; aus Aceton).

$\eta\eta_5$) von Di- und Tricarbonyl-Verbindungen mit Olefinen

Dicarbonyl-Verbindungen mit nicht benachbarten Oxo-Gruppen können mit Olefinen eine doppelte Paterno-Büchi-Reaktion eingehen. So erhält man aus 1,3-Dibenzoyl-benzol

[1] J. VON WILUCKI, H. MATTHAUS u. C. H. KRAUCH, Photochem. a. Photobiol. **6**, 497 (1967).
[2] G. STEFFAN u. G. O. SCHENCK, B. **100**, 3961 (1967).
[3] S. FARID, D. HESS u. C. H. KRAUCH, B. **100**, 3266 (1967).
[4] G. STEFFAN u. G. O. SCHENCK, B. **100**, 3961 (1967).

und Isobuten in hoher Ausbeute *1,3-Bis-[3,3-dimethyl-2-phenyl-oxetanyl-(2)]-benzol*[1]:

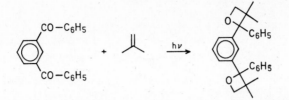

β-Dicarbonyl-Verbindungen können aus der Keto-Form Oxetan-Bildung oder aus der Enolform Cyclobutan-Bildung zeigen. Als Beispiel sei die Reaktion von Cyclohexen mit Acetessigsäure-methylester[2] und Pentandion-(2,4)[3] angeführt:

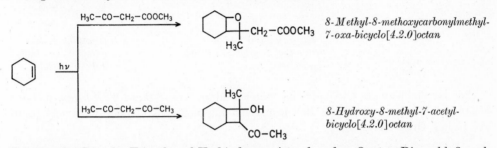

8-Methyl-8-methoxycarbonylmethyl-7-oxa-bicyclo[4.2.0]octan

8-Hydroxy-8-methyl-7-acetyl-bicyclo[4.2.0]octan

Bei vicinalen Di- oder Tricarbonyl-Verbindungen ist neben dem Oxetan-Ringschluß noch die Bildung von 2,3-Dihydro-1,4-dioxinen möglich, so erhält man aus Cyclohexen mit dem Diketon I ein Oxetan, mit dem Diketon II ein 2,3-Dihydro-1,4-dioxin[4]:

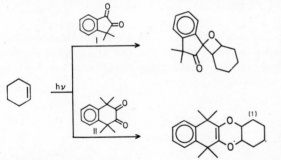

2-Oxo-3,3-dimethyl-2,3-dihydro-inden-⟨1-spiro-8⟩-7-oxa-bicyclo[4.2.0]octan; 22% d.Th.

6,6,11,11-Tetramethyl-1,2,3,4,4a,6,11,12a-octahydro-⟨benzo-[b]-naphtho-[2,3-e]-1,4-dioxin⟩; 6% d.Th.

Aus Stilben und 2,3-Dioxo-1,1,4,4-tetramethyl-1,2,3,4-tetrahydro-naphthalin entstehen sowohl das Oxetan als auch das 1,4-Dioxin[4] im Verhältnis 25:24.

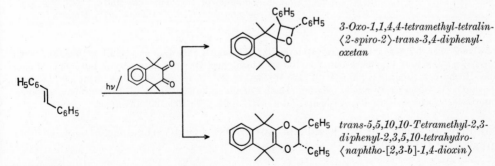

3-Oxo-1,1,4,4-tetramethyl-tetralin-⟨2-spiro-2⟩-trans-3,4-diphenyl-oxetan

trans-5,5,10,10-Tetramethyl-2,3-diphenyl-2,3,5,10-tetrahydro-⟨naphtho-[2,3-b]-1,4-dioxin⟩

[1] G. O. SCHENCK et al., B. **98**, 3102 (1965).
[2] M. TADA, T. KOKUBO u. T. SATO, Bl. Chem. Soc. Japan **43**, 2162 (1970).
[3] P. DE MAYO u. H. TAKESHITA, Canad. J. Chem. **41**, 440 (1963).
[4] G. E. GREAM, M. MULAR u. J. C. PAICE, Tetrahedron Letters **1970**, 3479.

Noch komplizierter verläuft die Addition von Cyclohexen an 2,3-Dioxo-1,1,4,4-tetra-methyl-cyclohexan[1]:

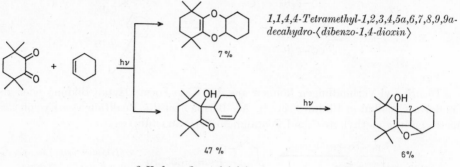

1,1,4,4-Tetramethyl-1,2,3,4,5a,6,7,8,9,9a-decahydro-⟨dibenzo-1,4-dioxin⟩

7 %

47 %

2-Hydroxy-3-oxo-1,1,4,4-tetramethyl-2-cyclohexen-(2)-yl-cyclohexan

6%

8-Hydroxy-9,9,12,12-tetramethyl-2-oxa-tetracyclo [5.5.1.0¹,⁸.0³,¹³]tridecan

Eine intramolekulare Cycloaddition unter Bildung von *3-Oxo-1,2,2,4-tetramethyl-5-oxa-bicyclo[2.1.1]hexan* erfolgt bei Belichtung von 4,5-Dioxo-2,3,3-trimethyl-hexen[2] (weitere Beispiele s. Orig.-Lit.):

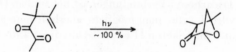

Während bestimmte Carbonsäure-Derivate zwar die Paterno-Büchi-Reaktion zeigen (vgl. S. 842), reagieren Oxo-carbonsäure-Derivate immer mit der ketonischen Carbonyl-Funktion. Als Beispiel soll die Reaktion von Oxo-malonsäure-diäthylester mit Norbornen dienen[3]:

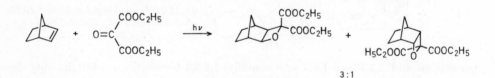

3 : 1

4,4-Diäthoxycarbonyl-3-oxa-exo- und *-endo-tricyclo[4.2.1.0²,⁵]nonan* (97% Umsatz)

3-Oxo-7-phenyl-7-benzoyl-2,4,6-trioxa-bicyclo[3.2.0[heptan[4]: Eine Lösung von 2,1 g (10 mMol) Benzil und 4,32 g (50 mMol) Vinylencarbonat in 100 *ml* Benzol wird 70 Stdn. unter Argon mit einem Queck-silber-Hochdruck-Brenner (Philips HPK 125 W) bei 15–20° belichtet. Als Filter dient ein Lampen-schacht GWV (Glaswerk Wertheim), der unterhalb 370 nm undurchlässig ist. Nach Abziehen des Solvens hinterbleiben farblose Kristalle; Ausbeute: 1,1 g (37% d.Th.); F: 159–160° aus Benzol.

Weitere Beispiele für Cycloaddukte aus α-Dicarbonyl-Verbindungen und Olefinen enthält Tab. 121 (S. 859).

[1] G. E. Gream, M. Mular u. J. C. Paice, Tetrahedron Letters **1970**, 3479.
[2] R. Bishop u. N. K. Hamer, Chem. Commun. **1969**, 804.
[3] M. Hara, Y. Odaira u. S. Tsutsumi, Tetrahedron Letters **1967**, 2981.
[4] S. Farid, D. Hess u. C. M. Krauch, B. **100**, 3266 (1967).

Tab. 121. Cycloaddukte aus α-Dicarbonyl-Verbindungen und Olefinen

α-Dicarbonyl-Verbindung	Olefin	...-oxetan[a]	Ausbeute [% d.Th.]	Literatur
Diacetyl (Butandion)	Isobuten	*2,3,3-Trimethyl-2-acetyl-...*	10	1
	2-Methyl-buten-(2)	*2,3,3,4-Tetramethyl-2-acetyl-...*	21	1
	2-Phenyl-propen	*2,3-Dimethyl-3-phenyl-2-acetyl-...*	48	1, 2
	Vinyl-äthyl-äther	*3-Äthoxy-2-methyl-2-acetyl-...*	–	1, 2
	Äthyl-isopropenyl-äther	*3-Äthoxy-2,3-dimethyl-2-acetyl-...*	57	1, 2
	Furan	*6-Methyl-6-acetyl-2,7-dioxa-bicyclo[3.2.0]hepten-(3)*	–	1, 2
	Inden	*9-Methyl-9-acetyl-⟨benzo-6-oxa-bicyclo[3.2.0]hepten-(2)⟩*	–	1, 2
Benzil	1,1-Diphenyl-äthylen	*2,3,3-Triphenyl-2-benzoyl-oxetan*	83	3
	3-Methyl-buten-(3)-in-(1)	*3-Methyl-3-äthinyl-2-phenyl-2-benzoyl-...*	8	3
	4-Methoxy-buten-(3)-in-(1)	*4-Methoxy-3-äthinyl-2-phenyl-2-benzoyl-...*	34	3
	Benzoesäure-N-methyl-N-(2-phenyl-vinyl)-amid	*4-Methyl-benzoyl-amino-2,3-diphenyl-2-benzoyl-...*	60	3
	2-Oxo-1,3-dioxol	*3-Oxo-7-phenyl-7-benzoyl-2,4,6-trioxa-bicyclo[3.2.0.]heptan*	37	4
Brenztraubensäure-methylester	2-Methyl-buten-(2)	*2,3,3,4-Tetramethyl-2-methoxycarbonyl-oxetan*	15	5
	2-Phenyl-propen	*(E)-2,3-Dimethyl-3-phenyl-2-methoxycarbonyl-...* *(Z)-...* (27:50)	–	5
	Äthyl-isopropenyl-äther	*(E)-3-Äthoxy-2,3-di-methyl-2-methoxy-carbonyl-...* *(Z)-...* (6:5)	–	5

[a] In Klammern rel. Mengenangaben.

[1] H. S. RYANG, K. SHIMA u. H. SAKURAI, J. Org. Chem. **38**, 2860 (1973).
[2] H.-S. RYANG, K. SHIMA u. H. SAKURAI, Tetrahedron Letters **1970**, 1091; Am. Soc. **93**, 5270 (1971).
[3] R. J. C. KOSTER et al., R. **93**, 157 (1974).
      vgl. aber: A. SCHÖNBERG u. MUSTAFA, Soc. **1945**, 551.
            K. R. EICKEN, A. **724**, 66 (1969).
[4] S. FARID, D. HESS u. C. H. KRAUCH, B. **100,** 3266 (1967).
[5] K. SHIMA, T. KAWAMURA u. K. TANABE, Bl. Soc. chem. Japan **47**, 2347 (1974).

Tab. 121 (1. Fortsetzung)

α-Dicarbonyl-Verbindung	Olefin	. . .-oxetan	Ausbeute [% d. Th.]	Literatur
Pyridyl-(3)-glyoxyl-säure	Isobuten	*3,3-Dimethyl-2-carboxy-2-pyridyl-(3)-. . .*	65	1
Oxo-malonsäure-diäthylester	1,1-Diphenyl-äthylen	*3,3-Diphenyl-2,2-diäthoxy-carbonyl-. . .*	64	2
	2-Phenyl-propen	*3-Methyl-3-phenyl-2,2-diäthoxycarbonyl-. . .*	76	2
2,3-Dioxo-1,1-di-methyl-2,3-dihydro-inden	Stilben	*2-Oxo-3,3-dimethyl-2,3-di-hydro-inden-⟨1-spiro-2⟩-trans-3,4-diphenyl-. . .*	7	3
2,3-Dioxo-1,1,4,4-tetra-methyl-tetralin	2,3-Dimethyl-butadien-(1,3)	*2,5,5,10,10-Pentamethyl-2-isopropenyl-2,3,5,10-tetrahydro-⟨naphtho-[2,3-b]-1,4-dioxin⟩*	80	3
2,3-Dioxo-1,7,7-tri-methyl-bicyclo[2.2.1] heptan	Butadien-(1,3)	*3-Oxo-4,7,7-trimethyl-bicyclo[2.2.1]heptan-⟨2-spiro-2⟩-3-vinyl-oxetan*	–	4
1,2,3-Trioxo-2,3-di-hydro-inden	Stilben	*9-Oxo-2,3-diphenyl-2,3-dihydro-9H-⟨indeno-[1,2-b]-1,4-dioxin⟩*	–	5
1,2,3-Trioxo-2,3-dihydro-phenalen	Stilben	*7-Oxo-9,10-diphenyl-9,10-dihydro-7H-⟨phenaleno-[1,2-b]-1,4-dioxin⟩*	–	5

[1] J. J. MAHER u. G. R. EVANEGA, unveröffentlicht.
[2] M. HARA, Y. ODAIRA u. S. TSUTSUMI, Tetrahedron Letters **1967**, 2981.
[3] G. E. GREAM, M. MULAR u. J. C. PAICE, Tetrahedron Letters **1970**, 3479.
[4] W. L. DILLING, R. D. KROENING u. J. C. LITTLE, Am. Soc. **92**, 928 (1970).
[5] A. SCHÖNBERG et al., Soc. **1948**, 2126.
    Zur Kontroverse über die Struktur der Cycloaddukte vgl. S. FARID, D. HESS u. C. M. KRAUCH, B. **100**, 3266 (1967).

Tab. 121 (2. Fortsetzung)

α-Dicarbonyl-Verbindung	Olefin	...-oxetan	Aubeute [% d.Th.]	Literatur
Benzil	Xanthotoxin	*4-Methoxy-6-oxo-1-phenyl-1-benzoyl-2a,9b-dihydro-1H,6H-⟨oxet-[2,3-b]-chromeno-[6,7-d]-furan⟩*	94	1
	Visnagin	*9-Methoxy-8-oxo-6-methyl-1-phenyl-1-benzoyl-2a,9b-dihydro-1H,8H-⟨oxet-[2,3-b]-chromeno-[6,7-d]-furan⟩*	56	1

$\eta\eta_6$) mit Dienen

Diene mit isolierten Doppelbindungen können sich glatt an Carbonyl-Verbindungen addieren. So erhält man z. B. aus Benzophenon und 1,5-Cyclooctadien das entsprechende *10,10-Diphenyl-9-oxa-bicyclo[6.2.0]decen-(4)*[2]:

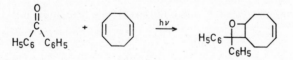

Bei komplizierteren Systemen kann es durch die Beteiligung von σ-Komponenten zu Additionen unter Gerüstumlagerung kommen. Als Beispiele seien die Reaktionen von

---

[1] G. O. SCHENCK et al., B. **98**, 3102 (1965).

[2] R. O. KAN, *Organic Photochemistry*, McGraw-Hill, New York 1966.

D. R. ARNOLD, Adv. Photochem. **6**, 301 (1968).

Benzophenon mit Bicyclo[2.2.1]heptadien[1] und Oxo-barbaralan[2] genannt:

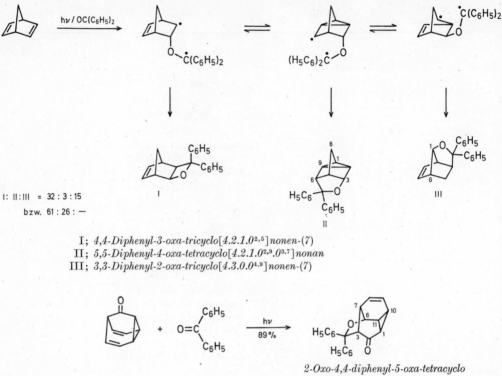

I: II: III = 32 : 3 : 15

bzw. 61 : 26 : —

I; *4,4-Diphenyl-3-oxa-tricyclo[4.2.1.0²,⁵]nonen-(7)*
II; *5,5-Diphenyl-4-oxa-tetracyclo[4.2.1.0²,⁹.0³,⁷]nonan*
III; *3,3-Diphenyl-2-oxa-tricyclo[4.3.0.0⁴,⁹]nonen-(7)*

2-Oxo-4,4-diphenyl-5-oxa-tetracyclo
[4.4.1.0³,⁷.0¹⁰,¹¹]undecen-(8)

Bei konjugierten Dienen und Polyenen[3] ist eine Paterno-Büchi-Reaktion über den untersten Triplett-Zustand der Carbonyl-Verbindung unwahrscheinlich, da dieser i. a. vom Dien gequencht wird. Die Oxetan-Bildung mit konjugierten Dienen ist dann nur möglich, wenn ① die Reaktion über Singulett-Komplexe verläuft, oder wenn ② die Carbonyl-Verbindung wie z. B. bei den Chinonen eine kleinere Triplett-Energie als das Dien besitzt und daher ein wirksamer Transfer nicht stattfinden kann; oder wenn drittens ③ das sensibilisierte Dien-Triplett mit der Carbonyl-Verbindung im Grundzustand eine Cycloaddition eingeht. Andernfalls isomerisiert oder dimerisiert sich das Dien, und die Carbonyl-Verbindung wirkt lediglich als Sensibilisator.

Ein Singulett-Komplex wird für die Reaktion von Propanal mit Cyclohexadien-(1,3) angenommen[4]:

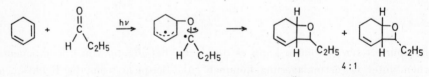

4 : 1

exo- und *endo-8-Äthyl-7-oxa-cis-bicyclo[4.2.0]octen-(2)*

[1] T. KUBOTA, K. SHIMA u. H. SAKURAI, Chemistry Letters Chem. Soc. Japan **1972**, 393.
A. A. GORMAN u. R. B. LEYLAND, Tetrahedron Letters **1972**, 5345.
vgl. aber A. A. GORMAN et al., Tetrahedron Letters **1973**, 5085.
[2] K. KURABAYASHI u. T. MUKAI, Chem. Commun. **1972**, 1016.
[3] vgl. a. die Reaktionen der Vinyl-cyclopropane: N. SHIMIZU et al., Am. Soc. **96**, 6456 (1974).
[4] T. KUBOTA et al., Chem. Commun. **1969**, 1462.

Zu ② s. S. 862. Der Fall ③ sei am Beispiel von Benzophenon und 2,3-Dimethyl-butadien-(1,3) erklärt[1]:

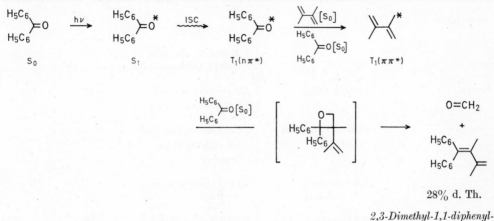

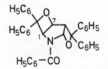

28% d. Th.

2,3-Dimethyl-1,1-diphenyl-butadien-(1,3)

Für viele Oxetan-Bildungen ist Furan ein geeignetes Dien. Es kann gelegentlich an beiden Doppelbindungen reagieren. Die aromatischeren Heterocyclen Thiophen und Pyrrol geben dagegen wie die benzoiden Ringe meist keine Paterno-Büchi-Reaktion. Ausnahmen sind z. B. 2,5-Dimethyl-thiophen und N-Acyl-indole, s. Tab. 122 (S. 864). 1-Benzoyl-pyrrol zeigt sogar einen doppelten Oxetan-Ringschluß[2]:

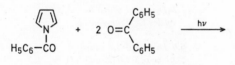

5,5,9,9-Tetraphenyl-2-benzoyl-4,8-dioxa 2-aza-tricyclo[5.2.0.0³,⁶]nonan

1,2-Dimethyl-imidazol bildet mit Aceton ein Oxetan, das sich unter Ringöffnung isomerisiert[3]:

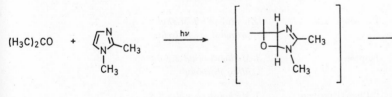

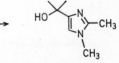

1,2-Dimethyl-4-[2-hydroxy-propyl-(2)]-imidazol; 70% d.Th.

---

[1] J. SALTIEL, R. M. COATES u. W. B. DAUBEN, Am. Soc. 88, 2745 (1966).

[2] C. RIVAS et al., Acta cient. Venezolana 22, 145 (1971).

[3] T. MATSUURA, A. BANBA u. K. OGURA, Tetrahedron 27, 1211 (1971).

Tab. 122. Oxetane aus Carbonyl-Verbindungen und Dienen

Carbonyl-Verbindung	Diene	...-oxetan[a]	Ausbeute [% d.Th.]	Literatur
Acetaldehyd	Furan	*6-Methyl-2,7-dioxa-bi-cyclo[3.2.0]hepten-(3)*	6	1
Aceton	Butadien-(1,3)	*2,2-Dimethyl-3-vinyl-...* *+2,2-Dimethyl-4-vinyl-...*	– –	2
	2-Methyl-butadien-(1,3)	*2,2,3-Trimethyl-3-vinyl-...* *+2,2-Dimethyl-3-iso-propenyl-...*	– –	2
	2,3-Dimethyl-butadien-(1,3)	*2,2,3-Trimethyl-3-iso-propenyl-...*	–	2
	2,5-Dimethyl-hexadien-(2,4)	*2,2,4,4-Tetramethyl-3-[2-methyl-propen-(1)-yl]-...*	28	2
	trans-2-Methyl-hexadien-(2,4)	*trans-2,2,4-Trimethyl-3-[2-methyl-propen-(1)-yl]-...* *+2,2,4,4-Tetramethyl-3-propen-(1)-yl-... (1:1)*	–	3
	Cyclopentadien	*7,7-Dimethyl-6-oxa-bi-cyclo[3.2.0]hepten-(2)*	–	4
	Furan	*6,6-Dimethyl-2,7-dioxa-bicyclo[3.2.0]hepten-(3)*	1,8	1
	Cyclooctadien-(1,3)	*10,10-Dimethyl-9-oxa-cis-bicyclo[6.2.0]decen-(2)* *+10,10-Dimethyl-9-oxa-trans-... (4:1)*	–	5
2-Oxo-pentan	Butadien-(1,3)	*(Z)- und (E)-2-Methyl-2-propyl-3-vinyl-oxetan*	7	2
Mesoxalsäure-diäthyl-ester	Isopren	*3-Methyl-3-vinyl-2,2-di-äthoxycarbonyl-...*	90	6
	2-Phenyl-propen	*3-Methyl-3-phenyl-2,2-di-äthoxycarbonyl-...*	76	6

[1] K. Shima u. H. Sakurai, Bl. chem. Soc. Japan **39**, 1806 (1966).
   G. R. Evanega u. E. B. Whipple, Tetrahedron Letters **1967**, 2163; Tetrahedron **24**, 1299 (1968).
[2] J. A. Barltrop u. M. A. J. Carless, Am. Soc. **94**, 8761 (1972); Chem. Commun. **1970**, 1637.
[3] R. R. Hautale, K. Dawes u. N. J. Turro, Tetrahedron Letters **1972**, 1229.
[4] E. H. Gold u. D. Ginsburg, Ang. Ch. **78**, 207 (1966).
[5] K. Shima, Y. Sakai u. H. Sakurai, Bl. chem. Soc. Japan **44**, 215 (1971).
[6] M. Hara, Y. Odaire u. S. Tsutsumi, Tetrahedron Letters **1967**, 2981.

Tab. 122 (1. Fortsetzung)

Carbonyl-Verbindung	Diene	. . .-oxetan	Ausbeute [% d.Th.]	Literatur
Cyclobutanon	Butadien-(1,3)	Cyclobutan-⟨1-spiro-2⟩-3-vinyl-. . .	20–32	1, 2
3-Oxo-1-methylen-cyclobutan		3-Methylen-cyclobutan-⟨1-spiro-2⟩-3-vinyl-. . .	17	2
	cis-Pentadien-(1,3)	3-Methylen-cyclobutan-⟨1-spiro-2⟩-3-propen-(1)-yl-. . .	–	2
		+ 3-Methylen-cyclobutan-⟨1-spiro-2⟩-cis-4-methyl-3-vinyl-. . .	–	
	trans-Pentadien-(1,3)	3-Methylen-cyclobutan-⟨1-spiro-2⟩-3-propen-(1)-yl-. . .	–	2
		+ 3-Methylen-cyclobutan-⟨1-spiro-2⟩-trans-4-methyl-3-vinyl-. . .	–	
2-Formyl-furan	Furan	6-Furyl-(2)-2,7-dioxa-bicyclo[3.2.0]hepten-(3)	18	3
Benzaldehyd	Furan	6-Phenyl-2,7-dioxa-bicyclo[3.2.0]hepten-(3)	88	3,4
	2-Methyl-furan	3-Methyl-6-phenyl-2,7-dioxa-bicyclo[3.2.0]hepten-(3) + 1-Methyl-6-phenyl-. . .	87	4
	Benzo-[b]-furan	8-Phenyl-⟨benzo-2,7-dioxa-bicyclo[3.2.0]-hepten-(3)⟩	58	5
Benzophenon	Butadien-(1,3)	3-Vinyl-2,2-diphenyl-oxetan	–	6
	2-Methyl-butadien-(1,3)	3-Methyl-3-vinyl-2,2-di-phenyl-. . .	–	6
	2,3-Dimethyl-buta-dien-(1,3)	3-Methyl-3-isopropenyl-2,2-diphenyl-. . .	40	6
	2,5-Dimethyl-hexa-dien-(2,4)	4,4-Dimethyl-3-[2-methyl-propen-(1)-yl]-2,2-diphenyl-. . .	–	6
	3-Methyl-buten-(3)-in-(1)	3-Methyl-3-äthinyl-2,2-diphenyl-. . .	58	7

[1] P. Dowd, A. Gold u. K. Sachdev, Am. Soc. **92**, 5724 (1970).
[2] P. Dowd, A. Gold u. K. Sachdev, Am. Soc. **92**, 5725, 5726 (1970).
[3] K. Shima u. H. Sakurai, Bl. chem. Soc. Japan **39**, 1806 (1966).
    G. R. Evanega u. E. B. Whipple, Tetrahedron Letters **1967**, 2163; Tetrahedron **24**, 1299 (1968).
[4] S. Toki, K. Shima u. H. Sakurai, Bl. chem. Soc. Japan **38**, 760 (1965); J. chem. Soc. Japan **89**, 537 (1968).
[5] C. H. Krauch, W. Metzner u. G. O. Schenck, B. **99**, 1723 (1966).
[6] J. A. Barltrop u. H. A. J. Carless, Am. Soc. **93**, 4794 (1971); **94**, 8761 (1972).
    vgl. a. J. Saltiel, R. M. Coates u. W. G. Dauben, Am. Soc. 88, 2745 (1966).
[7] H. A. J. Carless, Tetrahedron Letters **1972**, 2265.

Tab. 122 (2. Fortsetzung)

Carbonyl-Verbindung	Diene	Cycloaddukte	Ausbeute [% d. Th.]	Literatur
Benzophenon	Furan	6,6-Diphenyl-2,7-dioxa-bicyclo[3.2.0]hepten-(3)	~100	1
	2-Methyl-furan	1-Methyl-6,6-diphenyl-2,7-dioxa-bicyclo[3.2.0]hepten-(3)	98	2
	3-Methyl-furan	5-Methyl-6,6-diphenyl-2,7-dioxa-bicyclo[3.2.0]hepten-(3)	98	2
	2-Hydroxymethyl-furan	1-Hydroxymethyl-6,6-diphenyl-2,7-dioxa-bicyclo[3.2.0]hepten-(3)	80	2
	2,3-Dimethyl-furan	1,5-Dimethyl-6,6-diphenyl-2,7-dioxa-bicyclo[3.2.0]hepten-(3)	~100	3
	2,4-Dimethyl-furan	3,5-Dimethyl-6,6-diphenyl-2,7-dioxa-bicyclo[3.2.0]hepten-(3) + 1,4-Dimethyl-...	50 / 50	2
	2,5-Dimethyl-thiophen	1,3-Dimethyl-6,6-diphenyl-7-oxa-2-thia-bicyclo[3.2.0]hepten-(3)	62	4
	2-Methoxycarbonyl-⟨benzo-[b]-furan⟩	H_5C_6 C_6H_5 / COOCH$_3$ 8,8-Diphenyl-1-methoxycarbonyl-⟨benzo-2,7-dioxa-bicyclo[3.2.0]hepten-(3)⟩	–	5
	1-Acetyl-indol	H_5C_6 C_6H_5 / H_3C–CO 8,8-Diphenyl-2-acetyl-⟨benzo-7-oxa-2-aza-bicyclo[3.2.0]hepten-(3)⟩	–	6
	1-(4-Chlor-benzoyl)-indol	8,8-Diphenyl-2-(4-chlor-benzoyl)-⟨benzo-7-oxa-2-aza-bicyclo[3.2.0]hepten-(3)⟩	83	6

1 G. O. SCHENCK, W. HARTMANN u. R. STEINMETZ, B. **96**, 498 (1963).
　G. S. HAMMOND u. N. J. TURRO, Science **142**, 1541 (1963).
　S. TOKI u. K. SAKURAI, Tetrahedron Letters **1967**, 4119.
　J. LEITICH, Tetrahedron Letters **1967**, 1937.
2 C. RIVAS u. E. PAYO, J. Org. Chem. **32**, 2918 (1967).
　Vgl. M. OGATA, H. WATANABE u. H. KANO, Tetrahedron Letters **1967**, 533.
　　　G. R. EVANEGA u. E. B. WHIPPLE, Tetrahedron Letters **1967**, 2163.
　　　E. B. WHIPPLE u. G. R. EVANEGA, Tetrahedron **24**, 1299 (1968).
3 T. NAKANO, C. RIVAS u. C. PEREZ, Soc. (Perkin I) **1973**, 2322.
4 C. RIVAS, M. VELEZ u. O. CRESCENTE, Chem. Commun. **1970**, 1474.
5 C. DE BOER, Tetrahedron Letters **1971**, 4977.
6 D. R. JULIAN u. G. D. TRINGHAM, Chem. Commun. **1973**, 13.

Tab. 122 (3. Fortsetzung)

Carbonyl-Verbindung	Diene	Cycloaddukte	Ausbeute [% d. Th.]	Literatur
2-Benzoyl-thiophen	2,5-Dimethyl-thiophen	*1,3-Dimethyl-6-phenyl-6-thienyl-(2)-7-oxa-2-thia-bicyclo[3.2.0]hepten-(3)*	50	1
2-Benzoyl-pyridin		*1,3-Dimethyl-6-phenyl-6-pyridyl-(2)-7-oxa-2-thia-bicyclo[3.2.0]hepten-(3)*	62	1
3-Benzoyl-pyridin		*1,3-Dimethyl-6-phenyl-6-pyridyl-(3)-7-oxa-2-thia-bicyclo[3.2.0]hepten-(3)*		1

6,6-Diphenyl-2,7-dioxa-bicyclo[3.2.0]hepten-(3)[2]**:** Eine Lösung von 4 g Benzophenon in 180 *ml* über Triphenylphosphin destilliertem Furan wird 44 Stdn. bei 12° mit einer Philips HPK 125 W Lampe mit Solidex-Filter belichtet. Das Furan wird abgedampft und der Rückstand aus Methanol/Wasser umkristallisiert; Ausbeute: 5,2 g (94% d.Th.); F: 105–106°.

8,8-Diphenyl-⟨benzo-2,7-dioxa-bicyclo[3.2.0]hepten-(3)⟩[3]**:** Eine Lösung von 7,8 g Benzo-[b]-furan und 9,1 g Benzophenon in 60 *ml* Benzol wird unter Argon 46 Stdn. mit einer Quecksilber-Hochdruck-Lampe (Philips HPK 125 W) bei ~ 20° belichtet. Nach Abziehen des Lösungsmittels wird der Rückstand aus Methanol umkristallisiert; Ausbeute: 14,8 g (75% d.Th.); F: 132°.

$\eta\eta_7$) mit Allenen

Allene können sukzessive an beiden Doppelbindungen mit Carbonyl-Verbindungen eine Cycloaddition zu α-Alkyliden-oxetanen I und substituierten Oxetan-⟨2-spiro-2⟩- bzw. Oxetan-⟨2-spiro-3⟩-oxetanen (II bzw. III) ergeben. Die Orientierung der ersten Cycloaddition ist weitgehend spezifisch, die der zweiten nicht:

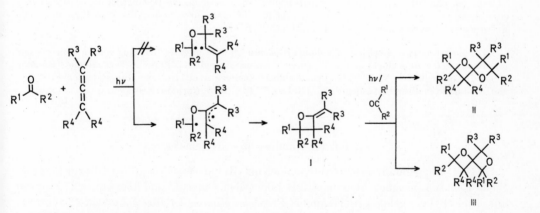

[1] C. RIVAS u. R. A. BOLIVAR, J. Heterocycl. Chem. **10**, 967 (1973).
[2] F. GAGNAIRE u. E. PAYO-SUBIZA, Bl. **11**, 2623 (1963).
   M. OGATA, H. WATANABE u. H. KANO, Tetrahedron Letters **1967**, 533.
   G. O. SCHENCK, W. HARTMANN u. R. STEINMETZ, B. **96**, 498 (1963).
   S. TOKI u. K. SAKURAI, Tetrahedron Letters **1967**, 4119.
   J. LEITICH, Tetrahedron Letters **1967**, 1937.
[3] C. H. KRAUCH, W. METZNER u. G. O. SCHENCK, B. **99**, 1723 (1966).

(Formeln S. 867)

$R^1 = R^2 = R^3 = R^4 = CH_3^{1-3}$ *3,3,4,4-Tetramethyl-2-isopropyliden-oxetan*; 8% d.Th.

3,3,4,4-Tetramethyl-oxetan-⟨2-spiro-2⟩-3,3,4,4-tetramethyl-oxetan; 27% d.Th.

3,3,4,4-Tetramethyl-oxetan-⟨2-spiro-3⟩-2,2,4,4-tetramethyl-oxetan; 51% d.Th.

$R^1 = C_6H_5$; $R^2 = R^3 = R^4 = CH_3^{1,2}$ *3,3,4-Trimethyl-4-phenyl-2-isopropyliden-oxetan*; 25% d.Th.

3,3,4-Trimethyl-4-phenyl-oxetan-⟨2-spiro-2⟩-3,3,4-trimethyl-4-phenyl-oxetan; 38% d.Th.

$R^1 = R^2 = C_6H_5$; $R^3 = H$; $R^4 = CH_3^{1,2}$ *3,3-Dimethyl-4,4-diphenyl-2-methylen-oxetan*

3,3-Dimethyl-4,4-diphenyl-oxetan-⟨2-spiro-3⟩-2,2-diphenyl-oxetan; 42% d.Th.

4,4-Diphenyl-oxetan-⟨2-spiro-3⟩-4,4-dimethyl-2,2-diphenyl-oxetan; 20% d.Th.

$R^1 = R^2 = C_6H_5$; $R^3 = R^4 = CH_3^{1-3}$ *3,3-Dimethyl-4,4-diphenyl-2-isopropyliden-oxetan*; 37/12% d.Th.

3,3-Dimethyl-4,4-diphenyl-oxetan-⟨2-spiro-3⟩-4,4-dimethyl-2,2-diphenyl-oxetan; 28/43% d.Th.

3,3-Dimethyl-4,4-diphenyl-oxetan-⟨2-spiro-2⟩-3,3-dimethyl-4,4-diphenyl-oxetan; 15/22% d.Th.

Xanthon; $R^3 = R^4 = CH_3^{1,2}$ *Xanthen-⟨9-spiro-2⟩-3,3-dimethyl-4-isopropyliden-ocetan*; 60% d.Th.

3,3-Dimethyl-4-phenyl-2-isopropyliden-oxetan[1]: Eine entgaste Mischung von 3 *ml* Benzaldehyd und überschüssigem Tetramethylallen wird in einer unter Vak. abgeschmolzenen Ampulle aus Pyrex 24 Tage mit einer Hanovia 450 W Lampe belichtet. Die anschließende Destillation bei 8–10 Torr und einer Badtemp. von 100–180° ergibt ein hellgelbes Öl, das durch präparative Gaschromatographie weiter gereinigt werden kann; Ausbeute: 4,24 g (51% d.Th.).

4,4-Diphenyl-oxetan-⟨2-spiro-3⟩-2,2-diphenyl-oxetan[1, 3]: Eine entgaste Mischung von 4 g Benzophenon und 10 *ml* Allen wird in einer unter Vak. abgeschmolzenen Ampulle aus Pyrex 26 Tage mit einer Hanovia 450 W Lampe belichtet. Nach Abdampfen des überschüssigen Allens wird der Rückstand mehrmals aus Methanol umkristallisiert; Ausbeute: 38% d.Th.; F: 127–127,5° (farblose Kristalle).

$\eta\eta_8$) mit Keteniminen bzw. Ketenacetalen

Die C=C-Doppelbindungen in Keteniminen und Ketenacetalen sind ebenfalls zur Paterno-Büchi-Reaktion geeignet. Fluorenon z. B. bildet über seinen S_1- und über seinen T_1-Zustand mit Dimethyl-N-cyclohexyl-ketenimin *3-Cyclohexylimino-4,4-dimethyl-oxetan-⟨2-spiro-9⟩* (I) und *4-Cyclohexylimino-3,3-dimethyl-oxetan-⟨2-spiro-9⟩-fluoren* (II). Das α-Imino-oxetan II läßt sich photochemisch entgegen seiner Bildungsweise in *Cyclohexyl-isocyanat* und

[1] H. GOTTHARDT, R. STEINMETZ u. G. S. HAMMOND, J. Org. Chem. **33**, 2774 (1968).
[2] H. GOTTHARDT, R. STEINMETZ u. G. S. HAMMOND, Chem. Commun. **1964**, 480.
[3] D. R. ARNOLD u. A. H. GLICK, Chem. Commun. **1966**, 813.

9-Isopropyliden-fluoren spalten[1]:

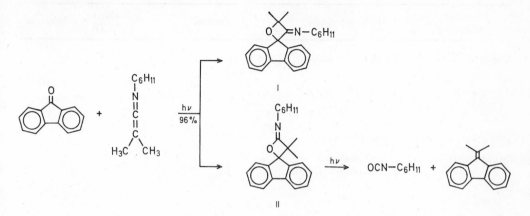

Aceton gibt mit Dimethyl-keten-cyclohexylimin *3-Cyclohexylimino-2,2,4,4-tetramethyl-oxetan* und das entsprechende α-Imino-oxetan, das eine Ringöffnung unter Wasserstoff-Verschiebung zu *2,2,3-Trimethyl-buten-(3)-säure-cyclohexylamid* zeigt[2]:

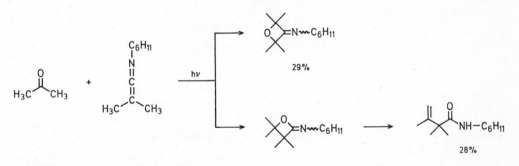

Weitere Beispiele s. Tab. 123 (S. 870).

4-Cyclohexylimino-3,3-dimethyl-2,2-diphenyl-oxetan[1]: Äquimolare Mengen von Benzophenon und Dimethylketen-cyclohexylimin werden in Benzol gelöst, so daß jeweils 0,1–0,3 m Lösungen entstehen. Nach vollständiger Entgasung schmilzt man das Reaktionsgemisch in einer Pyrex-Ampulle unter Vak. ab und belichtet 6,5 Stdn. mit einer Hanovia 450 W Lampe. Anschließend wird das Solvens abdestilliert und das rohe Reaktionsprodukt durch Chromatographie an Florisil gereinigt; Ausbeute: 50% d.Th.; F: 104–107°.

$\eta\eta_9$) mit Acetylenen

Die Cycloaddition einer C=O-Doppelbindung mit einer C≡C-Dreifachbindung führt zur Bildung von Oxeten, die jedoch meist nicht isoliert werden können, sondern sich unter Ringöffnung zu α,β-ungesättigten Ketonen isomerisieren. Die Umsetzung wird durch die Photolabilität der α,β-ungesättigten Carbonyl-Verbindungen limitiert. Zusätzlich neigen besonders reaktive Acetylene wie etwa Cycloctin zu Sekundärreaktionen[3].

---

[1] L. A. SINGER, G. A. DAVIS u. V. P. MURALIDHARAN, Am. Soc. **91**, 897 (1969).
L. A. SINGER u. G. A. DAVIS, Am. Soc. **89**, 158, 598, 941 (1967).
[2] L. A. SINGER, G. A. DARIS u. R. L. KNUTSEN, Am. Soc. **94**, 1188 (1972).
[3] H. MEIER u. H. KOLSHORN, unveröffentlicht.

Tab. 123. Oxetane aus Carbonyl-Verbindungen und Keteniminen bzw. Ketenacetalen

Carbonyl-Verbindung	En-Komponente	Oxetan[a]	Ausbeute [% d.Th.]	Literatur
Aceton	1,1-Diäthoxy-propen	*4,4-Diäthoxy-2,2,3-tri-methyl-oxetan*	–	[1]
		+ *3,3-Diäthoxy-2,2,4-tri-methyl-oxetan*	–	
	Dimethylketen-phenylimin	*3-Phenylimino-2,2,4,4-tetramethyl-oxetan*	41	[2]
Benzaldehyd	Dimethylketen-2-cyan-propyl-(2)-imin	*3-[2-Cyan-propyl-(2)-imino]-4,4-dimethyl-2-phenyl-oxetan*	50	[3]
4-Methoxy-benzaldehyd		*3-[2-Cyan-propyl-(2)-imino]-4,4-dimethyl-2-(4-methoxy-phenyl)-oxetan*	34	[3]
4-Chlor-benzaldehyd		*3-[2-Cyan-propyl-(2)-imino]-4,4-dimethyl-2-(4-chlor-phenyl)-oxetan*	60	[3]
Acetophenon		*3-[2-Cyan-propyl-(2)-imino]-2,4,4-trimethyl-2-phenyl-oxetan*	43	[3]
		4-[2-Cyan-propyl-(2)-imino]-2,3,3-trimethyl-2-phenyl-oxetan		
Benzophenon	1,1-Diäthoxy-äthylen	*3,3-Diäthoxy-2,2-diphenyl-oxetan*	–	[4]
	1,1-Diäthoxy-propen	*4,4-Diäthoxy-3-methyl-2,2 diphenyl-oxetan*	–	[1]
		+ *3,3-Diäthoxy-4-methyl-2,2-diphenyl-oxetan* (45:55)		
	Dimethylketen-phenylimin	*4-Phenylimino-3,3-di-me-thyl-2,2-diphenyl-oxetan*	22	[5]
		+ *3-Phenylimino-4,4-di-methyl-2,2-diphenyl-oxetan*	27	
	Äthyl-phenyl-keten-butyl-(2)-imin	*3-Butyl-(2)-imino-4-äthyl-2,2,4-triphenyl-oxetan*	40	[5]

[a] In Klammern rel. Mengenverhältnisse.

[1] S. H. Schroeter, Chem. Commun. **1969**, 12.
[2] L. A. Singer, G. A. Davis u. R. L. Knutsen, Am. Soc. **94**, 1188 (1972).
[3] L. A. Singer u. P. D. Bartlett, Tetrahedron Letters **1964**, 1887.
[4] J. W. Hanifin u. E. Cohen, Tetrahedron Letters **1966**, 1419.
[5] L. A. Singer, G. A. Davis u. V. P. Muralidharan, Am. Soc. **91**, 897 (1969).
  L. A. Singer u. G. A. Davis, Am. Soc. 89, 158, 598, 941 (1967).

Tab. 123 (1. Fortsetzung)

Carbonyl-Verbindung	En-Komponente	Oxetan[a]	Ausbeute [% d. Th.]	Literatur
Benzophenon	Dimethylketen-2-cyan-propyl-(2)-imin	*4-[2-Cyan-propyl-(2)-imino]-3,3-dimethyl-2,2-diphenyl-oxetan*		[1]
		3-[2-Cyan-propyl-(2)-imino]-4,4-dimethyl-2,2-diphenyl-oxetan 1:1		
Fluorenon		*Fluoren-⟨9-spiro-2⟩-4-[2-cyan-propyl-(2)-imino]-3,3-dimethyl-oxetan*	80	[1]

[a] In Klammern rel. Mengenverhältnisse.

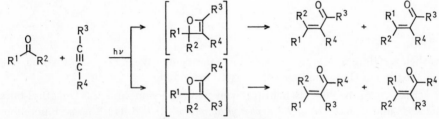

Nur bei tiefen Temperaturen sind die Oxete stabil[2]:

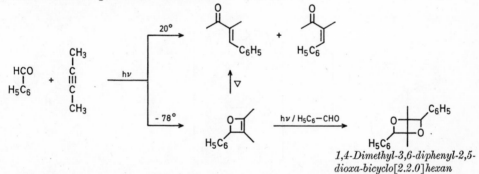

1,4-Dimethyl-3,6-diphenyl-2,5-dioxa-bicyclo[2.2.0]hexan

Eine unterschiedliche Regioselektivität beobachtet man bei der Addition von Aceton an 1-Methoxy-propin und die schwefelanaloge Verbindung 1-Methylmercapto-propin(1)[3,4]:

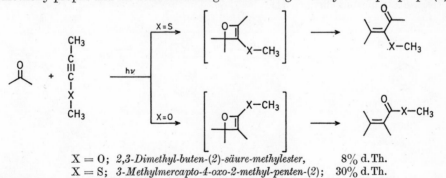

X = O; *2,3-Dimethyl-buten-(2)-säure-methylester*,   8% d. Th.
X = S; *3-Methylmercapto-4-oxo-2-methyl-penten-(2)*;   30% d. Th.

[1] L. A. Singer, u. P. D. Bartlett, Tetrahedron Letters **1964**, 1887.
[2] L. E. Friedrich u. J. D. Bower, Am. Soc. **95**, 6869 (1973).
[3] H. J. T. Bos u. J. Boleij, R. **88**, 465 (1969).
[4] H. J. T. Bos et al., R. **91**, 65 (1972).

4-Cyan-benzoesäure-methylester, Oxalsäure-diäthylester oder Terephthalsäure-dimethyl-ester reagieren mit Diphenylacetylen zu *1-Methoxy-3-oxo-2,3-diphenyl-1-(4-cyan-phenyl)-propen* (80% d.Th.) bzw. *1-Äthoxy-3-oxo-2,3-diphenyl-1-äthoxycarbonyl-propen* (25% d.Th.) oder *1-Methoxy-3-oxo-2,3-diphenyl-1-(4-methoxycarbonyl-phenyl)-propen* (64% d.Th.; *cis/trans* ~ 1:1)[1].

Weitere Beispiele sind in Tab. 124 (S. 873) zusammengestellt.

$\eta\eta_{10}$) unter Bildung instabiler Oxetane

Die Herstellung eines bestimmten Oxetans nach der Paterno-Büchi-Reaktion ist auf zwei Wegen denkbar:

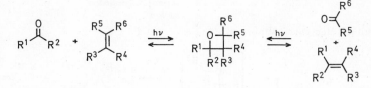

Gelegentlich zerfällt ein Oxetan, das auf einem der beiden Wege hergestellt wurde, auf dem anderen Weg in ein Olefin und eine Carbonyl-Verbindung.

Z. B. erhält man bei der Belichtung von Benzophenon und 2,3-Dimethyl-butadien *Formaldehyd* und *2,3-Dimethyl-1,1-diphenyl-butadien* (28% d.Th.)[2]. Aus Fluorenon und Isobuten bzw. 2-Methyl-buten-(2) entsteht jeweils *9-Isopropyliden-fluoren*[3,4]:

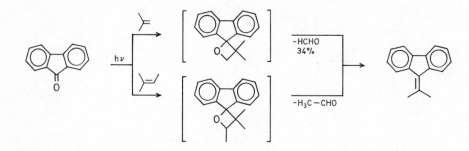

Mit Ausbeuten bis zu 90% verläuft die Umsetzung von Isobuten mit den Ketonen I zu den tetrasubstituierten Olefinen II[5]:

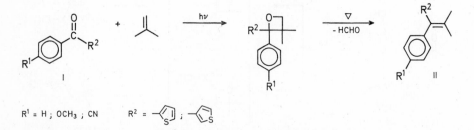

[1] T. Miyamoto, Y. Shigemitsu u. Y. Odaira, Chem. Commun. **1969**, 1410.
[2] J. Saltiel, R. M. Coates u. W. G. Dauben, Am. Soc. 88, 2745 (1966).
[3] D. R. Arnold, R. L. Hinman u. A. H. Glick, unveröffentlicht.
[4] N. C. Yang, Pure Appl. Chem. **9**, 591 (1964).
[5] D. R. Arnold, R. J. Birtwell u. B. M. Clarke, Canad. J. Chem. **52**, 1681 (1974).

Tab. 124. α,β-ungesättigte Carbonyl-Verbindungen aus Carbonyl-Verbindungen und Acetylenen

Carbonyl-Verbindung	Acetylen-Verbindung	Addukt	Ausbeute [% d.Th.]	Literatur
Benzaldehyd	Butin-(2)	*3-Oxo-2-methyl-1-phenyl-buten*	–	1
	Decin-(5)	*6-Oxo-5-benzyliden-decan*	13	2
	Phenylacetylen	*3-Oxo-1,2-diphenyl-propen + 3-Oxo-1,3-diphenyl-propen*	17	3
Acetophenon	Decin-(5)	*6-Oxo-5-(1-phenyl-äthyliden)-decan*	–	2
Benzophenon	1-Methoxy-propin	*2-Methyl-3,3-diphenyl-propensäure-methylester*	15	4
	1-Methylmercapto-propin	*2-Methylmercapto-3-oxo-1,1-diphenyl-buten*	33	5
9-Oxo-xanthen	Äthoxy-acetylen	*9-Äthoxycarbonyl-methylen-xanthen*	8	4
	1-Methoxy-propin	*9-(1-Methoxycarbonyl-äthyliden)-xanthen*	40	4
	1-Äthoxy-propin	*9-(1-Äthoxycarbonyl-äthyliden)-xanthen*	80	4
	1-Methylmercapto-propin	*9-(1-Methylmercapto-2-oxo-propyliden)-xanthen*	>90	5
	1-Äthoxy-butin-(1)	*9-(1-Äthoxycarbonyl-propyliden)-xanthen*	70	4
9-Oxo-thioxanthen	1-Methoxy-propin	*9-(1-Methoxycarbonyl-äthyliden)-thioxanthen*	15	4
	1-Methylmercapto-propin	*9-(1-Methylmercapto-2-oxo-propyliden)-thioxanthen*	50	5

1 H. KRISTINSSON u. G. W. GRIFFIN, Am. Soc. 88, 1579 (1966).
2 G. BÜCHI et al., Am. Soc. 78, 876 (1956).
3 K. FUJITA, K. YAMAMOTO u. T. SHONO, J. chem. Soc. Japan 10, 1933 (1973).
4 H. J. T Bos et. al. R. 91, 65 (1972).
5 H. J. T. Bos u. J. BOLEIJ, R. 88, 465 (1969).

Tab. 124 (1. Fortsetzung)

Carbonyl-Verbindung	Acetylen-Verbindung	Addukt	Ausbeute [% d.Th.]	Literatur
5-Oxo-10,11-dihydro-5H-⟨dibenzo-[a;d]-cyclohepten⟩	Äthoxy-acetylen	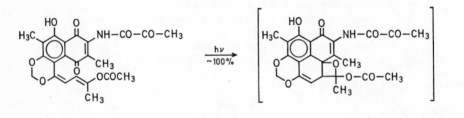 *5-Äthoxycarbonylmethylen-10,11-dihydro-5H-⟨dibenzo-[a;d]-cyclo-heptatrien⟩*	10	1
	1-Methoxy-propin	*5-(1-Methoxycarbonyl-äthyliden)-10,11-di-hydro-5H-⟨dibenzo-[a;d]-cycloheptatrien⟩*	30	1
	1-Äthoxy-propin	*5-(1-Äthoxycarbonyl-äthyliden)-10,11-di-hydro-5H-⟨dibenzo-[a;d]-cycloheptatrien⟩*	40	1
	1-Äthoxy-butin-(1)	*5-(1-Äthoxycarbonyl-propyliden)-10,11-di-hydro-5H-⟨dibenzo-[a;d]-cycloheptatrien⟩*	40	1

Streptovaron geht bei der Belichtung in ein Oxetan über, das Acetanhydrid abspaltet[2]:

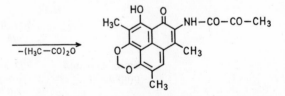

2-Methyloxalylamino-9-hydroxy-6,7-methylendioxy-1-oxo-3,5,8-trimethyl-phenalen

[1] H. J. T. Bos et al. R. **91**, 65 (1972).
[2] R. J. Schacht u. K. L. Rinehart, Am. Soc. **89**, 2239 (1967).

Ist bei der Bildung eines instabilen Oxetans eine endocyclische C=C-Doppelbindung beteiligt, so beobachtet man keine Fragmentierung, sondern die Isomerisierung des Oxetans zu einer ungesättigten Carbonyl-Verbindung. Auf diese Weise erhält man aus 4,4′-Dimethoxy-benzophenon und Bicyclo[2.2.1]hepten *2-(3-Formyl-cyclopentyl)-1,1-bis-[4-methoxy-phenyl]-äthylen*[1]:

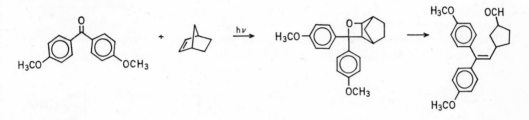

Während das bicyclische Oxetan aus Benzophenon und 1,2-Dimethyl-cyclobuten stabil ist[2], zerfallen die Addukte aus Aceton und Cyclobuten bzw. 1-Methyl-cyclobuten[3]:

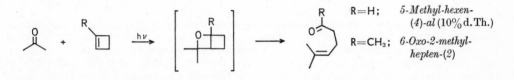

R=H;   *5-Methyl-hexen-
          (4)-al* (10% d. Th.)

R=CH₃;   *6-Oxo-2-methyl-
          hepten-(2)*

Eine andere, strahlungsinduzierte Isomerisierung tritt bei verschiedenen Oxetanen mit α-ständiger exocyclischer Doppelbindung auf:

Voraussetzung dafür ist, daß der Oxetan-Ring Substituenten trägt, die eine Absorption in dem für die Paterno-Büchi-Reaktion verwendeten Spektralbereich (oder bei Sensibilisierung ein geeignetes Triplett-Niveau) gewährleisten. Außerdem ist die Stabilität des intermediär entstehenden Diradikals wichtig, da sonst die oben diskutierte Fragmentierung eintreten kann. Als explizite Beispiele seien die Bildung der Cyclobutanone I und II (S. 876) genannt[4]:

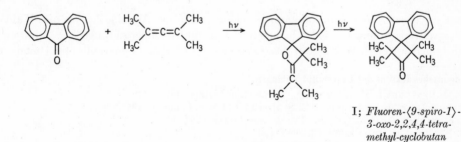

I; *Fluoren-⟨9-spiro-1⟩-
3-oxo-2,2,4,4-tetra-
methyl-cyclobutan*

[1] D. R. ARNOLD, R. L. HINMAN u. H. A. GLICK, Tetrahedron Letters 1964, 480.
[2] J. SALTIEL, R. M. COATES u. W. G. DAUBEN, Am. Soc. 88, 2745 (1966).
[3] R. SRINIVASAN u. K. A. HILL, Am. Soc. 88, 3765 (1966).
[4] H. GOTTHARDT, R. STEINMETZ u. G. S. HAMMOND, Chem. Commun. 1967, 480.

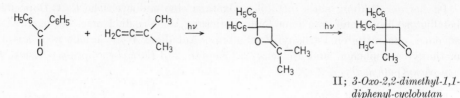

II; *3-Oxo-2,2-dimethyl-1,1-diphenyl-cyclobutan*

α-Imino-oxetane zerfallen photolytisch in Isocyanate und Olefine, s. S. 868—869.

Ein weiterer Isomerisierungstyp wurde bei dem bicyclischen Oxetan gefunden, das intermediär aus Aceton und 2,2,2-Trimethoxy-4,5-dimethyl-1,3,2-dioxaphosphol entsteht[1]:

2,2,2-Trimethoxy-4,5,5-trimethyl-4-acetyl-4,5-dihydro-1,3,2-dioxaphosphol; 54% d.Th.

Fluoren-⟨9-spiro-1⟩-3-oxo-2,2,4,4-tetramethyl-cyclobutan[2]: Zwei Pyrex-Ampullen, die jeweils 500 mg Fluorenon und 3 *ml* Tetramethylallen enthalten, werden 12 Tage mit einer Hanovia 450 W Lampe belichtet. Im Laufe der Zeit scheidet sich das Produkt in nadelförmigen Kristallen aus, die abfiltriert und aus Essigsäure-äthylester umkristallisiert werden; F: 205–206°. Das eingeengte Filtrat, ein hellgelbes Öl, wird durch Chromatographie an 30 g Florisil in 3 Fraktionen getrennt. Elution mit Pentan/Benzol (210 *ml* + 90 *ml*) ergibt *9-Isopropyliden-fluoren*; Ausbeute: 82 mg (7,4% d.Th.;) F: 112–114°. Die zweite Fraktion (126 mg) wird mit Pentan/Benzol (150 *ml* + 350 *ml*) gewonnen und enthält neben dem Produkt *Fluoren-⟨9-spiro-2⟩-3,3-dimethyl-4-isopropyliden-oxetan*. Schließlich fällt mit Benzol/Diäthyläther (280 *ml* + 120 *ml*) als Laufmittel das Cyclobutan-Derivat an. Gesamtausbeute: 73% bez. auf Fluorenon.

α_4) *unter Fragmentierung*

bearbeitet von

Dipl.-Biochem. PETER HEINRICH*

$\alpha\alpha$) α-Spaltungen

α-Spaltungen von **acyclischen Ketonen** besitzen keine präparative Bedeutung, da die Reaktion keine allgemein gültigen Vorhersagen über die entstehenden Produkte zuläßt:

$$R^1-CH_2-CO-R^2 \; \overset{h\nu}{\rightleftarrows} \; [R^1-CH_2-\overset{\bullet}{C}O \; + \; {}^\bullet R] \; \longrightarrow \; \text{Sekundär - Produkte}$$

$$R^1 \neq R^2$$

Das Acyl- bzw. Alkyl-Radikal kann je nach Struktur des Ausgangsketons und Wahl des Lösungsmittels unterschiedlich abreagieren. Man findet Dimerisierungen[3–5], Addition an das Lösungsmittel[6,7], Wasserstoff-Abstraktionen[8,9] und Rekombination unter Umlagerun-

* **Chemisches Institut der Universität Tübingen.**
[1] W. G. BENTRUDE u. K. R. DARNALL, Tetrahedron Letters **1967**, 2511.
[2] H. GOTTHARDT, R. STEINMETZ u. G. S. HAMMOND, Chem. Commun. **1967**, 480.
[3] M. R. SANDNER u. C. L. OSBORN, Tetrahedron Letters **1974**, 415.
[4] H. NOZAKI et al., Tetrahedron **23**, 3993 (1967).
[5] H.-G. HEINE, Tetrahedron Letters **1971**, 1473.
[6] W. G. BENTRUDE u. K. R. DARDALL, Chem. Commun. **1968**, 810.
[7] D. L. BUNBURY u. C. T. WANG, Canad. J. Chem. **46**, 1473 (1968).
[8] H. G. HEINE, A. **732**, 165 (1970).
    s. über analoge Bestrahlungen aber: T. MATSUURA u. V. KITAURA, Tetrahedron **25**, 4487 (1969).
[9] E. J. BAUM et al., Am. Soc. **91**, 2461 (1969).

gen[1,2], die z. T. gleichzeitig vorkommen. Die Decarbonylierungen sind im folgenden beschrieben. Über α-Spaltungen von Silyl-ketonen s. Lit.[3].

Cyclische Ketone zeigen nach der α-Spaltung überwiegend Rekombination (s. S. 737f.)- Keten-Bildung (s. S. 739ff.), En-al-Bildung (s. S. 756ff.), Decarbonylierung (s. S. 880) und Keten-Abspaltung (s. S. 890).

ββ) Decarbonylierung

ββ₁) Aldehyde

Mechanistisch kann die Decarbonylierung von Aldehyden nach zwei Wegen ablaufen. Das nach Abspaltung eines Formyl-Radikals entstehende Alkyl-Radikal kann sich entweder durch Wasserstoff-Abstraktion vom Lösungsmittel, so die gesättigten Aldehyde, oder durch intramolekularen Wasserstoff-Transfer, z. B. β,γ-ungesättigte Aldehyde, stabilisieren.

Die Neigung von gesättigten Aldehyden[4] zur α-Spaltung steigt mit dem Substitutionsgrad am α-ständigen Kohlenstoff-Atom. Daher decarbonylieren Trimethylacetaldehyd und 2,2-Dimethyl-butanal besonders leicht[5]. Wie neuere Untersuchungen zeigen, erfolgt die Abspaltung aus dem Triplett-Zustand des Aldehyds. Mittels Benzophenon (E_T: 73,6 Kcal/Mol) kann die Reaktion sensibilisiert werden[6]. Präparativ interessant sind Decarbonylierungen von Formyl-steroiden. So kann folgendes 5α- oder 5β-Androstan in äthanolischer Lösung mit 37% bzw. 48% Ausbeute decarbonyliert werden. Photolysen von Verbindungen mit deuterierter Formyl-Gruppe beweisen die Wasserstoff-Abstraktion aus dem Lösungsmittel. Man erhält über 90% undeuterierte Decarbonylierungsprodukte.

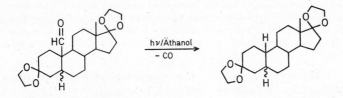

3,3;17,17-Bis-[äthylendioxy]-5β-östran[7]: 630 mg 3,3;17,17-Bis-[äthylendioxy]-19-oxo-5β-androstan werden in 180 *ml* Kaliumcarbonat gesättigtem Äthanol gelöst und 7 Stdn. unter Stickstoff bestrahlt. Als Lichtquelle dient ein Quecksilber-Hochdruck-Brenner Q 81 (Quarzlampen GmbH, Hanau) in einem zentral angeordneten, wassergekühlten Finger aus Quarz. Anschließend wird das Lösungsmittel am Vak. abgezogen, der Rückstand mit Benzol extrahiert und an 35 g basischem Aluminiumoxid (Aktivitätsstufe II) mit Petroläther/Benzol (4:1) chromatographiert; Ausbeute: 284 mg (37% d.Th.); F: 91–92° (aus Äthanol).

Über die Decarbonylierung eines intermediären Aldehyds bei der Bestrahlung von 19-Oxo-friedelan s. Lit.[8].

β,γ-ungesättigte Aldehyde zeigen im Vergleich zu gesättigten Aldehyden eine Steigerung der Decarbonylierungstendenz. Diphenylacetaldehyd reagiert deutlich schneller als aliphatische Aldehyde[9]. Die Anwesenheit der zur Oxo-Gruppe homoallylischen C=C-

¹ H. Nozaki et al., Tetrahedron **23**, 3993 (1967).
² Y. Ogata, K. Takagi u. Y. Izawa, Tetrahedron **24**, 1617 (1968).
³ A. G. Brook u. J. M. Duff, Am. Soc. **89**, 454 (1967).
⁴ Über Untersuchungen an markiertem 3-Phenylpropanol s. z. B.: C. C. Lee u. D. Unger, Canad. J. C Chem. **50**, 593 (1972).
⁵ J. B. Conant, C. N. Webb u. W. C. Mendum, Am. Soc. **51**, 1246 (1929).
⁶ J. D. Berman et al., Am. Soc. **85**, 4010 (1963).
⁷ J. Hill et al., Helv. **49**, 292 (1966).
⁸ T. Takahashi et al., Tetrahedron Letters **1967**, 2997.
⁹ K. Schafner, Chimia **19**, 575 (1965).

Doppelbindung beschleunigt z. B. bei Steroiden nicht nur die Decarbonylierung, sondern muß zusätzlich den photochemischen Primärprozeß modifizieren oder die Reaktivität des primären Radikal-Paares beeinflussen. Denn die Decarbonylierung von β,γ-ungesättigten Aldehyden läßt sich weder durch Sauerstoff als Radikalfänger noch durch das Lösungsmittel beeinflussen, so daß radikalische Zwischenstufen ausgeschlossen werden können[1,2]. Die quantitative Verlagerung von Deuterium bei der Bestrahlung von 3,3;17,17-Bis-[äthylendioxy]-19-oxo-19-deuterio-androsten-(5) an C–10 oder C–6 des Steroids beweist die ausschließliche intramolekulare und stereospezifische Reaktion. Auf diese Weise können selektive Markierungen von Steroiden mit Wasserstoff-Isotopen erreicht werden.

3,3;17,17-Bis-[äthylendioxy]-östren-(5) und östren-(5¹⁰) [1, s. a. 3]:

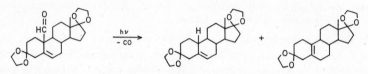

2,02 g 3,3;17,17-Bis-[äthylendioxy]-19-oxo-androsten-(5) werden in 700 ml mit Kaliumcarbonat gesättigtem Äthanol gelöst und mit einer Quecksilber-Hochdruck-Lampe (Q 81 Quarzlampen GmbH, Hanau) unter Stickstoff bestrahlt. Die Lampe ist in einem wassergekühlten Quarz-Finger installiert. Anschließend wird die Reaktionslösung am Rotationsverdampfer eingeengt, der Rückstand mit Benzol extrahiert und der Extrakt an 60 g basischem Aluminiumoxid (Aktivitätsstufe II) mit Petroläther/Benzol (1:1) chromatographiert. Man erhält 1,74 g eines Gemisches beider Androstene, von dem durch Kristallisation aus Äther/Petroläther *3,3;17,17-Bis-[äthylendioxy]-östren-(5)* abgetrennt wird; Ausbeute: 1,34 g; F: 132°.

Die Mutterlauge wird eingedampft und der Rückstand (600 mg) an 42 g mit Silbernitrat imprägniertem Kieselgel (Kieselgel/Silbernitrat 4:1) chromatographiert. Elution mit Benzol/Essigsäure-äthylester (9:1) liefert in der ersten Fraktion 182 mg Kristalle, die noch einmal an 6 g basischem Aluminiumoxid (Aktivitätsstufe II) chromatographiert werden. Man erhält *3,3;17,17-Bis-[äthylendioxy]-östren-(5¹⁰)* (F: 79–80°).

Bei gleicher Arbeitsweise kann aus dem entsprechenden 17β-Hydroxy-Steroid *17β-Hydroxy-3,3-äthylendioxy-östren-(5)* (F: 123°) erhalten werden[1, s. a. 3].

Interessante Aussagen über die Multiplizität der elektronisch angeregten Spezies der β,γ-ungesättigten Aldehyde wurden bei Belichtungen von R-(+)-Laurolenol[4,5] und ähnlichen Systemen erhalten. Die Decarbonylierung ist unabhängig vom Lösungsmittel[2]. Da sie sich weder mit Triplett-Fängern[4,5] [Pentadien-(1,3)] verlangsamen oder unterdrücken läßt, noch mit Triplett-Energie-Überträgern[4] (Acetophenon) sensibilisiert werden kann, reagiert mit großer Wahrscheinlichkeit R-(+)-Laurolenol aus dem angeregten Singulett-Zustand[6].

S-(–)-1,2,3-Trimethyl-cyclopenten[5]:

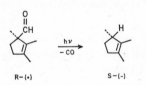

Eine Lösung von 1,0 g (7,2 mMol) R-(+)-Laurolenol in 50 ml Pentan wird in einem zylindrischen Reaktionsgefäß mit einer zentral angebrachten 80 W Lampe, die sich in einem mit Wasser gekühlten Pyrex-Gefäß befindet, unter Argon 6 Stdn. belichtet. Der Photoansatz wird magnetisch bei Raumtemp.

[1] J. HILL et al., Helv. 49, 292 (1966).
[2] K. SCHAFNER, Chimia 19, 575 (1965).
[3] s. a. J. IRIARTE et al., Pr. chem. Soc. 1963, 114.
[4] E. BAGGIOLINI et al., Chimia 23, 181 (1969).
[5] E. BAGGIOLINI, H. P. HAMLOW u. K. SCHAFNER, Am. Soc. 92, 4906 (1970).
[6] S. a.: H. KÜNTZEL, H. WOLF u. K. SCHAFNER, Helv. 54, 869 (1971).

gerührt. Nach Beendigung der Reaktion wird das Lösungsmittel über eine Vigreux-Kolonne abdestilliert. Durch weitere Destillation des Rückstandes erhält man S-(–)-1,2,3-Trimethyl-cyclopenten-(1); Ausbeute: 570 mg (72% d. Th.); Kp_{760}: 118–119°.

Auch bei dieser Verbindungsklasse gibt es Beispiele für den spezifischen Deuterium-Einbau. 1,2,3-Trimethyl-3-deuterioformyl-cyclopenten geht z. B. bei Belichtung in Isopropanol in *1,2,3-Trimethyl-3-deuterio-cyclopenten* über[1]. Bei einer exocyclisch gelagerten C=C-Doppelbindung treten allerdings zwei Produkte auf[1]:

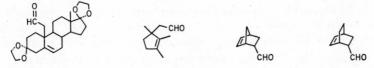

I; *1,3-Dimethyl-2-methylen-1-deuterio-cyclopentan*; ~70% d. Th.

II; *1,3-Dimethyl-2-deuteriomethyl-cyclopenten*; ~30% d. Th.

Daß die Lage der C=C-Doppelbindung zum Chromophor von entscheidender Bedeutung für die Möglichkeit der Decarbonylierung ist, zeigen folgende Aldehyde, die bei Bestrahlung kein Kohlenmonoxid abspalten[2]:

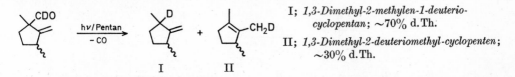

$\beta\beta_2$) Ketone

Analog den Aldehyden können Ketone durch photochemische $n \rightarrow \pi^*$-Anregung bei Raumtemperatur unter α-Spaltung in Acyl- und Alkyl-Radikale dissoziieren:

$$R^1-\underset{\underset{O}{\|}}{C}-R^2 \quad \underset{\text{schnell}/25°}{\overset{h\nu(n,\pi^*)}{\rightleftharpoons}} \quad \left[R^1\bullet \; + \; \bullet\underset{\underset{O}{\|}}{C}-R^2\right] \quad \overset{}{\underset{-CO}{\longrightarrow}} \quad \left[R^1\bullet \; \bullet R^2\right] \quad \longrightarrow \quad R^1-R^2$$

LÖSUNGSMITTELKÄFIG

Im Gegensatz zur Gasphasen-Photolyse[3] erfolgt jedoch in Lösung meistens nur geringfügige Abspaltung von Kohlenmonoxid, da sich das Radikal-Paar in einem Lösungsmittelkäfig befindet und eine Rekombination (s. S. 737) zum Ausgangsketon überwiegt. Nimmt man die Photolyse bei erhöhter Temperatur vor, steigen die Quantenausbeuten in den Bereich der Gasphasen-Photolyse[4]. Andererseits wird die Decarbonylierung durch eine eventuell vorhandene Ringspannung in der Ausgangssubstanz gefördert oder durch günstige Stabilisierungsmöglichkeiten der durch α-Spaltung entstandenen Radikale.

Bei acyclischen Ketonen wirken sich α-ständige Phenyl-Kerne fördernd auf die Decarbonylierung aus. In benzolischer Lösung (Quecksilber-Hochdruck-Lampe) läßt sich z. B. 2-Oxo-1,3-diphenyl-propan mit 85%iger Ausbeute zum *1,2-Diphenyl-äthan* umsetzen[5]. Unter gleichen Photolysebedingungen lief 2-Oxo-1,1,3,3-tetraphenyl-propan *1,1,2,2-Tetra-phenyl-äthan*[5]:

$$(H_5C_6)_2CH-CO-CH(C_6H_5)_2 \quad \overset{h\nu}{\underset{-CO}{\longrightarrow}} \quad (H_5C_6)_2CH-CH(C_6H_5)_2$$

[1] E. BAGGIOLINI, H. P. HAMLOW u. K. SCHAFNER, Am. Soc. **92**, 4906 (1970).
[2] K. SCHAFNER, Chimia **19**, 575 (1965).
[3] Über Photolysen in der Gasphase s. z. B.:
   T. F. THOMAS u. H. J. RODRIGUEZ, Am. Soc. **93**, 5918 (1971).
   R. SRINIVASAN, Am. Soc. **83**, 2590 (1961).
[4] C. H. BAMFORD u. R. G. W. NORRISH, Soc. **1938**, 1544.
[5] G. QUINKERT et al., Tetrahedron Letters **1963**, 1863.

Das unsymmetrisch substituierte 2-Oxo-1,1,3-triphenyl-propan wird zu drei Photoprodukten decarbonyliert. *1,1,2,2-Tetraphenyl-äthan*, *1,2-Diphenyl-äthan* und *1,1,2-Triphenyl-äthan* fallen entsprechend der statistischen Wahrscheinlichkeit im Verhältnis 1:1:2 an[1].

Bei cyclischen Ketonen wird Decarbonylierung hauptsächlich an Vier-, Fünf- und Sechsring-Ketonen beobachtet. Speziell bei Cyclobutanonen[2] hat man prinzipiell mit Ringerweiterung über Oxacarben (s. S. 822ff.) und Eliminierung von Ketenen (s. S. 890) neben der Decarbonylierung zu rechnen. Daher liegen die Ausbeuten unter 20% d.Th.[3]:

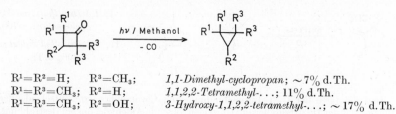

$R^1=R^2=H$;	$R^3=CH_3$;	*1,1-Dimethyl-cyclopropan*; ~ 7% d.Th.
$R^1=R^3=CH_3$;	$R^2=H$;	*1,1,2,2-Tetramethyl-...*; 11% d.Th.
$R^1=R^3=CH_3$;	$R^2=OH$;	*3-Hydroxy-1,1,2,2-tetramethyl-...*; ~ 17% d.Th.

Mit guten Ausbeuten verlaufen die Umsetzungen von 2,4-Dioxo-tetramethyl-cyclobutan. In Benzol[4] wird es (über Decarbonylierungen von 1,2-Diketonen s. Tab. 125, S. 886) mit 80% d.Th. unter zweifacher Decarbonylierung zum *2,3-Dimethyl-buten-(2)* photolysiert[5,6]. Wird die Bestrahlung in Äthanol vorgenommen, so erhält man nach Abspaltung von einem Mol Kohlenmonoxid das entsprechende Halbacetal[7] mit 55%iger Ausbeute. In siedendem Furan dagegen entsteht ein 1:1-Addukt[7,8]:

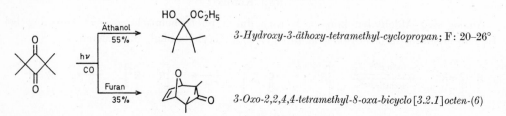

3-Hydroxy-3-äthoxy-tetramethyl-cyclopropan; F: 20–26°

3-Oxo-2,2,4,4-tetramethyl-8-oxa-bicyclo[3.2.1]octen-(6)

Ein klassisches Beispiel für eine beschleunigte Decarbonylierung durch einen Dreiring, der sich beiderseitig in β-Stellung zur Oxo-Gruppe befindet, ist die Kohlenmonoxid-Abspaltung aus (–)-Thujon[9]. Die Bestrahlung dieser Verbindung in Substanz wie auch in Lösung (Cyclohexan) führt praktisch quantitativ zu *6-Methyl-5-methylen-hepten-(2)*;

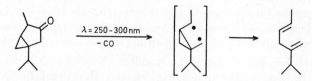

[1] G. Quinkert et al., Tetrahedron Letters **1963**, 1863.
[2] Stereospezifische Decarbonylierungen: N. J. Turro u. D. M. McDaniel, Am. Soc. **92**, 5727 (1970).
Decarbonylierung v. 3-Oxo-1-methylen-cyclobutan bei –196°: P. Dowd u. K. Sachdev, Am. Soc. **89**, 715 (1967).
[3] N. J. Turro u. R. M. Southam, Tetrahedron Letters **1967**, 545.
Über analoge Decarbonylierungen: H. U. Hostettler, Helv. **49**, 2417 (1966).
[4] Über Photolyse in Propansäure: J. K. Crandall u. W. H. Machleder, Am. Soc. **90**, 7292 (1968).
Über Photolyse in Methanol: N. J. Turro u. T. Cole, Jr., Tetrahedron Letters **1969**, 3451. s. a. Lit.[3].
Über Photolyse in Isopropanol, in Benzol unter Sauerstoffdruck s. Lit.[3].
[5] N. J. Turro, G. W. Byers u. P. A. Leermakers, Am. Soc. **86**, 955 (1964).
[6] N. J. Turro et al., Am. Soc. **87**, 2613 (1965).
[7] H. G. Richey, Jr., J. M. Richey u. D. C. Clagett, Am. Soc. **86**, 3906 (1964).
[8] R. C. Cookson, M. J. Nye u. G. Subrahmanyan, Pr. Chem. Soc. **1964**, 144.
[9] R. H. Eastman et al., J. Org. Chem. **28**, 2162 (1963).
s. a. R. S. Cooke u. G. D. Lyon, Am. Soc. **93**, 3840 (1971).

Bestrahlungen von 2-Oxo-indanen verdeutlichen den Einfluß der Phenyl-Gruppen in α-Stellung. Das unsubstituierte Keton wird in benzolischer Lösung kaum decarbonyliert. In Äther erhält man nur zu 5% das Dimere des o-Xylylens. Als Hauptprodukt fällt *2-Hydroxy-2,3-dihydro-inden* (~ 50% d.Th.) an[1]:

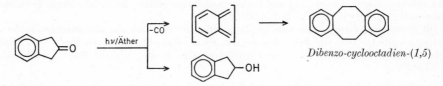

Dibenzo-cyclooctadien-(1,5)

Die Einführung einer bzw. zweier Phenyl-Gruppen steigert die Ausbeuten an Decarbonylierungsprodukten erheblich. Im Falle von 2-Oxo-1-phenyl-indan läßt sich bereits mit 80%iger Ausbeute das Dimere als *5,6-Diphenyl-⟨dibenzo-cyclooctadien-(1,5)⟩* isolieren[1]. Bestrahlt man 2-Oxo-1,3-diphenyl-indan, so wird nahezu quantitativ Kohlenmonoxid abgespalten, da das sekundäre Diradikal besonders gut stabilisiert ist[2]:

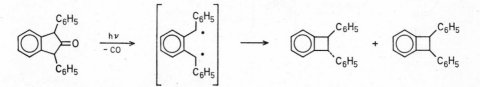

cis- und trans-1,2-Diphenyl-benzocyclobuten[2]: 20 g 2-Oxo-1,3-Diphenyl-indan werden unter Durchleiten von trockenem sauerstofffreiem Stickstoff in 4 *l* Benzol bei Raumtemp. 3 Stdn. bestrahlt. Man verwendet das ungefilterte Licht einer Quecksilber-Hochdruck-Tauchlampe Q 700 (Original Hanau). Danach wird die gelbliche Reaktionslösung über Aluminiumoxid (Merck neutral, Aktivitätsstufe I) filtriert und am Rotationsverdampfer bei ~ 20° eingedampft. Der kristalline Rückstand (15,7 g) wird in Petroläther (Kp: 40–55°) aufgenommen und daraus fraktioniert kristallisiert. *cis*-1,2-Diphenyl-benzocyclobuten: Ausbeute: 3,3 g (26% d.Th.); F: 86–87°. *trans*-1,2-Diphenyl-benzocyclobuten: Ausbeute: 6,4 g (> 50% d.Th.); F: 94–95°.

Analog läßt sich 2-Oxo-1,3-diphenyl-1,3-dideuterio-indan decarbonylieren. Die Trennung des *cis*- und *trans*-ständig substituierten Benzocyclobutens gelingt aufgrund der unterschiedlichen Reaktivität gegenüber Maleinsäure-methylimid[2]:

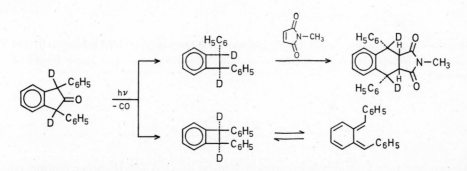

(Z)-1,2-Diphenyl-1,2-dideuterio-benzocyclobuten und cis-1,4-Diphenyl-1,4-dideuterio-1,2,3,4-tetrahydro-naphthalin-2,3-dicarbonsäure-methylimid[1]: Eine Lösung von 572 mg 2-Oxo-1,3-diphenyl-dideuterio-indan in 250 *ml* Benzol, durch die vor Beginn der Reaktion trockener sauerstofffreier Stickstoff geleitet wird, bestrahlt man 1,5 Stdn. bei Raumtemp. mit dem ungefilterten Licht einer Tauchlampe Q 81. Das

[1] G. QUINKERT et al., Tetrahedron Letters **1963**, 1863.
 G. QUINKERT, G. OPITZ u. J. WEIDLICH, Ang. Ch. **74**, 507 (1962).
[2] G. QUINKERT, A. **693**, 44 (1966).

Photolysat wird unter schonenden Bedingungen konzentriert, in Petroläther aufgenommen und über 20 g Aluminiumoxid (Merck neutral, Aktivitätsstufe I) filtriert. Das Eluat wird zur Trockene gebracht, der Rückstand (424 mg) in 4 *ml* Tetrachlormethan aufgenommen und mit 140 mg N-Methyl-maleinsäureimid versetzt. Nach 3 tägigem Stehen bei Raumtemp. werden die abgeschiedenen Kristalle [(*E*)-1,2-Diphenyl-1,2-dideuterio-benzocyclobuten] abfiltriert. Aus dem Überstand wird nach Eindampfen und fraktionierter Kristallisation aus Dichlormethan/Petroläther das substituierte Tetralin-dicarbonsäure-methylimid gewonnen; Ausbeute: 302 mg.

Die Mutterlauge filtriert man mit Petroläther (Kp: 20–40°) über 15 g Aluminiumoxid (Merck neutral, Aktivitätsstufe I). Das aus dem eingeengten Eluat abgeschiedene kristalline *cis*-1,2-Niphenyl-1,2-dideuterio-benzocyclobuten wird aus Petroläther (Kp: 20–40°) umkristallisiert; Ausbeute: 152 mg; F: 87,5–88°.

Bei der Bestrahlung von 2-Oxo-1,1,3,3-tetraphenyl-indan erhält man nicht das erwartete 1,1,2,2-Tetraphenyl-benzocyclobuten[1], sondern *9,9,10-Triphenyl-8a,9-dihydro-anthracen*, das sich in basischem Milieu (Filtration der benzolischen Lösung über neutralem Aluminiumoxid, Aktivitätsstufe I) zu 9,9,10-Triphenyl-9,10-dihydro-anthracen (F: 229,5–231°) umlagert[2]:

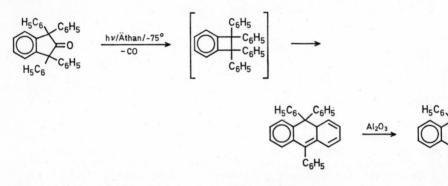

Als Beispiel für die Photolyse höhergliedriger cyclischer Ketone ist 6-Oxo-cycloheptadien-(1,3) anzuführen, das in Lösung zu *Hexantrien-(1,3,5)* (R=H) bzw. *Heptatrien-(1,3,5)* (R=CH$_3$) decarbonyliert[3]:

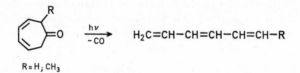

Bei einer Verbrückung des Siebenringes wie im 9-Oxo-bicyclo[4.2.1]nonan tritt bei Belichtung in Cyclopenten unter Kohlenmonoxid-Abspaltung *cis*- und *trans-Bicyclo[4.2.0]octan* auf[4]:

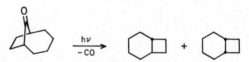

Tropon ergibt bei Bestrahlung in geringen Mengen B e n z o l. Die Decarbonylierung erfolgt allerdings aus dem intermediären 7-Oxa-bicyclo[4.1.0]heptadien-(2,4)[5].

[1] Der Nachweis der Verbindung gelingt NMR-spektroskopisch bei −50°.
[2] G. QUINKERT et al., B. **101**, 2302 (1968).
[3] O. L. CHAPMAN et al., Am. Soc. **84**, 1220 (1962);
    O. L. CHAPMAN u. G. W. BORDEN, J. Org. Chem. **26**, 4186 (1961).
[4] C. D. GUTSCHE u. C. W. ARMBRUSTER, Tetrahedron Letters **1962**, 1297.
[5] D. J. PASTA, in O. L. CHAPMAN, Org. Photochem. **1**, 155 (1967).

Hexatrien-(1,3,5)[1]: Eine Lösung von 2,73 g 6-Oxo-cycloheptadien-(1,3) in 50 ml trockenem Äther wird in einem Quarz-Gefäß, das mit einem Gas-Meßgerät versehen ist, unter Kühlung mit einer Quecksilber-Bogenlampe (General Electric UA 3) belichtet. Nach 27 Stdn. ist die Gas-Entwicklung und damit die Belichtung beendet. Der Äther und niedrigsiedende Produkte werden abdestilliert. Das Photoprodukt wird durch präparative Gaschromatographie erhalten (15% Ucon LB 55°X an 80–100 mesh Celite; 71°). Wie UV- und IR-Spektroskopie zeigen, stellt das gewonnene Präparat ein *cis-trans*-Isomeren-Gemisch dar.

Aus der analogen methylierten Verbindung kann unter gleichen Bedingungen *Heptatrien- (1,3,5)* gewonnen werden[1].

Von präparativem Interesse sind auch Decarbonylierungen von bi- und polycyclischen Ketonen.

6,6-Dimethoxy-bicyclo[3.1.0]hexen-(2)[2]:

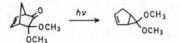

Eine Lösung von 16,8 g 6,6-Dimethoxy-5-oxo-bicyclo[2.2.1]hepten-(2) in 120 ml abs. Äther wird in einer Apparatur aus Pyrex und einer Quecksilber-Hochdruck-Lampe HPK 125 (Fa. Philips) ~80 Stdn. bei –50° unter Durchperlen von Stickstoff bestrahlt. Die Ausgangssubstanz ist nach dieser Zeit gaschromatographisch nicht mehr nachweisbar. Dann arbeitet man die Reaktionslösung destillativ über eine 30 cm Vigreux-Kolonne i. Vak. auf; Ausbeute: 12 g (86% d.Th.); Kp$_{10}$: 42°; n$_D^{20}$ = 1,4560.

endo-5,endo-6-Diphenyl-bicyclo[2.2.1]hepten-(2)[3]:

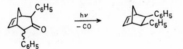

Eine Mischung von 2,8 g *cis*- und *trans*-3-Oxo-2,4-diphenyl-bicyclo[3.2.1]octen-(6) wird in 250 ml Benzol 60 Stdn. mit einer 125 W Quecksilber-Mitteldruck-Lampe und Pyrex-Filter belichtet. Anschließend wird das Lösungsmittel abgezogen und der Rest an einer Kieselgel-Säule mit Petroläther chromatographiert. Man erhält 1,3 g eines langsam erstarrenden Öles, das aus Petroläther umkristallisiert wird; F: 85–87°.

Unter gleichen Bedingungen wird *trans*-3-Oxo-2,4-diphenyl-8-oxa-bicyclo[3.2.1]octen-(6) in *Furan, cis*- und *trans-Stilben* sowie dessen Photodimeren, *1,2,3,4-Tetraphenyl-cyclobutan,* gespalten[3]:

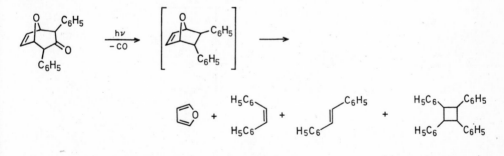

Im Gegensatz dazu läßt sich die gesättigte Verbindung glatt ohne weitere Zersetzung zum *2,3-Diphenyl-7-oxa-bicyclo[2.2.1]heptan* decarbonylieren[3].

---

[1] O. L. Chapman et al., Am. Soc. **84**, 1220 (1962);
   O. L. Chapman u. G. W. Borden, J. Org. Chem, **26**, 4186 (1961).
[2] H.-D. Scharf u. W. Küsters, B. **104**, 3016 (1971).
[3] R. C. Cookson, M. J. Nye u. C. Subrahmanyam, Soc. [C] **1967**, 473.
   R. C. Cookson, Pure Appl. Chem. **9**, 575 (1964).

Die Photodecarbonylierung von überbrückten β,γ-ungesättigten Ketonen läßt sich zur Synthese entsprechend substituierter Cyclohexadiene verwenden. So werden z. B. Derivate von 7-Oxo-bicyclo[2.2.1]hepten-(2) mit z. T. sehr guten Ausbeuten decarbonyliert:

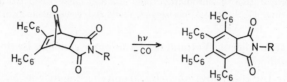

R=H   *1,2,3,4-Tetraphenyl-cyclohexadien-(1,3)-5,6-dicarbonsäure-imid*;   80% d.Th.; F: 295,6°[1]
R=C₆H₅   *...-phenylimid*;   80% d.Th.; F: 236,7°[1]

Sind dagegen die Substituenten des bicyclischen Ketons nicht zu einem Ring geschlossen, so können zusätzlich Hexatriene und/oder Aromaten gebildet werden[2]:

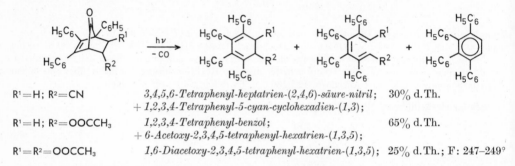

R¹=H; R²=CN   *3,4,5,6-Tetraphenyl-heptatrien-(2,4,6)-säure-nitril*;   30% d.Th.
                   + 1,2,3,4-Tetraphenyl-5-cyan-cyclohexadien-(1,3);

R¹=H; R²=OOCCH₃   *1,2,3,4-Tetraphenyl-benzol*;   65% d.Th.
                   + 6-Acetoxy-2,3,4,5-tetraphenyl-hexatrien-(1,3,5);

R¹=R²=OOCCH₃   *1,6-Diacetoxy-2,3,4,5-tetraphenyl-hexatrien-(1,3,5)*;   25% d.Th.; F: 247–249°

Tricyclische Cyclohexadien-Derivate werden auf die gleiche Weise aus den entsprechenden verbrückten Ketonen hergestellt. Die Bestrahlung des Ketons I in Chloroform oder Aceton ($\lambda = 254$ nm; Vycor; Stickstoff) liefert das *3,6-Dimethyl-4,5-diphenyl-tricyclo [6.2.1.0²,⁷]undecatrien-(3,5,9)*. Die Verbindung ist bis −10° stabil und läßt sich als 3,5-Dioxo-4-methyl-1,2,4-triazolin-Addukt abfangen. Bei Überschreiten der Temperatur zerfällt das Undecatrien in einer Retro-Diels-Alder-Reaktion zu *3,6-Dimethyl-1,2-diphenyl-benzol* und *Cyclopentadien*[3]. Weitere Beispiele s. Tab. 125 (S. 886).

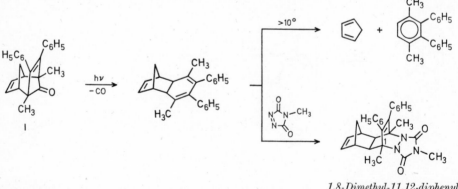

*1,8-Dimethyl-11,12-diphenyl-
9,10-diaza-tetracyclo[6.2.2.
1³,⁶.0²,⁷]tridecadien-(4,11)-
9,10-dicarbonsäure-methyl-
imid*

[1] B. Fuchs, Israel J. Chem. **1968**, 517; C. A. **69**, 106128 (1968).
[2] B. Fuchs u. S. Yankelevich, Israel J. Chem. **1968**, 511; C. A. **69**, 106127 (1968).
[3] W. S. Wilson u. R. N. Warrener, Tetrahedron Letters **1970**, 5203.

Photochemische Decarbonylierungen können auch mit 1,2-Diketonen[1] durchgeführt werden, wie die Beispiele in Tab. 125 (S. 886) zeigen. In fast allen Fällen findet eine zweifache Kohlenmonoxid-Abspaltung statt.

Auch die Bestrahlung von 1,3,5-Trioxo-hexamethyl-cyclohexan in Äther mit einer Quecksilber-Hochdruck-Immersions-Lampe (Hanau Q 700; Quarz) führt unter schrittweiser, dreifacher Decarbonylierung zu folgenden Produkten[2]:

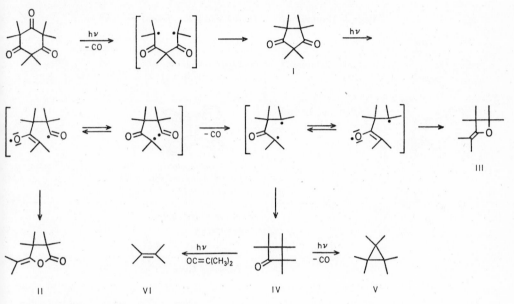

I   *3,5-Dioxo-hexamethyl-cyclopentan*; F: 51°

II *4-Hydroxy-2,2,3,3,5-pentamethyl-hexen-(4)-säure-lacton*; F: 45°

III *Tetramethyl-2-isopropyliden-oxetan*

IV *Oxo-hexamethyl-cyclobutan*; F: 45°

V *Hexamethyl-cyclopropan*

VI *2,3-Dimethyl-buten-(2)*

Analog kann durch Photolyse in Pentan nach ~ 80 Stdn. *Trispiro[4.0.4.0.4.0] pentadecan* (14,1% d.Th.; F: 34–35°) aus folgender Trispiro-Verbindung erhalten werden[3]:

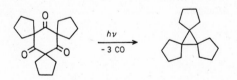

Bei kürzeren Bestrahlungszeiten wird das photolabile Mono- bzw. Di-decarbonylierungsprodukt erhalten[3].

---

[1] Über Decarbonylierungen von 1,4-, 1,5- und 1,6-Diketonen s. a.: P. H. OGDEN, Soc. [C] **1971**, 2920.

[2] H. U. HOSTETTLER, Tetrahedron Letters **1965**, 1941.

[3] A. P. KRAPCHO u. F. J. WALLER, Tetrahedron Letters **1970**, 3521.
s. a. A. P. KRAPCHO u. F. J. WALLER, J. Org. Chem. **37**, 1079 (1972).

Tab. 125. Decarbonylierung von Ketonen in Lösung

Ausgangs-verbindung	Reaktions-bedingungen	Produkt	Ausbeute [% d.Th.]	F [°C]	Lite-ratur
	Äther	2,2,5,5-Tetramethyl-hexin-(3)	a	–	1
	Benzol; Raumtemp.	Diphenylacetylen (Tolan)	68	–	2
	λ = 300–360 nm; –190°	cis-2,6-Dimethyl-bicyclo [4.3.0]nonadien-(1^9,7)	65	–	3
	λ = 350 nm; Benzol	Tetrabenzo-tricyclo [4.2.2.$2^{2,5}$]dodecapen-taen-(1,3,7,9,11)	a	–	4
		3-Oxo-1,2-di-tert.-butyl-cyclopropan	a	–	5
	Benzol	2,3-Dimethyl-buten-(2)	80	–	6
	450 W Hanovia; Cyclohexan; 60 Min.	2,6,6-Trimethyl-bicyclo [3.1.0]hexen-(2)	12	–	7
	4 Stdn.	Cyclopropan-⟨1-spiro-1⟩-2-methylen-1,2,3,4-tetra-hydro-naphthalin	a	–	8
	Benzol oder Dichlormethan	Bi-cyclohexyliden	a	–	9
	Sonnenlicht; Pyrex-Filter; Pentan oder Benzol	1,4,5,8-Tetrahydro-naphthalin	a	–	10

a Keine Angaben.

1 J. CIABATTONI u. E. C. NATHAN, III, Am. Soc. 91, 4766 (1969).
2 G. QUINKERT et al., Tetrahedron Letters 1963, 1863.
3 L. L. BARBER, O. L. CHAPMAN u. J. D. LASSILA, Am. Soc. 91, 3664 (1964).
4 N. M. WEINSHENKER u. F. D. GREENE, Am. Soc. 90, 506 (1968).
5 A. DE GROOT, D. ONDMAN u. H. WYNBERG, Tetrahedron Letters 1969, 1529.
6 N. J. TURRO, G. W. BYERS u. P. A. LEERMAKERS, Am. Soc. 86, 955 (1964).
7 W. F. ERMANN, Am. Soc. 89, 3828 (1967).
8 H. SATO, N. FURUTACHI u. K. NAKANISHI, Am. Soc. 94, 2150 (1972).
9 P. A. LEERMAKERS, Am. Soc. 86, 4213 (1964).
10 J. J. BLOOMFIELD, J. R. S. IRELAN u. A. P. MARCHAND, Tetrahedron Letters 1968, 5647.

Tab. 125 (1. Fortsetzung)

Ausgangs-verbindung	Reaktions-bedingungen	Produkt	Ausbeute [% d.Th.]	F [° C]	Lite-ratur
	Quecksilber-Hoch-druck-Lampe; Benzol	*3β-Methoxy-D-dinor-5α-androstan*	8	40–43	1
	450 W Quecksilber-Hochdruck-Lampe; Methanol; 17 Stdn.	*1,5-Dimethyl-4-phenyl-pyrazol*	80–90	65–66	2
	450 W Quecksilber-Hochdruck-Lampe; Pyrex-Filter; Benzol; 50 Min.	*5-Methyl-1-benzoylmethyl-4-phenyl-pyrazol*	17	155	2
		+ *1,2-Bis-[5-methyl-4-phenyl-2-benzoyl-pyrazolyl-(1)]-äthan*	7	183–184	
		+ *Benzil*	a		
	Benzol	*trans-Stilben*	a		3
		+ *1,2,3,4-Tetraphenyl-cyclobutan*	a		
	Benzol; 100 W Hanovia Queck-silber-Hochdruck-Lampe	*1,2-Bis-[methylen]cyclohexan*	a		4
	Hanovia	*Bicyclo[2.2.0]hexan*	5	(Kp:) 90	5
	100 W Hanovia Quecksilber-Hoch-Lampe; Cyclohexan	*7,7,8,8-Tetramethyl-cis-bicyclo[4.2.0]octan*	53	b	6
		+ *2-Isopropyl-1-isopro-penyl-cyclohexan*	18	b	
		+ *2,9-Dimethyl-decadien-(2,8)*	27	b	
	Cyclohexan; 100 W Hanovia Queck-silber-Hochdruck-Lampe	*2-Isopropyl-1-isopropenyl-cyclohexen*	55	b	6
		+ *1,2-Diisopropyliden-cyclohexan*	45	b	
	100 W Hanovia Quecksilber-Hoch-druck-Lampe	*2-Isopropyl-1-isopropenyl-benzol*	95	b	6

a keine Angaben.
b Strukturbeweis mit physikalischen Methoden.

1 G. QUINKERT, G. CIMBOLLEK u. G. BUHR, Tetrahedron Letters **1966**, 4573.
2 E. J. VÖLKER u. J. A. MOORE, J. Org. Chem. **34**, 3639 (1969).
3 R. C. COOKSON, M. J. NYE u. G. SUBRAHMANYAM, Soc. **1967**, 473.
4 P. S. ENGEL u. H. ZIFFER, Tetrahedron Letters **1969**, 5181.
  Über eine analoge Bestrahlung, s.: TH. R. DARLING, J. POULIQUEN u. N. J. TURRO, Am. Soc. **96**, 1247 (1974).
5 S. CREMER u. R. SRINIVASAN, Tetrahedron Letters **1960**, 21, 24.
6 J. E. STARR u. R. H. EASTMANN, J. Org. Chem. **31**, 1393 (1966).

Tab. 125 (2. Fortsetzung)

Ausgangs-verbindung	Reaktions-bedingungen	Produkt	Ausbeute [% d. Th.]	F [° C]	Lite-ratur
	100 W Hanovia Quecksilber-Hoch-druck-Lampe; Cyclohexan oder Benzol	*1,3-Bis-[methylen]-cycloheptan*	100	a	1
	Quecksilber-Mittel-druck-Lampe; Quarz; Benzol	*trans-1,2-Diphenyl-1,2-dihydro-⟨cyclobuta-[l]-phenanthren⟩*	82	195–197	2
	Hanovia 8A 36 100 W; Pentan; Stickstoff; 45 Stdn.	*cis-Bicyclo[4.3.0]nonan + Cyclononen* *+ cis-Bicyclo[6.1.0]nonan*	b b b		3
	Hanovia 8A 36 100 W; Pentan; Stickstoff; 22 Stdn.	*2,8-Dimethyl-nonadien-(1,8)* *+ 1,7-Dimethyl-bicyclo[5.2.0]nonan* *+ 1,4-Dimethyl-cyclononen* *+ 2,5-Dimethyl-cyclononen* *+ 4-Methyl-1-methylen-cyclononan*	b b b b b		3
	Äther	*1,2,3,4,5,6,7,8-Octamethyl-tricyclo[4.2.0.0²,⁵]octadien-(3,7)*	b		4
	b	*1,4-Dimethyl-2,3-diphenyl-benzol* *+ Maleinsäure-benzylimid*	b b		5
	Aceton	*1,4-Dimethyl-2,3-di-phenyl-benzol* *+ 3,6-Dioxo-pentacyclo[6.2.2.0²,⁷.0⁴,¹¹.0⁵,¹²]do-decen-(9)*	b b	 179–181	5

a Strukturbeweis mit physikalischen Methoden.

b Keine Angaben.

---

1 J. E. STARR u. R. H. EASTMANN, J. Org. Chem. **31**, 1393 (1966).
2 M. P. CAVA u. D. MANGOLD, Tetrahedron Letters **1964**, 1751.
3 C. D. GUTSCHE u. J. W. BRAUN, Am. Soc. **90**, 5862 (1968).
4 G. MAIER u. U. MENDE, Tetrahedron Letters **1969**, 3155.
5 C. M. ANDERSON u. J. B. BREUNER, Tetrahedron Letters **1969**, 1585.

Tab. 125 (3. Fortsetzung)

Ausgangs-verbindung	Reaktions-bedingungen	Produkt	Ausbeute [% d.Th.]	F [° C]	Lite-ratur
	100 W Hanovia Quecksilber-Hoch-druck-Lampe; Cyclohexan	*2,6-Dimethyl-hepten-(2)*	51	a	1
	Quecksilber-Mittel-druck-Lampe; Pyrex-Filter; Benzol	*5-Oxo-1,2,3,4-tetraphenyl-cyclopentan* + *1,2,3,4-Tetraphenyl-cyclobutan* + *trans-Stilben*		174–175	2
	100 W Hanovia Quecksilber-Hoch-druck-Lampe; Cyclohexan	*3-Methylen-cycloheptan-⟨1-spiro-1⟩-cyclopropan* + *1,3-Bis-[methylen]-cycloheptan*	28 13	a a	1
	Hanau S 81; Pyrex-Filter; Benzol	*1,2,3,4-Tetrachlor-5-phenyl-cyclohexadien-(1,3)*	60		3
		2,3,4,5-Tetrachlor-biphenyl	97		3
	sichtbares Licht; Benzol	*3,4,5,6-Tetrachlor-1,2-diphenyl-benzol*	b	173	4
	Hanau S 81; Pyrex-Filter; Benzol	*1,2-Dihydroxy-naphthalin*	53		3
		Anthracen	~100		3
		2,3-Dimethyl-1,4-diphenyl-2,3-dihydro-naphthalin-cis-2,3-dicarbonsäure-methylimid	80	176–179	5

a Strukturbeweis mit physikalischen Methoden.
b Keine Angaben.

1 J. E. STARR u. R. H. EASTMANN, J. Org. Chem. **31**, 1393 (1966).
2 R. C. COOKSON, M. J. NYE u. G. SUBRAHMANYAM, Soc. **1967**, 473.
3 J. STRATING et al., Tetrahedron Letters **1969**, 125.
4 D. BRYCE-SMITH u. A. GILBERT, Chem. Commun. **1968**, 1319.
5 D. W. JONES u. G. KNEEN, Chem. Commun. **1971**, 1356.

Tab. 125 (4. Fortsetzung)

Ausgangs-verbindung	Reaktions-bedingungen	Produkt	Ausbeute [% d.Th.]	F [° C]	Lite-ratur
(structure)	450 W Hanovia; Pentan; Stickstoff	5-Methoxy-3,4-isopropyli-dendioxy-2-methyl-tetrahydrofuran	~60		1
(structure)	140 W Hanovia; Gasphase	Hexafluor-1,3-dioxolan	a		2
(structure)	Benzol	4,5-Dimethyl-9,10-di-hydro-phenanthren	32		3
(structure)	450 W Hanovia; Äther; 6 Stdn.	Cyclooctatetraen	80		4
	Tetrahydrofuran		82		5

a Keine Angaben.

γγ) Abspaltung von Ketenen

Cyclische Ketone zeigen neben der Decarbonylierung (s. S. 880 ff.) als weitere Fragmen-tierungsreaktion (Cycloeliminierung, s. a. S. 822 ff.) die Abspaltung von Ketenen. Die Reak-tion besitzt lediglich Bedeutung als Abbau-Reaktion der Ausgangsstoffe, da konventionelle Methoden der Herstellung von Ketenen[6] vorzuziehen sind. Von den monocyclischen Ketonen[7] zeigen lediglich Oxo-cyclobutane Keten-Abspaltung. Da bei Photolysen in Methanol Ringerweiterungen über Oxacarben und Decarboxylierungen als Konkurrenz-Reaktionen vorkommen, sind die Ausbeuten nicht befriedigend.

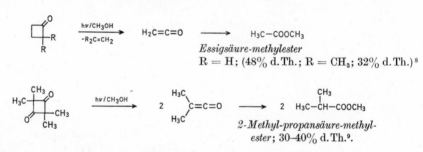

Über die Keten-Abspaltung von bicyclischen Oxo-cyclobutanen s. Lit.[10].

¹ P. M. Collins, Chem. Commun. 1968, 403.
² J. R. Throckmorton, J. Org. Chem. 34, 3438 (1969).
³ K. Mislow u. A. J. Gordon, Am. Soc. 85, 3521 (1963).
⁴ Th. A. Antkowiak et al., Am. Soc. 94, 5366 (1972).
⁵ K. Kurabayashi u. T. Mukai, Tetrahedron Letters 1972, 1049.
⁶ Vgl. a. ds. Handb., Bd. VII/4, Kap. Ketene, S. 103.
⁷ Eine Ausnahme scheint die Keten-Abspaltung beim 1,2-Dioxo-cyclodekan zu sein: W. H. Urry, D. J. Trecker u. D. A. Winey, Tetrahedron Letters 1962, 609.
⁸ N. J. Turro u. R. M. Southam, Tetrahedron Letters 1967, 545.
⁹ N. J. Turro u. T. Cole, Jr., Tetrahedron Letters 1969, 3451.
¹⁰ D. E. Bays u. R. C. Cookson, Soc. [B] 1967, 226.
   E. J. Völker u. J. A. Moore, J. Org. Chem. 34, 3639 (1969).

Weitaus höhere Ausbeuten werden bei Bestrahlungen von verbrückten Ketonen z. B. in Äther erhalten[1]:

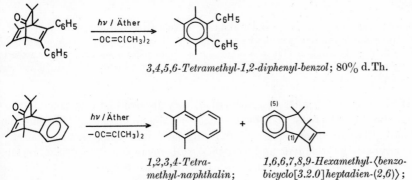

3,4,5,6-Tetramethyl-1,2-diphenyl-benzol; 80% d. Th.

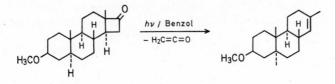

1,2,3,4-Tetra-
methyl-naphthalin;
82% d. Th.

1,6,6,7,8,9-Hexamethyl-⟨benzo-
bicyclo[3.2.0]heptadien-(2,6)⟩;
13% d. Th.

Mit 92% d. Th. verläuft als Beispiel eines polycyclischen Ketons die Photolyse von 3β-Methoxy-16-oxo-D-nor-5α-androstan in Benzol zu *3β-Methoxy-D-trinor-5α-androsten-(13)*[2]:

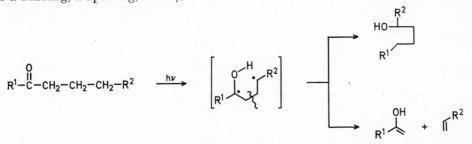

δδ) β-Spaltungen

Aldehyde und Ketone, die in γ-Stellung zur Carbonyl-Gruppe ein Wasserstoff-Atom tragen, verlagern dieses nach photochemischer Anregung unter Bildung eines 1,4-Diradikals an den Elektronen-defizitären Carbonyl-Sauerstoff. Anschließend wird das intermediäre 1,4-Diradikal durch Bruch der β-Bindung in 2 Molekül-Fragmente gespalten (s. a. Bruch der α-Bindung, α-Spaltung, S. 737).

Man erhält als Photoprodukte ein Olefin und die Enolform eines Ketons, die sich in das Keton umlagert. Derartige intramolekulare Photocycloeliminierungen (s. aber auch S. 890)

---

[1] R. K. MURRAY u. H. HART, Tetrahedron Letters **1968**, 4995.
Über analoge Bestrahlungen s. a.:
H. HART u. R. K. MURRAY, Tetrahedron Letters **1969**, 379.
J. ITAKTSCHI, Tetrahedron Letters **1969**, 215.
[2] G. QUINKERT, G. CIMBOLLEK u. G. BUHR, Tetrahedron Letters **1966**, 4573.

werden als Norrish-Typ II-Reaktionen[1-3] bezeichnet. Das intermediäre 1,4-Diradikal kann auch unter Cyclisierung zu einem Hydroxycyclobutan weiter reagieren (s. S. 798), so daß bei β-Spaltungen stets mit Cyclobutanol-Bildung als Konkurrenz-Reaktion zu rechnen ist.

Der sechsgliedrige Übergangszustand[4] des 1,4-Diradikals wurde IR-spektroskopisch[5] und durch Fragmentierung deuterierter Verbindungen[6] bewiesen. Über die Natur der elektronisch angeregten Spezies bei der Norrish-Typ II-Reaktion läßt sich allgemein Gültiges nicht aussagen, da das experimentelle Material gegensätzliche Aussagen zuläßt[7,8]. Der Temperatur-Einfluß auf die β-Spaltung und die Wellenlängen-Abhängigkeit sind gering.

Norrish-Typ II-Spaltungen unterliegen prinzipiell alle acyclischen und cyclischen Carbonyl-Verbindungen, die ein γ-Wasserstoff-Atom tragen. Ausnahmen bilden 1,2-Diketone, die nur intramolekulare Photocyclisierung (s. S. 802) eingehen, und Halogen-substituierte[9] oder ungesättigte aliphatische Aldehyde und Ketone, die allgemein keine β-Spaltung zeigen. Der Ersatz einer Alkyl-Gruppe durch einen aromatischen Substituenten verhindert die Norrish-Typ II-Spaltung nicht. Die Umsetzungen können in der Gasphase oder in Lösung durchgeführt werden.

Carbonyl-Verbindungen, die lediglich ein β-ständiges Wasserstoff-Atom besitzen, lassen sich über einen viergliedrigen Übergangszustand ebenfalls in ein Olefin und die entsprechende Carbonyl-Verbindung spalten. In diesem speziellen Fall spricht man von einer Norrish-Typ III-Reaktion[10], die eine hohe Wellenlängen-Abhängigkeit zeigt.

3-Oxo-2-methyl-butan wird bei Photolyse mit $\lambda = 254$ nm in *Acetaldehyd* und *Propen* gespalten[10,11]:

[1] C. H. Bamford u. R. C. W. Norrish, Soc. 1978, 1521.
[2] Eine ausgezeichnete Übersicht gibt: P. J. Wagner, Accounts Chem. Res. 4, 168 (1971).
   s. a.: N. J. Turro et al., Accounts Chem. Res. 5, 92 (1972).
[3] Über gemessene Quantenausbeuten s.:
   P. J. Wagner u. H. N. Schott, Am. Soc. 91, 5383 (1969).
   P. J. Wagner u. G. Copen, Mol. Photochem. 1, 173 (1969).
   F. D. Lewis u. T. A. Hilliard, Am. Soc. 92, 6672 (1970).
   L. M. Stephenson u. J. I. Braumann, Am. Soc. 93, 1988 (1971).
   P. J. Wagner, Am. Soc. 89, 5898 (1967); Tetrahedron Letters 1967, 1753.
   P. J. Wagner, A. E. Kemppainen u. P. A. Kelso, 158th National Meeting of the American Chemical Society, September 1969, New York, PHYS-148.
[4] W. Davis u. W. A. Noyes, Jr., Am. Soc. 69, 2153 (1947).
[5] G. R. McMillan, J. G. Calvert u. J. N. Pitts, Jr., Am. Soc. 86, 3602 (1964).
[6] J. T. Gruver u. J. G. Calvert, Am. Soc. 80, 3524 (1958).
   J. R. McNesby u. A. S. Gordon, Am. Soc. 80, 261 (1958).
   R. Srinivasan, Am. Soc. 81, 5061 (1959).
[7] V. Brunnet u. W. A. Noyes, Jr., Bl. 1958, 121.
   J. V. Michael u. W. A. Noyes, Jr., Am. Soc. 85, 1027 (1963).
[8] P. Ausloos u. R. E. Rebbert, Am. Soc. 86, 4512, 4803 (1964).
   P. J. Wagner u. G. S. Hammond, Am. Soc. 87, 4009 (1965); 88, 1245 (1966).
[9] T. J. Dougherty, J. Org. Chem. 33, 2523 (1968).
[10] A. M. Zahra u. W. A. Noyes, Jr., J. phys. Chem. 69, 943 (1965).
[11] J. N. Pitts, Jr. u. A. D. Osborne, Am. Soc. 83, 3011 (1961).

Analog erhält man in der Gasphase ($\lambda = 313$ nm) aus 3-Hydroxy-2-oxo-butan *Acetaldehyd*[1].

Wie die Photospaltung von 2-Methoxy-4-oxo-2-methyl-pentan[2] in Heptan, Äthanol oder Allylalkohol zeigt, führt die viergliedrige Zwischenstufe zu *4-Oxo-2-methyl-penten-(2)* und *Methanol* (Norrish-Typ III), die siebengliedrige Zwischenstufe dagegen zu *4-Hydroxy-2,2,4-trimethyl-tetrahydrofuran*. Produkte, die über einen sechsgliedrigen Übergangszustand gebildet werden, treten nicht auf:

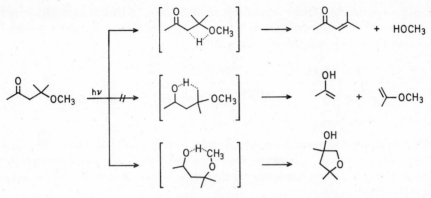

δδ₂) Aldehyde

Aliphatische Aldehyde reagieren z. T. aus dem Triplett-Zustand (z. B. Gasphasen-Photolyse von Butanal[3]) oder in einigen Fällen in Lösung aus dem Singulett-Zustand[4].

Obwohl Untersuchungen über Photolysen an aliphatischen Aldehyden[5] vorliegen, haben diese kaum präparative Bedeutung. Als Beispiel einer β-Spaltung sei die Photolyse von *endo*-6-Formyl-bicyclo[3.1.0]hexan in Äther zu *Cyclopenten-(2)-yl-acetaldehyd* (30% d. Th.) genannt[6]:

Über die β-Spaltung des 2,3,3-Trimethyl-4-(2-oxo-äthyl)-cyclopentens (α-Campholenaldehyds) s. S. 760.

δδ₂) Ketone

In Lösung werden aliphatische Ketone über S_1- oder T_1-Zustände nach der Norrish-Typ II-Reaktion gespalten[7,8]. Als Singulett-Sensibilisator kann z. B. 1-Methyl-naphthalin eingesetzt werden[9]. Einfache Oxoalkane[10] lassen sich auf die Weise zu Alkenen photolysieren[10]. Man erhält z. B. unter Abspaltung von *Aceton* aus[11]:

2-Oxo-pentan $\xrightarrow{h\nu}$ *Äthylen*

2-Oxo-octan $\xrightarrow{h\nu}$ *Penten-(1)* (67% d. Th.)

2-Oxo-nonan $\xrightarrow{h\nu}$ *Hexen-(1)* (60% d. Th.)

[1] J. N. PITTS, Jr. u. J. K. S. WAN in: S. PATAI, *The Chemistry of the Carbonyl Group*, S. 823, Interscience Publishers, London 1966.

[2] D. J. COYLE, R. V. PETERSON u. J. HEICKLEN, Am. Soc. **86**, 3850 (1964).

[3] R. P. BORKOWSKI u. P. AUSLOOS, Am. Soc. **84**, 4044 (1962).

[4] P. BORRELL, Am. Soc. **86**, 3156 (1964).

[5] Z. B.: R. E. REBBERT u. P. AUSLOOS, Am. Soc. **89**, 1573 (1967).
J. D. COYLE, Soc. [B] **1971**, 2254.

[6] D. L. GARIN, J. Org. Chem. **35**, 2830 (1970).

[7] P. J. WAGNER u. G. S. HAMMOND, Am. Soc. **88**, 1245 (1966).

[8] S. a.: N. C. YANG, S. P. ELLIOTT u. B. KIM, Am. Soc. **91**, 7551 (1969).

[9] P. J. WAGNER, Mol. Photochem. **3**, 169 (1971).

[10] Über mechanistische Studien der Norrish-Typ II-Reaktion: s. Lit.[8].

[11] N. C. YANG u. D.-D. H. YANG, Am. Soc. **80**, 2913 (1958).

Zu Aceton und Formaldehyd dagegen wird Methoxy-aceton photochemisch abgebaut[1]. Daß die β-Spaltung nicht auf Ketone allein beschränkt ist, belegt die Photolyse von 2-Oxo-decansäure in Benzol zu *Brenztraubensäure* und *Hepten-(1)*[2]:

$$H_3C-(CH_2)_7-\underset{\underset{O}{\|}}{C}-COOH \xrightarrow[\varphi\,=\,0,21]{h\nu\,/\,Benzol} H_3C-(CH_2)_4-CH=CH_2 \;+\; H_3C-\underset{\underset{O}{\|}}{C}-COOH$$

N-Phenyl-substituierte 3-Oxo-carbonsäure-amide können in Benzol nach gleichem Reaktionsverlauf zu *Phenylisocyanat* und dem entsprechenden Keton gespalten werden[3]. Die Ausbeuten an Phenylisocyanat liegen unter 20%.

Bei Alkyl-cycloalkyl-ketonen kann durch eine Norrish-Typ II-Reaktion der Ring aufgespalten werden, so daß Oxo-alkene entstehen. *cis*-2-Methyl-1-acetyl-cyclopropan mit einer 450 W Hanovia Immersionslampe in Pentan belichtet, geht z. B. mit 55%iger Ausbeute in *5-Oxo-hexen-(1)* über[4]:

Phenyl-alkyl-ketone reagieren bei Norrish-Typ II-Reaktionen meistens aus dem Triplett-Zustand. Ausnahmen, wie z. B. 2-Pentanoyl-naphthalin[5] werden auch beobachtet. Belichtungen von 1-Oxo-1-phenyl-butan[6] und 1-Oxo-1,3,4-triphenyl-butan[7] zu *Äthylen* bzw. *cis-* und *trans-Stilben* besitzen nur theoretisches Interesse. Hingegen können die folgenden Photolysen in einem hochsiedenden Lösungsmittel (1,4-Dimethoxy-butan) bei ~ 30–50° mit einer Hanau TQ-81 Quecksilber-Mitteldruck-Lampe zur Olefin-Herstellung ausgenutzt werden[8].

$$H_5C_6-CO-(CH_2)_n-CH_3 \xrightarrow{h\nu} H_5C_6-CO-CH_3 \;+\; H_2C=CH-(CH_2)_{n-3}-CH_3$$

n = 6; *Hexen-(1)*; 74% d. Th.
n = 7; *Hepten-(1)*; 84% d. Th.
n = 8; *Octen-(1)*; 75% d. Th.
n = 10; *Decen-(1)*; 35% d. Th.

$$H_5C_6-CO-(CH_2)_2-CH\,(CH_2)_n \xrightarrow{h\nu} H_5C_6-CO-CH_3 \;+\; H_2C=C\,(CH_2)_n$$

n = 4; *Methylen-cyclopentan*; 68% d. Th.
n = 5; *Methylen-cyclohexan*; 54% d. Th.
n = 7; *Methylen-cyclooctan*; 34% d. Th.

[1] R. Srinivasan, Am. Soc. 84, 2475 (1962).
[2] T. R. Evans u. P. A. Leermakers, Am. Soc. 90, 1840 (1968).
[3] J. Reisch u. D. Niemeyer, Tetrahedron Letters 1968, 3247.
[4] W. G. Dauben, N. Schulte u. R. E. Wolf, J. Org. Chem. 34, 1849 (1969).
[5] N. C. Yang u. A. Shani, Chem. Commun. 1971, 815.
[6] J. K. S. Wan et al., Am. Soc. 87, 4409 (1965).
[7] R. A. Caldwell u. P. M. Fink, Tetrahedron Letters 1969, 2987.
P. J. Wagner u. P. A. Kelso, Tetrahedron Letters 1969, 4151.
[8] D. C. Neckers, J. Org. Chem. 36, 1838 (1971).

Analog liefert 2-(3-Oxo-3-phenyl-propyl)-bicyclo[2.2.1]heptan nach 24 stdg. Belichtung bei 40° *2-Methylen-bicyclo[2.2.1]heptan* (30% d. Th.)[1]. (Trimethylsilyl-alkyl)-phenyl-ketone werden in Cyclohexan mit einer Hanovia 450 W Quecksilber-Hochdruck-Lampe (679 A) zu Acetophenon und *Trimethylsilyl-äthylen* (66–99% d. Th.) bzw. *3-Trimethylsilyl-propen* (58–67% d. Th.) gespalten[2].

Mit guten Ausbeuten führen zweifache β-Spaltungen zu 1, ω - Alkadienen[3]:

$$H_5C_6-CO-(CH_2)_n-CO-C_6H_5 \xrightarrow{h\nu} 2\ H_5C_6-CO-CH_3 + H_2C=CH-(CH_2)_{n-6}-CH=CH_2$$

$n = 6$; *Butadien-(1,3)*; 50% d. Th.
$n = 7$; *Pentadien-(1,4)*; 46% d. Th.
$n = 8$; *Hexadien-(1,5)*; 53% d. Th.

Je nach Stellung der substituierten Amino-Gruppen werden α- und β-Amino-ketone zu Azomethinen[4], γ-Amino-ketone[5] zu Enaminen gespalten. Isocyanate lassen sich durch Spaltung von N-substituierten Benzoylessigsäure-amiden bei Bestrahlung mit einer 50 W Quecksilber-Niederdruck-Quarzlampe (Fa. Gräntzel, Karlsruhe) unter einer Stickstoff-Atmosphäre bei 15–18° mit guten Ausbeuten herstellen[6]. Sie werden durch Einleiten von Ammoniak nach (oder während) der Photolyse über ihre Harnstoff-Derivate identifiziert.

R=C₆H₅;	*Phenylisocyanat*;	60% d. Th.
R=4-CH₃-C₆H₄;	*4-Methyl-phenylisocyanat*;	50% d. Th.
R=CH₂-C₆H₅;	*Benzylisocyanat*;	32% d. Th.
R=Naphthyl-(1);	*Naphthyl-(1)-isocyanat*;	44% d. Th.

Zur Herstellung von maximal ungesättigten Heterocyclen können Photolysen entsprechend substituierter Acetophenone verwendet werden. Nach 8 stdg. Photolyse in Benzol, mit einer Hanovia-450-W-Lampe (Pyrex-Filter), liefert *trans*-3-Benzoylmethyl-2-phenyl-oxiran *2-Hydroxy-1,2-diphenyl-5-oxa-bicyclo[2.1.0]pentan* (F: 141–142°), *1,4-Dioxo-*

[1] D. C. NECKERS, J. Org. Chem. **36**, 1838 (1971).
[2] H. G. KWIVILA u. P. L. MAXFIELD, J. Organometal. Chem. **10**, 41 (1967).
[3] S. a.: J. H. STOCKER u. D. H. KERN, Chem. Commun. **1969**, 204.
[4] A. PADWA et al., Am. Soc. **91**, 1857 (1969).
H. J. ROTH et al., Tetrahedron Letters **1968**, 3433.
H. J. ROTH u. H. GEORGE, Ar. **303**, 695, 725 (1970).
S. a.: A. PADWA et al., Am. Soc. **93**, 6998 (1971).
J. A. HYATT, J. Org. Chem. **37**, 1254 (1972).
J. HILL u. J. TOWNED, Soc. (Perkin I) **1972**, 1210.
[5] P. J. WAGNER u. A. E. KEMPPAINEN, Am. Soc. **91**, 3085 (1969).
[6] J. REISCH u. D. NIEMEYER, Tetrahedron Letters **1968**, 3247.

1,4-diphenyl-butan (F: 142–143°) und *Phenylessigsäure* (F: 75–76°)[1]:

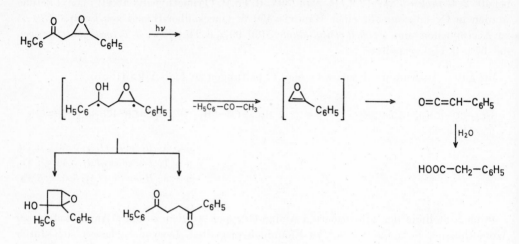

Wird in diesem Falle die Oxiren-Stufe nur durchlaufen, so kann 5-[2-Oxo-2-(4-brom-phenyl)-äthyl]-5-phenyl-3-(4-brom-phenyl)-4,5-dihydro-1,2-oxazol ohne jegliche Nebenprodukte in *5-Phenyl-3-(4-brom-phenyl)-1,2-oxazol* überführt werden:

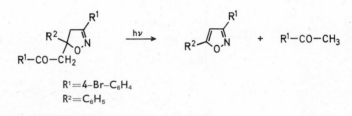

$$R^1 = 4\text{-}Br\text{-}C_6H_4$$
$$R^2 = C_6H_5$$

5-Phenyl-3-(4-brom-phenyl)-1,2-oxazol[2]: Eine Lösung von 200 mg 5-[2-Oxo-2-(4-brom-phenyl)-äthyl]-5-phenyl-3-(4-brom-phenyl)-4,5-dihydro-1,2-oxazol in 250 *ml* Äther werden in einem Rayonet-Reaktor, Typ RUL-208, mit einer RUL-3500 Lampe 38 Stdn. bestrahlt. Anschließend wird das Lösungsmittel abgezogen und der Rückstand durch präparative Dünnschicht-Chromatographie an Kieselgel getrennt; Ausbeute: 53 mg (83% bez. auf Umsatz); F: 179–180°.

Bei gleicher Arbeitsweise können erhalten werden:

3,5-Diphenyl-1,2-oxazol;	48% d. Th.; F: 141–142°.
3-Phenyl-5-(4-chlor-phenyl)-1,2-oxazol;	55% d. Th.; F: 177–178°.
5-(4-Methoxy-phenyl)-3-(4-methyl-phenyl)-1,2-oxazol;	48% d. Th.; F: 128–129°.

Cycloalkyl-phenyl-ketone werden zu ungesättigten Ketonen umgewandelt. Die Ausbeuten und Zahl der Nebenprodukte hängt von der Ringgröße und Substitution des Cycloalkyl-Restes ab. So erhält man aus *cis*-2-Phenyl-1-benzoyl-cyclobutan bei Belichtung in wasserfreiem Benzol mit einer Hanovia 550 W Quecksilber-Hochdruck-Lampe neben *trans*-2-Phenyl-1-benzoyl-cyclobutan (F: 42–43°) nur *5-Oxo-1,5-diphenyl-penten-(1)* (F: 58–59°), während aus Benzoyl-cyclobutan bei analoger photochemischer Reaktionsführung 4 Pro-

[1] A. Padwa et al., Am. Soc. **89**, 4435 (1967).

[2] P. L. Kumler u. C. L. Pedersen, Acta chem. scand. **22**, 2719 (1968).

dukte entstehen[1]:

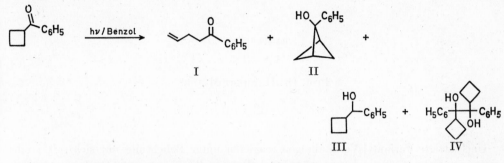

I; *5-Oxo-5-phenyl-penten-(1)*; 24% d.Th.; Kp_9: 140°

II; *2-Hydroxy-2-phenyl-bicyclo[1.1.1]pentan*; 38% d.Th.; F: 56–62°.

III; *(α-Hydroxy-benzyl)-cyclobutan*; 8% d.Th.; Kp_{10}: 121–123°

IV; *1,2-Dihydroxy-1,2-dicyclobutyl-1,2-diphenyl-äthan*; 10% d.Th.; F: 131–133°

Benzoyl-cyclopentan zeigt nicht nur β-Spaltung, sondern auch die Bildung des entsprechenden Hydroxy-cyclobutans und Hydroxy-cyclohexens[2].

5,7-Dioxo-7-phenyl-hepten-(1)[3]:

Eine 1%ige Lösung von 2-Oxo-1-benzoyl-cyclohexan in Cyclohexan wird mit einer 85 W Hanovia Mitteldruck-Lampe (Vycor) in einem Rayonet-Srinivasan-Reaktor 4 Stdn. bei 50° bestrahlt. Anschließend trennt man die Reaktions-Lösung durch präparative Dünnschicht-Chromatographie an Kieselgel mit Essigsäure-äthylester/Petroläther (1:9) auf. Neben Ausgangsmaterial (R_F: 0,2) wird mit 72%iger Ausbeute das gewünschte Photoprodukt erhalten; F: 133–135° [als Cu(II)-Komplex].

Bei gleicher Arbeitsweise kann *4-(3-Oxo-3-phenyl-propyl)-cyclohexen* (15% d.Th.; F: 172–173°) aus 2-Benzoyl-tricyclo[2.2.2]octan erhalten werden[3].

Sieht man von Einzelbeispielen[4] ab, so besitzt die β-Spaltung von cyclischen Ketonen kaum Bedeutung. Hier sei lediglich die interessante Photolyse von 2-Oxo-6,6-dimethyl-bicyclo[3.1.1]heptan (Nopinon) in Methanol mit einer Hanovia 450 W Hochdruck-Lampe (Corex) erwähnt, die über zwei verschieden orientierte En-al-Bildungen und eine sich anschließende β-Spaltung zum *4-Isopropenyl-hexen-(5)-al* führt[5]:

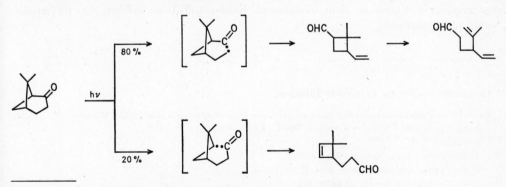

[1] A. PADWA, E. ALEXANDER u. M. NIEMCYZK, Am. Soc. **91**, 456 (1969).

[2] A. PADWA u. D. EASTMANN, Am. Soc. **91**, 462 (1969).

[3] C. L. McINTOSH, Canad. J. Chem. **45**, 2267 (1967).

[4] J. P. MORIZUR, B. FURCH u. J. KOSSANYI, Bl. **1970**, 1959.

C. H. BAMFORD u. R. G. W. NORRISH, Soc. **1938**, 1521.

[5] G. W. SCHAFFER, A. B. DOERR u. K. L. PURZYCKI, J. Org. Chem. **37**, 25 (1972).

β) Cycloadditionen von Enonen[1]

bearbeitet von

Prof. Dr. HERBERT MEIER*

Ungesättigte Carbonyl-Verbindungen reagieren unter Belichtung mit sich selbst oder einem zugesetzten Olefin häufig nicht nach Paterno-Büchi zu einem Oxetan (s. S. 838), sondern bevorzugt unter Cyclobutan-Bildung[2]. Auf diese Weise erhält man z. B. aus 3-Oxo-cyclopenten ein Gemisch des Kopf/Kopf- und des Kopf/Schwanz-Cyclodimeren[3], dessen prozentuale Zusammensetzung von Lösungsmittel abhängig ist[4]. In Cyclopenten als Solvens und Reaktionspartner bilden sich dagegen 67% des „gemischten" Cycloaddukts[3]:

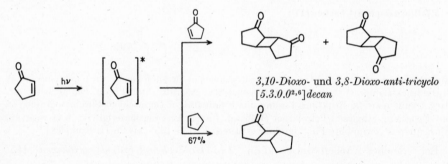

3,10-Dioxo- und 3,8-Dioxo-anti-tricyclo [5.3.0.0²,⁶]decan

3-Oxo-anti-tricyclo[5.3.0.0²,⁶]decan

Sind beide Reaktionskomponenten unsymmetrisch, so gibt es zwei Additions-orientierungen, die zu Strukturisomeren führen. Bevorzugt ist dabei die Orientierung (Regioselektivität), bei der der Angriff des zur Oxo-Gruppe α-ständigen Kohlenstoff-Atoms des angeregten Enons an dem olefinischen Kohlenstoff-Atom erfolgt, das die größere Nukleophilie aufweist[5].

---

* **Chemisches Institut der Universität Tübingen.**

[1] Zu anderen Photoreaktionen der Enone s. cis-trans-Isomerisierungen s. S. 189ff.; Wasserstoff-Verschie-bungen s. S. 796; Umlagerungen s. S. 766ff.; Keten-Bildung s. S. 747ff.

[2] Übersichtsartikel:
A. MUSTAFA, Chem. Reviews **51**, 1 (1952).
P. E. EATON, Accounts Chem. Res. **1**, 50 (1968).
P. G. BAUSLAUGH, Synthesis **1970**, 287.
P. DE MAYO, Accounts Chem. Res. **4**, 41 (1971).

[3] P. E. EATON, Am. Soc. **84**, 2344, 2454 (1962).

[4] P. DE MAYO, J.-P. PETE u. M. TCHIR, Canad. J. Chem. **46**, 2535 (1968).
G. MARK, F. MARK u. O. E. POLANSKY, A. **719**, 151 (1969).

[5] E. J. COREY et al., Am. Soc. **86**, 5570 (1964).

Elektronen-schiebende Substituenten in der Olefin-Komponente beschleunigen, Elektronen-ziehende dagegen verlangsamen die Reaktion[1]; z. B.:

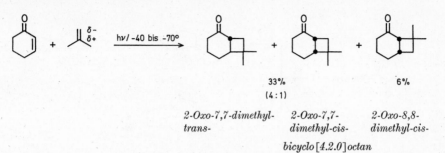

33%
(4:1)

6%

2-Oxo-7,7-dimethyl-   *2-Oxo-7,7-*   *2-Oxo-8,8-*
trans-   *dimethyl-cis-* *dimethyl-cis-*

bicyclo[4.2.0]octan

Eine alternative Theorie betrachtet die Stabilität der vier möglichen intermediären 1,4-Diradikale. Das stabilste, A, sollte leicht rückwärts in die Komponenten zerfallen, das instabilste, D, hat eine kleine Bildungstendenz, so daß die Produkt-Bildung bevorzugt über B bzw. C erfolgen sollte[2]:

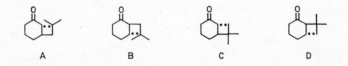

A   B   C   D

Der Einfluß Dipolmomente auf die Additionsorientierung wurde an den Photoannellierungen der folgenden Verbindungen untersucht:

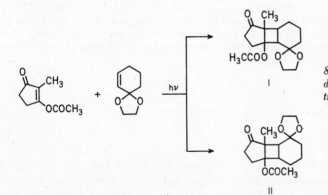

8,8- bzw. *11,11-[Äthylen-(1,2)-dioxy]-6-acetoxy-3-oxo-2-methyl-tricyclo[5.4.0.0²,⁶]undecan*

Der Anteil von I, bei dessen Bildung die Dipolmomente der Komponenten entgegengerichtet sind, wächst mit der Dielektrizitätskonstanten des Lösungsmittels[3].

Der sterische Ablauf der Cycloaddition wird gekennzeichnet durch *cis-* und *trans-* sowie *syn-* und *anti*-Annellierung. Während man z. B. beim 3-Oxo-cyclopenten nur *cis*-Verknüpfungen feststellt, dominieren beim 3-Oxo-cyclohexen häufig die gespannteren *trans*-Konfigurationen (siehe oben). Präparativ wichtig ist, daß man mit Basen daraus die reinen *cis*-Verbindungen herstellen kann. 2-Acetoxy-3-oxo-cyclopenten liefert z. B. bei Belichtung mit 2,3-Dihydro-furan *7-Acetoxy-8-oxa-3-oxo-syn-* bzw. *anti-tricyclo[5.3.0.0²,⁶]decan* (in

[1] E. J. COREY et al., Am. Soc. **86**, 5570 (1964).

[2] P. G. BAUSLAUGH, Synthesis **1970**, 287.

[3] B. D. CHALLAND u. P. DE MAYO, Chem. Commun. **1968**, 982.

Cyclohexan 40%, in Acetonitril 20% syn-Verbindung), mit Cyclopenten entsteht praktisch reines 6-Acetoxy-5-oxo-anti-tricyclo[5.3.0.0²,⁶]decan[1]:

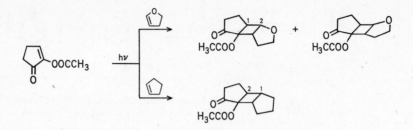

Im einzelnen hängen Regio- und Stereoselektivität außer von den Komponenten selbst von den Reaktionsbedingungen (Solvens, Temperatur, Wellenlänge) ab.

Mit den genannten experimentellen Befunden steht am besten die mechanistische Vorstellung im Einklang, daß das Enon mit dem Olefin einen orientierten π-Komplex bildet, der in zwei Stufen über ein 1,4-Diradikal den $2\pi \rightarrow 2\sigma$-Übergang vollzieht:

Das Enon reagiert dabei vermutlich aus dem untersten Triplett-Zustand[2]. Man sollte jedoch dabei nicht übersehen, daß bei Enonen $n\pi^*$-Singulett und $n\pi^*$- bzw. $\pi\pi^*$-Triplett sehr ähnliche Energie haben. Eine Alternative zu diesem Mechanismus wurde bei 3-Oxo-cyclohepten[3], 3-Oxo-cycloocten[4] und 5-Oxo-cyclooctadien-(1,3)[5] gefunden. Diese in cis-Konfiguration vorliegenden Enone werden photochemisch zu den stark gespannten trans-Verbindungen isomerisiert, die sich dann in einer Dunkelreaktion dimerisieren bzw. Cycloaddukte bilden.

$$ O= \underset{h\nu}{\longrightarrow} O= \longrightarrow \text{Dimere ; Cycloaddukte} $$

Der synthetische Wert der Photocyclodimerisierung der Enone bzw. der Photocycloaddition von Enonen mit ungesättigten Verbindungen beruht auf der großen Variationsfähigkeit der Reaktionskomponenten. Als ungesättigte Carbonyl-Verbindungen sind vor allem 3-Oxo-cycloalkene, α,β-ungesättigte cyclische Anhydride, Imide, Lactame, Lactone, Chinone und enolisierbare β-Dicarbonyl-Verbindungen geeignet. Offenkettige α,β-ungesättigte Carbonyl-Verbindungen reagieren im allgemeinen nur, wenn die olefinische Doppelbindung in einer konjugierten Kette liegt. Unter günstigen sterischen Voraussetzungen sind auch β,γ-ungesättigte Ketone zu einer Cycloaddition befähigt[6]. Dienone der Steroid-Reihe können sowohl mit der α,β- wie mit der γ,δ-Doppelbindung reagieren (vgl.

[1] P. G. BAUSLAUGH, Synthesis 1970, 287.
[2] P. DE MAYO, Accounts Chem. Res. 4, 41 (1970).
[3] P. E. EATON u. K. LIN, Am. Soc. 87, 2052 (1965).
   E. J. COREY et al., Am. Soc. 87, 2051 (1965).
[4] P. E. EATON u. K. LIN, Am. Soc. 86, 2087 (1969).
[5] G. L. LANGE u. E. NEIDERT, Canad. J. Chem. 51, 2207, 2215 (1973).
[6] R. L. CARGILL, J. R. DAMEWOOD u. M. M. COOPER, Am. Soc. 88, 1330 (1966).

Tab. 126 (S. 906). Als Olefin-Komponente kommen neben den Alkenen Alkine, Allene, Ketenacetale, ungesättigte Heterocyclen und Aromaten in Frage.

Die Rückreaktion, die [σ² + σ²]-Cyclobutan-Ringspaltung wird gelegentlich thermisch, selten photochemisch beobachtet. Ein exemplarisches Beispiel ist die Bildung des *6-Methoxy-1-oxo-2-methyl-* (54% d.Th.) bzw. *-2-(äthoxycarbonyl-methyl)-indens*[1]:

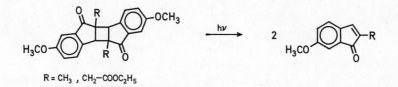

R = CH₃ , CH₂—COOC₂H₅

Die zur Cyclobutan-Bildung am häufigsten zu beobachtenden Konkurrenzreaktionen sind außer *cis-trans*-Isomerisierungen Wasserstoff-Verschiebungen, lineare Additionen und Cycloadditionen unter Einbeziehung der C=O-Doppelbindung:

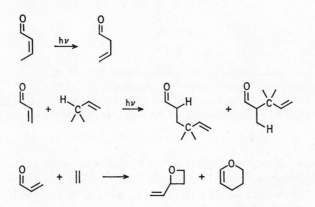

Als Beispiele für die Synthese von Oxa-cyclohexenen seien folgende Umsetzungen angeführt:

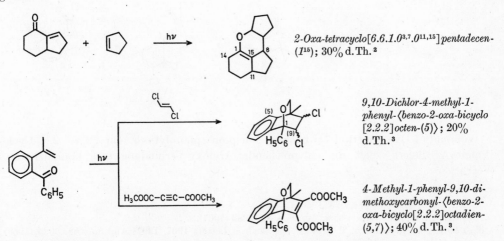

2-Oxa-tetracyclo[6.6.1.0³,⁷.0¹¹,¹⁵]pentadecen-(1¹⁵); 30% d.Th.[2]

9,10-Dichlor-4-methyl-1-phenyl-⟨benzo-2-oxa-bicyclo[2.2.2]octen-(5)⟩; 20% d.Th.[3]

4-Methyl-1-phenyl-9,10-di-methoxycarbonyl-⟨benzo-2-oxa-bicyclo[2.2.2]octadien-(5,7)⟩; 40% d.Th.[3]

[1] G. Jammaer, H. Martens u. G. Hoornaert, J. Org. Chem. **39**, 1325 (1974).
[2] F. Weisbuch, P. Scribe u. C. Provelenghiou, Tetrahedron Letters **1973**, 3441.
[3] A. K. C. Chu u. M. F. Tchir, Chem. Commun. **1973**, 619.

Höhere intermolekulare Cycloadditionen lassen sich besonders gut am Cycloheptatrienon-System (Tropone, Tropolone etc.) beobachten; zu den intramolekularen Prozessen vgl. S. 932. Neben den beobachteten thermischen, symmetrieerlaubten $[\pi^6 s + \pi^4 s]$-, $[\pi^8 s + \pi^2 s]$ und $[\pi^4 s + \pi^2 s]$-Cyclodimerisierungen findet man photochemisch die folgenden Prozesse[1]:

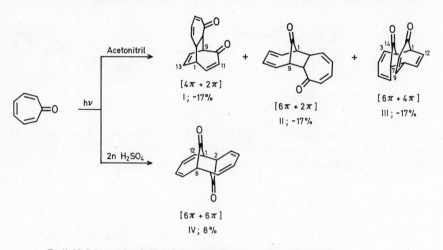

I; 7,10-Dioxo-tricyclo[7.3.2.0²,⁸]tetradecatetraen-(3,5,11,13)
II; 7,14-Dioxo-tricyclo[7.4.1.0²,⁸]tetradecatetraen-(3,5,10,12)
III; 11,14-Dioxo-trans-trans-tricyclo[6.3.2.1²,⁷]tetradecatetraen-(3,5,9,12)
IV; 13,14-Dioxo-anti-tricyclo[6.4.1.1²,⁷]tetradecatetraen-(3,5,9,11)

1-Chlor-7-oxo-cycloheptatrien dimerisiert in Cyclohexan zu *1,2-Dichlor-13,14-dioxo-anti-tricyclo[6.4.1.1²,⁷]tetradecatetraen-(3,5,9,11)* (IVa; 2% d.Th.), *6,11-Dichlor-7,10-dioxo-trans-tricyclo[7.3.2.0²,⁸]tetradecatetraen-(3,5,11,13)* (IVb; 25% d.Th.) und unter Chlorwasserstoff-Abspaltung zu *11-Chlor-7,10-dioxo-tricyclo[7.3.2.0²,⁸]tetradecapentaen-(2⁸,3,5,11,13)* (IVc; 33% d.Th.)[2]:

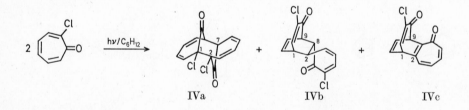

IVa   IVb   IVc

Während 7-Oxo-6-methyl-7H-benzocyclohepten photolytisch ein $[2\pi + 2\pi]$-Cyclo-dimeres V[3] liefert, zeigt die entsprechende Aryloxy-Verbindung eine komplizierteres Verhalten[4]:

[1] A. S. Kende, Am. Soc. 88, 5026 (1966).
A. S. Kende u. J. E. Lancaster, Am. Soc. 89, 5283 (1967).
T. Tezuka, Y. Akasaki u. T. Mukai, Tetrahedron Letters 1967, 1397; Am. Soc. 88, 5025 (1966); Tetrahedron Letters 1967, 5003.
[2] T. Mukai et al., Tetrahedron Letters 1968, 4065.
[3] T. Mukai, T. Miyashi u. Y. Tanaka, Tetrahedron Letters 1968, 2175.
[4] O. L. Chapman et al., Am. Soc. 85, 2031 (1963).

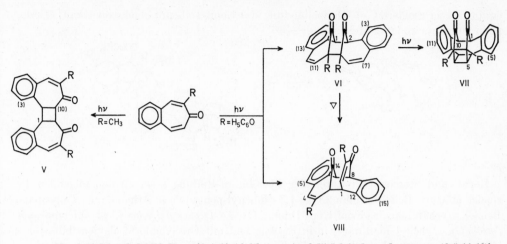

V; 8,13-Dimethyl-9,12-dioxo-⟨3,4;13,14-dibenzo-tricyclo[7.5.0.0^{2,8}]tetradecatetraen-(3,5,11,13)⟩

VI; 9,10-Diphenoxy-17,18-dioxo-⟨3,4;11,12-dibenzo-syn-tricyclo[6.4.1.1^{2,7}]tetradecatetraen-
(3,5,9,11)⟩; 27% d.Th.

VII; 16,17-Diphenoxy-15,18-dioxo-⟨dibenzo-pentacyclo[8.4.0.0^{4,7}.0^{5,13}.0^{6,12}]tetradecadien-(2,8)⟩

VIII; 3,12-Diphenoxy-11,18-dioxo-⟨5,6;12,13-dibenzo-syn-tricyclo[6.3.2.1^{2,7}]tetradecatetraen-
(3,5,10,12)⟩; 14% d.Th.

Bei der Umsetzung von 7-Oxo-cycloheptatrien mit Olefinen ist die [8 π + 2 π]-Cyclo-addition entdeckt worden[1]:

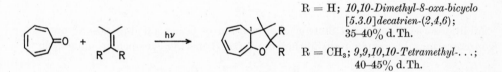

R = H; 10,10-Dimethyl-8-oxa-bicyclo
[5.3.0]decatrien-(2,4,6);
35–40% d.Th.

R = CH$_3$; 9,9,10,10-Tetramethyl-...;
40–45% d.Th.

Anschließend an die Photocycloadditionen können thermische oder sekundäre photochemische Prozesse zu Folgeprodukten führen. Gelegentlich wird dadurch die Isolierung der Primäraddukte unmöglich.

Da die Triplett-Energie von konjugierten Enonen E$_T$ ~ 70 kcal/Mol beträgt, ist besonders dann mit einer Energie-Übertragung zu rechnen, wenn die Triplett-Energie der Olefin-Komponente E$_T$ ≦ 70 kcal/Mol ist. Für die dann auftretenden Photoreaktionen dient das Enon lediglich als Sensibilisator.

Im folgenden werden die inter- und intramolekularen, unter Cyclobutan-Bildung ablaufenden Cycloadditionen von Enonen und β-Dicarbonyl-Verbindungen besprochen.

β₁) Cyclodimerisierungen

Die Photocyclodimerisierung von α,β-ungesättigten Ketonen findet i.a. durch Cyclobuten-Bildung an den α- und β-Positionen statt. Eine interessante Annahme ist z. B. das Gibberellin-Derivat I, das bei Belichtung in festem Zustand[2] das Cyclodimere II (S. 904)

[1] T. S. CANTRELL, Am. Soc. 93, 2540 (1971).

[2] G. ADAM, Tetrahedron Letters 1971, 1357.

ergibt. Dabei reagiert C=C-Doppelbindung des Enon-Teils mit einer isolierten C=C-Doppelbindung am anderen Molekülende.

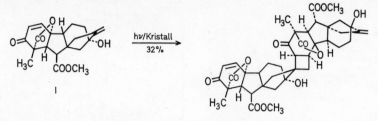

Regio- und Stereoselektivitäten der Cyclobutan-Bildung seien an den folgenden Beispielen erörtert. Belichtet man 3-Oxo-1,5-diphenyl-pentadien in Äthanol oder Isopropanol/Benzol, so erhält man das Kopf/Kopf-Dimere III, *3,4-Diphenyl-1,2-bis-[3-phenyl-propenoyl]-cyclobutan*. Arbeitet man dagegen in Eisessig und mit Uranylchlorid als Sensibilisator, so läßt sich ausschließlich das Kopf/Schwanz-Addukt IV (*2,4-Diphenyl-1,3-bis-[3-phenyl-propenoyl]-cyclobutan*) isolieren[1,2]:

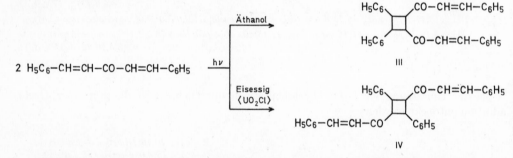

Additionsorientierung und Stereochemie wurden in bezug auf ihre Lösungsmittel- und Konzentrationsabhängigkeit ausführlich am 3-Oxo-1-methyl-cyclopenten untersucht[3]:

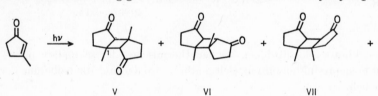

V;   *3,8-Dioxo-1,6-dimethyl-anti-tricyclo*
    [5.3.0.0²,⁶]decan
VI;   *5,8-Dioxo-1,2-dimethyl-anti-...*
VII; *5,8-Dioxo-1,2-dimethyl-syn-...*
VIII; *3,8-Dioxo-1,6-dimethyl-syn-...*

IX;   *3-Oxo-1-methyl-2-(3-oxo-1-methyl-cyclo-*
    pentyl)-cyclopenten
X;   *3-Oxo-1-methyl-2-(5-oxo-2-methyl-cyclo-*
    pentyl)-cyclopenten

[1] P. Praetorius u. F. Korn, B. 43, 2744 (1910).
[2] G. Ciamician u. P. Silber, B. 42, 1386 (1909).
   G. W. Recktenwald, J. N. Pitts u. R. L. Letsinger, Am. Soc. 75, 3028 (1953).
[3] G. Mark et al., M. 102, 37 (1971).

Solvens	Konzentration [Mol/l]	%-Anteile					
		V	VI	VII	VIII	IX	X
Dichlormethan	0,502	22,0	a	50,5	7,0	18,4	2,1
Acetonitril	0,499	17,1	a	62,9	4,8	13,1	2,0
Hexan	0,503	31,7	a	15,1	11,0	41,4	0,8
Hexan	1,01	32,1	a	24,8	9,7	33,4	a

a nicht bestimmt.

3,4-Diphenyl-1,2-bis-[3-phenyl-propenoyl]-cyclobutan (III; S. 904)[1]: 20 g 3-Oxo-1,5-diphenyl-penta-dien werden in 30 ml thiophenfreiem Benzol und 90 ml Isopropanol gelöst und 90 Stdn. mit einer Queck-silber-Mitteldruck-Lampe durch ein Pyrex-Filter belichtet. Man arbeitet dabei unter Stickstoff und rührt das Reaktionsgemisch magnetisch. Nach 60 Stdn. beginnt sich ein farbloser Niederschlag abzuscheiden, den man am Ende der Reaktion abfiltriert und gut mit kaltem Äther wäscht; Ausbeute: 6,1 g (30% d.Th.); F: 139,5–140°.

2,4-Diphenyl-1,3-bis-[3-phenyl-propenoyl]-cyclobutan (IV; S. 904)[2]: 5 g 3-Oxo-1,5-diphenyl-pentadien und 8 g Uranylchlorid setzt man in 100 ml Eisessig 2 Tage lang dem direkten Sonnenlicht aus. Die aus-geschiedenen farblosen Kristalle werden aus Eisessig umkristallisiert; F: 245°.

3,8-Dioxo- und 3,10-Dioxo-cis-anti-cis-tricyclo[5.3.0.0^{2,6}]decan[3]: 82 g 3-Oxo-cyclopenten werden 24 Stdn. mit einer Hanovia 450 W Quecksilber-Mitteldruck-Lampe durch ein Pyrex-Filter belichtet. Das in Dichlormethan aufgenommene Reaktionsgemisch wird auf 100 ml eingeengt und mit 300 ml Tetrachlormethan versetzt. Bei weiterem Eindampfen und Abkühlen der Lösung fallen farblose Kristalle der 3,8-Dioxo-Verbindung aus, die man mit kaltem Tetrachlormethan wäscht, umkristallisiert und bei 0,5 Torr/115° sublimiert; Ausbeute: 35–40 g (43–49% d.Th.); F: 125–126,5° (Dichlormethan/Hexan). Engt man die Mutterlauge i. Vak. ein und destilliert anschließend bei 1 Torr/125°, so erhält man das 3,10-Dion, das schnell erstarrt und aus Hexan umkristallisiert werden kann; Ausbeute: 30–37 g (37–45% d.Th.); F: 66–67°.

Gekreuzt konjugierte Dienone können in einer doppelten $[2\pi + 2\pi]$-Addition Photo-cyclodimere bilden[4]; z. B.:

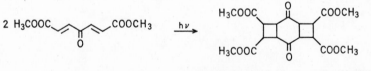

2,7-Dioxo-4,5,9,10-tetramethoxycarbonyl-tricyclo [6.2.0.0^{3,6}]decan

Zur Dimerisierung von 4-Oxo-2,6-dimethyl-4H-pyran s. S. 616.

[1] G. CIAMICIAN u. P. SILBER B. **42**, 1386 (1909).
  G. W. RECKTENWALD, J. N. PITTS u. R. L. LETSINGER, Am. Soc. **75**, 3028 (1953).
[2] P. PRAETORIUS u. F. KORN, B. **43**, 2744 (1910).
[3] P. E. EATON, Am. Soc. **84**, 2344, 2454 (1962); Accounts Chem. Res. **1**, 50 (1968).
  J. L. RUHLEN u. P. A. LEERMAKERS, Am. Soc. **89**, 4944 (1967).
  P. DE MAYO, J.-P. PETE u. M. TCHIR, Canad. J. Chem. **46**, 2535 (1968).
  G. MARK, F. MARK u. O. E. POLANSKY, A. **719**, 151 (1969).
  P. WAGNER u. D. J. BUCHECK, Canad. J. Chem. **47**, 713 (1969).
[4] M. D. COHEN u. G. M. J. SCHMIDT, Soc. **1964**, 1896.
  J. CORSE, B. J. FINKLE u. R. E. LUNDIN, Tetrahedron Letters **1**, 1 (1961).
  M. STOBBE u. E. FÄRBER, B. **58**, 1548 (1925).
  F. STRAUS, B. **37**, 3293 (1904).

Tab. 126. Cyclobutan-Derivate aus α, β-ungesättigten Carbonyl-Verbindungen

Enon	Cyclodimeres	Ausbeute [% d.Th.]	Literatur
R¹–CH=CH–CO–R² R¹=C₆H₅; R²=CH₃	c-2,t-4-Diphenyl-r-1,t-3-diacetyl-cyclo-butan	13[a]	1
R¹=4–Cl–C₆H₄; R²=CH₃	c-2,t-4-Bis-[4-chlor-phenyl]-r-1,t-3-diacetyl-cyclobutan	[a]	2
R¹=C₆H₅; R²=CH=CCl₂	c-2,t-4-Diphenyl-r-1,t-2-bis-[3,3-dichlor-propenoyl]-cyclobutan	86[a]	3
R¹=C₆H₅; R²=CCl=CCl₂	c-2,t-4-Diphenyl-r-1,t-3-bis-[trichlor-propenoyl]-cyclobutan	55[a]	3
R¹=R²=C₆H₅	c-2,t-4-Diphenyl-r-1,t-3-dibenzoyl-cyclobutan	[a]	2
	t-3,t-4-Diphenyl-r-1,c-2-dibenzoyl-...	[a]	
R¹=4–Cl–C₆H₄; R²=C₆H₅	c-2,t-4-Bis-[4-chlor-phenyl]-r-1,t-3-dibenzoyl-cyclobutan	8[a]	2
	c-3,t-4-Bis-[4-chlor-phenyl]-r-1,t-2-dibenzoyl-...	4[a]	
2-Oxo-3-benzyl-1-benzyliden-cyclopentan	 anti-2-Oxo-3-benzyl-cyclopentan-⟨1-spiro-3⟩-trans-2,4-diphenyl-cyclobutan-⟨1-spiro-1⟩-2-oxo-3-benzyl-cyclopentan	95[a]	4
2-Oxo-1,3-bis-[furyl-(2)-methylen]-cyclopentan	 anti-2-Oxo-3-[furyl-(2)-methylen]-cyclo-pentan-⟨1-spiro-3⟩-trans-2,4-difuryl-(2)-cyclobutan-⟨1-spiro-1⟩-2-oxo-3-[furyl-(2)-methylen]-cyclopentan	—	5

[a] Bestrahlung in festem Zustand.

1 J. DEKKER u. T. G. DEKKER, J. Org. Chem. 33, 2604 (1968).
   A. BUTENANDT et al., A. 575, 123 (1952).
   M. O. HOUSE, J. Org. Chem. 23, 1374 (1959).
   N. SUGIYAMA et al., J. chem. Soc. Japan, pure Chem. Sect. 88, 769 (1967).
2 H. STOBBE u. K. BREMER, J. pr. 123, 1 (1929).
   H. STOBBE u. A. HENSEL, B. 59, 2254 (1926).
   G. MONTANDO u. S. CACCAMESE, J. Org. Chem. 38, 710 (1973).
3 F. POCHAT u. E. LEVAS, Bl. 1972, 4179.
4 G. C. FORWORD u. D. A. WHITING, Soc. [C] 1969, 1868.
   D. A. WHITING, Chem. & Ind. 1970, 1411; Soc. [C] 1971, 3396.
5 H. GEORGE u. H. J. ROTH, Tetrahedron Letters 1971, 4057.

Tab. 126 (1. Fortsetzung)

Enon	Cyclodimeres	Ausbeute [% d. Th.]	Literatur
3-Oxo-1-methyl-2-benzyliden-2,3-dihydro-indol	 *3-Oxo-1-methyl-2,3-dihydro-indol-⟨2-spiro-2⟩-3,4-diphenyl-cyclobutan-⟨1-spiro-2⟩-3-oxo-1-methyl-2,3-dihydro-indol*	–	1
1-Acetyl-cyclopenten	 *1,2-Diacetyl-cis-anti-cis-tricyclo-[5.3.0.0²,⁶]decan*	14	2
	+1,6-Diacetyl-cis-anti-cis-tricyclo-[5.3.0.0²,⁶]decan	4	
	  +3-Methyl-1-acetyl-2-oxa-cis-tricyclo[7.3.0.0⁴,⁸]dodecen-(3)	58	
	+3-Methyl-9-acetyl-2-oxa-cis-tricyclo[7.3.0.0⁴,⁸]dodecen-(3)	24	
2-Methyl-1-acetyl-cyclopenten	*6,7-Dimethyl-1,2-diacetyl-cis-anti-cis-tricyclo[5.3.0.0²,⁶]decan*	—	2
3-Oxo-1-phenyl-cyclopenten	*5,8-Dioxo-1,2-diphenyl-cis-anti-cis-tricyclo[5.3.0.0²,⁶]decan*	–	3
2-Hydroxy-3-oxo-1-methyl-cyclopenten	*6,7-Dihydroxy-5,8-dioxo-1,2-dimethyl-tricyclo[5.3.0.0²,⁶]decan*	–	4
5-Oxo-3,3-dimethyl-cyclopenten	*3,8-Dioxo-5,5,10,10-tetramethyl-cis-anti-cis-tricyclo[5.3.0.0²,⁶]decan*	56	5
	+3,10-Dioxo-5,5,8,8-tetramethyl-...	39	
3-Oxo-2,2-dimethyl-2,3-dihydro-furan	 *5,8-Dioxo-4,4,9,9-tetramethyl-3,10-dioxa-cis-trans-cis-tricyclo[5.3.0.0²,⁶]decan*	–	6

¹ M. Hooper u. W. N. Pitkethly, Soc. (Perkin I) **1973**, 2804; hier weitere Beispiele.
² P. F. Cassals, C. Plaisence u. J. Wiemann, Bl. **1968**, 4599.
³ M. Magnifico et al., Chem. Commun. **1972**, 1095.
⁴ T. Mark et al., Tetrahedron Letters **1973**, 237.
⁵ A. J. Bellamy, Soc. [B] **1969**, 449.
⁶ P. Margaretha, Tetrahedron **29**, 1317 (1973).

Tab. 126 (2. Fortsetzung)

Enon	Cyclodimeres[a]	Ausbeute [% d.Th.]	Literatur
3-Oxo-cyclohexen	*3,12-Dioxo-tricyclo[6.4.0.0²,⁷]dodecan* *+3,9-Dioxo- ... (1:1)*	—	1, 2
3-Oxo-1-methyl-cyclohexen	*3,9-Dioxo-1,7-dimethyl-tricyclo[6.4.0.0²,⁷] dodecan* *+6,9-Dioxo-1,2-dimethyl- ...*	— —	3, 4
6-Oxo-2,4-dimethyl-cyclohexen	*6,9-Dioxo-1,2,4,11-tetramethyl-tricyclo [6.4.0.0²,⁷]dodecan* *+3,9-Dioxo-1,5,7,11-tetramethyl-...*	—	3
6-Oxo-3,3-dimethyl-cyclohexen	*6,12-Dioxo-3,3,9,9-tetramethyl-cis-anti-cis-tricyclo[6.4.0.0²,⁷]dodecan* *+3,12-Dioxo-6,6,9,9-tetramethyl-...* (3:1 in Pentan; 1:1 in Acetonitril)	– –	5
6-Oxo-2,4,4-trimethyl-cyclohexen (Isophoron)	*3,9-Dioxo-1,5,5,7,11,11-hexamethyl-cis-anti-cis-tricyclo[6.4.0.0²,⁷]dodecan* *+3,9-Dioxo-1,5,5,7,11,11-hexamethyl-cis-syn-cis-...* *+6,9-Dioxo-1,2,4,4,11,11-hexamethyl-tricyclo[6.4.0.0²,⁷]dodecan*	– – –	6
3-Oxo-1-methyl-4-isopropyl-cyclohexen	*6,9-Dioxo-1,2-dimethyl-trans-5,10-di-isopropyl-cis-anti-cis-tricyclo [6.4.0.0²,⁷]dodecan* und 2 weitere Dimere	—	7
3-Oxo-1-phenyl-cyclohexen	*6,9-Dioxo-1,2-diphenyl-cis-anti-cis-tricyclo[6.4.0.0²,⁷]dodecan*	60–70	8
3-Oxo-1-(4-methoxy-phenyl)-cyclohexen	*6,9-Dioxo-1,2-bis-[4-methoxy-phenyl]-cis-anti-cis-tricyclo [6.4.0.0²,⁷]dodecan*	50–60	8
3-Oxo-1-(4-nitro-phenyl)-cyclohexen	*6,9-Dioxo-1,2-bis-[4-nitro-phenyl]-cis-anti-cis-tricyclo [6.4.0.0²,⁷]dodecan*	5	8
4-Oxo-2,6-dimethyl-2,3-dihydro-4H-pyran	*6,9-Dioxo-r-1,t-2,t-4,t-11-tetramethyl-3,12-dioxa-cis-anti-cis-tricyclo[6.4.0. 0²,⁷]dodecan* *+6,9-Dioxo-r-1,t-2,c-4,t-11-tetramethyl-...* *+6,9-Dioxo-r-1,t-2,t-4,t-11-tetramethyl-3,12-dioxa-cis-trans-...*	58 4 35	9

[a] In Klammern rel. Mengenverhältnisse.

1 E. Y. Y. LAM, D. H. VALENTINE u. G. S. HAMMOND, Am. Soc. **89**, 3482 (1967).
2 O. L. CHAPMAN et al., Rec. Chem. Prog. **28**, 167 (1967).
3 W. TREIBS, J. pr. **138**, 299 (1933).
4 M. ZIFFER u. B. W. MATTEWS, Chem. Commun. **1970**, 294.
5 P. G. CASALS u. G. BOCCACCIO, Tetrahedron Letters **1972**, 1647.
6 R. E. KONING, G. J. VISSER u. A. VOS, R. **89**, 920 (1970) u. dort zit. Lit.
7 W. TREIBS, B. **63**, 2738(1930).
  M. ZIFFER, N. E. SHARPLESS u. R. O. KAN, Tetrahedron **22**, 3011 (1966).
8 P. JATES et al., Canad. J. Chem. **45**, 2927 (1967).
  S. N. EGE u. P. JATES, Canad. J. Chem. **45**, 2933 (1967).
9 P. YATES u. D. J. MACGREGOR, Canad. J. Chem. **51**, 1267 (1973); Tetrahedron Letters **1969**, 453.

Tab. 126 (3. Fortsetzung)

Enon	Cyclodimeres[a]	Ausbeute [% d.Th.]	Literatur
2,4-Dioxo-3,3-dimethyl-2,3-dihydro-4H-pyran	*4,6,9,11-Tetraoxo-5,5,10,10-tetramethyl-3,12-dioxa-cis-anti-cis-tricyclo [6.4.0.0²,⁷]dodecan*	25–95	1
2,4-Dioxo-6-methyl-3-acetyl-2,3-dihydro-4H-pyran	*4,6,10,12-Tetraoxo-2,8-dimethyl-5,11-diacetyl-3,9-dioxa-tricyclo[6.4.0.0²,⁷] dodecan*	4	2
5-Oxo-cyclooctadien-(1,3)	*8,11-Dioxo-trans-trans-tricyclo [8.6.0.0²,⁹]hexadecadien-(3,15)*	28–33	3
	+8,11,-Dioxo-cis-trans-. . .	36–52	
5-Oxo-3,7,7-trimethyl-bicyclo [4.1.0]hepten-(3)[(–)-5-Oxo-caren-(3)]	*(+)-3,10-Dioxo-c-1,5,5,t-8,12,12-hexa-methyl-r-2-H,c-9-H-pentacyclo [7.5.0.0²,⁸.0⁴,⁶.0¹¹,¹³]tetradecan*	44	4
5-Oxa-bicyclo[4.3.0]nonen-(6)	*9,12-Dioxo-pentacyclo[9.7.0.0²,¹⁰.0⁵,¹⁰. 0¹¹,¹⁶]octadecan*	30	5
	+4-Oxo-2-oxa-pentacyclo[10.6.1.0³,⁸.0³,¹¹. 0¹⁵,¹⁹]nonadecen-(1¹⁹)	30	
	+10-Oxo-2-oxa-pentacyclo[10.6.1.0³,¹¹. 0⁶,¹¹.0¹⁵,¹⁹]nonadecen-(1¹⁹)	3	

[a] In Klammern rel. Mengenverhältnisse.

1 P. MARGARETHA, Tetrahedron **27**, 6209 (1972); **29**, 1317 (1973).
2 N. SUGIYAMA et al., Bl. chem. Soc. Japan **44**, 555 (1971).
3 G. L. LANGE u. E. NEIDERT, Canad. J. Chem. **51**, 2215 (1973); **51**, 2207 (1973).
4 P. H. BOYLE et al., Soc. [C] **1971**, 1073.
6 F. WEISBUCH, P. SCRIBE u. C. PROVELENGHIOU, Tetrahedron Letters **1973**, 3441.

Tab. 126 (4. Fortsetzung)

Enon	Cyclodimeres	Ausbeute [% d. Th.]	Literatur
1-Oxo-3-phenyl-inden	*9,10-Dioxo-4b,4c-diphenyl-4b,4c,9,9a,9b, 10-hexahydro-⟨cyclobuta- [1,2-a:4,3-a']-diinden⟩* *+5,10-Dioxo-4b,9b-diphenyl-4b,4c,5,9b, 9c,10-hexahydro-⟨cyclobuta- [1,2-a:3,4-a']-diinden⟩*	— —	1
2-Oxo-1,1-dimethyl-1,2- dihydro-naphthalin	*6,7-Dioxo-5,5,8,8-tetramethyl-5,6,6a,6b, 7,8,12b,12c-octahydro-anti-⟨cyclobuta- [1,2-a:4,3-a']-dinaphthalin⟩* *+6,7-Dioxo-5,5,8,8-tetramethyl-5,6,6 a,6b, 7,8,12b,12c-octahydro-syn-. . .* *+6,12-Dioxo-5,5,11,11-tetramethyl-5,6, 6a,6b,11,12,12a,12b-octahydro-anti- ⟨dibenzo-[a;g]-biphenylen⟩*	75 7 7	2
7-Oxo-6-methyl-7H-⟨benzo- cycloheptatrien⟩	*7,8-Dioxo-6,9-dimethyl-7,7a,7b,8,14b, 14c-hexahydro-⟨dibenzo-[a;k]-cyclo- butadicycloheptatrien⟩*	10	1

[1] M. BAKUNIN u. E. LAnis, G. **41** II, 155 (1911).
[2] J. CARNDUFF et al., Chem. Commun. **1969**, 1218.
    T. MUKAI, T. OINE u. H. SUKAWA, Chem. Commun. **1970**, 271.

Tab. 126 (5. Fortsetzung)

Enon	Cyclodimeres	Ausbeute [% d.Th.]	Literatur
5-Oxo-7,7-dimethyl-6,7-dihydro-5H-⟨benzocycloheptatrien⟩	 *7,14-Dioxo-9,9,12,12-tetramethyl-⟨2,3; 13,14-dibenzo-cis-tricyclo[7.5.0.0⁴ ⁸] dodecatrien-(2,4⁸,13)⟩* *7,14-Dioxo-9,9,12,12-tetramethyl- ⟨2,3;13,14-dibenzo-trans-. . .⟩*	— —	1
β-Lumicolchicin	 *11,20-Diacetylamino-5,6,7,15,16, 24,25,26-octamethoxy-14,17-dioxo- ⟨5,6;21,22-dibenzo-heptacyclo [12.10.0.0²,¹³.0³,¹¹.0⁴,¹⁰.0¹⁶,²⁴.0¹⁷,²³] tetracosatetraen-4¹⁰,5,17²³,21)⟩* *(α-Lumicolchicin)*	38	2
3-Oxo-androsten-(4)	 *trans-3,3′-Dioxo-bi-[androstanyliden- (4,5;5′4′)]* *+cis-. . .*	— —	3
3-Oxo-cholestadien-(4,6)	 *3,3′-Dioxo-bi-[cholesten-(6)-yliden- (4,5:5′,4′)]*	48	4

[1] H. HART, Pure Appl. Chem. **33**, 247 (1973).
[2] O. L. CHAPMAN, H. G. SMITH u. R. W. KING, Am. Soc. **85**, 806 (1963).
O. L. CHAPMAN u. H. G. SMITH, Am. Soc. **83**, 3914 (1961).
G. O. SCHENCK, H. J. KUHN u. O. A. NEUMÜLLER, Tetrahedron Letters **1961**, 12.
H. J. KUHN, Dissertation Göttingen 1964.
[3] A. BUTENANDT u. A. WOLFF, B. **72**, 1121 (1939).
A. BUTENANDT et al., A. **575**, 123 (1952).
B. NANN et al., Helv. **46**, 2473 (1963).
[4] H. P. THRONDSEN et al., Helv. **45**, 2342 (1962).
M. B. RUBIN, G. E. HIPPS u. D. GLOVER, J. Org. Chem. **29**, 68 (1964).

Tab. 126 (6. Fortsetzung)

Enon	Cyclodimeres	Ausbeute [% d.Th.]	Literatur
7,17-Dioxo-androstadien-(3,5⁶)		88	1

$7,17$-Dioxo-androstadien-$(3,5^6)$ — 88 — 1

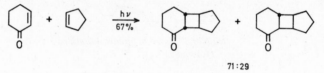

$7,7',17,17'$-Tetraoxo-bi-[andro-
sten-(5^6)-yliden-$(3,4;4',3')$]

β_2 Cycloadditionen

$\alpha\alpha$) von Enonen mit Olefinen

Belichtet man α,β-ungesättigte Carbonyl-Verbindungen in Gegenwart eines – meist im Überschuß vorhandenen – Olefins, so erhält man „gemischte" Addukte. Mit Elektronenreichen Olefinen bilden Enone häufig EDA-Komplexe. Strahlt man unmittelbar in ihre Charge-Transfer-Bande ein, so kann auch bei äquimolaren Mengen von Enon und Olefin eine Cyclodimerisierung des Enons vermieden werden.

Aus 3-Oxo-cyclohexen und Cyclopenten erhält man ein Gemisch stereoisomerer Cycloaddukte, wobei die Anellierung des Sechsring *cis* oder *trans* sein kann. Behandelt man das Reaktionsgut mit Aluminiumoxid, so läßt sich selektiv die *cis*-Verbindung gewinnen[2]:

71:29
8-Oxo-tricyclo[5.4.0.0²,⁶]undecan

Als Enon-Komponente kommen vor allem 3-Oxo-cycloalkene mit fixierter cis-Konfiguration in Frage. Als Olefin-Komponente dienen i.a. Monoolefine, selten 1,3-Diene, da bei den letzteren häufig ein wirksamer Energie-Transfer

$$\text{Enon}(T_1) + 1\text{,}3\text{-Dien }(S_0) \rightarrow \text{Enon }(S_0) + 1\text{,}3\text{-Dien }(T_1)$$

stattfindet. Dennoch wurden einige Umsetzungen mit z. T. sogar brauchbaren Ausbeuten bekannt, s. Orig.-Lit.[3].

8-Oxo-cis-anti-cis-tricyclo[5.4.0.0²,⁶] undecan[2]: 2 g 3-Oxo-cyclohexen und 23 g Cyclopenten werden 75 Min. mit einer 450 W Hanovia Quecksilber-Mitteldruck-Lampe mit Corex-Filter in 110 *ml* Pentan belichtet. Man arbeitet dabei in einer Argon-Atmosphäre und kühlt mit Äthanol/Trockeneis. Nach Entfernung des Pentans und des überschüssigen Cyclopentens bleiben 4,07 g eines farblosen Öls zurück. Destillation bei $\sim$ 0,2 Torr liefert zwischen 57–65° verschiedene Fraktionen von insgesamt 2,2 g (67% d.Th.) des Isomeren-Gemischs. Gaschromatographisch läßt sich vor der Destillation ein *cis/trans*-Verhältnis von 71:29 bestimmen. Die leichtere flüchtige *cis*-Verbindung reichert sich in den ersten Fraktionen an. Reines *cis*-Isomeres erhält man durch Filtration des Gemisches durch 150 g Aluminiumoxid (Woelm, Aktivitätsstufe I). Als Eluierungsmittel eignet sich Diäthyläther.

---

[1] M. B. Rubin, D. Glover u. R. G. Parker, Tetrahedron Letters **1964**, 1075.
[2] E. J. Corey et al., Am. Soc. **86**, 5570 (1964).
  E. J. Corey, R. B. Mitra u. H. Uda, Am. Soc. **85**, 362 (1963).
[3] T. S. Cantrell, Chem. Commun. **1970**, 1656

Tab. 127. Cycloadditionen von Enonen mit Olefinen

Enon	Olefin	Cyclobutan-Derivat	Ausbeute[a] [% d.Th.]	Literatur
3-Oxo-cyclopenten	Äthylen	 *2-Oxo-cis-bicyclo[3.2.0]heptan*	71	[1,2]
	Vinyl-chlorid	*exo-7-Chlor-2-oxo-cis-bicyclo[3.2.0] heptan* *+exo-6-Chlor-...* *+endo-6-Chlor-...* *+endo-7-Chlor-...*	(33) (31) (31) (5)	[3,4]
	1,1-Dichlor-äthylen	*6,6-Dichlor-2-oxo-cis-bicyclo[3.2.0] heptan* *+7,7-Dichlor-...*	(70–85) (15–30)	[3,4]
	cis-1,2-Dichlor-äthylen	*endo-6,exo-7-Dichlor-2-oxo-cis-bicyclo[3.2.0]heptan* *+endo-6,endo-7-Dichlor-...* *+exo-6,exo-7-Dichlor-...* *+exo-6,endo-7-Dichlor-...*	(49–56) (20–23) (13–19) (8–12)	[3,4]
	trans-1,2-Dichlor-äthylen	*exo-6,exo-7-Dichlor-2-oxo-cis-bicyclo [3.2.0]heptan* *+exo-6,endo-7-Dichlor-...* *+endo-6,exo-7-Dichlor-...* *+endo-6,endo-7-Dichlor-...*	(52–69) (11–23) (14–18) (4–6)	[3,4]
	Propen	*2-Oxo-exo-6-methyl-cis-bicyclo [3.2.0]heptan* *+2-Oxo-exo-7-methyl-...* *+2-Oxo-endo-6-methyl-...* *+2-Oxo-endo-7-methyl-...*	(45) (38) (10) (7)	[5]
	Isobuten	*2-Oxo-7,7-dimethyl-bicyclo[3.2.0] heptan* *+2-Oxo-6,6-dimethyl-...*	– –	[6]
	Cyclopenten	 *3-Oxo-anti-tricyclo[5.3.0.0^{2,6}]decan*	67	[7]
	1-Methyl-3-isopropyl-cyclo-penten	*8-Oxo-6-methyl-3-isopropyl-anti-tricyclo[5.3.0.0^{2,6}]decan* *+10-Oxo-6-methyl-3-isopropyl-...*	— —	[8]

[a] In Klammern rel. Mengenverhältnisse.

[1] T. S. Cantrell u. J. E. Solomon, Am. Soc. **92**, 4656 (1970).
[2] T. Svensson, Chem. Soc. **3**, 171 (1973).
[3] R. O. Loutfy u. P. de Mayo, Canad. J. Chem. **50**, 3465 (1972).
[4] W. L. Dilling et al., Am. Soc. **92**, 1399 (1970).
  P. de Mayo, J.-P. Pete u. M. Tchir, Canad. J. Chem. **46**, 2535 (1968).
[5] P. E. Eaton, Accounts Chem. Res. **1**, 50 (1968).
[6] J. Meinwald, A. Eckell u. K. L. Erickson, Am. Soc. **87**, 3532 (1965).
[7] P. E. Eaton, Am. Soc. **84**, 2454 (1962).
[8] J. D. White u. D. N. Gupta, Am. Soc. **88**, 5364 (1966); **90**, 6171 (1968).

Tab. 127 (1. Fortsetzung)

Enon	Olefin	Cyclobutan-Derivat	Ausbeute[a] [% d.Th.]	Literatur
3-Oxo-cyclopenten	1,2-Dimethoxy-carbonyl-cyclo-penten	*3-Oxo-1,7-dimethoxycarbonyl-tricyclo* [5.3.0.0^{2,6}]decan	79	1
	Cyclopentadien	*10-Oxo-anti-tricyclo[5.3.0.0^{2,6}]* decen-(3) +8-Oxo-...	(63) (37)	2
	Cyclohexen	*3-Oxo-anti-tricyclo[5.4.0.0^{2,6}]undecan*	–	3
	Cyclohepten	*3-Oxo-anti-tricyclo[5.5.0.0^{2,6}]dodecan* +3-Oxo-syn-... +3-Oxo-r-1-H-t-2H-t-6-H-t-7-H- tricyclo[5.5.0.0^{2,6}]dodecan +3-Oxo-r-1-H-c-2-H-c-6-H-t-7-H-...	22 1 7 4	4
	Bicyclo[2.2.1] hepten	*4-Oxo-exo-anti-tetracyclo[7.2.1.0^{2,8}* *.0^{3,7}]dodecan*	–	5
7-[5-Oxo-cyclopen-ten-(1)-yl]-heptan-säure-methylester	*trans*-1-Chlor-3-oxo-octen	*endo-7-Chlor-4-oxo-5-(6-methoxy-* *carbonyl-hexyl)-exo-6-hexanoyl-* *bicyclo[3.2.0]heptan* +exo-7-Chlor-...	} 35	6
trans-5-Oxo-2-benzyloxy-methyl-4-meth-oxycarbonyl-methyl-cyclo-penten	Äthylen	*4-Oxo-endo-2-benzyloxymethyl-exo-* *3-methoxycarbonylmethyl-cis-* *bicyclo[3.2.0]heptan*	–	7

[a] In Klammern rel. Mengenverhältnisse

1 H. J. LIU, Synth. Commun. **4**, 237 (1974).
2 T. S. CANTRELL, Chem. Commun. **1970**, 1656.
3 W. C. AGOSTA u. W. W. LOWRANCE, Tetrahedron Letters **1969**, 3053.
4 L. DUC et al., Tetrahedron Letters **1968**, 6173.
5 T. SVENSSON, Chem. Soc. **3**, 171 (1973).
6 J. F. BAGLI u. T. BOGRI, J. Org. Chem. **37**, 2132 (1972); Tetrahedron Letters **1969**, 1639.
7 P. CRABBÉ, G. A. GARCIA u. C. RIUS, Tetrahedron Letters **1972**, 2951; Soc. (Perkin I) **1973**, 810.

Tab. 127 (2. Fortsetzung)

Enon	Olefin	Cyclobutan-Derivat	Ausbeute[a] [% d.Th.]	Literatur
trans-5-Oxo-4-[6-methoxycarbonyl-*cis*-hexen-(2)-yl]-3-[3-hydroxy-*trans*-octen-(1)-yl]-cyclopenten	Äthylen	*4-Oxo-exo-3-[6-methoxycarbonyl-cis-hexen-(2)-yl]-endo-2-[3-hydroxy-trans-octen-(1)-yl]-cis-bicyclo[3.2.0]heptan*	16	1
		+4-Oxo-endo-3-[6-methoxycarbonyl-cis-hexen-(2)-yl]-exo-2-. . .	30	
3-Oxo-2,2-dimethyl-2,3-dihydro-furan	*cis*- oder *trans*-Buten-(2)	*4-Oxo-3,3,exo-6,endo-7-tetramethyl-2-oxa-cis-bicyclo[3.2.0]heptan*	(52)	2
		+4-Oxo-3,3,exo-6,exo-7-tetra-methyl-. . .	(33)	
		+4-Oxo-3,3,endo-6,exo-7-tetra-methyl-. . .	(11)	
		+4-Oxo-3,3,endo-6,endo-7-tetra-methyl-. . .	(3)	
	Isobuten	*4-Oxo-3,3,7,7-tetramethyl-2-oxa-cis-bicyclo[3.2.0]heptan*	–	2
	2-Methyl-buten-(2)	*4-Oxo-3,3,exo-6,7,7-pentamethyl-2-oxa-cis-bicyclo[3.2.0]heptan*	(60)	2
		+4-Oxo-3,3,endo-6,7,7-penta-methyl-. . .	(13)	
		+4-oxo-3,3,6,6,exo-7-pentamethyl-. . .	(13)	
		+4-Oxo-3,3,6,6,endo-7-pentamethyl	(12)	
3-Oxo-cyclohexen	Äthylen	*2-Oxo-cis-bicyclo[4.2.0]octan*	90	3
	cis- und *trans*-Buten-(2)	*cis-2-Oxo-7,8-dimethyl-bicyclo-[4.2.0]octan*		4
		+trans-. . .		
	Isobuten	*2-Oxo-7,7-dimethyl-trans-bi-cyclo[4.2.0]octan*	27	4
		+2-Oxo-7,7-dimethyl-cis-. . .	7	
		+2-Oxo-8,8-dimethyl-. . .	6	
	Methyl-vinyl-äther	*7-Methoxy-2-oxo-bicyclo[4.2.0]octan*	67	4
	Acetoxy-äthylen	*7-Acetoxy-2-oxo-bicyclo[4.2.0]octan*	–	4
	Vinyl-benzyl-äther	*7-Benzyloxy-2-oxo-bicyclo[4.2.0]octan*	65	4

[a] In Klammern rel. Mengenverhältnisse.

1 P. CRABBÉ, G. A. GARCIA u. C. RIUS, Tetrahedron Letters **1972**, 2951; Soc. (Perkin I) **1973**, 810.
2 P. MARGARETHA, Tetrahedron **29**, 1317 (1973).
3 D. C. OWSLEY u. J. J. BLOOMFIELD, Soc. [C] **1971**, 3445.
4 E. J. COREY et al., Am. Soc. **86**, 5570 (1964).
  E. J. COREY, R. B. MITRA u. H. UDA, Am. Soc. **85**, 362 (1963).

Tab. 127 (3. Fortsetzung)

Enon	Olefin	Cyclobutan-Derivat	Ausbeute[a] [% d.Th.]	Literatur
3-Oxo-cyclo-hexen	Vinyl-benzyl-sulfid	*7-Benzylmercapto-2-oxo-bicyclo [4.2.0]octan*	64	1
	Cyclohexen	4 isomere *3-Oxo-tricyclo[6.4.0. $0^{2,7}$]dodecane*	70	2
	Bicyclo[2.2.1] heptadien	*4-Oxo-tetracyclo[8.2.1.$0^{2,9}$.$0^{3,8}$] tridecen-(11)*	60	3
3-Oxo-1,2-di-deuterio-cyclo-hexen	1,2-Dichlor-äthylen	*7,8-Dichlor-2-oxo-1,6-dideuterio-bicyclo[4.2.0]octan*	77	4
3-Oxo-1-methyl-cyclohexen	Äthylen	*5-Oxo-1-methyl-bicyclo[4.2.0] octan*	40	5
	trans-1,2-Dichlor-äthylen	*exo-7,endo-8-Dichlor-5-oxo-1-methyl-cis-bicyclo[4.2.0]octan*	48	6
		+endo-7,endo-8-Dichlor-. . .	33	
	cis-1,2-Dichlor-äthylen	*endo-7,endo-8-Dichlor-5-oxo-1-methyl-cis-bicyclo[4.2.0]octan*	51	6
		+exo-7,endo-8-Dichlor-. . .	22	
	Acetoxy-äthylen	*8-Acetoxy-5-oxo-1-methyl-bicyclo [4.2.0]octan*	} 68	5
		+7-Acetoxy-. . .		
	Äthyl-vinyl-äther	*8-Äthoxy-5-oxo-1-methyl-bicyclo [4.2.0]octan*	91[e]	6
	Vinyl-benzyl-äther	*8-Benzyloxy-5-oxo-1-methyl-bicyclo [4.2.0]octan*	39	6
	Acrylnitril	*5-Oxo-1-methyl-endo-7-cyan-cis-bicyclo[4.2.0]octan*	29	6
		+5-Oxo-1-methyl-exo-7-cyan-. . .	17	
		weitere Isomere	9	
	Isobuten	*5-Oxo-1,7,7-trimethyl-bicyclo[4.2.0] octan*	14	6, 7

[a] In Klammern rel. Mengenangaben.

1 J. Y. Vanderhock, J. Org. Chem. **34**, 4184 (1969).
2 D. Valentine, N. J. Turro u. G. S. Hammond, Am. Soc. **86**, 5202 (1964).
3 J. J. McCullough, J. M. Kelly u. P. W. W. Rasmussen, J. Org. Chem. **34**, 2933 (1969).
  J. J. McCullough u. J. M. Kelly, Am. Soc. **88**, 5935 (1966).
4 J. E. Baldwin u. M. S. Kaplan, Am. Soc. **93**, 3969 (1971).
  vgl. C. G. Scouten et al., Chem. Commun. **1969**, 78.
5 Y. Yamada, H. Uda u. K. Nakanishi, Chem. Commun. **1966**, 423.
6 T. S. Cantrell, W. S. Haller u. J. C. Williams, J. Org. Chem. **34**, 509 (1969).
7 E. J. Corey et al., Am. Soc. **86**, 5570 (1964).
  E. J. Corey, R. B. Mitra u. H. Uda, Am. Soc. **85**, 362 (1963).

Tab. 127 (4. Fortsetzung)

Enon	Olefin	Cyclobutan-Derivat	Ausbeute[a] [% d.Th.]	Literatur
3-Oxo-1-methyl-cyclohexen	Cyclopenten	*8-Oxo-1-methyl-cis-anti-cis-tricyclo [5.4.0.0²,⁶]undecan*	(52)	1,2
		+8-Oxo-1-methyl-cis-syn-cis-. . .	(7)	
		+8-Oxo-r-1-methyl-c-2-H-c-6-H-t-7-H-tricyclo[5.4.0.0²,⁶]undecan	(41)	
	4,4-Dimethyl-cyclopenten	*8-Oxo-1,4,4-trimethyl-cis-anti-cis-tricyclo[5.4.0.0²,⁶]undecan*	(74)	3
		+8-Oxo-1,4,4-trimethyl-cis-syn-cis-. . .	(12)	
		+8-Oxo-r-1,4,4-trimethyl-c-2-H-c-6-H-t-7-H . . .	(14)	
	2-Hydroxy-3-oxo-1-methyl-cyclo-penten	*6-Hydroxy-5,8-dioxo-1,2-dimethyl-cis-anti-cis-tricyclo[5.4.0.0²,⁶]undecan*	10	4
		+6-Hydroxy-5,8-dioxo-1,2-dimethyl-cis-syn-cis-. . .	2	
		+2-Hydroxy-3,8-dioxo-1,6-dimethyl-cis-anti-cis-. . .	3	
		+2-Hydroxy-3,8-dioxo-1,6-dimethyl-cis-syn-cis-. . .	2	
3-Oxo-1-tert.-butyl-cyclohexen	Cyclohexen	*6-Oxo-2-tert.-butyl-cis-syn-cis-tricyclo[6.4.0.0²,⁷]dodecan*	31	5
		+6-Oxo-2-tert.-butyl-cis-anti-cis-. . .	6	
3-Oxo-1-phenyl-cyclohexen	Äthyl-vinyl-äther	*8-Äthoxy-5-oxo-1-phenyl-cis-bicyclo[4.2.0]octan*	78	6
	Isobuten	*5-Oxo-8,8-dimethyl-1-phenyl-cis-bicyclo[4.2.0]octan*	45	6
	2,3-Dimethyl-buten-(2)	*5-Oxo-7,7,8,8-tetramethyl-1-phenyl-cis-bicyclo[4.2.0]octan*	–	7
	Cyclopenten	*8-Oxo-1-phenyl-cis-anti-cis-tricyclo [5.4.0.0²,⁶]undecan*	77	1,2
		+8-Oxo-1-phenyl-cis-syn-cis-. . .	6	

[a] In Klammern rel. Mengenangaben

[1] T. S. CANTRELL, W. S. HALLER u. J. C. WILLIAMS, J. Org. Chem. **34**, 509 (1969).
[2] R. M. BOWMAN et al., J. Org. Chem. **37**, 2084 (1972).
[3] E. J. COREY u. S. NOZOE, Am. Soc. **86**, 1652 (1964).
[4] K. YAMAKAWA, J. KURITA u. R. SAKAGUCHI, Tetrahedron Letters **1973**, 3877.
[5] P. SINGH, Tetrahedron Letters **1970**, 4089; J. Org. Chem. **36**, 3334 (1971).
[6] E. J. COREY et al., Am. Soc. **86**, 5570 (1964).
  E. J. COREY, R. B. MITRA u. H. UDA, Am. Soc. **85**, 362 (1963).
[7] J. J. McCULLOUGH u. B. R. RAMACHANDRAN, Chem. Commun. **1971**, 1180.

Tab. 127 (5. Fortsetzung)

Enon	Olefin	Cyclobutan-Derivat	Ausbeute[a] [% d.Th.]	Literatur
3-Oxo-1-carboxy-cyclohexen	Äthylen	*5-Oxo-1-carboxy-bicyclo[4.2.0]octan*	90	1
3-Oxo-1-äthoxy-carbonyl-cyclohexen	Äthylen	*5-Oxo-1-äthoxycarbonyl-bicyclo [4.2.0]octan*	98	1
3-Oxo-1-cyan-cyclohexen	Äthylen	*5-Oxo-1-cyan-bicyclo[4.2.0]octan*	62	1
	Isobuten	*5-Oxo-8,8-dimethyl-1-cyan-bicyclo [4.2.0]octan* *+5-Oxo-7,7-dimethyl-...*	78	2
	Cyclopenten	*8-Oxo-1-cyan-cis-anti-cis-tricyclo [5.4.0.0²,⁶]undecan*	63	2
3-Oxo-1-methoxy-cyclohexen	Cyclopenten	*1-Methoxy-8-oxo-tricyclo[5.4.0.0²,⁶] undecan*	27	2
6-Oxo-3,3-dimethyl-cyclohexen	2,3-Dimethyl-buten-(2)	*5-Oxo-2,2,7,7,8,8-hexamethyl-trans-bicyclo[4.2.0]octan*	42	3
	Cyclopenten	*11-Oxo-8,8-dimethyl-cis-anti-cis-tricyclo[5.4.0.0²,⁶]undecan* *+11-Oxo-8,8-dimethyl-r-1-H-t-2-H-t-6-H-t-7-H-...* *+11-Oxo-8,8-dimethyl-r-1-H-c-2-H-c-3-H-t-4-H-...*	(47) (38) (15)	4,5
6-Oxo-5-methyl-2-isopropyl-cyclo-hexen	Äthyl-vinyl-äther	*8-Äthoxy-5-oxo-4-methyl-1-isopropyl-cis-bicyclo[4.2.0]octan* *+8-Äthoxy-5-oxo-4-methyl-1-iso-propyl-trans-...*	70 20	6
	Cyclooctadien-(1,5)	 *6-Oxo-5-methyl-2-isopropyl-cis-syn-cis-tricyclo[6.6.0.0²,⁷]tetradecen-(11)* *+6-Oxo-5-methyl-2-isopropyl-cis-anti-cis-...* 2:1-Cycloaddukt	60 –	6
6-Oxo-2,4,4-tri-methyl-cyclo-hexen	Äthylen	*5-Oxo-1,3,3-trimethyl-bicyclo[4.2.0] octan*	85	7

[a] In Klammern rel. Mengenangaben

1 W. C. Agosta u. W. W. Lowrance, J. Org. Chem. **35**, 3851 (1970); Tetrahedron Letters **1969**, 3053.
2 T. S. Cantrell, Tetrahedron **27**, 1227 (1971).
3 P. J. Nelson et al., J. Org. Chem. **34**, 811 (1969).
4 T. S. Cantrell, W. S. Haller u. J. C. Williams, J. Org. Chem. **34,** 509 (1969).
5 R. M. Bowman et al., J. Org. Chem. **37**, 2084 (1972).
6 P. Singh, Tetrahedron Letters **1970**, 4089; J. Org. Chem. **36**, 3334 (1971).
7 D. C. Owsley u. J. J. Bloomfield, Soc. [C] **1971**, 3445.

Tab. 127 (6. Fortsetzung)

Enon	Olefin	Cyclobutan-Derivat	Ausbeute[a] [% d.Th.]	Literatur
6-Oxo-3,5-dimethyl-3-pyridyl-(2)-cyclohexen	Acetoxy-äthylen	*8-Acetoxy-5-oxo-2,4-dimethyl-2-pyridyl-(2)-bicyclo[4.2.0]octan*	60	[1]
4-Oxo-2,2-dimethyl-2,3-dihydro-4H-pyran	Isobuten	*5-Oxo-3,3,8,8-tetramethyl-2-oxa-cis-bicyclo[4.2.0]octan*	–	[2]
		+5-Oxo-3,3,8,8-tetramethyl-2-oxa-trans-...	–	
	3,3-Difluor-3-chlor-2-difluorchlor-methyl-propen	*5-Oxo-3,3-dimethyl-7,7-bis-[difluorchlormethyl]-2-oxa-bicyclo[4.2.0]octan*	–	[3]
2,4-Dioxo-3,3-dimethyl-2,3-dihydro-4H-pyran	2,3-Dimethyl-buten-(2)	*3,5-Dioxo-4,7,7,8,8-hexamethyl-2-oxa-bicyclo[4.2.0]octan*	–	[4]
2,4-Dioxo-6-methyl-3-(1-hydroxy-äthyliden)-2,3-dihydro-4H-pyran	Cyclohexen	*4,6-Dioxo-2-methyl-5-(1-hydroxy-äthyliden)-3-oxa-cis-syn-cis-tricyclo[6.4.0.0²·⁷]dodecan*	20	[5]
		+4,6-Dioxo-t-2-methyl-5-(1-hydroxy-äthyliden)-3-oxa-r-1-H-t-7-H-t-8-H-...	20	
2-Oxo-bicyclo[4.2.0]octen-(1⁶)	Äthylen	*2-Oxo-tricyclo[4.2.2.0¹·⁶]decan*	50	[6]
2-Oxo-bicyclo[4.3.0]nonen-(1⁶)	1,2-Dichlor-äthylen	*10,11-Dichlor-2-oxo-tricyclo-[4.3.2.0¹·⁶]undecan*	–	[7]

[a] In Klammern rel. Mengenangaben

[1] H. J. Liu et al., Canad. J. Chem. **47**, 509 (1969).
[2] P. Margaretha, A. **1973**, 727.
[3] P. Margaretha, Helv. **57**, 1866 (1974).
[4] P. Margaretha, Tetrahedron **29**, 1317 (1973).
[5] H. Takeshita, R. Kikuchi u. Y. Shoji, Bl. chem. Soc. Japan **46**, 690 (1973).
[6] P. E. Eaton u. K. Nyi, Am. Soc. **93**, 2786 (1971).
[7] R. L. Cargill u. J. W. Crawford, Tetrahedron Letters **1967**, 169.

Tab. 127 (7. Fortsetzung)

Enon	Olefin	Cyclobutan-Derivat	Ausbeute[a] [% d.Th.]	Literatur
2-Oxo-bicyclo [4.3.0]nonen-(1^6)	cis-Buten-(2)	2-Oxo-anti-10,syn-11-dimethyl-tricyclo[4.3.2.0^{1,6}]undecan	(65)	1
		+2-Oxo-syn-10,anti-11-dimethyl-...	(28)	
		+2-Oxo-syn-10,syn-11-dimethyl-...	(4)	
	trans-Buten-(2)	2-Oxo-anti-10,syn-11-dimethyl-tricyclo[4.3.2.0^{1,6}]undecan	(86)	1
		+2-Oxo-syn-10,syn-11-dimethyl-...	(7)	
		+2-Oxo-syn-10,anti-11-dimethyl-...	(6)	
7-Oxo-bicyclo [4.3.0]nonen-(1^6)	Äthylen	7-Oxo-tricyclo[4.3.2.0^{1,6}]undecan	50	2
	Propen	7-Oxo-anti-10-methyl-tricyclo [4.3.2.0^{1,6}]undecan	–	3
2-Oxo-bicyclo [5.3.0]decen-(1^7)	Äthylen	2-Oxo-tricyclo[5.3.2.0^{1,7}]dodecan	30	2, 4
	Cyclohepten	10-Oxo-tetracyclo[7.5.3.0^{1,9}.0^{2,8}]heptadecan	40	4
	Cycloocten	11-Oxo-tetracyclo[8.5.3.0^{1,10}.0^{2,9}]octadecan	48	4
	Cyclooctadien-(1,5)	11-Oxo-tetracyclo[8.5.3.0^{1,10}.0^{2,9}]octadecen-(5)	40	4
2-Oxo-bicyclo [4.4.0]decen-(1^6)	Äthylen	2-Oxo-tricyclo[4.4.2.0^{1,6}]dodecan	~78	1
2,7-Dioxo-bicyclo [4.4.0]decen-(1^6)	Äthylen	2,7-Dioxo-tricyclo[4.4.2.0^{1,6}]dodecan	68	5

[a] In Klammern rel. Mengenangaben

1 N. P. PEET, R. L. CARGILL u. D. F. BUSHEY, J. Org. Chem. **38**, 1218 (1973).
2 A. KUNAI et al., Tetrahedron **29**, 1679 (1973).
3 E. H. W. BÖHME, Z. VALENTA u. K. WIESNER, Tetrahedron Letters **1965**, 2441.
4 A. KUNAI et al., Tetrahedron Letters **1974**, 2517.
5 N. P. PEET u. R. L. CARGILL, J. Org. Chem. **38**, 4281 (1973).
  vgl. a. R. L. CARGILL et al., Mol. Photochem. **1**, 301 (1969).

Tab. 127 (8. Fortsetzung)

Enon	Olefin	Cyclobutan-Derivat	Ausbeute [% d.Th.]	Literatur
5,10-Dioxo-2-methyl-bicyclo [4.4.0]decen-(1⁶)	Äthylen	*5,10-Dioxo-endo-2-methyl-tricyclo* $[4.4.2.0^{1,6}]$*dodecan*	99	[1]
	Acetoxy-äthylen	*15-Acetamino-2-hydroxy-12-methoxy-7-acetoxy-9-oxo-5-methyl-⟨benzo-tetracyclo[8.2.1.0¹,⁸.0⁵,⁸]tridecen-(11)⟩*	89	[2]
3,7-Dioxo-2-aza-bicyclo[4.4.0] decen-(1⁶)	Acrylsäure-äthyl-ester	*3,7-Dioxo-12-äthoxycarbonyl-2-aza-tricyclo[4.4.2.0¹,⁶]dodecan*	50	[3]
3,7-Dioxo-2-benzyl-2-aza-bicyclo [4.4.0]decen-(1⁶)	Methacrylsäure-methylester	*3,7-Dioxo-12-methyl-2-benzyl-12-methoxycarbonyl-2-aza-tricyclo* $[4.4.2.0^{1,6}]$*dodecan*	58	[3]
3,9-Dioxo-6-methyl-2-aza-bicyclo [4.4.0]decen-(1¹⁰)	Cyclopenten	*3,9-Dioxo-6-methyl-2-aza-tetracyclo* $[8.5.0.0^{1,6}.0^{11,15}]$*pentadecan*	–	[4]
	Cyclopenten	*9-Oxo-6-phenyl-2,5,7-trioxa-tetracyclo* $[8.5.0.0^{3,8}.0^{11,15}]$*pentadecan*	–	[5]
3α-Acetoxy-17β-acetyl-andro-stadien-(5,16)	Äthylen	*3β-Acetoxy-17β-acetyl-16α,17α-cyclobutano-androsten-(5)*	50	[6]

[1] N. P. PEET u. R. L. CARGILL, J. Org. Chem. **38**, 4281 (1973).
Vgl. auch R. L. CARGILL et al., Mol. Photochem. **1**, 301 (1969).
[2] K. WIESNER et al., Canad. J. Chem. **51**, 3978 (1973).
[3] E. H. W. BÖHME, Z. VALENTE u. K. WIESNER, Tetrahedron Letters **1965**, 2441.
Z. KOBLICOVA u. K. WIESNER, Tetrahedron Letters **1967**, 2563, 4931.
[4] T. S. CANTRELL, Tetrahedron **27**, 1227 (1971).
[5] P. M. COLLINS u. B. R. WHITTON, Carbohyd. Res. **21**, 487 (1972); Soc. (Perkin I) **1973**, 1470.
[6] J. L. RUHLEN u. P. A. LEERMAKERS, Am. Soc. **89**, 1537 (1967).

Tab. 127 (9. Fortsetzung)

Enon	Olefin	Cyclobutan-Derivat	Ausbeute [% d.Th.]	Literatur
17β-Acetoxy-3-oxo-5α-methyl-andro-sten-(1)	1,1-Dichlor-äthylen	 *17β-Acetoxy-3-oxo-5α-methyl-1β,2α-[4,4-dichlor-cyclobutano]-androstan*	16	[1]
17β-Acetoxy-3-oxo-androsten-(4)	Äthylen	 *17β-Acetoxy-3-oxo-4α,5α-cyclo-butano-androstan*	78	[2]
17β-Hydroxy-3-oxo-pregnen-(4)-21-carbonsäure-lacton	Isobuten	*17β-Hydroxy-3-oxo-4α,5α-[3,3-di-methyl-cyclobutano]-pregnan-21-carbonsäure-lacton*	76	[3]
		+17β-Hydroxy-3-oxo-4α,5β-[3,3-di-methyl-cyclobutano]-...	12	
		+17β-Hydroxy-3-oxo-4β,5β-[3,3-di-methyl-cyclobutano]-...	Spur	
	Cyclohexen	 *17β-Hydroxy-3-oxo-4α,5β-(bicyclo[4.2.0]octa[7,8]pregnan-21-carbon-säure-lacton*[a]	25	[3]
17β-Acetoxy-3-oxo-androstadien-(4,6)	Äthylen	*17β-Acetoxy-3-oxo-4β,5α-cyclo-butano-androsten-(6)*	7	[2]
		+17β-Acetoxy-3-oxo-4α,5α-cyclo-butano-...	5	
		 +17β-Acetoxy-3-oxo-6β,7β-cyclo-butano-androsten-(4)	1	
17β-Hydroxy-3-oxo-pregnadien-(4,6)-21-carbonsäure-lacton	Äthylen	*17β-Hydroxy-3-oxo-4α,5β-cyclo-butano-pregnen-(6)-21-carbonsäure-lacton*	6	[4]
	Isobuten	*17β-Hydroxy-3-oxo-4α,5β-[3,3-di-methyl-cyclobutano]-pregnen-(6)-21-carbonsäure-lacton*	90	[4]

[a] Und weitere Isomere.

[1] P. BOYLE, J. A. EDWARDS u. J. H. FRIED, J. Org. Chem. **35**, 2560 (1970).
[2] P. H. NELSON et al., Am. Soc. **90**, 1307 (1968).
[3] G. R. LENZ, Tetrahedron **28**, 2195 (1972); hier weitere Beispiele.
   Vgl. a. M. B. RUBIN, T. MAYMON u. D. GLOVER, Israel J. Chem. **8**, 717 (1970).
[4] G. R. LENZ, Tetrahedron **28**, 2211 (1972); hier weitere Beispiele.

Tab. 127 (10. Fortsetzung)

Enon	Olefin	Cyclobutan-Deriyat	Ausbeute [%d.Th.]	Literatur
9α-Fluor-11β-hydroxy-3,20-dioxo-pregnadien-(4,16)	Äthylen	*9α-Fluor-11β-hydroxy-3,20-dioxo-4α,5α-cyclobutano-pregnen-(16)*	60	1
3β-Acetoxy-20-oxo-pregnadien-(5,16)	Äthylen	*3β-Acetoxy-20-oxo-16α,17α-cyclo-butano-pregnen-(5)*	52	1
		+3β-Acetoxy-20-oxo-16β,17β-cyclo-butano-...	7	
	Tetrafluor-äthylen	*3β-Acetoxy-20-oxo-16α,17α-[tetra-fluor-cyclobutano]-pregnen-(5)*	24	1
		+3β-Acetoxy-20-oxo-16β,17β-[tetrafluor-cyclobutano]-...	11	
	1-Acetoxy-3-oxo-buten	*3β-Acetoxy-20-oxo-16α,17α-(3α-acet-oxy-4α-acetyl-cyclobutano[1,2])-pregnen-(5)*	43	2
		+3β-Acetoxy-20-oxo-16α,17α-(3α-acetoxy-4β-acetyl-cyclobutano [1,2])-...	18	
		+3β-Acetoxy-20-oxo-16α,17α-(4α-cyclobuta-[1,2])-pregnen-(5)	8	
9α-Fluor-11β-hy-droxy-3,3-äthylen-dioxy-21-acetoxy-20-oxo-pregna-dien-(5,16)	Äthylen	*9α-Fluor-11β-hydroxy-3,3-äthylen-dioxy-21-acetoxy-20-oxo-16α,17α-cyclobutano-pregnen-(5)*	40	1

17β-Acetoxy-3-oxo-4α,5α-cyclobutano-androstan[3]: 2,0 g 17β-Acetoxy-3-oxo-androsten-(4) werden in 70 ml trockenem, destilliertem Benzol mit einer 200 W Hanovia 654-A-36 Apparatur belichtet. Gleichzeitig leitet man trockenes Äthylen ein. Nach 4 Stdn. entfernt man das Solvens und kristallisiert den Rückstand aus Hexan/Dichlormethan um; Ausbeute: 1,44 g (78% d.Th.); F: 197–203° (Zers.).

17β-Hydroxy-3-oxo-4β,5β-[3,4-dimethyl-cyclobutano]- pregnen-(6)-21- carbonsäure-lacton[4]: 3,0 g 17β-Hydroxy-3-oxo-pregnadien-(4,6)-21-carbonsäure-lacton werden in 500 ml Benzol 4,5 Stdn. mit einer 450 W Quecksilber-Mitteldruck-Lampe mit Corex-Filter bestrahlt. Dabei läßt man in einem langsamen Strom Isobuten durch die Lösung perlen. Nach Abziehen des Lösungsmittels erhält man durch Umkristallisieren aus Essigsäure-äthylester/Äther 1,5 g des Lactons; F: 170–172°. Durch Chromatographie an 170 g Kieselgel mit Essigsäure-äthylester/Benzol lassen sich weitere 1,05 g isolieren; Gesamtausbeute: 85% d.Th.

[1] P. Sunder-Plassman, J. Zderic u. J. H. Fried, Tetrahedron Letters 1966, 3451.
[2] P. Sunder-Plassman et al., Tetrahedron Letters 1967, 653.
Weitere Beispiele s. L. Tökés et al., J. Org. Chem. 36, 2381 (1971).
[3] P. H. Nelson, J. W. Murphy, J. A. Edwards u. J. H. Fried, Am. Soc. 90, 1307 (1968).
[4] G. R. Lenz, Tetrahedron 28, 2211 (1972).

$\beta\beta$) von 1,3-Diketonen und ihren Enolacetaten mit Olefinen

Enolisierbare β-Dicarbonyl-Verbindungen reagieren beim Belichten mit Olefinen häufig zu Cyclobutan-Derivaten, die sich spontan in 1,5-Diketone umlagern. Auf diese Weise erhält man aus Pentandion-(2,4) und Cyclohexen 2-*Acetyl-1-(2-oxo-propyl)-cyclohexan* (78% d.Th.)[1]:

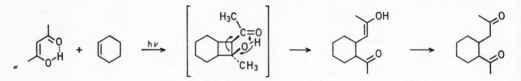

Mit dieser Reaktion ist ein bequemer Zugang zum Steroid-Grundgerüst über das *12-Oxo-gonen-(9^{11})* möglich[2]:

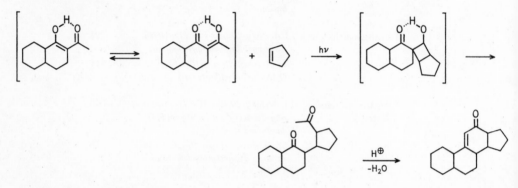

Mit 1,3-Dioxo-1,3-diphenyl-propan wird in Cyclohexen kein gemischtes Addukt gebildet, sondern das 1,3-Dioxo-1,3-diphenyl-propan dimerisiert sich zu *3,4-Dihydroxy-3,4-diphenyl-1,2-dibenzoyl-cyclobutan* (40% d.Th.)[3].

Verestert man vor der Photoreaktion die enolische Hydroxy-Gruppe, so lassen sich die primär gebildeten Cycloaddukte isolieren[4]. Unter milden alkalischen Bedingungen geben die erhaltenen β-Acetoxy-ketone in einer inversen Aldol-Reaktion wiederum 1,5-Diketone[4]. Dieses Verfahren wurde als Teilschritt einer Reihe von Naturstoff-Synthesen angewandt[5]. Insbesondere gelangt man damit relativ einfach zu Tropon- und Perhydro-azulen-Derivaten.

Eine weitere Variante führt – wie der folgende Teilschritt der Totalsynthese des Loganins zeigt – zur Bildung von *2-Hydroxy-8-tetrahydropyranyl-(2)-oxy-5-methoxycarbonyl-3-oxa-cis-bicyclo[4.3.0]nonen-(4)*[6]:

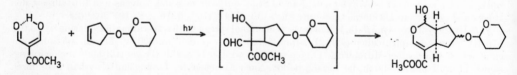

[1] P. de Mayo, H. Takeshita u. A. Satter, Pr. chem. Soc. **1962**, 119.
P. de Mayo u. H. Takeshita, Canad. J. Chem. **41**, 440 (1963).
[2] H. Nozaki et al., Tetrahedron **24**, 1821 (1968).
[3] G. Koonis u. P. de Mayo, Canad. J. Chem. **42**, 2822 (1964).
[4] M. Hikino u. P. de Mayo, Am. Soc. **86**, 3582 (1964).
B. D. Challand et al., J. Org. Chem. **34**, 794 (1969).
[5] P. de Mayo, Accounts Chem. Res. **4**, 41 (1970).
[6] G. Büchi et al., Am. Soc. **95**, 540 (1973); **92**, 2165 (1970).

Tab 128. Addukte aus 1,3-Diketonen bzw. 3-Acetoxy-ketonen und Olefinen

1,3-Dicarbonyl-Verbindung	Olefin	Endprodukt	Ausbeute [% d.Th.]	Literatur
2-Methoxycarbonyl-propandial	4-Acetoxy-3-methyl-cyclo-penten	*2-Hydroxy-exo-8-acetoxy-exo-9-methyl-5-methoxycarbonyl-3-oxa-cis-bicyclo[4.3.0]nonen-(4)*	22	1
		+2-Hydroxy-endo-8-acetoxy-endo-9-methyl-... *+2-Hydroxy-8-acetoxy-7-methyl-5-methoxycarbonyl-3-oxa-bicyclo [4.3.0]nonen-(4)*	11	
2,4-Dioxo-pentan	Cyclopenten	*2-(2-Oxo-propyl)-1-acetyl-cyclopentan*	–	2
	1-Methyl-cyclohexen	*2-Methyl-2-(2-oxo-propyl)-1-acetyl-cyclohexan*	50	2
	Octen-(1)	*9-Oxo-7-(2-oxo-propyl)-decan* *+10-Oxo-7-acetyl-undecan*	– –	2
	cis-Cycloocten	*2-(2-Oxo-propyl)-1-acetyl-cyclooctan*	51	3
	cis,cis-Cycloocta-dien-(1,5)	*6-(2-Oxo-propyl)-5-acetyl-cycloocten*	40	3
	cis,trans,trans-Cyclododeca-trien-(1,5,9)	*10-(2-Oxo-propyl)-9-acetyl-cyclo-dodecadien-(1,5)*	71	3
2,4-Dioxo-pentan-säure-methylester	Acetoxy-äthylen	*3-Acetoxy-2,6-dioxo-heptansäure-methylester*	82	4
	Isobutyl-vinyl-äther	*3-(2-Methyl-propyloxy)-2,6-dioxo-heptansäure-methylester*	84	4
	Cyclohexen	*2-(2-Oxo-propyl)-cyclohexyl-glyoxal-säure-methylester*	95	4
	Cyclohexadien-(1,4)	*6-(2-Oxo-propyl)-cyclohexen-(3)-yl-glyoxalsäure-methylester*	91	4
2-Oxo-1-acetyl-cyclopentan	Cyclohexen	*2-Oxo-1-(2-acetyl-cyclohexyl)-cyclo-pentan*	40	3
1-Acetoxy-3-oxo-cyclopenten	1,2-Dichlor-äthylen	*6,7-Dichlor-5-acetoxy-2-oxo-bicyclo[3.2.0]heptan*	–	5
	Chlor-maleinsäure-dimethylester	*6(7)-Chlor-2-oxo-6,7-dimethoxy-carbonyl-bicyclo[3.2.0]heptan*	80–85	5

[1] J. J. Patridge, N. K. Chadka u. M. R. Ushokovic, Am. Soc. **95**, 532 (1973).
[2] P. de Mayo, H. Takeshita u. A. Satter, Pr. chem. Soc. **1962**, 119.
P. de Mayo u. H. Takeshita, Canad. J. Chem. **41**, 440 (1963).
[3] H. Nozaki et al., Tetrahedron **24**, 1821 (1968).
[4] H. Takeshita u. S. Tanno, Bl. chem. Soc. Japan **46**, 880 (1973).
[5] M. Hikino u. P. de Mayo, Am. Soc. **86**, 3582 (1964).
B. D. Challand et al., J. Org. Chem. **34**, 794 (1969).
G. Lange u. P. de Mayo, Chem. Commun. **1967**, 704.

Tab. 128 (1. Fortsetzung)

1,3-Dicarbonyl-Verbindung	Olefin	Endprodukt	Ausbeute [% d. Th.]	Literatur
1-Acetoxy-3-oxo-2-methyl-cyclopenten	1,3-Dioxolan-⟨2-spiro-3⟩-cyclohexen	*1,3-Dioxolan-⟨2-spiro-3⟩-8-acetoxy-11-oxo-1-methyl-tricyclo[6.3.0.0²,⁷]undecan +1,3-Dioxolan-⟨2-spiro-3⟩-1-acetoxy-9-oxo-8-methyl- . . .*	$\geqq 35$	1, 2
2-Oxo-1-acetyl-cyclohexan	Cyclohexen	*2-Oxo-1-(2-acetyl-cyclohexyl)-cyclohexan*	–	3
1,3-Dioxo-cyclohexan	Acrylsäure-methylester	*3,7-Dioxo-1-methoxycarbonyl-cyclooctan +2,6-Dioxo-1-methoxycarbonyl -. . .*	– –	1
3,5-Dioxo-1,1-dimethyl-cyclohexan	Cyclohexen	*2,6-Dioxo-4,4-dimethyl-bicyclo [6.4.0]dodecan*	–	1
		+2,6-Dihydroxy-4,4-dimethyl-tricyclo[6.4.0.0²,⁶]dodecan	–	
1-Acetoxy-3-oxo-cyclohexen	1,1-Dimethoxy-äthylen	*6-Acetoxy-2-oxo-7,7-dimethyl-trans-bicyclo[4.2.0]octan*	44	4
2-Acetoxy-6-oxo-4,4-dimethyl-cyclohexen	Cyclohexen	*2-Acetoxy-6-oxo-4,4-dimethyl-tricyclo[6.4.0.0²,⁷]dodecan*	–	1

2-Acetyl-1-(2-oxo-propyl)-cyclohexan[5]: Eine Lösung von 15,02 g Pentandion-(2,4) in 135 ml Cyclohexen wird unter Stickstoff 45 Stdn. mit einer Quecksilber-Mitteldruck-Lampe belichtet. Nach Entfernen des überschüssigen Cyclohexens fraktioniert man das Reaktionsgemisch an einer Drehbank-Kolonne; Ausbeute: 20,2 g (78% d.Th.); $Kp_{1,7}$: 89°.

γγ) von Enonen mit Acetylenen, Allenen und Ketenacetalen

Die Photocycloaddition von Enonen und Alkinen führt zu Cyclobuten-Derivaten. Bei der Belichtung von 3-Oxo-cyclopenten in Butin-(2) erhält man das bicyclische Keton I, das sich zu II photoisomerisieren kann[6]:

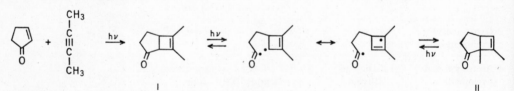

I II

[1] M. HIKINO u. P. DE MAYO, Am. Soc. **86**, 3582 (1964).
B. D. CHALLAND et al., J. Org. Chem. **34**, 794 (1969).
G. LANGE u. P.DE MAYO, Chem. Commun. **1967**, 704.
[2] B. D. CHALLAND et al., Chem. Commun. **1967**, 704.
[3] H. NOZAKI et al., Tetrahedron **24**, 1821 (1968).
[4] T. S. CANTRELL, W. S. HALLER u. J. C. WILLIAMS, J. Org. Chem. **34**, 509 (1969).
[5] P. DE MAYO, H. TAKESHITA u. A. SATTER, Pr. chem. Soc. **1962**, 119.
P. DE MAYO u. H. TAKESHITA, Canad. J. Chem. **41**, 440 (1963).
[6] P. E. EATON, Tetrahedron Letters **1964**, 3695.
R. CRIEGEE u. H. FURRER, B. **97**, 2949 (1964).

2-Oxo-1,7-dimethyl- und 2-Oxo-6,7-dimethyl-bicyclo[3.2.0]hepten-(6)[1]: In einer Apparatur aus Jenaer Glas werden 16,1 g 3-Oxo-cyclopenten in 400 ml Butin-(2) unter Stickstoff mit einer Quecksilber-Hochdruck-Tauchlampe (Philips HOQ 400 W) 48 Stdn. bestrahlt. Nach Abdestillieren des Butins bei 40–50° Badtemp. gehen bei 5 Torr zwischen 55° und 70° 21,2 g des Addukt-Gemisches über. Die Rektifikation an einer Drehband-Kolonne ergibt 6,8 g (25% d. Th.) des 1,7-Dimethyl-Derivates vom Kp_{12}: 60° (n_D^{20}: 1,4668) und 14,4 g (54% d. Th.) der 6,7-Dimethyl-Verbindung von Kp_{12}: 75° (n_D^{20}: 1,4772).

Bei Allenen kann eine Doppelbindung mit Enonen eine Photocycloaddition eingehen. Aus 3-Oxo-cyclohexen und Allen erhält man ein einziges Cycloaddukt[2]:

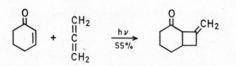

2-Oxo-8-methylen-bicyclo[4.2.0]octan[2]: Eine Lösung von 11 g 3-Oxo-cyclohexen und 100 g Allen in 530 ml reinem Pentan wird 4,5 Stdn. bei magnetischer Rührung mit einer Hanovia 450 W Lampe durch ein Corex-Filter belichtet. Wegen des tiefen Siedepunktes des Allens (−32°) muß mit Methanol/Trockeneis intensiv gekühlt werden. Am Ende der Reaktion leitet man mit einer Kapillare Stickstoff in die Lösung ein und beendet langsam die Kühlung. Dadurch verflüchtigt sich das überschüssige Allen. Nach dem Entfernen des Lösungsmittels wird destilliert; Ausbeute: 8,6 g (55% d. Th.); $Kp_{0,65}$: 43–45°.

Zur Herstellung bicyclischer Diketone belichtet man Enone in Gegenwart von Keten-acetalen und hydrolysiert die entstandenen Addukte. Aus 3-Oxo-cyclohexen und 1,1-Dimethoxy-äthylen erhält man über zwei isomere Additionsverbindungen das *2,7-Dioxo-bicyclo[4.2.0]octan*[2]:

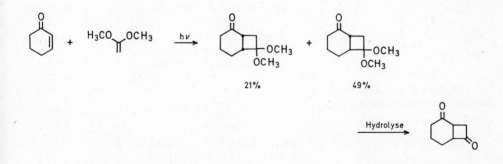

7,7-Dimethoxy-2-oxo-trans-bicyclo[4.2.0]octan[2]: Eine Lösung von 4,1 g 3-Oxo-cyclohexen und 53,5 g 1,1-Dimethoxy-äthylen in 270 ml Pentan wird 5 Stdn. unter magnetischer Rührung mit einer Hanovia 450 W Quecksilber-Mitteldruck-Lampe durch ein Corex-Filter belichtet. Die anschließende fraktionierte Destillation liefert bei 0,01–0,02 Torr im Siedeintervall 57–97° 5,93 g hellgelbes Destillat, das beim Abkühlen teilweise erstarrt. Der feste Anteil ergibt beim Umkristallisieren aus Pentan farblose Primsen; Ausbeute: ∼ 49% d. Th.; F: 51–52,5°.

[1] P. E. Eaton, Tetrahedron Letters **1964**, 3695.
  R. Griegee u. H. Furrer, B. **97**, 2949 (1964).
[2] E. J. Corey et al., Am. Soc. **86**, 5570 (1964).

Tab. 129. Cycloaddukte aus α,β-ungesättigten Carbonyl-Verbindungen und Acetylenen, Allenen oder Ketenacetalen

Enon	Acetylen bzw. Olefin	Cycloaddukt	Ausbeute [% d. Th.]	Literatur
3-Oxo-cyclopenten	Acetylen	2-Oxo-bicyclo[3.2.0]hepten-(6)	–	1
	Butin-(2)	2-Oxo-6,7-dimethyl-bicyclo[3.2.0] hepten-(6)	54	2
		+2-Oxo-1,7-dimethyl- ...	24	
	1,1-Dimethoxy-äthylen	6,6-Dimethoxy-2-oxo-cis-bicyclo [3.2.0]heptan	60	3
	Allen	2-Oxo-7-methylen-bicyclo[3.2.0] heptan	55	2
		+2-Oxo-6-methylen- ...	7	
2-Acetoxy-3-oxo-cyclopenten	1,1-Diäthoxy-äthylen	6,6-Diäthoxy-1-acetoxy-2-oxo-cis-bicyclo[3.2.0]heptan	64	4
2-Acetoxy-3-oxo-1-methyl-cyclo-penten	1,1-Diäthoxy-äthylen	7,7-Diäthoxy-5-acetoxy-4-oxo-1-methyl-cis-bicyclo[3.2.0]heptan	–	4
Prostaglandin-Derivat	Allen	2-Oxo-endo-3-[6-methoxycarbonyl-cis-hexen-(2)-yl]-exo-4-[3-hydroxy-trans-octen-(1)-yl]-6-methylen-bicyclo[3.2.0]heptan	22	5
		+4-Oxo-exo-3-[6-methoxycarbonyl-cis-hexen-(2)-yl]-endo-2-[3-hydroxy-trans-octen-(1)-yl]-6-methylen- ...	19	
4-Oxo-2-phenyl-4,5-dihydro-1,3-oxazol	1,1-Dimethoxy-äthylen	6,6-Dimethoxy-2-oxo-5-phenyl-4-oxa-1-aza-bicyclo[3.2.0]heptan	65	6
3-Oxo-cyclohexen	1,1-Dimethoxy-äthylen	7,7-Dimethoxy-2-oxo-cis-bicyclo [4.2.0]octan	21	3
		+7,7-Dimethoxy-2-oxo-trans- ...	49	
	Allen	5-Oxo-7-methylen-cis-bicyclo[4.2.0] octan	55	3

[1] T. Svensson, Chem. Ser. 3, 171 (1973).
[2] P. E. Eaton, Tetrahedron Letters 1964, 3695.
   R. Criegee u. H. Furrer, B. 97, 2949 (1964).
[3] E. J. Corey et al., Am. Soc. 86, 5570 (1964).
[4] T. Matsumoto, H. Shirahama u. A. Ichihara, Tetrahedron Letters 1969, 4103.
[5] P. Crabbé, G. A. Gracia u. C. Riús, Tetrahedron Letters 1972, 2951; Soc. (Perkin I) 1973, 810.
[6] T. H. Koch u. R. M. Radehorst, Tetrahedron Letters 1972, 4039.

Tab. 129 (1. Fortsetzung)

Enon	Acetylen bzw. Olefin	Cycloaddukt	Ausbeute [% d.Th.]	Literatur
3-Oxo-1-phenyl-cyclohexen	1,1-Dimethoxy-äthylen	*7,7-Dimethoxy-5-oxo-1-phenyl-cis-bicyclo[4.2.0]octan*	74	1
3-Oxo-1-äthoxy-carbonyl-cyclo-hexen	Acetylen	*5-Oxo-1-äthoxycarbonyl-bicyclo [4.2.0]octen-(7)*	30	2
	Butin-(2)	*5-Oxo-7,8-dimethyl-1-äthoxycarbonyl-bicyclo[4.2.0]octen-(7)*	50	2
6-Oxo-3,3-dimethyl-cyclohexen	1,1-Dimethoxy-äthylen	*8,8-Dimethoxy-5-oxo-2,2-dimethyl-trans-bicyclo[4.2.0]octan* *+ 8,8-Dimethoxy-5-oxo-2,2-dimethyl-cis-. . .*	– –	3
3-Oxo-4-methyl-1-isopropyl-cyclo-hexen	1,1-Dimethoxy-äthylen	*8,8-Dimethoxy-5-oxo-4-methyl-1-iso-propyl-cis-bicyclo[4.2.0]octan* *+ 8,8-Dimethoxy-5-oxo-4-methyl-1-isopropyl-trans-. . .*	64 16	4
4-Oxo-2,2-dimethyl-2,3-dihydro-4H-pyran	1,1-Dimethoxy-äthylen	*8,8-Dimethoxy-5-oxo-3,3-dimethyl-2-oxa-trans-bicyclo[4.2.0]octan* *+ 8,8-Dimethoxy-5-oxo-3,3-dimethyl-2-oxa-cis-. . .*	– –	5
3-Oxo-cycloocten	1,1-Dimethoxy-äthylen	*9,9-Dimethoxy-7-oxo-bicyclo[6.2.0] decan*	37	6
2-Oxo-bicyclo [3.3.0]octen-(1⁵)	Butin-(2)	*2-Oxo-9,10-dimethyl-tricyclo[3.3. 2.0]decen-(9)*	–	7
2-Oxo-bicyclo [4.3.0]nonen(1⁶)	Butin-(2)	*2-Oxo-10,11-dimethyl-tricyclo-[4.3.2.0]undecen-(10)*	66	8
2-Oxo-bicyclo [5.3.0]decen-(1⁷)	Butin-(2)	*2-Oxo-11,12-dimethyl-tricyclo [5.3.2.0]dodecen-(11)*	71	9

1 T. S. CANTRELL, W. S. HALLER u. J. C. WILLIAMS, J. Org. Chem. **34**, 509 (1969).
2 W. C. AGOSTA u. W. W. LOWRANCE, J. Org. Chem. **35**, 3851 (1970).
3 O. L. CHAPMAN et al., Am. Soc. **90**, 1657 (1968).
4 P. SINGH, Tetrahedron Letters **1970**, 4098; J. Org. Chem. **36**, 3334 (1971).
5 P. MARGARETHA, A. **1973**, 727.
6 E. J. COREY et al., Am Soc. **86**, 5570 (1964).
7 R. L. CARGILL, J. DORN u. A. E. SIEBERT, Abstr. Pap. Am. Soc. Chicago **1964**, 25.
8 R. L. CARGILL u. J. W. CRAWFORD, J. Org. Chem. **35**, 356 (1970).
9 A. KUNAI et al., Tetrahedron Letters **1974**, 2517.

Tab. 129 (2. Fortsetzung)

Enon	Acetylen bzw. Olefin	Cycloaddukt	Ausbeute [% d.Th.]	Literatur
3-Oxo-bicyclo[4.4.0] decen-(1)	Allen	*5-Oxo-3-methylen-trans-tricyclo [6.4.0.0^{1,4}]dodecan*	95	[1]
2,7-Dioxo-bicyclo [4.4.0]decen-(1^6)	Butin-(2)	*2,7-Dioxo-10,11-dimethyl-tricyclo [4.4.2.0^{1,6}]dodecen-(11)*	61	[2]
2-Methyl-5,10- dioxo-bicyclo [4.4.0]decen-(1^6)	Butin-(2)	*5,10-Dioxo-endo-2,11,12-trimethyl- tricyclo[4.4.2.0^{1,6}]dodecen-(11)*	96	[2]
2,5-Dioxo-cis- bicyclo[4.4.0]de- cadien-(3,8)	Acetylen	*2,7-Dioxo-anti-tricyclo[6.4.0.0^{3,6}] dodecadien-(4,10)*	11—21	[3]
		2,2',6,6'-Tetraoxo-bi-{tricyclo [5.4.0.0^{3,5}]undecen-(9)-yl-(4)}	wenig	
3,7-Dioxo-2-methyl- 2-aza-bicyclo [4.4.0]decen-(1^6)	Allen	*3,7-Dioxo-2-methyl-11-methylen-2- aza-tricyclo[4.4.2.0^{1,6}]dodecan* + *3,7-Dioxo-2-methyl-12-methylen-...*	25 25	[4]
3,6-Dioxo-4,5- dimethyl-cis- tricyclo[6.2.1. 0^{2,7}]undecen-(4)	Diphenyl- acetylen	*3,8-Dioxo-4,7-dimethyl-5,6-di- phenyl-cis,cis-tetracyclo[8.2.1. 0^{2,9}.0^{4,7}]tridecen-(5)*	70	[5]

[1] K. Wiesner et al., Tetrahedron Letters 1973, 1233; 1966, 4645.
[2] N. P. Peet u. R. L. Cargill, J. Org. Chem. 38, 4281 (1973).
[3] E. P. Serebryakov, L. M. Kostochka u. V. F. Kucherov, Ž. org. Chim. 9, 2375 (1973); C. A. 80, 47684t (1974).
[4] E. H. W. Böhme, Z. Valenta u. K. Wiesner, Tetrahedron Letters 1965, 2441.
[5] J. A. Barltrop u. D. Giles, Soc. [C] 1969, 105.

Tab. 129 (3. Fortsetzung)

Enon	Acetylen bzw. Olefin	Cycloaddukt	Ausbeute [% d. Th.]	Literatur
7-Oxo-1,1,4a-tri-methyl-1,2,3,4,4a, 4b,5,6,7,9,10,10a-dodecahydro-phenanthren	Allen	*14-Oxo-2,6,6-trimethyl-12-methylen-tetracyclo[8.6.0.0^{2,7}.0^{10,13}] hexadecan*	70	1
7-Oxo-1-methyl-4a-aminomethyl-1,2, 3,4,4a,4b,5,6,7,9, 10,10a-dodeca-hydro-phenan-thren-1-carbon-säure-lactam	Allen	*5-Oxo-13-methyl-1-aminomethyl-7-methylen-tetracyclo[10.4.0.0^{2,9}.0^{6,9}] hexadecan-13-carbonsäure-lactam*	80	2
5,8-Dioxo-2,3,4, 5,6,8,9,10-octahydro-1H,7H-⟨ben-zo-[i,j]-chino-zilin⟩	Allen	*2,15-Dioxo-12-methylen-9-aza-tetracyclo[7.3.3.0^{1,10}.0^{5,10}]penta-decan*	~100	3
3β-Acetoxy-20-oxo-pregna-dien (5,16)	Acetylen	*3β-Acetoxy-20-oxo-16α,17α-cyclobuteno-pregnen-(5)*	28	4
	Allen	*3β-Acetoxy-20-oxo-16α,17α-[3-methylen-cyclobutano]-pregnen-(5)* + *3β-Acetoxy-20-oxo-16α,17α-[4-methylen-cyclobutano]-* . . .	48	4
			1	

[1] T. Matsumoto, H. Shirahama u. A. Ichihara, Tetrahedron Letters 1969, 4103.
[2] R. W. Guthrie, Z. Valenta u. K. Wiesner, Tetrahedron Letters 1966, 4645.
[3] K. Wiesner et al., Tetrahedron Letters 1967, 1523; Canad. J. Chem. 47, 433 (1969).
[4] P. Crabbé, A. Cruz u. J. Iriarte, Photochem. and Photobiol. 7, 829 (1968).
  P. Sunder-Plassman et al., J. Org. Chem. 34, 3779 (1969).

Tab. 129 (4. Fortsetzung)

Enon	Acetylen bzw. Olefin	Cycloaddukt	Ausbeute [%d.Th.]	Literatur
17β-Hydroxy-3-oxo-pregnadien-(4,6)-21-carbon-säure-lacton	1,1-Diäthoxy-äthylen	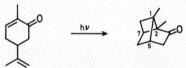_17β-Hydroxy-3-oxo-4α,5β-[3,3-diäthoxy-cyclobutano]-pregnen-(6)-21-carbonsäure-lacton_ _+ 17β-Hydroxy-3-oxo-4β,5β[3,3-diäthoxy-cyclobutano]-..._	52 18	1

β₃) intramolekulare Cycloadditionen

Enone, die eine weitere C=C-Doppelbindung im Molekül haben, eignen sich zur $[2 \pi \to 2 \sigma]$-Valenzisomerisierung unter Cyclobutanring-Bildung. Die Isomerisierung des Carvons zum Carvoncampher stellt eine der Pionierarbeiten der organischen Photochemie dar[2]:

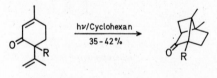

3-Oxo-1,2-dimethyl-tricyclo[3.3.0.0²,⁷]octan; 10–35% d.Th.

Eng verwandt damit ist die Bildung von _6-Oxo-1,2-dimethyl-tricyclo[3.3.0.0²,⁷]octan_ und der entsprechenden 5-Acetoxy-Verbindung[3]:

R = H ; O–COCH₃

Während man bei konjugierten Enonen im allgemeinen auf Sensibilisatoren verzichten kann, braucht man sie jedoch bei der Cycloaddition isolierter Doppelbindungen[4], hier bewirkt direkte Bestrahlung α-Spaltung. Am Beispiel des Eucarvons sei gezeigt, wie sehr

[1] G. R. LENZ, Tetrahedron 28, 2211 (1972).
[2] G. CIAMICIAN u. P. SILBER, B. 41, 1928 (1908).
　　E. SERNAGIOTTO, G. 47, 153 (1917); 48, 52 (1918).
　　G. BÜCHI u. I. M. GOLDMAN, Am. Soc. 79, 4741 (1957).
　　J. MEINWALD u. R. A. SCHNEIDER, Am. Soc. 87, 5218 (1965).
　　G. L. HODGSON, D. F. MAC SWEENEY u. T. MONEY, Chem. Commun. 1973, 236.
　　R. C. COOKSON et al., Soc. 1964, 3062; Chem. & Ind. 1958, 1003.
[3] W. F. ERMAN u. T. W. GIBSON, Tetrahedron 25, 2493 (1969).
[4] Vgl. z. B. P. S. ENGEL u. M. A. SCHEXNAYDER, Am. Soc. 94, 4357 (1972).

der Reaktionsablauf vom Medium abhängt[1]:

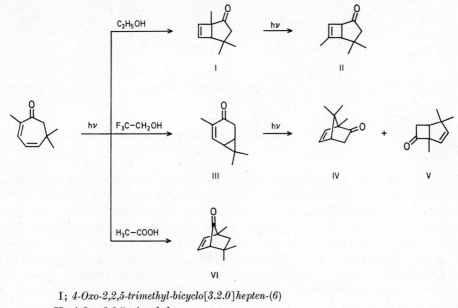

I; *4-Oxo-2,2,5-trimethyl-bicyclo[3.2.0]hepten-(6)*
II; *4-Oxo-2,2,7-trimethyl-...*
III; *4-Oxo-3,7,7-trimethyl-bicyclo[4.1.0]hepten-(2)*
IV; *6-Oxo-1,7,7-trimethyl-bicyclo[2.2.1]hepten-(2)*
V; *7-Oxo-1,4,4-trimethyl-bicyclo[3.2.0]hepten-(2)*
VI; *7-Oxo-1,5,5-trimethyl-bicyclo[2.2.1]hepten-(2)*

Besondere Aufmerksamkeit hat die Photochemie der Tropone und Tropolone erlangt[2]. Neben der intramolekularen Cycloaddition beobachtet man besonders Valenzisomerisierungen, an die sich häufig Umlagerungen, Ringöffnungen oder Fragmentierungen anschließen. Tropon selbst wird in der Gasphase decarbonyliert[3], in Lösung dimerisiert es (vgl. dazu

[1] H. Hart, Pure Appl. Chem. **33**, 247 (1973).
W. A. Ayer u. L. M. Browne, Canad. J. Chem. **52**, 1352 (1974).
D. I. Schuster u. D. H. Sussman, Tetrahedron Letters **1970**, 1657, 1661.
H. Hart u. T. Takino, Am. Soc. **93**, 720 (1971).
K. E. Hine u. R. F. Childs, Am. Soc. **93**, 2323 (1971).
J. J. Hurst u. G. M. Whitham, Soc. **1963**, 710.
D. I. Schuster, M. J. Nash u. M. L. Kantor, Tetrahedron Letters **1964**, 1375.
G. Büchi u. E. M. Burgess, Am. Soc. **82**, 4333 (1960).
[2] D. J. Pasto, Org. Photochem. **1**, 155 (1966).
K. F. Koch, Advan. Alicycl. Chem. **1**, 257 (1966).
O. L. Chapman, Adv. Photochem. **1**, 324 (1963); Kagaku No Ryoiki, Zokan **1970**, 43.
W. M. Horspool, Photochemistry **1973**, 513.
L. B. Jones u. V. Jones, Fortschr. chem. Forsch. **13**, 307 (1969).
K. Schaffner, Fortschr. ch. org. Naturst. **22**, 72 (1964).
[3] T. Mukui et al., Bl. chem. Soc. Japan **41**, 2819 (1968).

S. 902). Die Bildung der 3-Oxo-bicyclo[3.2.0]heptadiene sei am Beispiel der Methoxy-Verbindungen erläutert:

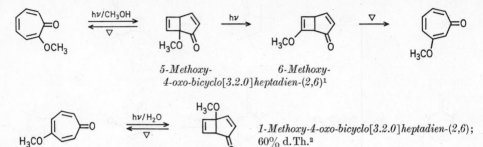

5-Methoxy-
4-oxo-bicyclo[3.2.0]heptadien-(2,6)[1]

6-Methoxy-

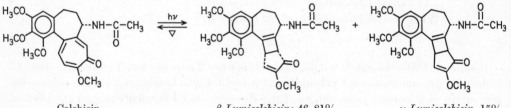

1-Methoxy-4-oxo-bicyclo[3.2.0]heptadien-(2,6);
60% d.Th.[2]

So erhält man auch aus 6-Methoxy-7-oxo-4-methyl-cycloheptatrien bei Bestrahlung in Wasser 5-*Methoxy-4-oxo-7-methyl-bicyclo[3.2.0]heptadien-(2,6)*, das sich in Äther weiter zu 6-*Methoxy-4-oxo-1-methyl-bicyclo[3.2.0]heptadien-(2,6)* photoisomerisiert[1,3]. Bei gleicher Arbeitsweise erhält man aus 6-Methoxy-7-oxo-2-methyl-cycloheptatrien 5-*Methoxy-4-oxo-2-methyl-* und 7-*Methoxy-4-oxo-2-methyl-bicyclo[3.2.0]heptadien-(2,6)*[1,3]. Aus dem Methyläther des γ-Thujaplicins erhält man über 5-*Methoxy-4-oxo-1-isopropyl-bicyclo[3.2.0]heptadien-(2,6)* das 6-Methoxy-4-oxo-7-isopropyl-Derivat[1,3]. Weitere Beispiele dieser intramolekularen Photocycloaddition und ihrer thermischen Rückreaktion von Amino- und Hydroxy-troponen s. Lit. [4-6].

Die Untersuchung der Photochemie des Colchicins, eines Alkaloids der Herbstzeitlose, geht bis auf das Jahr 1865 zurück[7].

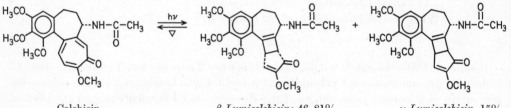

Colchicin

β-*Lumicolchicin*; 46–81%

γ-*Lumicolchicin*, 15%

[1] W. G. Dauben et al., Am. Soc. **85**, 2616 (1963); **83**, 1768 (1961).
[2] O. L. Chapman u. D. J. Pasto, Am. Soc. **80**, 6685 (1958); **82**, 3642 (1960).
[3] s. Lit.[2], S. 933.
[4] M. Kimura u. T. Mukai, Sci. Repts. Research Insts. Tohoku Univ., Ser. **53**, 91 (1970); C. A. **74**, 75862u (1971).
[5] T. Nozoe et al., Tetrahedron Letters **1970**, 3501.
[6] A. C. Day u. M. A. Ledlie, Chem. Commun. **1970**, 1265.
[7] M. Hübler, Ar. **171**, 205 (1865).
   H. Struve, Z. anal. Chem. **12**, 164 (1973).
   C. Jacobi, Arch. Exp. Path. Pharmacol. **27**, 129 (1890).
   R. Grewe, Naturwiss. **33**, 187 (1946).
   R. Grewe u. W. Wulf, B. **84**, 621 (1951).
   F. Šantavý, Coll. **15**, 552 (1950); **16**, 665 (1951).
   M. P. Bellet u. D. Gerard, Ann. pharm. Franc. **19**, 587 (1961).
   F. Šantavý u. E. Coufalik, Coll. **16**, 198 (1951).
   F. Šantavý, D. Zajicek u. A. Nemechova, Chem. Listy **51**, 597 (1957).
   F. Šantavý, F. Kinch u. A. Shinde, Ar. **290**, 376 (1957).
   E. J. Forbes, Soc. **1955**, 3864.
   P. D. Gardner, R. L. Brandon u. G. R. Haynes, Am. Soc. **79**, 6334 (1957).
   O. L. Chapman u. H. G. Smith, Am. Soc. **83**, 3914 (1961).
   O. L. Chapman, H. G. Smith u. R. W. King, Am. Soc. **85**, 803, 806 (1963).
   G. O. Schenck, J. J. Kuhn u. O. A. Neumüller, Tetrahedron Letters **1961**, 12.

Neben β- und γ-Lumicolchicin entsteht α-Lumicolchicin, ein Photodimeres des β-Lumi-colchicins (vgl. S. 911). Eine verwandte Valenzisomerisierung zeigt das Isocolchicin[1]. Die Belichtung in Wasser führt zum Lumiisocolchicin; in Methanol erhält man zusätzlich ein Methanol-Addukt:

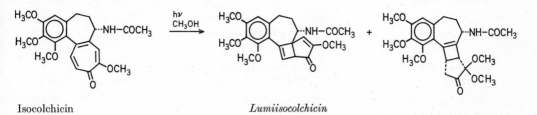

Isocolchicin   *Lumiisocolchicin*

β- und γ-Lumicolchicin[2]: 9 g Colchicin werden in 150 *ml* Wasser unter Argon mit einer Quecksilber-Tauchlampe durch Solidex-Glas belichtet. Im Laufe von ~ 19 Tagen scheiden sich 500 mg (5,6% d.Th.) α-Lumicolchicin ab, die man von Zeit zu Zeit durch Abfiltrieren der Lösung entfernt. Am Ende der Belichtung chromatographiert man den aus der wäßrigen Lösung gewonnenen Rückstand an Kieselgel. Mit Äther/Chloroform lassen sich 3,99 g β-Lumicolchicin (F: 192–185°) und 1,38 g (15,3% d.Th.) reines γ-Lumicolchicin (F: 268–272°) gewinnen. Zusätzlich erhält man eine uneinheitliche Fraktion, aus der man durch eine zweite Säulenchromatographie weitere 110 mg β-Lumicolchicin (Gesamtausbeute 45,6% d.Th.) isolieren kann. Der Anteil von β-Lumicolchicin kann bis auf 81,3% reines Produkt (F: 209–212°) gesteigert werden, wenn man die Belichtung in Methanol durchführt.

Außer bei Colchicin wurden die Photocycloadditionen von Enonen an einer Reihe von Verbindungen zur Synthese bzw. Umwandlung von Naturstoffen untersucht[3]. Als Beispiel sei das folgende Prostaglandin angeführt[4]; weitere Valenzisomerisierungen s. Tab. 130 (S. 935).

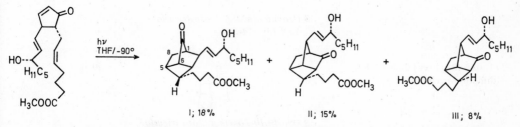

I; 18 %   II; 15%   III; 8%

I; *7-Oxo-endo-4-(3-methoxycarbonyl-propyl)-2-[3-hydroxy-trans-octen-(1)-yl]-tricyclo[3.2.1.0³,⁶] octan*

II; *2-Oxo-endo-4-(3-methoxycarbonyl-propyl)-syn-7-[3-hydroxy-octen-(1)-yl]-...*

III; *2-Oxo-exo-4-(3-methoxycarbonyl-propyl)-syn-7-...*

6-Oxo-1,2-dimethyl-tricyclo[3.3.0.0²,⁷]octan[5]: 1,002 g Isopiperitenon werden in 150 *ml* spektroskopisch reinem Cyclohexan mit einer Hanovia 450 W Lampe 80 Min. durch Pyrex-Glas bestrahlt. Nach dem Abziehen des Solvens am Rotationsverdampfer und anschließender Vak.-Dest. erhält man 382 mg (38% d.Th.). Beim Stehen erstarrt das Produkt und läßt sich aus Petroläther umkristallisieren; F: 126–128°. Nochmalige Reinigung durch Gaschromatographie und Sublimation zwischen 53 und 73° bei 110 Torr erhöht den Schmelzpunkt auf F: 133–134°.

---

[1] O. L. CHAPMAN, H. G. SMITH u. P. A. BARKS, Am. Soc. **85**, 3171 (1963).
  W. G. DAUBEN u. D. A. COX, Am. Soc. **85**, 2130 (1963).
[2] H. J. KUHN, O.-A. NEUMÜLLER u. G. O. SCHENCK, Forsch. Ber. Land Nordrhein-Westf. 1624, esp. p. 71, 158. Westdeutscher Verlag, Köln, 1966.
[3] vgl. dazu P. DE MAYO, Kagadu No Ryoiki, Zokan **93**, 31 (1970); C. A. **75**, 19368ʷ (1971).
[4] P. CRABBÉ, G. A. GARCIA u. E. VELARDE, Chem. Commun. **1973**, 480.
[5] W. F. ERMAN u. T. W. GIBSON, Tetrahedron **25**, 2493 (1969).

Tab. 130. Intramolekulare Cycloadditionen von Dienonen

Ausgangsverbindung	Cycloaddukt	Ausbeute[a] [% d.Th.]	Literatur
3-Oxo-hexadien-(1,5)	*2-Oxo-bicyclo[2.1.1]hexan*	30	[1]
cis- oder *trans*-Citral	*1,6,6-Trimethyl-endo-5-formyl-bicyclo [2.1.1]hexan*	9	[2]
3-Oxo-2-methyl-1-penten-(4)-yl-cyclohexen	*8-Oxo-7-methyl-tricyclo[5.4.0.0^{1,5}]un-decan*	–	[3]
6-Oxo-1-methyl-4-[6-methyl-hepta-dien-(1,5)-yl-(2)]-cyclohexen	*3-Oxo-2-methyl-1-[4-methyl-penten-(3)-yl]-tricyclo[3.3.0.0^{2,7}]octan*	73	[4]
2-Allyloxy-6-oxo-4,4-dimethyl-cyclo-hexen	*3-Oxo-5,5-dimethyl-8-oxa-tricyclo [5.2.1.0^{2,7}]decan*	–	[5, 6]
2-[Buten-(3)-yloxy]-6-oxo-4,4-dimethyl-cyclohexen	*8-Oxo-10,10-dimethyl-2-oxa-tricyclo [5.4.0.0^{1,5}]undecan*	50–60	[7]
2-[Penten-(4)-yloxy]-6-oxo-4,4-di-methyl-cyclohexen	*9-Oxo-11,11-dimethyl-2-oxa-tricyclo [6.4.0.0^{1,6}]dodecan*	50–60	[7]

[a] In Klammern rel. Mengenverhältnisse.

[1] F. T. BOND, H. L. JONES u. L. SCERBO, Tetrahedron Letters 1965, 4685.
[2] R. C. COOKSON et al., Tetrahedron Letters 1962, 79; Tetrahedron 19, 1995 (1963).
[3] R. RAMAGE u. A. SATTAR, Tetrahedron Letters 1971, 649.
[4] G. L. HODGSON, D. F. MAC SWEENEY u. T. MONEY, Chem. Commun. 1973, 236.
[5] Y. TAMURA et al., Chem. Commun. 1971, 1167.
[6] Y. TAMURA et al., Tetrahedron Letters 1972, 1977.
[7] Y. TAMURA et al., Chem. Commun. 1973, 101.

Tab. 130 (1. Fortsetzung)

Ausgangsverbindung	Cycloadukt	Ausbeute[a] [% d. Th.]	Literatur
2-(Methyl-allyl-amino)-6-oxo-4,4-dimethyl-cyclohexen	*3-Oxo-5,5,8-trimethyl-8-aza-tricyclo [5.2.1.0²,⁷]decan*	50–60	1
5-Oxo-cycloheptadien-(1,3)	*2-Oxo-bicyclo[3.2.0]hepten-(6)*	–	2
7-Oxo-6,6-dimethyl-cycloheptadien-(1,3)	*5-Oxo-1,4,4-trimethyl-3-vinyl-cyclopenten* + *2-Oxo-1,3,3-trimethyl-bicyclo[3.2.0] hepten-(6)* + *2-Oxo-3,3,6-trimethyl-...*	(66) (27) (7)	3
4-Chlor-1-methoxy-7-oxo-cyclo-heptratien	*7-Chlor-3-methoxy-4-oxo-bicyclo[3.2.0] heptadien-(2,6)* + *7-Chlor-6-methoxy-4-oxo-...*	30 10	4
6-Methoxy-7-oxo-3-phenyl-cyclo-heptatrien	*3-Methoxy-4-oxo-7-phenyl-bicyclo [3.2.0]heptadien-(2,6)*	29	5
1-Acetamino-7-oxo-cycloheptatrien	*5-Acetamino-4-oxo-bicyclo[3.2.0] heptadien-(2,6)* + *6-Acetamino-...*	87 10	6
1-Anilino-7-oxo-cycloheptatrien	*5-Anilino-4-oxo-bicyclo[3.2.0]hepta-dien-(2,6)*	37	6
6-Hydroxy-5-oxo-5H-⟨benzo-cycloheptatrien⟩	*7-Hydroxy-6-oxo-⟨2,3-benzo-bicyclo [3.2.0]heptadien-(2,6)⟩*	–	7
	4-Amino-8-acetamino-12,13,14-trimethoxy-5-oxo-⟨11,12-benzo-tricyclo [5.5.0.0²,⁶]dodecadien-(3,11)⟩	95	8

[a] In Klammern rel. Mengenverhältnisse

1 Y. Tamura et al., Chem. Commun. 1971, 1167.
2 H. Hart, Pure Appl. Chem. 33, 247 (1973).
  D. I. Schuster u. M. A. Tainsky, Mol. Photochem. 4, 437 (1972).
  K. E. Hine u. R. F. Childs, Am. Soc. 93, 2323 (1971).
  vgl. a. 1-Oxo-cycloheptadien-(3,5): D. I. Schuster u. D. J. Blythin, J. Org. Chem. 35, 3190 (1970).
3 H. Hart u. A. F. Naples, Am. Soc. 94, 3256 (1972).
4 T. Mukai u. T. Shishido, J. Org. Chem. 32, 2744 (1967).
5 T. Mukai u. T. Miyashi, Tetrahedron 23, 1613 (1967).
6 T. Mukai u. M. Kimura, Tetrahedron Letters 1970, 717.
7 M. Yoshioka et al., Chem. Commun. 1970, 782.
  vgl. M. Yoshioka u. M. Hoshino, Tetrahedron Letters 1971, 2413.
8 P. A. Barks, Ph. D. Thesis, Iowa State University, Ames, Iowa 1963.

Tab. 130 (2. Fortsetzung)

Ausgangsverbindung	Cycloaddukt	Ausbeute[a] [% d. Th.]	Literatur
7-Oxo-cyclooctatrien-(1,3,5)	*5-Oxo-bicyclo[4.2.0]octadien-(2,7)*	31	1
8-Oxo-1-methyl-decadien-(1,6)	*5-Oxo-2-methyl-anti-tricyclo[5.3.0.0²,⁶] decan* +*5-Oxo-2-methyl-syn-...*	60 6	2
	+*5-Oxo-2-methyl-tricyclo[4.4.0.0²,⁷]decan*	30	
3-Oxo-1,7-dimethyl-4-isopropyliden-decadien-(1,6)	*3-Oxo-1,7-dimethyl-4-isopropyliden-anti-tricyclo[5.3.0.0²,⁶]decan* +*3-Oxo-1,7-dimethyl-4-isopropyliden-syn-...*	} 80	3

ᵃ In Klammern rel. Mengenverhältnisse

3,4,5,9-Tetramethoxy-6-oxo-⟨2,3-benzo-bicyclo[3.2.0]heptadien-(2,6)⟩⁴:

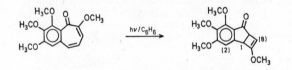

0,5 g 2,3,4,6-Tetramethoxy-5-oxo-5H-benzocyclohepten werden in 250 *ml* trockenem Benzol unter Stickstoff in einer Ampulle abgeschmolzen. Unter Wasserkühlung belichtet man 16 Stdn. mit einer Hanovia UV S 500. Der vom Solvens befreite Rückstand wird an neutralem Aluminiumoxid (75 g, Aktivitätsstufe III) mit Benzol/Äther (95:5) chromatographiert. Als erste Fraktion erhält man *1-Hydroxy-6,7,8-trimethoxy-naphthalin*⁵ (Ausbeute: 16% d.Th.; F: 74–75°, aus Petroläther). Als 2. Fraktion lassen sich 0,175 g (35% d.Th.) der Titelverbindung isolieren, die aus Äther/Petroläther und anschließend aus Benzol/Petroläther umkristallisiert werden; F: 105–106°.

Die intramolekulare Cycloaddition von Enonen ist besonders interessant zur Synthese von Käfig-Verbindungen, s. Tab. 131 (S. 938) und ds. Handb. IV/4, S. 396ff.. Exemplarisch sei hier das thermische und photochemische Verhalten von *5,10-Dioxo-endo-tricyclo[5.2.1.0²,⁶]decadien-(3,8)*(I), *6,10-Dioxo-pentacyclo[5.3.0.0²,⁵.0³,⁹.0⁴,⁸]decan* (II,S.940),

¹ L. L. BARBER, O. L. CHAPMAN u. J. D. LASSILA, Am. Soc. **91**, 531 (1969).
　G. BÜCHI u. E. M. BURGESS, Am. Soc. **84**, 3104 (1962).
² C. H. HEATHCOCK u. R. A. BADGER, J. Org. Chem. **37**, 234 (1972).
　Zum 1,6-Dioxo-cyclodecadien-(3,8) vgl.:
　　A. I. MEYERS u. P. SINGH, Tetrahedron Letters **1968**, 4073.
　　A. SHANI, Tetrahedron Letters **1968**, 5175.
　　J. W. STANKORB u. K. CONROW, Tetrahedron Letters **1969**, 2395.
³ J. R. SCHEFFER u. B. A. BOIRE, Tetrahedron Letters **1969**, 4005.
⁴ E. J. FORBES, J. GRIFFITHS u. R. A. RIPLEY, Soc. [C] **1968**, 1149.
⁵ In abs. Äthanol wird nur dieses Umlagerungsprodukt erhalten.

Tab. 131. Isomerisierungen von Enonen zu Käfig-Verbindungen

Ausgangsverbindung	Käfig-Verbindung	Ausbeute [% d.Th.]	Literatur
	7,10-Dioxo-pentacyclo[4.4.0.0^{2,5}.0^{3,9}.0^{4,8}]decan	45	1
5-Oxo...	*6-Oxo-pentacyclo[5.3.0.0^{2,5}.0^{3,9}.0^{4,8}]decan*	89	2
10-[Äthylen-(1,2)-dioxy]-5-oxo-...	*6-[Äthylen-(1,2)-dioxy]-10-oxo-...*	60–95	3
10-Hydroxy-5-oxo-4,7-dimethyl-2,3,8,9-tetraphenyl-...	*10-Hydroxy-6-oxo-1,5-dimethyl-2,3,4,8-tetraphenyl-...*	–	4
5,10-Dioxo-1,4,6,7-tetramethyl-2,3,8,9-tetraphenyl-...	*6,10-Dioxo-1,5,7,9-tetramethyl-2,3,4,8-tetraphenyl-...* *+ 7,10-Dioxo-1,6,8,9-tetramethyl-2,3,4,5-tetraphenyl-pentacyclo[4.4.0.0^{2,5}.0^{3,9}.0^{4,8}]decan*	– –	5
3,6,11-Trioxo-9,10-diphenyl-...	*4,8,11-Trioxo-2,6-diphenyl-pentacyclo[5.4.0.0^{2,6}.0^{3,10}.0^{5,9}]undecan*	–	6
1,8,9,10-Tetrachlor-11,11-dimethoxy-3,6-dioxo-...	*2,3,5,6-Tetrachlor-4,4-dimethoxy-8,11-dioxo-...*	93	7
1,8,9,10-Tetrabrom-11,11-dimethoxy-3,6-dioxo	*2,3,5,6-Tetrabrom-4,4-dimethoxy-8,11-dioxo-...*	–	8
6,12-Dihydroxy-5,11-dioxo-1,4,6,12-tetramethyl-...	*7,12-Dihydroxy-6,11-dioxo-5,7,10,12-tetramethyl-pentacyclo[6.4.0.0^{2,5}.0^{3,10}.0^{4,9}]dodecan*	91	9
6,12-Diacetoxy-5,11-dioxo-1,2,4,6,9,12-hexamethyl-...	*7,12-Diacetoxy-6,11-dioxo-2,5,7,9,10,12-hexamethyl-...*	63	9
5,11-Dioxo-1,4,6,12-tetramethyl-6,12-benzyl-...	*6,11-Dioxo-5,7,10,12-tetramethyl-7,12-benzyl-...*	91	9
5,11-Dioxo-2,3,6,6,9,10,12,12-octa-methyl-...	*6,11-Dioxo-2,3,4,7,7,9,12,12-octamethyl*	~100	1

[1] J. S. McKennis et al., Am. Soc. 93, 4957 (1971).
[2] R. C. Cookson, J. Hudec u. R. O. Williams, Soc. [C] 1967, 1382.
[3] E. Vogel u. E. G. Wyes, B. 98, 3680 (1965).
   L. A. Paquette, R. F. Davis u. D. R. James, Tetrahedron Letters 1974, 1615.
[4] B. Pazhenchevsky u. B. Fuchs, Tetrahedron Letters 1972, 3047.
[5] B. Fuchs, B. Pazhenchevsky u. M. Pasternak, Tetrahedron Letters 1972, 3051.
   B. Fuchs u. M. Pasternak, Chem. Commun. 1924, 206.
[6] C. M. Anderson et al., Tetrahedron Letters 1969, 1585.
[7] A. P. Marchand u. Teh-chang Chou, Soc. (Perkin I) 1973, 1948.
[8] R. G. Pews, C. W. Roberts u. C. R. Hand, Tetrahedron 26, 1711 (1970).
[9] H.-D. Becker, A. 1974, 1675.
   H.-D. Becker u. A. Konar, Tetrahedron Letters 1972, 5177.
[10] T. Iwakuma, K. Hirao u. O. Yonemitsu, Am. Soc. 96, 2570 (1974).

Tab. 131 (1. Fortsetzung)

Ausgangsverbindung	Käfig-Verbindung	Ausbeute [% d.Th.]	Literatur
	7,12-Bis-[2,2-dimethyl-propanoyl]-4,10-di-tert.-butyl-pentacyclo[6.4.0.0²,⁷.0³,¹¹.0⁶,⁹]dodecan	~100	1
	2,7-Dioxo-hexacyclo[6.3.3.0³,⁶.0⁴,¹¹.0⁵,⁹.0¹⁰,¹³]tetradecan	90	2

9,10-Dioxo-tricyclo[4.2.1.1²,⁵]decadien-(3,7) (III) und 5,8-Dioxo-anti-tricyclo[5.3.0.0²,⁶]decadien-(3,9) (IV) angeführt.[3]

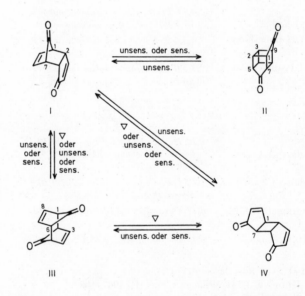

Außer der thermischen, suprafacialen [3,3]-Verschiebung III → IV (Cope-Typ) beobachtet man folgende Photoreaktionen, wobei ein synchroner Ablauf nur für die suprafacialen [1,3]-Verschiebungen I ⇌ III und I ⇌ IV erlaubt ist. Die thermischen, suprafacialen [1,3]-Verschiebungen sind ebenso verboten wie die photochemische, suprafaciale [3,3]-Verschiebung IV ⇌ III.

1 C. Cottrell et al., Am. Soc. 91, 7545 (1969).
2 P. E. Eaton u. R. H. Müller, Am. Soc. 94, 1014 (1972).
3 U. Klinsmann et al., Helv. 55, 2643 (1972).
   E. Baggiolini et al., Helv. 50, 297 (1967).

5,9-Dibrom-6-[äthylen-(1,2)-dioxy]-10-oxo-pentacyclo[5.3.0.0^{2,5}.0^{3,9}.0^{4,8}] decan[1]: 17,0 g 1,4-Dibrom-10-[äthylen-(1,2)-dioxy]-5-oxo-*endo*-tricyclo[5.2.1.0^{2,6}]decadien-(3,8) werden in 500 *ml* trockenem Benzol mit einer 450 W Hanovia durch Pyrex bestrahlt. Nach Beendigung der Photoreaktion wird das Solvens entfernt und der Rückstand 2mal aus Tetrachlormethan/Hexan (1:1) umkristallisiert; Ausbeute: 15,1 g (89% d.Th.); F: 148–150°.

6-Oxo-pentacyclo[5.3.0.0^{2,5}.0^{3,9}.0^{4,8}] decan[2]: 14,6 g 5-Oxo-*endo*-tricyclo[5.2.1.0^{2,6}]decadien-(3,8) werden unter Stickstoff in 200 *ml* Petroläther (Kp: 60–80°) mit einer 80 W Quecksilber-Mitteldruck-Lampe 24 Stdn. durch Pyrex bestrahlt. Zur Entfernung geringer Anteile von polymerem Material filtriert man die Lösung. Nach Abziehen des Lösungsmittels wird der Rückstand bei 100° und 10 Torr. sublimiert; Ausbeute: 13,0 g (89% d.Th.); F: 122–126°.

γ) Chinone

bearbeitet von

Prof. Dr. Hendrik Jan Hageman*

Die in diesem Abschnitt behandelten Chinone gehören zu den cyclischen Diketonen, deren Oxo-Gruppen durch konjugierte C=C-Doppelbindungen verbunden sind. Sie stellen somit ein besonderes System dar, und werden daher getrennt von den ungesättigten Ketonen zusammenfassend besprochen, obwohl eine Anzahl von Dicarbonyl-Verbindungen (z. B. 1,2-Diketone) ähnliche Photoreaktionen eingehen.

Die Photoreaktionen der Chinone wurden bereits mehrfach in Übersichtsartikeln besprochen[3–6].

γ₁) *Spektren*

Das Absorptionsspektrum von 1,4-Benzochinon weist Banden bei 240, 300 und 450 nm auf, z. B. in Hexan bei 242 nm (ε:24300), 281 nm (ε:400) und bei 434 nm (ε:20)[7], die einem erlaubten $\pi \rightarrow \pi^*$-Übergang, einem verbotenen $\pi \rightarrow \pi^*$- und einem verbotenen n$\rightarrow \pi^*$-Übergang (erstes angeregtes Singulett)[8] zugeordnet werden. Die letztere Bande, deren Ursprung wohl unmittelbar dem von der Anregung bei ~ 300 nm stammenden $\pi \rightarrow \pi^*$-Singulett-Zustand zuzuschreiben ist, ist für die Photochemie von 1,4-Benzochinon(en) von großer Bedeutung, denn sie führt unmittelbar (durch intersystem crossing) zum ersten angeregten Triplett-Zustand, dem man im allgemeinen die Photoreaktionen dieser Verbindungen zuschreibt. Die strengst verbotene erste, angeregte n$\rightarrow \pi^*$-Triplett-Absorption liegt bei etwa 540 nm (ε:0,25)[9–11].

Die drei Hauptabsorptionsbanden von 1,4-Benzochinon(en)[12] werden von Lösungsmitteln beeinflußt. Ähnlich weisen auch die Intensitäten geringfügige Schwankungen auf, die anscheinend regellos sind. Es gibt also keine einfache Beziehung zwischen Bandenlage,

* Akzo Research Laboratories, Arnheim, Velperweg 76.

[1] N. B. Chapman, J. M. Key u. K. J. Toyne, J. Org. Chem. **35**, 3860 (1970).

[2] R. C. Cookson, J. Hudec u. R. O. Williams, Soc. [C] **1967**, 1382.

[3] A. Schönberg u. A. Mustafa, Chem. Reviews **40**, 181 (1947).

[4] J. M. Bruce, Quart. Rev. **21**, 405 (1967).

[5] G. Pfundt u. G. O. Schenck in: J. Hamer, *1,4-Cycloaddition Reactions*, S. 345, Academic Press New York 1967.

[6] M. B. Rubin, Fortschr. chem. Forsch. **13**, 251 (1969).

[7] W. Flaig, T. Ploetz u. A. Küllmer, Z. Naturforsch. **10b**, 668 (1955).

[8] L. E. Orgel, Trans. Faraday Soc. **52**, 1172 (1956).

[9] A. Kuboyama, Bl. Chem. Soc. Japan **35**, 295 (1962).

[10] Y. Kanda, H. Kaseda u. T. Matumura, Spectrochim. Acta **20**, 1387 (1964).

[11] J. M. Hollas u. L. Goodman, J. Chem. Phys. **43**, 760 (1965).

[12] E. A. Braude, Soc. **1945**, 490.

Löschkoeffizienten und feinstruktureller Trennschärfe einerseits und Dielektrizitätskonstanten, Dipolmoment oder anderen physikalischen Eigenschaften andererseits.

Die Substitutionseinflüsse sind komplexer Natur[1,2]. Sind bis zu vier Substituenten vorhanden, so weisen die Absorptionsbanden bathochrome Verschiebungen in der Größenordnung bis zu 100 nm auf. In allen untersuchten Fällen erwies sich das Absorptionsmaximum bei 300 nm als am empfindlichsten gegen Lösungsmittel- und Substitutionsveränderungen.

Beim Spektrum von 1,4-Benzochinon-Einzelkristallen fallen die drei Singulett-Elektronenübergänge in den gleichen Bandenbereich wie bei den 1,4-Benzochinon-Lösungen[3].

Ganz allgemein zeigen 1,4-Chinone ähnliche Absorptionseigenschaften.

Die Maxima der ähnlichen Absorptionsspektren von 1,2-Chinonen[4,5] sind nach längeren Wellenlängen verschoben; so besitzt z. B. 1,2-Benzochinon im Langwellenbereich Absorptionsmaxima bei 390 nm ($\log\varepsilon$:3,48) und 610 nm ($\log\varepsilon$:1,3) in Benzol, 1,2-Naphthochinon bei 390 nm ($\log\varepsilon$:3,48), 498 nm ($\log\varepsilon$:1,59) und 538 nm ($\log\varepsilon$:1,73) in Tetrachlormethan, und Phenanthrenchinon bei 411 nm ($\log\varepsilon$:3,24) und 500 nm ($\log\varepsilon$:1,45) in Benzol, wobei die Bande im nahen Ultraviolett einem $\pi\to\pi^*$-Singulett und die etwas schwächere Bande (bisweilen in zwei Maxima aufgespalten) einem im Sichtbaren verbotenen $n\to\pi^*$-Singulett-Übergang zuzuschreiben sind.

γ_2) *Additionen*

$\alpha\alpha$) Dimerisierung

Eine Anzahl von 1,4-Chinonen, insbesondere Alkyl-1,4-chinone, dimerisieren bei Belichtung sowohl in Lösung als auch im kristallinen Zustand. Man unterscheidet grundsätzlich drei Typen von Photodimeren:

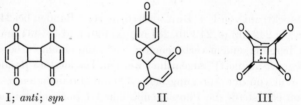

I; *anti*; *syn*   II   III

Zu I: Ungesättigte Dimere vom Cyclobutan-Typ, die durch Cycloaddition von C=C-Doppelbindungen von zwei Chinon-Molekülen entstehen (*syn*- und *anti*-Dimere)[6-9]. Bei substituierten 1,4-Chinonen bilden sich im allgemeinen Kopf/Schwanz-Dimere.

Zu II: Ungesättigte Dimere vom Spiro-Oxetan-Typ, die durch Cycloaddition einer C=O-Doppelbindung eines Chinons an die C=C-Doppelbindung eines anderen entstehen[7].

Zu III: Gesättigte Dimere vom sogenannten Käfig-Typ, die durch intramolekularen Ringschluß eines *syn*-Dimeren vom Typ I entstehen, wobei ein weiterer, ausgesprochen photochemischer Schritt eine Rolle spielt[7-10].

[1] E. A. BRAUDE, Soc. **1945**, 490.

[2] W. FLAIG, T. PLOETZ u. A. KÜLLMER, Z. Naturforsch. **10 b**, 668 (1955).

[3] J. C. D. BRAND u. T. H. GOODWIN, Trans. Faraday Soc. **53**, 295 (1957).

[4] S. NAGAKURA u. A. KUBOYAMA, Am. Soc. **76**, 1003 (1954).

[5] N. A. SHCHEGLOVA, D. N. SHIGORIN u. M. V. GORELIK, Ž. fiz. Chim. **39**, 893 (1965).

[6] D. BRYCE-SMITH u. A. GILBERT, Soc. **1964**, 2428.

E. H. GOLD u. D. GINSBURG, Soc. [C] **1967**, 15.

[7] R. C. COOKSON, D. A. COX u. J. HUDEC, Soc. **1961**, 4499.

R. C. COOKSON, J. J. FRANKEL u. J. HUDEC, Chem. Commun. **1965**, 16.

[8] Dimere des 5-Methyl-2-isopropyl-1,4-benzochinon:

E. ZAVARIN, J. Org. Chem. **23**, 47 (1958).

M. EL-DAKHAKHNY, A. **685**, 134 (1965).

[9] H. J. HAGEMAN u. W. G. B. HUYSMANS, Chem. Commun. **1969**, 837.

[10] U. BIETHAN, U. VON GIZYCKI u. H. MUSSO, Tetrahedron Letters **1965**, 1477; 2,3-Dichlor-1,4-benzochinon. Vgl. a. U. VON GIZYCKI, A. **753**, 6 (1971).

Die Festkörper-Photochemie der 1,4-Benzochinone sowie einiger Alkyl-1,4-benzochinone wurde vom Gesichtspunkt der Packverhältnisse im Kristall untersucht[1, 2].

3,6,9,12-Tetraoxo-1,2,4,11-tetraphenyl-anti-tricyclo[6.4.0.0²,⁷] dodecadien-(4,10)[3]:

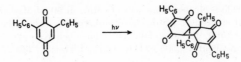

2 g 2,6-Diphenyl-1,4-benzochinon werden in 1 *l* 1,2,2-Trifluor-1,1,2-trichlor-äthan (Frigen 113; Kp: 48°) gelöst und 15 Min. in einem mit RUL 350 nm Lampen ausgerüsteten photochemischen Reaktor belichtet. Das Dimere setzt sich als gelber, unlöslicher Niederschlag ab; Ausbeute: 2 g (100% d.Th.); F: 190,8–191°.

3,6,9,12-Tetraoxo-1α,2β,4,11-tetramethyl-7β,8α-tricyclo[6.4.0.0²,⁷] dodecadien-(4,10) (I) und 3,6,9,12-Tetraoxo-1,5,7,11-tetramethyl-pentacyclo[6.4.0.0²,⁷.0⁴,¹¹.0⁵,¹⁰]dodecan (II)[4]:

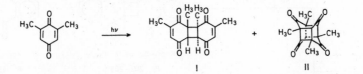

2,6-Dimethyl-1,4-benzochinon wird im kristallinen Zustand solange belichtet, bis es eine hellgelbe Farbe annimmt; es wird sogleich mit kaltem Äther extrahiert. Die beim Verdampfen des Äthers verbleibende hellgelbe Substanz wird abfiltriert und sofort aus Äther umkristallisiert: Ausbeute: 70% d.Th.I; F: 84°.

Wird nach dem Belichten mit siedendem Äther extrahiert, so hinterbleibt ein kleiner Rückstand, der bei 225–235°/20 Torr sublimiert wird; Ausbeute: ~ 0,5% d.Th. II; Zers. p.: 300°.

Analog dimerisieren 2,3- und 2,5-Dimethyl-1,4-benzochinon[4].

1,4-Naphthochinon bildet in Lösung belichtet wahrscheinlich das *anti*-Dimere *3,8,11,16-Tetraoxo-⟨dibenzo-tricyclo[6.4.0.0²,⁷]dodecadien-(4,10)⟩* (IIIa) (F: 246–248°; Zers.)[5]. Zur Gewinnung des *syn*-Dimeren (F: 235–237°; Zers.)[6]:

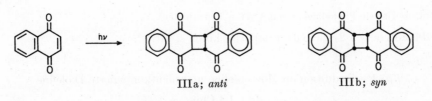

IIIa; *anti*   IIIb; *syn*

Die Quantenausbeuten der Dimerisierung (Photodimeres IIIa) in Benzol für Wellenlängen von 313 nm (π–π* erstes angeregtes Singulett) wurden zu $2,9 \cdot 10^{-2}$ und $3,0 \cdot 10^{-2}$ angegeben[7].

---

[1] D. RABINOVICH u. G. M. J. SCHMIDT, Soc. [B] **1967**, 144.

[2] D. BRYCE-SMITH u. A. GILBERT, Soc. **1964**, 2428.

E. H. GOLD u. D. GINSBURG, Soc. [C] **1967**, 15.

[3] H. J. HAGEMAN, unveröffentlichte Ergebnisse; siehe jedoch H. J. HAGEMAN u. W. G. B. HUYSMANS, Chem. Commun. **1969**, 837.

[4] R. C. COOKSON, D. A. COX u. J. HUDEC, Soc. **1961**, 4499.

S. jedoch R. C. COOKSON, J. J. FRANKEL u. J. HUDEC, Soc. **1965**, 16.

[5] A. SCHÖNBERG et al., Soc. **1948**, 2126.

[6] J. DEKKER, P. J. VAN VUUREN u. D. P. VENTER, J. Org. Chem. **33**, 464 (1968).

[7] J. RENNERT, S. JAPAR u. M. GUTTMAN, Photochem. Photobiol. **6**, 485 (1967).

anti- und syn-3,8,11,16-Tetraoxo-⟨dibenzo-tricyclo[6.4.0.0²,⁷]dodecadien-(4,10)⟩ (IIIa und b)[1]:

Eine Lösung von 1 g 1,4-Naphthochinon in 12,5 ml Essigsäureanhydrid wird in einem Pyrex-Einschlußrohr mit einer Quecksilber-Mitteldruck-Lampe bei Zimmertemp. 2 Wochen belichtet. Der ausgefallene farblose Niederschlag wird aus Eisessig umkristallisiert; Ausbeute: 0,2 g IIIa (20% d.Th.); F: 246–248° (Zers.; farblose Schuppen).

Der vorab erhaltene farblose Niederschlag wird 18 Min. in 50 ml Methanol unter Rückfluß erhitzt. Das Filtrat wird auf 15 ml eingeengt, 1 Stde. bei Zimmertemp. stehengelassen, abfiltriert, erneut eingeengt (8 ml) und auf 0° gekühlt. Die ausgefallenen strohgelben Kristalle des syn-Dimeren werden aus Methanol umkristallisiert; Ausbeute: 0,005 g IIIb (0,25% d.Th.); F: 235–237° (Zers.) (farblose Nadeln).

Es gibt nur wenige Literaturangaben über die Belichtung substituierter 1,4-Naphthochinone, und nur in wenigen Fällen ließ sich die Struktur der isolierten Photodimere eindeutig ermitteln. Eingehend wurde 2-Methyl-1,4-naphthochinon (Vit. K₃) untersucht[2-4]; so erhält man bei der Belichtung mit Schwarzlicht-Lampen in Aceton vier Dimere mit Cyclobutan-Struktur:

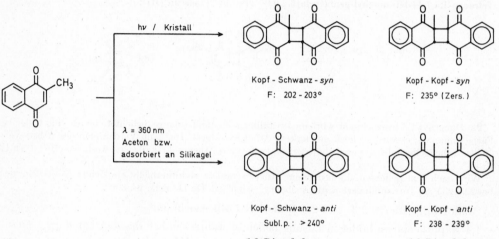

Kopf - Schwanz - *syn*
F: 202 - 203°

Kopf - Kopf - *syn*
F: 235° (Zers.)

Kopf - Schwanz - *anti*
Subl.p.: > 240°

Kopf - Kopf - *anti*
F: 238 - 239°

1,9-Dimethyl-   *1,2-Dimethyl-*
3,8,11,16-tetraoxo-⟨dibenzo-tricyclo[6.4.0.0²,⁷]dodecadien-(4,10)⟩

Außerdem wird ein Photodimeres vom Oxetan-Typ erhalten[4].

Zur Photolyse von 2-Phenyl-1,4-naphthochinon s. Lit.[5-8].

ββ) Cycloaddition an Mono-olefine und nichtkonjugierte Diolefine

ββ₁) 1,4-Chinone

Unter Belichtung gehen 1,4-Chinone in Lösung Cycloadditionen mit Mono-olefinen und nichtkonjugierten Diolefinen ein. Analog zu den vorab behandelten Verbindungen unter-

[1] J. DEKKER, P. J. VAN VUUREN u. D. P. VENTER, J. Org. Chem. **33**, 464 (1968).
[2] J. MADINAVEITIA, Rev. acad. cienc. Madrid **31**, 617 (1934).
[3] Y. ASAHI, J. Pharm. Soc. Japan **76**, 373 (1956).
[4] H. WERBIN u. E. T. STROM, Am. Soc. **90**, 7296 (1968).
[5] A. BREUER u. TH. ZINCKE, B. **11**, 1403 (1878); **13**, 631 (1880).
TH. ZINCKE, A. **240**, 137 (1887).
[6] A. SCHÖNBERG, N. LATIF, R. MOUBASHER u. A. SINA, Soc. **1951**, 1364.
[7] A. SCHÖNBERG et al., Soc. **1948**, 2126.
[8] W. KOTHE, Privatmitteilung.
W. KOTHE, Dissertation, Universität Bonn 1969.

scheidet man drei Typen von Cycloadditionsprodukten:

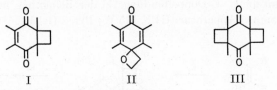

I   II   III

Zu I: Ungesättigte 1:1-Addukte vom Monocyclobutan-Typ, die sich durch Cycloaddition einer der C=C-Doppelbindungen des 1,4-Chinons an die C=C-Doppelbindung des Olefins bilden.

Zu II: Ungesättigte 1:1-Addukte vom Spiro-Oxetan-Typ, die sich durch Cycloaddition einer der C=O-Doppelbindungen des 1,4-Chinons an die C=C-Doppelbindung des Olefins bilden.

Zu III: Gesättigte 2:1-Addukte vom Bis-Cyclobutan-Typ, die sich durch Cycloaddition der beiden C=C-Doppelbindungen des 1,4-Chinons an die C=C-Doppelbindung des Olefins bilden.

Die Bildung der Addukte I–III ist von Substituenten und von den entsprechenden Konzentrationen des Chinons bzw. Olefins abhängig. So erhält man z. B. bei der Bestrahlung von 1,4-Benzochinon mit unfiltriertem Licht einer Quecksilber-Mitteldruck-Lampe in Gegenwart von Cycloocten[1, 2] und Benzol als Lösungsmittel *6-Oxo-cyclohexadien-(1,4)-⟨3-spiro-10⟩-9-oxa-bicyclo[6.2.0]decan* in fast quantitativer Ausbeute, ohne Benzol als Lösungsmittel werden nur Polymere erhalten:

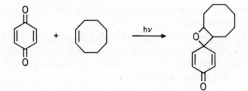

In analoger Weise erhält man mit

Cyclohexen   → *6-Oxo-cyclohexadien-(1,4)-⟨3-spiro-8⟩-7-oxa-bicyclo[4.2.0]octan*

Cyclooctadien-(1,5)   → *6-Oxo-cyclohexadien-(1,4)-⟨3-spiro-10⟩-9-oxa-bicyclo[6.2.0]decen-(4)*

Bicyclo[2.2.1]heptadien   → *6-Oxo-cyclohexadien-(1,4)-⟨3-spiro-4⟩-3-oxa-tricyclo[4.2.1.0^{2,5}]nonen-(7)*

Octen-(1)   → *6-Oxo-cyclohexadien-(1,4)-⟨3-spiro-2⟩-3-hexyl-oxetan*

Octen-(2)   → *6-Oxo-cyclohexadien-(1,4)-⟨3-spiro-2⟩-4-methyl-3-pentyl-oxetan*

Äthylen, Styrol, Stilben und Acenaphthylen reagieren dagegen nicht in dieser Weise.

Substituierte 1,4-Benzochinone bilden Cycloadditionsprodukte vom Typ I und Typ III; z. B.[3]:

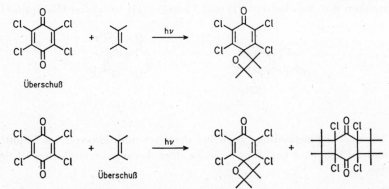

Bei überschüssigem Olefin bilden sich in steigende Mengen Bis-cyclobutan-Derivate.

[1] D. BRYCE-SMITH u. A. GILBERT, Proc. Chem. Soc. **1964**, 87.

[2] D. BRYCE-SMITH, A. GILBERT u. M. G. JOHNSON, Soc. [C] **1967**, 383.

[3] D. BRYCE-SMITH u. A. GILBERT, Tetrahedron Letters **1964**, 3471.

Tetramethyl-1,4-benzochinon addiert dagegen Olefine in benzolischer bzw. ätherischer Lösung allgemein an die C=C-Doppelbindung bei der Belichtung mit einer Quecksilber-Hochdruck-Tauchlampen-Apparatur (HPK 125 W; Pyrex-Gehäuse)[1]:

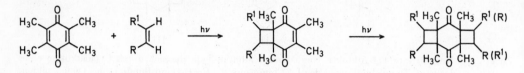

2-Phenoxy-1-phenyl-äthylen wird als Ausnahme ausschließlich an die C=O-Doppelbindung addiert[2]:

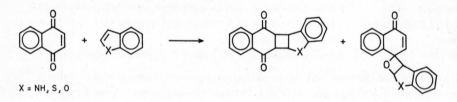

6-Oxo-tetramethyl-cyclo-hexadien-(1,4)-⟨3-spiro-2⟩ 4-phenoxy-3-phenyl-oxetan; 100% d. Th.

Das Spiro-oxetan-Derivat zerfällt in Lösung unter Belichtung bzw. im festen Zustand beim Erwärmen quantitativ in die Ausgangsverbindungen.

6-Oxo-cyclohexadien-(1,4)-⟨3-spiro-10⟩-9-oxa-bicyclo[6.2.0]decan[3]: 15 g 1,4-Benzochinon in 160 ml cis-Cycloocten werden 42 Stdn. in einem Pyrex-Erlenmeyer magnetisch gerührt und von außen mit einer Quecksilber-Mitteldruck-Lampe belichtet (10 cm Entfernung). Anschließend wird destillativ aufgearbeitet; Ausbeute: 28 g (90% d. Th.); $Kp_{0,25}$: 130–132°.

1,4-Naphthochinon addiert Indol, Benzo-[b]-furan bzw. Benzo-[b]-thiophen unter Bildung von Spiro-oxetan- und Cyclobutan-Derivaten[4]:

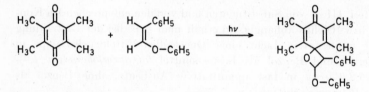

X = NH, S, O

Dagegen entstehen mit Xanthotoxin (I) und Visnagin (II) hauptsächlich Spiro-Oxetane.

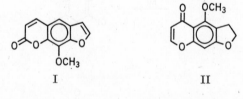

I   II

Dieses Phänomen ist neuerdings auch bei der Cycloaddition von 1,4-Naphthochinon, 2-Methyl- und 2-Phenyl-1,4-naphthochinon an einer Anzahl von einfachen Olefinen beobachtet worden.

---

[1] G. O. Schenck, I. Hartmann u. W. Metzner, Tetrahedron Letters **1965**, 347.

[2] W. Kothe, Dissertation, Universität Bonn 1969.

[3] D. Bryce-Smith, A. Gilbert u. M. G. Johnson, Soc. [C] **1967**, 383.

[4] C. H. Krauch u. S. Farid, Tetrahedron Letters **1966**, 4783.

Über Cycloadditionsreaktionen des Anthrachinons ist nur wenig bekannt[1]; z. B.:

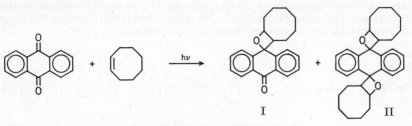

I; *10-Oxo-9,10-dihydro-anthracen-⟨9-spiro-10⟩-9-oxa-bicyclo[6.2.0]decan*

II; *9-Oxa-bicyclo[6.2.0]decan-⟨10-spiro-10⟩-9,10-dihydro-anthracen-⟨9-spiro-10⟩-9-oxa-bicyclo[6.2.0]decan*

$\beta\beta_2$) 1,2-Chinone

1,2-Chinone und Olefine gehen mindestens vier miteinander konkurrierende Photo-reaktionen ein:

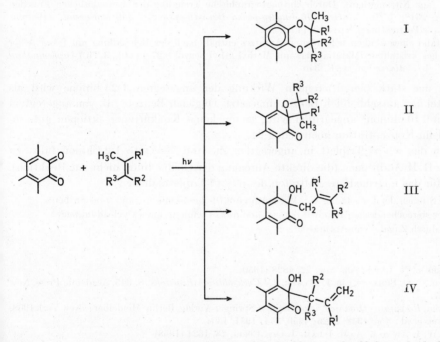

Zu I: 1,4-Dioxene als Produkte der [2+4]-Cycloadditionen des Olefins an beide C=O-Doppel-bindungen des 1,2-Chinons (Schönberg-Reaktion).

Zu II: Acyl-oxetane als Produkte der [2+2]-Cycloaddition des Olefins an eine der C=O-Doppel-bindungen des Chinons.

Zu III und IV: R—H-Additionen mit Olefinen, mit Allyl- oder sonstigen entzugsfähigen Wasser-stoff-Atomen.

Da die ersten Arbeiten ausschließlich mit „Kairo Sonnenlicht" durchgeführt wurden und die Quanten-ausbeute weniger als 1 betrug, war die Belichtungszeit notwendigerweise lang, bisweilen mehrere Monate. Diese Resultate lassen sich nicht mit späteren Ergebnissen vergleichen, da diese auf künstlichen Licht-

---

[1] D. BRYCE-SMITH, A. GILBERT u. M. G. JOHNSON, Tetrahedron Letters 1968, 2863.

quellen beruhen. Deshalb sollen die vor 1965 untersuchten Umsetzungen von 1,2-Chinonen und Olefinen hier nicht berücksichtigt werden[1].

2,2-Dichlor-2,3-dihydro-⟨phenanthro-[9,10-b]-1,4-dioxin⟩ (V), 10-Oxo-9,10-dihydro-phenanthren-⟨9-spiro-2⟩-2a- (bzw. -12a)-chlor-2a,12a-dihydro-2H-⟨phenanthro-[9,10-e]-oxeteno-[2,3-b]-1,4-dioxin⟩ (VI) und 10-Oxo-9,10-dihydro-phenanthren-⟨9-spiro-2⟩-3,3-dichlor-oxetan (VII)[2]:

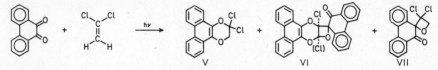

Eine Lösung von 2,08 g Phenanthren-9,10-chinon und 30 *ml* 1,1-Dichlor-äthylen in 130 *ml* Benzol wird 20 Stdn. mit einer Quecksilber-Hochdruck-Tauchlampe (Philips HPK, 125 W, GWV Filterglasgehäuse, $\lambda > 366$ nm) belichtet. Lösungsmittel und überschüssiges Olefin werden durch Destillation entfernt und der Rückstand wird auf Florisil (Eluiermittel: Cyclohexan) chromatographiert; Ausbeute: 0,41 g (15% d.Th.) *2,2-Dichlor-2,3-dihydro-[phenanthro-[9,10-b]-1,4-dioxin]*; F: 131–133° (aus Petroläther); Kp: 100–140°.

Eluieren mit Benzol bzw. Benzol/Chloroform liefert 1,23 g eines kristallinen Produkts, bei dessen Behandlung mit Aceton werden 50 mg (1,6% d.Th.) *10-Oxo-9,10-dihydro-phenanthren-⟨9-spiro-2⟩-2a- (bzw. -12a) -chlor-2a,3a,11b,12a-tetrahydro-2H-⟨phenanthro-[9,10-e]-oxeteno-[2,3-b]-1,4-dioxin⟩* gewonnen, F: 310° (aus Nitromethan). Durch chromatographische Trennung der acetonlöslichen Fraktion werden 0,95 g (31% d.Th.) *10-Oxo-9,10-dihydro-phenanthren-⟨9-spiro-2⟩-3,3-dichlor-oxetan* erhalten; F: 105–107° (aus Petroläther); Kp: 100–140°.

Der Rückstand eines ähnlich behandelten Ansatzes enthält nach der Behandlung mit 80 *ml* Äther 0,27 g unlösliches, kristallines Material, das aus Methyl-äthyl-benzol 0,27 g (14% d.Th.) *Diphenanthro-[9,10-b; 9',10'-e]-1,4-dioxin* liefert; F: 340°.

Aufgrund der stark dehydrierenden Wirkung der angeregten 1,2-Chinone wird als Lösungsmittel fast ausschließlich Benzol eingesetzt. Obgleich Benzol z. B. von angeregtem Phenanthren-9,10-chinon[3] angegriffen wird, treten keine Konkurrenzreaktionen auf, solange die Olefin-Konzentration hoch genug ist.

Das durch das n→π*-Triplett in angeregtem Zustand versetzte 1,2-Chinon führt zu Cyclo- sowie R–H-Additionen (die direkte Anregung der Olefine führt nicht zur Reaktion). Als Beweis für das intermediäre Auftreten des n→π*-Tripletts dienen:

① kinetische Studien der Umsetzung von Phenanthren-9,10-chinon mit *cis*- und *trans*-Stilben[4].

② Verlust der stereochemischen Reinheit der *cis*- und *trans*-Olefine in ihren Cycloaddukten[5-8].

③ Löschung durch Zugabe von Anthracen[8].

[1] A. Schönberg u. N. Latif, Am. Soc. **72**, 4828 (1950).
   G. Pfundt u. G. O. Schenck: in J. Hamer, *1,4-Cycloaddition Reactions*, S. 345, Academic Press, New York 1967.
   A. Schönberg, *Preparative Organic Photochemistry*, Springer-Verlag, Berlin · Heidelberg · New York 1968.
   A. Schönberg et al., Soc. **1948**, 2126; **1950**, 374; **1951**, 1364.
   O. M. Aly, W. I. Awad u. A. M. Islam, J. Org. Chem. **23**, 1624 (1958).
   A. Schönberg u. A. Mustafa, Nature **153**, 195 (1944); Soc. **1944**, 387; **1945**, 551; **1947**, 997.
   A. Mustafa u. A. M. Islam, Soc. **1949**, 81.
   G. O. Schenck, Strahlentherapie **115**, 497 (1961).
   A. Mustafa, Soc. **1949**, 83; **1951**, 1034.
   B. Helferich u. E. von Gross, B. **85**, 531 (1952).
   B. Helferich, E. N. Mulcahy u. H. Ziegler, B. **87**, 233 (1954).
   B. Helferich u. M. Gindy, B. **87**, 1488 (1954).
   A. Mustafa, A. K. Mansour u. A. F. A. M. Shalaby, Am. Soc. **81**, 3409 (1959).
[2] S. Farid u. D. Hess, B. **102**, 3747 (1969).
[3] M. B. Rubin u. Z. Neuwirth-Weiss, Am. Soc. **94**, 6048 (1972).
[4] J. J. Bohning u. K. Weiss, Am. Soc. **88**, 2863 (1966).
[5] G. Pfundt u. S. Farid, Tetrahedron **22**, 2237 (1966).
[6] S. Farid, Chem. Commun. **1967**, 1268.
[7] S. Farid u. K. H. Scholz, Chem. Commun. **1968**, 412.
[8] Y. L. Chow u. T. C. Joseph, Chem. Commun. **1968**, 604.

Das bedeutet, daß diejenigen Olefine keine Reaktion eingehen können, bei denen die Triplett-Energieübertragung vom Chinon her leicht erfolgt.

Die Konkurrenz zwischen [2 + 4]- und der [2 + 2]-Cycloaddition kann bisher nicht eindeutig erklärt werden. So findet man ausschließlich [2 + 4]-Cycloaddition beim Äthoxy-äthylen und Furan[1], dagegen ausschließlich [2 + 2]-Cycloaddition bei Vinylencarbonat[2] und Benzo-[b]-furan[1], sowie [2 + 2]- und [2 + 4]-Cycloaddition beim 2-Phenyl-⟨benzo-[b]-furan⟩[3] (vgl. a. Tab. 132, S. 951). Demnach begünstigen Methyl- und Phenyl-Gruppen an der reaktionsfähigen C=C-Doppelbindung die [2 + 4]-Cycloaddition.

Die Belichtung von 1,2-Chinonen in Gegenwart von Olefinen mit aciden Wasserstoff-Atomen führt hauptsächlich zur Bildung von 1:1-Cycloaddukten, daneben werden 9–29% d.Th. 1:1-Addukte vom R–H-Typ[1] erhalten, einschließlich der 1,2-Addukte, die durch Kopplung an je einer der beiden möglichen Stellen der (dem Olefin entstammenden) intermediär gebildeten Allyl-Radikale entstehen. Überraschend dagegen ist der Befund, daß die Stereochemie des eingesetzten Olefins in Addukten vom Typ III (S. 947), bei denen es nicht zur Umlagerung des Olefins kommt, unverändert bleibt [z. B. beim *cis-* und *trans-*Buten-(2)]. Sterische Faktoren scheinen dagegen nur eine begrenzende Rolle auf die Gesamtzahl der möglichen Produkte zu spielen[4]. Während sich z. B. beide Diastereomeren des Adduktes IV (R^1=CH$_3$; R^2,R^3=CH$_3$; S. 947) von Phenanthren-9,10-chinon und 2-Methyl-buten-(2) isolieren ließen gelingt, dies nicht mit 2-Methyl-propen bzw. 2,3-Dimethyl-buten-(2).

1:1-Addukte von 1,3-Dioxol-Typ treten als Nebenprodukte (∼ 10%) bei den Photoreaktionen von Phenanthren-9,10-chinon mit verschiedenen Olefinen auf[5].

Eine eingehende Untersuchung des photochemischen Verhaltens der Spiro-oxetane hat gezeigt[6], daß es zur Konkurrenz zwischen drei verschiedenen Reaktionen ⓑ–ⓓ der Photoumlagerung einerseits und der einfachen Photorückbildung ⓐ kommt:

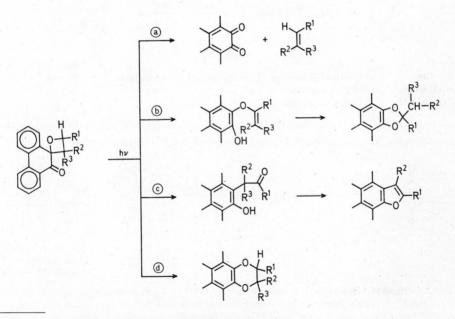

[1] C. H. KRAUCH, S. FARID u. G. O. SCHENCK, B. **98**, 3102 (1965).

[2] S. FARID, D. HESS u. C. H. KRAUCH, B. **100**, 3266 (1967).

[3] C. H. KRAUCH, S. FARID u. D. HESS, B. **99**, 1881 (1966).

[4] S. FARID u. K.-H. SCHOLZ, Chem. Commun. **1968**, 412.

[5] S. FARID, D. HESS, G. PFUNDT, K. H. SCHOLZ u. G. STEFFAN, Chem. Commun. **1968**, 638.

[6] S. FARID u. K.-H. SCHOLZ, Chem. Commun. **1969**, 572.

R¹	R²	R³		Verteilung der Zerfallsreaktionen (vgl. S. 949)			
				ⓐ	ⓑ	ⓒ	ⓓ
CH₃	CH₃	H	cis	42	10	48	–
			trans	29	14	57	–
C(CH₃)₃	C(CH₃)₃	H		24	37	39	–
OC₆H₅	C₆H₅	H	cis	53	–	–	47
			trans	54	–	–	46
CH₃	CH₃	CH₃		59	6	–	35
Cl	Cl	Cl		52	–	–	48

Diese Photoumlagerungen sollen durch Phenanthrenchinon ($E_T = 50$ Kcal/Mol) photosensibilisiert werden[1], und da die Triplettenergie der Spiro-oxetane ~ 60 Kcal/Mol beträgt, stellen solche Reaktionen seltene Beispiele für Triplett-sensibilisierte Isomerierungen bei geringem Energieaufwand dar.

$\gamma\gamma$) Cycloaddition an konjugierte Polyolefine
$\gamma\gamma_1$) 1,4-Chinone

Die Belichtung Sauerstoff-freier Lösungen von 1,4-Benzochinon[2] in Butadien-(1,3), Isopren und 2,3-Dimethyl-butadien bei 0° oder darunter mit Licht einer Wellenlänge von mehr als 300 nm ergibt als Hauptprodukte 1:1-Addukte vom Spiro-Pyran-Typ:

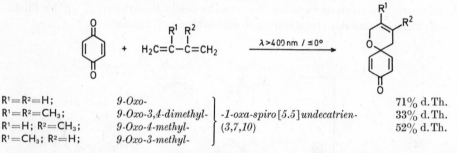

R¹=R²=H;	9-Oxo-	71% d.Th.
R¹=R²=CH₃;	9-Oxo-3,4-dimethyl-	33% d.Th.
R¹=H; R²=CH₃;	9-Oxo-4-methyl-	52% d.Th.
R¹=CH₃; R²=H;	9-Oxo-3-methyl-	

-1-oxa-spiro [5.5] undecatrien-(3,7,10)

Die Bestrahlung mit Licht der Wellenlänge oberhalb 400 nm liefert Produkte höheren Reinheitsgrades. Mit Butadien-(1,3) wird zusätzlich ein 2:1-Addukt erhalten:

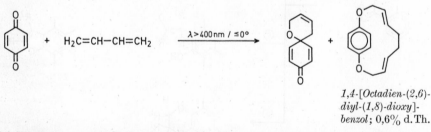

1,4-[Octadien-(2,6)-diyl-(1,8)-dioxy]-benzol; 0,6% d.Th.

9-Oxo-3,4-dimethyl-1-oxa-spiro[5.5] undecatrien-(3,7,10)[2]: 1,2 g 1,4-Benzochinon und 75 ml 2,3-Dimethyl-butadien werden unabhängig voneinander von Sauerstoff befreit, miteinander in einem 80 ml Quarzgefäß vermischt, und mit einer 500W Hanovia Quecksilber-Mitteldruck-Lampe 90 Min. belichtet (Anordnung: koaxial zum 80ml Quarzgefäß). Das Quarzgefäß enthält einen Quarzring mit der Filterlösung (0,6 cm dicke Schicht einer wäßrigen Lösung von Kaliumhydrogenphthalat (5 g/l), Glykol (200 ml/l) und ges. Natriumnitrit Lösung (250 ml/l); zur Stabilisierung wurde mit Natronlauge auf p_H: 11 eingestellt). (Forts. S. 957)

[1] S. FARID u. K.-H. SCHOLZ, Chem. Commun. 1969, 572.
[2] J. A. BARLTROP u. B. HESP, Soc. 1965, 5182.

Tab. 132. Photocycloaddition von 1,2-Chinonen an Olefine

1,2-Chinon	Olefin	Lösungsmittel	λ [nm]	Quantenausbeute φ	(Produkt)	Ausbeute [% d.Th.]	Ausbeute [% d.Th.]	andere Derivate	Literatur
[Tetrachlor-1,2-chinon]	$H_5C_6-CH=CH-C_6H_5$	Benzol	400		5,6,7,8-Tetra-chlor-2,3-di-phenyl-2,3-dihydro-⟨benzo-1,4-dioxin⟩				1
[1,2-Naphthochinon]	[Dioxen]	Benzol	300		2,3,4a,12a-Tetra-hydro-⟨naphtho-[1,2-e]-1,4-dioxino[b]-1,4-dioxin⟩				2
[Phenanthrenchinon]	$H_3C-CH=CH-CH_3$	Benzol	405	0,36[a]	2,3-Dimethyl-2,3-dihydro-⟨phenanthro-[9,10-b]-1,4-dioxin⟩	80	5	9[b]	3,4
[Phenanthrenchinon]	$(H_3C)_2C=C(CH_3)_2$	Benzol	405	0,79[a]	2,2,3,3-Tetra-methyl-...	63	2	29[b]	4

[a] Quantenausbeute zum Verschwinden des Chinons.
[b] Produkte des Wasserstoffentzuges.

[1] D. BRYCE-SMITH u. A. GILBERT, Chem. Commun. 1968, 1701, 1702.
[2] W. M. HORSPOOL u. G. D. KHANDELWAL, Chem. Commun. 1967, 1203; dort weitere Derivate.
[3] S. FARID u. K. H. SCHOLZ, Chem. Commun. 1968, 412.
[4] Y. L. CHOW u. T. C. JOSEPH, Chem. Commun. 1968, 604. Vgl. a. S. FARID et al., Chem. Commun. 1968, 638.

Tab. 132 (1. Fortsetzung)

1,2-Chinon	Olefin	Lösungsmittel	λ [nm]	Quantenausbeute φ	1,4-Dioxin-Derivat	Ausbeute [% d.Th.]	Oxetan	Ausbeute [% d.Th.]	andere Derivate	Literatur
(Phenanthrenchinon)	$H_2C=CH-SC_2H_5$	Benzol	375		2-Äthylmercapto-2,3-dihydro-⟨phenanthro-[9,10-b]-1,4-dioxin⟩	69			21[b]	1
	$H_2C=CH-Cl$	Benzol	375		2-Chlor-...	68[d]	10-Oxo-9,10-dihydro-phenanthren-⟨9-spiro-2⟩-3-chlor-oxetan	23[d]		2,3
	$H_5C_6-C=C$ (C_6H_5, H, H)	Benzol	405	0,14[c]	2,3-Diphenyl-...					4–6
	(Chlor-inden)	Benzol	405		5a-Chlor-5a,15a-dihydro-5H-⟨indeno-[1,2-e]-phenanthro-[9,10-b]-1,4-dioxin⟩	44	10-Oxo-9,10-dihydro-phenanthren-⟨9-spiro-2⟩-7a-chlor-2,2a,7,7a-tetrahydro-⟨indeno-[2,1-b]-oxeten⟩	22		3, vgl. 7

b Produkte des Wasserstoffentzuges.   c Quantenausbeute zur Adduktbildung.   d zusätzliche 1:2-Addukte.

1 C. H. KRAUCH, S. FARID u. G. O. SCHENCK, B. 98, 3102 (1965).
2 C. H. KRAUCH, S. FARID u. D. HESS, B. 99, 1881 (1966).
3 S. FARID u. D. HESS, B. 102, 3747 (1969).
4 J. J. BOHNING u. K. WEISS, Am. Soc. 88, 2893 (1966); dort weitere Beispiele.
5 S. FARID, Chem. Commun. 1967, 1268.
6 G. PFUNDT u. S. FARID, Tetrahedron 22, 2237 (1966).
7 S. FARID et al., Chem. Commun. 1968, 638.

Tab. 132 (2. Fortsetzung)

1,2-Chinon	Olefin	Lösungs-mittel	λ [nm]	Quanten-ausbeute φ	1,4-Dioxin-Derivat	Ausbeute [% d.Th.]	Oxetan	Ausbeute [% d.Th.]	andere Derivate	Literatur
			375		3a,13a-Dihydro-⟨phenanthro-[9,10-e]-furo-[2,3-b]-1,4-dioxin⟩	48	10-Oxo-9,10-dihydro-phenanthren-⟨9-spiro-2⟩-2a,5a-dihydro-2H-⟨furo-[3,2-b]-oxeten⟩			1
		Benzol	375				10-Oxo-9,10-dihydro-phenanthren-⟨9-spiro-2⟩-2a,7b-dihydro-2H-⟨oxeteno-[3,2-b][1]-benzofuran⟩	80		1

[1] C. H. KRAUCH, S. FARID u. G. O. SCHENCK, B. 98, 3102 (1965).

Tab. 132 (3. Fortsetzung)

1,2-Chinon	Olefin	Lösungsmittel	λ [nm]	Quantenausbeute φ	1,4-Dioxin-Derivat	Ausbeute [% d.Th.]	Oxetan	Ausbeute [% d.Th.]	andere Derivate	Literatur
		Benzol	375		*6,6-Dimethyl-6a,16a-dihydro-6H⟨phenanthro-[9,10-e]-1-benzopyrano-[3,4-b]-1,4-dioxin⟩*	25	*10-Oxo-9,10-dihydro-phenanthren-⟨9-spiro-1⟩-3,3-dimethyl-1,2a,3,8b-tetrahydro-⟨benzo-[b]-oxeteno-[3,2-d]-pyran⟩* + *...-⟨9-spiro-2⟩-3,3-dimethyl-2a,8b-dihydro-1H,3H-⟨benzo-[b]-oxeteno-[2,3-d]-pyran⟩*	38		1

1 C. H. KRAUCH, S. FARID u. G. O. SCHENCK, B. 98, 3102 (1965).

Tab. 132 (4. Fortsetzung)

1,2-Chinon	Olefin	Lösungsmittel	λ [nm]	Quantenausbeute φ	1,4-Dioxin-Derivat	Ausbeute [% d.Th.]	Oxetan	Ausbeute [% d.Th.]	andere Derivate	Literatur
		Benzol	375				*10-Oxo-9,10-dihydro-phenanthren-⟨9-spiro-2⟩-3,4-carbonyl-dioxy-oxetan*	80		[1]
		Benzol	375		*2,3,4a,14a-Tetraphenyl-4a,14a-dihydro-⟨phenanthro-[9,10-e]-1,4-dioxino-1,4-dioxin⟩*	92				[2]
		Benzol	375		*2-Oxo-3a-methyl-1,3-diacetyl-2,3,3a,13a-tetrahydro-1H-⟨phenanthro-[9,10-e]-imi-dazolo-[b]-1,4-dioxin⟩*	95				[3]

[1] S. Farid, D. Hess u. C. H. Krauch, B. **100**, 3266 (1967).
[2] C. H. Krauch, S. Farid u. D. Hess, B. **99**, 1881 (1966).
[3] G. Steffan u. G. O. Schenck, B. **100**, 3961 (1967).

Tab. 136 (5. Fortsetzung)

1,2-Chinon	Olefin	Lösungs-mittel	γ [nm]	Quanten-ausbeute φ	1,4-Dioxin-Derivat	Ausbeute [%d.Th.]	Oxetan	Ausbeute [%d.Th.]	andere Derivate	Lite-ratur
		Benzol	375		2-Oxo-1,3-di-phenyl-2,3,3a,13a-tetrahydro-1H-⟨phenanthro-[9,10-e]-imida-zolo-[b]-1,4-dioxin⟩ (Formel s. S. 955)	60		6		1
		Benzol	315		3-(N-methyl-N-benzoyl-amino)-2-phenyl-2,3-di-hydro-⟨phe-nanthro-[9,10-b]-1,4-dioxin⟩	82				2

1 G. Steffan, B. 101, 3688 (1968).   2 K. R. Eicken, A. 724, 66 (1969).

Die Destillation bei 90–140° Badtemp./0,1 Torr liefert 1,1 g eines gelben Öls, das in 10 *ml* Petroläther gelöst und 12 Stdn. bei 0° aufbewahrt wird. Die sich ausscheidenden gelben Kristalle {0,12 g *7,10-Dioxo-3,4-dimethyl-bicyclo[4.4.0]decadien-(3,8)*; F: 114–115°} werden abfiltriert und das Filtrat über Silikagel (200 *ml*) chromatographiert. Die mit Benzol/Diäthyläther (9:1) erhaltene Fraktion wird destilliert; Ausbeute: 0,69 g (33% d. Th.); F: 43–44°.

Benzol stellt ein inertes Lösungsmittel für angeregte 1,4-Chinone dar. Jedoch in Anwesenheit starker Säuren, z. B. 0,8 Mol Trifluoressigsäure, reagieren 1,4-Benzochinon und Benzol in guten Ausbeuten zu *4-Phenoxy-phenol*[1].

1,4-Benzochinon reagiert mit Cyclooctatetraen in Essigsäure sowohl mit als auch ohne Sauerstoff zu *Acetoxy-(4-hydroxy-phenoxy)-cycloheptatrienyl-(7)-methan* und *2-(4-Hydroxy-phenoxy)-1-phenyl-äthylen*. In nichtionischen Lösungsmitteln bei Anwesenheit von Sauerstoff entstehen die Verbindungen I und II[2].

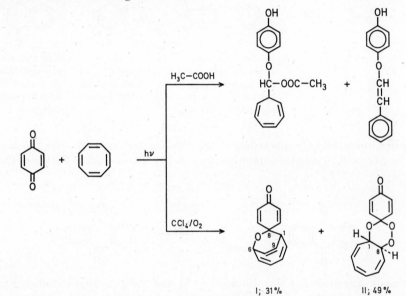

I; 31%   II; 49%

I; *6-Oxo-cyclohexadien-(1,4)-⟨3-spiro-8⟩-7-oxa-bicyclo[4.2.2]decatrien-(2,4,9)*
II; *6-Oxo-cyclohexadien-(1,4)-⟨3-spiro-11⟩-9,10,12-trioxa-trans-bicyclo[6.4.0]dodecatrien-(2,4,6)*

Verbindung I bildet sich als einziges Produkt bei Bestrahlung mit einem Argon-Laser unter Sauerstoff-Ausschluß[3,4].

Da Tetrachlor-1,4-benzochinon in konjugierten Dienen (z. B. Butadien und 2,3-Dimethyl-butadien)[5] nur wenig löslich ist, werden Chinon-Dien-Gemische in Benzol belichtet. Mit Butadien-(1,3) erhält man als Hauptprodukt *1,3,4,6-Tetrachlor-2,5-dioxo-7-vinyl-bicyclo-[4.2.0]octen-(3)*, während 2,3-Dimethyl-butadien neben *1,3,4,6-Tetrachlor-2,5-dioxo-7-methyl-7-isopropenyl-bicyclo[4.2.0]octen-(3)* *1,2,4,5-Tetrachlor-3,6-dioxo-4-[3-methyl-2-methylen-buten-(3)-yl]-cyclohexen* liefert:

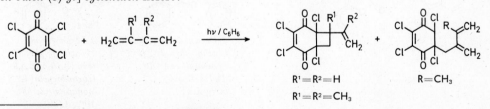

R¹=R²=H

R¹=R²=CH₃

R=CH₃

[1] D. Bryce-Smith, Chem. Commun. **1970**, 561.
[2] E. J. Gardner et al., Am. Soc. **95**, 1693 (1973).
[3] R. M. Wilson et al., Am. Soc. **96**, 2955 (1974).
[4] vgl. aber: D. Bryce-Smith, A. Gilbert u. M. G. Johnson, Soc. [C] **1967**, 383.
[5] J. A. Barltrop u. B. Hesp, Soc. **1967**, 1625.

Die Bestrahlung eines Gemisches von 2,5-Dimethyl-1,4-benzochinon und 2,3-Dimethyl-butadien in Benzol mit Licht einer Wellenlänge von mehr als 400 nm liefert als Haupt-produkt ~ 45% d.Th. *2,5-Dioxo-1,4,7-trimethyl-7-isopropenyl-bicyclo[4.2.0]octen-(3)*.

Die offenbar anders verlaufende Addition der 1,4-Chinone an 2,3-Dimethyl-butadien ist so zu erklären[1], daß bei der Belichtung in Benzol die zwei Ladungsübertragungskomplexe Chinon-Dien und Chinon-Benzol sowie die Eigenübergänge des Chinons selbst angeregt werden.

Bei der Bestrahlung von 1,4-Naphthochinon in 2,3-Dimethyl-butadien[1] mit Licht ober-halb 400 nm werden zwei 1:1- und ein 1:2-Addukt des Chinons erhalten:

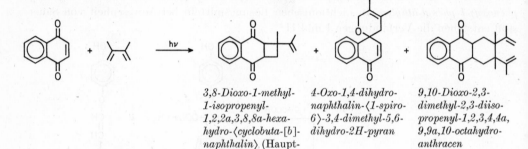

3,8-Dioxo-1-methyl-
1-isopropenyl-
1,2,2a,3,8,8a-hexa-
hydro-⟨cyclobuta-[b]-
naphthalin⟩ (Haupt-
produkt)

4-Oxo-1,4-dihydro-
naphthalin-⟨1-spiro-
6⟩-3,4-dimethyl-5,6-
dihydro-2H-pyran

9,10-Dioxo-2,3-
dimethyl-2,3-diiso-
propenyl-1,2,3,4,4a,
9,9a,10-octahydro-
anthracen

9,10-Anthrachinon und Cyclooctadien-(1,3) liefern in fast quantitativer Ausbeute das 1:1-Addukt *10-Oxo-9,10-dihydro-anthracen-⟨9-spiro-10⟩-9-oxa-bicyclo[6.2.0]decen-(2)*[2]:

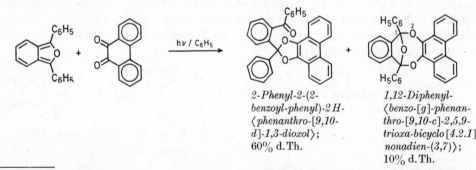

Im Gegensatz hierzu setzen sich Butadien-(1,3) und 2,3-Dimethyl-butadien nicht mit 9,10-Anthrachinon um [Löschung des Triplett vom Anthrachinon ($E_T = 62,5$ Kcal/Mol) durch die Diene ($E_T < 60$ Kcal/Mol)].

$\gamma\gamma_2$) 1,2-Chinone

Die Photoaddition von 1,2-Chinonen an cyclische Di- und Polyene (z. B. substituierte Benzo-[c]-furane) führt je nach Substitution des Diens bzw. Polyens zu 1,3-Dioxolen und 6,11-Dihydro-⟨dibenzo-[b; f]-1,4-dioxocinen⟩[3,4]; z. B.:

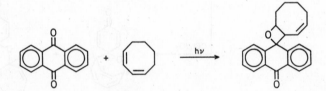

2-Phenyl-2-(2-
benzoyl-phenyl)-2H-
⟨phenanthro-[9,10-
d]-1,3-dioxol⟩;
60% d.Th.

1,12-Diphenyl-
⟨benzo-[g]-phenan-
thro-[9,10-c]-2,5,9-
trioxa-bicyclo[4.2.1]
nonadien-(3,7)⟩;
10% d.Th.

[1] J. A. Barltrop u. B. Hesp, Soc. **1967**, 1625.
[2] D. Bryce-Smith, A. Gilbert u. M. G. Johnson, Tetrahedron Letters **1968**, 2863.
[3] W. Friedrichsen, Tetrahedron Letters **1969**, 1219.
[4] A. Mustafa, Soc. **1949**, 83.

Die 1,4-Cycloaddition hängt stark vom Lösungsmittel ab (Benzol: 10%; Acetonitril: Spur; Essigsäure-äthylester: –). Alle anderen Kombinationen von 9,10-Phenanthrenchinon, ⟨Benzo-[h]-chinolin⟩-5,6-chinon oder Chrysenchinon einerseits mit 1,3-Diphenyl- bzw. 3-Phenyl-1-(2,3,5,6-tetramethyl-phenyl)-⟨benzo-[c]-furan⟩ andererseits scheinen ausschließlich das 1,3-Dioxol-Derivat zu liefern.

Cycloaddukte aus Tetrachlor-1,2-benzochinon und vicinal diphenylierten cyclischen Dienen können bei Bestrahlung folgendermaßen weiterreagieren[1] (s. a. S. 537):

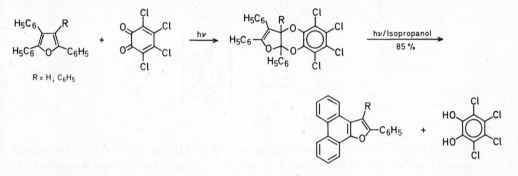

R = H; C₆H₅

δδ) Cycloaddition an Allene

Bestrahlungen von Phenanthrenchinon mit einem Überschuß von substituierten Allenen in benzolische Lösung führen in den meisten Fällen zu isomeren 1:1-Addukten, die manchmal von 2:1-Addukten begleitet werden[2,3]; z. B.:

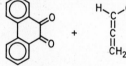

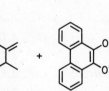

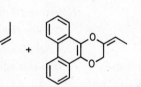

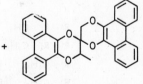

15%	5%	~1%	14%
3-Methyl-2-methylen-	*(Z)-2-Äthyliden-*	*(E)-2-Äthyliden-*	*3-Methyl-2,3-dihydro-*
2,3-dihydro-⟨phenanthro-[9,10-b]-1,4-dioxin⟩			*⟨phenanthro-[9,10-b]-1,4-dioxin⟩-⟨2-spiro-2⟩-2,3-dihydro-⟨phenanthro-[9,10-b]-1,4-dioxin⟩*

Die Bildung des 2:1-Addukts kann durch einen großen Überschuß des Allens unterdrückt werden.

εε) Cycloaddition an Acetylene
εε₁) 1,4-Chinone

1,4-Chinone gehen mit zahlreichen Acetylenen bei Belichtung in Lösungsmitteln (z. B. Acetonitril, Benzol) Cycloadditionen ein. Analog zur Photoaddition der Olefine konkurriert auch die Cycloaddition der Acetylene an die C=C-Doppelbindung der 1,4-Chinone mit der

[1] D. T. ANDERSON u. W. M. HORSPOOL, Chem. Commun. 1971, 615.
[2] H. J. T. BOS, C. SLAGT u. J. S. M. BOLEŸ, R. 89, 1170 (1970).
[3] J. S. M. BOLEŸ u. H. J. T. BOS, R. 91, 1212 (1972); Tetrahedron Letters 1971, 3201.

Cycloaddition an die C=O-Doppelbindung. Die durch Cycloaddition an die C=O-Doppel-
bindung entstehenden Spiro-oxetene sind unbeständig und führen durch Ringöffnung zu
Chinonmethiden:

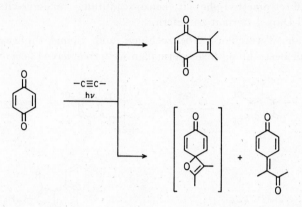

So erhält man bei der Belichtung von 1,4-Benzochinon und Diphenylacetylen in Acetonitril[1]
oder Benzol[2] bis zu 60% d.Th. *6-Oxo-3-(2-oxo-1,2-diphenyl-äthyliden)-cyclohexadien-(1,4)*.
In gleicher Weise erhält man mit Tetrachlor-1,4-benzochinon 75% d.Th. *1,2,4,5-Tetrachlor-
6-oxo-3-(2-oxo-1,2-diphenyl-äthyliden)-cyclohexadien-(1,4)*[3].

Stereoselektiv[4,5] läuft dagegen die Photoaddition von Butin-(2), Propin, Diphenyl- und
Phenylacetylen an Methoxy-1,4-benzochinon an der Methoxy-tragenden C=C-Doppelbin-
dung ab:

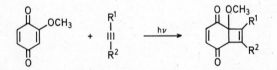

	1-Methoxy-2,5-dioxo- ... *-bicyclo[4.2.0]octadien-(3,7)*	
$R^1=R^2=CH_3$;	...-*7,8-dimethyl-* ...	(30% d.Th.)
$R^1=R^2=C_6H_5$;	...-*7,8-diphenyl-* ...	(50% d.Th.)
$R^1=C_6H_5$; $R^2=CH_3$;	...-*7-methyl-8-phenyl-* ...	(70% d.Th.)
$R^1=C_6H_5$; $R^2=H$;	...-*8-phenyl-* ...	(80% d.Th.)

6-Oxo-3-(2-oxo-1,2-diphenyl-äthyliden)-cyclohexadien-(1,4)[2]: Eine Lösung von 5 g 1,4-Benzochinon
und 12 g Diphenylacetylen in 180 *ml* Benzol wird in einem Kolben aus Borsilikatglas in Gegenwart von
Luft 18 Stdn. bei 38–42° mit einer Hanovia S-500 Quecksilber-Mitteldruck-Lampe (12 cm Abstand)
belichtet; Ausbeute: 7,9 g (60% d.Th.); F: 104° (105-106° aus Benzol/Hexan)[1].

Auch bei der Umsetzung von Acetylenen mit substituierten 1,4-Naphthochinonen konkurrieren C=C- und C=O-Addition miteinander[6,7].

Der Einfluß der Substituenten auf die C=C-Doppelbindung des Chinons sowie der C≡C-
Dreifachbindung des Acetylens wurden näher untersucht (s. Tab. 133, S. 961).

---

[1] H. E. ZIMMERMAN u. L. CRAFT, Tetrahedron Letters **1964**, 2131.
[2] D. BRYCE-SMITH, G. I. FRAY u. A. GILBERT, Tetrahedron Letters **1964**, 2137.
[3] J. A. BARLTROP u. B. HESP, Soc. [C] **1967**, 1625.
[4] S. P. PAPPAS u. B. C. PAPPAS, Tetrahedron Letters **1967**, 1597.
[5] S. P. PAPPAS, B. C. PAPPAS u. N. A. PORTNOY, J. Org. Chem. **34**, 520 (1969).
   Vgl. a. F. A. L. ANET u. D. P. MULLIS, Tetrahedron Letters **1969**, 737.
[6] S. P. PAPPAS u. N. A. PORTNOY, J. Org. Chem. **33**, 2200 (1968).
[7] S. FARID, W. KOTHE u. G. PFUNDT, Tetrahedron Letters **1968**, 4147.

Tab. 133. 3,8-Dioxo-2a,3,8,8a-tetrahydro-⟨cyclobuta-[b]-naphthaline⟩
und 1,4-Naphthochinon-methide[a]

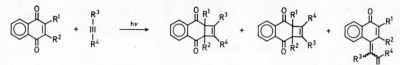

R¹	R²	R³	R⁴	...-2a,3,8,8a-te-trahydro-⟨cyclobu-ta-[b]-naphthalin⟩	Ausbeute [% d. Th.]	...-1,4-dihydro-naphthalin	Ausbeute [% d. Th.]	Literatur
OCH₃	H	C₆H₅	C₆H₅	2a-Methoxy-3,8-dioxo-1,2-di-phenyl- ...	100		0	1
H	H	C₆H₅	C₆H₅	3,8-Dioxo-1,2-di-phenyl- ...	16,7	4-Oxo-1-(2-oxo-1,2-diphenyl-äthyliden)-...	83,5	1
O–CO–CH₃	H	C₆H₅	C₆H₅	2a-Acetoxy-3,8-dioxo-1,2-di-phenyl- ...	50	3-Acetoxy-4-oxo-1-(2-oxo-1,2-diphenyl-äthyliden)-...	50	1
H	H	CH₃	H	3,8-Dioxo-1-methyl- ...	28	4-Oxo-1-(1-formyl-äthyliden)-...	72	2
H	H	C₆H₅	H	3,8-Dioxo-1-phenyl- ...	24	4-Oxo-1-(α-formyl-benzy-liden)- ...	76	2
H	H	CH₃	CH₃	3,8-Dioxo-1,2-dimethyl- ...	9	4-Oxo-1-[3-oxo-butyliden-(2)]- ...	91	2
CH₃	H	CH₃	H	3,8-Dioxo-2,2a-dimethyl- ...	>95	4-Oxo-3-methyl-1-(1-formyl-äthyliden)-...	<5	2
CH₃	H	C₆H₅	H	3,8-Dioxo-2a-me-thyl-2-phenyl-... +...-1-phenyl-...	78 14	4-Oxo-3-methyl-1- (α-formyl-benzyliden)-...	8	2
CH₃	H	C₆H₅	CH₃	3,8-Dioxo-1,2a-dimethyl-2-phenyl-... +...-2,2a-dimethyl-1-phenyl-...	55 6	4-Oxo-3-methyl-1-(2-oxo-1-phenyl-pro-pyliden)-...	39	2
CH₃	CH₃	CH₃	H	3,8-Dioxo-1,2a,8a-trimethyl- ...	~100		~0	2
CH₃	CH₃	CH₃	CH₃	3,8-Dioxo-1,2,2a,8a-tetramethyl- ...	~100		~0	2
CH₃	CH₃	C₆H₅	C₆H₅	3,8-Dioxo-2a,8a-dimethyl-1,2-diphenyl- ...	~100		~0	2

[a] Belichtung in Acetonitril[1] und in Benzol[2]; Chinon 0,05 M und Acetylen 0,2 M.

[1] S. P. PAPPAS u. N. A. PORTNOY, J. Org. Chem. **33**, 2200 (1968).
[2] S. FARID, W. KOTHE u. G. PFUNDT, Tetrahedron Letters **1968**, 4147.

Wie aus Tab. 133 (S. 961) ersichtlich, wird die Addition an die C=O-Doppelbindung durch die Methyl- und Phenyl-Substituenten des Acetylens erleichtert; Addition an die C=C-Doppelbindung wird durch die Methyl- und Methoxy-Substituenten des Chinons begünstigt.

Der Einfluß der Substituenten auf die Reaktionsgeschwindigkeit der Acetylen-Chinon-Photoaddition wurde ebenfalls eingehend untersucht[1].

2a-Methoxy-3,8-dioxo-1,2-diphenyl-2a,3,8,8a-tetrahydro-⟨cyclobuta-[b]-naphthalin⟩[2]: Eine Lösung von 7,59 g Diphenylacetylen und 2,2 g 2-Methoxy-1,4-naphthochinon in 200 ml Acetonitril wird unter Sauerstoff in einem Becherglas 2,5 Stdn. bei 20° aus einer Entfernung von ~ 10 cm mit „Schwarzlicht" (G.E. H100SP 38-4 mit Pyrexhülle) bestrahlt. Das Rohprodukt wird auf Silikagel chromatographiert und mit Hexan, Hexan/Benzol und Benzol eluiert; Ausbeute: 2,57 g (60% d.Th.); F: 128–129°.

Die isolierbare Primärprodukte der Photoaddition von Acetylenen an 1,4-Naphthochinonen können photochemische Umlagerungen eingehen:

① Die Cyclobuten-Derivate unterliegen einer irreversiblen Photoumlagerung (R¹-Verschiebung)[3]:

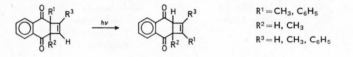

$$R^1 = CH_3, C_6H_5$$
$$R^2 = H, CH_3$$
$$R^3 = H, CH_3, C_6H_5$$

② Die Chinon-methide unterliegen einer *cis-trans*-Isomerisierung; zusätzlich tritt im Falle der 1-Benzyliden-Derivate Dehydrocyclisierung ein[4]:

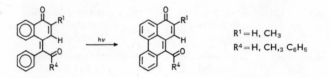

$$R^1 = H, CH_3$$
$$R^4 = H, CH_3, C_6H_5$$

Acetylene reagieren mit 9,10-Anthrachinon zu Chinon-methiden (40–90% d.Th.)[4,5]:

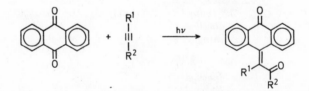

z.B.: $R^1 = CH_3$; $R^2 = H$;   *10-Oxo-9-(1-formyl-äthyliden)-9,10-dihydro-anthracen*

$R^1 = R^2 = CH_3$;   *10-Oxo-9-[3-oxo-butyliden-(2)]-9,10-dihydro-anthracen*

$R^1 = C_6H_5$; $R^2 = H$;   *10-Oxo-9-(α-formyl-benzyliden)-9,10-dihydro-anthracen*

$R^1 = R^2 = C_6H_5$;   *10-Oxo-9-(2-oxo-1,2-diphenyl-äthyliden)-9,10-dihydro-anthracen*; 40% d.Th.

[1] S. P. Pappas u. N. A. Portnoy, Chem. Commun. **1969**, 597.

[2] S. P. Pappas u. N. A. Portnoy, J. Org. Chem. **33**, 2200 (1968).

[3] W. Kothe, Tetrahedron Letters **1969**, 5201.

[4] S. Farid, W. Kothe u. G. Pfundt, Tetrahedron Letters **1968**, 4147.

[5] D. Bryce-Smith, A. Gilbert u. M. G. Johnson, Tetrahedron Letters **1968**, 2863.

Die 9-Benzyliden-Derivate unterliegen in Gegenwart von Sauerstoff (oder Jod) der Dehydrocyclisierung[1]:

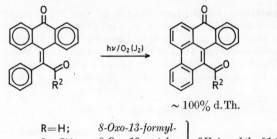

~ 100% d. Th.

R=H; *8-Oxo-13-formyl-*
R=CH₃; *8-Oxo-13-acetyl-* } *8H-⟨naphtho-[1,2,3-d,e]-anthracen⟩*
R=C₆H₅; *8-Oxo-13-benzoyl-*

8-Oxo-13-acyl-8H-[1,2,3-d,e]-anthracene⟩ werden direkt bei der Belichtung von Anthrachinon und eines Phenylacetylens in Gegenwart von Sauerstoff erhalten[1, 2].

εε₂) 1,2-Chinone

Über die Addition von Acetylenen an 1,2-Benzochinone ist wenig bekannt, zudem widersprechen die Angaben einander[3, 4]; so soll sich Tetrachlor-1,2-benzochinon mit Diphenylacetylen zu *Tetrachlor-2-hydroxy-1-phenoxy-benzol* umsetzen[4]:

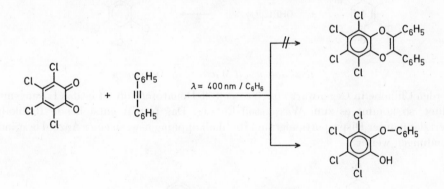

ζζ) (Cyclo)additionen verschiedener Art

ζζ₁) 1,2-Chinone und Schwefeldioxid

1,2-Chinone reagieren mit Schwefeldioxid unter Belichtung zu cyclischen Schwefelsäurediestern; z. B.[5]:

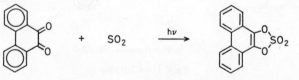

9,10-Sulfuryldioxy-phenanthren; 86–92% d. Th.

Diese Reaktion gehen offensichtlich nur 1,2-Chinone ein; Tetrabrom-1,2-benzochinon reagiert jedoch nicht.

[1] S. FARID, W. KOTHE u. G. PFUNDT, Tetrahedron Letters 1968, 4147.
[2] R. C. HENSON, J. L. W. JONES u. E. D. OWEN, Soc. [A] 1967, 116.
[3] L. HORNER u. H. MERZ, A. 570, 89 (1950).
[4] D. BRYCE-SMITH u. A. GILBERT, Chem. Commun. 1968, 1702.
[5] G. O. SCHENCK u. G. A. SCHMIDT-THOMEE, A. 584, 199 (1953).

Zur Belichtung selbst werden gesättigte Schwefeldioxid-Lösungen eines Chinons in Benzol eingesetzt.

Tetrachlor-1,2-sulfuryldioxy-benzol[1]: Eine rote Lösung von 30 g Tetrachlor-1,2-benzochinon in 1,2 l absol. Benzol, die mit Schwefeldioxid gesättigt ist, wird 40 Stdn. unter Rühren mit einer Quecksilber-Lampe (Osram HgH 2000) belichtet. Die farblose Lösung wird durch Destillieren auf 150 ml eingeengt und der Rest des Benzols verdampft. Der Rückstand wird mit 50–60 ml Methanol behandelt, rasch eine Nutsche filtriert und mit möglichst wenig Methanol gewaschen; die so erhaltenen, fast farblosen Kristalle werden gegebenenfalls aus Aceton oder Schwefelkohlenstoff umkristallisiert; Ausbeute: 25 g (57% d.Th.); F: 125–126°.

Unter ähnlichen Bedingungen erhält man z. B. mit

3-Nitro-1,2-naphthochinon   → *3-Nitro-1,2-sulfuryldioxy-naphthalin*;   65% d.Th.

3,6-Dinitro-phenanthren-9,10-chinon → *3,6-Dinitro-9,10-sulfuryldioxy-phenanthren*;   60% d.Th.

$\zeta\zeta_2$) 1,4-Chinone und Phosphor-Verbindungen[2]

Die Reaktionen von Tetrachlor-1,4-benzochinonen und Phosphorigsäure-diphenylester werden z. B. durch Licht der Wellenlänge $\lambda = 360$–370 nm beschleunigt[3]:

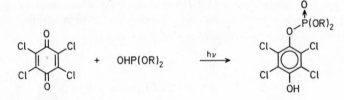

γ_3) *Reaktionen mit Wasserstoff-Donatoren*

Werden Chinone in Gegenwart von Wasserstoff-Donatoren (oft ist es das Lösungsmittel) belichtet, so kommt es zum Wasserstoff-Entzug. Das primär entstehende Radikalpaar reagiert dann unter Disproportionierung, Radikalkopplung usw. zu einer Anzahl beständiger Verbindungen weiter:

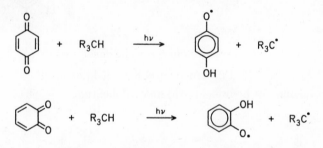

$\alpha\alpha$) Kohlenwasserstoffe
$\alpha\alpha_1$) 1,4-Chinone

Die Blitzlicht-Photolyse von 1,4-Benzochinon in dickflüssigem Paraffinöl weist auf die Bildung des neutralen Semichinon-Radikals[4] hin. Ähnliche Studien[5] mit Anthrachinon und 2-Methyl-anthrachinon

[1] G. O. SCHENCK u. G. A. SCHMIDT-THOMEE, A. **584**, 199 (1953).
[2] Zur Reaktion von Tetrachlor-1,2-benzochinon mit Triphenylphosphin s. A. N. HUGHES u. S. UABOON-KUL, Chem. & Ind. **1967**, 1253.
[3] F. RAMIREZ u. S. DERSHOWITZ, J. Org. Chem. **22**, 1282 (1957); vgl. a. Am. Soc. **81**, 587 (1959).
[4] N. K. BRIDGE u. G. PORTER, Proc. Roy. Soc. A **244**, 259, 276 (1958).
    G. PORTER u. M. W. WINDSOR, Nature **180**, 187 (1957).
[5] W. C. NEELY u. H. H. DEARMAN, J. Chem. Phys. **44**, 1302 (1966).

im glasartig erstarrten Lösungsmittelgemisch 2-Methyl-butan/Methylcyclohexan bei 77° K lassen vermuten, daß das erste angeregte Triplett für den Wasserstoff-Entzug verantwortlich ist.

Die Bestrahlung von einfachen 1,4-Benzochinonen[1] bzw. von 1,4-Naphthochinon[1] in Paraffin durch Sonnenlicht führt zu den entsprechenden Chinolen[1]. 1,4-Benzochinon selbst ergibt bei der Bestrahlung in Cyclohexan neben *Cyclohexen*[2] *Cyclohexyl-1,4-benzochinon*[3], was auf eine Konkurrenz zwischen Dehydrierung und Radikalfang der Cyclohexyl-Radikale schließen läßt, obwohl die Bildung von Cyclohexen zweifelhaft ist[3]:

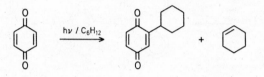

In Gegenwart von Diphenylmethan soll dagegen *Hydrochinon* und *1,1,2,2-Tetraphenyläthan* entstehen[4]. Diese Art der Dehydrodimerisierung wird auch beim Xanthen, Thioxanthen bzw. Anthrachinon beobachtet[4].

Die Belichtung von Lösungen von Tetrachlor-1,4-benzochinon bzw. 1,4-Naphthochinon in p-Xylol, Cumol und Tetralin mittels einer Quecksilber-Hochdruck-Lampe liefert ebenfalls die entsprechenden Hydrochinone[5] neben deren Monoäther; z. B.:

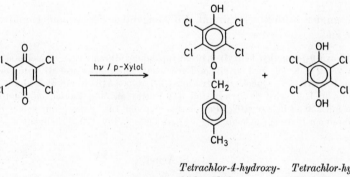

Tetrachlor-4-hydroxy-   *Tetrachlor-hydrochinon;*
1-(4-methyl-   6% d.Th.
benzyloxy)-benzol;
90% d.Th.

αα₂) 1,2-Chinone

Die Photoreaktionen von 1,2-Chinonen, speziell von 9,10-Phenanthrenchinon, mit Kohlenwasserstoffen ähneln denen der 1,4-Chinone. So erhält man aus 9,10-Phenanthrenchinon und

[1] L. PAOLINI u. G. B. MARINI-BETTOLO, G. **87**, 395 (1957).
[2] D. BRYCE-SMITH u. A. GILBERT, Soc. **1964**, 2428.
[3] F. C. GOODSPEED u. J. G. BURR, Am. Soc. **87**, 1643 (1965).
[4] A. SCHÖNBERG u. A. MUSTAFA, Soc. **1944**, 67; **1945**, 657.
[5] R. F. MOORE u. W. A. WATERS, Soc. **1953**, 3405.

4-substituierten Toluolen Gemische der 1,2- und 1,4-Addukte[1, s. dggn. 2-4]

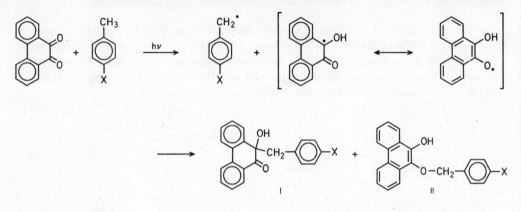

X	I:II	I; *9-Hydroxy-10-oxo-...* *-9,10-dihydro-phenanthren*	II; *10-Hydroxy-...* *-phenanthren*
OCH₃	>20	...*-9-(4-methoxy-benzyl)-*...	...*-9-(4-methoxy-benzyl)-*...
C(CH₃)₃	4	...*-9-(4-tert.-butyl-benzyl)-*...	...*-9-(4-tert.-butyl-benzyl)-*...
CH₃	1	...*-9-(4-methyl-benzyl)-*...	...*-9-(4-methyl-benzyl)-*...
H	0,67	...*-9-benzyl-*...	...*-9-benzyl-*...
NO₂	0,43	...*-9-(4-nitro-benzyl)-*...	...*-9-(4-nitro-benzyl)-*...

Die Ausbeute an 1,2-Addukt (I) nimmt mit steigender Elektronen-Donatorfähigkeit des Substituenten zu.

9-Hydroxy-10-oxo-9-(4-methyl-benzyl)-9,10-dihydro-phenanthren[5]: Eine Suspension von 2 g Phenanthrenchinon in 20 *ml* p-Xylol wird in einem Pyrexgefäß unter Stickstoff 67 Stdn. bei 30° mit einer wassergekühlten 1000 W G.E.-Quecksilber-Hochdruck-Lampe (AH - 6) mit Pyrexhülle belichtet. Überschüssiges Chinon (0,32 g) wird abfiltriert und das Filtrat an 50 g Florisil chromatographiert; man eluiert zunächst mit 250 *ml* Benzol (10%)/Petroläther (Kp: 66–75°), danach mit je 500 *ml* Benzol (90%)/Petroläther und reinem Benzol; Ausbeute: 2 g (67% d.Th.); F: 129–129,5° (hellgelb, aus Dichlormethan/Petroläther).

ββ) Äther

ββ₁) 1,4-Chinone

Bei der Belichtung von 1,4-Naphthochinon in 1,4-Dioxan ($\lambda \geqq 405$ nm) wird das photochemisch instabile 2-*(1,4-Dioxanyl)-1,4-naphthochinon* (50% d.Th.)[6, s. dggn. 7] erhalten:

[1] M. B. RUBIN u. P. ZWITKOWITS, Tetrahedron Letters **1965**, 2453.
[2] A. BENRATH u. A. VON MEYER, J. pr. 89, 258 (1914).
[3] R. F. MOORE u. W. A. WATERS, Soc. **1953**, 3405.
[4] M. B. RUBIN u. P. ZWITKOWITS, J. Org. Chem. 29, 2362 (1964).
   M. B. RUBIN, J. Org. Chem. 29, 3333 (1964).
[5] M. B. RUBIN u. P. ZWITKOWITS, J. Org. Chem. 29, 2362 (1964).
[6] H. J. PIEK, Tetrahedron Letters **1969**, 1169.
[7] M. B. RUBIN, J. Org. Chem. 28, 1949 (1963).

1,4-Benzochinon und Tetrachlor-1,4-benzochinon in Orthoameisensäure-triäthylester werden zu den entsprechenden Chinolen reduziert[1]. Zur Kinetik der Oxidation von aliphatischen Äthern durch angeregtes Natrium-anthrachinon-2-sulfonat in wäßriger Lösung s. Lit.[2].

$\beta\beta_2$) 1,2-Chinone

Die Belichtung ($\lambda > 300$ nm) von 1,2-Chinonen in 1,4-Dioxan führt zu den entsprechenden Chinolen[3]; z. B.:

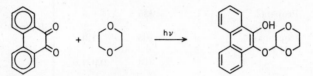

Die Addition ist photochemisch reversibel.

10-Hydroxy-9-(1,4-dioxanyloxy)-phenanthren[3]: Eine Suspension von 1 g Phenanthrenchinon in 20 ml 1,4-Dioxan wird 20 Stdn. mit einer wassergekühlten G.E.-Quecksilber-Hochdruck-Lampe (AH - 6 mit Corning 7-51 Glas-Filter) belichtet. Während der Belichtung löst sich das Chinon, und die orange Färbung der Lösung geht ins hellgelbe. Überschüssiges 1,4-Dioxan wird i. Vak. entfernt, der verbleibende bräunliche Rückstand (1,37 g) an 50 g Florisil mit 500 ml Benzol chromatographiert; Ausbeute: 1,21 g (90% d.Th.); F: 105–106°; aus Diisopropyläther; F: 105–105,5°.

Unter ähnlichen Bedingungen erhält man mit Tetrahydrofuran bzw. Methoxy-benzol 97% d.Th. *10-Hydroxy-9-[tetrahydrofuryl-(2)-oxy]*- bzw. 86% d.Th. *10-Hydroxy-9-(phenoxymethoxy)-phenanthren*.

Die Belichtung von 9,10-Phenanthrenchinon in Gegenwart von Carbonsäureestern (z. B. Essigsäure- oder Propansäure-äthylester) liefert ebenfalls fast quantitativ 1:1-Addukte[4]:

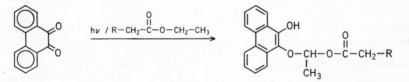

R=H;   *10-Hydroxy-9-(1-acetoxy-äthoxy)-phenanthren*
R=CH₃;   *10-Hydroxy-9-(1-propanoyloxy-äthoxy)-phenanthren*

Die Quantenausbeute bis zum Verschwinden des Chinons ($\lambda = 435{,}8$ nm) in entgastem Essigsäure-äthylester ist gleich 1. Die Reaktion tritt ausschließlich an dem dem Äther-Sauerstoff des Esters benachbarten Kohlenstoffatom ein.

$\gamma\gamma$) Alkohole

$\gamma\gamma_1$) 1,4-Chinone

Allgemein führt die Photoreaktion von 1,4-Chinonen mit Alkoholen neben den entsprechenden Chinolen zum Aldehyd bzw. Keton; die Bildung eines 1:1-Adduktes ist bisher nicht beobachtet worden.

Im allgemeinen ist die Quantenausbeute der Photoreduktion der Grundchinone 1,4-Benzochinon, 1,4-Naphthochinon und Anthrachinon in verschiedenen Alkoholen gleich 1. Substituenten, die das Oxidationspotential des 1,4-Benzochinons erhöhen, erniedrigen die Ausbeute der Photoreduktion. In der Anthrachinon-Reihe sinken die Quantenausbeuten bei anwachsender Elektronen-Donatorfähigkeit der Substituenten.

[1] A. Mustafa, Nature **162**, 856 (1948).
[2] C. F. Wells, Trans. Faraday Soc. **57**, 1703, 1719 (1961).
[3] M. B. Rubin, J. Org. Chem. **28**, 1949 (1963).
[4] M. B. Rubin u. R. A. Reith, Chem. Commun. **1966**, 431.

Tab. 134. Hydrochinone durch Photoreduktion von 1,4-Chinonen in Alkoholen

1,4-Chinone	Alkohol	Lösungs-mittel	λ [nm]	Quanten-ausbeute	Hydrochinon-Derivat	Literatur
1,4-Benzochinon	Äthanol	–	270–577	0,5	Hydrochinon	1, 2, 3
		CCl_4	435,8	0,8		4
	Propanol	CCl_4	435,8	0,8		4
	Isopropanol/ H_2O	–	405	1,0		3
		–	313	0,9–1,0		5
	Isopropanol	CCl_4	435,8	0,8		4
2-Methyl-1,4-benzo-chinon	Äthanol	–	270–577	0,4	2-Methyl-hydro-chinon	2
5-Methyl-2-isopro-pyl-1,4-benzo-chinon	Äthanol	–	270–577	0,31	5-Methyl-2-iso-propyl-hydro-chinon	2
Tetramethyl-1,4-benzochinon	Isopropanol	–	367	0,39	Tetramethyl-hydro-chinon	6
2-Chlor-1,4-benzo-chinon	Äthanol	–	270–577	0,35	2-Chlor-hydro-chinon	2
2,6-Dichlor-1,4-benzochinon	Äthanol	–	270–577	0,26	2,6-Dichlor-hydro-chinon	2
Tetrachlor-1,4-benzochinon	Äthanol	–	270–577	0,1	Tetrachlor-hydro-chinon	2
1,4-Naphthochinon	Isopropanol/ H_2O	–	313	0,85–1,0	1,4-Dihydroxy-naphthalin	5
	Isopropanol	–	313–405	0,80–0,87		7
Anthrachinon	Isopropanol	–	313–366	0,64–1,0	9,10-Dihydroxy-anthracen	5, 8–11
substituierte Anthrachinone	Alkohole	–	313–366	0,0 –1,0	substituierte 9,10-Dihydroxy-anthracene	5, 8–12

[1] P. A. LEIGHTON u. G. S. FORBES, Am. Soc. **51**, 3549 (1929).

[2] P. A. LEIGHTON u. W. F. DRESIA, Am. Soc. **52**, 3556 (1930).

[3] A. BERTHOUD u. D. PORRET, Helv. **17**, 694 (1934).

[4] B. ATKINSON u. M. DI, Trans. Faraday. Soc. **54**, 1331 (1958).

[5] D. SCHULTE-FROHLINDE u. C. VON SONNTAG, Z. physik. Chem. **44**, 314 (1965).

[6] J. NAFISI-MOVAGHAR u. F. WILKINSON, Trans. Faraday Soc. **66**, 2257 (1970).

[7] J. RENNERT, S. JAPAR u. M. GUTTMAN. Photochem. Photobiol. **6**, 485 (1967).

[8] F. WILKINSON, J. Phys. Chem. **66**, 2569 (1962).

[9] C. F. WELLS, Trans. Faraday Soc. **57**, 1703, 1719 (1961).

[10] H. H. DEARMAN u. A. CHAN, H. Chem. Phys. **44**, 416 (1966).

[11] J. N. PITTS, H. W. JOHNSON u. T. KUWANA, J. Phys. Chem. **66**, 2456 (1962)

[12] J. F. BRENNAN u. J. BEUTEL, J. Phys. Chem. **73**, 3245 (1969).

Grund hierfür soll die Verlagerung vom n → π*-Zustand auf den π → π*-Zustand des schwächst angeregten Triplett-Zustandes des Chinons sein.

Neben der Reduktion wird gelegentlich Hydroxylierung beobachtet. So erhält man bei der Belichtung von Tetrachlor-1,4-benzochinon in Äthanol neben *Tetrachlor-hydrochinon Trichlor-1,2,4-trihydroxy-benzol*[1]; bzw. von 1,4-Benzochinon in Wasser/Alkohol-Gemischen als alleiniges Primärprodukt *1,2,4-Trihydroxy-benzol*[2,3]. Letzteres setzt sich mit weiterem 1,4-Benzochinon zu *Hydroxy-1,4-benzochinon* und *Hydrochinon* um[4]:

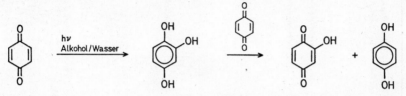

Hydroxylierungen wurden auch bei verschiedenen Anthrachinon-sulfonaten beobachtet[5].

γγ₂) 1,2-Chinone

9,10-Phenanthrenchinon wird analog den 1,4-Chinonen von Alkoholen (z. B. Äthanol[6], Methanol[7], Isopropanol[7,8] bzw. Hydroxy-cholestan[9]) zu *9,10-Dihydroxy-phenanthren* reduziert. Zudem ist die Photoreduktion in Äthanol das einzige Beispiel eines Wasserstoff-Entzuges mit einer Quantenausbeute[6] von mehr als 1.

δδ) Aldehyde
δδ₁) 1,4-Chinone

Aldehyde (z. B. Benzaldehyd[10], Acetaldehyd[11]) setzen sich photochemisch mit 1,4-Benzochinon zu 2-Acyl-hydrochinonen und Carbonsäure-4-hydroxy-phenylestern wahrscheinlich nach folgendem Mechanismus um[12]:

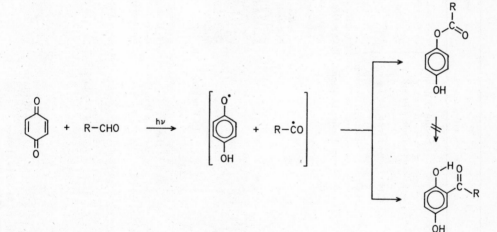

[1] F. BREDOUX, Bl. **1968**, 4180.
[2] F. POUPE, Coll. Czech. Chem. Commun. **12**, 225 (1947).
[3] H. I. JOSCHEK u. S. I. MILLER, Am. Soc. **88**, 3273 (1966).
[4] K. C. KURIEN u. P. A. ROBINS, Soc. [B] **1970**, 855.
[5] A. D. BROADBENT, Chem. Commun. **1967**, 382.
[6] P. WALKER, Soc. **1963**, 5545.
[7] K. MARUYAMA, K. ONO u. J. OSUGI, Bl. chem. Soc. Japan **42**, 3357 (1969).
[8] P. CARAPELLUCCI, H. P. WOLF u. K. WEISS, Am. Soc. **91**, 4635 (1969).
[9] M. B. RUBIN, J. Org. Chem. **28**, 1949 (1963).
[10] H. KLINGER u. O. STANDKE, B. **24**, 1340 (1891).
[11] H. KLINGER u. W. KOLVENBACH, B. **31**, 1214 (1898).
[12] J. M. BRUCE u. E. CUTTS, Soc. [C] **1966**, 449.

Tab. 135. 2-Acyl-hydrochinone und Carbonsäure-p-hydroxy-arylester durch Photoreduktion von 1,4-Chinonen in Gegenwart von Aldehyden

1,4-Chinon	Aldehyd	Lösungsmittel	Reaktionsbedingungen	Acylhydrochinone	Ausbeute [% d.Th.]	Ester	Ausbeute [% d.Th.]	Hydrochinon	Ausbeute [% d.Th.]	Literatur
	H_3C-CHO	–	Sonne; 3 Monate	2-Acetyl-hydrochinon	–	–	–	Hydrochinon	–	[1]
		C_6H_6	Licht; 79 Stdn.	2-Acetyl-hydrochinon	76	–	–	–	–	[2]
		–	Licht; 11 Tage	2-Acetyl-hydrochinon	84	–	–	–	–	[3]
		H_2O	Licht; 4 Wochen	2-Acetyl-hydrochinon	61	–	–	Hydrochinon	24	[3]
	$(H_3Cl_3C-CHO$		Licht; 18 Tage	2-(2,2-Dimethyl-propanoyl)-hydrochinon	56			Hydrochinon	25	[3]
				+ 2,5-Bis-[2,2-dimethyl-pro-panoyl]-hydrochinon	4					
	H_5C_6-CHO	–	Sonne	2-Benzoyl-hydrochinon	–	Benzoesäure-4-hydroxy-phenylester	15	Hydrochinon		[4]
		–	Licht; 18 Wochen	2-Benzoyl-hydrochinon	49					[3]
	H₃CO–⬡–CHO	–	Licht; 3–4 Wochen	2-(4-Methoxy-benzoyl)-hydrochinon	58	4-Methoxy-benzoesäure-4-hydroxy-phenylester	7	–		[3]
	O₂N–⬡–CHO	–	Licht; 3–4 Wochen	–		4-Nitro-benzoe-säure-4-hy-droxy-phenyl-ester	54	–		[3]
	$H_5C_6-CH=CH-CHO$	–	Licht; 3–4 Wochen	–	–	Zimtsäure-4-hydr-oxy-phenylester	69	Hydrochinon	4	[3]

[1] H. KLINGER u. W. KOLVENBACH, B. 31, 1214 (1898).
[2] J. M. BRUCE u. E. CUTTS, Soc. [C] 1966, 449.
[3] J. M. BRUCE, D. CREED u. J. N. ELLIS, Soc. [C] 1967, 1486.
[4] H. KLINGER u. O. STANDKE, B. 24, 1340 (1891).

Tab. 135 (1. Fortsetzung)

1,4-Chinon	Aldehyd	Lösungs-mittel	Reaktions-bedingungen	Acyl-hydrochinone	Ausbeuse [% d.Th.]	Ester	Ausbeute [% d.Th.]	Hydrochinon	Ausbeute [% d.Th.]	Lite-ratur
(Chinon; CH_3, H_3C)	H_3C-CHO	—	Licht; 3 Wochen	3,5-Dimethyl-2-acetyl-hydrochinon + 3,5-Dimethyl-2,6-diacetyl-hydrochinon	39 / 23	—	—	2,6-Dimethyl-hydrochinon	27	[1]
(Chinon; Cl, Cl)	H_3C-CHO	—	Licht; 3 Wochen	5,6-Dichlor-2-acetyl-hydrochinon	53	—	—	2,3-Dichlor-hydrochinon	4	[1]
(Chinon; Cl, Cl, Cl, Cl)	H_3C-CHO	—	Licht; 14 Tage	—	—	Tetrachlor-4-hydroxy-1-acetoxy-benzol	73	—	1	[2]
(Chinon; Cl, Cl, Cl, Cl)	H_5C_6-CHO	—	Hg-Hochdruck-Lampe 96 Stdn.[6]; 3 Stdn.[7]	—	—	Tetrachlor-4-hydroxy-1-benzoyloxy-benzol	35	—	—	[3, 4]
(Chinon; Cl, Cl, NC, NC)	H_3C-CHO	—	Licht; 3 Wochen	—	—	4,5-Dichlor-6-hydroxy-2-acetoxy-phthalsäure-dinitril	45	4,5-Dichlor-3,6-dihydroxy-phthalsäure-dinitril	40	[1]
(Naphthochinon)	H_3C-CHO	—	Hg-Hochdruck-Lampe; 3 Stdn.	1,4-Dihydroxy-2-acetyl-naphthalin	—	—	—	—	—	[5]

[1] J. M. BRUCE, D. CREED u. J. N. ELLIS, Soc. [C] 1967, 1486.
[2] J. M. BRUCE u. J. N. ELLIS, Soc. [C] 1966, 1624.
[3] R. F. MOORE u. W. A. WATHERS, Soc. 1953, 238.
[4] G. O. SCHENCK u. G. KOLTZENBURG, Ang. Ch. 66, 475 (1954).
[5] G. O. SCHENCK u. G. KOLTZENBURG, Naturwiss. 41, 452 (1954).

Tab. 135 (2. Fortsetzung)

1,4-Chinon	Aldehyd	Lösungs-mittel	Reaktions-bedingungen	Acyl-hydrochinoen	Ausbeute [% d.Th.]	Ester	Ausbeute [% d.Th.]	Hydrochinon	Ausbeute [% d.Th.]	Lite-ratur
(Struktur)	H_3C-CHO	–	Sonne; 12 Tage	–	–	*4-Hydroxy-2-acetoxy-anthrachinon*	49	–	–	1
(Struktur)	H_3C-CHO	–	Sonne; 60 Tage	–	–	*9-Hydroxy-4-acetoxy-5-oxo-7-methyl-5H-⟨furo-[3,2-g]-1-benzopyran⟩*	44	–	–	2,3

1 O. Dimroth u. V. Hilcken, B. 54, 3050 (1921).
2 A. Schönberg u. M. M. Sidky, J. Org. Chem. 22, 1698 (1957).
3 Substituierte Benzaldehyde: J. M. Bruce u. K. Dawes, Soc. [C] 1970, 645.

$\delta\delta_2$) 1,2-Chinone

Die Belichtung von 1,2-Chinonen und Aldehyden z. B. in Benzol als Lösungsmittel liefert in guten Ausbeuten 1,4-Additionsprodukte[1-4]:

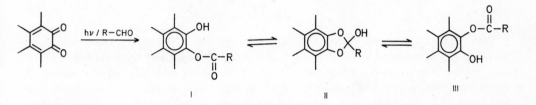

Während 4-Cyan-1,2-naphthochinon von aromatischen Aldehyden zu *3(4)-Hydroxy-4(3)-aroyloxy-1-cyan-naphthalin* reduziert wird, erhält man mit Alkanalen (z. B. Acetaldehyd, Propanol)[5,6] unter Reduktion Acyl-Derivate (*3,4-Dihydroxy-2-acetyl-* bzw. *-propanoyl-1-cyan-naphthalin*):

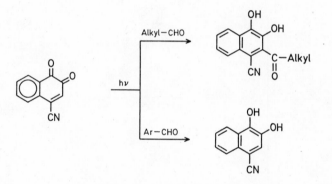

Von den zahlreichen weiteren Untersuchungen sind keine näheren Angaben über Produktverteilung gemacht worden, daher werden an dieser Stelle lediglich die Literaturstellen angegeben[7].

[1] A. Schönberg u. R. Moubacher, Soc. **1939**, 1430; 9,10-Phenanthrenchinon.

[2] H. Klinger, A. **249**, 137 (1888); 9,10-Phenanthrenchinon.

[3] R. F. Moore u. W. A. Waters, Soc. **1953**, 238; 9,10-Phenanthrenchinon.

[4] M. B. Rubin, J. Org. Chem. **28**, 1949 (1963); 9,10-Phenanthrenchinon.

[5] W. I. Awad u. M. S. Hafez, Am. Soc. **80**, 6057 (1958); dort zahlreiche weitere 1,2-Naphthochinone.

[6] A. Schönberg, W. I. Awad u. G. A. Mousa, Am. Soc. **77**, 3850 (1955).

[7] A. Schönberg, N. Latif, R. Moubasher u. A. Sina, Soc. **1951**, 1364; 3,4-Dichlor-, Tetrabrom-, Tetrachlor-1,4-benzochinon.

A. Mustafa, A. H. E. Harhash, A. K. E. Mansour u. S. M. A. E. Omran, Am. Soc. **78**, 4306 (1956); 6-Brom-1,2-naphthochinon.

H. Klinger, A. **382**, 211 (1911); 9,10-Phenanthrenchinon.

P. Zwitkowitz, Disseration, Carnegie Institute of Technology 1964; 9,10-Phenanthrenchinon.

A. Mustafa, Soc. **1951**, 1034 (Chrysenchinon); **1949**, 83 (Retenchinon).

A. Schönberg, A. Mustafa u. S. M. A. D. Zayed, Am. Soc. **75**, 4302 (1953).

A. Mustafa, A. K. Mansour u. A. F. A. M. Shalaby, Am. Soc. **81**, 3409 (1959).

A. Mustafa, A. K. Mansour u. H. A. A. Zaher, J. Org. Chem. **25**, 949 (1960).

γ_4) *Reaktionen unter Teilnahme von Seitenketten*

An dieser Stelle werden solche substituierte 1,4-Chinone besprochen, deren Substituenten an der Reaktion teilnehmen.

$\alpha\alpha$) Alkyl-Gruppen

Verzweigte Alkyl-Gruppen an 1,4-Chinonen werden unter Belichtung isomerisiert, bzw. addieren das Lösungsmittel oder geben Anlaß zu intramolekularer Cyclisierung. So erhält man bei der Belichtung von 2,6-Di-tert.-butyl-1,4-benzochinon in Äthanol ein Gemisch von drei verschiedenen 1:1-Additionsprodukten[1,2] (die Äthoxy-Gruppe wird bei gleichzeitiger Umlagerung in die Seitenkette eingegliedert), neben *5-Hydroxy-2,2-dimethyl-7-tert.-butyl-2,3-dihydro-⟨benzo-[b]-furan⟩*[3] und *2,6-Di-tert.-butyl-1,4-hydrochinon*:

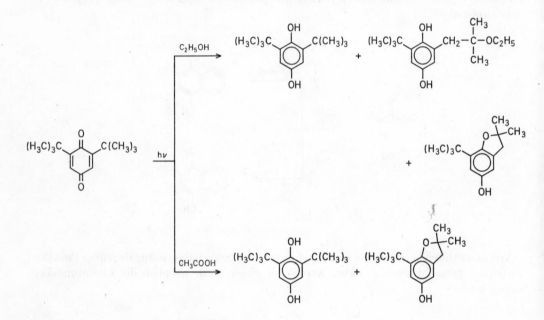

Die Ausbeute an 1:1-Addukten fällt mit steigender C-Zahl des primären Alkohols sowie beim Übergang zum sekundären und tertiären Alkohol (praktisch keine 1:1-Addukte). Die Belichtung von 2,6-Di-tert.-butyl-1,4-benzochinon in anderen Lösungsmitteln (z. B. Eisessig) liefert im wesentlichen *5-Hydroxy-2,2-dimethyl-7-tert.-butyl-2,3-dihydro-⟨benzo-[b]-furan⟩*.

Über die Reaktionsweise von 2,5-Di-tert.-butyl-1,4-benzochinon in Alkoholen bzw. Eisessig unterrichtet folgendes Reaktionsschema[1-3]:

[1] C. M. Orlando et al., Am. Soc. **89**, 6527 (1967).

[2] C. M. Orlando u. A. K. Bose, Am. Soc. **87**, 3782 (1965).

[3] C. M. Orlando et al., Tetrahedron Letters **1966**, 3003.

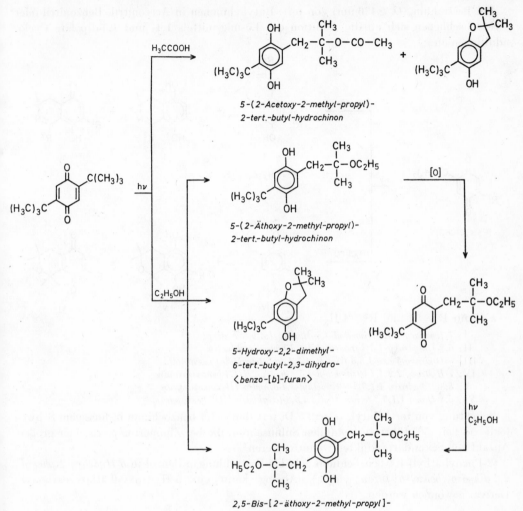

5-(2-Acetoxy-2-methyl-propyl)-
2-tert.-butyl-hydrochinon

5-(2-Äthoxy-2-methyl-propyl)-
2-tert.-butyl-hydrochinon

5-Hydroxy-2,2-dimethyl-
6-tert.-butyl-2,3-dihydro-
⟨benzo-[b]-furan⟩

2,5-Bis-[2-äthoxy-2-methyl-propyl]-
hydrochinon

Eine große Anzahl anderer Alkyl-1,4-benzochinone geht die gleichen Photoreaktionen ein[1-3]. Ein n→π*-Übergang des Chinonsystems ($\lambda > 400$ nm) spielt bei diesen Photoreaktionen eine Rolle, ferner wird das Bestehen eines Spiro-cyclopropan-Zwischenproduktes angenommen, um die Bildung identischer Äther (1:1-Addukte) aus Propyl- und Isopropyl-1,4-benzochinon zu erklären.

6-(2-Äthoxy-2-methyl-propyl)-2-tert.-butyl-1,4-hydrochinon[4]: Eine Lösung von 4,5 g 2,6-Di-tert.-butyl-1,4-benzochinon in 100 *ml* absol. Äthanol wird 24 Stdn. in einem wassergekühlten Pyrex-Reaktor mit magnetischem Rührer von einer G.E. 275WHöhensonnenlampe belichtet. Man zieht das Äthanol ab und kristallisiert den Rückstand mehrmals aus Hexan/Benzol um; Ausbeute: 2 g (38% d.Th.); F: 128–130°.

5-Hydroxy-2,2-dimethyl-7-tert.-butyl-2,3-dihydro-⟨benzo-[b]-furan⟩[4]: 2 g 2,6-Di-tert.-butyl-1,4-benzochinon in 200 *ml* Eisessig wird 18 Stdn. mit einer G.E. 275 W Höhensonnenlampe in einem wassergekühlten Pyrex-Reaktor belichtet. Das zunächst erhaltene Rohprodukt (2,9 g) wird an Silikagel mit Benzol/Tetrachlormethan chromatographiert; Ausbeute: 0,32 g (16% d.Th.); F: 150–152,5°.

[1] C. M. Orlando et al., Chem. Commun. **1966**, 714.
[2] J. Petranek, O. Ryba u. D. Doskocilova, Collect. czech. chem. Commun. **32**, 2140 (1967).
[3] C. M. Orlando et al., J. Org. Chem. **33**, 2512 (1968).
[4] C. M. Orlando et al., Am. Soc. **89**, 6527 (1967).

Bei Bestrahlung ($\lambda \geq 436$ nm) von tert.-Butyl-chinonen in Acetonitril, Benzonitril oder Aceton schließen sich an die Addition des Lösungsmittels 1,4- und 1,5-dipolare Cycloadditionen an[1]:

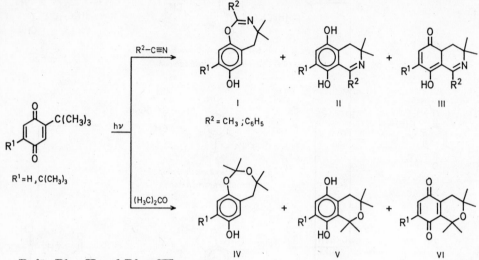

z. B. für $R^1 = H$ und $R^2 = CH_3$:

I; *7-Hydroxy-2,4,4-trimethyl-4,5-dihydro-1,3-benzoxazepin*
II; *5,8-Dihydroxy-1,3,3-trimethyl-3,4-dihydro-isochinolin*
III; *8-Hydroxy-5-oxo-1,3,3-trimethyl-3,4,4a,5-tetrahydro-isochinolin*
IV; *7-Hydroxy-2,2,4,4-tetramethyl-4,5-dihydro-2H-1,3-benzodioxepin*
V; *5,8-Dihydroxy-1,1,3,3-tetramethyl-3,4-dihydro-1H-2-benzopyran*
VI; *5,8-Dioxo-1,1,3,3-tetramethyl-3,4,5,8-tetrahydro-1H-2-benzopyran*

Belichtung von tert.-Butyl- oder 2,5-Di-tert.-butyl-1,4-benzochinon in flüssigem Schwefeldioxid bei $-50°$ führt zu instabilen Sulfinsäuren, die bei Zimmertemp. zu einer großen Anzahl von Sekundärprodukten weiterreagieren[2].

(2-Phenyl-äthyl)-1,4-benzochinon geht bei Bestrahlung in Benzol in *5-Hydroxy-2-phenyl-2,3-dihydro-⟨benzo-[b]-furan⟩* über[3]. Analog kann ein *5-Hydroxy-2-äthoxycarbonyl-*Derivat gewonnen werden.

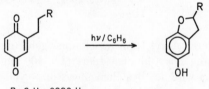

$R = C_6H_5 , COOC_2H_5$

$\beta\beta$) Alkenyl-Gruppen

Die Photoreaktionen von Alkenyl-1,4-chinonen führen zu Ringbildungen verschiedener Art. So ergibt die Bestrahlung von Isopropenyl-1,4-benzochinon in Benzol mit Licht im sichtbaren Bereich hauptsächlich *5-Hydroxy-3-methyl-⟨benzo-[b]-furan⟩*[4]:

[1] S. Farid, Chem. Commun. **1970**, 303.
[2] S. Farid, Chem. Commun. **1971**, 73.
[3] J. M. Bruce, D. Creed u. K. Dawes, Soc. [C] **1971**, 3749.
[4] J. M. Bruce u. P. Knowles, Soc. [C] **1966**, 1627.

Die Photocyclisierungen einiger Ubichinone zu *6-Hydroxy-7,8-dimethoxy-2,5-dimethyl-2-alkyl-2H-1-benzopyranen*[1] gehören ebenfalls hierher:

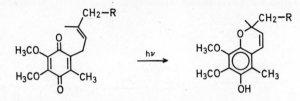

Dagegen erhält man aus Buten-(3)-yl-1,4-benzochinon bei Bestrahlung mit Licht im sichtbaren Bereich[2] *5,8-Dihydroxy-1,4-dihydro-naphthalin* in geringer Ausbeute.

5,6-Dimethyl-2-[3-methyl-buten-(2)-yl]-1,4-benzochinon wird in Benzol oder Isopropanol bei Ausschluß von Sauerstoff zu *2,3,6-Trimethyl-1,4-naphthochinon, 6-Hydroxy-2,2,7,8-tetramethyl-2H-1-benzopyran* und *7-Hydroxy-3,8,9-trimethyl-2,5-dihydro-1-benzoxepin* (3% d.Th.) photolysiert[3]:

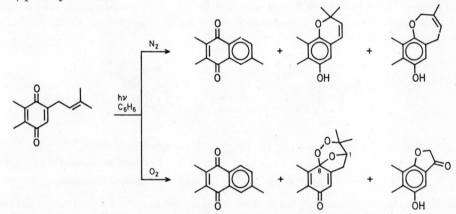

Mit Sauerstoff bilden sich neben dem Naphthochinon *5-Oxo-6,7,11,11-tetramethyl-9,10,12-trioxatricyclo[6.3.1.0³,⁸]dodecadien-(3,6)* (42% d.Th.) und *5-Hydroxy-3-oxo-6,7-dimethyl-2,3-dihydro-⟨benzo-[b]-furan⟩*[3].

5-Hydroxy-3-methyl-⟨benzo-[b]-furan⟩[1]: 75 mg Isopropenyl-1,4-benzochinon in 6 *ml* Benzol werden in einem Pyrex Rohr (∅ : 1,6 cm; Länge: 28 cm), das von einem Pyrex-Kühlmantel umgeben ist, 1 Stde. mit zwei 300 W Wolfram-Glühlampen belichtet. Man filtriert und dampft das Lösungsmittel bei 20° ab. Der Rückstand wird an Silikagel an Benzol eluiert. Man dampft das Benzol ab und sublimiert den Rückstand bei 80°/0,05 Torr; Ausbeute: 45 mg (60% d.Th.); F: 91°.

γγ) Aryl-, Heteroaryl- bzw. Chinonyl-Gruppen

Die fast quantitative Photocyclisierung (λ = 365 nm) von 2,2′-Binaphthyl-1,4;1′,4′-bischinon führt zu *13-Hydroxy-6,11-dioxo-6,11-dihydro-⟨dinaphtho-[1,2-b;2,3-d]-furan⟩*[4]:

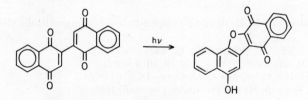

[1] H. MORIMOTO, I. IMADA u. G. GOTO, A. **729**, 184 (1969); und dort zitierte Literatur.
[2] J. M. BRUCE u. P. KNOWLES, Soc. [C] **1966**, 1627.
[3] D. CREED, H. WERBIN u. E. T. STROM, Am. Soc. **93**, 502 (1971).
[4] D. SCHULTE-FROHLINDE u. V. WERNER, B. **94**, 2726 (1961).

Die Cyclisierung gelingt in Alkoholen[1], Essigsäure[2] ($\varphi = 0,4$), Tetrahydrofuran/Wasser[1] ($\varphi = 0,5$) und Benzol/1,2-Dichlor-benzol[2]. Auf ähnliche Weise erhält man *13-Hydroxy-4,10-dimethoxy-6,11-dioxo-2,8-dimethyl-3,9-diacetyl-6,11-dihydro-⟨dinaphtho-[1,2-b;2,3-d]-furan⟩*[3]:

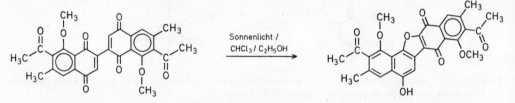

13-Hydroxy-6,11-dioxo-6,11-dihydro-⟨dinaphtho-[1,2-b; 2,3-d]-furan⟩[1]: 250 mg 2,2'-Binaphthyl-1,4; 1',4'-bis-chinon werden in 2,5 l Methanol gelöst und mehrere Stdn. mit einer Quecksilber-Tauchlampe belichtet. Nach Abdampfen des Lösungsmittels wird der Rückstand aus wäßrigem Tetrahydrofuran umkristallisiert; Ausbeute: 225–250 mg (90–100% d. Th.); F: 360°.

Auf analoge Weise cyclisieren 2-Aryl- bzw. 2,6-Diaryl-1,4-benzochinone in nicht aromatischen Lösungsmitteln (z. B. tert.-Butanol, Acetonitril, Essigsäure) zu **2-Hydroxy-⟨dibenzofuranen⟩**[4,5]:

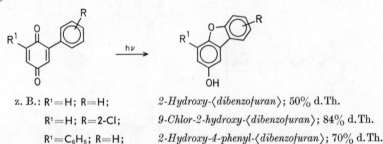

z. B.: R¹=H; R=H;   *2-Hydroxy-⟨dibenzofuran⟩*; 50% d. Th.

R¹=H; R=2-Cl;   *9-Chlor-2-hydroxy-⟨dibenzofuran⟩*; 84% d. Th.

R¹=C₆H₅; R=H;   *2-Hydroxy-4-phenyl-⟨dibenzofuran⟩*; 70% d. Th.

2-Hydroxy-4-phenyl-⟨dibenzofuran⟩[4]: Eine Lösung von 5 g 2,6-Diphenyl-1,4-benzochinon in 1250 *ml* Methanol wird unter Stickstoff in einem mit 350 nm Lampen versehenen Rayonet-Reaktor (Pyrex-Gefäß) belichtet. Nach 5 Stdn. wird die Lösung i. Vak. eingedampft. Der feste Rückstand (5 g) wird 2mal aus Tetrachlormethan umkristallisiert; Ausbeute: 3,5 g (70% d. Th.); F: 133,5–140°.

Auch einige o-chinoide Verbindungen unterliegen der Photocyclisierung zum Furan-System; z. B.[6,7]:

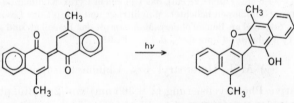

11-Hydroxy-6,13-dimethyl-⟨dinaphtho-[1,2-b; 2,3-c]-furan⟩; ~100% d. Th.

Die Cyclisierung läuft nur in Hydroxy-Gruppen-freien Lösungsmitteln störungsfrei ab.

─────────────
[1] D. Schulte-Frohlinde u. V. Werner, B. **94**, 2726 (1961).
[2] A. J. Shand u. R. H. Thomson, Tetrahedron **19**, 1919 (1963).
[3] R. G. Cooke u. L. G. Sparrow, Austral. J. Chem. **18**, 218 (1965).
[4] H. J. Hageman u. W. G. B. Huysmans, Chem. Commun. **1969**, 837.
[5] H. J. Hageman, unveröffentlicht.
[6] D. Schulte-Frohlinde u. F. Erhardt, B. **93**, 2880 (1960).
[7] D. Schulte-Frohlinde u. L. Klasinc, B. **94**, 2382 (1961).
   Vgl. a. D. Schulte-Frohlinde u. F. Erhardt, A. **671**, 92 (1963); Cyclisierung von Diphenyl-o-chinonen.

3-Acetyl-2-furyl-(2)-1,4-chinone in aprotischen Lösungsmitteln (z. B. Benzol) belichtet, cyclisieren unter vorhergehender Spaltung des Furan-Ringes zu Benzo-[c]-furanen[1]:

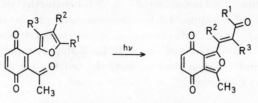

z.B.: R¹=R²=R³=H;   *4,7-Dioxo-3-methyl-1-(2-formyl-vinyl)-4,7-dihydro-⟨benzo-[c]-furan⟩;* 60% d.Th.

R¹=CH₃; R²=R³=H;   *4,7-Dioxo-3-methyl-1-[3-oxo-buten-(1)-yl]-4,7-dihydro-⟨benzo-[c]-furan⟩;* 52–60% d.Th.

R¹=R²=CH₃; R³=H;   *4,7-Dioxo-3-methyl-1-[4-oxo-penten-(2)-yl-(2)]-4,7-dihydro-⟨benzo-[c]-furan⟩;*

R¹=H; R²=R³=OCH₃;   *4,7-Dioxo-3-methyl-1-(1,2-dimethoxy-2-formyl-vinyl)-4,7-dihydro-⟨benzo-[c]-furan⟩;* 12 bzw. 52% d.Th. (2 Isomere)

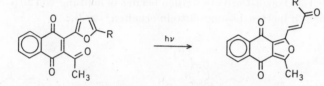

R=H;   *4,9-Dioxo-3-methyl-1-(2-formyl-vinyl)-4,9-dihydro-⟨naphtho-[2,3-c]-furan⟩*

R=CH₃;   *4,9-Dioxo-3-methyl-1-[3-oxo-buten-(1)-yl]-4,9-dihydro-⟨naphtho-[2,3-c]-furan⟩*

4,7-Dioxo-3-methyl-1-(2-formyl-vinyl)-4,7-dihydro-⟨benzo-[c]-furan⟩[1]: Eine Lösung (1%ig) von 0,5 g 3-Acetyl-2-furyl-(2)-1,4-benzochinon in Benzol wird in einem Erlenmeyerkolben (Jenaer Glas) 3,5 Stdn. unter Stickstoff mit einer 500 oder 1000 W Wolframlampe aus einer Entfernung von ~ 3 cm unter dem Kolbenboden belichtet. Das Lösungsmittel wird i. Vak. abgetrieben und der Rückstand an 80 g Silikagel mittels Chloroform/Essigsäure-äthylester (9:1) chromatographiert. Anschließend wird aus Chloroform/Hexan umkristallisiert; Ausbeute: 300 mg (60% d.Th.; gelbe Nadeln); F: ~ 130° (Zers.).

δδ) Amino- bzw. Alkoxy-Gruppen

Bis-[dialkylamino]-1,4-benzochinone sind sehr lichtempfindlich[2,3]. So cyclisiert z. B. 3,6-Bis-[dimethylamino]- bzw. Dipyrrolidino-2,5-dimethyl-1,4-benzochinon in Cyclohexan, Benzol, Chloroform oder Äthanol unter dem Einfluß von Sonnenlicht und man erhält *6-Dimethylamino-5-hydroxy-3,4,7-trimethyl-2,3-dihydro-⟨benzo-1,3-oxazol⟩* bzw. *7-Pyrrolidino-6-hydroxy-5,8-dimethyl-1,2,3,8a-tetrahydro-⟨pyrrolo-[2,1-b]-benzo-1,3-oxazol⟩*:

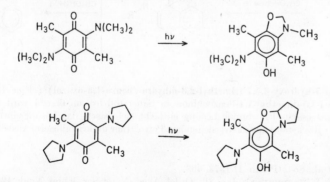

[1] G. WEISGERBER u. C. H. EUGSTER, Helv. **49**, 1806 (1966).
[2] D. W. CAMERON u. R. G. F. GILES, Chem. Commun. **1965**, 573.
[3] D. W. CAMERON u. R. G. F. GILES, Soc. [C] **1968**, 1461.

Dagegen geht das bei der Belichtung von 6-Methylamino-3-dimethylamino-2,5-dimethyl-1,4-benzochinon primär entstehende *6-Methylamino-5-hydroxy-3,4,7-trimethyl-2,3-dihydro-⟨benzo-1,3-oxazol⟩* beim Umkristallisieren in 3,6-Bis-[methylamino]-2,5-dimethyl-1,4-benzochinon über (Bis-[alkylamino]-1,4-benzochinone sind photostabil).

Die Photocyclisierung von Methylamino-substituierten 1,4-Benzochinonen erfordert besondere räumliche Voraussetzungen, die z. B. im 3-Methylamino-6-anilino-2-acetyl-1,4-benzochinon erfüllt sind[1]. Neben dem entmethylierten Chinon bildet sich *6-Anilino-5-hydroxy-4-acetyl-⟨benzo-1,3-oxazol⟩*.

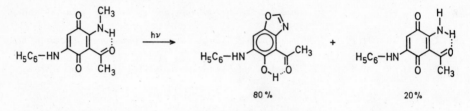

Ähnlich instabile 1,3-Oxazol-Derivate werden bei der Belichtung von 2-(N-Alkyl-anilino)-1,4-naphthochinonen in inerten Lösungsmitteln erhalten[2]; z. B.:

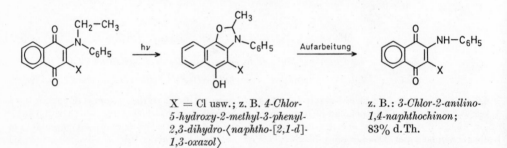

X = Cl usw.; z. B. *4-Chlor-5-hydroxy-2-methyl-3-phenyl-2,3-dihydro-⟨naphtho-[2,1-d]-1,3-oxazol⟩*

z. B.: *3-Chlor-2-anilino-1,4-naphthochinon*; 83% d.Th.

Wird dagegen die Photolyse z. B. in Methanol oder Wasser als Lösungsmittel durchgeführt, so erhält man unter Beteiligung des Phenyl-Ringes 4b-Hydroxy-12-oxo-10,12-dihydro-⟨benzo-[a]-phenoxaline⟩[3]:

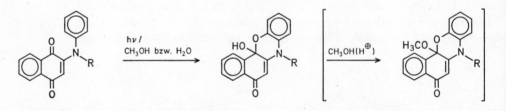

6-Dimethylamino-5-hydroxy-3,4,7-trimethyl-2,3-dihydro-⟨benzo-1,3-oxazol⟩[4]: Eine Lösung von 3,6-Bis-[dimethylamino]-2,5-dimethyl-1,4-benzochinon in Sauerstoff-freiem Benzol wird unter Stickstoff dem Sonnenlicht ausgesetzt. Die dunkle Lösung entfärbt sich rasch, das Lösungsmittel wird i. Vak. abgedampft und der Rückstand aus niedrigsiedendem Petroläther umkristallisiert; Ausbeute: 65% d.Th.; F: 99°.

[1] R. G. F. Giles et al., Soc. (Perkin I) **1973**, 493.
[2] E. P. Fokin u. E. P. Prudchenko, Izv. Sib. Otdel. Akad. Nauk Ser. Khim. Nauk. **1966**, 98; C. A. **66**, 37809 (1967).
[3] M. Ogata u. H. Kano, Tetrahedron **24**, 3725 (1968).
[4] D. W. Cameron u. R. G. F. Giles, Soc. [C] **1968**, 1461.

Bei 2-Acetylamino-1-piperidino-anthrachinonen erfolgt die Cyclisierung nicht unter Einbeziehung der Oxo-Gruppe[1], z. B.:

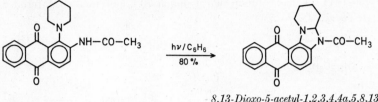

8,13-Dioxo-5-acetyl-1,2,3,4,4a,5,8,13-octahydro-
⟨anthraceno-[2,1-d]-pyrido-[1,2-a]-imidazol⟩

Auch bei vicinalen Alkoxy-phenyl-1,4-benzochinonen bleibt die Oxo-Gruppe unangetastet. Bei Bestrahlung ($\lambda = 350$ nm) in verschiedenen Lösungsmitteln (Dichlormethan, Methanol) bildet sich ausschließlich das 6H-Dibenzo-[b;d]-pyran-System aus[2]:

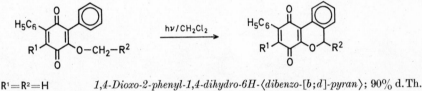

R¹=R²=H   *1,4-Dioxo-2-phenyl-1,4-dihydro-6H-⟨dibenzo-[b;d]-pyran⟩*; 90% d.Th.
R¹=H; R²=CH₃   *1,4-Dioxo-6-methyl-2-phenyl-...*;   90% d.Th.
R¹=Cl; R²=H   *3-Chlor-1,4-dioxo-2-phenyl-...*;   80% d.Th.

Unter Stickstoff werden die Chinone lediglich in geringem Umfang ($\sim 10\%$) zu Hydrochinonen reduziert, eine Sauerstoff-Atmosphäre unterdrückt diese Reaktion.

Selbst die Photocyclisierungen bei Methoxy-1,4-chinonen erfordern besondere Reaktionsbedingungen. Während 3,6-Dimethoxy-2,5-dimethyl-1,4-benzochinon nicht reagiert[3] und 2-Methoxy-1,4-naphthochinon in Acetanhydrid neben *2-Methoxy-1,4-diacetoxy-naphthalin 3-Methoxy-1,4-diacetoxy-2-acetyl-naphthalin* liefert[4] erhält man aus dem 3-Brom-2-methoxy-1,4-naphthochinon in Acetanhydrid neben *3-Brom-2-(2-oxo-propyloxy)-1,4-diacetoxy-naphthalin* das *4-Brom-5-acetoxy-2H-⟨naphtho-[1,2-d]-1,3-dioxol⟩*[4]:

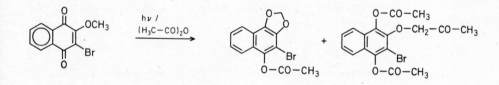

εε) Hydroxy-alkyl- bzw. 1-Alkoxy-alkyl-Gruppen

Die Belichtung von Hydroxymethyl-1,4-benzochinon in Benzol liefert neben 23% d.Th. *2,5-Dihydroxy-benzaldehyd,* 5% d.Th. *Hydroxymethyl-* und 10% d.Th. *(Phenoxymethyl)-*

[1] J. LYNCH u. O. METH-COHN, Soc. (Perkin I) 1973, 920.
s. a.: E. P. FOKIN u. V. Y. DENISOV, Ž. Org. Chim. 4, 1486 (1968).
[2] H. J. HAGEMAN, im Druck.
[3] D. W. CAMERON u. R. G. F. GILES, Soc. [C] 1968, 1461.
[4] J. E. BALDWIN u. J. E. BROWN, Chem. Commun. 1969, 167.

hydrochinon. Analog erhält man aus (1-Hydroxy-äthyl)- bzw. (α-Hydroxy-benzyl)-1,4-benzochinon 83% d.Th. *Acetyl-* bzw. 65% d.Th. *Benzoyl-hydrochinon*[1].

Benzyloxymethyl-1,4-benzochinon liefert neben 70% polymerem Material *6-Hydroxy-2-phenyl-2H,4H-⟨benzo-1,3-dioxin⟩*:

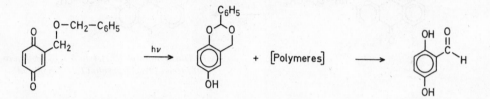

Etwas anders reagiert (1-Hydroxy-2-phenyl-äthyl)-1,4-benzochinon[2]. Neben 15% d.Th. (*Phenylacetyl*)-*hydrochinon* erhält man 24% d.Th. *2,5-Dihydroxy-benzaldehyd* und 7% d.Th. *3,6-Dihydroxy-2-benzyl-benzaldehyd*:

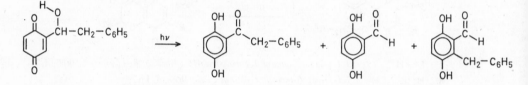

Hingegen cyclisiert (2-Hydroxy-äthyl)-1,4-benzochinon in Benzol zu *5-Hydroxy-2-oxo-2,3-dihydro-⟨benzo-[b]-furan⟩* (14% d.Th.)[3]. Die gleiche Verbindung entsteht photolytisch auch aus Formylmethyl-1,4-benzochinon[4]:

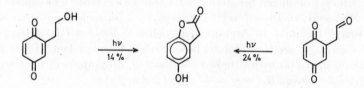

2(3)-Methyl-5-hydroxymethyl-1,4-benzochinon bildet in Benzol als Solvens *2(3)-Methyl-5-phenoxymethyl-1,4-benzochinon*[5].

γ₅) *Reaktion von Chinon-methiden, -iminen und -aziden*

αα) 1,4-Chinon-methide

Chinon-methide werden allgemein photochemisch unter Reduktion zu Phenolen umgesetzt, wobei das Lösungsmittel an die Methylen-Gruppe addiert wird; z. B.[6]:

[1] J. M. BRUCE u. P. KNOWLES, Soc. [C] **1966**, 1627.
[2] J. M. BRUCE, D. CREED u. K. DAWES, Soc. [C] **1971**, 2244.
[3] J. M. BRUCE, D. CREED u. U. DAWES, Soc. [C] **1971**, 3749.
[4] J. M. BRUCE u. D. CREED, Soc. [C] **1970**, 649.
[5] J. M. BRUCE, A. CHAUDHRY u. K. DAWES, Soc. (Perkin I) **1974**, 288.
[6] I. S. KRULL u. D. I. SCHUSTER, Tetrahedron Letters **1968**, 155.
D. I. SCHUSTER u. I. S. KRULL, Mol. Photochem. **1**, 107 (1969).

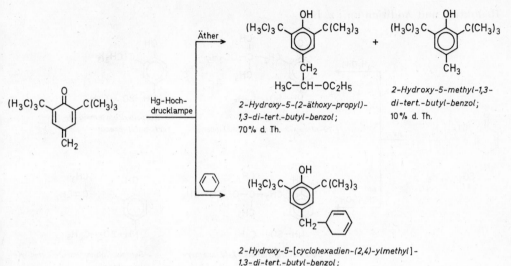

2-Hydroxy-5-(2-äthoxy-propyl)-
1,3-di-tert.-butyl-benzol;
70% d. Th.

2-Hydroxy-5-methyl-1,3-
di-tert.-butyl-benzol;
10% d. Th.

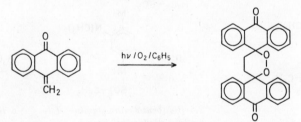

2-Hydroxy-5-[cyclohexadien-(2,4)-ylmethyl]-
1,3-di-tert.-butyl-benzol;
5% d. Th.

Die Anwesenheit von Acetophenon, Benzophenon, Thioxanthon und Anthrachinon beschleunigt die Reaktion, während in Gegenwart von Benzil ($E_T = 50{,}9$ Kcal/Mol) andere Produkte entstehen[1].

In analoger Weise reagiert 6-Oxo-1,5-di-tert.-butyl-3-diphenylmethylen-cyclohexadien-(1,4) mit Alkoholen bzw. Cyclohexadien-(1,3)[2,3]; z. B. erhält man mit 2-Hydroxy-1,3-di-tert.-butyl-cyclohexadien-(1,3) in Anwesenheit von Acetophenon und einer Spur Mineralsäure *Diphenyl-bis-[4-hydroxy-3,5-di-tert.-butyl-phenyl]-methan* (94% d.Th.).

Wird 10-Methylen-anthron in Benzol in Gegenwart von Sauerstoff photolysiert, so bildet sich unter dimerisierender Oxidation *10-Oxo-9,10-dihydro-anthracen-⟨9-spiro-6⟩-1,2-dioxan-⟨3-spiro-9⟩-10-oxo-9,10-dihydro-anthracen*[4]:

Das Spiro-1,2-dioxan-Derivat wird u. a. auch in einer Dunkelreaktion erhalten[5].

ββ) 1,4-Chinon-imin-Derivate

Analog den tert.-Butyl-1,4-chinonen (s. S. 974) setzen sich deren Monoimin-Derivate photolytisch unter Umlagerung der tert.-Butyl-Gruppe mit dem Lösungsmittel unter

[1] I. S. KRULL u. D. I. SCHUSTER, Tetrahedron Letters **1968**, 135.
  D. I. SCHUSTER u. I. S. KRULL, Mol. Photochem. **1**, 107 (1969).
[2] T. MATSUURA u. K. OGURA, Bl. chem. Soc. Japan **42**, 2970 (1969).
[3] H. D. BECKER, J. Org. Chem. **32**, 2115 (1967).
[4] A. MUSTAFA u. A. M. ISLAM, Soc. **1949**, Suppl. 81.
[5] W. H. STARNES, J. Org. Chem. **35**, 1974 (1970).

Reduktion und Addition um; z. B.[1]:

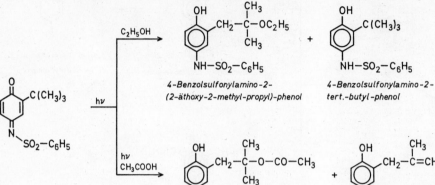

4-Benzolsulfonylamino-2-
(2-äthoxy-2-methyl-propyl)-phenol

4-Benzolsulfonylamino-2-
tert.-butyl-phenol

4-Benzolsulfonylamino-2-(2-acetoxy-
2-methyl-propyl)-phenol

4-Benzolsulfonylamino-2-(2-methyl-
allyl)-phenol

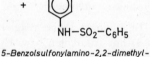

5-Benzolsulfonylamino-2,2-dimethyl-
2,3-dihydro-⟨benzo-[b]-furan⟩

Ähnlich der Reaktion auf S. 979 reagieren Dialkylamino-1,4-chinon-bis-imine unter Cyclisierung[2,3]; z. B.:

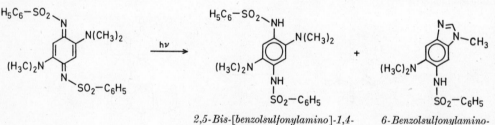

2,5-Bis-[benzolsulfonylamino]-1,4-
bis-[dimethylamino]-benzol

6-Benzolsulfonylamino-
5-dimethylamino-1-
methyl-1H-benzimi-
dazol

γγ) 1,2-Chinon-imin-Derivate

9,10-Phenanthrenchinon-imin[4-6] bzw. -oxim[6-8] reagieren mit Aldehyden unter dem Einfluß von Sonnenlicht unter 1,4-Addition:

[1] I. Baxter u. I. A. Mensah, Soc. [C] **1970**, 2604.
[2] I. Baxter u. D. W. Cameron, Chem. & Ind. **1967**, 1403.
[3] I. Baxter u. D. W. Cameron, Soc. [C] **1968**, 1747.
[4] A. Schönberg u. W. I. Awad, Soc. **1945**, 197.
[5] A. Schönberg u. W. I. Awad, Soc. **1947**, 651.
[6] A. Schönberg et al., Soc. **1950**, 374.
[7] A. Mustafa, A. K. Mansour u. A. F. A. M. Shalaby, Am. Soc. 81, 3409 (1959).
[8] A. Mustafa, A. K. Mansour u. H. A. A. Zaher, J. Org. Chem. 25, 949 (1960).

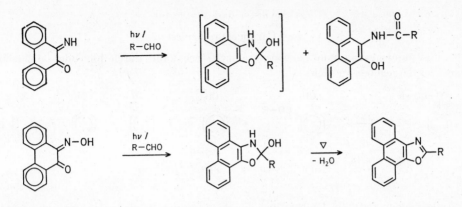

Unter analogen Bedingungen erhält man aus 1,2-Naphthochinon-1-benzoylimin und Aldehyden 1-Benzoylamino-2-acyloxy-naphthaline[1]. Über Reaktionen von ⟨Benzo-[h]-chinolin⟩-5,6-chinon-iminen mit Aldehyden s. Org.-Lit.[2].

Zu Umsetzungen von 9,10-Phenanthrenchinon-imin mit methylierten Aromaten unter Bildung von 2-Aryl-⟨phenanthro-[9,10-d]-oxazolen⟩ s. Lit.[3].

δδ) 1,2- und 1,4-Chinon-diazide

Über die photochemischen Reaktionen von 1,2- und 1,4-Chinon-diaziden s. S. 1195 ff., 1212 ff.

δ) Carbonsäuren, Kohlensäuren und deren Derivate

δ₁) *Umlagerungen* (Photo-Fries-Umlagerungen)

bearbeitet von

Dr. J. HAGEMAN*

Carbonsäure-arylester unterliegen bei Bestrahlung mit ultraviolettem Licht der Photo-Fries-Umlagerung. Im wesentlichen werden wie bei der Fries-Umlagerung selbst o- und/oder p-Hydroxy-acyl-aromaten erhalten. Die Fries-Photoumlagerung gehen ferner Kohlensäure-arylester, Arencarbonsäure-vinylester, Carbonsäure-anilide, -vinylamide sowie Kohlensäure-arylester-anilide ein (s. Übersichtsartikel[4-6]).

* **Akzo Research Laboratories Arnheim, Velperweg 76.**

[1] A. MUSTAFA u. M. KAMEL, Am. Soc. **77**, 5630 (1955).

[2] G. PFUNDT u. G. O. SCHENCK, in J. HAMER, *1,4-Cycloaddition Reactions*, S. 403, Academic Press, New York 1967.

[3] G. PFUNDT u. W. M. HARDAM, Tetrahedron Letters **1965**, 2411.

[4] D. BELLUS u. P. HRDLOVIC, Chem. Reviews **67**, 599 (1967).

[5] V. I. STENBERG: in O. L. CHAPMAN *Organic Photochemistry*, Vol. 1, S. 127, M. Dekker Inc., New York 1967.

[6] D. BELLUS, Adv. Photochem. 8, 109 (1971).

αα) Arylester und Vinylester[1]

αα₁) Carbonsäure-arylester

Die Photoumlagerung von Carbonsäure-arylestern kann durch folgendes allgemeines Schema wiedergegeben werden:

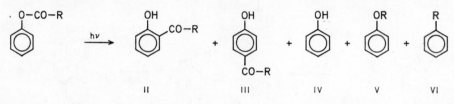

Im allgemeinen tritt die Umlagerung der Acyl-Gruppe in die o-(II)- und/oder p-(III)-Position des aromatischen Ringes als Hauptreaktion auf. Es handelt sich hierbei um eine intramolekulare Reaktion:

① Die Bestrahlung von Ester-Kombinationen ergibt keine „gekreuzten" Umlagerungsprodukte
② Die Quantenausbeute ist unabhängig von der Viscosität des Lösungsmittels (nachgewiesen für die o-Stellung am Beispiel des Essigsäure-4-methyl-phenylesters).

Die Menge des anfallenden des dem Ester zugrundeliegenden Phenols IV ist vom Lösungsmittel abhängig, so erhält man in einer festen Matrix (z. B. einem Polymeren) u. U. kein Phenol.

Die Arylester absorbieren gewöhnlich im Wellenlängenbereich $\lambda = 240$–320 nm:

Essigsäure-phenylester	$\lambda_{max} = 259$ nm (ε, 290)
Essigsäure-4-methyl-phenylester	$\lambda_{max} = 266$ nm (ε, 540)
Essigsäure-4-chlor-phenylester	$\lambda_{max} = 269$ nm (ε, 500)

Innerhalb dieses Wellenlängenbereichs wurde keine Veränderung der Quantenausbeute gefunden. Verschiedene Typen von Niedrig-, Mittel- und Hochdruck-Quecksilber-Lampen sind als geeignete Lichtquellen erfolgreich verwendet worden.

Man nimmt an, daß die Reaktion vom niedrigsten angeregten Singulett-Zustand ($\pi \to \pi^*$) ausgeht, da verschiedene Triplett-Quencher [Pentadien-(1,3)[2], Naphthalin[3], Eisen(III)-acetylacetonat[3], Cyclohexadien[4], Sauerstoff[2]] und Triplett-Sensibilisatoren [Acetophenon[3,4] Xanthon[5], Benzophenon[5]] keinen Einfluß auf die Reaktion ausüben.

Das Mißlingen dieser Sensibilisierungsversuche kann ohne Schwierigkeiten gedeutet werden, da die Triplett-Energien einiger Essigsäure-arylester aus den Phosphoreszenz-Spektren[4] bestimmt wurden. Die Energien betragen über 80 Kcal/Mol. Dieser Wert liegt über dem für die Sensibilisatoren gültigen. Dagegen tritt Sensibilisierung mit Triplett-Triphenylmethan ($E_T = 81$ Kcal/Mol) bei der Umlagerung von Benzoesäure-phenylester auf[5]. Daher stellt die Fries-Photoumlagerung eine vom Triplett-Zustand ausgehende Reaktion dar. Jedoch weisen neuere Untersuchungen mit Blitzlicht-Photolysen[6] und Photo-CIDNP[7] auf einen Mechanismus hin, der über ein Radikal-Paar läuft, das sich von niedrigst angeregten (π,π^*)-Singulett-Zustand ausbildet.

Die Umlagerung ist von der Polarität und Viskosität des Lösungsmittels abhängig. Zudem nimmt die Quantenausbeute mit steigender Polarität des Lösungsmittels ab[2]. Polare Lösungsmittel begünstigen die Umlagerung, unpolare die Phenol-Bildung[4,5].

[1] Zur Umlagerung von Benzoesäure-benzylester: M. AFZAL, Chem. & Ind. **1974**, 37.
[2] H. SHIZUKA et al., Bl. chem. Soc. Japan **42**, 1831 (1969).
[3] M. SANDNER, E. HEDAYA u. D. J. TRECKER, Am. Soc. **90**, 7249 (1968).
[4] H. J. HAGEMAN, Tetrahedron **25**, 6015 (1969).
[5] D. A. PLANK, Tetrahedron Letters **1969**, 4365.
[6] C. E. KALMUS u. D. M. HERCULES, Tetrahedron Letters **1972**, 1575.
[7] W. ADAM, J. A. DE SANABIA u. H. FISCHER, J. Org. Chem. **38**, 2571 (1973).

Während die Umlagerung in die o-Position unabhängig von der Viskosität des Lösungsmittels abläuft (intramolekularer Ablauf[1, s. a. 2]), nimmt die Quantenausbeute für die Phenol-Bildung mit zunehmender Viskosität ab (Abstraktion von Wasserstoff aus dem Lösungsmittel durch das Phenoxy-Radikal)[1].

2- und 4-Hydroxy-acetophenon[3]: 1,36 g Essigsäure-phenylester werden in 45 *ml* Äthanol gelöst und die Lösung in einem geschlossenen Quarzrohr aus ~ 6 cm Entfernung mit einer 500 W Hanovia Quecksilber-Bogenlampe bestrahlt. Nach 3 tägiger Bestrahlung bei ~ 30° wird das Äthanol i. Vak. abgezogen und der Rückstand einer Wasserdampf-Destillation unterworfen. Das nichtflüchtige Material wird mit heißem Wasser extrahiert. Beim Abkühlen fällt kristallines *4-Hydroxy-acetophenon* (0,2 g; 15% d.Th.; F: 107–109°) aus.

Das Wasserdampf-Destillat wird mit Chloroform extrahiert und der getrocknete Extrakt auf ein Öl eingeengt (0,2 g). Das Öl wird in Äthanol gelöst und das *2-Hydroxy-acetophenon* als 2,4-Dinitro-phenylhydrazon isoliert. Die Ausbeuten an 2-Hydroxy-acetophenon und Phenol wurden durch Gaschromatographie des Wasserdampf-Destillates zu 19 und 28% d.Th. geschätzt.

2- und 4-Hydroxy-benzophenon[3]: 0,4 g Benzoesäure-phenylester werden in 50 *ml* Äthanol gelöst und gemäß obigem Beispiel 3 Tage bei ~ 30° bestrahlt. Die Produkte werden mit Wasserdampf destilliert und die Ausbeute an *2-Hydroxy-benzophenon* spektrophotometrisch auf 20% geschätzt.

Die Phenol-Ausbeute von ungefähr 14% erhält man aus der Gaschromatographie des Destillates.

Das Wasserdampf-Destillat wird mit Chloroform extrahiert, und aus dem getrockneten, eingeengten und in Äthanol gelösten Extrakt kann das 2-Hydroxy-benzophenon als 2,4-Dinitro-phenylhydrazon isoliert werden.

Das mit Wasserdampf nichtflüchtige Material wird mit Chloroform extrahiert. Der nach der Verdampfung des Chloroforms hinterbleibende Rückstand (0,213 g) wird an Silicagel chromatographiert und mit Chloroform eluiert. Der nach dem Einengen des Eluats zurückbleibende feste Rückstand wird mit heißem Wasser extrahiert, und man erhält *4-Hydroxy-benzophenon* (gelbe Kristalle; F: 130–132°); die Ausbeute wurde spektrophotometrisch zu 28% d.Th. geschätzt.

Im Gegensatz zur thermischen Fries-Umlagerung werden Alkyl-Gruppen in o- und p-Stellung bei der Photo-Fries-Umlagerung durch die Acyl-Gruppe nicht verdrängt[4], während Halogen, durch die thermische Umlagerung nicht verdrängt, wiederum substituiert wird[4]; z. B.:

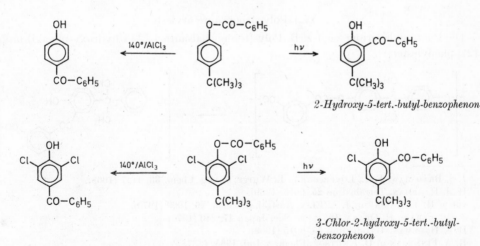

2-Hydroxy-5-tert.-butyl-benzophenon

3-Chlor-2-hydroxy-5-tert.-butyl-benzophenon

[1] M. R. SANDNER, E. HEDAYA u. D. J. TRECKER, Am. Soc. **90**, 7249 (1968).

[2] G. M. COPPINGER u. E. R. BELL, J. Phys. Chem. **70**, 3479 (1966).

[3] J. C. ANDERSON u. C. B. REESE, Soc. **1963**, 1781.

[4] H. KOBSA, J. Org. Chem. **27**, 2293 (1962).

Auch *o*- und *p*-ständige Alkoxy-Gruppen werden durch die Acyl-Gruppe verdrängt; z. B.[1,2]:

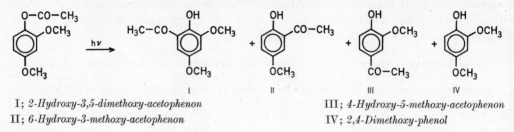

I	II

I; *2-Hydroxy-3,5-dimethoxy-acetophenon*   III; *4-Hydroxy-5-methoxy-acetophenon*
II; *6-Hydroxy-3-methoxy-acetophenon*   IV; *2,4-Dimethoxy-phenol*

Rein grundsätzlich, vor allem jedoch bei raumfüllenden Substituenten am Arylester-Rest tritt unter Decarboxylierung die Alkyl- bzw. Aryl-Gruppe der Carbonsäure an die Stelle der Sauerstoff-Funktion[1,3–8]. Begünstigt wird die Photodecarboxylierung in Äther als Lösungsmittel[3,7,8]. Vor allem *1,2-Di-tert.-butyl-* (1% d.Th.) und *2,4,6-Trimethyl-1-tert.-butyl-benzol* (5% d.Th.) sind auf diesem Weg am besten zugänglich:

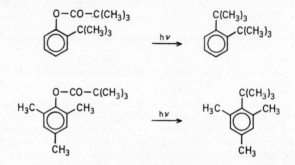

Über freie Radikale läßt sich das Produktspektrum der Gasphasen-Photolyse von Essigsäure-phenylester mit Stickstoff als Trägergas und Isobutan als Wasserstoff-Donator deuten: *Phenol* (65%), *2-* und *4-Methyl-phenol* (7,5% bzw. 6%), *p-Benzochinon* (7%), *2-Phenoxy-phenol* (4%) sowie *Diphenoxy-benzol* (9%)[9].

$\alpha\alpha_2$) Polycarbonsäure-arylester

Die Photoumlagerung zeigt z. B. Poly-{terephthalsäure-4-[2-(4-hydroxy-phenyl)-propyl-(2)]-phenylester}[10]:

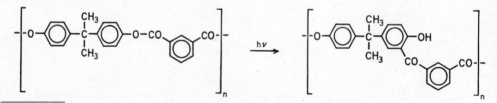

[1] J. S. BRADSHAW, E. L. LOVERIDGE u. L. WHITE, J. Org. Chem. **33**, 4127 (1968).
[2] H. J. HAGEMAN, Tetrahedron **25**, 6015 (1969).
   vgl. a. H. T. J. CHAN u. J. A. ELIX, Austral. J. Chem. **26**, 1069 (1973).
   J. ONODERA u. H. OBARA, Bl. chem. Soc. Japan **47**, 240 (1974).
[3] H. J. HAGEMAN, Tetrahedron **25**, 6015 (1969).
[4] R. A. FINNEGAN u. D. KNUTSON, Chem. & Ind. **1965**, 1837.
[5] R. A. FINNEGAN u. D. KNUTSON, Chem. Commun. **1966**, 172.
[6] R. A. FINNEGAN u. D. KNUTSON, Am. Soc. **89**, 1970 (1967).
[7] H. J. HAGEMAN, Chem. Commun. **1968**, 401.
[8] R. A. FINNEGAN u. D. KNUTSON, Tetrahedron Letters **1968**, 3429.
[9] J. W. MEYER u. G. S. HAMMOND, Am. Soc. **94**, 2219 (1972).
[10] S. B. MAEROV, J. Pol. Sci. [A] **3**, 487 (1965); C. A. **62**, 13265^t (1965).

Die Acyl-Wanderung wird in den frühen Bestrahlungsphasen von einer schnellen Ketten-Spaltung begleitet. Bei längeren Bestrahlungszeiten fällt die Photolysegeschwindigkeit infolge eines inneren Filter-Effektes der umgelagerten Molekülteile (2-Hydroxy-benzophenone sind als wirkungsvolle UV-Stabilisatoren bekannt). Gleichartige Phänomene werden z. B. beim Poly-[2-(4-hydroxy-phenyl)-(4-hydroxycarbonyloxy-phenyl)-propan][1] und beim Poly-{adipinsäure-4-[2-(4-hydroxy-phenyl)-propyl-(2)]-phenylester}[2] beobachtet.

Umlagerungen treten ebenfalls ein, wenn der Carbonsäure-arylester nicht Teil einer Polymerkette ist[3]; z. B.:

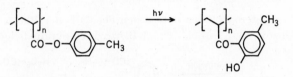

$\alpha\alpha_3$) Kohlensäure-arylester

Arylester der Kohlensäure unterliegen ebenfalls der Photo-Fries-Umlagerung. So erhält man z. B. aus Kohlensäure-äthylester-phenylester in verschiedenen Lösungsmitteln neben *2-Hydroxy-*, *4-Hydroxy-benzoesäure-äthylester*, auch *Phenol*[4]:

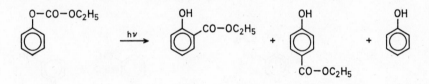

Die Bildung von 2,2'-Dihydroxy-benzophenonen aus Kohlensäure-diarylestern[5,6] besteht in zwei aufeinanderfolgenden Umlagerungsschritten, wobei die entsprechenden 2-Hydroxy-benzoesäure-arylester als Zwischenprodukte auftreten; z. B.:

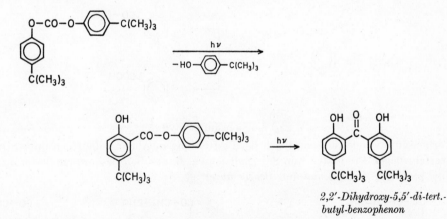

2,2'-Dihydroxy-5,5'-di-tert.-butyl-benzophenon

[1] D. BELLUS, P. HRDLOVIC u. Z. MANASEK, J. Pol. Sci. [B] **4**, 1 (1966); C. A. **65**, 7297[b] (1966).

[2] D. BELLUS et al., J. Pol. Sci. [C] **16**, 223 (1967); C. A. **66**, 65993[h] (1967).

[3] M. OKAWARA, S. TANI u. E. IMOTO, J. chem. Soc. Japan, ind. Chem. Sect. **68**, 223 (1965); C. A. **63**, 3068[g] (1965).

[4] C. PAC u. S. TSUTSUMI, Bl. chem. Soc. Japan **37**, 1392 (1964).

[5] W. M. HORSPOOL u. P. L. PAUSON, Soc. **1965**, 5162.

[6] A. DAVIS u. J. H. GOLDEN, Soc. [B] **1968**, 425.

Eine Ausnahme von der normalen Photoumlagerung stellt das 2-Äthoxycarbonyloxy-biphenyl dar, das unter Belichtung in *6-Oxo-6H-⟨dibenzo-[b;d]-pyran⟩* (85% d.Th.) übergeht[1]:

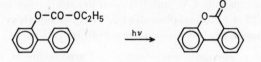

αα₄) Carbonsäure-heteroarylester

Einige Carbonsäure-heteroarylester unterliegen ebenfalls der Photo-Fries-Umlagerung; z. B. die 2- und 3-Benzoyloxy-pyridine[1, s. a. 2] (4-Benzoyloxy-pyridin liefert nur *Benzoesäure*):

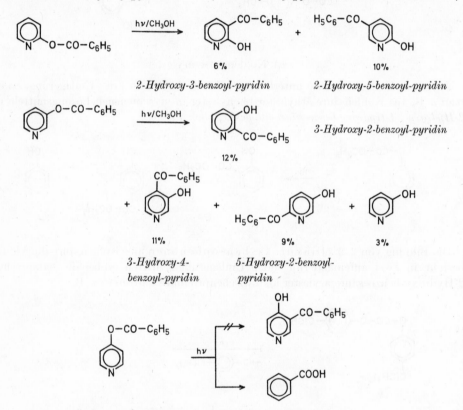

αα₅) Carbonsäure-vinylester

Carbonsäure-vinylester lagern sich bei Bestrahlung in Abhängigkeit von ihrer Struktur zu verschiedenen Produkten um. So erhält man z. B. aus Benzoesäure-vinylester *3-Oxo-3-phenyl-propanal*, *Acetophenon* und *Benzoesäure*[4]:

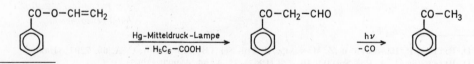

[1] N. C. YANG, A. SHANI u. G. R. LENZ, Am. Soc. 88, 5369 (1966).
[2] M.-TH. leGOFF u. M. R. BEUGELMANS, Tetrahedron Letters 1970, 1355; Lichtquelle: ungefiltertes Licht einer Quecksilber-Hochdruck-Lampe (Hanau Q 81).
[3] G. M. COPPINGER u. E. R. BELL, J. Phys. Chem. 70, 3479 (1966).
[4] R. A. FINNEGAN u. A. W. HAGEN, Tetrahedron Letters 1963, 365.

Das primär entstehende 3-Oxo-3-phenyl-propanal kann nur in Benzol als Lösungsmittel isoliert werden.

Analog erhält man aus Benzoesäure-isopropenylester je nach Lösungsmittel *1,3-Dioxo-1-phenyl-butan*[1], *Essigsäure-isopropenylester*[2] und *Pentandion-(2,4)*.

1,3-Dioxo-1-phenyl-butan[3]: Eine Lösung von 0,92 g Benzoesäure-isopropenylester in 100 *ml* Cyclohexan wird 90 Min. mit einer Quecksilber-Mitteldruck-Lampe bestrahlt. Das Lösungsmittel wird i. Vak. abgezogen, der Rückstand in 100 *ml* Methanol gelöst, mit 5 *ml* ges. Kupfer(II)-acetat-Lösung behandelt und 5 Min. auf dem Wasserbad erhitzt. Die Äther-Extraktion liefert Kristalle des Kupfer(II)-chelat-Komplexes des Diketons (0,075 g, 6% d.Th.; F: 186–189°). 1 g des Komplexes wird in 100 *ml* Äther gelöst und mit einer kalten 10%igen Salzsäure geschüttelt. Nach der Verdampfung des Äthers hinterbleiben Kristalle, die sublimiert werden; Ausbeute: 0,6 g; F: 53–54°.

Analog erhält man aus

Essigsäure-cyclohexen-(1)-ylester → *2-Oxo-1-acetyl-cyclohexan*[2];   10% d.Th.

3β-Acetoxy-Δ²-steroiden   → *3-Oxo-2-acetyl-steroide*[2]

3β,17-Diacetoxy-androsten-(16)   → *3β-Acetoxy-17-oxo-16-acetyl-androstan*[2]; 30% d.Th.

Dagegen tritt bei einigen Benzoesäure-cyclohexenylestern Ringspaltung vom Norrish-Typ II auf[3]:

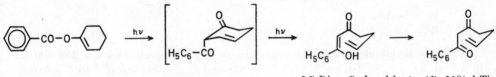

5,7-Dioxo-7-phenyl-hepten-(1); 10% d.Th.

Ringspaltung tritt nicht ein, wenn ein γ-Wasserstoff-Atom zur Acyl-Gruppe des Diketons fehlt bzw. wenn das zunächst gebildete 1,3-Diketon ein stabiles Enol zu bilden vermag. Somit erhält man aus 3-Benzoyloxy-cholesten-(2) bzw. 2-Benzoyloxy-propen wegen Fehlens eines γ-Wasserstoff-Atoms *3-Oxo-2-benzoyl-cholestan* bzw. *1,3-Dioxo-1-phenyl-butan*[4].

Ähnliche Photoumlagerungen treten auch bei 1-Acetoxy-1,3-dienen auf[5]: So lagert sich z. B. 3,17β-Diacetoxy-androstadien-(3,5) in *17β-Acetoxy-3-oxo-4β-acetyl-androsten-(5)* bzw. *17β-Acetoxy-3-oxo-6-acetyl-androsten-(4)* um[5]:

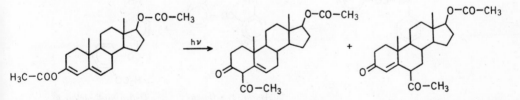

Bei den Trichloressigsäure-vinylestern und -dien-(1,3)-ylestern[6] treten zusätzliche vom Lösungsmittel abhängige Reaktionen der Trichlormethyl-Gruppe (gebildet durch Decarbo-

[1] M. Feldkimel-Gorodetsky u. Y. Mazur, Tetrahedron Letters **1963**, 369.
[2] A. Yogev, M. Gorodetsky u. Y. Mazur, Am. Soc. **86**, 5208 (1964).
[3] M. Gorodetsky u. Y. Mazur, Tetrahedron **22**, 3607 (1966).
[4] C. L. McIntosh, Canad. J. Chem. **45**, 2267 (1967).
[5] M. Gorodetsky u. Y. Mazur, Am. Soc. **86**, 5213 (1964).
[6] J. Libmann, M. Sprecher u. Y. Mazur, Am. Soc. **91**, 2062 (1969).

nylierung der Trichloracetyl-Gruppe) auf[1]; z. B.:

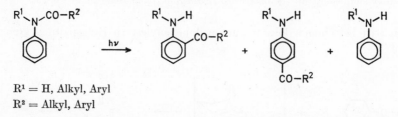

1,1,1-Trichlor-3-oxo-2-methyl-pentan[1]: 1 g 3-Trichloracetoxy-penten-(2) wird in 100 ml abs. tert.-Butanol gelöst und mit einer Quecksilber-Niederdruck-Tauchlampe (Hanau NT 6/20) 2 Stdn. bei 20° bestrahlt. Die Lösung wird anschließend i. Vak. eingeengt. Der an Silicagel chromatographierte Rückstand (Eluierungsmittel: Äther/Pentan 5:95) ergibt 115 mg Ausgangsmaterial, 10 mg unidentifiziertes Material und 103 mg (13% d.Th.) 1,1,1-Trichlor-3-oxo-2-methyl-pentan; $n_D^{22} = 1,4738$.

$\beta\beta$) Arylamide und Vinylamide

$\beta\beta_1$) Carbonsäure-arylamide

Carbonsäure-arylamide gehen ebenfalls unter Lichteinwirkung die Fries-Photoumlagerung (Photo-Anilid-Umlagerung)[2-4] ein:

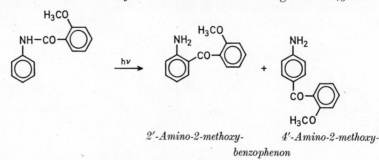

R^1 = H, Alkyl, Aryl
R^2 = Alkyl, Aryl

Carbonsäure-arylamide absorbieren allgemein im Wellenlängenbereich $\lambda = 240$–300 nm[5]; z. B. Acetanilid: $\lambda_{max} = 240$ nm ($\varepsilon \times 10^{-4} = 1,36$) und $\lambda_{max} = 274$ nm ($\varepsilon \times 10^{-4} = 0,093$) in Cyclohexan. In diesem Wellenlängenbereich ist die Quantenausbeute konstant[6].

Man nimmt an, daß die Reaktion vom niedrigsten angeregten Singulett-Zustand ($\pi \to \pi^*$) ausgeht, da Triplett-Quencher [z. B. Pentadien-(1,3)] und Sauerstoff keinen Einfluß auf die Quantenausbeute ($\varphi \sim 0,05$–0,10) haben[5]. Mit steigender Polarität des Lösungsmittels sinkt auch hier die Quantenausbeute[6].

Die intramolekulare Wasserstoffbrückenbindung ist Grund für die geringe Reaktivität (4% Umwandlung in 3 Tagen) von 2-Hydroxy-benzoesäure-anilid[7] im Vergleich zum Benzanilid. Dagegen setzt sich 3-Methoxy-benzoesäure-anilid in 3 Tagen zu 24% um:

2'-Amino-2-methoxy-   *4'-Amino-2-methoxy-*
benzophenon

[1] J. LIBMAN, M. SPRECHER u. Y. MAZUR, Am. Soc. **91**, 2062 (1969).
[2] D. ELAD, Tetrahedron Letters **1963**, 873.
[3] D. V. RAO u. V. I. STENBERG, Abstracts of Papers, S. 90 Q, 145th National Meeting Amer. Chem. Soc., New York 1963.
[4] D. ELAD, D. V. RAO u. V. I. STENBERG, J. Org. Chem. **30**, 3252 (1965).
[5] H. SHIZUKA u. I. TANAKA, Bl. chem. Soc. Japan **41**, 2343 (1968).
   S. a. H. E. UNGNADE, Am. Soc. **76**, 5133 (1954).
[6] H. SHIZUKA, Bl. chem. Soc. Japan **42**, 52 (1969).
[7] D. V. RAO u. V. LAMBERTI, J. Org. Chem. **32**, 2896 (1967).

2- und 4-Amino-acetophenon[1]: Eine Lösung von 3 g Acetanilid in 100 ml abs. Äthanol wird 8 Stdn. mit einer Quecksilber-Hochdruck-Lampe (Hanau TQ 81) bei ~ 30° unter Stickstoff-Atmosphäre und Verwendung einer von außen kühlbaren Quarzeintauchröhre bestrahlt. Das Lösungsmittel wird i. Vak. entfernt. Der Rückstand wird einer Wasserdampf-Destillation unterworfen und das Destillat mit Natriumchlorid gesättigt, mit Äther extrahiert und der Extrakt mit 10%iger Salzsäure gewaschen. Die Rohfraktion (0,98 g) wird mit Hilfe der Gas-Flüssig-Chromatographie untersucht; Ausbeute: 0,60 g (20% d.Th.) *2-Amino-acetophenon* und 0,38 g (18% d.Th.) *Anilin.* Das 2-Amino-acetophenon wird vom Anilin durch Vakuumdestillation abgetrennt und als N-Benzoyl-Derivat isoliert.

Die nichtflüchtige Fraktion der Wasserdampf-Destillation enthält einen schweren gummiartigen Rückstand, der durch Heißfiltration entfernt wird. Das Filtrat wird mit Kochsalz-Lösung behandelt und mit Äther extrahiert. Der Äther wird verdampft und der Rückstand aus Aceton/Petroläther umkristallisiert; Ausbeute: 0,75 g (25% d.Th.) *4-Amino-acetophenon;* F: 108–110°.

2- und 4-Amino-benzophenon[1]: 10 g Benzanilid in 500 ml abs. Äthanol werden 3 Tage unter Stickstoff in einem zylindrischen Gefäß mit einer Quecksilber-Hochdruck-Tauchlampe (550 W Hanovia) bestrahlt. Nach dem Einengen wird der Rückstand mit Äther extrahiert. Das ungelöste feste Material enthält 6,75 g Ausgangsmaterial. Die Äther-Lösung wird mit 10%iger Salzsäure extrahiert und die wäßrige Lösung nach der Neutralisation mit Äther extrahiert. Die Gas-Flüssig-Chromatographie zeigt Spuren von Anilin in der Lösung an. Der nach dem Vertreiben des Äthers verbleibende Rückstand wird getrocknet und aus Benzol/Petroläther umkristallisiert; Ausbeute: 0,38 g (12% d.Th.) *4-Amino-benzophenon;* F: 123–124°.

Wird die ätherische Lösung nach der Belichtung mit 10%iger Natriumhydrogencarbonat-Lösung extrahiert und säuert man die wäßrige Lösung an, so erhält man nach der Extraktion mit Äther aus der wäßrigen Lösung 0,55 g (27% d.Th.) *Benzoesäure.*

Die zurückbleibende ätherische Lösung wird eingeengt und mit Petroläther an neutralem Aluminiumoxid chromatographiert. Die ersten Fraktionen geben 0,15 g (6% d.Th.) *Benzoesäure-äthylester.* Weiteres Chromatographieren liefert nach der Kristallisation 0,45 g (14% d.Th.) *2-Amino-benzophenon;* F: 105–106° (gelbe Kristalle).

Der Einfluß der Substituenten am Phenyl-Ring des Anilids auf die Umlagerung ist mit denen der Arylester vergleichbar. So erhält man bei der Bestrahlung von Essigsäure-4-methyl-anilid[2] nur das umgelagerte o-Derivat (*2-Amino-5-methyl-acetophenon*) neben *4-Amino-1-methyl-benzol,* während Essigsäure-2,4,6-trimethyl-anilid in Benzol[3] als einziges Produkt *2,4,6-Trimethyl-anilin* ergibt. Die Alkyl-Gruppen-Verdrängung durch eine wandernde Acyl-Gruppe tritt nicht auf; 4-Halogen-Substituenten werden mit Ausnahme von Chlor durch die Acyl-Gruppe ersetzt[2]; z. B.:

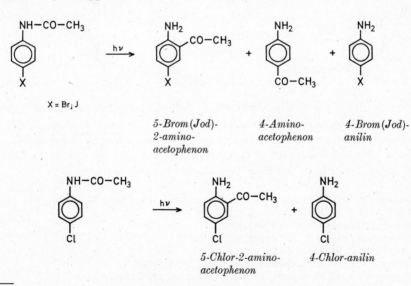

X = Br; J

5-Brom(Jod)-   *4-Amino-*   *4-Brom(Jod)-*
2-amino-   *acetophenon*   *anilin*
acetophenon

5-Chlor-2-amino-   *4-Chlor-anilin*
acetophenon

[1] D. ELAD, D. V. RAO u. V. I. STENBERG, J. Org. Chem. **30**, 3252 (1965).
[2] H. SHIZUKA, Bl. chem. Soc. Japan **42**, 57 (1969).
[3] J. S. BRADSHAW, R. D. KNUDSEN u. E. L. LOVERIDGE, J. Org. Chem. **35**, 1219 (1970).

Essigsäure-4-nitro-anilid verhält sich inert, während in Methoxy-aniliden die Methoxy-Gruppe ebenfalls durch die Acyl-Gruppe verdrängt wird[1]; z. B.:

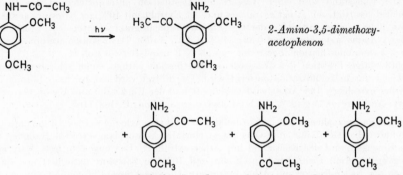

2-Amino-3,5-dimethoxy-acetophenon

2-Amino-5-methoxy-acetophenon   4-Amino-3-methoxy-acetophenon   2,4-Dimethoxy-anilin

Zusätzliche Substitutionen am Stickstoff-Atom konkurrieren nicht mit der Photoumlagerung[2-4]; z. B.[2]:

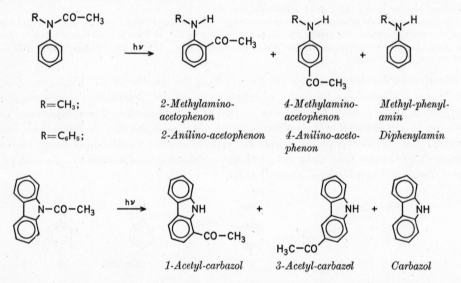

R=CH₃ ;   2-Methylamino-acetophenon   4-Methylamino-acetophenon   Methyl-phenyl-amin

R=C₆H₅ ;   2-Anilino-acetophenon   4-Anilino-aceto-phenon   Diphenylamin

1-Acetyl-carbazol   3-Acetyl-carbazol   Carbazol

N-Acetyl-pyrrol lagert sich bei Bestrahlung in Methanol in 2-Acetyl-pyrrol (~ 59% d.Th.) um[5]. In wesentlich geringerer Ausbeute (~ 6% d.Th.) fällt auch 3-Acetyl-pyrrol an[6].

N,N-Diacetyl-anilin wird zu Acetanilid (45%) sowie 2- und 4-Acetylamino-acetophenon (30% bzw. 25%) photolysiert[7,8]. Vermutlich unterbleibt eine zweite Photo-Fries-Umlagerung infolge einer inneren Filter-Wirkung der Primärprodukte.

[1] J. S. BRADSHAW, R. D. KNUDSEN u. E. L. LOVERIDGE, J. Org. Chem. 35, 1219 (1970).
vgl. a. J. REISCH u. W. KÖBBERLING, Am. 307, 197 (1974).
[2] M. FISCHER, Tetrahedron Letters 1968, 4295.
[3] H. SHIZUKA et al., Bl. chem. Soc. Japan, 43, 67 (1970).
[4] H. J. HAGEMAN, R. 91, 1447 (1972).
[5] H. SHIZUKA et al., Mol. Photochem. 1, 135 (1969); 3, 203 (1971).
[6] J. M. PATTERSON u. D. M. BRUSER, Tetrahedron Letters 1973, 2959.
[7] Y. KATSUHARA et al., Tetrahedron Letters 1973, 1323.
[8] vgl. a. R. O. KAN u. R. L. FUREY, Tetrahedron Letters 1966, 2573.
Y. KANAOKA u. K. KOYAMA, Tetrahedron Letters 1972, 4517.
Y. KANAOKA et al., Tetrahedron Letters 1973, 51.

3-Benzoylamino-pyridin geht bei Belichtung in Äthanol in *3-Amino-2-* sowie *6-* und *4-benzoyl-pyridin* über[1]:

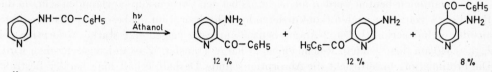

12 %   12 %   8 %

Über die unter Cyclodehydrierung verlaufenden Photolysen von 4- und 2-Benzoylamino-pyridin s. S. 595.

$\beta\beta_2$) N–Aryl-lactame

Da, wie bereits auf S. 994 erwähnt, eine Alkyl-Gruppe am Stickstoff-Atom des Anilids die Photoumlagerung nicht beeinträchtigt, lassen sich N-Aryl-lactame mit Ausnahme der vier- bis sechsgliedrigen durch o-Umlagerung ringerweitern[2,3]:

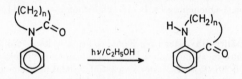

n = 5; *7-Oxo-2,3,4,5,6,7-hexahydro-1H-⟨benzo-[b]-azonin⟩*; 87% d.Th.
n = 6; *8-Oxo-1,2,3,4,5,6,7,8-octahydro-⟨benzo-[b]-azecin⟩*; 83% d.Th.; $\varphi = 11 \cdot 10^{-2}$
n = 11; *13-Oxo-⟨benzo-1-aza-cyclopentadecen-(2)⟩*; 80% d.Th.; $\varphi = 8,2 \cdot 10^{-2}$

Sind beide o-Stellungen des Aryl-Substituenten durch Alkyl-Gruppen blockiert, so erhält man bei genügend großen Lactamen Azaparacyclophano-Derivaten[4]:

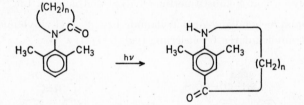

7-Oxo-2,3,4,5,6,7-hexahydro-1H-⟨benzo-[b]-azonin⟩[3]: 7,0 g N-Phenyl-ε-caprolactam in 500 *ml* Äthanol werden mit einer 100 W Quecksilber-Niederdruck-Lampe (Gräntzel) 9 Stdn. bestrahlt. Das Lösungs-mittel wird abgezogen und der Rückstand mit Petroläther/Benzol (4:1) an Aluminiumoxid chromato-graphiert. Zunächst erhält man 2,6 g (87% d.Th.) Umlagerungs-Derivat (F: 74°), danach mit Benzol/Äther (9:1) 4 g unverändertes Lactam.

$\beta\beta_3$) Kohlensäure-ester-arylamide

Wie erwartet unterliegen auch Kohlensäure-ester-arylamide der Photoumlagerung[5], und man erhält neben o- und p-Amino-arencarbonsäureestern die Arylamine:

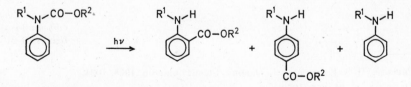

[1] K. ITHOH u. Y. KANAOKA, Chem. Pharm. Bull. (Tokyo) **22**, 1431 (1974).
[2] M. FISCHER, Tetrahedron Letters **1968**, 4295.
[3] M. FISCHER, B. **102**, 342 (1969).
[4] M. Fischer, Tetrahedron Letters **1969**, 2281.
[5] D. BELLUS u. K. SCHAFFNER, Helv. **51**, 221 (1968).

Die Kohlensäure-ester-arylamide absorbieren ebenfalls im Wellenlängenbereich $\lambda = 240$–300 nm.

Die Quantenausbeuten werden niedriger als bei den Carbonsäure-arylamiden sein, da die Reaktionen von selbst enden (konkurrierende Lichtabsorption, insbesondere der Produkte aus der o-Umlagerung)[1]. Die 2-Amino-benzoesäureester zeigen eine starke Absorption bei $\lambda_{max} = 340$ nm ($\log_\varepsilon = 3{,}68$), welche einem „Charge-Transfer"-Zustand zugeschrieben wird. Die Protonierung unterdrückt die Absorptionsbande. Deshalb erhält man bei der Bestrahlung unter sauren Bedingungen eine um das Zweifache erhöhte Ausbeute an Amino-benzoesäureestern.

Auch hier konkurrieren zusätzliche Substituenten am Stickstoff-Atom nicht mit der Photoumlagerung[2] (s. S. 994). Man erhält nach N-Methylierung sogar in einer um mehr als das Zweifache erhöhten Ausbeute Methylamino-benzoesäureester.

Man nimmt auch hier an, daß die Reaktion vom niedrigsten angeregten Singulett-Zustand ausgeht, da eine Reaktion mit Triplett-Quenchern [z. B. Acetylacetonato-ferrat(III)-Verbindungen, Naphthalin] nicht eintritt.

2- und 4-Amino-benzoesäure-äthylester[3]: 5 g Kohlensäure-äthylester-anilid werden in 460 *ml* Äthanol gelöst. Die Lösung wird in ein zylindrisches Gefäß gegeben und mit einer Quecksilber-Niederdruck-Tauchlampe (Hanau NK 6/20) 95 Stdn. unter Stickstoff bestrahlt. Danach wird die Lösung i. Vak. eingeengt. Die Gas-Flüssig-Chromatographie zeigt 14% Umlagerung und Ausbeuten von 37% *2-* und 8% *4-Amino-benzoesäure-äthylester* sowie ~ 30% Anilin an.

Die konz. Lösung wird mit Äther verdünnt und mit 10%iger Salzsäure extrahiert. Nach der Neutralisation mit 10%iger Natronlauge und der Extraktion mit Äther wird nach dem Trocknen über Natriumsulfat und Verdampfen des Lösungsmittels eine Hauptfraktion (0,342 g) erhalten, die sich mit Hilfe der Gas-Flüssig-Chromatographie in Anilin sowie 2- und 4-Amino-benzoesäure-äthylester trennen läßt.

Weitere Photolysen von N-substituierten O-Alkyl-urethanen s. Lit.[4,5]

Gelangen die entsprechenden 2-Aryl-arylamide bzw. 2-Aryl-vinylamide zum Einsatz, so kommt es zur intramolekularen Cyclisierung (vgl. S. 545); z. B.:

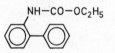 hν/CH₃OH →

6-Hydroxy-phenanthridin[6]; 85% d.Th.

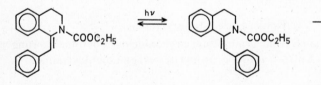 →

8-Oxo-5,6-dihydro-8H-⟨dibenzo-[a;g]-chinolizin⟩; 10–21% d.Th.[6]

[1] D. J. TRECKER, R. S. FOOTE u. C. L. OSBORN, Chem. Commun. **1968**, 1034.
[2] H. J. HAGEMAN, R. **91**, 363 (1972).
[3] D. BELLUS u. K. SCHAFFNER, Helv. **51**, 221 (1968).
[4] H. C. BEACHEFF u. I. L. CHANG, J. Polym. Sci. [A-1] **10**, 503 (1972).
[5] H. SCHULTZE, Z. Naturf. **28**b, 339 (1973).
[6] N. C. YANG, A. SHANI u. G. R. LENZ, Am. Soc. 88, 5369 (1966).

$\beta\beta_4$) Carbonsäure-vinylamide

Carbonsäure-vinylamide lagern sich bei der Bestrahlung in ähnlicher Weise wie die entsprechenden Arylester, jedoch mit besseren Ausbeuten und höherer Selektivität um[1]:

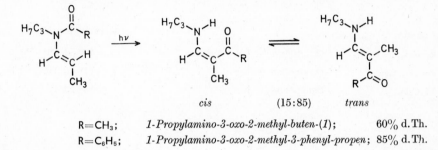

cis   (15:85)   *trans*

R=CH₃;   *1-Propylamino-3-oxo-2-methyl-buten-(1)*;   60% d.Th.
R=C₆H₅;   *1-Propylamino-3-oxo-2-methyl-3-phenyl-propen*; 85% d.Th.

Die Bestrahlung von Methyl-(*cis*-2-phenyl-vinyl)-acyl-amin (R = Alkyl, Aryl) mit ungefiltertem Licht einer Quecksilber-Hochdruck-Lampe (Hanau TQ 81)[2] ergibt außer dem umgelagerten Produkt das *trans*-Isomere des Ausgangsamins. In diesem Fall wird nur das Z-Umlagerungsprodukt gebildet:

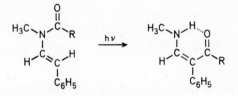

cis-1-Methylamino-3-oxo-2,3-diphenyl-propen[2]: Eine Lösung von 1 g Methyl-(*cis*-2-phenyl-vinyl)-benzoyl-amin in Cyclohexan wird bei 35° 5 Stdn. mit ungefiltertem Licht einer Quecksilber-Hochdruck-Lampe (Hanau TQ 81) bestrahlt. Das Lösungsmittel wird entfernt und der Rückstand an Silica (100 g) mit Diäthyläther als Eluierungsmittel chromatographiert. Man erhält ein gelbes Öl (660 mg; 65% d.Th.), das aus Aceton fraktioniert kristallisiert wird. Man erhält neben dem rohen Ausgangsamin 204 mg (20% d.Th.) gelbes Keton; F: 94–95° (aus wenig Äther).

Die Photoreaktionen verschiedener Carbonsäure-cyclohexenylamide bzw. 3-Acylamino-1,2-dihydro-naphthaline wurden näher untersucht[3]. Die Benzoyl-Derivate gehen jedoch vorwiegend Cyclisierung ein[4]:

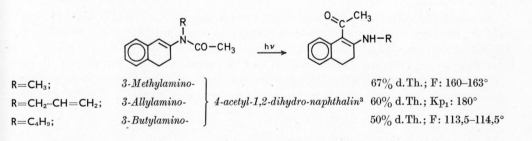

R=CH₃;   *3-Methylamino-*   67% d.Th.; F: 160–163°
R=CH₂–CH=CH₂;   *3-Allylamino-*   *4-acetyl-1,2-dihydro-naphthalin*[3] 60% d.Th.; Kp₁: 180°
R=C₄H₉;   *3-Butylamino-*   50% d.Th.; F: 113,5–114,5°

---

[1] N. C. YANG u. G. R. LENZ, Tetrahedron Letters **1967**, 4897.
[2] R. W. HOFFMANN u. K. R. EICKEN, B. **102**, 2987 (1969); s. a. Tetrahedron Letters **1968**, 1759.
[3] I. NINOMIYA, T. NAITO u. T. MORI, Tetrahedron Letters **1968**, 2259.
[4] R. W. HOFFMANN u. K. R. EICKEN, B. **102**, 2987 (1969).

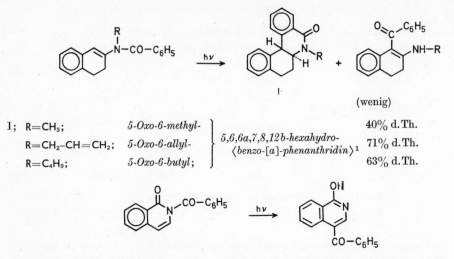

I; R=CH₃;   5-Oxo-6-methyl-   40% d.Th.

R=CH₂–CH=CH₂;   5-Oxo-6-allyl-   5,6,6a,7,8,12b-hexahydro-   71% d.Th.
                                                        ⟨benzo-[a]-phenanthridin⟩[1]

R=C₄H₉;   5-Oxo-6-butyl;   63% d.Th.

1-Hydroxy-4-benzoyl-isochinolin[1]: 500 mg 1-Oxo-2-benzoyl-1,2-dihydro-isochinolin werden in Benzol 22 Stdn. mit ungefiltertem Licht einer Quecksilber-Hochdruck-Lampe (Hanau TQ 81) bestrahlt. Das Lösungsmittel wird verdampft und der Rückstand an 90 g Silica (Eluierungsmittel:Äther) chromatographiert; Ausbeute: 190 mg (38% d.Th.); F: 198–199° (aus Dichlormethan/Äther).

Aus 2-Benzoyl-1-cyan-1,2-dihydro-isochinolin entsteht bei Belichtung in Acetonitril oder tert.-Butanol nur wenig Umlagerungsprodukt neben *1-Cyan-isochinolin* (47% d.Th.) und *Benzaldehyd* (5–14% d.Th.)[2]. Analog geht 1-Benzoyl-2-cyan-1,2-dihydro-chinolin mit $\lambda = 254$ nm, lediglich in *2-Cyan-chinolin* über[2].

δ_2) *Isomerisierungen von ungesättigten Carbonsäuren und deren Derivate*

bearbeitet von

Dipl. Biochem. PETER HEINRICH*

Über *cis-trans*-Isomerisierung von Alkensäuren und deren Derivate s. S. 202ff.

Analog den Ketonen lassen sich α,β-ungesättigte Carbonsäuren oder Carbonsäureester photochemisch in β,γ-ungesättigten Verbindungen durch [1,3]-Wasserstoff-Verschiebung überführen:

$$R-CH=CH-CH=CH-COOH \xrightarrow{h\nu} R-CH=C=CH-CH_2-COOH$$

$$R = H, CH_3$$

Hexadien-(2,4)-säure wird bei Bestrahlung einer 3%igen Lösung in abs. Äther mit einer 450 W Hanovia Quecksilber-Hochdruck-Lampe (Vycor) mit 20%iger Ausbeute zur *Hexadien-(3,4)-säure* (Kp₀,₄: 63°; F: 23°) isomerisiert[3]. 32% Ausbeute werden bei gleicher Arbeitsweise im Falle der Pentadien-(2,4)-säure-Isomerisierung zur *Pentadien-(3,4)-säure* (F: 1,5; IR-Maximum: 1965 cm⁻¹) erreicht. Die Ausbeuten an Carboxymethyl-allenen können durch geringe Zugaben von Ameisensäure gesteigert werden[3]. Weitere Beispiele s. Lit.[4].

---

* **Chemisches Institut der Universität Tübingen.**

[1] R. W. HOFFMANN u. K. R. EICKEN, B. **102**, 2987 (1969).

[2] P. T. IZZO u. A. S. KENDE, Tetrahedron Letters **1966**, 5721.

[3] K. J. CROWLEY, Am. Soc. **85**, 1210 (1963).

[4] R. R. RANDO u. W. VON E. DOERING, J. Org. Chem. **33**, 1671 (1968).

Über analoge Bestrahlungen im tert.-Butanol s.: M. ITOH et al., Tetrahedron **24**, 6591 (1968).

Mit erheblich besseren Ausbeuten verlaufen Photo-dekonjugationen von α,β-ungesättigten Carbonsäureestern[1,2]. Man bestrahlt 2–5%ige Lösungen mit dem ungefilterten Licht einer 450 W Hanovia Typ L Lampe (Pyrexfilter verhindert die Isomerisierung) in Pentan.

| R¹=CH₃; R²=H; R³=CH₃; | *Penten-(3)-säure-methylester*; | 85% d.Th. |
| R¹=R²=CH₃; R³=C₂H₅; | *4-Methyl-penten-(3)-säure-äthylester*; | 85% d.Th. |

Gleichartige Isomerisierungen können auch mit 3-Alkoxycarbonyl-cycloalkenen durchgeführt werden[3]. Läßt eine entsprechende Substitution die Verschiebung der Doppelbindung in β,γ-Stellung nicht zu, so kann sich eventuell die Doppelbindung in die Seitenkette verlagern; z. B.:

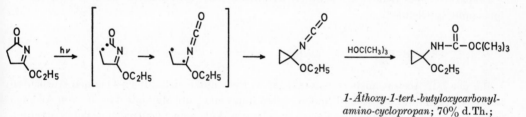

4-Oxo-4-phenyl-2-methylen-butansäure[4]: Eine Lösung von 1 g (*E*)-4-Oxo-2-methyl-4-phenyl-buten-(2)-säure in 50 *ml* abs. Äther setzt man 2 Tage dem direkten Sonnenlicht aus (Entfärbung). Man zieht das Solvens i. Vak. ab und kristallisiert den Rückstand aus heißem Benzol; Ausbeute: 900 mg (90% d.Th.); F: 89–92°.

Ungesättigte Lactame können sich nach einer α-Spaltung zu Isocyanaten isomerisieren. Photolysiert man z. B. 5-Äthoxy-2-oxo-3,4-dihydro-2H-pyrrol in tert.-Butanol, so wird unter Ringverengung das entsprechende Urethan erhalten[5]:

1-Äthoxy-1-tert.-butyloxycarbonyl-amino-cyclopropan; 70% d.Th.; F: 44–45°.

Direkt kann ein stabiles Isocyanat bei der Photolyse von 6-Imino-2,2,5,5-tetramethylhexen-(3)-säure-lactam erhalten werden[6]:

3,3-Dimethyl-2-[2-methyl-propen-(1)-yl]-1-isocyanato-cyclopropan; 20% d.Th.; Kp₂₀: 90%.

[1] Zum Mechanismus s.:
  M. J. JORGENSON, Chem. Commun. **1965**, 137.
  M. J. JORGENSON u. L. GUNDEL, Tetrahedron Letters **1968**, 4991.
  J. A. BARLTROP u. J. WILLS, Tetrahedron Letters **1968**, 4987.
  Über Isotopeneffekt s.: M. J. JORGENSON, Am. Soc. **91**, 199 (1969).
[2] R. R. RANDO u. W. VON E. DOERING, J. Org. Chem. **33**, 1671 (1968).
  Über analoge Bestrahlungen in tert.-Butanol s.: M, ITOH et al., Tetrahedron **24**, 6591 (1968).
[3] G. BÜSHI u. S. H. FEAIRHELLER, J. Org. Chem. **34**, 609 (1969).
  M. J. JORGENSON u. S. PATUMTEVAPIBAL, Tetrahedron Letters **1970**, 489.
[4] R. E. LUTZ et al., Am. Soc. **75**, 5039 (1953).
[5] T. H. KOCH u. R. J. SHUSK, Tetrahedron Letters **1970**, 2391.
[6] T. SASAKI, S. EGUCHI u. M. OHNO, Am. Soc. **92**, 3192 (1970).

Über die Isocyanat-Bildung unter Decarboxylierung aus Dihydrothymidin s. Lit.[1].

In einer analogen Reaktion können ungesättigte Lactone zu Ketenen isomerisieren (s. a. S. 739ff.). Z. B. ergibt die Photolyse von 4-Hydroxy-2-oxo-6-methyl-2H-pyran in Methanol unter Stickstoff (wassergekühlte 450 W Hanovia Quecksilberdampf-Lampe; Pyrex) *3,5-Dioxo-hexansäure-methylester* (Kp$_{11}$: 65°), *3-Methyl-4-methoxycarbonyl-buten-(2)-säure* (F: 77–78°) und *2,6-Dioxo-4-methyl-5,6-dihydro-2H-pyran* (F: 89–90°)[2]:

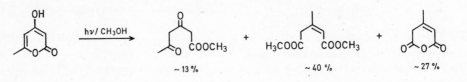

~ 13 %   ~ 40 %   ~ 27 %

δ_3) *Additionen*

bearbeitet von

Dipl. Biochem. Peter Heinrich*

Cyclodimerisierungen und Cycloadditionen unter Cyclobutan-Bildung von acyclischen ungesättigten Carbonsäuren und Derivaten sowie cyclischen Carbonsäureimiden und Lactonen sind auf S. 300ff., 360ff. beschrieben.

Präparativ von Bedeutung sind Additionen von Formamid oder N-tert.-Butylformamid an Olefine[3]:

$$R^1-CH=CH_2 \; + \; H-CO-NHR^2 \; \xrightarrow{h\nu} \; R^1-CH_2-CH_2-CO-NHR^2$$

Bei der mit Aceton initiierten Reaktion wurden mit endständigen Olefinen Ausbeuten bis zu 90% erhalten. Diese Additionen stellen somit eine gute Methode dar, um von Alkenen zum nächst höheren Carbonsäure-amid zu gelangen. Neben unsubstituierten Olefinen werden auch entsprechende ungesättigte Carbonsäure-amide oder -ester eingesetzt, s. Tab. 136 (S. 1001). Photo-Addukte von Formamid mit Alkinen[4] oder Aromaten[5] sind selten beschrieben worden.

Adipinsäure-diamid[6]: Eine Mischung von 1 g Penten-(4)-säure-amid und 40 g Formamid wird in 20 *ml* tert.-Butanol und 5 *ml* Aceton gelöst. Die Lösung wird in einem konischen Pyrex-Kolben (unter Stickstoff verschlossen) 2 Tage dem direkten Sonnenlicht ausgesetzt (Achtung Wettervorhersage!). Dann gibt man im Abstand von 2 Tagen jeweils $^1/_5$ einer Lösung von 4 g Penten-(4)-säure-amid in 50 *ml* tert.-Butanol und 5 *ml* Aceton hinzu. Nach insgesamt 14 tägiger Bestrahlung wird der Niederschlag mit heißem Aceton gewaschen und man erhält 4,4 g der gewünschten Verbindung. Weitere 1,17 g können aus dem Filtrat erhalten werden; Ausbeute: 77% d. Th.; F: 224–226° (aus Äthanol).

---

* **Chemisches Institut der Universität Tübingen.**

[1] Y. Kondo u. B. Witkop, Am. Soc. **90**, 3258 (1968).

[2] C. T. Bedford, J. M. Forrester u. T. Money, Canad. J. Chem. **48**, 2645 (1970).

     s. a.: J. P. Guthrie, C. L. McIntosh u. P. de Mayo, Canad. J. Chem. **48**, 237 (1970).

     s. a.: C. T. Bedford u. T. Money, Chem. Commun. **1969**, 685.

[3] D. Elad, Chem. & Ind. **1962**, 362.

[4] G. Friedman u. A. Komen, Tetrahedron Letters **1968**, 3357.

     D. Elad, Pr. chem. Soc. **1962**, 225.

[5] D. Elad, Tetrahedron Letters **1963**, 77.

[6] D. Elad u. J. Rokach, J. Org. Chem. **29**, 1855 (1964).

Tab. 136. Photoamidierung von Olefinen

Olefin	Reaktions-bedingungen	Reaktions-produkte	Ausbeute [% d.Th.]	F [° C]	Literatur
cis + trans-Buten-(2)	Sonnenlicht; Form-amid, tert.-Butanol; Aceton	2-Methyl-butan-säure-amid	51	–	1
Maleinsäure-diäthylester	Sonnenlicht; Form-amid, tert.-Butanol, Benzo-phenon	Aminocarbonyl-bernsteinsäure-diäthylester	90	76–78	2
Penten-(4)-säure-methylester	Sonnenlicht; Form-amid, tert.-Butanol, Aceton	5-Aminocarbonyl-pentansäure-methylester	61	94–96	3
Hexen-(1)	Sonnenlicht; tert.-Butanol/Aceton, Formamid	Heptansäure-amid	50	98–100	3
Cyclohexen	Sonnenlicht; Form-amid, tert.-Butanol, Aceton	Cyclohexylcarbox-amid	65	184–185	1
Hepten-(1)	Hanau Q 81; Formamid, tert.-Butanol, Aceton	Octansäure-amid	61	98–103	3
	Sonnenlicht; Formamid; tert.-Butanol; Aceton		57		
	Hanau Q 81; tert.-Butyl-formamid,	N-tert.-Butyl-octansäure-amid	–	(Kp$_{0,2}$: 92–94°)	4
cis-Hepten-(2)	Hanau Q 81; Formamid, tert.-Butanol, Aceton	2-Methyl-heptan-säure-amid + 2-Äthyl-hexan-säure-amid	34 17	– –	1
Bicyclo[2.2.1]hepten	Sonnenlicht; Formamid; tert.-Butanol, Aceton	exo-2-Amino-carbonyl-bicyclo [2.2.1]heptan	87	181–183	5
Octen-(1)	Sonnenlicht; Formamid, tert.-Butanol, Aceton	Nonansäure-amid	62	99–100	3
	Hanau Q 81; tert.-Butyl-formamid	Nonansäure-tert.-butylamid	–	(Kp$_{0,2}$: 96–98°)	4

[1] D. ELAD u. J. ROKACH, J. Org. Chem. **30**, 3361 (1965).
[2] J. ROKACH u. D. ELAD, J. Org. Chem. **31**, 4210 (1966).
  Über die Bestrahlung von Maleinsäure- bzw. Fumarsäure-di-äthylester in Formamid ohne Lösungs-mittel s. a.: D. ELAD, Pr. chem. Soc. **1962**, 225.
[3] D. ELAD u. J. ROKACH, J. Org. Chem. **29**, 1855 (1964).
[4] D. ELAD, Chem. & Ind. **1962**, 362.
[5] D. ELAD u. J. ROKACH, Soc. **1965**, 800.

Tab. 136 (1. Fortsetzung)

Olefin	Reaktions-bedingungen	Reaktions-produkte	Ausbeute [% d.Th.]	F [° C]	Literatur
Octen-(2) (61% *cis* + 39% *trans*)	Sonnenlicht; Formamid, tert.-Butanol, Aceton	*2-Methyl-octan-säure-amid* + *2-Äthyl-heptan-säure-amid*	50 27	80–81 99–100	[1]
Decen-(1)	Hanau Q 81; Formamid, tert.-Butanol, Aceton	*Undecansäure-amid*	67	99–100	[2]
Decen-(2)-säure-methylester	Sonnenlicht, Formamid, tert.-Butanol, Benzo-phenon	*3-Aminocarbonyl-decansäure-methylester*	93	72–74	[3,4]
Undecen-(10)-säure-methylester	Hanau Q 81; Formamid, tert.-Butanol, Aceton	*11-Aminocarbonyl-undecansäure-methylester*	53	96–98	[2]
	Hanau Q 81; tert.-Butyl-formamid	*11-(tert.-Butyl-aminocarbonyl)-undecansäure-methylester*	–	45–46	[5]
Undecen-(10)-säure-amid	Sonnenlicht; tert.-Butanol, Form-amid, Aceton	*Dodecandisäure-diamid*	90	185–187	[2]

Bei nicht endständiger C=C-Doppelbindung erfolgt die Addition an beiden Positionen des Alkens (s. Tab. 136). Im Falle von Buten-(2)-säure und ihres Methyl- bzw. Äthylesters wird zusätzlich die Methyl-Gruppe durch Formamid angegriffen[6] (s. a. S. 184):

$$H_3C-CH=CH-COOR \xrightarrow{h\nu/HCONH_2}$$

$$H_3C-CH_2-\overset{\underset{|}{CONH_2}}{CH}-COOR \quad + \quad H_3C-\overset{\underset{|}{CONH_2}}{CH}-CH_2-COOR \quad + \quad \overset{\underset{|}{CONH_2}}{CH_2}-CH_2-CH_2-COOR$$

R = H;	60% d.Th.;	41	: 28	:	31
R = CH₃;	68% d.Th.;	10	: 48	:	42
R = C₂H₅;	77% d.Th.;	8	: 41	:	51

Bestrahlt man in Gegenwart von Benzophenon, so lassen sich Produktgemische unter-drücken und es wird nur eine Verbindung erhalten[3].

3-Aminocarbonyl-octansäure-methylester[3]: Eine Mischung von 1 g Octen-(2)-säure-methylester, 230 *ml* Formamid, 35 *ml* tert.-Butanol und 10 g Benzophenon wird 30 Min. mit einer Hanau Q 81 Quecksilber-Hochdruck-Lampe (Pyrex) bestrahlt. Am Anfang läßt man 15 Min. Stickstoff durch die

[1] D. ELAD u. J. ROKACH, J. Org. Chem. **30**, 3361 (1965).

[2] D. ELAD u. J. ROKACH, J. Org. Chem. **29**, 1855 (1964).

[3] J. ROCKACH u. D. ELAD, J. Org. Chem. **31**, 4210 (1966).

[4] Über die Bestrahlung von Maleinsäure- bzw. Fumarsäure-diäthylester in Formamid ohne Lösungs-mittel s. a.: D. ELAD, Pr. chem. Soc. **1962**, 225.

[5] D. ELAD, Chem. u. Ind. **1962**, 362.

[6] M. ITOH et al., Tetrahedron **24**, 6591 (1968).

Apparatur strömen. Dann wird eine Lösung von 3 g Octen-(2)-säure-methylester in 10 ml tert.-Butanol im Zeitraum von einer Stde. zugegeben und die Bestrahlung 4 Stdn. fortgesetzt. Man filtriert vom Benzpinakol ab und den durch gewöhnliche Aufarbeitung erhaltenen Rückstand chromatographiert man an Aluminiumoxid mit Aceton/Petroläther (3:7). Neben Benzophenon und Benzpinakol erhält man das Additionsprodukt; Ausbeute: 4,18 g (81% d.Th.); F: 56–58°.

Interessante Einzelfälle stellen intramolekulare Photoadditionen von Carbonsäuren oder Carbonsäure-amide an C–C-Mehrfachbindungen dar. So erhält man z. B. durch 21 stdg. Bestrahlung von (E)-α-Phenyl-zimtsäure in entgastem Benzol mit einer Hanovia Typ A 550 W Lampe (Pyrex; unter Stickstoff) in 79% Ausbeute cis-2,3-Diphenyl-3-propanolid (F: 120–121°)[1]. Die Cyclisierung kann auf Amide zur Herstellung von β-Lactamen übertragen werden[1]:

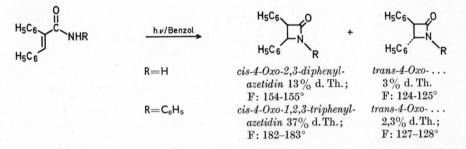

R=H cis-4-Oxo-2,3-diphenyl- $trans$-4-Oxo-...
            azetidin 13% d. Th.;   3% d. Th.
            F: 154-155°   F: 124-125°
R=C₆H₅ cis-4-Oxo-1,2,3-triphenyl- $trans$-4-Oxo-...
            azetidin 37% d.Th.;   2,3% d.Th.;
            F: 182-183°   F: 127–128°

Mit 2-Acetylamino-diphenyl-acetylen gelingt in feuchtem Hexan, unter Sauerstoff-Ausschluß, die photochemische Umsetzung zum *2-Acetylamino-1-phenylacetyl-benzol* (~ 85% d.Th.; F: 98,5–99,5°)[2]. Als Primärschritt wird dabei eine Photocyclisierung des Acetylens zu einem 2-Methyl-4-benzyliden-4H-⟨benzo-[d]-1,3-oxazin⟩ angenommen:

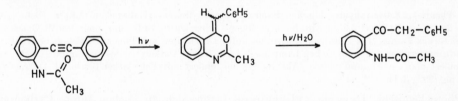

Zum gleichen Resultat gelangt man, wenn man in trockenem Hexan belichtet und anschließend das anfallende gelbe Öl mit einem Aceton/Wasser-Gemisch behandelt. Als Lichtquelle dient eine General-Electric G 25 T 8-Lampe. Die Reaktion ist analog auf 2-(2-Acetylamino-phenyl)-1-(3-methoxy-phenyl)-acetylen übertragbar[2,3].

$δ_3$) *Fragmentierungen*

bearbeitet von

Dipl. Biochem. PETER HEINRICH*

Über die Chlorcarbonylierung gesättigter CH-Gruppen mit Oxalsäure-Derivaten s. S. 180ff., zur Aminocarbonylierung mit Formamid s. S. 184.

Ohne präparativ methodische Charakter sind Decarbonylierungen, die bei Photolysen von ungesättigten cyclischen Carbonaten[4], Lactonen[4,5] und Lactamen[6] beobachtet

* **Chemisches Institut der Universität Tübingen.**
[1] O. L. CHAPMAN u. W. R. ADAMS, Am. Soc. **90**, 2333 (1968).
[2] T. D. ROBERTS, L. ARDEMAGNI u. H. SHECHTER, Am. Soc. **91**, 6185 (1969).
[3] L. MUNCHAUSEN, I. OOKUNI u. T. D. ROBERTS, Tetrahedron Letters **1971**, 1917.
[4] O. L. CHAPMAN u. C. L. McINTOSH, Chem. Commun. **1971**, 383.
[5] W. H. HORSPOOL u. G. D. KHANDELWAL, Chem. Commun. **1970**, 257.
[6] J. NASIELSKI et al., Chem. Commun. **1970**, 302.

wurden. Über die Umsetzungen von α- und β-Lactamen – sie führen zu Iminen bzw. Iminen, Ketenen und Isocyanaten – s. S. 1083 bzw. 1088ff., von höhergliedrigen Lactamen, s. S. 1090ff.

Bei 2-Oxo-1-phenyl-2,3-dihydro-indol entsteht z. B. durch die Kohlenmonoxid-Abspaltung ein o-Chinonimin-Derivat, das mit nukleophilen Agentien[1] oder mit Maleinsäure-phenylimid in einer Diels-Alder-Reaktion[2] abgefangen werden kann:

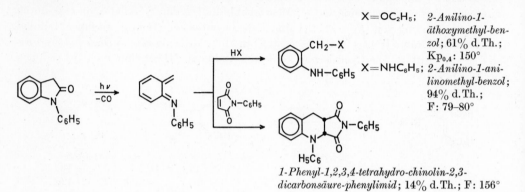

X=OC₂H₅; 2-Anilino-1-äthoxymethyl-benzol; 61% d.Th.; Kp₀,₄: 150°

X=NHC₆H₅; 2-Anilino-1-anilinomethyl-benzol; 94% d.Th.; F: 79–80°

1-Phenyl-1,2,3,4-tetrahydro-chinolin-2,3-dicarbonsäure-phenylimid; 14% d.Th.; F: 156°

Ohne Zusatz von Fremdstoffen unterliegt das intermediäre o-Chinon-imin-Derivat einer [2+4]-Cycloaddition:

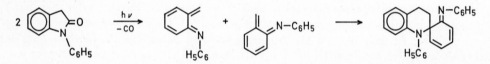

1-Phenyl-1,2,3,4-tetrahydro-chinolin-⟨2-spiro-5⟩-6-phenylimino-cyclohexadien-(1,3)[2]: Eine Lösung von 2 g 2-Oxo-1-phenyl-2,3-dihydro-indol in 500 ml Äther wird 6 Stdn. mit einer 100 W Quecksilber-Niederdruck-Lampe (Fa. Gräntzel, Karlsruhe) unter Durchleiten von reinem Stickstoff bestrahlt. Alle 2 Stdn. entfernt man den schwachen Lampenbelag. Nach dem Abdampfen des Lösungsmittels chromatographiert man an Aluminiumoxid (Akt.-St. II) und eluiert mit Petroläther/Benzol (1:1); Ausbeute: 594 mg (98% d.Th.); F: 118°.

Photochemische Decarboxylierungen lassen sich an Carbonsäuren, Carbonsäureestern, Lactonen und Anhydriden durchführen.

Präparativ verwertbare Umsetzungen von Carbonsäuren gibt es nur wenige, die meisten Untersuchungen sind von theoretischer Natur[3]. So werden z. B. Phenylmercapto-essigsäuren glatt decarboxyliert[4]:

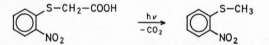

2-Nitro-1-methylmercapto-benzol; 55–86% d.Th.; F: 126°

Über die mit Benzophenon sensibilisierten Kohlendioxid-Abspaltungen von Alkyloxy-, Aryloxy-, Alkylmercapto, Arylmercapto, Alkylamino- bzw. Arylamino-carbonsäuren s. Orig.-Lit.[5].

[1] M. FISCHER, B. **152**, 3495 (1969).

[2] M. FISCHER u. F. WAGNER, B. **102**, 3486 (1969).

[3] So z. B. die Decarboxylierung von Pyridyl-essigsäuren zu Methyl-pyridinen: F. R. STERMITZ u. W. H. HUANG, Am. Soc. **92**, 1446 (1970).
Decarboxylierungen von N-substituierten Aminosäuren:
O. METH-COHN, Tetrahedron Letters **1970**, 1235.
P. H. MACFARLANE u. D. W. RUSSEL, Tetrahedron Letters **1971**, 725.
s. aber: D. W. RUSSEL, Soc. [C] **1963**, 894.

[4] R. S. GROUDIE u. P. N. PRESTON, Soc. [C] **1971**, 3081, hier weitere Beispiele.

[5] R. S. DAVIDSON u. P. R. STEINER, Soc. [C] **1971**, 1682.

Bestrahlungen von Carbonsäuren in Anwesenheit von Jod und Blei(IV)-acetat[1] in siedendem Tetrachlormethan führen mit guten Ausbeuten zu Jodiden[2]:

$$R-COOH \xrightarrow[-CO_2]{h\nu/J_2/Pb(IV)\text{-acetat}} R-J$$

6-Benzoylamino-hexansäure	→ *5-Jod-1-benzoylamino-pentan*;	63% d.Th.
Cyclohexancarbonsäure	→ *Jod-cyclohexan*;	91% d.Th.
Benzoesäure	→ *Jod-benzol*;	56% d.Th.
Naphthalin-2-carbonsäure	→ *2-Jod-naphthalin*;	40% d.Th.

Belichtungen von Carbonsäuren und Aza-aromaten in Benzol als Lösungsmittel führen zu partiell hydrierten, alkylierten Aza-aromaten. Die eingesetzten Carbonsäuren decarboxylieren während der Bestrahlung und der entstandene Alkyl-Rest reagiert mit dem Heteroaromaten. Mit Acridin können mittels einer 200 W Quecksilber-Hochdruck-Lampe (Pyrex; unter Stickstoff) folgende Verbindungen synthetisiert werden[3]:

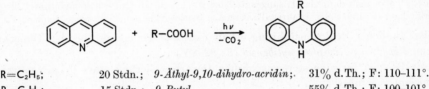

R=C_2H_5;	20 Stdn.;	*9-Äthyl-9,10-dihydro-acridin*;.	31% d.Th.; F: 110–111°.
R=C_4H_9;	15 Stdn.;	*9-Butyl-*...	55% d.Th.; F: 100–101°.
R=CH_2–C_6H_5;	2 Stdn.;	*9-Benzyl-*...;	72% d.Th.; F: 196–198°.
R=CH(CH_3)–C_6H_5;	2 Stdn.;	*9-(1-Phenyl-äthyl)-*...;	68% d.Th.; F: 113–114°.

Bereits in 9-Stellung alkylierte Acridine werden in **9,9-Dialkyl-acridane** (∼ 51–76% d.Th.) überführt. Auch intramolekular kann diese Reaktion ablaufen[3]:

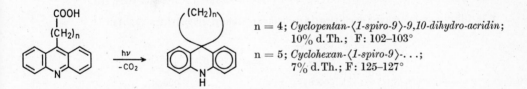

n = 4; *Cyclopentan-⟨1-spiro-9⟩-9,10-dihydro-acridin*;
10% d.Th.; F: 102–103°

n = 5; *Cyclohexan-⟨1-spiro-9⟩-*...;
7% d.Th.; F: 125–127°

Bei n = 2 und 8 wurden keine intramolekularen Umsetzungen beobachtet.

Über die Photoalkylierung von Chinolinen bzw. Isochinolinen durch Carbonsäuren s. S. 599f.

Ohne präparative Bedeutung sind die selten beschriebenen Decarboxylierungen von **Estern**[4]. Auch cyclische Kohlensäure-diester (2-Oxo-1,3-dioxolane) machen photolytisch lediglich mono- oder disubstituierte Carbene zugänglich[5,6]. Über den Abbau von cyclischen Thiocarbonaten s. Orig.-Lit.[7]. Zu Fragmentierungen von Thioestern s. S. 1016.

[1] s. a. J. K. KOCHI, R. A. SHELDON u. S. S. LANDE, Tetrahedron 25, 1197 (1969).
[2] D. H. R. BARTON u. E. P. SEREBRYAKOW, Pr. chem. Soc. 1962, 309.
[3] R. NOYORI et al., Tetrahedron 25, 1125 (1969).
[4] H. J. HAGEMAN, Chem. Commun. 1968, 401.
   J. J. BASSELIER u. J. C. CHERTON, C. r. 1969, 269, 1412.
[5] R. L. SMITH, A. MANMADE u. G. W. GRIFFIN, Tetrahedron Letters 1970, 663.
[6] R. L. SMITH, A. MANMADE u. G. W. GRIFFIN, J. Heterocyclic Chem. 6, 443 (1969).
[7] J. E. FRANZ u. L. L. BLACK, Tetrahedron Letters 1970, 1381.

Als Einzelreaktion sei die photochemische Abspaltung (Entblockung) einer N-Schutz-gruppe unter gleichzeitiger Decarboxylierung von N-geschützten Aminosäuren erwähnt[1]. So kann die 6-Nitro-veratryloxycarbonyl-Gruppe (NVOC) bei Photolysen von 10^{-2}–10^{-3} molaren Lösungen in z. B. 1,4-Dioxan, Chloroform oder Tetrahydrofuran aus -L-Ala, -L-Pro,-L-Met,-L-Try,-L-Phe-Gly NVOC-Derivaten quantitativ entfernt werden.

Methodisch ebenfalls nicht von Interesse sind Decarboxylierungen von Lactonen. Von Einzelfällen abgesehen, führen Photolysen besonders bei γ-Lactonen[2,3] zu komplexen Produktgemischen.

6-Oxo-3-diphenylmethylen-cyclohexadien-(1,4)[4]:

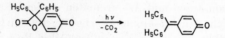

Eine Lösung von 1 g 4-Oxo-3,3-diphenyl-oxetan-⟨2-spiro-3⟩-6-oxo-cyclohexadien-(1,4) in 250 m Benzol wird unter Rühren 30 Min. vorher und während der 11 stdgn. Bestrahlung mit einer 450 W Hanovia-Lampe (Pyrex) mit Stickstoff durchspült. Durch Wasserkühlung hält man den Ansatz unter-halb 20°. Man zieht dann das Lösungsmittel bei 20° i. Vak. ab und erhält quantitativ die gewünschte Verbindung (F: 153–158°). Umkristallisation aus Benzol/Äther ergeben orange Nadeln; F: 167,5–169°.

Bei ähnlicher Reaktionsführung erhält man aus der entsprechenden Dimethyl-Verbin-dung *4-Hydroxy-1-isopropenyl-benzol* (F: 82–85°)[4].

Als Beispiel für eine stereospezifische Decarboxylierung eines γ-Lactons sei Dihydro-santonin angeführt[5]:

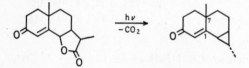

10-Oxo-trans-3,7-dimethyl-tricyclo[5.4.0.0^{2,4}] undecen-(1^{11})

Analog läßt sich eine Decarboxylierung beim Gibberellinsäure-methylester erreichen.

2,7α-Dihydroxy-1-methyl-8-methylen-10β-methoxycarbonyl-gibban-trien-(1,3,4a^{10a})[6]:

Eine Lösung von 500 mg 4aα,7α-Dihydroxy-2-oxo-1β-methyl-8-methylen-10β-methoxycarbonyl-gibben-(3)-12-carbonsäure-1,4a-lacton in 150 ml abs. tert.-Butanol wird mit zwei 220 W Quecksilber-Hochdruck-Lampen PRK-4 (Quarz; 28–30°; unter Argon) bestrahlt. Dann entfernt man das Lösungs-mittel i. Vak. und chromatographiert den Rückstand von zwei Ansätzen an 50 g Kieselgel mit Benzol/Chloroform (3:7 und 2:8); Ausbeute: 370 mg (42% d.Th.); F: 105–115°.

---

[1] A. Patchornik, B. Amit u. R. B. Woodward, Am. Soc. **92**, 6333 (1970).

[2] In der Gasphase:
　 I. S. Krull u. D. R. Arnold, Tetrahedron Letters **1969**, 1247, 4349.
　 R. Simonaitis u. J. N. Pitts, Am. Soc. **91**, 108 (1969).
　Gasphasen-Photolyse mit Sensibilisierung durch Quecksilber: R. Simonaitis u. J. N. Pitts, Am. Soc.
　 90, 1389 (1968).

[3] In der Flüssigphase: R. S. Givens u. W. F. Oettle, Am. Soc. **93**, 3301 (1971).

[4] J. L. Chitwood et al., J. Org. Chem. **36**, 2216 (1971).

[5] G. W. Perold u. G. Ourisson, Tetrahedron Letters **1969**, 3871.

[6] I. A. Gurvich et al., Tetrahedron **27**, 5901 (1971).

Mit der freien Carbonsäure kann in fester Phase eine gleiche Reaktion unter Bildung von *2,7α Dihydroxy-1-methyl-8-methylen-10β-carboxy-gibban-trien-(1,3,4a^{10a})* (73% d.Th.; F: 245–247°) erreicht werden[1].

Über die Kohlendioxid-Abspaltung von 2-Oxo-1,3-oxazolidinen s. S. 1091.

Mono- und bicyclische **Anhydride** neigen ähnlich den Lactamen bei Photolysen zur Bildung von Produktgemischen[2]. Cyclohexadien-(1,3)-5,6-dicarbonsäureanhydride können unter Decarboxylierung aromatisiert werden[3,4]. Man bestrahlt in abs. Äther mit einer Quecksilber-Hochdruck-Lampe TQ 81 (Hanau) unter Stickstoff bei −10° in einem Vycor-Gefäß.

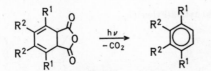

$R^1 = CH_3; R^2 = C_6H_5;$ *3,6-Dimethyl-1,2-diphenyl-benzol;*   82% d.Th.; F: 109°
$R^1 = R^2 = C_6H_5;$ *1,2,3,4-Tetraphenyl-benzol;*   94% d.Th.; F: 190–192°

Mit verschieden substituierten Cyclobuten-2,3-dicarbonsäureanhydriden wurden in neuerer Zeit Photolysen durchgeführt, um das Cyclobutadien-System zu erhalten[5], die auch z. T. erfolgreich waren.

Die auf S. 891 bereits beschriebene β-Spaltung (Norrish-Typ II-Reaktion) läßt sinngemäß auf Carbonsäuren[6], Carbonsäure-amide[6] und -ester[7–13] übertragen. Aliphatische Carbonsäure-estern stehen 2 Wege der Spaltungsrichtung offen[14]:

Beide Spaltungstypen werden z. B. im Fall von Butan- oder Pentansäureestern gefunden[14]. Entsprechend aromatisch substituierte Carbonsäureester zeigen nur Säure Typ-Spaltungen[7, 8, 11–13].

---

[1] G. ADAM u. B. VOIGT, Tetrahedron Letters **1971**, 4601.

[2] D. R. ARNOLD u. V. Y. ARBRAITYS, Tetrahedron Letters **1970**, 2997.
I. S. KRULL et al., Tetrahedron Letters **1971**, 771.
Über Gasphasenphotolysen s. z. B.: I. S. KRULL u. D. R. ARNOLD, Tetrahedron Letters **1969**, 4349.

[3] R. KITZING u. H. PRINZBACH, Helv. **53**, 158 (1970).

[4] Eine analoge Reaktion s.: E. B. HOYT et al., Tetrahedron Letters **1972**, 1579.

[5] Eine Übersicht gibt: G. MAIER, Ang. Ch. **86**, 491 (1974) und die dort zit. Originalliteratur.

[6] C. H. NICHOLS u. P. A. LEERMAKERS, J. Org. Chem. **35**, 2754 (1970).

[7] J. E. GANO, Mol. Photochem. **3**, 79 (1971).

[8] J. G. PACIFICI u. J. A. HYATT, Mol. Photochem. **3**, 267, 271 (1971).

[9] J. E. GANO, Tetrahedron Letters **1969**, 2987.

[10] R. A. CALDWELL u. P. M. FINK, Tetrahedron Letters **1969**, 2987.

[11] R. BRAINARD u. H. MORRISON, Am. Soc. **93**, 2685 (1971).

[12] H. MORRISON, R. BRAINARD u. D. RICHARDSON, Chem. Commun. **1968**, 1653.

[13] M. DAY u. D. M. WILES, Canad. J. Chem. **49**, 2916 (1971).

[14] A. A. SCALA u. G. E. HUSSEY, J. Org. Chem. **36**, 598 (1971).

ε) Ketene

bearbeitet von

Dipl. Biochem. PETER HEINRICH*

Photochemische Umsetzungen von Ketenen haben keine präparative Bedeutung und stellen Einzelfälle dar, so z. B. die unter Kohlenmonoxid-Abspaltung verlaufende Dimerisierung.

Tetrakis-[2,4,6-trimethyl-phenyl]-äthylen[1]:

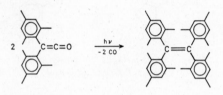

2 g 1,2-Bis-[2,4,6-trimethyl-phenyl]-keten in 300 ml trocknem Cyclohexan werden mit einer Niederdruck-Immersions-Lampe (Hanovia) unter Stickstoff 168 Stdn. belichtet. Durch Einengung der Reaktions-Lösung i. Vak. erhält man 2,173 g eines braunen teerigen Materials, das in wenig Chloroform gelöst und dann an Kieselgel chromatographiert wird. Mit Hexan als Eluierungsmittel erhält man das Photoprodukt; Ausbeute: 0,351 g (19,4% d. Th.); F: 299–300°.

c) am Kohlenstoff-Schwefel-System

bearbeitet von

Prof. Dr. HEINZ DÜRR**

1. an der C–S- und S–H-Bindung

In Thioäthern und Mercaptanen[2,3] werden bei Belichtung die einsamen Elektronen des Schwefels angeregt. Infolge der niedrigeren Elektronenaffinität des Schwefels im Vergleich zum Sauerstoff, werden die freien Elektronenpaare wesentlich schwächer gebunden. Die Absorptionsbanden der Thioäther und Mercaptane sind daher, verglichen mit denen von Äthern und Alkoholen, bathochrom verschoben. Die Übergänge, die auftreten, sind n → σ*-Anregungen. Dabei sind zwei Absorptionsbanden möglich, je nachdem ob ein p-Elektron (n_p → σ*) oder ein s-Elektron (n_s → σ*) in ein antibindendes σ*-Orbital angehoben worden ist[3]. Stehen π-Systeme in Konjugation zum Schwefel-Atom, so sind auch n → π*- bzw. π → π*-Anregungen möglich. In Tab. 137 sind charakteristische UV-Absorptionen von Thioäthern und Mercaptanen zusammengefaßt.

---

* **Chemisches Institut der Universität Tübingen.**
** **Fachbereich Organische Chemie der Universität Saarbrücken.**

[1] H. E. ZIMMERMANN u. D. H. PASKOVICH, Am. Soc. **86**, 3149 (1964).
[2] A. R. KNIGHT in S. PATAI, *The Chemistry of the Thiol Group*, Vol. 1, J. Wiley & Sons, London 1974.
[3] E. J. COREY u. E. BLOCK, J. Org. Chem. **34**, 1233 (1969).
    vgl. a. J. S. ROSENFIELD, J. S. u. A. MOSCOWITZ, Am. Soc. **94**, 4797 (1972).

Tab. 137. UV-Spektren von Thioäthern und Mercaptanen

Verbindung	λ_{max}	ε	Literatur
$H_3C-S-CH_3$	229 (Sch)	148	[2]
	210	1020	
$H_5C_2-S-C_2H_5$	229	148	[2]
	210	4000	
$F_3C-S-CF_3$	210	685	[3]
$(H_3C)_2CH-S-CH(CH_3)_2$	211	5070	[2]
(thiiran/episulfide, 3-Ring mit S)	257	40	[3]
(Thietan, 4-Ring mit S)	270	32	[3]
(Thiacyclohexan, 6-Ring mit S)	277	43	[3]
$H_2C = CH-S-CH=CH_2$	255	7600	[3]
	240	8350	
$H_5C_6-S-CH_3$	275	1780	[2]
	236	9930	
$H_5C_2-\underset{CH_3}{\overset{\vert}{C}H}-CO-S-C_4H_9$	276	688	[3]
	233	4100	
(4-Oxo-thiacyclohexan)	291	21	[3]
	230	640	
(Thiacyclooctenon)	295	275	[3]
	240	290	
(Thiochroman-on)	357	150	[3]
	254	6900	
(1,3-Dithiaspiro, Cyclohexan)	242	316	[3]
(1,3-Dithiaspiro, Cyclohexan)	248	833	[1]
		180	
H_3C-SH	~233		[4]
H_7C_3-SH	233	~150	[4]
F_3C-SH	218	46	[3]
H_9C_4-SH	233	~150	[3]
H_5C_6-SH	236	10000	[3]

In Thioäthern laufen photochemisch folgende Primärprozesse ab:

$$R-S-R' \xrightarrow{h\nu} R-S\cdot \ + \ R'\cdot \qquad (1)$$

$$\downarrow$$

$$R\cdot \ + \ S \qquad (1')$$

[1] E. J. Corey u. E. Block, J. Org. Chem. **34**, 1233 (1969).
   vgl. a. J. S. Rosenfield, J. S. u. A. Moscowitz, Am. Soc. **94**, 4797 (1972).
[2] E. A. Fehnel u. M. Carmack, Am. Soc. **71**, 84, 2889 (1949).
[3] E. Block, Quart. Rep. Sulfur Chemistry, **1969**, 237.
[4] J. G. Calvert u. J. N. Pitts, *Photochemistry*, S. 488, John Wiley & Sons, New York 1967.

Unter Spaltung der C–S-Bindung bildet sich ein Thiyl-Radikal, das in gewissen Fällen zum Radikal R· und Schwefel zerfällt. R· und R'· können rekombinieren, so daß im Endeffekt eine Schwefel-Eliminierung stattgefunden hat.

In den Mercaptanen können zwei Primärprozesse nebeneinander stattfinden. Meist entsteht unter Spaltung der S–H-Bindung ebenfalls ein Thiyl-Radikal; in einigen Molekülen beobachtet man jedoch auch C–S-Spaltung.

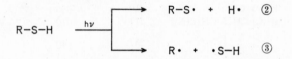

$$R-S-H \xrightarrow{h\nu} \begin{array}{l} R-S\cdot \;+\; H\cdot \quad ② \\[1em] R\cdot \;+\; \cdot S-H \quad ③ \end{array}$$

Im folgenden werden die einzelnen Verbindungen nach zunehmender Komplexität des α-Substituenten der C–S-Gruppe besprochen.

α) Mercaptane

Die photochemischen Reaktionen von Mercaptanen sind aufgrund ihrer biochemischen Bedeutung (z. B. Sulfhydryl-Enzyme, Liponsäure, Methionin, Coenzym A und Thiamin) besonders eingehend untersucht worden. Andererseits haben sich Mercaptane (z. B. Cysteamin und Cystein) sowie Disulfide als effektive Mittel gegen Strahlenschäden erwiesen.

Bei der Belichtung von Mercaptanen entstehen primär Thiyl-Radikale,

$$R-S-H \xrightarrow{h\nu} R-S\cdot \;+\; H\cdot \qquad\qquad ②$$

die durch ESR- und UV-Spektrometrie sowie durch Reaktionen in Clathraten bei tiefer Temperatur nachgewiesen werden konnten[1–4].

Eine Reihe weiterer Arbeiten beschäftigt sich mit der Löschwirkung angeregter Zustände durch Mercaptane und Disulfide. Die dabei wirksamen Thiyl-Radikale überführen ein photochemisch angeregtes System wieder in seinen Ausgangszustand. Diese Modellreaktionen dienen dem Studium des sog. "Repair Mechanism", der zur Aufhebung von Strahlenschäden von großer biochemischer Bedeutung ist (vgl. auch Photoreduktion, s. S. 1436ff.)[5–8].

Die Photolyse von Mercaptanen ist präparativ, wegen der Vielzahl der entstehenden Produkte, von geringer Bedeutung. Beispielsweise liefert die Photolyse ($\lambda = 254$ nm) von Methylmercaptan in der Gasphase neben *Dimethyl-disulfid* noch Wasserstoff, Schwefelwasserstoff und Methan[9–13]. Äthylmercaptan in kondensierter Phase ergibt Wasserstoff und Diäthyldisulfid ($\varphi = 0{,}25$)[14].

$$H_3C-SH \xrightarrow{\lambda = 254\,nm\,/\,5-800\,Torr} H_3C-S-S-CH_3 \;+\; H_2 \;+\; H_2S \;+\; CH_4$$

1 P. Goldberg, J.Chem. Physics **40**, 427 (1964).
2 K. J. Rosengren, Acta chem. scand. **16**, 1418 (1962).
3 D. H. Volman, J. Wolstenholme u. S. G. Hadley, J. phys. Chem. **71**, 1798 (1967).
4 H. C. Box, H. G. Freund u. E. E. Budzinski, J. Chem. Physics **45**, 809 (1966).
5 S. G. Cohen u. W. V. Sherman, Am. Soc. **85**, 1642 (1963).
6 S. G. Cohen, D. A. Laufer u. W. V. Sherman, Am. Soc. **86**, 3060 (1964).
7 S. G. Cohen u. S. Aktipis, Am. Soc. **88**, 3587 (1966).
8 W. V. Sherman u. S. G. Cohen, J. phys. Chem. **70**, 178 (1966).
9 R. P. Steer, B. L. Kalra u. A. R. Knight, J. phys. Chem. **71**, 783 (1967).
10 R. P. Steer u. A. R. Knight, J. phys. Chem. **72**, 2145 (1968).
11 R. P. Steer u. A. R. Knight, Canad. J. Chem. **47**, 1335 (1969).
12 T. Inaba u. B. Darwent, J. phys. Chem. **64**, 1431 (1960).
13 B. G. Dzantiev u. A. V. Shishkov, Khim. Vys. Energ. **2**, 119 (1968); C. A. **69**, 66679ʲ (1968).
14 D. D. Carlson und A. R. Knight, Canad. J. Chem. **51**, 1410 (1973).

Diese Verbindungen bilden sich nach folgendem Reaktionsschema:

$$H_3C-SH \xrightarrow{\ h\nu\ } H_3C-S\cdot\ +\ H\cdot \qquad ②$$

$$2\ H_3C-S\cdot \longrightarrow H_3C-S-S-CH_3 \qquad ④$$

$$H_3C\cdot\ +\ H_3C-SH \longrightarrow CH_4\ +\ H_3C-S\cdot \qquad ⑤$$

$$H\cdot\ +\ H_3C-SH \longrightarrow H_2\ +\ H_3C-S\cdot \qquad ⑥$$

$$H_3C-SH \xrightarrow{\ H_3C-S-S-CH_3{}^*\ } H_3C\cdot\ +\ \cdot SH \qquad ⑦$$

$$\cdot SH\ +\ H\cdot \longrightarrow H_2S \qquad ⑧$$

d. h. es tritt vorwiegend Spaltung der S–H-Bindung ein ②; nach Reaktionsschritt ⑦ führt Energie-übertragung auf ein Mercaptan-Molekül auch zu C–S-Spaltung.

Führt man die Photolyse der Mercaptane in Gegenwart von Phosphorigsäure-trialkyl-estern aus, so lassen sich die Reduktionsprodukte der Mercaptane in guten Ausbeuten synthetisieren. Die Bestrahlung von Octyl- bzw. Benzyl-mercaptan (G. E. 100 W Lampe) in Phosphorigsäure-triäthylester ergibt *Octan* (88%) bzw. *Toluol* (93%) neben Thiophosphorsäure-O,O,O-triäthylester[1]:

$$R-SH\ +\ P(OC_2H_5)_3 \xrightarrow{\ h\nu\ } R-H\ +\ S=P(OC_2H_5)_3$$

$$R = C_8H_{17},\ CH_2-C_6H_5$$

Die Belichtung von Methylmercaptan in Äthylen ergibt *Methyl-äthyl-sulfid* und die Photolyse ($\lambda = 254$ nm) von Äthylmercaptan in der Gasphase liefert *Diäthylsulfid, Äthan, Äthylen, Schwefelwasserstoff* und *Wasserstoff*[2].

Analog reagiert Triphenylmethyl-mercaptan. Man isoliert bei der Belichtung in Benzol *Bis-[triphenyl-methyl]-sulfid, Triphenyl-methan, Wasserstoff* und *Schwefel*[3].

Die photochemische Addition von Mercaptanen an Olefine (s. o.) und die Substitution an Aromaten ist präparativ bedeutungsvoller als die Mercaptan-Photolyse selbst. Die Reaktion läuft nach folgendem Schema ab[4,5]:

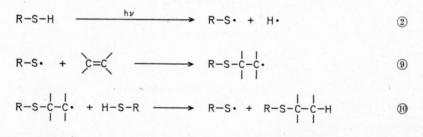

Das primär entstehende Thiyl-Radikal ② addiert sich an das Olefin ⑨ und das entstehende β-Alkyl-mercapto-alkyl-Radikal stabilisiert sich durch Wasserstoff-Addition. Es entsteht vorwiegend das Anti-markownikow-Addukt, außerdem dominiert das Produkt der *trans*-Addition.

Charakteristische Beispiele der Addition von Mercaptanen an Olefine sind in Tab. 138 (S. 1012) zusammengestellt.

---

[1] F. W. HOFFMANN et al., Am. Soc. **78**, 6414 (1956).
[2] R. P. STEER u. A. R. KNIGHT, Canad. J. Chem. **47**, 1335 (1969).
[3] J. K. WAN, Chem. Commun. **1967**, 429.
[4] H. L. GOERING, D. I. RELYEA u. D. W. LARSEN, Am. Soc. **78**, 348 (1956).
[5] R. H. PALLEN u. C. SIVERTZ, Canad. J. Chem. **35**, 723 (1957).

Tab. 138. Addition von Mercaptanen an Olefine und Acetylene

Mercaptan	Olefin Acetylen	Produkte	Ausbeute [% d.Th.]	Literatur
H_7C_3—SH	H_3C—CH=CH_2[a]	*Dipropylsulfid*	96	1
$H_{13}C_6$—SH	$(H_9C_4O)_2$B—CH=CH_2[a]	*2-Hexylmercapto-äthan-boronsäure-dibutylester*	93	2
⟨phenyl⟩—SH	Cl ⟨cyclohexene⟩ [b]	*cis-2-Chlor-1-phenylmercapto-cyclohexan*	30,4	1
		+trans-2-Chlor-1-phenylmercapto-cyclohexan	1,6	
	X—⟨phenyl⟩—CH=CH—CHO [c] (+H_2N—$COOC_2H_5$)	X—⟨phenyl⟩—CH—CH_2—CH(NH—$COOC_2H_5$)$_2$ with S—C_6H_5		3
	X=H	*3,3-Bis-[äthoxycarbonylamino]-1-phenylmercapto-1-phenyl-propan*	27	
	X=Cl	*3,3-Bis-[äthoxycarbonylamino]-1-phenylmercapto-1-(4-chlor-phenyl)-propan*	9	
	X=NO_2	*3,3-Bis-[äthoxycarbonylamino]-1-phenylmercapto-1-(4-nitro-phenyl)-propan*	87	
	⟨norbornene⟩ [d]	*3-Phenylmercaptomethyl-tricyclo [2.2.1.0²,⁶]heptan*	30	4
		+3-Phenylmercapto-2-methylen-bicyclo[2.2.1]heptan	38	
H_3C—CO—SH	Cl ⟨cyclohexene⟩ [b]	Cl ⟨cyclohexane⟩ H_3C—CO—S *cis-2-Chlor-1-acetylmercapto-cyclohexan*	56	5
		Cl ⟨cyclohexane⟩ H_3C—CO—S *+trans-2-Chlor-1-acetylmercapto-cyclohexan*	29	

[a] Quecksilber-Dampf-Lampe.
[b] Hanovia S 253,7 nm-Lampe, kein Solvens.
[c] Hanau NK 6/20 Quecksilber-Niederdruck-Lampe, 1,4-Dioxan.
[d] 100 W Lampe, kein Solvens.

1 US. P. 2422246 (1947), F. F. Rust u. W. E. Vaugham.
2 D. S. Matteson, Am. Soc. 81, 5004 (1959).
3 K. Sirotanovic u. Z. Nikic, Tetrahedron 22, 1561 (1966).
4 S. J. Cristol u. R. Kellman, J. Org. Chem. 36, 1866 (1971); zusätzlich entstehen 16% *3-Phenyl-mercapto-2-methyl-bicyclo[2.2.1]hepten* sowie 11% *2-Phenylmercaptomethylen-bicyclo[2.2.1]heptan.*
5 H. L. Goering, D. I. Relyea u. D. W. Larsen, Am. Soc. 78, 348 (1956).

Tab. 138 (1. Fortsetzung)

Mercaptan	Olefin Acetylen	Produkte	Ausbeute [% d. Th.]	Literatur
H₃C–CO–SH	H₃C (cyclopenten) ᵃ	*cis-2-Acetylmercapto-1-methyl-cyclopentan*	58	1
		+trans-2-Acetylmercapto-1-methyl-cyclopentan	25	
	H₃C (cyclohexen) ᵃ	*cis-2-Acetylmercapto-1-methyl-cyclohexan*	72	1
		+trans-2-Acetylmercapto-1-methyl-cyclohexan	13	
	H₇C₃–CH–C≡CH ᵇ / OH	*3-Hydroxy-1-acetylmercapto-hexen*	51	2

ᵃ 100 W-Lampe, ohne Lösungsmittel.
ᵇ Hg-Lampe; Äther.

cis- und trans-2-Chlor-1-acetylmercapto-cyclohexan[3]: Eine Mischung von 137 g (1,80 Mol) Thioessig-säure und 11,5 g (0,10 Mol) 1-Chlor-cyclohexen werden 4 Stdn. mit einer Hanovia SC-2537-Lampe ($\lambda = 254$ nm) ohne Filter bestrahlt. Durch Destillation erhält man neben Thioessigsäure (100 g) das *cis-trans*-Isomerengemisch; Ausbeute: 16,1 g (84% d. Th.); Kp_{10}: 115–124°; $n_D^{25} = 1,5191$.

Die Belichtung von Mercapto-essigsäure in Gegenwart von Benzo-[a]-pyren mit einer Hg-Hochdrucklampe ergibt nicht das einfache Substitutionsprodukt, sondern *6-Carboxymethyl-⟨benzo-[a]-pyren⟩*[4] (43%):

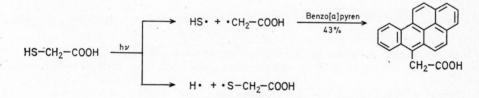

Zur Cyclisierung von w-Mercapto-alkinen s. Lit.[5].

[1] F. G. BORDWELL u. W. A. HEWETT, Am. Soc. **79**, 3493 (1957).
  F. G. BORDWELL, P. S. LANDRIS u. G. S. WHITTNEY, J. Org. Chem. **30**, 3764 (1965).
  vgl. a. A. A. OSWALD u. W. NAEGELE, J. Org. Chem. **31**, 830 (1966).
  C. W. SHOPPEE, M. I. AKTHAR u. R. E. LACK, Soc. **1964**, 877.
[2] H. BADER, Soc. **1956**, 116.
[3] H. L. GOERING, D. I. RELYEA u. D. W. LARSEN, Am. Soc. **78**, 438 (1956).
[4] W. CONWAY u. D. S. TARBELL, Am. Soc. **78**, 2228 (1956).
[5] J.-M. SURZUY, C. R. **269**, 849 (1969).

6-Carboxymethyl-⟨benzo-[a]-pyren⟩ [1]: 1,0 g Benzo-[a]-pyren werden in 20 *ml* dest. Mercapto-essigsäure gelöst und mit einer Hanovia C 2055 Hg-Lampe 10 Stdn. unter Stickstoff belichtet, wobei die Entladungslampe die Reaktionstemp. bei 90° hält. Dann werden 50 *ml* Wasser zugegeben und die Mischung über Nacht stehen gelassen. Dabei fallen 1,08 g eines gelblichen Niederschlags aus, der i. Vak. getrocknet wird. Nach Extraktion mit Benzol verbleiben 0,23 g 6-Carboxymethyl-⟨benzo-[a]-pyren⟩ (F: 205°).

Durch Extraktion der benzolischen Phase mit 2%iger Kaliumhydroxid-Lösung und Ansäuern werden weitere 0,016 g gewonnen; Gesamtausbeute: 43% d.Th.; F: 248–252°.

In Gegenwart von Sauerstoff liefert die Photolyse von Mercaptanen schwefelhaltige Hydroperoxide; diese Reaktion ist u. a. für die Stabilisierung von Gummi von Bedeutung[2].

Cystein (I) reagiert photochemisch wie einfache Mercaptane. Belichten mit einer "sunlamp" ergibt unter Dimerisierung *Cystin* (II). Photolyse in verd. Säure liefert *2-Amino-3-sulfino-propansäure* (*Alanin-sulfinsäure*; III) und *2-Amino-2-sulfo-essigsäure* (*Cysteinsäure*; IV)[3,4]:

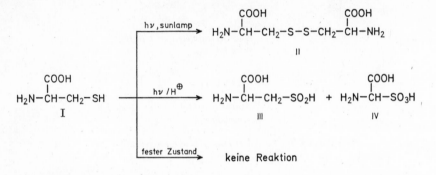

β) Thioäther

β₁) *acyclische Thioäther*

Die Photolyse acyclischer Thioäther ist präparativ nicht sehr bedeutungsvoll, sie zeigt jedoch die prinzipiell möglichen Photoreaktionen der Thioäther auf. Die Quecksilber-sensibilisierte Belichtung von Dimethylsulfid mit einer Niederdrucklampe in der Gasphase ergibt als Reaktionsprodukte 41% *Äthan*, 29% *Dimethyl-disulfid*, 11% *Methylmercaptan* und 3% *Methan*[5]:

$$H_3C-S-CH_3 \xrightarrow{\lambda=254nm, \langle Hg \rangle} C_2H_6 \;+\; H_3C-S-S-CH_3 \;+\; H_3C-SH \;+\; CH_4$$

Der Mechanismus dieser Reaktion, der ganz allgemein für Thioäther gilt, stellt primär eine homolytische Spaltung der C–S-Bindung in ein Thiyl- und ein Alkyl-Radikal dar. Diese Radikale stabilisieren sich

---

[1] W. Conway u. D. S. Tarbell, Am. Soc. **78**, 2228 (1956).

[2] D. M. Graham u. B. K. Sic, Canad. J. Chem. **49**, 3895 (1971).

  A. A. Oswald, J. Org. Chem. **26**, 842 (1961).

  A. A. Oswald u. F. Noel, J. Org. Chem. **26**, 3948 (1961).

[3] W. F. Forbes u. W. E. Savige, Photochem. Photobiol. **1**, 77 (1962); C. A. **57**, 16035ᶠ (1962).

[4] vgl. a. H. C. Box, H. G. Freund u. E. E. Budzinski, J. Chem. Phys. **45**, 809 (1966).

[5] A. Jones, S. Yamashita u. F. P. Lossing, Canad. J. Chem. **46**, 833 (1968).

  B. Milligan, D. E. Rivett u. W. E. Savige, Austral. J. Chem. **16**, 1020 (1963).

  Vgl. a.: L. Horner u. J. Dörges, Tetrahedron Letters **1963**, 757.

  Vgl. a. R. N. Haszeldine et al., Soc. (Perkin I) **1972**, 155, 159, 1506.

dann nach dem für Dimethylsulfid gegebenen Schema[1]:

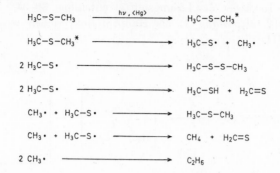

Thioäther wie Dibutyl-, Diphenyl- oder Dibenzylsulfid liefern bei Belichtung in kondensierter Phase (Petroläther) durch Dimerisierung vorwiegend **Disulfide** und **Alkane**[2-5]:

$$R-S-R \quad \xrightarrow{h\nu\,,\,Solvens} \quad R-S-S-R \;+\; R-R$$

$R = C_4H_9;$ *Dibutyl-disulfid*

$R = C_6H_5;$ *Diphenyl-disulfid*; 19% d. Th.

$R = H_5C_6-CH_2;$ *Dibenzyl-disulfid*

Bei längerer Bestrahlung können die primär entstehenden Dialkyl- bzw. Diaryldisulfide ebenfalls photolysiert werden. So erhält man z. B. bei der Photolyse von **Dibenzylsulfid** (Hg-Hochdrucklampe) neben *Dibenzyl-disulfid, Benzylmercaptan* und *1,2-Diphenyl-äthan* (25%) als Sekundärprodukte *1,2,3-Triphenyl-propan* (2%) und *Phenanthren* (12%)[3].

4-Mercapto-2-methyl-buten-(2) (I) – die Hauptgeschmackskomponente sonnenbestrahlten Bieres – geht bei der Belichtung (Niederdruck-Lampe) in Hexan eine Photoaddition mit sich selbst ein. Als Zwischenprodukt bildet sich *4-Mercapto-3-[3-methyl-buten-(2)-ylmercapto]-2-methyl-butan* (II), das bei länger dauernder Photolyse zu *cis*- (III) und *trans-2,5-Diisopropyl-1,4-dithian* (IV) cyclisiert[6]:

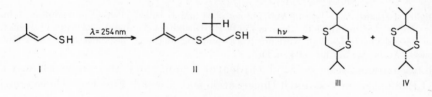

Photolysedauer	Produkte [%]			Umsatz
[Stdn.]	II	III	IV	[%]
1	23	15	58	28
11	Spur	20	74	97

[1] Zur Bildung des Methylmercaptans vgl.:
R. P. Steer, B. L. Kalra u. A. R. Knight, J. Phys. Chem. **71**, 783 (1967).
P. M. Rao u. A. R. Knight, Canad. J. Chem. **50**, 844 (1972).
Analog verläuft auch die mit Quecksilber sensibilisierte Reaktion von Dimethylsulfoxid: D. R. Tycholiz u. A. R. Knight, Am. Soc. **95**, 1726 (1973).
[2] W. Carruthers, Nature **209**, 908 (1966).
[3] W. H. Laarhoven u. T. J. Cuppen, Tetrahedron Letters **1966**, 5003.
W. H. Laarhoven, T. J. Cuppen u. R. J. Nivard, R. **86**, 821 (1967); **87**, 1415 (1968).
[4] N. Kharasch u. A. I. Khodair, Chem. Commun. **1967**, 98.
[5] vgl. a. J. R. Plimmer, P. C. Kearney u. U. I. Klingebiel, Tetrahedron Letters **1969**, 3891.
[6] K. Takabe, T. Katagiri u. J. Tanaka, Tetrahedron Letters, **1970**, 4805.

Eine interessante Photoreaktion (Niederdruck-Lampe) zeigt das Bis-[2-phenyl-vinyl]-sulfid (V). In Äther als Lösungsmittel entstehen 30–34% d.Th. *trans-2,3-Di-phenyl-5-thia-bicyclo[2.1.0]pentan* (VI) als Hauptprodukt neben wenig *2,3-Dihydro-3,4-diphenyl-thiophen* (VII)[1]:

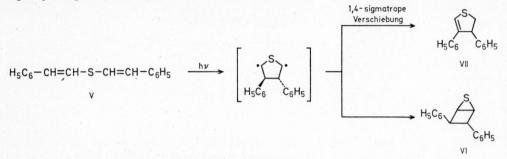

Analog reagieren folgende Vinyl-naphthyl-(2)-sulfide[2]:

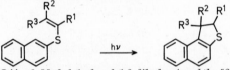

$R^1=CH_3$; $R^2=H$; $R^3=C_6H_5$ 2-*Methyl-1-phenyl-1,2-dihydro-⟨naphtho-[2,1-b]-thiophen⟩*; 15% d.Th.
$R^1=C_6H_5$; $R^2=CH_3$; $R^3=H$ 1-*Methyl-2-phenyl-1,2-dihydro-...*; 70% d.Th.

Über die oxidative Cyclisierung von Vinyl-aryl- und Diaryl-thioäthern s. S. 541f.

In gewissen Fällen beobachtet man die Eliminierung von Schwefel, die durch Zusatz von Trialkylphosphit begünstigt wird. Belichtet man Diallyl-sulfid und Trialkylphosphit, so wird *Hexadien-(1,5)* (38% d.Th.) gebildet. Aus Dibenzyl-sulfid erhält man auf analoge Weise *1,2-Diphenyl-äthan* (59% d.Th.)[3,4]:

$$R-S-R \xrightarrow{\lambda>250nm} R-S\cdot + R\cdot \xrightarrow[-(RO)_3P=S]{P(OR)_3} R\cdot + R\cdot \longrightarrow R-R$$

$$R = H_2C=CH-CH_2-, H_5C_6-CH_2-$$

1,2-Diphenyl-äthan[3]: Eine Lösung von 748 mg (3,34 mMol) Dibenzyl-sulfid in 6 *ml* dest. Trimethyl-phosphit werden 72 Stdn. mit einer Hanovia 450 W Hg-Hochdruck-Lampe (Vycor-Filter) belichtet. Nach Abziehen des Solvens i. Hochvak. wird der Rückstand mit Methanol behandelt und aus Pentan um-kristallisiert; Ausbeute: 377 mg (59% d.Th.); F: 50,2–52,6°.

Photolysen aromatischer S-Aryl-thioester führen unter Abspaltung des Acyl-Restes zu Thiyl-Radikalen, die sich durch Dimerisation stabilisieren[5]. Eine Fries-Umlagerung wird nicht beobachtet[6]:

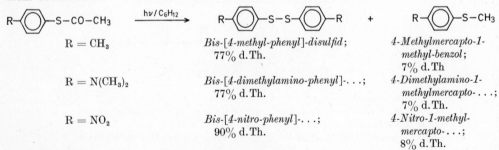

| R = CH₃ | *Bis-[4-methyl-phenyl]-disulfid*; 77% d.Th. | *4-Methylmercapto-1-methyl-benzol*; 7% d.Th |

R = CH₃ *Bis-[4-methyl-phenyl]-disulfid*; 77% d.Th. *4-Methylmercapto-1-methyl-benzol*; 7% d.Th

R = N(CH₃)₂ *Bis-[4-dimethylamino-phenyl]-...*; 77% d.Th. *4-Dimethylamino-1-methylmercapto-...*; 7% d.Th.

R = NO₂ *Bis-[4-nitro-phenyl]-...*; 90% d.Th. *4-Nitro-1-methyl-mercapto-...*; 8% d.Th.

[1] E. Block u. E. J. Corey, J. Org. Chem. **34**, 896 (1969).
[2] A. G. Schultz u. M. B. de Tar, Am. Soc. **96**, 296 (1974).
[3] E. Block u. E. J. Corey, J. Org. Chem. **34**, 1233 (1969).
[4] vgl. a. A. Schönberg u. T. Stollp, A. **483**, 90 (1930).
[5] J. R. Grunwell, N. A. Marron u. S. I. Hanhan, J. Org. Chem. **38**, 1559 (1973).
[6] vgl. aber E. L. Loveridge, B. R. Beck u. J. S. Bredshaw, J. Org. Chem. **36**, 221 (1971).

tert.-Alkyl-(2-oxo-alkyl)-sulfide mit β'-ständiger CH$_2$-Gruppe spalten photochemisch leicht Mercaptane ab. So erhält man aus 2-tert.-Butylmercapto-1-oxo-cyclohexan (I) (Hg-Hochdruck-Lampe, Corex-Filter) in Cyclohexan 22% eines Gemisches aus *3-Oxo-cyclohexen* (II), *3-tert.-Butylmercapto-1-oxo-cyclohexan* (III), *Cyclohexanon* (IV) und *Di-tert.-butyl-disulfid* (V) (Verhältnis II:IV:V = 1,4:1:5)[1]; alle Produkte bilden sich durch Stabilisierung der nach Homolyse der C–S-Bindung entstandenen Radikale:

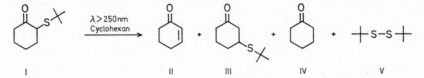

Nachstehend einige weitere photochemische Mercaptan-Eliminierungen[2]:

2-(4-Methyl-phenylmercapto)-1-oxo-1,3-diphenyl-propan	$\xrightarrow{\text{Hg-Hochdrucklampe/CH}_3\text{OH}}$ *Chalkon*[1] + *1-Oxo-1,3-diphenyl-propan*	33% d.Th. 17% d.Th.
2-(4-Methyl-phenylmercapto)-1-oxo-tetralin	$\xrightarrow{\text{Hg-Hochdrucklampe/CH}_3\text{OH}}$ *1-Naphthol*[1] + *Bis-[4-methyl-phenyl]-disulfid*	37% d.Th. 52% d.Th.
2-(2,4,6-Trimethyl-phenyl-mercapto)-1-oxo-tetralin	$\xrightarrow{\text{Hg-Hochdrucklampe/CH}_3\text{OH}}$ *1-Naphthol*[1] + *Bis-[2,4,6-trimethyl-phenyl]-disulfid*	53% d.Th. 48% d.Th.

ω-Äthylmercapto-acetophenon wird durch UV-Bestrahlung (Hg-Hochdruck-Lampe) in einer Art Norrish-Typ II-Spaltung zu 97% zu *Acetophenon* und *Thioacetaldehyd* fragmentiert (im Gegensatz hierzu unterliegt ω-Äthoxy-acetophenon photochemisch dem Ringschluß zum entsprechenden Oxetan[3]):

$$H_5C_6-\overset{\overset{\textstyle O}{\|}}{C}-CH_2-S-C_2H_5 \xrightarrow[\text{Pyrex-Filter}]{h\nu,} H_5C_6-\overset{\overset{\textstyle O}{\|}}{C}-CH_3 \quad + \quad H-\overset{\underset{\textstyle S}{\|}}{C}-CH_3$$

Vollkommen analog reagiert ω-Benzylmercapto-acetophenon, wobei ebenfalls Aceto-phenon eliminiert wird[4].

Die Belichtung der Aminosäuren S-Methyl-cystein (Ia) und Lanthionin (Ib) mit Sonnenlicht oder "Sunlamps" in Gegenwart von Sauerstoff führt zu Oxidationsprodukten, d.h. es werden die Sulfoxide II (*S-Methyl-cystein-S-oxid*; *Lanthionin-S-oxid*) der ent-sprechenden Aminosäuren gebildet[5]. Führt man die Photolyse mit einer Niederdruck-Lampe ($\lambda = 254$ nm) aus, so treten zusätzlich *Alanin* und *Serin* als Produkte einer C–S-Spaltung auf:

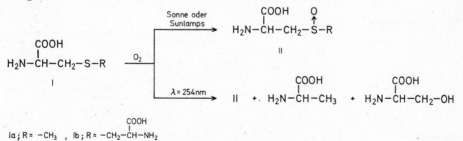

[1] W. C. LUMMA u. G. A. BERCHTOLD, J. Org. Chem. **34**, 1566 (1969).
[2] J. R. COLLIER u. J. HILL, Chem. Commun. **1968**, 700.
[3] H. HOGEVEEN u. P. J. SMIT, R. **85**, 489 (1966).
    K. HIRAI, H. MATSUDA u. Y. KISHIDA, Chem. Pharm. Bull. (Tokyo) **19**, 2207 (1971).
[4] A. PADWA u. D. PASHAGAN, J. Org. Chem. **36**, 3550 (1971).
[5] W. F. FORBES u. W. E. SAVIGE, Photochem. Photobiol. **1**, 77 (1962); C. A. **57**, 16035^f (1962).

4,6-Dialkylamino-2-methylmercapto-1,3,5-triazin-Herbicide werden lediglich zu 2,4-Dialkylamino-1,2,3-triazin abgebaut[1]:

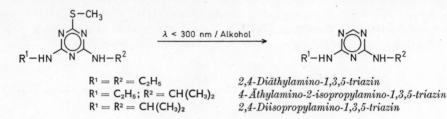

$R^1 = R^2 = C_2H_5$ *2,4-Diäthylamino-1,3,5-triazin*
$R^1 = C_2H_5; R^2 = CH(CH_3)_2$ *4-Äthylamino-2-isopropylamino-1,3,5-triazin*
$R^1 = R^2 = CH(CH_3)_2$ *2,4-Diisopropylamino-1,3,5-triazin*

β_2) *cyclische Thioäther*

Die Belichtung cyclischer Thioäther verläuft prinzipiell in gleicher Weise wie die der acyclischen Thioäther. Zunächst tritt nach Prozeß ① (s. S. 1009) Fragmentierung in ein Diradikal ein, das sich intramolekular bzw. durch Reaktion mit dem Solvens oder durch Schwefel-Eliminierung stabilisiert (s. Gleichung (1'), S. 1009)[2]. Letztere Reaktion ist besonders bei den Thiiranen begünstigt[3].

Tetrafluor-thiiran liefert bei der Photolyse (Hg-Niederdruck-Lampe) *Octafluorcyclobutan* und *Octafluor-1,4-dithian* neben wenig Thiocarbonyl-fluorid und Schwefelkohlenstoff[4]. Das **cis-2,3-Diphenyl-thiiran** ergibt über *cis*-Stilben in einer elektrocyclischen 1 π–1 σ-Umwandlung[5] *Phenanthren* (60% d.Th.):

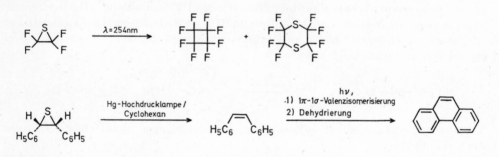

Der allgemeine Mechanismus der Photolyse von Thiiranen läßt sich schematisch folgendermaßen wiedergeben:

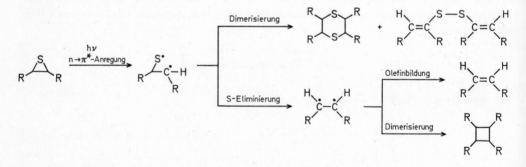

---

[1] B. E. PAPE u. M. J. ZABIK, J. Agr. Food Chem. **18**, 202 (1970).

[2] Ergebnisse der Blitzlichtphotolyse s.: P. FOWLES et al., Am. Soc. **89**, 1352 (1967).

[3] Übersichtsreferat: A. PADWA, J. Sulfur Chem. **1972**, 331.

[4] W. R. BRASEN et al., J. Org. Chem. **30**, 4188 (1965).

[5] T. SATO et al., Bl. chem. Soc. Japan **40**, 2975 (1967).

Die Belichtung von 9-Thia-bicyclo[6.1.0]nonatrien-(2,4,6) ergibt quantitativ *Thia-bullvalen* d. h. *9-Thia-tricyclo[3.3.1.0^4,6]nonadien-(2,7)*, das ebenfalls aus 9-Thia-bicyclo [4.2.1]nonatrien-(2,4,7) photochemisch gebildet werden kann[1]:

Eine radikalische Ringöffnung des Thiiran-Rings geht auch 3-Thia-tricyclo[3.2.1.0^2,4]oc-ten-(6) bei der Photolyse in Acetonitril ein; dabei entsteht vorwiegend *2-Thia-bicyclo[3.2.1] octen-(3)* (84% d.Th.)[2]. Weitere charakteristische Beispiele von Thiiran-Photolysen s. Tab. 139 (S. 1020)

Phenanthren[3]: Eine Lösung von 215 mg (1,0 mMol) *cis*-2,3-Diphenyl-thiiran und 50 mg Jod werden in 60 *ml* Cyclohexan in einer Quarzapparatur mit einer Wako HBC-1000 W Hg-Hochdruck-Lampe 20 Stdn. bei 9° bestrahlt. Der nach dem Abziehen des Lösungsmittels verbleibende Rückstand wird mit Hexan an Aluminiumoxid eluiert; Ausbeute: 108 mg (60% d.Th.); F: 97–100°.

trans-2-Phenyl-3-benzoyl-thietan (in Äthanol) unterliegt photochemisch einer Ring-öffnung zu einem Diradikal, das dann zu einem *cis-trans*-Gemisch (4:1) von *1,3-Diphenyl-3-oxo-propen* fragmentiert (83% d.Th.). Die Reaktion verläuft über einen Triplett-An-regungszustand[4].

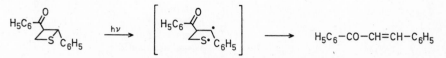

Bicyclische fünf- und sechsgliedrige Thioäther können Schwefel-Eliminierung eingehen, die in Gegenwart von Trialkylphosphiten zur Hauptreaktion wird; z. B.[5]:

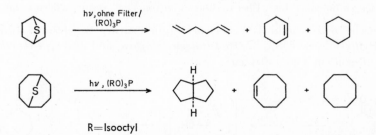

R=Isooctyl

Diese Reaktion ist auch auf größere Ringe übertragen worden. So kann unter analogen Bedingungen aus *anti*-6,15-Dimethyl-2,11-dithia-[3.3]metacyclophan das *5,13-Dimethyl-[2.2]metacyclophan* erhalten werden (85% d.Th.)[6], während das *[2]Paracyclo[3](2,5)pyri-dophan* in 60% Ausbeute synthetisiert werden kann[7].

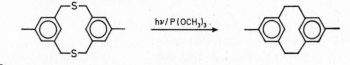

[1] A. G. ANASTASSIOU u. B. Y. CHAO, Chem. Commun. **1972**, 277.
[2] T. FUJISAWA u. T. KOBORI, Chem. Commun. **1972**, 1298.
[3] T. SATO et al., Bl. chem. Soc. Japan **40**, 2975 (1967).
[4] A. PADWA u. R. GRUBER, J. Org. Chem. **35**, 1781 (1970).
[5] E. J. COREY u. E. BLOCK, J. Org. Chem. **34**, 1233 (1969).
[6] V. BOEKELHEIDE, I. D. REINGOLD u. M. TUTTLE, Chem. Commun. **1973**, 406.
   R. GRAY u. V. BOEKELHEIDE, Ang. Ch. **87**, 138 (1975).
   M. W. HAENEL, Tetrahedron Letters **1974**, 3053.
[7] J. BRUHIN u. W. JENNY, Tetrahedron Letters **1973**, 1215.

Tab. 139. Photolyse von Thiiranen

Thiiran	Lampe	Reaktionsprodukt	Ausbeute [% d.Th.]	Literatur
(Thiiran mit CH₃)	Hg-Resonanz-Lampe	*Diallyl-disulfid*	0,05	1
(Thiiran, Tetramethyl, Oxo)	Fluoreszenz-Lampe 2537 Å	*3-Oxo-2,2,4-tetra- methyl-1-methylen- cyclobutan*	56	2
(Thiiran, Tetraphenyl, Dioxo)	Hanovia-450 W-Hg- Hochdruck-Lampe, Pyrex	*1,4-Dioxo-1,2,3,4- tetraphenyl-trans- buten*	35	3
		+... *-cis-buten*	30	
		+*cis-1,2-Diphenyl- 1,2-dibenzoyl- thiiran*	2	
		+*1-Hydroxy-4- phenoxy-2,3-di- phenyl-naphthalin*	11	

2-Methyl-2,3-dihydro-benzo-[b]-thiophen geht in *Thiochroman* und *2-Methyl-⟨benzo-[b]-thio-phen⟩* über[4]. Über die Photolysen von 2-Oxo-2,3-dihydro-thiophen, die unter Decarbonylierung zu einem o-Chinon-Analogen führen, s. Lit.[5]. Über Cyclisierungen von Vinyl-phenyl-sulfiden s. Lit.[6] und S. 542.

Das cyclische β-Oxo-sulfid 3 - O x o - t h i a n ergibt bei der Belichtung (Hg-Hochdruck-Brenner, Pyrex-Filter) 6–8% *2-Oxo-tetrahydrothiophen* und 6–8% *4-Oxo-thiepan*. Als Zwischenstufe soll ein Ylid auftreten[7]:

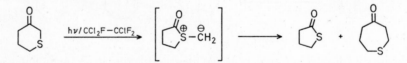

Zur Dimerisierung von 2-Nitro-⟨benzo-1,4-dithiin⟩ s. Lit.[8].

---

[1] R. J. Gritter u. E. C. Sabatino, J. Org. Chem. **29**, 1965 (1964).

[2] J. G. Pacifici u. C. Diebert, Am. Soc. **91**, 4595 (1969).

[3] A. Padwa u. D. Crumrine, Chem. Commun. **1965**, 506.
A. Padwa, D. Crumrine u. A. Shubber, Am. Soc. 88, 3064 (1966).

[4] D. C. Neckers u. J. deZwaan, Chem. Commun. **1969**, 813.

[5] H. Wynberg et al., J. Org. Chem. **33**, 2218 (1968).
Vgl. a. Q. N. Porter u. H. G. Upstill, Tetrahedron Letters **1972**, 255.

[6] J. Nasielski, G. Billy u. M. Remy, Tetrahedron Letters **1973**, 3655.

[7] K. K. Matheshwari u. G. A. Berchtold, Chem. Commun. **1969**, 13.
W. C. Lumma, Jr., u. G. A. Berchtold, J. Org. Chem. **34**, 1566 (1969).

[8] W. E. Parham, T. L. Stright u. W. R. Hasek, J. Org. Chem. **24**, 262 (1969).

Während β,γ-ungesättigte δ-Oxo-sulfide 3-Oxo-thietane liefern, lagern sich die entsprechenden annelierten Derivate zu α,β-ungesättigten δ-Oxo-sulfiden um[1]:

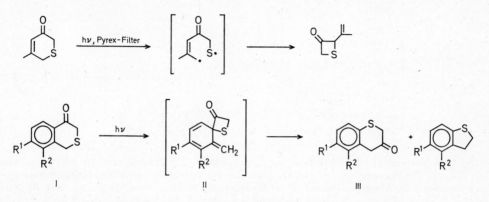

III; $R^1=R^2=H$;   *3-Oxo-2,3-dihydro-4H-⟨benzo-[b]-thiopyran⟩; 21%*

$R^1=H_3CO$; $R^2=H$; *3-Oxo-6-methoxy-2,3-dihydro-4H-⟨benzo-[b]-thiopyran⟩: 30%*

$R^1=H$; $R^2=CH_3$; *3-Oxo-5-methyl-2,3-dihydro-4H-⟨benzo-[b]-thiopyran⟩; 40%*

3-Oxo-2-isopropenyl-thietan[2]: Eine Lösung von 1,00 g (7,82 mMol) 5-Oxo-3-methyl-5,6-dihydro-2H-thiapyran wird mit einer Hanovia 450 W Hg-Hochdruck-Lampe (Pyrex 7740-Filter) 7 Stdn. bestrahlt. Die erhaltene trübe Lösung wird filtriert, vom Lösungsmittel befreit und der feste Rückstand (0,87 g) bei 100–110°/0,1 Torr destilliert; Ausbeute: 282–350 mg (28–35% d.Th.); n_D^{25}: 1,5193.

Bicyclische β-Oxo-sulfide können sowohl C_α–S- wie α-Keton-Spaltung (Norrish-Typ I-Spaltung) erleiden. So erhält man aus 6-Acetoxy-2-oxo-9-thia-bicyclo[3.3.1]nonan (IV) in Methanol bei der Belichtung (Hanau Q 81 Hg-Hochdruck-Brenner) *1-Hydroxy-6-mercapto-9-oxa-bicyclo[3.3.1]nonen-(2)* (V; 34% d.Th.), *2-[3-Hydroxy-tetrahydrothiapyranyl-(2)]-propansäure-methylester* (VI; 46% d.Th.) und das davon abgeleitete Lacton (VII; 13,5% d.Th.)[3]:

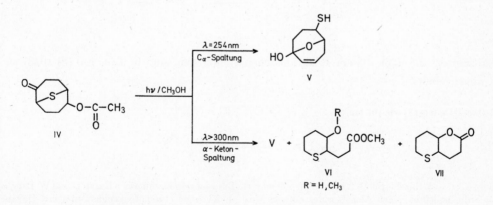

Selektiver verläuft dagegen die Photolyse mit Licht der Wellenlänge $\lambda = 253,7$ nm; man erhält als einziges Reaktionsprodukt[3] 39% V. Das ungesättigte β-Oxo-sulfid 6-Oxo-9-

[1] W. C. LUMMA u. G. A. BERCHTOLD, Am. Soc. **89**, 2761 (1967).

[2] W. C. LUMMA u. G. A. BERCHTOLD, J. Org. Chem. **34**, 1566 (1969).

[3] C. GANTER u. J. F. MOSER, Helv. **52**, 967 (1969); **52**, 725 (1969); **51**, 300 (1968).

thia-bicyclo[3.3.1]nonen-(2)(IX) liefert bei der Photolyse in Pentan (Hg-Hoch-druck-Lampe) *3-Oxo-2-thia-bicyclo[6.1.0]nonen-(6)* (X; 35% d.Th.)[1]:

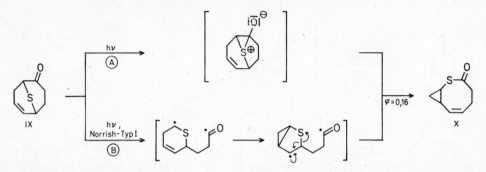

Die Photolyse von IV (S. 1021) führt zu C_α–S-Spaltung ($\lambda = 254$ nm) oder zu α-Ketonspaltung ($\lambda > 300$ nm). Die Photoumlagerung von IX kann über ein Thiiran und cyclischer Elektronenverschiebung ablaufen (Weg A) oder als Norrish-Typ I-Spaltung und Elektronenumgruppierung (Weg B). Nach neueren Arbeiten kann Weg B jedoch ausgeschlossen werden[2]. Die Reaktion IX → X verläuft dabei über einen Singulett-Anregungszustand mit einer Quantenausbeute von $\varphi = 0,16$.

γ-Oxo-sulfide können unter Ringöffnung reagieren (Weg C); das entstandene Diradikal stabilisiert sich durch Anlagerung des Solvens. Ein zweiter Reaktionsweg (D) führt zu einem Elektronenübergang vom Schwefel-Atom zur C=O-Gruppe und das Diradikal-Zwitterion XI geht dann in ein Thia-bicyclo[2.2.0]hexan XII über, das zu *2-Oxo-thietan* (XIII) fragmentiert:

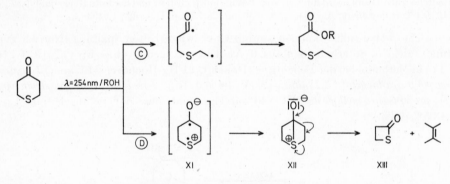

Substanzen, die nach diesem Reaktionsschema entstehen, sind in Tab. 140 (S. 1023) zu-sammengefaßt[3].

2-Oxo-4-[buten-(3)-yl]-thietan[4]:

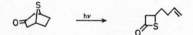

6,02 g 3-Oxo-8-thia-bicyclo[3.2.1]octan in 500 *ml* tert.-Butanol werden mit einer Hanovia 450 W Lampe 95 Stdn. belichtet. Nach Abziehen des Solvens wird an Kieselgel chromatographiert und mit Hexan, dann mit Hexan/Äther-Gemischen steigender Polarität eluiert; Ausbeute: 6,59 g (43% d.Th.); Kp$_{0,75}$: 66°.

[1] A. Padwa, A. Battisti u. E. Shefter, Am. Soc. **91**, 4000 (1969).
[2] A. Padwa u. A. Battisti, Am. Soc. **93**, 521, 1304 (1971).
[3] P. Y. Johnson u. G. A. Berchtold, Am. Soc. **89**, 2761 (1967),
[4] H. Wynberg et al., J. Org. Chem. **33**, 2218 (1968).
  vgl. a. Q. N. Porter u. H. G. Upstill, Tetrahedron Letters **1972**, 255.

Tab. 140. Photolyse[a] von γ-Oxo-sulfiden in tert.-Butanol

Ausgangsverbindung	Produkte	Ausbeute [% d.Th.]	Literatur
	2-Oxo-thietan	27	1,2
	+3-Äthylmercapto-propansäure-tert.-butylester	18	
	2-Oxo-thietan	51	1,2
	+3-(2-Methyl-propyl-mercapto)-propansäure-tert.-butylester	9	
	2-Oxo-3,3-dimethyl-thietan	57	3
	+3-[2-Methyl-propen-(2)-yl-mercapto]-2,2-dimethyl-propanal	7	
	+3-[2-Methyl-propen-(1)-yl-mercapto]-2,2-dimethyl-propanal	1	
	2-Oxo-4-[buten-(3)-yl]-thietan	55	1,2
	+[5-Methyl-tetrahydrothienyl-(2)]-essigsäure-tert.-butylester	2	
	2-Oxo-tetrahydro-thiophen	13	1,2
	+3-Propylmercapto-propansäure-tert.-butylester	6	
	2-Oxo-3,3-dimethyl-thietan	19	3
	+6-Oxo-1,1,5,5-tetramethyl-cyclohexan	7	
	4-Acetoxy-5-oxo-3,3-dimethyl-tetrahydro-thiophen	62	4
	2-Oxo-tetrahydro-thiopyran	5	1,2
	+3-Butylmercapto-propansäure-tert.-butylester	11	
	+3-[Buten-(3)-yl-mercapto]-propanal	14	

[a] Rayonet Reactor 253,7-nm-Lampen, Hg-Mitteldruck- und Hanovia 450 W-Hg-Hochdrucklampen, Pyrex, Corex- und Vycor-Filter; gaschromatographische Aufarbeitung.

β₃) Sulfoniumsalze

In prinzipiell gleicher Weise wie die Thioäther reagieren Sulfoniumsalze. So ergibt die Photolyse der Triphenylsulfoniumsalze (Niederdruck-Lampe) in Äthanol *Diphenyl-*

[1] P. Y. JOHNSON u. G. A. BERCHTOLD, Am. Soc. 89, 2761 (1967).
[2] P. Y. JOHNSON u. G. A. BERCHTOLD, J. Org. Chem. 35, 584 (1970).
[3] J. KOOT, H. WYNBERG u. R. M. KELLOG, Tetrahedron 29, 2135 (1973).
[4] P. Y. JOHNSON u. M. BERMAN, Chem. Commun. 1974, 779.

sulfid (II), *Halogenbenzol* (III), *Benzol* (IV) und *Biphenyl*[1] (V):

$$(H_5C_6)_3\overset{\oplus}{S}\overset{\ominus}{-X} \xrightarrow{h\nu,\ Quarz/45°} H_5C_6-S-C_6H_5 + C_6H_5X + C_6H_5H + H_5C_6-C_6H_5$$

I   II   III   IV   V

X	II	III	IV	V
Cl	23	1	14	2,1
Br	37	12	24	1,4
J	47	36	31	1,4
O–NO$_2$	30	–	34	1,4

Als Mechanismus[2] werden folgende Reaktionsschritte vorgeschlagen:

$$Ar_3\overset{\oplus}{S}\overset{\ominus}{-X} \xrightarrow{h\nu} \left[Ar_3-S-X\right] \rightleftharpoons Ar_3-S\cdot + X\cdot$$

$$Ar_3-S\cdot + X\cdot \longrightarrow Ar-S-Ar + Ar\cdot + X\cdot$$

$$Ar\cdot + X\cdot \xrightarrow{Solvens} Ar-X + Ar-Ar + ArH$$

Ebenfalls unter homolytischer C–S-Spaltung reagieren Benzylsulfoniumsalze[3], während (2-Oxo-2-phenyl-äthyl)-sulfoniumsalze heterolytisch aufspalten[3–5]; so erhält man aus 2-Methyl-1,2,3,4-tetrahydro-⟨2-benzothiopyrylium⟩-tetrafluoroborat (VI), *2-Methoxymethyl-ω-methylmercapto-acetophenon* (VII; 24% d.Th.), *2-Methylmercaptomethyl-acetophenon* (VIII; 2% d.Th.) und *1-Oxo-2-methylmercapto-indan* (IX; 6% d.Th.) bzw. aus Dimethyl-(2-oxo-2-phenyl-äthyl)-sulfonium-tetrafluoroborat (X) *Acetophenon*[5, vgl. a. 3] (XI; 82% d.Th.):

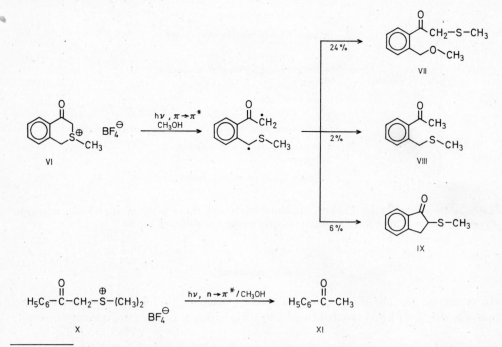

[1] J. W. KNAPCZYK u. W. E. McEWEN, J. Org. Chem. **35**, 2539 (1970); Am. Soc. **91**, 145 (1969).
[2] s. a. S. L. NICKOL u. J. A. KAMPMEIER, Am. Soc. **95**, 1908 (1973); hier wird ein Charge-Transfer-Komplex diskutiert.
[3] A. L. MAYCOCK u. G. A. BERCHTOLD, J. Org. Chem. **35**, 2532 (1970).
[4] T. LAIRD u. H. WILLIAMS, Chem. Commun. **1969**, 561.
[5] T. LAIRD u. H. WILLIAMS, Soc. [C] **1971**, 1863, 3647.

β_4) *Thioacetale und Thioketale*

Die geminalen Bis-thioäther (Thioacetale, -ketale) reagieren zunächst ebenfalls unter Spaltung der C–S-Bindung und man erhält: Thioäther, Disulfide und Dithiane, die in bekannter Weise photochemisch weiterreagieren können. Aus 2,2-Bis-[butylmercapto]-propan erhält man *2,3-Bis-[butylmercapto]-butan, 2-Mercapto-propan* (20–25% d.Th.) und *Dibutyl-disulfid*[1] (9–22% d.Th.) (vgl. Schema S. 1015):

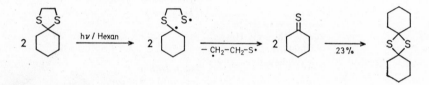

Bei cyclischen Thioketalen z. B. 1,3-Dithiol-⟨2-spiro-1⟩-cyclohexan kann zusätzlich ein Thioketon entstehen, das dann zum *Cyclohexan-⟨1-spiro-2⟩-dithietan-⟨4-spiro-1⟩-cyclohexan* dimerisiert[2]:

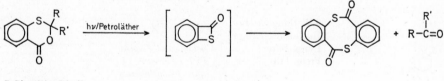

In Tab. 141 (S. 1026) sind weitere Beispiele der Photolyse von Thioacetalen und -ketalen zusammengestellt.

1-Äthylmercapto-D-galacitol[3]**:** 15,0 g D-Galactose-diäthyldithioacetal werden in 2,25 *l* Methanol mit einer Hanovia 450 W Hg-Hochdruck-Lampe 35 Min. belichtet. Nach Abziehen des Solvens verbleibt ein gelbliches kristallines Produkt, das mit Propanol gewaschen und aus Äthanol umkristallisiert wird; Ausbeute: 6,49 g (55% d.Th.); F: 148–150°.

Eine interessante Reaktion geht das 4-Oxo-2-phenyl-2H,4H-⟨benzo-1,3-oxathiin⟩ ein, das unter Belichtung bei $\lambda = 350$ nm *6,12-Dioxo-6H,12H-⟨dibenzo-[b;f]-1,5-dithiocin⟩* (32% d.Th.) und Benzaldehyd[4,5] (56% d.Th.) ergibt:

Als Zwischenstufe konnte *2-Oxo-⟨benzo-[b]-thietan⟩* nachgewiesen werden.

Die Photochemie der Thioderivate der Kohlensäure wird auf S. 1072ff. behandelt.

[1] A. B. TERENTEV u. G. N. SHVEDOVA, Izv. Akad. SSSR **1968**, 2239; C. A. **70**, 28184ᵍ (1969).
[2] J. D. WILLETT, J. R. GRUNWELL u. G. A. BERCHTOLD, J. Org. Chem. **33**, 2297 (1968).
[3] D. HORTON u. J. S. JEWELL, J. Org. Chem. **31**, 509 (1966).
[4] S. O. LAWESON et al., Tetrahedron **26**, 1157 (1970).
[5] O. L. CHAPMAN u. C. L. Mc INTOSH, Am. Soc. **92**, 7001 (1970).

Tab. 141. Photolyse von Thioacetalen und -ketalen

Ausgangsverbindung	Reaktionsbedingungen	Produkt	Ausbeute [% d.Th.]	Literatur
HC(SC₂H₅)₂ H–C–OH HO–C–H HO–C–H H–C–OH CH₂OH	450 W Hanovia Hg-Hochdruck-Lampe; Methanol	H₂C–SC₂H₅ H–C–OH HO–C–H HO–C–H H–C–OH CH₂OH *D-1-Äthylmercapto-galacitol*	55–60	1
H₃C–S S–CH₃	RPR-Rayonet-Reaktor, λ = 254 nm; Cyclohexan	*Methyl-cyclohexyl-sulfid* + *Dimethyl-disulfid*	27 18	2
	550 W Hanovia Hg-Hochdruck-Lampe; Cyclohexan	*Cyclopentan-thion* + *Dicyclopentyl-disulfid* + *Cyclopentyl-cyclo-hexyl-sulfid*	4 5 14	3
	550 W Hanovia Hg-Hochdruck-Lampe; Cyclohexan	*cis-2,6-Dithia-bicyclo[5.3.0]decan* + *trans-2,6-Dithia-bicyclo[5.3.0]decan*	39 5	3
	550 W Hanovia Hg-Hochdruck-Lampe; Cyclohexan	*cis-2,6-Dithia-bicyclo[5.4.0]undecan* + *trans-2,6-Dithia-bicyclo[5.4.0]undecan*	40 6	3
	450 W Hanovia Hg-Hochdruck-Lampe; Pyrex-Filter; Freon 113	*Cyclohexan-⟨1-spiro-2⟩-1,3-dithietan-⟨4-spiro-1⟩-cyclohexan* + *3-Oxo-thietan*	67 89	4
	RPR-Rayonet-Reaktor; λ = 254 nm; Cyclohexan	*1,3-Dihydro-⟨benzo-[c]-thiophen⟩* + *Tetramethyl-1,3-dithietan*	41 14	2

1 D. Horton u. J. S. Jewell, J. Org. Chem. **31**, 509 (1966).
2 R. E. Khorman u. G. A. Berchtold, J. Org. Chem. **36**, 3971 (1971).
3 J. D. Willett, J. R. Grunwall u. G. A. Berchtold, J. Org. Chem. **33**, 2297 (1968).
4 K. K. Maheshwari u. G. A. Berchtold, Chem. Commun. **1969**, 13.

2. an den S—Hal-, S—O-, C—SO-, C—SO$_2$- und C—O—SO$_2$-Bindungen

Bei den sauerstoffhaltigen Schwefelverbindungen ist relativ wenig über die genaue Natur der photochemischen Anregungsschritte bekannt. In den Sulfoxiden liegt ein Schwefel-Atom vor, das sowohl ein freies Elektronenpaar wie auch einen positivierten Schwefel enthält. Aufgrund des freien Elektronenpaares zeigen gesättigte Sulfoxide eine Absorption bei 210–230 nm ($\varepsilon \sim 1500$), die einer n → π*-Anregung zugeordnet wird. Diese Zuordnung konnte durch hypsochrome Verschiebung dieser Bande beim Übergang zu polaren Lösungs-mitteln gesichert werden[1]. Durch Konjugation mit ungesättigten Systemen wird diese Bande bathochrom verschoben.

Im Gegensatz dazu sind Sulfone im UV transparent, da sie kein freies Elektronenpaar besitzen und die Sauerstoffatome außerdem sehr fest an den Schwefel gebunden sind. Durch Konjugation mit einer Vinyl-Gruppe wird das Absorptionsmaximum etwas batho-chrom verschoben; z. B. liegt es bei Äthyl-vinyl-sulfon bei 210 nm (log ε = 2,45)[1]. Die Sulfonyl-Gruppe bedingt eine schwache bathochrome Verschiebung wie sie auch Halogene oder Alkyl-Gruppen aufweisen. Die Natur des angeregten Zustandes von Sulfonen ist nicht eindeutig geklärt. In Tab. 142 sind die UV-Spektren einiger typischer S–O-Verbindungen zusammengestellt.

Tab. 142. UV-Spektren von S-O-Verbindungen

Verbindung	λ_{max} [mn]	ε bzw. (log ε)	Literatur
H$_3$C–S–C$_6$H$_{11}$[a] ↓ O	210–215	(3,2)	[1,2]
H$_9$C$_4$–S–C$_4$H$_9$[b] ↓ O	207 222	3800 1390	[3]
H$_9$C$_4$–S–CH=CH$_2$[b] ↓ O	202 249	2300 2600	[3]
H$_9$C$_4$–S–CH$_2$–CH=CH$_2$[b] ↓ O	206 232	4000 1610	[3]
H$_2$C=CH–S–CH=CH$_2$[b] ↓ O	208 236	3950 2750	[3]
H$_5$C$_6$–S–CH$_3$[b] ↓ O	238 256	(3,61) (3,45)	[1,2]
H$_5$C$_6$–S–C$_6$H$_5$[b] ↓ O	226 267	(4,13) (3,42)	[1,2]
Alkyl–SO$_2$–Alkyl[b]	<180	–	[1,2]
H$_2$C=CH–SO$_2$–CH=CH$_2$[b]	209	3200	[3]
H$_2$C=CH–CH$_2$–SO$_2$–CH$_2$–CH=CH$_2$[b]	209	2480	[3]

[a] In Äthanol.
[b] In Cyclohexan.

---

[1] H. H. Jaffé u. M. Orchin, *Theory and Applications of Ultraviolet Spectroscopy*, S. 474ff., John Wiley and Sons, New York 1962.

[2] C. W. Cumper, J. F. Read u. A. I. Vogel, Soc. [A] **1966**, 239.

[3] M. Prochazka u. M. Palecek, Collect. czech. chem. Commun. **32**, 3049 (1967).

Tab. 142 (1. Fortsetzung)

Verbindung	λ_{max} [nm]	ε bzw. (log ε)	Literatur
$H_5C_6\text{–}SO_2\text{–}CH_3$	217	(3,83)	1
	264	(2,99)	
$H_5C_6\text{–}SO_2\text{–}C_6H_5$	235	(4,24)	1
	266	(3,33)	
$H_2C{=}\overset{O_2}{\underset{}{S}}\text{–}C_6H_5$	291	33400	2
(thiochromanon-dioxid)	246	9500	3
	286	1600	
	294	1400	
$(H_3C)_3C\text{–}C\overset{H}{\underset{}{C}}\text{–}C(CH_3)_3$, $O_2S\text{–}R$, R=CH_3, $-\langle \rangle-CH_3$	312 (n → π*)	28	4
	312	36	
$H_3C-\langle \rangle-\overset{O}{\underset{O_2}{S}}\text{–}O$ (cyclohexanon)	303	36	5
H_5C_6, H_5C_6, SO_2 (acenaphthen)	350	1400	6
	369	1600	
	384	1450	
	450	600	
	290	2370	7
(C_6H_5) trans-	284	2640	7
cis-	296	2600	

In den **Sulfensäureestern** sind folgende Primärprozesse möglich:

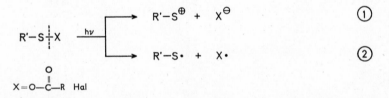

$$R'\text{–}S\text{–}X \xrightarrow{h\nu} \begin{cases} R'\text{–}S^{\oplus} + X^{\ominus} & \text{①} \\ R'\text{–}S\cdot + X\cdot & \text{②} \end{cases}$$

$$X = O\text{–}\overset{O}{\underset{}{C}}\text{–}R \quad Hal$$

d. h. die Spaltung der S–X-Bindung kann sowohl homolytisch als auch heterolytisch erfolgen. Die entstehenden Primärbruchstücke stabilisieren sich dann weiter, meist durch Reaktion mit dem Solvens.

1 H. H. Jaffé u. M. Orchin, *Theory and Applications of Ultraviolet Spectroscopy*, S. 474ff., John Wiley and Sons, New York 1962.
　Vgl. auch: C. W. Cumper, J. F. Read u. A. I. Vogel, Soc. [A] **1966**, 233.
2 L. A. Paquette, M. Rosen u. H. Stucki, J. Org. Chem. **33**, 3020 (1968).
3 I. W. Still u. M. T. Thomas, J. Org. Chem. **33**, 2730 (1968).
4 K. Schaffner et al., Helv. **49**, 1986 (1966).
5 S. Iwasaki u. K. Schaffner, Helv. **51**, 557 (1968).
6 P. de Mayo u. A. Stoessl, Canad. J. Chem. **40**, 56 (1962).
7 B. S. Larsen, J. Kolc u. O. Laweson, Tetrahedron **27**, 5163 (1971).

Sulfoxide können photochemisch mehrere Reaktionen eingehen. Da bei Sulfoxiden optische Aktivität möglich ist, kann durch Belichtung eine Stereomutation, d. h. Inversion oder Racemisierung geeigneter Verbindungen erreicht werden. Die photochemische Fragmentierung von Sulfoxiden kann an der α- und der α'-Stellung eintreten:

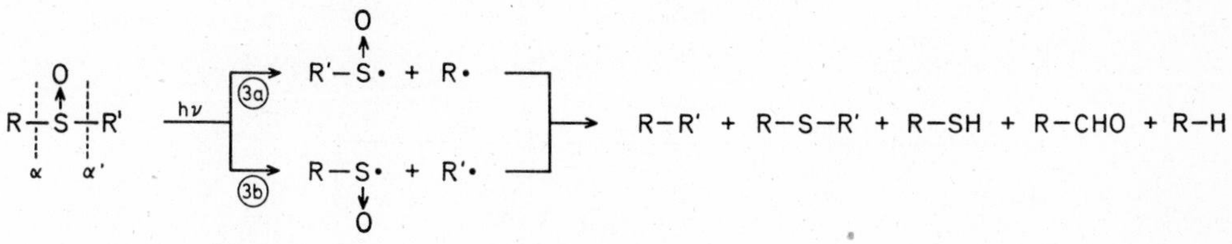

wobei Sulfinyl-Radikale gebildet werden sollten, die bis jetzt jedoch nicht nachgewiesen werden konnten. Die Stabilisierung der Primärprodukte erfolgt durch Eliminierungs- oder Rekombinationsreaktionen der entstehenden Radikale.

Analoge photochemische Spaltungen beobachtet man bei Sulfonen:

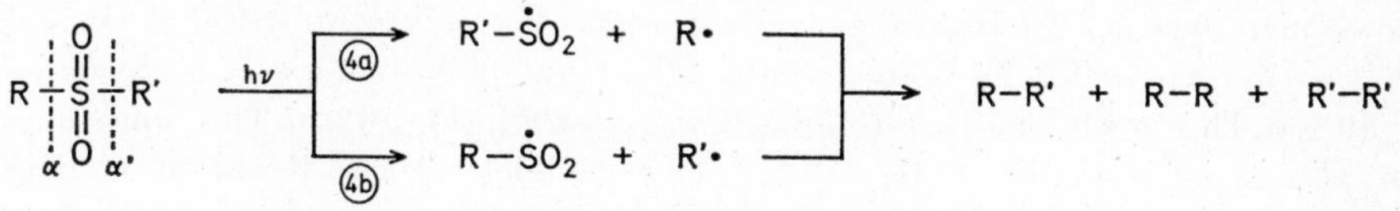

In geeigneten cyclischen Sulfonen können sich die durch Eliminierung von Schwefeldioxid gebildeten Diradikale durch Umwandlung in ungesättigte Verbindungen stabilisieren.

Bei Sulfonsäure-Derivaten sind im Prinzip drei Photospaltungen möglich:

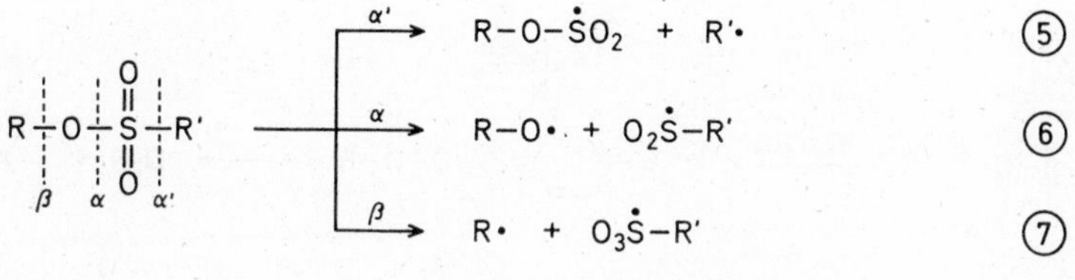

Sowohl α'- als auch α- und β-Spaltung werden beobachtet, die sowohl homolytisch als auch heterolytisch ablaufen können. Die primär entstehenden Radikale stabilisieren sich dann in weiteren Reaktionen.

α) Sulfensäure-Verbindungen

Bei der Photolyse von Sulfensäure-Derivaten findet eine Spaltung der S–X-Bindung (X = O–COR, Hal) nach Prozeß ① oder ② (S. 1028) statt. Sulfensäure-acylester (z. B. als Carboxy-Schutzgruppe) werden photochemisch unter neutralen Bedingungen leicht gespalten. Bei Belichtung der 2,4-Dinitro-benzolsulfensäureester (I, S. 1030) in Äther erhält man durch Abspaltung der Schutzgruppe die *Carbonsäuren* II in Ausbeuten von 83–92% d.Th.[1]. Als Nebenprodukt fällt *4-Nitro-2-amino-benzolsulfonsäure* (III) an:

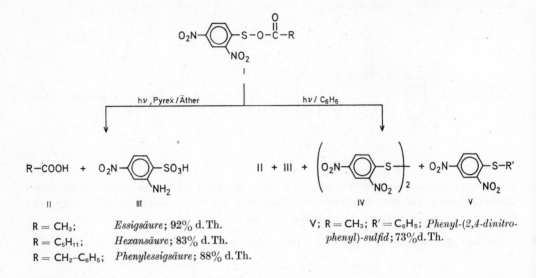

R = CH₃;   *Essigsäure*; 92% d.Th.
R = C₅H₁₁;   *Hexansäure*; 83% d.Th.
R = CH₂–C₆H₅;   *Phenylessigsäure*; 88% d.Th.

V; R = CH₃; R′ = C₆H₅; *Phenyl-(2,4-dinitro-phenyl)-sulfid*; 73% d.Th.

Belichtet man dagegen 2,4-Dinitro-benzolsulfensäure-Essigsäure-Anhydrid (I; R=CH₃) in Benzol, so werden neben *Essigsäure* (90% d.Th.) und *4-Nitro-2-amino-benzolsulfonsäure* (III; 19% d.Th.) noch *Bis-[2,4-dinitro-phenyl]-disulfid* (IV; 6% d.Th.) und *Aryl-(2,4-dinitro-phenyl)-sulfid* (V, R′=C₆H₅; 73% d.Th.) gebildet[1]. Diese Reaktion verläuft mit anderen Aromaten ebenfalls in hohen Ausbeuten[2].

Der Mechanismus dieser Reaktion läßt sich über eine elektrophile Zwischenstufe und nicht über freie Radikale formulieren[2]. Der photochemisch angeregte Sulfensäureester besitzt elektrophilen Charakter und dürfte im angeregten Zustand die Aromaten addieren. Auf diese Weise treten nie freie Acyl-Radikale auf, die sofort in Aryl- oder Alkyl-Radikale und Kohlendioxid zerfallen würden. Konkurrenzversuche mit Benzol/Anisol beweisen ebenfalls eine elektrophile Zwischenstufe, wie sie im folgenden Schema angedeutet ist:

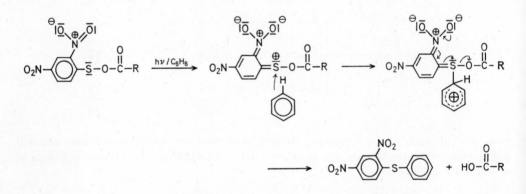

In entsprechender Weise erhält man aus Trifluormethansulfensäure-Trifluor-essigsäure-Anhydrid (VI) quantitativ *Trifluoressigsäureanhydrid* (VII) und über das

[1] D. H. R. Barton et al., Tetrahedron Letters **1962**, 1055; Soc. **1965**, 3571.
[2] D. H. R. Barton, T. Nakano u. P. G. Sammes, Soc. [C] **1968**, 322.

instabile Derivat VIII als Zwischenstufe *Bis-[trifluormethyl]-disulfid* (IX) und *Trifluor-methansulfonsäure-trifluormethylthioester* (X)[1]:

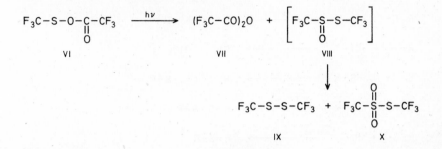

VI   VII   VIII

IX   X

Phenylessigsäure[2]: Eine Lösung von 680 mg 2,4-Dinitro-benzolsulfensäure-Phenylessigsäure-Anhydrid in 300 *ml* Äther werden unter Rückfluß mit einer 125 W Hg-Hochdruck-Lampe (Pyrex-Filter) 2 Stdn. belichtet. Die ausgefallene 4-Nitro-2-amino-benzolsulfonsäure wird abfiltriert, die Äther-Phase mit 2 n Natronlauge extrahiert, der Extrakt mit 6 n Schwefelsäure angesäuert und mit Äther extrahiert. Nach Abziehen des Solvens wird in Benzol/Äther (1:1) aufgenommen, über 40 g Kieselgel filtriert und das Lösungsmittel abgezogen; Ausbeute: 291 mg (88% d.Th.); F: 77°.

Bei den Sulfensäure-halogeniden sind vorwiegend die Chloride studiert worden. Sie zerfallen nach Prozeß ② (S. 1028) in ein Thiyl-Radikal. *2,4-Dinitro-benzolsulfensäure-chlorid* ergibt in inerten Solventien *Bis-[2,4-dinitro-phenyl]-disulfid* und *4-Nitro-2-amino-benzol-sulfonsäure*[3]:

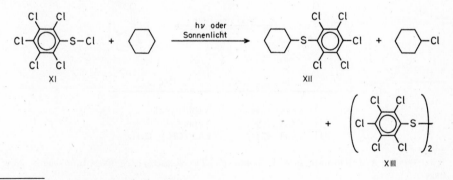

Solventien mit leichter abstrahierbarem Wasserstoff gehen mit dem Thiyl-Radikal Additionsreaktionen ein[4–7]. Pentachlorbenzolsulfensäure-chlorid (XI) liefert so bei der Belichtung in Cyclohexan *Cyclohexyl-pentachlorphenyl-sulfid* (XII; 69% d.Th.), *Chlor-cyclohexan* (12% d.Th.), *Bis-[pentachlor-phenyl]-disulfid* (XIII; 12% d.Th.) und Chlorwasserstoff[6] (98% d.Th.):

XI   XII

XIII

[1] A. Haas u. D. Y. Oh, B. **102**, 77 (1969).
[2] D. H. R. Barton et al., Soc. **1965**, 3571.
[3] D. H. R. Barton et al., Tetrahedron Letters **1962**, 1055.
[4] N. Kharasch u. A. J. Khodair, in A. V. Tobolsky, *The Chemistry of Sulfides*, Interscience, New York 1968.
[5] N. Kharasch u. Z. S. Ariyan, Chem. & Ind. **1965**, 302.
[6] N. Kharasch u. Z. S. Ariyan, Chem. & Ind. **1964**, 929.
[7] E. Gutschik u. V. Prey, M. **92**, 827 (1961).

Analoge Reaktionen laufen auch mit Olefinen und Aromaten ab[1-4]. Als Mechanismus dieser Reaktion wird eine Radikalkette angenommen:

$$R-S-Cl \xrightarrow{\;h\nu\;} R-S\cdot + \cdot Cl \qquad R'-H = Solvens$$

$$R'-H + \cdot Cl \longrightarrow R'\cdot + HCl$$

$$R'\cdot + Cl-S-R \longrightarrow R'-Cl + \cdot S-R$$

$$R-S\cdot + \cdot S-R \longrightarrow R-S-S-R$$

$$R-S\cdot + R'\cdot \longrightarrow R-S-R'$$

Mit dieser Methode lassen sich Disulfide in präparativem Maßstab erhalten.

Diphenyl-disulfid[4]: Eine Lösung von 34 g (0,236 Mol) Benzolsulfensäure-chlorid in 20 g Cyclohexan werden mit einer Hg-Lampe von außen in einer Uviol-Glasapparatur unter Stickstoff bestrahlt und der entwickelte Chlorwasserstoff in einer nachgeschalteten Waschflasche argentometrisch bestimmt. Nach Beendigung der Reaktion wird das Solvens abgezogen und der gelbliche Rückstand umkristallisiert; Ausbeute: 12,4 g (48% d.Th.); F: 60–61°.

β) Sulfoxide
β₁) optische Umkehr

Infolge der pyramidalen Geometrie von Sulfoxiden sind beim Vorhandensein zweier verschiedener Reste Stereoisomere (Enantiomere) möglich. Die Umwandlung eines Enantiomeren in das korrespondierende, die sog. Stereomutation, ist photochemisch (wie auch mit chemischen Methoden) möglich. In einer Reihe von Untersuchungen ist der genaue Mechanismus der Photo-Stereomutation erarbeitet worden[5-9]. So erhält man beispielsweise aus (–)-(S)-(4-Methyl-phenyl)-naphthyl-(1)-sulfoxid (I) nach Belichtung (Pyrex-Filter) 70% I zurück, das vollkommen racemisiert ist. Analog verhält sich (+)-(S)-(4-Methyl-phenyl)-naphthyl-(2)-sulfoxid (II) und (–)-(S)-(4-Methyl-phenyl)-(2,4,6-trimethyl-phenyl)-sulfoxid (III)[5]. Wird ohne Filter gearbeitet, so tritt beträchtliche Zersetzung der Sulfoxide ein:

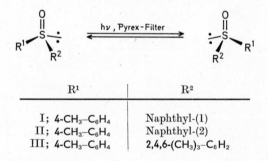

	R¹	R²
I;	4-CH₃–C₆H₄	Naphthyl-(1)
II;	4-CH₃–C₆H₄	Naphthyl-(2)
III;	4-CH₃–C₆H₄	2,4,6-(CH₃)₃–C₆H₂

[1] N. Kharasch u. A. J. Khodair, in A. V. Tobolsky, *The chemistry of Sulfides*, Interscience, New York 1968.
[2] N. Kharasch u. Z. S. Ariyan, Chem. & Ind. **1965**, 302.
[3] N. Kharasch u. Z. S. Ariyan, Chem. & Ind. **1964**, 929.
[4] E. Gutschick u. V. Prey, M. **92**, 827 (1961).
[5] K. Mislow et al., Am. Soc. **87**, 4958 (1965).
[6] G. S. Hammond et al., Am. Soc. **87**, 4959 (1965).
[7] R. S. Cooke u. G. S. Hammond, Am. Soc. **90**, 2958 (1968).
[8] A. G. Schultz u. R. H. Schlessinger, Chem. Commun. **1970**, 1294.
[9] C. Ganter u. J. F. Moser, Helv. **54**, 2228 (1971).

Diese Stereomutation der Sulfoxide ist jedoch an das Vorliegen von Chromophoren (z. B. Phenyl-[1] oder Carbonyl-Gruppen[2]) im Molekül gebunden. So tritt bei der Bestrahlung von (+)-(S)-Methyl-butyl-sulfoxid ($\lambda < 220$ nm, Vycor-Filter) teilweise Zersetzung ein. Das in 62% Ausbeute isolierbare Sulfoxid weist jedoch volle Retention der Konfiguration auf[1].

Die Stereomutation der Sulfoxide ist sensibilisierbar[1]; neuerdings sind auch chirale Sensibilisatoren eingesetzt worden[3].

Als Sensibilisatoren können bei *Methyl-(4-methyl-phenyl)-sulfoxid* Verbindungen eingesetzt werden, deren $E_T > 79$ kcal/Mol sein sollte[3]. Naphthalin (E_S: 91 und E_T: 61 kcal/Mol) sensibilisiert diese Stereomutation ebenfalls, obwohl beide Energieübertragungsreaktionen (S_1 und T_1) endotherm sind. Als entscheidender Anregungsschritt wurde daher ein „Exiplex" aus angeregtem Naphthalin im S_1-Zustand und Sulfoxid im Grundzustand vorgeschlagen[4]. Die dadurch vorhandene Schwingungsenergie soll dann die Racemisierung des Sulfoxids bewirken[4].

E_S: 113 kcal/M E_T: 79 kcal/M

Neuere Arbeiten zeigen jedoch eindeutig, daß neben einer einfachen Inversion der pyramidalen S–O-Konfiguration auch eine C–S-Spaltung eintritt.

Die Bestrahlung von *trans-2-Phenyl-2H-⟨naphtho-[1,8-b,c]-thiophen⟩-1-oxid* (IV) mit Benzophenon als Sensibilisator führt zu einem photostationären Zustand mit 20% IV und 80% V (Quantenausbeute: $\varphi = 0,70$). Der gleiche photostationäre Zustand wird durch Photolyse von V erhalten ($\varphi = 0,18$)[5]. Eine Belichtung des 3-Phenyl-3H-⟨naphtho-[1,8a, 8-c,d]-1,2-oxathiin⟩ VIII liefert ebenfalls IV, V und VII im Verhältnis[5] 17:55:28. Dies beweist, daß die Inversion der Sulfoxide z. T. über eine C–S-Spaltung verläuft[2]:

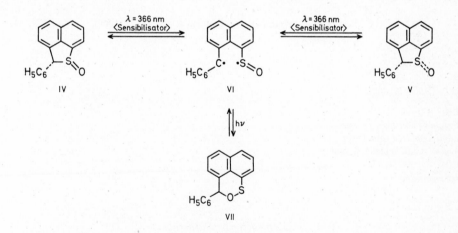

Eine Reihe weiterer Sulfoxide, bei denen eine Stereomutation photochemisch durchführbar ist, sind in Tab. 143 (S. 1034) zusammengestellt.

[1] K. MISLOW et al., Am. Soc. **87**, 4958 (1965).
[2] C. GANTER u. J. F. MOSER, Helv. **54**, 2228 (1971).
[3] G. BALVOINE, S. JUGÈ u. H. B. KAGAN, Tetrahedron Letters **1973**, 4159.
[4] R. S. COOKE u. G. S. HAMMOND, Am. Soc. **90**, 2958 (1968).
[5] A. G. SCHULTZ u. R. H. SCHLESSINGER, Chem. Commun. **1970**, 1294.

Tab. 143. Photochemische Stereomutation von Sulfoxiden

Sulfoxid	Bedingungen	Grad der Racemisierung (% isoliertes Ausgangsmaterial)	Literatur
(+)-(R)-*Methyl-(4-methylphenyl)-sulfoxid*	ohne Filter	70% (40%)	[1]
Methyl-[(3-oxo-butyl-(2)]-sulfoxid	$\lambda = 253{,}7$ oder 285 nm	50% (60% bzw. 35%)	[2]
endo-6-Hydroxy-2-oxo-9-thia-bicyclo[3.3.1]nonan-9-oxid	$\lambda = 253{,}7$ oder 285 nm	Racemisierung	[2]
4-Oxo-trans-2-phenyl-2H,4H-⟨benzo-[d]-1,3-oxathiin⟩-1-oxid	$\lambda = 350$ nm	13%	[3]
R=CH₃ *6-Acetylamino-2-acetoxy-7-oxo-3,3-dimethyl-⟨4-thia-1-aza-bicyclo[3.2.0]heptan⟩-4-oxid* R=C₆H₅ *6-Benzoylamino ...*	$\lambda > 290$ nm (Pyrex-Filter)	100%	[4]

β_2) acyclische Sulfoxide

Die Photolyse acyclischer Sulfoxide verläuft normalerweise unter C–S-Spaltung (Prozeß ③, S. 1029). Die entstehenden Sulfinyl- und Alkyl- oder Aryl-Radikale stabilisieren sich

[1] K. Mislow et al., Am. Soc. **87**, 4958 (1965).
[2] C. Ganter u. J. F. Moser, Helv. **54**, 2228 (1971).
[3] B. S. Larsen, J. Kolc u. O. Laweson, Tetrahedron **27**, 5163 (1971).
[4] R. A. Archer u. P. V. de Marco, Am. Soc. **91**, 1530 (1969).

in Folgereaktionen. So erhält man z. B. durch Bestrahlen ohne Filter aus

Dibutylsulfoxid[1] → *Butanal + Dibutylsulfid + Butylmercaptan*
Dibenzylsulfoxid[2] → *Benzaldehyd* (37%) + *Dibenzylsulfid* (14%) + *Benzylalkohol* (4%)
Diphenylsulfoxid[3] → *Biphenyl* (53%) + *Diphenylsulfid* (7%)

Der Mechanismus dieser Photoreaktion dürfte mit einer C_α–S-Spaltung beginnen, die ein Alkyl- und ein Sulfinyl-Radikal liefert. Rekombination dieser Radikale ergibt den Sulfensäure-ester IX, der wie folgt weiterreagiert (in einer Reihe von Sulfoxid-Reaktionen treten auch Dimere der Primär-Radikale auf):

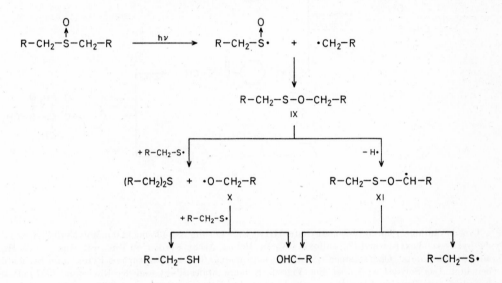

Dimethylsulfoxid geht in untergerodnetem Maße photochemisch eine Disproportionierung zu *Dimethylsulfid* und *Dimethylsulfon* ein[4,5]. In Gegenwart von Sauerstoff entsteht nur *Dimethylsulfon*[4,5]:

β-Oxo-sulfoxide reagieren wie die einfachen Sulfoxide. Neben einer C_α–S-Spaltung kann eine α-Keton-Spaltung (Norrish-Typ I) ablaufen. Am α–C-Atom unsubstituierte Oxo-sulfoxide erleiden vorwiegend C_α–S-Spaltung, während bei den mono- und dialkylierten Derivaten zusätzlich noch α-Keton-Spaltung eintritt.

Die Photolyse von Methyl-(2-oxo-2-cyclohexyl-äthyl)-sulfoxid (I, S. 1036) ergibt *Acetyl-cyclohexan* (II; 86% d.Th.) und *Cyclohexanthiocarbonsäure-S-methylester* (III; 9%

[1] R. G. POTROVA u. R. K. FREIDLINA, Bull. Acad. Sci. Russ. Div. Chem. Soc. (Engl. Transl.) **1966**, 1857; C. A. **66**, 64849[d] (1967).
[2] T. SATO et al., Bl. chem. Soc. Japan **40**, 2975 (1967).
[3] N. KHARASCH u. A. J. KHODAIR, Chem. Commun. **1967**, 98.
[4] G. O. SCHENCK u. C. H. KRAUCH, B. **96**, 517 (1963).
[5] T. SATO et al., Bl. chem. Soc. Japan **38**, 1225 (1965).

d.Th.). Methyl-[1-oxo-2-methyl-1-cyclohexyl-propyl-(2)]-sulfoxid (IV) fragmentiert zu III (60% d.Th.) und *1,4-Dioxo-2,2,3,3-tetramethyl-1,4-dicyclohexyl-butan* (V; 5% d.Th.)[1]. Wie Markierungsversuche mit Deuterium sowie Kreuzungsexperimente zeigen, wird der Thioester durch intermolekulare Reaktion gebildet.

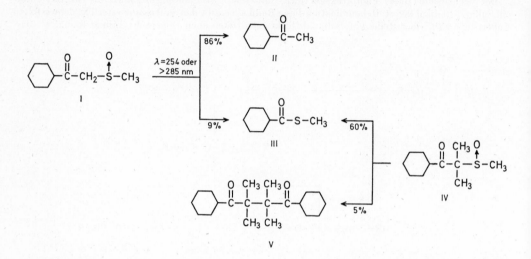

Cyclohexanthiocarbonsäure-S-methylester (III)[1]: Eine Lösung von 435 mg (2,0 mMol) Methyl-[1-oxo-2-methyl-1-cyclohexyl-propyl-(2)]-sulfoxid (IV) in 100 *ml* Äther werden 80 Min. mit einer 70 W Hg-Mitteldruck-Lampe (Quarzlampen GmbH, Hanau) in einer Tauchapparatur aus Pyrex unter Stickstoff belichtet. Das Solvens wird über eine Vigreux-Kolonne abdestilliert und der Rückstand (357 mg) an Kieselgel mit Dichlormethan/Pentan (9 : 1) chromatographiert; Ausbeute: 193 mg (60% d.Th.), F: 88–90° (12 Torr).

β_3) *cyclische Sulfoxide*

Bei der Bestrahlung cyclischer Sulfoxide tritt zunächst ebenfalls C_α–S-Spaltung ein, danach führen intramolekulare Umlagerungen zu stabilen Produkten. Aus 2,2-Dimethyl-thiochroman-1-oxid erhält man bei der Bestrahlung ($\lambda > 220$ nm/Benzol) *2-Isopropyl-⟨benzo-[b]-thiophen⟩* neben Spuren von 2,2-Dimethyl-thiochroman bzw. -1,1-dioxid[2]:

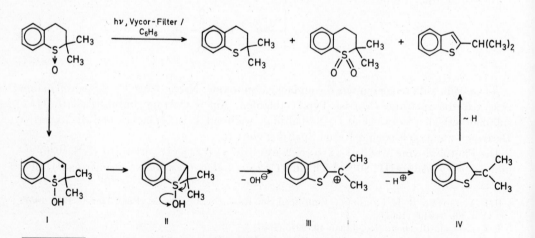

[1] C. Ganter u. J. F. Moser, Helv. **54**, 2228 (1971).
[2] R. A. Archer u. B. S. Kitchell, Am. Soc. **88**, 3462 (1966).

Nach einer C_α–S-Spaltung soll eine intramolekulare Wasserstoff-Abstraktion zu I führen, das zu einem Thiiran-Ring II als Zwischenprodukt cyclisiert. Dann erfolgt unter Eliminierung eines Hydroxyl-Anions die Bildung der Zwischenstufe III, die über IV dann das 2-Isopropyl-⟨benzo[b]thiophen⟩ ergibt[1].

Eine völlig andere Reaktion geht das 1,3-disubstituierte *cis*- oder *trans*-1H,3H-⟨Naphtho-[1,8-c,d]-thiopyran⟩-2-oxid (V) ein. Über die Zwischenstufe der (isolierbaren) Sulfene VI bzw. VII entstehen 1,8-substituierte Naphthaline (VIII)[2,3]:

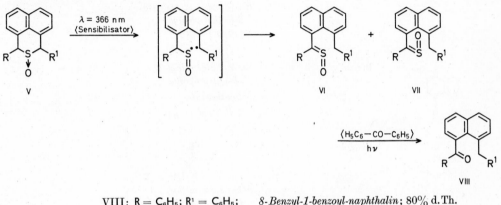

VIII: R = C$_6$H$_5$; R^1 = C$_6$H$_5$;   *8-Benzyl-1-benzoyl-naphthalin*; 80% d.Th.
      R = H;   R^1 = OCH$_3$;   *8-Methoxy-1-formyl-naphthalin*; 80% d.Th.
      R = H;   R^1 = C$_6$H$_5$;   *8-Benzyl-1-formyl-naphthalin*; 80% d.Th.

Die Reaktion V → VI, VII verläuft dabei über einen T_1-Anregungszustand, während für den zweiten Reaktionsschritt VI, VII → VIII ein S_1-Anregungszustand nachgewiesen wurde. Die Quantenausbeuten der Reaktionen[2] betragen: φ V → VIII = 0,04–0,23. Die Singulett-Reaktion ergibt jedoch in stereospezifischer Weise Pyrane[4].

Bei Thiiran-1-oxiden tritt nach der C_α–S-Spaltung zunächst eine Sulfensäureester-Zwischenstufe auf, die thermisch oder photochemisch weiter zerfällt. 2,3-Diphenyl-2,3-dibenzoyl-thiiran-1-oxid wird bei Belichtung in Benzol (Pyrex-Filter) über eine 1,2-Oxathietan-Zwischenstufe in *2-Oxo-1-thiono-1,2-diphenyl-äthan* (53% d.Th.) und *Benzil* (56% d.Th.) fragmentiert[5]:

$$H_5C_6-\overset{\overset{O}{\|}}{C}-\underset{\underset{C_6H_5}{H_5C_6}}{\overset{\overset{O}{\overset{\uparrow}{S}}}{C}}-\overset{\overset{O}{\|}}{C}-C_6H_5 \xrightarrow{h\nu\ /\ 7-11^\circ} \left[H_5C_6-\overset{\overset{O}{\|}}{C}-\underset{\underset{C_6H_5}{H_5C_6}}{\overset{S-O}{C}}-\overset{\overset{O}{\|}}{C}-C_6H_5 \right]$$

$$\longrightarrow H_5C_6-\overset{\overset{O}{\|}}{C}-\overset{\overset{S}{\|}}{C}-C_6H_5 \quad + \quad H_5C_6-\overset{\overset{O}{\|}}{C}-\overset{\overset{O}{\|}}{C}-C_6H_5$$

In analoger Weise reagieren 6-gliedrige Oxo-sulfoxide. Die Resultate dieser Photolysen sind in Tab. 144 (S. 1038) zusammengestellt.

[1] R. A. ARCHER u. B. S. KITCHELL, Am. Soc. **88**, 3462 (1966).
[2] A. G. SCHULTZ, S. DE BOER u. R. H. SCHLESSINGER, Am. Soc. **90**, 5314 (1968).
[3] A. G. SCHULTZ u. R. H. SCHLESSINGER, Chem. Commun. **1969**, 1483; **1970**, 1051; **1970**, 1294.
[4] A. G. SCHULTZ u. R. H. SCHLESSINGER, Tetrahedron Letters **1973**, 3605.
[5] D. C. DITTMER, G. C. LEVY u. G. E. KUHLMANN, Am. Soc. **89**, 2793 (1967).

Tab. 144. Photolyse von Oxo-sulfoxiden

Ausgangsverbindung	Lösungsmittel	Produkte	Ausbeute [% d.Th.]	Literatur
	Benzol[a]	 Bis-[3-oxo-3-(2-hydroxy-3-methyl-phenyl)-propyl]-disulfid	10	1
	Benzol[a]	3-Oxo-2,2-dimethyl-3-phenyl-propanal + Benzoesäure + 2-Benzoyl-propan	31 12 7	2
	Benzol[a]	 3-Oxo-2,2-dimethyl-2,3-dihydro-⟨benzo-[b]-thiophen⟩	13	2
	Benzol[a]	3-Oxo-5-methyl-2-phenyl-2,3-dihydro-⟨benzo-[b]-thiophen⟩	9	2
	b	Bis-[2-carboxy-phenyl]-disulfid + 4-Oxo-2-phenyl-2,3-dihydro-4H-⟨1-benzo-thiopyran⟩-1,1-dioxid + Benzaldehyd	29 25 20	3
	c	 5-Hydroxy-2-oxo-9-oxa-bicyclo[3.3.1]nonan	28	4

[a] 115 W Hg-Mitteldruck-Lampe, Vycor-Filter.
[b] Rayonet Reaktor, RUL 3500 A-Lampen.
[c] 70 W Hg-Mitteldruck-Lampe, Pyrex-Filter.

[1] I. W. Still, M. S. Chauhan u. M. T. Thomas, Tetrahedron Letters 1973, 1311.
[2] I. W. Still u. M. T. Thomas, Tetrahedron Letters 47, 4225 (1970).
[3] B. S. Larsen, J. Kolc u. S. O. Lawesson, Tetrahedron 27, 5163 (1971).
[4] C. Ganter u. J. F. Moser, Helv. 54, 2228 (1971).

γ) Sulfone

γ₁) *acyclische Sulfone*

Über die Photoreaktionen von Sulfonen gibt es eine Anzahl von Untersuchungen. Präparativ brauchbare Vorschriften liegen kaum vor. Außerdem ist nicht eindeutig geklärt, welche Anregungszustände für die Photoreaktionen von Sulfonen verantwortlich sind (s. S. 1027).

Bei Sulfonen wird photochemisch primär die α- oder α′-Bindung (Typ (4a), (4b), S. 1029) gespalten. Diphenyl-sulfon gibt bei der Bestrahlung in Benzol (Niederdruck-Lampe) *Biphenyl* (70–90% d.Th.); in Fluorbenzol entstehen 90% d.Th. Fluor-biphenyle[1]:

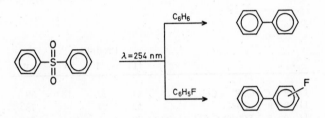

Als Mechanismus wird dabei zunächst eine Spaltung der C–SO₂-Bindung angenommen. Das entstehende Phenyl-Radikal addiert sich an ein Lösungsmittel-Molekül zu einem Biphenyl-Radikal, das sich dann mit dem Phenylsulfonyl-Radikal zu (substituiertem) Biphenyl und Benzolsulfinsäure stabilisiert:

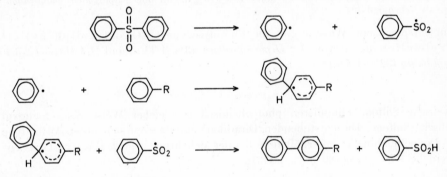

1,2,4,5-Tetraphenyl- und *Hexaphenyl-benzol* (je 70% d.Th.) entstehen bei der Photolyse des folgenden Sulfons[2]:

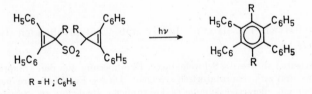

R = H ; C₆H₅

Die bei β-Oxo-sulfonen – in Analogie zu 1,3-Dicarbonyl-Verbindungen – zu erwartende Norrish-Typ II-Spaltung wird nicht beobachtet. Wie bei den einfachen Sulfonen verläuft die Photolyse auch hier unter α-Spaltung (bezogen auf die Sulfonyl-Gruppe). Die entstehenden Radikale stabilisieren sich unter Eliminierung von Schwefeldioxid und Re-

---

[1] N. KHARASCH u. A. I. KHODAIR, Chem. Commun. **1967**, 98.

Vgl. auch: T. SATO et al., Bull. chem. Soc. Japan **40**, 2975 (1967).

C¹⁴-Markierungsstudien: M. NAKAI, N. FUKUKAWA u. S. OAE, Bull. chem. Soc. Japan **45**, 1117 (1972).

[2] R. WEISS, C. SCHLIERF u. H. KÖLBE, Tetrahedron Letters **1973**, 4827.

kombination[1]. So liefert die Belichtung (Hg-Hochdruck-Lampe) von (2-Oxo-propyl)-benzyl-sulfon (Ia) bei 0° *Phenylmethansulfinsäure* (IIa; 44% d.Th.) *1,2-Diphenyl-äthan* (IIIa; 22% d.Th.), *3-Oxo-1-phenyl-butan* (IVa; 13% d.Th.) und *Aceton* (Va; 59% d.Th.)[1,2]:

$$R-CH_2-SO_2-CH_2-\overset{\overset{O}{\|}}{C}-R^1 \quad \xrightarrow{\lambda = 260 \text{ nm}} \quad R-CH_2-SO_2H \; + \; R-CH_2-CH_2-R$$

I   II   III

$$+ \quad R-CH_2-CH_2-\overset{\overset{O}{\|}}{C}-R^1 \; + \; H_3C-\overset{\overset{O}{\|}}{C}-R^1$$

IV   V

	Produkte [%]			
	II	III	IV	V
Ia; R= C_6H_5; R^1= CH_3	44	22	13	59
Ib; R=R^1= C_6H_5	22	24	–	78
Ic; R=R^1=SO_2-O-C(CH_3)=CH_2	28	–	–	56

Bei der Belichtung von 1-Oxo-2-(isopropenyloxysulfonmethylsulfon)-äthan-1-sulfonsäure-isopropenylester (Ic) entstehen neben *Isopropenyloxysulfonmethansulfinsäure* (IIa; 28%) und *Aceton* (56%) noch *2-Methyl-propan-2-sulfonsäure* (16% d.Th.) und *Isopropyl-tert.-butyl-sulfon* (16% d.Th.) als Nebenprodukte.

Auf entsprechende Weise ergibt die Photolyse von (2-Oxo-1,2-diphenyl-äthyl)-benzyl-sulfon in Aceton *1,2-Diphenyl-äthan* (3% d.Th.) und *1,4-Dioxo-1,2,3,4-tetra-phenyl-butan* (32% d.Th.)[3].

γ_2) *cyclische Sulfone*

Cyclische Sulfone eliminieren photochemisch in gleicher Weise Schwefeldioxid wie acyclische Sulfone. Die entstehenden Diradikale stabilisieren sich unter Ausbildung von C=C-Doppelbindungen. So erhält man bei der Belichtung von 2-Phenyl-thiiran-1,1-dioxid bei −78° *Styrol* (80–90% d.Th.):

$$\underset{\underset{O_2}{|}}{\overset{H_5C_6}{\diagdown}}\!\!\!\!\triangle\!\!\!\!S \quad \xrightarrow[-SO_2]{h\nu \,/\, -78°} \quad H_5C_6-CH=CH_2$$

2,3-Diphenyl-thiiran-1,1-dioxid liefert unter entsprechenden Bedingungen 40% *trans-* und 60% *cis-Stilben*[4].

Nach neueren Arbeiten dürfte die Schwefeldioxid-Eliminierung aus den entsprechenden cyclischen Sulfonen konzertiert, und zwar conrotatorisch erfolgen[5]. Dieses Ergebnis wäre nach den Woodward-Hoffmann-Regeln für eine derartige symmetrie-kontrollierte Reaktion zu erwarten[6]. Eine Schwefeldioxid-Eliminierung – ausgehend von einem schwingungsangeregten Grundzustand – ist wenig wahrscheinlich[7].

[1] C. L. Mc Intosh, P. de Mayo u. R. W. Yip, Tetrahedron Letters 1967, 37.
[2] H. Nozaki et al., Bl. chem. Soc. Japan 45, 856 (1972).
[3] R. B. la Count u. C. E. Griffin, Tetrahedron Letters 1965, 1549.
[4] F. G. Bordwell et al., Am. Soc. 90, 429 (1968).
[5] J. Saltiel u. L. Metts, Am. Soc. 89, 2232 (1967).
[6] R. B. Woodward u. R. Hoffmann, *Die Erhaltung der Orbital-Symmetrie*, Verlag Chemie, Weinheim/Bergstr., 1970.
[7] M. P. Cava, R. H. Schlessinger u. J. P. van Meter, Am. Soc. 86, 3173 (1964).

2,4-Diphenyl-thiet-1,1-dioxid gibt nach π,π^*-Anregung (sowohl über den Triplett- als auch den Singulett-Anregungszustand) über ein intermediäres Sulfon *Chalkon* (95% d.Th.). Im Endeffekt hat dabei eine SO-Eliminierung stattgefunden[1].

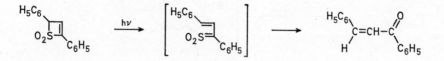

Naphtho-[1,8-b,c]-thiet-1,1-dioxid, das photochemisch aus einem 1,2,3-Thiadiazin-Derivat zugänglich ist, dimerisiert in Äthanol zu ⟨*Dinaphtho-[1,8-b,c:1′,8′-f,g]-1,5-dithiocin*⟩-*4,4;11,11-bis-[dioxid]* (54% d.Th.)[2]:

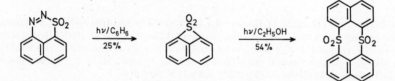

Die Bestrahlung von 2,5-Dimethyl-2,5-dihydro-thiophen-1,1-dioxid (Vycor Filter) liefert ein Gemisch von *Hexadienen-(2,4)*:

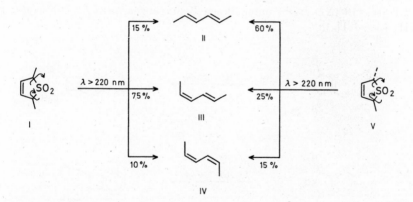

Hierbei stellt jeweils das durch photochemisch erlaubte conrotatorische Ringöffnung gebildete Hexadien-(2,4) die Hauptkomponente dar, d. h. I → III und V → II[3]. Der Anregungszustand hat dabei Triplett-Multiplizität. Ein schwingungsangeregter Grundzustand hätte als thermische Reaktion disrotatorisch verlaufen und I → II und V → III ergeben müssen[3].

Von präparativer Bedeutung sind die Photoreaktionen von benzoannellierten 2,5-Dihydro-thiophen-1,1-dioxid-Derivaten. Die Photolyse von 7,12-Dihydro-pleiaden-7,12-sulfon (VI; R = H; S. 1042) in Benzol ($\lambda = 280$–320 nm) ergibt unter Schwefeldioxid-

[1] R. F. LANGENDRIES u. F. C. DESCHRYVER, Tetrahedron Letters **1972**, 4781.
[2] R. W. HOFFMANN u. W. SIEBER, A. **703**, 96 (1967); Ang. Ch. engl.: **4**, 786 (1965).
[3] J. SALTIEL u. L. METTS, Am. Soc. **89**, 2232 (1967).

Eliminierung das *Pleiaden-Dimere* (VIII; 54% d.Th.); als Zwischenstufe tritt das relativ instabile Pleiaden VII auf[1]:

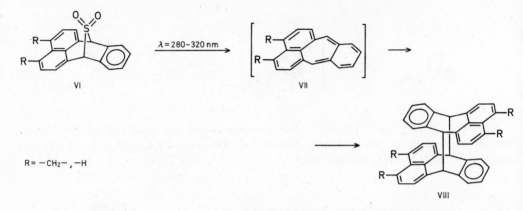

R = —CH₂— , —H

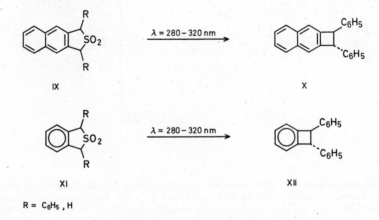

Pleiaden-Dimeres[2]   **(11,12;13,14-Dibenzo-3,4,5;8,9,10-dinaphtho-tricyclo[5.3.2.2²,⁶]tetradecatetraen (VIII):** Eine Lösung von 0,32 g 7,12-Dihydro-pleiaden-7,12-sulfon (VI) in 200 *ml* Benzol wird mit einer Hg-Lampe bei 10° (Pyrex-Filter) 1 Stde. unter Stickstoff-Atmosphäre bestrahlt. Das Reaktionsgemisch wird dann über eine Aluminiumoxid-Säule filtriert und der Rückstand, nach Abziehen des Solvens, aus Toluol umkristallisiert; Ausbeute: 0,13 g (54% d.Th.); F: 390–400°.

Die Reaktion verläuft ebenfalls sensibilisiert; die Triplett-Energie von VI wurde zu $E_T \approx 53$–59 kcal/Mol abgeschätzt.

In analoger Weise erhält man bei der Belichtung von 1,3-Diphenyl-1,3-dihydro-⟨naphtho-[2,3-c]-thiophen⟩-2,2-dioxid (IX) *trans-1,2-Diphenyl-⟨naphtho-[2,3]-cyclobuten⟩* (X; 50–75% d.Th.). Das 1,3-Diphenyl-1,3-dihydro-⟨benzo-[c]-thiophen⟩-2,2-dioxid (XI) ergibt unter diesen Bedingungen *trans-1,2-Diphenyl-benzocyclobuten* (XII; 13% d.Th.)[3]:

Sind die beiden Reste R = H, so sind IX und XI photostabil. Die Photolyse von IX und XI ermöglicht einen einfachen Zugang zu Benzocyclobutenen, die auf thermischem Wege aus IX und XI nicht erhalten werden können.

[1] M. P. Cava u. R. H. Schlessinger, Tetrahedron **21**, 3065 (1965).
[2] E. J. Moriconi, R. E. Misner u. T. E. Brady, J. Org. Chem. **34**, 1651 (1969).
[3] M. P. Cava, R. H. Schlessinger u. J. P. van Meter, Am. Soc. **86**, 3173 (1964).
   Vgl. a. L. A. Paquette u. R. E. Wingard, Am. Soc. **94**, 4398 (1972).
   Vgl. a. Y. Odaira, K. Yamaji u. S. Tsutsumi, Bl. chem. Soc. Japan **37**, 1410 (1964).

Die Photolyse von 1,3-Diphenyl-1,3-dihydro-⟨thieno-[3,4-b]-chinoxalin⟩-2,2-dioxid (XIII) vollzieht sich ebenfalls unter Schwefeldioxid-Eliminierung. Aus dem Solvens wird jedoch Wasserstoff abstrahiert und es bilden sich *2,3-Dibenzyl-chinoxalin* (XIV; 23% d.Th.)[1]:

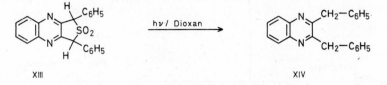

Im Gegensatz zu den 2,5-Dihydro-thiophen-1,1-dioxiden sind 2,3,4,5-Tetraphenyl-thiophen-1,1-dioxid[2] und Dibenzothiophen-5,5-dioxid[3] photostabil. Auch bei 4-Oxo-3,3,5,5-tetramethyl-tetrahydrothiopyran-1,1-dioxid findet keine Schwefeldioxid-Eliminierung statt[4].

Demgegenüber konkurriert bei 2H-1-Benzothiopyran-1,1-dioxid die Stabilisierung der Zwischenstufe XV unter Bildung von *2-[3-Hydroxy-propen-(1)-yl]-* und *2-[1-Hydroxy-propen-(2)-yl]-benzol-sulfinsäure-lacton* (25 bzw. 30% d.Th.) mit der Schwefeldioxid-Abspaltung zu *Inden* (5% d.Th.) und der SO-Eliminierung zu *2H-1-Benzopyran* (5% d.Th.)[5]:

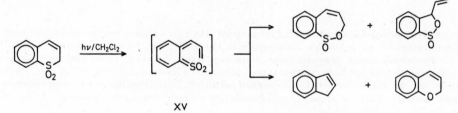

Ohne Nebenreaktionen verläuft die Fragmentierung folgender Bicyclen[6]:

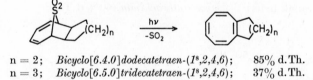

n = 2; *Bicyclo[6.4.0]dodecatetraen-(1⁸,2,4,6)*; 85% d.Th.
n = 3; *Bicyclo[6.5.0]tridecatetraen-(1⁸,2,4,6)*; 37% d.Th.

δ) Sulfonsäuren und ihre Derivate

Auf dem Gebiet der Sulfonsäure-Derivate sind vor allem die Ester bevorzugt untersucht worden. Über die Photolyse der freien Sulfonsäuren selbst ist wenig bekannt.

δ₁) acyclische Sulfonsäuren und ihre Derivate

Eine Spaltung der C–S-Bindung (α'-Spaltung oder Prozeß ⑤; S. 1029) wird bei den Guajazulen-sulfonsäuren beobachtet. Die Photolyse mit UV-Licht der Wellenlänge $\lambda = 366$ nm von 3,8-Dimethyl-5-isopropyl-azulen-2-sulfonsäure (I; S. 1044) ergibt dabei in Abhängigkeit vom Solvens – wäßrige, methanolische oder konzentrierte

[1] E. J. MORICONI, R. E. MISNER u. T. E. BRADY, J. Org. Chem. **34**, 1651 (1969).
[2] J. F. Mc OWIE u. B. K. BULLIMORE, Chem. Commun. **1965**, 63.
[3] N. KHARASCH u. A. I. KHODAIR, Chem. Commun. **1967**, 98.
[4] J. KOOI, H. WYNBERG u. M. KELLOG, Tetrahedron **19**, 2135 (1973).
[5] D. J. H. SMITH u. C. R. HALL, Tetrahedron Letters **1974**, 3633.
[6] L. A. PAQUETTE, R. H. MEISINGER u. R. E. WINGARD, Jr., Am. Soc. **95**, 2230 (1973).

Schwefelsäure – *2-Hydroxy-* (II), *2-Methoxy-3,8-dimethyl-5-isopropyl-azulen* (III) oder *3,3′, 8,8′-Tetramethyl-5,5′-diisopropyl-2,2′-bi-azulenyl* (IV)[1]:

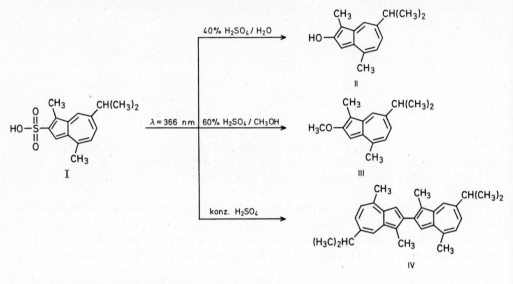

3,3′,8,8′-Tetramethyl-5,5′-diisopropyl-2,2′-bi-azulenyl (IV)[1]: Eine Lösung von 500 mg des Kaliumsalzes von 3,8-Dimethyl-5-isopropyl-azulen-2-sulfonsäure in 150 *ml* 96%iger Schwefelsäure wird 24 Stdn. mit einer Hg-Hochdruck-Lampe Q 81 der Quarzlampenges. Hanau belichtet. Dann wird die Lösung auf 1000 g Eis gegossen und mit Kaliumcarbonat neutralisiert. Der Niederschlag wird abfiltriert, das Solvens abgezogen und der Rückstand mit Dichlormethan behandelt. Nach Abziehen des Lösungsmittels wird an Aluminiumoxid (Aktivitätsstufe IV) mit Petroläther chromatographiert; Ausbeute: 60 mg (20% d. Th.); F: 176° (aus Äther/Äthanol).

Eine α′-Spaltung ist kürzlich auch in der Reihe der Anthrachinon-sulfonsäuren beobachtet worden. Die Belichtung des Natrium-Salzes von Anthrachinon-2-sulfonsäure in wäßrigem Ammoniak liefert *2-Amino-anthrachinon* (60% d. Th.)[2]:

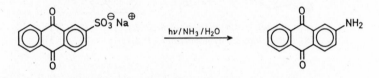

Diese Photoreaktion verläuft über einen ³nπ-Zustand; der entscheidende Reaktionsschritt besteht dabei in einem Elektron-Transfer vom angeregten Anthrachinonsulfonat auf das Ammoniak-Molekül[2,3].

Über Photolysen von Anthrachinonsulfonaten in wäßriger oder alkalischer Lösung zu Hydroxy-anthrachinonsulfonaten s. Lit.[4].

Gesättigte Sulfonsäureester sind allgemein photostabil[5]. Erst α,β-ungesättigte sowie β-Oxo-sulfonsäureester und Sulfonsäure-sek.-alkylester setzen sich photochemisch um. Es können dann α′, α und β-Spaltungen (Prozesse ⑤, ⑥, ⑦; S. 1029) ablaufen. Die einfachsten

[1] R. Hagen, E. Heilbronner u. P. A. Straub, Helv. **50**, 2504 (1967); **51**, 45 (1968).

[2] G. G. Wubbels et al., Am. Soc. **95**, 3520 (1973).

[3] G. V. Fomin, L. M. Gurziyan u. L. A. Blumenfeld, Dokl. Akad. SSSR **191**, 151 (1970).
   O. P. Studzinski et al., Z. Org. Chim. 8, 774, 2130 (1972).

[4] A. D. Broadbent u. R. P. Newton, Canad. J. Chem. **50**, 381 (1972).

[5] K. Schaffner, O. Jeger et al., Helv. **51**, 1778 (1968).

Verbindungen, die diese Voraussetzung erfüllen, sind Toluolsulfonsäure-Derivate sowie Methansulfonsäure-cyclohexylester[1]:

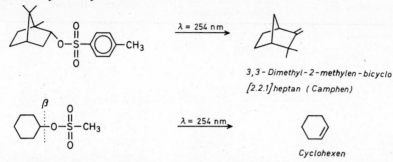

3,3 - Dimethyl - 2 - methylen - bicyclo
[2.2.1]heptan (Camphen)

Cyclohexen

Eine entsprechende Reaktion tritt auch bei den Tosylaten verschiedener Zucker[2] ein, so daß sich die Photolyse zur Detosylierung eignet.

Methyl-α-D-glucopyranosid[2]: Eine Lösung von 1,0 g 6-O-p-Tosyl-α-D-glucopyranosid in 250 ml Methanol und etwas Natriummethanolat wird mit einer 100 W Hg-Hochdrucklampe (Ushio Denki Co.) in einer Quarzapparatur 5 Stdn. unter Stickstoff bestrahlt (DC-Kontrolle). Die Reaktionsmischung wird nach Filtrieren vom Solvens befreit und an Kieselgel chromatographiert; Ausbeute: 90% d.Th..

Die Photolyse von β-Oxo-sulfonsäureestern verläuft ausschließlich unter β-Spaltung (Prozeß ⑦, S. 1029), die sowohl homolytisch ⓐ als auch heterolytisch ⓑ erfolgen kann:

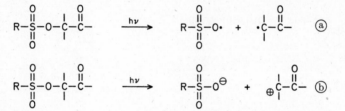

Wird 4-Methansulfonyloxy-3-oxo-2,2,5,5-tetramethyl-hexan (V) in Benzol oder Dichlormethan (Pyrex-Filter) bestrahlt, so entsteht als Hauptprodukt *4-Oxo-2,3,5,5-tetramethylhexen-(1)* (VI) neben wenig *cis-* bzw. *trans-5-Oxo-3,6,6-trimethyl-hepten-(3)* (VII) und *cis-* bzw. *trans-5-Oxo-3,6,6-trimethyl-hepten-(2)* (VIII)[3]:

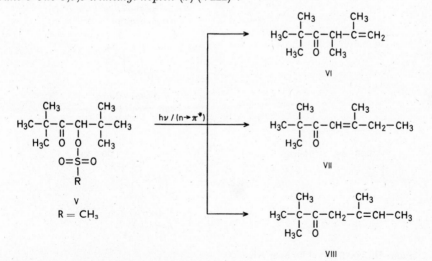

---

[1] K. SCHAFFNER, Pure Appl. Chem. **16**, 75 (1968).
[2] S. ZEN, S. TASHIMA u. S. KOTO, Bl. chem. Soc. Japan **41**, 3025 (1968).
[3] K. SCHAFFNER et al., Helv. **49**, 1986 (1966).

Tab. 145: Photolyse[a] von α-Mesyloxy-ketonen

Ausgangsverbindung	Lösungsmittel oder Reaktionspartner	Endverbindungen	Ausbeute [% d.Th.)	Lite
	Acetonitril	 *2-Oxo-2,3-dihydro-1H- ⟨benzo-[e]-inden⟩*	56	1
 H₃C—COO	Dichlormethan/ Naphthalin	 H₃C—COO *3β-Acetoxy-20-oxo-naphthyl- (1)-pregnen-(5)*	45	1
 Isomeren-Gemisch	Benzol/Piperidin	 *17β-Acetoxy-3,6-dioxo-B (7a)-homo-A-nor-androstan*	53	2
		 + 4,5-Epoxi-17β-acetoxy-3- oxo-androstan	26	
		 + 17β-Acetoxy-3-oxo- androsten-(4)	5	
	Benzol	 *17β-Acetoxy-3-oxo- androsten-(1)*	83	2

[a] λ = 254 nm; Hg-Niederdruckbrenner NK 6/20.

[1] A. Tuniman et al., Helv. **51**, 1778 (1968).
[2] K. Schaffner et al., Helv. **49**, 1986, 2218 (1966).

In allen Fällen muß dabei eine Methyl-Wanderung eintreten. Diese läßt sich wahrscheinlich durch Stabilisierung des nach Abspaltung von $\dot{R}SO_3^*$ oder $RSO_3^\ominus$ zurückbleibenden Fragmentes erklären.

Auch sterische Faktoren spielen bei der $R\text{-}SO_2\text{-}O$-Eliminierung eine Rolle. Untersuchungen an Tosyloxy-ketonen zeigen, daß die $C_\alpha\text{-}O$-Bindung aus der Ketonebene herausragen muß, damit eine RSO_3-Eliminierung eintreten kann.

So geht *cis*-2-Tosyloxy-3-oxo-1,1,5-trimethyl-cyclohexan (IX) in rascher Reaktion in *6-Oxo-1,2,4-trimethyl-cyclohexen* (X), *5-Oxo-1,1,3-trimethyl-cyclohexan* (XI) und *2-Hydroxy-6-oxo-1,2,4-trimethyl-cyclohexan* (XII) über[1]. Das *trans*-Isomere ist wesentlich reaktionsträger[1]:

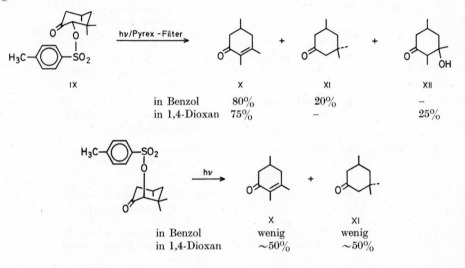

	X	XI	XII
in Benzol	80%	20%	–
in 1,4-Dioxan	75%	–	25%

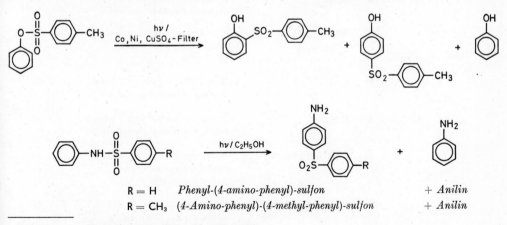

	X	XI
in Benzol	wenig	wenig
in 1,4-Dioxan	~50%	~50%

Die primär nach RSO_3-Eliminierung entstehenden Radikale können auch mit dem Solvens abreagieren. Eine Reihe weiterer Reaktionen von α-Oxo-sulfonsäureestern mit Beispielen, vor allem aus dem Gebiet der Steroide, sind in Tab. 145 (S. 1046) zusammengestellt.

Sulfonsäure-phenylester werden photochemisch unter α'-Spaltung (Prozeß ⑥, S. 1029) gespalten und stabilisieren sich intramolekular in einer Photo-Fries-Umlagerung. Aus p-Toluolsulfonsäure-phenylester erhält man (*2*- bzw. *4-Hydroxy-phenyl*)-(*4-methyl-phenyl*)-*sulfon*; als Nebenprodukt fällt Phenol an[2]. Eine analoge Reaktion gehen Aren-sulfonsäure-anilide ein, die substituierte *Diaryl-sulfone* und *Anilin ergeben*[3]:

R = H   *Phenyl-(4-amino-phenyl)-sulfon*   + *Anilin*
R = CH₃ (*4-Amino-phenyl*)-(*4-methyl-phenyl*)-*sulfon*   + *Anilin*

[1] S. Iwasaki u. K. Schaffner, Helv. **51**, 557 (1968).
[2] J. L. Stratenus u. E. Havinga, R. **85**, 434 (1966).
[3] H. Nozaki et al., Tetrahedron **22**, 2177 (1966).

Tab. 146: Photo-Fries-Umlagerung von substituierten 4-Pyrimidyl-sulfonaten[1]

Ausgangsverbindung		Produkt	Ausbeute [% d. Th.]
$R^1 = H$; $R^2 = N(CH_3)_2$	$R^3 = $ 4-Brom-phenyl	2-Dimethylamino-6-hydroxy-5-(4-brom-phenylsulfonyl)-pyrimidin	18
$R^1 = CH_3$; $R^2 = N(CH_3)_2$	$R^3 = CH_3$	2-Dimethylamino-6-hydroxy-5-methylsulfonyl-4-methyl-pyrimidin	60
	$R^3 = $ 4-Chlor-phenyl	2-Dimethylamino-6-hydroxy-5-(4-chlor-phenylsulfonyl)-4-methyl-pyrimidin	25
	$R^3 = $ 2,4,6-Trimethyl-phenyl	2-Dimethylamino-6-hydroxy-5-(2,4,6-trimethyl-phenylsulfonyl)-4-methyl-pyrimidin	28
$R^2 = N(C_2H_5)_2$	$R^3 = CH_3$	2-Diäthylamino-6-hydroxy-5-methylsulfonyl-4-methyl-pyrimidin	37
$R^2 = $ Pyrrolidino	$R^3 = CH_3$	2-Pyrrolidino-6-hydroxy-5-methyl-sulfonyl-4-methyl-pyrimidin	47
	$R^3 = $ 2,5-Dimethyl-phenyl	2-Pyrrolidino-6-hydroxy-5-(2,5-di-methyl-phenylsulfonyl)-4-methyl-pyrimidin	28
$R^2 = $ Piperidino	$R^3 = CH_3$	2-Piperidino-6-hydroxy-5-methyl-sulfonyl-4-methyl-pyrimidin	50
	$R^3 = $ 2,5-Dimethyl-phenyl	2-Piperidino-6-hydroxy-5-(2,5-di-methyl-phenylsulfonyl)-4-methyl-pyrimidin	27
$R^2 = $ Morpholino	$R^3 = CH_3$	2-Morpholino-6-hydroxy-5-methyl-sulfonyl-4-methyl-pyrimidin	46
	$R^3 = C_2H_5$	2-Morpholino-6-hydroxy-5-äthyl-sulfonyl-4-methyl-pyrimidin	43
	$R^3 = $ 3-Chlor-propyl	2-Morpholino-6-hydroxy-5-(3-chlor-propylsulfonyl)-4-methyl-pyrimidin	50
	$R^3 = C_4H_9$	2-Morpholino-6-hydroxy-5-butyl-sulfonyl-4-methyl-pyrimidin	33
	$R^3 = C_6H_5$	2-Morpholino-6-hydroxy-5-phenyl-sulfonyl-4-methyl-pyrimidin	32
	$R^3 = $ 4-Methyl-phenyl	2-Morpholino-6-hydroxy-5-(4-methyl-phenylsulfonyl)-4-methyl-pyrimidin	30
	$R^3 = $ 4-Methoxy-phenyl	2-Morpholino-6-hydroxy-5-(4-methoxy-phenylsulfonyl)-4-methyl-pyrimidin	27

Ausgangsverbindung Struktur:

$$\begin{array}{c} R^1 \\ N \diagdown \\ R^2 \diagup N \diagup \quad O-SO_2-R^3 \end{array}$$

Produkt Struktur:

$$\begin{array}{c} R^1 \quad SO_2-R^3 \\ N \diagdown \\ R^2 \diagup N \diagup \quad OH \end{array}$$

[1] B. K. Snell, Soc. [C] 1968, 2367; dort weitere Lit.

An einer Reihe substituierter Pyrimidyl-(4)-ester von Alkan- und Arensulfonsäuren[1] wird ebenfalls eine Umlagerung zu den entsprechenden Sulfonen in Ausbeuten bis zu 60% d. Th. nachgewiesen (s. Tab. 146). Daneben entstehen in geringen Mengen Hydroxy-pyrimidine[2].

2-Dimethylamino-6-hydroxy-5-methylsulfonyl-pyrimidin[3]:

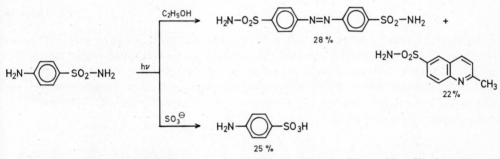

Eine Lösung von 1 g 2-Dimethylamino-4-methylsulfonyloxy-pyrimidin in 100 ml abs. Äthanol wird unter Stickstoff mit einer Hanovia Quecksilber-Niederdruck-Lampe bestrahlt. Der Reaktionsablauf wird durch Dünnschichtchromatographie kontrolliert. Nach 8 Stdn., wenn kein Ausgangsmaterial mehr vorhanden ist, wird das Lösungsmittel i. Vak. entfernt und der Rückstand aus Äthanol umkristallisiert; Ausbeute: 600 mg (60% d.Th.); F: 232°.

Auch Sulfonsäure-amide sind in der letzten Zeit studiert worden. Es tritt hier normalerweise eine Spaltung der S–N-Bindung (β-Spaltung) ein. Aus Benzolsulfonsäure-diäthylamid entsteht so *Diäthylamin* (20% d.Th.) und *Benzolsulfonsäure* (36% d.Th.)[3]. Unter Dimerisierung verläuft die Spaltung von Sulfanilsäure-amid in Äthanol[4] zu *4,4'-Bis-[aminosulfonyl]-azobenzol*, während in Gegenwart von Sulfit-Ionen *4-Amino-benzolsulfonsäure* (25% d.Th.) entsteht[5]:

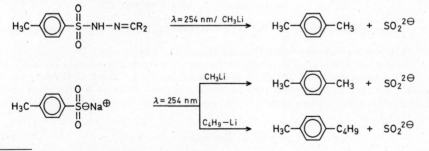

Eine nucleophile Substitution von Aromaten wird bei Arensulfonylhydrazonen in Gegenwart von starken Basen beobachtet. Belichtet man p-Toluolsulfonyl-hydrazone in Gegenwart von Methyl-lithium, so wird unter Substitution der Sulfonyl-Gruppe 45% *p-Xylol* neben Spuren von Benzol und Toluol[6] erhalten. In gleicher Weise reagiert das Natrium-Salz der p-Toluolsulfinsäure mit Methyl-lithium zu *p-Xylol* (45% d.Th.) und mit Butyl-lithium zu *4-Methyl-1-butyl-benzol*[6]:

[1] J. L STRATENUS u. E. HAVINGA, R. 85, 434 (1966).
[2] B. K. SNELL, Soc. [C] 1968, 2367; dort weitere Lit.
[3] A. ABAD et al., Tetrahedron Letters 1971, 4555.
   D. MELLIER, J. P. PETE u. C. PORTELLA, Tetrahedron Letters 1971, 4559.
[4] J. REISCH u. D. H. NIEMEYER, Ar. 305, 135 (1972).
[5] A. N. FROLOV, E. V. SMIRNOV u. A. V. EL'TSOV, Ž. Org. Chim. 10, 1686 (1974); Cheminform 45, 143 (1974).
[6] R. SHAPIRO u. K. TOMER, Chem. Commun. 1968, 460.

Dies ist das erste Beispiel einer photochemischen nucleophilen Substitution an Aromaten, in der ein Dianion (Sulfoxylat) als "Leaving group" auftritt.

Bei der Photolyse von 4-Methyl-benzolsulfonsäure-jodid in Benzol wird *Bis-[4-methyl-phenyl]-disulfan-bis-[dioxid]* (5% d.Th.) und *4-Methyl-benzolsulfonsäure-anhydrid* (23% d.Th.) gebildet[1]:

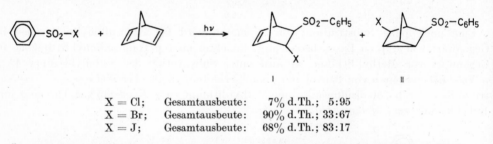

Die meisten photochemisch induzierten Homolysen von aromatischen Sulfonsäure-halogeniden wurden in Gegenwart von Olefinen vorgenommen. Hierbei wird die S-Halogen-Bindung gespalten (Prozeß ⑥, S. 1029) und das entstehende Radikal addiert sich an das Olefin:

$$Ar\text{—}SO_2\text{—}X \xrightarrow[-X\cdot]{h\nu} Ar\text{—}\overset{\bullet}{SO}_2 \xrightarrow{R\text{—}CH=CH_2} R\text{—}\overset{\bullet}{CH}\text{—}\underset{\underset{SO_2\text{—}Ar}{|}}{CH_2}$$

$$\xrightarrow{Ar\text{—}SO_2\text{—}X} R\text{—}\underset{\underset{X}{|}}{CH}\text{—}\underset{\underset{SO_2\text{—}Ar}{|}}{CH_2}$$

Bicyclo[2.2.1]hepten liefert z. B. mit 4-Methyl-benzolsulfonsäure-chlorid[1] *endo-3-Chlor-exo-2-p-tosyl-bicyclo[2.2.1]heptan* (67% d.Th.). p-Tosyl-jodid ergibt mit Acrylnitril in 87%iger Ausbeute *2-Jod-3-p-tosyl-propansäure-nitril*[1] und mit Styrol *1-Jod-2-p-tosyl-1-phenyl-äthan* (93% d.Th.)[1]. Benzolsulfonsäure-halogenide addieren sich an Bicyclo[2.2.1]heptadien zu *endo-5-Halogen-exo-6-phenylsulfonyl-bicyclo[2.2.1]hepten-(2)* (I) und *5-Halogen-3-phenylsulfonyl-tricyclo[2.2.1.0²,⁶]heptan* (II)[2, s. a. 3]:

X = Cl;	Gesamtausbeute:	7% d.Th.;	5:95
X = Br;	Gesamtausbeute:	90% d.Th.;	33:67
X = J;	Gesamtausbeute:	68% d.Th.;	83:17

Über analoge Additionen von 4-Methyl-phenylsulfonyl-cyanid mit Olefinen s. Lit.[4].

endo-3-Chlor-exo-2-p-tosyl-bicyclo[2.2.1]heptan[3]: Eine Mischung von 3,0 g Bicyclo[2.2.1]hepten und 6,06 g p-Tosyl-chlorid wird in einer Vycor-Apparatur mit einer Mazda-AH-4-Lampe von außen belichtet (Temp. des Reaktionsgemisches: 120–130°). Nach Abkühlen werden durch Destillation bei 25° und 0,2 Torr 27% des Bicyclo[2.2.1]hepten zurückerhalten und durch Erhitzen des Kolbens i. Vak. das p-Tosylchlorid entfernt. Der Rückstand (6,12 g) wird aus Methanol umkristallisiert; Ausbeute: 4,48 g (50% d.Th.); F: 114–115°.

δ₂) cyclische Sulfonsäure-Derivate

Lediglich ungesättigte cyclische Sulfonsäureester wurden bisher photochemisch untersucht. Die Photolyse von 2-Methyl-pentadien-(1,3)-4-sulton (I, S. 1051) in Methanol

[1] C. M. DA SILVA-CORRÊA u. W. A. WATERS, Soc. [C] **1968**, 1874.
[2] S. J. CRISTOL u. D. I. DAVIES, J. Org. Chem. **29**, 1282 (1964).
[3] S. J. CRISTOL u. J. A. REEDER, J. Org. Chem. **26**, 2182 (1961).
[4] R. G. PEWS u. T. E. EVANS, Chem. Commun. **1971**, 1397.

ergibt *4-Oxo-2-methyl-penten-(2)-sulfonsäure-methylester* (IV):

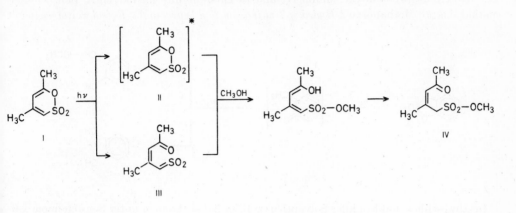

Als Zwischenstufe wurde zunächst ein Oxo-sulfonylen III postuliert, dessen Lebensdauer jedoch unter 20 μsec liegen muß. Dieser Reaktionsweg würde eine elektrocyclische Ringöffnung des Dihetera-cyclo-hexadiens (I) zu einem Dihetera-hexatrien (III) darstellen, die nach den Woodward-Hoffmann-Regeln symmetrie-erlaubt wäre. Ein zweiter Mechanismus für die Bildung von IV soll eine direkte Addition von Methanol an das angeregte Sulton II sein[1,2].

In Benzylamin als Solvens erhält man das entsprechende Sulfonsäure-benzylamid. Diese nach Prozeß ⑥ (S. 1029) ablaufende Spaltung führt bei der Belichtung von 9,10-Diphe-nyl-⟨acenaphtho-[1,2-c]-1,2-oxathiin⟩-7,7-dioxid (V) mit 73%iger Ausbeute zu *2-(2-Oxo-1,2-diphenyl-äthyl)-acenaphthylen-1-sulfonsäure-methylester* (VI)[1]:

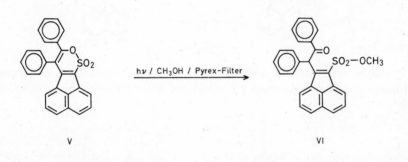

2-(2-Oxo-1,2-diphenyl-äthyl)-acenaphthylen-1-sulfonsäure-methylester (VI)[1]: Eine Lösung von 474 mg 9,10-Diphenyl-⟨acenaphtho-[1,2-c]-1,2-oxathiin⟩-7,7-dioxid (V) in 700 *ml* Methanol wird mit einer 180 W Hanovia CH-Lampe in einem Pyrex-Gefäß 40 Min. belichtet. Das Reaktionsgemisch wird in Wasser gegossen und mit Chloroform extrahiert. Die Chloroform-Phase wird mit verd. Natriumhydrogen-carbonat-Lösung, dann mit Wasser gewaschen und über Natriumsulfat getrocknet. Nach Abziehen des Solvens hinterbleiben 348 mg (73% d.Th.) des rohen Sulfonsäureesters; nach Chromatographieren an Kieselgel und Umkristallisieren aus Chloroform/Äther; F: 162–179°.

Analog ergibt 4-Methyl-benzo-[e]-1,2-oxathiin *cis-* und *trans-2-Methyl-2-(2-hydroxy-phenyl)-äthylen-sulfonsäure-methylester*.

---

[1] P. DE MAYO et al., Canad. J. Chem. **41**, 100 (1963); Pr. roy. Soc. **1961**, 238.

[2] J. L. CHARLTON u. P. DE MAYO, Canad. J. Chem. **46**, 55 (1968).

Durch Bestrahlung bei Raumtemperatur wird aus $3\,H\text{-}\langle\text{Benzo-[d]-1,2-oxathiol}\rangle$-2,2-dioxid Schwefeldioxid eliminiert, und es entsteht intermediär ein o-Benzochinonmethid, das mit Methanol zu *2-Hydroxy-1-methoxymethyl-benzol* und *o-Kresol* weiterreagiert[1]:

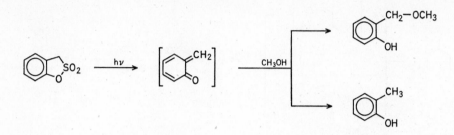

In Abwesenheit nukleophiler Solventien, z. B. in Äther, können unter Schwefelmonoxid-Eliminierung Lactone gebildet werden. 4-Hydroxy-2-methyl-pentadien-(1,3)-sulfonsäure-sulton ergibt so *2-Methyl-penten-(2)-4-olid* (65% d. Th.)[2]:

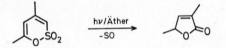

Die Photolyse des folgenden cyclischen Sulfonsäure-thioesters liefert unter Schwefeldioxid-Abspaltung *Naphtho-[1,8-b,c]-thiet* (97% d. Th.)[3]:

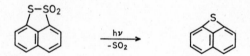

Die Photolyse ungesättigter sechsgliedriger Sultame führt nach Isomerisierung zu einem Imino-sulfonylen und erneuter Cyclisierung unter Ringverengung zu substituierten Pyrrolen[4]:

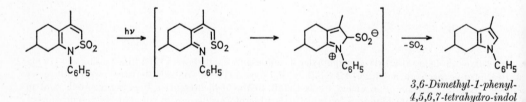

3,6-Dimethyl-1-phenyl-4,5,6,7-tetrahydro-indol

Analog geht 2-Methyl-N-phenyl-pentadien-(1,3)-4-sultam in *2,4-Dimethyl-1-phenyl-pyrrol* über[4].

[1] O. L. Chapman u. C. L. Mc Intosh, Chem. Commun. 1971, 383.
[2] B. Gorewit u. M. Rosenblum, J. Org. Chem. 38, 2257 (1973).
[3] J. Meinwald u. S. Knapp, Am. Soc. 96, 6532 (1974).
[4] T. Durst u. J. F. King, Canad. J. chem. 44, 1859 (1966).

3. an der C–S–S-Bindung (Disulfide)

Disulfide werden prinzipiell in gleicher Weise wie Thioäther und Mercaptane angeregt (s. S. 1009). Einige charakteristische UV-Spektren von Disulfiden sind in Tab. 147 zusammengestellt.

Tab. 147: UV-Spektren von Disulfiden

Verbindung	λ_{max} [nm]	ε	Literatur
$H_3C–S–S–CH_3$	252 210(Sch)	300 1500	1
$F_3C–S–S–CF_3$	237	360	2
(Ring) S–S	330	–	2
(Ring) S–S	286 211 202	294 1150 1300	2
(Ring) S–S	259 206 200	467 1900 2300	2
$[(F_3C)_2C=C(CF_3)–S]_2$	318 216	1460 10700	2

In Disulfiden beobachtet man photochemisch folgende Primärprozesse:

$$R–S–S–R \xrightarrow{h\nu} \begin{cases} R–S\cdot + \cdot S–R & ① \\ R\cdot + \cdot S–S–R & ② \end{cases}$$

Nach Prozeß ① entstehen 2 Thiyl-Radikale, die in gleicher Weise wie bei den Thioäthern oder Mercaptanen weiterreagieren können. Prozeß ② liefert ein Alkyl- oder Aryl- und ein Alkyldisulfan-Radikal, die sich wieder auf bekanntem Wege stabilisieren können. Die einzelnen Disulfide sind im folgenden nach steigender Komplexität der Reste R geordnet.

α) acyclische Disulfide

Die Belichtung von Disulfiden ist wie die von Mercaptanen (s. S. 1010) von großer biochemischer Bedeutung. Die sehr schwache S–S-Bindung wird durch UV- oder energiereiche Strahlung extrem leicht gespalten. Dies führt zur Inaktivierung Cystin-haltiger Enzyme oder Hormone (z. B. Liponsäure, Cystamin) und ist daher biochemisch interessant. Cystin-Disulfid-Brücken sind außerdem wesentlich für die Aufrechterhaltung der Sekundär- und Tertiärstruktur von Proteinen und Enzymen. Dies alles hat zu einem intensiven Studium der Disulfide beigetragen.

---

[1] J. C. CALVERT u. J. N. PITTS, *Photochemistry*, S. 491, John Wiley & Sons, New York 1966.
[2] E. BLOCK, Quart, Rep. Sulfur Chem. 4, 237 (1969).

Der Primärprozeß bei der Disulfid-Photolyse ist zunächst der Bruch der S–S-Bindung. Dabei entstehen Thiyl-Radikale die durch ESR- und UV-Spektroskopie bei 77° K nachgewiesen wurden[1,2]:

$$R_2CH-S-S-CHR_2 \xrightarrow{h\nu/\,77°K,\,Glasmatrix} [R_2CH-S\bullet + \bullet S-CHR_2]$$

$$\downarrow \nabla$$

$$R_2C{=}S + R_2CH-SH$$

Die Thiyl-Radikale werden dabei vom Solvenskäfig zusammen gehalten und ergeben erst beim Erwärmen Mercaptane (bis zu 60% d. Th.) und Thioketone.

Wird die Photolyse von Disulfiden bei Raumtemperatur durchgeführt, so stabilisieren sich die entstehenden Thiyl-Radikale jedoch in einer Radikalkette zu einer Reihe von Produkten. Aus Dimethyl-disulfid erhält man bei der Belichtung (Hg-Niederdruck-Lampe) in der Gasphase in Gegenwart von Hg als Sensibilisator: *Dimethylsulfid* (26,5% d. Th.), *Dimethyl-trisulfan* (26% d. Th.), *Methylmercaptan* (22% d. Th.), *Äthan* (13% d. Th.), *Methan* und *Thioformaldehyd* (2% d. Th.)[3,4]:

$$H_3C-S-S-CH_3{}^* \longrightarrow 2\ H_3C-S\bullet$$

$$H_3C-S-S-CH_3{}^* \longrightarrow H_3C-S-S\bullet + \bullet CH_3$$

$$2\ H_3C-S\bullet \longrightarrow H_3C-SH + H_2C{=}S$$

$$H_3C-S\bullet + H_3C-S-S\bullet \longrightarrow H_3C-S-S-S-CH_3$$

$$H_3C-S\bullet + \bullet CH_3 \longrightarrow H_3C-S-CH_3$$

$$2\ \bullet CH_3 \longrightarrow C_2H_6$$

$$\bullet CH_3 + H_3C-S\bullet \longrightarrow CH_4 + H_2C{=}S$$

$$H_3C-S\bullet + H_3C-S\bullet \longrightarrow H_3C-S-S-CH_3$$

In entsprechender Weise bildet sich bei der Photolyse von Bis-[trifluormethyl]-disulfid *Bis-[trifluormethyl]-sulfid* (39% d. Th.)[5]. Das Trifluormethyl-thiyl-Radikal läßt

[1] K. J. Rosengren, Acta chem. scand. **16**, 1401, 2284 (1962).

[2] U. Schmidt, A. Müller u. K. Markau, B. **97**, 405 (1964).

[3] A. Jones, S. Yamashita u. F. P. Lossing, Canad. J. Chem. **46**, 833 (1968).

[4] B. Milligan, D. E. Rivett u. W. E. Savige, Austral. J. Chem. **16**, 1020 (1963).
vgl. a. P. M. Rao u. A. R. Knight, Canad. J. Chem. **46**, 2462 (1968).
R. N. Haseldine, R. R. Rigby u. A. E. Tipping, Soc. (Perkin I) **1972**, 2180.

[5] G. A. Brandt, H. J. Emeleus u. R. N. Haszeldine, Soc. **1952**, 2198.
R. N. Haszeldine u. J. N. Kidd, Soc. **1953**, 3219.

sich mit Quecksilber zu 53% Bis-[trifluormethyl]-quecksilber abfangen[1]. Auch an Stickoxid lassen sich die Thiyl-Radikale addieren[2]. Aus Diphenyl-sulfid entsteht *Phenylmercaptan* (9–16% d.Th.)[3].

Bis-[trifluormethyl]-sulfid[1]: 1,14 g Bis-[trifluormethyl]-disulfid werden 13 Tage in einer Quarzröhre von 100 *ml* Inhalt mit einer 10 cm entfernten Hanovia Lampe bestrahlt. Im Laufe der Photolyse setzt sich ein viskoses Öl auf die Gefäßwand, das allmählich kristallisiert. Die Destillation der flüssigen Anteile ergibt: 0,36 g unumgesetztes Bis-[trifluormethyl]-disulfid und 0,44 g (39% d. Th.) Bis-[trifluormethyl]-sulfid. Die kristallinen Anteile enthalten Schwefel.

Die Rekombination zweier Thiyl-Radikale zu Disulfid kann ebenfalls ausgeweitet werden. Belichtet man ein Gemisch aus Dimethyl- und Diäthyl-disulfid ($\lambda = 253,7$ nm) ohne Solvens, so erhält man ein photostationäres Gemisch, in dem sich zusätzlich noch *Methyläthyl-disulfid* befindet[4].

$$R\text{-}S\text{-}S\text{-}R + R'\text{-}S\text{-}S\text{-}R' \underset{h\nu}{\overset{h\nu}{\rightleftarrows}} R'\text{-}S\text{-}S\text{-}R$$

Die Quantenausbeute dieser Reaktion ist $\varphi = 330$, d. h. die Reaktion läuft über mehrere Reaktionscyclen ab. Auf diese Weise können präparativ leicht gemischte Disulfide synthetisiert werden[5-7].

Werden bei der Disulfid-Photolyse Kohlenwasserstoffe mit leicht abstrahierbarem Wasserstoff (Benzyl-H) zugesetzt, so bilden sich neben den normalen Produkten der Disulfid-Photolyse noch Dimere des Kohlenwasserstoffs und geringe Mengen schwefelhaltiger Verbindungen, die durch Rekombination von Thiyl- und Aryl-alkyl-Radikalen zustandekommen. Belichtet man Dibutyl-(2)-disulfid in Gegenwart von Cumol, so isoliert man als Hauptprodukte *Butyl-(2)-mercaptan* (29% d.Th.) und *2,3-Dimethyl-2,3-diphenyl-butan* (24% d.Th.) neben einer Reihe weiterer Verbindungen[8]:

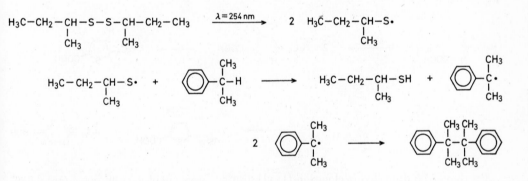

Zur Bestrahlung von Diphenyl-sulfid in Anthracen siehe Literatur[9,10].

[1] G. A. BRANDT, H. J. EMELEUS u. R. N. HASZELDINE, Soc. **1952**, 2198.
 R. N. HASZELDINE u. J. N. KIDD, Soc. **1953**, 3219.
[2] P. M. RAO, J. A. COPECK u. A. R. KNIGHT, Canad. J. Chem. **45**, 1369 (1967).
[3] Y. SCHAAFSMA, A. F. BICKEL u. E. C. KOOYMAN, Tetrahedron **10**, 76 (1960).
 vgl. a. J. A. KAMPMAIER et al., Am. Soc. **94**, 1016 (1972).
[4] K. SAYAMOL u. A. R. KNIGHT, Canad. J. Chem. **46**, 999 (1968).
[5] S. F. BIRCH, T. V. CULLUM u. R. A. DEAN, J. Inst. Petr. **39**, 206 (1953).
[6] L. HARALDSON et al., Acta chem. scand. **14**, 1509 (1960).
[7] US. P. 2474849 (1949, Velsicol Corp., Erf.: M. KLEIMAN; C. A. **44**, 653ᵃ(1950).
[8] C. WALLING u. R. RABINOWITZ, Am. Soc. **81**, 1137 (1959).
[9] Y. SCHAAFSMA, A. F. BICKEL u. E. C. KOOYMAN, Tetrahedron **10**, 76 (1960).
[10] s. a. A. L. BECKWITH u. L. B. SEE, Soc. **1964**, 2571.

Eine präparativ interessante Reaktion stellt die Photolyse von Disulfiden in Gegenwart von Triäthyl-phosphit dar. Der Schwefel der Thiyl-Radikale wird durch das Phosphit eliminiert und man erhält Thioäther in guten Ausbeuten. Die Belichtung von Dibutyl-(2)-disulfid in Triäthyl-phosphit ergibt *Dibutyl-(2)-sulfid* (92% d.Th.)[1]:

$$R-S-S-R \xrightarrow[\text{Pyrex}]{h\nu/\text{sunlamp}/} 2\ R-S\cdot$$

$$R-S\cdot + P(OC_2H_5)_3 \longrightarrow R-S-\overset{\cdot}{P}(OC_2H_5)_3$$

$$R-S-\overset{\cdot}{P}(OC_2H_5)_3 \longrightarrow R\cdot + S=P(OC_2H_5)_3$$

$$R\cdot + R-S-S-R \longrightarrow R-S-R + R-S\cdot$$

$$R = \overset{\overset{\textstyle |}{CH_3}}{CH}-CH_2-CH_3$$

Dibutyl-(2)-sulfid[1]: Eine Mischung aus 44,94 g (0,27 Mol) Triäthyl-phosphit und 37,18 g Dibutyl-(2)-disulfid werden mit einer G. E. "sunlamp" (Pyrex-Filter) 72 Stdn. bei 60° bestrahlt. Dann wird über eine Vigreux-Kolonne bei 15 Torr destilliert, wobei Isobuten und Isobutan von der durchströmenden Luft mitgerissen und bei −80° ausgefroren werden (Verhältnis 8:1). Die Destillation ergibt dann 28 g (92% d.Th.); $n_D^{25} = 1,4437$. Als weitere Komponente gehen 44,0 g (106% d.Th.) Thiophosphorsäure-O,O,O-triäthylester vom $n_D^{25} = 1,4459$ über.

Ungesättigte Disulfide wie Bis-[4-phenyl-1-carboxy-5-2-*cis*-butadien-(1,3)-yl]-disulfid (I) können, nach Spaltung in die entsprechenden Thiyl-Radikale, cyclisieren. Belichtet man I in siedendem Xylol, so isoliert man *5-Phenyl-2-carboxy-thiophen* (III; 40% d.Th.)[2]:

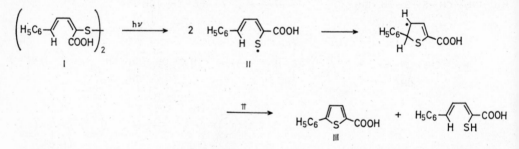

Bis-[3-oxo-5,5-dimethyl-cyclohexen-(1)-yl]-disulfid wird photolytisch in *5-Oxo-3,3-dimethyl-cyclohexan-⟨1-spiro-8⟩-5-oxo-3,3-dimethyl-7,9-dithia-bicyclo[4.3.0]nonan* (79% d.Th.) überführt[3]:

Dinaphthyl-(2)-disulfid geht durch 4–6wöchige Einwirkung von Sonnenlicht in Eisessig als Lösungsmittel mit sehr guter Ausbeute in *Dibenzo-[a;h]-thianthren* über[4].

[1] C. Walling u. R. Rabinowitz, Am. Soc. **81**, 1243 (1959).
[2] P. M. Chakrabarti u. N. B. Chapman, Soc. [C] **1970**, 914.
[3] L. Dalgard u. S. O. Laweson, Tetrahedron Letters **1973**, 4319.
[4] O. Hinsberg, B. **45**, 2337 (1912).

Aminosäuren mit Disulfid-Gruppierungen können, je nach Wellenlänge des eingestrahlten UV-Lichtes, eine Reihe von Reaktionen eingehen. Bestrahlt man Cystin (IV) mit Sonnenlicht (oder "sunlamps") in Gegenwart von Sauerstoff, so bilden sich die Oxidationsprodukte: *Alanin-3-thiosulfonsäure* (V) und *S-Alaninyl-(3)-thioschwefelsäure* (VI). Als Nebenprodukte entstehen *Alanin-3-sulfinsäure* (VII), *Cysteinsäure* (VIII) und Schwefelwasserstoff. In Sauerstoff-freier wäßriger Lösung führt die Photolyse von IV mit UV-Licht der Wellenlänge $\lambda = 254$ nm vorwiegend zu *Cystein* (IX) und *Alanin* (X)[1]:

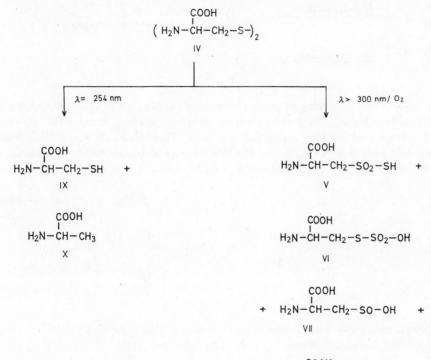

Die Photolyse mit langwelligem UV bewirkt bevorzugt C–S-Spaltung, während kurzwelliges UV vorwiegend die S–S-Spaltung begünstigt. Als Zwischenstufe konnten auch hier die entsprechend substituierten Thiyl-Radikale nachgewiesen werden (ESR). In prinzipiell gleicher Weise wird Homocystin fragmentiert[2,3].

β) cyclische Disulfide

Fünfgliedrige Disulfide sind relativ gut untersucht. Die meisten Studien sind an der Liponsäure oder an entsprechenden Modell-Substanzen vorgenommen worden. Die Liponsäure spielt eine wichtige Rolle bei der biochemischen Decarboxylierung von α-Oxo-carbonsäuren; außerdem glaubt man, daß sie am Prozeß der Photosynthese beteiligt ist. Für photochemische Modelluntersuchungen wurde 1,2-Dithiolan herangezogen. Die Photolyse bei

[1] W. F. FORBES u. W. E. SAVIGE, Photochem. and Photobiol. **1**, 1 (1962); C. A. **58**, 4753 (1963).
   Vgl. a.: C. J. DIXON u. D. W. GRANT, J. phys. Chem. **74**, 941 (1970).
[2] W. F. FORBES, D. E. RIVETT u. W. E. SAVIGE, Photochem. and Photobiol. **1**, 217 (1962); C. A. **58**, 3675e (1963).
[3] Wirkung von Sensibilisatoren: K. DOSE, Photochem. and Photobiol. **8**, 331 (1968).

77° K ergibt ein lachsfarbenes Bios-thiyl-Radikal, das beim Aufwärmen zu Poly-disulfiden polymerisiert. Die Photolyse in Äthanol ergibt als Zwischenstufe einen Sulfensäure-ester, der ebenfalls instabil ist. Lediglich die sensibilisierte Belichtung in Gegenwart von Sauerstoff liefert *1,2-Dithiolan-1-oxid*[1].

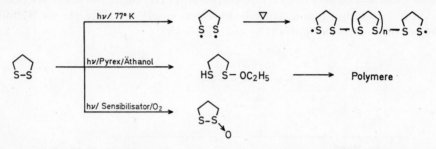

Die Photolyse von Liponsäure ist stark vom Solvens abhängig[1]. In aprotischen Lösungsmitteln (Hexafluor-benzol, Tetrachlormethan, Benzol) werden vorwiegend Polymere gebildet. In Äther und Äthanol stabilisieren sich die Thiyl-Radikale durch Wasserstoff-Abstraktion und man isoliert Oligomere. Mit Wasser oder Methanol erhält man Monomere vom Typ 6,8-disubstituierter Octansäuren[2] (*6,8-Dimercapto-*; *8-Mercapto-6-oxo-octansäure*):

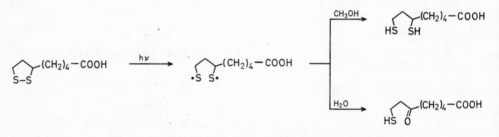

Unter Eliminierung der S–S-Brücke verläuft folgende Photolyse in Cyclohexan zu *cis*- und *trans-3-Oxo-1,3-diphenyl-propen* (83% d.Th.; *cis/trans* = 4:1)[3]:

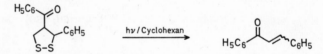

Die Bestrahlung von 1,2-Dithian (Hg-Hochdrucklampe) ohne Solvens liefert *1,4-Dimercapto-butan*; in alkalisch-wäßriger Lösung entsteht *Tetrahydrothiophen*[4]. Analog verhält sich Tetrahydro-1,2-dithiepin, das *1,5-Dimercapto-pentan* und *Tetrahydrothiopyran* ergibt[4]:

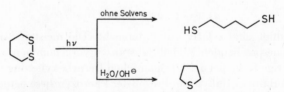

[1] J. A. BARLTROP, P. M. HAYES u. M. CALVIN, Am. Soc. **76**, 4348 (1954).
[2] P. R. BROWN u. J. O. EDWARDS, J. Org. Chem. **34**, 3131 (1969).
   S. a. R. B. WHITNEY u. M. CALVIN, J. Chem. Physics **23**, 1750 (1955).
[3] A. PADWA u. R. GRUBER, J. Org. Chem. **35**, 1781 (1970).
[4] V. RAMAKRISHNAN, S. D. THOMPSON u. S. P. McGLYNN, Photochem. and Photobiol. **4**, 907 (1965);
   C. A. **64**, 2900g (1966).

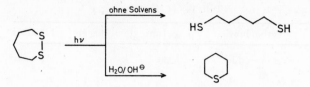

3,6-Disubstituierte 1,2-Dithiine gehen photochemisch nach Ringaufspaltung und Schwefel-Eliminierung in 2,5-disubstituierte Pyrrole über[1].

Eine wichtige Reaktion stellt schließlich die *cis-trans*-Isomerisierung von Olefinen durch Belichtung in Gegenwart von Diphenylsulfid oder Diphenyldisulfid dar, die weitgehend reine *trans*-Olefine ohne Verschiebung der Doppelbindung liefert[2] (vgl. S. 196).

4. an der C=S-Doppelbindung

Thiocarbonyl-Verbindungen können photochemisch sehr leicht angeregt werden, da das längstwellige Absorptionsmaximum im sichtbaren Gebiet liegt. Dieser Übergang niedrigster Energie liegt für Thioketone bei 580–600 nm und rührt von einer $n \to \pi^*$-Anregung eines Elektronenpaares des Schwefel-Atoms her. Die Anregung eines π-Elektrons führt zu einem $\pi \to \pi^*$-Anregungszustand, dessen Absorption bei ~ 300 nm auftritt. Charakteristische UV-Absorptionen von Thiocarbonyl-Verbindungen gibt Tab. 148 wieder.

Die $n\pi^*$-Bande (595 nm) und $\pi\pi^*$-Bande (315 nm) des Thiobenzophenons können mit einer Na- oder einer Hg-Dampflampe selektiv angeregt werden. Die Photoreaktionen von Anregungszuständen verschiedener Multiplizität bei Thioketonen können so gezielt untersucht werden und weisen eindeutig verschiedene Reaktivität auf. Interessant ist weiterhin, daß im $n\pi^*$-Zustand des Thio-benzophenons die Energiedifferenz zwischen Singulett- und Triplett-Zustand nur $\sim 0,8$ kcal/Mol beträgt, d. h. der $^3(n_\pi)^*$-Zustand sehr leicht erhalten werden kann[3].

Tab. 148. UV-Absorptionen von Thiocarbonyl-Verbindungen

Verbindung	λ_{max} [nm]	ε (log ε)	Literatur
⬡–C(=S)–⬡	595 315	177 15100	4
⬡–C(=S)–⬡–OCH₃	585 360	252 15800	4
⬡–C(=S)–⬡–NO₂	610 310	133 12450	4
$F_3C-C(=S)-CF_3$	580 318	12 14	5
$F_3C-C(=S)-Cl$	468	10,7	4
$F_2ClC-C(=S)-F$	510	11,5	4

[1] W. Schroth, F. Billig u. G. Reinhold, Ang. Ch. **79**, 685 (1967); engl.: 698.
[2] C. Moussebois u. J. Dale, Soc. [C] **1966**, 260.
[3] G. N. Lewis u. M. Kasha, Am. Soc. **67**, 994 (1945).
[4] G. Oster, L. Citarel u. M. Goodman, Am. Soc. **84**, 703 (1962).
[5] E. Block, Quart. Rep. Sulfur Chemistry, **1969**, 239.

Tab. 148 (1. Fortsetzung)

Verbindung	λ_{max} [nm]	ε (log ε)	Literatur
$H_3C-\overset{\underset{\|}{S}}{C}-OC_2H_5$	250	–	1
$H_9C_4-\overset{\underset{\|}{O}}{C}-S-\overset{\underset{\|}{S}}{C}-OC_2H_5$	394 276 228 208	50 8700 6300 6000	1
(Struktur)	400 292 239	256 14400 22400	1
(Struktur) SCH$_3$	221 294 333	(4,75) (3,83) (3,98)	2
(Struktur) CH$_3$, OCH$_3$	398	(4,16)	3
(Struktur) Cl	229 323	8000 9000	4

Der Primärprozeß bei der Belichtung von Thiocarbonyl-Verbindungen ist die Bildung eines Diradikals, das dann weitere Reaktionen eingehen kann:

$$\underset{R}{\overset{R}{>}}C=S \quad \xrightarrow{h\nu} \quad \underset{R}{\overset{R}{>}}\overset{\cdot}{C}-\overset{\cdot}{S} \qquad ①$$

Dieses Diradikal ergibt bei Thioketonen mit einem zweiten Molekül stabile Produkte unter **Abstraktion** oder **Cycloaddition** (mit ungesättigten Verbindungen), weiterhin ist **Cyclisierung** oder **Oxidation** möglich. Xanthate, Thiourethane oder Dithiocarbamidsäuren fragmentieren homolytisch zu einer Reihe von verschiedenen Produkten.

Die einzelnen Verbindungen sind im folgenden nach steigender Komplexität der beiden Reste R geordnet.

α) Thioketone

Eine Reihe interessanter Arbeiten ist über die Photolyse von Carbonyl-sulfid erschienen. Die Ergebnisse dieser Untersuchungen sind präparativ nicht interessant, jedoch von theoretischer Bedeutung. Die Photolyse von **Carbonyl-sulfid** ergibt *Kohlenmonoxid* und atomaren Schwefel. Dieser ist isoelektronisch mit den Carbenen und Nitrenen[5]:

$$COS \xrightarrow{\lambda = 229-225\,nm} CO + S\,(^1D)$$

[1] E. Block, Quart. Rep. Sulfur Chemistry **1969**, 239.
[2] B. Zwanenburg, L. Thijs u. J. Strating, Tetrahedron Letters **1967**, 3453.
[3] J. Strating, L. Thijs u. B. Zwanenburg, R. **83**, 631 (1964).
[4] J. F. King u. T. Durst, Am. Soc. **85**, 2676 (1963).
[5] O. P. Strausz u. H. E. Gunning, Am. Soc. **84**, 4080 (1962).

Der photochemisch gebildete atomare Schwefel liegt im Singulett-Zustand (^{1}D) vor und kann alle charakteristischen Reaktionen von Carben-Analogen eingehen, wie das folgende Schema zeigt[1-3]:

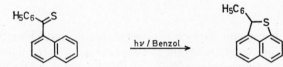

Bemerkenswert ist, daß bei der Photolyse des Carbonyl-sulfids in *cis-* oder *trans*-Buten-(2) sowohl Singulett-(^{1}D)- als auch Triplett-(^{3}P)-Schwefel unter stereospezifischer Addition das Thiiran ergeben. Dies ist die bisher einzige bekannte Ausnahme der Skell'schen Hypothese über die stereospezifische Addition von Singulett-Carbenen[4].

Bei der präparativ wenig bedeutungsvollen Photolyse des Schwefelkohlenstoffs erhält man Kohlenstoffsulfid und S_2 oder in Gegenwart von Sauerstoff Schwefeldioxid und Carbonyl-sulfid[5]:

$$2\ CS_2 \quad \xrightarrow{\lambda\ >\ 220\,nm} \quad \begin{cases} 2\ CS\ +\ S_2 \\[2mm] \xrightarrow{O_2}\ COS\ +\ SO_2 \end{cases}$$

Die Belichtung von Thio-benzophenon mit Strahlung der Wellenlänge $\lambda = 577$ nm (n → π^*-Anregung) und $\lambda = 366$ nm (π–π^*-Anregung) ergibt nach Primärprozeß ① (s. S. 1060) ein Thioketyl-Radikal. In alkalischer Lösung erhält man das Thio-benzophenon-anion-Radikal, das aus dem Triplett-Ketyl entsteht. Thiobenzophenon kann die Acyloin-Oxidation sensibilisieren[6]. In Gegenwart von Sauerstoff liefert die Belichtung ($\lambda = 588$ nm) von Thio-benzophenon als Reaktionsprodukt *Benzophenon*; die Quantenausbeute[7] der Reaktion ist $\varphi = 5{,}6 \cdot 10^{-2}$. Phenyl-naphthyl-(1)-thioketon geht bei Belichtung und $\lambda > 520$ nm eine Cyclisierung zu *2-Phenyl-2H-⟨naphtho-[1,8-b,c]-thiophen⟩* (60% d.Th.) ein[7]:

Bei Bestrahlung mit langwelligem UV ($\lambda = 365$ nm) in Gegenwart von Wasserstoff-Donatoren, z. B. Äthanol, geht Thio-benzophenon eine Photoreduktion ein. Dabei werden *Bis-[diphenylmethyl]-sulfid* (II, 16% d.Th.), *Bis-[diphenylmethyl]-disulfid* (III;

[1] O. P. STRAUSZ u. H. E. GUNNING, Am. Soc. **84**, 4080 (1962).

[2] A. R. KNIGHT, O. P. STRAUSZ u. H. E. GUNNING, Am. Soc. **85**, 1207, 2349 (1963).

[3] O. P. STRAUSZ et al., Am. Soc. **89**, 4805 (1967); **93**, 559 (1971).

G. SATO et al., Bl. chem. Soc. Japan **45**, 754 (1972).

[4] O. P. STRAUSZ et al., Am. Soc. **88**, 254 (1966).

[5] O. P. STRAUSZ et al., Canad. J. Chem. **43**, 1886 (1965).

[6] H. C. HELLER, Am. Soc. **89**, 4288 (1967).

[7] R. LAPOYADE u. P. DE MAYO, Canad. J. Chem. **50**, 4068 (1972).

68% d.Th.) und *1,1,4,4,7,7-Hexaphenyl-2,3,5,6-tetrathia-heptan* (IV; 9% d.Th.) gebildet[1]:

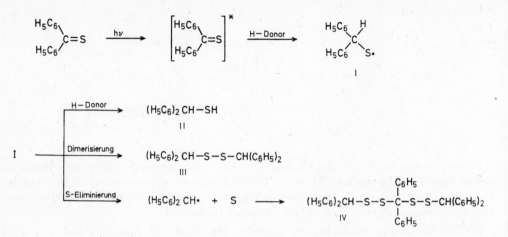

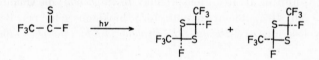

Im Gegensatz zur Photoreduktion des Benzophenons, bei der ein Kohlenstoff-Radikal entsteht, wird als Zwischenstufe bei der Benzothiophenon-Reduktion ein Schwefel-Radikal (I) diskutiert. Die Quantenausbeute dieser Photoreduktion ist $\varphi = 4{,}74 \cdot 10^{-3}$.

Nach neueren Arbeiten erhält man mit sichtbarem Licht ($\lambda = 589$ nm) nach "intersystem crossing" einen $^3(n\pi^*)$-Zustand des Thio-benzophenons. Dieser bildet mit Wasserstoff-Donatoren das durch H-Abstraktion des Thiocarbonyl-Schwefels gebildete $(H_5C_6)_2\dot{C}$–SH-Radikal[2]. Die verschiedenen Radikale dürften mit verschiedenen Anregungszuständen des Thiobenzophenons ($\pi\pi^*$ bzw. $n\pi^*$) erklärbar sein.

Die einfachste Reaktion photochemisch erzeugter Thiyl-Radikale ist neben Abstraktionsreaktionen ihre Dimerisierung (Homodimerisierung). Das thermisch stabile **Trifluorthioacetyl-fluorid** kann photochemisch eine $_\pi 2 + {_\pi}2$-Cycloaddition zu einer Mischung aus *cis-* und *trans-2,4-Difluor-2,4-bis-[trifluormethyl]-1,3-dithietan* eingehen[3]:

$$F_3C - \overset{\overset{\textstyle S}{\|}}{C} - F \quad \xrightarrow{h\nu} \quad \text{(cis)} \quad + \quad \text{(trans)}$$

Diese Cycloaddition liefert mit Trifluor-thioacetyl-chlorid und Chlor- bzw. Brom-difluorthioacetyl-fluorid entsprechend *2,4-Dichlor-2,4-bis-[trifluormethyl]-1,3-dithietan* (83% d.Th.) und *2,4-Difluor-2,4-bis-[difluor-chlor-methyl]-1,3-dithietan* (58% d.Th.) bzw. *2,4-Difluor-2,4-bis-[difluor-brom-methyl]-1,3-dithietan* (93% d.Th.).

2,4-Difluor-2,4-bis-[difluor-chlor-methyl]-1,3-dithietan[3]: Eine Lösung von 38 g Difluor-chlor-thioacetyl-fluorid in 25 *ml* Difluor-dichlor-methan werden mit einer spiralförmigen Hg-Niederdrucklampe 3 Stdn. in einem Quarzrohr belichtet. Das Solvens wird abgezogen und das Produkt destilliert; Ausbeute: 31,3 g (83% d.Th.); Kp_{23}: 44°; $n_D^{25} = 1{,}4127$.

Eine eigenartige Photodimerisierung unter Ringöffnung geht **3-Thiono-1,2-diphenyl-cyclopropen** ein, wobei *2,3,5,6-Tetraphenyl-⟨thieno-[3,2-b]-thiophen⟩* entsteht[4].

---

[1] G. Oster, L. Citarel u. M. Goodman, Am. Soc. **84**, 703 (1962).
   vgl. a. A. Schönberg u. A. Mustafa, Soc. **1943**, 275.
[2] N. Kito u. A. Ohno, Chem. Commun. **1971**, 1338; vgl. a. Bl. chem. Soc. Japan **46**, 2487 (1973).
[3] W. J. Middleton, E. G. Howard u. W. H. Sharkey, J. Org. Chem. **30**, 1375 (1965).
[4] A. Schönberg u. M. Mamluk, Tetrahedron Letters **1971**, 4993.

Bei der Photolyse in Äthanol werden 50% *Tolan* isoliert[1].

Von wesentlich größerer Reaktionsbreite ist die Codimerisation, d. h. die [2+2]-Cycloaddition von Thioketonen und Olefinen, 1,3-Dienen, Allenen oder Acetylenen. Diese Reaktion stellt eine gute präparative Möglichkeit zur Synthese einer Reihe von Thiaheterocyclen dar. Aus Thioketonen und Olefinen können die präparativ schwer zugänglichen Thietane oder 1,4-Dithiane hergestellt werden:

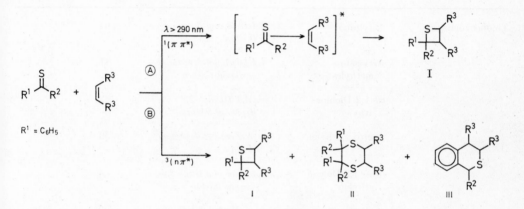

Der Verlauf nach Weg (a) oder Weg (b) hängt dabei in entscheidender Weise von der Elektronendichte des Olefins ab[2]. Elektronenarme Olefine ergeben dabei nach $\pi\pi^*$-Anregung ($\lambda = 366$ nm) ausschließlich Thietane (a)[2].

Der erste Schritt dieser $_\pi 2 + 2_\pi$-Cycloaddition ist die Bildung eines $\pi \to \pi^*$-Singuletts der Thiocarbonyl-Verbindung. Dieses bildet dann mit dem Olefin einen "charge-transfer"-Komplex, der schließlich zum Thietan führt. Die Reaktion ist bei geringem Umsatz stereospezifisch[3,4] und dürfte damit eine nach den Woodward-Hoffmann-Regeln erlaubte Synchron-Reaktion sein. Daß ausschließlich der angeregte Singulett-Zustand $^1(\pi\pi^*)$ für die Reaktion verantwortlich ist, beweist ein Löschexperiment in Gegenwart von 2,4-Dimethyl-pentadien-(1,3). Unter diesen Bedingungen verläuft die [2+2]-Cycloaddition stereospezifisch[3].

$n\pi^*$-Anregung ($\lambda = 589$ nm) führt jedoch ebenfalls zu Thietan-Bildung (I); daneben entstehen entweder 1,4-Dithiane II oder in thermischer Reaktion 3,4-Dihydro-1H-2-benzothiopyrane (III)[3-5]. Hierbei geht jedoch die Stereospezifität der Reaktion verloren, d. h. der angeregte Zustand besitzt[5] $(n\pi^*)$-Multiplizität.

Auch bei $^1(\pi\pi^*)$-Anregung kann jedoch über internal conversion und intersystem crossing ein Übergang $^1(\pi\pi^*) \xrightarrow{\text{I.C.}} {}^1(n\pi^*) \xrightarrow{\text{I.S.C.}} {}^3(n\pi^*)$ erfolgen, so daß die Cycloaddition nichtstereospezifisch verläuft (hoher Umsatz!). Die Cycloaddition verläuft jedoch in jedem Falle regiospezifisch.

[1] G. Laban u. R. Mayer, Z. **12**, 20 (1971).
[2] A. Ohno, Y. Ohnishi u. G. Tsuchihashi, Am. Soc. **91**, 5038 (1969).
[3] H. Gotthardt, B. **105**, 2008 (1972).
[4] H. Gotthardt, B. **107**, 1856 (1974).
[5] P. de Mayo u. H. Shizuka, Mol. Photochem. **5**, 339 (1973); Am. Soc. **95**, 3942 (1973).
Vgl. a.: P. de Mayo u. A. A. Nicholson, Israel J. Chem. **10**, 341 (1972).

Thio-benzophenon und *trans*-1,2-Dichlor-äthylen ergeben beispielsweise in 90%iger Ausbeute *trans-3,4-Dichlor-2,2-diphenyl-thietan*[1]:

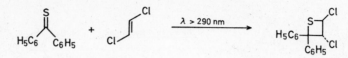

Weitere Beispiele der Thietan-Synthese sind in Tab. 149 zusammengefaßt.

Tab. 149. Photocycloaddition von Olefinen an Thio-benzophenon

Thioketon	Olefin	Thietan $\begin{array}{c} R^1 \\ S-\!\!\!\!\!\!\!+\!\!\!-R^2 \\ H_5C_6-\!\!\!\!\!\!+\!\!\!-R^3 \\ H_5C_6\ R^4 \end{array}$	Ausbeute [% d. Th.]	Literatur
Thiobenzophenon	Acrylnitril[a]	4,4-Diphenyl-3-cyan-thietan	93	2
	Acrylsäure-methylester[a]	4,4-Diphenyl-3-methoxy-carbonyl-thietan	81	2,3
	cis-1,2-Dichlor-äthylen[a]	cis-3,4-Dichlor-2,2-diphenyl-thietan	83	2
	Acetoxy-äthylen[a]	3-Acetoxy-2,2-diphenyl-thietan	30	2
	trans-1,2-Dicyan-äthylen[a]	4,4-Diphenyl-trans-2,3-dicyan-thietan	36	2
	cis-Buten-(2)-säure-nitril[a]	cis-4-Methyl-2,2-di-phenyl-3-cyan-thietan	60	2
		+cis-3-Methyl-4,4-diphen-yl-2-cyan-thietan	30	
	trans-1-Phenyl-propen[b]	trans-4-Methyl-2,2,3-triphenyl-thietan	63	4
	cis-1-Phenyl-propen	cis-4-Methyl-2,2,3-triphe-nyl-thietan	63	4
		+trans-... (21:79)		
Thioxanthon	Acrylsäure-methyl-ester[c]	H₃COOC—S (Struktur) 3-Methoxycarbonyl-thietan-⟨2-spiro-9⟩-xanthen	68	3
	Äthyl-vinyl-äther[c]	3-Äthoxy-thietan-⟨2-spiro-9⟩-xanthen	57	3

[a] 400 W Hg-Hochdruck-Lampe, Typ: Toshiba 400 P; Pyrex-Filter.
[b] 8 60 W Na-Niederdrucklampen.
[c] 4 Osram 55 W Natrium-Niederdruck-Lampen.

[1] A. Ohno, Y. Onishi u. G. Tsuchihashi, Am. Soc. **91**, 5038 (1969).
[2] A. Ohno, Y. Onishi u. G. Tsuchihashi, Tetrahedron Letters **1969**, 161; Am. Soc. **91**, 5038 (1969).
[3] H. Gotthardt, B. **107**, 1856 (1974).
[4] A. Ohno, Y. Onishi u. G. Tsuchihashi, Tetrahedron Letters **1969**, 283.

trans-3,4-Dichlor-2,2-diphenyl-thietan[1]: Eine Lösung von 1,5 g Thio-benzophenon und 8,5 g *trans*-1,2-Dichlor-äthylen in 15 *ml* Cyclohexan werden mit einer 400 W Hg-Hochdruck-Lampe (Toshiba 400 P, Pyrex-Filter) bis zum Verschwinden der blauen Farbe bestrahlt. Dann werden das überschüssige Olefin und das Solvens i. Vak. abgezogen und der Rückstand an Aluminiumoxid (Woelm) chromatographiert; Ausbeute: 2,1 g (90% d.Th.); F: 72–73° aus Benzol/Hexan.

Im Gegensatz zu den elektronenarmen Olefinen reagieren elektronenreiche Olefine mit Thioketonen bei Bestrahlung zu 1,4-Dithianen oder Thietanen. Stark substituierte Olefine liefern ebenfalls Thietane infolge sterischer Hinderung, während einfache elektronenreiche Olefine 1,4-Dithiane ergeben.

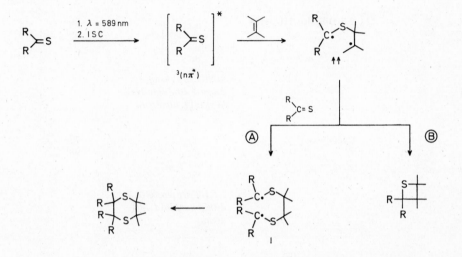

Eine nπ*-Anregung der Thiocarbonyl-Gruppe ($\lambda = 589$ nm, Na-Lampe) ergibt nach "intersystem crossing" ein nπ*-Triplett des Thioketons. Dieses addiert sich an ein Olefin zum Diradikal, an das sich nun ein zweites Molekül Thioketon anlagern kann und das 1,4-Dithian ergibt (Weg ⓐ). Der Produktkontrollierende Faktor bei dieser Reaktion ist jedoch die Konzentration des Thioketons. Bei niedrigen Konzentrationen verläuft die Cycloaddition ausschließlich nach Weg ⓑ unter Thietan-Bildung. Bei größeren Thioketon-Konzentrationen ist jedoch "selfquenching" zum Biradikal I möglich, das sich dann unter 1,4-Dithian-Bildung stabilisiert. Trägt das Olefin weitere Substituenten, so kann sich infolge sterischer Hinderung kein weiteres Thioketon-Molekül addieren und das Diradikal cyclisiert dann ebenfalls zum Thietan. Diese Reaktionen verlaufen über Triplett-Zustände und sind nichtstereospezifisch. Beispiele für diesen Reaktionstyp enthält Tab. 150 (S. 1066).

Wird die Belichtung der Thioketone in Olefinen mit kurzwelligem UV-Licht vorgenommen ($\lambda > 220$ nm), dann werden die intermediär durch [$_\pi 2 + _\pi 2$]-Cycloaddition gebildeten Thietane in situ fragmentiert. Man isoliert dann die durch Spaltung gebildeten Olefine[2]. *cis*-Buten-(2) und Thio-benzophenon liefern so 23% *1,1-Diphenyl-propen*[2]:

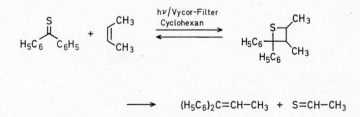

$$\longrightarrow \quad (H_5C_6)_2C=CH-CH_3 \;+\; S=CH-CH_3$$

[1] A. Ohno, Y. Onishi u. G. Tsuchihashi, Am. Soc. **91**, 5038 (1969).
   Vgl. a. P. de Mayo u. H. Shizuka, Mol. Photochem. **5**, 339 (1973); Am. Soc. **95**, 3942 (1973).
[2] E. T. Kaiser u. T. F. Wulfers, Am. Soc. **86**, 1897 (1964).

Tab. 150. Cycloaddition von Thioketonen und Olefinen unter Dithian-Bildung

Thioketon	Olefin	Dithian	Ausbeute [% d.Th.]	Literatur
Thiobenzophenon	Äthyl-vinyl-äther	*5-Äthoxy-2,2,3,3-tetra-phenyl-1,4-dithian*	73	[1]
		+*3-Äthoxy-2,2-diphenyl-thietan*	18	
	2,3-Dihydro-4H-pyran	H_5C_6, H_5C_6, H_5C_6, H_5C_6 [S, S, H, H, O structure] *8,8,9,9-Tetraphenyl-2-oxa-7,10-dithia-trans-bicyclo[4.4.0]decan*	70[a] 92[b]	[1] [2]
	Cyclohexen	H_5C_6, H_5C_6, H_5C_6, H_5C_6 [S, S structure] *3,3,4,4-Tetraphenyl-2,5-dithia-bicyclo[4.4.0] decan*	72[a] 96[b]	[1] [2]
	$H_2C=CH-\bigcirc-R$ substituierte Styrole R=H	*2,2,3,3,5-Pentaphenyl-1,4-dithian*	94[a,b] 68[c]	[1,2]
	R=Cl	*5,5,6,6-Tetraphenyl-2-(4-chlor-phenyl)-1,4-dithian*	65[d]	[1,2]
	R=OCH₃	*5,5,6,6-Tetraphenyl-2-(4-methoxy-phenyl)-1,4-dithian*	65[d]	[1,2]
	R=CH₃	*5,5,6,6-Tetraphenyl-2-(4-methyl-phenyl)-1,4-dithian*	65[d]	[1,2]
	R=CN	*5,5,6,6-Tetraphenyl-2-(4-cyan-phenyl)-1,4-dithian*	65[d]	[1,2]

[a] Hg-Hochdruck-Lampe Toshiba H-400P.
[b] 8 × 60 W Na-Niederdruck-Lampen SOI-60.
[c] Hg-Reflektor-Lampe.
[d] Hg-Hochdruck-Lampe.

[1] A. Ohno et al., Am. Soc. **90**, 7038 (1968).
   G. Tsuchihashi, M. Yamauchi u. M. Fukuyama, Tetrahedron Letters **1967**, 1971.
[2] A. Ohno, Y. Onishi u. G. Tsuchihashi, Am. Soc. **91**, 5038 (1969).

Tab. 151. Photocycloaddition von Thioketonen an Diene und Allene

Thioketon	Dien, Allen	Produkt	Ausbeute [% d.Th.]	Literatur
Thio-benzophenon	Cyclopentadien[a]	H_5C_6 C_6H_5 *3,3-Diphenyl-2-thia-bicyclo[2.2.1]hepten-(5)*	41	1
	2,4-Dimethyl-pentadien-(1,3)	*3-Methyl-3-[2-methyl-propenyl]-2,2-diphenyl-thietan*	69	2
	1,4-Diphenyl-butadien-(1,3)[a]	H C_6H_5 H_5C_6 H_5C_6 H C_6H_5 *2,5,6,6-Tetraphenyl-5,6-dihydro-2H-⟨thiopyran⟩*	18	1
	4-Methyl-1-isopropyl-cyclohexadien-(1,3)[b]	H_3C $CH(CH_3)_2$ H_5C_6 H_5C_6 *5-Methyl-7-isopropyl-3,3-diphenyl-2-thia-bi-cyclo[2.2.2]octen-(5)*	4	3
		+6-Methyl-8-isopropyl-3,3-diphenyl-2-thia-bi-cyclo[2.2.2]octen-(5)	8	3
		H_5C_6 CH_3 H_5C_6 $CH(CH_3)_2$ *+2-Methyl-5-isopropyl-8,8-diphenyl-7-thia-bi-cyclo[4.2.0]octen-(2)*	18	
4,4'-Dimethoxy-thio-benzophenon	Tetramethyl-allen[c]	*3,3-Dimethyl-2,2-bis-(4-methoxy-phenyl)-4-isopropyliden-thietan*	68	2
9-Thio-xanthen	Methoxy-allen[c]	O S CH_2 OCH_3 *Xanthen-⟨9-spiro-2⟩-3-me-thoxy-4-methylen-thietan*	34	4
	Tetramethyl-allen[d]	*Xanthen-⟨9-spiro-2⟩-3,3-dimethyl-4-isopropyl-iden-thietan*	26	2

[a] 150 W Hg-Hochdruck-Lampe (Taika, H 150 W), Pyrex-Filter.
[b] Hg-Hochdruck-Lampe, Pyrex-Filter.
[c] 125 W Philips HPK Hg-Hochdruck-Lampe, $K_2Cr_2O_7$-Filter, Benzol.
[d] $\lambda = 589$ nm, keine Lampe angegeben.

1 K. YAMADA, M. YOSHIOKA u. N. SUGIYAMA, J. Org. Chem. **33**, 1240 (1968).
2 H. GOTTHARDT, Tetrahedron Letters **1971**, 2345; B. **105**, 2008 (1972).
3 Y. OMOTE et al., J. Org. Chem. **32**, 3676 (1967).
4 H. J. BOS, H. SCHINKEL u. T. C. WIJSMAN, Tetrahedron Letters **1971**, 3905.

Die Photocycloaddition von Thioketonen an Diene liefert in ausgezeichneten Ausbeuten 5,6-Dihydro-2H-thiopyrane. Aus Thio-benzophenon und Isopren erhält man in 94%iger Ausbeute *6,6-Diphenyl-4-methyl-* und *6,6-Diphenyl-3-methyl-5,6-dihydro-2H-thio-pyran* (III und IV)[1]:

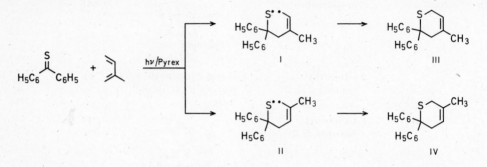

Thio-benzophenon addiert sich dabei zunächst an das Dien zum Diradikal I oder II, das dann cyclisiert.

Mit 2,4-Dimethyl-pentadien-(1,3) bildet Thio-benzophenon jedoch *3-Methyl-3-[2-methyl-propen-(1)-yl]-2,2-diphenyl-thietan* (16–64% d.Th.)[2].

Allene reagieren ebenfalls über eine diradikalische Zwischenstufe zu Methylen-thietanen[2]. Thio-benzophenon und Tetramethyl-allen liefern ($\lambda = 589$ nm) z. B. *3,3-Dimethyl-4,4-diphenyl-2-isopropyliden-thietan* (64% d.Th.)[2]:

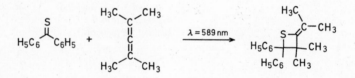

Beispiele zu diesen Reaktionstypen gibt Tab. 151 (S. 1067).

Die Photolyse von Thio-benzophenon mit langwelligem UV-Licht ($\lambda = 589$ nm) in Gegenwart von Acetylenen führt unter Einbeziehung eines Phenyl-Rings zu substituiertem 1-Phenyl-1H-⟨2-benzothiopyran⟩ in mittleren Ausbeuten[3]:

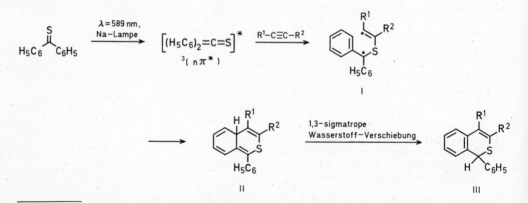

[1] N. Sugiyama, J. Org. Chem. **33**, 1240 (1968).
[2] H. Gotthardt, Tetrahedron Letters **1971**, 2345; B. **105**, 2008 (1972).
[3] A. Ohno et al., Tetrahedron Letters **1970**, 2025.

Acetylen		Lösungsmittel	Produkt ...-1H-⟨2-benzothiopyran⟩	Ausbeute [% d.Th.]
R¹	R²			
HOOC	H	Tetrahydrofuran	*1-Phenyl-4-carboxy-* ...	26
H₅C₆	H	Cyclohexan	*1,4-Diphenyl-* ...	56
HOCH₂	H	Cyclohexan	*4-Hydroxymethyl-1-phenyl-* ...	28
NC–	H	Äther	*1-Phenyl-4-cyan-* ...	20
H₃COOC	COOCH₃	Tetrahydrofuran	*1-Phenyl-3,4-dimethoxy-carbonyl-* ...	28

Auch diese Reaktion verläuft über ein nπ*-Triplett des Thio-benzophenons. Dieses addiert sich an das entsprechende Acetylen und das entstehende Diradikal I stabilisiert sich unter Cyclisierung zu II, das nach einer 1,3-sigmatropen Wasserstoff-Verschiebung das 1H-2-Benzothiopyran III ergibt[1].

Die Photolyse von Bis-[1,2,3-triphenyl-cyclopropenyl]-thioketon (IV) in Benzol (450 W Hg-Hochdruck-Lampe, Pyrex-Filter) ergibt über eine 3-Thiono-1,2,4,5,6,7-hexaphenyl-tetracyclo[3.2.0.0²,⁷.0⁴,⁶]heptan-Zwischenstufe in nahezu quantitativer Ausbeute *Hexaphenyl-benzol* und *Kohlenstoffsulfid*. Diese Reaktion stellt das erste Beispiel einer C=S-Eliminierung dar[2].

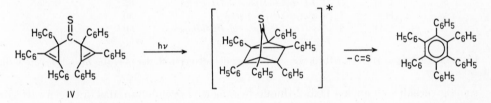

Eine Eliminierung von Carbonyl-sulfid oder Kohlendioxid beobachtet man bei der Bestrahlung von 4-Thiono-1-äthoxycarbonyl-1,4-dihydro-pyridin in Äthanol mit Sonnenlicht, wobei *Dipyridyl-(4)-sulfid* (90% d.Th.) isoliert wird[3]:

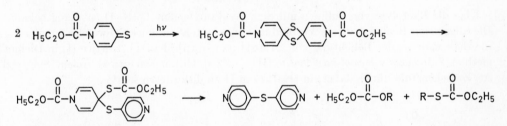

4-Thiono-2,6-diphenyl-4H-thiopyran gibt bei der Bestrahlung in 1,4-Dioxan *2,2′,6,6′-Tetraphenyl-4,4′-bi-thiopyranyliden* (85% d.Th.)[4]. Wahrscheinlich ist der erste Reaktionsschritt eine Wasserstoff-Abstraktion vom Lösungsmittel zu einem Mercapto-thiopyranyl-Radikal.

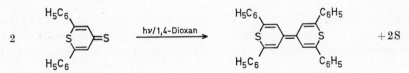

---

[1] A. OHNO et al., Tetrahedron Letters 1970, 2025.
[2] B. M. TROST u. R. ATKINS, Tetrahedron Letters 1968, 1225.
[3] A. M. COMRIE, Soc. 1963, 688.
[4] N. ISAIBE, M. SUNAMI u. M. ODANI, Tetrahedron 29, 2005 (1973).

Dipyridyl-(4)-sulfid[1]: Eine Lösung von 0,92 g 4-Thiono-1-äthoxycarbonyl-1,4-dihydro-pyridin in Äthanol wird dem Sonnenlicht ausgesetzt, bis die Absorptionsbande bei 370 nm verschwunden ist. Nach Abziehen des Äthanols wird destilliert; dabei erhält man O,O-Diäthyl-carbonat (Kp$_{20}$: 52°) und O,S-Diäthyl-thiocarbonat (Kp$_{20}$: 65°). Der Rückstand wird aus Petroläther (Kp: 40–60°) umkristallisiert; Ausbeute: 0,42 g (90% d. Th.); F: 72°.

In Gegenwart von Sauerstoff können Thioketone photochemisch in Ketone umgewandelt werden. So geht z. B. 4-Thiono-4H-pyran bei der Bestrahlung in Gegenwart von Sauerstoff und Methylenblau als Sensibilisator in 4-Oxo-4H-pyran (50% d. Th.) über[2]:

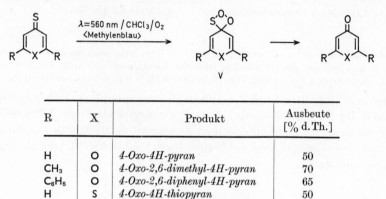

R	X	Produkt	Ausbeute [% d. Th.]
H	O	4-Oxo-4H-pyran	50
CH$_3$	O	4-Oxo-2,6-dimethyl-4H-pyran	70
C$_6$H$_5$	O	4-Oxo-2,6-diphenyl-4H-pyran	65
H	S	4-Oxo-4H-thiopyran	50
C$_6$H$_5$	S	4-Oxo-2,6-diphenyl-4H-thiopyran	60

Die reaktive Spezies bei dieser Reaktion ist der Singulett-Sauerstoff, der über die Zwischenstufe V die Ketone ergibt.

Analog verhält sich auch 4-Oxo-2-thiono-tetramethyl-cyclobutan, das in Gegenwart von Sauerstoff 2,4-Dioxo-tetramethyl-cyclobutan liefert (75% d. Th.)[3].

β) Sulfine

Über die Photolyse von Sulfinen mit dem Strukturelement C=S=O ist wenig bekannt. Die allgemeine Reaktion dieses Verbindungstyps besteht in einer Schwefel-Eliminierung; so erhält man bei der Belichtung von 2-Methoxy-naphthyl-(1)-sulfin (I) in Dichlormethan 2-Methoxy-1-formyl-naphthalin (III; 84% d. Th.) neben etwas freiem Schwefel. Als Zwischenstufe dürfte dabei ein Oxathiiran II zu diskutieren sein[4]:

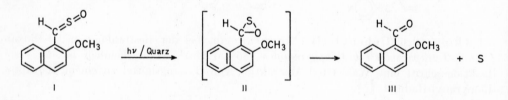

In analoger Weise eliminiert ein 1:1-Gemisch von *cis*- und *trans*-1-Methylmercapto-naphthyl-(1)-sulfin (IV und V) bei der Bestrahlung in Benzol Schwefel, wobei *Naphthalin-1-thiocarbonsäure-S-methylester* (70% d. Th.) entsteht und die Ausgangsverbindungen

[1] A. M. COMRIE, Soc. **1963**, 688.
[2] N. ISHIBE, M. ODANI u. M. SUNAMI, Soc. [B] **1971**, 1837.
   Vgl. auch A. SCHÖNBERG u. A. MUSTAFA, Soc. **1943**, 275.
[3] J. J. WORMAN, M. SHEN u. P. C. NICHOLS, Canad. J. Chem. **50**, 3923 (1972).
[4] J. STRATING, L. THIJS u. B. ZWANENBURG, R. **83**, 631 (1964).

cis-trans-isomerisiert werden[1]. Das Photolysat enthält 15% des *cis*- und 85% des *trans*-Sulfins.

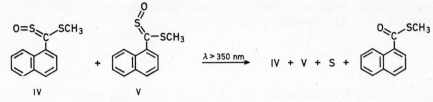

IV   V

Phenyl-sulfin gibt in entsprechender Weise *Benzaldehyd*[2], während Chlor-phenyl-sulfin in 60%iger Ausbeute *Benzoylchlorid* liefert[3].

γ) Thionsäure- und Thiolsäure-Derivate

Thiocarbonsäure-Derivate erleiden bevorzugt Fragmentierungsreaktionen. Nur in wenigen Fällen treten intramolekulare Cyclisierungen ein.

Das Thiobenzoesäure-anilid (I) cyclisiert photochemisch in Hexan (Hg-Hochdruck-Brenner) zu *2-Phenyl-⟨benzo-1,3-thiazol⟩* (II)[4]. Diese Verbindung bildet sich ebenfalls aus 2-Mercapto-N-benzyliden-anilin (III):

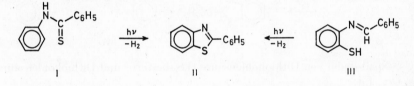

I   II   III

Thiocarbonsäure-O-ester eliminieren beim Belichten Schwefel; man kann auf diese Weise in guter Ausbeute Dialkoxy-alkene synthetisieren. So liefert die Bestrahlung von Thioessigsäure-O-äthylester mit einem Hg-Hochdruck-Brenner *2,3-Diäthoxy-buten-(2)* (63% d.Th.)[5]. Thiopropionsäure- und Phenyl-thioessigsäure-O-ester ergeben in entsprechender Weise *3,4-Diäthoxy-hexen-(3)* (65% d.Th.) und *2,3-Diäthoxy-1,4-diphenyl-buten-(2)* (50% d.Th.)[5]:

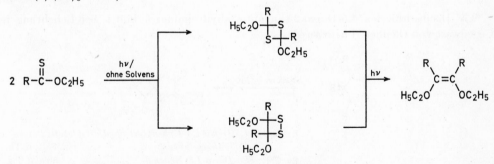

Als Zwischenstufe werden Dithietane formuliert, die nach Schwefel-Eliminierung in Olefine übergehen. Inwieweit Episulfide als Zwischenstufe auftreten, konnte nicht geklärt werden.

[1] B. Zwanenburg, L. Thijs u. J. Strating, Tetrahedron Letters **1967**, 3453.
    A. G. Schultz u. R. H. Schlessinger, Chem. Commun. **1969**, 1483.
[2] A. M. Hamid u. S. Trippet, Soc. [C] **1968**, 1612.
[3] J. F. King u. T. Durst, Am. Soc. **85**, 2676 (1963).
[4] K. H. Grellmann u. E. Tauer, Tetrahedron Letters **1967**, 1909.
[5] U. Schmidt et al., Ang. Ch. **76**, 687 (1964); B. **98**, 3819 (1965).

Thiobenzoesäure-O-ester eliminieren photochemisch das Thiobenzoyl-Radikal unter Bildung von Olefinen. So entsteht aus Thiobenzoesäure-O-2-phenyl-äthylester in Cyclohexan *Styrol* (90% d.Th.) und nach oxydativer Aufarbeitung *Dibenzoyl-disulfid* (100% d.Th.)[1]. Diese Reaktion ist recht allgemein[1].

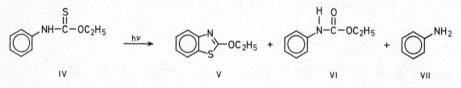

In Gegenwart von Olefinen können auch $[_\pi 2 +_\pi 2]$-Photocycloadditionen eintreten[2].

Acyl-xanthate werden in sehr guten Ausbeuten unter Kohlenmonoxid-Eliminierung photofragmentiert, während Trithiocarbonate – wie *cis-* oder *trans-*2-Thiono-4,5-diphenyl-4,5-dihydro-1,3-dithiol – Schwefelkohlenstoff und Schwefel unter Bildung von Olefinen (hier: Phenanthren) eliminieren[3].

Eine intramolekulare Cyclisierung tritt auch bei dem N-Phenyl-thiocarbamidsäure-O-äthylester (IV) ein, der in Gegenwart von Sauerstoff *2-Äthoxy-⟨benzo-1,3-thiazol⟩* (V; 35% d.Th.) ergibt. Als Nebenprodukte fallen *N-Phenyl-carbamidsäure-O-äthylester* (VI; 19% d.Th.) und *Anilin* (VII; 7% d.Th.) an. Bei Abwesenheit von Sauerstoff ist das Verhältnis[4] V:VI:VII = 22:2:7.

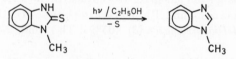

Über C–S-Spaltungen von Dithiokohlensäure-O,S-diestern[5] und Dithiokohlensäure-esteramide[6] s. Org.-Lit..

Die Bestrahlung des 2-Thiono-1-methyl-2,3-dihydro-benzimidazol in alkoholischer Lösung in Gegenwart von Salzsäure ergibt *1-Methyl-benzimidazol* (88% d.Th.)[7]:

N,N'-Disubstituiertes 4,5-Dioxo-2-thiono-tetrahydroimidazol bildet bei Belichtung in Gegenwart von Olefinen Thietane[8]:

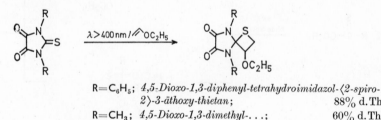

R=C$_6$H$_5$; *4,5-Dioxo-1,3-diphenyl-tetrahydroimidazol-⟨2-spiro-2⟩-3-äthoxy-thietan*; 88% d.Th.

R=CH$_3$; *4,5-Dioxo-1,3-dimethyl-...*; 60% d.Th.

[1] D. H. R. BARTON et al., (Perkin I) **1973**, 1567, 1574 1580.
vgl. a. G. BUCHHOLZ, J. MARTENS u. K. PRÄFKE, Synthesis **1974**, 666.
[2] A. OHNO, T. KOIZUMI u. Y. AKAZAKI, Tetrahedron Letters **1972**, 4993.
[3] J. A. MOORE u. T. ISAACS, Tetrahedron Letters **1973**, 5033.
[4] D. BELLUS u. K. SCHAFFNER, Helv. **51**, 221 (1968).
[5] S. N. SINGH u. M. V. GEORGE, J. Org. Chem. **37**, 1375 (1972).
[6] A. O. FITTON et al., Soc. (Perkin I) **1972**, 2658.
[7] A. V. EL'COV u. K. M. KRIVZEJKO, Ž. Org. Chim. **6**, 635 (1970); Cheminform **26**, 158 (1970).
[8] H. GOTTHARDT, Tetrahedron Letters **1974**, 3397; B. **107**, 2552 (1974).

Kohlenmonoxid-Abspaltung tritt bei der Photolyse von 2-Oxo-4,5-bis-[4-dimethyl-amino-phenyl]-1,3-dithiol auf[1]:

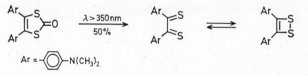

$$Ar = \langle \bigcirc \rangle - N(CH_3)_2$$

3,4-Bis-[4-dimethylamino-phenyl]-1,2-dithieten

N,N-Dimethyl-thiocarbamidsäure-O-ester von Alkoholen liefern bei Belichtung die zugrundeliegenden Kohlenwasserstoffe. Auf diese Weise können Desoxy-zucker hergestellt werden. So erhält man bei der Photolyse einer methanolischen Lösung des 6-O-Dimethyl-amino-thiocarbonyls von 1,2,3,4-Di-O-isopropyliden-α-D-galacto-pyranose (VIII) 25% *Desoxy-1,2,3,4-di-O-isopropyliden-α-D-galacto-pyranose* (IX)[2]:

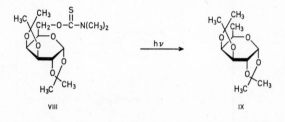

Thiolsäure- oder Dithiolsäure-Derivate eliminieren bei der Belichtung Kohlenmonoxid. Die dabei auftretenden Radikale können sich zu einer Reihe von Produkten stabilisieren. So erhält man bei der Photolyse von 2-(Methylmercaptothiocarbonylmercapto)-1,3,3-tri-methyl-bicyclo[2.2.1]heptan 28% *2-Oxo-1,3,3-trimethyl-bicyclo[2.2.1]heptan* und 38% *2-Methyldisulfanyl-1,3,3-trimethyl-bicyclo[2.2.1]heptan*[3]. Aus Phenylacetyl-(äthoxy-thiocarbonyl)-sulfid bildet sich bei der Bestrahlung (Hg-Hochdruck-Lampe) *Xantho-gensäure-O-äthylester-S-benzylester* (97% d.Th.)[4]:

$$H_5C_6-CH_2-\underset{\underset{O}{\|}}{C}-S-\underset{\underset{S}{\|}}{C}-OC_2H_5 \xrightarrow{h\nu} H_5C_6-CH_2-\overset{\bullet}{C}O + {\bullet}S-\underset{\underset{S}{\|}}{C}-OC_2H_5$$

$$\xrightarrow{-CO} H_5C_6-CH_2-S-\underset{\underset{S}{\|}}{C}-OC_2H_5$$

Xanthogensäure-O-äthylester-S-isopropylester[4]: 4,27 g (2-Methyl-propanoyl)-(äthoxy-thiocarbonyl)-sulfid werden in 375 ml Benzol gelöst und mit einer Wolfram-Lampe 24 Stdn. belichtet, bis die gelbe Farbe der Lösung verschwunden ist; danach wird das Lösungsmittel abgezogen; Ausbeute: 3,99 g (98% d.Th.).

Dithio-carbamidsäure-anhydride eliminieren photochemisch vorwiegend Schwefel-kohlenstoff. Aus Benzoyl-(piperidino-thiocarbonyl)-sulfid (X) erhält man bei der Photolyse (λ > 300 nm) in Benzol neben Benzoesäure (9% d. Th.) *Benzoyl-(piperidino-thiocarbonyl)-*

[1] W. KÜSTERS u. P. DE MAYO, Am. Soc. **95**, 2383 (1973); **96**, 3502 (1974).
[2] R. H. R. BELL, D. HORTON u. D. M. WILLIAMS, Chem. Commun. **1968**, 323.
[3] P. V. LAAKSO, Suomen Kem. **13 b**, 8 (1940); C. A. **34**, 5059 (1940);
Vgl. auch: O. L. CHAPMAN u. C. L. McINTOSH, Chem. Commun. **1971**, 383.
[4] D. H. R. BARTON, M. V. GEORGE u. T. TOMOEDA, Soc. **1962**, 1967.

disulfid (XI; 34% d.Th.) und *N-Benzoyl-piperidin* (XII; 74% d.Th.)[1]. In Gegenwart von Sauerstoff isoliert man neben Benzoesäure (33% d.Th.) und *Bis-[piperidino-thiocarbonyl]-disulfid* (XIII; 6% d.Th.) die Produkte XI und XII (45% bzw. 13% d.Th.). Die Thermolyse ergibt unter Schwefelkohlenstoff-Abspaltung 1-Benzoyl-piperidin (XII; 40% d.Th.). Analoge Derivate liefern auch die Homologen von X[1].

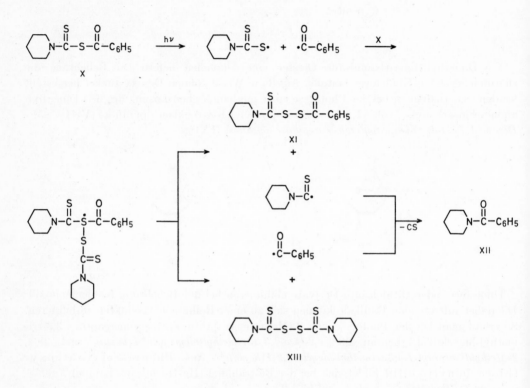

Eine ähnliche Reaktion erleidet auch Benzoyl-(dimethylamino-carbonyl)-sulfid, aus dem bei Belichtung *Dibenzoyl-disulfid* (25% d.Th.) neben *Bis-[dimethylamino-thiocarbonyl]-disulfid* (9% d.Th.) entstehen[2].

5. Schwefelylide

Schwefelylide können bei Belichtung Thioäther abspalten und so in manchen Fällen Carbene ergeben. Diese Reaktion tritt jedoch nur ein, wenn es sich um die Photolyse acyl-substituierter Ylide handelt. Wird Dimethylsulfonium-phenacyl-ylid (I) in Benzol mit einer Hg-Hochdruck-Lampe bestrahlt, so isoliert man *trans-1,2,3-Tribenzoyl-cyclo-propan* (II; 92% d.Th.). Führt man die Belichtung in Cyclohexen durch, so bildet sich neben *7-Benzoyl-bicyclo[4.1.0]heptan* (III; 5% d.Th.) noch Verbindung II (40% d.Th.). In Äthanol schließlich entstehen neben II (40–50% d.Th.), *Acetophenon* (34% d.Th.),

[1] E. H. HOFFMEISTER u. D. S. TARBELL, Tetrahedron 21, 35, 2857, 2865 (1965).

[2] M. OKAWANA, T. NAKAI u. E. IMOTO, J. chem. Soc. Japan, ind. Chem. Sect. 69, 973 (1966); C. A. 65, 20236ᶜ (1966).

1-Oxo-1-phenyl-propan (28% d.Th.) und *Phenylessigsäure-äthylester* (IV; 1,3% d.Th.)[1]:

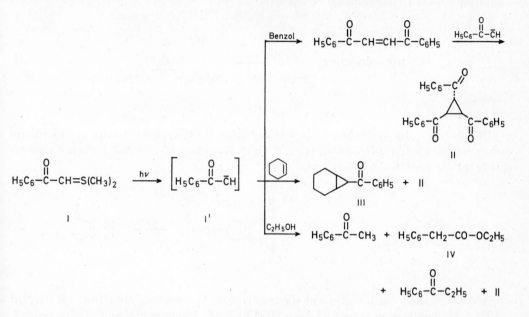

II entsteht durch Addition des Ketocarbens I′ an I und anschließende Reaktion mit einem weiteren Ketocarben. Dies ist die Hauptreaktion in allen Solventien. In Cyclohexen tritt als Konkurrenz-Reaktion noch die Cycloaddition zu III auf. In Äthanol findet in geringem Ausmaß Wolff-Umlagerung und Addition von Äthanol zu IV statt.

Bei der Thermolyse ist I stabil. Setzt man jedoch Kupfer(II)-sulfat zu, so erhält man in Cyclohexen ebenfalls II und III.

trans-1,2,3-Tribenzoyl-cyclopropan[2]: 50 *ml* einer ~0,5 m Lösung von 2,2 mMol Dimethyl-(2-oxo-2-phenyl-äthyliden-sulfonium)-Salz in Benzol wird mit einer Hanovia Hg-Hochdruck-Lampe (Pyrex-Filter) 3 Stdn. unter Stickstoff belichtet. Dann wird das Solvens i. Vak. abgezogen und der Rückstand aus Benzol/Pentan umkristallisiert; Ausbeute: 715 mg (92% d.Th.).

Wolff-Umlagerung beobachtet man auch bei der Photolyse der Sulfonium-Ylide V und VI in Äthanol. Hierbei entstehen substituierte Acetessigsäure-ester-Derivate[3]. So liefert V *3-Oxo-2,3-diphenyl-propansäure-äthylester* und VI entsprechend *3-Oxo-2-methyl-3-phenyl-propansäure-äthylester*:

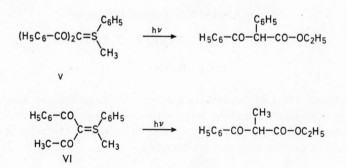

[1] B. M. Trost, Am. Soc. 88, 1587 (1966); 89, 138 (1967).

[2] B. M. Trost, Am. Soc. 89, 138 (1967).

[3] H. Nozaki et al., J. chem. Soc. Japan, pure Chem. Sect. 88, 1 (1967); C. A. 69, 96078e (1968).

68*

Methyl-benzoyl-sulfonium-phenacyl-ylid dagegen ergibt bei der Belichtung ausschließlich *trans-1,2,3-Tribenzoyl-cyclopropan*[1]:

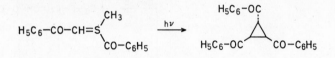

Die Photolyse des cyclischen Ylids VII mit einer Hg-Hochdruck-Lampe in Chloroform oder Methanol liefert *1-Oxo-indan* (45% d.Th.)[2]. Auch hier könnte eine Carben-Zwischenstufe bei der Reaktion beteiligt sein.

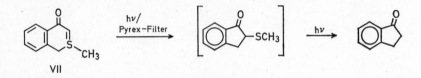

Anders verhält sich Methyl-dodecyl-sulfonium-methylsulfonylmethylid (VIII), aus dem man in Benzol *Dodecen-(1)* (IX) durch Eliminierung und *Methyl-(dodecylmercapto-methyl)-sulfon* (X) bzw. *Methyl-(methylmercapto-methyl)-sulfon* (XI) durch Abspaltung des Methyl- bzw. Dodecyl-Restes erhält[3]:

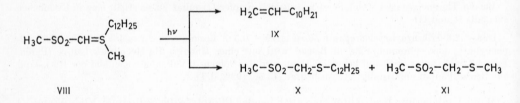

Identische Produkte ergibt die Thermolyse[3].

d) am Kohlenstoff-Stickstoff-System

1. an den C—N-, C=N- und C≡N-Bindungen

α) Amine

Amine absorbieren UV-Licht unterhalb 250 nm; die längstwelligen Maxima liegen bei $\lambda = 200\text{--}220$ nm mit einer Extinktion von $\varepsilon \sim 10^2\text{--}10^3$. Die elektronische Anregung stellt dabei höchstwahrscheinlich eine Anhebung eines nichtbindenden Elektrons in ein σ^*-Orbital dar, d. h. es handelt sich um eine n → σ^*-Anregung.

[1] N. Nozaki et al., J. chem. Soc. Japan, pure Chem. Sect. 88, 1 (1967); C. A. 69, 96078e (1968).
[2] R. H. Fish, L. C. Chow u. M. C. Caserio, Tetrahedron Letters 1969, 1259.
[3] P. Robson, P. R. H. Speakman u. D. G. Stewart, Soc. [C] 1968, 2180.

Einige charakteristische Absorptionen von Aminen sind in Tab. 152 wiedergegeben.

Tab. 152. UV-Absorptionen von Aminen

Verbindung	λ_{max} [nm]	ε	Literatur
H_3CNH_2	213	700	1
	172	2200	
$(H_3C)_2NH$	189	3500	1
$(H_3C)_3N$	230	950	1
	196	4000	
$H_5C_6-NH_2$	234	9130	2
$H_5C_6-NH-CH_3$	234	13200	2
$H_5C_6-N(CH_3)_2$	251	15500	2
$H_3C-CONH_2$	214	–	2

Im folgenden sind die einzelnen Verbindungen nach steigender Substitution des die Amino-Gruppe tragenden Kohlenstoff-Atoms geordnet.

α_1) *acyclische aliphatische Amine*

bearbeitet von

Prof. Dr. HEINZ DÜRR, Dipl.-Chem. WOLFGANG BUJNOCH
und Dr. HELGE KOBER*

Die Photolyse von Aminen verläuft sehr unübersichtlich. In den photochemischen Primärprozessen können einmal N–H- oder N–C-Einfachbindungen gespalten werden:

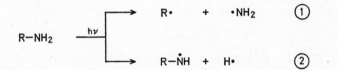

Die entstehenden Radikale reagieren zu einer Vielzahl von Produkten, so daß die Amin-Photolyse bei einfachen Aminen präparativ geringe Bedeutung erlangt hat. Primäre und sekundäre Amine gehen bei der Belichtung vorzugsweise N–H-Spaltung (Typ ②) ein, tert.-Amine weitgehend N–C-Spaltung (Typ ①).

Die Photolyse von Dimethylamin in der Gasphase ergibt im Primärprozeß ein Dimethylamin- (I) und ein Wasserstoff-Radikal[3]:

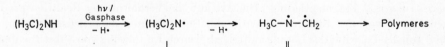

Dem Amin-Radikal I wird ein weiteres Wasserstoff-Atom abstrahiert und das Diradikal II polymerisiert.

---

* **Institut für Organische Chemie der Universität Saarbrücken.**

[1] E. TANNENBAUM, E. M. COFFIN u. A. J. HARRISON, J. Chem. Physics **21**, 311 (1953).

[2] H. H. JAFFÉ u. M. ORCHIN, *Theory and Application of UV-Spectroscopy*, S. 410, John Wiley & Sons, New York 1962.

[3] C. H. BAMFORD, Soc. **1939**, 17.

Der photochemische Primärprozeß bei Trimethylamin ist eindeutig eine C–N-Spaltung. Als Produkte treten hierbei *Wasserstoff, Methan, Äthan* und Polymere auf[1,2] die in Radikal-Reaktionen nach folgenden Mechanismen gebildet werden:

$$(H_3C)_3N \xrightarrow{h\nu} (H_3C)_2N\bullet + \bullet CH_3$$

$$2\,(H_3C)_2N\bullet \longrightarrow (H_3C)_2NH + H_3C-\overset{\bullet}{N}-\overset{\bullet}{C}H_2$$

$$(H_3C)_2NH \xrightarrow{h\nu} (H_3C)_2N\bullet + H\bullet$$

$$(H_3C)_2NH + H\bullet \longrightarrow (H_3C)_2N\bullet + H_2$$

$$(H_3C)_2NH + CH_3\bullet \longrightarrow (H_3C)_2N\bullet + CH_4$$

$$H\bullet + \bullet CH_3 \longrightarrow CH_4$$

$$2\bullet CH_3 \longrightarrow C_2H_6$$

$$H_3C\overset{\bullet}{N}-\overset{\bullet}{C}H_2 \longrightarrow H_3C-N=CH_2 \longrightarrow \text{Polymeres}$$

Analog reagieren auch höhere Amine wie Triäthylamin und Hexylamin[3,4].

1,3-Diphenyl-imidazolidin entsteht durch Belichtung von 1,2-Dianilino-äthan in Methanol bei Anwesenheit von Sauerstoff:

$$H_5C_6-NH-CH_2-CH_2-NH-C_6H_5 \xrightarrow{h\nu/CH_3OH/O_2} \underset{H_5C_6}{} \overset{N\ \ N}{\underset{C_6H_5}{\bigcap}}$$

Der Einbau des C_1-Bruchstückes erfordert Licht der Wellenlänge $\lambda < 190$ nm oder $\lambda = 254$ nm und Sensibilisator[5].

Über Reaktionen von Carbonsäure-amiden s. S. 992.

α_2) cyclische Amine und deren Acyl-Derivate

bearbeitet von

Prof. Dr. Heinz Dürr, Dipl.-Chem. Wolfgang Bujnoch
und Dr. Helge Kober*

In dem folgenden Abschnitt werden Photoreaktionen nichtaromatischer Heterocyclen mit dem Strukturelement C–N–C beschrieben, wobei die C–N-Bindung nicht in den Reaktionsverlauf verwickelt sein muß.

$\alpha\alpha$) Aziridine

Bei der Bestrahlung von N-substituierten Diphenyl-aziridinen konkurrieren vor allem Isomerisierung und Fragmentierung[6]. Die Art und das Verhältnis der Reaktionsprodukte hängen einmal von der Elektronegativität des Substituenten am Stickstoff-Atom, zum anderen von der Polarität des Lösungsmittels ab. Durch Einführung von Substituenten mit π-Elektronen treten Absorptionen im experimentell zugänglichen UV auf (s. Tab. 153, S. 1079).

* **Institut für Organische Chemie der Universität Saarbrücken.**
[1] C. H. Bamford, Soc. **1939**, 17.
[2] H. Gesser, J. T. Mullhaupt u. J. E. Griffiths, Am. Soc. **79**, 4834 (1957).
[3] P. J. Kozak u. H. Gesser, Soc. **1960**, 448.
[4] G. H. Booth u. R. G. W. Norrish, Soc. **1952**, 188.
[5] P. Cerutti u. H. Schmid, Helv. **45**, 1992 (1962).
[6] A. G. Anastassiou u. R. B. Hammer, Am. Soc. **94**, 303 (1972).

Tab. 153. UV-Absorptionen von Aziridinen

R¹	R²	R³	Konfiguration	λ_{max}	ε	Literatur
CN	C₆H₅	C₆H₅	trans	258[a]	885	[1]
			cis	259[a]	476	[1]
CO–OC₂H₅	C₆H₅	C₆H₅	trans	260[a]	955	[1]
			cis	260[a]	466	[1]
CO–N(CH₃)₂	C₆H₅	C₆H₅	trans	259[a]	1480	[1]
			cis	261[a]	491	[1]
C₆H₅	C₆H₅	C₆H₅		239[b]	2,0 · 10⁴	[2]
H	C₆H₅	CO–C₆H₄–CH₃(4)	trans	256[c]	1,8 · 10⁴	[3]
CH₃	CO–C₆H₅	CO–C₆H₅	trans	252,5[b]	2,62 · 10⁴	[4]
			cis	250,5[b]	2,37 · 10⁴	[4]
C₆H₁₁	C₆H₅	CO–C₆H₅	trans	246[b]	1,49 · 10⁴	[4]
			cis	244[b]	9,84 · 10³	[4]
C₆H₁₁	C₆H₅	CO–C₆H₄–CH₃(4)	trans	258[c]	1,8 · 10⁴	[3]
C₆H₁₁	CO–C₆H₅	CO–C₆H₅	trans	253,5[b]	2,80 · 10⁴	[4]
			cis	251[b]	2,15 · 10⁴	[4]
CH₂–C₆H₅	C₆H₅	CO–C₆H₅	trans	248[b]	1,44 · 10⁴	[4]
			cis	243[b]	1,26 · 10⁴	[4]
CH₂–C₆H₅	C₆H₅	CO–C₆H₄–CH₃(4)	trans	253[a]	1,5 · 10⁴	[3,5]
CH₂–C₆H₅	CO↓C₆H₄–CH₃(4)	CO–C₆H₄–CH₃(4)	trans	254[b]	2,44 · 10⁴	[4]
			cis	251[b]	2,16 · 10⁴	[4]
C(CH₃)₃	=O	C(CH₃)₃		251[a]	107,1	[6]
C(CH₃)₃	=O	1-Methyl-cyclopentyl		246[a]	58,9	[6]
C(CH₃)₃	=O	1-Methyl-cyclohexyl-		247[a]	144,5	[6]

[a] Hexan. [b] Äthanol [c] Heptan.

Photolysiert man trans-2,3-Diphenyl-1-cyan-aziridin (Ia) ($\lambda = 254$ nm; Raumtemp.) in Hexan, Diäthyläther oder Acetonitril, d. h. in Lösungsmitteln steigender Polarität, so fällt die Ausbeute an Isomerisierungsprodukt, cis-2,3-Diphenyl-1-cyan-aziridin (IIa) von 30% über 12% bis unter 2% und es wächst der Anteil an dem Fragmentierungsprodukt 1-Cyanimino-1,2-diphenyl-äthan (IIIa), von 70% über 88% bis auf über 98%. Geht man von der cis-Verbindung aus, so erfolgt keine Isomerisierung, sondern es entsteht IIIa (>98%):

Ia; R = CN
Ib; R = CO–OC₂H₅
Ic; R = CO–N(CH₃)₂

[1] A. G. ANASTASSIOU u. R. B. HAMMER, Am. Soc. 94, 303 (1972).
[2] H. NOZAKI, S. FUJITA u. R. NOYORI, Tetrahedron 24, 2193 (1968).
[3] N. H. CROMWELL et al., Am. Soc. 73, 1044 (1951).
[4] A. B. TURNER et al., Am. Soc. 87, 1050 (1965).
[5] N. H. CROMWELL u. H. HOEKSEMA, Am. Soc. 71, 708 (1949).
[6] J. C. SHEEHAN u. M. MEHDI NAFISSI-V, Am. Soc. 91, 1176 (1969).

trans- und cis-2,3-Diphenyl-1-äthoxycarbonyl-aziridin (Ib und IIb, S. 1079) gehen bei Belichtung unter sonst gleichen Bedingungen ausschließlich Isomerisierung ein[1]. Dabei ergibt sich unabhängig vom Lösungsmittel ein Verhältnis von 1:9. Auch im Falle von trans-2,3-Diphenyl-1-dimethylaminocarbonyl-aziridin (Ic) liegt zunächst eine Gleichgewichtsreaktion vor (*trans:cis* = 1:9), doch entsteht in konkurrierender Fragmentierungsreaktion nach und nach *N,N-Dimethyl-N'-benzyl-harnstoff* (IV), der nach 16stdg. Belichtung als einziges Produkt vorliegt. Im Falle Ia und IIa wird angenommen, daß der starke Elektronenzug der Cyan-Gruppe eine Spaltung der stark polarisierten C–N-Bindung des Aziridin-Ringes hervorruft, während in den übrigen Fällen C–C-Bindungen gelöst werden.

Die Spaltung von C–C- als auch von C–N-Bindungen erfolgt bei der Photolyse (0,04 m Lösung; externe 200 W Quecksilber-Hochdruck-Lampe; Quarz-Gefäße; Raumtemp.; 60 Stdn.) von 1,2,3-Triphenyl-aziridin (V)[2]. Es werden 4 Produkte erhalten, deren Verteilung stark vom Lösungsmittel abhängt. Da das Acetal VII durch Insertion in die polare O–H-Bindung des Lösungsmittels entsteht, findet eine heterolytische C–C-Spaltung statt, wobei über VI die Produkte *Benzaldehyd-dialkylacetal* VII und *N-Benzyl-anilin* (VIII) gebildet werden. Die Produkte *Benzyliden-anilin* (IX) und *Alkyl-benzyl-äther* (X) beruhen auf einer Ringöffnung, bei der Phenylcarben entsteht, das zusammen mit dem Lösungsmittel zu X reagiert:

Lösungsmittel	Benzaldehyd- VII	N-Benzyl-anilin VIII	Benzyliden-anilin IX	...-benzyl-äther X
Methanol	...-dimethylacetal 33	40	24	Methyl- ... 5
Äthanol	...-diäthylacetal 18	20	18	Äthyl- ... 3
Isopropanol	...-diisopropyl- acetal 7	23	25	Isopropyl- ... 2
Isobutanol	–	20	49	–

[1] A. G. Anastassiou u. R. B. Hammer, Am. Soc. **94**, 303 (1972).

[2] H. Nozaki, S. Fujita u. R. Noyori, Tetrahedron **24**, 2193 (1968).

Das intermediär angenommene VI kann mit Cyclohexen abgefangen werden und ergibt das Additionsprodukt *7,8,9-Triphenyl-8-aza-bicyclo[4.3.0]heptan* (55% d.Th.). Als Nebenprodukte fallen Bi-cyclohexen-(3)-yl sowie die Derivate VIII und IX an[1].

Die Belichtung von 1-(4-Methoxy-phenyl)-trans-2,3-dimethoxycarbonyl-aziridin (XII) (Quecksilber-Hochdruck-Lampe; Jenaer Glas; 10–15°; 24 Stdn.) in Acetylen-dicarbonsäure-dimethylester ergibt in einer stereospezifischen 1,3-dipolaren Cycloaddition *1-(4-Methoxy-phenyl)-trans-2,3,4,5-tetramethoxycarbonyl-2,5-dihy-dro-pyrrol* (XIII; 40% d.Th.), was eine disrotatorische Ringöffnung des Aziridins beweist[2]. Führt man die Photolyse in 1,4-Dioxan (Quarz-Apparatur) mit lediglich 2% Acetylen-dicarbonsäure-dimethylester aus, so entstehen 69% des *trans*-Addukt XIII. Die Belichtung des entsprechenden *cis*-Aziridins in 1,4-Dioxan mit 7,8% Acetylen-dicarbonsäure-dimethyl-ester liefert sowohl *cis*- als auch *trans*-Addukt (66% d.Th. bzw. 34% d.Th.):

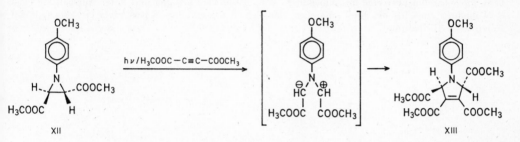

Nach WOODWARD und HOFFMANN[3] sollte die photochemische Isomerisierung des Cyclopropyl-Anions zum Allyl-Anion disrotatorisch verlaufen. Bei der Photolyse des isoelektronischen Aziridins XII wurde diese Valenzisomerisierung bestätigt.

Das photochemische Verhalten von 2-Benzoyl-aziridinen wurde eingehend untersucht[4]. Die Photolyse von trans-1-Cyclohexyl-2-phenyl-3-benzoyl-aziridin (XIV) (450 W Quecksilber-Hochdruck-Lampe; Pyrex-Filter) in 95%igem Äthanol lieferte die Desaminierungsprodukte *trans*- und *cis-3-Oxo-1,3-diphenyl-propen* (XVa; 21% d.Th. bzw. XVb; 19% d.Th.), *N-Cyclohexyl-hydroxylamin* (XVI), sowie wenig *3-Cyclohexylidenamino-1-oxo-1,3-diphenyl-propan* (XVII), das sich in einer Dunkelreaktion zu Ammoniak, Cyclohexanon und 3-Oxo-1,3-diphenyl-propen umsetzt[4]. In wasserfreiem Pentan steigt die Ausbeute des Imins XVII an.

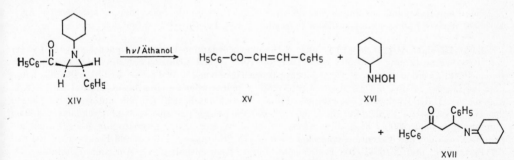

Die Bestrahlung des cis-1-Cyclohexyl-2-phenyl-3-benzoyl-aziridins (XVIII) in 95%igem Äthanol führt dagegen zu völlig anderen Produkten[5], und zwar zu *Benzyliden-*

[1] H. NOZAKI, S. FUJITA u. R. NOYORI, Tetrahedron 24, 2193 (1968).
[2] R. HUISGEN, W. SCHEER u. H. HUBER, Am. Soc. 89, 1753 (1967).
[3] R. B. WOODWARD u. R. HOFFMANN. Am. Soc. 87, 395 (1965).
[4] A. PADWA u. L. HAMILTON, Am. Soc. 87, 1821 (1965); 89, 102 (1967).
[5] A. PADWA u. C. HAMILTON, Am. Soc. 89, 102 (1967).

amino-cyclohexan (IXX; 16% d.Th.) und *Acetophenon* (XX):

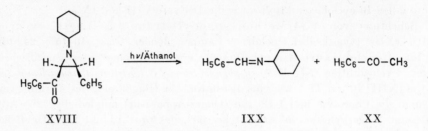

XVIII   IXX   XX

Die Stellung der Substituenten beeinflußt in entscheidender Weise die Art der Ringöffnung. So dürfte beim *trans*-Aziridin über eine intramolekulare Wasserstoff-Verschiebung und unter Aufspaltung einer C–N-Bindung zunächst ein Enol entstehen, das sich in das stabilere Keton umlagert (Analogie zur Norrish-Typ II-Spaltung).

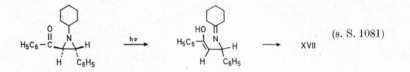

(s. S. 1081)

Bei der Bestrahlung des *cis*-Aziridins sollte, nach Abstraktion eines Wasserstoff-Atoms aus dem Lösungsmittel, primär eine C–C-Bindung gespalten werden, wofür folgender Radikalmechanismus vorgeschlagen wird:

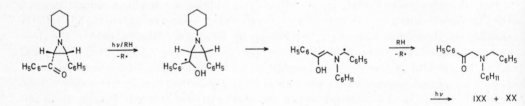

Beide Photoreaktionen verlaufen über (n → π*)-Triplett-Zustände analog den entsprechenden Arylketonen. Weitere Photoreaktionen dieses Typs sind in Tab. 154 (S. 1085) aufgeführt.

3-Oxo-1,3-diphenyl-propen (XV) und 3-Cyclohexylidenamino-1-oxo-1,3-diphenyl-propan (XVII)
s. S. 1081)[1]: Eine Lösung von 1,50 g *trans*-1-Cyclohexyl-2-phenyl-3-benzoyl-aziridin (XIV) in 1 *l* wasserfreiem Pentan werden in einer Pyrex-Tauchapparatur (Hanovia 450 W Lampe) 3 Stdn. belichtet, nachdem die Lösung 45 Min. mit gereinigtem Stickstoff gespült worden ist. Das Lösungsmittel wird i. Vak. abgezogen und der Rückstand einer Flüssig-Flüssig-Verteilungschromatographie unterworfen (eine auf 29° thermostatisierte Säule (150 cm × 3,5 cm), Zweiphasensystem aus 1000 *ml* Cyclohexan, 400 *ml* Dimethylformamid, 250 *ml* Essigsäure-äthylester, 30 *ml* Wasser). Das Chromatogramm zeigt 4 gut getrennte Peaks mit den Retentionsvolumina 1500 *ml* (75 Fraktionen), 1700 *ml* (85 Fraktionen), 1940 *ml* (97 Fraktionen) und 2016 *ml* (108 Fraktionen). Der 1. Peak enthält 0,77 g Ausgangsverbindung, der 2. Peak 0,20 g eines nichtidentifizierten Öls, der 3. Peak enthält 0,18 g XVII und der 4. Peak 0,35 g reines *trans*-3-Oxo-1,3-diphenyl-propen (XV). Die Ausbeute an XVII beträgt – bezogen auf das umgesetzte Ausgangsmaterial ∼ 25%, es wird als Öl erhalten.

2-Oxo-aziridine spalten photochemisch Kohlenmonoxid ab, wobei die entsprechende Schiff'sche Base entsteht. Bestrahlt man 3-Oxo-1,2-di-tert.-butyl-aziridin (I) in

---

[1] A. Padwa u. L. Hamilton, Am. Soc. **87**, 1821 (1965); **89**, 102 (1967).

Pentan (Hanovia 679 A 36), so entsteht *3-tert.-Butylimino-2,2-dimethyl-propan* (97% d.Th. an Kohlenmonoxid)[1]. Dabei reagiert I über einen n → π*-Anregungszustand.

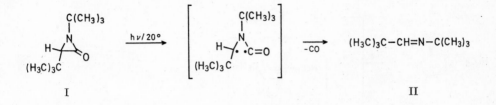

Der Photoabbau der α-Lactame ähnelt der Norrish-Typ I-Spaltung von Amiden. Im Gegensatz zur photochemischen, entstehen bei der thermischen Zersetzung der α-Lactame Aldehyde (Ketone) und Isocyanide[2, 3].

3-tert.-Butylimino-2,2-dimethyl-propan[1]: Eine Lösung von 0,52 g 3-Oxo-1,2-di-tert.-butyl-aziridin in 25 *ml* Pentan wird in einem Quarz-Reagenzglas in einem Wasserbad mit einer 450 W Lampe (Hanovia 679 A) 24 Stdn. bei 20° belichtet. Nach Beendigung der Reaktion wird filtriert, das Solvens bei 0° i. Vak. abgezogen; es hinterbleibt eine farblose Flüssigkeit, Kp: 120°. Das entwickelte Kohlenmonoxid wird in *s* aurer Kupfer(I)-chlorid-Lösung absorbiert und damit die Ausbeute zu 97% bestimmt.

Das bei der Photolyse von 2,3-Diphenyl-aziridin entstehende 2,4,5,6-Tetra-phenyl-1,3-diaza-bicyclo[3.1.0]hexen-(3) (III) liefert bei Bestrahlung[4] über *1,2-Dibenzylidenamino-1,2-diphenyl-äthylen* (IV) *2,3,5,6-Tetraphenyl-2,3-dihydro-pyrazin* (V). Dieses geht bei Anwesenheit von Sauerstoff leicht in das *Tetraphenyl-pyrazin* (VI) über:

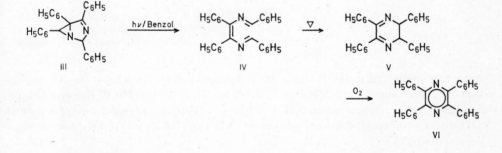

Der stereochemische Ablauf der analogen Reaktion von endo-2,4,exo-6-Triphenyl-1,3-diaza-bicyclo[3.1.0]hexen-(3) (VII, S. 1084) wurden eingehend untersucht[5]. Die Belichtung in Benzol (Hanovia 450 W Lampe; Pyrex-Filter; 50°) führt zu *cis-2,3,5-Tri-phenyl-2,3-dihydro-pyrazin* (VIII, 94% d.Th.)[5]. Bei 15° entsteht dagegen über ein Azo-

[1] J. C. Sheehan u. M. Mehdi Nafissi-V, Am. Soc. **91**, 1176 (1969).

[2] J. C. Sheehan u. J. H. Beeson, Am. Soc. **89**, 362 (1967).

[3] J. C. Sheehan u. I. Lengyel, Am. Soc. **86**, 746 (1964).

[4] A. Padwa et al., Am. Soc. **94**, 1395 (1972).

[5] A. Padwa, S. Clough u. E. Glazer, Am. Soc. **92**, 1778 (1970);
A. Padwa u. E. Glazer, Chem. Commun. **1971**, 838.

methin-Ylid *1,2-Bis-[benzylidenamino]-1-phenyl-äthylen* (IX), das sich bei leichtem Erwärmen in VIII umwandelt[1,2]:

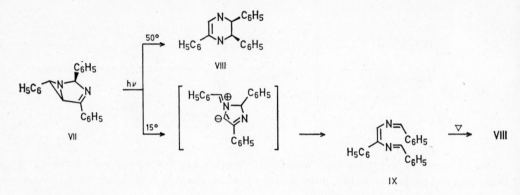

Die Belichtung von exo-2,4,exo-6-Triphenyl-1,3-diaza-bicyclo[3.1.0]hexen-(3) ergibt ebenfalls das *cis*-Derivat VIII.

Ähnlich verhält sich das vinyloge exo-2,6,exo-8-Triphenyl-1,5-diaza-bicyclo[5.1.0]octadien-(3,5) (X). Belichtet man in Benzol bei 20°, so entsteht das Diimin XII[2]:

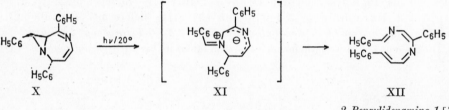

2-Benzylidenamino-1-[3-phenyl-propen-(2)-yliden-amino]-1-phenyl-äthylen

Auch hier nimmt man die Bildung einer Azomethin-Ylid-Zwischenstufe XI an, die jedoch nicht abgefangen werden konnte. Wird X bei 50° belichtet (450 W Hanovia Lampe; Corex-Filter), so entstehen neben XII *3-(2-Phenyl-vinyl)-2,5-diphenyl-2,3-dihydro-pyrazin* (XIII), *3-(2-Phenyl-vinyl)-2,5-diphenyl-pyrazin* (XIV) und *3,6-Diphenyl-5,6-dihydro-⟨benzo-[f]-chinoxalin⟩* (XV):

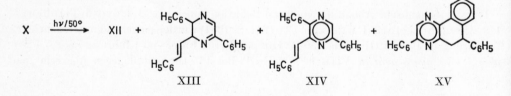

Die Produktverteilung hängt stark von der Belichtungsdauer ab. XIII und XIV entstehen in einer Dunkelreaktion aus XII, während XV ein sekundäres Photoprodukt von XIV ist.

---

[1] A. Padwa, S. Clough u. E. Glazer, Am. Soc. **92**, 1778 (1970).
T. do Minh u. A. M. Trozzolo, Am. Soc. **92**, 6997 (1970).
[2] A. Padwa u. L. Gehrlein, Am. Soc. **94**, 4933 (1972).

Tab. 154. Photolysen von Aziridinen

Ausgangs-verbindung	Reaktions-bedingungen	Produkte	Ausbeute [% d.Th.]	F [°C]	Lite-ratur
H_5C_6 ... C_6H_5 (Aziridin mit N–C_6H_5)	Cyclohexen	*N-Benzyl-anilin* + *Benzyliden-anilin*	a a	36 52	1
	Benzol; Acet-phenon; $\lambda = 350$ nm	*N-Benzyl-anilin* + *Benzyliden-anilin*	48 20	36 52	1
	Cyclohexan	*Benzyl-cyclohexan* + *N-Benzyl-anilin* + *Benzyliden-anilin*	2 32 30	(Kp$_{20}$: 137°) 36 52	1
H_3C– ... C_6H_5 (mit CH_2–C_6H_5)	95%iges Ätha-nol; 450 W Hanovia Typ L; Pyrex-Filter; 3 Stdn.	*cis- und trans-3-Oxo-1-phenyl-3-(4-methyl-phenyl)-propen* + *3-Benzylidenamino-1-oxo-3-phenyl-1-(4-methyl-phenyl)-propan*	a 46^b	– –	2
	wasserfreies Pentan	*trans-3-Oxo-1-phenyl-3-(4-methyl-phenyl)-propen* + *3-Benzylidenamino-1-oxo-3-phenyl-1-(4-methyl-phenyl)-propan*	35^b 69^b	59–60 –	2
H_3C– ... C_6H_5 (mit CH_2–C_6H_5)	95%iges Äthanol	*4-Methyl-1-acetyl-benzol* + *Benzaldehyd-benzylimin* + *1,2-Dibenzylamino-1,2-diphenyl-äthan*	71^b 78^b a	28 (Kp$_{0,1}$: 116–117°) 151– 151,5°	2
	Benzol	*trans-3-Oxo-1-phenyl-3-(4-methyl-phenyl)-propen* + *3-Benzylidenamino-1-oxo-3-phenyl-1-(4-methyl-phenyl)-propan*	a a	59–60 —	2
(Cyclopentan-Aziridinon mit $C(CH_3)_3$)	Pentan	*1-Methyl-1-tert.-butylimino-methyl-cyclopentan*	80–90^c	156–157	3
(Cyclohexan-Aziridinon mit $C(CH_3)_3$)	Pentan	*1-Methyl-1-tert.-butylimino-methyl-cyclohexan*	80–90^c	–	3

[a] Keine Ausbeute-Angaben.
[b] Ausbeute bezogen auf nicht umgesetztes Ausgangsmaterial.
[c] bezogen auf entwickeltes Kohlenmonoxid

[1] H. NOZAKI, S. FUJITA u. R. NOYORI, Tetrahedron **24**, 2193 (1968).
[2] A. PADWA u. L. HAMILTON, Am. Soc. **89**, 102 (1967).
[3] J. C. SHEEHAN u. M. MEHDI-NAFISSI-V, Am. Soc. **91**, 1176 (1969).

Tab. 154 (1. Fortsetzung)

Ausgangs-verbindung	Reaktions-bedingungen	Produkte	Ausbeute [% d.Th.]	F [°C]	Lite-ratur
$H_5C_6-\overset{O}{\overset{\|}{C}}$ ... (Aziridin-Struktur) C(CH$_3$)$_3$	wasserhaltiges Pentan	*2,5-Diphenyl-1,3-oxazol* + *(Z)-1-tert.-Butylamino-3-oxo-1,3-diphenyl-propen* + *Benzaldehyd-tert.-butylimin* + *Benzaldehyd*	38 41 6 4	– 114–115° – –	1
$H_5C_6-\overset{O}{\overset{\|}{C}}$ ... (Aziridin-Struktur) C(CH$_3$)$_3$	wasserhaltiges Pentan	*2,5-Diphenyl-1,3-oxazol* + *Benzaldehyd-tert.-butylimin*	51 32	73–74 –	1

$\beta\beta$) Azetidine

In der Gruppe der nichtaromatischen viergliedrigen Stickstoff-Heterocyclen wurde hauptsächlich das photochemische Verhalten der Aroyl-azetidine und 2-Oxo-azetidine (β-Lactame) untersucht. Die UV-Absorptionen einiger Azetidin-Derivate sind in Tab. 155 zusammengestellt.

Tab. 155. UV-Absorptionen von Azetidinen

R^1	R^2	R^3	R^4	R^5, R^6, R^7	λ_{max} [nm]	ε	Literatur
C(CH$_3$)$_3$	H	CO–C$_4$H$_9$	H	H	272	$3,4 \cdot 10^1$	2
C(CH$_3$)$_3$	H	CO–C$_6$H$_5$	H	H	240	$1,32 \cdot 10^4$	3
C(CH$_3$)$_3$	H	CO–C$_6$H$_4$–C$_6$H$_5$	H	$R^6 = D$	290	$2,43 \cdot 10^4$	2
C(CH$_3$)$_3$	C$_6$H$_5$	CO–C$_6$H$_4$–C$_6$H$_5$	H	H	282	$2,28 \cdot 10^4$	4
CH$_2$–C$_6$H$_5$	CO–C$_6$H$_4$–C$_6$H$_5$	H	H	H	290	$1,87 \cdot 10^4$	2

Als häufigste Reaktionen treten Ring-Spaltungen und -Erweiterungen auf. So ergibt die Photolyse von cis-1-tert.-Butyl-4-phenyl-3-benzoyl-azetidin (I) in 95%igem Äthanol (450 W Hanovia Lampe; Pyrex-Filter) *1-tert.-Butyl-2,4-diphenyl-pyrrol* (II;

---

[1] A. Padwa u. W. Eisenhardt, Am. Soc. **90**, 2442 (1968).

[2] A. Padwa et al., Am. Soc. **93**, 2928 (1971).

[3] E. Doomes u. N. H. Cromwell, J. Heterocycl. Chem. **6**, 153 (1969).

[4] N. H. Cromwell u. E. Doomes, Tetrahedron Letters **34**, 4037 (1966).

95% d.Th.)[1]. Aus dem entsprechenden *trans*-Azetidin III entstehen neben II (33%) auch *1-tert.-Butyl-2,3-diphenyl-pyrrol* (IV; 67% d.Th.)[1]:

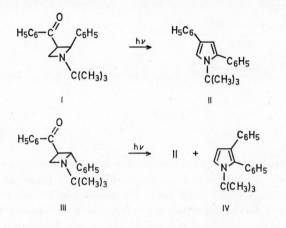

Sensibilisierungsversuche mit Acetophenon und Emissionsstudien haben ergeben, daß diese Reaktionen über den tiefstliegenden Triplett-Zustand verlaufen[2]. Die Effektivität ist allerdings gering ($\varphi = 0{,}046$). Der Versuch, das angeregte Triplett mit Pentadien-(1,3), Naphthalin oder Cyclohexadien-(1,3) zu quenchen, scheiterte; auch Deuterierungseffekte sind klein. Die Reaktion sollte daher nach einem Mechanismus verlaufen, bei dem auf eine intramolekulare Wasserstoff-Abstraktion eine radikalische Umlagerung folgt[2]:

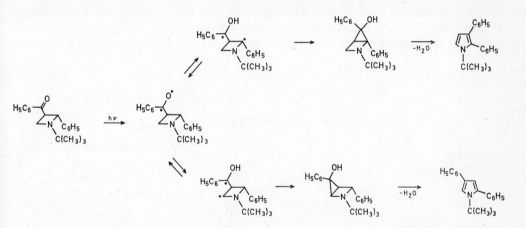

Weitere Reaktionen von 3-Aroyl-azetidinen, sowie die wesentlich unübersichtlicher verlaufenden Photoreaktionen von 2-Aroyl-azetidinen sind in Tab. 156 (S. 1089) zusammengestellt.

1-tert.-Butyl-2,4-diphenyl-pyrrol[1,2]: Eine Lösung von 0,5 g *cis*-1-tert.-Butyl-2-phenyl-3-benzoyl-azetidin in 800 *ml* 95%igem Äthanol wird mit einer Hanovia 450 W Quecksilber-Hochdruck-Lampe (Pyrex-Filter) belichtet. Nach ~3 Stdn. ist die Carbonyl-Bande des Startmaterials verschwunden und eine neue Bande bei 1602 cm⁻¹ hat sich gebildet. Jetzt wird das Solvens i. Vak. entfernt und der verbleibende Rückstand aus Methanol umkristallisiert; Ausbeute: 0,46 g (95% d.Th.); F: 102–103°.

[1] A. PADWA u. R. GRUBER, Am. Soc. **92**, 100 (1970).
[2] A. PADWA u. R. GRUBER, Am. Soc. **92**, 107 (1970).

Die charakteristische Reaktion von 2-Oxo-azetidinen (β-Lactamen) bei Bestrahlung ist ihre Spaltung in olefinische Bruchstücke[1]. So ergibt die Photolyse (Hanovia 450 W Lampe, Vycor-Filter) von 4-Oxo-1,2-diphenyl-azetidin (V) in Acetonitril *Benzaldehyd-phenylimin* (VI; 57% d. Th.), *Keten* und wenig *Phenyl-isocyanat* (Prozeß ⓐ)[1]:

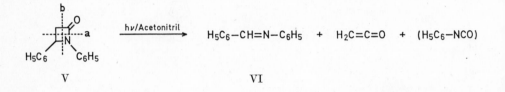

$$V \qquad\qquad\qquad\qquad VI$$

Die thermische Spaltung liefert Olefine und Phenyl-isocyanat (Prozeß ⓑ)[1]. In Benzol als Lösungsmittel wird überhaupt kein Isocyanat gebildet; in Äthanol steigt die Ausbeute an VI auf 84% an und in Aceton erfolgt keine Photoreaktion. Die photochemische Spaltung nach ⓐ oder ⓑ wird durch Substituenten in 4-Stellung entscheidend beeinflußt. So wird 2-Oxo-1-phenyl-azetidin in *Keten* (nachweisbar als Acetanilid) und wahrscheinlich *Formaldehyd-phenylimin* gespalten, das jedoch wegen rascher Polymerisation nicht zu isolieren ist.

Nach Prozeß ⓑ erfolgt die Spaltung im Falle von 4-Oxo-1-phenyl-2,2-diäthoxy-carbonyl-azetidin (VII)[1]. In Äthanol oder Isopropanol bildet sich *N-Phenyl-carbamin-säure-äthylester* bzw. *-isopropylester* VIII als einziges isolierbares Produkt. In Cyclohexan/Cyclohexylamin wird das Isocyanat als N-Cyclohexyl-N′-phenyl-harnstoff (IX) abgefangen. Der erwartete Methylen-malonsäure-diester läßt sich wegen spontaner Polymerisation nicht isolieren[1]. Die Photoprodukte sind in diesem Fall mit den Pyrolyseprodukten identisch:

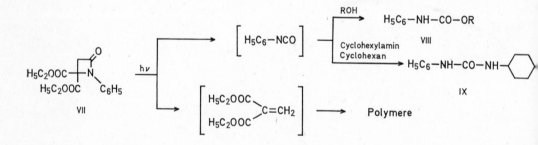

Die Phenyl-Gruppe am Stickstoff-Atom scheint für die photochemische Ringöffnung notwendig zu sein, denn 2-Oxo-1-benzyl-azetidin ist photochemisch inert. Aus diesen und den in Tab. 156 (S. 1089) aufgeführten Ergebnissen folgt, daß die Fragmentierung nach ⓑ durch elektronenanziehende Substituenten am Kohlenstoff-Atom 4 und Elektronen-Donatoren am Stickstoff begünstigt wird; dabei dürfte diese C–N-Bindung geschwächt werden[1]. Die Quantenausbeuten für die Fragmentierungen liegen in der Größenordnung von $\varphi = 0,01$. Aceton sensibilisiert die Fragmentierung nicht und Radikalfänger haben keinen Einfluß; daher handelt es sich wahrscheinlich um Singulett-Reaktionen.

---

[1] M. Fischer, B. **101**, 2669 (1968); **102**, 342 (1969).

Tab. 156: Photolysen von Azetidin-Derivaten

Ausgangs-verbindung	Reaktions-bedingungen	Produkte	Ausbeute [% d. Th.]	F [°C]	Lite-ratur
	Äthanol; 450 W Hanovia Lampe; Corex-Filter	3-Butyl-1-tert.-butyl-pyrrol +1-tert.-Butyl-3-acetyl-azetidin	78 13	— (Kp$_2$ 87–89°)	1
	Benzol; 450 W Hanovia Lampe; Pyrex-Filter	3-Oxo-3-phenyl-propen +tert.-Butylamin +1-Phenyl-2-formyl-3-benzoyl-cyclopenten +4-Oxo-4-phenyl-butansäure-tert.-butylamid +Acetophenon +Essigsäure-tert.-butylamid +1,4-Dioxo-1,4-diphenyl-butan	28 17 12 10 9 4 4	— (Kp: 45,2°) 91–92 115–116 20,5 — 144–145	1
	95%iges Äthanol; 450 W Hanovia; Pyrex-Filter	1-tert.-Butyl-4-phenyl-3-deutero-pyrrol	42	—	1
		1-tert.-Butyl-4-biphenylyl-(4)-3-deutero-pyrrol	98	93–95	1
		1-tert.-Butyl-5-phenyl-3-biphenylyl-(4)-pyrrol	95	136–137	2
		1-tert.-Butyl-5-phenyl-3-biphenylyl-(4)-pyrrol +1-tert.-Butyl-5-phenyl-4-biphenylyl-(4)-pyrrol	35 53	136–137 120–121	2
X = Cl	Benzol + Cyclohexyl-amin; 450 W Hanovia; Corex-Filter; 3,5 bzw. 4 Stdn.	N-Cyclohexyl-N'-phenyl-harnstoff	59	—	3
X = NO$_2$		N-Cyclohexyl-N'-phenyl-harnstoff	54	—	
X = OCH$_3$	Acetonitril + Anilin; 450 W Hanovia; Vycor-Filter; 2,5 Stdn.	4-Methoxy-benzaldehyd-phenyl-imin +Keten +Phenylisocyanat	97 74 2	—	

[1] A. Padwa et al., Am. Soc. **93**, 2928 (1971).
[2] A. Padwa u. R. Gruber, Am. Soc. **92**, 100 (1970).
[3] M. Fischer, B. **101**, 2669 (1968).

Tab. 156 (1.Fortsetzung)

Ausgangs-verbindung	Reaktions-bedingungen	Produkte	Ausbeute [% d.Th.]	F [°C]	Lite-ratur
(structure)	Acetonitril + Anilin; 450 W Hanovia; Vycor-Filter; 1,0 Stdn.	*Benzaldehyd-4-methoxy-phenyl-imin* *+Keten* *+4-Methoxy-phenyl-isocyanat*	36 27 12	} —	1
(structure)	Acetonitril + Anilin; 450W Hanovia; Vycor-Filter; 1,5 Stdn.	*1,1-Diphenyl-äthylen* *+Benzophenon-phenylimin* *+Keten* *+Phenylisocyanat*	63 19 19 64	— 117 — —	1
(structure)	Benzol; 450 W Hanovia; Pyrex-Filter	*1-Benzyl-2-biphenylyl-(4)-pyrrol*	3	128–129	2

γγ) fünfgliedrige cyclische Amine

Der Grundstoff dieser Verbindungsklasse – das Pyrrolidin – absorbiert unterhalb $\lambda < 220$ nm. Aus diesem Grunde wurden bis heute im wesentlichen nur die entsprechenden Ketone untersucht. So aromatisiert 2-Oxo-1-phenyl-pyrrolidin bei Belichtung (Isopropanol; 450 W Hanovia Lampe; Corex-Filter; 4,5 Stdn.) unter formaler Wasser-Abspaltung zu *1-Phenyl-pyrrol*[3]:

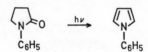

Bei der Photolyse von 2-Oxo-1-methyl-pyrrolidin in der Gasphase – Sensibilisierung mit Hg $^3P_1$ – werden *1-Methyl-pyrrol* (4% d.Th.) neben Methan (1% d.Th.), Wasser (24% d.Th.), Kohlenmonoxid, Äthylen, 1-Methyl-azetidin, 1,3,5-Trimethylhexahydro-1,3,5-triazin und Polymeren gebildet[4].

N-alkylierte Phthalimide gehen bei Belichtung – analog zur Norrish-Typ II-Reaktion einfacher Ketone (s. S. 892) – Photocyclisierung zu Hydroxy-azetidinen (II) ein, die sich dann thermisch unter retrotransannularer Ringöffnung in die entsprechenden Oxo-2-benzazepin-Derivate umlagern[5]. So entsteht bei der Photolyse von I (n = 2) *3,8-Dioxo-⟨benzo-2-aza-bicyclo[5.3.0]decen-(4)⟩* (III, n = 2)[6]:

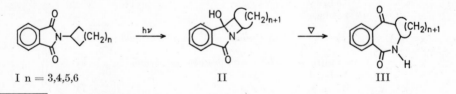

I n = 3,4,5,6   II   III

[1] M. Fischer, B. **101**, 2669 (1968).
[2] A. Padwa et al., Am. Soc. **93**, 2928 (1971).
[3] M. Fischer, B. **102**, 342 (1969).
[4] P. H. Mazzocchi u. J. J. Thomas, Am. Soc. **94**, 8281 (1972).
[5] Y. Kanaoka et al., Tetrahedron Letters **1973**, 1193.
[6] Y. Kanaoka et al., Am. Soc. **96**, 4719 (1974).

Aus IIIb und IIIc (n = 4 bzw. 5) entstehen, wiederum in Analogie zur Norrish-Typ II-Reaktion, durch erneute Photocyclisierung die tetracyclischen Verbindungen IV; z. B. *8-Hydroxy-3-oxo-⟨benzo-2-aza-tricyclo[5.3.2.0⁶,¹¹]dodecen-(4)⟩* für n = 5:

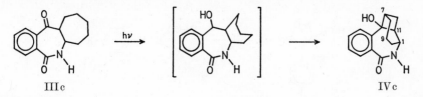

Bei N-Alkyl-phthalimiden mit linearem Alkyl-Substituenten kann der letzte Schritt (III → IV) auch unter Dealkylierung zu dem unsubstituierten Benzazepinon führen[1].

2-Oxo-3-phenyl-1,3-oxazolidin ergibt unter Kohlendioxid-Abspaltung 40% *1-Phenyl-aziridin*; als Nebenprodukt wurden Polymere erhalten[2]:

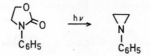

Während 2-Oxo-4-methyl-3-phenyl-1,3-oxazolidin in einer analogen Reaktion in *2-Methyl-1-phenyl-aziridin* (95% d.Th.) übergeht, unterliegt 2-Oxo-1,3-oxazolidin einer Fragmentierung zu Äthylen, Acetylen und Cyanwasserstoff[2].

Oxo-4,5-dihydro-oxadiazole[3,4] reagieren bei der Bestrahlung ebenfalls unter Kohlendioxid-Abspaltung. Photolysiert man das 5-Oxo-3,4-diphenyl-4,5-dihydro-1,2,4-oxadiazol bei 65–70° (Quecksilber-Hochdruck-Brenner, Hanau Q 81; Pyrex-Filter), so entsteht neben Kohlendioxid (100% d.Th.) *2-Phenyl-benzimidazol* (75% d.Th.):

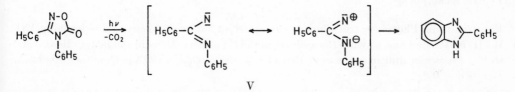

V

Entsprechend kann *2-Äthoxycarbonyl-benzimidazol* (60–70% d.Th.) aus 5-Oxo-4-phenyl-3-äthoxycarbonyl-4,5-dihydro-1,2,4-oxadiazol hergestellt werden[3]. Als Zwischenstufe soll V auftreten, doch schlugen Abfang-Versuche mit Benzonitril, Schwefelkohlenstoff oder Acrylnitril fehl. Bei der Photolyse von 5-Oxo-2,4-diphenyl-4,5-dihydro-1,3,4-oxadiazol konnte die Zwischenstufe mit Maleinsäureanhydrid in guter Ausbeute abgefangen werden[4]:

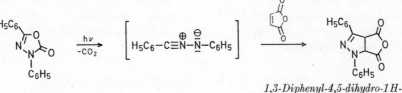

1,3-Diphenyl-4,5-dihydro-1H-pyrazol-4,5-dicarbonsäure-anhydrid

---

[1] Y. KANAOKA et al., Tetrahedron Letters **1973**, 1193.
[2] D. R. ARNOLD u. V. Y. ABRAITYS, Tetrahedron Letters **1970**, 2997.
[3] T. BACCHETTI u. A. ALEMAGNA, G. **91**, 1475 (1961).
[4] J. SAUER u. K. K. MAYER, Tetrahedron Letters **1968**, 325.

Auch substituierte 2,5-Dioxo-1,3-oxazolidine reagieren bei Belichtung unter Abspaltung von Kohlendioxid und Kohlenmonoxid[1]. Zum Beispiel zerfällt Verbindung VI (R=H) bei Einwirkung von UV-Strahlen ($\lambda = 254$ nm) in *Benzophenon-phenylimin* (61% d.Th.)[1]:

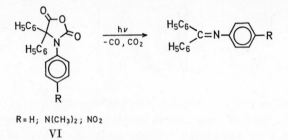

R = H; N(CH$_3$)$_2$; NO$_2$

VI

Überraschenderweise werden gänzlich andere Produkte gebildet, wenn die beiden Phenyl-Substituenten an Kohlenstoff-Atom 4 zum Fluoren-System verbunden werden[1]:

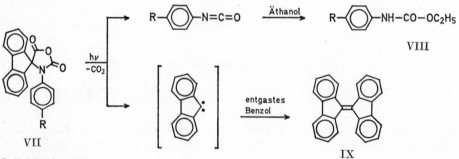

VII

R = H; N(CH$_3$)$_2$; OCH$_3$

VIII

IX

Führt man die Photolyse von Fluoren-⟨9-spiro-4⟩-2,5-dioxo-3-phenyl-1,3-oxazolidin (VII; R=H) in Äthanol aus, so wird *Phenylurethan* (VIII) isoliert. In nicht entgastem Benzol entstehen *Fluorenon* und in entgastem Benzol *9,9′-Bifluorenyliden* (IX) (Quantenausbeute in Benzol $\varphi = 0,2$)[1].

In scharfem Kontrast hierzu steht das Ergebnis der Photolyse des Dimethylamino-Derivats [VII; R=N(CH$_3$)$_2$] in entgastem Benzol[1]. Man erhält nur *9-(4-Dimethylamino-phenylimino)-fluoren*, während mit R = OCH$_3$ sowohl das Imin als auch *9,9′-Bifluorenyliden* gebildet werden. Die Produktverteilung bleibt gleich, wenn man statt $\lambda = 313$ nm die Wellenlänge $\lambda = 254$ nm einstrahlt. Hieraus folgt, daß jener Teil des Moleküls den Weg der Spaltung bestimmt, der die niedrigste Anregungsenergie besitzt: in den Verbindungen VI das Anilid-System, in VII die Fluorenyliden-Gruppe.

3,3-Dimethyl-2-hydroxymethyl-2-phenyl-1,2-dihydro-indol geht bei Bestrahlung in Methanol eine Cyclisierung zu *9,9-Dimethyl-9a-phenyl-9,9a-dihydro-1H,3H-⟨1,3-oxazolo-[3,4-a]-indol⟩* ein. Entsprechend läßt sich *7a-Methyl-5,6,7,7a-tetrahydro-1H,3H,4H-⟨1,3-oxazolo-[4,3-k]-carbazol⟩* herstellen[2].

δδ) sechs- und höhergliedrige cyclische Amine

Wie Pyrrolidin absorbiert auch Piperidin erst UV-Strahlen unterhalb $\lambda < 220$ nm, so daß Piperidin-Derivate ohne Oxo-Gruppen weitgehend inert sind[3].

[1] W. A. Henderson Jr. u. A. Zweig, Tetrahedron **27**, 5307 (1971).
[2] P. Cerutti u. H. Schmid, Helv. **45**, 1992 (1962).
[3] L. W. Pickett et al., Am. Soc. **75**, 1618 (1953).

Bei der mit Acetophenon sensibilisierten Photolyse von *cis*-2,6-Dimethyl-piperidin erhält man jedoch neben 5% *trans*-2,6-Dimethyl-piperidin als Hauptprodukt *2,6-Dimethyl-2,3,4,5-tetrahydro-pyridin* (70% d.Th.)[1]:

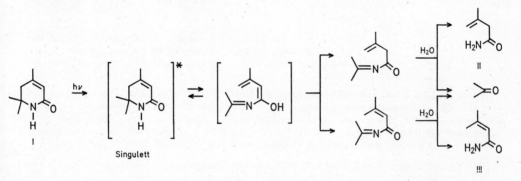

Bestrahlt man 6-Oxo-2,2,4-trimethyl-1,2,3,6-tetrahydro-pyridin (I) mit UV-Licht der Wellenlänge $\lambda = 254$ nm in Wasser (Rayonet-Quarz-Reaktor; Quecksilber-Niederdruck-Lampen; 7 Stdn.), so entstehen *3-Methyl-buten-(3)-säure-amid* (II; 73% d.Th.) und *3-Methyl-buten-(2)-säure-amid* (III; 8% d.Th.) neben *4-Hydroxy-6-oxo-2,2,4-trimethyl-piperidin* (1,3% d.Th.) und etwas Aceton[2,3]. Das N-Methyl-Derivat von I ist weitgehend photostabil. Neben 90% Ausgangssubstanz werden nur 5% *4-Hydroxy-6-oxo-1,2,2,4-tetramethyl-piperidin* isoliert. Für diese Reaktion wurde folgender Mechanismus vorgeschlagen[3]:

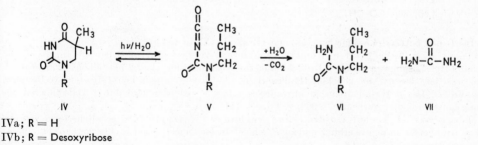

Singulett

Auch das photochemische Verhalten der Desoxyribonucleinsäure wurde an Modell-Verbindungen mit einem Piperidin-Skelett studiert. Von allen Bausteinen der DNA scheint Thymin photochemisch am labilsten zu sein. Untersuchungen an Dihydro-thymidinen zeigen, daß hier eine photochemische Hydrolyse vom Ciamician-Silber-Typ möglich ist[4]. Bestrahlt man eine ungepufferte wäßrige Lösung von IV (Hanovia 250 W Quecksilber-Hochdruck-Lampe; Quarzgefäße), so entstehen über die Zwischenstufe des Isocyanates V in einem radikalischen Mechanismus als Reaktionsprodukte *Propyl-harnstoff* (VI a; 75% d.Th.) und *Harnstoff* (VII; 5% d.Th.) bzw. *N-Propyl-N-desoxyribosyl-harnstoff* (VI b; 64% d.Th.) neben *Propyl-harnstoff* (6% d.Th.).

IVa; R = H
IVb; R = Desoxyribose

[1] O. ČERVINKA u. O. KŘIŽ, Z. 7, 190 (1967).
[2] E. CAVALIERI u. D. GRAVEL, Tetrahedron Letters **1967**, 3973;
E. CAVALIERI u. S. HOROUPIAN, Canad. J. Chem. 47, 2781 (1969).
[3] E. CAVALIERI u. D. GRAVEL, Canad. J. Chem. 48, 2727 (1970).
[4] Y. KONDO u. B. WITKOP, Am. Soc. 90, 3258 (1968).

Belichtet man die N-Phenyl-lactame VIIIa–c mit 7, 8 oder 13 Ringgliedern in Äthanol (Hanovia 450 W Quecksilber-Hochdruck-Lampe; Corex-Filter), so entstehen in guten Ausbeuten die entsprechenden Benzo-aza-cycloalkenone Xa–c. Als Zwischenstufe wird das Biradikal IX angenommen[1]. Interessant ist, daß bei Ringen mit n < 5 die entsprechenden Benzo-aza-cycloalkenone nicht einmal als Nebenprodukte auftreten.

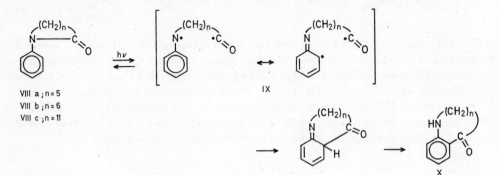

VIII a; n = 5
VIII b; n = 6
VIII c; n = 11

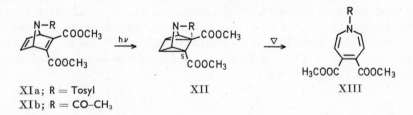

Xa;　n = 5;　*7-Oxo-2,3,4,5,6,7-hexahydro-1H-1-benzazonin*; 87% d.Th.
Xb;　n = 6;　*8-Oxo-2,3,4,5,6,7-hexahydro-1H-1-benzazecin*; 83% d.Th.
Xc;　n = 11; *13-Oxo-⟨-benzo-1-aza-cyclopentadecen-(2)⟩*; 80% d.Th.

7-Oxo-2,3,4,5,6,7-hexahydro-1H-1-benzazonin (Xa)[1]: 7,0 g (37 mMol) N-Phenyl-ε-caprolactam werden in 500 *ml* Äthanol 9 Stdn. mit einer 100 W Quecksilber-Niederdruck-Lampe der Fa. Gräntzel/ Karlsruhe bestrahlt. Nach dem Abdampfen chromatographiert man den Rückstand an Aluminiumoxid mit Petroläther/Benzol (4:1). Sobald 2,6 g (87%) an Xa (F: 74°) eluiert sind, wird das Startmaterial (4,0 g) mit Benzol/Äther (9:1) herausgewaschen.

Photolysiert man 7-Tosyl- oder 7-Acetyl-2,3-dimethoxycarbonyl-7-aza-bicyclo[2.2.1]heptadien (XI) mit UV-Licht der Wellenlänge λ > 290 nm, so erfolgt praktisch quantitative Umwandlung in die entsprechenden 3-Aza-tetracyclo[3.2.0.0²,⁷.0⁴,⁶]heptan-Derivate XII, die sich in kristalliner Form isolieren lassen. Die thermisch instabilen 3-Aza-quadricyclane isomerisieren schon bei Raumtemp. zu den entsprechenden Azepinen XIII[2]:

XIa; R = Tosyl　　　　XII　　　　XIII
XIb; R = CO–CH₃

1-Tosyl- und 1-Acetyl-4,5-dimethoxycarbonyl-1H-azepin (XIIIa und b)[2]:
3-Tosyl- bzw. 3-Acetyl-1,5-dimethoxycarbonyl-tetracyclo[3.2.0.0²,⁷.0⁴,⁶]heptan: Die sauerstoff-freie Lösung von 500 mg 7-Tosyl-2,3-dimethoxycarbonyl-bicyclo[2.2.1]octadien in 200 *ml* absol. Äther wird bei –30 bis –40° belichtet (Philips HPK 125 W oder Hanau TQ-81 Hochdruck-Brenner; Pyrex-Filter). Das 3-Aza-quadricyclan kristallisiert langsam aus oder wird durch Abdestillieren des Lösungsmittels isoliert; Ausbeute: > 90% d.Th.; F: 111°.

1-Tosyl- bzw. 1-Acetyl-4,5-dimethoxycarbonyl-1H-azepin: Das erhaltene tetracyclische Derivat wird bei 80° in Benzol erhitzt und anschließend an Kieselgel (Benzol/Dichlormethan) chromatographiert; Ausbeute: 50% d.Th.

Gleiche Bedingungen gelten für das Acetyl-Derivat, nur daß die Pyrolyse von XIIb in siedendem Äther durchgeführt wird.

---
[1] M. FISCHER, B. **102**, 342 (1969).

[2] H. PRINZBACH, R. FUCHS u. R. KITZING, Ang. Ch. **80**, 78 (1968).

9-tert.-Butyloxycarbonyl-⟨benzo-7-aza-bicyclo[2.2.1]heptadien⟩ führt bei direkter Bestrahlung (λ = 300 nm; Quarz) entsprechend zu *3-tert.-Butyloxycarbonyl-3H-⟨3-benzazepin⟩*[1].

Im Gegensatz zur Singulett-Reaktion ergibt die mit Aceton sensibilisierte Photolyse *4-tert.-Butyloxycarbonyl-⟨benzo-4-aza-tricyclo[3.2.0.0¹,³]hepten-(6)⟩*[1,2]:

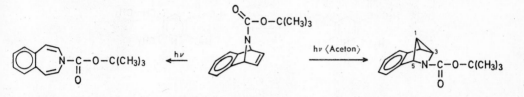

9-Tosyl- und 7,8,9-Trimethoxycarbonyl-⟨benzo-7-aza-tricyclo[2.2.1]heptadien⟩ ergeben bei direkter Bestrahlung *3-Tosyl-* bzw. *1,3,5-Trimethoxycarbonyl-3H-⟨3-benzazepin⟩* (16% d.Th. bzw. 9% d.Th.). 9-Methoxycarbonyl-⟨benzo-7-aza-bicyclo[2.2.1] heptadien⟩ bildet ebenfalls ein Azepin-Derivat (60% d.Th.). Sensibilisierung mit Benzophenon oder Acetophenon hat eine andere Umlagerung zur Folge[3]:

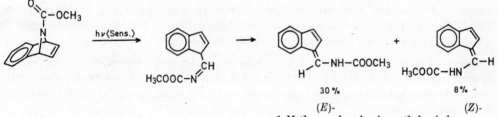

30%   8%
(E)-   *(Z)-*
1-Methoxycarbonylaminomethylen-inden

α₃) *Enamine*

bearbeitet von

Prof. Dr. Heinz Dürr, Dipl.-Chem. Walter Bujnoch
und Dr. Helge Kober*

Über die Photochemie von Verbindungen mit dem Struktur-Element C=C–N, wobei die Doppelbindung keinem aromatischen System angehört, ist nur wenig bekannt. Einige 1,4-Dihydro-pyridine wurden ausführlich untersucht[4-6]. Dabei zeigte sich, daß der Reaktionsverlauf durch Substituenten, Lösungsmittel und die Anwesenheit von Sauerstoff oder Stickstoff beeinflußt wird.

Die Bestrahlung (λ = 360–392 nm) von 2,6-Dimethyl-4-(2-nitro-phenyl)-3,5-diacetyl-1,4-dihydro-pyridin[4] ergibt nach Umlagerung in die Nitroso-hydroxy-Verbindung und Wasser-Abspaltung praktisch quantitativ *2,6-Dimethyl-4-(2-nitroso-phenyl)-3,5-diacetyl-pyridin*. Das analoge Dihydropyridin mit der Nitro-Gruppe in p-Stellung zeigt keine Photoreaktion.

---

* Fachbereich Organische Chemie der Universität Saarbrücken.

[1] P. D. Rosso, J. Oberdier u. J. S. Swenton, Tetrahedron Letters **1971**, 3947.
[2] J. S. Swenton, J. Oberdier u. P. D. Rosso, J. Org. Chem. **39**, 1038 (1974).
[3] G. Kaupp et al., B. **103**, 2288 (1970).
[4] J. A. Berson u. E. Brown, Am. Soc. **77**, 447 (1955).
[5] U. Eisner et al., Tetrahedron **26**, 899 (1970).
[6] O. Mitsunobu et al., Bl. chem. Soc. Japan **45**, 1453 (1972).

Ersetzt man den o-Nitro-phenyl-Substituenten durch Wasserstoff[1], so erfolgt in tert.-Butanol unter einer Stickstoff-Atmosphäre bei Bestrahlung mit einer Quecksilber-Mitteldruck-Lampe Umlagerung in *2,6-Dimethyl-5-(1-hydroxy-äthyl)-3-acetyl-pyridin* (33% d.Th.). 2,4,6-Trimethyl-3,5-diacetyl-1,4-dihydro-pyridin zeigt hingegen keine Reaktion.

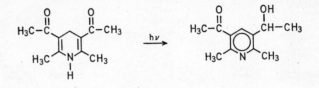

In Äthanol oder Acetonitril und Sauerstoff bzw. in Acetonitril und Stickstoff hingegen werden die 3,5-Diacetyl- und auch die entsprechende 3,5-Diäthoxycarbonyl-Verbindung zu *2,6-Dimethyl-3,5-diacetyl-* bzw. *2,6-Dimethyl-3,5-diäthoxycarbonyl-pyridin* aromatisiert[2].

In 2- und 6-Stellung unsubstituierte Dihydropyridine ergeben oft Umlagerungs- und Oxidations- oder Dimerisierungsprodukte. So entsteht bei der Photolyse von 4-Phenyl-3-benzoyl-1,4-dihydro-pyridin[3] sowohl *4-Phenyl-3-(α-hydroxy-benzyl)-pyridin* als auch *4-Phenyl-3-benzoyl-pyridin*. Oxidation erfolgt allgemein mit Äthanol als Lösungsmittel in Anwesenheit von Sauerstoff, in Acetonitril unabhängig von der Atmosphäre. 3,5-Diacetyl-1,4-dihydro-pyridin geht unter diesen Photolyse-Bedingungen in *3,5-Diacetyl-pyridin* über (Acetonitril/Stickstoff: 74% d.Th.)[2].

Dimerisation tritt im allgemeinen beim Arbeiten in Äthanol unter Stickstoff ein. Bei der Bestrahlung von 3,5-Diäthoxycarbonyl-1,4-dihydro-pyridin (tert.-Butanol; Stickstoff) entstehen neben etwas *3,5-Diäthoxycarbonyl-1,2-dihydro-pyridin* 60% des *syn*-Kopf-Schwanz-Dimeren[1]:

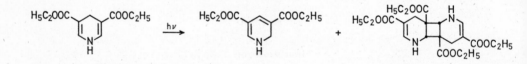

Dieses Produkt entspricht ganz dem bei der Photolyse von Dimethylthymin erhaltenen *syn*-Kopf-Schwanz-Dimeren[4]. Photolysiert man das 1,4-Dihydro-pyridin in festem Zustand[1], so entsteht neben dem *syn*- auch das *anti*-Kopf-Schwanz-Dimere. Bestrahlung in Äthanol oder Acetonitril unter Stickstoff liefert ausschließlich das Dimere (81% d.Th. bzw. 74% d.Th.), unter Umständen kann auch noch *3,5-Diäthoxycarbonyl-pyridin* anfallen. In Anwesenheit von Sauerstoff erfolgt sowohl in Äthanol als auch in Acetonitril als Lösungsmittel Oxidation zum Pyridin-Derivat[2]. Die in 2- und 6-Stellung methylierte Ausgangsverbindung dimerisiert praktisch nicht[2].

Aromatisierung unter Abspaltung eines Substituenten erfolgt bei 1-Acetyl-1,4-dihydropyridinen. *3,5-Diacetyl-* bzw. *3,5-Diäthoxycarbonyl-pyridin* bilden sich aus den entsprechenden Ausgangsverbindungen in Äthanol oder Acetonitril unabhängig von der Atmosphäre[2].

---

[1] U. Eisner et al., Tetrahedron **26**, 899 (1970).
[2] O. Mitsunobu et al., Bl. chem. Soc. Japan **45**, 1453 (1972).
[3] D. A. Nelson u. I. F. McKay, Abstracts of the 154 th A.C.S.Meeting, S. 23, Chicago, Sept. 1967.
[4] H. Morrison, A. Feeley u. R. Kloepfer, Chem. Commun. **1968**, 358

Über die (nicht)oxidative Photocyclisierung von Vinyl-aryl-aminen s. S. 543f.

Bei der Belichtung von Dimethyl-amino-phenyl-acetylen in Cyclohexan, lagert sich dieses in *2-Methyl-2-phenyl-propansäure-nitril* um[1]:

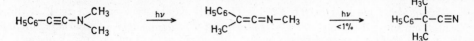

α_4) aromatische Amin-Derivate

bearbeitet von

Prof. Dr. HEINZ DÜRR, Dipl. Chem. WALTER BUJNOCH

u. Dr. HELGE KOBER*

Über Cyclisierungen von Benzanilid und anderen Aniliden zu Aza-aromaten s. S. 540ff.

Zur Fries-Umlagerung von Carbonsäure-aniliden s. S. 985ff.. Über Cyclisierungen von o-Amino-cyan-benzolen s. S. 1123.

Wesentlich übersichtlicher verlaufen die Photolysen N-alkylierter aromatischer Amine. 3-Chlor-2-(N-äthyl-anilino)-naphthochinon-(1,4) in Äthanol wird schon durch Sonnenlicht zu *3-Chlor-2-anilino-naphthochinon-(1,4)* entalkyliert. Aus der 3-Brom-Verbindung entsteht auf analoge Weise das *3-Brom-2-anilino-naphthochinon-(1,4)*[2]. Auch die Acetyl-Gruppe aus 3-Chlor-2-(N-acetyl-anilino)-naphthochinon-(1,4) kann abgespalten werden[2]:

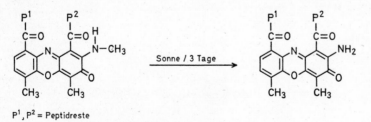

R=C₂H₅;   X = Cl *3-Chlor-2-anilino-naphthochinon-(1,4)*
           X = Br *3-Brom-2-anilino-naphthochinon-(1,4)*
R=COCH₃; X = Cl *3-Chlor-2-anilino-naphthochinon-(1,4)*
           X = Br *3-Brom-2-anilino-naphthochinon-(1,4)*

3-Chlor-2-anilino-naphthochinon-(1,4)[2]: Eine Lösung von 50 mg 3-Chlor-2-(N-äthyl-anilino)-naphthochinon-(1,4) in 100 *ml* Äthanol wird in einem Quarzkolben 60 Stdn. dem Sonnenlicht ausgesetzt. Dabei tritt ein Farbumschlag von violett nach orange auf, und nach Abschluß der Bestrahlung kann ein Geruch von Isonitril wahrgenommen werden. Die Lösung wird auf 5 *ml* eingeengt, wobei sich allmählich rote Kristalle abscheiden; Ausbeute: 16 mg (36% d.Th.); F: 205–207° (aus Äthanol).

Eine entsprechende Entalkylierung einer Amino-Gruppe tritt auch bei der Belichtung des Antibiotikums N-Methyl-actinomycin C₂ auf[3]. Als Endprodukt wird *Actinomycin C₂* isoliert:

P¹, P² = Peptidreste

---

* **Fachbereich Organische Chemie der Universität Saarbrücken.**

[1] R. SELVARAJAN u. J. H. BOYER, Chem. Commun. **1970**, 889.

[2] I. F. VLADIMIRTSEV, I. Y. POSTOVSKII u. L. F. TREFILOVA, Ž. obšč. Chim. **24**, 181 (1954); C. A. **49**, 3103g (1955).

[3] H. BROCKMANN, G. PAMPUS u. R. MECKE, B. **92**, 3082 (1959).

   H. BROCKMANN, Pure Appl. Chem. **2**, 405 (1961).

Photolysen einfacherer Modellverbindungen zeigen, daß die Entalkylierungsreaktion des N-Methyl-actinomycins C$_2$ von allgemeiner Natur ist. Die Photolyse von *2-Iso-propylamino-3-oxo-4,6-dimethyl-1,9-dimethoxycarbonyl-3H-phenoxazin* (I) in Methanol/Benzol liefert unter Entalkylierung *2-Amino-3-oxo-4,6-dimethyl-1,9-dimethoxycarbonyl-3H-phenoxazin* (II; 22% d.Th.). Als Konkurrenzreaktion tritt allerdings Ringschluß ein unter Bildung von *11a-Hydroxy-2,2,9,11-tetramethyl-4,6-dimethoxycarbonyl-2,3-dihydro-11aH-⟨1,3-oxazolo-[4,5-b]-phenoxazin⟩* (III; 30% d.Th.)[1]. Im Falle von 2-Methylamino- bzw. 2-Äthylamino-3-oxo-4,6-dimethyl-1,9-dimethoxycarbonyl-3H-phenoxazin liefert die Photolyse ausschließlich *2,9,11-Trimethyl-* bzw. *9,11-Dimethyl-2-äthyl-4,6-dimethoxycarbonyl-5H-⟨1,3-oxazolo-[4,5-b]-phenoxazin⟩*[1].

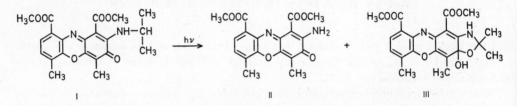

I   II   III

2-Amino-3-oxo-4,6-dimethyl-1,9-dimethoxycarbonyl-3H-phenoxazin (II) und 11a-Hydroxy-2,2,9,11-tetramethyl-4,6-dimethoxycarbonyl-2,3-dihydro-11aH-⟨1,3-oxazolo-[4,5-b]-phenoxazin (III)[1]**:** Eine Lösung von 40 mg 2-Isopropylamino-3-oxo-4,6-dimethyl-1,9-dimethoxycarbonyl-3H-phenoxazin (I) in 225 *ml* Benzol und 75 *ml* Methanol wird 2 Stdn. mit einer Hanovia 654 Å Hg-Lampe in Gegenwart eines Pyrex-Filters unter Stickstoff belichtet. Das UV-Spektrum des Photolysats in Methanol zeigt zunächst Maxima bei 231 und 450 nm, die nach mehrstündigem Stehen bei Raumtemp. in Maxima bei 222, 244, 268, 310 und 376 nm übergehen. Das Lösungsmittel wird abgezogen und der Rückstand in wenig Benzol mehrere Stdn. im Kühlschrank aufbewahrt, wobei 12 mg (30% d.Th.) *11a-Hydroxy-2,2,9,11-tetramethyl-4,6-dimethoxycarbonyl-2,3-dihydro-11aH-⟨1,3-oxazolo-[4,5-b]-phenoxazin⟩* (III) in kristalliner Form anfallen. Aus dem gummiartigen Rückstand wird durch Digerieren mit Methanol *2-Amino-3-oxo-4,6-dimethyl-1,9-dimethoxycarbonyl-3H-phenoxazin* (II) erhalten; Ausbeute: 7,7 mg (22% d.Th.); F: 197–198°.

Folsäure (Pteroyl-glutaminsäure; IV) geht bei der Belichtung ebenfalls eine N–C-Spaltung ein. In schwach saurer Lösung bildet sich unter oxidativer N–C-Spaltung *N-(4-Amino-benzoyl)-glutaminsäure* (V) und als Oxidationsprodukt *2-Amino-4-hydroxy-6-formyl-pteridin* (VIa)[2]. Letzteres wird zu *2-Amino-4-hydroxy-6-carboxy-pteridin* (VIb) weiteroxidiert, das bei weiterer Photolyse Kohlendioxid abspaltet und in *2-Amino-4-hydroxy-pteridin* (VII) übergeht[3]:

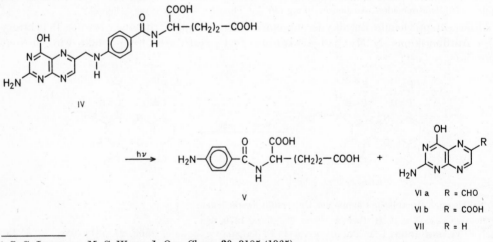

IV

VI a   R = CHO
VI b   R = COOH
VII   R = H

[1] S. G. Levine u. M. C. Wani, J. Org. Chem. **30**, 3185 (1965).
[2] O. H. Lowry, O. A. Bessey u. E. J. Crawford, J. Biol. Chem. **180**, 389 (1949).
[3] H. M. Rauen u. H. Waldmann, H. **286**, 180 (1950).

Sehr intensiv bearbeitet wurde die Photolyse des Lactoflavins oder Vitamins B_2 und seiner Derivate. Die Bestrahlung kann dabei zu verschiedenen Produkten führen, je nachdem, ob man in alkalischem oder neutralem Medium oder unter Ausschluß oder in Gegenwart von Sauerstoff arbeitet[1-5].

Die Photolyse einfacher Modellsubstanzen, z. B. von 2,4-Dioxo-10-(2,3-dihydroxy-propyl)-2,3,4,10-tetrahydro-⟨benzo-[g]-pteridin⟩ (VIII), zeigt, daß in neutraler und alkalischer Lösung zwei Reaktionswege eingeschlagen werden können. In neutraler Lösung in Methanol entsteht im Sonnenlicht unter Absprengung der N-Alkyl-Seitenkette *2,4-Dioxo-1,2,3,4-tetrahydro-⟨benzo-[g]-pteridin⟩* (IX), während in alkalischer Lösung unter C–C-Spaltung zusätzlich *2,4-Dioxo-10-methyl-2,3,4,10-tetrahydro-⟨benzo-[g]-pteridin⟩* (X) gebildet wird[2]:

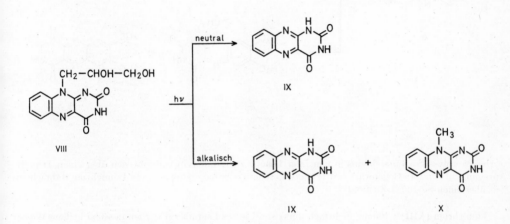

2,4-Dioxo-10-methyl-2,3,4,10-tetrahydro-⟨benzo-[g]-pteridin⟩ (X)[2]: Eine Lösung von 2,4-Dioxo-10-(2,3-dihydroxy-propyl)-2,3,4,10-tetrahydro-⟨benzo-[g]-pteridin⟩ in verd. Natronlauge wird mit Sonnenlicht bestrahlt. Nach ∼ 3 Stdn. wird die Lösung angesäuert und mit Chloroform ausgeschüttelt. Aus der Chloroform-Phase und der wäßrigen Phase scheidet sich 2,4-Dioxo-1,2,3,4-tetrahydro-⟨benzo-[g]-pteridin⟩ in Form gelber Kristalle ab, die abfiltriert werden. Das Chloroform-Filtrat wird eingedampft, der Rückstand nochmals mit Chloroform extrahiert, wobei er sich größtenteils löst. Dieser Chloroform-Auszug wird erneut eingedampft und der Rückstand aus wenig Wasser umkristallisiert; wobei X als intensiv gelbe, stark gelb-grün fluoreszierende Substanz anfällt.

Die Photolyse des Lactoflavins {XI; 2,4-Dioxo-7,8-dimethyl-10-(2,3,4,5-tetrahydroxy-pentyl)-2,3,4,10-tetrahydro-⟨benzo-[g]-pteridin⟩} liefert in neutraler Lösung unter C–N-Spaltung *Lumichrom* (XIII; *2,4-Dioxo-7,8-dimethyl-1,2,3,4-tetrahydro-⟨benzo-[g]-pteridin⟩*),

[1] R. Kuhn, H. Rudy u. T. Wagner-Jauregg, B. **66**, 1950 (1933).

[2] P. Karrer et al., Helv. **17**, 1010, 1165 (1934).

[3] H. Rudy, Fortschr. Ch. org. Naturst. **2**, 61 (1939).

[4] G. Oster, J. S. Bellin u. B. Holmström, Experientia **18**, 249 (1962).

[5] P. Hemmerich, C. Veeger u. H. C. Wood, Ang. Ch. **77**, 699 (1965); engl.: **4**, 671 (1965).
Isomerisierungen s.: W. R. Knappe, B. **107**, 1614 (1974).

während in alkalischer Lösung neben Lumichrom durch C–C-Spaltung auch *Lumiflavin* (XII; *2,4-Dioxo-7,8,10-trimethyl-1,2,3,10-tetrahydro-⟨benzo-[g]-pteridin⟩*) entsteht[1,2]:

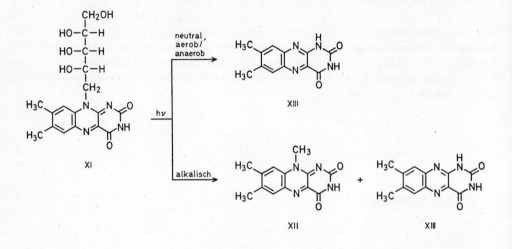

Die Photolyse des Lactoflavins in neutraler Lösung zu Lumiflavin vollzieht sich über einen Triplett-Anregungszustand. In Gegenwart von Triplett-Löschern oder Sauerstoff entsteht Lumichrom wahrscheinlich über einen Singulett-Zustand[3–6].

Lumichrom (XIII)[2]: 100 mg mehrfach umkristallisiertes Lactoflavin werden in 40 *ml* heißem Wasser und 160 *ml* Methanol gelöst. Dann wird diese Lösung in einem flachen Kolben 2–3 Stdn. (bis zu 3 Tagen) mit Sonnenlicht bestrahlt. Nach Abziehen des Methanols scheidet sich das Lumichrom langsam ab, das durch Umkristallisieren aus Chloroform in Form farbloser Kristalle anfällt; Ausbeute: 25 mg (30–45% d.Th.); F: 300°.

Eingehende Untersuchungen an Lactoflavin mit modifizierter Seitenkette (Ersatz des Ribit-Restes durch Alkyl-Reste) zeigen, daß das Vorhandensein einer Hydroxy-Gruppe in 2-Position des Alkyl-Restes die Abspaltung der Seitenkette begünstigt[2,4].

Eine verwandte Spaltung ist bei den Aminosäuren Tyrosin und Histidin beobachtet worden. Die Photolyse (Bestrahlung mit kurzwelligem UV-Licht) ergibt unter Abspaltung von Amin- und Wasserstoff-Radikalen *4-Hydroxy-zimtsäure* bzw. *β-[Imidazolyl-(3)]-acrylsäure*[7].

[1] R. Kuhn, H. Rudy u. T. Wagner-Jauregg, B. **66**, 1950 (1933).

[2] P. Karrer et al., Helv. **18**, 266 (1935); Helv. **17**, 1010, 1165 (1934).

[3] B. Holmstroem, Ark. Kemi **22**, 281 (1964).

[4] C. S. Yang u. D. B. McCormick, Am. Soc. **87**, 5763 (1965).

[5] P. S. Song u. D. E. Metzler, Federation Proc. **23**, 232 (1965).

[6] A. Bowd et al., Photochem. and Photobiol. **11**, 445 (1970).

[7] B. Monties, C. r. **269**, 1069 (1969).

α_5) *N-Chlor-amine und deren Acyl-Derivate*

bearbeitet von

Dr. HANS-HENNING VOGEL*

N-Chlor-amine gehen in stark saurer Lösung photochemisch sowie mit Radikal-Bildnern[1] oder thermisch in Pyrrolidine über. Diese seit langem als Hoffmann-Löffler-Freytag-Reaktion[2] bekannte Umsetzung läuft über 4-Chlor-1-amino-Verbindungen, die unter speziellen Bedingungen auch isoliert werden können[3].

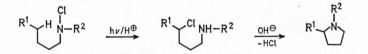

Mechanistisch gesehen muß die Aufnahme der Lichtenergie durch das unprotonierte N-Chlor-amin erfolgen ($\lambda_{max} = 263$ nm), da protoniert die Absorption erst bei $\lambda < 225$ nm eintritt. Die radikalische Kettenreaktion verläuft dagegen über das in saurer Lösung überwiegend vorliegende Chlor-dialkyl-ammonium-Salz ab[4]. Bei Dunkelheit oder Fehlen chemischer Radikal-Bildner findet keine Umlagerung statt[4-6].

Für die experimentelle Durchführung der N-Chlor-amin-Photolyse arbeitet man unter Sauerstoff-Ausschluß in Quarz-Gefäßen. Selbst schwache UV-Lampen von z. B. nur 15 W haben sich als ausreichende Lichtquellen erwiesen. Zur Vermeidung unerwünschter Nebenreaktionen arbeitet man maximal bei Raumtemp., besser jedoch bei 0°. Die intermediären Chlor-amino-Verbindungen können gewonnen werden, indem nach partieller Neutralisation des Photolysates die Sulfat-Ionen durch Zusatz von Bariumchlorid gefällt werden[7], oder indem durch Zugabe von Natriumnitrit das Nitrosamin hergestellt wird[7].

Butyl-(4-chlor-butyl)-amin[7]: Eine auf 64,5 g Dibutylamin[8] hergestellte Lösung von N-Chlor-dibutyl-amin in Pentan wird mit 200 *ml* 85%iger Schwefelsäure geschüttelt und das Pentan unter vermindertem Druck entfernt. Die verbliebene Lösung wird 48 Stdn. bei 25° mit UV-Licht bestrahlt und anschließend durch Zugabe von Eis und Wasser auf 500 *ml* verdünnt. Nicht umgesetztes Chloramin wird mit Hexan extrahiert. Von der wäßrigen Lösung wird eine Portion von 150 *ml* vorsichtig mit 110 g Natriumhydrogencarbonat behandelt und danach von dem teilweise schon ausgefallenen Natriumsulfat abfiltriert. Das Filtrat wird mit einer wäßrigen Lösung von 37 g Bariumchlorid versetzt und das ausgefallene Bariumsulfat abfiltriert. Das Filtrat wird bei 100° i. Vak. bis zur Trockene eingedampft und das restliche Wasser durch azeotrope Dest. mit Benzol entfernt. Das Produkt wird 3mal aus Aceton umkristallisiert; Ausbeute: 11,2 g (37% d.Th.); F: 211–212° (geringe Zers.).

N-Nitroso-butyl-(4-chlor-butyl)-amin[7]: Das wie oben gewonnene Photolysat aus N-Chlor-dibutylamin in Pentan wird mit Eis und Wasser auf 500 *ml* verdünnt und mit Äther extrahiert, um die braune Fär-

* **BASF AG, Ludwigshafen/Rhein.**

[1] Mit Wasserstoffperoxid: E. J. COREY u. W. R. HERTLER, Am. Soc. **82**, 1657 (1960).
   Mit Kaliumperoxodisulfat oder Eisen(III)-ammoniumsulfat: W. S. METCALF, Soc. **1942**, 148.
[2] M. E. WOLFF, Chem. Reviews **63**, 55 (1963).
   G. ADAM, Z. **8**, 441 (1968).
[3] S. WAWZONEK u. T. P. CULBERTSON, Am. Soc. **81**, 3367 (1959).
   J. F. KERWIN et al., J. Org. Chem. **27**, 3628 (1962).
[4] S. WAWZONEK u. P. J. THELAN, Am. Soc. **72**, 2118 (1950).
[5] E. J. COREY u. W. R. HERTLER, Am. Soc. **82**, 1657 (1960).
[6] W. S. METCALF, Soc. **1942**, 148.
[7] S. WAWZONEK u. T. P. CULBERTSON, Am. Soc. **81**, 3367 (1959).
[8] Vgl. ds. Handb. Bd. X/1, S. 256f., 618.

bung zu entfernen. Danach wird vorsichtig mit einer konz. Lösung von 500 g Natriumhydrogencarbonat versetzt und anschließend eine konz. Lösung von 70 g Natriumnitrit zugegeben. Man erhitzt 30 Min. auf 100° und extrahiert die erkaltete Lösung mit Äther. Nach Abziehen des Äthers hinterbleibt das Produkt als gelbes Öl; Rohausbeute: 60 g (62% d. Th.); $Kp_{0,017}$: 88° (geringe Zers.); $n_D^{20} = 1,4733$.

Führt man die klassische Hoffmann-Löffler-Freytag-Reaktion in Trifluoressigsäure und Trifluoracetanhydrid anstelle von Schwefelsäure durch, so kann die 4-Chlor-1-amino-Verbindung als Trifluoracetat[1] durch einfaches Abziehen der überschüssigen Säure und Einengung der Lösung (i. Vak.) bis zur Trockne isoliert werden[2]. So können z. B. auch N-Chlor-20α-methylamino-pregnane, die in Schwefelsäure schlecht löslich und zersetzlich sind, dieser Photoumlagerung zu 18-Chlor-20α-methylamino-pregnanen[1] unterworfen werden. Die Ausbeuten liegen zwischen 65 und 87% d.Th.

18-Chlor-20α-methylamoniono-3β-trifluoracetoxy-11-oxo-5α-pregnan-trifluoracetat[3]:

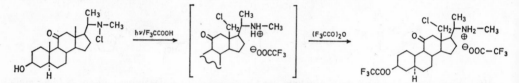

Man bereitet bei 0° unter Rühren eine 10%ige Lösung aus 87 g feingepulvertem N-Chlor-20α-methyl-amino-3β-hydroxy-11-oxo-5α-pregnan in redest. Rrifluoressigsäure. Die klare Lösung wird in 4 Portionen geteilt, in einer Quarz-Apparatur 15 Min. mit Stickstoff begast und 15–60 Min. bei 20–25° unter magnetischem Rühren mit drei 15 W UV-Lampen bestrahlt. Die vereinigten Photolysate werden mit 25 ml Trifluoracetanhydrid versetzt. Nach 1 stdg. Stehen bei 20° werden überschüssige Säure und Anhydrid unter vermindertem Druck in eine Kühlfalle von –80° abgezogen und das zurückbleibende Öl in Aceton gelöst. Nach Zugabe von Äther und Petroläther erfolgt Kristallisation; Ausbeute: 109,8 g (81% d.Th.); F: 156–160°; $[\alpha]_D$: +6° (d: 1,2).

In einigen Fällen erfolgt die Photolyse der N-Halogen-amine auch unter Ringschluß zu bicyclischen Aza-Verbindungen[4,5]:

Hal—N⟨ ⟩—C_2H_5 $\xrightarrow{h\nu/H^{\oplus}}$ $\xrightarrow{OH^{\ominus}}$ ⟨N⟩ + HHal

Chinuclidin

Bei ungesättigten N-Chlor-alkylaminen ist auch eine intramolekulare Addition möglich[6]; z. B.:

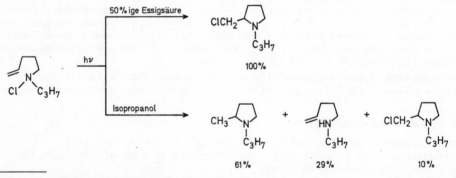

---

[1] Nach der Org. Lit. sind als Reaktionsprodukte die Ammoniumtrifluoracetate zu erwarten. In einem später erschienenen Übersichtsartikel [M. E. Wolff, Chem. Reviews 63, 55 (1963)] werden als Produkte die 20α-N-Methyl-trifluoracetamide genannt.
[2] J. F. Kerwin et al., J. Org. Chem. 27, 3628 (1962).
[3] S. Wawzonek u. T. P. Culbertson, Am. Soc. 81, 3367 (1959).
[4] R. Lukes u. M. Ferles, Chem. Listy 49, 510 (1955).
[5] S. Wawzonek, M. F. Nelson, Jr., u. P. J. Thelen, Am. Soc. 73, 2806 (1951).
[6] J. M. Surzur, L. Stella u. P. Tordo, Tetrahedron Letters 1970, 3107.

Während in 50%iger Essigsäure *2-Chlormethyl-1-propyl-pyrrolidin* in quantitativer Ausbeute gebildet wird, fällt diese Verbindung bei der Photolyse in Isopropanol nur mit 10% an. Hauptprodukt sind hier *2-Methyl-1-propyl-pyrrolidin* (61%) und *5-Propylamino-penten-(1)*.

N-Halogen-amide lagern sich durch Einwirkung von Licht in γ-Halogen-amide um, die zu Iminolactonen[1] cyclisieren und weiter zu γ-Lactonen hydrolysiert werden können[1-3]. Als Lösungsmittel geeignet sind Benzol[1,2], Toluol[2], Fluortrichlormethan[2], 1,1,2-Trifluortrichlor-äthan[2] sowie Tetrachlormethan[3].

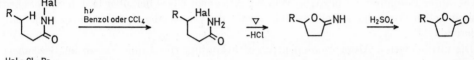

Hal = Cl ; Br

Auch N-Chlor-N-acetyl-amide liefern bei der Photolyse primär das 4-Chlor-N-acetyl-amid, als Nebenprodukte fallen N-Acetyl-amide an[3]. Die Ausbeute (in einer besonderen Bestrahlungsapparatur) an 4-Chlor-amid hängt von der Lichtintensität und vom Lösungsmittel ab:

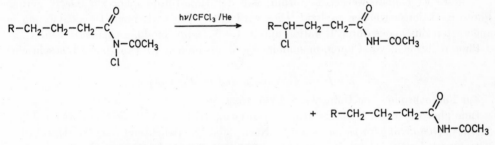

R = H; *4-Chlor-N-acetyl-butansäure-amid*; 27% d.Th.
   +*N-Acetyl-butansäure-amid*; 40% d.Th.

R = CH₃; *4-Chlor-N-acetyl-pentansäure-amid*; 67% d.Th. ohne Solvens; 30–60% d.Th. in Fluortrichlor-
      methan oder Freon-113; 13% d.Th. in Toluol
   +*N-Acetyl-pentansäure-amid*; 17% d.Th.

R = C₆H₅; *4-Chlor-4-phenyl-N-acetyl-butansäure-amid*; 37% d.Th.
   +*4-Phenyl-N-acetyl-butansäure-amid*; 38% d.Th.

Unsubstituierte N-Chlor-amide sind unter diesen Reaktionsbedingungen weniger für die Photoumlagerung geeignet; N-Chlor-4-phenyl-butansäure-amid liefert neben *4-Phenyl-butansäure-amid* (32% d.Th.) das *4-Chlor-4-phenyl-butansäure-amid* nur in 19%iger Ausbeute[3]. N-Chlor-N-alkyl-amide lassen sich in benzolischer Lösung oder auch in schwefelsäurehaltiger Trifluoressigsäure erfolgreich in die 4-Chlor-N-alkyl-amide umlagern[4]

4-Chlor-N-methyl-pentansäure-amid[3,4]: Eine 0,6 m Lösung von N-Chlor-N-methyl-pentansäure-amid in Trifluoressigsäure, die außerdem 1,2 Mol/*l* Schwefelsäure enthält, wird in einem Quarz- oder Vycor-Kolben bei 5° unter Stickstoff 75 Min. mit einer 100 W Quecksilber-Bogenlampe durch ein Vycor-Filter bestrahlt. Die Trifluoressigsäure wird durch Vak.-Dest. abgetrennt, der Rückstand auf Eis gegossen und mit Dichlormethan extrahiert. Die org. Phase wird mit wäßrigem Natriumhydrogencarbonat gewaschen und das Lösungsmittel abgedampft. Der Rückstand wird i. Vak. unter Stickstoff destilliert; Ausbeute: 21% d.Th.; Kp₀,₇: 101°; $n_D^{23,5} = 1,4724$.

[1] R. S. NAELE, N. L. MARCUS u. R. G. SCHEPERS, Am. Soc. **88**, 3051 (1966).
[2] US. P. 3368953 (1968), Research Corp. New York, Erf.: R. C. PETTERSON; C. A. **68**, 77782t (1968).
[3] R. C. PETTERSON u. A. WAMBSGANS, Am. Soc. **86**, 1648 (1964).
[4] M. E. WOLFF, Chem. Reviews **63**, 55 (1963).
   G. ADAM, Z. **8**, 441 (1968).

β) Imine

bearbeitet von

Dr. Jack Y. Vanderhoek und Prof. Dr. Peter A. Cerutti*

Dem photochemischen Verhalten der C=N-Doppelbindung wurde viel weniger Aufmerksamkeit gewidmet als ihrem Sauerstoff-Analogon, der Carbonyl-Gruppe[1-5], obwohl Imine zu unterschiedlichen und nützlichen Photoreaktionen fähig sind. Ziel des folgenden Kapitels ist es, unter Betonung der präparativen Aspekte einen Überblick über bestehendes Schrifttum zu geben. An anderer Stelle ds. Bd. werden die verschiedenen Aza-aromaten (S. 560 ff.) behandelt.

Die ultravioletten Absorptionsspektren nichtkonjugierter Imine weisen im Bereich von $\lambda = 235$ nm eine schwache Bande ($\varepsilon \sim 100$) auf [3,6]. Diese Bande scheint einem n → π*-Übergang zu entsprechen, bei dem Elektronen vom Stickstoff mit dem antibindenden Orbital der C=N-Doppelbindung in Wechselwirkung treten. Bei konjugierten Iminen wird dieser Übergang durch die intensive π → π*-Absorption verdeckt. Jedoch wird das langwellige Ende der Absorptionsbande von konjugierten Iminen, z. T. als n → π*-Übergang angesehen.

Neueste Ergebnisse weisen daraufhin, daß der Imin-Chromophor ein relativ geringes Photo-Reaktionsvermögen besitzt [7]. Dies wird einer sehr wirksamen Desaktivierung des angeregten Zustandes durch Rotation um die C=N-Doppelbindung zugeschrieben.

Photoreaktionen von Chinon-monoiminen und -bis-iminen sind auf S. 983 ff. beschrieben.

β₁) Isomerisierungen und Umlagerungen

Zur Photochromie von Iminen s. S. 1525, 1529.

Eine photochemisch bedingte Racemisierung tritt bei *3,10a;5a,8-Dimethano-1,2,3,4, 5a,6,7,8,9,10a-decahydro-phenazin* ein[8]. Nach 30 stdg. Belichtung (200 W Quecksilber-Mitteldruck-Lampe, Hanovia) sind 90% des Ausgangsmaterials racemisiert:

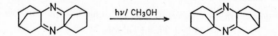

8-Methoxy-7-aza-bicyclo[4.2.2]decatetraen (I) geht bei Bestrahlung (450 W Quecksilber-Mitteldruck-Lampe, Hanovia 679 A-36) in das isomere *3-Methoxy-2-aza-tricyclo[3.3.2.0⁴,⁶]decatrien-(2,7,9)* (II; 54% d.Th.) über[9]:

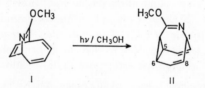

* The J. Hillis-Miller Health Center, University of Florida, Gainsville, Florida.

[1] N. J. Turro, *Molecular Photochemistry*, W. A. Benjamin, Inc., New York 1965.
[2] R. O. Kan, *Organic Photochemistry*, McGraw Hill Book Co., Inc., New York 1966.
[3] J. G. Calvert u. J. N. Pitts, Jr., *Photochemistry*, John Wiley & Sons, Inc., New York 1966.
[4] A. Schönberg, *Preparative Organic Photochemistry*, Springer-Verlag, New York 1968.
[5] P. Beak u. W. R. Messer in O. L. Chapman: *Organic Photochemistry*, S. 117, M. Dekker, New York 1969.
[6] J. P. Philips, L. D. Freedman u. J. C. Craig, *Organic Electronic Spectral Data*, Bd. I–VI, Wiley-Interscience, New York 1967.
[7] A. Padwa, W. Bergmark u. D. Pashayan, Am. Soc. **91**, 2653 (1969).
[8] D. G. Farnum u. G. R. Carlson, Am. Soc. **92**, 6700 (1970).
[9] L. A. Paquette u. T. J. Barton, Am. Soc. **89**, 5480 (1967).

Photolyse des Aza-bullvalens III führt zu einer Reihe weiterer Valenztautomerer[1]. Die Ergebnisse können mit dem Vorhandensein eines Photogleichgewichtes zwischen III und I erklärt werden. *8-Methoxy-7-aza-endo-* bzw. *-exo-tricyclo[4.2.0.0²,⁵]decatrien-(3,7,9)* (IV und V) und *3-Methoxy-2-aza-tricyclo[4.2.2]decatetraen* (VI) sollen aus dem Singulett von I, *3-Methoxy-2-aza-tricyclo[5.3.0.0⁴,¹⁰]decatrien-(2,5,8)* (VII) hingegen aus einem Triplett von III gebildet werden. Nach 3 stdg. Belichtung (450 W Quecksilber-Mittel-druck-Lampe, Hanovia 679 A-36) liegt folgende Produkt-Verteilung vor:

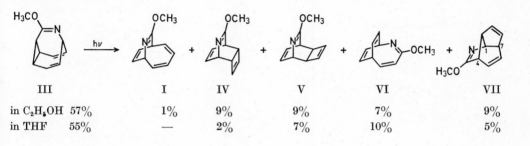

	III		I	IV	V	VI	VII
in C₂H₅OH	57%		1%	9%	9%	7%	9%
in THF	55%		—	2%	7%	10%	5%

Auch bei dem Benzo-Derivat VIII wird Valenzisomerisierung beobachtet[2]. Bei Sensi-bilisierung mit Aceton erfolgt eine Umwandlung in *3-Methoxy-⟨7,8-benzo-2-aza-tricyclo[3.3.2.0⁴,⁶]decatrien-(2,7,9)⟩* (IX; >88% d. Th.) und *10-Methoxy-⟨5,6-benzo-9-aza-tricyclo[5.2.0.0²,¹⁰]decatrien(3,5,8)⟩* (X; <5% d. Th.). Bei direkter Bestrahlung in Äther tritt haupt-sächlich Polymerisation ein; IX konnte nur in 20%iger Ausbeute isoliert werden:

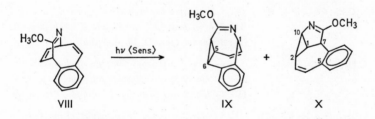

Isomerisierung wurde bei der Photolyse von einigen 2-substituierten 3H-Azepinen beobachtet[3]. Es bilden sich vermutlich durch intramolekulare Cycloaddition ausschließlich 2-Aza-Derivate:

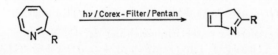

R = NH₂;   *3-Amino-2-aza-bicyclo[3.2.0]heptadien-(2,6)*; 45% d. Th.

R = N(CH₃)₂; *3-Dimethylamino-*...; 70% d. Th.

R = OC₂H₅; *3-Äthoxy-*...; 60% d. Th.

[1] L. A. PAQUETTE u. G. R. KROW, Am. Soc. **90**, 7149 (1968).

[2] L. A. PAQUETTE u. J. R. MALPASS, Am. Soc. **90**, 7151 (1968).

[3] R. A. ODUM u. B. SCHMALL, Chem. Commun. **1969**, 1299.

Die Bestrahlung verschiedener 3-Acyl-3H-azepine führt unter Ringverengung zu folgenden Produkten (Quecksilber-Hochdruck-Lampe; Methanol)[1]:

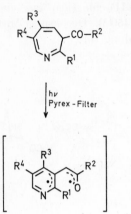
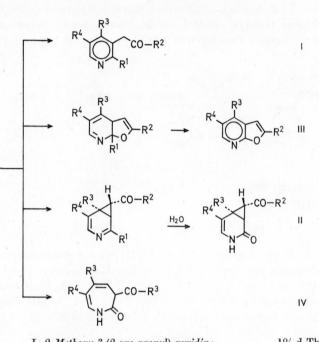

R¹ = OCH₃; R² = CH₃; R³ = R⁴ = H; I; *2-Methoxy-3-(2-oxo-propyl)-pyridin*; 1% d.Th.

R¹ = OCH₃; R² = C₆H₅; R³ = R⁴ = H; I; *2-Methoxy-3-benzoylmethyl-pyridin*; 17% d.Th.
II; *2-Oxo-7-benzoyl-3-aza-bicyclo[4.1.0]hepten-(4)*; 25% d.Th.
III; *2-Phenyl-⟨furo-[2,3-b]-pyridin⟩*; <0,05% d.Th.

R¹=OCH₃; R²=C₆H₅; R³=Cl; R⁴=H; I; *4-Chlor-2-methoxy-3-benzoylmethyl-pyridin*; 10% d.Th.
III; *4-Chlor-2-phenyl-⟨furo-[2,3-b]-pyridin⟩*; 3% d.Th.
IV; *5-Chlor-2-oxo-3-benzoyl-1,2-dihydro-3H-azepin*; 7% d.Th.

R¹ = OCH₃; R² = C₆H₅; R³ = H; R⁴ = Cl; I; *5-Chlor-2-methoxy-3-benzoylmethyl-pyridin*; 51% d.Th.

R¹=N(C₂H₅)₂; R²=C₆H₅; R³=Cl; R⁴=H; I; *4-Chlor-2-diäthylamino-3-benzoylmethyl-pyridin*; 11% d.Th.
(in Äthanol)

5-Chlor-2-anilino-3-benzoyl-3H-azepin geht unter diesen Bedingungen in *4-Chlor-1,2-diphenyl-1H-⟨-pyrrolo-[2,3-b]-pyridin⟩* (4% d.Th.) über.

Eine andere Isomerisierung unter Einbeziehung der C=N-Doppelbindung tritt bei der Photolyse von *2-Äthoxy-4,4,6-trimethyl-4,5-dihydro-3H-azepin* auf[2]. Die Bildung von *5-Oxo-1,3,3-trimethyl-1-formyl-cyclopentan* und *4-Oxo-1,1,3-trimethyl-cyclopentan* (je 21% d.Th.) nach saurer Hydrolyse, deutet auf ein instabiles 6-Aza-bicyclo[3.2.0] hepten-(6) als Zwischenprodukt. Wird die Belichtung in Gegenwart von Methanol/Natrium-

---

[1] M. OGATA, H. MATSUMOTO u. H. KANO, Tetrahedron **25**, 5217 (1969).

[2] T. H. KOCH u. D. A. BROWN, J. Org. Chem. **36**, 1934 (1971).

methanolat ausgeführt, so läßt sich das Valenzisomere in *5,7-Diäthoxy-1,3,3-trimethyl-6-aza-bicyclo[3.2.0]heptan* (45% d.Th.) überführen:

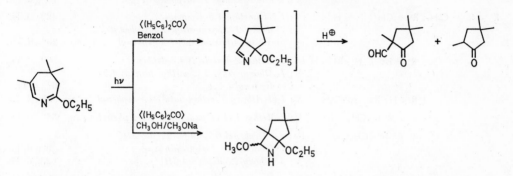

cis-3-Isocyanato-2,2-dimethyl-1-[2-methyl-propen-(1)-yl]-cyclopropan (20% d.Th.) tritt als Umlagerungsprodukt bei der Photolyse (100 W Quecksilber-Hochdruck-Lampe) von 2-Oxo-3,3,6,6-tetramethyl-3,6-dihydro-2H-azepin in Erscheinung[1]:

Die Bestrahlung verschiedener *2,3*-Dihydro-pyrazine führt zu Imidazolen[2]. Die Umlagerung soll über eine Ringöffnung zum En-bis-imin II erfolgen, das wieder cyclisiert. Die Zwischenstufe III kann sich entweder durch Wasserstoff-Wanderung oder durch Addition von Alkohol und anschließende Oxidation stabilisieren. Mit diesen Umsetzungen können die Substituenten aus der 2- und 3-Stellung eines 2,3-Dihydro-pyrazins in die Portion 2 und 1 (unter Einschub einer Methylen-Gruppe) eines Imidazols überführt werden. Zum Beispiel liefert die Bestrahlung (450 W Quecksilber-Mitteldruck-Lampe, Hanovia 679 A-36) in Äthanol unter einer Stickstoff-Atmosphäre folgende Derivate:

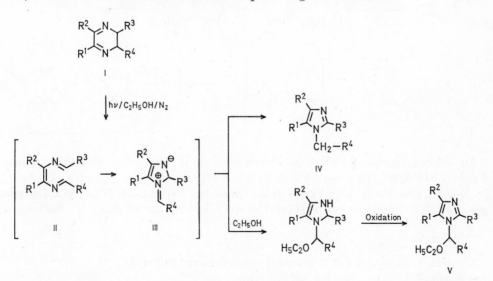

s. umseitig

---

[1] T. Sasaki, S. Eguchi u. M. Ohno, Am. Soc. **92**, 3192 (1970).
[2] P. Beak u. J. L. Miesel, Am. Soc. **89**, 2375 (1967).

Schema s. S. 1107

R¹ = R² = CH₃; R³ = R⁴ = H	IV; *1,4,5-Trimethyl-imidazol*;	71% d.Th.
	V; *1-Äthoxymethyl-4,5-diphenyl-* ...;	10% d.Th.
R¹ = R² = C₆H₅; R³ = CH₃; R⁴ = H	IV; *1,2-Dimethyl-4,5-diphenyl-* ...;	42% d.Th.
	V; *2-Methyl-1-äthoxymethyl-4,5-diphenyl-* ...	
	und *1-(1-Äthoxy-äthyl)-4,5-diphenyl-* ...; zus.	20% d.Th.
R³ = iso–C₄H₉; R⁴ = H	IV; *1-Methyl-2-Butyl-(2)-4,5-diphenyl-* ...	50% d.Th.
	V; *1-Äthoxymethyl-2-(2-methyl-propyl)-4,5-*	
	diphenyl- ...;	6% d.Th.
R³=H; R⁴=iso–C₄H₉	V; *1-(1-Äthoxy-3-methyl-butyl)-4,5-diphenyl-* ...;	20% d.Th.
R³ = R⁴ = CH₃	V; *2-Methyl-1-(1-äthoxy-äthyl)-4,5-diphenyl-* ...;	55% d.Th.
R³–R⁴ = –(CH₂)₄–	IV; *2,3-Diphenyl-6,7,8,9-tetrahydro-5H-*	
	⟨*imidazo-[1,2-a]-azepin*⟩;	9% d.Th.
	V; *5-Äthoxy-2,3-diphenyl-3H-*⟨...⟩;	62% d.Th.

In Cyclohexan als Lösungsmittel wird aus 2,3-Dimethyl-5,6-diphenyl-2,3-dihydro-pyrazin *2-Methyl-1-vinyl-4,5-diphenyl-imidazol* isoliert[1] und *1-Methyl-4,5-diphenyl-imidazol* (75% d.Th.) erhält man bei der Photolyse des entsprechenden Dihydro-pyrazins in Benzol[2].

1,4,5-Trimethyl-imidazol[3]: Eine Lösung von 1,27 g 5,6-Dimethyl-2,3-dihydro-pyrazin in 420 *ml* abs. Äthanol wird 5 Stdn. mit einer 450 W Quecksilber-Hochdruck-Lampe durch ein Pyrex-Filter bestrahlt. Nach Abziehen des Lösungsmittels i. Vak. wird der Rückstand destilliert; Ausbeute: 902 mg (71% d.Th.); Kp₁₈: 107–109°.

In Äthanol unter Stickstoff geht 2,2,3,3-Tetramethyl-5,6-diphenyl-2,3-dihydro-pyrazin in *cis*- und *trans-1,2-Bis-[isopropylidenamino]-1,2-diphenyl-äthylen*[4] über, wohingegen frühere Untersuchungen lediglich zur Isolierung von *2,2-Dimethyl-4,5-diphenyl-2,5-dihydro-imidazol* (60% d.Th.) und *2,2-Dimethyl-4,5-diphenyl-2H-imidazol* (9% d.Th.) führten[2]:

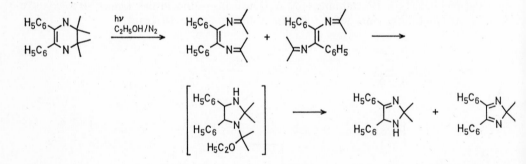

Zu anderen Ergebnissen führt die Belichtung (450 W Quecksilber-Mitteldruck-Lampe, Hanovia 679 A-36) von trans-2,3,5-Triphenyl-2,3-dihydro-pyrazin (VI) bei 15° in Benzol[5]. Das En-bis-imin VII cyclisiert thermisch zu *cis-2,3,5-Triphenyl-2,3-dihydro-pyrazin* (VIII). Photolyse von VIII führt zu einem anderen En-bis-imin (IX), das beim Er-

[1] A. Padwa, J. Smolanoff u. S. I. Wetmore, Chem. Commun. **1972**, 409.

[2] P. Beak u. J. L. Miesel, Am. Soc. **89**, 2375 (1967).

[3] H. Goth u. H. Schmid, Chimia **20**, 148 (1966).

[4] A. Padwa et al., Am. Soc. **95**, 1954 (1973).

    A. Padwa, S. Clough u. E. Glazer, Am. Soc. **92**, 1778 (1970).

wärmen in *1,2-Bis-[benzylidenamino]-1-phenyl-äthylen* (VII) übergeht. Imidazole wurden nicht gefunden!

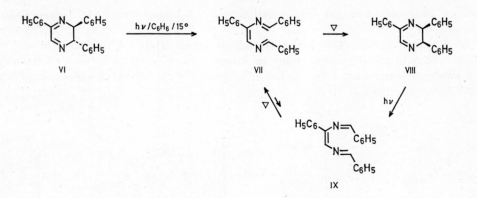

2-Acyl-2H-azirine können je nach der benutzten Wellenlänge des Lichtes (vgl. auch Lit.[1]) entweder in 1,2- oder 1,3-Oxazole überführt werden[2,3]:

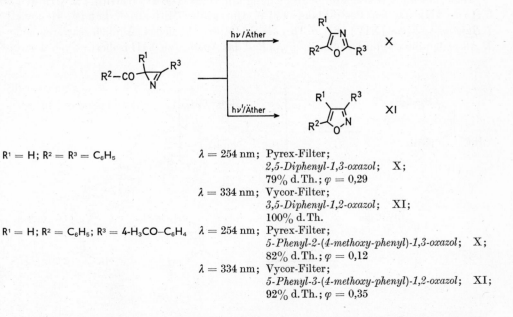

$R^1 = H$; $R^2 = R^3 = C_6H_5$ $\lambda = 254$ nm; Pyrex-Filter; *2,5-Diphenyl-1,3-oxazol*; X; 79% d.Th.; $\varphi = 0,29$

$\lambda = 334$ nm; Vycor-Filter; *3,5-Diphenyl-1,2-oxazol*; XI; 100% d.Th.

$R^1 = H$; $R^2 = C_6H_5$; $R^3 = 4\text{-}H_3CO\text{-}C_6H_4$ $\lambda = 254$ nm; Pyrex-Filter; *5-Phenyl-2-(4-methoxy-phenyl)-1,3-oxazol*; X; 82% d.Th.; $\varphi = 0,12$

$\lambda = 334$ nm; Vycor-Filter; *5-Phenyl-3-(4-methoxy-phenyl)-1,2-oxazol*; XI; 92% d.Th.; $\varphi = 0,35$

3-Phenyl-2-naphthoyl-(1)-2H-azirin geht bei $\lambda = 304$ nm in *3-Phenyl-5-naphthyl-(1)-1,2-oxazol* über, bei $\lambda = 238$ nm wird zusätzlich *2-Phenyl-5-naphthyl-(1)-1,3-oxazol* (1,3- zu 1,2-Oxazol = 3:1) gebildet. Die Anregung eines höherenergetischen n → π*-Zustandes am Stickstoff-Atom soll über einen C–C-Bindungsbruch des Azirins zum 1,3-Oxazol führen, der niederenergetische n → π*-Übergang der Carbonyl-Gruppe zum 1,2-Oxazol[4].

3,5-Diphenyl-1,2-oxazol[3]: Eine Lösung von 80 mg 3-Phenyl-2-benzoyl-2H-azirin in 50 *ml* Äther wird bei durchperlendem Stickstoff für die Dauer von 4 Stdn. mit einer U-förmigen 100 W Hanovia 30620 Quecksilber-Mitteldruck-Lampe bestrahlt, die mit einer aus Nickelsulfat, Naphthalin und Cornin's

[1] H. GOTH u. H. SCHMID, Chimia **20**, 148 (1966).
[2] D. W. KURTZ u. H. SHECHTER, Chem. Commun. **1966**, 689.
[3] B. SINGH u. E. F. ULLMAN, Am. Soc. **89**, 6911 (1967), und dort zitierte Lit.
[4] B. SINGH, A. ZWEIG u. J. B. GALLIVAN, Am. Soc. **94**, 1199 (1972).

Glas 7-51 bestehenden Filter-Kombination ausgestattet ist. Die Aufarbeitung erfolgt durch Chromatographie an Silicagel mit Chloroform. Ausbeute: 68 mg (100% d.Th., bez. auf zurückgenommenes Ausgangsmaterial).

Über Photoumlagerungen von substituierten 1,3-Diaza-bicyclo[3.1.0]hepten-(3)-Verbindungen s. S. 1115.

Die Photoumlagerung (Quecksilber-Hochdruck-Lampe, Hanau Q 81) von *5-Imino-2,3,4-triphenyl-2,5-dihydro-1,2-oxazol* führt in Äthanol überwiegend zu *2-Oxo-3,4,5-triphenyl-2,3-dihydro-imidazol* (61% d.Th.), in Benzol hauptsächlich zu *2-Oxo-3-(α-anilino-benzyliden)-2,3-dihydro-indol* (65% d.Th.)[1]:

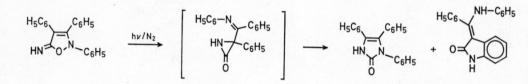

Primär einer 1,3-Wasserstoff-Verschiebung unterliegt *3-Butylimino-2,2-dimethyl-butan* (XII), das bei Bestrahlung (450 W Quecksilber-Mitteldruck-Lampe, Hanovia L) *1-Butylimino-butan* (XIV; 16% d.Th.) als Hauptprodukt liefert. Ähnlich reagieren andere N-Alkyliden-butylamine, wobei in einem Fall das Analoge zu XIII isoliert werden konnte[2].

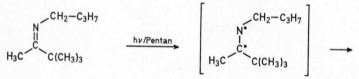

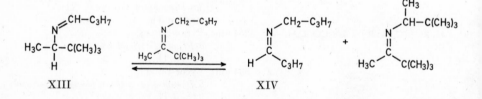

Die Photolyse des Ketenimins XV (Quecksilber-Mitteldruck-Lampe, Hanovia 679 A-36) führt durch Kombination des primär entstandenen Radikalpaares zur Bildung des isomeren *1,1'-Dicyan-bicyclohexyl* (24% d.Th.)[3]:

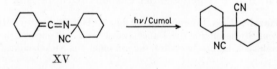

[1] H. G. AURICH, A. **732**, 195 (1970).

[2] D. A. NELSON, R. L. ATKINS u. G. L. CLIFTON, Chem. Commun. **1968**, 399.

[3] J. R. FOX u. G. S. HAMMOND, Am. Soc. **86**, 4031 (1964).

β_2) *Cycloadditionen*

4-Dimethylamino-benzaldehyd-phenylimin bildet folgende Photolyseprodukte: *trans*-Azobenzol (35% d.Th.), *cis-4,4'-Dimethylamino-stilben* (25% d.Th.) und *9-Dimethyl-amino-phenanthridin* (15% d.Th.). Der Reaktionsablauf wird über eine Diazetidin-Zwischenstufe gedeutet, wobei die überraschend geringe Dehydrocyclisierung unerklärt bleibt[1]:

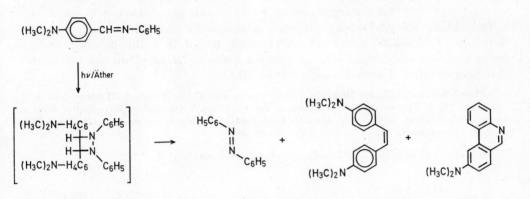

β-Lactame entstehen durch Cycloaddition von Ketenen und Schiff'schen Basen[2]. Partiell aliphatisch substituierte Imine reagieren dabei schlechter als rein aromatisch substituierte Verbindungen. Im Gegensatz zu der früheren Beobachtung, daß Ketoketene bereits im Dunkeln β-Lactame bilden[3], benötigt man für die Cycloaddition von Aldoketenen photochemische Aktivierung.

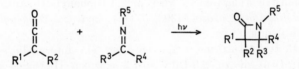

4-Oxo-1,2,2,3-tetraphenyl-azetidin[2]: Eine Lösung von 1,46 g Diazo-benzoyl-methan und 2,57 g Benzophenon-phenylimin in 100 *ml* Benzol wird mit einer Quecksilber-Hochdruck-Lampe, Hanau Q 81, bis zum Aufhören der Stickstoff-Entwicklung ($\sim$5 Stdn.) bestrahlt. Nach dem Verdampfen des Benzols wird der Rückstand in Chloroform gelöst und über Aluminiumoxid chromatographiert. Das Eluierungsmittel wird abgezogen, der Rückstand in 20 *ml* heißem Methanol aufgeschlämmt. Nach Abfiltrieren fallen 2,85 g (76% d.Th.) eines Rohproduktes (F: 143–145°) an. Nach 2maligem Umkristallisieren aus Butanol, F: 146–147°.

Elektronenarme Olefine können an angeregte 3-Aryl-2H-azirine unter Bildung von 3,4-Dihydro-2H-pyrrol-Derivaten addiert werden[4]. Es wird vermutet, daß das elektronisch angeregte Azirin in ein Nitril-Ylid übergeht, das sich dann mit geeigneten Dienophilen zum Pyrrolin umsetzt:

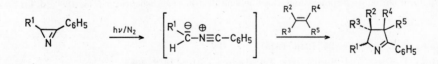

[1] S. SEARLES u. R. A. CLASEN, Tetrahedron Letters **1965**, 1627.
[2] W. KIRMSE u. L. HORNER, B. **89**, 2759 (1956).
[3] H. STAUDINGER, *Die Ketene*, Enke, Stuttgart 1912.
[4] A. PADWA u. J. SMOLANOFF, Am. Soc. **93**, 548 (1971).

So liefert z. B. 3-Phenyl-2H-azirin mit Acrylsäure-methylester (450 W Quecksilber-Mitteldruck-Lampe, Hanovia „L"; Vycor-Filter) *5-Phenyl-3-methoxycarbonyl-3,4-dihydro-2H-pyrrol* (80% d.Th.), mit Acrylnitril entsteht *5-Phenyl-3-cyan-3,4-dihydro-2H-pyrrol* (70% d.Th.). Das Cycloaddukt mit Tetracyanäthylen, *5-Phenyl-3,3,4,4-tetracyan-3,4-dihydro-2H-pyrrol*, fällt in 95% iger Ausbeute an.

Methacrylsäure-methylester wird an 3-Phenyl-2H-azirin zu *3-Methyl-5-phenyl-3-carboxy-* und *4-Methyl-5-phenyl-4-carboxy-3,4-dihydro-2H-pyrrol* (60% d.Th. bzw. 40% d.Th.) addiert. Mit 2,3-Diphenyl-2H-azirin entstehen *(Z)-* und *(E)-3-Methyl-2,5-diphenyl-3-carboxy-3,4-dihydro-2H-pyrrol* (40% d.Th. sowie 60% d.Th.). Mit 95% iger Ausbeute bildet sich *cis-2,5-Diphenyl-3-methoxycarbonyl-3,4-dihydro-2H-pyrrol* aus den entsprechenden Komponenten. Weitere Beispiele s. Orig.-Lit.[1,2].

5-Phenyl-3-cyan-3,4-dihydro-2H-pyrrol[1]: Eine Lösung aus 500 mg 3-Phenyl-2H-azirin, 5 *ml* Acrylnitril und 250 *ml* Pentan wird unter Stickstoff mit einer 500 W Quecksilber-Bogenlampe durch ein Vycor-Filter belichtet. Nach 2 Stdn. wird das Lösungsmittel abgezogen und das hinterbleibende Öl aus Hexan umkristallisiert; Ausbeute: 70% d.Th.; F: 95–96°.

Auch die Addition an C≡C-Dreifachbindungen ist möglich[1,3]:

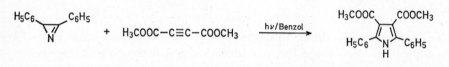

2,5-Diphenyl-3,4-dimethoxycarbonyl-pyrrol; 95% d.Th.

Cyan-ameisensäure-äthylester wird an 2,3-Diphenyl-2H-azirin zu *5-Äthoxy-2,4-diphenyl-5-cyan-2,5-dihydro-1,3-oxazol* (30% d.Th.) und *2,5-Diphenyl-4-äthoxycarbonyl-imidazol* (14% d.Th.) addiert[3–5].

3-Aryl- und **3-Benzyl-2H-azirine** reagieren über ein intermediäres Nitril-Ylid mit **Carbonyl-Verbindungen** zu **2,5-Dihydro-1,3-oxazolen** (Beispiele enthält Tab. 157, S. 1113):

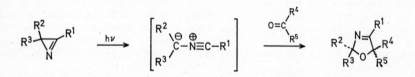

2,2-Dimethyl-5-isopropyl-4-phenyl-2,5-dihydro-1,3-oxazol[6]: Eine Lösung von 435 mg 2,2-Dimethyl-3-phenyl-2H-azirin und 6 mMol 2-Methyl-propanol in 160 *ml* Benzol wird 1,5 Stdn. mit einer Quecksilber-Hochdruck-Lampe (Hanau TQ 150) durch ein Pyrex-Filter belichtet. Das Photolysat wird mit einer ges. Natriumhydrogensulfit-Lösung gewaschen und zur Trockene gebracht. Der Rückstand wird an Silicagel mit Chloroform chromatographiert und anschließend destilliert; Ausbeute: 523 mg (80% d.Th.).

---

[1] A. Padwa et al., Am. Soc. **95**, 1945 (1973).

[2] A. Padwa, D. Dean u. J. Smolanoff, Tetrahedron Letters **1972**, 4087.

[3] H. Giezendanner et al., Helv. **55**, 745 (1972).

[4] N. Gakis et al., Helv. **55**, 748 (1972).

[5] A. Padwa u. J. Smolanoff, Chem. Commun. **1973**, 342.

[6] H. Giezendanner et al., Helv. **56**, 2611 (1973).

Tab. 157. 2,5-Dihydro-1,3-oxazole aus 2H-Azirinen und Carbonyl-Verbindungen

Ausgangsverbindungen	Cycloaddukt ...-2,5-dihydro-1,3-oxazol	Ausbeute [% d.Th.]	Literatur
(2H-Azirin mit C_6H_5)			
+ Butanal[a]	5-Propyl-4-phenyl-...	32	1, 2
+ Benzaldehyd[a]	4,5-Diphenyl-...	62	1–3
+ 4-Methyl-benzaldehyd[a]	4-Phenyl-5-(4-methyl-phenyl)-...	54	1, 2
+ Diphenylketen	4-Phenyl-5-(α-phenyl-benzyliden)-...	20–40	4
+ Kohlendioxid[b]	5-Oxo-4-phenyl-...	30	1, 5
(2H-Azirin mit $CH_2-C_6H_5$)			
+ Trifluoressigsäure-methylester[c]	5-Methoxy-5-trifluormethyl-4-benzyl-...	60	6
+ Kohlendioxid	5-Oxo-4-benzyl-...	40	6
(2H-Azirin mit H_3C, C_6H_5)			
+ Mesoxalsäure-diäthylester[b]	2-Methyl-4-phenyl-5,5-diäthoxy-carbonyl-...	35–60	7
+ Benzaldehyd[a]	cis-2-Methyl-4,5-diphenyl-...	18	1, 2
	+trans-...	9	
+ Trifluoracetyl-benzol[b]	(Z)-2-Methyl-5-trifluormethyl-4,5-diphenyl-...	80	7
+ Diphenylketen[b]	2-Methyl-4-phenyl-5-(α-phenyl-benzyliden)-...	20–40	4
+ Kohlendioxid[b]	5-Oxo-2-methyl-4-phenyl-...	71	5
(2H-Azirin mit H_5C_6, C_6H_5)			
+ 2-Methyl-propanal[b]	cis-5-Isopropyl-2,4-diphenyl-...	35	1, 2
	+trans-...	9	
+ Aceton[b]	5,5-Dimethyl-2,4-diphenyl-...	39	8, 9
+ Mesoxalsäure-diäthylester[b]	2,4-Diphenyl-5,5-diäthoxycarbonyl-...	35–60	7
+ Benzaldehyd[b]	cis-2,4,5-Triphenyl-...	16–27	1, 2, 8, 9
	+trans-...	8–11	
+ 4-Chlor-benzaldehyd[b]	(Z)-2,4-Diphenyl-5-(4-chlor-phenyl)-...	19	1, 2
	(E)-...	7	
+ Diphenylketen[b]	2,4-Diphenyl-5-(α-phenyl-benzyliden)-...	20–40	4
+ Kohlendioxid[b]	5-Oxo-2,4-diphenyl-...	60	1, 2

[a] Quarz.   [b] Pyrex-Filter.   [c] Vycor-Filter.

[1] H. GIEZENDANNER et al., Helv. 55, 745 (1972).
[2] H. GIEZENDANNER et al., Helv. 56, 2611 (1973).
[3] H. GIEZENDANNER et al., Helv. 56, 2588 (1973).
[4] H. HEIMGARTNER et al., Chimia 26, 424 (1972).
[5] B. JACKSON et al., Helv. 55, 916 (1972).
[6] A. ORAHOVATS et al., Helv. 56, 2007 (1973).
[7] B. JACKSON et al., Helv. 55, 919 (1972).
[8] A. PADWA, D. DEAN u. J. SMOLANOFF, Tetrahedron Letters 1972, 4087.
[9] A. PADWA, J. SMOLANOFF u. S. I. WETMORE, J. Org. Chem. 38, 1333 (1973).

Tab. 157 (1. Fortsetzung)

Ausgangsverbindungen	Cycloaddukt ...-2,5-dihydro-1,3-oxazol	Ausbeute [% d.Th.]	Literatur
H₃C—C(CH₃)—C₆H₅ (Aziridin)			
+ Propanal[a]	2,2-Dimethyl-5-äthyl-4-phenyl-...	74	1
+ Mesoxalsäure-diäthylester[a]	2,2-Dimethyl-4-phenyl-5,5-diäthoxy-carbonyl-...	35–60	2
+ Benzaldehyd[a]	2,2-Dimethyl-4,5-diphenyl-...	60	1
+ 4-Methyl-benzaldehyd[a]	2,2-Dimethyl-4-phenyl-5-(4-methyl-phenyl)-...	70	1
+ Trifluoracetyl-benzol[a]	2,2-Dimethyl-5-trifluormethyl-4,5-diphenyl-...	90	2
+ Diphenylketen[a]	2,2-Dimethyl-4-phenyl-5-(α-phenyl-benzyliden)-...	20–40	3
+ Kohlendioxid[a]	5-Oxo-2,2-dimethyl-4-phenyl-...	70	4

[a] Pyrex-Filter.

Auch C=S- und C=N-Doppelbindungen können als Dienophil fungieren und mit dem intermediären Nitril-Ylid fünfgliedrige Cycloaddukte bilden[4]:

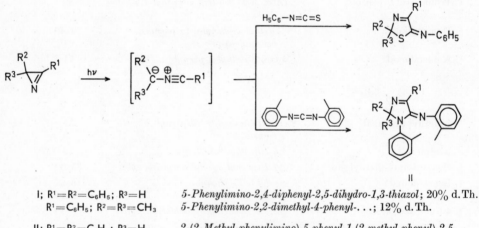

I; R¹=R²=C₆H₅; R³=H   5-Phenylimino-2,4-diphenyl-2,5-dihydro-1,3-thiazol; 20% d.Th.
R¹=C₆H₅; R²=R³=CH₃   5-Phenylimino-2,2-dimethyl-4-phenyl-...; 12% d.Th.

II; R¹=R²=C₆H₅; R³=H   2-(2-Methyl-phenylimino)-5-phenyl-1-(2-methyl-phenyl)-2,5-dihydro-imidazol; 33% d.Th.
R¹=C₆H₅; R²=R³=CH₃   2-(2-Methyl-phenylimino)-5,5-dimethyl-4-phenyl-1-(2-methyl-phenyl)-...; 29% d.Th.

Werden 3-Phenyl-2H-azirine in inerten Lösungsmitteln photolysiert, so erfolgt Dimerisierung zu 1,3-Diaza-bicyclo[3.1.0]hexen-(3)-Derivaten. Es könnte gezeigt werden, daß

[1] H. Giezendanner et al., Helv. 56, 2611 (1973).
[2] B. Jackson et al., Helv. 55, 919 (1972).
[3] H. Heimgartner et al. Chimia 26, 424 (1972).
[4] B. Jackson et al., Helv. 55, 916 (1972).

andere, aus den Photolysaten isolierbare Verbindungen, durch Folgereaktionen aus diesen Bicyclen entstehen[1-12].

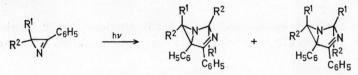

R¹=H; R²=CH₃   *endo-2, exo-6-Dimethyl-4,5-diphenyl-1,3-diaza-bicyclo[3.1.0]hexen-(3)*; 11% d.Th.
$\qquad$ + *exo-2-exo-6-Dimethyl-4,5-diphenyl-...*; 34% d.Th.
R¹=H; R²=C₆H₅;   *endo-2,4,5, exo-6-Tetraphenyl-...*; 35% d.Th.
$\qquad$ + *exo-2,4,5, exo-6-Tetraphenyl-...*; 25% d.Th.
R¹=R²=CH₃;   *2,2,6,6-Tetramethyl-4,5-diphenyl-...*; 45–50% d.Th.

4,5-Diphenyl-1,3-diaza-bicyclo[3.1.0]hexen-(3)[6]: 500 mg 3-Phenyl-2H-azirin werden in 400 *ml* Benzol gelöst und 5 Stdn. mit einer 450 W Hanovia Lampe durch ein Vycor-Filter bestrahlt. Anschließend wird das Solvens i. Vak. abgezogen und das verbleibende Öl zur Kristallisation gebracht; Ausbeute: 425 mg (85% d.Th.); F: 136–138°.

Bestrahlung von 3-Phenylimino-1-azetinen führt unter Abspaltung von Benzonitril ebenfalls zu Nitril-Yliden, die mit Olefinen, Acetylen-Derivaten oder Alkoholen abgefangen werden können[13]:

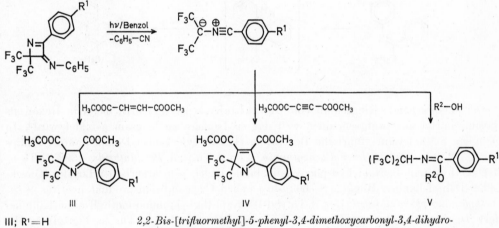

III; R¹=H   *2,2-Bis-[trifluormethyl]-5-phenyl-3,4-dimethoxycarbonyl-3,4-dihydro-2H-pyrrol*; 35% d.Th.
$\quad$ R¹=CH₃   *2,2-Bis-[trifluormethyl]-5-(4-methyl-phenyl)-...*; 43% d.Th.
IV; R¹=H   *2,2-Bis-[trifluormethyl]-5-phenyl-3,4-dimethoxycarbonyl-2H-pyrrol*; 25% d.Th.
$\quad$ R¹=CH₃   *2,2-Bis-[trifluormethyl]-5-(4-methyl-phenyl)-...*; 33% d.Th.
V; R¹=H; R²=CH₃   *Benzoesäure-methylester-[1,1,1,3,3,3-hexafluor-propyl-(2)-imid]*; 40% d.Th.
$\qquad$ R²=C₂H₅   *Benzoesäure-äthylester-...*; 44% d.Th.
$\quad$ R¹=Cl; R²=CH₃   *4-Chlor-benzoesäure-methylester-...*; 40% d.Th.
$\qquad$ R²=C₂H₅   *4-Chlor-benzoesäure-äthylester-...*; 43% d.Th.

[1] B. JACKSON et al., Helv. **55**, 916 (1972).
[2] A. PADWA, D. DEAN u. J. SMOLANOFF, Tetrahedron Letters **1972**, 4087.
[3] A. PADWA et al., Am. Soc. **95**, 1945 (1973); **94**, 1395 (1972); Pure Appl. Chem. **33**, 269 (1973).
[4] A. PADWA, J. SMOLANOFF u. S. I. WETMORE, J. Org. Chem. **38**, 1333 (1973); Chem. Commun. **1972**, 409.
[5] A. PADWA u. J. SMOLANOFF, Chem. Commun. **1973**, 342.
[6] A. PADWA et al., Am. Soc. **95**, 1945 (1973).
[7] A. PADWA u. S. I. WETMORE, Chem. Commun. **1972**, 1116.
[8] H. GIEZENDANNER et al., Helv. **55**, 745 (1972); **56**, 2611, 2588 (1973).
[9] B. JACKSON et al., Helv. **55**, 919 (1972).
[10] A. ORAHOVATS et al., Helv. **56**, 2007 (1973).
[11] H. HEIMGARTNER et al., Chimia **26**, 424 (1972).
[12] N. GAKIS et al., Helv. **55**, 748 (1972).
[13] K. BURGER, W. THENN u. E. MÜLLER, Ang. Ch. engl. **12**, 155 (1973).

Imino-oxetane werden durch Cycloaddition verschiedener Ketenimine an eine Reihe von Ketonen erhalten[1]. Eine ausführliche Behandlung dieses Reaktionstyps befindet sich auf S. 868f..

Umgekehrt werden *Isocyanate* und *Olefine* bei Bestrahlung (450 W Quecksilber-Mitteldruck-Lampe, Hanovia 679 A-36) von 2-Imino-oxetanen erhalten[1], 3-Imino-oxetane sind photostabil.

β_3) *verschiedene Reaktionen*

Benzophenon-phenylimin geht durch Bestrahlung (G. E. 400 W Quecksilber-Dampf-Lampe; 67 Stdn.) in belüftetem Cyclohexan in *6-Phenyl-phenanthridin* (46% d.Th.; $\varphi = 3 \cdot 10^{-5}$) über[2,3]:

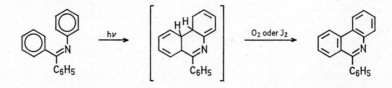

Der entsprechende Ringschluß von Benzaldehyd-phenylimin bleibt in Hexan als Lösungsmittel aus, wahrscheinlich weil das *cis*-Isomere zu langsam gebildet wird[4]. In 98%iger Schwefelsäure führt die Belichtung (125 W Quecksilber-Dampf-Lampe, Philips HPK, 72 Stdn.) neben *Phenyl-benzyl-amin* (17% d.Th.) zu *Phenanthridin* (39% d.Th.)[5]. 4-Dimethylamino-benzaldehyd-phenylimin bildet dagegen in ätherischer Lösung (Quecksilber-Dampf-Lampe, Hanovia S; 60 Stdn.) neben Cycloadditionsprodukten etwas *9-Dimethylamino-phenanthridin* (15% d.Th.)[3]. 1-[N-Naphthyl-(1)-imino-methyl]-naphthalin liefert *Dibenzo-[c;i]-phenantridin* (40% d.Th. in Äthanol; 15% d.Th. in Benzol)[4,6]. Mit 60%iger Ausbeute führt die Belichtung von 4-(Phenylimino-methyl)-chinolinen in konz. Schwefelsäure zu *Dibenzo-[c;h]-[2,6]-naphthyridin*[7].

6-Phenyl-phenanthridin[4]: Eine Lösung von 322 mg Benzophenon-phenylimin und 16 mg Jod in 250 *ml* Cyclohexan wird unter magnetischer Rührung 67 Stdn. mit einer abgeänderten 400 W G. E. Quecksilber-Lampe bestrahlt (Tauchschacht aus Quarz). Das Rohprodukt wird an Tonerde mit Petroläther (Kp: 60–70°) als Elutionsmittel chromatographiert, aus Petroläther (Kp: 30–40°) umkristallisiert und schließlich i. Vak. sublimiert; Ausbeute: 146 mg (46% d.Th.); F: 105–106°.

---

[1] L. A. Singer u. P. D. Bartlett, Tetrahedron Letters **1964**, 1887.
  L. A. Singer u. G. A. Davis, Am. Soc. **89**, 158; 598; 941 (1967).
  L. A. Singer, G. A. Davis u. V. P. Muralidharan, Am. Soc. **91**, 897 (1969).

[2] P. Hugelshofer, J. Kalvoda u. K. Schaffner, Helv. **43**, 1322 (1960).

[3] S. Searles u. R. A. Clasen, Tetrahedron Letters **1965**, 1627.

[4] F. B. Mallory u. C. S. Wood, Tetrahedron Letters **1965**, 2643.

[5] G. M. Badger, C. P. Joshua u. G. E. Lewis, Tetrahedron Letters **1964**, 3711.

[6] M. P. Cava u. R. H. Schlesinger, Tetrahedron Letters **1964**, 2109.

[7] V. M. Clark u. A. Cox, Tetrahedron **22**, 3421 (1966).

Einen Dehydrierungsschritt schließt auch die photochemische Bildung (200 W Queck-silber-Immersions-Lampe) von folgenden fünfgliedrigen Heteroaromaten aus *ortho*-sub-stituierten Schiff'schen Basen ein[1]:

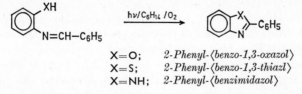

X=O; 2-*Phenyl-⟨benzo-1,3-oxazol⟩*
X=S; 2-*Phenyl-⟨benzo-1,3-thiazl⟩*
X=NH; 2-*Phenyl-⟨benzimidazol⟩*

Cyclisierung unter Einbau von Lösungsmittel-Molekülen findet bei Bestrahlung (125 W Quecksilber-Dampf-Lampe, Philips HPK) von Benzaldehyd-naphthyl-(2)-iminen in primären Alkoholen (mit Ausnahme von Methanol) in Gegenwart von Luft statt[2-4]:

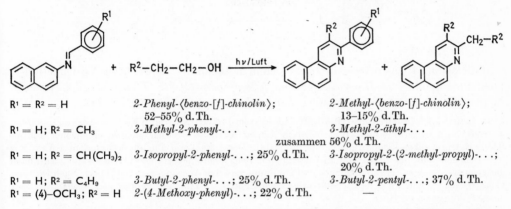

R¹ = R² = H   2-*Phenyl-⟨benzo-[f]-chinolin⟩*;   2-*Methyl-⟨benzo-[f]-chinolin⟩*;
52–55% d.Th.   13–15% d.Th.
R¹ = H; R² = CH₃   3-*Methyl-2-phenyl-*...   3-*Methyl-2-äthyl-*...
     zusammen 56% d.Th.
R¹ = H; R² = CH(CH₃)₂   3-*Isopropyl-2-phenyl-*...; 25% d.Th.   3-*Isopropyl-2-(2-methyl-propyl)-*...;
     20% d.Th.
R¹ = H; R² = C₄H₉   3-*Butyl-2-phenyl-*...; 25% d.Th.   3-*Butyl-2-pentyl-*...; 37% d.Th.
R¹ = (4)–OCH₃; R² = H   2-*(4-Methoxy-phenyl)-*...; 22% d.Th.   —

In viel geringeren Ausbeuten können entsprechend Chinoline aus den Schiff'schen Basen von Benzaldehyd und Anilin[5] oder 3-Amino-1-methoxy-benzol[2] erhalten werden. Über mechanistische Interpretationen s. Lit.[2,6].

Hydroxyalkylierung erfolgt durch Bestrahlung (Quecksilber-Niederdruck-Lampe, Hanau NK 6/20) von in Methanol gelösten Iminium-Salzen mit Benzophenon als Sensibili-sator bei Abwesenheit von Sauerstoff[7]:

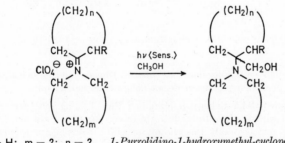

R = H; m = 2; n = 2   1-*Pyrrolidino-1-hydroxymethyl-cyclopentan*; 24% d.Th.
     n = 3   ...-*cyclohexan*; 75% d.Th.
     n = 4   ...-*cycloheptan*; 50% d.Th.
     m = 3; n = 2   1-*Piperidino-1-hydroxymethyl-cyclopentan*; 24% d.Th.
R = CH₃; m = 3; n = 3   1-*Piperidino-2-methyl-1-hydroxymethyl-cyclohexan*; 52% d.Th.

[1] K. H. GRELLMANN u. E. TAUER, Tetrahedron Letters **1967**, 1909.
[2] P. J. COLLIN et al., Tetrahedron **24**, 3069 (1968).
[3] J. S. SHANNON, H. SILBERMAN u. S. STERNHELL, Tetrahedron Letters **1964**, 659.
[4] P. J. COLLIN et al., Tetrahedron Letters **1965**, 2063.
[5] R. L. FUREY u. R. O. KAN, Tetrahedron **24**, 3085 (1968).
[6] F. R. STERMITZ, R. P. SEIBER u. D. E. NICODEM, J. Org. Chem. **33**, 1136 (1968).
[7] W. DORSCHELN et al., Helv. **50**, 1759 (1967).

4-Heptyliden-(4)-morpholinium-sulfat geht entsprechend nach 18stdg. Belichtung in *4-Morpholino-4-hydroxymethyl-heptan* (25% d.Th.) über, und 1-Cholestanyliden-(3)-pyrrolidinium-chlorid liefert neben einfachen Reduktionsprodukten[1,2] *3-Pyrrolidino-3-hydroxymethyl-cholestan* (43% d.Th.).

Während 4a,9-Dimethyl-1,2,3,4-tetrahydro-4aH-carbazolium-jodid und das entsprechende Chlorid des Diäthyl-Derivats photochemisch (Quecksilber-Niederdruck-Lampe, Philips 93 109 E) neben den Aminen als Reduktionsprodukte *4a,9-Dimethyl-9a-hydroxy-methyl-* bzw. *9a-Hydroxymethyl-4a,9-diäthyl-1,2,3,4,4a,9a-hexahydro-carbazol* liefert[2], kann bei 4a-Methyl-1,2,3,4-tetrahydro-4aH-carbazol das primäre Additionsprodukt nicht isoliert werden. Mit dem aus Methanol gebildeten Formaldehyd entsteht *7a-Methyl-5,6,7,7a-tetrahydro-1H,3H,4H-⟨1,3-oxazolo-[4,3-k]-carbazol⟩* (51% d.Th.)[2]:

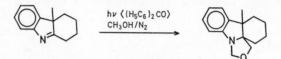

Lediglich in 14%iger Ausbeute bildet sich in Methanol/Aceton (1:1) aus 3,3-Dimethyl-2-phenyl-3H-indol   *9,9-Dimethyl-9a-phenyl-9,9a-dihydro-1H,3H-⟨1,3-oxazolo-[3,4-a]-indol⟩*. Sauerstoff verhindert die Umsetzung. Zur mechanistischen Deutung vgl. Lit.[3].

7a-Methyl-5,6,7,7a-tetrahydro-1H,3H,4H-⟨1,3-oxazolo-[4,3-k]-carbazol⟩[2]: Vier Ansätze von je 300 mg 4a-Methyl-1,2,3,4-tetrahydro-4aH-carbazol in 125 *ml* Methanol werden 48 Stdn. mit einer Philips 93 109 E Quecksilber-Niederdruck-Lampe bestrahlt. Die vereinigten Photolysate werden i. Vak. zur Trockene gebracht, der Rückstand an Kieselgel mit Benzol chromatographiert. Das Produkt wird nach geringen Mengen von Verunreinigungen und vor unumgesetzten Ausgangsmaterial eluiert. Nach Destillation: 575 mg (51% d.Th.); Kp$_{0,001}$: 100–110°; nach Umkristallisation aus Pentan und Methanol/Wasser sowie Sublimation im Hochvak., F: 83,5°.

d,l- und *meso-1,3-Dimethyl-4,5-diphenyl-imidozolidin* bildet sich neben 3,4-Dihydrochinolin-Derivaten bei der Photolyse (Quecksilber-Niederdruck-Lampe, Hanau NK 6/20) von Benzaldehyd-methylimin[4,5]:

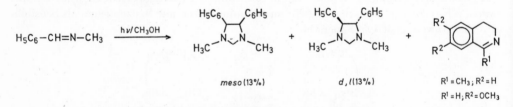

Es wird angenommen, daß die Imidazoline über Dihydro-Dimere und eine sich anschließende Kondensation mit dem aus dem Methanol gebildeten Formaldehyd entstanden sind[6].

meso- und d,l-1,3-Dimethyl-4,5-diphenyl-imidazolin[5]: Eine Lösung von 1,0 g Benzaldehyd-methylimin in 500 *ml* Methanol wird in einer Durchfluß-Apparatur aus Quarz mit einer Quecksilber-Niederdruck-Lampe, Hanau NK 6/20 bestrahlt. Das Photolysat wird i. Vak. eingeengt und der ölige Rückstand auf Silicagel mit Chloroform/Methanol (100:1,5) chromatographiert. Die beweglichere der beiden Hauptfraktionen wird destilliert (Kp$_{0,001}$: 80–90°) und das kristallisierende Destillat aus wäßrigem Methanol umkristallisiert; Ausbeute an *meso*-Verbindung: 96 mg (13% d.Th.); F: 48–49°. Die *d,l*-Verbindung wird erneut chromatographiert und danach destilliert; Ausbeute: 92 mg (12% d.Th.); Kp$_{0,001}$: 70–80°.

[1] W. Dorscheln at al., Helv. **50**, 1759 (1967).
[2] P. Cerutti u. H. Schmid, Helv. **45**, 1992 (1962).
[3] A. Padwa, W. Bergmark u. D. Pashayan, Am. Soc. **91**, 2653 (1969).
[4] P. Cerutti u. H. Goth, Chimia **17**, 391 (1963).
[5] P. Cerutti u. H. Schmid, Helv. **47**, 203 (1964).
[6] A. Padwa, W. Bergmark u. D. Pashayan, Am. Soc. **91**, 2653 (1969); Am. Soc. **90**, 4459 (1968).
      A. Padwa u. L. Hamilton, Am. Soc. **89**, 102 (1967).

In einer analogen Reaktion wird die methanolische Lösung von 1-Methyl-3,4-di-hydro-isochinolin in *meso*- und *d,l-15b,15c-Dimethyl-5,6,10,11,15b,15c-hexahydro-8H-⟨imidazo-[5,1-a; 4,3-a']-diisochinolin⟩* überführt[1]:

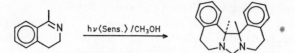

meso- und d,l-15b,15c-Dimethyl-5,6,10,11,15b,15c-hexahydro-8H-⟨imidazo-[5,1-a;4,3-á]-diiso-chinolin⟩[2,1]: 2,25 g 1-Methyl-3,4-dihydro-isochinolin und 180 g Benzophenon in 2,1 l Methanol werden in drei Portionen mit einer Philips 93110 E Quecksilber-Hochdruck-Lampe unter Stickstoff für die Dauer von 3 Stdn. bestrahlt. Nach Vereinigung der drei Ansätze wird das Photolysat i. Vak. zur Trockene gebracht, der Rückstand in Chloroform/Methanol (40:3) gelöst und durch Silicagel filtriert, um die meisten harzigen Nebenprodukte zu entfernen. Nach Konzentrieren wird das Filtrat über Silicagel mit Chloroform chromatographiert. Die mit Kaliumjodplatinat eine rotbraune Farbe ergebende Fraktion wird dann nochmals über Silicagel chromatographiert und ergibt die *meso*-Verbindung und das Racemat. Weitere Reinigung durch Umkristallisation und Sublimation im Hochvak. *meso*-Verbindung: 35,4% d.Th.; F: 149–150° (aus Pentan); *d,l*-Isomere: 9,1% d.Th.; F: 144–146° (aus Cyclohexan).

Mit sehr guten Ausbeuten verlaufen Photoadditionen von Methanol an verschiedene 2H-Azirine unter Bildung von offenkettigen α-Methoxy-iminen[3]:

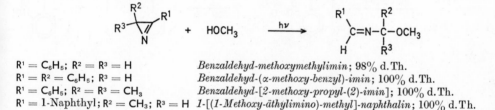

$R^1 = C_6H_5$; $R^2 = R^3 = H$ *Benzaldehyd-methoxymethylimin*; 98% d.Th.
$R^1 = R^2 = C_6H_5$; $R^3 = H$ *Benzaldehyd-(α-methoxy-benzyl)-imin*; 100% d.Th.
$R^1 = C_6H_5$; $R^2 = R^3 = CH_3$ *Benzaldehyd-[2-methoxy-propyl-(2)-imin]*; 100% d.Th.
$R^1 = 1$-Naphthyl; $R^2 = CH_3$; $R^3 = H$ *1-[(1-Methoxy-äthylimino)-methyl]-naphthalin*; 100% d.Th.

Mit lediglich 65%iger Ausbeute verläuft die Addition von Benzylmercaptan unter Bildung von *Benzyl-(α-benzylidenamino-benzyl)-sulfid* an 2,3-Diphenyl-2H-azirin[3].

Alkoxylierung an der C=C-Doppelbindung findet bei der Bestrahlung von 5-Oxo-2-phenyl-4-benzyliden-4,5-dihydro-1,3-oxazol in Isopropanol statt[4]:

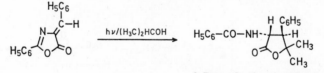

2-Benzoylamino-4-methyl-3-phenyl-pentan-4-olid; 17% d.Th.

Mit Formamid als Lösungsmittel werden Iminium-Salze zu Carbonsäure-amiden photolysiert. 1-Cycloheptyliden-pyrrolidinium-perchlorat ergibt z. B. (Quecksilber-Hochdruck-Lampe, Hanau Q 81) *Cycloheptan-carbonsäure-amid* (26% d.Th.), während 1-Cyclohexyliden-pyrrolidinium-perchlorat als einziges Produkt *1-(2-Amino-pyrrolidino)-cyclohexan-carbonsäure-lactam* (17% d.Th.) liefert:

[1] P. CERUTTI u. H. SCHMID, Helv. **47**, 203 (1964).
[2] P. CERUTTI u. H. GOTH, Chimia **17**, 391 (1963).
[3] A. PADWA u. J. SMOLANOFF, Chem. Commun. **1973**, 342.
[4] N. BAUMAN, M. SUNG u. E. F. ULLMANN, Am. Soc. **90**, 457 (1968).

Aus 1-Cholestanyliden-(3)-pyrrolidinium-chlorid erhält man in Formamid folgende Produkte: *3β-Pyrrolidino-cholesten* (16% d.Th.), *3α-* und *3β-Aminocarbonyl-cholestan* (7% bzw. 9% d.Th.).

Über die Photoalkylierung von Purin-Derivaten s. S. 607f..

Cyclische und acyclische Olefine addieren sich an Essigsäure-diphenylmethylimid in geringen Ausbeuten zu Amiden. Dabei verbindet sich das allylische Kohlenstoff-Atom des Olefins mit dem Kohlenstoff-Atom der C=N-Doppelbindung[1].

β₄) *Reduktionen*

Über Photolysen von Iminen zu Aminen und/oder 1,2-Diamino-äthanen s. S. 1446ff..

Als Folge einer intramolekularen Redoxreaktion wird *6-Oxo-5,6-dihydro-phenanthridin* (25% d.Th.) durch Einwirkung von Licht (450 W Quecksilber-Mitteldruck-Lampe, Hanovia 679 A-36) aus 2'-Nitro-2-(4-chlor-phenyliminomethyl)-biphenyl gebildet[2]:

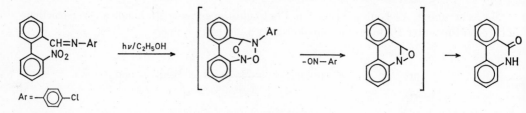

β₅) *Photooxidation*

2-Phenylimino-1-oxo-1,2-diphenyl-äthan unterliegt bei Sensibilisierung mit Benzophenon in Anwesenheit von Luft und bei Einwirkung von Licht (450 W Quecksilber-Mitteldruck-Lampe, Hanovia 679 A-36) einer Oxidation zu dem Oxaziran-Derivat I, das sich zu *Phenyl-dibenzoyl-amin* (II) umlagert. Das zusätzlich auftretende Benzanilid ist ein photochemisches Folgeprodukt von II[3].

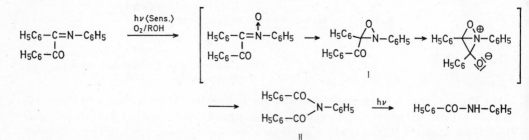

Unter entsprechenden Reaktionsbedingungen liefert Benzaldehyd-phenylimin bzw. -cyclo-hexylimin dagegen *Benzaldehyd* (79% bzw. 34% d.Th.) sowie *Anilin* (8% d.Th.) und *Cyclohexylamin* (29% d.Th.)[4]. Es konnte gezeigt werden, daß der Sauerstoff nicht direkt das Substrat angreift, sondern das photochemisch gebildete Wasserstoffperoxid. Eine solche Hydrolyse wurde auch an Benzophenon-phenylimin beobachtet.

---

[1] N. TOSHIMA et al., Tetrahedron Letters **1970**, 5123.
[2] E. C. TAYLOR, B. FURTH u. M. PFAU, Am. Soc. **87**, 1400 (1965).
[3] R. O. KAN u. R. L. FUREY, Tetrahedron Letters **1966**, 2573.
[4] R. L. FUREY u. R. O. KAN, Tetrahedron **24**, 3085 (1968).

Die Photooxidation von Benzophenon-imin führt quantitativ zu Benzophenon, während Benzaldehyd-imine unter diesen Reaktionsbedingungen (100 W Quecksilber-Hochdruck-Lampe) in geringen Ausbeuten Amide liefern[1]:

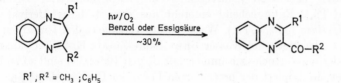

$$H_5C_6-CH=N-R \xrightarrow{h\nu/Isopropanol/O_2} H_5C_6-CO-NH-R + H_5C_6-COOH$$

5 - 10 %

R = C₆H₅ ; —◯—CH₃ ; —◯—OCH₃ ; CH₂—C₆H₅

3H-1,5-Benzodiazepine werden bei Belichtung (Quecksilber-Niederdruck-Lampe) in Benzol oder Essigsäure und Anwesenheit von Sauerstoff in Chinoxaline umgewandelt[2]:

$$\xrightarrow[\text{Benzol oder Essigsäure}]{h\nu/O_2} \quad \sim 30\%$$

R¹, R² = CH₃ ; C₆H₅

γ) Nitrile

bearbeitet von

Prof. Dr. WOLFGANG RUNDEL*

Nitrile ohne weiteren Chromophor im Molekül, wie z. B. Alkylnitrile, absorbieren erst unterhalb $\lambda = 200$ nm. Über ihr photochemisches Verhalten finden sich nur spärliche Angaben.

Bei der Photolyse von Acetonitril mit der Strahlung der Quecksilber-Linie $\lambda = 184,9$ nm in der Gasphase entstehen Cyanäthan, Cyanwasserstoff, Wasserstoff, Dicyan, Methan und Äthan[3]. Die Bildung dieser Produkte ist anhand zweier Primärprozesse verständlich:

$$H_3C\bullet + \bullet CN \xleftarrow{h\nu} H_3C-CN \xrightarrow{h\nu} H\bullet + \bullet CH_2-CN$$

Sehr leicht erfolgt dagegen die – in diesem Fall ionische – Dissoziation von Triarylmethyl-cyaniden vom Typ des Malachitgrün-Leukocyanids (I). Hierbei treten in den ursprünglich farblosen Lösungen die typischen Triphenylmethanfarbstoff-Ionen auf. In einer Dunkelreaktion, die zu den Carbinolen führt, bleichen die *photo-gefärbten* Lösungen wieder aus[4]:

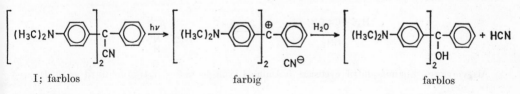

I; farblos   farbig   farblos

---

* **Chemisches Institut der Universität Tübingen.**

[1] N. TOSHIMA u. H. HIRAI, Tetrahedron Letters **1970**, 433.

[2] M. MATSUMOTO et al., Bl. chem. Soc. Japan **43**, 1496 (1970).
  T. YONEZAWA, M. MATSUMOTO u. H. KATO, Bl. chem. Soc. Japan **41**, 2543 (1968).

[3] D. E. MC ELCHERAN, M. H. J. WIJNEN u. E. W. R. STEACIE, Canad. J. Chem. **36**, 321 (1958); C. A. **52**, 7875[f] (1958).

[4] L. HARRIS, J. KAMINSKY u. R. G. SIMARD, Am. Soc. **57**, 1151 (1935) u. dort zit. ältere Lit.

Wegen der spektrometrisch leicht und genau zu ermittelnden Farbstoff-Konzentration eignen sich solche Systeme, besonders das Leukocyanid des Malachitgrüns, für das im Bereich von $\lambda = 248$–330 nm eine Quantenausbeute von $\varphi = 1,0$ gemessen wurde[1], als Actinometer zur Messung geringer Lichtintensitäten[1,2].

Cyanamide absorbieren im Gegensatz zu Nitrilen in einem der Photochemie leichter zugänglichen Bereich. Für 1-Cyan- und 4-Methyl-1-cyan-piperidin beobachtet man z. B. um $\lambda = 250$ nm eine schwache Bande ($\varepsilon \approx 200$), wahrscheinlich ein n → π*-Übergang[3].

Durch Belichtung in 0,1 n methanolischer Salzsäure läßt sich bei diesen Verbindungen die Cyan-Gruppe zur Aminocarbonyl-Gruppe verseifen[3]. So erhält man nach 12 Stdn. Belichtung (200 W Hanovia Quecksilber-Mitteldruck-Brenner, Vycor-Filter) aus 10 mMol 1-Cyan-piperidin neben 20% unverändertem Ausgangsmaterial *1-Aminocarbonyl-piperidin* (80% d.Th.). Entsprechend entsteht aus dem 4-Methyl-Derivat *4-Methyl-1-aminocarbonyl-piperidin* (53% d.Th.). Wasserzusatz verringert den Umsatz stark, Belichtung in Methanol oder Methanol/Wasser ohne Säure-Zusatz läßt die Cyanamide unverändert. Sensibilisierungsversuche zusammen mit obigen Befunden sind so zu deuten, daß die Reaktion über ein Triplett der protonierten Form der Cyanamide abläuft, wobei sich der eigentliche Verseifungsvorgang erst während der Aufarbeitung vollzieht:

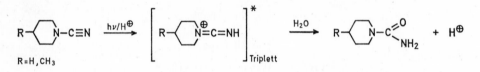

Ungesichert ist auch der Mechanismus, nach dem bei der Belichtung von Diamino-maleinsäure-dinitril (tetramerer Blausäure) in 10^{-4}m wäßriger Lösung mit $\lambda = 350$ nm *4-Amino-5-cyan-imidazol* (77–82% d.Th.) gebildet wird (s. a. S. 560)[4,5]:

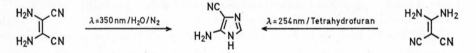

In einer Dunkelreaktion kann sich hieraus mit weiterem Cyanwasserstoff Adenin bilden. Eine andere Reaktion wird durch Hydrolyse der Cyan-Gruppe eingeleitet und führt ebenfalls zu Purin-Derivaten wie Guanin, Xanthin u. a.[6]. Über die Photocyclisierung zu *1,6-Dihydro-⟨imidazo-[4,5-d]-imidazol⟩* (20% d.Th.) s. Lit.[7].

Durch Belichtung mit $\lambda = 254$ nm liefert auch 1,1-Diamino-2,2-dicyan-äthylen in Tetrahydrofuran, jedoch nicht in Wasser, *4-Amino-5-cyan-imidazol*. 3-Amino-buten-(2)-säure-nitril wird zu 50–60% in *4-Methyl-imidazol* überführt[4,5]:

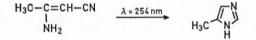

Als vinyloges Enamino-nitril cyclisiert 5-Amino-4-cyan-pentadien-(2,4)-säure-nitril zu *6-Amino-3-cyan-pyridin*[5].

[1] J. G. CALVERT u. H. J. L. RECHEN, Am. Soc. **74**, 2101 (1952).
[2] L. HARRIS u. J. KAMINSKY, Am. Soc. **57**, 1154 (1935).
[3] Y. L. CHOW u. K. E. HAQUE, Canad. J. Chem. **46**, 2901 (1968).
[4] J. P. FERRIS u. L. E. ORGEL, Am. Soc. **88**, 1074 (1966).
[5] J. P. FERRIS u. J. E. KUDER, Am. Soc. **92**, 2527 (1970).
[6] R. A. SANCHEZ, J. P. FERRIS u. L. E. ORGEL, J. Mol. Biol. **38**, 121 (1968).
[7] J. P. FERRIS u. F. R. ANTONUCCI, Am. Soc. **96**, 2010 (1974).

Bestrahlung von 2-Cyan-anilin führt zu *1H-Indazol* und *Benzimidazol*[1]:

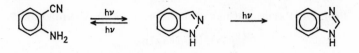

Dagegen liefert N-Methyl-2-cyan-anilin lediglich *1-Methyl-1H-indazol* (17% d.Th.) und kein Imidazol-Derivat, und N-Phenyl-2-cyan-anilin geht unter Abspaltung der Cyan-Gruppe in *Carbazol* (87% d.Th.) über[1]. Über die Substitution einer Cyan-Gruppe von Tetracyanbenzol durch Toluol s. Orig.-Lit.[2].

In einer analogen Reaktion ergibt Bestrahlung einer wäßrigen Lösung von 2-Cyanphenol mit $\lambda = 300$ nm *Benzo-1,3-oxazol* (62% d.Th.)[1]:

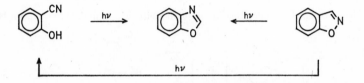

Wie bei der Thermolyse reagieren auch bei der Photolyse die aus Bis-[2-cyan-propyl-(2)]-diazen erzeugten 2-Cyan-propyl-(2)-Radikale nur zum Teil zu *Tetramethyl-bernsteinsäure-dinitril*, sondern zu einem beträchtlichen Anteil durch unsymmetrische Dimerisierung zu *Dimethylketen-1-methyl-1-cyan-äthylimin*. Bei Photolyse mit $\lambda = 366$ nm in Benzol macht der Anteil an unsymmetrischer Dimerisierung ~60% d.Th. aus[3]. Sie unterbleibt jedoch völlig – vermutlich infolge eines Käfig-Effektes – wenn die Ausgangsverbindung unter sonst gleichen Bestrahlungsbedingungen an Kieselgel adsorbiert ist[4]:

$$(H_3C)_2C-N=N-C(CH_3)_2 \quad \xrightarrow[-N_2]{\lambda=366nm} \quad 2\left[(H_3C)_2C\cdot \longleftrightarrow (H_3C)_2C=C=N\cdot \right]$$
$$\underset{CN}{|} \qquad \underset{CN}{|} \qquad\qquad\qquad\qquad \underset{CN}{|}$$

$$\longrightarrow (H_3C)_2C-C(CH_3)_2$$
$$\underset{NC \quad CN}{| \quad |}$$

$$\longrightarrow (H_3C)_2C-N=C=C(CH_3)_2$$
$$\underset{CN}{|}$$

Bei Photolyse der kristallinen Verbindung dagegen disproportionieren die 2-Cyan-propyl-(2)-Radikale ganz überwiegend (>95%) zu *2-Methyl-propansäure-* und *Methacrylsäurenitril*[5].

---

[1] J. P. FERRIS u. F. R. ANTONUCCI, Am. Soc. **96**, 2010 (1974).

[2] A. YOSHINO, M. OHASHI u. T. YONEZAWA, Chem. Commun. **1971**, 97.

[3] P. SMITH u. A. M. ROSENBERG, Am. Soc. **81**, 2037 (1959).
   A. B. JAFFE, K. J. SKINNER u. J. M. MCBRIDE, Am. Soc. **94**, 8510 (1972).

[4] P. A. LEERMAKERS, L. D. WEIS u. H. T. THOMAS, Am. Soc. **87**, 4403 (1965).

[5] A. B. JAFFE, K. J. SKINNER u. J. M. MCBRIDE, Am. Soc. **94**, 8510 (1972).

2. an den C—N—N-, C=N—N- und $C=\overset{\oplus}{N}=\overset{\ominus}{N}$-Bindungen

bearbeitet von

Prof. Dr. Peter A. Cerutti und Dr. Jack Y. Vanderhoek*

α) Hydrazine

Systematische Untersuchungen an Hydrazinen fehlen bisher. Z. B. zerfällt 3,5-Dioxo-4-butyl-1,2-diphenyl-pyrazolidin durch Bestrahlung mit einer Quecksilber-Niederdruck-Lampe unter Spaltung der N–N-Bindung zu folgenden Verbindungen[1]:

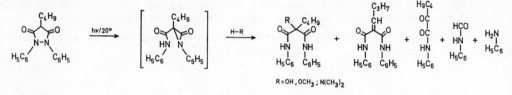

In einem anderen Beispiel wird der Reaktionsablauf weitgehend durch Oxo-Gruppen bestimmt[2]:

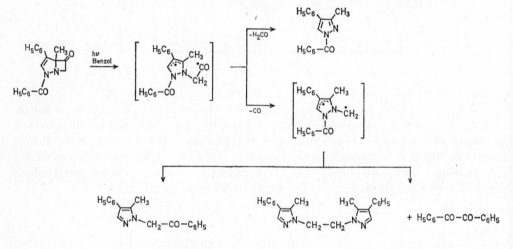

β) Hydrazone

bearbeitet von

Prof. Dr. Peter A. Cerutti und Dr. Jack Y. Vanderhoek*

β₁) offenkettige und cyclische Hydrazone

syn- und anti-Phenylhydrazone lassen sich photochemisch ineinander umwandeln[3-5]. Im photostationären Gleichgewicht überwiegt die anti-Form. Über Quantenausbeuten, Abhängigkeiten von Wellenlänge des Erregerlichtes und Lösungsmittel-Einflüssen vgl. Lit..

* The J. Hillis Miller Health Center, University of Florida, Gainsville.

[1] J. Reisch, K. G. Weidmann u. J. Triebe, Experienta 30, 451 (1974).
[2] E. J. Völker u. J. A. Moore, J. Org. Chem. 34, 3639 (1969).
[3] D. Schulte-Frohlinde, A. 622, 47 (1959).
[4] G. Condorelli u. L. L. Costanzo, Boll. Sedute Accad. Gioenia 8, 753, 775 (1966); C. A. 70, 3120ᵛ, 10815ᵈ (1969).
[5] G. Wettermark u. A. King, Photochem. and Photobiol. 4, 417 (1965).

Die Bestrahlung von in Benzol oder Toluol gelösten Formazanen bewirkt einen Farbwechsel von rot nach gelb[1-3], der beim Stehen im Dunkeln reversibel ist. Da die Quantenausbeuten denen der *syn-anti*-Isomerie von Hydrazonen ähneln, werden folgende Transformationen vermutet:

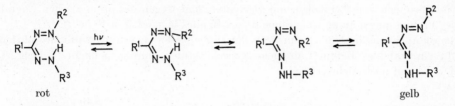

Photoisomerisierung unter Ringverengung findet bei einigen 6-Oxo- und 6-Hydroxy-6,7-dihydro-1H-1,2-diazepinen statt[4]:

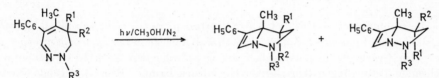

R¹ = OH; R² = R³ = H   *4-Hydroxy-5-methyl-6-phenyl-1,2-diaza-bicyclo [3.2.0]hepten-(6)*; 52% d.Th.[5]; *cis:trans* = 78:22

R² = H; R³ = CH₃   *4-Hydroxy-2,5-dimethyl-6-phenyl-...*; *cis:trans* = 80:20

R³ = CO–CH₃   *4-Hydroxy-5-methyl-6-phenyl-2-acetyl-...*;   40% d.Th.[5];   *cis:trans* = 65:35

R³ = CO–C₆H₅   *4-Hydroxy-5-methyl-6-phenyl-2-benzoyl-...*; 54% d.Th.[5]; *cis:trans* = 60:40

R² = H;   R¹ = R³ = CO–CH₃   *5-Methyl-6-phenyl-2,4-diacetyl-...*; 45% d.Th.[5]; *cis:trans* = 65:35

Der Substituent am Stickstoff-Atom beeinflußt die Ausbeuten. Bestrahlung mit $\lambda = 313$ nm zeigt bei den 6-Hydroxy-1,2-diazepinen steigende Isomerisierung in der Reihenfolge $R^3 = CO\text{–}CH_3 \cong CO\text{–}C_6H_5 > CH_3 \cong H$. Die Cyclisierungsgeschwindigkeit der 6-Oxo-Derivate nimmt bei $\lambda = 313$ oder 390 nm in der folgenden Reihe ab:

$$R^3 = CH_3 \cong CH_2\text{–}CH_2\text{–}CN > H \gg CO\text{–}CH_3 \cong CO\text{–}C_6H_5$$

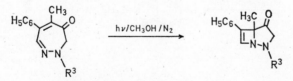

R³ = H   *4-Oxo-5-methyl-6-phenyl-1,2-diaza-bicyclo [3.2.0]hepten-(6)*; 92% d.Th.

R³ = CH₃   *4-Oxo-2,5-dimethyl-6-phenyl-...*; 78% d.Th.

R³ = CO–C₆H₅   *4-Oxo-5-methyl-6-phenyl-2-benzoyl-...*; 50% d.Th.

[1] D. Schulte-Frohlinde, A. 622, 47 (1959).

[2] I. Hausser, D. Jerchel u. R. Kuhn, B. 82, 515 (1949).

[3] R. Kuhn u. H. M. Weitz, B. 86, 1199 (1953).

[4] W. J. Theuer u. J. A. Moore, Chem. Commun. 1965, 468;
J. L. Derocque, W. J. Theuer u. J. A. Moore, J. Org. Chem. 33, 4381 (1968).

[5] Diese Angaben sind wahrscheinlich zu niedrig.

4-Oxo-5-methyl-6-phenyl-2-acetyl-1,2-diaza-bicyclo[3.2.0]hepten-(6)[1]: Eine Lösung von 0,6 g
6-Oxo-5-methyl-4-phenyl-1-acetyl-6,7-dihydro-1H-1,2-diazepin in 600 *ml* Methanol wird in eine flache
2-*l*-Weithals-Brewster-Gärungsflasche aus Pyrex eingefüllt und 3 Stdn. dem Sonnenlicht ausgesetzt.
Die nahezu farblose Lösung wird eingedampft und der feste Rückstand aus Äther/Hexan umkristallisiert;
Ausbeute: 0,53 g (88% d.Th.); F: 122–123° (farbl. Prismen).

Umlagerungen von Pyrazolen und Derivaten sind wegen des aromatischen Charakters
dieser Verbindungen an anderer Stelle dieses Bandes behandelt, s. S. 560ff.

Die photochemische Umlagerung von 2,4-Diphenyl-1,1-dibenzyl-1,2-dihydro-phthalazin
ergibt ein stabildes Betain[2]. Mögliche Zwischenstufen wurden genannt, jedoch ist der
genaue Ablauf noch nicht geklärt.

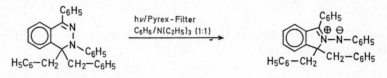

Die Bestrahlung von 5-Phenyl-4,5-dihydro-pyrazol führt sowohl zu *Benzaldehyd*-
(17% d.Th.) und Spuren von *Zimtaldehyd-azin* als auch zu *3-Benzylidenhydrazono-1-phenyl-*
propen. Im Gegensatz hierzu ergeben die entsprechenden Methyl-Derivate unter entsprechenden Bedingungen (Quecksilber-Hochdruck-Lampe; Benzol) folgende Produkte[3]:

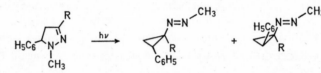

R = H   *trans-2-Methylazo-1-phenyl-cyclopropan*; 8% d.Th.   *cis-2-Methylazo-...*; 27% d.Th.
R = CH₃ *(E)-2-Methylazo-2-methyl-1-phenyl-cyclopropan*; 9% d.Th.   *(Z)-2-Methylazo-...*; 17% d.Th.

Ein unterschiedliches Verhalten zeigen acyclische Hydrazon-Derivate bei Bestrahlung.
Phenylhydrazono-cycloheptatrien ergibt z. B. *2-Phenyl-2H-indazol* (13% d.Th.;
bei mit Benzophenon sensibilisierter Reaktion 30% d.Th.), *trans-Azobenzol* (7% d.Th.)
und *4-Hydroxymethyl-azobenzol* (20% d.Th.) neben 2% eines unidentifizierten Öls[1]. Zu
einer mechanistischen Interpretation vgl. Lit.[4].

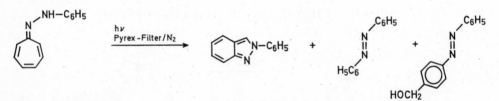

Photolysen (450 W Quecksilber-Mitteldruck-Lampe, Hanovia 679 A-36) von Benz-
aldehyd- und Benzophenon-hydrazonen zeigen, daß der primäre Reaktionsschritt ein
Bindungsbruch zwischen den Stickstoff-Atomen ist[5]. Es entstehen nach Wasserstoff-
Abstraktion vom Lösungsmittel Amine und Imine, letztere werden in den meisten Fällen

[1] W. J. THEUER u. J. A. MOORE, Chem. Commun. **1965**, 468;
    J. L. DEROCQUE, W. J. THEUER u. J. A. MOORE, J. Org. Chem. **33**, 4381 (1968).
[2] B. SINGH, Am. Soc. **91**, 3670 (1969).
[3] H. J. ROSENKRANZ u. H. SCHMID, Helv. **51**, 1628 (1968).
[4] T. TEZUKA, A. YANAGI u. T. MUKAI, Tetrahedron Letters **1970**, 637.
[5] R. W. BINKLEY, Tetrahedron Letters **1969**, 1893.
    R. W. BINKLEY, J. Org. Chem. **35**, 2796 (1970).

als Carbonyl-Verbindungen isoliert. Bei geeigneter Substitution können die Amine nach erneuter Lichtabsorption cyclisieren. Bei Benzaldehyd-hydrazonen kann darüber hinaus durch Wasserstoff-Transfer Benzonitril und Amin gebildet werden.

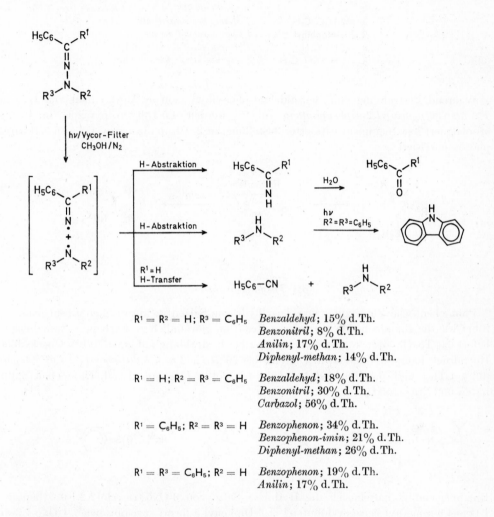

$R^1 = R^2 =$ H; $R^3 =$ C$_6$H$_5$ *Benzaldehyd*; 15% d.Th.
                    Benzonitril; 8% d.Th.
                    Anilin; 17% d.Th.
                    Diphenyl-methan; 14% d.Th.

$R^1 =$ H; $R^2 = R^3 =$ C$_6$H$_5$ *Benzaldehyd*; 18% d.Th.
                    Benzonitril; 30% d.Th.
                    Carbazol; 56% d.Th.

$R^1 =$ C$_6$H$_5$; $R^2 = R^3 =$ H   *Benzophenon*; 34% d.Th.
                    Benzophenon-imin; 21% d.Th.
                    Diphenyl-methan; 26% d.Th.

$R^1 = R^3 =$ C$_6$H$_5$; $R^2 =$ H   *Benzophenon*; 19% d.Th.
                    Anilin; 17% d.Th.

Benzaldehyd-phenylhydrazon und Benzophenon-hydrazon können noch auf einem anderen Weg reagieren. Durch 1,3-Verschiebung eines Wasserstoff-Atoms oder der Phenyl-Gruppe vom endständigen Stickstoff-Atom entsteht eine Zwischenstufe, die unter Stickstoff-Verlust analog zur Wolff-Kishner-Reduktion zu Diphenylmethan zerfällt:

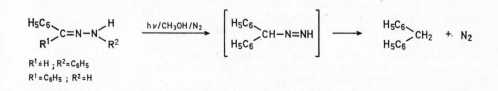

$R^1 =$ H ; $R^2 =$ C$_6$H$_5$
$R^1 =$ C$_6$H$_5$; $R^2 =$ H

Eine einfache Methode um Aldehyde in Nitrile zu überführen, stellt die Photoumlagerung der entsprechenden 1,1-Diphenyl-hydrazone dar (Hanovia 500 W Quecksilber-Hochdruck-

Lampe; Vycor-Filter)[1]:

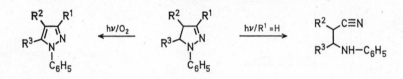

$$R-CH=N-N(C_6H_5)_2 \xrightarrow{h\nu / \text{Methanol} / O_2} R-C\equiv N$$

R = C₆H₅	R = C_6H_5	*Benzonitril*; 75% d.Th. + *Carbazol*; 10% d.Th.

R = C$_6$H$_5$ *Benzonitril*; 75% d.Th. + *Carbazol*; 10% d.Th.
R = 2-H$_3$C-C$_6$H$_4$ *2-Methyl-benzonitril*; 49% d.Th.
R = α-Naphthyl   *1-Cyan-naphthalin*; 55% d.Th.
R = CH$_2$-C$_6$H$_5$ *Phenylacetonitril*; 41% d.Th.
R = CH=CH-C$_6$H$_5$ *Zimtsäure-nitril*; 43% d.Th.

Während Bestrahlung von Benzaldehyd-phenylhydrazon in Anwesenheit von Luft zu *1,2-Bis-[phenylazo]-1,2-diphenyl-äthan* führt[2], werden 4,5-Dihydro-pyrazole in Benzol aromatisiert bzw. bei unsubstituierter 3-Stellung zu 2-Phenylamino-1-cyan-alkanen photoisomerisiert[3]:

β_2) *Tosylhydrazon-Salze*

Photochemische Zersetzung von Tosylhydrazon-Salzen in aprotischen Lösungsmitteln führt wie die entsprechende thermische Reaktion gewöhnlich zu Carbenen. Zum Beispiel liefert das Tosylhydrazon-Salz von Campher bei Bestrahlung mit einer 500 W Quecksilber-Hochdruck-Lampe (Hanovia) in Diglyme bei 25° *1,7,7-Trimethyl-tricyclo[2.2.1.0²,⁶]heptan* (92% d.Th.) und *3,3-Dimethyl-2-methylen-bicyclo[2.2.1]heptan* (1% d.Th.) neben Sulfonaten und Stickstoff[4]:

Entsprechend verhalten sich die Hydrazon-Salze von 3-Oxo-tricyclo[2.2.1.0²,⁶]heptan[5], 1-Oxo-4,6-dimethyl-benzocyclobuten[6], 1,2-Diphenyl-3-formyl-cyclopropen[7], 1-Oxo-1,3-dicyclopropyl-buten-(2)[8], 2-Dialkylamino-benzaldehyden[9], α-Allylmercapto-acetophenon[10], Benzotroponen[11], α,β-ungesättigten Carbonyl-Verbindungen[12], 2-Oxo-bicyclo[2.2.1]hep-

[1] R. W. BINKLEY, Tetrahedron Letters **1970**, 2085.
[2] J. C. BLOCH, Tetrahedron Letters **1969**, 4041.
[3] L. SCHRADER, Tetrahedron Letters **1971**, 2977.
[4] W. G. DAUBEN u. F. G. WILLEY, Am. Soc. **84**, 1497 (1962).
[5] D. M. LEMAL u. A. J. FRY, J. Org. Chem. **29**, 1673 (1964).
[6] A. T. BLOMQUIST u. C. F. HEINS, J. Org. Chem. **34**, 2906 (1969).
[7] S. MASAMUNE u. M. KATA, Am. Soc. **88**, 610 (1966); **87**, 4190 (1965).
[8] R. Y. LEVINA et al., Ž. Org. Chim. **1972**, 1105.
[9] G. V. GARNER et al., Soc. **1971**, 3693.
[10] I. OJIMA u. K. KONDO, Bl. chem. Soc. Japan **46**, 1539 (1973) und dort zit. Lit.
[11] K. E. KRAJCA, T. MITSUHASHI u. W. M. JONES, Am. Soc. **94**, 3661 (1972).
[12] H. DÜRR, B. **103**, 369 (1970).

tan[1] und 2-Oxo-1,3-benzodioxol[2], indem sie hauptsächlich zu Kohlenwasserstoffen und/oder Sulfonaten zerfallen.

Tosylhydrazon-Salze von Alkinyl-ketonen zerfallen in Methanol/Natriummethanolat zu Methyl-propinyl- bzw. -allenyl-äthern[3].

Bestrahlung der Ditosylhydrazone von 1,2-Diketonen liefert über eine 1,2,3-Triazol-Zwischenstufe Alkine[4]:

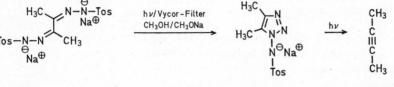

Butin-(2); 50% d.Th.

Bei Benzil-bis-tosylhydrazon allerdings entstehen neben *Diphenyl-acetylen* (20% d.Th.) (*E*)- und (*Z*)-*2-Methoxy-1,2-diphenyl-äthylen* (46% d.Th. bzw. 28% d.Th.), indem Methanol während der Zersetzung des 1,2,3-Triazols inkorporiert wird.

Die Photolyse von 2,2,4,4-Tetramethyl-cyclobutan-1,3-bis-[natrium-tosylhydrazon] liefert wahrscheinlich auf folgendem Weg *2,2,4-Trimethyl-penten-(3)-al* (5% d.Th.) und das davon abgeleitete *Dimethylacetal* (49% d.Th.):

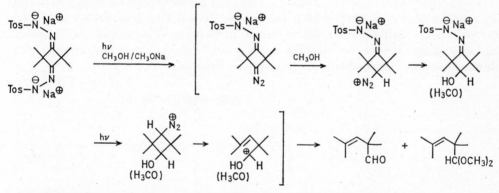

2,2,4-Trimethyl-penten-(3)-säure-methylester (17% d.Th.) wird als Photoprodukt des einfachen Tosyl-hydrazons von 1,3-Dioxo-2,2,4,4-tetramethyl-cyclobutan angesehen, das als Verunreinigung das Bis-tosyl-hydrazon begleitet.

Photolysen von Cycloalkan-1,2-bis-[tosylhydrazonen] führen zu *Cycloalkinen*, wobei mit wachsender Ringgröße (8–15 Kohlenstoff-Atome) die Ausbeuten von 36 auf 55% d.Th. ansteigen[5].

γ) Azine

bearbeitet von

Prof. Dr. PETER A. CERUTTI und Dr. JACK Y. VANDERHOEK*

Die *all-trans*-Formen von 3-Phenyl-propenal- und 5-Phenyl-pentadien-(2,4)-al-azin können durch Bestrahlung in Benzol in geringen Ausbeuten an einer C=N- oder einer

---

* The J. Hillis Miller Health Center, University of Florida, Gainsville.

[1] W. KIRMSE u. A. ENGELMANN, B. **106**, 3086 (1973) und dort zit. Lit.
[2] G. EGE u. G. JOOSS, B. **106**, 1678 (1973).
[3] W. KIRMSE u. J. HEESE, Chem. Commun. **1971**, 258.
[4] P. K. FREEMAN u. R. C. JOHNSON, J. Org. Chem. **34**, 1746, 1751 (1969).
[5] H. MEIER u. I. MENZEL, Synthesis **1971**, 215.

C=C-Doppelbindung *cis-trans*-isomerisiert werden[1]:

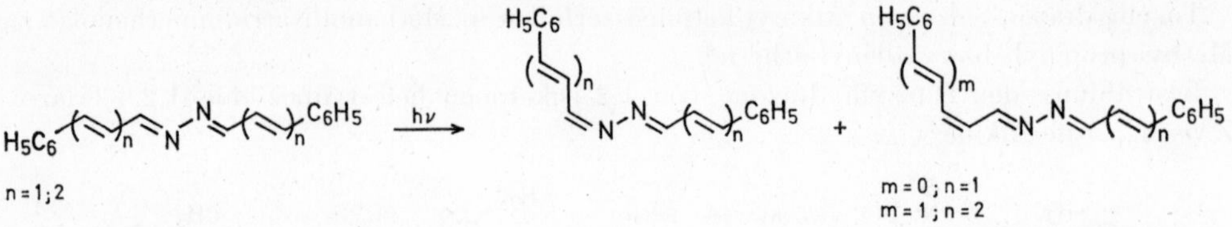

Formaldehyd-azin liefert als einfachstes Azin unter Lichteinwirkung *Methylenimin* und *Cyanwasserstoff*. Das Tetrafluor-Analoge ergibt dagegen quantitativ *Bis-[difluormethylen-amino]-difluor-methan*[2,3]:

$$F_2C=N-N=CF_2 \xrightarrow{h\nu} \left[F_2C=N\cdot + :CF_2 + N_2 \right] \longrightarrow F_2C=N-CF_2-N=CF_2$$

Acetaldehyd-azin wird in folgende Produkte überführt[4]: *Acetonitril* ($\varphi = 0{,}79$), Ammoniak ($\varphi = 0{,}117$), Stickstoff ($\varphi = 0{,}013$), *Methan* ($\varphi = 0{,}038$), *Äthan* ($\varphi = 0{,}0039$) und *trans-Buten-(2)* ($\varphi = 0{,}0072$).

Direkte Bestrahlung von Benzaldehyd-azin in Benzol[5,6] führt als Hydrolyseprodukt des Imins zu *Benzonitril* (90% d. Th.), *Benzaldehyd* (90% d. Th.), *trans-Stilben* (7% d. Th.; das *cis*-Isomere wird zusätzlich bei Photolyse in Isopropanol gefunden). Azine konnten nur in geringen Mengen bei einem 4-Methoxy-substituierten Azin beobachtet werden. Anwesenheit von Sauerstoff läßt die Ausbeute an Benzonitril steigen[7].

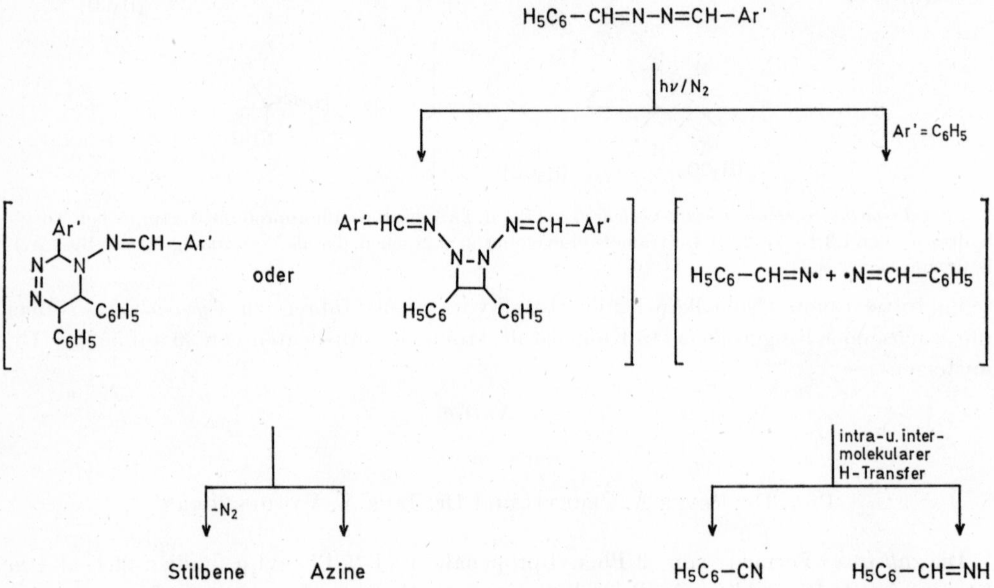

[1] J. DALE u. L. ZECHMEISTER, Am. Soc. **75**, 2379 (1953).
[2] J. F. OGILVIE, Chem. Commun. **1965**, 359.
[3] R. A. MITSCH u. P. H. OGDEN, Chem. Commun. **1967**, 59.
[4] R. K. BRINTON, Am. Soc. **77**, 842 (1955).
[5] R. W. BRINKLEY, J. Org. Chem. **33**, 2311 (1968); **34**, 931, 2072, 3218 (1969).
[6] H. E. ZIMMERMANN u. S. SOMASEKHARA, Am. Soc. **82**, 5865 (1960).
[7] J. E. HODGKINS u. J. A. KING, Am. Soc. **85**, 2679 (1963).

Belichtung von Benzophenon-azin in Methanol (Hanovia 679 A-36; Vycor-Filter) liefert durch eine komplexe Umlagerung *1,1,3-Triphenyl-isoindol* (43% d.Th.)[1]. Die anderen anfallenden Verbindungen sind Folgeprodukte der durch Photoreduktion gebildeten Azo-Verbindung:

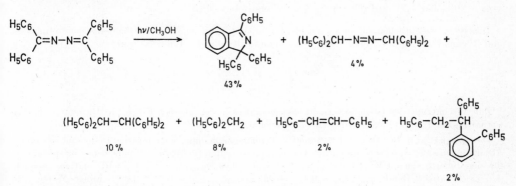

3,6-Diphenyl-1,2-dihydro-1,2,4,5-tetrazol bildet bei Bestrahlung *2,5-Diphenyl-1,3,4-triazol* neben Benzonitril[2]:

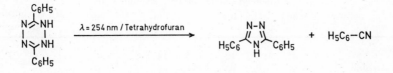

δ) Azo-Verbindungen

bearbeitet von

Prof. Dr. WOLFGANG RUNDEL*

δ₁) *aromatische Azo-Verbindungen*[3]

αα) *cis-trans*-Isomerisierungen

Im Sonnen- oder UV-Licht erfahren Lösungen vieler aromatischer *trans*-Azo-Verbindungen eine kräftige Farbvertiefung, als deren Ursache die photochemische Bildung der *cis*-Isomeren erkannt wurde[4]. Da die Rückreaktion, die unter Lichtausschluß auch rein thermisch erfolgen kann[5], ebenfalls photokatalysiert ist, führt Belichtung aromatischer Azo-Verbindungen stets zu einem Gleichgewicht zwischen beiden Formen, dessen Lage von der Art der Verbindung,[6] von Temperatur, Lösungsmittel und eingestrahlter Wellenlänge abhängt:

$$\underset{Ar}{\overset{Ar}{N=N}} \quad \underset{h\nu}{\overset{h\nu}{\rightleftarrows}} \quad \underset{N=N}{\overset{Ar}{}} \overset{Ar}{}$$

* **Chemisches Institut der Universität Tübingen**

[1] J. GORSE u. R. W. BRINKLEY, J. Org. Chem. **37**, 575 (1972).
[2] P. SCHREINER, J. Org. Chem. **34**, 199 (1969).
[3] I. GRIFFITHS, Chem. Soc. Rev. **1**, 481 (1972).
[4] G. S. HARTLEY, Nature **140**, 281 (1937).
[5] Arrhenius-Parameter:
   G. S. HARTLEY, Soc. **1938**, 633.
   J. HALPERN, G. W. BRADY u. C. A. WINKLER, Canad. J. Res. **28**B, 140 (1950); C. A. **44**, 8211ᶠ (1950)[1]
[6] D. GEORGIU, K. A. MUSZKAT u. E. FISCHER, Am. Soc. **90**, 3907 (1968).

Temperaturerniedrigung in den Bereich unterhalb der Schwelle merklicher thermischer Rückreaktion (*cis → trans*) verschiebt die Gleichgewichtslage in einem wiederum vom Verbindungstyp, Lösungsmittel und verwendeter Strahlung abhängigen Ausmaß in der Regel zuungunsten des *cis*-Isomeren, beispielsweise bei *2,2'-Azonaphthalin* und $\lambda = 365$ nm von ~ 20% bei $-20°$ auf über 80% *trans*-Gehalt bei $-125°$.

Dies ist im wesentlichen auf die verschiedene Temperaturabhängigkeit der Quantenausbeute für Hin- und Rückreaktion zurückzuführen; $\varphi_{trans \to cis}$ nimmt mit fallender Temperatur ab[1]:

$$\left(\frac{trans}{cis}\right)_\lambda = \frac{\varphi_{cis \to trans} \cdot \varepsilon_{cis}}{\varphi_{trans \to cis} \cdot \varepsilon_{trans}}$$

Zur Abschätzung des Isomerenverhältnisses genügt es in den meisten Fällen, die Gleichung auf das Verhältnis der Extinktionskoeffizienten zu reduzieren.

Die Quantenausbeuten (z. B.[2,3]) sind wellenlängenabhängig, aber innerhalb ein- und derselben Absorptionsbande[4] nicht sehr wesentlich verschieden, so gelten für *Azobenzol* in Isooctan beispielsweise für den Bereich der „UV-"Bande $\varphi_{cis \to trans} = 0,42 \pm 0,04$, $\varphi_{trans \to cis} = 0,11 \pm 0,01$ und im Bereich der „sichtbaren" Bande $\varphi_{cis \to trans} = 0,48 \pm 0,05$ und $\varphi_{trans \to cis} = 0,24 \pm 0,02$[5]. Einige Werte zur Isomeren-Verteilung im photostationären Gleichgewicht enthält folgende Aufstellung[6]:

	% *cis*-Isomeres in Toluol bei $-25°$ und λ [nm]				Hg-Hochdruck-Lampe/ Pyrex-Filter
	365	404	436	546	
Azobenzol	91	12	14	25	37
1,1'-Azonaphthalin	61	95	65	55	–

Zur Kinetik der *trans-cis*-Isomerisierung vgl.[7], eine kurze Übersicht s. Lit.[8]

Zur praktischen Durchführung der *trans → cis*-Isomerisierung eignet sich nach dem oben Gesagten außer direktem Sonnenlicht die Strahlung von Quecksilber-Mitteldruck- oder Hochdruck-Brennern, evtl. nach Herausfiltern der kurzwelligen Anteile. Belichtung mit $\lambda = 254$ nm liefert nur wenig *cis*-Isomeres[9] und scheint überdies zu irreversiblen Veränderungen zu führen[6]. Über die sensibilisierte *cis-trans*-Isomerisierung liegen widersprüchliche Angaben vor[10], für präparative Zwecke ist sie überdies bedeutungslos.

Die Abtrennung des *cis*-Isomeren aus den photochemisch erzeugten Gleichgewichtsgemischen kann in günstig gelagerten Fällen durch fraktionierte Kristallisation bzw. Fällung erfolgen, z. B. *cis-Azobenzol* aus belichteten Lösungen in Eisessig (16% d.Th.)[11].

[1] E. Fischer, Am. Soc. **82**, 3249 (1960).
[2] D. Georgiu, K. A. Muszkat u. E. Fischer, Am. Soc. **90**, 3907 (1968).
[3] P. P. Birnbaum, D. W. G. Style, Trans. Faraday Soc. **50**, 1192 (1954); C. A. **49**, 7390[h] (1955).
[4] *trans*-Azobenzol: $\lambda = 550$–370 nm; λ max ~ 443 nm ($\varepsilon \approx 500$); $\lambda = 370$–250 nm; λ max ≈ 320 nm ($\varepsilon \approx 21000$).
  cis-Azobenzol: λ max ≈ 433 nm ($\varepsilon \approx 1500$); λ max ≈ 280 nm ($\varepsilon = 5300$).
  Spektren s. a.: P. P. Birnbaum, J. H. Linford u. D. W. G. Style, Trans. Faraday Soc. **49**, 735 (1953).
    A. H. Cook u. D. G. Jones, Soc. **1939**, 1309 ff.
[5] G. Zimmerman, L. Chow u. U. Paik, Am. Soc. **80**, 3528 (1958).
[6] E. Fischer, M. Frankel u. R. Wolovsky, J. Chem. Physics **23**, 1367 (1955).
[7] H. Mauser u. U. Hezel, Z. Naturf. **26**b, 203 (1971).
  H. Mauser u. H. J. Niemann, Z. Naturf. **26**b, 850 (1971).
[8] J. Griffiths, Chem. Soc. Rev. **1**, 481 (1972).
[9] I. Hausser, Naturwiss. **36**, 315 (1949).
[10] E. Fischer, Am. Soc. **90**, 796 (1968).
  L. B. Jones u. G. S. Hammond, Am. Soc. **87**, 4219 (1965).
[11] G. S. Hartley, Soc. **1938**, 633.

Einfacher in der Durchführung und allgemein anwendbar ist die chromatographische Trennung[1,2]. Zur Vermeidung der Rückumwandlung muß in jedem Fall unter Schutz vor hellem Sonnenlicht und bei den thermisch empfindlicheren cis-Verbindungen bei möglichst niedrigen Temperaturen gearbeitet werden.

cis-Azobenzol[1]: Die Lösung von 1 g trans-Azobenzol in 50 ml Petroläther wird mit einer Quarzlampe 30 Min. belichtet. Anschließend gibt man die dunkelrote Lösung durch eine Säule (∼20 × 2 cm) aus Aluminiumoxid (n. BROCKMANN) und eluiert das trans-Isomere mit 100 ml Petroläther. cis-Azobenzol, das in einer scharfen Zone am oberen Rand der Säule festgehalten wird, wird anschließend durch 150 ml Petroläther mit 1% Methanol-Zusatz eluiert. Man trocknet die Lösung nach Herauswaschen des Methanols mit Wasser über Natriumsulfat, entfernt das Lösungsmittel i. Vak. bei einer Temp. unter 22° und erhält durch Kristallisieren des Rohprodukts aus wenig kaltem Petroläther durch starkes Kühlen die cis-Verbindung als orangerote Kristallplatten, F: 71°.

Auf analoge Weise wurde eine ganze Reihe substituierter cis-Azobenzole gewonnen: z. B. *4-Methyl-azobenzol*[1], *4,4'-Dimethyl-azobenzol*[1], *4-Äthoxy-azobenzol*[1], *4-Chlor-*[3], *4-Brom-*[3], *4-Jod-azobenzol*[3], *3-Nitro-azobenzol*[3], *3,3'-Dinitro-azobenzol*[3], *2-Phenylazo-1-methoxy-naphthalin*[2], ferner *2,2'-* und *3,3'-cis-Azopyridin*[4] und von *cis-Azonaphthalinen* beispielsweise die *2,2'-* und die *1,2'-Verbindung*[5]. Von *1,4-Diphenylazo-benzol* ließen sich eine *cis-cis-* und eine *cis-trans*-Form isolieren[3].

Eine sehr starke Verminderung der thermischen Stabilität der cis-Isomeren wird in der Regel durch ortho-ständige Substituenten hervorgerufen, besonders durch Hydroxy- und Amino-Gruppen[6] (durch letztere auch in der para-Stellung). Eine Isolierung der cis-Isomeren gelingt daher unter gewöhnlichen Bedingungen nicht[1,7], obwohl eine günstige Einstellung des cis-trans-Gleichgewichtes während der Belichtung an gekühlten Lösungen spektroskopisch nachgewiesen werden konnte[8,9]. Auch bei o-Carboxy-substituierten Azobenzolen gelang es nicht, die cis-Verbindungen zu isolieren[10]. Weiter kommt bei Hydroxy- bzw. Amino-substituierten Azoverbindungen noch die Möglichkeit von nicht photokatalysierter Azo-Hydrazon-Tautomerie ins Spiel[9,11]. Auch an Polypeptiden verankerte Phenylazo-Gruppen zeigen bei Belichtung spektrale Änderungen, die auf trans → cis-Umlagerung schließen lassen[12]. Zur trans → cis-Isomerisierung gemischt aromatisch-aliphatischer Azo-Verbindungen vgl. [13].

Eine Reihe von Verbindungen bringen mit einer zumindest formalen Azo-Struktur ebenfalls die Voraussetzung zur cis-trans-Isomerie mit. Alkylmercapto-aryl-diazene, die bei der Herstellung zunächst in der cis-Form anfallen und sich thermisch in die trans-Form umlagern lassen, erleiden in Lösung in diffusem Tageslicht spektroskopisch nachweisbar Rückisomerisierung in die cis-Form[14]. Ebenso konnten die bei Aryl-cyan-diazenen[15], N-Aryl-

[1] A. H. COOK, Soc. **1938**, 867.
[2] L. ZECHMEISTER, O. FREHDEN u. P. FISCHER JÖRGENSEN, Naturwiss. **26**, 495 (1938).
[3] A. H. COOK u. D. G. JONES, Soc. **1939**, 1309.
[4] N. CAMPBELL, A. W. HENDERSON u. D. TAYLOR, Soc. **1953**, 1281.
[5] M. FRANKEL, R. WOLOVSKY u. E. FISCHER, Soc. **1955**, 3441.
[6] Hier wirken Wasserstoff-Brücken stabilisierend auf die trans-Konfiguration.
[7] G. S. HARTLEY, Soc. **1938**, 633.
[8] M. A. INSCOE, J. H. GOULD u. W. R. BRODE, Am. Soc. **81**, 5634 (1959).
   E. FISCHER u. Y. FREI, J. Chem. Physics **27**, 328 (1957); Soc. **1959**, 3159.
   W. R. BRODE, J. H. GOULD u. G. M. WYMAN, Am. Soc. **74**, 4641 (1952).
[9] G. GABOR et al., Israel. J. Chem. **5**, 193 (1967); C. A. **68**, 86614[s] (1968).
[10] C. P. JOSHUA u. G. E. LEWIS, Austr. J. Chem. **20**, 929 (1967); C. A. **67**, 53849[y] (1967).
[11] E. FISCHER u. Y. FREI, Soc. **1959**, 3159.
[12] M. GOODMAN u. M. L. FALXA, Am. Soc. **89**, 3863 (1967).
[13] N. A. PORTER u. L. J. MARNETT, Am. Soc. **95**, 4361 (1973).
[14] H. VAN ZWET u. E. C. KOOYMAN, R. **86**, 993 (1967).
[15] z. B. R. J. W. LE FÈVRE u. J. NORTHCOTT, Soc. **1949**, 333;
   J. DE JONGE, R. DIJKSTRA u. G. L. WIGGERINK, R. **71**, 846 (1952).

diazen-N'-sulfonsäure-salzen[1] und bei Aryl-diazotaten[2] durch Belichtung hervorgerufenen Veränderungen vor allem aufgrund spektraler Indizien mit *trans → cis*-Umlagerungen erklärt werden. Eine kritische Zusammenfassung der Originalliteratur hierzu vgl.[3]. Zur Photodissoziation von Natrium-phenyldiazen-sulfonat vgl.[4].

$\beta\beta$) Cyclodehydrierungen

Belichtet man Azobenzol in starker Schwefelsäure,[5] oder in Eisessig unter Zusatz von Eisen(III)-chlorid oder Aluminium-chlorid[6], so erfolgt Cyclisierung zu *Benzo-[c]-cinnolin*:

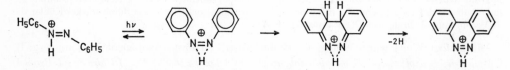

Der Cyclisierung vorgelagert ist die Einstellung eines Photogleichgewichts zwischen protonierter *cis*- und *trans*-Azo-Verbindung[7]. Die photoangeregte *cis*-Form, wahrscheinlich im ersten Singulett-Zustand, cyclisiert dann zu einer ebenfalls protonierten Dihydro-Zwischenstufe, die zum protonierten Benzo-[c]-cinnolin dehydriert wird. Dies geschieht in der Regel durch eine weitere Molekel protonierter Azo-Verbindung, die dabei in die Hydrazo-Stufe übergeht[8]. Die Quantenausbeute der Cyclisierung wurde für Azobenzol (4-Chlor-azobenzol) in 14–22 n Schwefelsäure bei 25° für $\lambda = 436$ nm zu $\varphi = 0,016$–0,013 ($\varphi = 0,006$–0,005) bestimmt, sie fällt also mit steigender Säure-Konzentration etwas ab, gleichzeitig erhöht sich jedoch die erzielbare Ausbeute an Cyclisierungsprodukt[8].

Die Reaktion wurde außer mit Azobenzol auch an einer großen Anzahl substituierter Azobenzole durchgeführt. Als Lichtquelle eignet sich Pyrex-gefilterte Quecksilber-Hochdruck-Strahlung, aber auch helles Sonnenlicht kann benützt werden. Die Belichtungszeiten sind in beiden Fällen oft sehr lang. Als Reaktionsmedium dient am häufigsten 22 n Schwefelsäure, gelegentlich mit einer 10%igen Äthanol-Beimischung oder in bestimmten Fällen 98%ige Schwefelsäure.

Die nach dem oben formulierten Mechanismus gekoppelt mit den Benzo-[c]-cinnolinen entstehenden Hydrazobenzole unterliegen in Schwefelsäure der Benzidin- bzw. Semidin-Umlagerung und finden sich in Form der entsprechenden Umwandlungsprodukte in den Ansätzen. Bei den in konz. Schwefelsäure durchgeführten Cyclisierungen übersteigt die Ausbeute an Benzo-[c]-cinnolin vielfach das nach obigem Schema mögliche Maximum von 50% beträchtlich. Hier wirkt höchstwahrscheinlich die konzentrierte Säure direkt dehydrierend, worauf auch die in solchen Fällen beobachtete Schwefeldioxid-Entwicklung hindeutet[9].

Benzo-[c]-cinnolin[10]: Die Lösung von 5 g Azobenzol in 120 *ml* 22 n Schwefelsäure wird in einem wassergekühlten Pyrex-Reaktor 72 Stdn. mit einem 125 W Quecksilber-Brenner belichtet. Anschließend neutralisiert man mit wäßriger Natronlauge (70 g Natriumhydroxid) unter Eiskühlung, filtriert vom festen Anteil unter Nachwaschen mit verd. Schwefelsäure und Äthanol ab und extrahiert die vereinigten Filtrate mit Benzol. Die benzolische Lösung hinterläßt nach Waschen und Trocknen 2,37 g (48% d.Th.) gelben festen Rückstand, der aus Benzol umkristallisiert wird; Ausbeute: 2,22 g (45% d.Th.); F: 156–156,5°, schwach gelbe Nadeln.

[1] H. JONKER, TH. P. G. W. THIJSSENS u. L. K. H. VAN BEEK, R. **87**, 997 (1968).
  J. VAN DER VEEN, J. HELFFERICH u. L. K. H. VAN BEEK, R. **85**, 895 (1966).
[2] z. B. R. J. W. LE FÈVRE u. J. B. SOUSA, Soc. **1957**, 745.
[3] H. ZOLLINGER, *Azo- and Diazochemistry*, Interscience Publ., New York · London 1961.
[4] J. REICHEL u. R. VIDAC, Rev. Roumaine Chim. **15**, 1107, 1227 (1970); C. A. **74**, 22313^j, 31614^k (1971).
[5] G. E. LEWIS, Tetrahedron Letters **1960**, Nr. 9, 12.
[6] P. HUGELSHOFER, J. KALVODA u. K. SCHAFFNER, H. **43**, 1322 (1960).
  G. E. LEWIS u. R. J. MAYFIELD, Austral. J. Chem. **19**, 1445 (1966).
[7] G. E. LEWIS, J. Org. Chem. **25**, 2193 (1960).
[8] G. M. BADGER, R. J. DREWER u. G. E. LEWIS, Austral. J. Chem. **19**, 643 (1966).
[9] G. M. BADGER, C. P. JOSHUA u. G. E. LEWIS, Austral. J. Chem. **18**, 1639 (1965).
[10] G. M. BADGER, R. J. DREWER u. G. E. LEWIS, Austral. J. Chem. **16**, 1042 (1963); C. A. **60**, 8025^c (1964).

Der nach dem Neutralisieren des Photolysats ausgefallene feste Anteil liefert nach Behandeln mit überschüssiger wäßriger Natronlauge und Kristallisation aus wäßrigem Äthanol 1,7 g Benzidin.

Analog reagieren 2-, 3- bzw. 4-Methyl-azobenzol und die entsprechenden Dimethyl-azobenzole[1], 2,4,6-Trimethyl-azobenzol[2], 2-, 3- oder 4-Carboxy-, -Jod- oder -Chlor-azobenzol[2], 2-Alkoxycarbonyl-azobenzol[3], 4- bzw. 4'-substituierte Azobenzol-2-carbonsäuren (in 98%iger Schwefelsäure, Ausbeute: 75–60% d.Th.)[4], 3-Nitro-azobenzol (98% Schwefelsäure, 250 Stdn. Belichtung, 88% *3-Nitro-⟨benzo-[c]-cinnolin⟩*)[5], 3-Acetyl-azobenzol (98% Schwefelsäure, 108 Stdn. UV-Belichtung oder 14 Tage Sonne, 70% *3-Acetyl-⟨benzo-[c]-cinnolin⟩*)[5], 1-Phenylazo-naphthalin (8 Tage Belichtung mit 125 W Quecksilber-Brenner, 42% *Naphtho-[1,2-c]-cinnolin*)[6].

Bei unsymmetrischer Substitution der Azoverbindung entstehen wegen der verschiedenen Verknüpfungsmöglichkeiten Gemische verschiedener Benzocinnoline; aus 3-Methyl-azobenzol beispielsweise *1-Methyl-* und *3-Methyl-⟨benzo-[c]-cinnolin⟩* neben 2-Methyl-benzidin[1]:

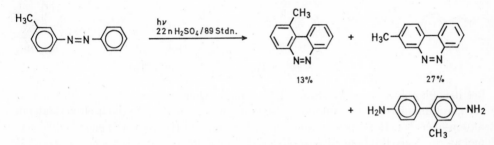

Entsprechend entstehen aus 3,3'-Dimethyl-azobenzol *3,8-Dimethyl-, 1,8-Dimethyl-* und *1,10-Dimethyl-⟨benzo-[c]-cinnolin⟩* (16% d.Th., 7% d.Th. bzw. 3% d.Th.) neben 2,2'-Dimethyl-benzidin[1].

Ortho-ständige Methyl-Gruppen wie auch andere Substituenten (Halogen, Carboxyl-Gruppe) werden bei der Cyclisierung teilweise eliminiert[1,2,4]. So erhält man z. B. aus 2-Methyl-azobenzol *4-Methyl-⟨benzo-[c]-cinnolin⟩* und *Benzo-[c]-cinnolin*[1] im Verhältnis ~ 2:1.

Gleichfalls unter Eliminierung verlaufen die Reaktionen von 4-Benzylidenamino-azobenzol (98% Schwefelsäure; 92 Stdn.) zu *2-Amino-⟨benzo-[c]-cinnolin⟩* (Rohausbeute: 97% d.Th.)[5] und von 4-Dimethylamino-azobenzol-4-N-oxid zu *2-Dimethylamino-⟨benzo-[c]-cinnolin⟩* (11% d.Th.)[7].

Auch auf 1,4- bzw. 4,4'-Bis-phenylazo-Derivate von Benzol, Biphenyl und Diphenyl-methan wurde die Reaktion übertragen[6,8].

Bei Belichtung mit einem Quecksilber-Hochdruck-Brenner (50 Stdn. Philips HP 125 W, Pyrex-Apparatur) in Benzol beobachtet man an in 4'-Stellung substituierten Azobenzol-2-carbonsäuren [R = H, CH$_3$, Cl, N(CH$_3$)$_2$] in geringem Umfang (~ 5–7%) Decarboxy-lierung zu den entsprechend substituierten Azobenzolen[9]. Benzo-[c]-cinoline bilden sich

[1] G. M. BADGER, R. J. DREWER u. G. E. LEWIS, Austral. J. Chem. **16**, 1042 (1963); C. A. **60**, 8025ᶜ (1964).

[2] G. M. BADGER, R. J. DREWER u. G. E. LEWIS, Austral. J. Chem. **17**, 1036 (1964); C. A. **61**, 13305ᵇ (1964).

[3] C. P. JOSHUA u. V. N. RAJASEKHARAN PILLAI, Tetrahedron Letters **1973**, 3559.

[4] C. P. JOSHUA u. G. E. LEWIS, Austral. J. Chem. **20**, 929 (1967); C. A. **67**, 53849ʸ (1967).

[5] G. M. BADGER, C. P. JOSHUA u. G. E. LEWIS, Austral. J. Chem. **18**, 1639 (1965).

[6] G. M. BADGER, N. C. JAMIESON u. G. E. LEWIS, Austral. J. Chem. **18**, 190 (1965); C. A. **62**, 14665ᵇ (1965).

[7] G. E. LEWIS u. J. A. REISS, Austral. J. Chem. **20**, 1451 (1967); C. A. **67**, 72968ᵍ (1967).

[8] N. C. JAMIESON u. G. E. LEWIS, Austral. J. Chem. **20**, 321 2777 (1967); C. A. **66**, 64853ᵃ (1967); **69**, 2926ᵃ (1968).

[9] C P. JOSHUA u. G. E. LEWIS, Tetrahedron Letters **1966**, 4533.

unter diesen Bedingungen nicht[1], auch ist die Reaktion auf Azobenzol-2-carbonsäuren beschränkt. Azobenzol-3- bzw. -4-carbonsäuren, die im Gegensatz zu den 2-Carbonsäuren keine Wasserstoff-Brücke zwischen Carboxy-Gruppe und benachbartem Azo-Stickstoff erkennen lassen, erwiesen sich auch bei längerer Belichtung in Benzol oder 1,2-Dichlor-äthan als stabil.

γγ) Reduktion

Zur Reduktion von Azobenzolen mit Wasserstoff-Donatoren s. S. 1452ff..

11H-⟨Dibenzo-[c;f]-[1,2]-diazepin⟩ (IV) wird in schwach schwefelsaurem (1 Vol.-%) Äthanol zu einem Gemisch aus *Bis-[2-amino-phenyl]-methan* (14% d.Th.), *2,2'-Diamino-benzophenon* (27% d.Th.) und *11-Oxo-dibenzo-[c;f]-[1,2]-diazepin* (28% d.Th.) reduziert bzw. oxidiert. In neutralem Äthanol oder Benzol erfolgt keine Reaktion, in konzentrierter Schwefelsäure entsteht statt eines Benzo-[c]-cinnolins ein vermutliches Sulfonyl-Derivat des Diamino-benzophenons[2]:

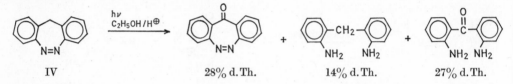

IV   28% d.Th.   14% d.Th.   27% d.Th.

Bei der Photolyse von Azobenzol in Cumol (Quecksilber-Hochdruck-Brenner mit Filter zur Eliminierung der Anteile λ < 400 nm) erfolgt in einer radikalisch verlaufenden Reaktion über das (ESR-spektroskopisch nachgewiesene) Hydrazyl (V) eine Addition von Cumol an die N=N-Bindung zu *N-(1-Methyl-1-phenyl-äthyl)-N,N'-diphenyl-hydrazin* (VI)[3]:

$$H_5C_6-N=N-C_6H_5 \xrightarrow{h\nu/Cumol} \left[\begin{array}{c} H_5C_6-N-N-C_6H_5 \\ \overset{|}{H_5C_6-C(CH_3)_2} \end{array} \right] \longrightarrow \begin{array}{c} H_5C_6-NH-N-C_6H_5 \\ \overset{|}{H_5C_6-C(CH_3)_2} \end{array}$$

V   VI

δδ) Fragmentierungen

Zerfall in elementaren Stickstoff und 2 Radikale, Hauptreaktion bei der Photolyse der Azoalkane, beobachtet man auch bei folgenden Verbindungen:

Phenylazo-triphenyl-methan zerfällt photolytisch und thermolytisch gleichermaßen in Stickstoff, Triphenylmethyl- und Phenyl-Radikal, die sich in Folgereaktionen stabilisieren[4]. In Benzol (Tauchlampe S 81, Quarzlampen-Ges.) isoliert man als Endprodukte neben *Triphenylmethyl* (nach Belüften der Photolyse-Lösung als Peroxid, ~ 15%) und *Triphenylmethan* (~ 60%) *Biphenyl, Benzol* (nachgewiesen in Chlorbenzol als Lösungsmittel) und etwas *Tetraphenylmethan*[5]. Zur Photofragmentierung von 2-Phenylazo-2-phenyl-propan vgl.[6].

[1] Bei sehr langer Belichtung (200 Stdn.; Philips HPK 125 W Brenner) in 1,2-Dichlor-äthan entstehen aus Azobenzol-2-carbonsäure und -2,2'-dicarbonsäure in Ausbeuten um 10% *Benzo-[c]-cinnolin-4-carbonsäure* bzw. *-4,7-dicarbonsäure*: C. P. JOSHUA u. V. N. RAJASEKHARAN PILLAI, Tetrahedron Letters **1973**, 3559.

[2] C. P. JOSHUA u. G. E. LEWIS, Austral. J. Chem. **20**, 2229 (1967); C. A. **68**, 21908ʷ (1968).

[3] J. K. S. WAN, L. D. HESS u. J. N. PITTS jr., Am. Soc. **86**, 2069 (1964).

[4] L. HORNER u. W. NAUMANN, A. **587**, 93 (1954).
Zum Primärprozeß vgl. V. V. RYL'KOV u. V. E. KHOLMOGOROV, Chim. Vys. Energ. **2**, 572 (1968); C. A. **70**, 33203ˢ (1969).

[5] L. HORNER u. W. NAUMANN, A. **587**, 93 (1954).

[6] N. A. PORTER u. L. J. MARNETT, Am. Soc. **95**, 4361 (1973).

Dibenzoyl-diazene zerfallen photolytisch in Stickstoff und (subst.) Benzoyl-Radikale[1] die sich zu einem Benzil-Derivat vereinigen können. Als weitere Produkte werden Di- und Tribenzoyl-hydrazine, Benzoesäuren und 2,5-Diaryl-1,3,4-oxadiazole beobachtet:

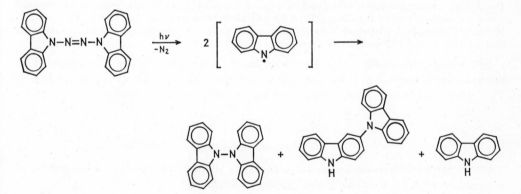

Die photochemische Reaktivität der Diaroyl-diazene hängt jedoch stark vom Substituenten ab. So spalten Bis-[4-chlor- und 2-chlor-benzoyl]-diazen (benzolische Lösung; Tauchlampe S 81 – Hanau) leicht Stickstoff ab und liefern *4,4'*- bzw. *2,2'-Dichlorbenzil* in 40 bzw. 55% Ausbeute neben 40 bzw. 25% der entsprechenden Tribenzoylhydrazine. Aus der unsubstituierten und der 4-Methoxy-Verbindung werden unter diesen Bedingungen keine Benzile gebildet[2]. Durch Photolyse in siedendem Benzol (250 W Hanovia Lampe; Pyrex-Apparatur) erhält man jedoch aus Dibenzoyl-diazen *Benzil* in 29%iger Ausbeute neben *2,5-Diphenyl-1,3,4-oxadiazol* (22% d.Th.); analog aus Benzoyl-(4-nitrobenzoyl)-diazen in 24%iger Ausbeute *2-Phenyl-5-(4-nitro-phenyl)-1,3,4-oxadiazol*[3].

N,N'-Azocarbazol erleidet wiederum photolytisch und thermolytisch in gleicher Weise Spaltung in Stickstoff und Carbazolyl-Radikale, die dimerisieren oder sich durch Wasserstoff-Abstraktion absättigen. Photolyse in Lösung oder, wegen der geringen Löslichkeit, in Suspension (500 W Hanovia; Pyrex-Apparatur) ergibt in Benzol, Chlorbenzol oder Cyclohexan 20–25% *9,9'-Bicarbazolyl*, wenig *3,9'-Bicarbazolyl* und 25–30% *Carbazol* neben höhermolekularen Produkten[4]. In Cumol und anderen Lösungsmitteln, die leicht abstrahierbaren Wasserstoff besitzen, steigt der Carbazol-Anteil auf 80–90%[4]:

Zur Photochemie vom 1,4-Diaryl-1,4-dimethyl-tetrazenen vgl.[5].

εε) Verschiedene Reaktionen

Lösungen von Azobenzolen in Acetylchlorid (oder Acetanhydrid/Salzsäure) entfärben sich im Sonnenlicht oder durch Strahlung von Quecksilber-Hochdruck-Brennern rasch.

[1] Zum versuchten Nachweis von Benzoyl-Radikalen durch Polymerisationsauslösung vgl. Lit. [2].
[2] L. Horner u. W. Naumann, A. 587, 93 (1954).
[3] D. Mackay, U. F. Marx u. W. A. Waters, Soc. 1964, 4793.
[4] W. A. Waters u. J. E. White, Soc. [C] 1968, 740.
[5] J. F. Sullivan, K. Halley u. H. J. Shine, Tetrahedron Letters 1970, 2007.

Man isoliert in hohen Ausbeuten *4-Chlor-N,N'-diacetyl-hydrazobenzol* neben geringen Mengen der 2-Chlor-Verbindung[1]:

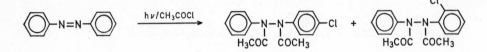

Durch Variation des Carbonsäure-chlorids läßt sich das o/p-Verhältnis sehr stark verschieben: während aus Azobenzol in Acetylchlorid 83% der 4-Chlor-Verbindung neben 12% 2-Chlor-Derivat entstehen, bildet sich in Trichloracetylchlorid überwiegend die 2-Chlor-Verbindung[2]. Da *cis*-Azobenzol in einer über Acyl-Kationen verlaufenden Dunkelreaktion ebenfalls 4-Chlor-N,N'-diacetyl-hydrazobenzol (zusammen mit dem N'-Monoacetyl-Derivat) liefert, muß es sich bei der photokatalysierten Reaktion der *trans*-Verbindung um eine „Dunkel"-Reaktion des photochemisch erzeugten *cis*-Isomeren handeln[3]. Die starke Variation des o/p-Verhältnisses für den Eintrittsort des Chlors läßt sich mit der verschieden großen Bereitschaft der einzelnen Acylchloride zur Dissoziation und dem Zusammenwirken zweier Chlorierungsmechanismen erklären[2].

Durch die Möglichkeit zur Entacylierung und Rückoxidation zur Azostufe, beides Reaktionen, die leicht und mit sehr guter Ausbeute verlaufen, stellt die photochemische Chloracylierung von Azobenzol gleichzeitig einen günstigen Syntheseweg für *o*- bzw. *p*-*Chlor-azobenzol*[2] und bei mehrmaliger Anwendung auch für zwei-, drei- und vierfach o- bzw. p-chlorierte Azobenzole dar[4].

4-Chlor-azobenzol[2]: Eine Lösung von 64 g Azobenzol in 640 *ml* Acetylchlorid wird in einer verschlossenen Kulturflasche 2 Stdn. hellem Sonnenlicht ausgesetzt. Der beim Abdestillieren des Acetylchlorids verbleibende Rückstand wird mit 75 g Kaliumhydroxid in 300 *ml* Methanol und 100 *ml* Wasser 6 Stdn. unter Rückfluß gekocht. Anschließend saugt man zur Oxidation 3 Stdn. Luft durch die Lösung. Durch Absaugen des orangeroten Niederschlages, gutes Auswaschen mit Wasser, Trocknen und Kristallisieren aus Methanol erhält man 56 g (73% d.Th.) 4-Chlor-azobenzol als orange Nadeln, F: 86–87°. Die Methanol-Mutterlaugen hinterlassen ein dunkelorangenes Öl (16,5 g), das aus einer Mischung annähernd gleicher Teile 4- und 2-Chlor-azobenzol besteht.

Belichtung (Quecksilber-Mitteldruck-Brenner; Solidex-Glas) von 2,4-Dinitro-4'-dimethylamino-azobenzol in Isopropanol in Gegenwart von Sauerstoff ergibt *2,4-Dinitro-4'-dimethylamino-azoxy-(N')-benzol* (35–40% d.Th., bez. auf 35% Umsatz)[5].

δ_2) *acyclische Azoalkane*

Die wichtigste Folgereaktion der Photoanregung aliphatischer Azo-Verbindungen ist die Dissoziation in Alkyl-Radikale und elementaren Stickstoff[6]:

$$R-N{=}N-R \xrightarrow{h\nu} 2\,R\cdot + N_2$$

$$R = \text{Alkyl}$$

[1] G. E. LEWIS u. R. J. MAYFIELD, Austral. J. Chem. **19**, 1445 (1966); C. A. **65**, 13583[h] (1966); Tetrahedron Letters **1966**, 269.
[2] D. P. G. HAMON, G. E. LEWIS u. R. J. MAYFIELD, Austral. J. Chem. **21**, 1053 (1968).
[3] G. E. LEWIS u. R. J. MAYFIELD, Austral. J. Chem. **20**, 1899 (1967); C. A. **67**, 99433[m] (1967).
[4] G. E. LEWIS u. R. J. MAYFIELD, Austral. J. Chem. **21**, 1601 (1968).
[5] H. GRUEN u. D. SCHULTE-FROHLINDE, Chem. Commun. **1974**, 923; dort auch ältere Hinweise.
[6] Zur Frage eines Zweistufen-Zerfalls über R·+ ·N=N–R vgl. P. A. LEERMAKERS et al., Am. Soc. **88**, 5075, 5082 (1966).

In der Gasphase bei niedrigem Druck verläuft diese Reaktion praktisch ausschließlich[1] und mit Quantenausbeuten nahe $\varphi = 1$. Die Gasphasen-Photolyse – meist bei $\lambda = 366$ nm – von Azoalkanen stellt deshalb eine für reaktionskinetische und ähnliche Studien äußerst günstige[2] Methode zur Erzeugung von Alkyl-Radikalen dar. Mit gewissen Einschränkungen gilt dies auch für die mit wesentlich kleinerer Quantenausbeute erfolgende Photolyse in Lösung[3]. Für präparative Zwecke ist die Methode im allgemeinen ohne Bedeutung, weshalb an dieser Stelle auch nicht ausführlicher darauf eingegangen werden soll.

Allerdings kann in Sonderfällen, beispielsweise zur Gewinnung thermisch instabiler Verbindungen, die Azoalkan-Photolyse, ggf. in Gegenwart eines Reaktionspartners, auch als präparative Mikro-Methode Anwendung finden.

Nach Photolyse tert.-Azoalkane, am günstigsten Di-tert.-butyl-diazen, in Sauerstoff-gesättigten Lösungen (Fluor-trichlor-methan/Difluor-dichlor-methan = 1:2) bei –95 bis –140° lassen sich NMR-spektroskopisch Dialkyl-tetroxide nachweisen, die sich bei Temperaturerhöhung spontan unter Sauerstoff-Abspaltung zersetzen[4]:

$$(H_3C)_3C-N=N-C(CH_3)_3 \xrightarrow[-N_2]{h\nu/O_2} 2\,(H_3C)_3C-OO\cdot \longrightarrow (H_3C)_3C-O_4-C(CH_3)_3$$

Analoge Versuche mit Perfluor-azomethan vgl.[5]. Durch Photolyse von Bis-[3-äthyl-pentyl-(3)]-diazen in Petroläther bei –40 bis –25° wurde *3,3,4,4-Tetraäthyl-hexan* in 3%iger Ausbeute erhalten[6].

Belichtet man Azoalkane[7] in Lösung oder reine flüssige oder eingefrorene Azoalkane, so wird der Zerfall in Radikale, der in der Gasphase als einzige Reaktion beobachtet wird, stark zurückgedrängt und stattdessen erfolgt *trans → cis*-Umlagerung bis zur Einstellung des photostationären Gleichgewichts.

So findet man bei Lösungen von Azomethan in Wasser, Äthanol, Methanol oder Äther nach Bestrahlung mit $\lambda = 365$ nm unabhängig vom Lösungsmittel ein *cis-trans*-Verhältnis von 0,1, das sich mit einer Quantenausbeute von $\varphi = 0{,}1{-}0{,}01$ (je nach Lösungsmittel) einstellt. Auch in einer Äther-Matrix bei –196° erfolgt noch Isomerisierung, ebenso in festem Azomethan, aus dem sich durch Tieftemperatur-Fraktionierung das *cis-Azomethan* weitgehend anreichern läßt[8].

Die basenkatalysierte Isomerisierung zu Formaldehyd-methylhydrazon erfolgt beim *cis*-Azomethan ~ 100mal schneller als bei der *trans*-Verbindung[8].

Reines *cis-Diisopropyl-diazen* läßt sich durch Bestrahlen von flüssiger *trans*-Verbindung mit $\lambda = 365$ nm und nachfolgende gaschromatographische Trennung der Stereoisomeren erhalten, doch läßt sich die Isomerisierung hier ebenfalls in Lösung (Isooctan oder Wasser)

[1] Möglichkeit der direkten Äthan-Bildung bei der Photolyse von Azomethan:
  S. Toby u. J. Nimoy, J. phys. Chem. **70**, 867 (1966).
  S. L. Cheng, J. Nimoy u. S. Toby, J. phys. Chem. **71**, 3075 (1967).
  H. Shaw, J. H. Menczel u. S. Toby, J. phys. Chem. **71**, 4180 (1967).
[2] J. O. Terry u. J. H. Futrell, Canad. J. Chem. **45**, 2327, 2332 (1967).
  M. C. R. Symons, Nature **213**, 1126 (1967).
  P. D. Bartlett u. M. B. McBride, Pure Appl. Chem. **15**, 89 (1967).
  R. D. Burkhart u. J. C. Merrill, J. phys. Chem. **73**, 2699 (1969).
  O. P. Strausz, R. E. Berkley u. M. E. Gunning, Canad. J. Chem. **47**, 3470 (1969).
[3] Übersicht: P. S. Engel u. C. Steel, Accounts Chem. Res. **6**, 275 (1973).
[4] T. Mill u. R. S. Stringham, Am. Soc. **90**, 1062 (1968).
  s. a. S. S.Thomas u. J. G. Calvert, Am. Soc. **84**, 4207 (1962).
[5] V. A. Ginsburg et al., Doklady Akad. SSSR **149**, 97 (1963); C. A. **59**, 5008[e] (1963).
[6] H. D. Beckhaus u. C. Rüchardt, Tetrahedron Letters **1973**, 1971.
[7] Offenkettige Azoalkane besitzen *trans*-Struktur.
[8] R. F. Hutton u. C. Steel, Am. Soc. **86**, 745 (1964).

ausführen. Selbst in der Gasphase beobachtet man bei gleichzeitiger starker Verlangsamung des Zerfalls Isomerisierung, wenn durch Zusatz von Inertgas der Gesamtdruck im System stark erhöht wird[1].

Auch die bei Dibutyl-diazen durch Belichtung in Tetrachlormethan (Sunlamp) eintretende Umlagerung in *Butanaldehyd-butylhydrazon* dürfte nach den Beobachtungen an den Azomethan-Isomeren eine Folge der photochemischen *trans → cis*-Umlagerung sein[2].

Die *trans → cis*-Umlagerung von Di-tert.-butyl-diazen gelingt in Lösung (Fluor-trichlormethan, Pentan, Methanol, Aceton) bei Temperaturen unter −50°. Beim Auftauen der belichteten Lösungen tritt spontaner Zerfall unter Stickstoff-Freisetzung ein, woraus auf eine sehr geringe thermische Stabilität des *cis*-Di-tert.-butyl-diazens (im Gegensatz zur auffallend hohen Beständigkeit der *trans*-Verbindung) geschlossen werden muß[3].

Beim Belichten (Quecksilber-Mitteldruck-Brenner) von Dialkoxycarbonyl-diazenen in aliphatischen Äthern beobachtet man Addition unter Bildung von Hydrazo-dicarbonsäure-diester-Derivaten, wobei der Äther stets an einer α-Stellung zum Sauerstoff angegriffen wird[4]:

$$\text{ROOC-N=N-COOR} \;+\; \text{R}^1\text{-CH}_2\text{-O-R}^2 \;\xrightarrow{\;h\nu\;}\; \begin{array}{c}\text{ROOC-N-NH-COOR}\\ |\\ \text{R}^1\text{-CH-OR}^2\end{array}$$

Diese Reaktion wurde u. a. mit 1,4-Dioxan (50% Ausbeute), Dibutyläther (60%), 1,2-Dimethoxy-äthan (47 + 29%, Methylen- bzw. Methyl-Angriff) beobachtet.

Analoge Produkte isolierte man anstelle von Diazetidinen beim Versuch, die Cycloaddition zwischen N=N- und ungespannter C=C-Doppelbindung photochemisch herbeizuführen[5]:

3-(N,N'-Diäthoxycarbonyl-hydrazino)-cyclohexen; 52% d.Th.

Hierbei erfolgt die primäre Wasserstoff-Abstraktion aus der Allyl-Stellung des Olefins, was das Auftreten isomerisierter Alkenyl-Reste im Hydrazo-Derivat verständlich macht. So liefert Hexen-(1) mit Diäthoxycarbonyl-diazen z. B. *Hexen-(2)-yl-(1)-1,2-diäthoxycarbonyl-hydrazin*[5].

Aus 1,2-Dideuterio-cyclohexen und Dimethoxycarbonyl-diazen bilden sich *3-(N,N'-Dimethoxycarbonyl-hydrazino)-1,2-dideuterio-* sowie *-2,3-dideuterio-cyclohexen* in gleichen Mengen[6]. Diese Reaktionen verlaufen auch **thermisch** mit analogem Resultat.

Belichtung von Dialkoxycarbonyl-diazenen in Alkoholen führt in einer langsam auch im Dunkeln (z. B. in siedendem Cyclohexanol) verlaufenden Redox-Reaktion zu Hydrazo-dicarbonsäure-diestern und Carbonyl-Verbindungen[4], möglicherweise über analoge Additionsprodukte, wie sie mit Äthern isoliert werden.

[1] I. I. ABRAM et al., Am. Soc. **91**, 1220 (1969).
[2] J. G. CALVERT u. J. N. PITTS, Jr., *Photochemistry*, S. 464, J. Wiley & Sons, New York · London 1966.
[3] TH. MILL u. R. S. STRINGHAM, Tetrahedron Letters **1969**, 1853.
[4] R. C. COOKSON, I. D. R. STEVENS u. C. T. WATTS, Chem. Commun. **1965**, 259.
[5] G. AHLGREN u. B. ÅKERMARK, Acta chem. scand. **21**, 2910 (1967).
[6] G. AHLGREN, B. ÅKERMARK u. K.-I. DAHLQUIST, Acta chem. scand. **22**, 1129 (1968).

Ausgewählte neuere Literatur zur Azoalkan-Photolyse s.: Dimethyl-diazen[1], Bis-[trifluormethyl]-diazen[2], Diäthyl-diazen[3], Bis-[pentafluoräthyl]-diazen[4], Dipropyl-diazen[5], Diisopropyl-diazen[6], Dibutyl-diazen[7], Bis-[2-methyl-propyl]-diazen[8], Di-tert.-butyl-diazen[9], Bis-[polyfluoralkyl]-diazen[10], Cyclooctyl-decyl-diazen[11], Bis-[2-äthoxycarbonyl-propyl-(2)]-diazen[12], Bis-[2-cyan-propyl-(2)]-diazen[13], Bis-[2-phenyl-propyl-(2)]-diazen[14], Methyl-pentyl-diazen[15] und [2-Phenyl-propyl-(2)]-phenyl-diazen[16].

δ_3) cyclische Azo-Verbindungen

Die Photolyse cyclischer Azo-Verbindungen verläuft völlig analog zur Photofragmentierung der offenkettigen Azoalkane. Das unter Abspaltung von elementarem Stickstoff formal entstehende Diradikal wird sich dabei mit hoher Wahrscheinlichkeit intramolekular unter Cyclisierung stabilisieren.

[1] T. W. DAVIS, F. P. JAHN u. M. BURTON, Am. Soc. **60**, 10 (1938).
C. V. CANNON u. O. K. RICE, Am. Soc. **63**, 2900 (1941).
M. H. JONES u. E. W. R. STEACIE, J. Chem. Physics **21**, 1018 (1953).
G. R. HOEY u. K. O. KUTSCHKE, Canad. J. Chem. **33**, 496 (1953).
W. C. SLEPPY u. J. G. CALVERT, Am. Soc. **81**, 769 (1959).
R. E. REBBERT u. P. AUSLOOS, J. phys. Chem. **66**, 2253 (1962).
P. GRAY u. A. A. HEROD, Trans. Faraday Soc. **63**, 2489 (1967).
D. G. L. JAMES u. R. D. SUART, Trans. Faraday Soc. **65**, 175 (1969).
A. GOOD u. J. C. J. THYME, Trans. Faraday Soc. **63**, 2708 (1967).
R. K. LYON, Am. Soc. **86**, 1907 (1964).
K. CHAKRAVORTY, J. M. PEARSON u. M. SZWARC, Am. Soc. **90**, 283 (1968).
R. E. REBBERT u. P. AUSLOOS, Am. Soc. **87**, 1847 (1965).

[2] W. J. CHAMBERS, C. W. TULLOCK u. D. D. COFFMAN, Am. Soc. **84**, 2337 (1962).
J. R. DACEY u. D. M. YOUNG, J. Chem. Physics **23**, 1302 (1955).
G. O. PRITCHARD et al., Trans. Faraday Soc. **52**, 849 (1956).
J. R. DACEY, R. F. MANN u. G. O. PRITCHARD, Canad. J. Chem. **43**, 3215 (1965).
O. DOBIS, J. M. PEARSON u. M. SZWARC, Am. Soc. **90**, 278 (1968).

[3] J. A. KERR u. A. C. LLOYD, Trans. Faraday Soc. **63**, 2480 (1967).
T. AUSLOOS u. E. W. R. STEACIE, Bull. Soc. chim. belges **63**, 87 (1954); C. A. **48**, 8658 e (1954).
H. CERFONTAIN u. K. O. KUTSCHKE, Canad. J. Chem. **36**, 344 (1956); C. A. **52**, 7875 d (1958).
B. R. ROQUILLE u. J. H. FUTRELL, J. Chem. Physics **37**, 378 (1962).
D. P. DINGLEDY u. J. G. CALVERT, Am. Soc. **85**, 856 (1963).
W. C. WORSHAM u. O. K. RICE, J. Chem. Physics **46**, 2021 (1967).

[4] J. R. DACEY, W. C. KENT u. G. O. PRITCHARD, Canad. J. Chem. **44**, 969 (1966).

[5] J. A. KERR u. J. G. CALVERT, Am. Soc. **83**, 3391 (1961).
K. W. WATKINS u. D. K. OLSEN, J. phys. Chem. **76**, 1089 (1972).
S. YAMASHITA u. T. HAYAKAWA, Bl. chem. Soc. Japan **46**, 2290 (1973).
S. YAMASHITA, K. OKUMURA u. T. HAYAKAWA, Bl. chem. Soc. Japan **46**, 2744 (1973).

[6] R. H. RIEM u. K. O. KUTSCHKE, Canad. J. Chem. **38**, 2332 (1960).
S. YAMASHITA, K. OKUMURA u. T. HAYAKAWA, Bl. chem. Soc. Japan **46**, 2744 (1973).

[7] W. E. MORGANROTH u. J. G. CALVERT, Am. Soc. **88**, 5387 (1966).

[8] D. H. SLATER, S. S. COLLIER u. J. G. CALVERT, Am. Soc. **90**, 268 (1968).

[9] P. D. BARTLETT u. P. S. ENGEL, Am. Soc. **90**, 2960 (1968).
D. G. L. JAMES u. R. D. SUART, Trans. Faraday Soc. **65**, 175 (1969).

[10] V. A. GINSBURG et al., Doklady Akad. SSSR **142**, 88 (1962); C .A. **57**, 642 e (1962).

[11] A. C. COPE u. J. E. ENGLEHART, Am. Soc. **90**, 7092 (1968).

[12] J. R. FOX u. G. S. HAMMOND, Am. Soc. **86**, 4031 (1964).
G. S. HAMMOND u. J. R. FOX, Am. Soc. **86**, 1918 (1964).

[13] R. BACK u. C. SIEVERTZ, Canad. J. Chem. **32**, 1061 (1954).
P. D. BARTLETT u. M. B. McBRIDE, Pure Appl Chem. **15**, 89 (1967).

[14] S. F. NELSON u. P. D. BARTLETT, Am. Soc. **88**, 137, 143 (1966).

[15] K. W. WATKINS, Am. Soc. **93**, 6355 (1971).

[16] N. A. PORTER u. L. J. MARNETT, Am. Soc. **95**, 4361 (1973).

αα) 3H-Diazirine

Bei photochemischer Anregung[1] spalten 3H-Diazirine in Stickstoff und ein Carben:

$$\begin{array}{c} R' \\ \diagdown C \diagup \!\!\! \begin{array}{c} N \\ \| \\ N \end{array} \\ R \end{array} \xrightarrow{h\nu} \begin{array}{c} R \\ \diagdown C\!: \\ R' \end{array} + N_2$$

R, R' = H, Hal, Alkyl, Aryl

Die Photolyse von 3H-Diazirinen[2] stellt daher eine wertvolle und übersichtliche Methode zur Carben-Erzeugung dar. Ein gewisser Nachteil liegt in der **Explosions**neigung wohl aller Diazirine, besonders in unverdünnter Gasphase und in reiner flüssiger Phase. Außer im kurzwelligen ($\lambda < 200$ nm) absorbieren Diazirine im Bereich von $\lambda \sim 290$–350 nm[3], so daß sich zur Photolyse am besten Quecksilber-Mitteldruck-Brenner eignen. Die meisten in der Literatur beschriebenen Reaktionen wurden in der Gasphase durchgeführt.

In Abwesenheit geeigneter Substrate reagiert das aus 3H-Diazirin bzw. 3,3-Difluor-3H-diazirin gebildete Carben entweder mit der Ausgangssubstanz (vgl. Quantenausbeute!) oder durch Dimerisierung zu *Äthylen*[4,5] bzw. *Tetrafluor-äthylen*[6]. Bei Zusatz von Bor(III)-fluorid polymerisiert Difluormethylen zu *Poly-difluormethylen*[7].

Für 3H-Diazirin wurde mit monochromatischem Licht ($\lambda = 320$ nm) eine Quantenausbeute $\varphi_{\text{Diazirin}}$ $= 2 \pm 0,5$ gemessen[5]. Als weitere Primärreaktion konnte mit einer um eine Größenordnung kleineren Quantenausbeute eine Isomerisierung zu Diazomethan spektroskopisch nachgewiesen werden[5]:

$$\begin{array}{c} H_2C \diagup \!\!\! \begin{array}{c} N \\ \| \\ N \end{array} \end{array} \xrightarrow{h\nu} H_2C\!=\!N_2$$

Auch für 3-Aryl-3H-diazirine[8] und 3H-Diazirin-3-carbonsäure-amide[9] ist diese Isomerisierung nachgewiesen[2].

Erfolgt die Photolyse in Anwesenheit von Olefinen, so addiert sich das Carben stereospezifisch unter Cyclopropan-Bildung an die C=C-Doppelbindung. Auf diese Weise lassen sich vor allem Halogen-substituierte Cyclopropane in mäßigen bis sehr guten Ausbeuten darstellen[4,10–12]; vgl. Tab. 158 (S. 1143).

Die bei der Photolyse von alkyl-substituierten 3H-Diazirinen entstehenden Alkyl-carbene addieren sich jedoch nicht mehr an die C=C-Doppelbindung, sondern stabilisieren sich bevorzugt intramolekular[2,13]. So entstehen z. B. aus Cyclohexan-⟨1-spiro-3⟩-diazirin (UVS 500 Hanovia Lampe; Pyrex-Gefäß; 0,14–11 Torr, eventuell unter Stickstoff-Zusatz) neben *Cyclohexen* (57–88% d.Th.) als Hauptprodukt *Bicyclo[3.1.0]hexan* (0,9–2,5% d.Th.), *Methylen-cyclopentan* ($\sim 0,4\%$ d.Th.) sowie *Butadien-(1,3)* (41–8,3% d.Th.; bei

[1] HMO-Berechnungen: R. HOFFMANN, Tetrahedron **22**, 539 (1966).
[2] Zusammenfassung: H. M. FREY, Adv. Photochem. **4**, 225 (1966); Pure Appl. Chem. **9**, 527 (1964).
[3] UV-Spektren: A. LAU, E. SCHMITZ u. R. OHME, Z. physik. Chem. (Leipzig) **223**, 417 (1963).
    A. LAU, Spectrochim. Acta **20**, 97 (1964).
    P. H. HEPBURN u. J. M. HOLLAS, J. Mol. Spektry **50**, 126 (1974) und Lit.[6].
[4] H. M. FREY u. J. D. R. STEVENS, Pr. chem. Soc. **1962**, 79.
[5] M. J. AMRICH u. J. A. BELL, Am. Soc. **86**, 292 (1964).
[6] R. A. MITSCH, J. Heterocyclic Chem. **1**, 59 (1964); C. A. **60**, 14488^d (1964).
[7] P. H. OGDEN u. R. A. MITSCH, J. Heterocyclic Chem. **5**, 41 (1968).
[8] R. A. G. SMITH u. J. R. KNOWLES, Am. Soc. **95**, 5072 (1973).
[9] R. A. FRANICH, G. LOWE u. J. PARKER, Soc. Perkin I **1972**, 2034 .
[10] R. A. MITSCH, Am. Soc. **87**, 758 (1965).
[11] R. A. MITSCH, J. Heterocyclic Chem. **1**, 271 (1964).
[12] R. A. Moss, Tetrahedron Letters **1967**, 4905.
[13] H. M. FREY u. I. D. R. STEVENS, Am. Soc. **84**, 2647 (1962); Soc. **1963**, 3514; **1964**, 4700; **1965**, 1700, 3101.

Zusatz von 200 Torr Stickstoff 0%) und Äthylen[1], wobei sich die Ausbeuteangaben auf obiges Druckintervall beziehen:

In flüssiger Phase beobachtet man als weiteres Photolyseprodukt 15–20% *Cyclohexanon-azin*, dessen Bildung auf eine teilweise Isomerisierung des Diazirins zur Diazo-Verbindung zurückzuführen ist.

Das bei der Photolyse von 3,3-Difluor-3H-diazirin entstehende Difluorcarben läßt sich durch Halogene, N_2O_4, $ClNO_2$ unter Bildung entsprechender Difluormethyl-Derivate[2,3] abfangen; auch mit Carbon- und Sulfonsäuren oder Alkoholen reagiert Difluormethylen unter Bildung von Difluormethyl-Derivaten[3,4]. So erhält man z. B. mit Chlor (Molverhältnis 1:2; Gasphase) *Difluor-dichlor-methan* (90–95% d.Th.)[2] und mit Trifluoressigsäure Verh. 1:5) *Trifluoressigsäure-difluormethylester* in 75%iger Ausbeute.

Tab. 158. Photolysen von 3H-Diazirinen in Gegenwart von Olefinen

Ausgangsverbindungen	Reaktionsbedingungen	Produkt	Ausbeute [% d.Th.]	Literatur
+ *trans*-Buten-(2)	Hg-Mitteldruck-Lampe; Pyrex-Gefäß; ∼ 500 Torr; großer Olefin-Überschuß	*trans-1,2-Dimethyl-cyclo-propan*[a]	–	[5]
+ 2,2-Difluor-1,1-di-chlor-äthylen	125 W Hanovia; Mol.-Verh. = 1:15; Gasphase; 25°; 20 Stdn.	*2,2,3,3-Tetrafluor-1,1-dichlor-cyclopropan*	38	[6]
+ *trans*-Buten-(2)	125 W Hanovia; Mol.-Verh. = 1:15; Gasphase; 20–24 Stdn.	*3,3-Difluor-trans-1,2-dimethyl-cyclopropan*[b]	33	[7]
+ *cis*-Buten-(2)	125 W Hanovia; Mol.-Verh. = 1:8; Gasphase; 20–24 Stdn.	*3,3-Difluor-cis-1,2-dimethyl-cyclopropan*[b]	26	[7]
+ 2-Methyl-propen	125 W Hanovia; Mol.-Verh. = 1:5; Gasphase; 20–24 Stdn.	*2,2-Difluor-1,1-dimethyl-cyclopropan*[b]	71	[7]
+ 2,3-Dimethyl-buten-(2)	GE-Sunlamp; Pyrex-Filter; ∼ 0,05 m in flüssigem Olefin; 40 Min.	*3-Brom-1,1,2,2-tetramethyl-3-phenyl-cyclopropan*	∼ 100	[8]

[a] Weitere Produkte: *trans-Penten-(2)*, *2-Methyl-buten-(2)* und Spuren von *cis-1,2-Dimethyl-cyclopropan*.
[b] Zusätzlich *Tetrafluor-äthylen*.

[1] H. M. Frey u. I. D. R. Stevens, Soc. 1964, 4700.
[2] R. A. Mitsch, J. Heterocyclic Chem. 1, 233 (1964); C. A. 62, 6466g (1965).
[3] Vgl. a. ds. Handb., Bd. X/4, S. 918, 919.
[4] R. A. Mitsch u. J. E. Robertson, J. Heterocyclic Chem. 2, 152 (1965).
[5] H. M. Frey u. I. D. R. Stevens, Pr. chem. Soc. 1962, 79.
[6] R. A. Mitsch, J. Heterocyclic Chem. 1, 271 (1964).
[7] R. A. Mitsch, Am. Soc. 87, 758 (1965).
[8] R. A. Moss, Tetrahedron Letters 1967, 4905.

$\beta\beta$) Diazetine

Tetrafluor-diazetin wird photolytisch zu *Tetrafluor-äthylen* umgesetzt[1]:

$$\underset{N=N}{F-\overset{\displaystyle F}{\underset{\displaystyle}{C}}-\overset{\displaystyle F}{\underset{\displaystyle}{C}}-F} \xrightarrow[-N_2]{h\nu} F_2C=CF_2$$

$\gamma\gamma$) 4,5-Dihydro-3H-pyrazole
(vgl. auch ds. Handb., Bd. IV/3, S. 42 ff.)

4,5-Dihydro-3 H-pyrazole lassen sich thermisch und auch photolytisch[2] in Cyclopropane umwandeln:

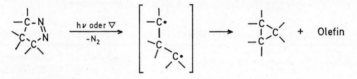

Da sich 4,5-Dihydro-3H-pyrazole leicht und in vielfältiger Variation durch Cycloaddition von Diazoalkanen an aktivierte C=C-Doppelbindungen gewinnen lassen, stellt diese Reaktionsfolge einen wertvollen Zugang zum Cyclopropan-System dar.

Neben Cyclopropanen entstehen sowohl bei thermischer als auch bei photolytischer Reaktionsführung Olefine, deren Anteil bei der Photoreaktion im allgemeinen aber wesentlich geringer ist als bei der Thermolyse[3]. Da es bei der Thermolyse überdies häufig zur Bildung größerer Mengen polymerer Produkte kommt, ist in vielen Fällen der photolytischen Reaktion der Vorzug zu geben, insbesondere dann, wenn die zu erwartenden Cyclopropane bei der erforderlichen Thermolyse-Temperatur nicht mehr ausreichend beständig sind.

Zur Durchführung präparativer Pyrazolin-Photolysen sind Quecksilber-Mitteldruck-Brenner in Verbindung mit Pyrex-Filtern am gebräuchlichsten. Die resultierenden Cyclopropane sind unter diesen Bedingungen weitgehend photostabil[4]. Ihre Reingewinnung, insbesondere, wenn es sich um nicht kristalline, genügend flüchtige Verbindungen handelt, erfolgt meist durch präparative Gaschromatographie.

Die bei stereoisomeren 4,5-Dihydro-3H-pyrazolen ursprünglich angenommene strenge Stereospezifität des Cyclopropan-Ringschlusses[5] konnte nicht bestätigt werden. Immerhin kann in vielen Fällen mit weitgehender Erhaltung der Konfiguration gerechnet werden. So entsteht aus *trans*-3,5-Diphenyl-4,5-dihydro-3H-pyrazol ein *1,2-Diphenyl-cyclo-*

---

[1] H. J. EMELÉUS u. G. L. HURST, Soc. 1962, 3276.

[2] Zum photochem. Primärprozeß vgl. G. L. LOPER u. F. H. DORER, Am. Soc. 95, 20 (1973).
S. D. NOWACKI, P. B. Do u. F. H. DORER, Chem. Commun. 1972, 273.

[3] vgl. z. B. B. T. V. VAN AUKEN u. K. L. RINEHART, Jr., Am. Soc. 84, 2736 (1962).
D. E. McGREER et al., Canad. J. Chem. 43, 1407 (1965).

[4] Die bei der Gasphasen-Photolyse von 4,5-Dihydro-3H-pyrazol bzw. 4-Methyl-4,5-dihydro-3H-pyrazol mit $\lambda = 313$ nm entstehenden Cyclopropan- bzw. Methyl-cyclopropan-Moleküle sind genügend energiereich, um sich in Sekundärreaktionen in Olefine umlagern zu können.
P. CADMAN, H. M. MEUNIER u. A. F. TROTMAN-DICKENSON, Am. Soc. 91, 7640 (1969).
F. H. DORER, J. phys. Chem. 73, 3109 (1969); 74, 1142 (1970).

[5] K. L. RINEHART, Jr., u. T. V. VAN AUKEN, Am. Soc. 82, 5251 (1960).
C. G. OVERBERGER u. J.-P. ANSELME, Am. Soc. 86, 658 (1964).

propan, das zu 88% *trans-* und nur zu 12% *cis-*Struktur besitzt[1]:

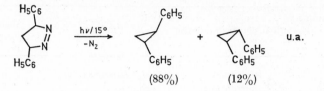

(88%)   (12%)

Bei den entsprechenden 3,5-Bis-[4-methoxy-phenyl]-4,5-dihydro-3H-pyra-
zolen verläuft die mit hoher Ausbeute (Hanovia-Quecksilber-Hochdruck-Lampe; Tetrahydrofuran oder Benzol; 13°; NMR-Meßröhrchen) erfolgende Cyclopropan-Bildung mit
unterschiedlicher Stereospezifität. Während die *trans-*Verbindung nahezu ausschließlich das
*trans-*Cyclopropan liefert (*trans:cis* = 99,3:0,7), entstehen aus der stärker gespannten *cis-*
Verbindung *cis-* und *trans-*Cyclopropan im Verhältnis[2] 57,2:42,8. Weitere Beispiele vgl.
Tab. 159 (S. 1146).

Bei Photolyse der festen kristallinen 4,5-Dihydro-3H-pyrazole kann die Cyclopropan-
Bildung mit wesentlich höherer Stereospezifität als in Lösung erfolgen[3]. Zusatz eines
Triplett-Sensibilisators, meist Benzophenon, führt zum Verlust der Stereospezifität. Man
erhält unabhängig von der Konfiguration des 4,5-Dihydro-3H-pyrazols bevorzugt die weniger gehinderte *trans-*Konfiguration im Endprodukt. Gleichzeitig wird die Olefin-Bildung
stark zurückgedrängt[4], vgl. auch Tab. 159 (S. 1146). Auch der Übergang zu kürzerer Photo-
lysen-Wellenlänge führt zu einem Verlust an Stereospezifität[4].

Bi- und polycyclische Diazene reagieren bei Bestrahlung in gleicher Weise. Beispiele
s. Tab. 160 (S. 1147).

Wie die Synthese von *exo-Tricyclo[3.1.0.0²,⁴]hexan* aus 3,4,8,9-Tetraaza-exo-tri-
cyclo[5.2.1.0²,⁶]decadien-(3,8) zeigt, läßt sich bei mehreren potentiellen Reaktions-
zentren auch eine selektive Stickstoff-Abspaltung erreichen[5]:

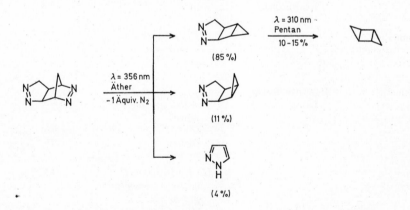

Zur Auslösung von Vinyl-Polymerisationen durch Photolyse von 4-Acetoxy-3,3,5-trimethyl-3,4-
dihydro-3H-pyrazol vgl.[6]

[1] C. G. OVERBERGER, R. E. ZANGERO u. J.-P. ANSELME, J. Org. Chem. **31**, 2046 (1966).
[2] C. G. OVERBERGER, N. WEINSHENKER u. J.-P. ANSELME, Am. Soc. **87**, 4119 (1965); **86**, 5364 (1964).
[3] C. G. OVERBERGER u. C. YAROSLAVSKY, Tetrahedron Letters **1965**, 4395.
[4] S. D. NOWACKI, P. B. DO u. F. H. DOVER, Chem. Commun. **1972**, 273.
[5] E. L. ALLRED u. J. C. HINSHAW, Am. Soc. **90**, 6885 (1968).
   vgl. jedoch: W. P. LAY, K. MACKENZIE u. J. TELFORD, Soc. [C] **1971**, 3199.
[6] T. NAKAYA, H. IKEDA u. M. IMOTO, Makromol. Chem. **161**, 241 (1972).

Tab. 159. Photolytische Zersetzung von 4,5-Dihydro-3H-pyrazolen unter Cyclopropan-Bildung

Ausgangsverbindung ...-4,5-dihydro-3H-pyrazol	Reaktionsbedingungen	Produkte	Ausbeute [% d.Th.]	Litetatur
cis-3,4-Dimethyl-...	Hg-Hochdruck-Lampe; Corex-Filter; Äthanol	cis-1,2-Dimethyl-cyclopropan	~60	1
		+ trans-...	~26	
		+ Olefine	~12	
	Hg-Hochdruck-Lampe; Corex-Filter; Äthanol oder Benzol; Benzophenon[a]	trans-1,2-Dimethyl-cyclopropan	66–70	
		+ cis-...	32–27	
		+ Olefine	Spuren	
trans-3,4-Dimethyl-...	Hg-Hochdruck-Lampe; Corex-Filter; Äthanol	trans-1,2-Dimethyl-cyclopropan	48–50	
		+ cis-...	~13	
		+ Olefine	~38	
	Hg-Hochdruck-Lampe; Corex-Filter; Äthanol oder Benzol; Benzophenon[a]	trans-1,2-Dimethyl-cyclopropan	73	
		+ cis-...	22	
		+ Olefine	~5	
(E)-3,4-Dimethyl-3-methoxycarbonyl-...	GE Sunlamp; rein oder in Pentan gelöst; Quarz-Reagenzgläser	(E)-1,2-Dimethyl-1-methoxycarbonyl-cyclopropan	63–76	2
		+ (Z)-...	wenig	
(Z)-3,4-Dimethyl-3-methoxycarbonyl-...		(Z)-1,2-Dimethyl-1-methoxycarbonyl-cyclopropan	72	
(E)-3,5-Dimethyl-3-methoxycarbonyl-...	Hg-Mitteldruck-Lampe; Äther; 35°	(E)-1,2-Dimethyl-1-methoxycarbonyl-cyclopropan	61	3
		+ (Z)-...	23	
		+ Olefine	16	
(Z)-3,5-Dimethyl-3-methoxycarbonyl-...		(Z)-1,2-Dimethyl-1-methoxycarbonyl-cyclopropan	65	
		+ (E)-...	22	
		+ Olefine	13	

[a] Molverhältnis Benzophenon:Pyrazolin = 40:1.

[1] R. Moore, A. Mishra u. R. J. Crawford, Canad. J. Chem. **46**, 3305 (1968); hier auch die 3,5-Dimethyl- sowie die 3- bzw. 4-Methyl-4,5-dihydro-3H-pyrazole.

[2] T. V. van Auken u. K. L. Rinehart, Jr., Am. Soc. **84**, 3736 (1962).

[3] D. E. McGreer et al., Canad. J. Chem. **43**, 1407 (1965).

Tab. 160. Cyclopropan-Bildung durch Photolyse bi- und tricyclischer 4,5-Dihydro-3H-pyrazol-Derivate

Ausgangsverbindung	Reaktionsbedingungen	Produkte	Ausbeute [% d.Th.]	Literatur
	450 W Hanovia; Pyrex-Filter; Pentan; 5,5 Stdn.	*1-Methoxycarbonyl-bicyclo[2.1.0]pentan*[a]	43	1
	λ = 300 nm; Benzophenon; Benzol oder Aceton	*endo-2,endo-3-Dichlor-5,5-dimethyl-bicyclo[2.1.0]pentan*	>80	2
		exo-2,exo-3-Dichlor-5,5-dimethyl-bicyclo[2.1.0]pentan	97	
	Hg-Hochdruck-Lampe; Pyrex-Apparatur; 1%ige Lösung in Benzol; Benzophenon als Sens.	*2-Oxo-1,6,6-trimethyl-3-oxa-bicyclo[3.1.0]hexan*[b]	62 ~100	3
	Q 81 Tauchlampe; Quarz-Kühler; Benzol oder Cyclohexan	*2,5-Dioxo-1,3-di-tert.-butyl-bicyclo[4.1.0]hepten-(3)*	>90	4
	λ > 300 nm; Benzol	*2,2,4,4-Tetramethyl-1,3-dimethoxycarbonyl-bicyclo[1.1.0]butan*	20	5,6
	λ > 300 nm; Pyrex-Gefäße; Cyclohexan; Acetophenon	*Bicyclo[2.1.0]pentan + Pentadien-(1,4)* (9:1)	–	7
	Pyrex-Filter; in Benzol oder fest bei –70°	*exo-2,exo-3-Dideuterio-bicyclo[2.1.0]pentan + endo-2,endo-3-...*	–	8,9

[a] Nebenprodukte: *2-Methyl-1-methoxycarbonyl-cyclobuten* und *2-Methylen-1-methoxycarbonyl-cyclobutan*.
[b] Außerdem *2-Oxo-3-methyl-4-isopropyl-2,5-dihydro-furan*.

1 P. G. GASSMAN u. K. T. MANSFIELD, J. Org. Chem. **32**, 915 (1967);
  W. G. DAUBEN u. J. R. WISEMAN, Am. Soc. **89**, 3545 (1967).
  Analoge Prod. vgl.: T. H. KINSTLE, R. L. WELCH u. R. W. EXLEY, Am. Soc. **89**, 3660 (1967).
             H. PRINZBACH u. H. D. MARTIN, Chimia **23**, 37 (1969).
  Stammsubstanz vgl.: D. H. WHITE, P. B. CONDIT u. R. G. BERGMAN, Am. Soc. **94**, 1348 (1972).
2 M. FRANCK-NEUMANN, Tetrahedron Letters **1968**, 2979.
3 M. FRANCK-NEUMANN, Ang. Ch. **80**, 42 (1968).
4 W. RUNDEL u. P. KÄSTNER, A. **737**, 87 (1970).
5 M. FRANCK-NEUMANN, Ang. Ch. **79**, 98 (1967).
6 Weitere Bicyclo[1.1.0]butan-Derivate vgl.:
  P. G. GASSMAN u. W. J. GREENLEE, Am. Soc. **95**, 980 (1973).
  vgl. jedoch: D. F. EATON, R. G. BERGMAN u. G. S. HAMMOND, Am. Soc. **94**, 1351 (1972).
7 D. H. WHITE, P. B. CONDIT u. R. G. BERGMAN, Am. Soc. **94**, 1348 (1972).
8 W. R. ROTH u. M. MARTIN, A. **702**, 1 (1967).
9 Zur Photochemie von 2,3-Diaza-bicyclo[2.2.1]hepten-(2) vgl.:
  T. F. THOMAS, C. I. SUTIN u. C. STEEL, Am. Soc. **89**, 5107 (1967);
  T. F. THOMAS u. C. STEEL, Am. Soc. **87**, 5290 (1965).
  B. S. SOLOMON, T. F. THOMAS u. C. STEEL, Am. Soc. **90**, 2249 (1968).
  P. S. ENGEL, Am. Soc. **89**, 5731 (1967); **91**, 6903 (1969).

Tab. 160 (1. Fortsetzung)

Ausgangsverbindung	Reaktionsbedingungen	Produkte	Ausbeute [% d.Th.]	Literatur
H₃CO	Hg-Hochdruck-Brenner; Pyrex-Apparatur; in Pentan, auch mit Benzophenon sensibilisiert; bzw. Kristallin bei−80°	*endo-2-Methoxy-bicyclo[2.1.0]pentan + exo-2-...* (45:55 bzw. 97:3)	>90	1
H₃CO		*endo-2-Methoxy-bicyclo[2.1.0]pentan + exo-2-...* (84:16 bzw. 35:65)	—	
H₅C₆N	Pyrex-Filter; Benzol; 10°	*1,4,5,5-Tetramethyl-2,3-diaza-bicyclo[2.1.0]pentan-2,3-dicarbonsäure-phenylimid*	75	2
H₃COOC—N, H₃COOC—N	λ = 356 nm; Acetonitril; 48 Stdn.	*6,7-Dimethoxycarbonyl-6,7-diaza-tricyclo[3.2.1.0²,⁴]octan*	∼100	3

Tetracyclo[3.2.0.0²,⁷.0⁴,⁶]heptan (Quadricyclan)⁴:

Eine Lösung von 0,5 g 8,9-Diaza-tetracyclo[4.3.0.0²,⁴.0³,⁷]nonen-(8) in 100 *ml* absol. Äther wird in einem Pyrex-Gefäß unter Stickstoff 8,5 Stdn. bei Rückflußtemp. von außen bestrahlt (ungekühlter Q 81-Brenner der Quarzlampen-Ges.). Anschließend wird der Äther bei höchstens 50° bis auf ein Volumen von 15 *ml* abgezogen, diese Lösung mit einer konz. Silbernitrat-Lösung und dann mit Wasser gewaschen und getrocknet. Durch Destillation in einer Mikroapparatur bei 95° erhält man Quadricyclan (35% d.Th.) in mehreren Frakt., von denen die mittleren gaschromatographisch rein sind.

Weitere Tri- und Tetracyclen, die so erhalten wurden: *Tricyclo[5.3.0.0⁴,⁸]decatrien-(2,5,9)* neben Bicyclo[4.2.2]decatetraen(2,4,7,9) und Bullvalen⁵; *1,7,8,9,10,10-Hexachlor-endo-syn-tetracyclo[5.2.1.0²,⁶. 0³,⁵]decen-(8)* (20% d.Th.)⁶; *3,4,5,6-Tetrachlor-syn-* (bzw. *-anti-)tricyclo[6.1.0.0²,⁷]nonadien-3,5* (26 bzw. 13% d.Th.)⁶.

Auch auf dem Steroid-Gebiet läßt sich die photolytische Pyrazolin-Spaltung mit Erfolg einsetzen. So konnte z. B. aus dem Cholestan-Derivat I, dessen Thermolyse zu *3,6-Dioxo-4-methyl-cholesten-(4)* (II) führt, photolytisch neben II in etwa gleicher Menge *3,6-Dioxo-4α, 5α-cyclopropano-cholestan* (III) gewonnen werden⁷:

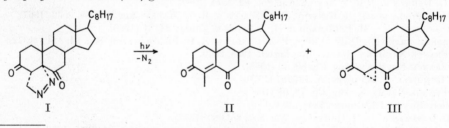

¹ E. L. Allred u. R. L. Smith, Am. Soc. **91**, 6766 (1969).
² A. B. Evnin u. D. R. Arnold, Am. Soc. **90**, 5330 (1968).
³ E. L. Allred, J. C. Hinshaw u. A. L. Johnson, Am. Soc. **91**, 3382 (1969).
⁴ R. M. Moriarty, J. Org. Chem. **28**, 2385 (1963).
⁵ S. Masamune et al., Am. Soc. **90**, 2727 (1968).
⁶ W. P. Lay, K. Mackenzie u. J. R. Telford, Soc. [C] **1971**, 3199.
⁷ K. Kocsis et al., Helv. **43**, 2178 (1960).

3,6-Dioxo-4α,5α-cyclopropano-cholestan (III)[1]: Eine Lösung von 460 mg 3,6-Dioxo-4α,5α-(pyrazolo [4,3])-cholestan (I) in 100 *ml* 1,4-Dioxan wird in einem mit Kühlfinger versehenen Quarzgefäß 1 Stde. von außen mit einem Quecksilber-Hochdruck-Brenner (250 W Philips „Biosol") bestrahlt. Der nach dem Abziehen des Lösungsmittels verbleibende Rückstand aus 5 gleichartigen Ansätzen wird an Aluminiumoxid (Akt. III) chromatographiert. Dabei werden mit Petroläther/Benzol (9:1) 497 mg des Cholesten-(4)-Derivates II (F: 115°, aus Dichlormethan/Methanol) und mit Petroläther/Benzol (3:1) 740 mg (33% d.Th.) des Cyclopropan-Derivates III eluiert (F: 171°, nach mehrmaligem Umkristallisieren aus Dichlormethan/Methanol).

Auch eine Anzahl Oxo-16α,17α-cyclopropano-steroide konnte so gewonnen werden[1].

Bei 3,3,5,5-Tetramethyl-4-methylen-4,5-dihydro-3H-pyrazolen führt die Stickstoff-Eliminierung zu einem doppelten Allyl-Radikal. Durch Allyl-Umlagerungen ergeben sich mehrere Möglichkeiten für den Ringschluß, so daß bei geeigneter Substitution Isomere entstehen, deren Mengenverhältnis durch einen Zusatz von Triplett-Sensibilisatoren stark beeinflußt wird[2]:

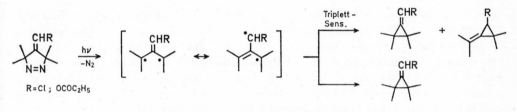

δδ) 3H-Pyrazole
(vgl. ds. Handb., Bd IV/3, S. 699)

Analog zur photochemischen Cyclopropan-Bildung aus 4,5-Dihydro-3H-pyrazolen lassen sich aus 3H-Pyrazolen häufig Cyclopropene erhalten[3,4]. So entsteht durch Belichten von 4,5-Dimethoxycarbonyl-3H-pyrazol-⟨3-spiro-9⟩-fluoren in Benzol oder Tetrahydrofuran (Q 81 Tauchlampe) in ~ 70% iger Ausbeute *1,2-Dimethoxycarbonyl-cyclopropen-⟨3-spiro-9⟩-fluoren*[4]:

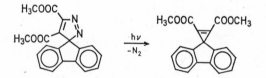

Aus 3,3-Diphenyl-4,5-dimethoxycarbonyl-3H-pyrazol entsteht anstelle eines Cyclopropens jedoch *3-Phenyl-1,2-dimethoxycarbonyl-inden*[4]. Indene sind auch bei anderen 3H-Pyrazolen Neben- bzw. Haupt-produkt der Photolyse und es konnte wahrscheinlich gemacht werden, daß sie als Photo-Folgeprodukte der Cyclopropene entstehen[5,6]. Eine Reihe 3H-Pyrazol-⟨3-spiro-5⟩-cyclopentadiene (s. a. S. 560) liefern bei der Photolyse

[1] K. Kocsis et al., Helv. **43**, 2178 (1960).
[2] A. C. Day u. M. C. Whiting, Soc. [C] **1966**, 464.
S. D. Andrews u. A. C. Day, Soc. [B] **1968**, 1271; Chem. Commun. **1966**, 667.
S. a. T. Sanjiki, M. Ohta u. H. Kato, Chem. Commun. **1969**, 638.
T. Sanjiki, H. Kato u. M. Ohta, Chem. Commun. **1968**, 496.
P. Dowd, A. Soc. **88**, 2587 (1966).
Gasphasen-Photolyse der Stammverbindung vgl. J. J. Gajewski, A. Yeshurun u. E. J. Bair, Am. Soc. **94**, 2138 (1972).
[3] G. L. Closs u. W. Böll, Ang. Ch. **75**, 640 (1963); engl.: **2**, 399 (1963); Am. Soc. **85**, 3904 (1963).
[4] G. Ege, Tetrahedron Letters **1963**, 1667.
[5] L. Schrader, B. **104**, 941 (1971).
[6] H. Dürr u. L. Schrader, B. **103**, 1334 (1970).

Cyclopropabenzole. Hierbei ist der Cyclopropen-Bildung eine Umlagerung der Spiro-pyrazole in Benzo-3H-pyrazole (Indazole) vorgelagert[1, 2]. Verschiedene Beobachtungen[3-6] deuten darauf hin, daß der Primärschritt der Cyclopropen-Bildung die Öffnung des Pyrazols zum Vinyldiazoalkan ist, das dann photochemisch Stickstoff eliminiert und zum Cyclopropen cyclisiert:

Bei Verwendung eines geeigneten Wellenlängenbereichs ($\lambda = 320$–400 nm) läßt sich die Reaktion auf der Stufe der Diazo-Verbindung anhalten, die dann in Ausbeuten bis 50% gefaßt werden kann[3].

Bei tiefen Temperaturen beobachtet man an tetraalkylierten Verbindungen, z. B. 3,3,4,5-Tetramethyl-3H-pyrazol, außerdem eine reversible Valenzisomerisierung zum *3,4,5,5-Tetramethyl-1,2-diaza-bicyclo[2.1.0]penten-(2)*, das bei Temperaturerhöhung in einer Dunkelreaktion wieder in das 3H-Pyrazol übergeht[3]. Beim 3-(2-Methoxycarbonyl-äthyl)-3,5-diphenyl-3H-pyrazol entsteht in einer Ausweichreaktion statt eines Cyclopropens *2-(2-Phenyl-vinyl)-2-phenyl-1-methoxycarbonyl-cyclopropan* (14% d. Th., Isomeren-gemisch)[7]. Weitere Beispiele für Cyclopropen-Synthesen s. Tab. 161 (S. 1151).

εε) 2,5-Dihydro-1,3,4-oxadiazole

Photolytische Stickstoff-Abspaltung aus 2,5-Dihydro-1,3,4-oxadiazolen sollte über ein Diradikal zu einem Oxiran führen. Tatsächlich erhält man bei der Belichtung von 5-Acet-oxy-2-methyl-2,5-diphenyl-2,5-dihydro-1,3,4-oxadiazol in Tetrahydrofuran mit einem Quecksilber-Hochdruck-Brenner (S 81 Hanau; ungefiltert bzw. Solidexfilter) *3-Acetoxy-2-methyl-2,3-diphenyl-oxiran* (50% d. Th.):

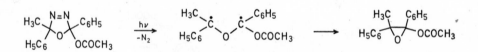

Bei dem analogen 5-Acetoxy-5-phenyl-2,5-dihydro-1,3,4-oxadiazol-⟨2-spi-ro-1⟩-cyclohexan dagegen fragmentiert das Epoxid, oder bereits das Diradikal zu *Essigsäure-Benzoesäure-Anhydrid* (95% d. Th.) und einem Carben, das sich als *Cyclohexen* (30% d. Th.) nachweisen läßt[8]:

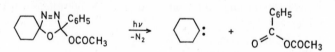

---

[1] H. DÜRR u. L. SCHRADER, B. **103**, 1334 (1970).
[2] H. DÜRR u. L. SCHRADER, Ang. Ch. **81**, 426 (1969).
[3] G. L. CLOSS, W. A. BÖLL, H. HEYN u. V. DEV, Am. Soc. **90**, 173 (1968).
[4] A. C. DAY u. M. C. WHITING, Soc. [C] **1966**, 1719.
[5] A. C. DAY u. M. C. WHITING, Soc. [B] **1967**, 991; Chem. Commun. **1965**, 292.
[6] L. SCHRADER, B. **104**, 941 (1971).
[7] I. MORITANI, T. HOSAKAWA u. N. OBATA, J. Org. Chem. **34**, 670 (1968).
[8] R. W. HOFFMANN u. H. J. LUTHARDT, B. **101**, 3861 (1968).

Tab. 161. Photolysen von 3H-Pyrazolen zu Cyclopropenen

Ausgangsverbindung	Reaktionsbedingungen	Produkte	Ausbeute [% d.Th.]	Literatur
$R^1 = CH_3$; $R^2 = H$	Hg-Hochdruck-Lampe; Pyrex-Gefäß; Petroläther oder Toluol; 10° oder 40°	*1,3,3-Trimethyl-cyclo-propen*	65	1
$R^1 = R^2 = CH_3$		*1,2,3,3-Tetramethyl-cyclo-propen*	74	
$R^1 = R^2 = -(CH_2)_5-$		*8,8-Dimethyl-bicyclo[5.1. 0]octen-(1⁷)*	84	
	500 W Hg-Mittel-druck-Lampe; Pyrex-Glas; sied. Äther/Pentan	*3,3-Dimethyl-1-[2-hydroxy-propyl-(2)]-cyclo-propen*	(60)[b]	2
		3,3-Dimethyl-2-[2-methyl-propen-(1)-yl]-oxiran	(40)[b]	
	125 W Philips HPK Lampe, Pyrex-Glas; Benzol; 15°; 2,5 Stdn.	*3,3-Diphenyl-cyclopropen*	74	3
	Hg-Mitteldruck-Lampe; Pyrex-Filter; Pentan; 20°	*1,1-Dimethyl-3-methoxy-carbonyl-cyclopropa-benzol*		4
		4-Isopropenyl-benzoesäure-methylester	~ 55	

[a] Aus dem Acetat entstehen unter analogen Bedingungen nur *5-Acetoxy-2,5-dimethyl-hexadien-(2,3)* und *3-Acetoxy-2,5-dimethyl-hexadien-(2,4)*[5].

[b] Zusammen in 49%iger Ausbeute.

Für das aus Diphenylketen und Diphenyldiazomethan entstehende 5-Diphenyl-methylen-2,2-diphenyl-2,5-dihydro-1,3,4-oxadiazol konnte bei Belichtung in Benzol (Tauchlampe S 81) die rückläufige Photospaltung nachgewiesen werden[6]. Hierbei ist das allerdings nicht in Substanz zu fassende α-Lactam I (S. 1152) das primäre Photo-Produkt[7].

[1] G. L. CLOSS et al., Am. Soc. **90**, 173 (1968).

[2] A. C. DAY u. M. C. WHITING, Soc. [C] **1966**, 1719.

[3] G. SNATZKE u. H. LANGEN, B. **102**, 1865 (1969).

[4] R. ANET u. F. A. L. ANET, Am. Soc. **86**, 525 (1964).
Thermolabile Cyclopropabenzole vgl. a. G. L. CLOSS, L. RIEMENSCHNEIDER KAPLAN u. V. I. BENDALL, Am. Soc.**89**, 3376 (1967).

[5] A. C. DAY u. M. C. WHITING, Soc. [B] **1967**, 991; Chem. Commun. **1965**, 292.

[6] W. KIRMSE, B. **93**, 2357 (1960).

[7] C. J. MICHEJDA, Tetrahedron Letters **1968**, 2281; Belichtung mit Hanovia Quecksilber-Mitteldruck-Brenner u. Pyrex-Filter.

Über diese Zwischenstufe ist auch die bei der Photolyse in Anwesenheit von Carbonsäuren erfolgende Addition zu II[1] zu deuten:

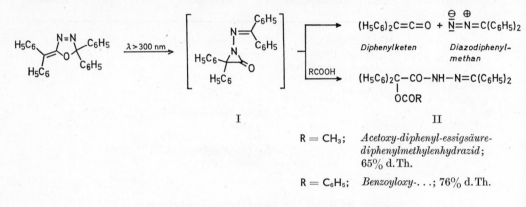

I

II

R = CH₃;   *Acetoxy-diphenyl-essigsäure-diphenylmethylenhydrazid*; 65% d.Th.

R = C₆H₅;   *Benzoyloxy-...*; 76% d.Th.

ζζ) 3,4,5,6-Tetrahydro-pyridazine und höhere Systeme

Auch 3,4,5,6-Tetrahydro-pyridazine und höhere Systeme sind der photolytischen Stickstoff-Abspaltung zugänglich. So führt die Photolyse von 1,4-Dichlor-2,3-diaza-bicyclo[2.2.2]octen-(2) (2 Q 81 Brenner; Pyrex-Filter; Perfluor-methylcyclohexan; −80°; 7 Tage) zum *1,4-Dichlor-bicyclo[2.2.0]hexan* (Reinausbeute ∼ 5%; durch präp. Gaschromatographie)[2]:

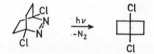

Dagegen führt die photochemische Stickstoff-Abspaltung aus 6,7-Diaza-tricyclo[3.2.2.0²,⁴]nonen-(6) unter Öffnung des Dreirings zum *Cycloheptadien-(1,4)*[3]:

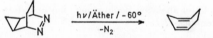

Analog verhält sich auch 1,6-Diphenyl-10,11-diaza-*exo-exo*-tetracyclo[4.3.2.0²,⁵.0⁷,⁹]undecadien-(3,10) bzw. -undecen-(10)[4].

Aus dem Diaza-cyclohexen-System I (*meso-* bzw. *d,l*-Form) entstehen neben *2-Methyl-buten-(1)* (II) als Hauptprodukt die beiden Stereoisomeren (*Z*)- und (*E*)-*1,2-Dimethyl-1,2-diäthyl-cyclobutan* (IIIa bzw. IIIb) in den angegebenen Ausbeuten[5]:

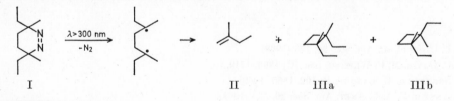

I   II   IIIa   IIIb

[1] W. KIRMSE, B. **93**, 2357 (1960).
[2] W. LÜTTKE u. V. SCHABACKER, A. **698**, 86 (1966).
[3] M. MARTIN u. W. R. ROTH, B. **102**, 811 (1969).
[4] L. A. PAQUETTE u. M. J. EPSTEIN, Am. Soc. **93**, 5936 (1971).
    vgl. a. L. A. PAQUETTE, M. R. SHORT u. J. F. KELLY, Am. Soc. **93**, 7179 (1971).
[5] P. D. BARTLETT u. N. A. PORTER, Am. Soc. **90**, 5317 (1968).

Ausgangsverbindung	Bestrahlung	Produkte [% d.Th.]		
		II	IIIa	IIIb
meso-I	direkt in Benzol	61	35	3,5
d,l-I	oder Cyclohexan	60	4	33
meso-I	sensib.	77	11,5	8
d,l-I	mit 9-Oxo-thioxanthen	75	8	12

Hieraus ergibt sich für die Cyclobutan-Bildung ein Konfigurationserhalt von 95–97% für die nicht sensibilisierte (Singulett-) gegenüber 60–65% für die über ein Triplett verlaufende sensibilisierte Reaktion.

Stereospezifisch unter Inversion verläuft die Photolyse von 7,8-Diaza-exo-tricyclo [4.2.2.0²,⁵]decen-(7), die nur das *anti-Tricyclo[4.2.0.0²,⁵]octan* liefert[1]:

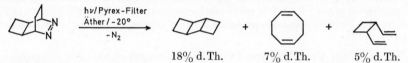

18% d.Th.   7% d.Th.   5% d.Th.

Ganz analog verhalten sich entsprechend strukturierte Azo- bzw. Bis-azo-propellane[2].

3,7-Diphenyl-1,2-diaza-cyclohepten-(1)[3] geht bei der Photolyse in Lösung (Quecksilber-Hochdruck-Lampe; NMR-Röhrchen) wie bei vorsichtiger Thermolyse in ein Gemisch aus *cis-* und *trans-1,2-Diphenyl-cyclopentan* (25% d.Th. und 23% d.Th.) neben *1,5-Diphenyl-penten-(1)* (39% d.Th.) und dem Hydrazon IV (13% d.Th.) über[4]:

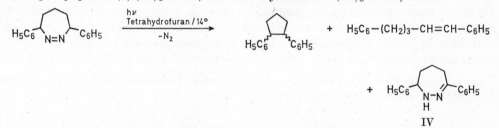

IV

Bei der Photolyse der krist. Verbindung dagegen entsteht nur das *cis-1,2-Diphenyl-cyclopentan* (72% d.Th.) neben dem 1,5-Diphenyl-penten-(1) (23% d.Th.) und wenig IV.

Analog reagiert *trans*-3,8-Diphenyl-1,2-diaza-cycloocten-(1) (Tetrahydrofuran; 0°) neben *1,6-Diphenyl-hexen-(1)* (65% d.Th.) zu *trans-* und *cis-1,2-Diphenyl-cyclohexan* (20% d.Th. bzw. 15% d.Th.)[5]. Die Benzophenon-sensibilisierte Reaktion ergibt hier nahezu ausschließlich das Olefin. Ähnlich verhalten sich auch Diaza-cycloocten und die 3,8-Dimethyl-Verbindung[5].

ε) aromatische Diazonium-Verbindungen

bearbeitet von

Prof. Dr. WOLFGANG RUNDEL*

Die mehr oder weniger große Lichtempfindlichkeit – in ungünstigen Fällen schon gegen helles Tageslicht – dieser Verbindungen ist lange bekannt[6] und macht es erforderlich, daß Diazonium-Salze und deren Lösungen vor Licht geschützt aufbewahrt werden.

* **Chemisches Institut der Universität Tübingen.**
[1] H. TANIDA et al., Tetrahedron Letters **1969**, 5341.
[2] M. KORAT u. D. GINSBURG, Tetrahedron **29**, 2373 (1973).
[3] Vermutlich die *cis*-Verbindung.
[4] C. G. OVERBERGER u. C. YAROSLAVSKY, Tetrahedron Letters **1965**, 4395.
[5] C. G. OVERBERGER u. J. W. STODDARD, Am. Soc. **92**, 4922 (1970).
   vgl. a. C. G. OVERBERGER et al., Am. Soc. **91**, 3226 (1969).
[6] Vgl. z. B. K. H. SAUNDERS, *The Aromatic Diazocompounds*, E. Arnold, 2. Aufl., London 1949 und dort gesammelte Lit..

Der in neutralem bis saurem Milieu unter Lichteinwirkung einsetzende Zerfall des Aryl-diazonium-Ions führt unter Stickstoff-Eliminierung entweder zu einem mehr oder weniger freien Aryl-Kation[1-3], das mit einem Nucleophil weiterreagiert, oder unter gleichzeitigem Elektronen-Übergang zu einem Aryl-Radikal[3,4], das sich in geeigneter Weise stabilisiert:

$$Ar-X \xleftarrow{X^{\ominus}} \left[Ar^{\oplus} \right] \xrightarrow[-N_2]{h\nu} Ar-N_2^{\oplus} \xrightarrow[-N_2]{h\nu/e^{\ominus}} \left[Ar\cdot \right] \longrightarrow Folgeprodukt$$

$$X = OH; Hal; Alkoxy$$

Der Mechanismus scheint noch nicht bis in alle Einzelheiten geklärt zu sein. So deuten Beobachtungen über eine gleichzeitig mit der Photolyse erfolgende Isomerisierung spezifisch ^{15}N-markierter Diazonium-Verbindungen eher einen Synchron-Mechanismus über ein angeregtes, den Stickstoff noch enthaltendes Molekül an[5].

Als Lichtquelle zur Photolyse von Diazo-Verbindungen eignen sich entsprechend deren Absorptionseigenschaften (s. z. B.[2]) außer direktem Sonnenlicht die Strahlung von Queck-silber-Mittel- bzw. -Hochdruck-Brennern. Die Quantenausbeuten liegen in den meisten Fällen zwischen $\varphi \sim 0,2$ und $0,6$, reichen in einigen Fällen aber auch an 1 heran[2,6].

Praktische Anwendung findet die Photospaltung aromatischer Diazonium-Verbindungen heute in großem Umfang in der Reproduktionstechnik bei den sog. Diazotypie-Verfahren[7]. 4-Anilino-benzoldiazonium-hydrogensulfat, bei dem in wäßriger Lösung die Stickstoff-Abspaltung mit einer Quantenausbeute von $\varphi = 0,36$ ($\lambda = 365$ nm) erfolgt, wurde als Actinometer-System vorgeschlagen[8]. Über Zersetzungsgeschwindigkeiten zahlreicher substituierter Diazobenzole bei $\lambda = 366$ nm unter standardisierten Bedingungen vgl. Lit.[9].

Die präparativ wichtigste photochemische Reaktion an Diazonium-Verbindungen ist ihre Umwandlung in Phenole[10] bzw. Aryl-halogenide[11]:

$$Ar-N_2^{\oplus} \xrightarrow[-N_2]{h\nu} \left[Ar^{\oplus} \right] \begin{array}{c} \xrightarrow{OH^{\ominus}} Ar-OH \\ \xrightarrow{Hal^{\ominus}} Ar-Hal \end{array}$$

[1] H. ZOLLINGER, *Azo- and Diazochemistry*, S. 170, Interscience Publishers, New York · London 1961.
[2] D. SCHULTE-FROHLINDE u. H. BLUME, Z. physik. Chem. **59**, 282 (1968).
[3] W. E. LEE, J. G. CALVERT u. E. W. MALMBERG, Am. Soc. **83**, 1928 (1961).
[4] L. HORNER u. H. STÖHR, B. **85**, 993 (1952).
   Zur Frage der Radikal-Bildung s. a. P. J. ZANDSTRA u. E. M. EVLETH, Am. Soc. **86**, 2664 (1964).
                                              E. A. BOUDREAUX, Am. Soc. **80**, 1588 (1958).
[5] E. S. LEWIS, R. E. HOLLIDAY u. L. D. HARTUNG, Am. Soc. **91**, 430 (1969).
[6] R. J. COX, P. BUSHNELL u. E. M. EVLETH, Tetrahedron Letters **1970**, 207.
   M. BREITENBACH, K. H. HECKNER u. D. JAECKEL, Z. phys. Chem. (Leipzig) **244**, 377 (1970).
   R. BARRACLOUGH et al., J. Soc. Dyers Col. 88, 22 (1972); C. A. **76**, 106414^x (1972).
[7] Vgl. hierzu etwa *Ullmanns Enzyklopädie der technischen Chemie*, Bd. 5, S. 806, Urban und Schwarzen-berg, München · Berlin (1954).
   R. SUTER u. TH. HAEFELI, Chimia **13**, 230 (1959).
[8] J. DE JONGE, R. DIJKSTRA u. G. L. WIGGERINK, R. **71**, 846 (1952).
[9] T. W. M. HERBERTZ u. H. J. WETZCHEWALD, M. **98**, 1364 (1967).
   s. a. T. KATO, Nagoya Kogyo Daigaku Gakohu **21**, 133 (1969); C. A. **73**, 98205^a (1970).
[10] K. J. P. ORTON u. J. E. COATES, Soc. **91**, 35 (1907).
   Kurze Übersicht, vgl. T. MATSUURA u. K. OMURA, Synthesis **1974**, 173, 179.
[11] O. SÜS, A. **557**, 237 (1947).

Sie entspricht in ihrem Resultat der „thermischen" Phenol-Verkochung von Diazonium-Verbindungen bzw. einer Sandmeyer-Reaktion, kann sich aber im Einzelfall in Ausbeute bzw. Reinheit der Produkte deutlich hiervon unterscheiden. So erhält man z. B. durch „thermische" Phenol-Verkochung aus 2,4,6-Tribrom-benzoldiazonium-sulfat höchstens 2% *2,4,6-Tribrom-phenol*, während die Photolyse in 30%iger Schwefelsäure (Sonnenlicht) nahezu quantitativ dieses Phenol liefert. In verdünnterer Säure erfolgt Austausch von Brom gegen eine Hydroxy-Gruppe unter Chinon-diazid-Bildung[1].

Zur Unterdrückung von Kupplungsreaktionen ist es günstig, in schwach saurer, zur Phenol-Darstellung am besten schwefelsaurer Lösung bei großer Verdünnung, möglichst niedriger Temperatur und mit hoher Lichtintensität zu arbeiten[2]. Aryl-halogenide erhält man in guten Ausbeuten nur bei Zusatz von Halogenwasserstoffsäure oder deren Salzen. Trotz hoher Halogenidionen-Konzentration kann aber die Phenol-Bildung nicht ganz unterdrückt werden (vgl. Tab. 162, S. 1056). Bei 2-Dialkylamino-benzoldiazonium-Verbindungen kann die unter partieller Entalkylierung verlaufende Reduktion zum N-Alkyl-anilin zur Hauptreaktion werden. So erhält man durch Photolyse von 2-Diäthylamino-benzoldiazonium-tetrafluoroborat in 1n Salzsäure bei 20° *N-Äthyl-anilin* in 92% d.Th.[3].

Zur Herstellung von Fluor-aromaten erwies sich die Photolyse der festen Diazonium-tetrafluoroborate oder -fluorophosphate in bestimmten Fällen der therm. Balz-Schiemann-Reaktion überlegen[4] (vgl. Tab. 162, S. 1056).

2-Hydroxy-benzoldiazonium-Salze, die noch in schwach saurer Lösung als Betain vorliegen, photolysieren in der für Diazocarbonyl-Verbindungen charakteristischen Weise unter Ringverengung (vgl. S. 1185ff.). Erst bei hoher Säure-Konzentration erfolgt die für Diazonium-Verbindungen charakteristische Phenol-Bildung[5, 6]. So entstehen aus 2-Hydroxy-benzoldiazonium-hydrogensulfat in Wasser fast quantitativ *5-Cyclopentadien-carbonsäure* bzw. deren Dimerisierungsprodukt, in 50%iger Schwefelsäure dagegen nur 12% neben 70% *Brenzcatechin*[7]:

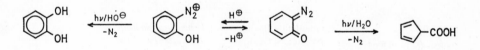

Über weitere Reaktionen von Hydroxy-benzoldiazonium-Salzen s. S. 1195ff.

Die direkte Photolyse von in 50%iger Tetrafluoroborsäure diazotiertem 2- oder 4-Aminoimidazol (Hanovia 450 W Quecksilber-Mitteldruck-Lampe; Quarzgefäße) liefert bequem das auf anderem Weg nur schwierig erhältliche *2-* bzw. *4-Fluor-imidazol* (30 bzw. 40% d.Th.)[8]. Analog lassen sich auch Imidazol-Derivate, z. B. Histidin, Histamin, in die 2- bzw. 4-Fluor-Verbindungen überführen[9].

---

[1] K. J. P. Orton u. J. E. Coates, Soc. **91**, 35 (1907).
[2] J. de Jonge u. R. Dijkstra, R. **68**, 426 (1949).
[3] H. Böttcher, A. V. Elcov u. N. I. Rtiščev, J. pr. Chem. **315**, 725 (1973).
[4] R. C. Petterson et al., J. Org. Chem. **36**, 631 (1971).
[5] O. Süs, A. **556**, 65 ,85 (1944).
[6] J. de Jonge u. R. Dijkstra, R. **67**, 328 (1948).
[7] J. de Jonge, R. J. H. Alink u. R. Dijkstra, R. **69**, 1448 (1950).
[8] K. L. Kirk u. L. A. Cohen, Am. Soc. **95**, 4619 (1973); **93**, 3060 (1971); J. Org. Chem. **38**, 3647 (1973).
[9] K. L. Kirk, W. Nagai u. L. A. Cohen, Am. Soc. **95**, 8389 (1973).

Tab. 162. Photolyse von Diazonium-Salzen unter Phenol- oder Arylhalogenid-Bildung

Ausgangsverbindung	Reaktionsbedingungen	Produkt	Ausbeute [% d.Th.]	Literatur
$HO–C_6H_4–N_2^{\oplus}\ HSO_4^{\ominus}$	Hg-Hochdruck-Brenner; Philips SP 500; eisgekühlte Edelstahl-Schale; 0,25% in Wasser	*Hydrochinon*	88	[1]
$O_2N–C_6H_4–N_2^{\oplus}\ Cl^{\ominus}$ · $SnCl_4$	Hg-Mitteldruck-Lampe; Quarz-Gefäß; 10^{-3} m in 9nHCl; Stickstoff; 0°	*4-Chlor-1-nitro-benzol* *4-Nitro-1-hydroxy-benzol*	61 23	[2]
$(H_3C)_2N–C_6H_4–N_2^{\oplus}\ BF_4^{\ominus}$	Hg-Hochdruck-Brenner; Philips SP 500; eisgekühlte Edelstahl-Wanne; 0,5% in Wasser; 2 Min.	*4-Dimethylamino-phenol*	85–90	[1]
$\left(H_5C_6–NH–C_6H_4–N_2^{\oplus}\right)_2 SO_4^{2\ominus}$	Sonnenlicht; flache Schale, ~1% in 25%iger HCl; ~12°	*4-Chlor-diphenylamin*	57	[3]
	Sonnenlicht; flache Schale; ~2% in HBr; ~12°	*4-Brom-diphenylamin*	80	[3]
H_5C_2O / $H_5C_6–CO–HN–C_6H_3–N_2^{\oplus}\ Cl^{\ominus}$ / OC_2H_5 · $ZnCl_2$	Sonnenlicht; flache Schale; ~1% in 2%iger H_2SO_4; ~12°	*5-Benzoylamino-2-hydroxy-1,4-diäthoxy-benzol*	88	[3]
Benzol mit $N_2^{\oplus}\ BF_4^{\ominus}$, SR; $R=CH_3$, $R=C_2H_5$, $R=CH(CH_3)_2$, $R=CH_2–CH(CH_3)_2$	125 W Hg-Mitteldruck-Tauch-Lampe; Quarz; Wasser, mit Benzol überschichtet	*2-Methylmercapto-phenol* *2-Äthylmercapto-...* *2-Isopropylmercapto-...* *2-Isobutylmercapto-...*	91 93 65 68	[4]
$(H_5C_2)_2N–C_6H_4–N_2^{\oplus}\ PF_6^{\ominus}$	als Wandbelag in Borosilicatglaskolben; von außen belichtet mit 350 nm	*4-Fluor-1-diäthylamino-benzol*	74	[5]
$H_3CO–C_6H_4–N_2^{\oplus}\ BF_4^{\ominus}$		*4-Fluor-1-methoxy-benzol*	69	

[1] J. de Jonge u. R. Dijkstra, R. **68**, 426 (1949).
[2] W. E. Lee, J. G. Calvert u. E. W. Malmberg, Am. Soc. **83**, 1928 (1961).
[3] O. Süs, A. **557**, 237 (1947).
[4] H. Böttcher u. H. G. O. Becker, Z. Chem. **14**, 100 (1974).
[5] R. C. Petterson et al., J. Org. Chem. **36**, 631 (1971).

Nimmt man die Photolyse statt in wäßrigem Milieu in Alkoholen als Lösungsmittel vor, so isoliert man anstelle der Phenole die entsprechenden **Phenoläther**. Als Konkurrenzreaktion erfolgt auch hier wie bei der thermischen Reaktion Reduktion zum Benzol-Derivat[1, 2]. Das Produktverhältnis variiert stark mit dem benutzten Alkohol und kann sich von dem der thermisch geführten Reaktion unterscheiden[2, 3]. In Isopropanol ist die **Reduktion** besonders begünstigt.

4-Methyl-benzoldiazonium-chlorid + Methanol → *Toluol* (40–50% d.Th.)
           + *4-Methoxy-1-methyl-benzol* (20–30% d.Th.)[2]
       + Isopropanol → *Toluol* (70% d.Th.)[2]

3- bzw. 4-Nitro-benzoldiazonium- → *Nitrobenzol* (70 bzw. 76% d.Th.)[4]
    chlorid · $\frac{1}{2}$ SnCl₄+ Äthanol

2,4,6-Tribrom-benzoldiazonium-sulfat → *2,4,6-Tribrom-1-methoxy-benzol*
       + Methanol   + *2,4,6-Tribrom-benzol* (ca.70% d.Th., Gemisch 2:1)[1]

Herstellung von *1,4-*, *1,3-* und *1,2-Dimethoxy-benzol* über die diazotierten Anisidine vgl.[5].

Analog liefert die Photolyse einer Lösung von 2,4,6-Tribrom-benzoldiazonium-sulfat in Eisessig (Sonnenlicht) prakt. quantitativ *2,4,6-Tribrom-1-acetoxy-benzol*[1].

Wird die Photolyse einer Diazonium-Verbindung in Alkohol in Anwesenheit von Brom oder Jod vorgenommen, so entstehen in hohen Ausbeuten **Brom-** bzw. **Jod-benzole**[4]:

$$ArN_2^{\oplus} \xrightarrow{\ h\nu/e^{\ominus}\ } [\ Ar\bullet\ ] \xrightarrow{\ Hal_2\ } Ar{-}Hal \ + \ Hal\bullet$$

Dazu werden ∼ 10⁻³ m Lösungen der Diazonium-Salze [Tetrafluoroborate, Zink(II)-chlorid- oder Zinn(IV)-chlorid-Doppelsalze] in Äthanol unter Zusatz von ∼ 1–3 Äquivalenten Brom oder Jod ∼ 6 Stdn. unter Stickstoff in einem Quarz-Gefäß mit einer Quecksilber-Mitteldruck-Lampe und Corning-Filter Nr. 9863 bei ∼ 0° belichtet. Es werden so z. B. erhalten:

4-Chlor-benzoldiazonium-tetrafluoroborat + Brom → *4-Chlor-1-brom-benzol* (71% d.Th.)

3-Nitro-benzoldiazonium-chlorid (1/2 SnCl₄) + Jod → *3-Jod-1-nitro-benzol* (82% d.Th.)

4-Nitro-benzoldiazonium-chlorid (1/2 SnCl₄) + Jod → *4-Jod-1-nitro-benzol* (92% d.Th.)

            + Brom → *4-Brom-1-nitro-benzol* (96% d.Th.)

Bei der Photolyse von diazotiertem 2-Amino-benzophenon (UVM der Quarzlampen-Gesellschaft Hanau) entsteht in Analogie zum Kupfer-katalysierten thermischen Pschorr-Ringschluß in 40% Ausbeute *9-Oxo-fluoren*[6]:

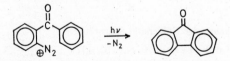

---

[1] K. J. P. ORTON u. J. E. COATES, Soc. **91**, 35 (1907).

[2] L. HORNER u. H. STÖHR. B. **85**, 993 (1952).

[3] DE LOS F. DE TAR u. T. KOSUGE, Am. Soc. **80**, 6072 (1958).

[4] W. E. LEE, J. G. CALVERT u. E. W. MALMBERG, Am. Soc. **83**, 1928 (1961).

[5] N. KURAMOTO u. M. WAKAE, Yuki Gosei Kagaku Kyokai Shi **29**, 711 (1971); **30**, 160 (1972); C. A. **76**, 24830ʳ (1972).

[6] R. HUISGEN u. W. D. ZAHLER, B. **96**, 736 (1963).

Ein weiteres Beispiel eines Photo-Pschorr-Ringschlusses vgl.[1]. Auch eine photokataly-sierte Azo-Kupplung zu einer Methylen-Gruppe wird berichtet[2].

Photolyse von Pyridin-3-diazonium-chlorid in Pyridin liefert in Analogie zur Gomberg-Reaktion ein Gemisch aus *2,3'-* und *3,3'-Dipyridyl*, Photolyse des 1,3,3-Trimethyl-1-pyri-dyl-(3)-triazens in Benzol *3-Phenyl-pyridin*[3].

Benzo-1,2,3-thiadiazol-1,1-dioxid (I), das Diazotierungsprodukt der 2-Amino-benzolsulfinsäure zerfällt sowohl thermisch als auch photolytisch bei tiefer Temp. sehr leicht unter Freisetzung von Stickstoff und Schwefeldioxid in Dehydrobenzol. Bei 5stdg. Be-lichtung in einer Umlauf-Apparatur mit einer S 81Tauchlampe bei −55° in Methanol wurde quant. Stickstoff entbunden und Dehydrobenzol als Methoxy-benzol in 76%iger Ausbeute abgefangen[4]:

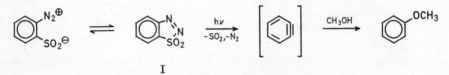

I

Das analog gebaute Naphtho-[1,8-d,e]-1,2,3-thiadiazin-1,1-dioxid hingegen spaltet nur Stickstoff ab und geht in *Naphtho-[1,8-b,c]-thieten-1,1-dioxid* (25% d.Th.) und dessen Dimeres (4%) neben „Naphthothiamblau" als Hauptprodukt über[5].

Bei der Blitzphotolyse von festem Benzoldiazonium-2-carboxylat im Vakuum konnte Dehydrobenzol spektroskopisch beobachtet und *Biphenylen* und *Triphenylen* als Di- bzw. Trimerisierungsprodukt isoliert werden[6]:

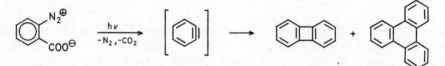

Analoge Reaktion mit Pyridin-3-diazonium-4-carboxylat vgl.[7]. Zur Photolyse von Benzol-diazonium-2-thiocarboxylat vgl.[8].

ζ) Diazo-Verbindungen (Carbene)

bearbeitet von

Prof. Dr. Heinz Dürr*

Als Diazo-Verbindungen werden organische Substanzen folgenden Typs bezeichnet:

* Fachbereich Organische Chemie der Universität Saarbrücken.

[1] T. Kametani, M. Koizumi u. K. Fukumoto, Soc. [C] 1971, 1792.
[2] T. Kametani et al., Indian J. Chem. 10, 987 (1972); C. A. 78, 111090j (1973).
[3] I. Szczerek u. P. Nantka-Namirski, Bl. Acad. polon. 19, 457 (1971); C. A. 76, 40181k (1972).
[4] R. W. Hoffmann, W. Sieber u. G. Guhn, B. 98, 3470 (1965).
[5] R. W. Hoffmann u. W. Sieber, A. 703, 96 (1967); Ang. Ch. 77, 810 (1965); engl.: 4, 786 (1965).
[6] R. S. Berry, G. N. Spokes u. M. Stiles, Am. Soc. 82, 5240 (1960); 84, 3570 (1962).
　R. S. Berry, J. Clardy u. M. E. Schafer, Am. Soc. 86, 2738 (1964).
　M. E. Schafer u. R. S. Berry, Am. Soc. 87, 4497 (1965).
[7] J. Kramer u. R. S. Berry, Am. Soc. 94, 8336 (1972).
[8] A. T. Fanning, Jr. u. T. D. Roberts, Tetrahedron Letters 1971, 805.

wobei die Reste R und R′ die verschiedensten organischen Gruppen darstellen können. Diese aliphatischen Diazo-Verbindungen absorbieren im UV-Licht zwischen $\lambda = 400\text{–}500$ nm mit einem kleinen Extinktionskoeffizient ($\varepsilon \approx 10$). Eine zweite Absorptionsbande tritt bei $\lambda \approx 250\text{–}300$ nm mit größerem ε auf. Konjugation mit π-Systemen verschiebt die Maxima entsprechend und erhöht die ε-Werte. Dabei handelt es sich bei der längstwelligen Bande wahrscheinlich um eine $n \to \pi^*$-Anregung des Elektronenpaares am Stickstoff[1]. Nach neueren Arbeiten soll es sich bei dem HMO in den Diazoalkanen um das nichtbindende b_2 (π)-Orbital handeln[2]. Die Bestrahlung der Diazo-Verbindung vom Typ I mit Quecksilber-, Natrium-Hochdruck-Lampen oder Sonnenlicht bewirkt eine $n \to \pi^*$-Anregung der Diazo-Gruppe. Das elektronisch angeregte Molekül zerfällt dann im photochemischen Primärprozeß ① in ein Carben und Stickstoff:

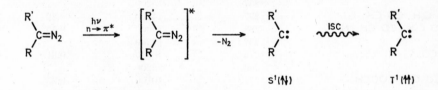

Das Carben tritt lediglich als Zwischenstufe auf und stabilisiert sich in weiteren Reaktionen. Die Quantenausbeuten der Reaktion ① einiger ausgewählter Diazo-Verbindungen sowie deren UV-Absorption sind in Tab. 163 (S. 1160) wiedergegeben. Die nach Gleichung ① intermediär auftretenden Carbene liegen als Singulette (S^1) vor. Durch Interkombination in inerten Lösungsmitteln oder Inertgasen können sie in Triplett-Carbene (T^1) übergehen.

Je nach dem Grad der $S_1 \leadsto T_1$-Umwandlung können die Carbene aus dem S_0- oder T_1-Zustand vorwiegend elektrophil weiterreagieren. Durch Substituenten mit Elektronendonator-Eigenschaften können sie jedoch auch nucleophilen Charakter erhalten.

Im Gegensatz zu allen anderen Bildungsmethoden von Carbenen (α-Eliminierung, Kupfer-katalysierte Zersetzung von Diazo-Verbindungen u. a.) stellt die Photolyse und die Thermolyse der Diazoverbindungen die einzige Methode dar, die wirklich freie Carbene im Gegensatz zu den Carbenoiden ergibt.

Der elektronische Unterschied von Singulett- und Triplett-Carbenen beruht auf der verschiedenen Besetzung der vier Kohlenstoff-Orbitale. Sind die p_x- und p_y-Orbitale der Carbene energiegleich, so werden sie mit je einem Elektron mit parallelem Spin besetzt: es resultiert das Triplett. Bei verschiedener Energie der p-Orbitale wird das energetisch tiefer liegende mit 2 Elektronen mit antiparallelem Spin besetzt: es resultiert das Singulett. Der Grundzustand aller bekannten Carbene besitzt Triplett-Multiplizität. Ausnahmen bilden Difluor-, Fluor- und Chlor-Carbene, die einen S^1-Grundzustand aufweisen[3,4].

[1] R. K. BRINTON u. D. H. VOLMAN, J. Chem. Physics **19**, 1394 (1951).
vgl. jedoch I. G. CSIZMADIA et al., Tetrahedron **25**, 2121 (1969).
[2] R. HOFFMANN, Tetrahedron **22**, 539 (1966).
E. HEILBRONNER u. H. D. MARTIN, B. **106**, 3376 (1973).
[3] C. W. METHEWS, J. Chem. Physics **45**, 1068 (1966).
[4] A. J. MERER u. D. N. TRAVIS, Canad. J. Physics **44**, 525, 1541 (1966).

Tab. 163. UV-Absorptionen und Quantenausbeuten nach Gleichung ① einiger Diazo-Verbindungen[1]

Diazo-Verbindung	λ_{max} [nm]	ε	Quanten- ausbeute[a] $\varphi_①$	Lite- ratur
CH_2N_2	~410	3	4	[2]
$H_3C-CH=N_2$	440	3,5	–	[2]
	470	3,5		
$H_5C_6-CH=N_2$	491	26		[3]
	275	22000		
$(H_5C_6)_2C=N_2$	526	101		[1]
[structure: naphthalene with C_6H_5, N_2]	288	21300	0,78	[1]
	513	100		
	287	20600	0,69	
$H_5C_2OOC-CH=N_2$	360	21		[1]
	269	7110	0,66	
	247	7650		
$H_5C_6-CO-CH=N_2$	294	13500	0,46	[1]
	250	12300		
$4-H_3C-C_6H_4-CO-CH=N_2$	297	16800	0,42	[1]
	260	13200		
$4-H_3CO-C_6H_4-CO-CH=N_2$	304	24100	0,36	[1]
$4-O_2N-C_6H_4-CO-CH=N_2$	307	13300	0,18	[1]
	264	15500		
$4-Cl-C_6H_4-CO-CH=N_2$	299	14500	0,41	[1]
	257	15200		
$3-O_2N-C_6H_4-CO-CH=N_2$	297	14200	0,22	[1]
$2-H_3CO-C_6H_4-CO-CH=N_2$	288	13000	0,49	[1]
	252	12300		
$(H_5C_6-CO)_2C=N_2$	275	16600	0,31	[1]
	256	22200		
$H_5C_6-CO-CN_2-COOCH_3$	274	10100	0,35	[1]
	253	10700		
[structure: naphthalene $-CO-CH=N_2$]	301	11500	0,31	[1]
[structure: thiophene $-CO-CH=N_2$]	309	19700	0,36	[1]
	261			
$ClCH=N_2$	485	–		[4]
	518	–		
	545	–		
[structure: camphor-type with O, N_2]	301	3310	0,24	[1]
	252	12000		
[structure: indanone with N_2]	321	12150	0,14	[1]
	256	19000		
[structure: tetralone with O, N_2]	326	12000	0,21	[1]
	260	9780		

[a] Quantenausbeute $\varphi_①$ bestimmt bei den jeweils angegebenen Wellenlängen in Methanol.

[1] W. KIRMSE u. L. HORNER, A. **625**, 34 (1959).
[2] R. K. BRINTON u. D. H. VOLMAN, J. Chem. Physics **19**, 1394 (1951).
[3] G. L. CLOSS u. R. A. MOSS, Am. Soc. **86**, 4042 (1964).
[4] G. L. CLOSS u. J. J. COYLE, Am. Soc. **87**, 4270 (1965).

Tab. 163 (1. Fortsetzung)

Diazo-Verbindung	λ_{max} [nm]	ε	Quanten-ausbeute[a] $\varphi_{①}$	Lite-ratur
H_5C_6...C_6H_5 N_2	404 368 318 270	2800 4000 5900 10600	–	1
H_5C_6...C_6H_5 H_5C_6...C_6H_5 N_2	390 335 285 230	2800 13000 17700 26900	–	1
Cl Cl Cl...Cl N_2	355 310 305	19500 20500 21400	–	1
$N_2{=}CH{-}CO{-}(CH_2)_4{-}CO{-}CH{=}N_2$	270 248	17300 19000	0,34	2
$N_2{=}CH{-}CO{-}\langle\rangle{-}CO{-}CH{=}N_2$	311 264	22500 17500	0,15	2
$N_2{=}CH{-}CO{-}CO{-}CH{=}N_2$	318 270	11700 15900	0,31	2
$Hg\left[\begin{smallmatrix}N_2\\||\\C{-}COOR\end{smallmatrix}\right]_2$	380 264	107 24900	–	3

[a] Quantenausbeute $\varphi_{①}$ bestimmt bei den jeweils angegebenen Wellenlängen in Methanol.

Singulett- und Triplett-Carbene können nun sowohl linear als auch gewinkelt gebaut sein.

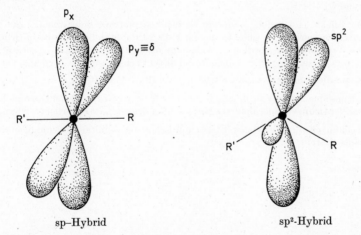

sp–Hybrid   sp²-Hybrid

Das linear gebaute Carben (entartete p_x- und p_y-Orbitale) sollte nach der einfachen HMO-Theorie ein Triplett sein ($^3\Sigma_g^-$). Die Reduktion des Winkels der beiden Carben-Substituenten führt zu einer Stabilisierung des σ (p_y)-Orbitals, wodurch die Entartung der Carben-Orbitale aufgehoben wird. Der Grundzustand sollte bei genügend großer Energiedifferenz der Carben-Orbitale ein Singulett ($^1A_1$) sein. Die einfache Betrachtung wird auch durch verfeinerte Rechenmethoden wiedergegeben, wie MINDO/2, MINDO/3 und ab-initio-Rechnungen. Diese Ergebnisse sind tabellarisch zusammengestellt und mit den

[1] H. Dürr, R. Sergio u. G. Scheppers, A. **740**, 63 (1970).
[2] W. Kirmse u. L. Horner, A. **625**, 34 (1959).
[3] O. P. Strausz, T. Do Minh u. J. Fout, Am. Soc. **90**, 1930 (1968).

neuesten experimentellen Werten verglichen. Die Berechnungen zeigen, daß der Grundzustand des Methylens ein $^3B_1$-Triplett-Zustand mit einem Winkel von 132–134° sein sollte (s. Tab. 164, S. 1163).

Die Entartung des σ- und p-Orbitals eines Carbens kann aufgehoben werden, wie das Beispiel des Methylens zeigt:

① durch Abwinkelung und damit verbundene Stabilisierung des σ-Orbitals durch zusätzlichen s-Charakter;

② durch Verbindung eines Carben-Zentrums mit Substituenten mit niedrig liegenden unbesetzten π^*-Orbitalen. Die Wechselwirkung des leeren π^*-Orbitals muß dabei selektiv mit einem Carben-Orbital erfolgen. Das Wechselwirkungsdiagramm der Orbitale ist in folgender Abbildung dargestellt.

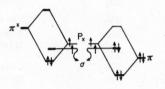

| Niedrigliegende leere Substituenten-Orbitale (a) | Nichtbindende Orbitale von CH_2 | Hochliegende besetzte Substituenten-Orbitale (b) |

Ist die so entstandene σ,p-Energielücke groß genug (etwa gleich der Elektronenaufpaarungsenergie von 1 eV = 23 kcal/M), dann sollte der Grundzustand des Carbens ein Singulett sein. Extended Hückel Rechnungen zeigen, daß die Wechselwirkung für eine derartige Stabilisierung nicht ausreicht[1], so daß der Grundzustand derartiger Carbene ein T r i p l e t t sein wird. Carbene dieses Typs sind z. B. H–C̈–CHO und O_2N–C̈–H.

③ Ein analoger Effekt wird erzielt, wenn ein Carben-Zentrum mit Substituenten mit hochliegenden besetzten Orbitalen verbunden wird. In diesem Falle ist die Stabilisierung des σ-Orbitals der durch elektronische Wechselwirkung bedingten Anhebung des p_x-Orbitals entgegengerichtet. Das führt zu einer starken σ,p-Aufspaltung; der Grundzustand dieser Carbene sollte also ein Singulett sein. Carbene dieses Typs sind die bereits erwähnten Carbene: C̈F_2, HC̈–F und HC̈–Cl.

Eine weitere Konsequenz dieser Rechnung ist, daß Carbene der Gruppe 2 elektrophil reagieren sollten, während Carbene der Gruppe 3 nucleophil reagieren sollten. Dies konnte experimentell bestätigt werden[2].

Weitere Berechnungen von Methylen mit semiempirischen und abinitio-Berechnungen sind in Tab. 164 (S. 1163) zusammengestellt.

[1] R. Gleiter u. R. Hoffmann, Am. Soc. **90**, 5457 (1968).

[2] P. S. Skell u. M. S. Cholod, Am. Soc. **91**, 7131 (1969).
   H. Dürr u. F. Werndorff, Ang. Ch. **86**, 413 (1974).
   L. W. Christensen, E. E. Waali u. W. M. Jones, Am. Soc. **94**, 2118 (1972).

Tab. 164. Berechnete Geometrien und Energien der niedrigsten elektronischen Zustände von Methylen[a]

	CI 4[1]	Abinitio VB[2]	EHMO[4]	SCF CI[5]	MINDO/2[6]	MINDO/3[6]	Abinitio-SCF[2,3,7]		Exper.Werte
r_{C-H} [Å]	1,11	–	–	1,096	1,062	1,078	1,062	–	1,078[10]
$^3B_1$ HCH (T$_1$)	129°	138°	155°	135°	142°	134,1°	132°	132,5°[3]	136°[8,9,10]
ΔH[b]	–	–	–	–	67,5	91,5	–	–	–
r_{C-H} [Å]	–	–	–	–	1,097	1,12	1,100	–	1,11[9]
$^1A_1$ HCH (S$_0$)	90°	108°	115°	–	107°	100,2°	105,4°	105°[3]	102,4°[9,10]
ΔH[b]	–	–	–	–	95,8	100,2	–	–	91,9; 86 ± 6; 94,6; 94,5[10]
r_{C-H} [Å]	–	–	–	–	1,050	1,078	1,092[5]	–	–
$^1B_1$ HCH (S$_1$)	132°	148°	–	–	180°	141,7°	1,438[5]	180°[3]	140 ± 15°[9,10]
ΔH[b]	–	–	–	–	97,0	125,0	–	–	–

[a] Abkürzungen: CI, Configuration Wechselwirkung; VB, valence bond-Methode; EHMO, extended Hückel molecular orbital-Methode; SCF, self-consistent field-Methode.

[b] Bildungswärme.

[1] J. M. FORSTER u. S. F. BOYS, Rev. Mod. Phys. 32, 305 (1960).

[2] J. F. HARRISON u. L. C. ALLEN, Am. Soc. 91, 807 (1969).

[3] J. F. HARRISON u. L. C. ALLEN, Am. Soc. 93, 4112 (1971).

[4] R. HOFFMANN, G. D. ZEISS u. G. W. VAN DINE, Am. Soc. 90, 1485 (1968).

[5] C. F. BENDER u. H. F. SCHAEFER, Am. Soc. 92, 4984 (1970). S. V. O'NEIL, H. F. SCHAEFER u. C. F. BENDER, J. Chem. Physics 55, 162 (1971).

[6] N. BODOR, M. J. S. DEWAR u. J. S. WASSON, Am. Soc. 94, 9095 (1972). M. J. S. DEWAR, R. C. HADDON u. P. K. WEINER, Am. Soc. 96, 254 (1974).

[7] W. A. LATHAN, W. J. HEHRE u. J. A. POPLE, Am. Soc. 93, 808 (1971). W. A. LATHAN et al., Am. Soc. 93, 6377 (1971). W. A. CHUPKA u. C. LIFSHITZ, J. Chem. Physics 48, 1109 (1968). W. A. CHUPKA, J. Chem. Physics. 48, 2337 (1968). V. STAEMMLER, Theoret. Chim. Acta 35, 309 (1974). N. BODOR u. M. J. S. DEWAR, Am. Soc. 94, 9103 (1972). J. ALTMANN, I. G. CZISMADIA u. K. YATES, Am. Soc. 96, 4196 (1974).

[8] E. WASSERMAN et al., Am. Soc. 92, 7491 (1970).

[9] G. HERZBERG, Pr. roy. Soc. [A] 262, 291 (1961).

[10] G. HERZBERG u. J. W. JOHNS, J. Chem. Physics 54, 2276 (1971).

Das Auftreten freier Carbene, sowie ihr sterischer und elektronischer Aufbau können durch folgende Methoden nachgewiesen werden:
① Elektronenspektren der Carbene (Blitzlichtphotolyse) (s. Tab. 165),
② ESR-Spektren bei tiefen Temperaturen,
③ CIDNP-Experimente,
④ Indirekte chemische Methoden (Addition, Insertion).

Tab. 165. Elektronenspektren einiger photolytisch aus Diazo-Verbindungen erzeugter Carbene

Carben	Absorption [nm]	Emission [nm]	Literatur
$\overline{C}H_2\ (T_1)$	141,4	–	1
$\overline{C}H_2\ (S_0)$	550–950	–	1
$H_5C_6-\overline{C}-C_6H_5$	300, 465	480	2
$4-Cl-H_4C_6-\overline{C}-C_6H_5$	311, 475	487	2
$4-H_3CO-H_4C_6-\overline{C}-C_6H_5$	335–345	495	2
$4-O_2N-H_4C_6-\overline{C}-C_6H_5$	265, 370, 555	–	2
$4-H_5C_6-H_4C_6-\overline{C}-C_6H_5$	355	555	2

Nur Triplett-Carbene sind ESR-aktiv. Aus den Werten der Nullfeld-Parameter D und E können weitere Folgerungen gezogen werden. Dabei ist der D-Wert ungefähr proportional zur Trennung der beiden Elektronen im Carben-Triplett. Er ist somit ein Maß für die Delokalisierung der Elektronen. Der E-Wert gibt die Abweichung von der Zylindersymmetrie an, d. h. ein E-Wert von 0 entspricht einem linearen Carben. Einen derartigen Wert E = 0 weisen die Cyan- und die Alkin-Carbene auf, sie sind demnach linear gebaut. Die meisten anderen Carbene, insbesondere :CH₂ sind als gewinkelt anzusehen. Zu den ESR-Parametern s. Orig.-Lit.

Methylen[3,4]; Dideuterio-methylen[3]; Fluoralkyl- und Bis-[fluoralkyl]-carbene[5]; Phenyl-carben[6]; Naphthyl- und Anthryl-carbene[7]- Methyl-phenyl-, Phenyl-benzyl-, Phenyl-benzoyl- und Phenyltrifluormethyl-carben[5]; Diphenyl-carben[6,8–10]; Cyan-carben[11,12]; Äthinyl-carbene[11]; Dicyancarben[13]; Cyclopentadienyliden und Indenyliden[13]; Fluorenyliden und das 2,7-Dibrom-Derivat[9,10,13,14]; 4-Oxocyclohexadien-(2,5)-yliden, sowie Dichlor-Derivate und 4-Oxo-1,4-dihydro-naphthyliden[15]; 4,4-Dimethyl-cyclohexadien-(2,5)-yliden[16]; Dibenzo- und Tribenzo-cycloheptatrienyliden[10]; 2-Oxo-2,3-dihydro-indenylidene[17]; Phenylen-bis-carbene[18].

1 G. Herzberg u. J. Shoosmith, Nature 183, 1801 (1959).
  G. Herzberg, Pr. roy. Soc. 262, 291 (1961).
2 A. M. Trozzolo u. W. A. Gibbons, Am. Soc. 89, 239 (1967).
3 E. Wasserman, W. A. Yager u. V. J. Kuck, Chem. Phys. Lett. 7, 409 (1970).
  E. Wasserman et al., Am. Soc. 92, 7491 (1970).
4 R. A. Bernheim et al., J. Chem. Physics 54, 3223 (1971).
5 E. Wasserman, L. Barash u. W. A. Yager, Am. Soc. 87, 4974 (1965).
6 R. W. Murray et al., Am. Soc. 84, 3213, 4990 (1962).
  A. M. Trozzolo, Accounts Chem. Res. 1, 329 (1968).
7 A. M. Trozzolo, E. Wasserman u. W. A. Yager, Am. Soc. 87, 129 (1965).
8 C. A. Hutchinson, Jr., u. B. Kohler. J. Chem. Physics 51, 3327 (1969).
9 S. Murahashi, I. Moritani u. T. Nagai, Bl. chem. Soc. Japan 40, 1655 (1967).
10 I. Moritani et al., Am. Soc. 89, 1259 (1967).
   R. W. Brandon, G. L. Closs u. C. A. Hutchinson, J. Chem. Physics 37, 1878 (1962).
11 R. A. Bernheim et al., J. Chem. Physics 43, 196 (1965).
12 R. A. Bernheim et al., J. Chem. Physics 41, 1156 (1964).
13 E. Wasserman et al., Am. Soc. 86, 2304 (1964).
14 E. Wasserman et al., J. Chem. Physics 40, 2408 (1964).
15 E. Wasserman u. R. W. Murray, Am. Soc. 86, 4203 (1964).
16 M. Jones, Jr., A. M. Harrison u. K. R. Rettig, Am. Soc. 91, 7462 (1969).
17 E. J. Moriconi u. J. J. Murray, J. Org. Chem. 29, 3577 (1964).
18 A. M. Trozzolo et al., Am. Soc. 85, 2526 (1963); 89, 5076 (1967).

Zur leichteren Übersicht[1] sind die Photoreaktionen der einzelnen Verbindungsklassen zunächst nach intra- und inter-molekularen Reaktionen gegliedert. Diese beiden Reaktionsgruppen sind dann nach zunehmender Komplexität der Einzelreaktionen geordnet, z. B. Insertion, Insertion und Addition, Addition usw. In den einzelnen Kapiteln werden die Verbindungen dann stets nach steigendem Substitutionsgrad des Diazo-Kohlenstoff-Atoms oder steigender Ringgröße bei cyclischen Diazo-Verbindungen behandelt.

ζ_1) *intramolekulare Reaktionen der durch Photolyse von Diazo-Verbindungen gebildeten Carbene*

Die Photolyse von aliphatischen Diazo-Verbindungen führt zu den Carbenen. Diese können sich i. W. auf drei verschiedene Weisen intramolekular in stabile Endprodukte umwandeln, und zwar

ⓐ unter intramolekularer Einschiebung meist in die γ–CH-Bindung,

ⓑ unter intramolekularer Umlagerung (β–R-Wanderung) und

ⓒ unter intramolekularer Addition.

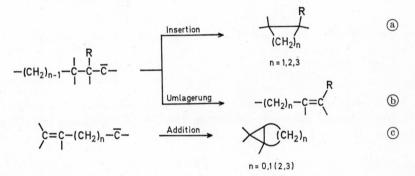

[1] Übersichtsartikel über Carbene:

W. KIRMSE, Ang. Ch. **71**, 537 (1959); **73**, 161 (1961); **77**, 1 (1965); engl. **4**, 1 (1965).

P. MIGINIAC, Bl. **1962**, 2000.

E. CHINOPOROS, Chem. Reviews **63**, 235 (1963).

W. KIRMSE, *Carbene Chemistry*, Academic Press, New York 1971.

J. I. G. CADOGAN u. M. J. PERKINS, *The Chemistry of Alkenes*, S. 633, Wiley Interscience, New York 1964.

W. B. DE MORE u. S. W. BENSON, Adv. Photochem. **2**, 219 (1964).

H. M. FREY, Progr. React. Kinet. **2**, 131 (1964).

J. HINE, *Divalent Carbon*, Ronald Press, New York 1964.

J. A. BELL, Progr. Physical Org. Chem. **2**, 1 (1964).

W. E. PARHAM u. E. E. SCHWEIZER, Org. Reactions **13**, 55 (1964).

C. W. REES u. C. E. SMITHEN, Adv. Heterocyclic Chem. **3**, 57 (1964).

B. J. HEROLD u. P. P. GASPAR, Top. Curr. Chem. **2**, 89 (1965).

a) G. KÖBRICH, Ang. Ch. **79**, 15 (1967); engl. **6**, 41 (1967).

b) G. L. CLOSS, Topics in Stereochemistry **3**, 193 (1968).

W. KIRMSE, *Carbene, Carbenoide and Carben-Analoge*, Verlag Chemie, Weinheim, 1969.

T. L. GILCHRIST u. C. W. REES, *Carbenes, Nitrenes and Arynes*, Nelson, London 1969.

R. A. MOSS, Chem. eng. News **47**, 30 (1969).

A. M. v. LEUSEN u. J. STRATING, Quart. Rep. Sulfur Chem. **5**, 67 (1970).

M. JONES, Jr. u. R. A. MOSS, *Carbenes*, John Wiley and Sons, New York 1973.

D. BETHELL, *Organic Reactions Intermediates*, Hrsg.: S. P. MANNS, Academic Press, New York 1973.

H. DÜRR, Top. Curr. Chem. **40**, 103 (1973); **55**, 87 (1975).

A. P. MARCHAND u. N. MC BROCKWAY, Chem. Reviews **74**, 431 (1974).

D. BRYCE-SMITH, Specialist Periodical Rep., Soc., A. GILBERT, Vol. **1**, 409 (1970); Vol. **2**, 701 (1971); Vol. **3**, 753 (1972); Vol. 4, 831 (1973); S. T. REID, Vol. 4, 831 (1973).

H. MEIER u. K. P. ZELLER, Ang. Ch. **87**, 52 (1975).

M. REGITZ, Ang. Ch. **87**, 259 (1975).

αα) Insertion begleitet von Umlagerung

Die Photolyse von Diazo-alkyl-Verbindungen ergibt Alkyl-carbene, die sich wie auf S. 1165 beschrieben durch γ–C–H-Insertion oder unter Verschiebung des Restes R, eines Hydrid- oder Alkyl-Anions, zu Cyclopropanen oder Olefinen stabilisieren können. Die Cyclopropan-Ausbeuten sind bei den Alkyl-carbenen höher als bei den Dialkyl-carbenen. Mit steigender Verzweigung des β-Alkyl-Restes nehmen die Cyclopropan-Ausbeuten zu, für die Olefine gilt das Umgekehrte. Hierin unterscheiden sich die Alkyl-carbene von den Alkyl-carbenium-Ionen, bei denen man den entgegengesetzten Einfluß von Alkyl-Gruppen auf Olefin- und Cyclopropan-Ausbeuten beobachtet. Die Photolyse der Diazo-alkyl-Verbindungen wird ausschließlich in aprotischen Lösungsmitteln durchgeführt, daher kann ein reiner Carben-Mechanismus bei diesen Reaktionen als gesichert gelten.

Das einfachste Beispiel einer derartigen Reaktion ist die Wasserstoff-Wanderung bei der Photolyse des aus Diazoäthan entstehenden Äthylidens oder Methylcarbens, wobei Äthylen gebildet wird. Als weiteres Produkt wird Acetylen isoliert, das jedoch – wie Deuterierungen beweisen – aus schwingungsangeregtem Äthylen entsteht[1,2].

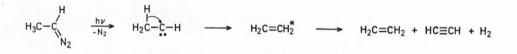

1-Diazo-2-methyl-propan (I) ergibt bei der Belichtung (Hanau Q 81 Quecksilber-Hochdruck-Lampe, Quarz-Apparatur) in Dekalin *Methyl-cyclopropan* (II; 36,5% d.Th.), *Isobuten* (III; 54% d.Th.) und *cis-* und *trans-Buten-(2)* (IV; 4% d.Th. bzw. V; 5,5% d.Th.)[3]:

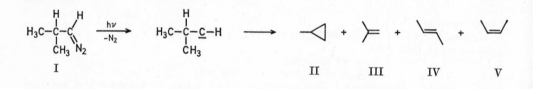

Bei der Thermolyse von I entstehen nur II und III (33 bzw. 67% d.Th.). Tab. 166 (S. 1167) gibt einige weitere Beispiele für die Photolyse von Alkyl-diazo-Verbindungen.

Die Photolyse von Diazoalkanen mit einem γ-ständigen Wasserstoff-Atom gibt mehr Cyclopropane als die Thermolyse. Die Selektivität der C–H-Insertion der intermediär gebildeten Alkylcarbene nimmt in der Reihe

primäre < sekundäre < tertiäre C–H-Bindung

zu. Sie ist allerdings wesentlich geringer als bei den Carbenoiden. Bei diesen wird außerdem vorwiegend Olefin-Bildung beobachtet, d. h. die intramolekulare Einschiebung nimmt bei den Carbenoiden zugunsten der Wasserstoff- und Alkyl-Verschiebung ab. Dies bedeutet, daß bei der Photolyse der Diazo-Verbindungen Reaktionen höherer Aktivierungsenergie begünstigt werden. Ein Einfluß von γ-Substituenten (Methoxy-, Chlor-Substituenten) erschwert die γ-C–H-Insertion und reduziert somit die Cyclopropan-Ausbeuten. γ-Substituenten fördern die Alkyl-Wanderung auf Kosten der Cyclopropan-Bildung; zwei Alkoxy-Gruppen ermöglichen sogar eine Alkoxy-Wanderung.

[1] H. M. Frey, Soc. **1962**, 2293.

[2] C. L. Libby u. G. B. Kistiakowsky, J. phys. Chem. **70**, 126 (1966).

[3] W. Kirmse, H. D. v. Scholz u. H. Arold, A. **711**, 22 (1968).
  vgl. a.: H. M. Frey u. I. D. R. Stevens, Soc. **1963**, 3514.

Tab. 166. Photolyse von Diazo-Verbindungen zu Cyclopropanen und Olefinen

Ausgangsverbindung	Produkte	Ausbeute [% d.Th.][a]		Kp [°C]	Literatur
Diazopropan	Cyclopropan	12	⟨10⟩	−32,7	1
	+ Propen	88	⟨90⟩	−47,4	
3-Diazo-2,2-dimethyl-propan	1,1-Dimethyl-cyclopropan	52	⟨>92⟩	20,6	1,2
	+ 2-Methyl-buten-(2)	47	⟨8⟩	38,6	
	+ 2-Methyl-buten-(1)	2	⟨−⟩	30,2	
4-Diazo-3,3-diäthyl-butan	2-Methyl-1,1-diäthyl-cyclopropan	63	⟨0,5⟩		3
	+ 3-Äthyl-hexen-(3)	33	⟨33⟩		
	+ 3-Äthyl-hexen-(2)	4	⟨67⟩		
1-Diazo-pentan	Äthyl-cyclopropan	25		−	3
	+ Penten-(1)	74		29,9	
	+ Penten-(2)	0,2		36,4	
Diazo-cyclohexyl-methan	Bicyclo[4.1.0]heptan	14		−	3
	+ Methylen-cyclohexan	85		102	
	+ Cyclohepten	1		115	
	+ 1-Methyl-cyclohexen			24,6 ⟨30⟩*	
3-Methoxy-1-diazo-propan	Methoxy-cyclopropan	3[b]		44,7	4
	+ 3-Methoxy-propen	61[b]		−	
3-Chlor-1-diazo-propan	3-Chlor-propen	22		45	4
2-Methoxy-1-diazo-2-methyl-propan	1-Methoxy-1-methyl-cyclopropan	35	⟨14⟩		5
	+ (Z)-2-Methoxy-buten-(2)	22	⟨29⟩		
	+ (E)-...	42	⟨49⟩		
2,2-Diäthoxy-1-diazo-äthan	1,1-Diäthoxy-äthylen	34	⟨68⟩		5
	+ 1,2-Diäthoxy-äthylen	66	⟨32⟩		
2-Diazomethyl-1,3-dioxolan	1,4-Dioxin	1[c]		−	5
	+ 2-Methylen-1,3-dioxolan	33[c]		101	

[a] In Spitzmarken die Ausbeuten der Thermolyse.   *Torr
[b] Ausbeuten in Cyclohexan als Lösungsmittel; in Benzol dagegen 0 bzw. 30% d.Th..
[c] Ausbeuten in einer Quarz-Apparatur; bei Verwendung von Glas 11 bzw. 29% d.Th..

Die Insertionsreaktion kann unterdrückt werden, wenn das Carben stabilisiert wird. Singulett-Carbene werden durch Halogen-Atome stabilisiert, sind also weniger reaktiv, so daß jetzt Dimerisierung erfolgen kann. Dies beweist die Reaktion von 1-Brom-1-diazo-propan[6,7]:

Bei der Belichtung von 2,2,2-Trifluor-1-diazo-äthan wurde zum erstenmal eine Fluor-Wanderung beobachtet. Es bildet sich 1,1,2-Trifluor-äthylen (30% d.Th.) neben

1 W. KIRMSE, H. D. v. SCHOLZ u. H. AROLD, A. **711**, 22 (1968).
2 H. M. FREY u. I. D. R. STEVENS, Soc. **1965**, 3101.
3 W. KIRMSE u. K. HORN, B. **100**, 2698 (1967).
4 W. KIRMSE, H. J. SCHLADETSCH u. H. W. BÜCKING, B. **99**, 2579 (1966).
5 W. KIRMSE u. M. BUSCHHOFF, B. **100**, 1491 (1967).
6 R. J. BUSSEY u. R. C. NEUMAN, Jr., J. Org. Chem. **34**, 1323 (1969).
7 R. A. MOSS u. A. MAMANTOV, Am. Soc. **92**, 6951 (1970).

1,1,1,4,4,4-Hexafluor-buten-(2) (50% d. Th.):

$$F_3C-CH=N_2 \xrightarrow[-N_2]{h\nu/0,1\ \text{Torr}} F_2C=CHF + F_3C-CH=CH-CF_3$$

Wird 1H-Heptafluor-1-diazo-buten bestrahlt, so entsteht unter Wanderung einer C_2F_5-Gruppe *2H-Heptafluor-buten-(1)* (40% d. Th.) und durch Dimerisierung *4H,5H-Tetradecafluor-octen-(4)* (50% d. Th.)[1].

Auch Ringspannung begünstigt die Umlagerung und zwar vor allem bei photochemisch oder mit komplexierenden Metall-Salzen erzeugten Carbenen oder Carbenoiden. Die Photolyse (Hanovia Hochdruck-Lampe No. 654 A 36; Pyrex-Filter) des Diazo-cyclopropyl-methans in der Gasphase ergibt *Butadien-(1,3)* (25% d. Th.), *Acetylen* (30% d. Th.) und *Äthylen* (30% d. Th.) neben *Cyclobuten* (0,8%). Dabei ist ungeklärt inwieweit diese Produkte über die Zwischenstufe eines hochschwingungsangeregten Cyclobutens entstehen, das seinerseits durch Ringerweiterung aus Cyclopropyl-carben gebildet wird[2]. Die Spaltung des Cyclopropyl-methyl-tosylhydrazons durch Alkoholat liefert dagegen 63% Cyclobuten[3].

Bei der Belichtung (gleiche Bedingungen wie bei Lit.[2]) von Diazo-trans-2,3-dimethyl-cyclopropyl-methan in der Gasphase erhält man *Acetylen*, *Buten-(2)* und *trans-trans-Hexadien-(2,4)*[4]:

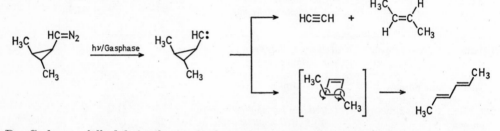

Das Carben zerfällt dabei teilweise direkt, während eine zweite Reaktionsroute unter Ringerweiterung zu einem Cyclobuten führt, das unter conrotatorischer Ringöffnung stereospezifisch *trans-trans-Hexadien-(2,4)* ergibt. Die Stereospezifität der Reaktion bei 11 Torr spricht für ein Singulett-Carben[4], bei Normaldruck verläuft die Reaktion nicht mehr stereospezifisch, es tritt auch *cis-Hexadien-(2,4)* auf.

Eine ähnliche Fragmentierung wie das Cyclopropyl-carben erleidet auch das Cyclopropenyl-carben. Bei der Photolyse von Diazo-[1,2-diphenyl-cyclopropenyl-(3)]-methan entsteht *Diphenylacetylen*[5] (10–40% d. Th.). Die Photolyse des entsprechenden Tosylhydrazon-Anions ergibt 0,1% Cyclobuta-[1]-phenanthren[6]:

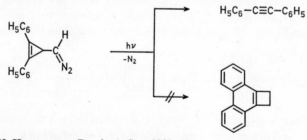

---

[1] R. Fields u. R. N. Haszeldine, Pr. chem. Soc. **1960**, 22.
   vgl. a.: J. H. Atherton, R. Fields u. R. N. Haszeldine, Soc. [A] **1971**, 366.
[2] P. B. Shevlin u. A. P. Wolf, Am. Soc. 88, 4735 (1966).
[3] L. Friedman u. H. Shechter, Am. Soc. 82, 1002 (1960).
   vgl. a.: P. C. Petrellis et al., Chem. Commun. **1972**, 1002.
[4] A. Guarino u. A. P. Wolf, Tetrahedron Letters **1969**, 655.
[5] E. H. White et al., Am. Soc. 88, 611 (1966).
[6] S. Masamune u. M. Kato, Am. Soc. 88, 610 (1966).

Eine sehr schöne Anwendung fand diese Umlagerung von Carbenen unter Ringerweiterung in der Synthese der ersten stabilen Alkyl-cyclobutadiene[1]. Wird das Diazo-[tri-tert.-butyl-cyclopropenyl-(3)]-methan bei tiefen Temperaturen (–70 bis –78°) belichtet, so entstehen unter Ringerweiterung aus dem Cyclopropenyl-carben *Tri-tert.-butyl-methoxy-carbonyl-cyclobutadien* (90% d.Th.)[2]. Eine intramolekulare Cycloaddition zu Tetrahedran wird nicht beobachtet:

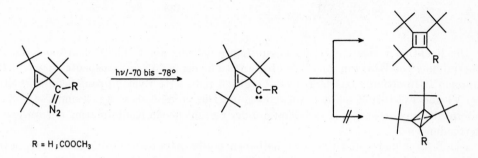

Die Photolyse von 1-Chlor-4-diazo-2,3-dimethyl-buten-(1) in Pentan bei –78° ergibt anstelle des erwarteten, durch intramolekulare Cycloaddition entstandenen Bicyclobutans lediglich *1-Chlor-2-cyclopropyl-propen* (52% d.Th.) und *1-Chlor-2,3-dimethyl-butadien-(1,3)* (48% d.Th.)[3]:

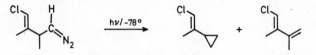

Die Abhängigkeit des Verhältnisses von C–H-Insertion und Wasserstoff-Verschiebung von der Konformation zeigt sich bei der Photolyse von endo- (VI) und exo-3-Diazo-methyl-bicyclo[3.1.0]hexan (VII)[4]. Die Belichtung (Hanau Q 81, Quecksilber-Hochdruck-Lampe; Quarz-Apparatur; 18–20°) dieser Verbindungen in Pentan ergibt cis- (VIII) und *trans-Tricyclo[4.1.0.0²,⁴]heptan* (XI) (γ–C–H-Insertion) und *3-Methylen-bicyclo[3.1.0]hexan* (X) (Wasserstoff-Verschiebung) sowie *Tricyclo[2.2.1.0²,⁶]heptan* (IX):

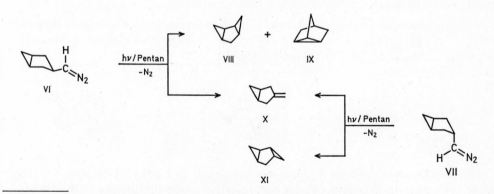

[1] G. MAIER u. A. ALZERRECA, Ang. Ch. **85**, 1056 (1973); engl.: **12**, 1015 (1973).
[2] S. MASAMUNE et al., Am. Soc. **95**, 8481 (1973).
[3] R. C. ATKINS u. B. M. TROST, J. Org. Chem. **37**, 3133 (1972).
    Vgl. a.: H. E. ZIMMERMAN z. C. J. SAMUEL, Am. Soc. **97**, 448 (1975).
[4] W. KIRMSE u. K. PÖHLMANN, B. **100**, 3564 (1967).

Reaktions-bedingungen	Gesamt-ausbeute [% d.Th.]	Ausbeute [% d.Th.]				s. (S. 1169)
		VIII	XI	X	IX	
hν von VI	60	38	–	47	6	
Ag$_2$SO$_4$ + VI	80	16	–	78	–	
hν von VII	70	–	44	52	–	
Ag$_2$SO$_4$ + VII	75	–	33	64	–	

Die Reaktion verläuft unter Konfigurationserhaltung am Kohlenstoff-Atom 3 ab. Die Bestrahlung von Diazomethyl-cyclopentan liefert in 75%iger Ausbeute *Bicyclo[3.1.0] hexan* (CH-Insertion). Das hierzu im Vergleich reduzierte Cyclopropan/Olefin-Verhältnis bei VI und VII beruht auf der Aufweitung des Dieder-Winkels C–2/C–3 und C–4/C–3 des intermediären Carbens, d. h. es beruht auf der verschiedenen Konformation der Ausgangs-verbindungen.

Die Bestrahlung von Diazo-aryl-methanen ergibt Aryl-carbene, die sich unter intra-molekularer C–H-Insertion stabilisieren können. So entstehen bei der Photolyse von Diazo-2-butyl-phenyl-methan (XII) in Hexan oder Cyclohexan mit einer General-Electric sun lamp (Pyrex-Filter) oder einer 100 W Hanovia Quecksilber-Hochdruck-Lampe (Quarz) als Reaktionsprodukte *6,7,8,9-Tetrahydro-5H-benzocycloheptatrien* (XIII), *2-Methyl-tetralin* (XIV) und *2-Äthyl-indan* (XV)[1]. Wird die Reaktion in Gegenwart eines Sensi-bilisators[2] vorgenommen, so ist praktisch kein Unterschied festzustellen im Vergleich zur direkten Photolyse.

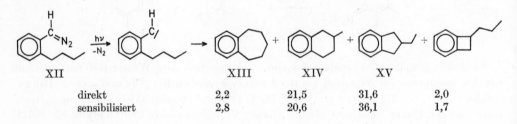

	XII	XIII	XIV	XV	
direkt		2,2	21,5	31,6	2,0
sensibilisiert		2,8	20,6	36,1	1,7

Bei dieser Insertion in aliphatische C–H-Bindungen ist die Bildung nicht gespannter Ringsysteme offenbar bevorzugt. Die Reaktion läuft, wie ^{14}C-Markierungsversuche ergaben (s. S. 1172), über einen Synchronmechanismus ab.

Eine Einschiebung in eine aliphatische C–H-Bindung unter gleichzeitigem Ringschluß erfolgt bei Belichtung ($\lambda > 300$ nm; 15°) von 2-Benzyloxyimino-1-diazo-1,2-diphenyl-äthan[3] zu *3,4,5-Triphenyl-1,2-oxazol* :

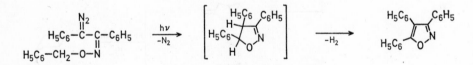

Bei der Photolyse (General Electric sun lamp) von 2-Phenyl-1-(2-diazomethyl-phenyl)-äthan in Petroläther findet eine Insertion in die aliphatische C–H-Bindung zu

[1] C. D. Gutsche, G. L. Bachmann u. R. S. Coffey, Tetrahedron 18, 617 (1962).
　　C. D. Gutsche et al., Am. Soc. 93, 5172 (1971).
[2] T. A. Baer u. C. D. Gutsche, Am. Soc. 93, 5180 (1971).
[3] D. W. Kurtz u. H. Shechter, Chem. Commun. 1966, 689.

2-Phenyl-indan (9% d.Th.) statt. In einer Konkurrenzreaktion entsteht das Additionsprodukt *6,6a-Dihydro-5H-⟨cyclohepta-[a]-naphthalin⟩* (30% d.Th.)[1].

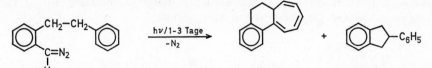

Die Insertion von Aryl-carbenen in aromatische C–H-Bindungen erfolgt ebenfalls glatt.
Diazo-[2′-deuterio-biphenylyl-(2)]-methan ergibt bei der Bestrahlung (General
Electric sun lamp) *Deuterio-fluoren* (68% d.Th.)[2]:

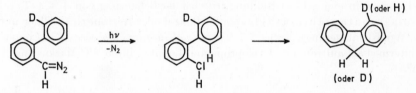

4(9)-Deuterio-fluoren[2]: 0,91 g (4,9 mMol) 2′-Deuterio-2-formyl-biphenyl wird 1 Stde. mit 0,59 g
(10 mMol) wäßrigem 85%igem Hydrazin in 10 *ml* absol. Äthanol unter Rückfluß gekocht. Das Solvens
wird i. Vak. abgezogen, das zurückbleibende Öl in 25 *ml* Äther gelöst. Die ätherische Phase wird mit
Wasser gewaschen und über Magnesiumsulfat getrocknet. Diese ätherische Lösung des Hydrazons wird
mit 0,5 g Magnesiumsulfat und 1,40 g Silberoxid gerührt. Nach 25 Min. wird die Mischung durch Celite
gefiltert und die orange-rote Lösung von Diazo-[2′-deuterio-biphenylyl-(2)]-methan mit einer General
Electric-sunlamp 24 Stdn. belichtet. Die so erhaltene schwach-gelbe Lösung wird vom Solvens befreit,
wodurch 0,82 g eines gelblichen Festkörpers anfallen. Reinigung des Produkts erfolgt durch Chromatographie an Kieselgel mit Hexan/Benzol (1:2); Ausbeute: 0,57 g (68% d.Th., bez. auf den Aldehyd);
F: 115–115,5°; nach Umkristallieren aus Äthanol F: 115,0–116,0.

Die Belichtung von 1-Diazo-1,2-diphenyl-propan ergibt ein Carben, das sich
nicht unter Insertion, sondern unter Umlagerung stabilisiert. Man erhält bei der Photolyse
durch Wasserstoff-Verschiebung (*Z*)- und (*E*)-*1,2-Diphenyl-propen*, durch Phenyl-Wanderung *1,1-Diphenyl-propen* (letztere ist im Triplett bevorzugt) sowie *3-Oxo-2,3-diphenyl-
propan*[3]:

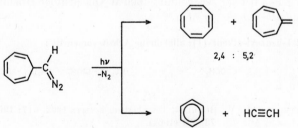

	19	18	16	39
direkt	19	18	16	39
sensibilisiert	7,5	14	13	65

Eine entsprechende Umlagerung – unter Ringerweiterung – tritt bei Bestrahlung von
7-Diazomethyl-cycloheptatrien unter Bildung von *Cyclooctatetraen* und *7-Methylen-cyclo-
heptatrien* ein[4]:

[1] C. D. GUTSCHE u. H. E. JOHNSON, Am. Soc. **77**, 5933 (1955).
[2] D. B. DENNEY u. P. P. KLEMCHUK, Am. Soc. **80**, 3289 (1958).
[3] M. POMERANTZ u. T. A. WITHERUP, Am. Soc. **95**, 5977 (1973).
[4] H. E. ZIMMERMANN u. L. R. SOUSA, Am. Soc. **94**, 834 (1972).

In geringem Ausmaße tritt eine intramolekulare ε-C–H-Insertion bei der Photolyse von Diazoessigsäure-tert.-butylester[1] in Cyclohexan neben einer intermolekularen Einschiebung ein. Als Reaktionsprodukte werden *4-Methyl-pentan-4-olid* (10% d. Th.) und *Cyclohexyl-essigsäure-tert.-butylester* (91% d. Th.) gebildet:

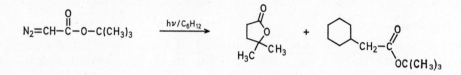

Eine Insertion in eine γ-C–Cl-Bindung tritt bei der Belichtung von 4,4,4-Trichlor-3-oxo-2-diazo-butansäure-äthylester in Benzol oder Acetonitril auf (hier unterbleibt also die Wolff-Umlagerung), wobei *2,3-Dichlor-maleinsäure-äthylester-chlorid* entsteht. Das dabei intermediär auftretende Cyclopropanon konnte durch ¹⁴C-Markierung bewiesen werden[2].

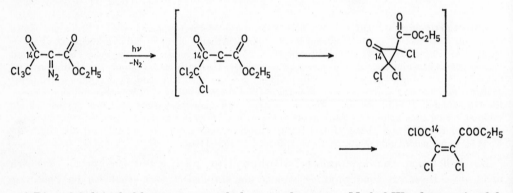

2-Diazo-3,3-dimethyl-butansäure-methylester geht unter Methyl-Wanderung in *2,3-Dimethyl-buten-(2)-säure-methylester* über[3]. Diazo-malonsäure-diäthylester liefert in Gegenwart von Thiobenzophenon als Triplett-Sensibilisator durch intramolekulare Insertion *4-Hydroxy-2-äthoxycarbonyl-butansäure-lacton* und das unsubstituierte Lacton[4]:

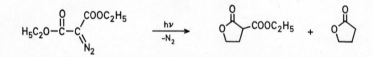

In speziellen Fällen tritt lediglich Wasserstoff-Wanderung ein. ω-Diazo-ω-benzoyl-alkansäureester gehen bei der Bestrahlung (600 W Quecksilber-Hochdruck UV-Lampe; 40–60°) in ω-*Benzoyl-alkensäureester* über[5]:

ω-Methoxycarbonyl-1-benzoyl-alkene-(1); allgemeine Arbeitsvorschrift[5]:

$$H_5C_6-\underset{\underset{O}{\|}}{C}-\underset{\underset{N_2}{\|}}{C}-(CH_2)_n-COOCH_3 \xrightarrow[-N_2]{h\nu} H_5C_6-\underset{\underset{O}{\|}}{C}-CH=CH-(CH_2)_{n-1}-COOCH_3$$

[1] W. KIRMSE, H. DIETRICH u. H. W. BÜCKING, Tetrahedron Letters **1962**, 617; **1967**, 1833.
[2] F. WEYGAND u. K. KOCH, Ang. Ch. **73**, 531 (1961).
[3] U. SCHÖLLKOPF et al., A. **730**, 1 (1970).
[4] J. A. KAUFMANN u. A. WEININGER, Chem. Commun. **1969**, 593.
    vgl. a.: S. JUNA et al., Tetrahedron Letters **1970**, 3971.
    G. LOEWE u. S. PARKER, Chem. Commun. **1971**, 577.
[5] S. HAUPTMANN u. K. HIRSCHBERG, J. pr. **34**, 269 (1966).

25%ige Lösungen von ω-Diazo-ω-benzoyl-alkansäure-methylester in 1,4-Dioxan werden in einem Quarz-Kolben bei 40–50° 6 Stdn. mit einer 600 W Quecksilber-UV-Lampe bestrahlt. Danach wird das Lösungsmittel abdestilliert und durch fraktionierte Dest. des dunkel gefärbten Rückstands werden die schwach gelblichen Produkte erhalten.

n = 1; *4-Oxo-4-phenyl-buten-(2)-säure-methylester*;   43% d.Th.; $Kp_{0,4}$: 109–112°
n = 2; *5-Oxo-5-phenyl-penten-(3)-säure-methylester* ;   45% d.Th.; $Kp_{0,3}$: 114–118°
n = 3; *6-Oxo-6-phenyl-hexen-(4)-säure-methylester*;   40% d.Th.; $Kp_{0,4}$: 117–121°
n = 4; *7-Oxo-7-phenyl-hepten-(5)-säure-methylester*;   45% d.Th.; $Kp_{0,3}$: 122–126°

Auch Amide können intramolekulare Insertionen eingehen. So entsteht z. B. aus Diazo-essigsäure-diäthylamid unter Einschiebung in die α- oder β-Position der Äthyl-Gruppe *4-Oxo-2-methyl-1-äthyl-azetidin* (57%) und *2-Oxo-1-äthyl-pyrrolidin* (43%)[1]:

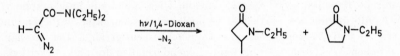

Dieses Prinzip wurde zur Synthese der *Penicillansäure* (*7-Oxo-3,3-dimethyl-6-phenyl-2-methoxycarbonyl-1-aza-4-thia-bicyclo[3.2.0]heptan*) ausgenutzt[2]:

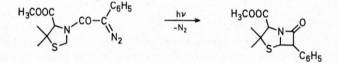

Eine formale C–Hal-Insertion wurde am 8-Brom-1-diazomethyl-naphthalin beobachtet[3]:

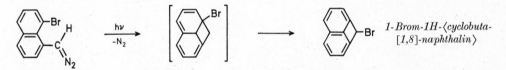

Das aus 1-Diazo-2,3-dihydro-inden entstehende Carben geht in geringem Ausmaß Wasserstoff-Verschiebung zu *Inden* (10% d.Th.) ein. Hauptprodukt ist das von *3-Oxo-2,3-dihydro-inden* (5% d.Th.) abgeleitete *Azin* (50% d.Th.)[4].

$\beta\beta$) Wolff-Umlagerung[5]

Die Photolyse[6] wie auch die Thermolyse[7,8] von Diazoketonen ergibt zunächst Oxo-carbene, die einmal intramolekulare Cycloadditionen, mit anderen Reaktionspartnern

[1] R. R. Rando, Am. Soc. **92**, 6706 (1970); **94**, 1629 (1972).
   vgl. a.: M. L. Graziano, R. Scarpati u. E. Fattorusso, J. Heterocyclic Chem. **11**, 529 (1974).
[2] E. J. Corey u. A. M. Felix, Am. Soc. **87**, 2518 (1965).
[3] R. J. Bailey u. H. Shechter, Am. Soc. **26**, 8116 (1974).
[4] R. A. Moss u. J. D. Funk, Soc. [C] **1967**, 2026.
[5] Neuere Literatur zur Wolff-Umlagerung von Diazoketonen:
   Epoxi-Verbindungen: P. M. M. v. Haard, L. Thijs u. B. Zwanenburg, Tetrahedron Letters **1975**, 803.
   Acetylen-Verbindungen: R. Selvarajan u. J. H. Boyer, J. Org. Chem. **36**, 1673 (1971).
   Thio-Verbindungen: S. S. Hixson u. S. H. Hixson, J. Org. Chem. **37**, 1279 (1972).
   Phosphor-Verbindungen: A. Hartmann, W. Welter u. M. Regitz, Tetrahedron Letters **1974**, 1825.
[6] L. Horner u. E. Spietschka, B. **89**, 2765 (1956).
[7] L. Wolff, A. **325**, 129 (1902); **394**, 25 (1912).
[8] G. Schroeter, B. **42**, 2346 (1909); **49**, 2704 (1916).

Abstraktionsreaktionen und schließlich die präparativ wichtigeren Insertionsreaktionen in die Hydroxy-Gruppe von Wasser, Alkoholen und Carbonsäuren, eingehen können. In den meisten Fällen tritt jedoch Umlagerung des Oxocarbens in ein Keten ein, d. h. die Wolff-Umlagerung findet statt. Die so gebildeten Ketene können dann mit Olefinen intermolekulare Cycloadditionen zu Cyclobutan-Derivaten eingehen oder sie werden in Gegenwart von Nucleophilen zu Carbonsäuren umgesetzt. Die letzte Reaktion stellt als Ringverengung und Homologisierung von Carbonsäuren die präparative Hauptanwendung der Diazoketon-Photolyse dar. Diese photochemische Variante der Wolff-Umlagerung ist dabei der thermischen in vielen Fällen überlegen, z. B. bei der Synthese gespannter Verbindungen durch Ringverengung.

NMR-spektroskopische Untersuchungen[1], UV-spektroskopische Messungen[2] und quantenmechanische Berechnungen[2] zeigen, daß die Diazo-aldehyde und -ketone vorwiegend in der (Z)-Konformation mit partiellem Doppelbindungscharakter vorliegen und bei den Diazoestern (Z)- und (E)-Konformation etwa gleichberechtigt sind. Der Mechanismus der photochemischen Wolff-Umlagerung kann folgendermaßen formuliert werden. Zunächst findet eine $n \to \pi^*$-Anregung[3,4] zum angeregten Diazoketon I statt, das unter Stickstoff-Eliminierung das Keto- oder Oxocarben II ergibt. Dieses lagert sich unter anionischer Wanderung von R in das Keten III um, das mit HX zu dem Carbonsäure-Derivat IV reagiert (s. S. 1176).

Die Stickstoff-Eliminierung erfolgt dabei monomolekular, sowohl bei der direkten Bestrahlung als auch bei der sensibilisierten Reaktion. Die Quantenausbeuten der Stickstoff-Eliminierung sind dabei stets kleiner als 1 (s. Tab. 167, S. 1160). Das als Primärfragment gebildete Ketocarben besitzt unter Einbeziehung des p_y-Orbitals am Sauerstoff 5 Orbitale, die mit 6 Elektronen zu besetzen sind. Insgesamt sind so 5 Singulett- und 3 Triplett-Zustände möglich.

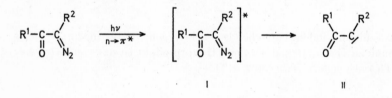

Die Ketocarben-Zwischenstufe bei der Photolyse der Diazoketone wird durch 1,3-dipolare Addition mit Benzonitril nur in Spuren abgefangen[5]. Im Gegensatz dazu liefert die Thermolyse von para-substituierten Diazo-acetophenonen in mittleren Ausbeuten die erwarteten Cycloadditionsprodukte, die Oxazole[5,6].

---

[1] F. Kaplan u. G. K. Meloy, Am. Soc. 88, 950 (1966).
[2] I. G. Csizmadia et al., Tetrahedron 25, 2121 (1969).
  vgl. a.: H. Kessler u. D. R. Rosenthal, Tetrahedron Letters 1973, 393.
  S. Sorriso u. A. Foffani, Soc. Perkin II, 1973, 2142.
[3] G. S. Hammond et al., J. Org. Chem. 29, 1922 (1964).
[4] Vgl. jedoch I. G. Csizmadia et al., Tetrehadron 25, 2121 (1969).
[5] R. Huisgen, G. Binsch u. L. Ghoez, B. 97, 2628 (1964).
[6] H. Dworschak u. F. Weygand, B. 101, 289, 302 (1968).

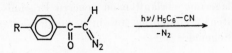

R = H;   *2,5-Diphenyl-1,3-oxazol*; 0,1% d.Th.   (0,4% d.Th. thermolytisch)
R = Cl;   *2-Phenyl-5-(4-chlor-phenyl)-*...; 0,5% d.Th.   (38% d.Th. thermolytisch)
R = NO$_2$;   *2-Phenyl-5-(4-nitro-phenyl)-*..., Spuren   (45% d.Th. thermolytisch)

4,4,4-Trifluor-3-oxo-2-diazo-butansäure-ester ergeben photolytisch in Acetonitril *2-Methyl-5-trifluormethyl-4-alkoxycarbonyl-1,3-oxazol*[1].

Durch Kupfer-Katalyse wird die Wolff-Umlagerung ebenfalls unterdrückt und man erhält in diesem Fall Carbenoide bzw. deren Folgeprodukte.

Mit Olefinen wie Cyclohexen und *cis-* und *trans-*Buten konnten Ketocarbene zu den Bicyclo[3.1.0]hexanen bzw. Cyclopropanen bei der Photolyse von Diazo-acetophenon[2] und Diazocyclohexanon[3] abgefangen werden.

Unter entsprechenden Bedingungen lagern die als Primärfragmente bei der Photolyse von Diazoketonen entstehenden Ketocarbene in der sogenannten Wolff-Umlagerung in Ketene um. Diese Reaktion findet bei der direkten Belichtung statt, während Triplett-Sensibilisatoren die Wolff-Umlagerung entweder unterdrücken oder stark zurückdrängen. So tritt bei 77° K bei Azibenzil nach Belichtung keine Wolff-Umlagerung des Ketocarben-Tripletts ein[4]. Bei der Triplett-Reaktion werden vorwiegend Abstraktions- und [1+2]-Cycloadditionsprodukte des Ketocarbens erhalten. Die Stereochemie des Ausgangsolefins geht jedoch bei der Cycloaddition verloren[5,6]. Die Wolff-Umlagerung stellt also eine Singulett-Reaktion dar.

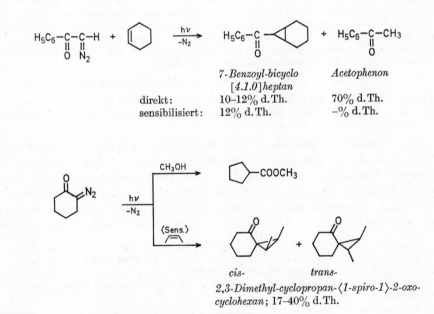

direkt: 10–12% d.Th.   70% d.Th.
sensibilisiert: 12% d.Th.   –% d.Th.

7-Benzoyl-bicyclo [4.1.0]heptan   *Acetophenon*

cis-   *trans-*
2,3-Dimethyl-cyclopropan-⟨1-spiro-1⟩-2-oxo-cyclohexan; 17–40% d.Th.

[1] H. DWORSCHAK u. F. WEYGAND, B. **101**, 289, 302 (1968).
[2] G. S. HAMMOND et al., J. Org. Chem. **29**, 1922 (1964).
[3] M. JONES u. A. WATARU, Am. Soc. **90**, 2200 (1968).
[4] A. M. TROZZOLO u. S. R. FARENHOLTZ, Accounts Chem. Res. **1**, 329 (1968).
[5] A. PAWDA u. R. LAYTON, Tetrahedron Letters **1965**, 2167.
[6] Y. YUKAWA u. T. IBATA, J. chem. Soc. Japan, und Chem. Sect. **88**, 1223 (1967); C.A. **68**, 110260ʷ (1968).

Der Mechanismus der Wolff-Umlagerung verläuft nach neueren Ergebnissen aufgrund von Isotopenmarkierungsexperimenten[1-5] eindeutig, sowohl in kondensierter als auch in der Gasphase, nach dem folgenden Schema:

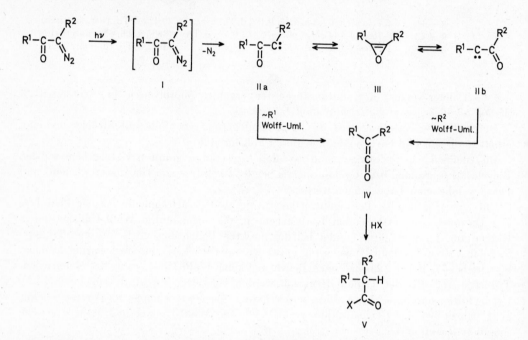

Das nach Singulett-Anregung und Stickstoff-Eliminierung aus dem Diazoketon entstandene Ketocarben IIa kann unter intramolekularer Cycloaddition zum antiaromatischen Oxiren III cyclisieren. Dieses geht unter Ringöffnung in das Ketocarben IIa oder das isomere IIb über. Wolff-Umlagerung der Reste R[1] in IIa oder R[2] in IIb, die als intramolekulare anionische Wanderung unter Erhaltung der Konfiguration[6] des wandernden Restes abläuft, ergibt das Keten IV. Für die Wanderungstendenz der Reste R[1] und R[2] gilt für die Photo-Wolff-Umlagerung die Reihe:

$$H, CH_3 > 4\text{-}H_3CO\text{—}C_6H_4 > C_6H_5 > 4\text{-}O_2N\text{—}C_6H_4 > NR_2, OR$$

Das Keten IV kann sich mit Nucleophilen HX zu den Carbonsäure-Derivaten V stabilisieren. Das antiaromatische Oxiren III soll nach Berechnungen etwa ähnliche Energie wie das Ketocarben besitzen ($\sim$ 70–80 kcal/Mol mehr als das Keten)[2, 7-9].

III konnte nur bei der photochemischen Wolff-Umlagerung nachgewiesen werden; bei der Thermolyse oder der sensibilisierten Photolyse von Diazoketonen konnte eine Oxiren-Zwischenstufe ausgeschlossen werden. Bei tiefen Temperaturen ergibt sich allerdings, z. B. bei der Photolyse von Diazoacetaldehyd in einer Matrix bei 8° K, kein Hinweis auf ein Oxiren[10]. Einen chemischen Beweis für eine Oxiren-Zwischenstufe stellt die Photolyse von 4-Oxo-3-diazo-heptan zu *4-Oxo-hepten-(2)* (57%) und *5-Oxo-hepten-(3)* (43%)[11] dar.

[1] I. G. CZISMADIA, J. FORT u. O. P. STRAUSZ, Am. Soc. **90**, 7360 (1968).
[2] D. E. THORNTON, R. K. GOSAVI u. O. P. STRAUSZ, Am. Soc. **92**, 1768 (1970).
[3] G. FRATER u. O. P. STRAUSZ, Am. Soc. **92**, 6654 (1970).
    Die ursprüngliche Isotopenmarkierungsstudie von V. FRANZEN hat sich als falsch erwiesen: V. FRANZEN, A. **614**, 31 (1958).
[4] K.-P. ZELLER et al., B. **105**, 1875 (1972).
[5] J. FENWICK et al., Am. Soc. **95**, 124 (1973).
[6] K. J. SAX u. W. BERGMAN, Am. Soc. **77**, 1910 (1955).
[7] M. J. S. DEWAR u. C. A. RAMSDEN, Chem. Commun. **1973**, 688.
[8] A. C. HOPKINSON, Soc. (Perkin II) **1973**, 794.
[9] J. G. CZISMADIA et al., Am. Soc. **95**, 133 (1973).
[10] A. KRANTZ, Chem. Commun. **1973**, 670.
[11] S. A. MAITLIN u. P. G. SAMMES, Soc. (Perkin I) **1972**, 2623

Auch die Bildung von *N-[2-Methoxy-oxiranyl-(2)]-phthalimid*[1] läßt sich nur über ein Oxiren deuten:

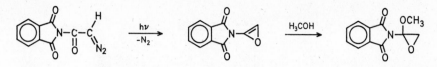

Die Ringspannung eines Systems ist i. a. kein limitierender Faktor für die Wolff-Umlagerung. Jedoch in einigen wenigen Fällen, z. B. 2-Oxo-1-diazo-acenaphthen[2] oder 2-Oxo-3-diazo-1-methyl-2,3-dihydro-indol[3], unterbleibt die Umlagerung oder sie verläuft wie mit 9-Oxo-8-diazo-8,9-dihydro-4H-⟨cyclopenta-[d,e,f]-phenanthren⟩[4] extrem schwierig.

ββ₁) offenkettige α-Diazoketone

Die Photolyse von Diazoketonen in aprotischen Lösungsmitteln wie Äther, Benzol u. a. führt nach dem auf S. 1176 beschriebenen Mechanismus zu Ketenen. Diese können nur im Falle der stabileren Keto-ketene isoliert werden. Die Belichtung von 2-Oxo-1-diazo-1,2-diphenyl-äthan (S 81 Hg-Hochdruck-Lampe; Quarz-Apparatur) in Äther lieferte über das intermediäre Ketocarben unter Phenyl-Wanderung *Diphenylketen* (93% d.Th.)[5]. Die Photolyse von 3-Oxo-2-diazo-3-phenyl-propansäure-methylester führt ebenfalls unter Phenyl-Wanderung zu *Phenyl-methoxycarbonyl-keten*[6].

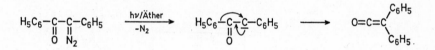

Diphenylketen[5]: 4,4 g 2-Oxo-1-diazo-1,2-diphenyl-äthan werden in 170 *ml* absol. Äther gelöst und mit einer Tauchlampe der Quarzlampen-Gesellschaft Hanau in einer Quarz-Apparatur bei 0° 3 Stdn. bestrahlt. Nach beendeter Stickstoff-Entwicklung wird der Äther unter Stickstoff und das Diphenylketen i. Vak. abdestilliert; Ausbeute: 3,5 g (93% d.Th.); Kp₁₂: 146°.

In Abwesenheit anderer Reaktionspartner können Aldoketene auch noch mit nicht-umgesetztem Diazoketon reagieren; dabei bilden sich Buten-(3)-4-olide. Aus 3-Oxo-4-diazo-2,2-dimethyl-butan bilden sich so *5,5-Dimethyl-2-tert.-butyl-hexen-(3)-4-olid* (67% d.Th.) (Hanovia 100 W Quecksilber-Hochdruck-Lampe)[7]:

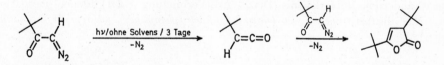

Das Produkt der photochemischen Wolff-Umlagerung das *Di-tert.-butyl-keten* (0–3% d.Th.) tritt bei Belichtung von 4-Oxo-3-diazo-2,2,5,5-tetramethyl-hexan nur in

[1] H. MEIER, IV IUPAC-Symposium on Photochemistry **1962**, 163.
[2] W. RIED u. H. LOHWASSER, A. **683**, 118 (1965).
[3] E. J. MORICONI u. J. J. MURRAY, J. Org. Chem. **29**, 3577 (1964).
[4] B. M. TROST u. P. L. HINSON, Am. Soc. **92**, 2591 (1970).
[5] L. HORNER, E. SPIETSCHKA u. A. GROSS, A. **573**, 17 (1951).
[6] L. HORNER u. E. SPIETSCHKA, B. **85**, 225 (1952).
[7] K. B. WIBERG u. T. W. HUTTON, Am. Soc. **76**, 5367 (1954).

untergeordnetem Maße neben *4-Oxo-2,3,5,5-tetramethyl-hexen-(2)* (80–90% d.Th.) und *4-Oxo-2,3,5,5-tetramethyl-hexen-(1)* (1–5% d.Th.) auf[1]:

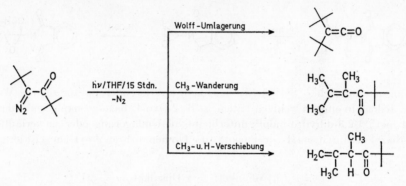

Setzt man bei der Photolyse der Diazoketone in aprotischen Solventien ungesättigte Verbindungen zu, so lassen sich die intermediär gebildeten Ketene abfangen. Bei diesen Reaktionen handelt es sich um $_\pi 2_s + _\pi 2_s$-Cycloadditionen, die bei synchronem Ablauf den Woodward-Hoffmann-Regeln gehorchen[2]. Die Photolyse von 2-Oxo-1-diazo-1,2-diphenyl-äthan in Gegenwart von Azobenzol führt so in guten Ausbeuten zu *4-Oxo-1,2,3-triphenyl-1,2-diazetidin*[3]. Mit Schiff'schen Basen bilden sich unter gleichen Reaktionsbedingungen *β-Lactame*[4] (weitere Beispiele vgl. Tab. 167, S. 1179).

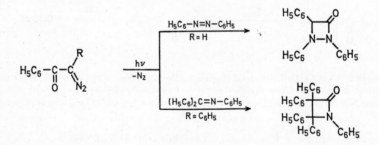

Ketoketene reagieren mit Azomethinen auch im Dunkeln[5], während Aldoketene die $_\pi 2_s + _\pi 2_s$-Cycloaddition nur photochemisch ergeben. Unter den Bedingungen der Arndt-Eistert-Synthese unterbleibt jedoch die Addition der Ketene an Azomethine.

Bei verändertem Molverhältnis (Diazo-:Azo-Verbindung = 2:1) können photochemisch auch N,N'-disubstituierte *4,6-Dioxo-3,3,5,5-tetraphenyl-hexahydropyridazine* erhalten werden[6]:

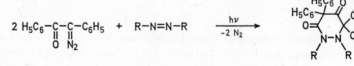

$R = CO-C_6H_5$; $COOC_2H_5$

[1] M. S. NEWMAN u. A. ARKEL, J. Org. Chem. **24**, 385 (1959).
[2] R. B. WOODWARD u. R. HOFFMANN, Ang. Chem. **81**, 797 (1969).
[3] L. HORNER, E. SPIETSCHKA u. A. GROSS, A. **573**, 17 (1951).
[4] W. KIRMSE u. L. HORNER, B. **89**, 2759 (1956).
[5] H. STAUDINGER, *Die Ketene*, Verlag F. Enke, Stuttgart 1912.
[6] L. HORNER u. E. SPIETSCHKA, B. **89**, 2765 (1956).

4-Oxo-1,2,3-triphenyl-1,2-diazetidin[1]: 3 g Diazo-benzoyl-methan werden mit 3,6 g Azobenzol in 170 *ml* Benzol bei 0° belichtet (S 81 Quecksilber-Hochdruck-Lampe, Quarzlampen-Gesellschaft Hanau; Quarz-Apparatur). Nach beendeter Stickstoff-Entwicklung wird das Lösungsmittel abdestilliert und das zurückbleibende rote Öl in Methanol aufgenommen. Nach einigem Stehen scheiden sich schwach gelbliche, derbe Kristalle ab, die sich durch Umkristallisieren aus Benzol leicht reinigen lassen; Ausbeute: 2 g (32% d. Th.); F: 92°.

4-Oxo-1,2,2,3,3-pentaphenyl-azetidin[2]: Die Belichtung von 2,22 g 2-Oxo-1-diazo-1,2-diphenyl-äthan und 2,57 g Benzophenon-phenylimin werden in 100 *ml* trockenem Benzol mit einer Hanau S 81 Quecksilber-Hochdruck-Lampe (Quarz-Apparatur) bestrahlt. Nach 5 Stdn. ist die Stickstoff-Entwicklung beendet. Das Benzol wird i. Vak. abgedampft und der Rückstand an Aluminiumoxid mit Chloroform chromatographiert. Das so erhaltene Eluat wird vom Solvens befreit und der Rückstand mit 20 *ml* Methanol digeriert, wobei das gelbliche β-Lactam anfällt; Ausbeute: 3,25 g (72% d. Th.); F: 190–191° (aus Äthanol/Aceton).

Tab. 167. Cycloadditionen von Ketenen und Azo-Verbindungen bzw. Azomethinen

Ausgangsverbindungen	Produkt	Ausbeute [% d. Th.]	F [°C]	Literatur
2-Oxo-1-diazo-propan + N-Benzyliden-anilin	4-Oxo-3-methyl-1,2-diphenyl-azetidin	47	113	2
2-Oxo-1-diazo-butan + N-Benzyliden-anilin	4-Oxo-3-äthyl-1,2-diphenyl-azetidin	24	122–123	2
1-Oxo-2-diazo-1-phenyl-äthan + N-Benzyliden-anilin	4-Oxo-1,2,3-tetraphenyl-azetidin	76	146–147	2
Diazo-essigsäure-äthylester + cis-Buten-(2)	cis-4-Äthoxy-3-oxo-1,2-dimethyl-cyclobutan	16	–	3
+ Isobuten	4-Äthoxy-3-oxo-1,1-dimethyl-cyclobutan	18	–	3
2-Diazo-propansäure-phthalimid + N-Benzyliden-anilin	3-Phthalimido-4-oxo-methyl-1,2-di-phenyl-azetidin	–	–	4
3-Oxo-2-diazo-3-phenyl-propansäure-methylester + N-Benzyliden-anilin	4-Oxo-1,2,3-triphenyl-3-methoxycarbonyl-azetidin	35	194–195	2
2-Oxo-1-diazo-1,2-diphenyl-äthan + N-Benzyliden-anilin	4-Oxo-1,2,3,3-tetraphenyl-azetidin	71	161–162	2
+ Bis-[4-methyl-phenyl]-diazen	4-Oxo-3,3-diphenyl-1,2-bis-[4-methyl-phenyl]-1,2-diazetidin	49	154	5
+ Dibenzoyl-diazen	4-Oxo-3,3-diphenyl-1,2-dibenzoyl-1,2-diazetidin	–	191	5
+ Schwefeldioxid	3-Oxo-2,4,4-triphenyl-2-benzoyl-thietan-1,1-dioxid	–	233	6
	+4-Oxo-2-phenyl-3-diphenyl-methylen-2-benzoyl-...	–	174	

[1] L. Horner, E. Spietschka u. A. Gross, A. **573**, 17 (1951).

[2] W. Kirmse u. L. Horner, B. **89**, 2759 (1956).

[3] T. do Minh u. O. P. Strausz, Am. Soc. **92**, 1766 (1970).

[4] E. Müller u. P. Heinrich, Ch. Z. **95**, 567 (1971); **96**, 112 (1972).

[5] L. Horner u. E. Spietschka, B. **89**, 2765 (1956).

[6] T. Nagai, M. Tanaka u. N. Tokura, Tetrahedron Letters **1968**, 6293.

In gewissen Systemen kann diese Cycloaddition auch zwischen zwei Keten-Molekülen als $_\pi 2_s + {}_\pi 2_a$-Cycloaddition erfolgen. So liefert das aus 4-Oxo-3-diazo-bicyclo[3.1.1]heptan entstehende Keten bei der Cycloaddition in 41%iger Ausbeute *Bicyclo[2.1.1]hexan-⟨2-spiro-1⟩-2,4-dioxo-cyclobutan-⟨3-spiro-2⟩-bicyclo[2.1.1]hexan*[1]:

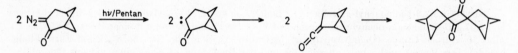

In protischen Lösungsmitteln reagieren die durch Photolyse aus den entsprechenden Diazoketonen, über die Zwischenstufe der Ketocarbene, gebildeten Ketene mit dem Solvens HX. Bei dieser Reaktion entstehen dann homologe Carbonsäure-Derivate. Die Photolyse der Diazoketone in Wasser, Alkohol oder Aminen stellt das eigentliche photochemische Analogon zur Arndt-Eistert-Synthese[2] dar. Die präparative Bedeutung der photochemischen Reaktion liegt darin, daß die Ausbeuten oft besser sind als bei der Silber-katalysierten Wolff-Umlagerung. Bestimmte Diazoketone lassen sich nur photochemisch der Wolff-Umlagerung unterziehen (s. S. 1181).

Die photochemische Wolff-Umlagerung (S 81 Hanau, Quecksilber-Hochdruck-Lampe; Quarz-Apparatur) in Wasser, Alkohol und Anilin ergibt z. B. im Falle des Diazo-aceto-phenons als Reaktionsprodukte *Phenylessigsäure* (93% d.Th.), *Phenylessigsäure-methyl-ester* (76% d.Th.; F: 225°) und *Phenylessigsäure-anilid* (98% d.Th.; F: 116°)[3]:

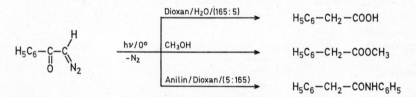

Phenylessigsäure[3]: 3 g Diazo-benzoyl-methan werden in 165 *ml* 1,4-Dioxan und 5 *ml* Wasser gelöst und mit einer S 81 Tauchlampe (Quarzlampen-Gesellschaft Hanau) in einer Quarz-Apparatur bei 0° belichtet, wobei die Lösung mit Stickstoff gespült werden kann. Nach beendeter Stickstoff-Entwicklung wird das Solvens i. Vak. abgezogen; Ausbeute: 2,6 g (93% d.Th.); F: 76°.

Im Falle des 1H-Pentachlor-2-oxo-1-diazo-butans (I) zeigt sich eindeutig, wie vorteilhaft die photochemische Variante der Arndt-Eistert-Reaktion in gewissen Fällen sein kann. I bleibt selbst nach 48stdg. Kochen in Methanol in Gegenwart von Silberoxid unverändert. Die Photolyse (S 81 Quecksilber-Hochdruck-Lampe, Hanau Quarzlampen-Gesellschaft; Kupfersulfat-Filter) ergibt jedoch in ausgezeichneter Ausbeute *3,4,4,4-Tetrachlor-buten-(2)-säure* (III; 71% d.Th. in Methanol, 57% d.Th. in 1,4-Dioxan). An die normal ablaufende Wolff-Umlagerung schließt sich hier noch eine Chlorwasserstoff-Eliminierung an. Die thermische Variante der Arndt-Eistert-Reaktion mit 2,4,6-Trimethyl-pyridin/Benzylalkohol liefert 3,3,4,4,4-Pentachlor-butansäure (II), wenn auch in schlechterer Ausbeute (34% d.Th.)[4]:

$$Cl_3C-CCl_2-\overset{\underset{||}{O}}{C}-\overset{H}{\underset{N_2}{C}} \xrightarrow[-N_2]{h\nu} [Cl_3C-CCl_2-CH_2-COOH] \longrightarrow Cl_3C-CCl=CH-COOH$$

I II III

[1] K. Grychtol, H. Musso u. J. F. Oth, B. **105**, 1798 (1972).
[2] F. Arndt u. B. Eistert, B. **68**, 200, 204 (1935); **69**, 1805 (1936).
[3] L. Horner, E. Spietschka u. A. Gross, A. **573**, 17 (1951).
[4] A. Roedig u. H. Lunk, B. **87**, 971 (1954).

Das alkali-empfindliche 1,1,2-Trichlor-3-oxo-4-diazo-buten geht nur photochemisch eine Wolff-Umlagerung ein, wobei sich *3,4,4-Trichlor-buten-(2)-* oder *-(3)-säure* bildet.

3,4,4,4-Tetrachlor-buten-(2)-säure (III)[1]: Als Lichtquelle dient eine Tauchlampe (S 81 Quarzlampen-Gesellschaft Hanau). Anstelle von Kühlwasser wird ihr Quarzmantel mit einer Filter-Lösung (2,5%ige Kupfersulfat-Lösung mit 6fachem Überschuß an Ammoniak) von 0,5 cm Dicke durchströmt. Es werden 4 g 1H-Pentachlor-2-oxo-1-diazo-butan (I) in einer Mischung aus 140 *ml* 1,4-Dioxan und 10 *ml* Wasser gelöst und bis zur Beendigung der Stickstoff-Entwicklung (~ 8 Stdn.) bestrahlt. Eine Kühlung der Lösung ist nicht notwendig. Das Lösungsmittel wird i. Vak. abdestilliert und der in Äther gelöste Rückstand mit Natriumhydrogencarbonat-Lösung extrahiert. Beim Ansäuern scheidet sich ein Öl ab, das in Äther aufgenommen, über Calciumchlorid getrocknet und anschließend destilliert wird; Ausbeute: 1,8–2,0 g (~ 57% d.Th.); $Kp_{0,1}$: 94–96°; F: 83° (aus Petroläther).

2-Oxo-3-diazo-1,1,1-triphenyl-propan lagert sich photochemisch in einer normalen Wolff-Umlagerung in *3,3,3-Triphenyl-propansäure* um. Die thermische Reaktion in Gegenwart von Silberbenzoat/2,4,6-Trimethyl-pyridin/Benzylalkohol ergibt dagegen in einer anomalen Reaktion *2-Diphenylmethyl-phenylessigsäuremethylester* (35% d.Th.)[2]:

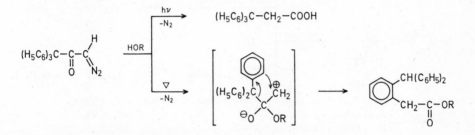

Die photochemische Reaktion verläuft nach dem auf S. 1174 beschriebenen Mechanismus über ein Ketocarben, Wolff-Umlagerung und schließliche Addition des protischen Solvens. Die katalysierte Reaktion dürfte über eine Addition des Alkohols und Abspaltung von Stickstoff zunächst zu einem Zwitterion führen, das sich dann unter Angriff der o-Position eines Phenylrings umlagert.

Die Photolyse der Diazoketone in N-Methyl-anilin und Alkylmercaptanen läßt sich zur Synthese von Aldehyden heranziehen. Aus Carbonsäuren werden auf üblichem Wege mit Diazomethan die homologen Diazoketone hergestellt. Diese werden bei der Belichtung (3 Tage) in N-Methyl-anilin in die entsprechenden *N-Methyl-anilide* umgewandelt. Letztere können mit Lithiumalanat zu den Aldehyden reduziert werden. Bestrahlung der Diazoketone in Alkylmercaptanen ergibt *Carbonsäure-thioester*, die mit Raney-Nickel in die Aldehyde umgewandelt werden können[3]:

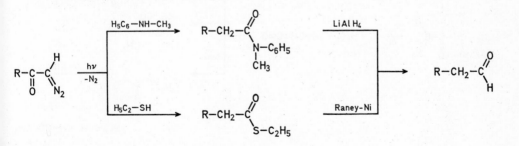

[1] A. ROEDIG u. H. LUNK, B. **87**, 971 (1954).
[2] A. L. WILDS et al., Tetrahedron Letters **1965**, 4841; Am. Soc. **84**, 1503 (1962); J. Org. Chem. **39**, 2401 (1969).
[3] F. WEYGAND u. H. J. BESTMANN, B. **92**, 528 (1959); Ang. Ch. **72**, 535 (1960).

Phenylessigsäure-N-methyl-anilid[1]: 5 g Diazo-acetophenon werden in 160 *ml* absol. Benzol gelöst und nach Zugabe von 15 g N-Methyl-anilin 3 Tage mit einer wassergekühlten Labortauchlampe unter Rühren belichtet. Dabei wird die Lampe alle 12 Stdn. von einem braunen Belag gesäubert. Anschließend wird das Benzol und das N-Methyl-anilin i. Hochvak. abdestilliert und das Produkt als gelbliches Öl gewonnen; Ausbeute: 5,9 g (77% d.Th.); $Kp_{0,001}$: 121°.

3-Phenyl-propansäure-äthylthioester[1]: 5 g 2-Oxo-3-diazo-1-phenyl-propan werden mit 9 *ml* Äthylmercaptan in 350 *ml* absol. Äther bis zum Aufhören der Stickstoff-Entwicklung (~ 8 Stdn.) unter gutem Rühren belichtet. Nach Abdestillieren der Lösungsmittel geht ein hellgelbes Öl über; Ausbeute: 4,6 g (76% d.Th.); $Kp_{0,7}$: 103°.

Die den Diazoketonen nahe verwandten Diazo-sulfone weisen die Wolff-Umlagerung nur noch in geringem Maße auf. Bei der Belichtung (S 81 Quarzlampen-Gesellschaft Hanau; Pyrex-Filter) von Diazomethyl-phenyl-sulfonen in Methanol bildet sich intermediär ein Sulfonyl-Carben. Dieses stabilisiert sich nur in einer Nebenreaktion über eine Wolff-Umlagerung zum Sulfen, das sofort Methanol zu *Phenyl-methansulfonsäureester* addiert. Die Hauptreaktion stellt die direkte Insertion des Carbens in die OH-Bindung des Methanols dar[2]:

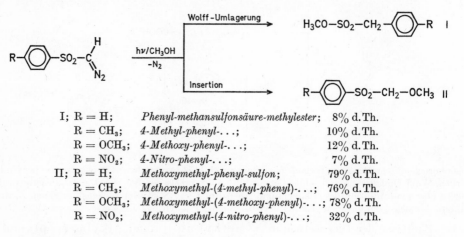

I; R = H;   *Phenyl-methansulfonsäure-methylester*;   8% d.Th.
   R = CH₃;   *4-Methyl-phenyl-...;*   10% d.Th.
   R = OCH₃;   *4-Methoxy-phenyl-...;*   12% d.Th.
   R = NO₂;   *4-Nitro-phenyl-...;*   7% d.Th.
II; R = H;   *Methoxymethyl-phenyl-sulfon*;   79% d.Th.
   R = CH₃;   *Methoxymethyl-(4-methyl-phenyl)-...;*   76% d.Th.
   R = OCH₃;   *Methoxymethyl-(4-methoxy-phenyl)-...;* 78% d.Th.
   R = NO₂;   *Methoxymethyl-(4-nitro-phenyl)-...;*   32% d.Th.

Im Falle des 1-Acetoxy-2-oxo-3-diazo-1-phenyl-propan entsteht bei der Photolyse (Rayonet-Srinivasan-Reaktor, λ = 250 nm) in Methanol neben dem normalen Produkt der Wolff-Umlagerung, dem *3-Acetoxy-3-phenyl-propansäure-methylester* (27% d.Th.), auch *cis*- und *trans-Zimtsäure-methylester* (30% d.Th. bzw. 17% d.Th.)[3]:

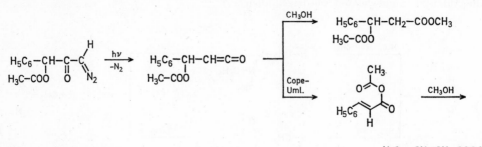

[1] F. Weygand u. H. J. Bestmann, B. **92**, 528 (1959).
[2] R. J. Mulder, A. M. v. Leusen u. J. Strating, Tetrahedron Letters **1967**, 3057.
Vgl. auch: M. Regitz et al., Tetrahedron Letters **1968**, 3171.
[3] F. W. Bachelor u. G. A. Miana, Tetrahedron Letters **1967**, 4733.

cis- und *trans*-Zimtsäureester entstehen dabei durch eine Cope-Umlagerung des intermediären Ketens zum Anhydrid, das durch Methanol in die beiden stereoisomeren Zimtsäureester gespalten wird. Bei der Silber-katalysierten Reaktion ist dieser Reaktionsweg der vorherrschende, die Ausbeuten liegen bei 6% d.Th. für die *cis-* und 72% d.Th. für die *trans*-Verbindung.

Diazoessigsäureester gehen bei der Photolyse (Rayonet Reaktor, RPR, 2537 A-Lampen; Quarz-Apparatur; 12°) in protischen Lösungsmitteln analog den Diazoketonen Wolff-Umlagerungen ein. Dabei wandert eine OR-Gruppe. Analog reagieren auch Diazo-säureamide unter Wanderung der NR_2-Gruppe. Als Konkurrenzreaktion findet in allen diesen Fällen Insertion in die O–H-Bindung des Solvens statt[1]:

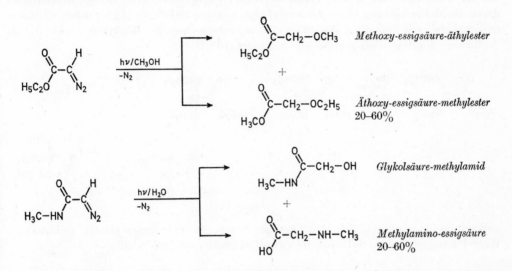

Bei der Photolyse von Diazoessigsäure-äthylester in Isopropanol werden 29% *Äthoxy-essigsäure-isopropylester* (I), d. h. das Produkt der Wolff-Umlagerung, neben 9% *3-Methyl-butansäure-äthylester* (II), das als Insertionsprodukt des Alkoxycarbonylcarbens anzusehen ist, erhalten. Nach einem Austauschmechanismus bilden sich noch *Isopropyloxy-essigsäure-äthylester* und *-isopropylester* (III und IV; 25 bzw. 12%) wobei die Alkoxy-Gruppe jedoch bereits auf der Diazoalkan-Stufe ausgetauscht wird[2,3]:

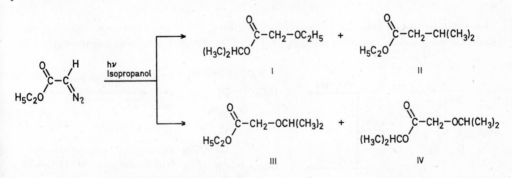

Eine analoge Wolff-Umlagerung (30%) geht auch Diazomalonsäure-dimethylester ein, wobei das Umlagerungsprodukt *Methoxy-deutero-malonsäure-methylester-trideuteriomethyl-*

[1] H. CHAIMOVICH, R. J. VAUGHAN u. F. H. WESTHEIMER, Am. Soc. **90**, 4088 (1968);
J. SHAFER et al., J. Biol. Chem. **241**, 421 (1966).
G. O. SCHENCK u. A. RITTER, Tetrahedron Letters **1968**, 3189.
[2] O. P. STRAUSZ, T. DoMINH u. H. E. GUNNING, Am. Soc. **90**, 1660 (1968).
[3] T. DoMINH, O. P. STRAUSZ u. H. E. GUNNING, Am. Soc. **91**, 1261 (1969).

ester und das Insertionsprodukt *Trideuteriomethoxy-deuterio-malonsäure-dimethylester* im Verhältnis 4:9[1] entstehen (45[2]–80%[1] Gesamtausbeute):

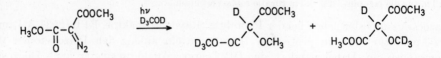

Eine Alkoxygruppen-Wanderung wird bei Diazo-silyl-alkanen beobachtet. So entstehen bei der Photolyse von Diazo-trimethylsilyl-essigsäure-äthylester in Methanol durch Wolff-Umlagerung *Äthoxy-trimethylsilyl-essigsäure-äthylester* (12%) neben *Methoxy-trimethylsilyl-essigsäure-äthylester* (64%), dem entsprechenden Methylester (14%) und *2-(Methoxy-dimethyl-silyl)-propansäure-äthylester* (10%)[3]:

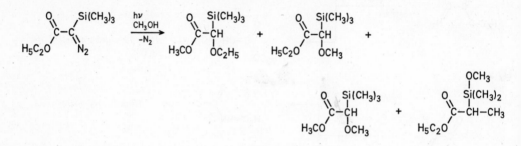

Wird die CO-Gruppe in den Diazo-ketonen durch eine PO-Gruppe ersetzt, so kann eine Wolff-Umlagerung eines Substituenten am Heteroatom erfolgen; z. B.:

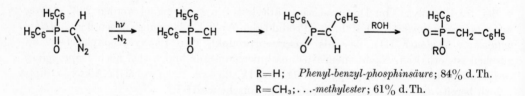

R=H; *Phenyl-benzyl-phosphinsäure*; 84% d.Th.
R=CH₃; *...-methylester*; 61% d.Th.

Ist zusätzlich noch eine Acyl-Gruppe in α-Stellung zur Diazo-Gruppe vorhanden, dann kann eine Konkurrenz zwischen normaler C/C und P/C-Wolff-Umlagerung eintreten[4]; z. B.:

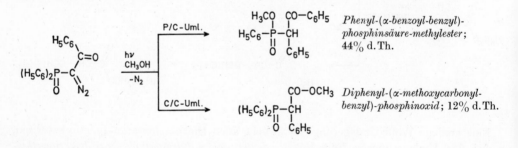

Phenyl-(α-benzoyl-benzyl)-phosphinsäure-methylester; 44% d.Th.

Diphenyl-(α-methoxycarbonyl-benzyl)-phosphinoxid; 12% d.Th.

[1] K.-P. Zeller, Ch. Z. **97**, 37 (1973).
[2] S. Julia, H. Ledon u. G. Linstrumentelle, C. r. [C] **272**, 1898 (1971).
[3] W. Ando, T. Hagiwara u. T. Migita, Am. Soc. **95**, 7518 (1973).
[4] M. Regitz et al., B. **104**, 2177 (1971); vgl. a. Ang. Ch. **85**, 1115 (1973).

$\beta\beta_2$) cyclische α-Diazo-ketone[1]

Die Photolyse von cyclischen α-Diazo-ketonen führt primär ebenfalls zu Oxocarbenen, die unter Ringkontraktion in die entsprechenden Ketene übergehen. In protischen Solventien bilden sich dann daraus die ringverengten cyclischen Carbonsäure-Derivate:

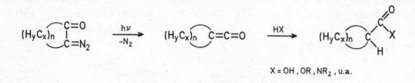

X = OH , OR , NR₂ , u.a.

Die photochemische Ringverengung eines Fünfring-Diazoketons wurde erstmals am 3-Oxo-2-diazo-2,3-dihydro-inden untersucht. Im protischen Lösungsmittel, das meist aus 1,4-Dioxan/Wasser oder Tetrahydrofuran/Wasser-Mischungen besteht, lagert es sich bei Bestrahlung mit ungefiltertem UV-Licht über das cyclische Keten in 20–25%iger Ausbeute in Benzocyclobuten-1-carbonsäure um[2,3]. Als Strahlungsquellen kommen dabei sowohl Quecksilber-Niederdruck-[2] als auch Quecksilber-Hochdruck-Lampen[3] (S 700 Quarzlampen-Gesellschaft Hanau) in Betracht. Die Anwesenheit von Natrium-hydrogencarbonat wirkt sich dabei günstig auf die Photolyse aus.

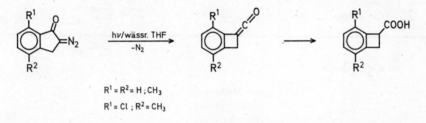

R¹ = R² = H ; CH₃
R¹ = Cl ; R² = CH₃

Diese Wolff-Umlagerung ist ausschließlich photochemisch und nicht Silber-katalysiert durchführbar. Hierin liegt die große Bedeutung der photochemischen Ringverengung von fünfgliedrigen cyclischen Diazoketonen zu Cyclobutan-Derivaten. Auf diese Weise lassen sich auch mit ausgezeichneten Ausbeuten Diazoketone des Tetrahydrofurans photochemisch in die entsprechenden Oxetane umwandeln[4]; z. B.:

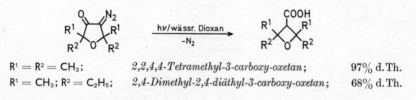

R¹ = R² = CH₃;	2,2,4,4-Tetramethyl-3-carboxy-oxetan;	97% d.Th.
R¹ = CH₃; R² = C₂H₅;	2,4-Dimethyl-2,4-diäthyl-3-carboxy-oxetan;	68% d.Th.

Benzocyclobuten-1-carbonsäure[2]: Eine Lösung von 2 g (0,0126 Mol) 3-Oxo-2-diazo-2,3-dihydro-inden in 200 *ml* Tetrahydrofuran und 100 *ml* Wasser wird in Gegenwart von 2 g Natriumhydrogencarbonat 10 Stdn. beim Siedepunkt der Lösung belichtet. Als Strahlungsquelle dient dabei ein U-förmiges Quecksilber-Niederdruck-Entladungsrohr aus Quarz, das mit Argon gefüllt ist. Die Belichtungsapparatur ist mit einem Azotometer versehen. Nach Beendigung der Reaktion wird das Tetrahydrofuran abdestilliert

---

[1] Neuere Lit. zur Wolff-Umlagerung von Oxo-diazo-cycloalkenen: U. R. GATHAK et al., Chem. Commun. **1973**, 548.

[2] M. P. CAVA, R. L. LITTLE u. D. R. NAPIER, Am. Soc. **80**, 2257 (1958).

[3] L. HORNER, W. KIRMSE u. K. MUTH, B. **91**, 430 (1958).

[4] I. K. KOROBITSYNA u. L. L. RODINA, Ž. Org. Chim. **1**, 932 (1965); C. A. **63**, 6939ª (1965).

und es bleibt ein teeriger, wäßriger Rückstand. Dieser wird nach Extraktion mit Dichlormethan angesäuert und mit Äther ausgezogen. Die ätherische Phase wird mit Wasser gewaschen, über Natriumsulfat getrocknet und eingedampft. Der bräunliche Rückstand wird bei 90°/2 Torr sublimiert; Ausbeute: 0,40 g (21% d. Th.); F: 71–74°; nach Umkristallisieren aus Petroläther F: 74–75°, farblose Nadeln.

Mit der photochemischen Ringverengungsreaktion lassen sich auch hochgespannte Dicyclobuta-benzol-Derivate herstellen. So ergibt die Belichtung (S 81 Quarzlampen-Gesellschaft Hanau; 4 Stdn.) von 4-Oxo-5-diazo-2,4,5,6-tetrahydro-1H-⟨cyclobuta-[f]-inden⟩ in Tetrahydrofuran/Wasser (5:1) 17% des hochgespannten *1-Carboxy-1,2,4,5-tetrahydro-⟨dicyclobuta-[a;d]-benzol⟩*[1]:

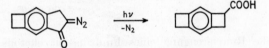

Eine große Bedeutung hat diese photochemische Ringkontraktion auch in der Steroid-Reihe erlangt. Auf diese Weise lassen sich eine große Zahl von D-Nor-steroiden synthetisieren, die neue pharmakologische Eigenschaften aufweisen. In Tab. 168 sind eine Reihe solcher Reaktionen von Diazo-cyclopentanonen wiedergegeben.

Tab. 168. Synthesen von Cyclobutan-Derivaten durch Ringkontraktion von Diazo-cyclopentanonen

Diazoketon	Produkt	Ausbeute [% d. Th.]	F [°C]	Literatur
	exo-6-Methoxycarbonyl-tricyclo [3.2.2.0]nonan + *endo-6-…*	60 (4:1)	–	2
	5-Carboxy-2,4,5,6-tetrahydro-1H-⟨cyclobuta-[f]-inden⟩	16	133–134	3
	3-Methoxy-16-carboxy-D-nor-östratrien-(1,3,5¹⁰)	63	188–189	4
	3β-Hydroxy-16-carboxy-D-nor-androsten-(5)	40	212–214	5

[1] L. Horner, K. Muth u. H. G. Schmelzer, B. **92**, 2953 (1959).
[2] P. E. Eaton u. K. Nyi, Am. Soc. **93**, 2786 (1971).
[3] L. Horner, W. Kirmse u. K. Muth, B. **91**, 430 (1958).
[4] M. P. Cava u. E. Moroz, Am. Soc. **84**, 115 (1962).
   Vgl. a.: J. L. Mateos, O. Chao u. H. Flores, Tetrahedron **19**, 1051 (1963).
[5] A. Hassner, A. W. Coulter u. W. S. Seese, Tetrahedron Letters **1962**, 759.
   G. Muller, C. Huynh u. J. Mathieu, Bl. **1962**, 296.
   J. Meinwald, G. G. Curtis u. P. G. Gassman, Am. Soc. **84**, 116 (1962).

3β-Hydroxy-16-carboxy-D-nor-androstan[1]: 4 g 3β-Hydroxy-17-oxo-16-diazo-androstan werden in 160 ml dest. Tetrahydrofuran und 40 ml Wasser mit einer Hanau S 700 Quecksilber-Hochdruck-Lampe in einer Tauchapparatur bei $10 \pm 1°$ belichtet. Nach 1 Stde. ist die Reaktion beendet und das Gemisch wird in 600 ml Wasser gegossen und mit Äther extrahiert. Die organische Phase wird mit ges. Natrium-carbonat-Lösung extrahiert, wobei Ansäuren der wäßr. Phase die D-Norsäure als porösen Festkörper ergibt. Nachdem noch 6 Stdn. auf 5° gekühlt worden ist, wird abfiltriert, mit Wasser gewaschen und mit Aktivkohle durch Umkristallisieren aus Methanol gereinigt; Ausbeute: 3 g (75% d.Th.); F: 205–206°.

Die photochemische Ringkontraktion bei sechsgliedrigen, cyclischen Diazoketonen zu Cyclopentan-carbonsäuren stellt das älteste Beispiel dieses Reaktionstyps dar. Die Photolyse ergibt dabei ein anderes Produkt als die Pyrolyse. Die Bestrahlung (S 81 Quecksilber-Hochdruck-Lampe, Quarzlampen-Gesellschaft Hanau) von 2-Oxo-3-diazo-1,7,7-tri-methyl-bicyclo[2.2.1]heptan in 1,4-Dioxan/Wasser (7:1) liefert dabei durch normale Wolff-Umlagerung die ringverengte *1,6,6-Trimethyl-bicyclo[2.1.1]hexan-5-carbonsäure* (77% d.Th.). Die Photolyse in Ammoniak oder Alkohol ergibt die entsprechenden Amide oder Ester. Im Gegensatz dazu bildet sich bei der Thermolyse über das primär entstehende Ketocarben durch γ-C–H-Insertion *3-Oxo-4,7,7-trimethyl-tricyclo[2.2.1.0²,⁶]heptan*[1–3]:

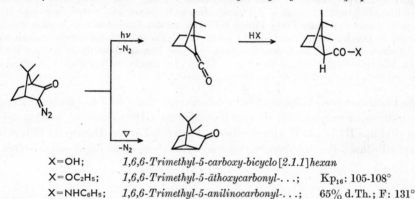

X=OH;   *1,6,6-Trimethyl-5-carboxy-bicyclo[2.1.1]hexan*

X=OC₂H₅;   *1,6,6-Trimethyl-5-äthoxycarbonyl-...*;   Kp₁₆: 105–108°

X=NHC₆H₅;   *1,6,6-Trimethyl-5-anilinocarbonyl-...*;   65% d.Th.; F: 131°

1,6,6-Trimethyl-bicyclo[2.1.1]hexan-5-carbonsäure[4]: 1,8 g (10 mMol) 2-Oxo-3-diazo-1,7,7-trimethyl-bicyclo[2.2.1]heptan[5] werden in einem Gemisch von 70 ml 1,4-Dioxan und 10 ml Wasser in einer Quarz-Apparatur bei 0° belichtet (S 81 Quarzlampen-Gesellschaft, Hanau). Nach Beendigung der Stickstoff-Entwicklung wird das Lösungsmittel abgedampft, der Rückstand mit Natriumcarbonat-Lösung aufgenommen und von geringen Mengen gelben Harzes abfiltriert. Beim Ansäuern scheidet sich die Säure aus. Nach dem Umkristallisieren aus verd. Essigsäure fallen farblose Nädelchen aus; Ausbeute: 1,3 g (77% d.Th.); F: 111°.

Bei syn-7-Chlor-3-oxo-2-diazo-bicyclo[2.2.1]heptan konkurriert schon bei der Photoreaktion die Wolff-Umlagerung mit der intramolekularen C–H-Insertion. In wäßrigem 1,4-Dioxan (Hanovia 450 W Quecksilber-Lampe; Pyrex-Filter) entsteht *syn-6-Chlor-bicyclo[2.2.1]hexan-exo-5-carbonsäure* (65% d.Th.) und *syn-7-Chlor-3-oxo-tricyclo[2.2.1.0²,⁶]heptan* (27% d.Th.)[6]:

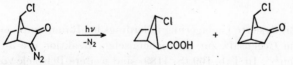

[1] J. L. Mateos, O. Chao u. H. Flores, Tetrahedron 19, 1051 (1963).
[2] L. Horner u. E. Spietschka, B. 88, 934 (1955).
   A. L. Wilds et al., Tetrahedron Letters 1965, 4841; Am. Soc. 84, 1503 (1962).
[3] J. Meinwald, A. Lewis u. P. G. Gassman, Am. Soc. 84, 977 (1962).
[4] L. Horner u. H. Spietschka, B. 88, 934 (1955).
[5] Herstellung von Diazocampher aus Campherchinon: J. Bredt u. W. Holz, J. pr. 95, 133 (1917).
[6] J. Meinwald u. J. K. Crandall, Am. Soc. 88, 1292 (1966).
   Vgl. a.: Y. Hata u. H. Tanida, Am. Soc. 91, 1170 (1969).

1188 H. Dürr: Photochemie

In den meisten Photoreaktionen bicyclischer Diazoketone bildet sich ausschließlich das Wolff-Umlagerungsprodukt und zwar stets mit **exo-konfigurierter** Carboxyl-Gruppe.

Das bicyclische Ringsystem des **7-Oxo-6-diazo-bicyclo[3.2.1]octan** erleidet die photochemische Ringverengung zum Cyclohexan-Ring ebenfalls in ausgezeichneter Ausbeute. Bei der Photolyse (450 W Hanovia; Corex-Filter) in absol. Methanol bildet sich in 75%iger Ausbeute ein Gemisch aus 96% *endo-* und 4% *exo-Bicyclo[3.1.1]heptan-6-carbonsäure-methylester*[1]:

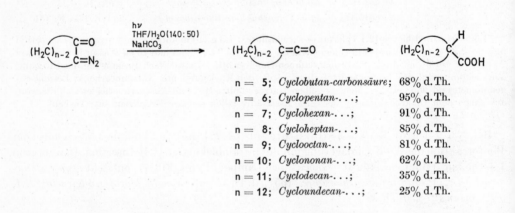

Bicyclo[3.1.1]heptan-6-carbonsäure-methylester[1]: Eine Lösung von 81 g (0,53 Mol) rohes 7-Oxo-6-diazo-bicyclo[3.2.1]octan in 4,5 *l* wasserfreiem Methanol wird 8 Stdn. mit einer Hanovia 450 W Lampe in Gegenwart eines Corex-Filters belichtet. 4 *l* des Lösungsmittels werden durch Destillation abgetrennt. Der Rückstand wird auf 1 *l* zerstückeltes Eis und Wasser gegeben; dann wird 4mal mit je 1 *l* Pentan extrahiert. Nach dem Trocknen wird das Pentan abdestilliert und der Rückstand rektifiziert. Ausbeute: 62,2 g (75% d.Th.); Kp$_{8-9}$: 73–75°. Die gaschromatographische Analyse zeigt, daß der Ester aus 96% *endo-* und 4% *exo*-Verbindung besteht.

Die Photolyse von cyclischen Diazo-ketonen mit mehr als 7 Kohlenstoff-Atomen ist ebenfalls untersucht worden. Aus den entsprechenden α-Diazo-ketonen werden bei der Belichtung (Phillips HPK 125 W Quecksilber-Hochdruck-Lampe, Duranglas-Filter) in wäßrigem Tetrahydrofuran die ringverengten Cycloalkan-carbonsäuren in guten Ausbeuten erhalten[2,3].

n = 5; *Cyclobutan-carbonsäure*;	68% d.Th.
n = 6; *Cyclopentan-...*;	95% d.Th.
n = 7; *Cyclohexan-...*;	91% d.Th.
n = 8; *Cycloheptan-...*;	85% d.Th.
n = 9; *Cyclooctan-...*;	81% d.Th.
n = 10; *Cyclononan-...*;	62% d.Th.
n = 11; *Cyclodecan-...*;	35% d.Th.
n = 12; *Cycloundecan-...*;	25% d.Th.

Die Silberoxid-katalysierte Umlagerung (allerdings bei Raumtemp.) ergibt bei cyclischen α-Diazo-ketonen im Gegensatz zur photochemischen Reaktion die 3-Oxo-cycloalkene in mittleren Ausbeuten[3,4]. In Tab. 169 (S. 1189) sind weitere Beispiele von Ringverengungsreaktionen zusammengefaßt.

[1] K. B. Wiberg u. B. A. Hess, J. Org. Chem. **31**, 2250 (1966).
[2] A. T. Blomquist u. F. W. Schlaefer, Am. Soc. **83**, 4547 (1961).
[3] M. Regitz u. J. Rüter, B. **102**, 3877 (1969).
[4] V. Franzen, A. **602**, 199 (1957).

Tab. 169. Ringverengungsreaktionen von cyclischen sechsgliedrigen Diazoketonen

Diazoketon	Lösungsmittel	Produkte	Ausbeute [% d.Th.]	F [°C]	Literatur
	abs. Methanol	*Bicyclo[2.1.1]hexan-5-carbonsäure-methylester*	54	(Kp$_{17-18}$: 67–71°)	1
	wäßr. 1,4-Dioxan	*exo-2-Acetoxy-endo-5-carboxy-bicyclo[2.1.1]hexan +exo-2-Acetoxy-exo-5-carboxy-. . .*	51 (9:1)	89–90	2
	1,4-Dioxan/Wasser (4:1)	*5,5-Dimethyl-exo-2-carboxy-bicyclo [2.1.1]hexan*	68	77,2–77,5	3
	wäßr. 1,4-Dioxan	*2-Carboxy-tricyclo [3.2.2.0^{1,5}]nonan*	63		4
	wäßr. Tetrahydrofuran	*8,9-Dimethyl-anti-10-carboxy-endo-tricyclo[5.2.1.0^{2,6}]decadien-(3,8) +8,9-Dimethyl-syn-10-carboxy-. . .*	43		5
	wäßr. Tetrahydrofuran	*9-Carboxy-pentacyclo[4.3.0^{2,5}.0^{3,8}. 0^{4,7}]nonan*	44	102–104	6
	wäßr. Tetrahydrofuran	*2β-Carboxy-A-nor-cholestan*	45	195–196	7

[1] K. WIBERG, B. R. LOWRY u. T. H. COLBY, Am. Soc. **83**, 3998 (1961).
  Vgl. a.: Y. HATA u. H. TANIDA, Am. Soc. **91**, 1170 (1969).
[2] J. MEINWALD u. J. K. CRANDALL, Am. Soc. **88**, 1292 (1966).
[3] J. MEINWALD u. P. G. GASSMAN, Am. Soc. **82**, 2857 (1960).
[4] P. E. EATON u. K. NYI, Am. Soc. **93**, 2786 (1971).
  P. E. EATON u. G. H. TEMMER, Am. Soc. **95**, 7508 (1973).
[5] L. HORNER u. D. W. BASTON, B. **98**, 1252 (1965).
[6] W. G. DAUBEN u. D. L. WHALEN, Tetrahedron Letters **1966**, 3743.
  W. G. DAUBEN, C. H. SCHALLHORN u. D. L. WHALEN, Am. Soc. **93**, 1446 (1971).
[7] M. P. CAVA, P. M. WEINTRAUB u. E. J. GLAMKOWSKI, J. Org. Chem. **31**, 2015 (1966).
  Vgl. a.: S. HUNECK, Tetrahedron Letters **1963**, 375.

Bei mittleren Ringen ist die photochemische Wolff-Umlagerung zur Synthese interessanter Verbindungen, wie z. B. *4-Carboxy-trans-bicyclo[5.1.0]octan* (29% d.Th.)[1] oder zur Herstellung von Alkandiyl-(1,ω)-benzolen[2] verwendbar:

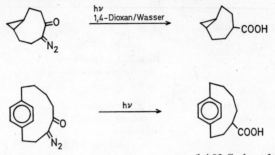

1,4-[3-Carboxy-heptan-1,7-diyl]-benzol

ββ₃) Cycloalkenyl-substituierte α-Diazoketone

Die Photolyse von 2-Oxo-3-diazo-1-[1,2,3-triphenyl-cyclopropen-(2)-yl]-propan (I; R = C₆H₅) führte in wäßrigem Tetrahydrofuran zu *[1,2-Diphenyl-cyclobuten-(2)-yl]-phenyl-essigsäure* (IV; 40% d.Th.)[3]:

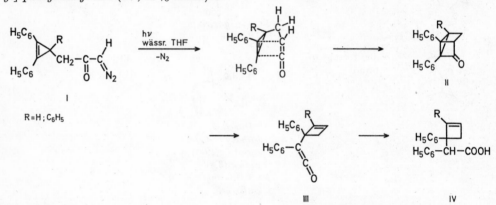

In absol. Tetrahydrofuran können die Zwischenstufen II und III nachgewiesen werden. Eine normale Wolff-Umlagerung liefert zunächst ein Keten. Dieses geht eine photochemische [$_\pi 2 + _\pi 2$]-Cycloaddition zu II ein, das sich dann in der angegebenen Weise in das Keten III umlagert. Addition von Wasser ergibt schließlich das Endprodukt. Die gleiche Reaktion tritt in Gegenwart von Silberoxid ein[4].

Eine normale Wolff-Umlagerung gefolgt von einer [$_\pi 2 + _\pi 2$]-Cycloaddition vollzieht sich ebenfalls bei der Bestrahlung (450 W Quecksilber-Mitteldruck-Lampe, Pyrex-Filter) von 2-Oxo-3-diazo-1-[2,2,3-trimethyl-cyclopenten-(3)-yl]-propan in Pentan. Bei dieser Reaktion bildet sich *4-Oxo-6,7,7-trimethyl-tricyclo[3.2.1.0³,⁶]octan* (VI; 79% d.Th.)[5]:

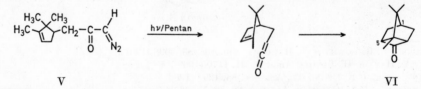

[1] P. G. Gassman, J. Seter u. F. J. Williams, Am. Soc. **93**, 1673 (1971).
[2] N. L. Allinger u. T. J. Walter, Am. Soc. **94**, 9267 (1972).
    M. G. Newton, T. J. Walter u. N. L. Allinger, Am. Soc. **93**, 3652 (1973).
[3] S. Masamune u. K. Fukumoto, Tetrahedron Letters **1965**, 4647.
    S. Masamune u. N. T. Castelluci, Proc. chem. Soc. **1964**, 298.
[4] A. Small, Am. Soc. **86**, 2091 (1964).
[5] P. Yates u. A. G. Fallis, Tetrahedron Letters **1968**, 2493.

Wird reines (+)-V belichtet, so geht die optische Aktivität in VI verloren, wie man dies für das symmetrische VI auch erwarten würde. Die Silber-katalysierte Wolff-Umlagerung verläuft normal und es entstehen 14% *3-[2,2,3-Trimethyl-cyclopenten-(3)-yl]-propansäure*[1].

Auch die Photolyse von endo-6-(1-Oxo-2-diazo-äthyl)-bicyclo[3.1.0]hexen-(2) vollzieht sich nicht erwartungsgemäß. Wird es in Tetrahydrofuran belichtet (140 W Hanovia Quecksilber-Lampe; 1,5%ige Lösung; bis 90% Umsatz), so bilden sich 50% der beiden Ketone *4-Oxo-bicyclo[3.2.1]octadien-(2,6)* und *3-Oxo-tricyclo[3.2.1.0²,⁷]octan*[2], wobei das zuerst genannte das Hauptprodukt der Reaktion darstellt:

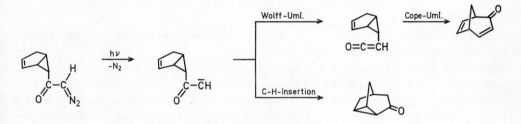

$\beta\beta_4$) Diazo-α,α-diketone

Die Photolyse cyclischer Diazo-diketone ist von komplexer Natur.

Die Belichtung von 1,3-Dioxo-2-diazo-1-phenyl-butan in Äthanol (Hanau S 81; Quarz-Apparatur) führt bei der photochemischen Wolff-Umlagerung ausschließlich zu *2-Benzoyl-propansäure-äthylester* (82% d.Th.). In diesem Falle wandert die weniger mesomeriestabilisierte Methyl-Gruppe. Bei der thermischen Reaktion entsteht außerdem durch Phenyl-Wanderung noch *3-Oxo-2-phenyl-butansäure-äthylester*[3]:

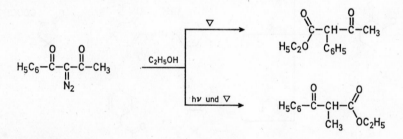

2-Benzoyl-propansäure-äthylester[3]: 2 g 1,3-Dioxo-2-diazo-1-phenyl-butan werden in 80 *ml* absol. Äthanol gelöst und belichtet (S 81 Quarzlampen-Gesellschaft, Hanau; Quarz-Apparatur; 0°; unter Stickstoff-Atmosphäre). Das Lösungsmittel wird i. Vak. abgezogen und das Produkt destillativ gereinigt; Ausbeute: 1,8 g (82% d.Th.); Kp₁₀: 144°.

Diese Untersuchungen sind auf eine Reihe weiterer 1,3-Dioxo-2-diazo-Verbindungen ausgedehnt worden. Hierdurch konnte die relative Wanderungstendenz der einzelnen Reste bei der Wolff-Umlagerung bestimmt werden. Die Umlagerung soll dabei ebenfalls über einen angeregten Singulett-Zustand ablaufen[4].

$$R^1-\overset{\overset{O}{\|}}{C}-\overset{\overset{N_2}{\|}}{C}-\overset{\overset{O}{\|}}{C}-R^2 \xrightarrow{h\nu/ROH} ROOC-\underset{\underset{R^1}{|}}{CH}-\overset{\overset{O}{\|}}{C}-R^2 \ + \ R^1-\overset{\overset{O}{\|}}{C}-\underset{\underset{R^2}{|}}{CH}-COOR$$

[1] A. SMALL, Am. Soc. **86**, 2091 (1964).
[2] P. K. FREEMAN u. D. G. KUPER, Chem. & Ind. **1965**, 424.
[3] L. HORNER u. E. SPIETSCHKA, B. **85**, 225 (1952).
[4] N. BAUMANN, Helv. **55**, 2716 (1972).

R¹	R²	Isomeren-Verhältnis		Gesamtausbeute	Literatur
CH₃	C(CH₃)₃	100	0	31	1
C₆H₅	H	0	100	>90	2
C₆H₅	CH₃	4	96	96	2
OCH₃	CH₃	0	100	57	
OCH₃	C₆H₅	0	100	88	2
OC₂H₅	NHC₆H₅	0	100	16–25	3

Analoge Wolff-Umlagerungen treten bei 2,2′-Bis-[diazo-acetyl]-biphenyl[4] und Diazo-malonsäure-methylester-benzylestern[5] auf.

Aus 3,5-Dioxo-4-diazo-1,1-dimethyl-cyclohexan entstehen in Tetrachlor-methan *2,4-Dioxo-6,6-dimethyl-2,3,4,5,6,7-hexahydro-⟨cyclopenta-[b]-pyran⟩-⟨3-spiro-1⟩-5-oxo-4,4-dimethyl-cyclopentan* (76% d.Th.) und *3-Oxo-1,1-dimethyl-cyclopentan* (18% d.Th.). In Methanol bilden sich dagegen *Bis-[2-hydroxy-6-oxo-4,4-dimethyl-cyclohexen-(1)-yl]-methan* (70% d.Th.) und *5-Oxo-3,3-dimethyl-1-methoxycarbonyl-cyclopentan* (20% d.Th.). Die Photolyse in Cyclohexen schließlich ergibt neben 3-Oxo-1,1-dimethyl-cyclopentan (18% d.Th.) noch *2,6-Dioxo-4,4-dimethyl-1-cyclohexen-(2)-yl-cyclohexan* (30% d.Th.)[6, s. a. 1]:

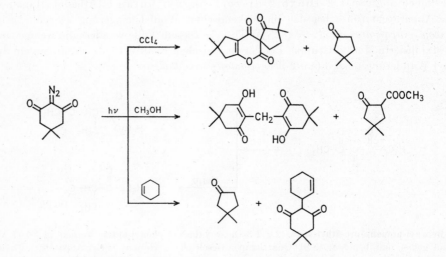

In Tetrachlormethan entsteht die Spiro-Verbindung durch Wolff-Umlagerung und Dimerisierung des entsprechenden Ketens. Addition von Wasser (aus dem Solvens) führt zur cyclischen β-Oxo-carbonsäure, die unter Decarboxylierung das Cyclopentan-Derivat liefert. In Methanol erhält man das normale Wolff-Umlagerungsprodukt. Durch eine Redoxreaktion des intermediären Dioxocarbens und Methanol treten intermediär Dimedon und Formaldehyd auf, die zum Hauptprodukt weiterreagieren. Diese Abstraktions-reaktion könnte auf ein Triplett-Carben hinweisen. In Cyclohexen entsteht neben 3-Oxo-1,1-dimethyl-cyclopentan das Cyclohexen-Derivat als Produkt einer Insertions- (oder Abstraktions-) Reaktion. Die Thermolyse ergibt ausschließlich die Spiro-Verbindung.

1 J. K. Korobytsina u. V. A. Nikolaev, Ž. Org. Chim. 7, 413 (1971).
2 K.-P. Zeller, H. Meier u. E. Müller, Tetrahedron 28, 5839 (1972).
3 N. T. Buu u. J. T. Edward, Canad. J. Chem. 50, 3719 (1972).
4 N. R. Gosh, J. Roy u. D. Chatterjee, Indian Chem. Soc. 49, 311 (1972).
5 H. Ledon, G. Linstrumentele u. S. Julia, Tetrahedron 29, 3609 (1973).
6 H. Veschambre u. D. Vocelle, Canad. J. Chem. 47, 1981 (1969).

Eine analoge Abhängigkeit von den eingesetzten Solventien weist auch die Photolyse des 3,5-Dioxo-4-diazo-1,2-diphenyl-cyclohexan auf[1].

2,4-Dioxo-6,6-dimethyl-2,3,4,5,6,7-hexahydro-⟨cyclopenta-[b]-pyran⟩-⟨3-spiro-1⟩-5-oxo-4,4-dimethyl-cyclopentan[2]: Eine Lösung von 5 g 3,5-Dioxo-4-diazo-1,1-dimethyl-cyclohexan in 1 l über Molekularsieben getrocknetem Tetrachlormethan wird mit einer Hanovia 450 W Lampe ohne Filter unter strömendem Stickstoff 1 Stde. belichtet. Dann wird das Solvens abdestilliert, wobei 3,8 g Rückstand, der teilweise kristallisiert, hinterbleiben; Ausbeute: 3,2 g (76% d.Th.); F: 110–120° (aus Äther).

Das flüssige Filtrat wird gaschromatographisch gereinigt (8 Fuß-Säule, 20% Craig-Polyester auf Chromosorb P; T = 160°, Retentionszeit = 11 Min.) und ergibt *3-Oxo-1,1-dimethyl-cyclopentan* (18% d.Th.).

trans-3-Oxo-1,2-diphenyl-cyclopentan[3]: 1 g 3,5-Dioxo-4-diazo-1,2-diphenyl-cyclohexan werden in 800 *ml* Tetrachlormethan gelöst und mit einer Hanovia 450 W Lampe und Pyrex-Filter unter Stickstoff belichtet. Nach 1,5 Stdn. wird das Lösungsmittel abdestilliert. Der Rückstand wird an 100 g Kieselgel mit Essigsäure-äthylester/Cyclohexan (25:75) chromatographiert; Ausbeute: 0,73 g (91% d.Th.); F: 175–177°.

Die Belichtung des 1,3-Dioxo-2-diazo-2,3-dihydro-inden in Methanol (679 A 36 Hanovia Lampe; Pyrex-Filter) ergibt das Produkt der Wolff-Umlagerung nur als Zwischenstufe. Eine Norrish-Typ I-Spaltung und Anlagerung von Methanol liefert *2-Methoxycarbonylmethyl-benzoesäure-methylester* (30% d.Th.) als stabiles Endprodukt dieser Reaktion[4]:

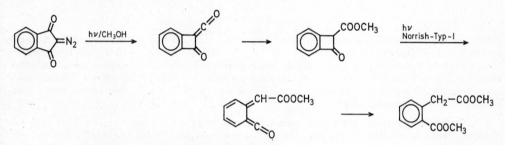

Im Gegensatz dazu kann man bei der Thermolyse in der Gasphase (25 Torr, Stickstoff, 750°) 45–50% des normalen Wolff-Umlagerungsproduktes, *2-Oxo-1-methoxycarbonyl-⟨benzocyclobuten⟩*, isolieren[4]. Diese Reaktion stellt das erste Beispiel der Synthese eines gespannten Moleküls durch unkatalysierte Wolff-Umlagerung dar.

In einer analogen Reaktion können *8-Oxo-endo-* sowie *-exo-7-methoxycarbonyl-1-azabicyclo[4.2.0]octan* (65% d.Th.) hergestellt werden[5]:

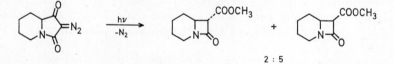

2,4-Dioxo-3-diazo-pyrrolidine reagieren in gleicher Weise[6].

ββ₅) Bis-diazo-ketone

Die Belichtung von Bis-diazo-ketonen führt primär zu Di-carbenen, die sich wieder in bekannter Weise stabilisieren können. Wird 2-Oxo-1,3-bis-diazo-1,3-diphenyl-propan (I) in Methanol/Tetrahydrofuran bei −40° (Hanovia 450 W Lampe; Pyrex-Filter)

[1] W. D. BARKER et al., Canad. J. Chem. **47**, 2853 (1969).
[2] H. VESCHAMBRE u. D. VOCELLE, Canad. J. Chem. **47**, 1981 (1969).
[3] D. VOCELLE et al., Canad. J. Chem. **47**, 2853 (1969).
[4] M. P. CAVA u. R. J. SPANGLER, Am. Soc. **89**, 4550 (1967).
[5] G. STORK u. R. P. SZAJEWSKI, Am. Soc. **96**, 5787 (1974).
[6] G. LOWE u. D. D. RIDLEY, Chem. Commun. **1973**, 328; Soc. (Perkin II) **1973**, 2024.

belichtet, so entstehen *erythro*-(IIa; 41% d.Th.) und *threo-3-Methoxy-2,3-diphenyl-propan-säure-methylester* (IIb; 13% d.Th.). Als Nebenprodukte fallen *α,β-Diphenyl-acrylsäure-methylester* (III; 4% d.Th.) und *Diphenylacetylen* (IV; 24% d.Th.) an. In Toluol wird 62% IV gebildet. Bei der Photolyse von I bei –40° und Verwendung der Wellenlänge λ = 436 nm wird *3-Oxo-1,2-diphenyl-cyclopropen* (V) erhalten (65% d.Th.). Die Silber-katalysierte Wolff-Umlagerung von I liefert gleichfalls V (11% d.Th.).[1,2]:

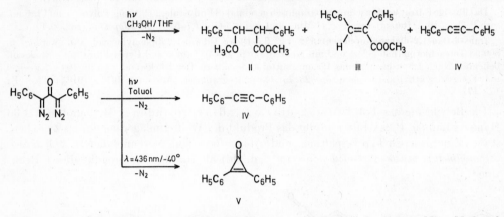

Das aus I entstehende Di-carben geht eine Wolff-Umlagerung ein und das Keten addiert Methanol zu IIa und IIb. Die Photolyse von I bei –40° mit λ = 436 nm zu 3-Oxo-1,2-diphenyl-cyclopropen beweist, daß die Belichtung von I zunächst zu einem Di-carben führt, das eine intramolekulare Carben-Dimerisierung zu V eingeht. Eine n → π*-Anregung des Ketons V liefert dann unter Kohlenmonoxid-Abspaltung IV. Die Produkte II (*erytho-* und *threo*-Form) werden jedoch über eine zunächst statt-findende Wolff-Umlagerung gebildet.

3-Oxo-1,2-diphenyl-cyclopropen[2]: Eine Suspension von 39 mg (0,15 mMol) 2-Oxo-1,3-bis-diazo-1,3-diphenyl-propan in 10 *ml* Methanol wird bei –50° mit 436 nm Licht einer Quecksilber-Niederdruck-Lampe eines Bausch- und Lomb-Monochromators belichtet. Nach 10 Stdn. werden 37 mg des Start-materials (87%) bei –78° abfiltriert und das Lösungsmittel i. Vak. abgezogen, wobei 5 mg gelbes Öl hinterbleiben. Dieses wird durch präparative Dünnschichtchromatographie (0,1 mm Platte; Chloroform; R_f: 0,08) aufgetrennt; Ausbeute: 4 mg (65% d.Th.); F: 120–121°.

Eine zweifache Wolff-Umlagerung erleidet 3,4-Di oxo-2,5-bis-diazo-hexandisäure-dimethylester. Die Belichtung in Methanol gibt *Äthan-1,1,2,2-tetracarbonsäure-tetra-methylester*[3]. Bei der thermischen Reaktion konnte kein definiertes Produkt erhalten werden.

Wird die Belichtung in Benzol vorgenommen, so entstehen durch Wolff-Umlagerung und nachfolgende Cyclisierung *4-Hydroxy-6-methoxy-2-oxo-5-phenyl-3-methoxycarbonyl-2H-pyran* (54% d.Th.) und *2,4-Dihydroxy-1,3-dimethoxycarbonyl-naphthalin* (16% d.Th.)[4]:

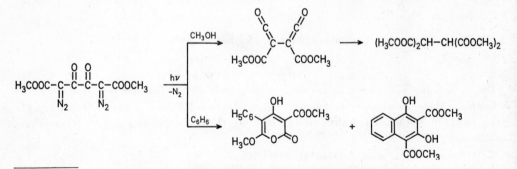

[1] P. J. Whitman u. B. M. Trost, Am. Soc. **91**, 7534 (1969).
[2] B. M. Trost u. P. J. Whitman, Am. Soc. **96**, 7421 (1974).
[3] L. Horner u. E. Spietschka, B. **85**, 225 (1952).
[4] C. W. Bird, D. Y. Wong u. C. K. Wong, Tetrahedron Letters **1972**, 4281.

Äthan-1,1,2,2-tetracarbonsäure-tetramethylester[1]: 1,5 g 3,4-Dioxo-2,5-bis-diazo-hexandisäure-dimethylester werden in einer Quarz-Apparatur bei 0° in 80 *ml* absol. Methanol belichtet (S 81 Quarzlampen-Gesellschaft, Hanau). Nach Abziehen der Methanols hinterbleibt ein kristalliner Rückstand, der mehrmals aus Methanol und Äther umkristalliert wird; Ausbeute: 0,8 g (52% d.Th.); F: 135°.

Aus 2,7-Dioxo-1,8-bis-diazo-octan erhält man mit Wasser oder Äthanol *Octandisäure* oder *Octandisäure-diäthylester*:

$$R = H, C_2H_5$$

Octandisäure[1]: 2 g 2,7-Dioxo-1,8-bis-diazo-octan werden in einer Mischung 1,4-Dioxan/Wasser (160:10) gelöst und in einer Quarz-Apparatur bei 0° belichtet (S 81 Quarzlampen-Gesellschaft, Hanau). Nach Abziehen des Lösungsmittels verbleibt ein gelber Rückstand, der sich nahezu vollständig in Natriumcarbonat-Lösung löst. Zugabe von verdünnter Säure fällt das Produkt aus; Ausbeute: 1,5 g (84% d.Th.); F: 140° (aus Wasser).

Im Falle des 4-Oxo-3,5-bis-diazo-1-tert.-butyl-cyclohexans liefert die Photolyse in absol. Alkohol *4-tert.-Butyl-cyclopenten-1-carbonsäure-äthylester* (18% d.Th.)[2]:

Das primär entstehende 1,3-Di-carben gibt unter Wolff-Umlagerung zunächst ein Cyclopentyl-carben, das sich unter Wasserstoff-Verschiebung in die Cyclopenten-carbonsäure umlagert.

$\beta\beta_6$) o-Chinon-diazide[3] (Süs-Reaktion)

Die Photolyse von o-Chinon-diaziden ist eine der ältesten Reaktionen von Diazoketonen und wurde bereits 1944 beschrieben. Sie ist technisch von großer Bedeutung und dient zur Herstellung von Lichtpausen (Diazotypie). Die bei diesem Verfahren wesentliche Reaktion stellt ebenfalls eine Wolff-Umlagerung dar[4]. Es wird vor allem beim Offset-Druck in großem Maße praktisch eingesetzt (vorsensibilisierte Druckfolien).

Der einfachste Grundkörper, das o-Chinon-diazid geht bei der Belichtung (Sonnenlicht, ohne Filter) in schwach saurer, wäßriger Lösung zunächst unter Stickstoff-Verlust in das Oxocarben über. Dieses besitzt als Cycloalken-carben mit $(4n+2)$-π-Elektronen $(n=1)$ eine gewisse Mesomerie-Stabilisierung[5]. Eine Wolff-Umlagerung dieses Carbens führt unter

---

[1] L. HORNER u. E. SPIETSCHKA, B. **85**, 225 (1962).

[2] R. TORSOVAC STEFANOVIC u. R. A. STOJILJKOVIC, Tetrahedron Letters **1967**, 2792.
  Vgl. a. R. F. BORCH u. D. L. FIELDS, J. Org. Chem. **34**, 1480 (1969).

[3] Neuere Literatur: B. M. TROST u. P. L. KNIESON, Tetrahedron Letters **1969**, 2675; Am. Soc. **97**, 2438 (1975).
  J. GRIFFITHS u. M. LOCKWOOD, Tetrahedron Letters **1975**, 683.

[4] O. SÜS, A. **556**, 85 (1944).
  O. SÜS, J. MUNDER u. H. STEPPAN, Ang. Ch. **74**, 985 (1962).
  O. SÜS et al., Z. wiss. Photographie **50**, II, 476 (1955).
  L. MESTER, Sc. et industries photochimiques **24**, 161, 249 (1955).

[5] H. DÜRR u. G. SCHEPPERS, A. **734**, 141 (1970).

Ringkontraktion zu einem cyclischen Cyclopentadien-Keten, das unter Anlagerung eines protischen Moleküls die *Cyclopentadien-5-carbonsäure* liefert, die sofort dimerisiert[1]:

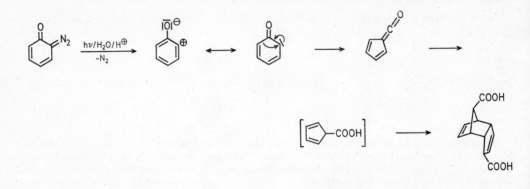

In entsprechender Weise reagieren alle Cyclopentadien-Derivate, d. h. nach Wolff-Umlagerung und Addition dimerisieren diese Verbindungen meist.

So führt die Photolyse (Kohlenbogenlampe) von 4-Oxo-3-diazo-bicyclo[4.3.0] nonadien-(1,5) in Wasser zur monomeren *Bicyclo[3.3.0]octadien-(1,4)-3-carbonsäure* und zum in einer Diels-Alder-Addition entstandenen Dimeren[2]:

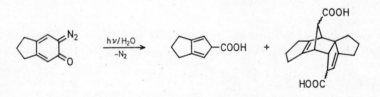

Im Falle des 10-Oxo-9-diazo-bicyclo[5.4.0]undecadien-(1[11],7) können bei der Photolyse (S 81 Tauchlampe, Quarzlampen-Gesellschaft Hanau; 1,5 Stdn.) in schwach saurer Lösung 27–28% *Bicyclo[5.3.0]decadien-(1[10],7)-9-carbonsäure* in monomerer Form isoliert werden. Dieses kann zu Azulen dehydriert werden[3]:

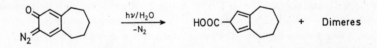

Verwendet man jedoch o-Chinon-diazide, die einen annellierten Benzol-Ring enthalten, so entstehen stabile Endprodukte. Die Belichtung des 1,2- oder 2,1-Naphthochinon-diazids (Bogenlampe oder Sonnenlicht) in schwach saurem, wäßrig-äthanolischem Solvens

[1] O. Süs, A. **556**, 85 (1944).
  O. Süs, J. Munder u. H. Steppan, Ang. Ch. **74**, 985 (1962).
  O. Süs et al., Z. wiss. Photographie **50**, II, 476 (1955).
  L. Mester, Sc. et industries photochimiques **24**, 161, 249 (1955).
[2] O. Süs u. K. Möller, A. **593**, 91 (1955).
[3] L. Horner u. K. H. Weber, B. **95**, 1227 (1962).

liefert in beiden Fällen *Inden-1-carbonsäure*[1]. Analog ergibt auch 10-Oxo-9-diazo-9,10-dihydro-phenanthren *Fluoren-9-carbonsäure* (80–88% d.Th.)[2].

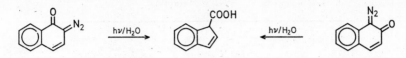

Die Photoreaktion der Naphthochinon-diazide ist technisch sehr wichtig, da diese Verbindungen und ihre Derivate zur Herstellung lichtempfindlicher Druckfolien verwendet werden. Auf Papier oder Aluminium gebracht, werden sie neuerdings zum Offset-Druck eingesetzt[3].

Fluoren-9-carbonsäure[2]: In einem 2-*l*-Rundkolben (Jenaer Glas) werden 0,5 g 10-Oxo-9-diaza-9,10-dihydro-phenanthren, gelöst in einem Gemisch von 600 *ml* 1,4-Dioxan, 300 *ml* Wasser und 15 *ml* Eisessig, dem Licht einer Kohlenbogen-Lampe ausgesetzt (40 Min.). Der Kolben wird dauernd in einem Eisbad geschüttelt und gedreht, um gute Kühlung und Durchmischung zu gewährleisten. Nach Abdestillieren des Solvens i. Vak. fällt die Carbonsäure fast farblos und kristallin an. Sie wird in 10%iger Natrium-carbonat-Lösung aufgenommen, mit Aktivkohle aufgekocht und durch verd. Salzsäure wieder ausgefällt; Ausbeute: 0,38–0,42 g (80–88% d.Th.); F: 228–230°.

Einbau von Heteroatomen wie Stickstoff in die Chinon-diazide führt ebenfalls zu stabilen Endprodukten. In eleganter Reaktion erhält man bei der Photolyse (Kohlenbogen-Lampe) des 2-Oxo-3-diazo-2,3-dihydro-pyridins in schwach saurer Lösung bei ∼ 0° die *Pyrrol-2-carbonsäure*[4]. Dieses Produkt fällt bereits während der Belichtung kristallin aus. Weitere Beispiele s. Tab. 170 (S. 1198).

Normalerweise wird bei der Bestrahlung der o-Chinon-diazide in wäßrigem Medium der Stickstoff vollständig aus dem Molekül eliminiert. In einigen Beispielen ist das Chinon-diazid so kupplungsfreudig, daß es direkt mit der durch Wolff-Umlagerung gebildeten ring-verengten Cyclopentadien-carbonsäure reagiert. Dabei entstehen Azo-Farbstoffe. In diesem Sinne verläuft die Photolyse (Sonnenlicht; kein Filter; Kühlung) der 5-Oxo-6-diazo-cyclohexadien-(1,3)-2-sulfonsäure. In wäßrigem Medium entsteht dabei zunächst durch Wolff-Umlagerung 5-Carboxy-cyclopentadien-2-sulfonsäure. Diese kuppelt dann sofort mit noch unverbrauchtem o-Chinon-diazid zum *2-Sulfo-5-carboxy-cyclopentadien-⟨5-azo-3⟩-4-hydroxy-benzolsulfonsäure*[5]:

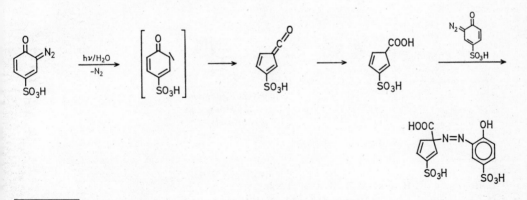

---

[1] O. Süs, A. **556**, 85 (1944).
[2] O. Süs, H. Steppan u. R. Dietrich, A. **617**, 20 (1958).
[3] O. Süs et al., Ang. Ch. **74**, 985 (1962).
[4] O. Süs u. K. Möller, A. **593**, 91 (1955).
[5] O. Süs, A. **556**, 65 (1944).
   S. a. K. Nakamura, S. Udgawa u. K. Honda, Chem. Letters **1972**, 763.

Tab. 170: Synthesen von Cyclopentadien- und Pyrrol-Derivaten

o-Chinon-diazid	Lösungsmittel	Produkt	Ausbeute [% d.Th.]	F [°C]	Literatur
	Wasser	Bicyclo[5.3.0]deca-dien-(1⁷,8)-10-carbonsäure	12	125–130	1
	1,4-Dioxan, Wasser, Eisessig (60:30:1,5)	7H-⟨Benzo-[c]-fluoren⟩-7-carbonsäure	52–62	218–221 (Zers.)	2
	Eisessig	Indol-3-carbonsäure	51	218	3
	schwach saure wäßr. Lösung	1H-Pyrrolo-[2,3-c] pyridin (Harmyrin)	70	136–137	4
	Eisessig	1H-⟨Pyrrolo-[3,2-c]-pyridin⟩-3-carbonsäure	63	198–199	5,6
	Eisessig	1H-⟨Pyrrolo-[2,3-b]-pyridin⟩-3,6-dicarbonsäure	90	316–318	5
	Eisessig	1-Methyl-4-carboxy-1,4-dihydro-⟨cyclo-pentatriazol⟩	–	202–206	7

[1] L. Horner u. K. H. Weber, B. 95, 1227 (1962).
[2] O. Süs, H. Steppan u. R. Dietrich, A. 617, 20 (1958).
[3] O. Süs et al., A. 583, 150 (1953).
[4] O. Süs u. K. Möller, A. 599, 233 (1956).
[5] K. Möller u. O. Süs, A. 612, 153 (1958).
[6] T. Adler u. A. Albert, Soc. 1960, 1794.
[7] O. Süs, A. 579, 233 (1956).

Analog führt auch die Belichtung (Sonnenlicht) der 3-Oxo-4-diazo-3,4-dihydro-naphthalin-1-sulfonsäure (I) in Wasser zum tiefroten *3-Sulfo-1-carboxy-inden-⟨1-azo-1⟩-2-hydroxy-4-sulfo-naphthalin* (III). Dieser Azo-Farbstoff kann auch mit Natrium-hydroxid in einer Dunkelreaktion aus I und 1-Carboxy-3-sulfo-inden (II) synthetisiert werden[1]:

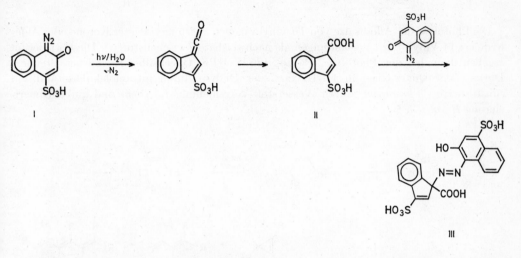

Eine Anomalie weist das Chinon-diazid aus 3-Amino-4-hydroxy-2,6-dimethyl-pyridin auf, das bei tiefen Temperaturen (Kohlenbogen-Lampe; −10°) in *2,5-Dimethyl-pyrrol-3-carbonsäure* umlagert. Bei Raumtemp. entsteht aber auch hier direkt der ent-sprechende Azo-Farbstoff, *4-Hydroxy-2,6-dimethyl-pyridin-⟨3-azo-3⟩-2,5-dimethyl-pyrrol*, durch Kupplung mit der Ausgangsverbindung und gleichzeitiger Decarboxylierung:

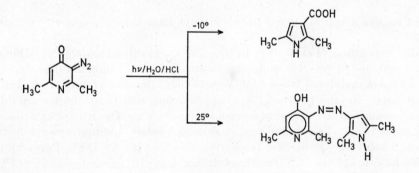

γγ) Additionen

Bei der Photolyse von entsprechenden Diazo-Verbindungen zu den intermediär auf-tretenden Carbenen treten intramolekulare Umlagerungen sehr häufig auf. Die intra-molekulare Addition photochemisch erzeugter Carbene ist eine bis jetzt recht wenig unter-suchte Umsetzung.

Vinyl-diazo-Verbindungen sind nicht sehr stabil; sie isomerisieren extrem leicht zu Pyrazolen. Im Falle des 3-Diazo-propens wird diese Isomerisierung durch Bestrahlung

[1] O. Süs, A. **556**, 65 (1944).
S. a. K. Nakamura, S. Udgawa u. K. Honda, Chem. Letters **1972**, 763.

(Osram ME/D 250 W Quecksilber-Mitteldruck-Lampe) begünstigt. Aus dem 3H-Pyrazol bildet sich jedoch sofort das *Pyrazol*[1]:

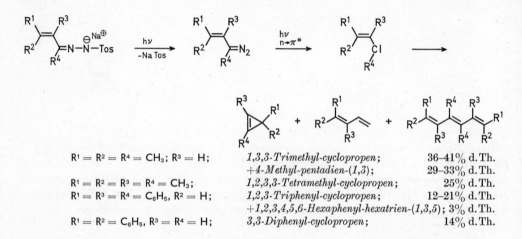

Die Photolyse der Alkalisalze von Tosylhydrazonen α, β-ungesättigter Ketone oder Aldehyde ergibt Vinyl-diazo-Verbindungen als nachweisbare Zwischenstufen[2]. Diese wiederum ergeben dann bei der Photolyse (Philips 125 W HPK Quecksilber-Hochdruck-Brenner; Duran- oder Quarz-Glas) in 1,4-Dioxan oder Diglym durch intramolekulare Addition substituierte *Cyclopropene*, durch Wasserstoff-Verschiebung *1,3-Diene* und durch Dimerisierung *Hexatriene*[2]:

$R^1 = R^2 = R^4 = CH_3$; $R^3 = H$;   *1,3,3-Trimethyl-cyclopropen;*   36–41% d.Th.
                                         +4-Methyl-pentadien-(1,3);   29–33% d.Th.
$R^1 = R^2 = R^3 = R^4 = CH_3$;   *1,2,3,3-Tetramethyl-cyclopropen;*   25% d.Th.
$R^1 = R^3 = R^4 = C_6H_5$, $R^2 = H$;   *1,2,3-Triphenyl-cyclopropen;*   12–21% d.Th.
                                         +1,2,3,4,5,6-Hexaphenyl-hexatrien-(1,3,5); 3% d.Th.
$R^1 = R^2 = C_6H_5$, $R^3 = R^4 = H$;   *3,3-Diphenyl-cyclopropen;*   14% d.Th.

Über Photolysen von 3H-Pyrazolen über Vinyl-diazo-Verbindungen zu Cyclopropenen s. S. 560.

Bei der Belichtung (450 W Typ L Hanovia Quecksilber-Lampe; Pyrex-Filter) von 4-Diazo-buten-(1) bei $-78°$ in Heptan[3] entsteht durch intramolekulare Addition *Bicyclo[1.1.0]butan* und durch Wasserstoff-Verschiebung *Butadien-(1,3)* im Verhältnis 1:5.

Bei größerem Abstand zwischen C=C-Doppelbindung und Diazo-Gruppe sinkt die Ausbeute an intramolekularem Additionsprodukt drastisch ab. Die Kupfer-katalysierte Zersetzung der ω-Diazo-alkene begünstigt die intramolekulare Addition wesentlich. Dagegen ergibt die Photolyse (Quecksilber-Hochdruck-Brenner, Hanau Q 81; Pyrex-Filter) von 5-Diazo-hexen-(1) in 1,2-Dimethoxy-äthan bei $-10°$ *Hexadien-(1,5)* (81%) und *Bicyclo[3.1.0]hexan* (1,6%) (Gesamtausbeute: 12%). Aus 7-Diazo-hepten-(1) entstehen *Heptadien-(1,6)* (83%), *Bicyclo[4.1.0]heptan* (1,9%) und *Buten-(3)-yl-cyclopropan* (8,2%) (Gesamtausbeute: 11%)[4]. Die bicyclischen Produkte der intramolekularen Addition werden bei den Kupfer-katalysierten Reaktionen in 35% bzw. 0,5% Ausbeute gebildet. Hauptprodukte sind auch hier die durch Wasserstoff-Verschiebung entstehenden Alkadiene.

[1] A. Ledwith u. D. Parry, Soc. [B] **1967**, 41.
      Vgl. a.: N. Filipescu u. J. R. deMember, Tetrahedron **24**, 5181 (1968).
[2] H. Dürr, B. **103**, 369 (1970); Ang. Ch. **79**, 1104 (1967); engl.: **6**, 1084 (1967).
      Vgl. a.: G. L. Closs, L. E. Closs u. W. A. Böll, Am. Soc. **85**, 3796 (1963).
      H. H. Stechl, B. **97**, 2681 (1964).
[3] D. M. Lemal et al., Am. Soc. **85**, 2529 (1963).
[4] W. Kirmse u. D. Grassmann, B. **99**, 1746 (1966).

Diazo-cyclopenten-(2)-yl-methan ergibt bei der Photolyse (450 W Hanovia Quecksilber-Hochdruck-Lampe; Pyrex-Filter) bei −78° das extrem gespannte *Tricyclo[2.1. 1.0⁵,⁶]hexan* (10%). Als weitere Produkte werden *3-Methylen-cyclopenten* (52%), *Cyclohexadien-(1,3)* (9%) und *Bicyclo[3.1.0]hexen-(2)* (29%) isoliert. Die Gesamtausbeute liegt bei 65%[1].

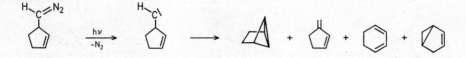

Im Falle des Diazo-cyclopenten-(3)-yl-methans wird praktisch das gleiche Produktgemisch erhalten[2].

1-(2-Diazo-äthyliden)-inden geht in glatter Reaktion intramolekulare Cycloaddition zu *Cyclopropen-⟨3-spiro-1⟩-inden* (21% d. Th.) ein[3]:

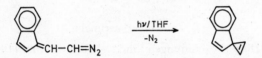

Besonders günstig für eine intramolekulare Addition sind Aryl-carbene, da sie eine geringe Insertionstendenz besitzen. Das sterisch günstig gebaute Diazo-2-allyloxy-phenyl-methan ergibt bei der Belichtung (Q 81 Quecksilber-Hochdruck-Brenner, Hanauer Quarzlampen-Gesellschaft, Quarz-Gefäß) *1,1a,2,7b-Tetrahydro-⟨cyclopropa-[c]- [1]-benzopyran⟩* als Additions- und *2-Vinyl-2,3-dihydro-⟨benzo-[b]-furan⟩* als Insertionsprodukt im Verhältnis 6:4 (Gesamtausbeute: 20–26%)[4]. Das Additions-/Insertionsverhältnis ist bei dieser Reaktion 1:2,5.

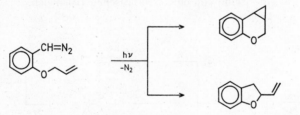

Eine analoge Einschiebungsreaktion zeigt das 2-Phenyl-1-(2-diazomethyl-phenyl)-äthan[5]:

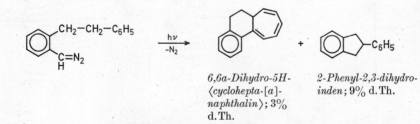

6,6a-Dihydro-5H- ⟨cyclohepta-[a]- naphthalin⟩; 3% d. Th.   *2-Phenyl-2,3-dihydro- inden; 9% d. Th.*

---

[1] D. M. Lemal u. K. S. Shim, Tetrahedron **44**, 3231 (1964).
[2] A. Viola, S. Madhavan u. R. J. Proverb, J. Org. Chem. **39**, 3154 (1974).
[3] T. Severin, H. Krämer u. P. Adhikary, B. **104**, 972 (1971).
[4] W. Kirmse u. H. Dietrich, B. **100**, 2710 (1967).
[5] C. D. Gutsche u. H. E. Johnson, Am. Soc. **77**, 5933 (1955).

Eine interessante Addition geht das 3-(Diazo-acetyl)-1,2-diphenyl-cyclopropen ein. Bei der Belichtung (Hanovia 450 W Quecksilber-Hochdruck-Lampe; Pyrex-Filter; 2 Stdn.) in Tetrahydrofuran unterbleibt die Wolff-Umlagerung und es bildet sich das hochgespannte *3-Oxo-1,5-diphenyl-tricyclo[2.1.0.0²,⁵]pentan*[1]. Die Konstitution dieser Verbindung wurde durch Röntgenstrukturanalyse bewiesen[2]. Durch Kupfer-katalysierte Zersetzung konnte auch die analoge Dimethyl-Verbindung hergestellt werden[3].

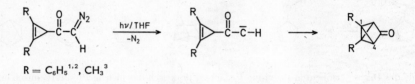

$R = C_6H_5^{1,2}, CH_3^{3}$

ζ_2) *intermolekulare Reaktionen der durch Photolyse von Diazo-Verbindungen gebildeten Carbene*

αα) Dimerisierungen

Die Photolyse von Diazo-Verbindungen führt, wie auf S. 1159, 1160f. beschrieben, unter Abspaltung von Stickstoff zu Carbenen im Singulett- oder nach Spin-Umkehr im Triplett-Zustand. Diese Carbene stabilisieren sich nun in Abwesenheit fremder Reaktionspartner durch Umsetzung mit noch unzersetzter Diazo-Verbindung (Weg ⓑ) oder durch formale Dimerisierung (Weg ⓐ) der entsprechenden Carbene. Eine zusätzliche mechanistische Alternative stellt ein "self-quenching" eines angeregten Diazoalkan-Moleküls durch ein zweites Diazoalkan im Grundzustand dar. Als Reaktionsprodukte entstehen dann nach allen 3 Mechanismen Azine (Weg ⓑ und ⓒ) und/oder Äthylen-Derivate (Weg ⓐ u. ⓑ). Ein Zweischritt-Mechanismus ist in jedem Falle als gesichert anzusehen und für jeden Mechanismus gibt es eine Reihe von charakteristischen Beispielen.

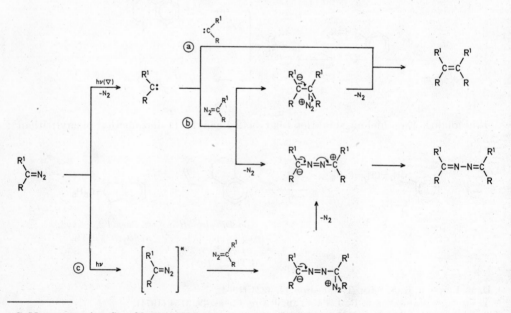

[1] S. Masamune, Am. Soc. **86**, 735 (1964).
[2] J. Trotter et al., Am. Soc. **89**, 2792 (1967).
[3] W. v. E. Doering u. M. Pomerantz, Tetrahedron Letters **1964**, 961.

Die Photolyse von Diazomethan in der Gasphase bei 2,1–3,2 atm. (Argon, Stickstoff u. a.) ergibt entsprechend diesem Schema *Äthylen* (63,5% d.Th.) und als Nebenprodukte *Propylen* (7,0% d.Th.) und *Acetylen* (2,6% d.Th.)[1]:

$$H_2C{=}N_2 \xrightarrow[\text{-}N_2]{h\nu/\text{Gasphase}} H_2C{=}CH_2 \ + \ H_3C{-}CH{=}CH_2 \ + \ HC{\equiv}CH$$

Die Belichtung von 2,2,2-Trifluor-1-diazo-äthan und 1H-Heptafluor-1-diazo-butan ergeben ebenfalls jeweils in 50%iger Ausbeute die Äthylen-Derivate[2] (vgl. S. 1168).

Ein weiterer Stabilisierungsweg ist die Bildung von Azinen. Ein Mechanismus, der die Azin-Bildung erklärt, ist noch nicht eindeutig bewiesen worden. Sowohl die direkte Addition von Carbenen an Diazo-Verbindungen[3], als auch die bimolekulare Reaktion zweier Moleküle einer Diazo-Verbindung und nachfolgende Stickstoff-Abspaltung sind diskutiert worden[4,5].

Die Photolyse von 1-Diazo-1-phenyl-äthan (Hanovia 200 W Quecksilber-Hochdruck-Lampe) bei 0–5° in Hexan ergibt *Acetophenon-azin* (95% d.Th.) und insgesamt 5% *Styrol* und *2,3-Diphenyl-buten-(2)*[4]:

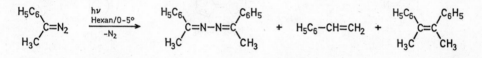

Im Gegensatz dazu verläuft die Thermolyse von 1-Methyl-1-phenyl-diazirin ausschließlich zu Styrol[4], was als Beweis für eine Carben-Zwischenstufe gedeutet wird.

Die Bestrahlung des Diazo-diphenyl-methans in der Schmelze ergibt *Benzophenon-azin*. Da die Quantenausbeute dieser Reaktion $\varphi = 2$ beträgt, wird hier ein radikalischer Bildungsmechanismus diskutiert[5] (Belichtung bei 31,5°; $\lambda = 546$ nm).

Im Falle des sterisch extrem behinderten Diazo-bis-[2,4,6-trimethyl-phenyl]-methans ergibt die Photolyse in quantitativer Ausbeute *Tetrakis-[2,4,6-trimethyl-phenyl]-äthylen*. Dieses soll durch Dimerisierung des freien Carbens entstehen. Im Gegensatz dazu ergibt die Thermolyse (140°; Benzol) *3,5-Dimethyl-1-(2,4,6-trimethyl-phenyl)-benzocyclobuten* (78% d.Th.) und *1,2-Bis-[3,5-dimethyl-2-(2,4,6-trimethyl-benzyl)-phenyl]-äthylen* (1,6% d.Th.)[6]. Die Photolyse liefert also in eindeutiger Weise das Dimere, während die sterische Hinderung bei der Thermolyse wesentlich stärker zum Tragen kommt.

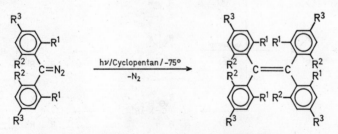

R¹ = R² = R³ = CH₃

R¹ = R² = CH₃; R³ = OCH₃;

R¹ = R² = R³ = Cl;

Tetrakis-[2,4,6-trimethyl-phenyl]-äthylen

Tetrakis-[4-methoxy-2,6-dimethyl-phenyl]-äthylen; 14% d.Th.

Tetrakis-[2,4,6-trichlor-phenyl]-äthylen; 75% d.Th.

[1] H. M. Frey, Am. Soc. **82**, 5947 (1960).
[2] R. Fields u. R. N. Haszeldine, Pr. chem. Soc. **1960**, 22; Soc. **1964**, 1881.
[3] H. Reimlinger, B. **97**, 339, 3503 (1964).
[4] C. G. Overberger u. J. P. Anselme, J. Org. Chem. **29**, 1188 (1964),
[5] T. Onescu et al., Z. El. Ch. **72**, 274 (1968).
[6] H. E. Zimmerman u. D. H. Paskovich, Am. Soc. **86**, 2149 (1964).

Tetrakis-[2,4,6-trimethyl-phenyl]-äthylen[1]: 0,50 g (18 mMol) Diazo-bis-[2,4,6-trimethyl-phenyl]-methan werden in 250 ml Cyclopentan gelöst. Diese Lösung wird in einen 500-ml-Pyrex-Dreihalskolben gegeben, der mit einer Gasdifussionskapillare, Rührer und einem Thermometer sowie Gasauslaß bestückt ist. Der Kolben wird durch Eintauchen in ein Trockeneis/Aceton-Bad auf −75° gekühlt. Nach Stickstoff-Spülung wird mit einer GE 1000 W AH6 Lampe (15 cm entfernt) belichtet. Nach 1,25 Stdn. wird die Bestrahlung abgebrochen und die Lösung auf Raumtemp. erwärmt. Nach Abziehen des Cyclopentans hinterbleiben 0,56 g eines Festkörpers, die an Kieselgel mit 5% Äther in Hexan chromatographiert werden; Ausbeute: 0,44 g (97% d.Th.); F: 299–300° (aus Hexan/Chloroform).

Die Photolyse des 3-Diazo-1-methyl-2,3-dihydro-indols in Tetrachlormethan ergibt, allerdings in mäßiger Ausbeute, *1,1′-Dimethyl-2,2′,3,3′-tetrahydro-3,3′-bi-indolyliden* (11% d.Th.)[2]. Eine analoge Dimerisierung findet auch in der Reihe der Cyclopentadien-Carbene statt. So ergibt die Photolyse von 9-Diazo-fluoren (Philips Quecksilber-Hochdruck-Lampe HPK 125 W; Pyrex-Filter; 15–20°) in Benzol *1H- und 3H-⟨Cyclohepta-[l]-phenanthren⟩* (45–50% d.Th.) und *9,9′-Bi-fluorenyliden* (35% d.Th.)[3]. 5-Diazo-1,4-di-phenyl-cyclopentadien liefert bei Belichtung in Benzol *1,1′,4,4′-Tetraphenyl-5,5′-bi-cyclopentadienyliden* (6% d.Th.) neben *1,4-Diphenyl-7H-⟨benzocyclohepten⟩*[3]:

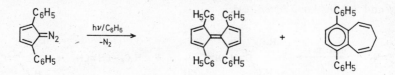

$\beta\beta$) Einschiebungsreaktionen

$\beta\beta_1$) in C–H-Bindungen

i₁) offenkettige Carbene

Die bei der Photolyse von Diazo-Verbindungen gebildeten Carbene können mit C–H-Einfachbindungen (allgemein C–X-Bindungen) ⓐ unter direkter Einschiebung oder ⓑ durch Abspaltung eines Wasserstoff-Atoms aus dem Substrat reagieren. Die bei Abstraktionsreaktionen intermediär auftretenden Radikale können die verschiedensten Rekombinationsreaktionen eingehen und schließlich kann über einen dritten Reaktionsweg ⓒ unter Bildung eines Ylids als Zwischenstufe ebenfalls ein formales Insertionsprodukt entstehen:

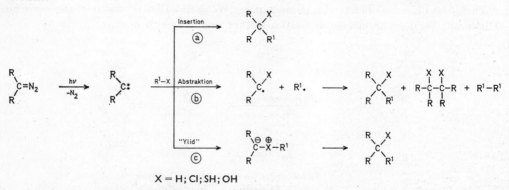

X = H; Cl; SH; OH

Singulett-Carbene reagieren nach Mechanismus ⓐ unter konzertierter Insertionsreaktion. Hierbei kann die Insertion in eine Vielzahl von Bindungen erfolgen, z. B. C–H-, C–C-, C–X-, N–H-, O–H-, S–H-, M–C- und M–M-Bindungen. Eine Ausnahme macht u. a. Dichlorcarben, das keine C–H-Insertion aufweist. Phenylcarbene gehen vorwiegend Insertion in benzylische C–H-Bindungen ein.

---

[1] H. E. Zimmerman u. D. H. Paskovich, Am. Soc. **86**, 2149 (1964).
[2] E. J. Moriconi u. J. J. Murray, J. Org. Chem. **29**, 3577 (1964).
[3] H. Dürr u. G. Scheppers, A. **734**, 141 (1970).

Die Carben-Insertion stellt eine stark exotherme Reaktion dar, die nach dem Hammond-Prinzip einen Übergangszustand aufweisen sollte, der noch stark den Reaktanden ähneln sollte. Zu Berechnungen der Geometrien im Übergangszustand s. Lit.[1,2]

Das Insertionsverhältnis in prim., sek. und tert.-C–H-Bindungen der Carbene ist für jedes Carben charakteristisch. Es hängt von der Stabilität eines Carbens ab und kann daher zur Reaktivitätsbestimmung eines Carbens herangezogen werden. Derartige Auswertungen experimenteller Ergebnisse liefern dann eine steigende Selektivität oder abnehmende Reaktivität der wichtigsten Carbene[3]:

$$\underset{H}{\overset{H}{>}}C: \; > \; \underset{F_3C}{\overset{H}{>}}C: \; > \; \text{(Cyclopentadienyliden)}: \; > \; \underset{H_5C_6}{\overset{H}{>}}C: \; > \; \underset{ROOC}{\overset{H}{>}}C: \; > \; \underset{ROOC}{\overset{ROOC}{>}}C: \; > \; \underset{NC}{\overset{NC}{>}}C: \; > \; \underset{FH_2C}{\overset{F}{>}}C: \; > \; \underset{Cl}{\overset{H}{>}}C: \; > \; \underset{Br}{\overset{H}{>}}C:$$

Die Insertion verläuft dabei unter Retention der Konfiguration des Substrates[4]. Für die Abstraktionsreaktion sind i.W. Triplett-Carbene verantwortlich, wobei nach Mindo/2-Rechnungen ein linearer Übergangszustand anzunehmen ist. Bei der Abstraktion sollten nach Weg ⓑ Kupplungsprodukte auftreten. Diese werden bei Reaktionen in der Gasphase oft gefunden, in Lösung wird jedoch das Radikalpaar durch den Solvenskäfig zusammengehalten, so daß nur das formale „Insertions-Produkt" entsteht. Die Produktanalyse in kondensierter Phase läßt daher keine eindeutigen Rückschlüsse auf einen Insertions- oder Abstraktionsmechanismus zu.

Werden die Bestrahlungen in Gegenwart von Radikalfängern (O_2, N_2O u. a.) vorgenommen, so kann man die Bildung der Radikalprodukte unterdrücken; man erhält in diesem Falle die Insertionsprodukte von Singulett-Carbenen. Andererseits kann man durch Sensibilisierung in flüssiger Phase[5] oder im Falle des Methylens durch hohe Inertgas-Drucke[6] weitgehend Triplett-Carbene erzeugen. Diese gehen vorwiegend Abstraktionsreaktionen ein, so daß auch dieser Reaktionstyp gezielt untersucht werden kann.

Die präparative Bedeutung der CH-Einschiebung ist bei den einfachen Carbenen von geringer Bedeutung. Aus diesem Grunde soll hier nur eine Übersicht charakteristischer Beispiele gegeben werden. Für das Methylen wurde bei Reaktionen mit Kohlenwasserstoffen in der Gasphase eine zunehmende Selektivität in der Reihe prim. < sek. < tert.-CH bei der Einschiebung beobachtet[6,7] (Quecksilber-Mitteldruck-Lampe; Pyrex-Filter; 200–1200 Torr, Stickstoff). Die Wellenlänge des eingestrahlten Lichts hat dabei keinen Einfluß auf die Einschiebungsreaktion[8].

Cyclobutan und **Diazomethan** ergeben zunächst Methyl-cyclobutan durch Einschiebung; in der Gasphase zerfällt jedoch das angeregte Molekül in *Äthylen* und *Propen*[9]:

$$CH_2N_2 \; + \; \square \; \xrightarrow[-N_2]{h\nu/\text{Gasphase}} \; \left[\square\text{–}CH_3 \right]^* \; \longrightarrow \; H_2C{=}CH_2 \; + \; H_2C{=}CH{-}CH_3$$

In flüssiger Phase liegen bei der Photolyse des Diazomethans in Kohlenwasserstoffen widersprüchliche Ergebnisse[7,10,11] vor. In einem Falle soll die Einschiebung des Methylens statistisch[7,10], im anderen Falle mit einer geringen Bevorzugung[11] der tert.- und sek.-C–H-Bindung ablaufen:

$$CH_2N_2 \; + \; \underset{}{H_3C{-}\overset{CH_3}{\underset{}{C}}H{-}\overset{CH_3}{\underset{}{C}}H{-}CH_3} \; \xrightarrow[-N_2]{h\nu} \; H_5C_2{-}\overset{CH_3}{\underset{}{C}}H{-}\overset{CH_3}{\underset{}{C}}H{-}CH_3 \; + \; H_3C{-}\overset{CH_3}{\underset{H_3C}{C}}{-}\overset{CH_3}{\underset{}{C}}H{-}CH_3$$

gefunden: 83   17
statistisch: 85   14

[1] R. C. Dobson, D. M. Hayes u. R. Hoffmann, Am. Soc. 93, 6188 (1971).

[2] N. Bodor, M. J. S. Dewar u. J. S. Wasson, Am. Soc. 94, 9095 (1972).
    M. J. S. Dewar, R. C. Haddon u. P. K. Weiner, Am. Soc. 96, 254 (1974).

[3] H. Dürr, Curr. Chem. Top. 40, 103 (1973); s. dort weitere Lit.

[4] W. Kirmse u. H. Buschoff, B. 102, 1098 (1969).

[5] K. Kopecky, G. S. Hammond u. P. A. Leermakers, Am. Soc. 83, 2397 (1961); 84, 1015 (1962).

[6] H. M. Frey, Am. Soc. 80, 5005 (1958).

[7] W. v. E. Doering et al., Am. Soc. 78, 3224 (1956).

[8] S. Y. Ho u. W. A. Noyes, jr., Am. Soc. 89, 5091 (1967).

[9] H. M. Frey, Trans. Faraday Soc. 56, 1201 (1960).

[10] D. B. Richardson, M. Simmons u. J. Dvoretzky, Am. Soc. 82, 5001 (1960); 83, 1934 (1961).

[11] B. M. Herzog u. R. W. Carr, jr., J. phys. Chem. 71, 2688 (1967).

Bei all diesen Reaktionen handelt es sich um Einschiebungsreaktionen des **Singulett-Methylens**.

Bei der Reaktion von **Triplett-Methylen** ($\lambda = 435{,}8$ nm; 800facher Stickstoff-Überschuß) bei 1,6 at in der Gasphase mit Propan, Butan und iso-Butan beobachtet man **Einschiebung und Abstraktion**[1]. Triplett-Methylen reagiert dabei mit prim.:sek.:tert.-C–H-Bindungen wie 1:12:122. Einschiebung in tert.-C–H:Addition an C=C verhält sich wie 122:125. Aus den Reaktionsprodukten wurde weiter das Abstraktions-/Insertionsverhältnis von 0,38 (prim.-C–H), 1,9 (sek.-C–H) und 3,0 (tert.-C–H) abgeleitet. Allerdings ist unwahrscheinlich, daß bei 1,6 at Stickstoff alles Methylen im Triplett-Zustand vorgelegen hat[2].

Eine eindeutige Reaktion eines Triplett-Methylens liegt jedoch bei der sensibilisierten Photolyse des **Diazomethans** ($\lambda = 318$ nm; Benzophenon als Sensibilisator; Filterabsorption $\lambda = 366$–700 nm) in **Cyclohexen** vor. Die Insertion in die aliphatische C–H-Bindung ist bei Triplett-Methylen eindeutig geringer[3]:

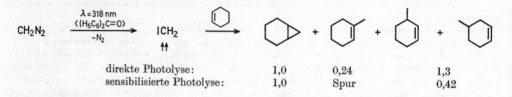

direkte Photolyse:	1,0	0,24	1,3
sensibilisierte Photolyse:	1,0	Spur	0,42

Das erste Beispiel einer C–H-Einschiebung stammt bereits von Meerwein[4]. Die Belichtung von **Diazomethan** (Sonnenlicht oder $\lambda > 300$ nm)[4] in **Diäthyläther** ergibt durch Insertion in die α- und β-CH$_2$-Gruppen *Äthyl-propyl-* und *Äthyl-isopropyl-äther*. In **Tetrahydrofuran** entsteht *2-* und *3-Methyl-tetrahydrofuran*[4]:

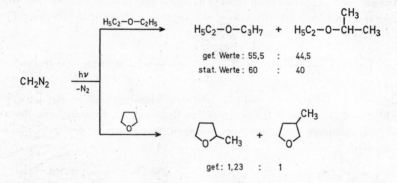

Dieses Ergebnis zeigt, daß die Einschiebung selektiver erfolgt in der Reihe β-CH$_2 < \alpha$-CH$_2$ (vgl. a. S. 1219f.). Analoge Untersuchungen in der Gasphase wurden an Methyl-propyläther vorgenommen[5]. Auch **2-Methyl-oxiran** zeigt ausschließlich C–H-Einschiebung zu *2,3-Dimethyl-* und *Äthyl-oxiran* (250 W Quecksilber-Mitteldruck-Lampe; Glas-Filter)[6]:

[1] D. F. Ring u. B. S. Rabinovitch, Am. Soc. **88**, 4285 (1966).
[2] Vgl. hierzu: H. M. Frey, Am. Soc. **82**, 5947 (1960).
[3] G. S. Hammond et al., Am. Soc. **83**, 2397 (1961).
[4] H. Meerwein et al., B. **75**, 1610 (1942).
    W. v. E. Doering et al., J. Org. Chem. **24**, 136 (1959).
[5] H. M. Frey, R. **83**, 117 (1964).
[6] V. Franzen u. L. Fikentscher, A. **617**, 1 (1958).

Die Photolyse von Diazomethan (Q 81 Quecksilber-Hochdruck-Lampe, Quarzlampen-Gesellschaft Hanau; Quarz-Apparatur) in Triäthylamin liefert *Methyl-diäthyl-amin* (3%), *Diäthyl-isopropyl-amin* (42%) und *Diäthyl-propyl-amin* (54%) (Gesamtausbeute: 22–25%)[1]. Es findet hier keine formale C–N-, sondern lediglich eine C–H-Insertion statt. Eine Ylid-Bildung wird nicht beobachtet.

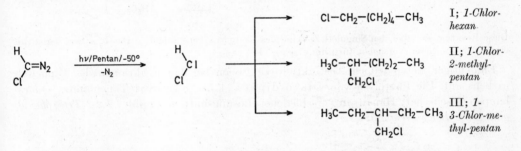

Die Substitution eines Wasserstoffs in Diazomethan durch Halogen führt zu den Halogen-diazo-methanen, die bei der Photolyse Halogencarbene ergeben. Wird Chlor-diazo-methan bei –50° (General Electric Photoflood, PH/R LL-2 500 W Lampe) in Pentan photolysiert, so werden in 11% iger Ausbeute die Halogenalkane I, II und III isoliert[2]:

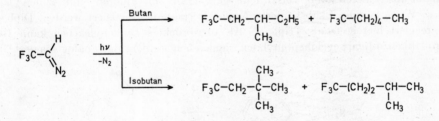

Die Ausbeuten an II und III: I verhalten sich dabei wie 20:1, das heißt, das Chlor-Carben schiebt sich bevorzugt in sek.-C–H-Bindungen ein. Bei der Thermolyse entsteht praktisch das gleiche Produktgemisch. Diese Ergebnisse beweisen, daß Halogen-Carbene selektiver als Methylene reagieren.

Ist ein Wasserstoff-Atom im Methylen durch einen stark-elektronenanziehenden Substituenten wie die CF_3-Gruppe, ersetzt, so sollten die Insertionsreaktionen besonders selektiv verlaufen. Die Belichtung von 2,2,2-Trifluor-1-diazo-äthan (Hanovia S 500 Lampe; Pyrex-Filter) in Butan ergibt 41% *1,1,1-Trifluor-3-methyl-pentan* und 59% *1,1,1-Trifluor-hexan* (Gesamtausbeute: 59%). Die Photolyse in Isobutan führt zu 11% *1,1,1-Trifluor-3,3-dimethyl-butan* und 89% *1,1,1-Trifluor-4-methyl-pentan* (Gesamtausbeute: 73%)[3]:

Mit Cyclohexan entsteht in 76% iger Ausbeute das Insertionsprodukt[3].

2,2,2-Trifluor-äthyl-cyclohexan[3]: 4,85 g (44 mMol) 2,2,2-Trifluor-1-diazo-äthan[4] und 90,2 g (1,1 Mol) Cyclohexan werden mit einer Hanovia S 500 Lampe und einem Pyrex-Filter 40 Stdn. bestrahlt, wobei 93% Stickstoff entwickelt werden. Nach Abziehen des Lösungsmittels wird destilliert; Ausbeute: 5,54 g (76% d.Th.); Kp: 129°.

[1] W. Kirmse u. H. Arold, B. **101**, 1008 (1968).
[2] G. L. Closs u. J. J. Coyle, Am. Soc. **87**, 4270 (1965).
[3] J. H. Asherton u. R. Fields, Soc. [C] **1968**, 2276.
[4] J. H. Asherton u. R. Fields, Soc. [C] **1967**, 1450.

Die Photolyse von Diazo-aryl-methanen ergibt als Zwischenstufe Aryl-Carbene. Mit C–H-Bindungen reagieren Aryl- vor allem Diaryl-Carbene nicht unter einfacher Einschiebung, sondern meist unter Abstraktion. Bei den Reaktionen der Phenyl-Carbene ist nicht eindeutig geklärt, ob sich diese unter Einschiebung oder Abstraktion mit Alkanen umsetzen. Die Photolyse von Diazo-phenyl-methan (450 W Hanovia Quecksilber-Hochdruck-Lampe, 79 A 36) bei 10° in Pentan ergibt *Phenyl-hexan, 2-Methyl-1-phenyl-pentan* und *3-Benzyl-pentan*[1]:

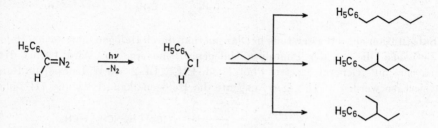

Diese Reaktion soll über den Singulett-Zustand des Phenyl-Carbens ablaufen. Das Insertionsverhältnis ergab sich aus diesen Versuchen für prim.-: sek.-C–H = 8,6:1.

Eindeutiger treten jedoch Abstraktionsreaktionen bei den Reaktionen des Diphenyl-carbens auf. Die Photolyse von Diazo-diphenyl-methan (S 81 Tauchlampe, Quarz-lampen-Gesellschaft Hanau) in verschiedenen Lösungsmitteln, ergibt *1,1,2,2-Tetraphenyl-äthan* und *Benzophenon-azin*[2]:

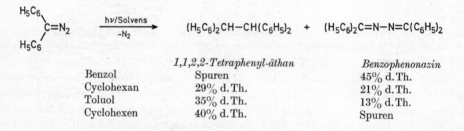

	1,1,2,2-Tetraphenyl-äthan	*Benzophenonazin*
Benzol	Spuren	45% d. Th.
Cyclohexan	29% d. Th.	21% d. Th.
Toluol	35% d. Th.	13% d. Th.
Cyclohexen	40% d. Th.	Spuren

Je stärker das Lösungsmittel als Wasserstoff-Donator fungieren kann, desto größer ist die Ausbeute an 1,1,2,2-Tetraphenyl-äthan. Während Diphenyl-carben von Benzol keinen Wasserstoff abstrahieren kann, verläuft dieser Vorgang mit Fluoren[2] und Azulen[3] leicht. Auf diese Weise können 1-substituierte Azulen-Derivate synthetisiert werden. Diphenyl-carben reagiert hier stets als Triplett[4]. Als überbrücktes Diphenylcarben kann 10,11-Dihydro-⟨dibenzo-[a;d]-cycloheptenyliden⟩ angesehen werden, das analog reagiert[5].

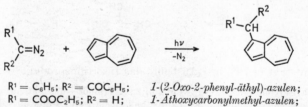

R¹ = C₆H₅; R² = COC₆H₅;   *1-(2-Oxo-2-phenyl-äthyl)-azulen*;   26% d. Th.
R¹ = COOC₂H₅; R² = H;   *1-Äthoxycarbonylmethyl-azulen*;   31% d. Th.

[1] H. Dietrich, G. W. Griffin u. R. C. Petterson, Tetrahedron Letters **1968**, 153.
     Vgl. a.: C. D. Gutsche, G. L. Bachmann u. R. S. Coffey, Tetrahedron **18**, 617 (1962).
[2] W. Kirmse, L. Horner u. H. Hoffmann, A. **614**, 19 (1958).
     D. R. Dalton u. S. A. Liebmann, Tetrahedron **25**, 3231 (1969).
[3] G. Anderson u. R. C. Rhodes, J. Org. Chem. **30**, 1616 (1965).
[4] G. L. Closs, Am. Soc. **91**, 4552 (1969).
[5] Y. Yamamoto et al., Tetrahedron **26**, 251 (1970).

1-Diphenylmethyl-azulen[1]: Eine Lösung von 0,25 g (2 mMol) Azulen und 1,0 g (5 mMol) Diazo-diphenyl-methan in 25 ml trockenem Äther wird 68 Stdn. bei Raumtemp. mit einer Hanovia 450 W Quecksilber-Hochdruck-Lampe (Quarz) belichtet. Dann wird das Solvens i. Vak. abgezogen und der Rückstand auf eine Säule aus Aluminiumoxid gegeben. Mit Petroläther (Kp: 40–60°) werden 31 mg (12% d.Th.) Azulen und mit Dichlormethan/Petroläther (25:75) wird eine weitere blaue Fraktion eluiert; Ausbeute: 312 mg (67% d.Th.); F: 123,5–125° (Nadeln).

Die Photolyse von Diazo-essigsäureester, eine der bestuntersuchten Reaktionen, ergibt das Alkoxycarbonyl-carben. Dieses bildet mit Cyclopentan in glatter Reaktion das Einschiebungsprodukt; es entstehen *Cyclopentyl-essigsäure-äthylester* (48% d.Th.)[2]. Mit Pentan erhält man ein Gemisch der *Methylester* von *Heptansäure* (38% d.Th.) *3-Methyl-hexansäure* (42% d.Th.) und *3-Äthyl-pentansäure* (20% d.Th.)[2] (weitere Beispiele vgl. Tab. 171, S. 1210.

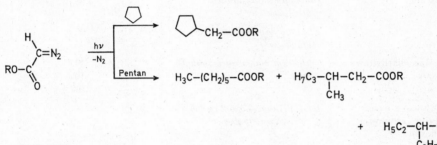

R = CH₃ ; C₂H₅

Die relative Geschwindigkeit der Carben-Einschiebung in die C–H-Bindung ergab sich bei Untersuchungen mit Isobutan[2] u. a. zu prim.-:sek.-:tert.-C–H = 1:2,3:3,0.

Cyclopentyl-essigsäure-äthylester[2]: Eine Lösung von 10,0 g Diazoessigsäure-äthylester in 600 ml trockenem Cyclopentan (Reinheit 99%) wird mit 2 Sun-lamps 44 Stdn. belichtet, bis die Stickstoff-Entwicklung aufhört. Nach Abziehen des Cyclopentans wird der ölige Rückstand destilliert; Ausbeute: 6,5 g (48% d.Th.); Kp_{12}: 73–77°; n_D^{20} = 1,4357.

Trimethylsilyl-cyclohexyl-essigsäure-äthylester[3]: 3,8 g (20 mMol) Diazo-trimethylsilyl-essigsäure-äthylester werden in 250 ml Cyclohexan 2,5 Stdn. mit einer Tauchlampe (Hanau, Typ Q-81) bei Raumtemp. bestrahlt. Nach Abziehen des Solvens i. Vak. der Wasserstrahlpumpe destilliert man den Rückstand über eine 10-cm-Vigreux-Kolonne; Ausbeute: 2,4 g (49% d.Th.); $Kp_{0,4}$: 65–66°.

Ein Beispiel einer Triplett-Reaktion in kondensierter Phase stellt die sensibilisierte Photolyse des Diazomalonsäure-dimethylesters dar. Während die direkte Photolyse über das Singulett-Carben i.W. unter Insertion abläuft, treten im Falle des Triplett-Carbens (sens.) erhebliche Mengen an Abstraktionsprodukten auf[4].

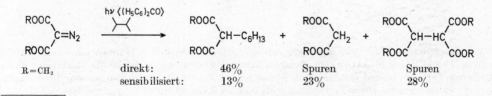

R = CH₃

| | direkt: | 46% | Spuren | Spuren |
| | sensibilisiert: | 13% | 23% | 28% |

---

[1] G. ANDERSON u. R. C. RHODES, J. Org. Chem. **30**, 1616 (1965).
[2] W. v. E. DOERING u. L. H. KNOX, Am. Soc. **78**, 4947 (1956); **83**, 1989 (1961).
   Vgl. a.: A. I. FORBES u. J. WOOD, Soc. [B] **1971**, 646.
[3] U. SCHÖLLKOPF et al., A. **730**, 1 (1969).
[4] M. JONES, Jr., W. ANDO u. A. KULCZYCKI, Tetrahedron Letters **1967**, 1391.
   M. JONES, Jr., et al., Am. Soc. **94**, 7469 (1972).

Tab. 171. Einschiebungsreaktionen von Alkoxycarbonyl-carbenen in acyclische und cyclische Alkane

Ausgangsverbindungen	Produkte	Ausbeute [% d.Th.]	Kp [°C] (Torr)	Literatur
Diazo-essigsäure-äthylester + Cyclohexan	Cyclohexyl-essigsäure-äthylester	42	102–103	1
+ 2,3-Dimethyl-butan	4,5-Dimethyl-hexansäure-äthylester	34	191–193	1
	+3,3,4-Trimethyl-pentansäure-äthylester	32		
+ Triäthylamin	Diäthylamino-essigsäure-äthylester	45	$68_{(12)}$	2
	+4-Diäthylamino-butansäure-äthylester	10	$95_{(12)}$	
Diazo-malonsäure-diäthylester + Cyclohexan	Cyclohexyl-malonsäure-diäthyl-ester	80	(F: 160–162°)	3
4,4,4-Trifluor-3-oxo-2-diazo-butansäure-äthylester + Cyclohexan	4,4,4-Trifluor-3-oxo-2-cyclohexyl-butansäure-äthylester	26		4

Der Ylid-Mechanismus nach Weg ⓒ (S. 1210) wird besonders bei der Reaktion von Alkoxycarbonyl-carbenen mit S-, O- und Cl-substituierten Reaktionspartnern beobachtet. Diese Reaktion läuft dabei über ein Singulett-Carben ab.

i₂) cyclische Carbene

Die Photolyse cyclischer ungesättigter Diazo-Verbindungen führt zu Cycloalken-carbenen (I). Diese können nach der Zahl ihrer Elektronen in eine Reihe mit 4n- und (4n + 2)-π-Elektronen untergliedert werden [5,6].

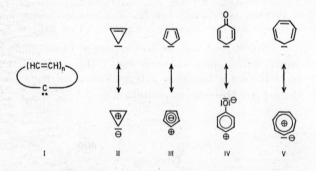

Die in diesen Systemen mögliche Mesomerie ruft am Carben Kohlenstoff in II und V ein nucleophiles und in III und IV ein elektrophiles Zentrum hervor. Aus diesem Grunde sind die Reaktionen dieser Reihe von Carbenen besonders interessant. Abgesehen von II sind alle Cycloalken-carbene durch Photolyse der entsprechenden Diazo-Verbindungen als reaktive Zwischenstufen erzeugt worden.

[1] W. v. E. Doering u. L. H. Knox, Am. Soc. 78, 4947 (1956); 83, 1989 (1961).
[2] V. Franzen u. H. Kuntze, A. 627, 15 (1959).
[3] J. A. Kaufman u. S. J. Weininger, Chem. Commun. 1969, 593.
[4] F. Weygand, W. Schwenke u. H. J. Bestmann, Ang. Ch. 70, 506 (1958); 73, 409 (1961).
[5] H. Dürr u. G. Scheppers, B. 103, 308 (1970); A. 735, 141 (1970).
[6] H. Dürr, Curr. Chem. Top. 40, 103 (1973); 55, 87 (1975).

Die Photolyse von Diazo-cyclopentadien (S 81 Quecksilber-Hochdruck-Lampe, Quarzlampen-Gesellschaft, Hanau; Quarz) in Cyclopentan oder Cyclohexan liefert *5-Cyclopentyl-cyclopentadien* (66% d.Th.) bzw. *5-Cyclohexyl-cyclopentadien* (57% d.Th.)[1]:

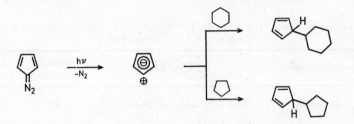

Die Belichtung von Diazo-cyclopentadien (450 Hanovia Typ L Lampe; Pyrex-Filter) in 2,3-Dimethyl-butan ergibt *2,3-Dimethyl-2-cyclopentadienyl-butan* und *2,3-Dimethyl-1-cyclopentadienyl-butan*[2], bei einem Einschiebungsverhältnis von prim./tert.-CH = 1:7,31.

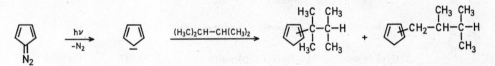

Die Bestrahlung von 5-Diazo-1,2,3-triphenyl-cyclopentadien in Cyclohexan führt zu *5-Cyclohexyl-1,2,3-triphenyl-cyclopentadien* (60% d.Th.)[3]. Analog reagiert die tetrasubstituierte Verbindung[4].

5-Cyclohexyl-1,2,3,4-tetraphenyl-cyclopentadien[4]: 1,00 g (2,6 mMol) 5-Diazo-1,2,3,4-tetraphenyl-cyclopentadien werden in 200 *ml* (1,85 Mol) Cyclohexan gelöst und bis zum Aufhören der Stickstoff-Entwicklung mit einem Philips HPK 125 W Hochdruck-Brenner (Pyrex-Filter) bestrahlt. Der nach Abziehen des Lösungsmittels i. Vak. hinterbleibende Rückstand wird aus Benzol/Methanol umkristallisiert; Ausbeute: 0,90 g (76% d.Th.); F: 177—178°.

Während bei Carbena-cyclopentadienen die Insertions- (und Additions-) Reaktionen über einen Singulett-Zustand[5] ablaufen, tritt bei Fluoryliden ein Abstraktionsmechanismus auf, d. h. ein Triplett-Carben dürfte die reaktive Spezies sein[3]. Als Produkte werden *9-Cyclohexyl-fluoren* und *9,9'-Bifluorenyl* (19% d.Th.) isoliert[3]:

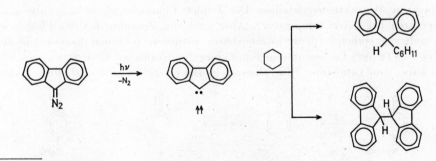

[1] W. KIRMSE, L. HORNER u. H. HOFFMANN, A. **614**, 19 (1958).
[2] R. A. Moss, J. Org. Chem. **31**, 3296 (1966).
[3] H. DÜRR u. L. SCHRADER, B. **102**, 2026 (1969).
[4] H. DÜRR u. G. SCHEPPERS, B. **100**, 3236 (1967).
[5] H. DÜRR u. G. SCHEPPERS, A. **735**, 141 (1970).
[6] H. DÜRR, Curr. Chem. Top. **40**, 103 (1973).

Bei fünfgliedrigen heterocyclischen Diazo-Verbindungen werden nahezu ausschließlich Einschiebungsreaktionen mit Olefinen und Aromaten beobachtet. Bei den entsprechenden Carbenen ist nicht geklärt, ob sie als Singulett- oder als Triplett-Carbene reagieren. In Tab. 172 sind einige Beispiele für diesen Reaktionstyp aufgeführt.

Tab. 172. Einschiebungsreaktionen von fünfgliedrigen heterocyclischen Carbenen mit Olefinen und Aromaten

Ausgangsverbindungen		Produkt	Ausbeute [% d.Th.]	F [°C]	Literatur
H_5C_6—N_2, H_5C_6—N—C_6H_5	+ Benzol[a]	2,3,4,5-Tetraphenyl-pyrrol	47	212	1
N_2—CO—C_6H_5, H_5C_6—N	+ Benzol[b]	4,5-Diphenyl-3-benzoyl-1H-pyrazol	100	176	2
H_5C_6—CO—C_6H_5, N_2—N	+ Benzol[b]	4,5-Diphenyl-3-benzoyl-1H-pyrazol	78	176–177	2
N_2 C_6H_5 (indol)	+ Cyclopenten[c]	3-Cyclopentenyl-2-phenyl-indol	44	163–164	3
	+ Cyclohexan[c]	3-Cyclohexyl-2-phenyl-indol	47	158–159	3
	+ Cyclohexen[c]	3-Cyclohexen-(1)-yl-2-phenyl-3H-indol	55	154–156	3
N_2 (indazol)	+ Benzol[c]	3-Phenyl-1H-indazol	46	115–116	3
N_2, Cl (indazol)	+ Benzol[d]	6-Chlor-3-phenyl-1H-indazol	71	151–153	3

[a] 300 W Quecksilber-Mitteldruck-Lampe; Pyrex-Filter.
[b] G. E. 275 W Lampe; Pyrex-Filter.
[c] Quecksilber-Höchstdruck-Lampe Osram HBO 500; Glas-Filter.
[d] Sonnenlicht.

Die durch Photolyse aus p-Chinon-diaziden entstehenden Carbene reagieren als Tripletts weitgehend in Abstraktionsreaktionen. Der Triplett-Charakter ergibt sich dabei aus den ESR-Spektren bei tiefer Temperatur[4]. Aber auch die Produkte bei der Photolyse der p-Chinon-diazide sprechen für ihr intermediäres Auftreten; p-Chinon-diazid ergibt bei der Photolyse ein Triplett-Carben, das auch mit einer diradikalischen Grenzformel beschrieben werden kann. Die Belichtung (Bogenlampe) in Benzol liefert z. B. *4-Hydroxy-biphenyl*[5]:

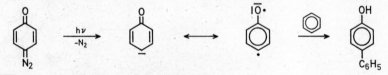

[1] R. F. Bartholemew u. J. M. Tedder, Soc. [C] 1968, 1601.
[2] D. G. Farnum u. P. Yates, Am. Soc. 84, 1399 (1962).
[3] U. Simon, O. Süs u. L. Horner, A. 697, 17 (1966).
[4] E. Wasserman et al., Am. Soc. 84, 4203 (1964).
[5] O. Süs, K. Möller u. H. Heiss, A. 598, 123 (1956).
   C. H. Wang, Proc. chem. Soc. 1961, 309.

Tab. 173. Photolysen von p-Chinon-diaziden unter Reaktion mit dem Lösungsmittel

Ausgangsverbindungen	Produkte	Ausbeute [% d.Th.]	F [°C]	Literatur
+ Benzol[a]	4-Hydroxy-biphenyl	48–50	163–164	1, 2
+ Toluol[b]	4-Hydroxy-4'-methyl-biphenyl	7	155	3
+ Benzol[c]	4-Hydroxy-3,5-dimethyl-biphenyl	–	97–98	4
+ Pyridin[b]	3,5-Dichlor-4-hydroxy-1-pyridyl-(2)-benzol	11	225	3
+ Benzol[a]	4-Hydroxy-3,5-di-tert.-butyl-biphenyl	40	–	1
+ Benzol[d]	Biphenylyl-(4)-malonsäure-dinitril	33	110–111	5
+ Benzol[b]	4-Anilino-biphenyl	12	113	3
+ Cyclohexen[e]	10-Oxo-9-cyclohexen-(2)-yl-9,10-dihydro-anthracen	59	95	6
+ Toluol[e]	10-Oxo-9-benzyl-9,10-dihydro-anthracen	12	–	6
+ Benzol[e]	2-Hydroxy-9,10-dioxo-3-phenyl-9,10-dihydro-anthracen	25	305	7

[a] 125 W Philips HPK Lampe.
[b] Bogenlampe.
[c] "Black-ray"-UV-Lampe, $\lambda = 366$ nm.
[d] General Electric Sunlamp.
[e] S 81 Quecksilber-Hochdruck-Lampe, Quarzlampen-Gesellschaft Hanau.

[1] G. A. NIKOFOROV u. V. V. ERSHOV, Izv. Akad. SSSR 1967, 2341; 1968, 204.
W. H. PIRKLE u. G. F. KOSER, Tetrahedron Letters 1968, 3959.
H. DÜRR u. H. KOBER, Tetrahedron Letters 1972, 1259.
[2] W. HERRMANN u. H. DÜRR, unveröffentlichte Ergebnisse.
[3] O. SÜS, K. MÖLLER u. H. HEISS, A. 598, 123 (1956).
M. J. S. DEWAR u. K. NARAYANASWAMI, Am. Soc. 86, 2422 (1964).
Vgl. a.: M. J. S. DEWAR u. A. N. JAMES, Soc. 1958, 917, 4265.
[4] T. KUMITAKE u. C. C. PRICE, Am. Soc. 85, 761 (1963).
[5] H. D. HARTZLER, Am. Soc. 86, 2174 (1964).
[6] G. CAUQUIS u. G. REVERDY, Tetrahedron Letters 1967, 1493.
J. C. FLEMING u. H. SCHECHTER, J. Org. Chem. 34, 3962 (1969).
[7] W. RIED u. E. A. BAUMBACH, A. 713, 139 (1968).

2,6-Di-tert.-butyl-p-chinon-diazid ergibt in einer sauberen Insertionsreaktion das entsprechende Phenol[1]. Mit Benzol reagieren die 2,6-Dihalogen-p-chinon-diazide wieder zu *3,5-Dichlor-4-hydroxy-biphenyl* (s. Tab. 173):

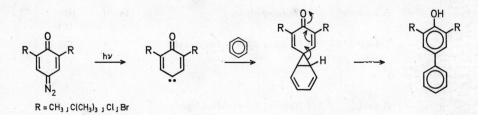

R = CH₃ ; C(CH₃)₃ ; Cl ; Br

Die Reaktion verläuft dabei aber über eine [1+2]-Cycloaddition des Cyclohexadien-(2,5)-ylidens, das sich unter Rearomatisierung stabilisiert. Hierfür spricht vor allem die Abwesenheit von m-Isomeren, die nach dem radikalischen Mechanismus zu erwarten gewesen wären.

Weitere Beispiele für diesen Reaktionstyp sind in Tab. 173 (S. 1213) zusammengestellt.

Die Belichtung von 2,6-Dimethyl-p-chinon-diazid in Tetrahydrofuran (Blackray-UV-Lampe, $\lambda = 366$ nm) soll zunächst ein Diradikal ergeben, das mit Tetrahydrofuran als Copolymerem ein hochmolekulares Produkt liefern soll[2]:

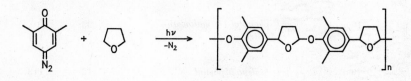

$\beta\beta_2$) in C–Hal-Bindungen

Die bei der Photolyse aliphatischer Diazo-Verbindungen entstehenden Carbene können auch mit C–Hal-Bindungen reagieren. Im Gegensatz zu anderen Einschiebungsreaktionen verläuft diese Umsetzung über einen Radikalketten-Mechanismus.

Die Belichtung von Diazomethan in Tetrachlormethan bei 0–5° liefert ein Produkt der 4fachen Einschiebung und zwar das *1,3-Dichlor-2,2-bis-[chlormethyl]-propan* (60% d.Th.)[3]. Entsprechend reagieren auch eine Reihe von aliphatischen Chlor-[3], und Brom-Verbindungen[4,5].

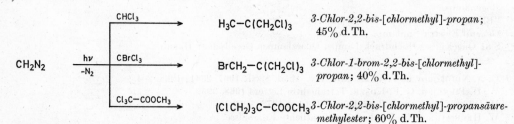

[1] W. H. Pirkle u. G. F. Koser, Tetrahedron Letters **1968**, 3959.
    H. Dürr u. H. Kober, Tetrahedron Letters **1972**, 1259.
[2] T. Kumitake u. C. C. Price, Am. Soc. **85**, 761 (1963).
    Vgl. a. O. Süs, K. Möller u. H. Heiss, A. **598**, 123 (1956).
[3] W. H. Urry u. J. R. Eiszner, Am. Soc. **74**, 5822 (1952).
[4] W. H. Urry, J. R. Eiszner u. J. W. Wilt, Am. Soc. **79**, 918 (1957).
[5] W. H. Urry u. N. Bilow, Am. Soc. **86**, 1815 (1964).

Die Photolyse verläuft dabei über einen Radikalketten-Mechanismus, wie die hohe Quantenausbeute von $\varphi = 300$ bei der Photolyse von Diazomethan in Tetrachlormethan beweist. Einer der entscheidenden Reaktionsschritte ist dabei eine Halogen-Wanderung. Durch Eliminierung können dann auch Olefine entstehen[1]. Wird die Diazomethan-Konzentration verringert und die Temperatur erhöht, so lassen sich auch Zwischenprodukte dieser Kettenreaktionen isolieren, bei Trichlor-brom-methan z. B. folgende Verbindungen[2]:

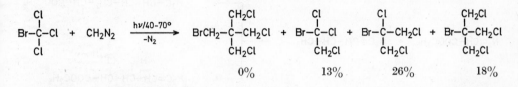

1,3-Dichlor-2,2-bis-[chlormethyl]-propan[3]: 9,3 g Diazomethan werden mit einem Stickstoff-Strom (3 l/Stde.) innerhalb 2 Stdn. in 185 g Tetrachlormethan eingeleitet und mit einer Quecksilber-Entladungslampe belichtet. Nach einer weiteren Stde. verschwindet die gelbe Diazomethan-Farbe und die Stickstoff-Entwicklung hört auf. Insgesamt werden 7,5 l entwickelt. Das Photolysat wird zur Abtrennung von Polymethylen filtriert und an einer 12bödigen Kolonne (mit Glasspiralen gefüllt) destilliert. Nach Abdestillieren des Tetrachlormethans hinterbleiben 7,2 g (60%) eines Rückstandes, der beim Abkühlen fest wird und anschließend bei 10 Torr sublimiert wird; Ausbeute: 3,9 g (9% d.Th.); F: 96,3—97°.

Mit tert.-Butylchlorid geht Diazomethan bei Belichtung C–Cl- und C–H-Insertion ein, wobei 3-Chlor-2,2-dimethyl-propan und 2-Chlor-2-methyl-butan im Verhältnis 60:40 gebildet werden[4]. Durch Verseifung des tert.-Halogenids erhält man 58% reines 3-Hydroxy-2,2-dimethyl-propan[4].

$$(H_3C)_3C{-}Cl \ + \ CH_2N_2 \ \xrightarrow[-N_2]{h\nu} \ (H_3C)_3C{-}CH_2{-}Cl \ + \ (H_3C)_2\underset{\underset{C_2H_5}{|}}{C}{-}Cl$$

Auch in der Gasphase beobachtet man Insertion in die C–Cl-Bindung[5].

Mit ausgesprochen geringen Ausbeuten, ebenfalls nach einem radikalischen Mechanismus, geht auch Diazo-diphenyl-methan bei Belichtung in Trichlor-brom-methan eine formale C–Cl-Insertion, unter anschließender radikalischer Eliminierung von Bromchlorid zu 1,1-Dichlor-2,2-diphenyl-äthylen (4% d.Th.) ein[6]:

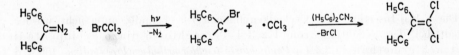

Diazoessigsäure-äthylester ergibt bei der Photolyse in Trichlor-brom-methan als Reaktionsprodukte 2,3,3-Trichlor-3-brom-propansäure-äthylester und 2,3,3-Trichlor-propensäure-äthylester[7]:

$$N_2{=}CH{-}COOC_2H_5 \ + \ Br{-}CCl_3 \ \xrightarrow[-N_2]{h\nu} \ Br{-}CCl_2{-}CHCl{-}COOC_2H_5 \ + \ Cl_2C{=}CCl{-}COOC_2H_5$$

[1] W. H. Urry, J. R. Eiszner u. J. W. Wilt, Am. Soc. 79, 918 (1957).
[2] W. H. Urry u. N. Bilow, Am. Soc. 86, 1815 (1964).
[3] W. H. Urry u. J. R. Eiszner, Am. Soc. 74, 5822 (1952).
[4] V. Franzen, A. 627, 22 (1959).
  J. N. Bradley u. A. Ledwith, Soc. 1961, 1495.
[5] D. W. Setser et al., Am. Soc. 87, 2062 (1965).
  Vgl. a.: C. H. Bamford et al., Chem. Commun. 1967, 1096.
[6] R. W. Murray u. A. M. Trozzolo, J. Org. Chem. 27, 3341 (1962).
[7] W. H. Urry u. J. W. Wilt, Am. Soc. 76, 2594 (1954).

Analoge Produkte erhält man auch mit Tetrachlormethan und Chloroform[1].

Äthoxycarbonyl-carben reagiert mit der C–Cl-Bindung von Alkylhalogeniden wie 3-Chlor-buten-(1) unter direkter Insertion und zum Teil unter Umlagerung. Dabei entstehen *2-Chlor-hexen-(4)-säure-äthylester* (40% d.Th.) und *2-Chlor-3-methyl-penten-(4)-säure-äthylester* (10% d.Th)[2]:

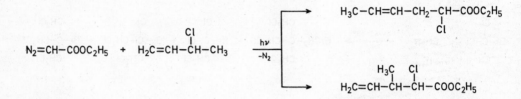

Die Photolyse von Diazomalonsäure-diäthylester vollzieht sich eindeutig über einen Ylid-Mechanismus. Mit 1-Chlor-buten-(2) wird nach diesem Mechanismus *Chlor-[buten-(3)-yl-(2)]-malonsäure-diäthylester* erhalten und als weiteres Produkt unter Cyclopropanierung *3-Methyl-2-chlormethyl-1,1-diäthoxycarbonyl-cyclopropan*. Das durch Sensibilisierung erzeugte Triplett-Carben ergibt lediglich die Dreiring-Verbindung, d.h. der Ylid-Mechanismus verläuft unter Beteiligung eines Singulett-Carbens[3].

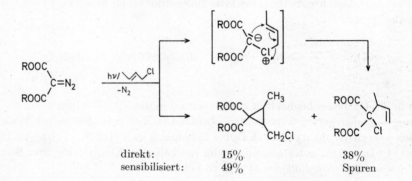

direkt: 15%   38%
sensibilisiert: 49%   Spuren

Die C-Hal-Insertion von Cycloalkenylidenen ist ebenfalls untersucht worden. Man erhält bei der Belichtung von 1,2,3,4-Tetrachlor-5-diazo-cyclopentadien in Tetrachlormethan *1,2,3,4,5-Pentachlor-5-trichlormethyl-cyclopentadien* (56% d.Th.)[4]. In gleicher Weise reagiert auch 2-Oxo-3-diazo-1-methyl-2,3-dihydro-indol[5] und 10-Oxo-9-diazo-9,10-dihydro-anthracen[6] in Tetrachlormethan. 9-Diazo-fluoren ergibt bei Belichtung in Tetrachlormethan *9,9'-Dichlor-9,9'-bifluorenyl* (48% d.Th.). Dieses Produkt bildet sich durch Abstraktionsreaktion und anschließende Dimerisierung der 9-Chlor-

[1] W. H. Urry u. J. W. Wilt, Am. Soc. **76**, 2594 (1954).
   Vgl. a. T. Migita et al., J. chem. Soc. Japan **91**, 374 (1970).
   M. Cocivera u. H. D. Roth, Am. Soc. **92**, 2573 (1970).
[2] J. A. D'Yakonov u. N. B. Vinogradova, Ž. obšč. Chim. **21**, 851 (1951); **23**, 244 (1953); C. **1954**, 2581ᵈ.
[3] W. Ando, S. Konda u. T. Migita, Am. Soc. **91**, 6515 (1969); Bl. chem. Soc. Jap. **44**, 571 (1971).
[4] E. T. McBee, J. A. Bosoms u. C. J. Morton, J. Org. Chem. **31**, 768 (1966).
[5] E. J. Moriconi u. J. J. Murray, J. Org. Chem. **29**, 3577 (1964).
[6] G. Cauquis u. G. Reverdy, Tetrahedron Letters **1967**, 1493.

fluorenyl-Radikale. Ebenfalls durch eine Abstraktion erhält man mit 1,2-Dichlor-äthylen *9-Chlor-fluoren* (85% bzw. 89%)[1]:

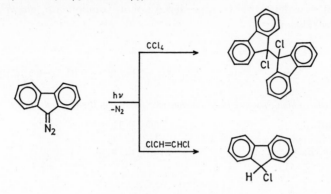

$\beta\beta_3$) in O–H-Bindungen

Werden Diazo-Verbindungen in Alkoholen belichtet, so entstehen durch Carben-Insertion in die O–H-Bindung Äther. Wie Versuche in der Gasphase zeigen, ist die O–H- verglichen mit der C–H-Insertion stark bevorzugt. Dies bestätigen die Photolyse von Diazomethan in Methanol, Äthanol, Isopropanol. Aus Diazomethan und tert.-Butanol im Verhältnis 1:5 erhält man *Methyl-tert.-butyl-äther* und *2-Methyl-butanol-(2)*[2] (unter reiner Bortrifluorid- bzw. Aluminiumchlorid-Katalyse verlaufen die Reaktionen wesentlich besser)[3]:

$$CH_2N_2 + (H_3C)_3C-OH \xrightarrow{h\nu/18°} (H_3C)_3C-OCH_3 + (H_3C)_2\underset{\underset{C_2H_5}{|}}{C}-OH$$

Das Verhältnis der Insertion von Methylen in eine O–H-Bindung verglichen mit der in eine C–H-Bindung beträgt bei Methanol: 21,8; Äthanol: 21,2; Isopropanol: 14,9 und tert.-Butanol: 10,0.

Als Alternative zur radikalischen Abstraktionsreaktion wird auch ein Radikal-Ketten-Mechanismus diskutiert[4].

Diazo-diphenyl-methan ergibt bei der Photolyse in Methanol *Methyl-diphenyl-methyl-äther*[5]. Werden Diazo-essigsäureester in Alkoholen belichtet, so bilden sich in hohen Ausbeuten Alkoxy-essigsäureester. Die Ausbeuten liegen dabei bei 65–80%[6]. Wendet man jedoch verschiedene Alkyl-Gruppen als Ester- und Alkohol-Komponente an, so isoliert man die folgenden Produkte[6]:

$$R^1O-CO-CH=N_2 \xrightarrow[R^2]{\underset{h\nu/}{\overset{R^3}{\diagup}}CHOH} R^1O-CO-CH_2-\underset{\underset{OH}{|}}{\overset{\overset{R^3}{|}}{C}}-R^2 + R^1O-CO-CH_2-O-\underset{\underset{H}{|}}{\overset{\overset{R^3}{|}}{C}}-R^2 +$$

$$R^2-\underset{\underset{H}{|}}{\overset{\overset{R^3}{|}}{C}}-O-CO-CH_2-OR^1 + R^2-\underset{\underset{H}{|}}{\overset{\overset{R^3}{|}}{C}}-O-CO-CH_2-O-\underset{\underset{H}{|}}{\overset{\overset{R^3}{|}}{C}}-R^2$$

[1] I. Moritani et al., Tetrahedron Letters **1963**, 1069.
    S. Murahashi, I. Moritani u. T. Nagai, Bl. chem. Soc. Japan **40**, 1655 (1967).
[2] J. A. Kerr, B. V. O. Grady u. A. F. Trotman-Dickenson, Soc. [A] **1967**, 897.
    H. Meerwein, H. Rathjen u. H. Werner, B. **75**, 1610 (1942).
[3] E. Müller u. W. Rundel, Ang. Ch. **70**, 105 (1958).
    vgl. a. ds. Handb., Bd. X/4, Kap. Diazoverbindungen, S. 565ff.
[4] L. Horner u. A. Schwarz, A. **747**, 1 (1971).
[5] W. Kirmse, L. Horner u. H. Hoffmann, A. **614**, 1497 (1962).
[6] O. P. Strausz, T. do Minh u. H. E. Gunning, Am. Soc. **90**, 1660 (1968); **91**, 1261 (1969).

Sulfonyl-carbene[1,2] reagieren mit Alkoholen unter Wasserstoff-Abstraktion oder Insertion. Die Photolyse von Diazo-bis-[phenylsulfonyl]-methan in Alkoholen führt, in Abhängigkeit von der Alkyl-Gruppe der Alkohol-Komponente, entweder zu O–H-Insertion oder Abstraktion[2]:

$$(H_5C_6-SO_2)_2C{=}N_2 \;+\; ROH \quad \xrightarrow[-N_2]{h\nu} \quad (H_5C_6-SO_2)_2CH-OR \;+\; (H_5C_6-SO_2)_2CH_2$$

R = CH₃;   *Methoxy-bis-[phenylsulfonyl]-methan*; 82% d. Th. + *Bis-[phenylsulfonyl]-methan* 18% d. Th.

R = C₂H₅; *Äthoxy-*...;	66% d. Th.	34% d. Th⋅
R = CH(CH₃)₂; *Isopropyloxy-*...;	15% d. Th.	85% d. Th⋅
R = C(CH₃)₃; *tert.-Butyloxy-*...;	100% d. Th.	—

Gewisse Diazo-Verbindungen unterliegen in protischen Solventien einer Substitutionsreaktion, die wahrscheinlich über Triplett-Carbene verlaufen, wie ESR-Messungen zeigen. Die Photolyse des 2-Oxo-5-diazo-3,7,7-trimethyl-bicyclo[4.1.0]hepten-(3) in wäßrigem 1,4-Dioxan oder Methanol liefert *2,5-Dioxo-3,7,7-trimethyl-bicyclo[4.1.0]hepten-(3)* (*3*) (9% d. Th.)[3]:

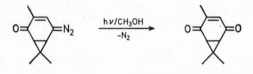

In gleicher Weise reagiert auch Diazo-phenyl-ferrocenyl-methan bei der Belichtung in Methanol, wobei sich *Benzoyl-ferrocen* (I) und *1,2-Diphenyl-1,2-bis-[ferrocenyl]-äthan*[4] bildet:

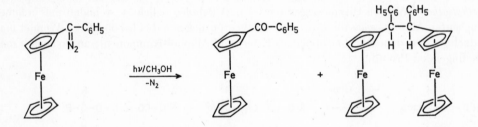

Eine glatte O–H-Insertion findet auch bei heterocyclischen Carbenen statt. Belichtet man 2-Oxo-3-diazo-1-methyl-2,3-dihydro-indol in Äthanol, so isoliert man *3-Äthoxy-2-oxo-1-methyl-2,3-dihydro-indol* (21–24% d. Th.)[5]. Wird 4-Diazo-5-phenyl-3-benzoyl-4H-pyrazol in Eisessig photolysiert, so fällt *4-Acetoxy-5-phenyl-3-benzoyl-*

[1] A. M. Leusen, R. J. Mulder u. J. Strating, Tetrahedron Letters **1964**, 543; **1967**, 3057.

[2] J. Diekmann, J. Org. Chem. **28**, 2933 (1963); **30**, 2272 (1965).

[3] I. W. Still u. D. T. Wang, Canad. J. Chem. **46**, 1583 (1968).

[4] P. Askenazi et al., Tetrahedron Letters **1969**, 817.

[5] E. Moriconi u. J. J. Murray, J. Org. Chem. **29**, 3577 (1964).

1H-pyrazol (60% d.Th.) an[1]. In Gegenwart von Wasser erhält man *4-Hydroxy-5-phenyl-3-benzoyl-1H-pyrazol* (88% d.Th.)[1]:

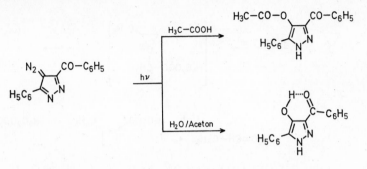

Thermisch und gegen Säuren ist dieses Diazopyrazol extrem stabil. Aus 3-Diazo-3H-indazolen oder 3-Diazo-3H-indolen erhält man bei Belichtung in Alkohol Indazole bzw. Indole. 6-Chlor-3-diazo-3H-indazol liefert so im Sonnenlicht in Äthanol durch Abstraktion *6-Chlor-1H-indazol* (85% d.Th.) und *Acetaldehyd*[2]:

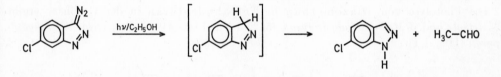

$\beta\beta_4$) in C–O-Bindungen

   Im Gegensatz zur stabilisierenden Wirkung von Äthern auf Diazo-Verbindungen im Dunkeln ergibt die Belichtung Insertionsprodukte. Die Photolyse von Diazomethan in Diäthyl-äther liefert *Äthyl-propyl-* und *-isopropyl-äther* durch direkte Insertion in die C–H-Bindung. Daneben entsteht noch *Methyl-äthyl-äther* durch Fragmentierung über einen Ylid-artigen Übergangszustand[3]:

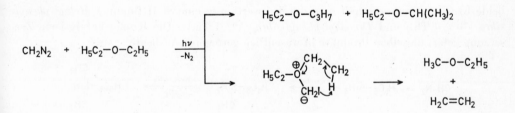

   Diazo-phenyl-methan ergibt unter gleichen Bedingungen mit Diäthyläther *Äthyl-benzyl-äther*[3]. Mit cyclischen Äthern reagieren Carbene unter Ylid-Bildung. Diese Ylide zerfallen in situ weiter, wobei entweder Fragmentierungs- oder C–O-Insertionsprodukte entstehen. So verläuft die Photolyse von Diazo-essigsäureester in 2-Phenyl-oxiran

[1] D. G. Farnum u. P. Yates, Am. Soc. **84**, 1399 (1962).
[2] U. Simon, O. Süs u. L. Horner, A. **697**, 17 (1966).
[3] V. Franzen u. L. Fikentscher, A. **617**, 1 (1958).
   Vgl. a.: H. Meerwein, H. Rathjen u. H. Werner, B. **75**, 1610 (1942).
   H. M. Frey, R. **83**, 117 (1964).

recht komplex. Man erhält dabei *Styrol* (8% d.Th.), *cis*- und *trans-3-Phenyl-2-äthoxy-carbonyl-oxetan* (6% d.Th. bzw. 15% d.Th.)[1]:

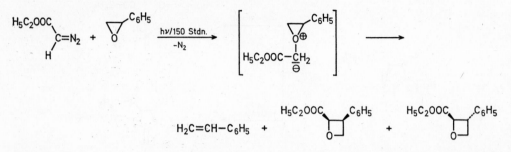

Als Zwischenprodukt wird das Ylid diskutiert. Bei der Kupfer-katalysierten Reaktion[2] fällt Styrol in 47%iger Ausbeute und das C–O-Insertionsprodukt in 15%iger Ausbeute an. Wesentlich selektiver verläuft die Reaktion mit 2-Phenyl-oxetan. Mit Äthoxycarbonyl-methylen erhält man *3-Phenyl-2-äthoxycarbonyl-tetrahydrofuran* (35% d.Th.). Auch in diesem Falle ist die Kupfer-katalysierte Reaktion überlegen; sie ergibt 80% des Tetrahydro-furan-Derivates[1]. Diphenyl- und Bis-[phenylsulfonyl]-carben reagieren nicht mehr mit 2-Phenyl-oxetan. Sie führen nur zu Polymeren[3].

Die Photolyse von Diazomethan in Tetrahydrofuran in der Gasphase ergibt *2-Methyl-* und *3-Methyl-tetrahydrofuran* (55% d.Th. bzw. 34% d.Th.) sowie *Tetrahydro-pyran* (11% d.Th.)[3]:

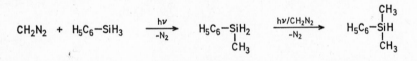

In flüssiger Phase bei −70° werden nur noch 2% Tetrahydropyran isoliert. Die C–O-Insertion ist also in der Gasphase begünstigt. Die Reaktion dürfte dabei über ein Singulett-Methylen ablaufen, da Sensibilisierung mit Quecksilber diese Reaktion unterdrückt.

$$\beta\beta_5) \text{ in Si–H-, N–H- und S–C-Bindungen}$$

Diazomethan ist in Gegenwart von Phenylsilan im Dunkeln stabil. Belichtet man jedoch beide Komponenten, so erhält man durch Insertion in eine Si–H-Bindung *Methyl-phenyl-silan* (70% d.Th.) und *Dimethyl-phenyl-silan* (5% d.Th.)[4]. Die Kupfer-katalysierte Zer-setzung liefert dieselben Produkte in wesentlich geringerer Ausbeute[4-6]:

$$CH_2N_2 + H_5C_6-SiH_3 \xrightarrow[-N_2]{h\nu} H_5C_6-\underset{CH_3}{\overset{|}{Si}}H_2 \xrightarrow[-N_2]{h\nu/CH_2N_2} H_5C_6-\underset{CH_3}{\overset{CH_3}{\underset{|}{\overset{|}{Si}}}}H$$

Diphenylsilan liefert nur noch *Methyl-diphenyl-silan* (50% d.Th.) durch eine einfache Si–H-Insertion. Triphenylsilan reagiert nicht mehr. Entsprechend verhält sich auch Diazo-essigsäureester, der *Phenyl-äthoxycarbonyl-silan* (27% d.Th.) ergibt. Bei Kup-

[1] H. Nozaki et al., Tetrahedron Letters **1965**, 2563; **1966**, 5239; Tetrahedron **22**, 3393 (1966).
[2] E. Müller u. W. Rundel, Ang. Ch. **70**, 105 (1958).
    E. Müller, M. Bauer u. W. Rundel, Z. Naturforsch. **146**, 209 (1959).
    E. Müller et al., Tetrahedron Letters **26**, 1047 (1963).
[3] H. M. Frey u. M. A. Voisey, Chem. Commun. **1966**, 454.
[4] K. Kramer u. A. N. Wright, Ang. Ch. **74**, 468 (1962).
[5] K. Kramer u. A. N. Wright, Tetrahedron Letters **1962**, 1095.
[6] K. Kramer u. A. N. Wright, Soc. **1963**, 3604.

fer-katalysierter Zersetzung sinkt jedoch die Ausbeute stark. Analog reagieren auch die Germane, bei denen allerdings die Insertionsprodukte in sehr mäßigen Ausbeuten anfallen[1].

Die Umsetzung mit den Silanen kann man benützen, um den Abstraktions- oder Insertionsmechanismus, d. h. Triplett- oder Singulett-Charakter eines Carbens zu beweisen. Verwendet man ein optisch aktives Silan wie Methyl-phenyl-naphthyl-(1)-silan, so isoliert man bei direkter Insertion optisch aktive Silane, bei Abstraktion racemisierte[2] (vgl. a. S. 1206).

Die Insertion in N–H-Bindungen ist photochemisch nur vereinzelt beobachtet worden. Diazo-diphenyl-methan führt bei der Photolyse in Diäthylamin zu *Diphenylmethyl-diäthyl-amin* (23% d.Th.) und *1,1,2,2-Tetraphenyl-äthan* (30% d.Th.)[3]:

$$\begin{array}{c} H_5C_6 \\ \diagdown \\ C{=}N_2 \\ \diagup \\ H_5C_6 \end{array} + HN(C_2H_5)_2 \xrightarrow[-N_2]{h\nu} \begin{array}{c} H_5C_6 \\ \diagdown \\ CH{-}N(C_2H_5)_2 \\ \diagup \\ H_5C_6 \end{array} + (H_5C_6)_2CH{-}CH(C_6H_5)_2$$

Eine ähnliche Insertion ergibt auch Diazoessigsäureester mit Dimethyl-benzyl-amin[4].

Einschiebung in die C–S-Bindung kann als Nebenreaktion ablaufen[5]. Tetrahydrothiophen und Diazomethan ergeben bei Belichtung *2-* und *3-Methyl-tetrahydrothiophen* (je 49%) sowie *Tetrahydrothiopyran* (2%).

γγ) Insertionen und Additionsreaktionen an Mehrfachbindungen

Die durch Photolyse von Diazoalkenen entstehenden Carbene, stabilisieren sich in ungesättigten Verbindungen, wie Olefinen, Aromaten, Acetylenen u. a. unter Insertion in C–H-Bindungen oder unter Addition an C–C-Mehrfachbindungen. Die Einschiebung kann in alle vorhandenen C–H-Bindungen stattfinden. Addition an C–C-Mehrfachbindungen liefert Dreiring-Derivate oder deren Folgeprodukte. Die Dreiring-Bildung kann auch über eine 1,3-dipolare Addition zu einem Dihydro-Pyrazol und unter anschließender Stickstoff-Abspaltung erfolgen. Dieser Reaktionsweg kann jedoch durch eine Kontrollreaktion im Dunkeln ausgeschlossen werden[6]. Die Produktverteilung hängt dabei im einzelnen von der Reaktivität bzw. Spin-Zustand des betreffenden Carbens ab.

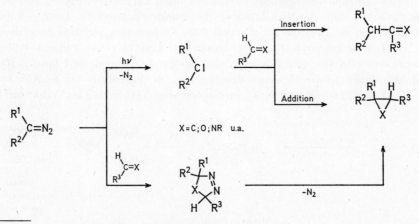

[1] K. Kramer u. A. N. Wright, Soc. **1963**, 3604.
[2] W. Kirmse, *Carbene ,Carbenoide und Carbenanaloge*, S. 56, Verlag Chemie, Weinheim 1969.
   W. Kirmse, L. Horner u. H. Hoffmann, A. **614**, 19 (1958).
[3] Franzen u. H. Kuntze, A. **627**, 15 (1959).
   vgl. a.: W. Kirmse u. H. Arold, B. **101**, 1008 (1968).
   G. Moore, Ph. D. Thesis, Yale University, New Haven, Conn. 1961.
   M. Jones u. R. A. Moss, *Carbenes*, S. 18, J. Wiley and Sons, New York 1973.
[6] L. Hr et al., Z. Naturf. **20**b, 526 (1965).

Bei der [1+2]-Cycloaddition von Carbenen an *cis*- oder *trans*-Olefine kann deren ursprüngliche Stereochemie erhalten bleiben, d. h. die Reaktion verläuft **stereospezifisch**, oder sie kann verloren gehen, d. h. die Reaktion ist **nichtstereospezifisch**. Über den Ablauf der [1+2]-Cycloaddition von Carbenen an Olefine geben die Skell'schen Hypothesen Auskunft[1]:

① Singulett-Carbene addieren stereospezifisch an Olefine in einer konzertierten Reaktion:

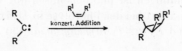

Singulett

② Triplett-Carbene addieren nach einem Zweischritt-Mechanismus in nichtstereospezifischer Weise:

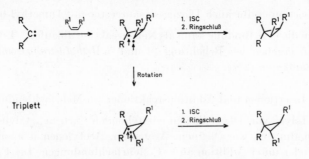

Triplett

③ Triplett-Carbene reagieren mit Diolefinen schneller als mit Monoolefinen.

Diese einfachen Regeln erhielten kürzlich durch die Resultate semiempirischer Rechnungen – wie eh-[2] und mindo/2[3]-Rechnungen – eine theoretische Basis, Einzelheiten s. Orig.-Lit.

Wird die Photolyse der Diazo-Verbindungen in Gegenwart von **Triplett-Sensibilisatoren** wie Benzophenon durchgeführt, so entsteht durch Energieübertragung ausschließlich das Triplett-Carben, falls der Sensibilisator die gesamte eingestrahlte Energie aufnimmt. Dieses addiert sich im Idealfall an *cis*- und *trans*-Olefine zum gleichen Stereoisomeren-Gemisch. Die Bestrahlung von **Diazo-malonsäure-dimethylester** in cis-4-Methyl-penten-(2) ergibt in 40%iger Ausbeute *cis-2-Methyl-3-isopropyl-* und *trans-2-Methyl-3-isopropyl-cyclopropan-1,1-dicarbonsäure-dimethylester* im Verhältnis 92:8. Aus *trans*-4-Methyl-penten-(2) erhält man 24,3% an *cis*- und *trans*-Verbindung im Verhältnis[4] 10:90:

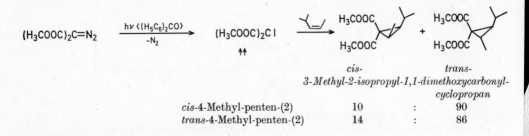

		cis-	:	*trans*-
		3-Methyl-2-isopropyl-1,1-dimethoxycarbonyl-		
		cyclopropan		
cis-4-Methyl-penten-(2)		10	:	90
trans-4-Methyl-penten-(2)		14	:	86

[1] P. S. Skell u. R. C. Woodworth, Am. Soc. **78**, 4496 (1956); **81**, 3383 (1959).
[2] R. Hoffmann, Am. Soc. **90**, 1475 (1968).
[3] N. Bodor, M. J. S. Dewar u. J. S. Wasson, Am. Soc. **94**, 9095 (1972).
[4] M. Jones, jr., W. Ando u. A. Kulczycki, Tetrahedron Letters **1967**, 1391.
    M. Jones, jr., A. Kulczycki u. K. F. Hummel, Tetrahedron Letters **1967**, 183.

Die Addition des Dialkoxycarbonyl-Carbens bei der direkten Photolyse verläuft nur zu ~ 90% stereospezifisch. Dies spricht für ein Singulett als Zwischenstufe. Im sensibilisierten Fall entstehen jedoch die Cyclopropane im gleichen Verhältnis, d. h. die Rotation der diradikalischen Triplett-Zwischenstufe ist in diesem Fall schneller als der Ringschluß zum Cyclopropan[1] (vgl. auch S. 1227).

Beispiele zur gezielten Erzeugung von Triplett-Carbenen durch Sensibilisierung s. Orig.-Lit.

Umsetzungen in *cis*- und *trans*-Buten-(2) mit Diazomethan[2], 1-Diazo-1-phenyl-äthan[3], Diazo-acetophenon[4], 2-Oxo-1-diazo-propan[5], 2-Oxo-1-diazo-cyclohexan[5], Diazo-essigsäure-äthylester[6,7], Diazotrimethylsilyl-essigsäure-äthylester[8] und Diazo-malonsäure-dieester[9]; Photolysen von Diazo-tetraphenyl-cyclopentadien[10,11] und 5-Diazo-1,4-diphenyl-cyclopentadien[11] in *cis*- und *trans*-4-Methyl-penten-(2).

Eine Umwandlung von Singulett- zu Triplett-Carben kann auch durch Verdünnung[12] mit inerten Gasen (wie Stickstoff usw.) oder inerten Lösungsmitteln (Perfluoralkane, Perfluoralkene) erreicht werden. Dabei wird die verschiedene Konzentrationsabhängigkeit von „S–T-intersystemcrossing" und [1+2]-Cycloaddition ausgenutzt.

Diese Technik ist u. a. im System Methylen/Perfluorpropan[13], Trifluormethyl-carben/Perfluor-diäthyl-äther[14], Diphenyl-carben/Hexafluor-benzol[15], Dialkoxycarbonyl-carben/Hexafluor-benzol[6], 2-Oxo-cyclohexadienyliden/Hexafluor-benzol[16], Fluorenyliden/Hexafluor-benzol[17] und dem Bis-carbena-cyclohexan mit Erfolg angewandt worden[18].

Eine Variante, die einen spontanen "intersystem crossing"-Schritt erzwingt, wurde kürzlich in der Verwendung von Quecksilber-substituierten Carbenen vorgeschlagen[19]. Der Schweratom-Effekt des Quecksilber-Atomes ruft sofortige Relaxation der Carben-Elektronen in den jeweiligen Grundzustand hervor. So wird bei der Photolyse von α-Methyl-quecksilber-diazoacetonitril in *cis*- oder *trans*-Buten in 65–80% Gesamtausbeute tatsächlich ein Isomerenverhältnis der *cis*- bzw. *trans*-Cyclopropane von 1,0 erreicht.

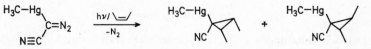

Methyl-(2,3-dimethyl-1-cyan-cyclopropyl)-quecksilber

[1] K. KOPECKY, G. S. HAMMOND u. P. A. LEERMAKERS, Am. Soc. 84, 1015 (1962).
  J. MORITANI, Y. YAMAMOTO u. S. J. MURAHASHI, Tetrahedron Letters 1968, 5697.
  W. ANDO et al., Am. Soc. 91, 6516 (1969).
[2] K. R. KOPECKY, G. S. HAMMOND u. P. A. LEERMAKERS, Am. Soc. 83, 2397 (1961); 84, 1015 (1962).
[3] S. I. MURAHASHI et al., Tetrahedron 28, 1485 (1972).
  I. MORITANI, Y. YAMAMOTO u. S. I. MURAHASHI, Tetrahedron Letters 1968, 5697, 5755.
[4] D. O. COWAN et al., J. Org. Chem. 29, 1922 (1964).
[5] M. JONES, Jr., u. W. ANDO, Am. Soc. 90, 2200 (1968).
[6] M. JONES, Jr. et al., Am. Soc. 94, 7469 (1972).
[7] M. REETZ, U. SCHÖLLKOPF u. B. BANHIDAI, A. 1973, 599.
[8] U. SCHÖLLKOPF, D. HOPPE u. N. RIEBER, A. 730, 1 (1969).
[9] M. JONES, Jr., A. KULCZYCKI u. K. F. HUMMEL, Tetrahedron Letters 1967, 183.
[10] H. DÜRR u. G. SCHEPPERS, B. 100, 3236 (1967).
[11] H. DÜRR u. W. BUJNOCH, Tetrahedron Letters 1973, 1433.
[12] H. DÜRR, Top. Curr. Chem. 55, 87 (1975).
[13] D. F. RING u. B. S. RABINOVITCH, J. phys. Chem. 72, 191 (1968).
[14] I. H. ATHERTON u. R. FIELDS, Soc. [C] 1967, 1450.
[15] W. I. BARON, M. E. HENDRICK u. M. JONES, Jr., Am. Soc. 95, 6286 (1973).
[16] W. H. PIRKLE u. G. F. KOSER, Tetrahedron Letters 1968, 3959.
[17] M. JONES, Jr., u. K. R. RETTIG, Am. Soc. 87, 4013 (1965).
[18] S. I. MURAHASHI et al., Tetrahedron 28, 1485 (1972).
[19] P. S. SKELL, S. V. VALENTY u. P. W. HUMER, Am. Soc. 95, 5041 (1973).
  vgl. a.: P. S. SKELL u. S. I. VALENTY, Am. Soc. 95, 5041 (1973).

Das Phänomen, daß Singulett- und Triplett-Carbene zu verschiedenen Reaktionsprodukten führen[1], kann zur Bestimmung der Multiplizität eines Carbens in Lösung ausgenutzt werden. Singulett-Carbene reagieren mit 1,1-Dicyclopropyl-äthylen[2] in konzertierter Reaktion zu einem Cyclopropan. Triplett-Carbene gehen dabei über ein Triplett-diradikal in ein Olefin über. Diese Reaktion ist am Beispiel des Fluorenylidens schematisch dargestellt[2]:

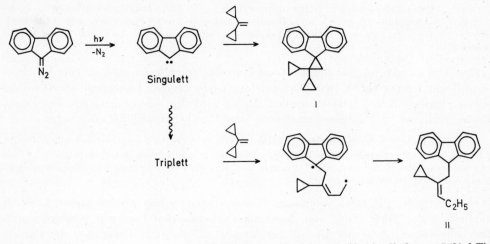

I; *2,2-Dicyclopropyl-cyclopropan-⟨1-spiro-9⟩-fluoren*; 75% d.Th.

II; *1-Fluorenyl-(9)-2-cyclopropyl-penten-(2)*; 5% d.Th.

$\gamma\gamma_1$) mit Olefinen

Die aus Diazo-Verbindungen (UV-Absorption s. S. 1160) durch Photolyse erzeugten Carbene addieren sich als vorwiegend elektrophile Zwischenstufen an Olefine. Dabei bilden sich Cyclopropane. Mit dieser Reaktion konkurriert die Insertion in die Vinyl- oder benachbarten C–H-Bindungen der Olefine und Bildung von homologen Olefinen. Das Verhältnis von Addition/Insertion hängt in entscheidender Weise von den Substituenten der Carbene ab. Bei Methylen beträgt das Additions-/Einschiebungsverhältnis an 2,3-Dimethyl-buten-(2)[3] 8,3, bei Cyclopentadienyliden[4] 20,9, bei 1,2,3-Triphenyl-[5] bzw. Tetraphenyl-cyclopentadienyliden[6] an Cyclopenten 14,8 bzw. 72.

Die Produkt-Zusammensetzung ist außerdem in drastischer Weise davon abhängig, ob die Versuche in kondensierter Phase oder in der Gasphase durchgeführt werden. Die Photolysen des Diazomethans in Isobuten in kondensierter Phase[7] oder in der Gasphase[8] ergeben z. B. drei gleiche Produkte jedoch in verschiedener Ausbeute und zwar

[1] Eine detaillierte Darstellung findet sich in: H. Dürr, Curr. Chem. Top. **55**, 87 (1975).

[2] N. Shimiza u. S. Nishida, Am. Soc. **96**, 6451 (1974).

[3] H. M. Frey, Am. Soc. **80**, 5005 (1958).

[4] R. A. Moss, J. Org. Chem. **31**, 3296 (1966).

[5] H. Dürr u. L. Schrader, B. **102**, 2026 (1969).

[6] H. Dürr u. G. Scheppers, B. **100**, 3236 (1967).

[7] W. v. E. Doering u. H. Prinzbach, Tetrahedron **6**, 24 (1959).

[8] H. M. Frey, Proc. roy. Soc. **250**, 409 (1959).

1,1-Dimethyl-cyclopropan, 2-Methyl-buten-(1) und *2-Methyl-buten-(2)*. In der Gasphase bildet sich als weiteres Produkt *3-Methyl-buten-(1)*.

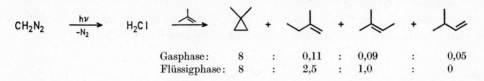

Gasphase:	8	:	0,11	:	0,09	:	0,05
Flüssigphase:	8	:	2,5	:	1,0	:	0

In kondensierter Phase entstehen die Butene durch direkte C–H-Insertion. In der Gasphase tritt durch Addition von Methylen an Isobuten zunächst ein schwingungsangeregtes 1,1-Dimethyl-cyclopropan auf, das teilweise in 2-Methyl-buten-(2) und 3-Methyl-buten-(1) zerfällt. Bei hohen Drucken (>300 Torr) wird alles Dimethyl-cyclopropan durch Stöße desaktiviert, so daß der Anteil an 3-Methyl-buten-(1) gegen 0 geht.

i₁) offenkettige Carbene

Die Photolyse von Diazomethan in cis-Buten-(2) verläuft in flüssiger Phase stereospezifisch und ergibt *cis-1,2-Dimethyl-cyclopropan* und *cis-Penten-(2)*. Aus trans-Buten-(2) bilden sich die entsprechenden *trans*-Verbindungen im Verhältnis 1:1[1,2]. In der Gasphase entstehen in Gegenwart von *cis*-Buten-(2) *cis*- und *trans*-Produkte, d. h. die Reaktion ist nicht mehr stereospezifisch[3]:

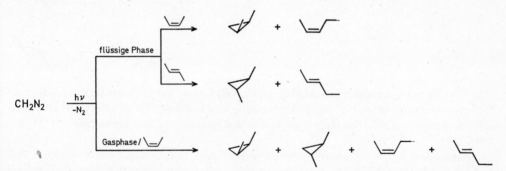

In flüssiger Phase reagiert das Methylen als Singulett, während bei der Photolyse in der Gasphase bei mittleren Inertgas-Drucken die Ausbeute an Pentenen (Insertion) gegen Null geht und die Ausbeute an *trans*-Cyclopropan (Photolyse in *cis*-Buten) absinkt. Mit weiter steigendem Inertgas-Druck nimmt die *trans*-Cyclopropan-Ausbeute wieder zu: Der intersystemcrossing-Schritt zum Triplett-Methylen ist jetzt begünstigt. Der Triplett-Anteil in der Gasphase wird so zu 10–30% abgeschätzt[3]. Deshalb verläuft die Reaktion in der Gasphase unter Verlust der Stereospezifität.

Die Belichtung von Diazomethan in Olefinen in der Gasphase liefert interessante Produkte. So entstehen mit Cyclobuten z. B. *1-Methyl-* und *3-Methyl-cyclobuten* durch Einschiebung und *Bicyclo[2.1.0]pentan* durch Addition. Als weiteres Produkt bildet sich *Vinyl-cyclopropan* über Triplett-Methylen; in Gegenwart von Sauerstoff wird diese Reaktionsmöglichkeit unterdrückt[4].

[1] P. S. Skell u. R. C. Woodworth, Am. Soc. 78, 4496 (1956); 81, 3383 (1959).
[2] W. v. E. Doering u. P. laFlamme, Am. Soc. 78, 5447 (1956).
[3] H. M. Frey, Am. Soc. 80, 5005 (1958); Proc. roy. Soc. 251, 575 (1959).
   B. M. Herzog u. R. W. Carr, jr., J. phys. Chem. 71, 2688 (1967).
   S. Y. Ho u. W. A. Noyes, jr., Am. Soc. 89, 5091 (1967).
   B. S. Rabinovitch, K. W. Watkins u. D. F. Ring, Am. Soc. 87, 4960 (1965).
   R. F. Bader u. J. I. Generosa, Canad. J. Chem. 43, 1631 (1965).
   H. M. Frey, Chem. Commun. 1965, 260.
[4] C. S. Elliott u. H. M. Frey, Trans. Faraday Soc. 64, 2352 (1968).
   vgl. a. D. H. White, P. B. Condit u. R. G. Bergmann, Am. Soc. 94, 1348 (1972).

Methylen reagiert mit Cyclohexen zu *Bicyclo[4.1.0]heptan*[1]; mit Butadien-(1,3) erhält man *Vinyl-cyclopropan* und *Cyclopenten*[2]. Die Photolyse von Diazomethan in Allen ergibt *3-Methylen-cyclopropen* (60% d.Th.)[3].

Eine Belichtung von Chlor-diazo-methan in Cyclohexen liefert in 40–60%iger Gesamtausbeute *endo-* und *exo-7-Chlor-bicyclo[4.1.0]heptan* im Verhältnis 1:1[4]:

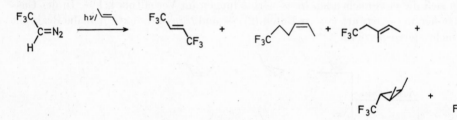

Analog reagiert 2-Methyl-buten-(2) zu *cis-* und *trans-3-Chlor-1,1,2-trimethyl-cyclopropan*.

Aus 2,2,2-Trifluor-diazo-äthan entsteht Trifluormethyl-carben. Dieses reagiert mit trans-Buten-(2) zu *trans-1,1,1,4,4,4-Hexafluor-buten-(2)* (23% d.Th.) und 41% eines Gemisches aus *trans-6,6,6-Trifluor-hexen-(2)*, *cis-5,5,5-Trifluor-3-methyl-penten-(2)*, *t-2, t-3-Dimethyl-r-1-trifluormethyl-* und *c-2,t-3-Dimethyl-r-1-trifluormethyl-cyclopropan* im Verhältnis[5] 36:7:1:56:

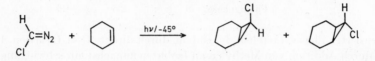

Mit cis-Buten-(2) bilden sich analog durch Alkyl- bzw. Vinyl-Insertion das *cis*-Hexen-(2)-Derivat und die *trans*-Penten-(2)-Verbindung sowie neben den beiden Cyclopropanen noch zusätzlich *c-2,c-3-Dimethyl-r-1-trifluormethyl-cyclopropan* im Verhältnis[5] 24:11:35: 4:26:

Der geringe Anteil der „falschen" Stereoisomeren unter den Cyclopropan-Produkten von 4% bzw. 2% bei der Addition an *cis-* oder *trans-*Buten-(2) beweist, daß diese Reaktionen i. W. über ein Singulett-Carben ablaufen. Verdünnung der Butene mit Perfluor-diäthyläther bringt eine weitere Senkung der Stereospezifität mit sich.

Die Belichtung von Diazo-phenyl-methan in cis-Buten-(2) ergibt *c-2,c-3-* und *t-2,t-3-Dimethyl-r-1-phenyl-cyclopropan*[6,7]. Als Nebenprodukt entsteht etwas *c-2,t-3-Dimethyl-r-1-phenyl-cyclopropan*. Dieses bedeutet, daß Phenyl-Carben weitgehend als Singulett reagiert. Im Gegensatz dazu läuft die Photolyse des Diazo-diphenyl-methans weitgehend über ein Triplett-Carben. In cis-Buten entstehen *cis-* und *trans-2,3-Dimethyl-1,1-diphenyl-cyclopropan* (87% d.Th. bzw. 13% d.Th.)[7].

1,1,2,2-Tetraphenyl-cyclopropan[8]: Ungefähr 0,05 Mol festes Diazo-diphenyl-methan, hergestellt durch Eindampfen einer Petroläther-Lösung, werden in 100 g 1,1-Diphenyl-äthylen gelöst und die Mischung

[1] W. v. E. Doering et al., Am. Soc. **78**, 3224 (1956).
[2] H. M. Frey, Trans. Faraday Soc. **58**, 516 (1962).
[3] A. T. Blomquist u. D. J. Connolly, Chem. & Ind. **1962**, 310.
[4] G. L. Closs u. J. J. Coyle, Am. Soc. **87**, 4270 (1965).
[5] J. A. Atherton u. R. Fields, Soc. **1967**, 1450.
  vgl. a.: J. H. Atherton, R. Fields u. R. N. Haszeldine, Soc. [A] **1971**, 366.
[6] C. D. Gutsche, G. L. Bachmann u. R. S. Coffey, Tetrahedron **18**, 617 (1962).
  G. L. Closs u. R. A. Moss, Am. Soc. **86**, 4042 (1964).
[7] R. M. Etter, H. S. Skovronek u. R. S. Skell, Am. Soc. **81**, 1008 (1959).
[8] B. S. Gorton, J. Org. Chem. **30**, 648 (1965).

2 Tage mit einer General Electric sunlamp vom Typ RS 275-R-40 belichtet. Dabei fallen farblose Kristalle aus, die nach Beendigung der Reaktion abgesaugt werden. Ausbeute: 8 g (46% d.Th.); F: 167–170°.

Phenyl-carben und Diphenyl-carben zeigen ein spezielles Verhalten. So liefert Phenyl-carben bei tiefer Temp. (–196°) mehr Abstraktionsprodukte als bei 0°[1], was auf einen größeren Triplett-Anteil zurückgeführt wird. Das Verhältnis der stereomeren Cyclopropane bei der Cycloaddition von Diphenylcarben an *cis*- oder *trans*-Buten-(2) wird durch Verdünnung nur gering beeinflußt[2]. Außerdem werden nur wenige Prozent Additionsprodukt gebildet. Mit *cis*-β-Deuterio-styrol wird vorwiegend *cis*- und *trans*-1,1,2-Triphenyl-3-deuterio-cyclopropan im Verhältnis 65:35 erhalten, woraus auf einen Triplett-Anteil von 70% geschlossen wurde. Alle diese Befunde legen ein Gleichgewicht zwischen Singulett- und Triplett-Carben für Phenyl- bzw. Diphenyl-carben nahe[3].

Die Belichtung von Diazo-propin in cis- oder trans-Buten-(2) führt zum Propargyliden. Dieses addiert sich nicht stereospezifisch, also als Triplett-Carben an die Olefine zu Dimethyl-alkinyl-cyclopropanen[3,4]:

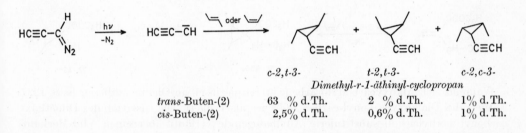

	c-2,t-3-	t-2,t-3-	c-2,c-3-
		Dimethyl-r-1-äthinyl-cyclopropan	
trans-Buten-(2)	63 % d.Th.	2 % d.Th.	1% d.Th.
cis-Buten-(2)	2,5% d.Th.	0,6% d.Th.	1% d.Th.

Das bei der Photolyse von Diazo-essigsäure-methylester entstehende Methoxycarbonyl-carben lagert sich an cis-Buten-(2) stereospezifisch zu einem Gemisch aus *t-2,t-3-Dimethyl-* und *c-2,c-3-Dimethyl-cyclopropan-r-1-carbonsäure-methylester* im Verhältnis 5:2 an. Die Addition an trans-Buten-(2) ergibt ausschließlich *c-2,t-3-*Dimethyl-cyclopropan-r-1-carbonsäure-methylester (34% d.Th.)[5]:

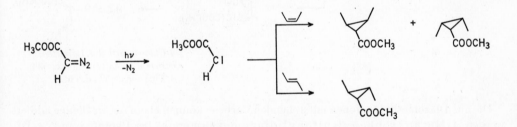

c-2,t-3-Dimethyl-cyclopropan-r-1-carbonsäure-methylester[5]: 8 g Diazo-essigsäure-methylester werden in 50 *ml trans*-Buten-(2) mit drei 275 W General Electric Sunlamps belichtet. Destillation liefert: 3,5 g (34% d.Th.); Kp$_{20}$: 40–50°. Durch Gaschromatographie kann das Produkt vollständig rein erhalten werden.

Über Photoreaktionen von Diazo-malonsäure-diestern s. Lit.[6].

Eine interessante Reaktion läuft bei der Belichtung von Diazo-cyclopropyl-essigsäuremethylester mit Isobuten ab. Hierbei entsteht neben dem normalen [1+2]-Cycloaddukt,

---

[1] R. A. MOSS u. M. H. DOLLING, Am. Soc. **93**, 954 (1971).

[2] G. L. CLOSS, Topics Stereochem. **3**, 193 (1968).

[3] W. I. BARON, M. E. HENDRICK u. M. JONES, Jr., Am. Soc. **95**, 6286 (1973).

[4] P. S. SKELL u. J. KLEBE, Am. Soc. **82**, 247 (1960).

[5] W. v. E. DOERING u. T. MOLE, Tetrahedron **10**, 65 (1960).

[6] Übersichtsartikel: B. N. PEACE u. D. S. WULFMAN, Synthesis **1973**, 137.

2,2-Dimethyl-1-methoxycarbonyl-bi-cyclopropyl, auch noch *1-Methoxycarbonyl-cyclobuten* als Folge einer Ringerweiterung[1].

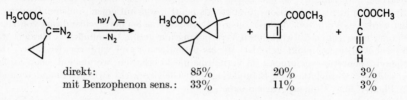

direkt:	85%	20%	3%
mit Benzophenon sens.:	33%	11%	3%

Eine zukunftsträchtige präparative Möglichkeit besteht in der Photolyse von Quecksilber-diazo-Verbindungen z. B. in Olefinen. Die entstehenden Quecksilber-substituierten Cyclopropane können leicht durch elektrophile Reagentien in Halogen-cyclopropane umgewandelt werden, die sonst nur schwer zugänglich sind[2]:

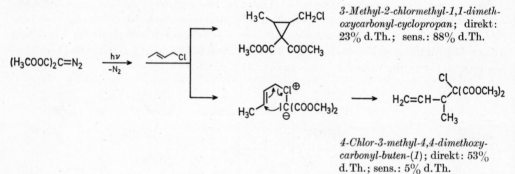

70 - 90%   32 - 46%

Während sich Alkoxycarbonyl-Carbene stereospezifisch an Olefine addieren (s. S. 1227), reagiert das Dialkoxycarbonyl-carben teilweise als Triplett. Die Insertion des Dimethoxy-carbonyl-methylens in substituierte Allylhalogenide verläuft über einen Ylid-Mechanismus[3]:

3-Methyl-2-chlormethyl-1,1-dimethoxycarbonyl-cyclopropan; direkt: 23% d.Th.; sens.: 88% d.Th.

4-Chlor-3-methyl-4,4-dimethoxycarbonyl-buten-(1); direkt: 53% d.Th.; sens.: 5% d.Th.

Die aus Diazomethyl-sulfonen entstehenden Carbene können ebenfalls an Olefine addiert werden. **4-Methoxy-phenylsulfonyl-diazomethan** ergibt bei Photolyse in **2,3-Dimethyl-buten-(2)** *3-(4-Methoxy-phenylsulfonyl)-1,1,2,2-tetramethyl-cyclopropan* (75% d.Th.)[4]:

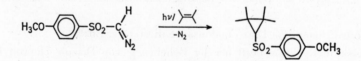

Die Addition an *cis*- und *trans*-Buten-(2) ist stereospezifisch, d. h. das Sulfonyl-Carben reagiert als Singulett[4].

[1] M. B. Sohn u. M. Jones,Jr., Am. Soc. **94**, 8280 (1972).
[2] P. S. Skell u. S. I. Valenty, Am. Soc. **95**, 5042 (1973).
[3] W. Ando, S. Kondo u. T. Migata, Am. Soc. **91**, 6516 (1969).
[4] A. M. v. Leusen, R. J. Mulder u. J. Strating, R. **86**, 225 (1967).
   R. A. Abramovitch u. J. Roy, Chem. Commun. **1965**, 542.

Auch Phosphoryl-phenyl-carbene gehen mit Olefinen [1+2]-Cycloadditionen ein. Neben dem formalen Additionsprodukt, *7-Phenyl-bicyclo[4.1.0]heptan-exo-7-phosphonsäure-diäthylester*, werden jedoch auch *Cyclohexenyl-phenyl-methanphosphonsäure-diäthylester* und *1,2-Diphenyl-äthan-1,2-bis-[phosphonsäure-diäthylester]* durch Abstraktion gebildet[1]. Die Addition an *cis*- oder *trans*-Buten-(2) ist nicht stereospezifisch, es werden dabei *c-2,c-3-Dimethyl-r-1-phenyl-cyclopropan-* und *t-2,t-3-Dimethyl-r-1-phenyl-cyclopropan-* sowie *c-2,t-3-Dimethyl-r-1-phenyl-cyclopropan-1-phosphonsäure-diäthylester* isoliert[2]:

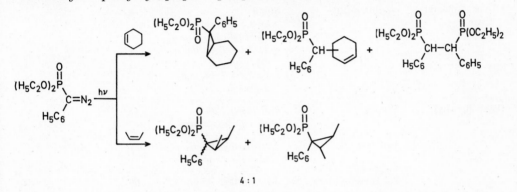

4 : 1

Tab. 174 (S. 1230) faßt einige Reaktionen von offenkettigen Carbenen mit Olefinen zusammen.

i₂) cyclische Carbene

Die Photolyse der Diazo-cyclopentadiene führt intermediär zu den elektrophilen Cyclopentadienylidenen mit $(4n+2)$-π-Elektronen $(n=1)$. Mit dieser Reaktion können auf elegante Weise Spiro-Verbindungen hergestellt werden. Das unsubstituierte sowie alle substituierten Cyclopentadienylidene reagieren bei der Photolyse bei Raumtemperatur weitgehend oder ausschließlich als Singulett-Carbene unter stereospezifischer Addition an *cis*- oder *trans*-Olefine. Eine Ausnahme bildet das Fluorenyliden-(9), sowie die Halogen-cyclopentadienylidene, die sich auch bei Raumtemperatur als Triplett-Carbene nichtstereospezifisch an Olefine addieren. So ergibt die Belichtung von Diazo-cyclopentadien in 2,3-Dimethyl-buten-(2) *Tetramethyl-cyclopropan-⟨1-spiro-5⟩-cyclopentadien* (35% d.Th.) und *5-[2,3-Dimethyl-buten-(2)-yl]-cyclopentadien* (35% d.Th.)[3]:

Mit wesentlich besseren Ausbeuten können diese Spiro-Verbindungen im Falle des Tri- oder Tetraphenyl- und des Tetrachlor-cyclopentadienylidens erhalten werden[5-7].

---

[1] M. REGITZ et al., B. **105**, 3357 (1972).
   M. REGITZ, H. SCHERER u. W. ANSCHÜTZ, Tetrahedron Letters **1970**, 753.
[2] M. REGITZ, Ang. Ch. **87**, 259 (1975).
[3] H. DÜRR, Curr. Chem. Top. **40**, 103 (1973).
[4] R. A. MUSS, J. Org. Chem. **31**, 3296 (1966).
   R. A. Moss u. J. R. PRZYBYLO, J. Org. Chem. **33**, 3826 (1968).
[5] H. DÜRR u. G. SCHEPPERS, B. **100**, 3236 (1967).
[6] H. DÜRR u. L. SCHRADER, B. **102**, 2026 (1969).
[7] E. T. MCBEE, J. A. BOSOMS u. C. J. MORTON, J. Org. Chem. **31**, 768 (1966).

Tab. 174. Umsetzungen von offenkettigen Carbenen mit Olefinen

Diazo-Verbindung	Olefin	Produkte	Ausbeute [% d.Th.]	F [°C]	Literatur
Diazo-phenyl-methan	2-Methyl-buten-(2)[a]	cis-2,2,3-Trimethyl-1-phenyl-cyclopropan + trans-...	– –	– –	1
1-Diazo-1-phenyl-äthan	cis-Buten-(2)[b]	Styrol +1,c-2,c-3-Trimethyl-r-1-phenyl-cyclopropan + 1,t-2,t-3-Trimethyl-r-1-phenyl-... + 1,c-2,t-3-Trimethyl-r-1-phenyl-...	6 7	–	2
Diazo-diphenyl-methan	Propen	2-Methyl-1,1-di-phenyl-cyclopropan	45	–	3
	Isobuten	2,2-Dimethyl-1,1-di-phenyl-cyclopropan	57	–	3
	2,3-Dimethyl-buten-(2)	3,4-Dimethyl-5,5-di-phenyl-penten-(2) + 2,3,3-Trimethyl-4,4-diphenyl-buten-(1)	66 34	– –	3
	Styrol[c]	1,1,2-Triphenyl-cyclopropan	58	51–52	4
	Hepten-(1)[d]	2-Pentyl-1,1-diphenyl-cyclopropan	5	–	5
	Äthyl-vinyl-äther[d]	2-Äthoxy-1,1-diphenyl-cyclopropan	18	(Kp$_{0,3}$: 114°)	6
	Butyl-vinyl-äther[e]	2-Butyloxy-1,1-di-phenyl-cyclopropan	35	–	5
	2,3-Dimethyl-butadien-(1,3)	2-Methyl-2-isopropen-yl-1,1-diphenyl-cyclopropan	93	–	7
	Cyclopentadien	6,6-Diphenyl-bicyclo[3.1.0]hexen-(2)	10–20	–	8
	Bicyclo[2.2.1]hepta-dien	3,3-Diphenyl-exo- + endo-tricyclo[3.2.1.0^{2,4}]octen-(6)	22	–	9

[a] G. E. Photoflood, PH/RFL-2, 500 W Lampe.
[b] Quecksilber-Hochdruck-Lampe.
[c] G. E. UV-sunlamp RS 275-R-40.
[d] Keine Bedingungen angegeben.
[e] 500 W Quecksilber-Hochdruck-Lampe.

1 G. L. CLOSS u. R. A. MOSS, Am. Soc. 86, 4042 (1964).
2 I. MORITANI, Y. YAMAMOTO u. S. J. MURAHASHI, Tetrahedron Letters 1968, 5697.
3 W. J. BARON, M. E. HENDRICK u. M. JONES, Jr., Am. Soc. 95, 6286 (1973).
4 B. S. GORTON, J. Org. Chem. 30, 648 (1965).
5 I. A. D'JAKONOV u. J. M. VITENBERG, Ž. Org. Chim. 6, 142 (1970); Chem. Inform. 1970, 20–071.
6 S. MURAHASHI u. I. MORITANI, Tetrahedron 23, 3631 (1967).
7 M. JONES et al., Am. Soc. 94, 7469 (1972).
8 D. J. ATKINSON, M. J. PERKINS u. P. D. WARD, Soc. [C] 1971, 3247.
9 J. E. FOX u. D. W. YOUNG, Soc. (Perkin I) 1972, 507.

Tabelle 174 (1. Fortsetzung)

Diazo-Verbindung	Olefin	Produkte	Ausbeute [% d.Th.]	F [°C]	Literatur
Diazo-äthoxy-carbonyl-methan	Cyclohexen[a]	*exo-7-Äthoxycarbonyl-bicyclo[4.1.0]heptan*	16	–	1
		+ endo-7-...	10	–	
		+ Cyclohexenyl-essig-säure-äthylester	21	–	
	Äthyl-vinyl-äther[a]	*trans-1-Äthoxy-2-äthoxy-carbonyl-cyclopropan*	31	–	1
		+ cis-...	16		
Diazo-dimethoxy-carbonyl-methan	3-Chlor-propen[b]	*2-Chlormethyl-1,1-dimethoxycarbonyl-cyclopropan*	23	–	2
		+ Chlor-allyl-malon-säure-dimethylester	53	–	
	3-Brom-propen[b]	*2-Brom-methyl-1,1-dimethoxy-carbonyl-cyclo-propan*	6	–	2
		+ Brom-allyl-malon-säure-dimethylester	38	–	
	2,3-Dimethyl-buten-(2)[c]	*2,2,3,3-Tetramethyl-1,1-dimethoxy-carbonyl-cyclopropan*	28	–	3
	Cyclohexadien-(1,4)[d]	*7,7-Dimethoxy-carbonyl-bicyclo[4.1.0]hepten-(3)*	–	66–67	4
	Allen[c]	*2-Methylen-1,1-di-methoxycarbonyl-cyclopropan*	–	–	5
	1,2-Bis-[methylen]-cyclohexan[c]	*2,2-Dimethoxycarbonyl-cyclopropan-⟨1-spiro-1⟩-2-methylen-cyclohexan*	–	–	5
	Bicyclo[2.2.1]hepta-dien[c]	*3,3-Dimethoxy-carbonyl-endo-tricyclo[3.2.1.0²,⁴]octen-(6)*	72[e]	–	5
		+ 3,3-Dimethoxy-carbonyl-exo-...	68[e]		

[a] keine Bedingungen angegeben.
[b] Rikosha Quecksilber-Hochdruck-Lampe ($\lambda = 366$ nm); Pyrex-Filter.
[c] G. E. sunlamp; Pyrex-Filter.
[d] Hanovia 450 W Quecksilber-Hochdruck-Lampe; Pyrex-Filter; Benzol.
[e] Bei sensibilisierter Bestrahlung 21 bzw. 79% Ausbeute.

---

[1] P. S. SKELL u. R. M. ETTER, Proc. roy. Soc. 1961, 443.
[2] W. ANDO, S. KONDO u. T. MIGATA, Am. Soc. 91, 6516 (1969).
   vgl. hierzu a.: W. ANDO, S. KONDO u. T. MIGITA, Bl. chem. Soc. Japan 44, 571 (1971).
   W. ANDO, I. IMAI u. T. MIGITA, J. Org. Chem. 37, 3596 (1972).
[3] M. JONES, Jr., A. KULCZYCKI u. K. F. HUMMEL, Tetrahedron Letters 1967, 183.
[4] J. A. BERSON et al., J. Org. Chem. 33, 1669 (1968).
[5] M. JONES et al., Am. Soc. 94, 7469 (1972).

Tab. 174 (2. Fortsetzung)

Diazo-Verbindung	Olefin	Produkt	Ausbeute [% d.Th.]	F [°C]	Literatur
Diazo-äthoxy-carbonyl-tri-methylsilyl-methan	Isobuten[d]	*2,2-Dimethyl-1-äthoxycarbonyl-1-trimethylsilyl-cyclopropan*	63	(Kp$_{15}$: 55°)	1,2
		+ 4-Methyl-2-trimethyl-silyl-penten-(4)-säure-äthylester	<3	–	
Diazo-äthoxy-carbonyl-tri-phenylstannyl-methan	Isobuten[d]	*2,2-Dimethyl-1-äthoxycarbonyl-1-triphenylstannyl-cyclopropan*	35	–	2
Brom-diazo-essig-säure-äthylester	2,3-Dimethyl-buten-(2)[d]	*1-Brom-tetramethyl-1-äthoxycarbonyl-cyclopropan*	46	–	3
Jod-diazo-essig-säure-äthylester	2,3-Dimethyl-buten-(2)[d]	*1-Jod-tetramethyl-1-äthoxycarbonyl-cyclopropan*	42		

[d] Hanovia 450 W Quecksilber-Hochdruck-Lampe; Pyrex-Filter; 0–30°.

1,2,3-Triphenyl-cyclopentadien-⟨5-spiro-6⟩-bicyclo[3.1.0]hexan[4]: In die Suspension von 2,00 g (6,3 mMol) 5-Diazo-1,2,3-triphenyl-cyclopentadien in 150 ml Cyclopenten wird bei 20° 15 Min. Stickstoff eingeleitet. Dann wird in einer Pyrex-Apparatur bei 15–20° mit einer Philips HPK 125 W Quecksilber-Hochdruck-Lampe bis zum Verschwinden der Diazo-Verbindung bestrahlt. Nach Abziehen des Olefins i. Vak. wird der ölige Rückstand an Kieselgel mit Benzol/Petroläther (Kp: 60–90°) 5:95 mit einem Fraktionssammler chromatographiert. Die ersten Fraktionen enthalten die Spiro-Verbindung, 1,02 g (45% d.Th.); F: 157–158°; die folgenden Fraktionen *5-Cyclopenten-(2)-yl-1,2,3-triphenyl-cyclopentadien*, 580 mg (26% d.Th.); F: 93–96°.

cis-3-Methyl-2-isopropyl-cyclopropan-⟨1-spiro-5⟩-1,2,3-triphenyl-cyclopentadien[4]: 2,0 g (6,3 mMol) 5-Diazo-1,2,3-triphenyl-cyclopentadien und 150 ml (1,40 Mol) cis-4-Methyl-penten-(2) werden wie oben belichtet und aufgearbeitet; Ausbeute: 1,90 g (71% d.Th.); F: 129–131°.

Weiterhin fällt *5-(4-Methyl-pentenyl)-1,2,3-triphenyl-cyclopentadien* in 90%iger Reinheit an; 0,10 g (4% d.Th.).

Auch an α,β-ungesättigte Carbonsäureester addieren sich die Cyclopentadienylidene glatt. Die Belichtung von 1,2,3,4-Tetrachlor-diazo-cyclopentadien in Acrylsäure-methyl-ester ergibt in 42%iger Ausbeute *2-Methoxycarbonyl-cyclopropan-⟨1-spiro-5⟩-tetrachlor-cyclopentadien*. Mit Maleinsäure-dimethylester werden 19% an cis- und *trans-2,3-Di-methoxycarbonyl-cyclopropan-⟨1-spiro-5-⟩-tetrachlor-cyclopentadien* erhalten, wobei das cis/trans-Verhältnis 42:58 beträgt[5]:

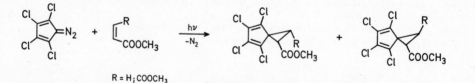

R = H; COOCH₃

[1] U. Schöllkopf et al., A. **730**, 1 (1969).
[2] U. Schöllkopf u. N. Rieber, Ang. Ch. **79**, 906 (1967).
[3] M. Reetz, U. Schöllkopf u. B. Banhidai, A. **1973**, 599.
[4] H. Dürr u. L. Schrader, B. **102**, 2026 (1969).
[5] H. Dürr, B. Ruge u. T. Ehrhardt, A. **1973**, 214.

Mit Cyclohexadien-(1,4) wird ebenfalls Cycloaddition beobachtet, wobei *Tetrachlor-cyclopentadien-⟨5-spiro-7⟩-bicyclo[4.1.0]hepten-(3)* gebildet wird[1]. 1-Diazo-2,3-diphenyl-inden reagiert in gleicher Weise sowohl mit Acrylsäure- und Maleinsäureestern[2] als auch mit z. B. Cyclooocten[3].

Interessant ist in diesem Zusammenhang, welches Gewicht die dipolare Mesomerieformel (s. S. 1220) zur Beschreibung der reaktiven Zwischenstufe von Cyclopentadienyliden tatsächlich besitzt. Cyclo-addition dieses Carbens an Styrol liefert 18% *2-Phenyl-cyclopropan-⟨1-spiro-5⟩-cyclopentadien*. Wird diese Reaktion in Styrolpaaren verschiedener Nucleophilie durchgeführt, so ist es möglich, durch Auf-tragung der Konkurrenzkonstanten gegen die σ-Konstante von Hammett elektrophilen oder nucleo-philen Charakter des Carbens nachzuweisen. Auf diese Weise wird ein ϱ-Wert = −0,76 erhalten, der in Einklang mit der Theorie den elektrophilen Charakter und damit das große Gewicht der dipolaren Formel in Cyclopentadienyliden beweist[4]. Mit der gleichen Methode wurde für das aus dem Tosyl-hydrazon-Anion entstehende Cycloheptatrienyliden nucleophiler Charakter bewiesen[5].

1,2,3,4-Tetrachlor-cyclopentadien-⟨5-spiro-7⟩-bicyclo[4.1.0]heptan[6]: Eine Lösung von 21,6 g (94 mMol) 1,2,3,4-Tetrachlor-5-diazo-cyclopentadien in 250 *ml* Cyclohexen wird in einer zylindrischen Pyrex-Apparatur, die durch einen im Innern befindlichen Spiralkühler gekühlt wird, unter Stickstoff belichtet. Als Lichtquelle dient eine 400 W General Electric H 400 A 33-1 Quecksilber-Lampe. Nach 78 stdg. Bestrahlung wird das Solvens abgezogen und der Rückstand an Aluminiumoxid, das mit Säure behandelt worden ist, chromatographiert. Mit Hexan wird das Spiro-Derivat eluiert; Ausbeute: 23,7 g (89% d.Th.); F: 104–104,5° (aus Methanol).

Mit Cycloheptatrien gehen die Cyclopentadienylidene normale Additionsreaktionen zu Spiro-cyclopropanen ein. Daneben läuft außerdem eine Insertionsreaktion zu Cyclo-pentadienyl-cycloheptatrienen ab. Wird 5-Diazo-1,4-diphenyl-cyclopentadien in Cycloheptatrien belichtet, so erhält man *7-[1,4-Diphenyl-cyclopentadienyl-(5)]-cyclo-heptatrien* (45% d.Th.) und *1,4-Diphenyl-cyclopentadien-⟨5-spiro-8⟩-bicyclo[5.1.0]octadien-(2,5)* (18% d.Th.)[7]. Die Einschiebungsprodukte können zu den Heptafulvenen dehydriert werden, so daß man hier eine einfache Synthese dieser Stoffklasse zur Verfügung hat. Aller-dings ist die Bildung dieser Insertionsprodukte an das Vorhandensein raumfüllender Gruppen in 1- oder 4-Stellung der Cyclopentadienylidene gebunden.

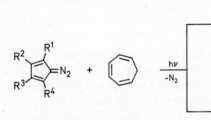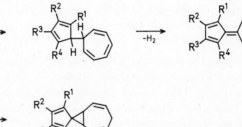

R¹ = R⁴ = C₆H₅; R² = R³ = H
R¹ = R² = R³ = R⁴ = C₆H₅
R¹ = R² = R³ = R⁴ = Cl;

1,2,3,4-Tetrachlor-(Tetraphenyl)-cyclopentadien-⟨5-spiro-8⟩-bicyclo[5.1.0]octadien-(2,5); 35% d.Th.[7]

[1] H. Dürr u. I. Halberstadt, unveröffentlichte Ergebnisse.
[2] H. Dürr, B. Ruge u. T. Ehrhardt, A. 1973, 214.
[3] H. Dürr u. A. C. Ranade, unveröffentlichte Ergebnisse.
[4] H. Dürr u. F. Werndorff, Ang. Ch. 86, 413 (1974).
[5] L. W. Christensen, E. E. Waali u. W. M. Jones, Am. Soc. 94, 2118 (1972).
[6] E. T. McBee, J. A. Bosoms u. C. J. Morton, J. Org. Chem. 31, 768 (1966).
[7] H. Dürr, R. Sergio u. G. Scheppers, A. 74, 63 (1970).

Im Falle des 1-Diazo-2,3-diphenyl-indens entsteht das *2,3-Diphenyl-inden-⟨1-spiro-8⟩-bicyclo[5.1.0]octadien-(2,5)* in 75%iger Ausbeute.

Entsprechend reagieren Cyclopentadienylidene mit Cyclooctatretaen, wobei ausschließlich die Additionsreaktion eintritt. Die Photolyse von 9-Diazo-fluoren in Cyclooctatetraen ergibt z. B. *Fluoren-⟨9-spiro-9⟩-bicyclo[6.1.0]nonatrien-(2,4,6)* (42% d.Th.)[1]:

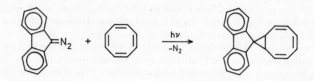

Auch 10-Oxo-9-diazo-9,10-dihydro-anthracen reagiert mit Cyclooctatetraen unter Bildung einer Spiro-Verbindung[1].

Die Photolyse von p-Chinon-diaziden ergibt intermediär Carbene, die ebenfalls 6 π-Elektronen besitzen und daher elektrophil reagieren. So liefert die Bestrahlung des 2,6-Di-tert.-butyl-p-chinon-diazids, in Gegenwart eines Filters zur Absorption aller Strahlung unterhalb λ = 480 nm, in 2,3-Dimethyl-buten-(2) *2,2,3,3-Tetramethyl-cyclopropan-⟨1-spiro-3⟩-6-oxo-1,5-di-tert.-butyl-cyclohexadien-(1,4)* (80% d.Th.)[2]:

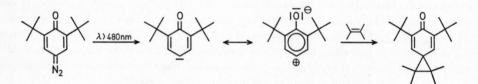

6-Oxo-cyclohexadien-(1,4)-yliden-(3) setzt sich als Singulett-Spezies stereospezifisch mit Olefinen um. 10-Oxo-9,10-dihydro-anthracenyliden-(9) dagegen besitzt Triplett-Charakter, wie zahlreiche Abstraktionsreaktionen beweisen. Additionen an *cis*- oder *trans*-Stilben ergaben allerdings keine eindeutigen Aussagen zugunsten eines Triplett-Carbens.

Eine Anomalie zeigt das Carben von 5H-Dibenzo-[a;d]-cycloheptatrien, das sich an *cis*- oder *trans*-Olefine stereospezifisch addiert, daneben aber Produkte durch Wasserstoff-Abstraktion liefert. Hier scheint das Singulett- und das Triplett-Cycloheptatrienyliden direkt bei der Photolyse zu entstehen. 10,11-Dihydro-⟨dibenzo-[a;d]-cycloheptatrien⟩-yliden-(5)[3] reagiert wie ein normales Diphenyl-Carben und besitzt eindeutigen Triplett-Charakter. Tab. 175 (S. 1235) enthält einige Reaktionsbeispiele.

Triplett-Carbene addieren sich nichtstereospezifisch an *cis*- oder *trans*-Olefine. Dies ist neben dem theoretischen Aspekt zum Nachweis von Triplett-Carbenen auch von präparativer Bedeutung, da nur Singulett-Carbene Cyclopropan-Derivate mit gleicher Stereochemie wie die Ausgangsolefine liefern. Im folgenden sind deshalb die für eine Syntheseplanung wichtigsten Diazo-Verbindungen aufgeführt, deren Photolyse Triplett-Carbene liefert, die sich nichtstereospezifisch an Olefine addieren.

---

[1] K. Dürr u. H. Kober, A. **740**, 74 (1970).
[2] G. F. Koser u. W. H. Pirkle, J. Org. Chem. **32**, 1992 (1967).
[3] I. Moritani et al., Bl. Chem. Soc. Japan **40**, 1506 (1967).

Tab. 175. Photolysen von cyclischen Diazo-Verbindungen in Olefinen

Diazo-Verbindung	Olefin	Produkte	Ausbeute [% d.Th.]	F [°C]	Literatur
	3,3-Dimethyl-buten-(1)[a]	*2-tert.-Butyl-cyclopropan-⟨1-spiro-5⟩-cyclopentadien*	46	(Kp$_{18}$: 65–68°)	1
	2-Methyl-buten-(2)[b]	*2,2,3-Trimethyl-cyclopropan-⟨1-spiro-5⟩-1,2,3,4-tetraphenyl-cyclopentadien*	45–52	160	2
	cis-Penten-(2)[c]	*cis-3-Methyl-2-äthyl-cyclopropan-⟨1-spiro-5⟩-1,2,3,4-tetrachlor-cyclopentadien* + *trans-...*	75 6	(Kp$_{18}$: 90°) (Kp$_{18}$: 90°)	3
	Bicyclo[2.2.1]heptadien-(2,5)[b]	*2,3-Diphenyl-inden-⟨1-spiro-4⟩-bicyclo[3.2.1]octadien-(2,6)*	12	178–180	4
	cis-4-Methyl-penten-(2)[c]	*cis-3-Methyl-2-äthyl-cyclopropan-⟨1-spiro-9⟩-fluoren* + *trans-...*	50 42	– –	5
	Maleinsäure-diäthylester[d]	*cis-2,3-Diäthoxy-carbonyl-cyclopropan-⟨1-spiro-9⟩-fluoren* + *trans-...*	65 2	– –	6
	Cycloocten[e]	*2-Phenyl-3H-indol-⟨3-spiro-9⟩-bicyclo[6.1.0]nonan* + *2-Phenyl-3-cycloocten-(2)-yl-3H-indol*	47 47	108–109 138–140	7

[a] 450 W Hanovia Typ L Lampe; Pyrex-Filter.
[b] Philips 125 W HPK W Lampe; Pyrex-Filter.
[c] 400 W General Electric A 400 A 33-1 Quecksilber-Lampe; Pyrex-Filter.
[d] General Electric sun-lamp; Pyrex-Filter.
[e] HBO 500 W Quecksilber-Lampe.

1 R. A. Moss, J. Org. Chem. **31**, 3296 (1966).
2 H. Dürr u. G. Scheppers, B. **100**, 3236 (1967).
3 E. T. McBee, J. A. Bosoms u. C. J. Morton, J. Org. Chem. **31**, 768 (1966).
4 H. Dürr, G. Scheppers u. L. Schrader, Chem. Commun. **1969**, 257.
5 M. Jones, Jr., u. K. R. Rettig, Am. Soc. **87**, 4013, 4015 (1965).
  W. v. E. Doering u. M. Jones, Jr., Tetrahedron Letters **1963**, 791.
6 S. Murahashi, I. Moritani u. T. Nagai, Bl. Chem. Soc. Japan **40**, 1655 (1967).
  I. Moritani et al., Tetrahedron Letters **1963**, 1069.
7 U. Simon, O. Süs u. L. Horner, A. **697**, 17 (1966).

Tab. 175 (1. Fortsetzung)

Diazo-Verbindung	Olefin	Produkte	Ausbeute [% d. Th.]	F [°C]	Literatur
	1,1-Diphenyl-äthylen[a]	2,2-Diphenyl-cyclo-propan-⟨1-spiro-3⟩-2-oxo-1-methyl-2,3-dihydro-indol	26	190–191,5	1
	Butadien-(1,3)[b]	2-Vinyl-cyclopropan-⟨1-spiro-3⟩-6,6-dimethyl-cyclo-hexadien-(1,4)	26	–	2
	Styrol[c]	2-Phenyl-cyclopropan-⟨1-spiro-9⟩-10-oxo 9,10-dihydro-anthracen	93	154°	3
	1,1-Diphenyl-äthylen[c]	2,2-Diphenyl-cyclo-propan-⟨1-spiro-9⟩-10-oxo-9,10-di-hydro-anthracen	91	256–258	3
	cis-Buten-(2)[d]	cis-2,3-Dimethyl-cyclo-propan-⟨1-spiro-5⟩-5H-⟨dibenzo-[a;d]-cycloheptatrien⟩	11	60–61,5	4
	cis-Buten-(2)[d]	cis-2,3-Dimethyl-cyclopropan-⟨1-spiro-9⟩-9H-⟨tri-benzo-[a;c;e]-cyclo-heptatrien⟩	70	112–112,5	4

[a] 100 W Quecksilber-Hochdruck-Lampe; Pyrex-Filter.
[b] 2 General Electric sun lamps; Pyrex-Filter.
[c] SP 500 Quecksilber-Hochdruck-Lampe, Halos, POH 1000, Eikosha Co., Japan.
[d] 1000 W Quecksilber-Hochdruck-Lampe, Halos Polt 1000, Eikosha Co., Japan.

2,2,2-Trifluor-diazo-äthan[5], Diazo-propin[6], Diazo-phenyl-methan[7,8], Diazo-diphenyl-methan[7,8], Diazo-essigsäure-ester[8], Halogen-diazo-essigsäure-ester[9], Diazo-trimethylsilyl-essigsäure-ester[10], Diazo-malonsäure-dimethylester[11,12], Diazo-acetophenon[13], Diazo-phenyl-methanphosphonsäure-diäthylester[14],

1 J. MORICONI u. J. J. MURRAY, J. Org. Chem. 29, 3577 (1964).
2 M. JONES, Jr., A. M. HARRISON u. K. R. RETTIG, Am. Soc. 91, 7462 (1969).
3 G. CAUQUIS u. G. REVERDY, Tetrahedron Letters 1968, 1085.
   Vgl. a.: G. CAUQUIS u. G. REVERDY, Tetrahedron Letters 1971, 4289.
4 S. J. MURAHASHI, I. MORITANI u. M. NISHINO, Am. Soc. 89, 1257 (1967); vgl. a. Tetrahedron 27, 5131 (1971).
5 J. H. ATERTON u. R. FIELDS, Am. Soc. [C] 1967, 1450.
6 P. S. SKELL u. J. KLEBE, Am. Soc. 82, 247 (1960).
7 G. L. CLOSS u. R. A. MOSS, Am. Soc. 86, 4042 (1964).
   G. L. CLOSS u. L. E. CLOSS, Ang. Ch. 74, 431 (1962).
8 W. J. BARON, M. E. HENDRICK u. M. JONES, Jr., Am. Soc. 95, 6286 (1973).
9 M. REETZ, U. SCHÖLLKOPF u. B. BANHIDAI, A. 1973, 599.
10 U. SCHÖLLKOPF et al., A. 730, 1 (1969).
11 M. JONES, Jr., W. ANDO u. A. KULCZYCKI, Tetrahedron Letters 1967, 1391.
12 M. JONES, Jr., A. KULCZYCKI, Jr., u. K. F. HUMMEL, Tetrahedron Letters 1967, 183.
13 D. O. COWAN et al., J. Org. Chem. 29, 1922 (1964).
14 M. REGITZ, Ang. Ch. 87, 259 (1975).

Diazo-cyclopentadien[1,2], Tetrachlor-diazo-cyclopentadien[3], Tetrabrom-diazo-cyclopentadien[4], Diazo-fluoren[5], 2,7-Dibrom-9-diazo-fluoren[6], 6-Oxo-3-diazo-1,5-di-tert.-butyl-cyclohexadien-(1,4)[7], 10-Oxo-9-diazo-9,10-dihydro-anthracen[8-10], 6-Diazo-3,3-dimethyl-cyclohexadien-(1,4)[11], 5-Diazo-5H-⟨dibenzo-[a;d]-cycloheptatrien⟩[12] und Diazo-⟨tribenzo-[a;c;e]-cycloheptatrien⟩[12].

i₃) Dicarbene

In der letzten Zeit sind auch einige Dicarbene untersucht worden. So liefert 1,3-Bis-[diazo-methyl]-benzol bei der Belichtung in 1,1-Diphenyl-äthylen 87% *1,3-Bis-[2,2-di-phenyl-cyclopropyl]-benzol*[13]:

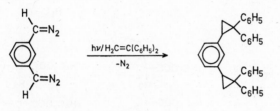

Die Photolyse in *cis*-Buten-(2) verläuft weitgehend stereospezifisch, d. h. es entstehen 98% der drei isomeren *cis*-Cyclopropane neben 2% *cis-trans*-Cyclopropanen. Verdünnung mit Cyclohexan führt außerdem zur Bildung von *trans-trans*-Cyclopropanen. Für diese nichtstereospezifische Addition wird der Quintett-Zustand verantwortlich gemacht[13].

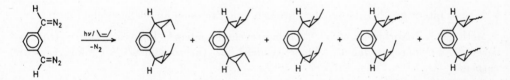

Die Photolyse von Bis-[diazo-äthoxycarbonyl-methyl]-quecksilber (I) ergibt mit UV-Licht der Wellenlänge $\lambda > 215$ nm (Vycor-Filter) das Carben II (S. 1238). Mit längerwelligem UV-Licht ($\lambda > 280$ nm; Pyrex-Filter) ist es möglich, Reaktionsprodukte, die auf ein intermediäres Quecksilber-dicarben zurückgehen, herzustellen. Die Belichtung in Cyclohexen mit einem Vycor-Filter ergibt *Cyclohexen-(2)-yl-essigsäure-äthylester, endo-* und *exo-7-Äthoxycarbonyl-bicyclo[4.1.0]heptan* im Verhältnis 11:73:16. Bei Bestrahlung von I

[1] R. A. Moss, J. Org. Chem. **31**, 3296 (1966).
[2] R. A. Moss u. J. R. Przybyla, J. Org. Chem. **33**, 3816 (1968).
[3] E. T. McBee, J. A. Bosoms u. C. J. Morton, J. Org. Chem. **31**, 768 (1966).
[4] E. T. McBee u. J. K. Sienkowski, J. Org. Chem. **38**, 1340 (1973).
[5] M. Jones,Jr. u. K. R. Rettig, Am. Soc. **87**, 4013 (1965).
[6] S. I. Murahashi, I. Moritani u. T. Nagai, Bl. chem. Soc. Japan **40**, 1655 (1967).
[7] G. F. Koser u. W. H. Pirkle, J. Org. Chem. **32**, 1992 (1967).
[8] G. Cauquis u. G. Reverdy, Tetrahedron Letters **1968**, 1085, 3771.
[9] G. Cauquis u. G. Reverdy, Tetrahedron Letters **1971**, 4289.
[10] G. Cauquis u. G. Reverdy, Tetrahedron Letters **1972**, 3491.
[11] M. Jones.Jr., A. M. Harrison u. K. R. Rettig, Am. Soc. **91**, 7462 (1969).
[12] S. I. Murahashi, I. Moritani u. M. Nishino, Am. Soc. **89**, 1257 (1967).
[13] S. I. Murahashi et al., Tetrahedron **28**, 1485 (1972).

in Cyclohexen in Gegenwart eines Pyrex-Filters entstehen formal über ein Dicarben auch Additions- und Insertionsprodukte[1]:

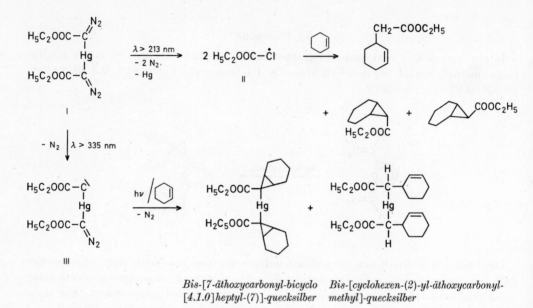

Bis-[7-äthoxycarbonyl-bicyclo [4.1.0]heptyl-(7)]-quecksilber   *Bis-[cyclohexen-(2)-yl-äthoxycarbonyl-methyl]-quecksilber*

Neuere Literatur über die Cycloadditionen von Carbenen an Olefine siehe für:

Methylen[2], 7-Norbornanyliden[3], Carbenacyclopentadien[4], Phenylcarben[5,6], Diphenylcarben[7], Cyclopropanyliden[8], Fluorenyliden[9,10], Anthronyliden[11,12], Alkoxycarbonyl-carbene[13-15].

[1] O. P. Strausz, T. DoMinh u. J. Font, Am. Soc. **90**, 1930 (1968).
T. DoMinh, H. E. Gunning u. O. P. Strausz, Am. Soc. **89**, 6785 (1967).
[2] G. W. Taylor u. J. W. Simons, Canad. J. Chem. **48**, 1016 (1970).
[3] P. B. Shevlin u. A. P. Wolf, Tetrahedron Letters **1970**, 3987.
[4] M. Jones, Jr., R. N. Hochmann u. J. D. Walton, Tetrahedron Letters **1970**, 2617.
H. E. Zimmerman et al., Am. Soc. **93**, 3662 (1971).
R. Gleiter et al., B. im Druck (1975).
[5] H. Dietrich et al., Am. Soc. **93**, 5172 (1971).
[6] G. L. Closs u. S. H. Goh, Soc. (Perkin I) **1972**, 2103.
S. Gog, Soc. [C] **1971**, 2275.
[7] M. Jones, Jr., W. J. Baron u. Y. H. Shen, Am. Soc. **92**, 4745 (1970).
[8] W. M. Jones u. J. M. Walbrick, J. Org. Chem. **34**, 2217 (1969).
[9] M. Jones, Jr., et al., Am. Soc. **94**, 7469 (1974).
[10] H. E. Zimmermann et al., Am. Soc. **91**, 434 (1969).
[11] G. Cauquis et al., Bl. **1971**, 3022.
[12] G. Cauquis u. G. Reverdy, Tetrahedron Letters **1971**, 3771; **1972**, 3491.
[13] M. I. Komendatov et al., Ž. Org. Chim. **1975**, 27; Cheminform. **1975**, 4 - 060.
[14] M. Schöllkopf u. P. Tonne, A. **753**, 135 (1971).
M. Schöllkopf u. P. Markusch, A. **753**, 143 (1971).
[15] J. E. Baldwin u. R. A. Smith, Am. Soc. **85**, 1886 (1967).

$\gamma\gamma_2$) mit Aromaten

i$_1$) offenkettige Carbene

Die Photolyse von Diazo-Verbindungen in Benzol kann sehr komplex verlaufen. Auch hier sind [1+2]-Cycloadditions- und Insertionsreaktionen der Carbene möglich. Durch Addition entstehen Norcaradiene, die sich durch disrotatorische elektrocyclische Reaktion in die Valenzisomeren, die Cycloheptatriene, umwandeln. Die Photolyse der Cyclohepta-triene kann dann in einer elektrocyclischen Reaktion zu Bicyclo[3.2.0]heptadienen führen.

Wird Diazomethan in Benzol belichtet so entstehen *Cycloheptatrien* (32% d.Th.) und *Toluol* (9% d.Th.)[1,2], mit Isopropylbenzol bilden sich *7-Isopropyl-cycloheptatrien* (16% d.Th.)[1]:

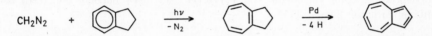

R = H ; CH(CH$_3$)$_2$

Wie Markierungsversuche beweisen, entsteht Toluol dabei durch direkte Insertion von Methylen in die CH-Bindung und nicht durch Isomerisierung eines heißen Cycloheptatriens[3]. Die Struktur der Cyclo-heptatriene wurde ursprünglich fälschlicherweise als Norcaradien formuliert (s. S. 1240).

Die Reaktion von Methylen mit Pyridin führt zu *2-Methyl-pyridin*[4]. Die Addition von Methylen an Indan ermöglicht die Synthese von *Azulen* in 7%iger Gesamtausbeute[5]:

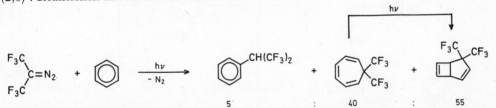

Höhere Diazo-alkane wie Hexafluor-2-diazo-propan ergeben bei der Belichtung in Benzol ebenfalls Additions- und Insertions-Produkte; *7,7-Bis-[trifluormethyl]-cyclohepta-trien* und *1,1,1,3,3,3-Hexafluor-2-phenyl-propan* entstehen dabei im Verhältnis 40:5. Als sekundäres Photolyseprodukt isoliert man *4,4-Bis-[trifluormethyl]-bicyclo[3.2.0]heptadien-(2,6)*[6]. Reaktionen mit Hexafluor-benzol finden sich unter Lit.[7].

$$5 \quad : \quad 40 \quad : \quad 55$$

Thermisch entstehen das Cycloheptatrien- und das Benzol-Derivat im Verhältnis 88:12, d.h. die Addition ist bei der Photoreaktion gegenüber der Insertion begünstigt. Der Bicyclus bildet sich durch photo-chemische elektrocyclische [1 π, 1 σ]-Isomerisierung aus den Cycloheptatrien.

Das Dicyan-norcaradien, dessen Struktur (u. a. auch durch Röntgen-Strukturanalyse[8]) gesichert ist, entsteht bei der Belichtung von Diazo-dicyan-methan in Benzol[9].

[1] W. v. E. DOERING, L. H. KNOX u. F. DETERT, Am. Soc. **75**, 297 (1953).

[2] H. MEERWEIN et al., A. **604**, 151 (1957).

[3] R. M. LEMMON u. W. R. STROHMEIER, Am. Soc. **81**, 106 (1959);
Vgl. a.: G. A. RUSSEL u. D. G. HENDRY, J. Org. Chem. **28**, 1933 (1963).

[4] R. DANIELS u. O. LEROY SALERNI, Proc. roy. Soc. **1960**, 286.

[5] W. v. E. DOERING, J. R. MAYER u. C. H. DEPUY, Am. Soc. **75**, 2386 (1953).

[6] D. M. GALE, W. J. MIDDLETON u. C. G. KRESPAN, Am. Soc. **87**, 657 (1965); vgl. a. Am. Soc. **88**, 3617 (1966).

[7] D. M. GALE, J. Org. Chem. **90**, 523 (1968).

[8] C. J. FRITCHIE, Acta cristallogr. **20**, 27 (1966).

[9] E. CIGANEK, Am. Soc. **89**, 1454 (1967).

Sowohl Photolyse als auch Thermolyse ergeben *7,7-Dicyan-bicyclo[4.1.0]heptadien-(2,4)* (82% d.Th.)[1]:

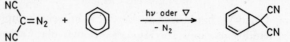

In allen anderen Fällen isomerisieren die primär entstehenden Norcaradiene direkt zu den entsprechenden Cycloheptatrienen.

7,7-Dicyan-bicyclo[4.1.0] heptadien-(2,4)[1]: Bei der Belichtung einer gekühlten Lösung von 154 mg Diazo-dicyan-methan in 10 *ml* Benzol in einem Pyrex-Gefäß mit einer G. E. AH 6 Quecksilber-Hochdruck-Lampe entwickeln sich innerhalb 3,5 Stdn. 0,86 Mol-Äquivalente Stickstoff. Dann wird mit Dichlormethan an Florisil chromatographiert; Ausbeute: 235 mg (82% d.Th.); F: 93–96°. Das IR-Spektrum beweist, daß das Produkt noch etwas mit unzersetztem Diazo-dicyan-methan verunreinigt ist.

Die Belichtung von Diazo-phenyl-methan in Benzol ergibt *7-Phenyl-cycloheptatrien*[2].

Die Umsetzung von Alkoxycarbonyl-carben mit Benzol ist eingehend untersucht worden. Die ursprünglich als Norcaradiene formulierten Additionsprodukte[3] liegen nach neueren Arbeiten ausschließlich als Cycloheptatriene[4] vor. Wird Diazo-essigsäureester in Benzol belichtet, so entstehen durch Addition *Cycloheptatrien-7-carbonsäure-äthylester* (35% d.Th.)[3]. Analoge Ausbeuten werden mit Toluol und p-Xylol erhalten[3]. Nach einer neueren Arbeit verläuft die Reaktion jedoch wesentlich komplexer. Aus dem primär entstehenden Cycloheptatrien-7-carbonsäure-äthylester (I) bilden sich durch Photoisomerisierung *1-* (II), *2-* (III) und *3-Äthoxycarbonyl-cycloheptatrien* (IV) neben *Phenylessigsäure-äthylester* (V), dem Insertionsprodukt. Das Verhältnis von I:III:(II + IV + V) beträgt 60:25:15 bei einer Gesamtausbeute von 39% d.Th.[5].

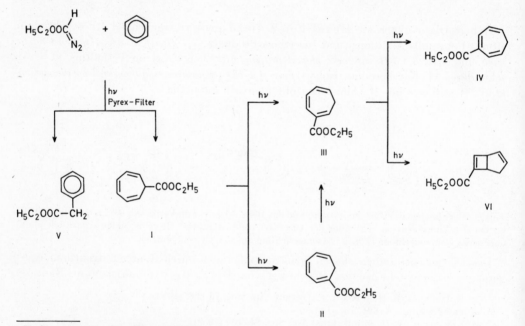

[1] E. Ciganek, Am. Soc. **89**, 1454 (1967).
[2] C. D. Gutsche, G. L. Bachmann u. R. S. Coffey, Tetrahedron **18**, 617 (1962).
  H. Nozaki, N. Noyori u. K. Sisido, Tetrahedron **20**, 1125 (1964).
[3] G. O. Schenck u. H. Ziegler, Naturwiss. **38**, 356 (1951); A. **554**, 221 (1953).
  F. L. Sixma u. E. Detilleux, R. **72**, 173 (1953).
  Vgl. a.: A. Ritter et al., A. **1974**, 835.
[4] W. v. E. Doering et al., Am. Soc. **78**, 5448 (1956).
[5] G. Linstrumelle, Tetrahedron Letters **1970**, 85.

An die [1+2]-Cycloaddition zu I schließen sich sigmatrope 1,7-H-Verschiebungen an, die wieder von elektrocyclischen Reaktionen vom Typ der 1 π, 1 σ-Cycloisomerisierung gefolgt sind. So entsteht Produkt VI. Wird die Photolyse des Diazoessigsäureesters in Benzol in Gegenwart eines Vycor-Filters ($\lambda > 220$ nm) durchgeführt, so erhält man über den Reaktionsweg I → III → VI → 2-*Alkoxycarbonyl-bicyclo[2.2.1]heptadien-(2,5)*, und daraus *1-Alkoxycarbonyl-tetracyclo[3.2.0.0²,⁷.0⁴,⁶]heptan* (45% d.Th.)[1].

Weitere Beispiele für Umsetzungen mit Diazo-essigsäureester[2]:

Diazo-essigsäure-methylester + Chlorbenzol   → *Chlor-7-methoxycarbonyl-cycloheptatrien*;
22% d.Th.

Diazo-essigsäure-äthylester   + 2,3-Dihydro-inden → *6-Äthoxycarbonyl-1,2,3,6-tetrahydro-azulen*;
35% d.Th.

+ Tetralin   → *7-Äthoxycarbonyl-1,2,3,4-tetrahydro-7H-⟨benzocycloheptatrien⟩*; 35% d.Th.

Mit Heteroaromaten wie Thiophen oder Furan entstehen in einer normalen Additionsreaktion Cyclopropan-Addukte. Wird **Diazoessigsäreester** in **Thiophen** belichtet, so kann man *2-Thia-bicyclo[3.1.0]hexen-(3)-6-carbonsäure-äthylester* (23% d.Th.) isolieren[3].

6-Äthoxycarbonyl-2-oxa-bicyclo[3.1.0] hexen-(3)[3]: Während einer 30stdg. Bestrahlung von 25 g Diazo-essigsäure-äthylester in 250 *ml* Furan mit einer Philips HPK 125 W Lampe (Lampen-Tauchschacht aus Solidex) entwickeln sich 4,73 *l* (93%) Stickstoff. Das nach Abziehen des überschüssigen Furans zurückbleibende orangegelbe Öl wird destilliert; Ausbeute: 11,2 g (33% d.Th.); $Kp_{0,1}$: 48–50°; n_D^{20}: 1,4688; $[\alpha]_4^{20}$: 1,1472.

Die Photolyse von Diazo-malonsäure-dimethylester in Benzol liefert ein Gemisch aus *7,7-Dimethoxycarbonyl-cycloheptatrien* und *Phenyl-malonsäure-dimethylester*, in dem ersteres dominiert. Bei Sensibilisierung wird mehr Malonsäure-dimethylester gebildet, was auf das intermediär zu postulierende Diradikal zurückzuführen ist[4].

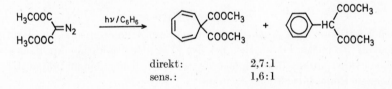

direkt: 2,7:1
sens.:   1,6:1

Durch Belichtung des Diazo-dimethoxyphosphono-phenyl-methans erhält man *7-Dimethoxyphosphono-7-phenyl-bicyclo[4.1.0]heptadien-(2,4)* neben dem 1:2-Addukt *5,8-Bis-[dimethoxyphosphono]-5,8-diphenyl-tricyclo[5.1.0.0⁴,⁶]octen-(2)*[5]. Dies ist ein weiterer Fall, bei dem ein Norcaradien-System entstehen soll.

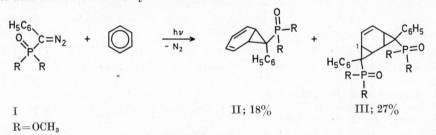

I   II; 18%   III; 27%

R=OCH₃

[1] G. LINSTRUMELLE, Tetrahedron Letters **1970**, 85.
[2] G. O. SCHENCK u. H. ZIEGLER, A. **584**, 221 (1953).
  K. ALDER et al., A. **627**, 59 (1959).
[3] G. O. SCHENCK u. R. STEINMETZ, A. **668**, 19 (1963).
[4] J. A. BERSON et al., J. Org. Chem. **33**, 1669 (1968).
  M. JONES, Jr., et al., Am. Soc. **94**, 7469 (1972).
[5] M. REGITZ, H. SCHERER u. W. ANSCHÜTZ, Tetrahedron Letters **1970**, 753.
  M. REGITZ et al., B. **105**, 3357 (1972).

Auch mit Naphthalin werden Cyclopropanierungsaddukte erhalten[1], z.B. *9-Dimethoxy-phosphono-9-phenyl-⟨2,3-benzo-bicyclo[4.1.0]heptadien-(2,4)⟩* (88% d.Th.), dessen räumliche Struktur durch Röntgenstrukturanalyse gesichert werden konnte[2].

Eine interessante Reaktion tritt bei der Photolyse von Diazo-methanphosphon-säure-dimethylester in 1,3-Bis-[trifluormethyl]-benzol ein, bei der vier Valenzisomere entstehen. Als Erklärung ist hier ein 1,5-sigmatroper shift anzunehmen[3]:

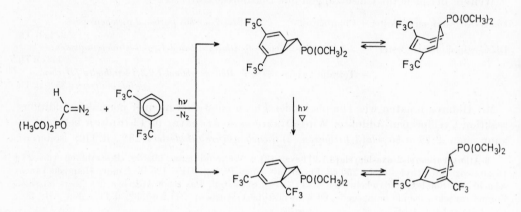

' Über Photoreaktionen von Sulfonyl-carbenen s. Lit.[4].

1,4-Bis-[diazo-methyl]-benzol liefert bei der Photolyse in Benzol das zweifache Insertionsprodukt *1,4-Bis-[cycloheptatrienyl-(7)]-benzol*[5].

i₂) cyclische Carbene

Die Cycloadditionen von Cycloalkenylidenen an Aromaten sind präparativ äußerst bedeutungsvoll. Zunächst bilden sich bei der [1+2]-Cycloaddition an Benzol die Spiro-norcaradiene. Ihre potentiellen Umlagerungen ermöglichen einen präparativ einfachen Zugang zu einer Reihe bicyclischer Systeme.

Die Photolyse von substituierten Diazo-cyclopentadienen in Benzol oder substituierten Benzol-Derivaten (GW_v-Filter) liefert in mittleren bis guten Ausbeuten die entsprechenden Spiro-norcaradiene. Allerdings muß hier in Gegenwart eines langwelligen Filters (s. oben) gearbeitet werden, um Photosekundärreaktionen der Spiro-norcaradiene zu verhindern[6−8]. Wie NMR-spektroskopische Studien zeigen, liegen die Cyclopentadien-⟨5-spiro-7⟩-bicyclo[4.1.0]heptene-(2,4) (I) in Lösung stets im Gleichgewicht mit ihren valenzisomeren Cyclopentadien-⟨5-spiro-7⟩-cycloheptatrienen (II) vor[9−12]. Das Isomeren-Gemisch läßt sich allerdings nur dann mit langwelligem UV-Licht herstellen, wenn 1- und 4-Stellung des Diazo-cyclopentadiens substituiert sind. Substituenten im

[1] M. Regitz et al., B. **105**, 3357 (1972).
[2] G. Maas, K. Fischer u. M. Regitz, Acta crystallog. **30**, 1140 (1974).
[3] M. Regitz, Ang. Ch. **87**, 259 (1975).
[4] R. A. Abramovitch u. J. Roy, Chem. Commun. **1965**, 542.
[5] R. W. Murray u. M. L. Kaplan, Am. Soc. **88**, 3527 (1966).
[6] H. Dürr u. H. Kober, Ang. Ch. **83**, 362 (1971).
[7] H. Dürr u. H. Kober, Tetrahedron Letters **1972**, 1259.
[8] H. Dürr et al., Chem. Commun. **1972**, 973.
[9] H. Dürr u. H. Kober, B. **106**, 1565 (1973).
[10] H. Dürr u. H. Kober, Tetrahedron Letters **1975**, 1941.
[11] H. Dürr, H. Kober u. M. Kausch, Tetrahedron Letters **1975**, 1945.
[12] D. Schönleber, B. **102**, 1789 (1969).

Benzol, wie die Trifluormethyl-Gruppe erhöhen dabei die Ausbeute an den Valenzisomeren, außerdem stabilisieren sie die Norcaradien-Form[1]:

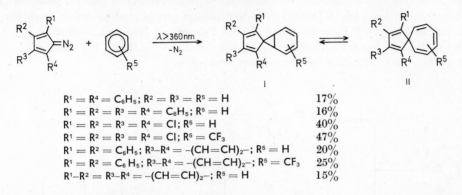

$$R^1 = R^4 = C_6H_5; R^2 = R^3 = R^5 = H \qquad 17\%$$
$$R^1 = R^2 = R^3 = R^4 = C_6H_5; R^5 = H \qquad 16\%$$
$$R^1 = R^2 = R^3 = R^4 = Cl; R^5 = H \qquad 40\%$$
$$R^1 = R^2 = R^3 = R^4 = Cl; R^5 = CF_3 \qquad 47\%$$
$$R^1 = R^2 = C_6H_5; R^3\text{–}R^4 = \text{–}(CH=CH)_2\text{–}; R^5 = H \qquad 20\%$$
$$R^1 = R^2 = C_6H_5; R^3\text{–}R^4 = \text{–}(CH=CH)_2\text{–}; R^5 = CF_3 \qquad 25\%$$
$$R^1\text{–}R^2 = R^3\text{–}R^4 = \text{–}(CH=CH)_2\text{–}; R^5 = H \qquad 15\%$$

Tetrachlor-cyclopentadien-⟨5-spiro-7⟩-bicyclo[4.1.0]heptadien-(2,4) und **Tetrachlor-cyclopentadien-⟨5-spiro-7⟩-cycloheptatrien**[1]: 10,0 g (43,5 mMol) Tetrachlor-diazo-cyclopentadien werden in abs. Benzol 1,5 Stdn. (90% Umsatz) photolysiert (Philips HPK 125; GW$_v$-Filter: $\lambda > 360$ nm). Das überschüssige Benzol wird anschließend i. Vak. $<30°$ abdestilliert und der Rückstand mehrmals aus Pentan bei $-78°$ umkristallisiert. Ausbeute des Isomeren-Gemischs: 4,50 g (40% d.Th.); F: 72–73°.

Tetrachlor-cyclopentadien-⟨5-spiro-7⟩-1,3-bis-[trifluormethyl]-bicyclo[4.1.0]heptadien-(2,4) und **Tetrachlor-cyclopentadien-⟨5-spiro-7⟩-1,3-bis-[trifluormethyl]-cycloheptatrien**[1]: 4,50 g (19,5 mMol) Tetrachlor-diazo-cyclopentadien werden in 300 ml 1,3-Bis-[trifluormethyl]-benzol 2,5 Stdn. (100%iger Umsatz) belichtet (Philips HPK 125; GW$_v$-Filter, $\lambda > 360$ nm). Nach Abdestillieren i. Vak. $<30°$ wird der Rückstand mit Benzin/Benzol an Kieselgel chromatographiert und der Elutionsrückstand aus Pentan umkristallisiert. Ausbeute des Isomeren-Gemisches: 3,70 g (47% d.Th.); F: 68,5–69,5°.

In einigen speziellen Fällen absorbieren die beiden valenzisomeren Spiro-Verbindungen so kurzwellig, daß auch die Photolyse z. B. bei unsubstituierten Diazo-cyclopentadien und -inden mit Pyrex-gefiltertem Licht die Valenzisomere I und II ergibt[2–5]. Die Ausbeute an *Cyclopentadien-⟨5-spiro-7⟩-bicyclo[4.1.0]heptadien-(2,4)*[2] beträgt dabei 30–40%. Die Addition an Hexafluor-benzol ergibt dagegen durch Valenzisomerisierung sofort das *Cyclopentadien-⟨5-spiro-7⟩-hexafluor-cycloheptatrien* (30% d.Th.) welches analoge Umlagerungen eingehen kann.

Wie neuere CMR-Arbeiten zeigen[6, 7], erhält man nicht wie ursprünglich angenommen Spiro-norcaradien oder Hexafluor-spiro-tropyliden, sondern es handelt sich auch hier um Gleichgewichte beider Valenzisomere, in denen jedoch die eine oder die andere Form dominiert.

Wird die Photolyse von 1,4-disubstituierten Diazo-cyclopentadienen in Benzol in Gegenwart eines Pyrex-Filters durchgeführt ($\lambda > 290$ nm), dann gehen die primär entstehenden Spiro-norcaradiene $\rightleftarrows$ Spiro-tropylidene (I $\rightleftarrows$ II) in situ eine Photoumlagerung zu Benzo-cycloheptenen ein[8,9]. Die Substituenten können dabei sowohl im Benzol- als auch im Cycloheptatrien-Ring stehen; durch verschiedene Temperatur während der Photolyse kann das Isomeren-Verhältnis von III zu IV gezielt beeinflußt werden[10]. Man hat mit dieser

[1] H. Dürr u. H. Kober, B. **106**, 1565 (1973).
[2] D. Schönleber, B. **102**, 1789 (1969)
[3] M. Jones, Jr., J. Org. Chem. **33**, 2538 (1968).
[4] H. Dürr u. I. Halberstadt, unveröffentlichte Ergebnisse.
Vgl. a.: R. Moriarty et al., Am. Soc. **96**, 3661 (1974).
[5] D. Rewicki u. C. Tuchscherer, Ang. Ch. **84**, 31 (1972).
[6] H. Dürr u. H. Kober, Tetrahedron Letters **1975**, 1941.
[7] H. Dürr, H. Kober u. M. Kausch, Tetrahedron Letters **1975**, 1945.
[8] H. Dürr u. G. Scheppers, Ang. Ch. **80**, 359 (1968); A. **734**, 141 (1970).
[9] H. Dürr u. G. Scheppers, Tetrahedron Letters **1968**, 6059; B. **103**, 380 (1970).
[10] H. Dürr et al., Am. Soc. **95**, 3818 (1973).

Reaktion damit einen einfachen präparativen Zugang zu substituierten Benzocycloheptenen.

Die Photolyse von 5-Diazo-cyclopentadienen in Benzol liefert in glatter Reaktion *7H-Benzocycloheptatrien*. Aus 5-Diazo-1,2,3,4-tetraphenyl-cyclopentadien erhält man durch Addition an eine C=C-Doppelbindung *1,2,3,4-Tetraphenyl-7H-benzocycloheptatrien* (52% d.Th.) und durch Insertion *Pentaphenyl-cyclopentadien* (5% d.Th.)[1]. Die Thermolyse der Diazocyclopentadiene liefert nur Insertionsprodukte[1-3].

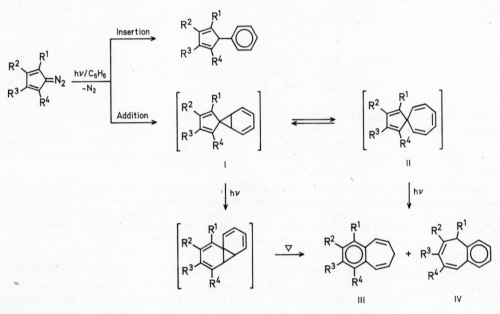

R[1] = R[4] = C_6H_5; R[2] = R[3] = H　　*1,4-Diphenyl-7H-benzocycloheptatrien*; 21% d.Th.
R[1] = R[2] = R[3] = R[4] = Cl　　*1,2,3,4-Tetrachlor-5H-benzocycloheptatrien*; 17% d.Th.
　　　　　　　　　　　　　　　+ *1,2,3,4-Tetrachlor-7H-benzocycloheptatrien*; 17% d.Th.

Es konnte gezeigt werden[4,5], daß bei der Photolyse von I ⇄ II ein Bisnorcaradien als Zwischenstufe auftritt.

1,2,3,4-Tetraphenyl-7H-benzocycloheptatrien[2]: Eine Lösung von 1,00 g (2,53 mMol) 5-Diazo-1,2,3,4-tetraphenyl-cyclopentadien in 250 *ml* (2,75 Mol) absol. Benzol wird 5 Min. mit Stickstoff gespült und anschließend 45 Min. unter Stickstoff bei 15–20° mit einer Philips HPK 125 W Lampe (Pyrex-Filter) bestrahlt. Das Benzol wird i. Vak. abgezogen und der rotbraune Rückstand an 100 g Kieselgel chromatographiert. Zunächst werden mit Benzol/Petroläther (Kp: 60–90°) (10:90) 600 mg (52% d.Th.) 1,2,3,4-Tetraphenyl-7H-benzocycloheptatrien erhalten, F: 234° (aus Benzol/Methanol).

Als zweite Komponente werden 60 mg (5% d.Th.) *1,2,3,4,5-Pentaphenyl-cyclopentadien* isoliert, F: 254°.

Diese Reaktionen finden aber nur statt, wenn 1- und 4-Stellung des Diazo-cyclopentadiens substituiert sind. Völlig anders verläuft die Photolyse von Diazo-cyclopentadienen mit freier 4-Stellung. Belichtet man 5-Diazo-1,2,3-triphenyl-cyclopentadien in

[1] H. Dürr u. G. Scheppers, Ang. Ch. **80**, 359 (1968); A. **734**, 141 (1970).
[2] H. Dürr u. G. Scheppers, Tetrahedron Letters **1968**, 6059; B. **103**, 380 (1970).
[3] Privatmitteilung D. Lloyd, 1970.
[4] H. Dürr et al., Am. Soc. **95**, 3818 (1973).
[5] H. Dürr, M. Kausch u. H. Kober, Ang. Ch. **86**, 739 (1974).
　　K. H. Pauly, unveröffentlichte Ergebnisse.

Benzol, dann isoliert man *1,2,3-Triphenyl-3aH-⟨cyclopenta-cyclooctatetraen⟩* (62–73%
d. Th.)[1]. Analog verläuft auch die Thermolyse[2].

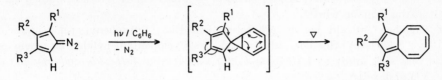

Analog lassen sich herstellen:

5-Diazo-1,3-diphenyl-   + Benzol   → *1,3-Diphenyl-3aH-⟨cyclopenta-cyclooctatetraen⟩*;
cyclopentadien   58% d. Th.[1]

                         + 1,3,5-Trimethyl-benzol → *4,6,8-Trimethyl-1,3-diphenyl-3aH-⟨cyclopenta-*
                                                    cylooctatetraen⟩; 70% d. Th.[1]

Mit dieser Reaktion hat man eine einfache Synthese für bicyclische Polyene in der Hand.
In beiden Reaktionen sind die Spiro-norcaradiene als Zwischenprodukte bei der Photolyse
postuliert worden.

1,2,3-Triphenyl-3aH-⟨cyclopentacyclooctatetraen⟩[1]: Die Lösung von 1,00 g (3,10 mMol) 5-Diazo-1,
2,3-triphenyl-cyclopentadien in Benzol wird mit Stickstoff gespült und 30 Min. mit einer Philips HPK
125 W Lampe (Pyrex-Filter) bestrahlt. Nach Abdestillieren des Benzols wird der Rückstand in wenig
Benzol aufgenommen und mit dem 3–4fachen Volumen Methanol versetzt. Nach einiger Zeit scheiden
sich bräunliche Kristalle ab; Ausbeute: 0,73–0,83 g (63–72% d. Th.); F: 135–160° (Zers.).

Aus der Mutterlauge lassen sich durch Chromatographie an Kieselgel mit Benzol/Petroläther (15:85)
als Elutionsmittel und anschließende Kristallisation aus Benzol/Methanol noch 35 mg (3% d. Th.) *1,2,3,4-*
Tetraphenyl-cyclopentadien abtrennen.

Heterocyclen addieren Cyclopentadienylidene bevorzugt am nucleophilen Heteroatom. Dabei entstehen mesomeriestabilisierte Ylide. Belichtet man z. B. 5-Diazo-1,2,3,4-
tetraphenyl-cyclopentadien in Pyridin, dann bildet sich *Pyridinium-2,3,4,5-tetra-*
phenyl-cyclopentadien-ylid (80% d. Th.)[3]. Diese Verbindung erhält man auch bei der
Thermolyse[4]:

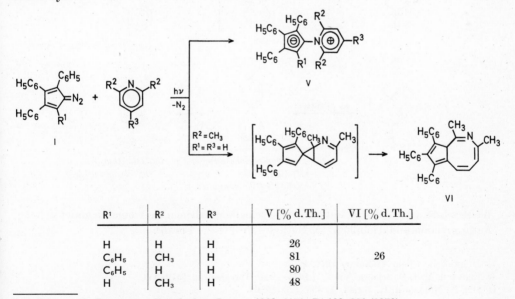

R¹	R²	R³	V [% d. Th.]	VI [% d. Th.]
H	H	H	26	
C₆H₅	CH₃	H	81	26
C₆H₅	H	H	80	
H	CH₃	H	48	

[1] H. Dürr u. G. Scheppers, Tetrahedron Letters **1968**, 6059; B. **103**, 380 (1970).
[2] Privatmitteilung D. Lloyd, 1970.
[3] H. Dürr et al., Chem. Commun. **1972**, 1257.
[4] D. Lloyd u. M. I. C. Singer, Soc. [C] **1971**, 2941; Tetrahedron **1972**, 353.

Im Falle der methylierten Pyridine wird jedoch diese Reaktion etwas zurückgedrängt und man isoliert neben den Yliden V außerdem das interessante Azapentaen VI (*1,3-Dimethyl-7,8,9-triphenyl-9aH-⟨2-cyclopentazocin⟩*), wobei ein Hetero-norcaradien als Zwischenstufe durchlaufen wird[1].

Mit Thiophen entsteht bei der Photolyse von Diazo-tetraphenyl-cyclopentadien das Ylid. An 2,5-Dimethyl-thiophen addiert sich das Cyclopentadienyliden zu einem Spiro-Derivat, das sich sofort in *1,3-Dimethyl-5,6,7,8-tetraphenyl-4aH-⟨2-benzothiopyran⟩* (30% d. Th.; VI) umlagert[2]:

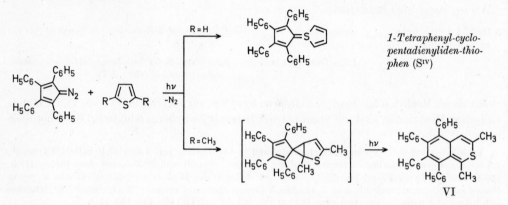

1-Tetraphenyl-cyclo-pentadienyliden-thio-phen (S^IV)

Die Photolyse von p-Chinon-diaziden in Benzol führt zu *p-Aryl-phenolen*[3]. Dabei findet aber bei der Aufarbeitung eine Isomerisierung der Spiro-cyclohexadienone, die nach neuen Arbeiten[4] bei diesen Systemen sehr leicht eintritt, zu den p-Aryl-phenolen statt.

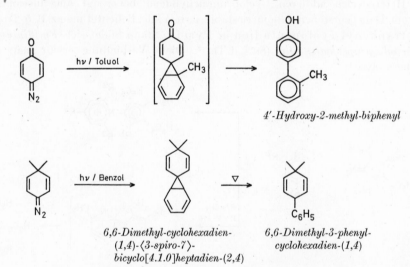

4′-Hydroxy-2-methyl-biphenyl

6,6-Dimethyl-cyclohexadien-(1,4)-⟨3-spiro-7⟩-bicyclo[4.1.0]heptadien-(2,4)

6,6-Dimethyl-3-phenyl-cyclohexadien-(1,4)

Weitere Literatur über die Addition von Cycloalkencarbenen an Aromaten findet sich für: Anthronyliden und Thiophen[5], N-Methyl-pyrrol[6] bzw. Furan[6].

[1] H. Dürr et al., Chem. Commun. **1972**, 1257.
[2] D. Lloyd u. M. I. C. Singer, Soc. [C] **1971**, 2941; Tetrahedron **1972**, 353.
[3] O. Süs, K. Möller u. H. Heiss, A. **598**, 123 (1956).
   H. D. Hartzler, Am. Soc. **86**, 2174 (1964).
[4] M. Jones, Jr., A. M. Harrison u. K. R. Rettig, Am. Soc. **91**, 7462 (1969).
[5] G. Cauquis, B. Divisia u. G. Reverdy, Bl. **1971**, 3027.
[6] G. Cauquis et al., Bl. **1971**, 3022.

$\gamma\gamma_3$) mit Acetylenen

Die Photolyse von Diazomethan und Acetylen in der Gasphase liefert *Allen* und *Methyl-acetylen*[1]. Auch bei Belichtung einer Matrix von Acetylen und Diazomethan bei 4° K konnte nur Allen nachgewiesen werden[2]. In kondensierter Phase entstehen jedoch durch Addition von Carbenen an Alkine Cyclopropene. Photolyse von Diazomethan in Butin-(2) ergibt *1,2-Dimethyl-cyclopropen* (17% d.Th.)[3]:

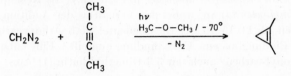

Bei der Belichtung von Diazomethan in Octin-(4) entsteht *1,2-Dipropyl-cyclopropen* (25% d.Th.). Als Nebenprodukte treten dabei die Insertionsprodukte *3-Methyl-* und *2-Methyl-octen-(4)* sowie *Nonin-(4)* auf[4]:

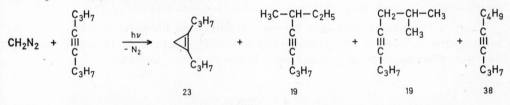

| 23 | 19 | 19 | 38 |

Die Acetylen-Bindung des Octins-(4) ist gegen Methylen 8mal reaktiver als die C–H-Bindung.

Die Photolyse von Diazomethan in Stearolsäure-methylester wurde zur Synthese von *Sterculinsäure-methylester* (9,5% Ausbeute) verwandt[5]. Glatt vollzieht sich auch die Photolyse von 2,2,2-Trifluor-1-diazo-äthan in Butin-(2), bei der *1,2-Dimethyl-3-trifluormethyl-cyclopropen* (49% d.Th.) anfällt[6].

Die Belichtung von Diazo-diphenyl-methan in monosubstituierten Alkinen nimmt jedoch einen anderen Verlauf. Hierbei wird ein Benzolring des intermediär auftretenden Diphenyl-carbens angegriffen und man isoliert z. B. *1-Methyl-3-phenyl-inden*[6]. Mit disubstituierten Acetylenen, wie z. B. Butin-(2), werden vorwiegend *1,2-Dimethyl-3,3-diphenyl-cyclopropen* und *3-Methyl-4,4-diphenyl-butadien-(1,2)* neben Spuren von *1,2-Dimethyl-3-phenyl-inden* erhalten[6]:

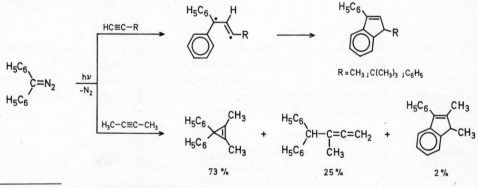

| 73 % | 25 % | 2 % |

[1] H. M. FREY, Chem. & Ind. **1960**, 1266.

[2] M. E. JACOX u. D. E. MILLIGAN, Am. Soc. **85**, 278 (1963).

[3] W. v. E. DOERING u. T. MOLE, Tetrahedron **10**, 65 (1960).

[4] H. LIND u. A. J. DEUTSCHMANN, J. Org. Chem. **32**, 326 (1967).
J. H. ASHERTON u. R. FIELDS, Soc. [C] **1967**, 1450.

[5] A. J. DEUTSCHMAN et al., J. Amer. Oil. Chemists Soc. **46**, 171 (1969); **47**, 77 (1970).

[6] W. J. BARON, M. E. HENDRICK u. M. JONES, Jr., Am. Soc. **95**, 6286 (1973).
M. E. HENDRICK, B. WILLIAM u. M. JONES, Jr., Am. Soc. **93**, 1554 (1971).

Die beinahe klassische Reaktion dieses Typs mit Diazo-phenyl-acetonitril und Tolan wurde bereits 1958 ausgeführt[1]. Diese Umsetzung wurde zur Synthese der Cyclopropenyli-um-Ionen herangezogen.

Bestrahlt man Diazo-essigsäure-methylester in Butin-(2), so isoliert man *1,2-Dimethyl-cyclopropen-3-carbonsäure-methylester* (32% d.Th.)[2]. In entsprechender Weise erhält man durch Photolyse von Diazo-essigsäure-äthylester in Octin-(4) *1,2-Dipropyl-cyclopropen-3-carbonsäure-äthylester* (58% d.Th.). Als Nebenprodukt fallen *3-, 2-* und *1-Äthoxycarbonyl-octen-(4)* an, wobei das Verhältnis der Additionsverbindung zu den Insertionsprodukten 61:14:15:10 ist. Dies bedeutet, daß Äthoxycarbonyl-carben 21 mal rascher eine C≡C-Bindung als eine C–H-Bindung angreift[3]. Eine entsprechende Reaktion gehen Alkoxycarbonyl-carbene auch mit 3,3-Dimethyl-butin-(1)[4] ein.

1,2-Dipropyl-cyclopropen-3-carbonsäure-äthylester[3]: 10 g (0,087 Mol) Diazo-essigsäure-äthylester in 90 *ml* entgastem Octin-(4) werden mit einer wassergekühlten Quecksilber-Hochdruck-Lampe unter Stickstoff bestrahlt, bis die Diazo-Bande im IR nicht mehr nachgewiesen werden kann. Nach Abdestillieren des Octin-Überschusses i.Vak. wird der Rückstand der Gaschromatographie (15% TCEP mit Nitrobenzol als innerer Standard, 120°) unterworfen; Ausbeute: 9,8 g (58% d.Th.).

Während Diazo-malonsäure-ester bei der sensibilisierten Photolyse in Alkinen nur ein substituiertes 5-Alkoxy-4-alkoxycarbonyl-furan liefert[5], reagieren die Diazosulfonyl-[6] und die Diazo-phosphoryl-alkane[7] normal unter Bildung von Cyclopropenen:

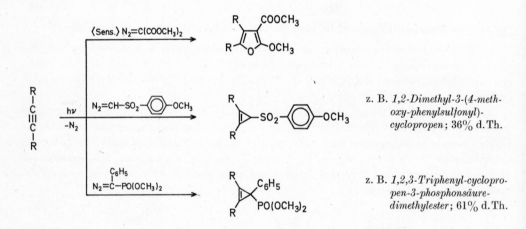

z. B. *1,2-Dimethyl-3-(4-meth-oxy-phenylsulfonyl)-cyclopropen*; 36% d.Th.

z. B. *1,2,3-Triphenyl-cyclopro-pen-3-phosphonsäure-dimethylester*; 61% d.Th.

Die Photolyse von Diazo-cyclopentadienen in Alkinen liefert nur in speziellen Fällen Cyclopropen-Derivate durch Addition. Eine Belichtung von 5-Diazo-1,2,3,4-tetra-phenyl-cyclopentadien in Acetylen-dicarbonsäure-dimethylester (Pyrex-Filter) ergibt *1,2-Dimethoxycarbonyl-cyclopropen-⟨3-spiro-5⟩-1,2,3,4-tetraphenyl-cyclopenta-dien* (31% d.Th.). Analog reagiert 9-Diazo-fluoren[8]:

[1] R. Breslow u. C. Yuan, Am. Soc. **80**, 5991 (1958).
   Vgl. a.: J. C. Sheehan u. I. Lengyel, J. Org. Chem. **28**, 3252 (1963).
[2] W. v. E. Doering u. T. Mole, Tetrahedron **10**, 65 (1960).
[3] H. Lind u. A. J. Deutschmann, J. Org. Chem. **32**, 326 (1967).
[4] M. Vidal, F. Massot u. P. Arnaud, C. r. **268**, 423 (1969).
   Vgl. a. U. Vidal, M. Vicens u. P. Arnaud, B. **1972**, 657.
[5] M. E. Hendrick, Am. Soc. **93**, 6337 (1971).
[6] S. A. M. v. Leusen u. J. Strating, Quart. Rep. Sulfur Chem. **5**, 67 (1970).
[7] M. Regitz, Ang. Ch. **87**, 259 (1975).
[8] H. Dürr, L. Schrader u. H. Seidl, B. **104**, 391 (1971).
   H. Dürr u. L. Schrader, Ang. Ch. **81**, 426 (1969).

1,2-Dimethoxycarbonyl-cyclopropen-⟨3-spiro-9⟩-fluoren[1,2]: 2,00 g (10,9 mMol) 9-Diazo-fluoren werden 1,5 Stdn. in Acetylen-dicarbonsäure-dimethylester mit einer Philips HPK 125 W Quecksilber-Hochdruck-Lampe (Pyrex-Filter) bestrahlt. Nach Abdestillieren des Esters bleiben gelbe Kristalle zurück, die aus Äthanol/Petroläther (Kp: 60–90°) umkristallisiert werden; Ausbeute: 2,10 g (66% d. Th.); F: 147°.

Wird jedoch in Gegenwart eines GW_v-Filters, d. h. mit $\lambda > 360$ nm (Quecksilber-Hochdruck-Lampe) gearbeitet, so werden photochemische Sekundärreaktionen vermieden. Mit dieser Methode läßt sich eine Vielzahl substituierter Spiro-heptatriene herstellen; d. h. diese Reaktion stellt die allgemeine Synthese für diese Verbindungen dar. Es können sowohl elektronenreiche als auch elektronenarme Alkine verwandt werden und die Ausbeuten an Spiro-heptatrienen liegen zwischen 6–64%[2–4].

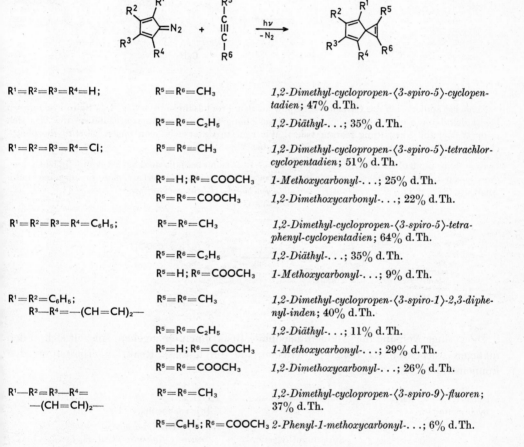

$R^1=R^2=R^3=R^4=H$; $R^5=R^6=CH_3$ *1,2-Dimethyl-cyclopropen-⟨3-spiro-5⟩-cyclopentadien*; 47% d. Th.

$R^5=R^6=C_2H_5$ *1,2-Diäthyl-. . .*; 35% d. Th.

$R^1=R^2=R^3=R^4=Cl$; $R^5=R^6=CH_3$ *1,2-Dimethyl-cyclopropen-⟨3-spiro-5⟩-tetrachlorcyclopentadien*; 51% d. Th.

$R^5=H$; $R^6=COOCH_3$ *1-Methoxycarbonyl-. . .*; 25% d. Th.

$R^5=R^6=COOCH_3$ *1,2-Dimethoxycarbonyl-. . .*; 22% d. Th.

$R^1=R^2=R^3=R^4=C_6H_5$; $R^5=R^6=CH_3$ *1,2-Dimethyl-cyclopropen-⟨3-spiro-5⟩-tetraphenyl-cyclopentadien*; 64% d. Th.

$R^5=R^6=C_2H_5$ *1,2-Diäthyl-. . .*; 35% d. Th.

$R^5=H$; $R^6=COOCH_3$ *1-Methoxycarbonyl-. . .*; 9% d. Th.

$R^1=R^2=C_6H_5$; $R^5=R^6=CH_3$ *1,2-Dimethyl-cyclopropen-⟨3-spiro-1⟩-2,3-diphe-
R^3—R^4=—(CH=CH)₂—   nyl-inden*; 40% d. Th.

$R^5=R^6=C_2H_5$ *1,2-Diäthyl-. . .*; 11% d. Th.

$R^5=H$; $R^6=COOCH_3$ *1-Methoxycarbonyl-. . .*; 29% d. Th.

$R^5=R^6=COOCH_3$ *1,2-Dimethoxycarbonyl-. . .*; 26% d. Th.

R^1—$R^2=R^3$—$R^4=$ $R^5=R^6=CH_3$ *1,2-Dimethyl-cyclopropen-⟨3-spiro-9⟩-fluoren*;
—(CH=CH)₂—   37% d. Th.

$R^5=C_6H_5$; $R^6=COOCH_3$ *2-Phenyl-1-methoxycarbonyl-. . .*; 6% d. Th.

Die Photolyse Phenyl-substituierter Diazo-cyclopentadiene kann unter Einbeziehung des Substituenten direkt weiter zu 1H-Benzo-[e]- bzw. [g]-indenen führen. Photochemisch

---

[1] H. Dürr, L. Schrader u. H. Seidl, B. **104**, 391 (1971).

[2] H. Dürr u. B. Ruge, Ang. Ch. **84**, 215 (1972).

[3] H. Dürr, B. Ruge u. H. Schmitz, Ang. Ch. **85**, 616 (1973).

[4] H. Dürr, B. Ruge u. B. Weiss, A. **1974**, 1150.

erzeugtes 1,4-Diphenyl-cyclopentadienyliden reagiert mit **Propiolsäure-äthylester** zu *3-Phenyl-5-äthoxycarbonyl-1H-⟨benzo-[e]-inden⟩* (47% d.Th.)[1]:

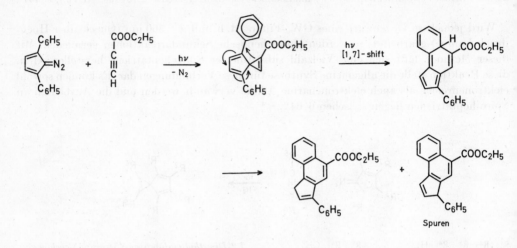

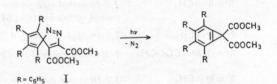

Spuren

Zunächst addiert sich das Carben elektrophil an den Propiolsäure-äthylester. Das Spiro-cyclopropen lagert sich dann in einer [1,7]-sigmatropen Verschiebung in das 5aH-⟨Benzo-[e]-inden⟩ um, das sich unter Wasserstoff-Abspaltung rearomatisiert. Wie neueste Untersuchungen zeigen, verläuft die photochemische Ringöffnung der Spiro-cyclopropene über Vinyl-Carbene[2].

Eine Spiro-pyrazol-Zwischenstufe, die bei dieser Reaktion ebenfalls denkbar ist, kann eindeutig ausgeschlossen werden. Belichtet man nämlich das **Spiro-pyrazol I**, erhält man in ausgezeichneter Ausbeute (85% d.Th.) *Tetraphenyl-1,1-dimethoxycarbonyl-1H-benzocyclopropen*[3]:

Die geringe Neigung der Alkine nucleophile Reaktionen einzugehen, spiegelt sich in den mäßigen Ausbeuten an Benzo-[e]-indenen, die durch diese Reaktion erhalten werden können wider[1,4]:

5-Diazo-1,2,3-triphenyl-cyclopentadien   + Propiolsäure-äthylester → *1,2-Diphenyl-5-äthoxycarbonyl-1H-⟨benzo-[e]-inden⟩*; 9% d.Th.[4]

     + Acetylen-dicarbon-säure-dimethylester → *1,2-Diphenyl-4,5-dimethoxycarbonyl-1H-⟨benzo-[e]-inden⟩*; 5% d.Th.[4]

1-Diazo-2,3-diphenyl-inden   + Propiolsäure-äthylester → *11-Phenyl-5-äthoxycarbonyl-11H-⟨benzo-[a]-fluoren⟩*; 24% d.Th.[4]

[1] H. Dürr, L. Schrader u. H. Seidl, B. **104**, 391 (1971).
     H. Dürr u. B. Ruge, Ang. Ch. **84**, 215 (1972).
[2] H. Dürr u. V. Fuchs, unveröffentlichtes Material.
[3] H. Dürr u. L. Schrader, B. **103**, 1334 (1970).
     Vgl. a. H. Dürr u. B. Ruge, Curr. Chem. Top. im Druck (1975).
[4] H. Dürr u. L. Schrader, Ang. Ch. **81**, 426 (1969).

6-Diazo-3,3-dimethyl-cyclohexadien-(1,4) ergibt bei der Photolyse in Butin-(2) *1,2-Dimethyl-cyclopropen-⟨3-spiro-3⟩-6,6-dimethyl-cyclohexadien-(1,4)* (36% d.Th.)[1]. Dieses Produkt ist allerdings sehr instabil und zersetzt sich nach wenigen Stunden.

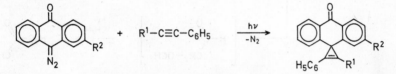

Die Photolyse von p-Chinon-diaziden führt zu Cyclohexadienylidenen, die sich an Alkine unter [1+2]-Cycloaddition addieren können. 2,6-Di-tert.-butyl-p-chinon-diazid liefert mit Butin-(2) *1,2-Dimethyl-cyclopropen-⟨3-spiro-3⟩-6-oxo-1,5-di-tert.-butyl-cyclohexadien-(1,4)* (61% d.Th.)[2]. Mit Acetylen-dicarbonsäure ist eine entsprechende Spiro-Verbindung zwar nachweisbar, zersetzt sich aber bei der Aufarbeitung[3]. 10-Oxo-9-diazo-9,10-dihydroanthracene ergeben bei der Belichtung in mittleren Ausbeuten (10–32%) die entsprechenden [1+2]-Cycloaddukt[4].

R[1] = **COOCH₃**; R² = **H**   *2-Phenyl-1-methoxycarbonyl-cyclopropen-⟨3-spiro-9⟩-10-oxo-9,10-dihydro-anthracen*; 32% d.Th.

; R² = **Br**   *...-2-brom-10-oxo-9,10-dihydro-anthracen*; 25% d.Th.

R[1] = **COOC₂H₅**; R² = **Br**   *2-Phenyl-1-äthoxycarbonyl-cyclopropen-...*; 10% d.Th.

γγ₄) ungesättigten Sauerstoff- und Stickstoff-Verbindungen

In Gegenwart von Ketonen sind Diazoalkane stabil. Erst die Belichtung führt zu den Carbenen, die sich an die Ketone unter Bildung von Zwitterionen (Yliden) anlagern. Diese gehen dann Umlagerungen zu stabilen Produkten ein. Wird Diazomethan in Aceton dem Sonnenlicht ausgesetzt, so erhält man *2,2-Dimethyl-oxiran* (8% d.Th.) und *Butanon* (23% d.Th.)[5]. Eine genauere Nacharbeitung dieser Ergebnisse zeigte, daß bei Bestrahlung mit UV-Licht der Wellenlänge λ > 320 nm vorwiegend das Diazomethan angeregt wird und als Singulett-Carben mit Aceton reagiert. Hierbei werden zusätzlich noch *2-Methoxy-propen* und *2,2,4,4-Tetramethyl-1,3-dioxolan* gebildet. Bei kurzwelligem UV-Licht (λ < 320 nm) wird vorwiegend Aceton angeregt und das entstehende Methylen reagiert als Triplett und ergibt das Keton und das Oxiran[6].

[1] M. JONES, Jr., et al., Am. Soc. **91**, 7462 (1969).
[2] W. H. PIRKLE, D. CHAMONT u. W. A. DAY, J. Org. Chem. **33**, 2152 (1968).
[3] B. RUGE, Diplomarbeit, Universität Saarbrücken 1972.
[4] H. WEISGERBER, Staatsexamensarbeit, Universität Saarbrücken, 1973.
[5] H. MEERWEIN et al., A. **604**, 151 (1957).
[6] J. N. BRADLEY u. A. LEDWITH, Soc. **1963**, 3480.
  J. N. BRADLEY, G. W. COWELL u. A. LEDWITH, Soc. **1964**, 353.

Mit Carbonsäureestern findet eine analoge Reaktion statt. Die Photolyse von Diazomethan in Ameisensäure-methylester ergibt über eine zwitterionische Zwischenstufe *2-Methoxy-oxiran, Ameisensäure-äthylester, Methoxy-aceton* und *2,5-Dimethoxy-1,4-dioxan*[1]:

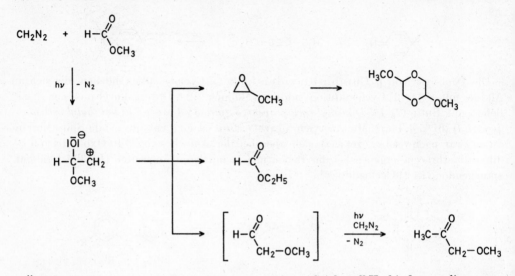

Über Umsetzungen von Carbenen mit ungesättigten Stickstoff-Verbindungen liegen nur wenige Studien vor. So sind Isonitrile gegen Diazo-Verbindungen inert. Selbst bei Kochen unter Rückfluß ergibt **Diphenyl-diazo-methan** und **tert.-Butyl-isocyanid** keine nennenswerte Umsetzung. Belichtet man jedoch eine Lösung beider Komponenten in Petroläther, so addiert sich das **Diphenyl-carben** elektrophil an das Isocyanid und man erhält *Diphenyl-keten-tert.-butylimin* (40–50% d. Th.) neben *1,1,2,2-Tetraphenyl-äthan* (6–10% d. Th.)[2]. Mit **Cyclohexyl-isocyanid** isoliert man *Diphenyl-keten-cyclohexylimin* (25–35% d. Th.)[2]:

$$(H_5C_6)_2C=N_2 \quad + \quad IC\equiv N-R \quad \xrightarrow[-N_2]{h\nu} \quad (H_5C_6)_2C=C=N-R$$

$$R = C(CH_3)_3 \;;\; C_6H_{11}$$

Diphenyl-carben addiert sich an die C=N-Doppelbindung des **Phenyl-isocyanats** unter α-Lactam-Bildung. Der Dreiring wird dann aber photochemisch zu *3-Oxo-2,2-diphenyl-2,3-dihydro-indol* aufgespalten[3]:

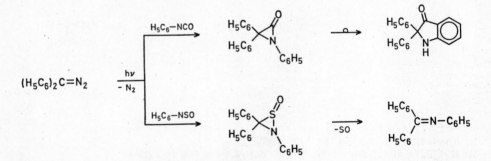

[1] H. Meerwein et al., A. **604**, 151 (1957).
[2] J. A. Green u. L. A. Singer, Tetrahedron Letters **1969**, 5093.
    J. H. Boyer u. W. Beverling, Chem. Commun. **1969**, 1377.
[3] J. C. Sheehan u. I. Lengyel, J. Org. Chem. **28**, 3252 (1963).

In entsprechender Weise verhält sich auch Diphenyl-diazomethan bei der Photolyse mit Phenyl-isothiocyanat in Hexan. Als Hauptprodukt entsteht durch Eliminierung *Benzophenon-phenylimin* (67% d.Th.)[1].

ζ₃) *1,3-dipolare Addition*

Enthalten Carbene eine α-ständige Carbonyl-Gruppe, so können sie auch in einer Grenzformel als 1,3-Dipole angesehen werden. Sie können sich als solche mit zahlreichen Mehrfachbindungen in einer 1,3-dipolaren Addition zu fünfgliedrigen Heterocyclen umsetzen. Die Photolyse von 4,4,4-Trifluor-3-oxo-2-diazo-butansäure-äthylester ergibt zunächst das entsprechende Carben, das sich als 1,3-Dipol an Aceton zu *2,2-Dimethyl-5-trifluormethyl-4-äthoxycarbonyl-1,3-dioxol* (50% d.Th.) addiert[2]:

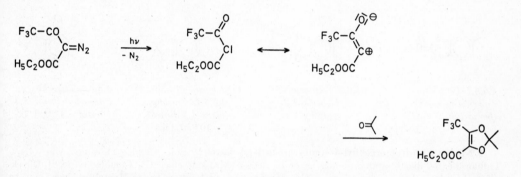

Unsubstituierte Diazo-malonsäure-diester ergeben mit Acetonitril nur in geringen Ausbeuten Oxazole durch 1,3-dipolare Cycloaddition. Die Belichtung des folgenden Diazomalonsäure-Derivates jedoch liefert mit Acetonitril in präparativ interessanten Ausbeuten *5-Äthoxy-2-methyl-4-anilinocarbonyl-1,3-oxazol* (35% d.Th.) und *5-Äthoxy-3-methyl-4-anilinocarbonyl-1,2-oxazol* (25% d.Th.). Mit Sensibilisatoren können beide Verbindungen ineinander umgewandelt werden, wobei eine Azirin-Zwischenstufe durchlaufen wird[3].

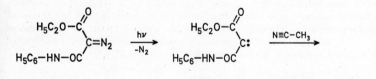

Perchlorierte o-Chinon-diazide gehen die Wolff-Umlagerung nicht mehr ein, sondern werden durch Mesomerie so stark stabilisiert, daß sie in einer intermolekularen 1,3-dipolaren Addition reagieren können. Die Photolyse von 3,4,5,6-Tetrachlor-o-chinon-diazid

[1] J. O. Stoffer u. H. R. Musser, Chem. Commun. **1970**, 481.

[2] H. Dworschak u. F. Weygand, B. **101**, 289 (1968).

[3] N. T. Bun u. J. T. Edward, Canad. J. Chem. **50**, 3730 (1972).

ergibt durch 1,3-dipolare Addition des intermediär gebildeten Oxo-Carbens mit ungesättigten Verbindungen z. B. folgende Heterocyclen[1]:

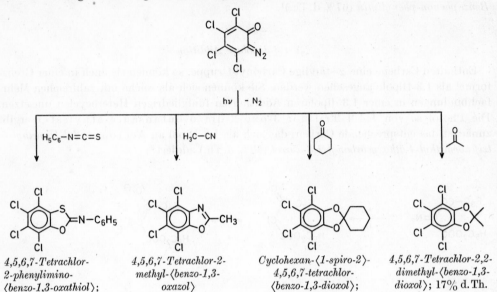

4,5,6,7-Tetrachlor-2-phenylimino-⟨benzo-1,3-oxathiol⟩;

4,5,6,7-Tetrachlor-2-methyl-⟨benzo-1,3-oxazol⟩

Cyclohexan-⟨1-spiro-2⟩-4,5,6,7-tetrachlor-⟨benzo-1,3-dioxol⟩;
10% d.Th.

4,5,6,7-Tetrachlor-2,2-dimethyl-⟨benzo-1,3-dioxol⟩; 17% d.Th.

2,2-Dimethyl-5-trifluormethyl-4-äthoxycarbonyl-1,3-dioxol[2]: Eine 5%ige Lösung von 4,4,4-Trifluor-3-oxo-2-diazo-butansäure-äthylester in Aceton wird mit einer UV-Tauchlampe (S 81 Quecksilber-Hochdruck-Lampe, Quarzlampen-Ges. Hanau; wassergekühltem Quarz-Mantel) in einer Umwälz-Apparatur 12 Stdn. belichtet und gaschromatographisch aufgearbeitet; Ausbeute: 50% d.Th. (ber. auf Diazo-Verbindung); Kp_{10}: 78–79°.

Cyclohexan-⟨1-spiro-2⟩-4,5,6,7-tetrachlor-⟨benzo-1,3-dioxol⟩[3]: 2,68 g (10,4 mMol) 3,4,5,6-Tetrachlor-o-chinon-diazid werden in 10 ml warmem Benzol gelöst, mit 60 ml Cyclohexanon vermischt und mit einer Tauchlampe aus Quarz belichtet. Nach Entwicklung von 75% der theor. Stickstoff-Menge (∼ 3,5 Stdn.) wird die Reaktion abgebrochen. Abziehen des Cyclohexanons i. Vak. und Destillation bei 135–150° und 0,001 Torr ergibt ein gelbes Öl, das aus Aceton umkristallisiert wird; Ausbeute: 0,34 g (10% d.Th.); F: 150–152°.

4,5,6,7-Tetrachlor-2-methyl-⟨benzo-1,3-oxazol⟩[3]: 2,02 g (7,85 mMol) 3,4,5,6-Tetrachlor-o-chinon-diazid werden in 60 ml Acetonitril mit einer wassergekühlten Tauchlampe belichtet. 1,04 Mol Stickstoff werden in 3 Stdn. freigesetzt. Destillation bei 160–180°/0,005 Torr ergibt ein dunkles Öl, das mit Methanol behandelt wird; Ausbeute: 0,35 g (16,5% d.Th.). Umkristallisieren aus Methanol und Sublimation bei 120° im Hochvak. führen schließlich zur reinen Verbindung von F: 140,5–141,5°.

ζ_4) *spezielle Reaktionen*

Die Photolyse von Diazomethan in Gegenwart von Hexaphenyl-äthan ergibt *1,1,1,3,3,3-Hexaphenyl-propan*[4]:

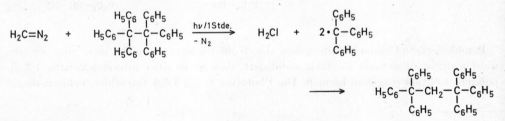

[1] R. Huisgen, G. Binsch u. H. König, B. **97**, 2868, 2884, 2893 (1964).
[2] H. Dworschak u. F. Weygand, B. **101**, 289 (1968).
[3] R. Huisgen, G. Binsch u. H. König, B. **97**, 2868 (1964).
[4] E. Müller, A. Moosmayer u. A. Rieker, Z. Naturf. **18b**, 982 (1963).

Diese interessante Reaktion stellt formal eine C–C-Insertion dar. Tatsächlich addiert sich jedoch das Methylen an das im Gleichgewicht vorhandene Triphenylmethyl-Radikal. Wird die Reaktion ohne Bestrahlung ausgeführt, so bildet sich das gleiche Produkt, allerdings erst nach 24 Stdn.[1].

Geeignete Verbindungen mit stark nucleophilem Charakter wie Pyridin und Sulfoxide können mit Carbenen zu Yliden zusammentreten. Die Belichtung von Diazo-malonsäure-dimethylester in Dimethyl-sulfoxid liefert *Dimethylsulfoxonium-dimethoxycarbonyl-methanid* (34% d.Th.; R = CH$_3$)[2]. Mit Kupfersulfat entsteht das gleiche Produkt in 41%iger Ausbeute[3].

$$(H_3COOC)_2C=N_2 \quad + \quad R\overset{O}{\underset{}{\underset{\uparrow}{S}}}R \quad \xrightarrow{\begin{array}{c}h\nu \text{ oder}\\ CuSO_4\end{array}} \quad (H_3COOC)_2\overset{\ominus}{C}-\underset{\underset{R}{|}}{\overset{O}{\overset{\uparrow}{\overset{\oplus}{S}}}}R$$

R = C$_6$H$_5$;   *Diphenylsulfoxonium-dimethoxycarbonyl-methanid*; 11% d.Th. (mit CuSO$_4$: 25% d.Th.)[3]

Die Photolyse des Diazo-diphenylsulfonyl-methans in Dimethyl-sulfoxid führt zu *Dimethyl-sulfoxonium-diphenyl-methanid* (42% d.Th.) in Dibutylsulfid bildet sich entsprechend *Dibutyl-sulfonium-diphenyl-methanid* (56% d.Th.)[4].

Das aus Diazo-malonsäure-dimethylester bei Belichtung gebildete Carben addiert sich an Sulfide zu folgenden Produkten[2,5]:

$$(H_3COOC)_2C=N_2 \quad + \quad R^1-S-R^2 \quad \xrightarrow[-N_2]{h\nu} \quad (H_3COOC)_2\overset{\ominus}{C}-\underset{\underset{R^2}{|}}{\overset{\oplus}{\overset{R^1}{S}}}$$

R^1 = R^2 = CH$_3$;   *Dimethyl-sulfonium-dimethoxycarbonyl-methanid*; 88% d.Th.
(thermisch: 75% d.Th.)
R^1 = CH$_3$; R^2 = C$_4$H$_9$; *Methyl-butyl-sulfonium-. . .*; 40% d.Th.
R^1 = R^2 = C$_6$H$_5$;   *Diphenyl-sulfonium-. . .*; 12% d.Th.; (thermisch: 85% d.Th.)

Mit ungesättigten Thioäthern können Carbene sowohl Ylid-Bildung als auch [1+2]-Cycloaddition an die C=C-Doppelbindung eingehen. In diesen Fällen sind die Ylide jedoch nicht stabil, sondern lagern sich in Thioäther um. Diazomalonsäure-ester ergibt so bei Belichtung in Alkyl-allyl-sulfiden die Thioäther I (32–57%) und das Cyclopropanaddukt II (7–14%)[6]. Die Addition des Carbens an das Schwefel-Atom ist dabei um den Faktor 4–5 größer als die Addition an die Doppelbindung. Die Triplett-Reaktion soll nach dem „Skell-Mechanismus" erfolgen[6].

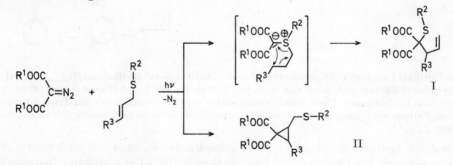

[1] W. Schlenk, A. **394**, 178 (1912).
[2] A. W. Yagihara et al., Tetrahedron Letters **1969**, 1997 u. 1983.
[3] S. J. Dieckmann, J. Org. Chem. **1965**, 2272.
[4] D. Lloyd u. F. Wasson, Chem. Commun. **1966**, 544.
[5] W. Ando et al., Am. Soc. **91**, 2786 (1969).
[6] W. Ando et al., Am. Soc. **91**, 5164 (1969); **94**, 3870 (1972); J. Org. Chem. **36**, 1732 (1971).
Vgl. W. Ando, Y. Saiki u. T. Migita, Tetrahedron Letters **1973**, 3511.
Vgl. a. W. Illger, A. Liedhegener u. M. Regitz, A. **760**, 1 (1972).

Die thermische Zersetzung der Diazo-malonester liefert die Ylide im Vergleich zur Photolyse teils in schlechteren, teils in besseren Ausbeuten in Abhängigkeit von den jeweiligen Substituenten. Da die Ylid-Bildung durch Sensibilisatoren wie Benzophenon unterdrückt wird, dürfte der angeregte Zustand des Carbens ein Singulett sein. Wie Kontrollexperimente zeigen, reagiert Dimethoxycarbonyl-carben 4mal rascher mit Sulfiden als mit Cyclohexen.

Die Photolyse von Diazo-anthron in Benzol in Gegenwart von Triphenyl-phosphin liefert *10-Oxo-9-triphenylphosphinyliden-9,10-dihydro-anthracen*[1].

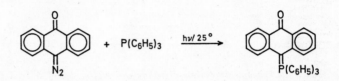

Führt man die Photolyse der Diazo-Verbindungen in Gegenwart von molekularem Sauerstoff durch, so können sich die entstehenden Carbene mit Sauerstoff vereinigen. Dabei werden als Oxidationsprodukte der entsprechenden Carbene Carbonyl-Verbindungen gebildet. Die Reaktion der Carbene mit Sauerstoff läuft dabei ausschließlich mit Triplett-Carbenen ab.

Die Belichtung von Diazo-diphenyl-methan in Gegenwart von Sauerstoff liefert *Benzophenon*[2]. Werden als Reaktionspartner noch Kohlenwasserstoffe zugesetzt, so werden diese zu Alkoholen oxidiert. Dies beweist den radikalischen Charakter der Zwischenprodukte. Die Bestrahlung Sauerstoff-gesättigter Cyclohexan-Lösungen in Anwesenheit von Diazo-diphenyl-methan ergibt ein Gemisch aus (21% d.Th.) *Cyclohexanol*, (13% d.Th.) *Cyclohexanon* und (88% d.Th.) *Benzophenon*[3]:

Das Diradikal I reagiert mit Cyclohexan und ergibt ein Cyclohexyl-Radikal und $(H_5C_6)_2\dot{C}$–O–OH (II). Das Cyclohexyl-Radikal stabilisiert sich dann durch Reaktion mit I und II oder Sauerstoff zu Cyclohexanol bzw. Cyclohexanon. Diese Abstraktionsreaktion verläuft allerdings nur mit Triplett-Carbenen. Singulett-Carbene wie Cyclopentadienyliden gehen diese Reaktion nicht ein[3]. Neuere Arbeiten zu diesem Problem s. Lit.[4,5].

Wie durch Isotopen-Markierung mit ^{15}N gefunden wurde, kann sich auch Stickstoff an Carbene anlagern. Die Photolyse von Diazomethan in ^{15}N liefert markiertes Diazomethan, das durch Addition von molekularem Stickstoff an das intermediär entstehende Methylen

[1] J. C. Fleming u. H. Shechter, J. Org. Chem. **34**, 3962 (1969).
[2] P. D. Bartlett u. T. G. Traylor, Am. Soc. **84**, 3408 (1962).
[3] G. A. Hamilton u. J. R. Giacin, Am. Soc. **88**, 1584 (1966).
[4] R. W. Murray u. A. Suzui, Am. Soc. **93**, 4963 (1971).
[5] R. W. Murray u. D. P. Higley, Am. Soc. **95**, 7886 (1973).

gebildet wird. Markiertes Diaziridin tritt als Reaktionsprodukt nicht auf[1]. Als reaktives Spezies bei der Addition an Stickstoff wird hierbei das Triplett-Methylen diskutiert.

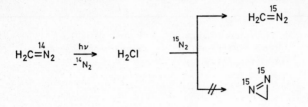

3. an den C–NH–N=N- und C–$\overline{N}$=N=$\overline{N}$-Bindungen

bearbeitet von

Prof. Dr. WOLFGANG RUNDEL*

α) 4,5-Dihydro-1H-1,2,3-triazole

4,5-Dihydro-1H-1,2,3-triazole spalten bei der Photolyse elementaren Stickstoff unter Bildung eines 1,3-Diradikals ab, das sich entweder unter Ringschluß zu einem Aziridin oder unter Wanderung eines Substituenten, bevorzugt eines Wasserstoff-Atoms, zu einer Schiff'schen Base stabilisiert[2-4]. Der Aziridin-Ringschluß kann unter Erhalt der Konfiguration oder unter Inversion erfolgen[5,6]:

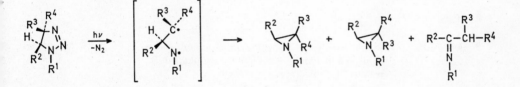

Diese Methode stellt eine wertvolle Synthese für Aziridine dar, da 4,5-Dihydro-1H-1,2,3-triazole leicht durch Cycloaddition von Aziden an C=C-Doppelbindungen hergestellt werden können und die photolytische Zersetzung zu geringeren Imin-Anteilen führt als die Thermolyse. Die Ausbeuten sind besonders bei polycyclischen Verbindungen gut, vgl. Tab. 176 (S. 1258). Nitro-Gruppen stören die Reaktion und vermindern die Ausbeuten[7].

Die Bestrahlungen werden mit $\lambda_{max} \approx 240$–310 nm in Aceton, Benzol, Toluol, 1,4-Dioxan, Cyclohexan, Hexan, Tetrahydrofuran, Essigsäure-äthylester, Dimethylformamid und Pyrex-Gefäßen durchgeführt. Für die Quantenausbeute (gemessen durch die Stickstoff-Abspaltung bei $\lambda = 313$ nm) wurde ein Mittelwert von $\varphi_{N_2} = 0,99 \pm 0,06$ ermittelt[6]. Bei stereoisomeren Ausgangsverbindungen verläuft die direkte photolytische Aziridin-Bildung bevorzugt

---

* Chemisches Institut der Universität Tübingen.

[1] A. E. SHILOV et al., Tetrahedron Letters **1968**, 4177.
[2] P. SCHEINER, J. Org. Chem. **30**, 7 (1965).
[3] US. P. 3428538 (1969), , Erf.: P. SCHEINER; C. A. **70**, 77 762c (1969).
[4] R. HUISGEN et al., B. **98**, 3992 (1965).
[5] P. SCHEINER, Am. Soc. **88**, 4759 (1966).
[6] P. SCHEINER, Am. Soc. **90**, 988 (1968).
[7] P. SCHEINER, Tetrahedron **24**, 2757 (1968).

Tab. 176. Aziridine aus 4,5-Dihydro-1H-1,2,3-triazolen

Ausgangs-verbindung	Reaktionsbedingungen	Produkte	Ausbeute [% d. Th.]	Literatur
	Hg-Mitteldruck-Lampe; Pyrex-Filter; susp. in Aceton; 16 Stdn.	*1-(4-Brom-phenyl)-2-aminocarbonyl-aziridin*	90	1,2
	550 W Hanovia A, Pyrex-Filter; 5% in Benzol; Raumtemp. 12 Stdn.	*7-(4-Brom-phenyl)-2-oxa-7-aza-bicyclo[4.1.0]heptan*	67	3
	Hg-Mitteldruck-Lampe; Pyrex-Filter; susp. in Benzol; 16 Stdn.	*9-(4-Brom-phenyl)-9-aza-bicyclo[6.1.0]nonan*	88	1,4
R = C$_6$H$_5$	Q 81 Brenner; Quarz-Gefäß; Cyclohexan	*3-Phenyl-3-aza-exo-tricyclo[3.2.1.0^{2,4}]octan*	95	5, vgl. 1
R = 4-Br–C$_6$H$_4$	GE-Sunlamp; Pyrex-Gefäß; 8 g in 40 *ml* Aceton; 24 Stdn.	*3-(4-Brom-phenyl)-3-aza-exo-tricyclo[3.2.1.0^{2,4}]octan*	86	6
	GE-Sunlamp; Pyrex-Gefäß; 3 g in 25 *ml* Aceton; 24 Stdn.	*3-Phenyl-3-aza-exo-tricyclo[3.2.1.0^{2,4}]octan-2,4-dicarbonsäure-anhydrid*	90	6
	Hg-Mitteldruck-Lampe; Pyrex-Filter; Schwefel-kohlenstoff	*9-tert.-Butyloxy-3,7-di-phenyl-3,7-diaza-endo-exo-tetracyclo[3.3.1.0^{2,4}.0^{6,8}]nonan*		7,8

[1] P. SCHEINER, Tetrahedron **24**, 2757 (1968).
[2] 2-Dimethylamino-1-phenyl-aziridine vgl. M. DEPOORTERE u. F. C. DESCHRYVER, Tetrahedron Letters **1970**, 3949.
[3] P. SCHEINER, J. Org. Chem. **32**, 2022 (1967).
[4] T. ARATANI, Y. NAKANISI u. H. NOZAKI, Tetrahedron **26**, 4339 (1970): Phenylverbindung.
[5] R. HUISGEN et al., B. **98**, 3992 (1965).
[6] P. SCHEINER, J. Org. Chem. **30**, 7 (1965).
[7] G. W. KLUMPP et al., A. **706**, 47 (1967); auch Stereoisomeres und entsprechende Mono-aziridine.
[8] Zu einem weiteren tetracyclischen Bis-aziridin: M. G. BARLOW, R. N. HASZELDINE u. W. D. MORTON, Chem. Commun. **1969**, 931.

unter Konfigurationserhalt, während man für die triplett-sensibilisierte Umsetzung weitgehenden Verlust der Stereospezifität beobachtet.

So erhält man aus *cis*- und *trans*-4-Methyl-1,5-diphenyl-4,5-dihydro-1H-1,2,3-triazol folgende Produktzusammensetzungen[1, 2]:

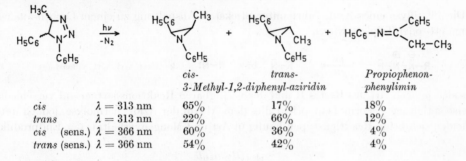

		cis- 3-Methyl-1,2-diphenyl-aziridin	*trans-*	*Propiophenon-phenylimin*
cis	$\lambda = 313$ nm	65%	17%	18%
trans	$\lambda = 313$ nm	22%	66%	12%
cis (sens.)	$\lambda = 366$ nm	60%	36%	4%
trans (sens.)	$\lambda = 366$ nm	54%	42%	4%

β) 3,4-Dihydro-1,2,3-triazine

Stickstoff-Eliminierung aus 3,4-Dihydro-⟨benzo-1,2,3-triazinen⟩ führt über ein 1,4-Diradikal zum Azet-System. So liefert die Belichtung von 3-Phenyl-3,4-dihydro-⟨benzo-1,2,3-triazin⟩ (I) in Benzol (Hanovia-Typ A; Pyrex-Filter) neben *N-Benzyliden-anilin* (10% d.Th.) und *5,6-Dihydro-phenanthridin* (25% d.Th.) *1-Phenyl-1,2-dihydro-⟨benzo-[b]-azet⟩* (II)[3] in 50%iger Ausbeute. Bei der Thermolyse von I entsteht nur *N-Benzyliden-anilin*:

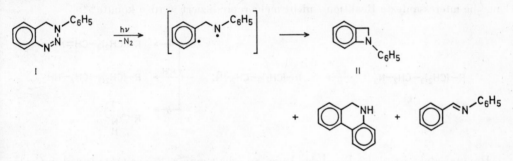

Aus 4-Oxo-3-phenyl-3,4-dihydro-⟨benzo-1,2,3-triazin⟩ erhält man jedoch als stabiles Produkt Derivate der N-Phenyl-anthranilsäure[4], höchstwahrscheinlich über folgenden Mechanismus[4, 5], wenn in entsprechenden Lösungsmitteln (Wasser/Tetrahydrofuran; Methanol; Cyclohexylamin/Benzol) gearbeitet wird:

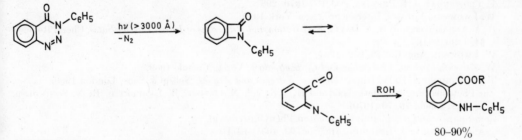

80–90%

[1] P. SCHEINER, Am. Soc. **88**, 4759 (1966); **90**, 988 (1968).
[2] Vgl. a. T. ARATANI, Y. NAKANISI u. H. NOZAKI, Tetrahedron **26**, 4339 (1970).
[3] E. M. BURGESS u. L. McCULLAGH, Am. Soc. **88**, 1580 (1966).
[4] E. M. BURGESS u. G. MILNE, Tetrahedron Letters **1966**, 93.
[5] G. EGE, Ang. Ch. **77**, 723 (1965); engl.: **4**, 699 (1965).

In trocknem Benzol oder Aceton entsteht *9-Oxo-9,10-dihydro-acridin*.
Zur Photolyse von Naphtho-[1,8-d,e]-triazinen s. Lit.[1].

γ) Azide und Azido-Verbindungen

Die Photolyse eines Azids führt unter Stickstoff-Abspaltung zu einem Carben-analogen
Singulett- oder Triplett-Nitren[2-4],

$$R-\overset{\ominus}{\underline{N}}-N\equiv\overset{\oplus}{N} \quad \xrightarrow[-N_2]{h\nu} \quad R-\overset{\cdot\cdot}{\underline{N}} \quad bzw. \quad R-\overline{N}: \qquad R=Alkyl,\ Aryl,\ Acyl,\ Sulfonyl\ usw.$$

das sich je nach Art des Restes R und der verfügbaren Reaktionspartner auf verschiedene
Weise stabilisiert[5]. Formal entspricht dies dem Ablauf der Azid-Thermolyse, jedoch unterscheiden sich beide Reaktionstypen häufig in Art und Mengenverhältnis der Endprodukte.

γ₁) *Alkylazide*

Als Lichtquellen für die Photolyse von Alkylaziden sind entsprechend den Absorptions-
bereichen ($\lambda \approx 216$ nm, $\varepsilon \approx 500$ und $\lambda \approx 287$ nm, $\varepsilon \approx 25$)[6], Quecksilber-Niederdruck- oder
auch -Mitteldruck-Brenner in Verbindung mit Quarz-Gefäßen verwendbar.

Die durch Photolyse von Alkylaziden erzeugten Alkylnitrene stabilisieren sich vorwiegend
unter Wasserstoff-Abstraktion vom α-ständigen Kohlenstoff-Atom zu Iminen[7,8], daneben
beobachtet man das entsprechende Amin, während die ursprünglich als dritte Möglichkeit
postulierte Wasserstoff-Abstraktion unter Pyrrolidin-Bildung[8] – vom präp. Standpunkt
aus die interessanteste Reaktion – nicht mehr reproduziert werden konnte[6,9]:

$$R-(CH_2)_3-CH_2-N_3 \quad \xrightarrow[-N_2]{h\nu} \quad R-(CH_2)_3-CH_2-\overline{N}: \quad \xrightarrow{R'H}$$

R—(CH₂)₃—CH=NH

R—(CH₂)₃—CH₂—NH₂

R—(Pyrrolidin)

Hauptprodukt ist in der Regel das Imin. So erhält man z. B. aus Octylazid in Cyclohexan *Octanal-imin* (70% d.Th.)[9], in Äther das Imin (50% d.Th.), *Octylamin* (12% d.Th.)
neben etwas *1-Cyan-heptan* und höchstens Spuren von 2-Butyl-pyrrolidin[6]. Bei tert. Alkylaziden erfolgt die Stabilisierung zum Imin unter Alkyl-Wanderung (vgl. Tab. 177, S. 1262),

[1] P. FLOWERDAY u. I. PERKINS, Soc. [C] **1970**, 298.
[2] W. LWOWSKI, *Nitrenes*, Interscience, New York 1970.
   R. A. ABRAMOVITCH u. B. A. DAVIS, *Preparation and Properties of Imino Intermediates*, Chem. Reviews **64**, 149 (1964).
   W. LWOWSKI, Ang. Ch. **79**, 922 (1967).
   W. KIRMSE, *Carbene, Carbenoide und Carbenanaloge*, Verlag Chemie 1969.
   T. I. GILCHRIST u. C. W. REES, *Carbenes, Nitrenes and Arynes*, Nelson & Sons, London 1969.
[3] Zur Photospaltung von Methylazid in CH₃ + N₃ vgl. N. GETOFF, R. LAMPERT u. R. N. SCHINDLER, Z. phys. Chem. **70**, 70 (1970).
[4] Zum Spinzustand des photolyt. erzeugten Phenylnitrens vgl.
   A. REISER u. L. J. LEYSHON, Am. Soc. **93**, 4051 (1971).
   L. J. LEYSHON u. A. REISER, Trans. Faraday Soc. II **68**, 1918 (1972).
[5] Vgl. aber: R. A. ABRAMOVITCH u. E. P. KYBA, Am. Soc. **93**, 1537 (1971).
[6] R. M. MORIARTY u. M. RAHMAN, Tetrahedron **21**, 2877 (1965).
[7] R. M. MORIARTY u. R. C. REARDON, Tetrahedron **26**, 1379 (1970).
[8] D. H. R. BARTON u. L. R. MORGAN, Soc. **1962**, 622.
[9] D. H. R. BARTON u. A. N. STARRAT, Soc. **1965**, 2444.

beim 1,2,2,3,3,3-Hexafluor-propylazid unter Wanderung eines Tetrafluoräthyl-Fragments[1]. Das aus *exo*-7-Azido-bicyclo[4.1.0]heptan erzeugte Nitren zerfällt in Cyclohexen und Cyanwasserstoff[2] (vgl. a. S. 1266).

Sensibilisatoren sind auf die Produktverteilung von geringem Einfluß[3,4]. Die Quantenausbeute für die unsensibilisierte Photolyse von Hexylazid in Methanol, gemessen durch die Stickstoff-Entwicklung, wird mit $\varphi = 0,86$ ($\lambda = 254$ nm) bzw. $\varphi = 0,71$ ($\lambda = 313$ nm) angegeben[5,6]; ähnliche Werte gelten für andere Alkylazide[5].

Photolysiert man in Benzol, so beobachtet man Einschiebung des Nitrens in die aromatische C–H-Bindung; Octylazid liefert so *N-Octyl-anilin* (31% d.Th.)[7]:

$$H_{17}C_8-N_3 \; + \; \bigcirc \; \xrightarrow[-N_2]{h\nu} \; H_{17}C_8-NH-\bigcirc$$

Reaktionen dieses Typs können auch intramolekular erfolgen (s. Tab. 177, S. 1262). Aus 2-Azido-carbonsäuren entstehen unter gleichzeitiger Decarboxylierung Aldimine. So isoliert man bei der Photolyse von 2-Azido-butansäure (Q 81 Tauchlampe; Quarz-Kühler) in Methanol *Propanalimin* in 25%iger Ausbeute (als 2,4-Dinitro-phenylhydrazon)[8] bei einer Kohlendioxid-Freisetzung von 60%:

$$H_3C-CH_2-\underset{\underset{N_3}{|}}{CH}-COOH \; \xrightarrow[-N_2/-CO_2]{h\nu} \; H_3C-CH_2-CH=NH$$

Bei der Photolyse des 6β-Azido-5α-hydroxy-Steroids I in Äthanol beobachtete man außer der Bildung von *5α-Hydroxy-3,3;20,20-bis-[äthylendioxy]-11α-acetoxy-6-imino-pregnan*, isoliert als 6-Oxo-Verbindung, Ringöffnung zu einem Aldiminoketon, isoliert als *5α-Hydroxy-3,3;20,20-bis-[äthylendioxy]-11α-acetoxy-5,6-dioxo-5,6-seco-pregnan* (8% d.Th.). In Benzol entsteht dagegen *3,3;20,20-Bis-[äthylendioxy]-11α-acetoxy-pregnen-(5)* neben der 6-Imino-Verbindung[9]:

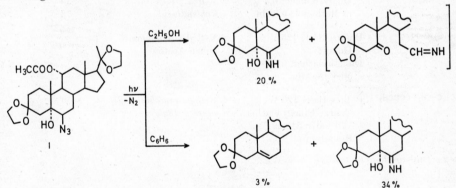

[1] R. E. Banks et al. Soc. [C] **1970**, 1017.

[2] D. S. Wulfman u. T. R. Steinheimer, Tetrahedron Letters **1972**, 3933.

[3] R. M. Moriarty u. R. C. Reardon, Tetrahedron **26**, 1379 (1970).

[4] Zum Sensibilisierungsmechanismus vgl.:
F. D. Lewis u. J. C. Dalton, Am. Soc. **91**, 5260 (1969). F. D. Lewis u. W. H. Saunders, Jr., Am. Soc. **90**, 7033 (1968).

[5] F. D. Lewis u. W. H. Saunders, Jr., Am. Soc. **90**, 7031 (1968).

[6] Zur Kinetik der Alkylazid-Photolyse bei −80° vgl.: E. Koch, Tetrahedron **23**, 1747 (1967).

[7] D. H. R. Barton u. L. R. Morgan, Soc. **1962**, 622.

[8] R. M. Moriarty u. M. Rahman, Am. Soc. 87, 2519 (1965); Tetrahedron 21, 2877 (1965).

[9] W. J. Wechter, J. Org. Chem. **31**, 2136 (1966).
Weitere 6β-Azido-pregnan-Derivate vgl. Qui Khuong-Huu u. A. Pancrazi, Tetrahedron Letters, **1971**, 37.
A. M. Farid et al., Chem. Commun. **1969**, 1222.

Tab. 177. Photolysen von Alkylaziden und deren Derivaten

Ausgangs-Verbindung	Reaktionsbedingungen	Produkte	Ausbeute [% d.Th.]	Literatur
$H_5C_6-CH_2-CH_2-N_3$	500 W Hg-Lampe; Quarz-Gefäß; 2% in Cyclohexan; N_2; 4 Stdn.	*2-Imino-1-phenyl-äthan*	42	[1]
$H_5C_6-CH_2-CH_2-CH_2-N_3$	...; 5 Stdn.	*1,2,3,4-Tetrahydro-chinolin*	21	[1]
$H_5C_6-(CH_2)_4-N_3$	Q 81 Tauchlampe mit Kühlmantel aus Quarz; 1% in Cyclohexan; N_2; 10 Stdn.	*4-Imino-1-phenyl-butan* *+2-Phenyl-pyrrolidin*	25 8	[2]
⬡$-N_3$	500 W Hg-Lampe; Quarz-Gefäß; 2% in Cyclohexan; N_2; 2 Stdn.	*Iminocyclohexan* *+Aminocyclohexan*	51 33	[1]
$H_3CCOO\begin{smallmatrix}CH_2-N_3\\ |\end{smallmatrix}$ ... H_3CCOO ... OCH_3 $OOCCH_3$	Hanovia 654-A-36; Cyclohexen	*2,3,4-Tri-0-acetyl-6-de-oxy-6-imino-α-D-methyl-glucopyranosid*	~35	[3,4,5]
$H_5C_2-\overset{\underset{\mid}{N_3}}{CH}-COOC_2H_5$	Q 81 Tauchlampe mit Quarz-Kühler; 2% in Äther; 4 Stdn.	*2-Imino-butansäure-äthylester*	15[a]	[2,6]
$(H_5C_6)_2\overset{\underset{\mid}{N_3}}{C}-COOH$	Q 81 Tauchlampe; Quarz-Kühler; 0,4% in Methanol; 6 Stdn.	*Benzophenon-imin* *+N-Benzyliden-anilin* *+Kohlendioxid*	20 30 73	[2,6]
$(H_3C)_3C-N_3$	Philips-HPK 125 W; Quarz; Dimethyläther, –70° oder Decalin	*2-Methylimino-butan* neben Aceton[c]	} ~100[d]	[7]
$(H_3C)_2\overset{\underset{\mid}{N_3}}{C}-CH_2-COOCH_3$	Philips-HPK 125 W; Quarz; Dimethyläther, –70° oder Äther, Raumtemp.	*3-Methylamino-buten-(2)-säure-methylester*	~50[b,d]	[7]

[a] Als 2,4-Dinitro-phenylhydrazon.

[b] 50% Umsatz.

[c] durch Hydrolyse des Imins.

[d] gaschromatographisch.

[1] D. H. R. BARTON u. L. R. MORGAN, Soc. **1962**, 622.

[2] R. M. MORIARTY u. M. RAHMAN, Tetrahedron **21**, 2877 (1965).

[3] R. L. WHISTLER u. A. K. M. ANISUZZAMAN, J. Org. Chem. **34**, 3823 (1969).

[4] Photolyse von 6-Azido-6-desoxy-cellulose vgl. D. HORTON u. D. M. CLODE, Carbohyd. Res. **19**, 329 (1971).

[5] Photolyse von 3-Azido-3-desoxy-di-O-isopropyliden-hexosen, vgl.:
R. L. WHISTLER u. L. W. DONER, J. Org. Chem. **35**, 3562 (1970).
D. M. CLODE u. D. HORTON, Carbohyd. Res. **14**, 405 (1970); C. A. **74**, 3809ʲ (1971).

[6] R. M. MORIARTY u. M. RAHMAN, Am. Soc. **87**, 2519 (1965).

[7] S. SOLAR et al., M. **104**, 220 (1973).

Ausgangs-Verbindung	Reaktionsbedingungen	Produkte	Ausbeute [% d.Th.]	Literatur
$(H_3COOC)_2C$ $\begin{smallmatrix}N_3\\N_3\end{smallmatrix}$	Q 81 Tauchlampe; Quarz; 1% in Benzol; 7 Stdn.	*1,5-Dimethoxycarbonyl-1H-1,2,3,4-tetrazol*	48	1,2
$(H_5C_6)_2C$ $\begin{smallmatrix}N_3\\N_3\end{smallmatrix}$	Hg-Hochdruck-Brenner Hanovia; Aceton	*2-Phenyl-benzimidazol* +*Benzophenon-azin* +*Benzophenon-diphenyl-methylimin*	60 4 8	3,4
	Q 81 Tauchlampe; Quarz; 1% in Benzol; 8 Stdn.	*2-Phenyl-benzimidazol* +*1,5-Diphenyl-1H-1,2,3,4-tetrazol*	52 14	5

Bei Triarylmethyl-aziden vollzieht sich die Stabilisierung des photolytisch erzeugten Nitrens unter Aryl-Wanderung. Zum Beispiel erhält man aus Triphenylmethyl-azid (Hexan; Quecksilber-Niederdruck-[6] bzw. -Mitteldruck-Brenner[7] bzw. sensibilisiert[7]) *Benzophenon-phenylimin* in Ausbeuten bis zu 83%:

$$(H_5C_6)_3C\cdot \ + \ [\cdot N_3] \ \underset{}{\overset{h\nu}{\rightleftharpoons}} \ (H_5C_6)_3C-N_3 \ \xrightarrow[-N_2]{h\nu} \ (H_5C_6)_2C=N-C_6H_5$$

Die Reaktion setzt mit einer Quantenausbeute von $\varphi = 0{,}8$ ein, die aber sehr rasch auf $\sim \varphi = 0{,}01$ abfällt, da das in einer Parallelreaktion unter C–N-Spaltung entstehende Triphenylmethyl als „Filter" wirkt[8].

Bei entsprechenden gemischt aryl-alkyl-substituierten Aziden beobachtet man nebeneinander Wanderung von Alkyl- und Aryl-Resten und isoliert lediglich Imin-Gemische[6,9].

Bei Triphenylmetall-aziden von Germanium, Zinn und Blei wurde bei Belichtung mit $\lambda = 254$ nm in Dichlormethan oder Tetrahydrofuran ebenfalls Spaltung zu Triphenylmetall-Radikalen beobachtet. In Dichlormethan entstehen daraus die *Triphenylmetall-chloride*[10]. 2-(Azido-dimethyl-silyl)-biphenyl hingegen läßt sich durch Photolyse ohne Lösungsmittel ($\lambda = 254$ nm) zum *10,10-Dimethyl-9,10-dihydro-9-aza-10-sila-phenanthren* (35% d.Th.) cyclisieren[11]:

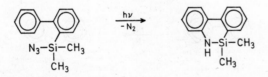

[1] R. M. MORIARTY, J. M. KLIEGMAN u. C. SHOVLIN, Am. Soc. **89**, 5958 (1967).
[2] Zur Synthese von *1,5-Bis-[methylaminocarbonyl]*- bzw. *1,5-Bis-[aminocarbonyl]-1H-1,2,3,4-tetrazol*: R. M. MORIARTY u. P. SERRIDGE, Am. Soc. **93**, 1534 (1971).
[3] G. EGE u. G. JOOS, Ch. Z. **94**, 215 (1970).
[4] Matrix-Studien bei 77° K vgl. L. BARASCH, E. WASSERMANN u. A. W. YAGER, Am. Soc. **89**, 3931 (1967).
[5] R. M. MORIARTY u. J. M. KLIEGMAN, Am. Soc. **89**, 5959 (1967).
[6] W. H. SAUNDERS u. E. A. CARESS, Am. Soc. **86**, 861 (1964).
[7] F. D. LEWIS u. W. H. SAUNDERS, Jr., Am. Soc. **89**, 645 (1967); **90**, 7031 (1968).
[8] F. D. LEWIS u. W. H. SAUNDERS, Jr., Am. Soc. **90**, 3828 (1968).
[9] R. A. ABRAMOVITCH u. E. P. KYBA, Chem. Commun. **1969**, 265; Am. Soc. **93**, 1537 (1971).
[10] J. JAPPY u. P. N. PRESTON. Inorg. Nucl. Chem. Lett. **1968**, 503; C. A. **70**, 8102ª (1969).
[11] J. M. GAIDIS u. R. WEST, Am. Soc. **86**, 5699 (1964).

Trialkylsilylazide reagieren über Silazanazide zu **Hexaalkyl-1,3,2,4-diazadiseleta-nen**[1]:

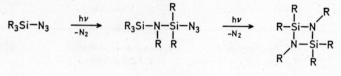

γ_2) *Vinylazide*

Das aus einem Vinylazid photolytisch oder thermolytisch erzeugte Vinylnitren stabilisiert sich bevorzugt unter Ringschluß und Verschiebung der Doppelbindung zu einem 2H-Azirin[2,3]:

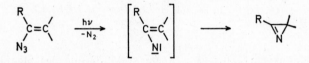

Auf diesem Wege lassen sich zahlreiche in 3-Stellung substituierte 2H-Azirine in guter bis sehr guter Ausbeute gewinnen. Die photochemische Reaktion ist unter Umständen wesentlich ergiebiger als die Thermolyse, bei der im allgemeinen größere Mengen polymerer Produkte entstehen.

3-Butyl-2H-azirin[3]: Eine ~ 5%ige Lösung von 2-Azido-hexen-(1) in Pentan wird in einem Quarz-Gefäß mit aufgesetztem Rückflußkühler unter Ausschluß von Luftfeuchtigkeit bis zum Verschwinden der IR-Bande bei $\nu' \sim 2100\ cm^{-1}$ von außen mit UV-Fluoreszenz-Leuchten ("black light"-phosphor lamps) belichtet. Nach Abfiltrieren geringer Mengen polymerer Produkte wird das Lösungsmittel bei vermindertem Druck unter Feuchtigkeitsausschluß entfernt. Man erhält in 80%iger Ausbeute das rohe (> 90%ige) Azirin. Die reine Verbindung, Kp_{145}: 80°, erhält man durch Destillation über eine Drehband-Kolonne, wobei jedoch durch teilweise Polymerisation bis zu 30% Verlust eintritt.

Weitere Beispiele vgl. Tab. 178 (S. 1266).

Die Herstellung von in 3-Stellung unsubstituierten 2H-Azirinen gelingt wegen deren Zersetzlichkeit – sie sind thermisch wenig stabil und äußerst luftempfindlich – auch photochemisch nur unter gewissen Vorsichtsmaßnahmen. So erhält man durch 1stdge. Belichtung bei –15° in Äther (Q 81 Tauchlampe; Duran-Glas) und Aufarbeitung bei –50° aus 9-Azidomethylen-fluoren *Fluoren-⟨9-spiro-2⟩-2H-azirin*, das bei längerer Belichtung in *9-Cyan-* bzw. *9-Isocyan-fluoren* übergeht[4]:

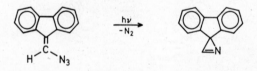

Durch Belichten von **2-Phenyl-vinylazid** in Dichlormethan unter Stickstoff bei –30° ($\lambda = 365$ nm) erhält man Lösungen von *2-Phenyl-2H-azirin*:

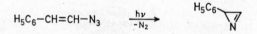

[1] D. W. KLEIN u. J. W. CONNOLLY, J. Organomet. Chem. **33**, 311 (1971).
[2] L. HORNER, A. CHRISTMANN u. A. GROSS, B. **96**, 399 (1963).
[3] A. HASSNER u. F. W. FOWLER, Am. Soc. **90**, 2869 (1968); Tetrahedron Letters **1967**, 1545.
[4] W. BAUER u. K. HAFNER, Ang. Ch. **81**, 787 (1969).

Bei Luftzutritt und Raumtemp. geht die Verbindung in wenigen Stunden in schwarzen Teer über[1]. Das aus 1-Azido-4-phenyl-butadien-(1,3) unter $-40°$ entstehende *2-(2-Phenyl-vinyl)-2H-azirin* isomerisiert sich beim Aufwärmen zu *2-Phenyl-pyrrol*, während *3-Methyl-2-(2,2-diphenyl-vinyl)-2-phenyl-2H-azirin* stabil ist[2].

Unter ähnlichen Bedingungen (Belichtung in Tetrachlormethan oder Tetrahydrofuran bei $-50°$) ließen sich eine ganze Reihe weiterer, am Kohlenstoff-Atom 3 unsubstituierter 2H-Azirine gewinnen[3].

Bei der Photolyse von 3,3-Dimethyl-buten-(1)-yl-azid in Methanol bildet sich, vermutlich über ein 2H-Azirin und ein Acetal *2,5-Di-tert.-butyl-pyrazin* (30% d.Th.)[4]:

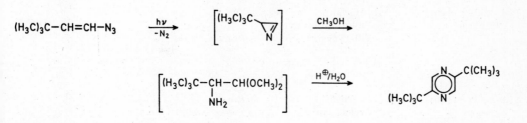

Analog ist auch die zu α-Amino-ketalen (und Folgeprodukten) führende Photolyse von 2-Azido-6-oxo-1-alkyl-cyclohexen[5] und 4-Azido-3,6-dioxo-1,2-dihydro-1,2,3,6-tetrahydro-pyridazin[6] zu formulieren.

Aus 2-Tosyl-vinylazid, das bei der Photolyse in trockenem Cyclohexan nur Polymere liefert, entsteht in wasserhaltigen Lösungsmitteln, am günstigsten wäßr. Äthanol, als Folgeprodukt eines intermediär gebildeten 2H-Azirins *2,3-Ditosyl-aziridin* ($\sim 50\%$ d.Th.)[7]:

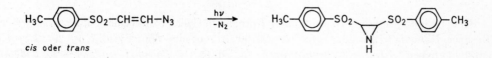

cis oder trans

Bei entsprechenden 2-Benzoyl-vinylaziden unterbleibt die Azirin-Bildung, hier entstehen unter Einbeziehung der Carbonyl-Gruppe 1,2-Oxazole[8,9]. Man erhält z.B. aus 2-Benzoyl-propen-(1)-yl-azid neben *2-Benzoyl-propansäure-nitril* (8% d.Th.) *4-Methyl-5-phenyl-1,2-oxazol* (43% d.Th.)[8]:

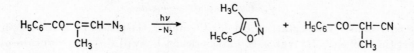

[1] K. ISOMURA, S. KOBAYASHI u. H. TANIGUCHI, Tetrahedron Letters **1968**, 3499.
vgl. a. J. H. BOYER, W. E. KRUEGER u. G. J. MIKOL, Am. Soc. **89**, 5504 (1967).

[2] K. ISOMURA, M. OKADA u. H. TANIGUCHI, Chem. Lett. **1972**, 629; C. A. **77**, 87555[w] (1972).

[3] K. ISOMURA, M. OKADA u. H. TANIGUCHI, Tetrahedron Letters **1969**, 4073.

[4] A. HASSNER u. F. W. FOWLER, Am. Soc. **90**, 2869 (1968); Tetrahedron Letters **1967**, 1545.

[5] Y. TAMURA et al., Tetrahedron Letters **1973**, 351.

[6] T. SASAKI, K. KANEMATSU u. M. MURATA, Tetrahedron **29**, 529 (1973).

[7] J. E. MEEK u. J. S. FOWLER, J. Org. Chem. **33**, 3418 (1968).

[8] S. MAIORANA, Ann. Chimica **56**, 1531 (1966); C. A. **67**, 32420[m] (1967).

[9] S. SATO, Bl. chem. Soc. Japan **41**, 2524 (1968).

Tab. 178. 2 H-Azirine aus Vinylaziden

Ausgangsverbindung	Reaktionsbedingungen	...-2H-azirin	Ausbeute [% d. Th.]	Literatur
3-Azido-2-äthoxy-carbonyl-buten-(2)	$\lambda = 254$ nm; Benzol; 18 Stdn.	2,3-Dimethyl-2-äthoxy-carbonyl-...[a]	65	[1]
3-Azido-hexen-(3)	"black light"; Pentan	2,3-Diäthyl-...	55	[2]
1-Azido-cyclooocten		9-Aza-bicyclo[6.1.0] nonen-(1⁹)	93	[2]
1-Azido-1-phenyl-äthylen	Hg-Hochdruck-Brenner, Philips HPK; Pyrex-Filter; Benzol	3-Phenyl-...[b]	85	[3]
	"black light"; Quarz-Gefäß; Pentan		94	[2]
2-Azido-3-phenyl-propen	"black light"; Cyclohexan	3-Benzyl-...	100	[2]
1-Azido-1-phenyl-propen		2-Methyl-3-phenyl-...	94	[2]
2-Azido-1-phenyl-propen	$\lambda = 365$ nm; Dichlormethan	3-Methyl-2-phenyl-...	100	[4]

[a] Zusätzlich *Methyl-äthoxycarbonyl-keten-methylimin* (25% d. Th.).
[b] Außerdem *3-Phenylimino-4-phenyl-1-aza-bicyclo[2.1.0]pentan* (10% d. Th.).

γ_3) *Allylazide*

Bei der Photolyse von 3-Azido-2-phenyl-propen in Cyclohexan (Quecksilber-Hochdruck-Brenner, Hanovia 679 A-36; Corex-Filter 9700; Argon; eine Spur Pyridin; 10–20°; 1 Stde.) entsteht neben *3-Imino-2-phenyl-propen* (5% d. Th.) *3-Phenyl-1-aza-bicyclo[1.1.0]butan* (3% d. Th.)[5]:

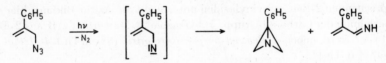

γ_4) *Cycloheptatrienylazide*

Während 7-Azido-cycloheptatrien bei der Photolyse (Gasphase) zu Benzol, Cyanwasserstoff und Stickstoff zerfällt[6] (vgl. a. S. 1261), erleidet 1-Azido-7-oxo-cycloheptatrien – analog verhält sich das 2,4,6-Trimethyl-Derivat – photolytisch (Hanovia UVS 500; Pyrex-Filter) gleichzeitig mit der Stickstoff-Abspaltung Ringöffnung zum unbeständigen Cyanketen I ($t_{1/2} \sim 4$ Sek. bei 22°), das entweder in *2-Cyan-phenol*, dem ausschließlichen Produkt der Thermolyse übergeht, oder mit diesem *6-Cyan-hexadien-(3,5)-säure-2-cyan-phenylester* bildet.

[1] G. R. Harvey u. K. W. Ratts, J. Org. Chem. **31**, 3907 (1966).
[2] A. Hassner u. F. W. Fowler, Am. Soc. **90**, 2869 (1968).
[3] F. P. Woerner u. H. Reimlinger, Ang. Ch. **80**, 119 (1968); engl.: **7**, 130 (1968).
[4] K. Isomura, S. Kobayashi u. H. Taniguchi, Tetrahedron Letters **1968**, 3499.
[5] A. G. Hortmann u. J. E. Martinelli, Tetrahedron Letters **1968**, 6205.
   Photolyse des unsubst. Allyl-azids vgl. auch D. H. R. Barton u. L. R. Morgan, Soc. **1962**, 622.
[6] D. S. Wulfman u. J. J. Ward, Chem. Commun. **1967**, 276.

Photolyse oder Thermolyse in Methanol liefert den analogen Methylester, in wasserhaltigem 1,4-Dioxan entsteht die freie Carbonsäure[1]:

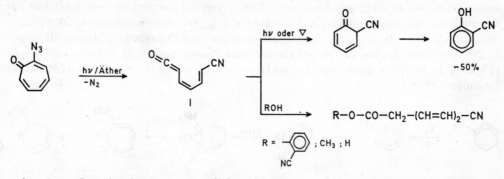

Aus 2- und 3-Azido-7-oxo-cycloheptatrien wurden neben polymerem Material lediglich geringe Mengen der entsprechenden Amino-Verbindungen erhalten; z. B. in Äther bei 10° aus 3-Azido-7-oxo-cycloheptatrien (Quecksilber-Mitteldruck-Lampe; Pyrex-Gefäß) *3-Amino-7-oxo-cycloheptatrien* (5% d.Th.)[2].

γ_5) *Arylazide*

Arylazide absorbieren unterhalb $\lambda = 250$ nm (log $\varepsilon \approx 3$–4) und zwischen $\lambda \approx 300$–350 nm (log $\varepsilon \approx 2$)[3,4]. Für Photoreaktionen eignen sich deshalb als Lichtquellen sowohl Quecksilber-Niederdruck- als auch -Hochdruck-Brenner, letztere auch in Verbindung mit Pyrex-Filtern bzw. -Gefäßen. Für die Freisetzung von Stickstoff aus Arylaziden beträgt die Quantenausbeute $\varphi \approx 0,8$–1 ($\lambda = 300$ nm) bzw. $\varphi \approx 0,4$–0,5 bei $\lambda = 254$ nm[4].

Von präparativem Interesse sind hauptsächlich die photochemische Umwandlung der Arylazide in Azepine und der Ringschluß von 2-Azido-biphenylen zu Carbazolen.

Die bei der Photolyse von 2-Azido-1-(2-methoxy-äthyl)-benzol (Mitteldruck-Brenner; Pyrexglas; Benzol) beobachtete, unter nachfolgender Eliminierung von Methanol zu *Indol* (43% d.Th.) führende intramolekulare Einschiebungsreaktion des Arylnitrens in eine C–H-Bindung der Seitenkette und die analoge, unter Benzoesäure-Eliminierung (65–70% d.Th.) verlaufende Bildung von *5-Methoxy-⟨benzo-[c,d]-indol⟩* aus 8-Azido-4-methoxy-1-benzoyloxymethyl-naphthalin lassen solche Azido-Systeme als potentielle photolytisch abspaltbare Schutzgruppen für Hydroxy- bzw. Carboxy-Funktionen interessant erscheinen[5]:

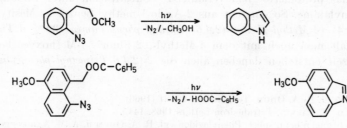

[1] J. D. HOBSON u. J. R. MALPASS, Soc. [C] **1967**, 1645.
  J. D. HOBSON, Chem. Commun. **1968**, 764.
[2] J. D. HOBSON u. J. R. MALPASS, Soc. [C] **1969**, 1499.
[3] z. B. A. REISER, G. BOWES u. R. J. HORNE, Trans. Faraday Soc. **62**, 3162 (1966).
[4] A. REISER u. A. MARLEY, Trans. Faraday Soc. **64**, 1806 (1968).
  Vgl. a. K. Z. KORYTTSEV u. A. V. OLEINIK, Ž. fiz. Chim. **47**, 700 (1973); C. A. **79**, 110253ʸ (1973);
    Tr. Kh'im. Tekhnol. **1972**, 11; C. A. **79**, 120412ᵖ (1973).
  A. G. VAVILOV u. N. A. EVLASHEVA, Tr. Leningrad. Inst. Kinoinzh. **1972**, 122; C. A. **79**, 151496ʸ (1973).
  K. Z. KORYTTSEV, A. V. OLEINIK u. I. A. KORSHUNOV, Tr. Khim. Khim. Tekhnol. **1972**, 7; **1971**, 207;
    C. A. **79**, 120411ⁿ (1973); **78**, 65131ʸ (1973).
[5] D. H. R. BARTON, P. G. SAMMES u. G. G. WEINGARTEN, Soc. [C] **1971**, 721.

Photolyse von Arylaziden in basischem Milieu führt zu Azepinen. So erhält man aus Phenylazid in Diäthylamin (Hanovia-Lampe Typ L; Filter $\lambda = 325-366$ nm) *2-Diäthylamino-3H-azepin* in 34%iger Ausbeute[1]. Zusatz von 4-Dimethylamino-benzaldehyd als Sensibilisator verringert die Azepin-Ausbeute auf 7%, statt dessen entsteht in 70–80%iger Ausbeute *Anilin*[2]. In flüssigem Ammoniak entsteht aus Phenylazid *2-Amino-3H-azepin* in 25%iger Ausbeute und in Trimethylamin unter Zusatz von Anilin *2-Anilino-3H-azepin* (2% d.Th.)[1]. Die photochemische Azepin-Bildung wird analog der thermischen[3] Reaktion formuliert[1, vgl. a. 4]:

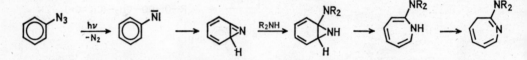

2-Amino-3H-azepin[1]: Die Lösung von 5 *ml* (5,45 g) Phenylazid in 1 *l* fl. Ammoniak wird 7 Stdn. in einem Gefäß mit Vakuummantel aus Pyrex-Glas und aufgesetztem Trockeneis-Kühler bestrahlt (Hanovia Typ L). Der nach dem Absieden des Ammoniaks verbleibende Rückstand wird mit 25 *ml* Benzol extrahiert. Nach Einengen auf 4 *ml* erhält man 1,35 g braune Kristalle und daraus durch Sublimation bei 80–90° und 0,2–0,3 Torr 1,22 g (25% d.Th.); F: 90–91°.

Auch substituierte Amino-3H-azepine lassen sich so gewinnen; z. B. aus 4-Methoxyphenylazid in Dimethylamin *2-Dimethylamino-5-methoxy-3H-azepin*[5], aus 2-Azido-acetophenon in Piperidin *2-Piperidino-3-acetyl-3H-azepin* (18% d.Th.) neben *2-Piperidino-7-acetyl-3H-azepin* (17% d.Th.; bei 40% Umsatz)[6]; bei Zusatz von Xanthon (oder erstaunlicherweise Acetophenon) entsteht fast ausschließlich *2-Amino-acetophenon*. 2-Azido-biphenyl in Diäthylamin ergibt *2-Diäthylamino-3-phenyl-3H-azepin* (28% d.Th.) neben wenig des entsprechenden 5H-Azepins (4% d.Th.) und *Carbazol* (22% d.Th.) sowie *2-Amino-biphenyl* (4–5% d.Th.) bei 60%igem Umsatz[7].

Durch Photolyse in Methanol (rein oder im Gemisch mit anderen Lösungsmitteln) ohne Basenzusatz können auch Methoxyazepine erhalten werden, so aus 2-Azido-acetophenon *2-Methoxy-3-acetyl-3H-azepin* (37% d.Th. bei 50% Umsatz)[6] oder aus N-subst. 2-Azidobenzamiden [R = H, CH_3, C_2H_5, C_6H_5, $CH_2CH_2C_6H_5$, $COOC_2H_5$, $CH(CH_2-C_6H_5)_2$] die *2-Methoxy-3-alkylaminocarbonyl-3H-azepine* (21–58% d.Th.)[8].

Photolysiert man Arylazide in ausreichend aktivierten Benzol-Derivaten (Mesitylen, Anisol) unter Zusatz von Trifluoressigsäure, so beobachtet man als Hauptreaktion — vermutlich über das protonierte Azid verlaufend — Substitution unter Bildung unsymmetrischer Diphenylamine. So entsteht aus 2-Azido-1-methyl-benzol in Mesitylen/Trifluoressigsäure (50:4) *(2-Methyl-phenyl)-(2,4,6-trimethyl-phenyl)-amin* (39% d.Th.), ähnliche Ausbeuten erhält man auch mit dem 4-Methyl-, 2-Fluor-, 4-Methoxycarbonyl-1-azidobenzol. Vereinzelt entstehen daneben auch die *2-(2,4,6-Trimethyl-phenyl)-azepine* (10%

[1] W. v. E. Doering u. R. A. Odum, Tetrahedron **22**, 81 (1966).

[2] D. S. Splitter u. M. Calvin, Tetrahedron Letters **1968**, 1445.
Analoge Beobachtungen bei p-subst. Phenylaziden vgl. R. A. Odum u. A. M. Aaronson, Am. Soc. **91**, 5680 (1969).
Zum Einfluß der Photolysenwellenlänge auf die Azepin-Bildung bei 4-Cyan-phenylazid vgl. R. A. Odum u. G. Wolf, Chem. Commun. **1973**, 360.

[3] R. Huisgen u. M. Appl, B. **91**, 12 (1958).
M. Appl u. R. Huisgen, B. **92**, 2961.

[4] Vgl. a. B. A. DeGraff, D. W. Gillespie u. R. J. Sundberg, Am. Soc. **96**, 7491 (1974).

[5] R. A. Odum u. A. M. Aaronson, Am. Soc. **91**, 5680 (1969).

[6] M. A. Berwick, Am. Soc. **93**, 5780 (1971).

[7] R. J. Sundberg et al., Tetrahedron Letters **1970**, 2715.

[8] M. F. G. Stevens, A. C. Mair u. J. Reisch, Photochem. Photobiol. **13**, 441 (1971); C. A. **75**, 88275ª (1971).

d. Th. mit Phenyl-azid) bzw. 2-Azepinone, z. B. das *2-Oxo-3-trifluormethyl-1,3-dihydro-2H-azepin* (15% d. Th.) aus 2-Azido-1-trifluormethyl-benzol[1].

Photolyse von 2-Azido-1-acetyl-benzolen in stark **mineralsaurem** Milieu (1,4-Dioxan/ Wasser oder Wasser, 9–18 n an Schwefelsäure) führt – vermutlich über das protonierte Nitren – zu den Anilinen z. B. vom 2-Azido-5-methyl-1-acetyl-benzol zum *4-Methyl-2-acetyl-anilin* (25–37% d.Th.), während die Reaktion am 2-Azido-1-acetyl-benzol unter gleichzeitiger Hydroxylierung der p- (geringfügig auch der o-) Position zum *4-Amino-3-acetyl-phenol* (21% d.Th.) verläuft[2].

Durch nicht sensibilisierte Photolyse lassen sich 2-Azido-biphenyle in mäßiger bis guter Ausbeute, die jedoch nicht immer an die thermolytisch erzielbare heranreicht, zu Carbazolen cyclisieren[3,4]:

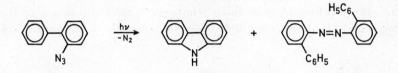

Es wurden so erhalten:

2-Azido-biphenyl → *Carbazol*; 77% d.Th.[3,4]

2-Azido-4'-methoxy-biphenyl → *2-Methoxy-carbazol*; 80% d.Th.[4]

4,4'-Dinitro-2-azido-biphenyl → *2,7-Dinitro-carbazol*; 65% d.Th.[3]

1,3-Dibrom-carbazol[3]: Eine Lösung von 1 g 3,5-Dibrom-2-azido-biphenyl in 20 *ml* Tetralin wird in einem Quarz-Gefäß von außen mit einer 100 W Quecksilber-Lampe bestrahlt, bis nach ∼ 3 Stdn. die Gasentwicklung beendet ist. Abziehen des Lösungsmittels und Kristallisation des öligen Rückstandes aus Äthanol ergibt 0,53 g (57% d.Th.) gelbliche Kristalle; F: 106–107°.

Bei 3-Nitro-2-azido-biphenyl tritt sowohl thermisch als auch photochemisch statt des Carbazol-Ringschlusses Reaktion mit der Nitro-Gruppe zum *4-Phenyl-benzofurazan-1-oxid* (52% d.Th.) ein[3]:

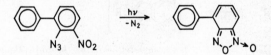

Analog reagiert die 3,5-Dinitro-Verbindung zu *6-Nitro-4-phenyl-benzofurazan-1-oxid* (85% d.Th.)[3], 3-Nitro-2-azido-naphthalin dagegen liefert bei der Photolyse ($\lambda = 254$ nm, Benzol) neben wenig *2-Amino-3-nitro-naphthalin* (4,5% d.Th.) nur *2,2'-Dinitro-3,3'-azo-naphthalin* (18,5% d.Th., vgl. unten) aber kein Naphthofurazan-1-oxid[5].

Neben den Carbazolen entstehen unabhängig vom verwendeten Lösungsmittel (Benzol, Äther, Isopropanol) und der Wellenlänge des eingestrahlten Lichtes regelmäßig noch die entsprechenden Azo-Verbindungen in Ausbeuten bis ∼ 12%. Durch Zugabe von Triplett-Sensibilisatoren (Benzophenon, Acetophenon, Aceton) erreicht man bevorzugte Bildung der Azo-Verbindung. 2-Azido-biphenyl in benzolischer, an Acetophenon 1,7 m Lösung z. B. ergibt 44% *2,2'-Diphenyl-azobenzol* neben Spuren Carbazol[4,6]. Andererseits bewirkt

[1] R. J. SUNDBERG, J. Org. Chem. **38**, 2052 (1973); Thermolyse liefert, bisweilen in besserer Ausbeute, ebenfalls die Diphenylamine.

[2] T. DOPPLER, H.-J. HAUSER u. H. SCHMID, H. **55**, 1730 (1972).

[3] P. A. S. SMITH u. B. B. BROWN, Am. Soc. **73**, 2435 (1951).

[4] J. S. SWENTON, T. J. IKELER u. B. H. WILLIAMS, Am. Soc. **92**, 3103 (1970).

[5] R. SELVARAJAN u. J. H. BOYER, J. Org. Chem. **36**, 3464 (1971).

[6] J. S. SWENTON, Tetrahedron Letters **1968**, 3421.

Zusatz kondensierter Aromaten (Triphenylen, Naphthalin, Pyren), für die eine Singulett-Energieübertragung angenommen werden muß, oder des Triplett-Quenchers Pentadien-(1,3) einen starken Anstieg der Carbazol-Ausbeute, z. B. mit Pyren bei 2-Azido-biphenyl auf 95% neben weniger als 1% der Azo-Verbindung[1,2].

Die Photolyse (S 81 Quecksilber-Lampe; Benzol) von 4-Azido-biphenyl liefert verständlicherweise nur die Azo-Verbindung, *4,4′-Diphenyl-azobenzol* (81% d.Th.), auch 4-Methoxy-phenylazid läßt sich in hoher Ausbeute in Tetrahydrofuran[3] bzw. Dimethylsulfoxid[4] zu *4,4′-Dimethoxy-azobenzol* kuppeln (82% bzw. 80% d.Th.), während Phenylazid[3,5] und 4-Chlor-phenylazid[3] allenfalls wenige Prozent der Azobenzole liefern. Aufgrund dieser starken Substituenten-Abhängigkeit scheint für die Bildung der Azo-Verbindungen eher ein Angriff des Triplett-Nitrens auf ein Molekül Azido-Verbindung als eine direkte Dimerisierung zweier Nitren-Moleküle in Frage zu kommen[3].

2,2′-Diazido-azobenzol geht durch zehntägige Sonnenbestrahlung in Benzol über 2-(2-Azido-phenyl)-2H-benzotriazol in *Didehydro-benzotriazolo-[2,1-a]-benzotriazol* über:

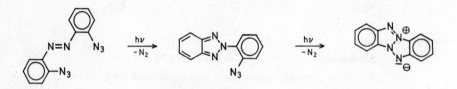

Dieselbe Reaktion läßt sich auch thermisch in hoher Ausbeute durchführen[6]. Aus Bis-aziden wie 4,4′-Diazido-biphenyl und 1,10-Bis-[4-azido-phenoxy]-decan entstehen in hoher Ausbeute azo- (und N-) verknüpfte Polymere[4].

5-Azido-⟨benzo-[b]-thiophene⟩ reagieren bei Bestrahlung mit sek. Aminen zu 4,5-Diamino-Verbindungen[7]:

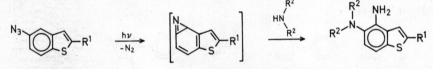

R¹ = H; R² = C₂H₅;   *4-Amino-5-diäthylamino-⟨benzo-[b]-thiophen⟩* ; 24% d.Th.
R¹ = H; R² = –(CH₂)₂–O–(CH₂)₂– ;   *4-Amino-5-morpholino-...* ; 40% d.Th.
R¹ = COOC₂H₅; R² = C₂H₅;   *4-Amino-5-diäthylamino-2-äthoxycarbonyl-...* ; 43% d.Th.
R¹ = COOC₂H₅; R² = –(CH₂)₅– ;   *4-Amino-5-piperidino-2-äthoxycarbonyl-...* ; 12% d.Th.

Photolyse von 4-Azido-⟨benzo-[b]-thiophen⟩ liefert demgegenüber *4-Amino-⟨benzo-[b]-thiophen⟩* (35% d.Th.) und *Bis-{benzo-[b]-thienyl-(4)}-diazen* (20% d.Th.) neben einem Dimeren des Heteroaromaten[7]. Analog verläuft die Photolyse (350 nm, Äthanol) von 6-Azido-⟨1,2,4-triazolo-[4,3-b]-pyridazin⟩ (86% 6-Amino-Derivat, 2% Diazen, 10% Dimerisierung), 6-Azido-⟨imidazolo-[1,2-b]-pyridazin⟩ (82; 1; 16% d.Th.) und 6-Azido-⟨tetrazolo-[1,5-b]-pyridazin⟩ (95; 3; –; % d.Th.)[8].

[1] J. S. Swenton, T. J. Ikeler u. B. H. Williams, Am. Soc. 92, 3103 (1970).
[2] J. S. Swenton, T. J. Ikeler u. B. H. Williams, Chem. Commun. 1969, 1263.
[3] L. Horner, A. Christmann u. A. Gross, B. 96, 399 (1963).
[4] H. H. Bössler u. R. C. Schulz, Makromol. Ch. 158, 113 (1972).
[5] W. v. E. Doering u. R. A. Odum, Tetrahedron 22, 81 (1966).
[6] R. A. Carboni et al., Am. Soc. 89, 2618 (1967).
[7] B. Iddon, H. Suschitzky u. D. S. Taylor, Chem. Commun. 1972, 879.
[8] B. Stanovnik, Tetrahedron Letters 1971, 3211.

Werden Arylazide in Gegenwart von Sauerstoff photolysiert (Quecksilber-Mitteldruck-Brenner; Acetonitril oder Benzol; Spülen mit Sauerstoff), so bilden sich, insbesondere nach Zugabe von Triplett-Sensibilisatoren (Aceton, Acetophenon), in mäßigen Ausbeuten die Nitrobenzole (Phenylazid: 6% bzw. 11% [+Acetophenon]; 4-Nitro-/Aceton: 12,5%; 3-Nitro: 15%; 4-Cyan-/Acetophenon: 9%; 4-Methoxy-/Aceton: 20% d.Th.), aus den substituierten Phenylaziden entstehen daneben die *Azoxybenzole* – vermutlich durch Reaktion zwischen Arylnitren und der aus angeregtem Azid und Sauerstoff entstehenden Nitroso-Verbindung – (*4,4'-Dinitro-azoxybenzol*: 30% d.Th.; *4,4'-Dicyan-azoxybenzol*: 25% d.Th.; *3,3'-Dinitro-azoxybenzol*: 6% d.Th.; *4,4'-Dimethoxy-azoxybenzol*: 5% d.Th.) neben wenig Azo-Verbindung und subst. Anilin[1].

γ_6) *Acylazide*

Acylazide unterliegen dem Curtius-Abbau; bei der Thermolyse erfolgt, nach neueren Untersuchungen in einem Synchronmechanismus ohne diskrete Nitren-Stufe[2], Abspaltung von Stickstoff und Umlagerung in ein Isocyanat. Letzteres tritt als ein Reaktionsprodukt auch bei der Photolyse von Acylaziden auf[3,4]. In Sonderfällen besitzt der photochemische Curtius-Abbau gegenüber dem thermischen Vorteile; z.B. läßt sich 1,6,6-Trimethyl-5-azidocarbonyl-bicyclo[2.1.1]hexan nur durch Photolyse in Äthanol über das Urethan mit brauchbarer Ausbeute abbauen[5]:

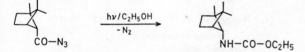

$1,6,6$-*Trimethyl-5-äthoxycarbonylamino-bicyclo[2.1.1]hexan*; 67% d.Th.

Die bei der Photolyse (300 nm; Vycor-Filter) von Dialkylcarbamoylaziden intermediär entstehenden Dialkylamino-isocyanate lassen sich mit Hilfe von Alkylisocyanaten abfangen[6] und z.B. zur Synthese von 3,5-Dioxo-1,4-dialkyl-1,2,4-triazolidinen verwenden[7].

Die eigentlichen Photoprodukte aus Acylaziden entstehen durch Einschiebung des primär entstehenden Acylnitrens in reaktive Bindungen der Lösungsmittelmoleküle oder auch intramolekular, jeweils unter Bildung von N-substituierten Amiden[8], oder durch

Fortsetzung S. 1273

[1] R. A. ABRAMOVITCH u. S. R. CHALLAND, Chem. Commun. **1972**, 964.

[2] S. LINKE, G. T. TISUE u. W. LWOWSKI, Am. Soc. **89**, 6308 (1967).

[3] L. HORNER, E. SPIETSCHKA u. A. GROSS, A. **573**, 17 (1951); G. T. TISUE, S. LINKE u. W. LWOWSKI, Am. Soc. **89**, 6303 (1967).

[4] Lösungsmitteleinfluß auf die Isocyanat-Bildung: E. EIBLER u. J. SAUER, Tetrahedron Letters **1974**, 2569.

[5] L. HORNER u. E. SPIETSCHKA, B. **88**, 934 (1955).

[6] W. LWOWSKI et al., Tetrahedron Letters **1971**, 425.

[7] S. M. A. HAI u. W. LWOWSKI, J. Org. Chem. **38**, 2442 (1973).

[8] Zum Mechanismus, auch Lösungsmitteleffekte, vgl. G. R. FELT, S. LINKE u. W. LWOWSKI, Tetrahedron Letters **1972**, 2037.

Tab. 179. Reaktionen von Acyl-nitrenen

Ausgangsverbindung	Reaktionsbedingungen	Produkte	Ausbeute [% d.Th.]	Literatur
Äthoxycarbonyl-azid	S 81 Quecksilber-Lampe Isopropanol	*N-Äthoxycarbonyl-O-isopropyl-hydroxyl-amin*	10	[1, 2]
		+ Carbamidsäure-äthyl-ester	90	
Aminocarbonyl-azid		*Harnstoff*	80	
2,2-Dimethyl-propanoyl-azid	$\lambda = 254$ nm; 10° Cyclohexan	*2,2-Dimethyl-propan-säure-cyclohexylamid*	20	[3]
		+ 2,2-Dimethyl-propan-säure-amid	0,5	
		+ tert.-Butyl-isocyanat[a]	~40	
	...; Cyclohexen	*7-(2,2-Dimethyl-propan-oyl)-7-aza-bicyclo[4.1.0]heptan*	45	
		+ 3-(2,2-Dimethyl-pro-panoylamino)-cyclo-hexen	1,5	
		+ tert.-Butyl-isocyanat[a]	~40	
Benzoylazid[b]	Q 81 Quecksilber-Lampe; Methanol	*N-Benzoyl-O-methyl-hydroxylamin*	32	[4]
		+ Isocyanat-Folgepro-dukte	38	
	...; Isopropanol	*Benzoesäure-amid*	43	
		+ N-Benzoyl-O-isopro-pyl-hydroxylamin	27	
		+ Isocyanat-Folgeprodukte	26	
	...; tert.-Butanol	*N-Benzoyl-O-tert.-butyl-hydroxylamin*	37	
		+ Isocyanat-Folgeprodukte	50–60	
	Q 81 Quecksilber-Lampe ...; 1,4-Dioxan/Wasser	*N,N'-Diphenyl-harn-stoff*	28	[4]
		+ N-Hydroxy-benzoesäu-reamid	10	
	...; Eisessig	*N-Benzoyl-O-acetyl-hydroxylamin*	33	
	...; Anilin	*N-Phenyl-N'-benzoyl-hydrazin*	14	
		+ N,N'-Diphenyl-harn-stoff	14	

[a] Bei der Thermolyse in siedendem Cyclohexan entsteht das Isocyanat zu 99% d.Th..
[b] 2-, 3- bzw. 4-Benzoyl-benzoylazid/Isopropanol vgl. Lit.[5].

[1] R. Kreher u. G. H. Bockhorn, Ang. Ch. **76**, 681 (1964).
[2] R. Kreher u. G. H. Berger, Tetrahedron Letters **1965**, 369.
[3] G. T. Tisue, S. Linke u. W. Lwowski, Am. Soc. **89**, 6303 (1967).
[4] L. Horner, G. Bauer u. J. Dörges, B. **98**, 2631 (1965).
[5] L. Horner u. H. Schwarz, A. **747**, 21 (1971).

Tab. 179 (1. Fortsetzung)

Ausgangsverbindung	Reaktionsbedingungen	Produkte	Ausbeute [% d.Th.]	Literatur
Benzoylazid	450 W Hanovia-Mittel-druck-Brenner; Vycor-Filter;	*Benzoylimino-dimethyl-sulfuran*	35–38	[1]
	Dimethylsulfid; 5–15°; 24 Stdn.	*Benzamid*	3	
	5–15°; 24 Stdn.	Phenylisocyanat	25–32	
	$\lambda = 254$ nm; Quarz; 10 Mol-% in Äthyl-isocyanat; –16°	*5-Oxo-4-äthyl-2-phenyl-tetrahydro-1,3,4-oxa-diazol*	~25	[2]
		Phenylisocyanat	~50	
4-Methoxy-benzoyl-azid	. . ., Dimethylsulfoxid	*N-(4-Methoxy-benzoyl)-dimethylsulfoximid*	30	[3]

Anlagerung an elektronenreiche Zentren der Lösungsmittelmoleküle (vgl. Tab. 179, S. 1272). Durch Einschiebung in C=C-Doppelbindungen bilden sich (ggf. stereospezifisch) Aziri-dine[4,5]:

Auch eine unter Einbeziehung der Carbonyl-Gruppe verlaufende 1,3-Oxazolin-Bildung wurde beobachtet[6].

---

[1] Y. HAYASHI u. D. SWERN, Am. Soc. **95**, 5205 (1973).

[2] S. M. A. HAI u. W. LWOWSKI, J. Org. Chem. **38**, 2442 (1973).

[3] L. HORNER, G. BAUER u. J. DÖRGES, B. **98**, 2631 (1965).

[4] Zum Mechanismus, auch Lösungsmitteleffekte, vgl. G. R. FELT, S. LINKE u. W. LWOWSKI, Tetrahedron Letters **1972**, 2037.

[5] Y. HAYASHI u. D. SWERN, Am. Soc. **95**, 5205 (1973).

[6] K. A. OGLOBIN, V. P. SEMENOV u. A. N. STUDENIKOV, Ž. Org. Chim. 8, 1608 (1972); C. A. **77**, 139865ᵘ (1972).
V. P. SEMENOV et al., Ž. Org. Chim. **9**, 1760 (1973); C. A. **79**, 151518ᵍ (1973).

Mit primären und sekundären Alkoholen beobachtet man außer der Einschiebung in die OH-Bindung Reduktion des Nitrens zum Amid unter gleichzeitiger Dehydrierung des Alkohols zur Carbonyl-Verbindung[1-3]:

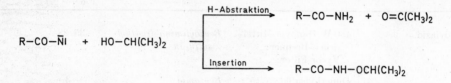

Für die Benzophenon-sensibilisierte Photolyse von Benzoylazid in Isopropanol, die Benzamid mit Quantenausbeuten bis $\varphi = 500$ liefert, gilt dieser einfache Mechanismus nicht mehr[2,4].

Tab. 179 (S. 1272) bringt eine Reihe von Reaktionen der vorgenannten Typen.

In präparativer Hinsicht am wichtigsten sind die **intramolekularen Stabilisierungsreaktionen** der photolytisch erzeugten Acylnitrene. Bei ausreichender Kettenlänge entstehen durch Einschiebung in γ- oder δ-C–H-Bindungen Lactame.

Der Ringschluß erfolgt unter Konfigurationserhalt am (asymmetrischen) γ- bzw. δ-Kohlenstoff-Atom, was nur mit einer synchronen Bindungsumgruppierung, d. h. mit einem Singulett-Nitren, verständlich ist[5,6]:

Beispielsweise liefert die Photolyse (Quecksilber-Hochdruck-Brenner) von **Hexanoyl-azid** in Cyclohexan neben dem Pentylisocyanat als Hauptprodukt *6-Oxo-2-methylpiperidin* (13% d.Th.) und *5-Oxo-2-äthyl-pyrrolidin* (8% d.Th.) sowie *Hexansäure-cyclohexylamid* (3% d.Th.). Letzteres entstammt der Reaktion des Nitrens mit dem Lösungsmittel[6,7]:

Durch Zusatz von Acetophenon als (Triplett-)Sensibilisator ($\lambda > 300$ nm) wird die Reaktion in eine andere Richtung gelenkt. Unter Wasserstoff-Übertragung entsteht hauptsächlich *Hexansäure-amid*, das man in 78%iger Ausbeute isoliert[6].

Die im Falle der offenkettigen Nitrene beobachtete deutliche Begünstigung der δ- gegenüber der γ-Lactam-Bildung findet sich nicht mehr so ausgeprägt bei starren Systemen, auf die die Reaktion hauptsächlich angewendet wurde, vgl. Tab. 180 (S. 1275).

[1] R. Puttner u. K. Hafner, Tetrahedron Letters **1964**, 3119.
[2] L. Horner, G. Bauer u. J. Dörges, B. **98**, 2631 (1965).
[3] R. Kreher u. G. H. Bockhorn, Ang. Ch. **76**, 681 (1964).
[4] L. Horner u. G. Bauer, Tetrahedron Letters **1966**, 3573.
[5] S. Yamado u. S. Terashima, Chem. Commun. **1969**, 511.
   vgl. a.: S. Terashima u. S. Yamado, Chem. Pharm. Bull. (Tokyo) **16**, 1953 (1968); C. A. **70**, 36863ᵗ (1969).
[6] I. Brown u. O. E. Edwards, Canad. J. Chem. **45**, 2599 (1967).
[7] Vgl. a.: G. R. Felt, S. Linke u. W. Lwowski, Tetrahedron Letters **1972**, 2037.

Tab. 180. Lactame durch Photolyse von Acylaziden

Ausgangs-verbindung	Reaktionsbedingungen	Produkte	Ausbeute [% d.Th.]	Literatur
	Hanovia Typ L; Hexan		24	1
	Hanovia Typ L; Cyclohexan	*8-Oxo-7-aza-bicyclo[4.2.1] nonan*	16	
	450 W Hanovia Typ L; Hexan	*3,3;7,7-Bis-[äthylendioxy]-10-oxo-5,5-dimethyl-9-aza-trans-bicyclo[6.2.0] decan*	11	1
	450 W Hanovia (509/12); Quarz; Cyclohexan; 1¹/₂ Stdn.	*4-Methyl-4-aminomethyl-cis-dekalin-9-carbon-säure-lactam*	11 (roh 18)	2
		+ *9-Isocyanato-4,4-dime-thyl-cis-dekalin*	17	
		+ andere Lactame	~ 8	
	200 W Hanovia 54 A 36; Quarz; Hexan; 0°; 8 Stdn.	*2-Amino-5,5-dimethyl-trans-dekalin-9-carbon-säure-lactam*	14	3,4 vgl. a. 2
		+ *4-Methyl-4-aminomethyl-trans-dekalin-9-carbon-säure-lactam*	9	
		+ *4,4-Dimethyl-trans-deka-lin-9-carbonsäure-amid*	8	
		+ *9-Isocyanato-4,4-dime-thyl-trans-dekalin*	35	

¹ K. Kawashima u. I. Agata, J. pharm. Soc. Japan **89**, 1426 (1969); C. A. **72**, 21 571ᴾ (1970).
² R. F. C. Brown, Austral. J. Chem. **17**, 47 (1964); C. A. **60**, 7930ᵍ (1964).
³ W. L. Meyer u. A. S. Levinson, J. Org. Chem. **28**, 2859 (1963).
⁴ Analoges System: S. Masamune, Am. Soc. **86**, 290 (1964).

Tab. 180. (1. Fortsetzung)

Ausgangs-verbindung	Reaktionsbedingungen	Produkte	Ausbeute [% d.Th.]	Lite-ratur
	Hanovia-UV-Lampe; Quarz-Gefäß; Hexan	*1β-Isocyanato-1α,4aβ-dimethyl-4bα,8α-perhy-dro-phenanthren*	65	1
		+1α-Methyl-4aβ-amino-methyl-4bα,8α-per-hydrophenanthren-1β-carbonsäure-lactam	25	
		6-Amino-dihydro-iso-pimarsäure-lactam	9	2,3
	S 81 Tauchlampe; Äther oder Cyclohexan	*3a-Acetoxy-10-amino-methyl-ursen-(12)-4-carbonsäure-lactam*	32	4

Aus Acyl-carbamidsäure-aziden entstehen durch Ringschluß zum Oxo-Sauerstoff des Acyl-Restes 3-Hydroxy-5-aryl-1,2,4-oxadiazole in Ausbeuten von 68–80%, wenn in wasser-freiem Benzol photolysiert wird[5]:

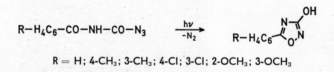

$$R-H_4C_6-CO-NH-CO-N_3 \xrightarrow[-N_2]{h\nu} R-H_4C_6 \text{(Oxadiazol)}$$

R = H; 4-CH₃; 3-CH₃; 4-Cl; 3-Cl; 2-OCH₃; 3-OCH₃

3-Hydroxy-5-phenyl-1,2,4-oxadiazol[5]: 5,7 g (30 mMol) N-Benzoyl-carbamidsäure-azid werden in 50 *ml* wasserfreiem Benzol suspendiert und in einem Quarz-Gefäß bei 50–60° 4–5 Stdn. bestrahlt (Original Hanau, λ = 322 nm). Dabei scheidet sich das Oxadiazol teilweise kristallin ab. Wenn die Stickstoff-Entwicklung nachläßt, wird i. Vak. eingedampft und die zurückbleibende Kristallmasse aus Ligroin/Äthanol unter Zusatz von Aktivkohle umkristallisiert; Ausbeute: 3,7 g (77% d.Th.); F: 200–202°.

1 J. W. ApSimon u. O. E. Edwards, Canad. J. Chem. **40**, 896 (1962).
2 W. Antkowiak et al., Canad. J. Chem. **43**, 1257 (1965).
3 Analoges System s. J. W. ApSimon u. O. E. Edwards, Canad. J. Chem. **40**, 896 (1962).
4 S. Huneck, B. **98**, 2305 (1965).
5 R. Neidlein u. H. Krüll, A. **716**, 156 (1968).

Bei der Photolyse von N,N-Diphenyl-carbamidsäure-azid in Benzol (254 nm) entsteht durch Nitren-Einschiebung in eine Phenyl-C–H-Bindung *2-Oxo-1-phenyl-benzimidazol* (57% d.Th.) neben *Diphenylamin* (14% d.Th.), Thermolyse dagegen ergibt 3-Oxo-1-phenyl-indazol[1].

3-Azidocarbonylmethyl-1,2-diphenyl-cyclopropen liefert bei Bestrahlung in ätherischer Lösung bei –30° (Niederdrucklampe) und anschließender Behandlung mit Äthanol bei 55° *2,5-Diphenyl-pyrrol* (6% d.Th.) neben *2-Oxo-5,6-diphenyl-* und *2-Oxo-3,4-diphenyl-1,2-dihydro-pyridin* (5% d.Th. bzw. 21% d.Th.)[2]:

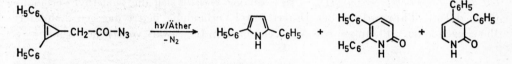

1,2-Diphenyl-3-azidocarbonyl-cyclopropen ergibt außer dem Isocyanat (50% d.Th.) 4% d.Th. Diphenylacetylen und ein Nitren-Einschiebungsprodukt mit dem Lösungsmittel[2].

In schlechter Ausbeute (3% d.Th.) entsteht *2-Methyl-5-phenyl-1,3,4-oxadiazol* bei der Photolyse (Q81 Tauchlampe) von Acetylazid in Benzonitril, Ersatz des letzteren durch Phenylacetylen gibt (ebenfalls ~ 3% d.Th.) *2-Methyl-5-phenyl-oxazol*[3].

Bei ungesättigten Acylnitrenen mit günstiger räumlicher Lage von C=C-Doppelbindung und Nitren-Stickstoff kommt es zu **intramolekularer Aziridin-Bildung.** Die hierbei entstehenden polycyclischen Systeme sind aber vielfach nicht stabil und reagieren weiter. So bildet sich z. B. aus **Cyclohepten-5-carbonsäure-azid(I)** durch Belichtung bei 0° in Hexan (Quecksilber-Hochdruck-Brenner) neben *Cycloheptenyl-(5)-isocyanat* und polymeren Produkten das nicht in Substanz isolierbare Aziridin II, das hydrolytisch in das Hydroxylactam IIIa (12% d.Th.) übergeht. Photolysiert man in Methanol, so entsteht die entsprechende Methoxy-Verbindung IIIb[4]:

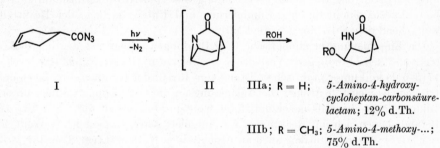

I II IIIa; R = H; *5-Amino-4-hydroxy-cycloheptan-carbonsäure-lactam*; 12% d.Th.

IIIb; R = CH₃; *5-Amino-4-methoxy-...;* 75% d.Th.

Analog ergibt **Bicyclo[2.2.1]hepten-(2)-endo-5-carbonsäureazid** nach Hydrolyse *endo-6-Amino-exo-5-hydroxy-bicyclo[2.2.1]hepten-endo-2-carbonsäure-lactam* (20% d.Th.) und 2-Vinyl-benzoesäure-azid *3-Oxo-1-hydroxymethyl-1,3-dihydro-isoindol* (4,5% d.Th.)[4,5].

2,3-Diazido-1,4-naphthochinon, das als vinyloges Acylazid betrachtet werden kann, spaltet photochemisch (Fluoreszenz-Lampe; Corning-Filter 3–72, entsprechend λ > 430 nm; ätherische Lösung) mit einer Quantenausbeute φ = 1 (für λ = 437 nm) 2 Moleküle Stickstoff ab. Als einziges Produkt isoliert man *1,2-Bis-[cyancarbonyl]-benzol*

[1] N. Koga, G. Koga u. J.-P. Anselme, Tetrahedron 28, 4515 (1972).
[2] N. C. Castellucci et al., Chem. Commun. 1967, 473.
  Vgl. a.: T. Kametani u. M. Shio, J. Heterocycl. Chem. 7, 831 (1970).
[3] R. Huisgen u. J.-P. Anselme, B. 98, 2998 (1965).
[4] I. Brown et al., Canad. J. Chem. 47, 2751 (1969).
[5] Weitere Beispiele dieses Reaktionstyps: N. C. Castellucci et al., Chem. Commun. 1967, 473.

wenn unter Feuchtigkeitsausschluß aufgearbeitet wird[1]. Thermolyse führt zum gleichen Ergebnis:

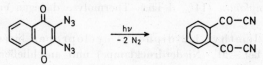

Beim 3,6-Diazido-2,5-di-tert.-butyl-benzochinon-(1,4) (1%ige Lösg. in trockenem Benzol; 360 nm; Raumtemperatur) entsteht unter Ringkontraktion *2-Azido-3,5-dioxo-1,4-di-tert.-butyl-4-cyan-cyclopenten* (41% d.Th.); analog verhält sich die Dimethyl-Verbindung (55% d.Th.); T h e r m o l y s e der Di-tert.-butyl-Verbindung liefert dagegen 2 Mol tert.-Butyl-cyan-keten[2]. Photolyse von Azido-chinonen in Gegenwart von Dienen, vgl.[3].

γ_7) *Alkoxycarbonylazide*

Die bei der Photolyse von Alkoxycarbonyl-aziden entstehenden Alkoxycarbonyl-nitrene nehmen eine gewisse Sonderstellung ein. Als „starre", d. h. nicht zur Curtius-Umlagerung fähige Nitrene[4], haben sie weniger Möglichkeiten zur intramolekularen Stabilisierung und reagieren deshalb bevorzugt mit anderen zugesetzten Substanzen.

Für die Abspaltung von Stickstoff aus Azido-ameisensäure-äthylester wurde eine Energieschwelle von ~ 95 kcal/Mol ($\lambda < 300$ nm) ermittelt, während die Spaltung der N–C-Bindung mindestens 130 kcal ($\lambda < 220$ nm) erfordert[5].

Bei der Photolyse des reinen Ä t h o x y c a r b o n y l a z i d s beobachtet man lediglich Bildung von *Diäthoxycarbonyl-diazen*, das bei länger dauernder Belichtung zugunsten von *Nitrilo-ameisensäure-äthylester* wieder abgebaut wird[6]. In kleinen Mengen finden sich beide Verbindungen häufig unter den Produkten von Photoreaktionen mit Azido-ameisensäureestern.

Im übrigen entsprechen die Reaktionen der photochemisch erzeugten Alkoxycarbonyl-nitrene (Erzeugung der Äthoxy-Verbindung aus O-(4-Nitro-benzolsulfonyl)-N-äthoxycarbonyl-hydroxylamin durch α-Eliminierung und Unterschiede in der Reaktivität, vgl.[7]) weitgehend denen der übrigen Acyl-Nitrene.

Die Einschiebung in aliphatische C–H-Bindungen erfolgt mit deutlicher Bevorzugung tert. und sek. Bindungen (Verhältnis der relativen Reaktivitäten tert.: sek.: prim. ≈ 17:5–6:1) und unter praktisch vollständigem Erhalt der Konfiguration an einem asymmetrischen Kohlenstoff-Atom[8]. Die Anlagerung an die C=C-Doppelbindung unter Aziridin-Bildung läuft ebenfalls bevorzugt unter Konfigurationserhalt ab[9]. Diese experimentellen Befunde lassen sich mit Reaktionen von Singulett-Nitrenen deuten[8–10]. Weiterhin können sich Alkoxycarbonyl-nitrene auch an Aromaten, z. B. Benzol (vgl. Tab. 181, S. 1280) oder Naphthalin[11], addieren. Anlagerung an Hetero-Mehrfachbindungen führt zu Heterocyclen. Tab. 181 (S. 1279) bringt eine Auswahl dieser Reaktionen.

[1] J. A. VAN ALLAN et al., J. Org. Chem. **33**, 1100 (1968).

[2] H. W. MOORE u. W. WEYLER, Jr., Am. Soc. **93**, 2812 (1971).

[3] P. GERMERAAD, W. WEYLER, Jr., u. H. W. MOORE, J. Org. Chem. **39**, 781 (1974).

[4] Lediglich bei der Photolyse von Äthoxycarbonylazid in Methanol bei –15° scheint z. Teil auch Umlagerung zu erfolgen, wie nach der Bildung von O-Äthyl-N-methoxycarbonyl-hydroxylamin neben O-Methyl-N-äthoxycarbonyl-hydroxylamin zu vermuten ist: W. LWOWSKI et al., Tetrahedron Letters **1964**. 3285.

[5] D. W. CORNELL, R. S. BERRY u. W. LWOWSKI, Am. Soc. **87**, 3626 (1965).

[6] W. LWOWSKI, T. W., MATTINGLY, Jr. u. T. J. MARICICH, Tetrahedron Letters **1964**, 1591; J. HANCOCK, Tetrahedron Letters **1964**, 1585.

[7] W. LWOWSKY u. T. J. MARICICH, Am. Soc. **87**, 3630 (1965).

[8] J. M. SIMSON u. W. LWOWSKI, Am. Soc. **91**, 5107 (1969).

[9] J. S. MCCONAGHY, jr., u. W. LWOWSKI, Am. Soc. **89**, 4450 (1967).

[10] A. MISHRA, S. N. RICE u. W. LWOWSKI, J. Org. Chem. **33**, 481 (1968).

[11] M. S. CHAUHAN u. R. G. COOKE, Austral. J. Chem. **23**, 2133 (1970).

Tab. 181. Reaktionen von Alkoxycarbonyl-Nitrenen

Ausgangs-verbindungen	Reaktionsbedingungen	Produkte	Ausbeute [% d.Th.]	Literatur
Methoxycarbonyl-azid + Butin-(2)	Hg-Hochdruck-Brenner; Vycor-Filter; 1%ige Lösung; 0–5°; 5 Stdn. bis Umsatz von 90%	*1,2,3-Trimethyl-3-(2-methoxycarbonylimino-äthyl)-cyclopropen* + *2-Methoxy-4,5-dimethyl-1,3-oxazol*	~30 12	1
+ Tricyclo[3.3.0. $0^{2,6}$]octan	verd. Lösung	*4-Methoxycarbonyl-amino-bicyclo[3.3.0. $0^{2,6}$]octan* + *1-Methoxycarbonyl-amino-...*	20 6	2
+ Dimethyl- bzw. Diäthyl- oder Di-isopropyl-sulfid	Hg-Hochdruck-Lampe; Quarz; Lösung mit 10 Mol-% Azid[a]; ~1 Stde.	*N-Methoxycarbonyl-dimethylsulfimin* + *...-diäthylsulfimin* + *...-diisopropylsulfimin*	40–60	3, 4
+ Äthylisocyanat	Hg-Niederdruck-Brenner[b]; Quarz; 1,2 im Lösung des Azids im Isocyanat; 24 Stdn.; 70–90% N$_2$-Entwicklung	*2-Methoxy-5-oxo-4-äthyl-4,5-dihydro-1,2,4-oxadiazol* + *3,5-Dioxo-2,4-diäthyl-1-methoxycarbonyl-tetrahydro-1,2,4-triazol*	10–15 50	5
Äthoxycarbonyl-azid + Isopren	$\lambda = 254$ nm; Lösung, auch mit Dichlormethan verdünnt; 0°; 48 Stdn. bis 65% d.Th. Stickstoff-Entwicklung	*2-Methyl-2-vinyl-1-äthoxycarbonyl-aziridin* + *2-Isopropenyl-1-äthoxycarbonyl-aziridin*	43[c] 43[c]	6,7
+ *cis*-4-Methyl-penten-(2)	$\lambda = 254$ nm; 0,4 m Lösung; 38°; 13,5 Stdn.[d] Quarz-Gefäß	*cis-3-Methyl-2-äthyl-1-äthoxycarbonyl-aziridin* + *trans-... (74:26)*	70	8
+ *trans*-4-Methyl-penten-(2)		*trans-3-Methyl-2-äthyl-1-äthoxycarbonyl-aziridin* + *cis-... (93,6:6,4)*	70	

[a] Bei Zusatz von Acetophenon entsteht nur *Carbaminsäure-methylester* (~56% d.Th.).
[b] Mit $\lambda \sim 300$ nm (Leuchtstoff-Lampen) geringere Ausbeuten.
[c] Bez. auf zersetztes Azid.
[d] Mit Acetophenon als Sensibilisator ($\lambda = 310$–410 nm) erfolgt praktisch nur Bildung von Carbaminsäure-äthylester sowie *cis-trans*-Isomerisierung des Olefins.

1 J. MEINWALD u. D. H. AUE, Am. Soc. 88, 2849 (1966).
2 J. MEINWALD u. D. H. AUE, Tetrahedron Letters 1967, 2317.
3 W. ANDO, N. OGINO u. T. MIGITA, Bl. chem. Soc. Japan 44, 2278 (1971); C. A. 75, 117746^u (1971).
4 W. ANDO et al., Int. J. Sulfur Chem. 8, 13 (1973); C. A. 80, 120184^m (1974).
5 S. M. A. HAI u. W. LWOWSKI, J. Org. Chem. 38, 2442 (1973).
6 A. MISHRA, S. N. RICE u. W. LWOWSKI, J. Org. Chem. 33, 481 (1968).
7 Reaktionen mit Äthoxalylazid vgl. T. SHINGAKI et al., Bl. chem. Soc. Japan 43, 1912 (1970); 45, 3567 (1972).
8 J. S. MCCONAGHY, Jr., u. W. LWOWSKI, Am. Soc. 89, 4450 (1967).
   W. LWOWSKI u. J. S. CONAGHY, Jr., Am. Soc. 87, 5490 (1965).

Tab. 181 (1. Fortsetzung)

Ausgangs-verbindungen	Reaktionsbedingungen	Produkte	Ausbeute [% d.Th.]	Literatur
Äthoxycarbo-nylazid + Cyclohexan	$\lambda = 254$ nm; Vycor-oder Quarz-Gefäße; Lösung	*Äthoxycarbonylamino-cyclohexan* + *Carbaminsäure-äthyl-ester*	51 12	1
+ Benzol	Hg-Niederdruck- oder Mitteldruck-Lampe; Lösung, auch unter Zusatz von Dichlor-methan oder Petrol-äther	*1-Äthoxycarbonyl-1H-azepin*	70	2, 3
+ Acetonitril	Q 81 Brenner; verd. Lösung	} *5-Äthoxy-2-methyl-1,3,4-oxadiazol*	57	4
	Hg-Niederdruck-Lampe; verd. Lösung		60	5
+ 1,3-Dioxolan	Hg-Hochdruck-Lampe; Vycor-Gefäß; 10%ige Lösung; 10°; 200 Stdn.[b]	*2-Äthoxycarbonylamino-1,3-dioxolan* + *Carbaminsäure-äthyl-ester*	64 10–25	6
+ Tetrahydro-pyran		*2-Äthoxycarbonylamino-tetrahydro-pyran*	41	6
+ 3,4-Dihydro-2H-pyran	Hg-Niederdruck-Lampe; Quarz-Gefäß; 7%ige Lösung unter Zusatz von 10% Wasser; Raumtemp.; 5 Stdn.	*3-Äthoxycarbonylamino-2-hydroxy-tetrahydro-pyran*	95[c]	7
+ Aceton	200 W Hg-Hochdruck-Brenner; Quarz; 0,4 m Lösung ~ 40 Stdn.	*3,3-Dimethyl-2-äthoxy-carbonyl-oxaziridin* + *Carbaminsäure-äthyl-ester*[d]	60 23	8
+ Cyclohexanon		*2-Äthoxycarbonyl-amino-1-oxo-cyclohexan* + *Carbaminsäure-äthyl-ester*[d]	9 22	8

[a] Analog *5-Äthoxy-2-isopropyl-1,3,4-oxadiazol* (64% d.Th.) mit 2-Cyan-propan[4], *5-Äthoxy-2-phenyl-1,3,4-oxadiazol* (7% d.Th.) mit Benzonitril[5] und *5-Äthoxy-2-(2-äthoxy-äthyl)-1,3,4-oxadiazol* (73% d.Th.) mit 2-Äthoxy-1-cyan-äthan[4].
[b] Sensibilisierung mit Acetophenon führt zu größeren Mengen Carbaminsäure-äthylester.
[c] Bez. auf zersetztes Azid.
[d] Neben 2,5-Dioxo-hexan bzw. 2,2′-Dioxo-bicyclohexyl (4 bzw. 5%).

[1] W. Lwowski u. T. W. Mattingly, Jr., Am. Soc. 87, 1947 (1965); Tetrahedron Letters 1962, 277.
[2] K. Hafner u. C. König, Ang. Ch. 75, 89 (1963); engl.: 2, 96 (1963).
[3] Photolyse substituierter Benzole zu Gemischen isomerer 1-Äthoxycarbonyl-1H-azepine: K. Hafner, D. Zinser u. K.-L. Moritz, Tetrahedron Letters 1964, 1733.
[4] W. Lwowski et al., Tetrahedron Letters 1964, 2497.
[5] R. Huisgen u. H. Blaschke, A. 686, 145 (1965).
[6] H. Nozaki et al., Tetrahedron 23, 45 (1967).
[7] I. Brown u. O. E. Edwards, Canad. J. Chem. 43, 1266 (1965).
[8] T. Hiyama et al., Bl. chem. Soc. Japan 45, 1863 (1972); C. A. 77, 87548[w] (1972).

Tab. 181 (2. Fortsetzung)

Ausgangs-verbindung	Reaktionsbedingungen	Produkte	Ausbeute [% d. Th]	Literatur
Äthoxycarbonylazid + Äthylisocyanat	Hg-Niederdruck-Brenner[a]; Quarz; 1,2 m Lösung des Azids im Isocyanat; 24 Stdn.; 70–90% N_2-Entwicklung	*2-Äthoxy-5-oxo-4-äthyl-4,5-dihydro-1,2,4-oxadiazol*	13	1
		+ 3,5-Dioxo-2,4-diäthyl-1-äthoxycarbonyl-tetrahydro-1,2,4-triazol	52	
tert.-Butyloxy-carbonyl-azid + tert.-Butanol oder Acetonitril	Hg-Hochdruck-Lampe; Rückfluß-Temp. oder Hg-Niederdruck-Lampe; Raumtemp.	*2-Oxo-5,5-dimethyl-1,3-oxazolidin*	60 (bzw. 80)	2
		+ N-tert.-Butyloxycar-bonyl-O-tert.-butyl-hydroxylamin[b]	29	

[a] Mit $\lambda = 300$ nm (Leuchtstoff-Lampen) geringere Ausbeuten.
[b] In tert. Butanol.

7-Äthoxycarbonyl-7-aza-bicyclo[4.1.0]heptan[3]: Eine 10%ige Lösung von Äthylazidoformiat in Cyclohexen wird in einem Reaktionsgefäß aus Quarz oder Vycor mit Quecksilber-Niederdruck-Brennern (84% $\lambda = 254$ nm) bis zum Aufhören der Stickstoff-Entwicklung bestrahlt. Grob- und anschließende Feindestillation (25 cm Mikro-Füllkörper-Kolonne) liefert $\sim 50\%$ Ausbeute an 95%igem Rohprodukt. Eine weitere Feindestillation liefert gaschromatographisch reines Produkt; $Kp_{1,25}$: 67–68°.

Bei der mit Acetophenon sensibilisierten Reaktion ($\lambda = 310$–410 nm) entstehen 3,3′-Bicyclohexenyl (63% d.Th.) und Carbamidsäure-äthylester (74% d.Th.)[4].

γ_8) *Sulfonylazide*

Photoreaktionen von Sulfonylaziden[5] entsprechen im Verlauf und im Ergebnis weitgehend den Reaktionen der Acylazide. Da Sulfonylazide zu den „starren", nicht umlagerungs-fähigen Aziden zählen, hat man in der Regel nur mit den Folgeprodukten des Nitrens mit angebotenen Substraten zu rechnen. Die einzige bisher bekannte Ausnahme bildet Benzol-sulfonylazid, das in Methanol ($\lambda = 254$ nm) in *Phenylamido-methyl-sulfat* (23% d.Th.) *Benzolsulfonsäure-methoxyamid* (15% d.Th.) und *Benzolsulfonsäureamid* (5% d.Th.) über-geht[6,7]. Die Reaktionen mit Sulfoxiden und Thioäthern, die zu Sulfoximiden bzw. Sulfimiden führen, können von präparativem Interesse sein, s. Tab. 182 (S. 1282).

N-Tosyl-dimethyl-sulfimin[7]: Eine Lösung von 4,9 g (25 mMol) 4-Methyl-benzol-sulfonylazid in 100 *ml* Dimethylsulfid wird in einer mit Eiswasser gekühlten, geschlossenen Apparatur mit einer Quecksilber-Hochdruck-Tauchlampe (S 81, Quarzlampen-Ges.) bis zur Entwicklung von 400 *ml* ($\sim 75\%$) Stickstoff belichtet. Der ausgefallene Niederschlag wird gesammelt und aus Wasser unter Zusatz von Aktivkohle umkristallisiert. Durch Abdestillieren des Lösungsmittels und Auskochen des Rückstandes mit Wasser erhält man eine weitere Menge; Gesamtausbeute: 2,1 g (54,5% d.Th.); F: 158–159°.

---

[1] S. M. A. Hai u. W. Lwowski, J. Org. Chem. **38**, 2442 (1973).

[2] R. Kreher u. G. H. Bockhorn, Ang. Ch. **76**, 681 (1964); engl.: **3**, 589 (1964).

[3] W. Lwowski u. T. W. Mattingly, Jr., Am. Soc. **87**, 1947 (1965).

[4] W. Lwowski u. T. W. Mattingly, Jr., Tetrahedron Letters **1962**, 277.
W. Lwowski u. F. P. Woerner, Am. Soc. **87**, 5491 (1965).

[5] Zur Chemie der Sulfonylnitrene allgemein vgl.: R. A. Abramovitch u. R. G. Sutherland, Fortschr. chem. Forsch. **16**, 1 (1970).

[6] W. Lwowski u. E. Scheiffele, Am. Soc. **87**, 4359 (1965).

[7] L. Horner u. A. Christmann, B. **96**, 388 (1963).

Tab. 182. Photoreaktionen von Sulfonylaziden

Ausgangs-verbindungen	Reaktionsbedingungen	Produkte	Ausbeute [% d.Th.]	Literatur
Methansulfonyl-azid + Isopropanol	Hg-Hochdruck-Brenner; Vycor-Filter oder Benzophenon als Sensibilisator ($\lambda > 345$ nm)	*Methansulfonsäure-amid*	~100	1
Äthansulfonylazid + Dimethylsulfoxid	Hg-Niederdruck-Lampe	*N-Äthylsulfonyl-dimethyl-sulfoximin*	20	2
4-Methyl-benzol-sulfonylazid + Dimethylsulfoxid	Hg-Niederdruck-Lampe	*N-Tosyl-dimethyl-sulfoximin*	32	2
4-Methoxy-benzol-sulfonylazid + Dimethylsulfid	Hg-Hochdruck-Lampe; 0°	*N-4-Methoxy-phenyl-sulfonyl-dimethyl-sulfimin*	48	2
+ Isopropanol	Hg-Hochdruck-Lampe; Vycor-Filter oder Benzophenon als Sensibilisator ($\lambda > 345$ nm)	*4-Methoxy-benzol-sulfonsäure-amid*	94	1
Ferrocen-sulfonylazid	$\lambda = 350$ nm; 25° Lösung in Benzol oder Cyclohexan (%) bzw. Cyclohexen[a]	*1'-Amino-ferrocen-1-sulfonsäure-lactam* + *Ferrocen-sulfonsäure-amid*	67 (13) 14 (32)	3, 4

[a] Hier entstehen zusätzlich 9% d.Th. *7-(Ferrocen-sulfonyl)-7-aza-bicyclo[4.1.0]heptan*[4].

4. an den N→O- Bindungen

α) Amin-N-oxide

bearbeitet von

Prof. Dr. OLE BUCHARDT*

Durch photochemische Umlagerung von optisch aktivem (α-D)-Dimethyl-benzyl-amin-N-oxid entsteht (α-D)-N,N-Dimethyl-O-benzyl-hydroxylamin, welches mindestens zu 61% als Racemat vorliegt. Folgender Reaktionsmechanismus wurde vorgeschlagen[5]:

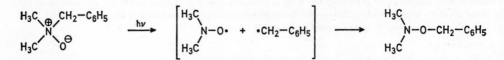

* Kemisk Laboratorium II, Kobenhavns Universitet, Kopenhagen/Dänemark.

[1] M. T. REAGAN u. A. NICHON, Am. Soc. **90**, 4096 (1968).
[2] L. HORNER u. A. CHRISTMANN, B. **96**, 388 (1963).
[3] R. A. ABRAMOVITCH, C. I. AZOGU u. R. G. SUTHERLAND, Chem. Commun. **1969**, 1439.
[4] R. A. ABRAMOVITCH, C. I. AZOGU u. R. G. SUTHERLAND, Tetrahedron Letters **1971**, 1637.
[5] U. SCHÖLLKOPF, M. PATSCH u. H. SCHAFER, Tetrahedron Letters **1964**, 2515.

Ein anderer Reaktionstyp wurde bei der Bestrahlung von 4-Dimethylamino-azobenzol-N-oxid in 22n Schwefelsäure gefunden. Durch Abspaltung von Sauerstoff und Dehydrocyclisierung entsteht *2-Dimethylamino-⟨benzo-[c]-cinnolin⟩* (12% d. Th.)[1]:

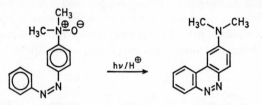

2-Dimethylamino-⟨benzo-[c]-cinnolin⟩[1]: Eine Lösung von 1,4 g 4-Dimethylamino-azobenzol-N-oxid in 2 *ml* Äthanol wird zu 70 *ml* 22n Schwefelsäure gegeben und die Mischung 32 Stdn. bestrahlt (Philips HP 125 W Quecksilber-Hochdruck-Lampe; Pyrex-Gefäß). Die Reaktionsmischung wird auf 250 g zerkleinertes Eis gegossen und mit Natriumcarbonat der p_H-Werte auf 3–4 eingestellt. Es schließt sich eine kontinuierliche Extraktion mit 300 *ml* Chloroform an. Die organische Phase wird abgetrennt, die wäßrige wird auf p_H = 10–11 gebracht und erneut mit 300 *ml* Chloroform 3 Tage extrahiert. Nach der Phasentrennung wird die wäßrige Lösung durch Zugabe von Schwefelsäure auf p_H = 7–7,5 gebracht und ein letztes Mal mit 300 *ml* Chloroform extrahiert. Die vereinigten organischen Auszüge werden zur Trockene gebracht, der Rückstand in Petroläther (Kp: 40–60°) gelöst und an einer Aluminiumoxid-Säule chromatographiert. Mit Benzol/Petroläther werden 180 mg Ausgangssubstanz (F: 115–117°) erhalten. Die zweite Zone wird mit Benzol eluiert und liefert nach Verdampfen des Lösungsmittels und Umkristallisieren aus Benzol/Petroläther 150 mg (12% d. Th.) 2-Dimethylamino-⟨benzo-[c]-cinnolin⟩; F: 175–175,5°.

Über Photolysen von 2,2,5,5-Tetramethyl-3-aminocarbonyl-2,5-dihydro-pyrrol-1-oxyl sowie von 4-Hydroxy-2,2,6,6-tetramethyl-piperidin-1-oxyl s. Orig.-Lit.[2].

β) Imin-N-oxide

bearbeitet von

Prof. Dr. Ole Buchardt*

β₁) Alkyliden-amin-N-oxide

Bei photochemischen Umsetzungen von Nitronen[3,4] treten *cis-trans*-Isomerie, Isomerisierung zu Oxaziridinen oder Amiden sowie durch Deoxygenierung Imine auf. Es ist eindeutig bewiesen, daß die Amide durch sekundäre, thermische oder photochemische Umsetzungen aus Oxaziridinen entstehen. In Einzelfällen bilden sich auch andere Produkte, vermutlich durch Folgereaktionen primär gebildeter Oxaziridine.

Über den ersten angeregten Singulett-Zustand entstehen Oxaziridine, während sich aus dem ersten angeregten Triplett-Zustand ein Photo-Gleichgewicht aus *cis*- und *trans*-Nitron ergibt. Verwendet man Triplett-Sensibilisatoren, z. B. Uranin (Dinatriumsalz von Fluorescein), so tritt ausschließlich *cis-trans*-Isomerisierung auf, während die direkte Bestrahlung eventuell das gesamte Nitron in Oxaziridin verwandelt[5].

Quantenausbeuten der Oxaziridine hängen in einigen Fällen vom Lösungsmittel[4,6,7] ab, wahrscheinlich in Abhängigkeit von den Wasserstoff-Brücken[6], und schwanken in der Regel zwischen φ = 0,2 und 0,4.

---

* Kemisk Laboratorium II, KobenhavnsUniversitet, Kopenhagen/Dänemark.

[1] G. E. Lewis u. J. A. Reiss, Austral. J. Chem. **20**, 1451 (1967).
[2] J. F. W. Keana, R. J. Dinerstein u. F. Baitis, J. Org. Chem. **36**, 209 (1971).
[3] Vgl. ds. Handb. Bd. X/4, S. 316, 460.
[4] K. Koyano u. I. Tanaka, J. phys. Chem. **69**, 2545 (1965).
[5] J. Splitter, H. Ono u. M. Calvin, Privatmitteilung.
[6] K. Shinzawa u. I. Tanaka, J. phys. Chem. **68**, 1205 (1964).
[7] J. Splitter u. M. Calvin, Tetrahedron Letters **1970**, 3995.

Die durch Licht bewirkte Sauerstoff-Abspaltung hängt von der eingestrahlten Wellenlänge ab. Es wird daher angenommen, daß sie über einen höher angeregten Singulett- oder Triplett-Zustand verläuft. Es wurde weiter festgestellt, daß die Deoxygenierung sehr stark durch Zugabe eines Ketons, wie z. B. Benzophenon, und Verwendung eines Alkohols als Lösungsmittel, z. B. Äthanol, gefördert werden kann. Es hat sich gezeigt, daß dies hauptsächlich auf ein photochemisch gebildetes reduzierendes Zwischenprodukt aus dem Keton und Alkohol zurückzuführen ist, welches sekundär mit dem Nitron reagiert[1]:

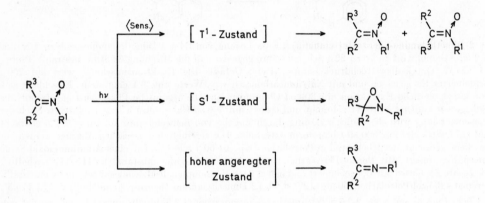

αα) cis-trans-Isomerisierung

Bringt man selektiv ein Nitron mit Hilfe eines Sensibilisators entsprechender Energie in den ersten angeregten Triplett-Zustand, so tritt *cis-trans*-Isomerie auf, wie dies am Beispiel des **Phenyl-phenylcyanmethylen-amin-N-oxides** gezeigt wurde[2]. Die Reaktion scheint präparative Möglichkeiten zu eröffnen, indem das *cis-trans*-Verhältnis von konventionell hergestellten Nitronen photochemisch variiert werden kann. Darüber hinaus treten gebildete Aldonitrone offenbar nur als *trans*-Isomere auf[3]. Die hier erörterte photochemische Umsetzung stellt so ein mögliches Verfahren zur Herstellung von *cis*-Isomeren dar.

ββ) Bildung von Oxaziridinen

Die photochemische Ringschluß-Reaktion von Nitronen zu Oxaziridinen scheint ein zusätzliches, in einigen Fällen den bisher üblichen Methoden sogar überlegenes Verfahren der Oxaziridin-Herstellung zu sein. In zahlreichen Fällen zeichnet sich ferner die photochemische Umsetzung durch eine hohe Stereospezifität aus. Die *cis-trans*-Isomerisierung findet am Stickstoff-Atom der Oxaziridine statt und verläuft bei Raum-Temp. so langsam, daß es gelingt, die Isomeren zu isolieren.

Aus dem Stereoisomeren-Gemisch von **Phenyl-[phenyl-(4-methoxy-phenyl)-methylen]-amin-N-oxid** (nach NMR-Daten Verhältnis 57:43) entstehen die beiden *2,3-Diphenyl-3-(4-methoxy-phenyl)-oxaziridine* unter Beibehaltung des ursprünglichen *cis/trans*-Verhältnisses[4]. Dagegen bildet sich aus **Phenyl-(3-phenyl-propyliden)-amin-N-oxid** lediglich ein *3-(2-Phenyl-äthyl)-2-phenyl-oxaziridin*. *3-Methyl-2,3-diphenyl-oxaziridin* liegt nach seiner photochemischen Bildung zu 10–20% wahrscheinlich als *trans*- und zu

[1] J. Splitter, H. Ono u. M. Calvin, Privatmitteilung.

[2] K. Koyano u. I. Tanaka, J. phys. Chem. **69**, 2545 (1965).

[3] Vgl. ds. Handb. Bd. X/4, S. 315–316.

[4] M. Calvin u. H. K. Ono, Privatmitteilung.

80–90% als *cis*-Verbindung vor. An Hand röntgenographischer Untersuchungen[1,2] wurde die *trans*-Konfiguration der aus Methyl-[4-brom- bzw. 4-chlor-2,6-dimethyl-benzyliden]-amin-N-oxid erhaltenen Oxaziridine nachgewiesen[1,3].

3-Phenyl-2-(4-cyan-phenyl)-oxaziridin[4]: Eine Lösung von 46,1 mg (4-Cyan-phenyl)-benzyliden-amin-N-oxid in 100 *ml* Dichlormethan wird unter Rühren und Durchleiten von Luft 3 Min. in einer Wasser-gekühlten Apparatur bestrahlt (Hanovia 450 W, Quecksilber-Mitteldruck-Lampe; Pyrex-Filter). Anschließend wird das Lösungsmittel verdampft; F: 82–84°. Nach dem NMR-Spektrum liegt nur eines der beiden möglichen Oxaziridine, wahrscheinlich das *trans*-Isomere, vor.

Ebenfalls stereospezifisch verläuft die photochemische Oxaziridin-Bildung cyclischer Nitrone. Das andere Isomere kann durch Oxidation des Imins mit Persäure hergestellt werden[5,6].

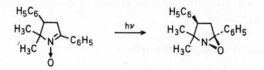

trans-2,2-Dimethyl-3,5-diphenyl-6-oxa-1-aza-bicyclo[3.1.0]hexan[6]: Eine Lösung von 5,5 g 2,2-Dimethyl-3,5-diphenyl-3,4-dihydro-2H-pyrrol-1-oxid in 350 *ml* trockenem Benzol wird 8 Stdn. mit einer Quecksilber-Mitteldruck-Lampe (Hanovia 250 W) bestrahlt, bis sich das gesamte Nitron umgesetzt hat. Nach dem Verdampfen des Benzols erhält man ein kristallines festes Produkt, welches aus Äthanol umkristallisiert wird; Ausbeute: 2,5 g (71% d.Th.); F: 155°; farblose Kristalle.

Eine Anzahl ähnlicher Oxaziridine können analog nach dieser Methode hergestellt werden, z. B. *trans-2,2-Dimethyl-3-phenyl-5-pyridyl-(3)-6-oxa-1-aza-bicyclo[3.1.0]hexan* und *trans-2,2,3-Trimethyl-5-phenyl-6-oxa-1-aza-bicyclo[3.1.0]hexan*.

Bei den meisten photochemisch hergestellten Oxaziridinen wurde kein stereospezifischer Ringschluß beobachtet. In vielen Fällen wurde jedoch gar nicht versucht, dieses Problem aufzuklären. In anderen Beispielen wurden wiederum Isomeren-Gemische erhalten.

cis- und trans-2,2,3,3,6,7-Hexamethyl-5,8-dioxa-1,4-diaza-tricyclo[5.1.0.0⁴,⁶]octan[7]:

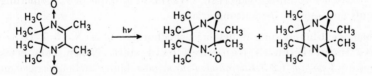

Eine Lösung von 4,0 g 2,2,3,3,5,6-Hexamethyl-2,3-dihydro-pyrazin-1,4-dioxid in 20 *ml* 1,4-Dioxan wird 14 Stdn. in einem konischen Quarz-Kolben mit flachem Boden bestrahlt (Hanovia 250 W, Quecksilber-Mitteldruck-Lampe). Der Kolben taucht 6 cm oberhalb der Lampe in ein Becherglas aus Quarz ein, durch das zur Aufrechterhaltung der Temp. (∼ 25°) Wasser zirkuliert. Die Reaktionsmischung wird filtriert und dann das Lösungsmittel so weit verdampft, bis sich ein halbfestes Produkt bildet, das dreimal mit Wasser (je 5 *ml*) behandelt wird. Aus dem Filtrat werden 1,3 g Ausgangsverbindung zurück-erhalten. Der unlösliche Rückstand wird getrocknet und dann bei 40°/1 Torr sublimiert; Ausbeute: 1,45 g (36% d.Th.); F: 49–54°.

[1] H. HJEDS, K. P. HANSEN u. B. JERSLEV, Acta chem. scand. **19**, 2166 (1965).
[2] L. BREHM, K. G. JENSEN u. B. JERSLEV, Acta chem. scand. **20**, 915 (1966).
[3] B. JERSLEV, Acta crystallogr. **23**, 645 (1967).
[4] M. CALVIN u. H. K. ONO, Privatmitteilung.
[5] J. B. BAPAT u. D. S. C. BLACK, Chem. Commun. **1967**, 73.
[6] J. B. BAPAT u. D. S. C. BLACK, Austral. J. Chem. **21**, 2507 (1968).
[7] M. LAMCHEN u. T. W. MITTAG, Soc. [C] **1968**, 1917.

Die photochemische Isomerisierung von Nitronen macht die Bildung sehr instabiler Oxaziridine[1] möglich, die durch andere Verfahren nicht dargestellt werden können. Es zeigte sich, daß die Lebensdauer solcher in Lösung erhaltener Oxaziridine sehr stark vom Lösungsmittel abhängt[2].

γγ) Bildung von Amiden

In früheren Arbeiten über die Photochemie von Nitronen wird berichtet, daß als Hauptprodukte isomere Amide auftreten[2]. Aufgrund neuerer Untersuchungen scheint jedoch wenig Zweifel darüber zu bestehen, daß die Amide Nebenprodukte darstellen, die entweder thermisch oder photochemisch aus primär gebildeten Oxaziridinen entstehen. Die so erhaltenen Amide werden jedoch meistens leichter durch klassische Methoden dargestellt. In einigen Fällen hat aber auch die photochemische Herstellung von Amiden aus Nitronen präparative Bedeutung erlangt.

2,4-Dioxo-3-phenyl-1,2,3,4-tetrahydro-chinazolin[3]:

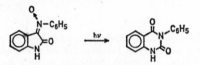

Eine Lösung von 0,5 g N-[2-Oxo-2,3-dihydro-indolyliden-(3)]-anilin-N-oxid in 80 *ml* Tetrahydrofuran wird 17 Stdn. bestrahlt (keine Angaben über die Lichtquelle). Nach Entfernung des Lösungsmittels wird der Rückstand mit einer geringen Menge Äthanol behandelt und die unlöslichen Produkte aus Äthanol umkristallisiert; Ausbeute: 0,255 g (50% d.Th.); F: 287–289°.

δδ) Deoxygenierung und andere Eliminierungen

Die photochemische Sauerstoff-Abspaltung aus Nitronen ist nur mit einigen Beispielen in der Literatur belegt[4,5]. Dieses Verfahren scheint gegenwärtig präparativ noch nicht von Interesse zu sein. Wegen der Analogie mit der photochemischen Sauerstoff-Übertragungsreaktion aromatischer Amin-N-oxide (vgl. S. 1287ff.) kann die Deoxygenierung von Nitronen in Zukunft eine gewisse Bedeutung erlangen.

Eine eigenartige Eliminierung findet bei der Photolyse von N-[5,7-Dibrom-2-oxo-2,3-dihydro-indolyliden-(3)]-anilin-N-oxid statt. Neben dem erwarteten *6,8-Dibrom-2,4-dioxo-3-phenyl-1,2,3,4-tetrahydro-chinazolin* bildet sich überraschenderweise in 23%iger Ausbeute *2,4-Dioxo-1,2,3,4-tetrahydro-chinazolin*. Ein Reaktionsmechanismus wurde für die verwirrende Bildung beider Produkte nicht aufgestellt[3]:

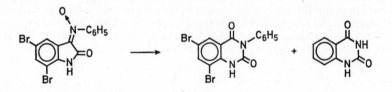

---

[1] Instabil bedeutet nichtisolierbar im reinen Zustand.
[2] G. G. SPENCE, E. C. TAYLOR u. O. BUCHARDT, Chem. Reviews **70**, 231 (1970).
[3] T. SASAKI u. M. TAKAHASHI, Bl. chem. Soc. Japan **41**, 1967 (1968).
[4] M. COLONNA, G. **91**, 34 (1961).
[5] J. SPLITTER u. M. CALVIN, Tetrahedron Letters **1970**, 3995.

Die Bestrahlung von p-Chinonimin N,N'-dioxiden wie z. B. Verbindung I liefert *p-Chinon-phenylimin-N-oxid* (II) und *Azobenzol*. II erfährt erneut eine photochemische Umwandlung, die von der Wellenlänge abhängt, wobei *Chinon* und Azobenzol entstehen. Diese Reaktionen verlaufen höchstwahrscheinlich intermediär über Oxaziridine[1].

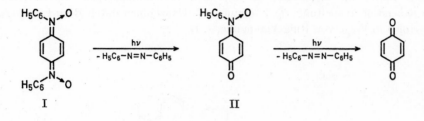

β_2) *N-Oxide von fünfgliedrigen Aza-aromaten*

Bestrahlung von 3-Oxo-2-phenyl-3H-indol-1-oxid liefert in verschiedenen Lösungsmitteln in sehr hohen Ausbeuten *4-Oxo-2-phenyl-4H-⟨benzo-[d]-1,3-oxazin⟩*[2]:

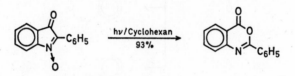

Etwas komplexeren Umsetzungen unterliegt 2-Äthyl-1-benzyl-benzimidazol-3-oxid (I). In Methanol entsteht bei Bestrahlung durch ein Pyrex-Filter hauptsächlich *2-Oxo-3-äthyl-1-benzyl-2,3-dihydro-benzimidazol* (II) neben *2-Äthyl-1-benzyl-benzimidazol* (III) und *2-Benzylidenamino-1-propanoylamino-benzol* (IV). Photolyse bei −58° liefert ausschließlich IV.

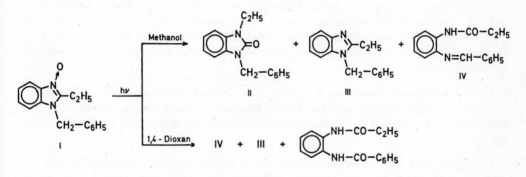

In 1,4-Dioxan ist Verbindung IV das Hauptprodukt neben III und *2-Propanoylamino-1-benzoylamino-benzol*[3].

[1] C. J. Pedersen, Am. Soc. **79**, 5014 (1957).
[2] D. R. Eckroth u. R. H. Squire, Chem. Commun. **1969**, 312.
   D. R. Eckroth, Privatmitteilung.
[3] M. Ogata et al., Chem. Pharm. Bull. (Tokyo) **18**, 964 (1970).

β_3) N-Oxide von sechsgliedrigen Aza-aromaten

Die photochemische Aktivität dieser Verbindungen läßt sich präparativ ausnutzen, obgleich die Produktverteilung stark vom verwendeten Lösungsmittel und von den Substituenten der Ausgangssubstanz abhängt. Die isolierbaren, photochemischen Primärprodukte führen im allgemeinen zu folgenden Verbindungstypen[1]: (a) Heteroaromaten durch Sauerstoff-Abspaltung, (b) Lactamen, (c) Oxazepinen durch Ring-Erweiterung und (d) Pyrrolen in Folge von Ring-Verengung, z. B.:

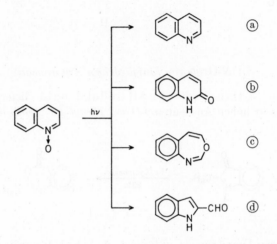

Darüber hinaus finden sich in den Photolysaten Sekundärprodukte. Photochemisch wird die Dimerisierung unter Cyclobutan-Bildung von den nach (b) gebildeten Lactamen eingeleitet oder die elektrocyclischen Ringschluß-Reaktionen der Oxazepine. Die in vielen Fällen instabilen siebengliedrigen Heterocyclen sind Ausgangspunkt für thermische Folgereaktionen, Hydrolyse zu offenkettigen Verbindungen, Ring-Kontraktion zu Pyrrol- sowie Pyridin-Derivaten.

Über die photophysikalischen Vorgänge dieser Umsetzungen ist noch wenig bekannt, sie sollen in allen oder den meisten Fällen über $\pi \to \pi^*$-Anregungen verlaufen. Darüber hinaus ist der T_1-Zustand für die Sauerstoff-Abspaltung, der S_1-Zustand für die Umlagerungen verantwortlich[1-3].

Im allgemeinen wird angenommen, daß diese Reaktionen über kurzlebige, bisher noch nicht in Substanz faßbare Oxaziridine verlaufen. In polaren protischen Lösungsmitteln wird eine heterolytische Spaltung des Dreirings begünstigt wodurch Lactame gebildet werden. In unpolarem, aprotischem Milieu wird die Umsetzung zu Oxazepinen begünstigt und, obwohl es bisher wenig Belege dafür gibt, auch die Ringkontraktion. Es konnte

[1] G. G. Spence, E. C. Taylor u. O. Buchardt, Chem. Reviews 70, 231 (1970).

[2] O. Buchardt, C. L. Pedersen u. N. Harrit, J. Org. Chem. 37, 3592 (1972).

[3] K. B. Tomer et al., Am. Soc. 95, 7402 (1973).

jedoch in der letzten Zeit gezeigt werden, daß – zumindest für einige Systeme – das angeregte N-Oxid direkt in die verschiedenen Produkte übergeht[1,2].

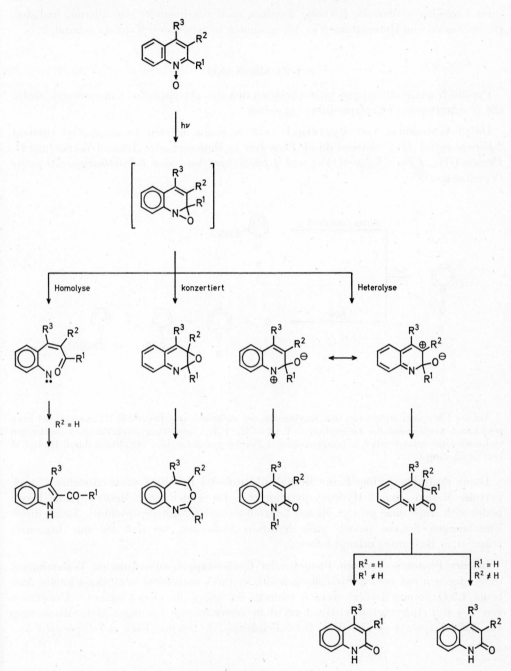

Der Einfluß von Substituenten auf das Produkt-Spektrum ist sehr ausgeprägt, jedoch augenblicklich noch nicht genügend erklärbar. Immerhin gelingt es durch Einführung von

[1] K. B. TOMER et al., Am. Soc. **95**, 7402 (1973).

[2] C. L. LOHSE, Soc. (Perkin II) **1972**, 229.

Cyan- oder Phenyl-Gruppen die Ausbeute an Oxazepinen zu steigern. Weitere Unter-suchungen sind für eine Aufklärung dieser komplexen Sachverhalte erforderlich.

Im folgenden werden die N-Oxide geordnet nach zunehmender Annellierung und stei-gender Anzahl von Heteroatomen in Aza-aromaten in getrennten Kapiteln behandelt.

αα) Pyridin-N-oxide

Pyridin-N-oxide unterliegen photochemisch den charakteristischen Umsetzungen, wobei alle zu erwartenden Primärprodukte entstehen.

Durch Bestrahlung von Pyridin-1-oxid in einem inerten Lösungsmittel entsteht *2-Formyl-pyrrol* (II)[1], während durch Photolyse in Methanol oder Äthanol Verbindung II, *Pyridin* (III), *1-Formyl-pyrrol* (IV) und *1-Diäthoxymethyl-* oder *1-Dimethoxymethyl-pyrrol* (V) entstehen[2]:

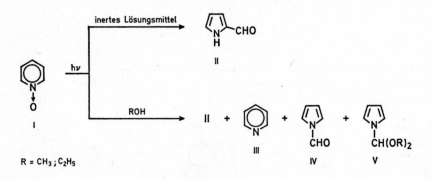

Aus der Übereinstimmung mit den Ergebnissen der Solvolyse von Benzo-[d]-1,3-oxazepinen[3] kann geschlossen werden, daß die Verbindungen V (R=CH$_3$; C$_2$H$_5$) Zersetzungsprodukte eines kurzlebigen und noch nicht gefundenen 1,3-Oxazepins sind. 1-Formyl-pyrrol entsteht vermutlich durch Hydrolyse von Verbindung V.

Durch Bestrahlung einer Reihe Methyl-substituierter Pyridin-1-oxide entstehen 2-Acyl-pyrrole, Methyl- und 3-Hydroxy-pyridine[1,4-6]. Im Falle von 2-Methyl-pyridin-1-oxid bildet sich auch eine geringe Menge 2-Oxo-6-methyl-1,2-dihydro-pyridin[1]. Keine dieser Umsetzungen lieferte jedoch gute Substanz-Ausbeuten, so daß sie nur begrenzte präparative Bedeutung erlangt haben.

Bei der Photolyse von mit Phenyl- oder Cyan-Gruppen substituierten Verbindungen treten dagegen viel bessere Stoffbilanzen auf, wodurch manchmal in ausgezeichneter Aus-beute 1,3-Oxazepine isoliert werden können. So liefert die photochemische Umsetzung von 2,4,6-Triphenyl-pyridin-1-oxid in verschiedenen Lösungsmitteln Mischungen aus *2,4,6-Triphenyl-pyridin* (VI), *2,4,6-Triphenyl-1,3-oxazepin* (VII), *3,4-Diphenyl-2-ben-*

[1] J. STREITH u. C. SIGWALT, Tetrahedron Letters **1966**, 1347.

[2] A. ALKAITIS u. M. CALVIN, Chem. Commun. **1968**, 292.

[3] O. BUCHARDT, P. L. KUMLER u. C. LOHSE, Acta chem. scand. **23**, 2119 (1969).

[4] P. L. KUMLER u. O. BUCHARDT, Chem. Commun. **1968**, 1321.

[5] J. STREITH, B. DANNER u. C. SIGWALT, Chem. Commun. **1967**, 979.

[6] J. STREITH et al., Bl. **1969**, 948.

zoyl-pyrrol (VIII) und *3-Hydroxy-2,4,6-triphenyl-pyridin* (IX). Leider wurden Pyridin VI und Oxazepin VII nicht getrennt[1,2].

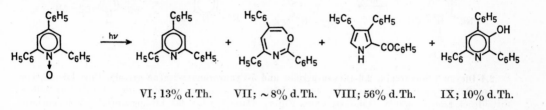

VI; 13% d.Th.   VII; ~ 8% d.Th.   VIII; 56% d.Th.   IX; 10% d.Th.

Hohe Ausbeuten an 1,3-Oxazepinen wurden durch Photolyse von Tetra- und Pentaaryl-pyridin-1-oxiden erhalten. Bei der Bestrahlung von 2,3,5,6-Tetraaryl- und Pentaaryl-pyridin-1-oxiden entstehen nur die entsprechenden 1,3-Oxazepine, die Mutteramine und sehr geringe Mengen noch nicht vollkommen identifizierter Produkte.

2,4,6,7-Tetraphenyl-1,3-oxazepin[2]:

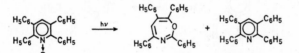

1,0 g 2,3,5,6-Tetraphenyl-pyridin-1-oxid wird in 400 *ml* trockenem Benzol gelöst und die Lösung 4 Stdn. bestrahlt (Rayonet Reaktor, Type RPR-208, RUL 3500-Lampen; Pyrex-Filter). Das Benzol wird i.Vak. entfernt und das zurückbleibende Öl dünnschichtchromatographisch in Komponenten aufgetrennt (Kieselgel PF$_{256-366}$ der Firma Merck; Schichtdicke: 2,5 mm). Dreimalige Entwicklung mit einem Elutionsgemisch aus Benzol/Petroläther (1:1) ergibt: 607 mg (61% d.Th.) *2,4,5,7-Tetraphenyl-1,3-oxazepin* (F: 195–196°), 9 mg (1% d.Th.) unidentifiziertes Material und 84 mg (9% d.Th.) *2,3,5,6-Tetraphenyl-pyridin*.

Bei einer modifizierten Arbeitsweise wird eine Lösung von 2,0 g 2,3,5,6-Tetraphenyl-pyridin-1-oxid in 280 *ml* trockenem Benzol so lange wie oben bestrahlt, bis dünnschichtchromatographisch kein Ausgangsmaterial mehr gefunden wird. Nach Verdampfen des Lösungsmittels und Umkristallisieren aus Hexan: 1,57 g (78% d.Th.) *2,4,5,7-Tetraphenyl-1,3-oxazepin*.

Auf ähnliche Weise kann eine Reihe von weiteren Polyaryl-1,3-oxazepinen erhalten werden[2]. Durch Bestrahlung von 2,3,4,6-Tetraphenyl-pyridin-1-oxid, bei dem von vornherein zwei verschiedene Oxazepine erwartet werden können, entstehen offenbar nur *2,4,5,6-Tetraphenyl-1,3-oxazepin* (30% d.Th.), *3-Hydroxy-2,4,5,6-tetraphenyl-pyridin* (37% d.Th.) und *2,3,4,6-Tetraphenyl-pyridin* (30% d.Th.)[2]. Die Struktur des wichtigsten Photo-Produktes aus 2,3,5,6-Tetraphenyl-4-(4-brom-phenyl)-pyridin-1-oxid wurde kürzlich anhand röntgenographischer Untersuchungen eindeutig als *2,3,5,7-Tetraphenyl-6-(4-brom-phenyl)-1,3-oxazepin* erkannt[2].

Durch Bestrahlung von 2,6-Dicyan-pyridin-1-oxiden entstehen z. B. aus der 4-Methyl-Verbindung *6-Methyl-2,4-dicyan-1,3-oxazepin* (16% d.Th.), *4-Methyl-2,6-dicyan-pyridin*

[1] P. L. KUMLER u. O. BUCHARDT, Chem. Commun. **1968**, 1321.
[2] O. BUCHARDT, C. L. PEDERSEN u. N. HARRIT, J. Org. Chem. **37**, 3592 (1972).

(36% d. Th.) und *4-Methyl-5-cyancarbonyl-2-cyan-pyrrol* (29% d. Th.)[1]:

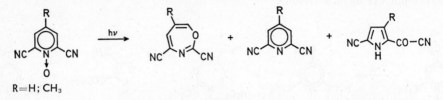

R=H; CH₃

2,4-Dicyan-1,3-oxazepin, 2,6-Dicyan-pyridin und 5-Cyancarbonyl-2-cyan-pyrrol[1]: Eine Lösung von 500 mg 2,6-Dicyan-pyridin-1-oxid in 500 *ml* Dichlormethan wird 10 Stdn. bestrahlt (Quecksilber-Mitteldruck-Lampe, 450 W Hanovia; Corex-Filter). Danach wird das Lösungsmittel i. Vak. entfernt und das verbleibende Öl mehrmals mit Pentan extrahiert. Einengen und wiederholtes Umkristallisieren dieser Fraktion aus Pentan liefert 150 mg (30% d. Th.) 2,4-Dicyano-1,3-oxazepin als gelbe Nadeln, F: 61–63°. Der Rückstand wird mehrmals mit siedendem Äther extrahiert. Durch Einengen und Umkristallisieren der erhaltenen Fraktion aus Äther werden 60 mg (12% d. Th.) 2,6-Dicyan-pyridin vom Schmelzpunkt F: 127° erhalten. Der weniger lösliche Anteil der Photolyse-Produkte wird aus Tetrachlormethan umkristallisiert. Dabei werden 200 mg (40% d. Th.) des Pyrrol-Derivates als bräunlich-gelbe Nadeln erhalten, F: 129–130°.

2-Diazobenzyl-pyridin-1-oxid erfährt eine etwas merkwürdige Umsetzung, wobei 2-Benzoyl-pyridin entsteht. Es sind jedoch keine Einzelheiten über diese Reaktion bekannt[2].

Neben den oben geschilderten Licht-induzierten Reaktionen von Pyridin-1-oxiden werden mehrere photochemische Umsetzungen von 4-Nitro-[3], 4-Nitroso- und 4-Hydroxyaminopyridin-1-oxiden[4] sowie die Photolyse von 4-Diazo-pyridin-1-oxid beschrieben, bei der 4,4'-Azopyridin-1,1'-bis-[oxid] entsteht[5]. Die Photolyse von Pyridin-1-oxid[6] und 3-Methyl-pyridin-1-oxid[7] in der Dampfphase zu den Heteroaromaten ist bekannt. Interessanterweise findet bei der Bestrahlung von 2-Methyl-pyridin-1-oxid in der Dampfphase mit Licht der Wellenlänge $\lambda = 274$ nm nur Entzug von Sauerstoff statt, während photochemisch bei $\lambda = 326$ nm hauptsächlich *2-Hydroxymethyl-pyridin* gebildet wird[7].

Bestrahlung von Pentachlor-pyridin-1-oxid in Benzol führt in 50%iger Ausbeute zu *Tetrachlor-3-phenyl-pyridin*. In Tetrachlormethan entsteht dagegen ein komplexes Reaktionsgemisch, aus dem sich destillativ *Pentachlor-1-isocyanato-butadien-(1,3)* sowie *Pentachlor-pyridin* gewinnen lassen[8]:

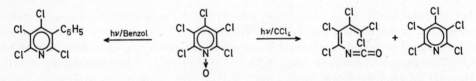

Die bei fast allen heteroaromatischen N-oxiden beobachtete photochemische Abspaltung von Sauerstoff wurde erst vor kurzem untersucht. Es hat sich gezeigt, daß bei der Photolyse

[1] M. Ishikawa et al., Tetrahedron **25**, 295 (1969).
[2] H. Güsten u. E. F. Ullman, Privatmitteilung.
[3] N. Hata, E. Okutsu u. I. Tanaka, Bl. chem. Soc. Japan **41**, 1769 (1968).
[4] C. Kaneko, S. Yamada u. I. Yokoe, Chem. Pharm. Bull. (Tokyo) **15**, 356 (1967).
[5] S. Kamiya, Chem. Pharm. Bull. (Tokyo) **19**, 471 (1962).
[6] N. Hata u. I. Tanaka, J. Chem. Physics **36**, 2072 (1962).
[7] N. Hata, Bl. chem. Soc. Japan **34**, 1444 (1961).
[8] E. Ager, G. E. Chivers u. H. Suschitzky, Chem. Commun, **1972**, 505.

von Pyridin-1-oxid in Methanol oder Äthanol die Alkohole zu den entsprechenden Aldehyden oxidiert werden[1].

Durch Bestrahlung von Pyridin-N-oxiden in Benzol entstehen – wahrscheinlich über Benzoloxid/Oxepin – Phenole[2,3]; z. B.:

Um eine chemische Modellreaktion für die „NIH"-Verschiebung zu erhalten, wurde Pyridin-1-oxid in Gegenwart verschiedener Sauerstoff-Acceptoren bestrahlt[4]. Eines der interessantesten Ergebnisse lieferte die Photolyse in Gegenwart von Naphthalin, bei der 1,2-Epoxi-naphthalin und Naphthol (95% 1-Isomeres) entstehen. Es ist nicht sicher, ob Naphthol ein aus dem Oxiran gebildetes Sekundärprodukt ist oder ob es unmittelbar durch Einbau von Sauerstoff gebildet wird[5]. Ähnliche Ergebnisse wurden bei Verwendung von Pyridazin-N-oxiden als Sauerstoff-Donatoren erhalten[4–7].

1-Methyl-3-(2-methylamino-äthyl)-indol läßt sich durch Pyridin-1-oxid oxidieren. Mit λ = 254 nm in Gegenwart von Luft fällt in 10%iger Ausbeute *3a-Hydroxy-1,8-dimethyl-1,2,3,3a,8,8a-hexahydro-⟨pyrrolo-[2,3-b]-indol⟩* an. Mit einer Quecksilber-Mitteldruck-Lampe und Pyrex-Filter sowie Ausschluß von Sauerstoff tritt Ringöffnung des Pyridins ein und es entsteht bis zu 20% *Methyl-{2-[1-methyl-indolyl-(3)]-äthyl}-4-cyan-butadien-(1,3)-yl-amin*[8]:

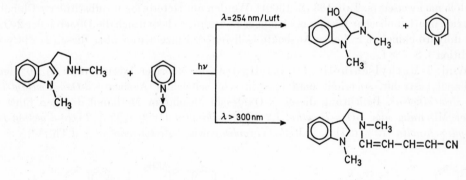

ββ) Chinolin-N-oxide

Hierbei handelt es sich um die am genauesten untersuchte Verbindungsklasse. So, wie man erwartete, ist die Produktenverteilung vom Lösungsmittel abhängig und von der Art der Substituenten.

[1] A. ALKAITIS u. M. CALVIN, Chem. Commun. **1968**, 292.
[2] J. STREITH, B. DANNER u. C. SIGWALT, Chem. Commun. **1967**, 979.
[3] J. STREITH et al., Bl. **1969**, 948.
[4] D. M. JERINA, D. R. BOYD u. J. W. DALY, Tetrahedron Letters **1970**, 457.
[5] H. IGETA et al., Chem. Pharm. Bull. (Tokyo) **16**, 767 (1968).
[6] T. TSUCHIYA, H. ARAI u. H. IGETA, Tetrahedron Letters **1969**, 2747.
[7] T. TSUCHIYA, H. ARAI u. H. IGETA, Tetrahedron Letters **1970**, 2213.
[8] M. MAKAGAWA et al., Tetrahedron **30**, 2591 (1974).

Die Bestrahlung von in 2-Stellung unsubstituierten Chinolin-N-oxiden in wäßrigem oder alkoholischem Milieu führt hauptsächlich zu den entsprechenden 2-Oxo-1,2-dihydro-chinolinen oder zu deren Dimeren[1-6], vgl. Tab. 183 (S. 1300).

2-Oxo-1,2-dihydro-chinolin[1,7]:

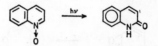

Eine Lösung von 1,0 g Chinolin-1-oxid in 120 ml Wasser wird auf 5 Pyrex-Röhrchen (16 × 160 mm) verteilt und von außen mit einer Quecksilber-Mitteldruck-Lampe (Hanau Q 700; Abstand 15 cm) 15 Stdn. bei ~ 35° bestrahlt. Der obere Teil der Röhrchen ist mit Aluminiumfolie umwickelt, damit die Oberfläche der Lösung nicht belichtet wird und sich dadurch keine stark gefärbten Oxidationsprodukte bilden können. Anschließend wird mit Eiswasser gekühlt und das ausgefallene Produkt abfiltriert; Ausbeute: 0,9 g (90% d.Th.); F: 197–198° (aus Äthanol).

Auf analoge Weise können *3-, 4-, 5-, 6-, 7-* und *8-Methyl-Derivate* in hohen Ausbeuten gewonnen werden[2].

6,7-Dioxo-5,6,6a,6b,7,8,12b,12c-octahydro-⟨anti-cyclobuta-[1,2-c;4,3-c']-dichinolin⟩[7]: 1 g Chinolin-1-oxid wird in 0,5 l 96%igem Äthanol auf Röhrchen (16 × 100 mm) verteilt und wie oben so lange bestrahlt, bis kein Carbostyril dünnschichtchromatographisch mehr nachzuweisen ist. Anschließend wird das Dimere abfiltriert; Ausbeute: 90% d.Th.; F: 300° (Zers.).

2-Oxo-3-phenyl-1,2-dihydro-chinolin[6,7]: 270 mg 3-Phenyl-chinolin-1-oxid, gelöst in 325 ml 96%igem Äthanol, werden unter Rühren in einem Rayonet Reaktor Type RPR-208 mit Pyrex-Filter und RUL 3500 Lampen bestrahlt, bis man dünnschichtchromatographisch kein Ausgangsmaterial mehr nachweisen kann. Nach Abdampfen des Lösungsmittels wird der Rückstand aus Äthanol umkristallisiert; Ausbeute: 265 mg (98% d.Th.); F: 232–233°.

Öfters lassen sich kleinere Mengen des ursprünglichen Chinolins, 1-Formyl-indole und Indole nachweisen [s. Tab. 183 (S. 1300)]. Werden am Heteroring unsubstituierte Chinolin-1-oxide in äthanolischer Lösung noch länger bestrahlt, so lassen sich die Dimeren der 2-Oxo-1,2-dihydro-chinoline in hoher Ausbeute isolieren[1,4]. Einzelheiten über diese [2+2]-Cycloaddition s. S. 588 f.

Wird 2-Methyl-chinolin-1-oxid-Hydrat in wäßriger Lösung oder in 90%igem Äthanol bestrahlt, so erhält man u. a. in sehr schlechter Ausbeute *2-Oxo-3-methyl-1,2-dihydro-chinolin*[2]. Belichtung dieses N-Oxides in absolutem Methanol dagegen führt zu einer Mischung aus *2-Oxo-1-methyl-1,2-dihydro-chinolin* (16% d.Th.) *2-Oxo-3-methyl-1,2-dihydro-chinolin* (22% d.Th.), *2-Methyl-chinolin* sowie *1-Acetyl-indol* (8% d.Th.)[3,8]:

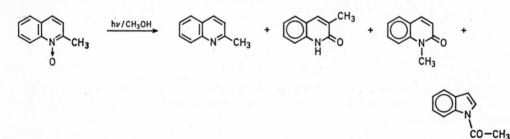

---

[1] O. BUCHARDT, Acta chem. scand. **17**, 1461 (1963).
[2] O. BUCHARDT, J. BECHER u. C. LOHSE, Acta chem. scand. **19**, 1120 (1965).
[3] M. ISHIKAWA et al., Chem. Pharm. Bull. (Tokyo) **14**, 1102 (1966).
[4] O. BUCHARDT, P. L. KUMLER u. C. LOHSE, Acta chem. scand. **23**, 159 (1969).
[5] O. BUCHARDT, Acta chem. scand. **18**, 1389 (1964).
[6] O. BUCHARDT, P. L. KUMLER u. C. L. LOHSE, Acta chem. scand. **23**, 2149 (1969).
[7] O. BUCHARDT et al., unveröffentlichte Ergebnisse.
[8] M. ISHIKAWA, S. YAMADA u. C. KANEKO, Chem. Pharm. Bull. (Tokyo) **13**, 747 (1965).

2,4-Dimethyl-chinolin-1-oxid geht im wesentlichen dieselben Reaktionen ein[1]. Die meisten der einfachen Chinolin-N-oxide bilden leicht Hydrate und in allen Versuchen, bei denen in wäßriger oder 96%iger äthanolischer Lösung gearbeitet wird, liegen die N-Oxide wahrscheinlich vollständig oder partiell hydratisiert vor.

Die Bestrahlung einer Reihe von 2-Methyl-chinolin-1-oxiden (Ia) oder deren Hydrate in wasserhaltigem Benzol oder nichtgetrocknetem Äther führt zur Bildung eines Gemisches aus vielen Reaktionsprodukten. Daraus können *2-Hydroxy-1-acetyl-2,3-dihydro-indole* oder die tautomeren *2-Acetylamino-1-(2-oxo-äthyl)-benzole* isoliert werden. Als Nebenprodukte fallen *2-Methyl-chinoline, 2-Oxo-3-methyl-1,2-dihydro-chinoline, 1-Acetyl-indole, Indole* und *2-Acetylamino-benzaldehyde* oder *Acetophenone* in wechselnden Mengen an[2,3]:

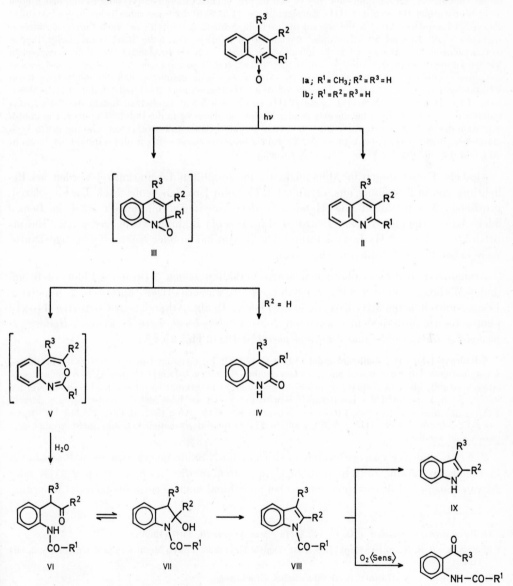

[1] M. ISHIKAWA et al., Chem. Pharm. Bull. (Tokyo) **14**, 1102 (1966).
[2] O. BUCHARDT et al., Acta chem. scand. **20**, 262 (1966).
[3] O. BUCHARDT, J. BECHER u. C. LOHSE, Acta chem. scand. **20**, 2467 (1966).

2-Hydroxy-1-acetyl-2,3-dihydro-indol (VIIa; S. 1295)[1]: Eine Lösung von 7 g 2-Methyl-chinolin-1-oxid Dihydrat in 4 l nassem Benzol wird mit einer Quecksilber-Mitteldruck-Tauchlampe (Hanau Q81; Kühlmantel aus Pyrex) bestrahlt. Der sich immer wieder neu bildende braune Niederschlag auf der Oberfläche des Kühlmantels wird entfernt. Nach 34 Stdn. wird das Benzol bei 40° i. Vak. abgedampft und das zurückbleibende braune Öl an 300 g Aluminiumoxid chromatographiert. Die Elution mit Benzol/Essigester-Gemischen führt zu kleinen Mengen an VIIIa, IIa und Xa, mit reinem Essigester wird das Hauptprodukt VIIa entwickelt; Ausbeute: 3,0 g (66% d.Th.), F: 157–159° (aus Äthanol/Wasser). Weitere Elution mit Äthanol ergibt IVa.

Ähnliche Ergebnisse lassen sich bei der Bestrahlung von 2,3-Dimethyl-, 2,4-Dimethyl-, 2,3,4-Trimethyl- und 6-Methoxy-2-methyl-chinolin-1-oxid[1] erzielen, vgl. Tab. 183 (S. 1300). Die Reaktionen stehen in guter Übereinstimmung mit dem oben beschriebenen Reaktionsmechanismus. Die Bestrahlung führt direkt vom angeregten Zustand entweder zu den ursprünglichen Chinolinen (II) oder zu den bisher noch nicht beobachteten Oxaziridinen (III). Ein sigmatroper [1,5]-Shift der Oxaziridine führt zu den instabilen Benzo-[d]-1,3-oxazepinen (V), die sowohl dünnschichtchromatographisch[1], als auch durch Gaschromatographie[2] und Infrarot-Spektroskopie[3] nachgewiesen wurden. Die hohe Reaktivität dieser Benzo-oxazepine gegenüber Wasser ist recht offenkundig, da sie auch als Imidoester von Enolen angesehen werden können. Bei ihrer Hydrolyse bilden sich offenkettige Verbindungen VI, die im Gleichgewicht mit ihren cyclischen Tautomeren VII stehen. Außerdem wurde gefunden, daß die offenkettige Form VI stabiler ist, wenn $R^2 \neq H$ ist, dagegen ist das 2-Hydroxy-1-acyl-2,3-dihydro-indol (VII) stabiler, wenn $R^2 = H$ ist[4]. Die N-Acetyl-indole (VIII) lassen sich leicht herstellen, indem die 2-Hydroxy-indoline dehydriert werden; bei anschließender Hydrolyse gehen sie in die Indole (IX) über. Die Photo-oxidation der N-Acetyl-indole – möglichst mittels Singulett-Sauerstoff – führt zur Bildung der 2-Acyl-amino-benzaldehyde oder -benzophenone (X). Entfernung von Sauerstoff vor und während der Bestrahlung läßt die Bildung der Verbindungen X zurückgehen[4].

Ähnliche Umsetzungen in Abhängigkeit vom gewählten Lösungsmittel werden bei Belichtung von in 2-Stellung unsubstituierten Chinolin-1-oxiden beobachtet. Die im polaren, protischen Milieu eintretende Heterolyse der Ausgangsverbindungen wird in Benzol oder Äther zugunsten der Benzo-[d]-1,3-oxazepin-Bildung zurückgedrängt. Hauptprodukte sind also 2-Hydroxy-1-formyl-2,3-dihydro-indole oder deren offenkettige Tautomere neben 2-Oxo-1,2-dihydro-chinolinen[5].

Ausnahmen zu diesem photochemischen Verhalten zeigen 3-Brom-, 4-Chlor-, 4-Brom- und 6-Methoxy-4-methyl-chinolin-1-oxide, die in wasserhaltigen, aprotischen, unpolaren Lösungsmitteln keine 2-Hydroxy-indoline bilden[5]. In abs. Äthanol geht Chinolin-1-oxid photolytisch außer zu dem erwarteten *2-Oxo-1,2-dihydro-chinolin* in wenig *2-Hydroxy-1-formyl-2,3-dihydro-indol* und *2-Formyl-pyrrol* (<1% d.Th.) über[6].

2-Hydroxy-1-formyl-2,3-dihydro-indol (VIIb; S. 1295)[2]: 1 g Chinolin-1-oxid-Hydrat wird in 100 ml wasserhaltigem Äther gelöst und mit einer Quecksilber-Mitteldruck-Lampe (Hanau Q 700) von außen so lange bestrahlt, bis kein Ausgangsmaterial mehr dünnschichtchromatographisch nachgewiesen werden kann[1]. Nach Abdampfen des Lösungsmittels wird präparativ an Kieselgel chromatographiert (Merck, PF$_{254-366}$), wobei sich folgende Produkte isolieren lassen: VIb: 0,5 g (50% d.Th.), F: 113–116° sowie *2-Oxo-1,2-dihydro-chinolin* (IIb): 0,27 g (30% d.Th.). Chinolin ist lediglich dünnschichtchromatographisch nachweisbar.

2-Aryl- und 2-Cyan-substituierte Chinolin-N-oxide lagern sich nach Bestrahlung in unpolaren Lösungsmitteln in hohen Ausbeuten in die entsprechenden 2-Aryl- oder 2-Cyan-benzo-[d]-1,3-oxazepine um, wobei manchmal auch geringe Mengen der ursprüng-

---

[1] O. Buchardt, J. Becher u. C. Lohse, Acta chem. scand. **20**, 2467 (1966).

[2] C. Kaneko u. S. Yamada, Rept. Res. Inst. Dental Materials, Tokyo Medico-Dental University **2**, 804 (1966).

[3] O. Buchardt u. N. Harrit, unveröffentlichte Ergebnisse.

[4] O. Buchardt u. C. Lohse, Acta chem. scand. **20**, 2467 (1966).

[5] O. Buchardt, P. L. Kumler u. C. Lohse, Acta chem. scand. **23**, 159 (1969).
O. Buchardt u. C. Lohse, Tetrahedron Letters **1966**, 4355.

[6] O. Buchardt, K. Tomer u. V. H. Madsen, Tetrahedron Letters **1971**, 1311.

lichen Chinoline und 2-Oxo-1,2-dihydro-chinoline gebildet werden können[1-3], vgl. Tab. 183 (S. 1300). Bei der Photolyse von 4-Methoxy-2-cyan-chinolin-1-oxid in Dichlormethan entsteht *3-Hydroxy-4-methoxy-2-cyan-chinolin*[4], das, wie später gezeigt werden konnte, ein thermisches Folgeprodukt des primär gebildeten *5-Methoxy-2-cyan-⟨benzo-[d]-1,3-oxazepins⟩* (∼ 100% d.Th.) ist[5]:

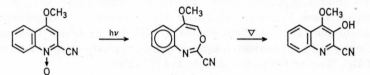

2-Phenyl-⟨benzo-[d]-1,3-oxazepin⟩[1]: 10 g 2-Phenyl-chinolin-1-oxid, gelöst in 1250 *ml* gereinigtem Aceton, wird so lange in einer wassergekühlten Pyrex-Apparatur bestrahlt (Hanau Q 700 Tauchlampe), bis sich dünnschichtchromatographisch kein Ausgangsmaterial mehr nachweisen läßt. Nach Abdampfen des Lösungsmittels bleibt ein Öl zurück, das mehrmals mit kochendem Hexan extrahiert wird. Die noch heißen Lösungen werden filtriert und bis zur beginnenden Trübung konzentriert. Beim Abkühlen scheidet sich ein gelbes Öl ab, das dann rasch kristallisiert; Ausbeute: 8,5 g (85% d.Th.); F: 65–66° (aus Pentan).

Eines der besten Beispiele für den so wirkungsvollen Lösungsmitteleffekt auf die Produktverteilung stellt die Photochemie der 3-Phenyl- und 4-Phenyl-chinolin-1-oxide[6] dar.

4-Phenyl-⟨benzo-[d]-1,3-oxazepin⟩ und 2-Oxo-3-phenyl-1,2-dihydro-chinolin[6]: 523 mg 3-Phenyl-chinolin-1-oxid in 250 *ml* analytisch reinem Aceton werden unter Rühren in einem Pyrex-Gefäß (Rayonet Reaktor, Type RPR-208, RUL 3500 Lampen) so lange bestrahlt, bis kein Ausgangsmaterial mehr dünnschichtchromatographisch nachweisbar ist. Nach Abdampfen des Lösungsmittels bleibt ein halbkristalliner Rückstand zurück, der mit kochendem Petroläther extrahiert wird. Aus der Lösung fällt 2-Oxo-3-phenyl-1,2-dihydro-chinolin aus, 20% d.Th., F: 232–233°. Abdampfen des Petroläthers führt zu dem gelben, kristallinen Oxazepin, ∼ 80% d.Th., F: 48–53°. Nach mehrmaligem Umkristallisieren aus Petroläther, F: 56–57°. Diese Verbindung ist sehr instabil und muß in der Kälte und in Abwesenheit von Feuchtigkeit aufbewahrt werden.

Die Bestrahlung von 4-Phenyl-chinolin-1-oxid in Äthanol, wie oben beschrieben, führt nahezu quantitativ zu *4-Phenyl-2-oxo-1,2-dihydro-chinolin* (F: 255–256°)[6].

3-Phenyl-2-formyl-indol, 3-Phenyl-1-formyl-2,3-dihydro-indol und 2-Oxo-4-phenyl-1,2-dihydro-chinolin[1]: 0,9 g 4-Phenyl-chinolin-1-oxid in 0,9 *l* Cyclohexan werden mit zwei Quecksilber-Mitteldruck-Lampen (Philips K.L. 7070) in einem wassergekühlten Pyrex-Gefäß so lange bestrahlt, bis kein Ausgangsmaterial mehr dünnschichtchromatographisch nachzuweisen ist. Nach Abdampfen des Lösungsmittels i. Vak. wird das zurückbleibende Öl durch präparative Dünnschichtchromatographie an Silikagel (Merck PF$_{253-366}$) in drei verschiedene Fraktionen aufgetrennt. Die erste, am wenigsten polare Fraktion, besteht aus 3-Phenyl-2-formyl-indol (45% d.Th.; F: 197–198° nach mehrmaligem Umkristallisieren aus Benzol), die zweite bildet das 2,3-Dihydro-indol (13% d.Th.; F: 157–158° nach mehrmaligem Umkristallisieren aus Benzol) und die letzte, am stärksten polare Fraktion, enthält das 2-Oxo-4-phenyl-1,2-dihydro-chinolin (15% d.Th.; F: 255–256°).

Die Bildung von 3-Phenyl-2-formyl-indol ist interessant, weil sie die nahe Verwandtschaft zwischen der Chinolin- und Pyridin-Reihe zeigt. Man hat noch keine Erklärung für diesen einzigartigen Substituenten-Effekt gefunden.

Einige sehr interessante lichtinduzierte Reaktionen werden bei 1,2,3,4-Tetrahydro-acridin-N-oxiden (I)[3,7] beobachtet. Die Bestrahlung der unsubstituierten Verbindung (R^1 = H) in Benzol führt zur Bildung kleinerer Mengen von *1,2,3,4-Tetrahydro-acridin* (II; 8% d.Th.). Hauptprodukt ist das entsprechende 1,3-Oxazepin-Derivat V, das während der Aufarbeitung, Chromatographie an Silikagel, zu *5a-Hydroxy-1-oxo-2,3,4,5,5a,6-hexa-*

[1] O. Buchardt, B. Jensen u. I. K. Larsen, Acta chem. scand. **21**, 1841 (1966).
[2] O. Buchardt, Tetrahedron Letters **1966**, 6221.
[3] C. Kaneko et al., Tetrahedron Letters **1967**, 1873.
[4] C. Kaneko, S. Yamada u. M. Ishikawa, Tetrahedron Letters **1966**, 2145.
[5] C. Kaneko u. S. Yamada, Chem. Pharm. Bull. (Tokyo) **15**, 663 (1967).
[6] O. Buchardt, P. L. Kumler u. C. Lohse, Acta chem. scand. **23**, 2149 (1969).
[7] C. Kaneko et al., Chem. Pharm. Bull. (Tokyo) **17**, 1290 (1969).

hydro-1H-⟨azepino-[1,2-a]-indol⟩ (VI; 70% d.Th.; F: 150°) hydrolysiert. Zusätzlich wird eine kleinere Menge an *1-Oxo-1,2,3,4,5,6-hexahydro-⟨cyclohepta-[b]-indol⟩* (VII; 10% d.Th.; F: 221°) erhalten, vermutlich über das Oxiran IV[1].

Wird die Bestrahlung in Methanol durchgeführt, so tritt eine neue Reaktion ein, die zu *4-Methoxy-2-oxo-1,2,3,4-tetrahydro-chinolin-⟨3-spiro-1⟩-cyclopentan* (X; 34% d.Th.; F: 187–188°) als Hauptkomponente führt. Außerdem werden kleine Mengen von VI, VII und II gebildet. Diese Ergebnisse stehen in Einklang mit dem vorgeschlagenen allgemeinen Mechanismus. Die Zwischenverbindung VIII, die in diesem Falle nicht zu dem stabileren Carbostyril tautomerisieren kann, stabilisiert sich durch Addition eines Lösungsmittelmoleküls[1]. Weitere Beispiele vgl. Tab. 183 (S. 1300).

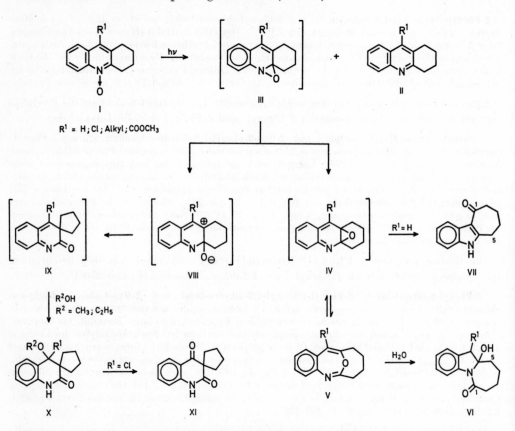

Die Bestrahlung von 2,3-Dihydro-1H-⟨cyclopenta-[b]-chinolin⟩-4-oxid in Benzol oder Alkohol gelöst, führt zu *4-Oxo-1,2,3,4-tetrahydro-carbazol* (80% d.Th.; F: 220°) und *2,3-Dihydro-1H-⟨cyclopenta-[b]-chinolin⟩* (10% d.Th.). Das steht wieder in guter Übereinstimmung mit dem vorgeschlagenen Reaktionsmechanismus, da Zwischenstufen, die entweder zu 2-Hydroxy-2,3-dihydro-indolen oder zu Spiro-Verbindungen führen, wegen ihrer übermäßigen Ringspannung vermutlich instabil wären[1].

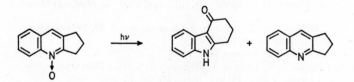

---

[1] C. Kaneko et al., Chem. Pharm. Bull. (Tokyo) **17**, 1290 (1969).

Die Bestrahlung von 2-Deuterio-chinolin-1-oxid in abs. Äthanol führt in Übereinstimmung mit dem allgemein bekannten Reaktionsmechanismus zur Bildung von *2-Oxo-3-deuterio-1,2-dihydro-chinolin* (40–60% deuteriert; 70% d.Th.; F: 197–198°). Wie zu erwarten, entsteht daneben auch etwas *2-Hydroxy-1-deuterioformyl-2,3-dihydro-indol* (F: 113–116°) sowie *3-Formyl-2-deuterio-indol* (10% d.Th.; F: 198–199°)[1].

Bestrahlung von 4-Nitro-chinolin-1-oxid und 4-Nitro-3-methyl-chinolin-1-oxid in Äthanol oder Propanol führte zu dem korrespondierenden *2,4-Dihydroxy-* bzw. *2,4-Dihydroxy-3-methyl-chinolin* (7% d.Th. bzw. 30% d.Th.; F: 264–265°)[2]. Die Bestrahlung von 4-Azido-chinolin-1-oxid führt in den verschiedensten Lösungsmitteln nur zur Bildung von *4,4'-Azochinolin-1,1'-dioxid*[3].

Der sehr allgemeine Charakter des 2,3-Shiftes bei der Bildung von Carbostyrilen ist umfassend bewiesen durch die lichtinduzierten Umlagerungen von 2-Chlor- und 2-(4-Methyl-phenylmercapto)-chinolin-1-oxid zu *3-Chlor-* bzw. *3-(4-Methyl-phenylmercapto)-2-oxo-1,2-dihydro-chinolin*[4].

Interessant ist die Reaktion von 2-Cyan- und 4-Methyl-2-cyan-chinolin-1-oxid bei ihrer Bestrahlung in Anwesenheit von Aminen. Man erhält dabei vermutlich über ein Oxaziridin 1-Alkylamino-2-oxo-1,2-dihydro-chinoline[5,6]. Man hat diese Reaktion noch mit einer Reihe von Aminen getestet, vgl. Tab. 183 (S. 1300). In manchen Fällen findet jedoch eine andere Reaktion, nämlich die Bildung von 2,3-Diamino-chinolinen, statt. Man führt dies auf die thermische Reaktion von primär gebildeten Benzo-[d]-1,3-oxazepinen mit den Aminen[7] zurück.

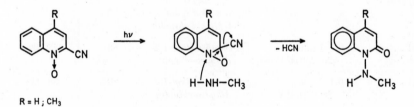

R = H; CH₃

1-Methylamino-2-oxo-4-methyl-1,2-dihydro-chinolin[5]: 1,00 g 4-Methyl-2-cyan-chinolin-1-oxid wird in 300 *ml* Dichlormethan gelöst, mit einer 40%igen wäßrigen Methylamin-Lösung gut durchgeschüttelt und unter Rühren mit einer 200 W Quecksilber-Hochdruck-Lampe durch ein Pyrex-Filter so lange bestrahlt, bis kein Ausgangsmaterial mehr anwesend ist (6 Stdn.). Die organische Schicht wird eingeengt, der Rückstand aus Äther umkristallisiert; Ausbeute: 0,40 g (40% d.Th.); F: 143–144°.

[1] O. Buchardt, K. B. Tomer u. V. Madsen, Tetrahedron Letters **1971**, 1311.

[2] C. Kaneko, I. Yokoe u. S. Yamada, Tetrahedron Letters **1967**, 775.

[3] S. Kamiya, Chem. Pharm. Bull. (Tokyo) **10**, 471 (1962).

[4] O. Buchardt u. P. L. Kumler, unveröffentlichte Ergebnisse.

[5] C. Kaneko, I. Yokoe u. M. Ishikawa, Tetrahedron Letters **1967**, 5237.

[6] C. Kaneko. J. Synth. Org. Chem. Japan **26**, 758 (1968).

[7] C. Kaneko u. I. Yokoe, Tetrahedron Letters **1967**, 5355.

Tab. 183: Photolysen von Chinolin-N-oxiden in verschiedenen Lösungsmitteln

Ausgangs-verbindung ... chinolin-1-oxid	Zusammensetzung des Photolyse-ansatzes	Produkte	Ausbeute [% d. Th.]	F [°C]	Literatur
Chinolin-1-oxid	0,50 g in 0,5 l 95%igem Äthanol	6,7-Dioxo-5,6,6a, 6b,7,8,12b,12c-octahydro-⟨cyclo-buta-[1,2-c; 4,3-c']-dichinolin⟩	9	300 (Subl.)	1
		+2-Oxo-1,2-dihydro-chinolin	37	197–198°	
		+2-Formyl-indol	2		
		+Indol	1,3	52	
		+3-Formyl-indol	1,6	198–199	
		+Chinolin[a]			
Chinolin-1-oxid-Dihydrat	1,0 g in 0,5 l 96%igem Äthanol	6,7-Dioxo-5,6,6a, 6b,7,8,12b,12c-octahydro-⟨cyclo-buta-[1,2-c;4,3-c']-dichinolin⟩ +Chinolin[a]	90	300 (Zers.)	2
3-Methyl ...	~ 1 g in 250 ml Wasser	2-Oxo-3-methyl-1,2-dihydro-chinolin	90	238–239	2
4-Methyl ...	0,1–1 g in 20–250 ml Wasser	2-Oxo-4-methyl-1,2-dihydro-chinolin	25	221–222	3
		+2-Hydroxy-3-me-thyl-1-formyl-2,3-dihydro-indol	25	70–125[b]	
		+3-Methyl-indol +4-Methyl-chinolin[a]	5		
5-Methyl ...	0,1–1 g in 20–250 ml Wasser	2-Oxo-5-methyl-1,2-dihydro-chinolin	88	227–228	2
6-Methyl ...	0,1–1 g in 20–250 ml Wasser	2-Oxo-6-methyl-1,2-dihydro-chinolin	80	236–238	2
	1 g in 250 ml 96%igem Äthanol	6,7-Dioxo-2,11-dimethyl-5,6,6a, 6b,7,8,12b,12c-octahydro-⟨cyclo-buta-[1,2-c; 4,3-c']-dichino-lin⟩	90	>300	3
	~ 1 g in 250 ml Diäthyläther	2-Hydroxy-5-methyl-1-formyl-2,3-dihydro-indol	33	108–109	3
		+2-Oxo-6-methyl-1, 2-dihydro-chinolin	30	236–238	
		+2-Formylamino-5-methyl-benz-aldehyd	5	89–90	
		+6-Methyl-chinolin[a]			

[a] Dünnschichtchromatographisch nachgewiesen.
[b] Für eine exakte Angabe der phys. Daten zu unstabil, jedoch IR-spektroskopisch gesicherte Substanz.

1 O. BUCHARDT, K. TOMER u. V. H. MADSEN, Tetrahedron Letters 1971, 1311.
2 O. BUCHARDT, J. BECHER u. C. LOHSE, Acta chem. scand. 19, 1120 (1965).
3 O. BUCHARDT, P. L. KUMLER, C. LOHSE, Acta chem. scand. 23, 159 (1969).

Tab. 183 (1. Fortsetzung)

Ausgangs-verbindung ... chinolin-1-oxid	Zusammensetzung des Photolyse-ansatzes	Produkte	Ausbeute [% d. Th.]	F [°C]	Literatur
7-Methyl . . .	0,1–1 g in 20–250 ml Wasser	2-Oxo-7-methyl-1,2-dihydro-chinolin	98	198–199	1
	~ 1 g in 250 ml 96% igem Äthanol	6,7-Dioxo-3,10-dimethyl-5,6,6a, 6b,7,8,12b,12c-octahydro-⟨cyclo-buta-[1,2-c; 4,3-c']-dichinolin⟩	70	>275	2
2,3-Dimethyl-. . .	673 mg in 1,0 l Benzol	2-Acetylamino-1-(2-oxo-propyl)-benzol	71	135–137	3
		+2-Acetylamino-benzaldehyd +2,3-Dimethyl-chinolin[b]	~15	70	
2,3,4-Trimethyl-. . .	2,0 g in 250 ml Benzol	3-Oxo-2-(2-acetyl-amino-phenyl)-butan	65	76–68	3
		+2-Acetylamino-acetophenon +2,3,4-Trimethyl-chinolin[a]	1	75–76	
3-Äthyl-. . .	~ 1 g in 250 ml Aceton	2-Formylamino-1-(2-oxo-pentyl)-benzol	68	98–100	2
		+2-Oxo-3-äthyl-1,2-dihydro-chinolin	17	173–174	
2-Phenyl-. . .	2 g in 210 ml 96% igem Äthanol	2-Phenyl-⟨benzo-[d]-1,3-oxazepin⟩	78	65–66	4,5
		+2-Hydroxy-1-benz-oyl-2,3-dihydro-indol	~10	107–109	
		+2-Oxo-3-phenyl-1,2-dihydro-chinolin	8	232–233	
4-Phenyl-. . .	600 mg in 300 ml Essigsäure-äthylester	2-Oxo-4-phenyl-1,2-dihydro-chinolin +4-Phenyl-chinolin	83 9	255–256	6
2-(4-Chlor-phenyl)-. . .	1 g in 125 ml Aceton	2-(4-Chlor-phenyl)-⟨benzo-[d]-1,3-oxazepin⟩	90	85–87	7

[a] Dünnschichtchromatographisch nachgewiesen.
[b] Spektroskopisch beobachtet.

[1] O. BUCHARDT, J. BECHER u. C. LOHSE, Acta chem. scand. 19, 1120 (1965).
[2] O. BUCHARDT, P. L. KUMLER u. C. LOHSE, Acta chem. scand. 23, 159 (1969).
[3] O. BUCHARDT, J. BECHER u. C. LOHSE, Acta chem. scand. 20, 2467 (1966).
[4] O. BUCHARDT, B. JENSEN u. I. K. LARSEN, Acta chem. scand. 21, 1841 (1967).
[5] O. BUCHARDT, Tetrahedron Letters 1966, 6221.
[6] O. BUCHARDT, P. L. KUMLER u. C. LOHSE, Acta chem. scand. 23, 2149 (1969).
[7] O. BUCHARDT et al., unveröffentlichte Ergebnisse.

Tab. 183 (2. Fortsetzung)

Ausgangs-verbindung . . . -chinolin-1-oxid	Zusammensetzung des Photolyse-ansatzes	Produkte	Ausbeute [% d.Th.]	F [°C]	Literatur
2-(4-Brom-phenyl)-. . .	1 g in 125 ml Aceton	2-(4-Brom-phenyl)-⟨benzo-[d]-1,3-oxazepin⟩	85	86–88	1
3-Methyl-2-phenyl-. . .	10 g in 1,25 l Aceton	4-Methyl-2-phenyl-⟨benzo-[d]-1,3-oxazepin⟩	90	72–73	1
4-Methyl-2-phenyl-. . .	1 g in 410 ml 96%igem Äthanol	2-Hydroxy-3-methyl-1-benzoyl-2,3-dihydro-indol	14	139–143	1,2
		+2-Oxo-4-methyl-3-phenyl-1,2-di-hydro-chinolin[a]	12	262–263	
	~ 1 g in 125 ml Aceton	5-Methyl-2-phenyl-⟨benzo-[d]-1,3-oxazepin⟩	90	57–58	1,2
6-Methyl-2-phenyl-. . .	~ 1 g in 125 ml 96%igem Ätha-nol	7-Methyl-2-phenyl-⟨benzo-[d]-1,3-oxazepin⟩	56	40–41	2
		+2-Oxo-6-methyl-3-phenyl-1,2-di-hydro-chinolin	9	225–226	
	~ 1 g in 125 ml Aceton	7-Methyl-2-phenyl-⟨benzo-[d]-1,3-oxazepin⟩	90	40–41	1,2
6-Fluor-. . .	~ 1 g in 250 ml Aceton	5-Fluor-2-hydroxy-1-formyl-2,3-di-hydro-indol	45	113–116	3
		+6-Fluor-2-oxo-1,2-dihydro-chinolin	29	268–271	
		+6-Fluor-chinolin	4		
		+2,11-Difluor-6,7-dioxo-5,6,6a,6b,7,8,12b,12c-octa-hydro-⟨cyclobuta-[1,2-c;4,3-c′]-dichinolin⟩[b]	4	307–312	
2-Chlor-. . .	1,0 g in 200 ml Aceton	3-Chlor-2-oxo-1,2-dihydro-chinolin	70	250–251	4
4-Chlor-. . .	~ 1,0 g in 250 ml Aceton	4-Chlor-2-oxo-1,2-dihydro-chinolin	50–70	249–250	3
		+3-Chlor-2-hydro-xy-1-formyl-2,3-dihydro-indol[c]	0–20	110–112	
		+4-Chlor-chinolin[d]	5		

[a] Nicht identifiziertes Material 26%.
[b] Zwei weitere nicht identifizierte Produkte.
[c] Für exakte Ausbeute-Angaben zu instabil.
[d] Neben 5 weiteren nicht identifizierten Verbindungen.

[1] O. BUCHARDT, B. JENSEN u. I. K. LARSEN, Acta chem. scand. 21, 1841 (1966).
[2] O. BUCHARDT, Tetrahedron Letters 1966, 6221.
[3] O. BUCHARDT, P. L. KUMLER u. C. LOHSE, Acta chem. scand. 23, 159 (1969).
[4] O. BUCHARDT u. P. L. KUMLER, unveröffentlichte Ergebnisse.

Tab. 183 (3. Fortsetzung)

Ausgangs-verbindung . . . - chinolin-1-oxid	Zusammensetzung des Photolyse-ansatzes	Produkte	Ausbeute [% d.Th.]	F [°C]	Literatur
6-Chlor-. . .	1,0 g in 250 ml Wasser	6-Chlor-2-oxo-1,2-dihydro-chinolin	95	266–267	1
	1,0 g in 250 ml 96%igem Äthanol	2,11-Dichlor-6,7-dioxo-5,6,6a,6b, 7,8,12b,12c-octa-hydro-⟨cyclobuta-[1,2-c;4,3-c']-dichinolin⟩	70	335–350	1
3-Brom-. . .	~ 1 g in 250 ml Aceton	3-Brom-2-oxo-1,2-dihydro-chinolin +3-Brom-chinolin[a,b]	57	259–261	1
4-Brom-. . .	~ 1 g in 250 ml Wasser	4-Brom-2-oxo-1,2-dihydro-chinolin	50	261–265	1
6-Brom-. . .	1,0 g in 250 ml Aceton	6-Brom-2-oxo-1,2-dihydro-chinolin +5-Brom-2-hydro-xy-1-formyl-2,3-dihydro-indol +6-Brom-chinolin[a,b]	39 33	269–271 148–151	1
6-Brom-2-phenyl-. . .	~ 1 g in 125 ml Aceton	7-Brom-2-phenyl-⟨benzo-[d]-1,3-oxazepin⟩	65	81–82	2
6-Brom-2-(4-brom-phenyl)-. . .	~ 1 g in 125 ml Aceton	7-Brom-2-(4-brom-phenyl)-⟨benzo-[d]-1,3-oxazepin⟩	80	138–140	2
4-Methoxy-. . .	2 g in 200 ml Methanol	4-Methoxy-2-oxo-1,2-dihydro-chinolin +4-Methoxy-chinolin	70 5	254–256 39–40	3
8-Methoxy-. . .	1 g in 250 ml Wasser	4,9-Dimethoxy-6,7-dioxo-5,6,6a,6b, 7,8,12b,12c-octahydro-⟨cyclo-buta-[1,2-c; 4,3-c']-dichinolin⟩	50	260–261	1
5-Methoxy-2-methyl-. . .	700 mg in 1 l Diäthyläther	6-Methoxy-2-methyl-chinolin +2-Hydroxy-5-methoxy-1-acetyl-2,3-dihydro-indol	40 34	138–140	4

[a] Dünnschichtchromatographisch nachgewiesen.
[b] Neben 5 weiteren nicht identifizierten Verbindungen.

[1] O. Buchardt, P. L. Kumler u. C. Lohse, Acta chem. scand. 23, 159 (1969).
[2] O. Buchardt, P. L. Kumler u. C. Lohse, Acta chem. scand. 23, 2149 (1969).
[3] M. Ishikawa et al., Chem. Pharm. Bull. (Tokyo) 14, 1102 (1966).
[4] O. Buchardt, J. Becher u. C. Lohse, Acta chem. scand. 20, 2467 (1966).

Tab. 183 (4. Fortsetzung)

Ausgangs-verbindung ...-chinolin-1-oxid	Zusammensetzung des Photolyse-ansatzes	Produkte	Ausbeute [% d. Th.]	F [°]	Literatur
6-Methoxy-4-methyl-...	1 g in 250 ml 96%igem Äthanol	6-Methoxy-2-oxo-4-methyl-1,2-di-hydro-chinolin	90	272–273	1
	1 g in 250 ml Benzol	6-Methoxy-2-oxo-4-methyl-1,2-di-hydro-chinolin +6-Methoxy-4-methyl-chinolin[a]	30	272–273	1
2-(4-Methyl-phenyl-mercapto)-...	1 g in 250 ml 96%igem Äthanol	3-(4-Methyl-phenyl-mercapto)-2-oxo-1,2-dihydro-chinolin	50	250–253	2
2-Cyan-...	1 g in 250 ml Aceton	2-Cyan-⟨benzo-[d]-1,3-oxazepin⟩	90	65–66	3
	1 g in 300 ml Aceton, 50 ml 40%iges Methylamin in Wasser	1-Methylamino-2-oxo-1,2-dihydro-chinolin	35	100–101	4
	Aceton, Pyrrolidin	1-Pyrrolidino-2-oxo-1,2-dihydro-chinolin	65	62–64	5
	Aceton, Piperidin	1-Piperidino-2-oxo-1,2-dihydro-chinolin	95	86–89	5
3-Methyl-2-cyan-...	1 g in 250 ml Aceton	4-Methyl-2-cyan-⟨benzo-[d]-1,3-oxazepin⟩	70	75–76	3
4-Methyl-2-cyan-...	1 g in 250 ml Aceton	5-Methyl-2-cyan-⟨benzo-[d]-1,3-oxazepin⟩	90	64–66	6
	1 g in 300 ml Dichlor-methan, 50 ml 40% Dimethyl-amin in Wasser	1-Dimethylamino-2-oxo-4-methyl-1,2-dihydro-chinolin	95	70–71	4
	1 g in 300 ml Dichlor-methan, 50 ml 40% Äthylamin in Wasser	1-Äthylamino-2-oxo-4-methyl-1,2-dihydro-chinolin	33	78–79	4

[a] Dünnschichtchromatographisch nachgewiesen.

[1] O. BUCHARDT. J. BECHER u. C. LOHSE, Acta chem. scand. **20**, 2467 (1966).
[2] O. BUCHARDT u. P. L. KUMLER, unveröffentlichte Ergebnisse.
[3] O. BUCHARDT, P. L. KUMLER u. C. LOHSE, Acta chem. scand. **23**, 2149 (1969).
[4] C. KANEKO, I. YOKOE u. M. ISHIKAWA, Tetrahedron Letters **1967**, 5237.
[5] C. KANEKO, J. Synth. Org. Chem. Japan **26**, 758 (1968).
[6] O. BUCHARDT, B. JENSEN u. I. K. LARSEN, Acta chem. scand. **21**, 1841 (1967).

Tab. 183 (5. Fortsetzung)

Ausgangs- verbindung ...-chinolin-1-oxid	Zusammensetzung des Photolyse- ansatzes	Produkte	Ausbeute [% s.Th.]	F [°C]	Literatur
4-Methyl-2-cyan- ...	1g in 300 ml Dichlor- methan; 20ml Di- äthylamin	*1-Diäthylamino-2- oxo-4-methyl-1,2- dihydro-chinolin*	80	109–110	1
	Dichlormethan, Pyrrolidin	*1-Pyrrolidino-2- oxo-4-methyl-1,2- dihydro-chinolin*	90	83,5–85	2
	Dichlormethan, Piperidin	*1-Piperidino-2-oxo- 4-methyl-1,2- dihydro-chinolin*	85	96–98	2
6-Methyl-2-cyan-...	1 g in 250 ml Aceton	*7-Methyl-2-cyan- ⟨benzo-[d]-1,3- oxazepin⟩*	95	74–75	3
4-Chlor-2-cyan-. ..	in Dichlormethan	*5-Chlor-2-cyan- ⟨benzo-[d]-1,3- oxazepin⟩*	80	94–95	4
6-Methoxy-2- cyan-. ..	1 g in 250 ml Aceton	*7-Methoxy-2-cyan- ⟨benzo-[d]-1,3- oxazepin⟩*	90	131–132	3
6-Methoxy-4- methyl-2-cyan-. ..	1 g in 250 ml Aceton	*7-Methoxy-5- methyl-2-cyan- ⟨benzo-[d]-1,3- oxazepin⟩*	65	108–110	3
9-Methyl-1,2,3,4- tetrahydro-acri- din-10-oxid	Benzol	*5a-Hydroxy-1-oxo- 6-methyl-2,3,4,5, 5a,6-hexahydro- 1H-⟨azepino- [1,2-a]-indol*	50	122–124	5
		+1-Oxo-6-methyl-2, 3,4,5-tetrahydro- 1H-⟨azepino- [1,2-a]-indol⟩[a]		54–55	
		+10-Oxo-5,6, 7,8,9,10- hexahydro- ⟨cyclo- hepta-[b]-indole⟩	10	219–221	
		+5-Methyl-1,2,3,4- tetrahydro-acridin	5–10		
	Methanol	*4-Methoxy-2-oxo-4- methyl-1,2,3,4- tetrahydro-chino- lin-⟨3-spiro-1⟩- cyclopentan*	70	203–204	5

[a] Ausbeute nicht angegeben.

[1] C. Kaneko, I. Yokoe u. M. Ishikawa, Tetrahedron Letters 1967, 5237.
[2] C. Kaneko, J. Synth. Org. Chem. Japan 26, 758 (1968).
[3] O. Buchardt, B. Jensen u. I. K. Larsen, Acta chem. scand. 21, 1841 (1967).
[4] C. Kaneko, S. Yamada u. M. Ishikawa, Tetrahedron Letters 1966, 2145.
[5] O. Kaneko et al., Chem. Pharm. Bull. (Tokyo) 17, 1290 (1969).

Tab. 183 (6. Fortsetzung)

Ausgangs-verbindung ...-acridin-10-oxid	Zusammensetzung des Photolyse-ansatzes	Produkte	Ausbeute [% d. Th.]	F [°C]	Literatur
9-Phenyl-1,2,3,4-tetrahydro-...	Benzol	5a-Hydroxy-1-oxo-6-phenyl-2,3,4,5,5a,6-hexahydro-1H-⟨azepino-[1,2-a]-indol⟩	60	157–158	1
		+5-Phenyl-1,2,3,4-tetrahydro-acridin	5–10		
	Methanol	4-Methoxy-2-oxo-4-phenyl-1,2,3,4-tetrahydro-chinolin-⟨3-spiro-1⟩-cyclopentan	60	249–250	1
9-Methoxycarbonyl-1,2,3,4-tetra-hydro-...	Benzol	1-Oxo-6-methoxycar-bonyl-2,3,4,5,5a,6-hexahydro-1H-⟨azepino-[1,2-a]-indol⟩	60	159–161	1
		+5-Methoxycarbon-yl-1,2,3,4-tetra-hydro-acridin	5–10		
	Methanol	4-Methoxy-2-oxo-4-methoxycarbonyl-1,2,3,4-tetra-hydro-chinolin-⟨3-spiro-1⟩-cyclopentan	60	130–131	1
5-Chlor-1,2,3,4-tetrahydro-...	Benzol	6-Chlor-1-oxo-2,3,4,5-tetrahydro-1H-⟨azepino-[1,2-a]-indol	45	68–70	1
	Methanol	2,4-Dioxo-1,2,3,4-tetrahydro-chino-lin-⟨3-spiro-1⟩-cyclopentan	60	197–198	1

γγ) Isochinolin-N-oxide

Durch Bestrahlung von 1-Cyan- und 1-Phenyl-isochinolin-N-oxiden entstehen isomere Benzo-[f]-1,3-oxazepine, womit die Ähnlichkeit zwischen der Photochemie der Isochino-lin-N-oxide und der der Chinolin-N-oxide unterstrichen wird.

4-Methyl-2-phenyl-⟨benzo-[f]-1,3-oxazepin⟩[2]:

Eine Lösung von 1,0 g 3-Methyl-1-phenyl-isochinolin-2-oxid in 200 *ml* Aceton wird so lange von außen bestrahlt (Quecksilber-Mitteldruck-Lampe, Hanau Q 700; Filter Cutoff: 90% bei λ = 320 nm), bis etwa

[1] C. Kaneko et al., Chem. Pharm. Bull. (Tokyo) 17, 1290 (1969).
[2] O. Buchardt et al., Tetrahedron Letters 1967, 2741.

90% des Ausgangsmaterials verbraucht sind. Nach Verdampfen des Lösungsmittels i. Vak. wird das zurückbleibende Öl durch Dünnschichtchromatographie mit Petroläther/Benzol/Aceton (7:1:1) als Laufmittel gereinigt; Ausbeute: 485 mg (49% d.Th.); F: 56–57°.

Auf ähnliche Weise kann *2-Phenyl-⟨benzo-[f]-1,3-oxazepin⟩* in 50%iger Ausbeute aus 1-Phenyl-isochinolin-2-oxid gewonnen werden. Aus 1-Cyan- und 3-Methyl-1-cyan-isochinolin-2-oxid wird nach Verdampfen des Lösungsmittels i. Vak. (Temp. 20°) und Extraktion des verbleibenden Öls mit Pentan *2-Cyan-* bzw. *4-Methyl-2-cyan-⟨benzo-[f]-1,3-oxazepin⟩* (~50% d.Th. bzw. ~50% d.Th.) erhalten[1, 2].

Erwartungsgemäß hängt bei Photolysen von Isochinolin-N-oxiden die Produktverteilung auch stark vom Lösungsmittel ab. So entstehen z. B. aus Isochinolin-2-oxid, 3-Methyl-isochinolin-2-oxid und 4-Brom-isochinolin-2-oxid in protischen Lösungsmitteln die entsprechenden 1-Oxo-1,2-dihydro-isochinoline und geringe Mengen der Mutteramine. Durch Bestrahlung von 1-Methyl-isochinolin-2-oxid entstehen *1-Oxo-2-methyl-1,2-dihydro-isochinolin* (IIa) und *1-Methyl-isochinolin* (IIIa)[3]. In wäßrigem Aceton fällt zusätzlich *2-Acetylamino-1-(2-hydroxy-phenyl)-äthylen* (IVa; 78% d.Th.) an, aus dem 3-Methyl-isochinolin-2-oxid entsprechend *2-Formylamino-1-(2-hydroxy-phenyl)-propen* (IVb)[3]:

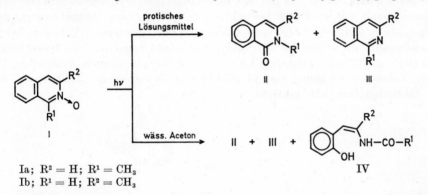

Ia; R² = H; R¹ = CH₃
Ib; R¹ = H; R² = CH₃

Die entsprechenden Benzo-[f]-1,3-oxazepine treten zweifellos bei dieser Umsetzung als Zwischenprodukte auf, da schon bewiesen wurde, daß durch Solvolyse der stabilen Benzo-[f]-1,3-oxazepine Verbindungen vom Typ IV entstehen[1, 2]. Durch Bestrahlung von 1-Carboxy-isochinolin-2-oxid und 1-Aminocarbonyl-isochinolin-2-oxid in Äthanol oder Aceton entstehen sehr komplexe Reaktionsmischungen. Ähnlich verhalten sich 3-Methyl- und 4-Brom-isochinolin-2-oxide bei Bestrahlung in Äthanol. Es wurden jedoch keine Versuche angestellt, um diese Mischungen in ihre Komponenten zu trennen[3].

Während sich die aus Chinolin-N-oxiden entstandenen Benzo-[d]-1,3-oxazepine als ziemlich stabil gegenüber der Bestrahlung mit Pyrex-gefiltertem Licht erweisen, sind die aus Isochinolin-N-oxiden gebildeten Benzo-[f]-1,3-oxazepine recht photoaktiv[4]. So entsteht durch längere Bestrahlung von 3-Methyl-1-cyan-isochinolin-2-oxid über 4-Methyl-2-cyan-⟨benzo-[f]-1,3-oxazepin⟩ eine Verbindung, die als *8-Methyl-1-cyan-⟨3,4-benzo-2-oxa-7-aza-bicyclo[3.2.0]heptadien-(3,6)⟩* identifiziert wurde[4].

8-Methyl-1-cyan-⟨3,4-benzo-2-oxa-7-aza-bicyclo[3.2.0] heptadien-(3,6)⟩ und 4-Methyl-2-cyan-⟨benzo-[f]-1,3-oxazepin⟩[3,4]:

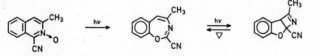

[1] O. Buchardt et al., Tetrahedron Letters 1967, 2741.
[2] O. Simonsen, C. L. Lohse u. O. Buchardt, Acta chem. scand. 24, 268 (1970).
[3] C. Lohse, Privatmitteilung.
[4] C. Lohse, Tetrahedron Letters 1968, 5625.

Eine Lösung von 300 mg 3-Methyl-1-cyan-isochinolin-2-oxid in 300 *ml* Aceton wird so lange von außen bestrahlt (Quecksilber-Mitteldruck-Lampe, Philips, Typ KL 7070), bis das gesamte Ausgangsmaterial verbraucht ist. Durch Verdampfen des Lösungsmittels i. Vak. erhält man ein Öl, das mit einer Mischung aus Pentan und Äther behandelt wird. Beim Abkühlen fällt das Benzofuro-azet aus; Ausbeute: 183 mg (61% d.Th.); F: 70–71°.

Durch 5 Min. Kochen in Toluol erhält man daraus das Benzo-[f]-1,3-oxazepin; Ausbeute: 50% d.Th.; Öl[1].

Es ist erwähnenswert, daß keine Spuren von Verbindungen gefunden wurden, die aus einem intermediär gebildeten 2,3-Epoxi-isochinolin entstanden sind, zu neueren Ergebnissen s. Lit.[2].

δδ) Acridin-N-oxide

Die Photolyse von Acridin-N-oxiden liefert eine Reihe von Produkten, wobei sich ein ausgeprägter Lösungsmittel- und Substituenten-Effekt zeigt. Wird Acridin-10-oxid (I) in Dichlormethan bestrahlt, erhält man in hoher Ausbeute *1-Oxo-1,5a,6,10b-tetrahydro-⟨cyclohepta-[b]-indol⟩* (V)[3], was gut mit dem vorgeschlagenen allgemeinen Mechanismus übereinzustimmen scheint. Durch Bestrahlung in Methanol oder Äthanol entsteht dagegen *6-Methoxy-* bzw. *6-Äthoxy-6,11-dihydro-⟨dibenzo-[b;e]-1,4-oxazepin⟩* (VIII a u. b)[4,5]. Dies wird anscheinend am besten wie folgt erklärt: primäre Umlagerung von I zum Oxaziridin II, das sich dann durch zweimalige 1,5-sigmatrope Verschiebung in Verbindung VI verwandelt. Valenzisomerisierung von VI zu VII und anschließende Addition von Alkohol würde die Bildung von VIII erklären.

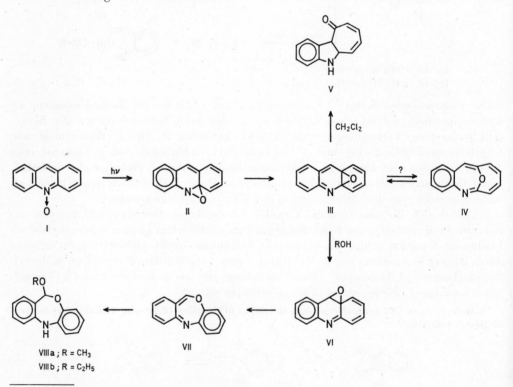

[1] C. Lohse, Tetrahedron Letters **1968**, 5625.
[2] C. A. Lohse, Soc. (Perkin II) **1972**, 229.
[3] M. Ishikawa, C. Kaneko u. S. Yamada, Tetrahedron Letters **1968**, 4519.
[4] H. Mantsch et al., A. **723**, 95 (1969).
[5] H. Mantsch u. V. Zanker, Tetrahedron Letters **1966**, 4211.

1-Oxo-1,5a,6,10b-tetrahydro-⟨cyclohepta-[b]-indol⟩[1]: Eine Lösung von 500 mg Acridin-10-oxid in 500 ml Dichlormethan wird 3,5 Stdn. bestrahlt (Quecksilber-Hochdruck-Lampe, Hanovia 100 W; Pyrex-Filter). Durch Einengen des Lösungsmittels auf 10 ml und anschließendes Filtrieren und Umkristallisieren des Produktes aus Methanol werden 350 mg (70% d.Th.) von Verbindung V als grüne Blättchen erhalten, F: 285–286°. Aus der Mutterlauge werden durch Chromatographie auf Kieselgel 13 mg Acridin und weitere 40 mg von Verbindung V gewonnen.

5-Methoxy- bzw. 5-Äthoxy-5,11-dihydro-⟨dibenzo-[b;c]-1,4-oxazepin⟩ (VIIIa bzw. VIIIb)[2]: 1 g Acridin-10-oxid in 1 l Methanol wird unter Stickstoff und intensiver Wasserkühlung 20 Min. bestrahlt (Hanau-TQ-700 Tauchlampe), das Lösungsmittel unter Stickstoff abdestilliert oder i. Vak. abgesaugt. Der Rückstand wird in wenig Benzol aufgenommen und an Aluminiumoxid mit Benzol chromatographiert. Nach Abdestillieren des Benzols wird in wenig Äthanol gelöst und durch Zusatz von Eis gefällt. Farblose, in organischen Lösungsmitteln leicht lösliche Kristalle von VIIIa entstehen; Ausbeute: 42% d.Th., F: 111°.

Verbindung VIIIb entsteht analog bei Bestrahlung von Acridin-10-oxid in Äthanol; Ausbeute: 48% d.Th., F: 142°.

Durch Bestrahlung von 9-Cyan-(IXa) und 2,7-Dimethyl-9-cyan-acridin-10-oxid (IXb) entstehen neben dem entsprechend substituierten Acridin einige sehr interessante Produkte: *10-Cyan-* bzw. *2,8-Dimethyl-10-cyan-⟨oxepino-[2,7-a,g]-benzo-[d]-1,3-oxazepin⟩* (Xa bzw. Xb), *6-Cyan-* bzw. *4,8-Dimethyl-6-cyan-5a,10b-dihydro-1H-⟨azepino-[1,2-a]-indol⟩* (XIIa u. XIIb) sowie *6-Cyan-* bzw. *4,8-Dimethyl-6-cyan-⟨oxepino-[2,3-b]-chinolin⟩* (XIIIa bzw. XIIIb)[3]. Für die photochemische Umwandlung von XIII in *9-Cyan-* bzw. *1,7-Dimethyl-9-cyan-2a,9b-dihydro-⟨cyclobuta-[b]-furo-[5,4-b]-chinolin⟩* (XIVa, b) gibt es bereits mehrere analoge Beispiele:

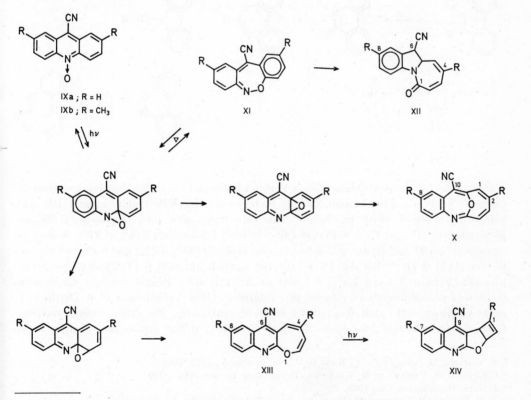

IXa; R = H
IXb; R = CH₃

---

[1] M. ISHIKAWA, C. KANEKO u. S. YAMADA, Tetrahedron Letters **1968**, 4519.
[2] H. MANTSCH et al., A. **723**, 95 (1969).
[3] C. KANEKO, S. YAMADA u. M. ISHIKAWA, Chem. Pharm. Bull. (Tokyo) **17**, 1294 (1969).

Weiterhin wurde die Bildung von *11-Cyan-⟨dibenzo-[c;f]-1,2-oxazepin⟩* (XIa; 59% d.Th.) neben den anderen Isomeren beschrieben[1]. Diese Verbindung kann sich thermisch in 9-Cyan-acridin, XIIIa, Xa, IXa und/oder XIIa umwandeln. Es sei dahin gestellt, ob die photochemische Bildung von XIa über das postulierte Oxaziridin abläuft (s. S. 1309).

Die Belichtung von 12-Methyl-⟨benzo-[a]-acridin⟩-7-oxid in Äthanol führt in ∼80%iger Ausbeute zu *12-Methyl-⟨[2]-benzoxepino-[3,2,1-b,c]-3,1-benzoxazepin⟩*[2].

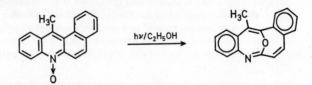

Schließlich sollte bemerkt werden, daß durch Bestrahlung von 9-Mercapto-acridin-10-oxid in Methanol *9-Oxo-9,10-dihydro-acridin* entsteht[3].

εε) Phenanthridin-N-oxide

Durch Bestrahlung von Phenanthridin-N-oxiden in protischen Lösungsmitteln, z. B. Äthanol, entstehen in guten Ausbeuten die entsprechenden 6-Oxo-5,6-dihydro-phenanthridine. Manchmal werden als Nebenprodukte die Mutteramine gefunden[4-7].

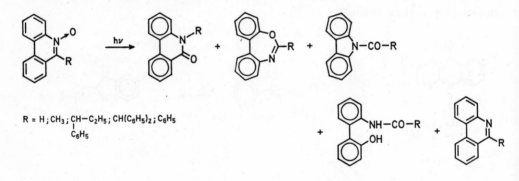

$R = H; CH_3; CH-C_2H_5; CH(C_6H_5)_2; C_6H_5$
$\quad\quad\quad\quad\quad |$
$\quad\quad\quad\quad C_6H_5$

Das photochemische Verhalten dieser Verbindungen steht in enger Beziehung zu dem der Chinolin-N-oxide und Isochinolin-N-oxide. So bildet sich durch Bestrahlung von 6-Phenyl-phenanthridin-5-oxid in Benzol eine Mischung aus *6-Oxo-5-phenyl-5,6-dihydro-phenanthridin* (17% d.Th.), *6-Phenyl-⟨dibenzo-[d;f]-1,3-oxazepin⟩* (3% d.Th.), *9-Benzoyl-carbazol* (1% d.Th.), *2-Hydroxy-2'-benzoylamino-biphenyl* (35% d.Th.) und *6-Phenyl-phenan-thridin* (11% d.Th.)[5]. Bei der Photolyse von optisch aktivem 6-(1-Phenyl-propyl)-phenanthridin-5-oxid ($[\alpha]_D^{22} = 7,85°$) in Äthanol oder Benzol entsteht racemisches *6-Oxo-5-(1-phenyl-propyl)-5,6-dihydro-phenanthridin*[5]. Das Verhalten von 6-Diphenyl-methyl-phenanthridin-5-oxid ist insofern einzigartig, als neben dem erwarteten *6-Oxo-5-diphenylmethyl-5,6-dihydro-phenanthridin* (40% d.Th.) äquimolare Mengen an *6-*

[1] S. Yamada, M. Ishikawa u. C. Kaneko, Chem. Commun., **1972**, 1093.
[2] C. Kaneko, S. Yamada u. M. Ishikawa, Tetrahedron Letters **1970**, 2329.
[3] I. Goia, Dissertation, Cluj 1969.
[4] E. C. Taylor, B. Furth u. M. Pfau, Am. Soc. 87, 1400 (1965).
[5] E. C. Taylor u. G. G. Spence, Chem. Commun. **1968**, 1037.
[6] E. C. Taylor u. G. G. Spence, Chem. Commun. **1966**, 767.
[7] M. Ishikawa et al., Chem. Pharm. Bull. (Tokyo) 14, 1102 (1966).

Oxo-5,6-dihydro-phenanthridin und *1,1,2,2-Tetraphenyl-äthan* anfallen. Dies ist unbedingt auf die Stabilität des Diphenylmethyl-Radikals zurückzuführen. Die Quantenausbeute schwankt für die 6-Oxo-5,6-dihydro-phenanthrin-Bildung[1] zwischen $\varphi = 0{,}06$–$0{,}37$.

ζζ) Pyridazin-N-oxide

3,6-Diphenyl-pyridazin-1-oxid reagiert photochemisch in Aceton oder Methanol, wobei neben einem nichtidentifizierten kristallinen Produkt *3-Phenyl-5-benzoyl-pyrazol* und *3,6-Diphenyl-pyridazin* entstehen. Weiterhin wird ein flüchtiges gelbes Zwischenprodukt beobachtet, das als *cis*-4-Oxo-1-diazo-1,4-diphenyl-buten-(2) identifiziert wurde[2,3]. Blitz-licht-Photolysen zeigen, daß das Diazoketon aus einem angeregten Singulett-Zustand ent-steht, vermutlich direkt, und nicht wie bislang geglaubt wurde, über eine intermediäres Oxaziridin[3].

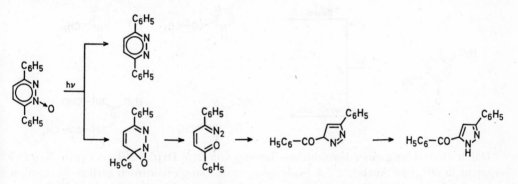

Bestrahlung von Tetraphenyl-pyridazin-N-oxid führt zu *Tetraphenyl-furan*, *(E)*- und *(Z)-1,4-Dioxo-1,2,3,4-tetraphenyl-buten-(2)*, *4-Oxo-5-(1,2,3-triphenyl-cyclopropenyl)-bicyclo[3.2.0]heptadien-(2,6)* und *Tetraphenyl-pyridazin*[4]. Vermutlich entstehen alle Verbindungen außer der zuletzt genannten über *cis*-4-Oxo-1-diazo-1,2,3,4-tetraphenyl-buten-(2)[3].

Bei den photochemischen Umsetzungen von Pyridazin-1-oxid, 3-Methyl-, 3,4-Dimethyl-4-Chlor-3-methyl- und 4-Methoxy-3-methyl-pyridazin-1-oxid findet hauptsächlich Entzug von Sauerstoff statt[5]. Zusätzlich wurden geringe Mengen an Pyrazol-Derivaten und hydroxy-methylierten Pyridazinen isoliert.

ηη) Pyrimidin-N-oxide

Die photochemische Umsetzung von 5-Methyl-pyrimidin-N-oxid führt zu einem interessanten Ergebnis. Neben *5-Methyl-pyrimidin* wurde in 22%iger Ausbeute *cis-3-For-mylamino-2-methyl-acrylnitril* isoliert[6] (zur mechanischen Interpretation vgl. Org.-Lit.):

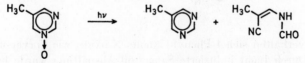

[1] E. C. Taylor u. G. G. Spence, Chem. Commun. **1966**, 767.
[2] P. L. Kumler u. O. Buchardt, Am. Soc. **90**, 5640 (1968).
[3] K. B. Tomer et al., Am. Soc. **95**, 7402 (1973).
[4] T. Tsuchiya, H. Arai u. H. Igeta, Tetrahedron Letters **1971**, 2579.
  T. Tsuchiya et al., Chem. Pharm. Bull. (Tokyo) **20**, 300 (1972).
[5] M. Ogata u. K. Kano, Chem. Commun. **1967**, 1176.
[6] J. Streith u. P. Martz, Tetrahedron Letters **1969**, 4899.

Eine entsprechende photochemische Ringöffnung zeigt sich auch beim unsubstituierten Pyrimidin-N-oxid; *cis-3-Formylamino-acrylnitril* entsteht in 21%iger Ausbeute[1]. Das in 2-Stellung methoxylierte N-Oxid geht in *(E)-3-Formylamino-2-methoxy-acrylnitril* (11% d.Th.) und *2-Methoxy-5-formyl-imidazol* (9% d.Th.) über[2].

ϑϑ) Pyrazin-N-oxide

Bei der Bestrahlung von 2,5-Dimethyl-pyrazin-N-oxid in Benzol, das mit Stickstoff durchspült wurde, entstehen in ziemlich niedriger Ausbeute *4-Methyl-2-acetyl-imidazol* und *2,4-Dimethyl-imidazol*. Erfolgt die photochemische Umsetzung in wässriger Lösung, so werden in geringer Ausbeute *2-Oxo-3,6-dimethyl-1,2-dihydro-pyrazin* (10% d.Th.) und *2-Formylamino-1-acetylamino-propen* (20% d.Th.) isoliert[3]. Ein zusammenfassendes Reaktionsschema s. Orig.-Lit.

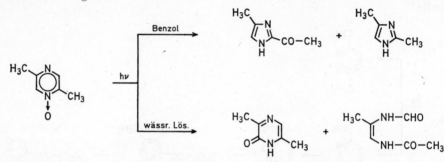

Durch Bestrahlung einer benzolischen Lösung von 2,5-Diphenyl-pyrazin-N-oxid entsteht in 50%iger Ausbeute *2,5-Diphenyl-pyrazin*. Daneben wurden geringe Mengen an *2-Oxo-3,6-diphenyl-1,2-dihydro-pyrazin* und *2,4-Diphenyl-imidazol* gebildet[3].

u) Cinnolin-N-oxide

Die beiden N-Oxide von 4-Methyl-cinnolin ergeben nach langen Bestrahlungszeiten in Methanol folgende Produkte: *4-Methyl-cinnolin* (58%), *3-Methyl-1H-indazol* (25%), *3-Methyl-indol* (8%) und *3-Methyl-⟨benzo-[b]-furan⟩* (∼1%), bzw. *4-Methyl-cinnolin* (42%), *3-Methyl-⟨benzo-[c]-1,2-oxazol⟩* (11%) und *2-Amino-acetophenon* (4%)[4]:

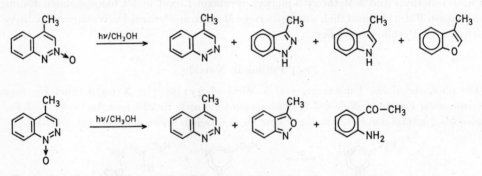

Demgegenüber verhalten sich 4-Phenyl-cinnolin-N-oxide, wie Vorversuche zeigen, relativ photostabil[5]. Durch Licht induzierte Sauerstoff-Abspaltung wurde bei Benzo-[c]-cinnolin-N-oxid beobachtet[6].

[1] J. STREITH, C. LEIBOVICI u. P. MARTZ, Bl. **1971**, 4152.
[2] F. BELLAMY, P. MARTZ u. J. STREITH, Tetrahedron Letters **1974**, 3189.
[3] N. IKEKAWA, Y. HONMA u. R. KENKYUSHO, Tetrahedron Letters **1967**, 1197.
[4] W. M. HORSPOOL, I. R. KEERSHAW u. A. W. MURRAY, Chem. Commun. **1973**, 345.
[5] O. BUCHARDT u. P. L. KUMLER, unveröffentlichte Ergebnisse.
[6] R. TANIKAGA, Bl. chem. Soc. Japan 41, 1664 (1968).

ϰϰ) Phthalazin-N-oxide

Die Anfangsschritte der photochemischen Umsetzungen von 1,4-Diphenyl-phthala-zin-N-oxid sind denen des eng verwandten 3,6-Diphenyl-pyridazin-N-oxids analog.

Entgegen der früheren Anschauung, daß der erste Reaktionsschritt zu dem Oxaziridin I führt[1], kann das Diazo-keton II auch direkt aus dem ersten angeregten Singulett-Zustand heraus gebildet werden[2]. Durch photolytische Stickstoff-Abspaltung entsteht anschließend das Carben III, das sich als *1,3-Diphenyl-⟨benzo-[c]-furan⟩* stabilisiert[2].

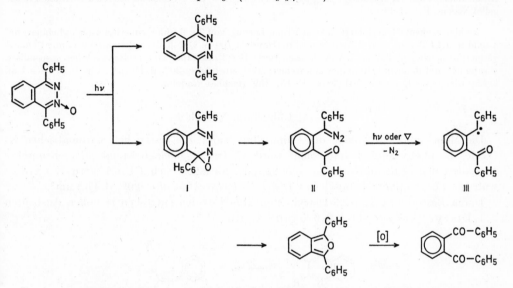

In Aceton findet auch bei sorgfältigem Ausschluß von Sauerstoff, d. h. beim Durch-spülen der Lösung mit gereinigtem Stickstoff, zum Teil Oxidation von ⟨Benzo-[c]-furan⟩ zu 1,2-Dibenzoyl-benzol statt. Es ist bekannt, daß 1,3-Diphenyl-⟨benzo-[c]-furan⟩ sehr leicht thermisch als auch photochemisch oxidiert wird. Die Ausbeute an 1,3-Diphenyl-⟨benzo-[c]-furan⟩ ist hauptsächlich auf die Reinigungsmethode zurückzuführen. Erfolgt die Bestrah-lung in einer Lösung aus Äther/Pentan, so erhält man 1,3-Diphenyl-⟨benzo-[c]-furan⟩ in fast quantitativer Ausbeute[2]. Ist ein sorgfältiger Ausschluß von Sauerstoff nicht gewähr-leistet, entsteht etwas *1,4-Diphenyl-phthalazin*[1,2]. Vorversuche haben gezeigt, daß sich bei der photochemischen Umsetzung von unsubstituiertem Phthalazin-N-oxid eine sehr kom-plexe Reaktionsmischung bildet[3].

λλ) Chinazolin-N-oxide

4-Phenyl-chinazolin-3-oxide werden photochemisch in 2-Phenyl-benzo-[f]-1,3,5-⟨oxadia-zepine⟩ und die Stammamine verwandelt[4,5], wodurch das photochemische Verhalten dieser Verbindungen dem der Isochinolin-N-oxide sehr ähnlich wird.

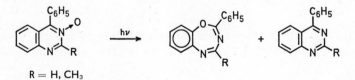

R = H, CH₃

[1] O. BUCHARDT, Tetrahedron Letters **1968**, 1911.
[2] K. B. TOMER et al., Am. Soc. **95**, 7402 (1973).
[3] O. BUCHARDT, unveröffentlichte Ergebnisse.
[4] C. KANEKO u. S. YAMADA, Tetrahedron Letters **1967**, 5233.
[5] G. F. FIELD u. L. H. STERNBACH, J. Org. Chem. **33**, 4438 (1968).

Diese Ähnlichkeit spiegelt sich in den Ergebnissen der Photolyse von Chinazolin-3-oxid wider, bei der *4-Oxo-3,4-dihydro-chinazolin* (40% d.Th.) und *Chinazolin* (5% d.Th.) entstehen[1].

8-Chlor-4-methyl-2-phenyl-⟨benzo-[f]-1,3,5-oxadiazepin⟩[2]: Eine Lösung von 10 g 6-Chlor-4-methyl-2-phenyl-chinazolin-3-oxid in 1,4 *l* Benzol wird so lange mit einer Quecksilber-Mitteldruck-Lampe (Hanovia 200 W; Quarz-Immersionsquelle) bestrahlt, bis Dünnschichtchromatographie keine Ausgangsverbindung mehr anzeigt. Das Lösungsmittel wird verdampft und anschließend der Rückstand aus Äther umkristallisiert; Ausbeute: 8,3 g (83% d.Th.); F: 133–138°. Umkristallisieren aus Äthanol liefert gelbe Nadeln, F: 137–140°.

5-Chlor-3-phenyl-1-acetyl-1H-indazol[2]: Eine Lösung von 7 g 6-Chlor-2-methyl-4-phenyl-chinazolin-1-oxid in 1,4 *l* Benzol wird 6 Tage bestrahlt (Hanovia 100 W Quecksilber-Mitteldruck-Lampe; Quarz-Immersionsquelle) und dann i. Vak. konzentriert. Der Rückstand wird in Hexan/Äther suspendiert, gesammelt und dann mit Methanol gewaschen; Ausbeute: 2,1 g (30% d.Th.); F: 120–135°, nach Umkristallisieren aus Essigsäure-äthylester F: 157–159° (farblose Nadeln).

μμ) Chinoxalin-N-oxide

Die Mono- und Di-N-oxide des Chinoxalins waren die ersten heteroaromatischen N-Oxide, die photochemisch untersucht wurden[3]. Im allgemeinen ist ihr photochemisches Verhalten den Chinolin-N-oxiden sehr ähnlich. So lagert sich Chinoxalin-N-oxid in wäßriger Lösung photochemisch in *2-Oxo-1,2-dihydro-chinoxalin* (20% d.Th.) um[3].

Durch Bestrahlung von 2,3-Diaryl-chinoxalin-N-oxiden entstehen in hohen Ausbeuten 2,4-Diaryl-⟨benzo-[d]-1,3,6-oxadiazepine⟩[4–6]:

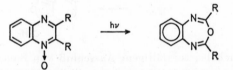

2,4-Diphenyl-⟨benzo-[d]-1,3,6-oxadiazepin⟩[6]: Eine Lösung von 500 mg 2,3-Diphenyl-chinoxalin-N-oxid in 100 *ml* Aceton wird so lange bestrahlt (Quecksilber-Mitteldruck-Lampe, Hanau Q-700; Pyrex-Immersionsapparatur) bis dünnschichtchromatographisch kein Ausgangsmaterial mehr nachgewiesen werden kann. Das Lösungsmittel wird verdampft und der kristalline Rückstand aus Petroläther (Kp: 30–60°) umkristallisiert; Ausbeute: 400 mg (80% d.Th.); F: 95–98°.

Wie erwartet, verwandeln sich sowohl 2- als auch 3-Phenyl-chinoxalin-1-oxid in *2-Phenyl-⟨benzo-[d]-1,3,6-oxadiazepin⟩*, welches ziemlich instabil ist und hydrolytisch sehr leicht in *2-Formylamino-1-benzoylamino-benzol* und *2-Phenyl-chinoxalin* gespalten wird. Daneben bildet sich aus 3-Phenyl-chinoxalin-1-oxid auch noch etwas *2-Oxo-3-phenyl-1,2-dihydro-chinoxalin-4-oxid* (45% d.Th.)[4].

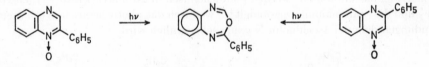

Chinoxalin-1,4-dioxid lagert sich photochemisch in wäßriger Lösung in *2-Oxo-1,2-dihydro-chinoxalin-4-oxid* (5% d.Th.) um. Erfolgt die Bestrahlung in Salzsäure, so findet

[1] C. KANEKO u. S. YAMADA, Tetrahedron Letters **1967**, 5233.
[2] G. F. FIELD u. L. H. STERNBACH, J. Org. Chem. **33**, 4438 (1968).
[3] J. K. LANDQUIST, Soc. **1953**, 2830.
[4] C. KANEKO et al., Tetrahedron Letters **1967**, 1873.
[5] O. BUCHARDT u. J. FEENEY, Acta chem. scand. **21**, 1399 (1967).
[6] O. BUCHARDT u. B. JENSEN, Acta chem. scand. **22**, 877 (1968).

eine neue, interessante Umsetzung statt, bei der *2-Chlor-chinoxalin-4-oxid* entsteht. Ferner treten geringe Mengen an Chinoxalin-N-oxid und *2,3-Dioxo-1,2,3,4-tetrahydro-chinoxalin* auf[1].

Wird eine methanolische Lösung von 3-Phenyl-2-benzoyl-chinoxalin-1,4-dioxid dem Sonnenlicht ausgesetzt, dann fällt in 70%iger Ausbeute eine Verbindung aus, die als *2-Oxo-1,3-dibenzoyl-2,3-dihydro-benzimidazol* identifiziert wurde[2]:

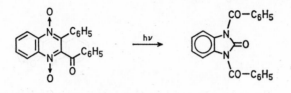

vv) andere N-oxide

9H-Purin-1-oxide erfahren bei der Photolyse zwei Arten von Umsetzungen, nämlich Abspaltung von Sauerstoff und Umlagerung. Im Gegensatz zu den Ergebnissen verwandter Stoffklassen, wie Isochinolin- und Chinazolin-1-oxide, greift hier das Sauerstoff-Atom die 2-Stellung an[3-5]. So entstehen bei der Photolyse von Adenosin-1-oxid (I) in verdünnter wäßriger Lösung ($p_H \sim 6$) *Adenosin* (II; 10% d.Th.), *Crotonosid* (III; 20% d.Th.) und *4-Ureido-5-cyan-imidazol-3-β-d-ribosid* (IV; 20% d.Th.). Es ist möglich, daß Verbindung IV bei der Bildung von III als Zwischenprodukt auftritt[3].

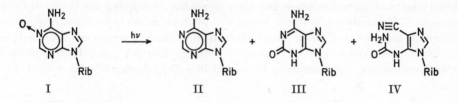

| | I | II | III | IV |

4-Methyl- und 4-Äthyl-1,2,3-benzotriazin-3-oxid liefern durch Bestrahlung in Methanol, Äthanol oder Benzol *3-Methyl-* bzw. *3-Äthyl-⟨benzo-[c]-1,2-oxazol⟩* (85 bzw. 80%) neben geringen Mengen von 2-Amino-acetophenon und 2-Amino-propiophenon[6]:

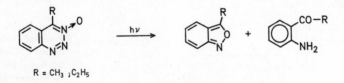

R = CH₃ ; C₂H₅

Zu anderen Ergebnissen führen jedoch Photolysen von 4-Aryl-⟨benzo-1,2,3-triazin⟩-3-oxiden in den gleichen Lösungsmitteln. Das 4-Phenyl-Derivat ergibt z. B. *3-Phenyl-1H-indazol* (64%), *3-Phenyl-⟨benzo-[c]-1,2-oxazol⟩* (9%) und 2-Azido-benzophenon[6].

---

[1] G. W. H. Cheesemann u. E. G. S. Törzs, Soc. [C] **1966**, 157.

[2] M. J. Haddadin u. C. H. Issidorides, Tetrahedron Letters **1967**, 753.

[3] F. Cramer u. G. Schlingloff, Tetrahedron Letters **1964**, 3201.

[4] G. B. Brown, G. Levin u. S. Murphy, Biochemistry **3**, 880 (1964).

[5] G. Levin, R. E. Setlow u. G. B. Brown, Biochemistry **3**, 883 (1964).

[6] W. M. Horspool et al., Am. Soc. **95**, 2390 (1973).

Zu einem komplexeren Produkt-Gemisch führt die Belichtung von Phenazin-N-oxid[1]. Ähnliche Resultate wurden mit einigen benzokondensierten Derivaten erzielt[2]; z. B.:

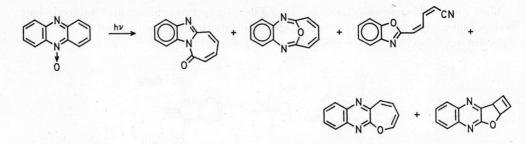

Die Photolyse von Pteridin-N-oxid in Gegenwart von Cyclohexadien-(1,4) verläuft unter Sauerstoff-Abspaltung [3].

γ) Nitril-oxide

bearbeitet von

Prof. Dr. WOLFGANG RUNDEL*

Nitril-oxide, die durch sterische Hinderung vor der Dimerisierung zu Furazan-N-oxiden geschützt sind, und die außerdem in günstiger sterischer Anordnung zur C≡N→O-Gruppe aliphatische C–H-Bindungen besitzen, lassen sich photochemisch in mäßigen Ausbeuten zu Lactamen cyclisieren. Als Zwischenstufe wird ein Acylnitren angenommen. So erhält man aus O-Methyl-podocarponitriloxyd I durch Belichtung einer 0,4%igen Lösung in Hexan (oder Methanol) mit $\lambda = 254$ nm das δ-Lactam II in $\sim 25\%$ Ausbeute[4] (vgl. S. 1274, 1276):

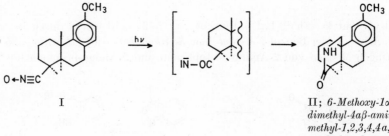

I

II; *6-Methoxy-1α,10aα-
dimethyl-4aβ-amino-
methyl-1,2,3,4,4a,9,10,10a-
octahydro-phenanthren-1-
carbonsäure-lactam*

2,4,6-Trimethyl-benzonitril-oxid ergibt bei Bestrahlung in Pentan *4,6-Dimethyl-
2-aminomethyl-benzoesäure-lactam* $(\sim 20\%$ d.Th.) neben N,N'-Bis-[2,4,6-trimethyl-phenyl]-

---

* Chemisches Institut der Universität Tübingen.

[1] A. ALBINI, G. F. BETTINETTI u. S. PIETRA, Tetrahedron Letters **1972**, 3657.
[2] C. KANEKO, S. YAMADA u. M. ISHIKAWA, Tetrahedron Letters **1970**, 2329.
[3] M. GLADYS u. W.-R. KNAPPE, Naturwiss. **29**b, 549 (1974).
[4] G. JUST u. W. ZEHETNER, Tetrahedron Letters **1967**, 3389.

harnstoff. In Methanol bildet sich außer dem Lactam *6-Methoxycarbonylamino-1,3,5-tri-methyl-benzol*[1]:

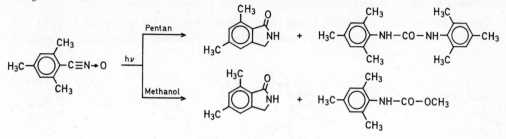

δ) Azin-N-Oxide

bearbeitet von

Prof. Dr. OLE BUCHARDT*

Analog der photochemischen Umsetzung von Phthalazin-N-oxiden (vgl. S. 1313) verlieren Azin-N-oxide bei der Photolyse Stickstoff[2,3]. In Einklang mit den gefundenen Produkten wurde folgender Reaktionsablauf vorgeschlagen, wobei das intermediäre Oxaziridin noch nicht nachgewiesen werden konnte[3]:

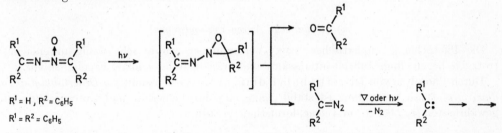

So wurde z. B. bei der Photolyse von Acetophenon-azin-N-oxid *Acetophenon* gefunden und Benzophenon-azin-N-oxid geht unter Stickstoff-Abspaltung analog in *Benzophenon* und Tetraphenyläthylen über[2].

Durch Bestrahlung von 3,7-Diphenyl-5,6-dihydro-4H-1,2-diazepin-1-oxid entstehen *5-Oxo-1,5-diphenyl-penten* (44% d. Th.) und *1,5-Diphenyl-6,7-diaza-bicyclo[3.2.0] hepten-(6)-6-oxid* (24% d. Th.). Die Bildung des Pentenons über das Diazoketon wurde aus dem Auftreten einer kurzlebigen gefärbten Spezies gefolgert[3]:

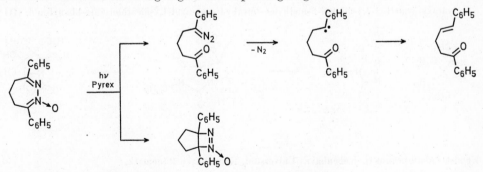

---

* Kemisk Laboratorium II, Københavns Universitet, Kopenhagen/Dänemark.

[1] G. JUST u. W. ZEHETNER, Tetrahedron Letters **1967**, 3389.
[2] L. HORNER, W. KIRMSE u. H. FERNEKESS, B. **94**, 279 (1961).
[3] W. R. DOLBIER, Jr. u. W. M. WILLIAMS, Am. Soc. **91**, 2818 (1969).

Das Auftreten der viergliedrigen Azoxy-Verbindung stellt das erste Beispiel einer elektrocyclischen Ring-Bildung im Diaza-butadien-System dar. Obgleich diese Umsetzung bisher nur in einem Fall beschrieben worden ist, scheint sie von beträchtlicher präparativer Bedeutung zu sein.

Durch Bestrahlung von 4,4-Dimethyl-3,5-diphenyl-4H-pyrazol-1-oxid entsteht wahrscheinlich über folgende Schritte in 70%iger Ausbeute das isomere *3,3-Dimethyl-4,5-diphenyl-3H-pyrazol-2-oxid*[1]:

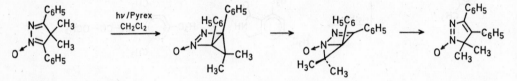

Eine analoge Umsetzung erfolgt im Falle des 3,5-Dimethyl-4,4-diäthyl-4H-pyrazol-1-oxides, womit der allgemeine Charakter dieser Reaktion veranschaulicht wird.

ε) Azoxy-Verbindungen[2]

bearbeitet von

Prof. Dr. Ole Buchardt*

ε₁) *aliphatische Azoxy-Verbindungen*[2]

Die Photochemie aliphatischer Azoxy-Verbindungen wurde sehr wenig untersucht; trotzdem liegen einige äußerst interessante und präparativ brauchbare Ergebnisse vor.

Durch Photolyse von Di-tert.-butyl-diazen-N-oxid entsteht *2,3-Di-tert.-butyl-oxadiaziridin*. Diese Verbindung ist stabil genug, um ihre Isolierung und Untersuchung zu gewährleisten ($\tau_{1/2}$ bei 20° in Tetrachlormethan: 8 Stdn.)[3].

Ein gänzlich anderer Reaktionstyp wurde für das Diels-Alder-Addukt I (1,4-Dimethyl-7,7-diäthyl-2,3,5,6-tetraaza-bicyclo[2.2.1]hepten-(2)-2-oxid-5,6-dicarbonsäure-phenylimid) gefunden, welches sich photochemisch in guter Ausbeute in Verbindung II verwandelt[4].

5-Hydroxy-5-methyl-4,4-diäthyl-3-methylen-tetrahydro-pyrazol-1,2-dicarbonsäure-phenylimid (II)[4]:

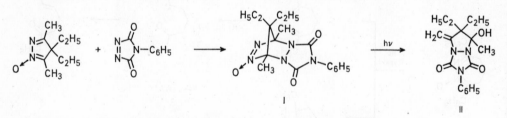

---

* Kemisk Laboratorium II, Københavns Universitet, Kopenhagen/Dänemark.

[1] W. R. Dolbier, Jr. u. W. M. Williams, Chem. Commun. **1970**, 289.
[2] Zur Überführung von *trans*-Azoxy-Verbindungen mit UV-Licht in die entsprechenden *cis*-Verbindungen s. E. Müller, A. **493**, 166 (1932); **495**, 132 (1932).
[3] S. S. Hecht u. F. D. Greene, Am. Soc. **89**, 6761 (1967).
[4] W. R. Dolbier, Jr., Privatmitteilung.

1,4-Dimethyl-7,7-diäthyl-2,3,5,6-tetraaza-bicyclo[2.2.1[hepten-(2)-2-oxid-5,6-dicar-
bonsäure-phenylimid (I): Eine Lösung von 2,9 g (16,6 mMol) 3,5-Dioxo-4-phenyl-3,5-dihydro-1,2,4-
triazol in 150 ml Dichlormethan wird unter Rühren innerhalb von 3 Stdn. tropfenweise zu einer Lösung
von 2,9 g (17,2 mMol) 3,5-Dimethyl-4,4-diäthyl-4H-pyrazol-oxid in 75 ml Dichlormethan gegeben. Die
Reaktionsmischung wird noch weitere 3 Stdn. gerührt, das Lösungsmittel i. Vak. verdampft und der
Rückstand aus Aceton/Wasser umkristallisiert; Ausbeute: 3,8 g (65% d.Th.); F: 146° (Zers.).

Verbindung II: Eine Lösung von 500 mg (1,4 mMol) von Verbindung I in 250 ml trockenem Benzol
wird unter Stickstoff 1 Stde. bestrahlt (Hanovia 450 W Quecksilber-Mitteldruck-Lampe 679 A; Pyrex-
Filter). Die Nebenprodukte werden mit Dichlormethan über eine mit Kieselgel gefüllte Säule entfernt.
Elution mit Äther und anschließendes Verdampfen des Elutionsmittels liefert das Tetrahydro-pyrazol-
Derivat; Ausbeute: 280 mg (65% d.Th.); F: 146–147° (aus Hexan/Tetrachlormethan, braune Kristalle).

ε_2) aromatische Azoxy-Verbindungen

Die Absorptionsspektren aromatischer Azoxy-Verbindungen zeigen stets Maxima bei
Wellenlängen, die größer als $\lambda = 300$ nm sind, wodurch die Benutzung von Pyrex- oder
ähnlichen Filtern ermöglicht wird. In früheren Arbeiten wurde oft Sonnenlicht benutzt,
um die Reaktion in Gang zu setzen. Die langwellige Absorption entspricht vermutlich
einem $\pi \to \pi^*$-Übergang, so daß die photochemischen Umsetzungen aromatischer Azoxy-
Verbindungen wahrscheinlich in der Regel aus ihren angeregten $\pi \to \pi^*$-Zuständen erfolgen[1].

Azoxy-Verbindungen treten sowohl als *trans*- als auch *cis*-Isomere[2] auf, wobei das *trans*-
Isomere thermodynamisch stabiler ist und bei allen Photolysen offensichtlich die *trans*-
Verbindungen als Ausgangsstoffe benutzt werden. Bei der unsensibilisierten Bestrahlung
aromatischer *trans*-Azoxy-Verbindungen finden zwei Reaktionen statt; die eine liefert *cis*-
Isomere, die andere 2-Hydroxy- eventuell auch 4-Hydroxy-azo-Verbindungen. Es wird
angenommen, daß diese Umsetzungen aus dem ersten angeregten Singulett-Zustand erfolgen[1, 3]. Ferner wurde gezeigt, daß durch Bestrahlung von Azoxybenzol in Gegenwart
eines Triplett-Sensibilisators, wie z. B. Benzophenon, teilweise Sauerstoff entzogen wird.
Daraus wurde geschlossen, daß die Umsetzung aus einem angeregten Triplett-Zustand
erfolgt[3, 4].

Die photochemische Umlagerung von Azoxy-Verbindungen in 2-Hydroxy-azo-Verbin-
dungen wurde sorgfältig mechanistisch untersucht:

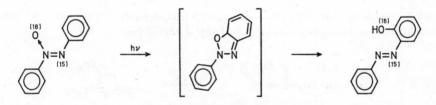

Umsetzungen einiger unsymmetrisch substituierter[5] sowie durch Isotopen markierter[6]
Azoxy-Verbindungen ergaben, daß das Sauerstoff-Atom stets zu dem Benzol-Kern wandert,
der von der N→O-Gruppe weiter entfernt ist. Das cyclische Zwischenprodukt wurde
jedoch noch nicht isoliert[7].

---

[1] R. TANIKAGA, Bl. chem. Soc. Japan **41**, 2151 (1968).
[2] s. E. MÜLLER, A. **493**, 166 (1932); **495**, 132 (1932).
[3] R. TANIKAGA, Bl. chem. Soc. Japan **41**, 1664 (1968).
[4] R. TANIKAGA et al., Tetrahedron Letters **1966**, 5925.
[5] G. M. BADGER u. R. G. BUTTERY, Soc. **1954**, 2243.
[6] M. M. SHEMYAKIN, V. I. MAIMIND u. B. K. VAICHUNAITE, Izv. Akad. SSSR **1960**, 866; Ž. obšč. Chim.
28, 1708 (1958); engl. **28**, 1756 (1958); Chem. & Ind. **1958**, 755.
[7] M. M. SHEMYAKIN et al., Doklady Akad. SSSR **135**, 346 (1960); engl.: **135**, 1295 (1960).

Obwohl die photochemische Umwandlung aromatischer Azoxy-Verbindungen in 2-Hydroxy-azo-Verbindungen nicht sehr effektiv ist und daher lange Bestrahlungszeiten erfordert, scheint sie dennoch gewisse präparative Bedeutung zu besitzen. Auch die *cis-trans*-Isomerisierung scheint von gewissem Interesse zu sein.

trans-2-Hydroxy-azobenzol und cis-Azoxybenzol[1]: 10 *ml* einer 10^{-2} m entgasten Lösung von *trans*-Azoxybenzol in Äthanol werden in einer Pyrex-Röhre (Innendurchmesser 15 mm) 3 Stdn. bei 25° bestrahlt (Eikohasha Halos PIH 100 W Quecksilber-Hochdruck-Lampe). Durch Dünnschichtchromatographie auf Kieselgel (Merck) werden die Komponenten mit Hexan/Benzol (2:1) als Fließmittel getrennt. 2-Hydroxy-azobenzol: 60% d.Th.; F: 84,5°; *cis*-Azobenzol: 9% d.Th.

In ähnlicher Weise wurden mehrere aromatische *trans*-Azoxy-Verbindungen umgewandelt. Im Falle von 2,2′-Dimethyl-azoxybenzol lieferte die Photolyse insgesamt 3 verschiedene Hydroxy-dimethyl-azobenzole[2].

2-Hydroxy-2′,6-dimethyl- und 2-Hydroxy-2′,4-dimethyl- sowie 4-Hydroxy-2,2′-dimethyl-azobenzol[2]: Eine Lösung von 3,81 g 2,2′-Dimethyl-azoxybenzol in 80 *ml* Äthanol wird 120 Stdn. bestrahlt (Philips HP 125 W Quecksilber-Hochdruck-Quarzlampe; Pyrex-Immersionsapparatur). Danach wird das Äthanol abdestilliert. 2,6 g des erhaltenen Rückstandes werden in Petroläther gelöst und über eine Kieselgel-Säule chromatographiert. Elution mit Petroläther liefert zuerst 2-Hydroxy-2′,6-dimethyl-azobenzol: 1,03 g (40% d.Th.); F: 97° (orangerote Nadeln), dann 2-Hydroxy-2′,4-dimethyl- azobenzol: 94 mg (3,5% d.Th.); F: 127° (rote Nadeln). Elution mit Benzol/Petroläther ergibt 1,19 g Ausgangsmaterial und mit reinem Benzol wird 4-Hydroxy-2,2′-dimethyl-azobenzol gewonnen: 146 mg (5,5% d.Th.); F: 113° (orangerote Nadeln).

5. an den N–OH-, N–O–C- und =N–O–H-Bindungen

bearbeitet von

Prof. Dr. OLE BUCHARDT*

α) Hydroxylamine

Mischungen aus Glykol und Hydroxylamin reagieren photochemisch unter Bildung von Peptiden[3,4]. Weiterhin wurde eine Licht-induzierte Reduktion von N-Phenylhydroxylamin beobachtet[5].

Durch Bestrahlung von 3-Phenyl-N-acetyl-butanhydroxamsäure in Chloroform und anschließender Hydrolyse entsteht *3-Methyl-4-phenyl-butan-4-olid*:

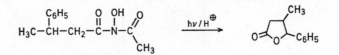

Erfolgt nach der Belichtung keine Hydrolyse, so entstehen *3-Phenyl-butansäure-amid* (10–12% d.Th.) und eine Spur 3-Methyl-4-phenyl-butansäure-methylamid. Die Photolyse in Toluol gestattete nur die Isolierung von *1,2-Diphenyl-äthan* (30%)[6].

---

* Kemisk Laboratorium II, Københavns Universitet, Kopenhagen/Dänemark.

[1] R. TANIKAGA, Bl. chem. Soc. Japan **41**, 2151 (1968).
  E. MÜLLER, A. **593**, 166 (1932); **595**, 132 (1932).
[2] G. E. LEWIS u. J. A. REISS, Austral. J. Chem. **19**, 1887 (1966).
[3] A. ZAMARINI et al., G. **98**, 468 (1968).
[4] A. ZAMARINI u. G. FERRARI, Photochem. and Photobiol. **6**, 557 (1967).
[5] S. HASHAMITO et al., Bl. chem. Soc. Japan **41**, 1249 (1968).
[6] B. DANIELS, P. MANITTO u. G. RUSSO, Chim. Ind. (Milan) **50**, 553 (1968); C. A. **69**, 43375ᵗ (1968).

Die Belichtung von Tris-[trifluormethyl]-hydroxylamin liefert *Tetrakis-[trifluormethyl]-hydrazin*. Die Umsetzung verläuft wahrscheinlich über einen radikalischen Mechanismus[1].

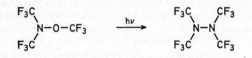

Tetrakis-[trifluormethyl]-hydrazin[1]: 8,87 g (37,5 mMol) Tris-[trifluormethyl]-hydroxylamin werden 12 Tage mit einer Hanovia S 500 Lampe in einem 360 *ml* Quarz-Gefäß bestrahlt. Die unteren 5 cm des Gefäßes sind geschwärzt, um ein Bestrahlen der flüssigen Produkte zu verhindern. Man erhält destillativ neben Carbonylfluorid, 2,70 g (36,8 mMol) Siliciumtetrafluorid sowie 3,91 g (16,5 mMol) Ausgangsverbindung und 3,15 g Material mit höherem Siedepunkt. Nochmaliges Destillieren der letzten Fraktion über eine Raschig-Kolonne liefert das Hydrazin-Derivat; Ausbeute: 2,19 g (9,77 mMol; 93% d.Th.); Kp: 31–32°.

β) Oxaziridine

Die Photo-Reaktivität von Oxaziridinen wird in der Literatur vielfach beschrieben[2–6]. So erfolgt eine Umlagerung zu Amiden[4–6], die der allgemein bekannten thermischen Reaktion analog ist[7]. Die gleichzeitige Nitren- und Keton-Bildung scheint von größerem präparativen Interesse zu sein[3,5], obwohl sie bisher nur einmal präparativ ausgenutzt worden ist[3]. Es wird angenommen, daß die Fragmentierung aus einem angeregten Triplett-Zustand, die Umlagerung aus einem Singulett-Zustand erfolgt[5].

Durch Bestrahlung von 2,3-Diphenyl-oxaziridin in Gegenwart von Diäthylamin entsteht in 10%iger Ausbeute *2-Diäthylamino-3H-azepin*. Entsprechend bildet sich in Gegenwart von Cyclohexylamin *2-Cyclohexylamino-3H-azepin* neben etwas Anilin[3].

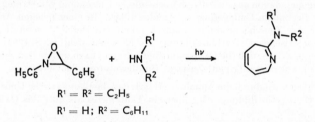

$$R^1 = R^2 = C_2H_5$$
$$R^1 = H; R^2 = C_6H_{11}$$

Durch Bestrahlung von 7-Chlor-2-methylamino-5-phenyl-3H-⟨benzo-[e]-1,4-diazepin⟩-4-oxid (I) entsteht ohne Isolierung des Oxaziridins II, (7-Chlor-2-methylamino-5-phenyl-3H-⟨benzo-[e]-1,4-diazepine⟩) eine Mischung aus *9-Chlor-5-methylamino-2-phenyl-4H-⟨benzo-[g]-1,3,6-oxadiazocin⟩* (III) und *7-Chlor-3-methylamino-1-benzoyl-1,2-dihydro-chinoxalin* (IV)[8]:

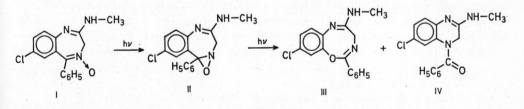

[1] A. H. DINWOODIE u. R. N. HASZELDINE, Soc. **1965**, 1681.
[2] T. SATO u. H. OBASE, Tetrahedron Letters **1967**, 1633.
[3] E. MEYER u. G. W. GRIFFIN, Ang. Ch. **79**, 648 (1967).
[4] L. S. KAMINSKY u. M. LAMCHEN, Soc. [C] **1966**, 2295.
[5] J. S. SPLITTER u. M. CALVIN, Tetrahedron Letters **1968**, 1445.
[6] J. PARELLO et al., Tetrahedron Letters **1968**, 5087.
[7] E. SCHMITZ, *Dreiringe mit zwei Heteroatomen*, Springer Verlag, Berlin 1967.
[8] G. F. FIELD u. L. H. STERNBACH, J. Org. Chem. **33**, 4438 (1968).

9-Chlor-5-methylamino-2-phenyl-4H-⟨benzo-[g]-1,3,6-oxadiazonin⟩ (III) und 7-Chlor-3-methyl-amino-1-benzoyl-1,2-dihydro-chinoxalin (IV)[1]: Eine Lösung von 10 g 7-Chlor-2-methylamino-5-phenyl-3H-⟨benzo-[d]-1,4-diazepin⟩-4-oxid (I) in einer Mischung aus 400 *ml* Äthanol und 1 *l* Benzol wird 18 Stdn. mit einer Quecksilber-Mitteldruck-Lampe bestrahlt (Hanovia 200 W; Quarz-Immersionsquelle). Die Lösung wird i. Vak. konzentriert, der Rückstand aus Äther umkristallisiert und so 5 g einer Mischung beider Photo-Isomerer III und IV erhalten. Durch dreimaliges Umkristallisieren dieser Mischung aus Äthanol wird Verbindung III in Form gelbrauner Nadeln erhalten; F: 240–243° (Zers.).

Zu einer Lösung von 5 g der obigen Mischung in 125 *ml* heißem Äthanol werden 25 *ml* einer 1n Salzsäure gegeben und die Mischung 5 Min. auf dem Dampfbad erhitzt. Durch Verdünnen mit Wasser auf 375 *ml* und Abkühlung werden 2,8 g rohes 2-Benzoylamino-essigsäure-4-chlor-2-hydroxy-anilid erhalten. Die wäßrigen Mutterlaugen, die nach der Abtrennung des obigen Anilids zurückbleiben, werden mit konz. Ammoniak neutralisiert, wodurch Verbindung IV ausfällt; Ausbeute: 2,2 g (22% d.Th.); F: 216–222°.

Durch Bestrahlung der beiden folgenden Oxaziridine aus der Steroid-Reihe bildet sich neben anderen Produkten *Nor-18-androsten-(13¹⁷)*[2]:

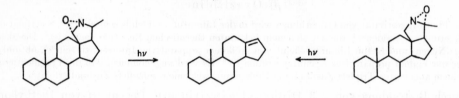

γ) Oxime

Ursprünglich ging man davon aus, daß die photochemische Umsetzung von Oximen über die sogenannte photochemische Beckmann-Umlagerung zu Amiden führt[3]. In einer neueren Arbeit wurde gezeigt, daß diese Reaktion über Zwischenprodukte, wahrscheinlich Oxaziridine[4,5] verläuft, so daß sie in enger Beziehung zur photolytischen Oxaziridin-Bildung aus Nitronen steht (s. S. 1284). Diese Ähnlichkeit wird weiter dadurch bewiesen, daß die Oxaziridin-Bildung von einem angeregten Singulett-Zustand aus erfolgt, während der angeregte Triplett-Zustand für die *cis-trans*-Isomerisierung verantwortlich ist.

Die große Ähnlichkeit wird durch die Annahme erklärt, daß die photolytische Umsetzung von Oximen, zumindest bei der Oxaziridin-Bildung, eher über ein Tautomeres als über das Oxim selbst verläuft[6]:

$$\underset{R^2}{\overset{R^1}{C}}=N-OH \;\rightleftharpoons\; \underset{R^2}{\overset{R^1}{C}}=\overset{O}{\underset{H}{N}} \;\xrightarrow{h\nu}\; \underset{R^2}{\overset{R^1}{C}}\langle\overset{O}{\underset{}{}}\rangle NH$$

Außer der einfachen Oxaziridin → Amid-Umlagerung finden in einigen Fällen kompliziertere Reaktionen statt, wobei es sich jedoch vermutlich um Nebenreaktionen handelt[4,5,7,8]. So wurde die durch Licht bewirkte *syn-anti*-Isomerisierung von O-alkylierten Oximen beschrieben[9]. Bei der Bestrahlung O-acylierter Oxime entsteht ein sehr komplexes Reaktionsgemisch[10]. Die photochemische Umsetzung einiger cyclischer Oxime liefert eine Vielzahl

[1] G. F. FIELD u. L. H. STERNBACH, J. Org. Chem. **33**, 4438 (1968).
[2] J. PARELLO et al., Tetrahedron Letters **1968**, 5087.
[3] J. H. AMIN u. P. DE MAYO, Tetrahedron Letters **1966**, 1585.
[4] H. IZAWA, P. DE MAYO u. T. TABATA, Canad. J. Chem. **47**, 51 (1969).
[5] T. OINE u. T. MUKAI, Tetrahedron Letters **1969**, 157.
[6] G. G. SPENCE, E. C. TAYLOR u. O. BUCHARDT, Chem. Reviews **70**, 231 (1970).
[7] G. JUST ù. L. S. NG, Canad. J. Chem. **46**, 3382 (1968).
[8] L. FOX, Chem. Commun. **1969**, 1115.
[9] H. HJEDS, K. P. HANSEN u. B. JERSLEV, Acta chem. scand. **19**, 2166 (1965).
[10] T. OKATA, M. KAWANISI u. H. NOZAKI, Bl. chem. Soc. Japan **42**, 2981 (1969).

interessanter Produkte und scheint von besonderer präparativer Bedeutung zu sein, sofern die Produktverteilung kontrolliert werden kann[1, 2].

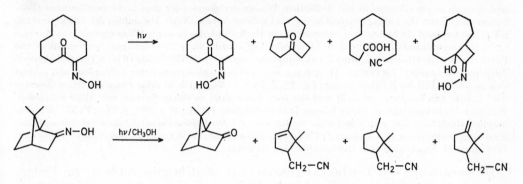

2-Hydroxy-benzaldehyd-oxim cyclisiert bei Bestrahlung in Kohlenwasserstoffen zu *Benzo-[d]-1,2-oxazol*[3], in wässriger Lösung entsteht *Benzo-[d]-1,3-oxazol* (75% d.Th.)[4]. Analoge Derivate liefert Belichtung von 2-Hydroxy-acetophenon-oxim.

6. an den C–NO-, N–NO-, C–NO₂- und C–O–NO-Bindungen

α) C-Nitroso-Verbindungen

bearbeitet von

Prof. Dr. OLE BUCHARDT*

C-Nitroso-Verbindungen sind stark gefärbte Substanzen. Sie stehen im Gleichgewicht mit ihren ungefärbten Dimeren, die sowohl in ihrer *cis-* als auch in ihrer *trans-*Form vorkommen. Die Absorption im Sichtbaren von $\lambda = 630{-}790$ nm ist auf einen n → π^*-Übergang zurückzuführen[5]. Nach erfolgter Dimerisation verschwindet diese Absorptionsbande, und es tritt eine längstwellige Bande bei $\lambda \approx 270$ nm[5] auf.

Man hat eine Reihe von C-Nitroso-Verbindungen photochemisch untersucht und dabei recht komplizierte Ergebnisse gefunden, die in den meisten Fällen keinen präparativen Nutzen haben. Einige interessante Ergebnisse wurden jedoch bei der Photolyse von 2-Chlor-2-nitroso-butan[6] erhalten:

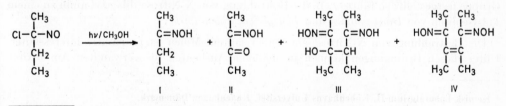

---

* Kemisk Laboratorium II, Københavns Universitet, Kopenhagen/Dänemark.

[1] A. STOJILJKOVIC u. R. TASOVAC, Tetrahedron Letters **1970**, 1405.

[2] T. SATO u. H. OBASE, Tetrahedron Letters **1967**, 1633.

[3] K. GRELLMANN u. E. TAUER, Tetrahedron Letters **1967**, 1909.

[4] J. P. FERRIS u. F. R. ANTONUCCI, Am. Soc. **96**, 2010 (1974); **94**, 8091 (1972).

[5] P. A. S. SMITH, *Open-Chain Nitrogen Compounds*, Bd. 2, S. 356–361, W. A. Benjamin, Inc., New York 1966.

[6] S. MITCHELL u. J. CAMERON, Soc. **1938**, 1964.

2-Hydroximino-butan (I) und 3-Hydroxy-2,5-dihydroximino-3,4-dimethyl-hexan (III)[1]: Eine 5%ige methanolische Lösung von 55 g 2-Chlor-2-nitroso-butan wird auf mehrere Röhrchen verteilt. Um eine Oxidation zur Nitro-Verbindung zu verhindern, werden die Röhrchen abgeschmolzen und dann in einem Glas-Gefäß mit fließendem Wasser der Sonne oder dem Licht gewöhnlicher Glühbirnen ausgesetzt. Die anfangs blaue Lösung wird nahezu farblos. Nach Abdampfen des Lösungsmittels i. Vak. hinterbleibt ein bräunlicher, teilweise fester Rückstand, der in wenig Wasser gelöst, mit Kaliumhydroxid neutralisiert und dann mit Äther extrahiert wird. Nach Trocknen mit Natriumsulfat und Filtrieren wird die ätherische Lösung i. Vak. eingeengt und das zurückbleibende Öl bei 6 Torr fraktioniert; *2-Hydroximino-butan*: 7 g (18% d.Th.); Kp_6: 50°. *3-Oxo-2-hydroximino-butan* sublimiert und schlägt sich im oberen Teil des Kühlers nieder: 1 g (2% d.Th.); F: 74,5°. Die wäßrige Phase der Äther-Auszüge wird i. Vak. zur Trockene gebracht und der feste Rückstand in einem Soxhlet mit Äther extrahiert. Während des Konzentrierens dieser Lösung fällt Verbindung III an: 16 g (38% d.Th.); F: 55°. Aus dem braunen Rückstand läßt sich eine kleine Menge von *2,5-Bis-[hydroximino]-3,4-dimethyl-hexen-(3)* mit Essigsäure-methylester auswaschen: F: 110° (Zers.) Dieses Produkt ist hygroskopisch, läßt sich aber ohne Zersetzung im Exsikkator über Calciumchlorid aufbewahren.

Die Bestrahlung von Trifluornitrosomethan führt in guter Ausbeute zur Bildung von *O-Nitroso-bis-[trifluormethyl]-hydroxylamin*[2-4]:

$$F_3C-NO \xrightarrow{h\nu} \underset{F_3C}{\overset{F_3C}{}}N-O-NO$$

Außerdem sollte man noch erwähnen, daß eine Bestrahlung von Nitroso-Verbindungen zur Bildung von Stickoxiden führen kann.

β) Nitrosamine

bearbeitet von

Prof. Dr. Ole Buchardt*

N-Nitroso-amine haben eine Absorption bei $\lambda = 350$ nm, die man auf einen n → π*-Übergang[5] zurückführt. Nitrosamide zeigen Maxima bei $\lambda \approx 390$, 410 und 425 nm[6] (Achtung **cancerogene** Stoffe).

Bei der Bestrahlung von Nitrosaminen unter neutralen Bedingungen erhält man die ursprünglichen Amine[7,8] und außerdem wurde in einem Falle Abspaltung der [HNO]-Gruppe festgestellt; so führte z. B. die Bestrahlung von N-Nitroso-dibenzyl-amin zu einem 1:1-Gemisch von *Dibenzylamin* und *Benzyl-benzyliden-amin*[7].

Die Bestrahlung von N-Nitroso-aminen in saurem Milieu ist präparativ interessanter. Unter diesen Bedingungen können in mäßigen Ausbeuten die verwandten Amidoxime

* Kemisk Laboratorium II, Københavns Universitet, Kopenhagen/Dänemark.

[1] S. Mitchell u. J. Cameron, Soc. **1938**, 1964.
[2] J. Jander u. R. N. Haszeldine, Soc. **1954**, 696.
[3] R. N. Haszeldine u. B. J. H. Matthinson, Soc. **1957**, 1741.
[4] A. H. Dinwoodie u. R. N. Haszeldine, Soc. **1965**, 1675.
[5] P. A. S. Smith, *Open-Chain Nitrogen Compounds*, Bd. 2, S. 461, W. A. Benjamin, Inc., New York, 1966.
[6] Y. L. Chow u. A. C. H. Lee, Canad. J. Chem. **45**, 311 (1967).
[7] E. N. Burgess u. J. M. Lavanish, Tetrahedron Letters **1964**, 1221.
[8] W. B. Watkins u. R. N. Seelye, Canad. J. Chem. **47**, 497 (1969).

erhalten werden[1,2]. Man konnte die Bildung von monomerer Hyposalpetriger Säure als Zwischenprodukt feststellen. Über den Mechanismus der Reaktion wurde diskutiert[2].

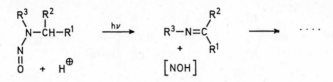

1-Amino-1-hydroximino-butan[2]: Die Lösung von 1,6 g N-Nitroso-dibutylamin in 100 *ml* Methanol, 95 *ml* Wasser und 5 *ml* Salzsäure wird in einem 250-*ml*-Dreihalskolben aus Pyrex 5 Stdn. bei 50° (Rückflußkühler) von außen bestrahlt (140 W Hanovia, Typ 30620). Während dieser Zeit perlt Stickstoff, der zur Reinigung durch Fieser's Lösung[3] geleitet wird, durch die Lösung. Das Reaktionsgemisch wird von außen durch Kühlwasser temperiert. Anschließend wird der p_H auf 6–7 eingestellt, das Photolysat auf 110 *ml* eingeengt, mit Natriumcarbonat auf $p_H = 11$ gebracht und mit Äther extrahiert. Nach Trocknen und Abdampfen des Äthers werden die hinterbleibenden 1,5 g eines Öls fraktioniert. Bei Badtemp. von 130° und 50 Torr geht Dibutylamin über, das Produkt fällt bei Badtemp. von 155–165° und 12 Torr an; Ausbeute: 1,06 g (63% d.Th.); Kp_{12}: 158–162° nach 2maliger Destillation.

Die Bestrahlung einiger Nitrosamine aus der Steroid-Reihe führt in guten Ausbeuten zu folgenden Alkaloiden[4]:

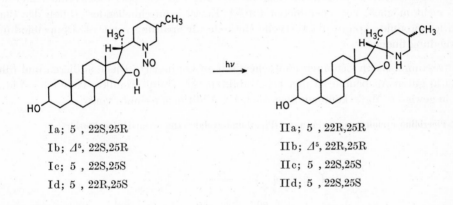

Ia; 5 , 22S,25R	IIa; 5 , 22R,25R
Ib; *Δ*⁵, 22S,25R	IIb; *Δ*⁵, 22R,25R
Ic; 5 , 22S,25S	IIc; 5 , 22S,25S
Id; 5 , 22R,25S	IId; 5 , 22S,25S

Soladulcidin[4]: 200 mg N-Nitroso-tetrahydro-solasodin A (Ia; F: 255–257° (Zers.); $[\alpha]_D^{20}$: + 10,5°) werden in 13,5 *ml* 0,07 n abs. äthanolischer Salzsäure gelöst und in einem Quarz-Kolben von außen (Abstand 20 cm) bestrahlt (500 W Quecksilber-Hochdruck-Brenner Th U 500 der Fa. Thelta Elektroapparate, Zella-Mehlis). Die Temp. wurde durch Einleiten eines auf −15° vorgekühlten Argon-Stromes auf 20–30° gehalten. Die dünnschichtchromatographische Verfolgung (Chloroform/Methanol = 9:1) des Reaktionsverlaufes zeigt, daß nach 2,5 Stdn. Bestrahlungsdauer kein Ausgangsmaterial (R_f:0,53) mehr vorliegt, sondern daß zwei neue Flecke vom R_f:0,34 und 0,06 auftreten. Die Lösung wird mit 10 *ml* Äthanol versetzt, durch Schütteln mit festem Natriumhydrogencarbonat neutralisiert und nach Filtration i. Vak. eingeengt. Der hinterbleibende kristalline Rückstand, 211 mg, wird in 15 *ml* Benzol gelöst und an 7 g Aluminiumoxid (Aktiv.-Stufe III) chromatographiert, wobei Fraktionen von je 10 *ml* aufgefangen werden. Die Fraktionen 1–19 werden mit Benzol, 20–25 mit Benzol/Äther (1:1) und 26–29 mit reinem Äther eluiert. Die Fraktionen 5–19 liefern Soladulcidin: 112 mg (60% d.Th.); F: 204–205°, nach Kristallisation aus Aceton/Wasser F: 206–208°; $[\alpha]_D^{19}$: −52,8° (c = 0,420). Die Fraktionen 21–29 enthalten Tetrahydro-solasodin A: 27 mg (14% d.Th.); F: 280–292°, nach Kristallisation aus Äthanol/Wasser F: 291–295°; $[\alpha]_D^{20}$: −3,2 (c = 0,489).

[1] Y. L. Chow, Tetrahedron Letters **1964**, 2333.

[2] Y. L. Chow, Canad. J. Chem. **45**, 53 (1967).

[3] 48 g Natriumdithionit, 40 g Natriumhydroxid, 12 g Anthrachinon-2-sulfonsäure-Natriumsalz, 300 *ml* Wasser.

[4] G. Adam u. K. Schreiber, Tetrahedron **22**, 3591 (1966).

Eine große Zahl interessanter Verbindungen kann durch Licht-induzierte Addition von Nitrosaminen an ungesättigte Systeme in Gegenwart von Säuren erhalten werden[1,2].

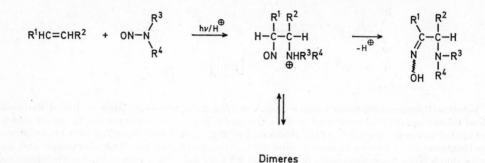

Dimeres

Diese Photoaddition ist allgemein möglich, wenn eines oder beide der Vinyl-Kohlenstoff-Atome sekundär, aber nicht tertiär, ist[1,3,4]. Bei unsymmetrischen Olefinen wird die Amino-Gruppe an das weniger substituierte Kohlenstoff-Atom addiert. So wurde im Falle de-1-Methyl-cyclohexens die ebenfalls mögliche zweite Additionsverbindung nur als Neben-produkt gefunden[1]. Verallgemeinerung zur Bildung von *syn-* oder *anti-*Oximen sind heute noch nicht möglich, vgl. aber hierzu Lit.[3,4]. Ein sich anschließender Abbau der Photo-Additionsprodukte könnte als wertvolle Methode zur Spaltung von C=C-Doppelbindungen Anwendung finden[5].

Nitrosamine lassen sich auch photochemisch an konjugierte Diene addieren und führen dabei in guten Ausbeuten zu den 1:1-Addukten. Als Hauptprodukte treten 1,4-Addukte auf, in gewissem Maße kommen aber auch 1,2-Additionsprodukte vor[6,7].

2-Piperidino-cyclohexanonoxim und 2-Piperidino-cyclohexanonoxim-Hydrochlorid:[2]

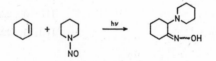

10,5 g 1-Nitroso-piperidin, gelöst in einer Mischung aus 50 *ml* Cyclohexen, 1–2 Äquivalenten konz. Salzsäure und ~ 300 *ml* Methanol, werden in einem Pyrex-Gefäß, das von außen mit einem Eisbad gekühlt wird, unter einer Stickstoff-Atmosphäre und bei magnetischer Durchmischung bestrahlt (Hanovia Type 54 A 36). Nachdem keine Absorption mehr bei $\lambda = 340$–360 nm nachweisbar ist, wird das Lösungsmittel i. Vak. entfernt, und der Rückstand mit kaltem Aceton digeriert. Das Hydrochlorid wird abfiltriert und aus Isopropanol umkristallisiert; Ausbeute: 11 g (51% d.Th.); F: 203–205° (Zers.).

Die vereinten Mutterlaugen werden eingeengt und der Rückstand in Wasser aufgenommen. Nach Neutralisation mit Natriumcarbonat-Lösung, Extraktion mit Äther und Verdampfen des Äthers wird das rohe Oxim durch Vak.-Destillation gewonnen; Ausbeute: 7,4 g (41% d.Th.); F: 118–120° nach Umkristallisieren aus Methanol/Wasser und anschließender Sublimation.

[1] Y. L. Chow, C. Colón u. S. C. Chen, J. Org. Chem. **32**, 2109 (1967).

[2] Y. L. Chow, Canad. J. Chem. **43**, 2711 (1965).

[3] Y. L. Chow u. C. J. Colón, Canad. J. Chem. **45**, 2559 (1967).

[4] Y. L. Chow, S. C. Chen u. D. W. L. Chang, Canad. J. Chem. **48**, 157 (1970).

[5] Y. L. Chow, Am. Soc. **87**, 4642 (1965).

[6] Y. L. Chow, C. J. Colón u. D. W. L. Chang, Canad. J. Chem. **48**, 1644 (1970).

[7] Y. L. Chow, Chem. Commun. **1967**, 330.

In ähnlicher Weise können die Additionsprodukte von Cyclohexen und 1-Nitroso-pyrrolidin, N-Nitroso-morpholin und 3-Nitroso-3-aza-bicyclo[3.2.2]nonan erhalten werden. Weitere Beispiele sind in Tab.184 (S.1328) aufgeführt[1]. Zuweilen bilden sich bei diesen Additionsreaktionen sehr komplexe Produktgemische, da primär entstehende C-Nitroso-Verbindungen photochemisch sehr reaktiv sind. So z. B. führt die Bestrahlung von 1-Nitroso-piperidin (II) und 3,3-Dimethyl-buten-(1) (I) in Gegenwart von Salzsäure zur Bildung eines Gemisches aus *trans*-Dimeren von *3-Nitroso-4-piperidino-2,2-dimethyl-butan* (III), *4-Piperidino-3-hydroximino-2,2-dimethyl-butan* (IV), *4-Piperidino-3-(N-nitroso- bzw. N-formyl-hydroxylamino)-2,2-dimethyl-butan* (V bzw. VI), *2,2-Dimethyl-propanal, Formaldehyd* und *Piperidin*[2]:

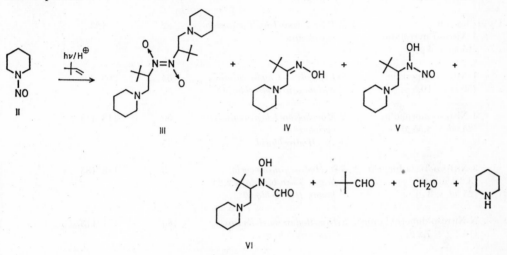

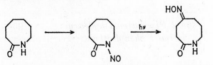

γ) N-Nitroso-amide

bearbeitet von

Prof. Dr. OLE BUCHARDT*

Die Bestrahlung von N-Nitroso-amiden führt grundsätzlich zu Oximen und Amiden[3-6]; diese Reaktion ist in einigen Fällen von nutzbringender synthetischer Bedeutung.

7-Amino-4-hydroximino-heptansäure-lactam[5]:

1,50 g (11,4 mMole) 7-Amino-heptansäure-lactam, gelöst in 75 *ml* Tetrachlormethan, werden während 15 Min. unter Rühren in eine Mischung aus 1,20 *ml* (18,0 mMole) Distickstofftetroxid 3,06 g wasserfreiem Natriumacetat und 18 *ml* Tetrachlormethan bei Eis/Kochsalz-Kühlung und unter einer Stickstoff-Atmosphäre eingetragen. Die Reaktionsmischung wird noch weitere 30 Min. gerührt, dann werden Eis

* Kemisk Laboratorium II, Københavns Universitet, Kopenhagen/Dänemark.

[1] Y. L. CHOW, Canad. J. Chem. **43**, 2711 (1965).
[2] Y. L. CHOW, S. C. CHEN u. D. W. L. CHANG, Canad. J. Chem. **48**, 157 (1970).
[3] T. AXENROD u. G. W. A. MILNE, Tetrahedron Letters **1967**, 4443.
[4] Y. L. CHOW u. A. C. H. LEE, Canad. J. Chem. **45**, 311 (1967).
[5] O. E. EDWARDS u. R. S. ROSICH, Canad. J. Chem. **45**, 1287 (1967).
[6] Y. L. CHOW u. C. J. COLÓN, Canad. J. Chem. **45**, 2559 (1967).

Tab. 184: Addition von N-Nitroso-aminen an Alkene[a]

Ausgangsverbindungen	Reaktionsprodukt	Ausbeute [% d.Th.]	F [°C]	Literatur
Cyclopenten + 1-Nitroso-piperidin (4 g + 5,5 g)	*syn-2-Piperidino-1-hydroxy-imino-cyclopentan*	89	152–154	1
Penten-(1) + 1-Nitroso-piperidin (15 g + 6,7 g)	*syn-* und *anti-1-Piperidino-2-hydroxyimino-pentan* (1,9:1,3)	97	101–102	1
Cyclohexen + 1-Nitroso-pyrrolidin (15 ml + 5 g)	*2-Pyrrolidino-1-hydroxyimino-cyclohexan*	82	123	2
+ 1-Nitroso-piperidin (50 ml + 10,5 g)	*2-Piperidino-1-hydroxyimino-cyclohexan-Hydrochlorid*[b]	54	203–205	2
+ 4-Nitroso-morpholin (25 ml + 8,55 g)	*2-Morpholino-1-hydroxyimino-cyclohexan* + *...-Hydrochlorid*	50 35	113–114	2
+ 3-Nitroso-3-aza-bicyclo [3.2.2]nonan (25 ml + 3 g)	*3-(2-Hydroxyimino-cyclo-hexyl)-3-aza-bicyclo [3.2.2] nonan-Hydrochlorid*[c]	43	183–185	2
+ N-Nitroso-dimethylamin (16,4 g + 7,2 g)	*2-Dimethylamino-1-hydroxy-imino-cyclohexan*	85	111–113	1
cis-Cycloocten + N-Nitroso-dimethyl-amin[d] (11 g + 3,7 g)	*syn-2-Dimethylamino-1-hydroxyimino-cyclooctan* + *anti-...*	97	71–73 84–85	1
+ 1-Nitroso-piperidin (10 g + 5,3 g)	*anti-2-Piperidino-1-hydroxy-imino-cyclooctan-Hydro-chlorid*[e]	94	218–222	1
trans-Octen-(4) + 1-Nitroso-piperidin (4,6 g + 3,0 g)	*syn-* und *anti-5-Piperidino-4-hydroxyimino-octan*	54	Öl	1
Styrol + 1-Nitroso-piperidin (35 ml + 3,0 g)	*syn-2-Piperidino-1-hydroxy-imino-1-phenyl-äthan*	95	117–118	1
Inden + 1-Nitroso-piperidin (13,2 g + 5,5 g)	*syn-1-Piperidino-2-hydroxy-imino-2,3-dihydro-inden* + *anti-...*	93	101–103 171–174	1

[a] Die Umsetzungen werden in Methanol als Lösungsmittel und mit einem Überschuß an Salzsäure durchgeführt.
[b] Freie Base, F: 118–120°.
[c] Freie Base, F: 147–150°.
[d] Photolyse wird in Äthanol vorgenommen.
[e] Freie Base, F: 163–165°.

1 Y. L. Chow, C. Colón u. S. C. Chen, J. Org. Chem. **32**, 2109 (1967).
2 Y. L. Chow, Canad. J. Chem. **43**, 2711 (1965).

und Wasser zugegeben, die Mischung durchgeschüttelt und die Phasen getrennt. Die organische Phase wird 2mal mit eiskalter Natriumhydrogencarbonat-Lösung extrahiert, bei 0° über Natriumsulft getrocknet und das Lösungsmittel i. Vak. bei 12–15° abgedampft. Es fallen 1,40 g einer festen Substanz an, die aufgrund einer Elementaranalyse zu 67% (0,94 g) aus N-Nitroso-7-amino-heptansäure-lactam besteht.

Dieses Produkt wird ohne weitere Reinigung in 250 ml reinem Cyclohexan unter einer Stickstoff-Atmosphäre bei 5° mit einer 100 W Quecksilber-Hochdruck-Lampe in einer Tauchschacht-Apparatur (Vycor) bestrahlt. Nach 3 Stdn. ist die gelbe Farbe verblaßt und es können 750 mg einer farblosen, festen Masse abfiltriert werden, die in 95%igem Äthanol gelöst, 30 Min. unter Rückfluß erhitzt und dann i. Vak. zur Trockne eingeengt werden. Das Produkt wird aus Chloroform/Methanol umkristallisiert: 170 mg; F: 198–203° (Zers.). Die Mutterlaugen werden über 20 g Florisil chromatographiert, was zu weiterem reinem Hydroximino-lactam führt; Gesamtausbeute: 350 mg (37% d.Th.).

δ) Nitro-Verbindungen

Obwohl die Photoreaktivität von Nitro-Verbindungen seit langem bekannt ist und viele einzelne Ergebnisse vorliegen, ist es heute noch schwierig, den Ablauf dieser photochemischen Reaktionen zu verstehen. Es werden deshalb im folgenden sehr wenig mechanistische Angaben gemacht[1]. Über die Photochromie von Nitro-Verbindungen s. S. 1526.

Einfache Nitroalkane zeigen eine Absorption im Bereich von $\lambda \approx 270$–280 nm, die auf einen $n \to \pi^*$-Übergang zurückgeführt wird, und einen $\pi \to \pi^*$-Übergang bei $\lambda \approx 210$ nm. Bei einfachen Nitroolefinen erscheint die intensive $\pi \to \pi^*$-Absorption bei $\lambda \approx 220$–250 nm und verdeckt meistens den $n \to \pi^*$-Übergang[2]. In den Spektren von aromatischen Nitro-Verbindungen sind im allgemeinen die Banden der Nitro-Gruppe von den intensiven $\pi \to \pi^*$-Absorptionen des Aromaten verdeckt[2].

δ₁) Nitro-alkene

bearbeitet von

Prof. Dr. OLE BUCHARDT*

Während die Photoreaktionen von Nitro-alkanen bis jetzt noch keine präparativ nützlichen Ergebnisse brachten[3], führen die Umsetzungen von Nitro-alkenen zu verschiedenen interessanten Produkten. Zum Beispiel liefert die Bestrahlung von 2-Nitro-1-phenyl-propen in Aceton unter Stickstoff 2-Oxo-1-hydroximino-1-phenyl-propan (81% d.Th.). Es werden beide isomeren Oxime gebildet, durch Umkristallisieren des Produkts wird jedoch ausschließlich das stabilere Isomere erhalten. In anderen Lösungsmitteln sind die Ausbeuten schlechter[4].

$$\underset{\text{H}_5\text{C}_6-\text{CH}=\overset{\overset{\displaystyle \text{NO}_2}{|}}{\text{C}}-\text{CH}_3}{} \xrightarrow{\text{h}\nu/\text{Aceton}/\text{N}_2} \underset{\text{H}_5\text{C}_6-\overset{\overset{\displaystyle \text{NOH}}{||}}{\text{C}}-\text{CO}-\text{CH}_3}{}$$

In einer verwandten Reaktion wird 2-Brom-2-nitro-1-phenyl-äthylen mit Äthanol als Solvens in syn- und anti-Hydroxyimino-phenyl-essigsäure-äthylester umgewandelt. Auch hier erhält man durch Umkristallisieren aus Äthanol lediglich ein Isomeres.

* Kemisk Laboratorium, Københavns Universitet, Kopenhagen/Dänemark.

[1] Zu einer Verallgemeinerung von mechanistischen Gesichtspunkten bei Photoreaktionen von Nitro-Verbindungen vgl. H. A. MORRISON, in H. FEUER, The Chemistry of the Nitro and Nitroso Groups, Bd. 1, S. 165–213, Interscience, London 1969.

[2] C. N. R. RAO u. K. R. BHASKAR, in: H. FEUER, The Chemistry of the Nitro and Nitroso Groups, Bd. 1, S. 91–102, Interscience, London 1969.

[3] H. A. MORRISON, in: H. FEUER, The Chemistry of the Nitro and Nitroso Groups, Bd. 1, S. 165–213, Interscience, London 1969.

[4] O. L. CHAPMAN, P. G. CLEVELAND u. E. D. HOGANSON, Chem. Commun. 1966, 101.

Es wird vermutet, daß primär ein Carbonsäure-bromid entsteht, das mit dem Alkohol zum Ester weiterreagiert. Allerdings konnte bisher das Bromid noch nicht in Substanz erhalten werden[1].

$$H_5C_6-CH=\overset{\overset{\displaystyle NO_2}{|}}{C}-Br \xrightarrow{h\nu/C_2H_5OH} \left[H_5C_6-\overset{\overset{\displaystyle NOH}{||}}{C}-CO-Br \right] \longrightarrow H_5C_6-\overset{\overset{\displaystyle NOH}{||}}{C}-CO-OC_2H_5$$

Hydroximino-phenyl-essigsäure-äthylester[1]: Eine Lösung von 3,0 g 2-Brom-2-nitro-1-phenyl-äthylen in 150 ml abs. Äthanol wird unter Argon 2 Stdn. mit einer 450 W Hanovia Quecksilber-Mitteldruck-Lampe durch ein Pyrex-Filter belichtet. Das Photolysat wird eingeengt und das anfallende kristalline Rohprodukt (3,4 g) aus wäßrigem Äthanol und danach aus Wasser umkristallisiert; F: 112–113,5° (ein Isomeres nach NMR-Daten).

Ähnlich reagiert folgendes Kohlenhydrat-Derivat bei Bestrahlung[2]:

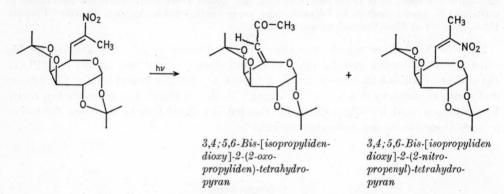

3,4;5,6-Bis-[isopropyliden-
dioxy]-2-(2-oxo-
propyliden)-tetrahydro-
pyran

3,4;5,6-Bis-[isopropyliden
dioxy]-2-(2-nitro-
propenyl)-tetrahydro-
pyran

Die Licht-induzierten Reaktionen von 6-Nitro-cholesteryl-acetat variieren stark mit dem Lösungsmittel. In Hexan oder wässrigem 1,4-Dioxan entsteht ein Gemisch aus 6β-Nitro-3β-acetoxy-cholesten-(4) (II; 30% d.Th.), 3β-Acetoxy-4β,6-(3,4-dihydro-1,2-oxazolo-[3,4,5])-cholestan (III; 10% d.Th.; F: 129–130°), 6-Nitro-cholestadien-(3,5) (IV; 2–3% d.Th.) und 3β-Acetoxy-6-oxo-cholesten-(4) (V; 2–3% d.Th.)[3]:

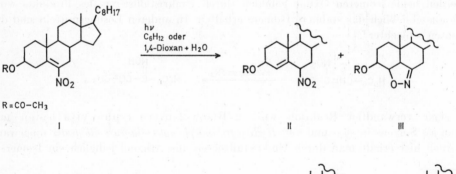

R = CO–CH₃

I   II   III

IV   V

[1] G. W. Shaffer, Canad. J. Chem. **48**, 1948 (1970).
[2] G. B. Howarth et al., Canad. J. Chem. **47**, 81 (1969).
[3] J. T. Pinhey u. E. Rizzardo, Chem. Commun. **1965**, 362.

Photolyse in Aceton unter Stickstoff führt zu *3β-Acetoxy-6α-* und . . .*-6β-nitro-cholesten-* *(4)* (zusammen 52% d.Th.; ∼ 1:1-Gemisch), *6-Oxo-3-hydroximino-cholesten-(4)* (22% d.Th.) neben Verbindung V (3% d.Th[1].). In Äthanol bildet sich das Oxim (38% d.Th.), das Dien IV (6% d.Th.) neben wenig V[2]. In Cyclohexan soll dagegen Verbindung V in 40%iger Ausbeute neben wenig II entstehen.

3β-Hydroxy-6-nitro-cholesten-(5) geht bei Bestrahlung in Äthanol in *3β-* *Hydroxy-6-oxo-cholesten-(4)* (37% d.Th.) und *3β-Hydroxy-6β-nitro-cholesten-(4)* über[2]. Demgegenüber ergibt die Photolyse des entsprechenden *3β*-Trifluoracetoxy-6-nitro-cholesten-(5) ebenfalls in Äthanol *6-Oxo-3-hydroximino-cholesten-(4)* (40% d.Th.)[2]. Das gleiche Oxim bildet sich bei Belichtung von 6-Nitro-cholestadien-(3,5)[1,2].

Ein anderer Reaktionstyp wurde beim 2-Nitro-1-indolyl-(3)-propen gefunden, das in Methanol *2-Oxo-3-(2-hydroximino-propyliden)-2,3-dihydro-indol* (44% d.Th.; 3 geometrische Isomere) ergibt[3]:

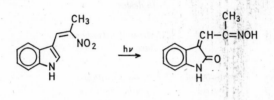

δ₂) *aromatische Nitro-Verbindungen*

αα) Intramolekulare Redox-Reaktionen

bearbeitet von

Prof. Dr. OLE BUCHARDT*

Intramolekulare Photo-Redoxreaktionen treten bei aromatischen Nitro-Verbindungen auf, die in ortho-Stellung eine CH-Gruppe enthalten (Sachs-Regel)[4]. Das am besten untersuchte Beispiel stellt 2-Nitro-benzaldehyd dar, der in *2-Nitroso-benzoesäure* überführt wird. Bei Bestrahlung in alkoholischen Lösungsmitteln werden zusätzlich die entsprechenden Ester gebildet[5]. Die Tab. 185 (S. 1332) bringt einige Beispiele zu diesem Reaktionstyp.

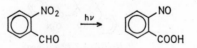

Eine analoge Reaktion gehen 2,6-Dimethyl-4-(2-nitro-phenyl)-1,4-dihydro-pyridine ein, die durch Bestrahlung über das weder nachweisbare noch isolierbare 4-Hydroxy-2,6-

---

* Kemisk Laboratorium II, Københavens Universitet, Kopenhagen/Dänemark.

[1] O. L. CHAPMAN, P. G. CLEVELAND u. E. D. HOGANSON, Chem. Commun. **1966**, 101.

[2] G. E. A. COOMBES, J. M. GRADY u. S. T. REID, Tetrahedron **23**, 1341 (1967).

[3] J. S. CRIDLAND u. S. T. REID, Chem. Commun. **1969**, 125.

[4] F. SACHS u. S. HILPERT, B. **37**, 3425 (1904).

[5] G. CIAMICIAN u. P. SILBER, B. **34**, 2040 (1901).

Tab. 185. Intramolekulare Reduktion von aromatischen Nitro-Verbindungen

Ausgangsverbindung	Lösungs-mittel	Produkt	Ausbeute [% d.Th.]	F [°C]	Literatur
2-Nitro-benzaldehyd	Benzol	2-Nitroso-benzoesäure		205–210	1
	3 g in Methanol	2-Nitroso-benzoesäure + 2-Nitroso-benzoesäure-methylester	~ 60	152–153	1
	1 g in 20 ml abs. Äthanol	2-Nitroso-benzoesäure + 2-Nitroso-benzoesäure-äthylester	~ 60	120–121	1
2,4-Dinitro-benzaldehyd		2-Nitroso-4-nitro-benzoesäure		300	2
2-Nitro-3,4-äthylendioxy-benzaldehyd	2 g in 50 ml Benzol	2-Nitroso-3,4-äthylen-dioxy-benzoesäure		160–165	3
2-Nitro-benzaldehyd-phenylimin		2-Nitroso-benzoesäure-anilid		171	2
Diphenyl-(2-nitro-phenyl)-methan		Diphenyl-(2-nitroso-phenyl)-methanol		185	4
2,2′-Bis-[2-nitro-phenyl]-4,4′-bi-1,3-dioxolanyl		2-Hydroxy-2-(2-nitroso-phenyl)-2′-(2-nitro-phenyl)-4,4′-bi-1,3-dioxolanyl			4
2-(2-Nitro-phenyl)-1,3-dioxan-⟨5-spiro-5⟩-2-(2-nitro-phenyl)-1,3-dioxan		2-Hydroxy-2-(2-nitroso-phenyl)-1,3-dioxan-⟨5-spiro-5⟩-2-(2-nitro-phenyl)-1,3-dioxan			4
2-Nitro-phenyl-arsen-dichlorid	3 g in 30 ml wäss. Äther	2-Nitroso-benzolarsonsäure			5

1 G. CIAMICIAN u. P. SILBER, B. 34, 2040 (1901).
2 F. SACHS u. R. KEMPF, B. 35, 2704 (1902).
3 G. CIAMICIAN u. P. SILBER, B. 35, 1992 (1902).
4 I. TANASECU, Bl. 39, 1443 (1926).
5 P. KARRER, B. 47, 1783 (1914).

dimethyl-4-(2-nitroso-phenyl)-1,4-dihydro-pyridin unter Wasserabspaltung *2,6-Dimethyl-4-(2-nitroso-phenyl)-pyridine* ergeben[1,2]:

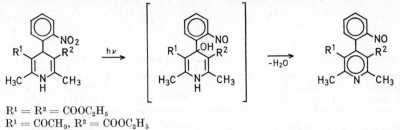

$$R^1 = R^2 = COOC_2H_5$$
$$R^1 = COCH_3,\ R^2 = COOC_2H_5$$
$$R^1 = R^2 = COCH_3$$

Entgegen der früheren Meinung wird auch 4-Nitro-benzaldehyd photoreduziert; *4-Nitroso-benzoesäure* entsteht in hoher Ausbeute[3].

ββ) Reaktionen in Wasserstoff-donierenden Lösungsmitteln

bearbeitet von

Prof. Dr. DIETRICH DÖPP*

Aromatische Nitro-Verbindungen können zu den verschiedensten Verbindungen redu-ziert werden[4]. Nitrobenzol geht z. B. bei Bestrahlung in Äthanol[5], Isopropanol[6], Di-äthyläther[7] oder Toluol in *N-Phenyl-hydroxylamin* über.

Der Verlauf der Photoreduktion hängt entscheidend von der Art und Anzahl der Sub-stituenten der Ausgangsverbindung sowie vom angewandten Lösungsmittel ab. Zur Nitro-Gruppe ortho-ständige CH-Gruppen (benzylische Wasserstoffe) unterliegen z. B. leicht intramolekularen Redox-Reaktionen[8] (s. S. 1339 ff.). Andererseits führt der Raumbedarf von zwei orthoständigen, großen Substituenten zu einer Verdrillung der Nitro-Gruppe[9], so daß sich die *aci*-Form nur langsam ausbilden kann und somit die intramolekulare Wasserstoff-Abstraktion erschwert abläuft.

Zum Beispiel zeigt 2-Nitro-toluol in 1,4-Dioxan/Deuteriumoxid nach 10 stdg. Belichtung (450 W Quecksilber-Mitteldruck-Lampe) 13% Deuterium in der Methyl-Gruppe, 2-Nitro-1,3,5-trimethyl-benzol nur 4%[10]:

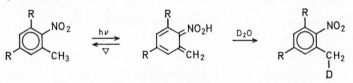

R = H ; CH₃

* Chemisches Institut der Universität Kaiserslautern.

[1] J. A. BERSON u. E. BROWN, Am. Soc. 77, 447 (1955).

[2] J. A. BERSON u. E. BROWN, Am. Soc. 77, 450 (1955).

[3] G. W. WUBBELS, R. R. HAUTATA u. R. L. LETSINGER, Tetrahedron Letters 1970, 1689.

[4] Vgl.: H. A. MORRISON, in: H. FEUER, *The Chemistry of the Nitro and Nitroso Groups*, Bd. 1, S. 165–213, Interscience, London 1969.

[5] G. CIAMICIAN u. P. SILBER, B. 19, 2889 (1886); 38, 3813 (1905).

[6] R. HURLEY u. A. C. TESTA, Am. Soc. 88, 4330 (1966).

[7] J. A. BARLTROP u. N. J. BUNCE, Soc. [C] 1968, 1467.

[8] F. SACHS u. S. HILPERT, B. 37, 3425 (1904).

[9] J. TROTTER, Canad. J. Chem. 37, 1487 (1959).

  B. M. WEPSTER, *Steric Effects on Mesomerism*, in: W. KLYNE u. P. B. DE LA MARE, *Progress in Stereochemistry* 2, S. 99 ff., Butterworths, London 1958.

[10] Y. KITAURA u. T. MATSUURA, Tetrahedron 27, 1583 (1971).

Auch läßt sich die letztere Verbindung selbst in Isopropanol nur schlecht zu 2,4,6-Trimethyl-anilin (4,5% d.Th.) photoreduzieren (450 W Quecksilber-Mitteldruck-Lampe; Pyrex-Filter), jedoch entstehen nebenher 13% d.Th. *2,4,6-Trimethyl-phenol*[1]. Weitere Beispiele s. Tab. 186.

Tab. 186. Reduktion von sterisch gehinderten aromatischen Nitro-Verbindungen

Ausgangs-verbindung	Reaktions-bedingungen	Produkte	Ausbeute [% d.Th.]	F [°C]	Literatur
[Struktur: Benzolring mit NO₂ und CH₃]	Pyrex, Triäthyl-amin	*2-Methyl-anilin* + *2'-Hydroxy-2,6-di-methyl-azobenzol* + *2,2'-Dimethyl-azoxy-benzol* + *2,2'-Dimethyl-azobenzol*	32 10 5 2,5	(Kp:199°)[3] 97[4] 58–59[5] 53–54[6]	2
[Struktur: Benzolring mit NO₂, H₃C, CH₃]	Pyrex; Triäthyl-amin	*2,6-Dimethyl-anilin*	43	(Kp: 214,5–215,1°)[7]	2
[Struktur: Benzolring mit NO₂, Cl, Cl]	450 W Quecksilber-Mitteldruck-Lampe; Pyrex-Filter; Isopropanol	*1,3-Dichlor-2-hydroxyl-amino-benzol* + *2,6-Dichlor-phenol* + *2,6-Dichlor-anilin* + *1,3-Dichlor-2-nitroso-benzol*	41 20 Spuren Spuren	130 66–68[8]	1
[Struktur: Benzolring mit NO₂, H₃C, CH₃, H₃C, CH₃]	Isopropanol	*2,3,5,6-Tetramethyl-anilin* + *2,3,5,6-Tetramethyl-phenol*	30 30	74–74,5[9] 117[10]	1
	feuchtes Benzol	*2,3,5,6-Tetramethyl-phenol*	91		
[Struktur: Benzolring mit NO₂, H₃C, CH₃, H₃C, CH₃, NO₂]	Isopropanol	*4-Nitro-2,3,5,6-tetra-methyl-anilin* + *4-Nitro-2,3,5,6-tetra-methyl-phenol*	34 30	160–161,5[11] 123–124[10]	1

[1] Y. Kitaura u. T. Matsuura, Tetrahedron 27, 1583 (1971).
[2] J. A. Barltrop u. N. J. Bunce, Soc. [C] 1968, 1467.
[3] G. Thomson, Soc. 1964, 1113.
[4] G. E. Lewis u. J. A. Reiss, Austral. J. Chem. 19, 1887 (1966).
[5] L. Wacker, A. 321, 61 (1902).
[6] E. R. Atkinson et al., Am. Soc. 67, 1513 (1945).
[7] A. Dadieu, A. Pongratz u. K. W. F. Kohlrausch, M. 60, 253 (1932).
[8] D. S. Tarbell u. J. W. Wilson, Am. Soc. 64, 1066 (1942).
[9] K. Kofod et al., R. 71, 523 (1952).
[10] C. E. Ingham u. G. C. Hampson, Soc. 1939, 981.
[11] G. Illuminati, Am. Soc. 74, 4951 (1952).

Die phenolischen Produkte werden mit einer durch die Verdrillung der Nitro-Gruppe begünstigten Nitro-Nitrit-Isomerisierung[1] und anschließender Hydrolyse gedeutet[2]. Die Reduktion zum Anilin-Derivat verläuft über eine Reihe von Wasserstoff-Abstraktionen, deren erste mit Sicherheit licht-induziert ist. Alle weiteren sollen photolytisch[3] oder auch als Dunkelreaktionen[2] ablaufen können.

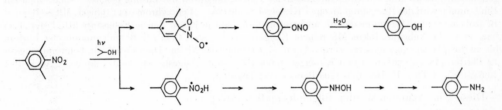

Ein anderes Verhalten zeigen Nitro-Verbindungen mit orthoständigen Äthyl- oder tert.-Butyl-Gruppen. Durch Angriff der angeregten Nitro-Gruppe auf ein β-Wasserstoff-Atom cyclisieren sie in den verschiedensten Lösungsmitteln außer aliphatischen Aminen zu Indol-Derivaten (s. S. 1339ff.). Abweichend von diesem Schema liefert 2-Nitro-1,3,5-triiso-propyl-benzol in Isopropanol, 1,4-Dioxan oder Benzol *2,2′,6,6′-Bis-[2-hydroxy-propyl-(2)]-4,4′-diisopropyl-azobenzol* (83% d.Th.)[3]. Aus 3-Nitro-1,2,4,5-tetraisopropyl-benzol soll dagegen unter sonst gleichen Bedingungen als einziges Produkt folgendes stabile Aminoxyl entstehen[2]:

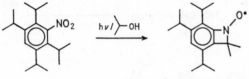

2,2-Dimethyl-3,5,6-triisopropyl-1,2-dihydro-⟨benzo-[b]-azet⟩-yl-(1)-oxyl; 100% d.Th.; F: 130°

2,2′,6,6′-Bis-[2-hydroxy-propyl-(2)]-4,4′-diisopropyl-azobenzol[2]: 2,0 g 2-Nitro-1,3,5-triisopropyl-benzol[4] in 400 ml Benzol werden 1 Stde. unter Stickstoff bei Raumtemp. mit einer Quecksilber-Mitteldruck-Lampe (450 W Hanovia; Pyrex) bestrahlt. Anschließend wird das Lösungsmittel abgezogen und der orangerote Rückstand an 100 g Kieselgel chromatographiert. Mit Petroläther (Kp: 60–70°) werden 210 mg Ausgangssubstanz erhalten, mit Chloroform/Aceton (3:1) wird das Produkt eluiert; Ausbeute: 1,465 g (83% d.Th.); nach Umkristallisieren aus Benzol F: 240°.

Eine glatte Photoreduktion, auch von sterisch behinderten Nitro-alkyl-benzolen, ohne Beteiligung der Seitenketten kann in verschiedenen aliphatischen Aminen als Lösungs-mittel erzielt werden. Zum Beispiel liefern 2-Nitro-1,3,5-trialkyl-benzole in Di- oder Triäthylamin folgende N-Oxide neben geringen Mengen weiterer Produkte[5]:

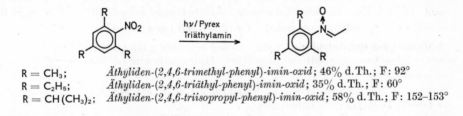

R = CH₃; *Äthyliden-(2,4,6-trimethyl-phenyl)-imin-oxid*; 46% d.Th.; F: 92°
R = C₂H₅; *Äthyliden-(2,4,6-triäthyl-phenyl)-imin-oxid*; 35% d.Th.; F: 60°
R = CH(CH₃)₂; *Äthyliden-(2,4,6-triisopropyl-phenyl)-imin-oxid*; 58% d.Th.; F: 152–153°

[1] O. L. CHAPMAN et al., Pure Appl. Chem. **9**, 586 (1964).
   O. L. CHAPMAN et al., Am. Soc. **88**, 5550 (1966).
[2] Y. KITAURA u. T. MATSUURA, Tetrahedron **27**, 1583 (1971).
[3] J. A. BARLTROP u. N. J. BUNCE, Soc. [C] **1968**, 1467.
[4] A. NEWTON, Am. Soc. **65**, 2434 (1943).
[5] D. DÖPP, D. MÜLLER u. K.-H. SAILER, Tetrahedron Letters **1974**, 2137.

Äthyliden-(2,4,6-triisopropyl-phenyl)-imin-oxid[1,2]: 8,0 g (32,2 mMol) 2-Nitro-1,3,5-triisopropyl-benzol werden in 500 *ml* Triäthylamin bis zum vollständigen Umsatz (30 Min.; dünnschichtchromatographische Kontrolle) mit einer 450 W Hanovia Quecksilber-Mitteldruck-Lampe bestrahlt (Wassergekühlter Tauchschacht aus Duran). Nach Abziehen des Lösungsmittels wird der Rückstand in 100 *ml* Methanol aufgenommen und 15 Min. ein Kohlendioxid-freier Luftstrom durch die Lösung geleitet. Nach erneutem Eindampfen wird der Rückstand an einer Kieselgel-Säule (25 × 4 cm) chromatographiert. Mit ∼ 1000 *ml* Benzol eluiert man das unumgesetzte Ausgangsmaterial, mit je 500 *ml* Benzol/Essigsäure-äthylester (1:1) bzw. (1:5) die Nebenprodukte. Mit reinem Essigsäure-äthylester, dem zur Beschleunigung der Elution bis zu 20% Methanol zugesetzt werden kann, eluiert man das Nitron. Dieses wird zur Feinreinigung an 12 Platten (48 cm × 20 cm, 1 mm Kieselgel Merck PF$_{254}$) mit Essigester chromatographiert; Ausbeute: 4,65 g (58% d.Th.); F: 152–153° (aus Benzol/Cyclohexan).

Diese Umsetzungen werden folgendermaßen interpretiert:

$$Ar-NO_2^* \;+\; N(C_2H_5)_3 \;\longrightarrow\; \left[\, Ar-NO_2^{\bullet\ominus} \;+\; {}^{\oplus\bullet}N(C_2H_5)_3 \,\right] \;\longrightarrow$$

$$\left[\, Ar-\overset{\bullet}{N}O_2H \;+\; H_3C-\overset{\bullet}{C}H-N(C_2H_5)_2 \,\right] \;\longrightarrow\; Ar\underset{OH}{\overset{|}{-N}}-O-\underset{CH_3}{\overset{|}{C}}H-N(C_2H_5)_2$$

$$Ar = \text{...}$$

Primärschritt ist nicht wie bei Alkoholen als Lösungsmittel eine intermolekulare Wasserstoff-Abstraktion, sondern ein Elektronen-Übergang[1,3]. Als erste stabile Produkte treten dann nach einer Folge von Dunkelreaktionen (vgl. hierzu Lit.[4,5]) N-Aryl-hydroxylamine auf, deren Kondensationsbereitschaft[6] durch die Verdrillung der NHOH-Gruppe verstärkt ist. Nitrobenzol ergibt vergleichsweise unter diesen Photolyse-Bedingungen bei 19%igem Umsatz *N-Phenyl-hydroxylamin* (35% d.Th.), und infolge der schwachen Nucleophilie schließt sich keine Kondensation zu einem Iminoxid an. Bei 2-Nitro-1,3,5-tri-tert.-butyl-benzol andererseits ist die sterische Hinderung so groß, daß aus diesem Grund kein Iminoxid gebildet wird. Durch Belichten und anschließende Luft-Oxidation des Photolysats werden *2-Nitroso-1,3,5-tri-tert.-butyl-benzol* (23% d.Th.), *2-Amino-1,3,5-tri-tert.-butyl-benzol* (18% d.Th.), *2-Amino-5-hydroxy-1,3-di-tert.-butyl-benzol* (13% d.Th.) und *6-Oxo-3-imino-2,4-di-tert.-butyl-cyclohexadien-(1,4* (2% d.Th.) gewonnen[7].

2-Nitroso-1,4-di-tert.-butyl-benzol[8]: Eine Lösung aus 8,066 g (34,4 mMol) 2-Nitro-1,4-di-tert.-butyl-benzol in 375 *ml* frisch von Natriumhydroxid dest. Diäthylamin wird 1,5 Stdn. unter Stickstoff bestrahlt

[1] D. Döpp, D. Müller u. K.-H. Sailer, Tetrahedron Letters **1974**, 2137.
[2] D. Döpp u. D. Müller, (unveröffentlicht).
D. Müller, Dissertation, Universität Kaiserslautern 1975.
[3] R. S. Davidson, S. Korkut u. P. R. Steiner, Chem. Commun. **1971**, 1052.
[4] R. Hurley u. A. C. Testa, Am. Soc. 88, 4330 (1966).
[5] J. A. Barltrop u. N. J. Bunce, Soc. [C] **1968**, 1467.
[6] Das bei der Kondensation abgespaltene Diäthylamin kann als Toluolsulfonamid isoliert werden.
[7] D. Döpp u. K.-H. Sailer, B. **108**, 301 (1975).
[8] D. Döpp, B. **104**, 1058 (1971).

(450 W Hanovia Quecksilber-Mitteldruck-Lampe; Wasser-gekühlter Tauchmantel aus Duran). Anschließend wird solange ein lebhafter, Kohlendioxid-freier Luftstrom durch das Photolysat geleitet, bis sich die Grünfärbung nicht mehr vertieft (photometrische Kontrolle). Nach Einengen und Verdünnen mit Äther wird bis zum Ausbleiben der alk. Reaktion mit Wasser ausgeschüttelt. Die org. Phase wird stark eingeengt und der Rückstand an einer Kieselgel-Säule (4 cm × 35 cm) mit Cyclohexan chromatographiert. Aus dem blauen Eluat (600 ml) der auf der Säule grün erscheinenden Zone werden 3,45 g (70% d.Th.) blaue Kristalle erhalten, F: 28° (Lit.[1]: 28–30°). Die nächsten 400 ml Eluat enthalten nur wenig Rückstand und werden verworfen. Mit 1900 ml Benzol/Cyclohexan (1:4) werden 2,93 g Ausgangsmaterial eluiert.

Zu Fragen der Multiplizität und Elektronenkonfiguration des reagierenden angeregten Zustandes der hier behandelten Verbindungen liegen nur einzelne Ergebnisse vor. Die Quantenausbeute für den Verbrauch des Ausgangsmaterials bei der Wasserstoff-Abstraktion in Isopropanol durch angeregtes Nitrobenzol beträgt[2] $\varphi = (1,14 \pm 0.08) \cdot 10^{-2}$. Dieser Wert wird beim Arbeiten unter Luftzutritt nur um ∼ 24% auf $\varphi [O_2] = (0,87 \pm 0,1) \cdot 10^{-2}$ erniedrigt[2]. Energie-Transfer-Experimente mit hohen Konzentrationen an cis-Pentadien-(1,3) als Löscher zeigen, daß die Lebensdauer des untersten angeregten $(n \rightarrow \pi^*)$-Triplett-Zustandes von Nitrobenzol ungefähr 10^{-9} Sek. ist[3]. Da ähnlich kurze Lebensdauern auch für alkylierte Nitrobenzole erwartet werden dürfen, sind Aussagen über die Multiplizität des reagierenden angeregten Zustandes, die allein auf einer Diskussion des Sauerstoff-Einflusses beruhen[4], unsicher. Zwar wird die Photoreduktion von 2-Nitro-1,3,5-trimethyl-benzol ein Isopropanol durch Sauerstoff stark verlangsamt[4], was auf ein Triplett als reagierende Spezies hinweist, aber die Photolysen von 2-Nitro-1,3,5-triisopropyl-benzol und 3-Nitro-1,2,4,5-tetraisopropyl-benzol werden durch Sauerstoff kaum beeinflußt[4]. Ebenso sind die Photocyclisierungen der 2-Nitro-1-tert.-butyl-benzole (s. S. 1340) wenig empfindlich gegen Sauerstoff[5,6]. Bei allen eben genannten durch Sauerstoff nicht oder nur wenig beeinflußten Reaktionen handelt es sich jedoch um intramolekulare Reaktionen, die gerade bei kurzen Lebensdauern der angeregten Zustände einer diffusionskontrollierten Löschung durch Sauerstoff den Rang ablaufen.

$\delta\delta$) verschiedene Reaktionen

bearbeitet von

Prof. Dr. OLE BUCHARDT*

Es wurden mehrere Versuche unternommen, Cycloadditionen von aromatischen Nitro-Verbindungen an ungesättigte Kohlenwasserstoffe durchzuführen. So ergibt z. B. die Belichtung von 2-Methyl-buten-(2) und Nitrobenzol ein kompliziertes Produktgemisch, aus dem folgende Verbindungen isoliert wurden: Azobenzol, Acetaldehyd, Aceton, Acetanilid und 3,3,6,6-Tetramethyl-2,5-diphenyl-2,3,5,6-tetrahydro-1,4-dioxa-2,5-diazin (F: 169–170°)[7]. Ähnlich verhalten sich Tolan und Nitrobenzol; aus dem Photolysat wurden Benzophenon-phenylimin, Kohlendioxid, Nitrosobenzol, N,N-Dibenzoyl-anilin, 2-Hydroxy-azobenzol und 3-Amino-pentaphenyl-propansäure-lactam isoliert[8].

Ein 1:1-Addukt aus Cyclohexen und Nitrobenzol bildet sich photochemisch bei –70°; ihm wurde folgende 1,3,2-Dioxazolidin-Struktur zugeschrieben:

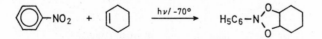

* Kemisk Laboratorium II, Københavns Universitet, Kopenhagen/Dänemark.

[1] R. OKAZAKI et al., Bl. chem. Soc. Japan **42**, 3611 (1969).
[2] R. HURLEY u. A. C. TESTA, Am. Soc. **88**, 4330 (1966).
[3] R. HURLEY u. A. C. TESTA, Am. Soc. **90**, 1949 (1968).
[4] Y. KITAURA u. T. MATSUURA, Tetrahedron **27**, 1583 (1971).
[5] D. DÖPP, B. **104**, 1035 (1971).
[6] D. DÖPP, B. **104**, 1043 (1971).
[7] G. BÜCHI u. D. E. AYER, Am. Soc. **78**, 689 (1956).
[8] M. L. SCHEINBAUM, J. Org. Chem. **29**, 2200 (1964).

Beim Erwärmen zerfällt es in ein kompliziertes Gemisch. Ähnliche Ergebnisse lassen sich mit Hexen-(1), 1-Methyl-cyclohexen und Bicyclo[2.2.1]hepten erzielen[1].

Bei einigen aromatischen Nitro-Verbindungen tritt bei Bestrahlung in wässrigem Pyridin **nucleophile Substitution** ein, z. B. geht das Natriumsalz des Phosphorsäure-mono-4-nitro-phenylesters in das Natriumsalz des *Phosphorsäure-mono-4-pyridinio-phenylester* über[2], während die Thermolyse 4-Nitro-phenol liefert[3]:

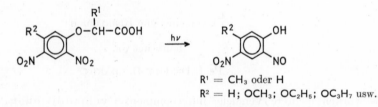

Einen entsprechenden aktivierenden Einfluß auf die Nitro-Gruppe des angeregten Aromaten übt eine para-ständige Methoxy-Gruppe aus[4]. Auch auf Heteroaromaten sind derartige Photosubstitutionen übertragbar; 4-Nitro-pyridin-1-oxid ergibt bei der Photolyse in Äthanol in Gegenwart von Piperidin *4-Piperidino-pyridin-1-oxid* neben Piperidiniumnitrit[3].

Über den Einfluß von meta-ständigen Nitro-Gruppen auf die Photosubstitution s. S. 692 ff.

Über die Photolysen von 1-Nitro-naphthalinen in Alkylchloriden oder in Lösungen von Salzsäure in Chloroform, Tetrachlormethan, Essigsäure oder Hexan zu den entsprechenden 1-Chlor-naphthalinen s. Org.-Lit.[5].

Aus 2,4-Dinitro-phenoxy-essigsäuren lassen sich durch Bestrahlung 2-Nitroso-4-nitrophenole gewinnen[6]:

$$R^1 = CH_3 \text{ oder } H$$
$$R^2 = H; OCH_3; OC_2H_5; OC_3H_7 \text{ usw.}$$

Belichtung von **9-Nitro-anthracen** führt je nach der Wellenlänge des eingestrahlten Lichtes zu verschiedenen Produkten. Mit $\lambda = 420\text{–}530$ nm entsteht das Dimere, $\lambda = 370\text{–}410$ nm ergibt *10,10'-Dioxo-9,9',10,10'-tetrahydro-9,9'-bianthryl*[7]. Nach einer anderen Untersuchung sollen daneben *10-Hydroximino-9-oxo-9,10-dihydro-anthracen* und *Anthrachinon* gebildet werden[8].

Abschließend sollte erwähnt werden, daß 1-(N-Nitro-N-methyl-amino)-naphthalin photolytisch in kernsubstituierte *1-Methylamino-x-nitro-naphthaline* umlagert[9].

Auf die Umwandlung von aromatischen Nitro-Verbindungen in Pyridine bei Bestrahlung in Triäthylphosphit, vermutlich über Phenylnitrene, kann hier nur hingewiesen werden[10].

[1] J. L. CHARLTON u. P. DE MAYO, Canad. J. Chem. **46**, 1046 (1968).
[2] R. L. LETSINGER u. O. B. RAMSAY, Am. Soc. **86**, 1447 (1964).
[3] R. M. JOHNSON u. C. W. REES, Jr., Soc. **1964**, 213.
[4] R. L. LETSINGER, O. B. RAMSAY u. J. H. McCAIN, Am. Soc. **87**, 2945 (1965).
  Vgl. a.: K. E. STELLER u. R. L. LETSINGER, J. Org. Chem. **35**, 308 (1970).
[5] G. FRATER u. E. HAVINGA, Tetrahedron Letters **1969**, 4603; R. **89**, 273 (1970).
[6] P. H. McFARLANE u. D. W. RUSSELL, Chem. Commun. **1969**, 475.
[7] F. D. GREENE, Bl. **1960**, 1356.
[8] O. L. CHAPMAN et al., Am. Soc. **88**, 5550 (1966).
[9] D. V. BANTHORPE u. J. A. THOMAS, Soc. **1965**, 7158.
[10] R. J. SUNDBERG, Am. Soc. **88**, 3781 (1966).
  R. J. SUNDBERG et al., Tetrahedron Letters **1968**, 777 und dort zit. Lit.

γγ) Ringschlußreaktionen

bearbeitet von

Prof. Dr. OLE BUCHARDT* und Prof. Dr. DIETRICH DÖPP**

Sterisch gehinderte Nitrobenzole mit ein oder zwei großen ortho-ständigen Alkyl-Substituenten werden in Wasserstoff-donierenden Lösungsmitteln mit Ausnahme von aliphatischen Aminen cyclisiert. Zum Beispiel tritt bei 2-Nitro-1,3,5-triäthyl-benzol in 1,4-Dioxan/Deuteriumoxid durch Belichtung kein Wasserstoff-Deuterium-Austausch, aber in Isopropanol Ringschluß zu *2-Oxo-5,7-diäthyl-2,3-dihydro-indol* ein[1]:

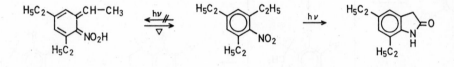

Auch 2-Nitro-1-(2-hydroxy-äthyl)-benzol geht bei Bestrahlung in äthanolischer Lösung in *1-Hydroxy-2-oxo-2,3-dihydro-indol* über[2].

Entsprechend erfolgt bei 2-Nitro-1-tert.-butyl-benzolen[1, 3-7] in den verschiedensten Lösungsmitteln außer aliphatischen Aminen ein Angriff der angeregten Nitro-Gruppe auf ein β-ständiges Wasserstoff-Atom des Alkyl-Substituenten. Das primär gebildete Diradikal cyclisiert unter Ausbildung eines Fünfringes (Weg ⓐ) zu einem 3H-Indol-1-oxid II S. 1340), von dem unter bestimmten Bedingungen zwei Vertreter isoliert werden können[8, 9]. Meistens jedoch geht II durch die Anwesenheit von Oxidationsmitteln (Luft-Sauerstoff/ Wasser oder Alkalilauge; Eisen(III)-chlorid/Wasser u. a.) in die Hydroxamsäuren III über, die an ihrer charakteristischen Blaufärbung[10] mit methanolischer Eisen(III)-chlorid-Lösung erkannt werden (über die Oxidation zu substituiertem 2-Oxo-3,3-dimethyl-2,3-dihydro-indolyl-1-oxylen vgl. Lit.[11]). Bei einigen Verbindungen können – besonders bei Belichtung

---

* Kemisk Laboratorium II, Københavns Universitet, Kopenhagen/Dänemark.
** Chemisches Institut der Universität Kaiserslautern.

[1] Y. KITAURA u. T. MATSUURA, Tetrahedron 27, 1583 (1971).

[2] J. BAKKE, Acta chem. scand. 24, 2650 (1970).

[3] D. DÖPP, Chem. Commun. 1968, 1248.

[4] L. R. C. BARCLAY u. I. T. McMASTER, Canad. J. Chem. 49, 676 (1971).

[5] D. DÖPP, B. 104, 1035 (1971).

[6] D. DÖPP, B. 104, 1043 (1971).

[7] D. DÖPP u. E. BRUGGER, B. 106, 2166 (1973).

[8] D. DÖPP, Tetrahedron Letters 1971, 2757.

[9] D. DÖPP u. K.-H. SAILER, Tetrahedron Letters 1971, 2761; B. 108, 301 (1975).

[10] A. REISSERT, B. 41, 3921 (1908).

[11] A. T. BALABAN et al., Tetrahedron 30, 739 (1974).

in alkoholischer Lauge – auch über das Oxazin-Derivat IV und die Nitroso-Verbindung V die o-Hydroxy-azo-Verbindungen VI erhalten werden (Weg ⓑ).

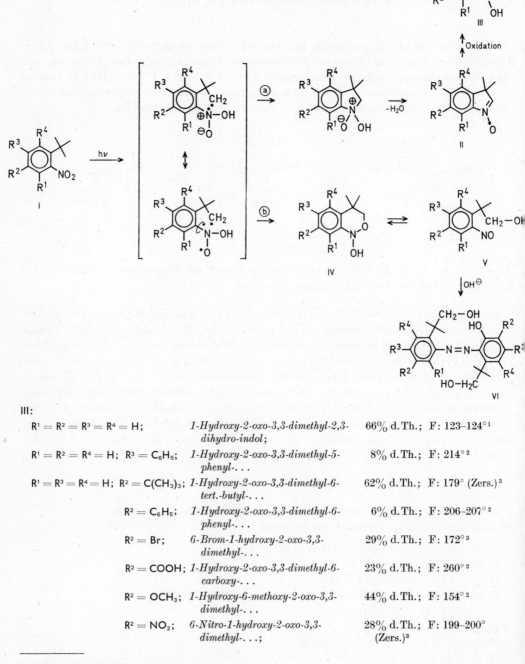

III:

$R^1 = R^2 = R^3 = R^4 = H$;	1-Hydroxy-2-oxo-3,3-dimethyl-2,3-dihydro-indol;	66% d.Th.;	F: 123–124°[1]
$R^1 = R^2 = R^4 = H$; $R^3 = C_6H_5$;	1-Hydroxy-2-oxo-3,3-dimethyl-5-phenyl-...	8% d.Th.;	F: 214°[2]
$R^1 = R^3 = R^4 = H$; $R^2 = C(CH_3)_3$;	1-Hydroxy-2-oxo-3,3-dimethyl-6-tert.-butyl-...	62% d.Th.;	F: 179° (Zers.)[3]
$R^2 = C_6H_5$;	1-Hydroxy-2-oxo-3,3-dimethyl-6-phenyl-...	6% d.Th.;	F: 206–207°[2]
$R^2 = Br$;	6-Brom-1-hydroxy-2-oxo-3,3-dimethyl-...	29% d.Th.;	F: 172°[3]
$R^2 = COOH$;	1-Hydroxy-2-oxo-3,3-dimethyl-6-carboxy-...	23% d.Th.;	F: 260°[2]
$R^2 = OCH_3$;	1-Hydroxy-6-methoxy-2-oxo-3,3-dimethyl-...	44% d.Th.;	F: 154°[2]
$R^2 = NO_2$;	6-Nitro-1-hydroxy-2-oxo-3,3-dimethyl-...;	28% d.Th. (Zers.)[3]	F: 199–200°

[1] D. DÖPP, B. 104, 1035 (1971).
[2] D. DÖPP u. E. BRUGGER, unveröffentlicht.
   E. BRUGGER, Dissertation Universität Kaiserslautern 1975.
[3] D. DÖPP, B. 104, 1043 (1971).

III:

$R^1 = R^3 = R^4 = H$; $R^2 = NHCOCH_3$;   *6-Acetylamino-1-hydroxy-2-oxo-*   30% d.Th.;   F: 235–238° (Zers)[1].
                                   3,3-dimethyl-. . .;

             $R^2 = CN$;   *1-Hydroxy-2-oxo-3,3-dimethyl-*   26% d.Th.;   F: 218–220°[2]
                                     6-cyan-. . .;

$R^1 = R^2 = R^3 = CH_3$; $R^4 = NO_2$;   *4-Nitro-1-hydroxy-2-oxo-*   21% d.Th.;   F: 217–219° (Zers.)[3]
                                     3,3,5,6,7-pentamethyl-. . .;

$R^1 = R^3 = CH_3$; $R^2 = R^4 = NO_2$;   *4,6-Dinitro-1-hydroxy-2-oxo-*   52% d.Th.;   F: 274° (Zers.)[3]
                                     3,3,5,7-tetramethyl-. . .;

   $R^2 = COCH_3$; $R^4 = NO_2$;   *4-Nitro-1-hydroxy-2-oxo-3,3,5,7-*   40% d.Th.;   F: 222–223° (Zers.)[3]
                                     tetramethyl-6-acetyl-. . .;

VI:

$R^1 = R^3 = R^4 = H$; $R^2 = H$;   *6-Hydroxy-2,2′-bis-[2-hydroxy-*   4% d.Th.;   F: 135–136°[4]
                                 methyl-propyl-(2)]-azobenzol

     $R^2 = C(CH_3)_3$;   *6-Hydroxy-2,2′-bis-[2-hydroxy-*   1% d.Th.;   F: 209–210°[1]
                                 methyl-propyl-(2)]-5,5′-di-
                                 tert.-butyl-azobenzol

     $R^2 = Br$ *5,5′-Dibrom-6-hydroxy-2,2′-bis-*   1% d.Th.;   F: 224–225°[1]
                                 [2-hydroxymethyl-propyl-
                                 (2)]-azobenzol

Für eine $(n \rightarrow \pi^*)$-Konfiguration des zur intramolekularen Wasserstoff-Abstraktion befähigten angeregten Zustandes von 2-Nitro-1-tert.-butyl-benzolen spricht die Beobachtung, daß Elektronen-liefernde Substituenten, wie $-NH_2^1$, $-O^{\ominus 2}$, $-N(CH_3)_2^2$ in m- oder p-Stellung zur Nitro-Gruppe die Photocyclisierung unterdrücken. Der Ringschluß von 2-Nitro-1,4-di-tert.-butyl-benzol kann durch Acetophenon und Benzophenon[1] sowie Triphenylen[2] sensibilisiert werden. Selbst in Konzentrationen von 0,5–2 m löscht Pentadien-(1,3) diese Reaktion nur unvollständig, und in Konzentrationen >0,12 m bis zur Sättigung vermag Octafluor-naphthalin nur 16% der Cyclisierung zu unterdrücken. Die Quantenausbeute bei der Bildung von *1-Hydroxy-2-oxo-3,3-dimethyl-6-tert.-butyl-2,3-dihydro-indol* beträgt bei direkter Belichtung[1] ($\lambda = 366$ nm) $\varphi = 1,2 \cdot 10^{-2}$ und $1,1 \cdot 10^{-2}$ bei Sensibilisierung durch Benzophenon[2].

1-Hydroxy-2-oxo-3,3-dimethyl-6-tert.-butyl-2,3-dihydro-indol[1]: 8,10 g (34,1 mMol) 2-Nitro-1,4-ditert.-butyl-benzol[5] in 190 ml 1,4-Dioxan und 190 ml Methanol werden 2 Stdn. unter Spülen mit Stickstoff bestrahlt (500 W Hanovia Quecksilber-Mitteldruck-Lampe; Wasser-gekühlter Tauchschacht aus Duran). Zur Oxidation wird das Photolysat mit 25 ml 2n Natronlauge versetzt und 2 Stdn. ein kräftiger Kohlendioxid-freier Luftstrom durchgeleitet. Dann wird die Lösung stark eingeengt und mit 100 ml Wasser sowie 300 ml Äther ausgeschüttelt. Der Rückstand der ätherischen Phase wird an einer Kieselgel-Säule (3,5 × 10 cm) chromatographiert und liefert mit Cyclohexan als Elutionsmittel unumgesetzte Ausgangssubstanz (5,94 g) und mit Essigsäure-äthylester 413 mg Nebenprodukte. Aus der wäßrigen Phase fällt beim Ansäuern das Produkt als ockerbrauner Niederschlag aus, das nochmals umgefällt und aus Äthanol/Wasser umkristallisiert wird; Ausbeute: 1,32 g (62% d.Th.); F: 179° (Zers.).

Bei 2-Nitro-1,3,5-tri-tert.-butyl-benzol[6] erfolgt der Angriff der Nitro-Gruppe auf den Alkyl-Substituenten am leichtesten. Belichtung der pulverisierten Kristalle und Chromatographie des Photolysats an Kieselgel führt zu *1-Hydroxy-2-oxo-3,3-dimethyl-5,7-di-tert.-butyl-2,3-dihydro-indol* (VII; 25% d.Th.), *3,3-Dimethyl-5,7-di-tert.-butyl-3H-indol-1-oxid* (VIII, 18% d.Th.), *2-Oxo-3,3-dimethyl-5,7-di-tert.-butyl-2,3-dihydro-indol* (X; 4% d.Th.),

[1] D. DÖPP, B. **104**, 1043 (1971).
[2] D. DÖPP u. E. BRUGGER, unveröffentlicht. E. BRUGGER, Dissertation Universität Kaiserslautern 1975.
[3] D. DÖPP u. K.-H. SAILER, Tetrahedron Letters **1975**, 1129.
[4] D. DÖPP, B. **104**, 1035 (1971).
[5] D. J. LEGGE, Am. Soc. **69**, 2086 (1947).
[6] P. D. BARTLETT, M. ROHA u. R. M. STILES, Am. Soc. **76**, 2349 (1948).

3,3-Dimethyl-5,7-di-tert.-butyl-3H-indol (IX; 2% d.Th.) und *4,4-Dimethyl-6,8-di-tert.-butyl-4H-⟨benzo-[d]-1,3-oxazin⟩* (XI; 1% d.Th.)[1]. Oxidiert man das Rohphotolysat in methanolischer Natronlauge mit Kohlendioxid-freier Luft, so findet man neben der Hydroxamsäure VII (44% d.Th.) das Indolinon X (4% d.Th.), *6-[2-Hydroxy-propyl-(2)]-2,4-di-tert.-butyl-anilin* (XII, 2% d.Th.) und *6-Methoxycarbonylamino-5-isopropyl-1,3-di-tert.-butyl-benzol* (XIII, 5% d.Th.)[1]. Mit Hilfe des folgenden Reaktionsschemas, das die bekannten Photoreaktionen der Nitrone[2,3] berücksichtigt, lassen sich alle Produkte erklären[4].

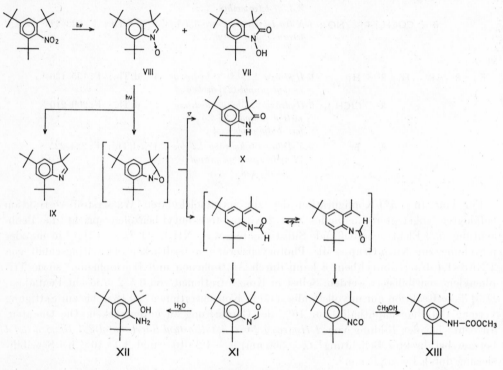

Bei Belichtung in Lösung wurden VII[1,5] und IX[1,5] sowie X[1,6] erhalten.

3-Oxo-2-phenyl-3H-indol-1-oxid kann durch Bestrahlung aus folgenden Verbindungen gebildet werden: 2-Nitro-tolan[7], 2-Nitro-stilben[8], 2-Chlor-1-phenyl-2-(2-nitro-phenyl)-äthylen oder der entsprechenden Brom-Verbindung in Pyridin[9], 1-[2-Hydroxy-1-phenyl-2-(2-nitro-phenyl)-äthyl]-pyridinium Salz und korrespondierende Chinolinium oder Isochinolinium Salzen[10]. Allerdings zeigen die photochemischen Umsetzungen keinen Vorteil gegenüber den thermischen Reaktionen[7].

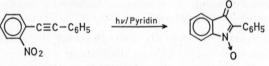

[1] D. DÖPP u. K.-H. SAILER, Tetrahedron Letters **1971**, 2761; B. **108**, 301 (1975).
[2] F. KRÖHNKE, A. **604**, 203 (1957).
    J. SPLITTER u. M. CALVIN, J. Org. Chem. **23**, 651 (1958).
[3] G. G. SPENCE, E. C. TAYLOR u. O. BUCHARDT, Chem. Reviews **70**, 231 (1970).
[4] D. DÖPP, Tetrahedron Letters **1972**, 3215.
[5] Y. KITAURA u. T. MATSUURA, Tetrahedron **27**, 1583 (1971).
[6] L. R. C. BARCLAY u. I. T. MCMASTER, Canad. J. Chem. **49**, 676 (1971).
[7] F. KRÖHNKE u. M. MEYER-DELIUS, B. **84**, 932 (1951).
[8] J. S. SPLITTER u. M. CALVIN, J. Org. Chem. **20**, 1086 (1955).
[9] F. KRÖHNKE u. I. VOGT, B. **85**, 376 (1952).
[10] F. KRÖHNKE u. I. VOGT, B. **86**, 1504 (1953).

Die Bestrahlung von N-(2,4-Dinitro-phenyl)-α-aminosäuren führt je nach dem p_H der Lösung und der Struktur des Substrates zu *2-Nitroso-4-nitro-anilin* oder zu in 2-Stellung substituierten 5-Nitrobenzimidazol-3-oxiden[1–4].

5-Nitro-2-methyl-benzimidazol-3-oxid[2]:

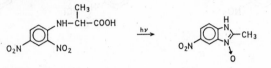

0,2 g N-(2,4-Dinitro-phenyl)-alanin werden in 4 l 0,5%iger wäßriger Essigsäure gelöst und bei Temp. < 35° bestrahlt. Anschließend werden 20 ml konz. Salzsäure zugegeben und die Lösung unter vermindertem Druck auf ~ 100 ml eingeengt. Durch Extraktion mit Äther wird 2-Nitroso-4-nitro-anilin entfernt. Nachdem der p_H auf 4 eingestellt ist, fällt das Produkt aus; Ausbeute: 0,12 g (79% d.Th.); F: 290–294° (Zers.).

Analog können folgende Benzimidazol-3-oxide gewonnen werden:

5-Nitro-benzimidazol-3-oxid;   70% d.Th.; F: 279–285° (Zers.)[2]
5-Nitro-2-hydroxymethyl-...;   33% d.Th.; F: 208–210°[2]
5-Nitro-2-(2-methyl-propyl)-...;   76% d.Th.; F: 215–216°[2]
5-Nitro-2-butyl-(2)-...;   78% d.Th.; F: 202°[2]
5-Nitro-1-methyl-...;   38% d.Th.; F: 204°[3]
6-Nitro-2,3-dihydro-1H-⟨pyrrolo-[1,2-a]-benzimidazol⟩-4-oxid-Hydrochlorid;   16% d.Th.; F: 180° (Zers.)[3]

Die Ausbeuten sind am besten, wenn bei p_H ~ 3 oder p_H < 0 gearbeitet wird; über den Mechanismus dieser Umsetzung herrscht noch keine Klarheit[3,4].

Eine verwandte Reaktion wurde bei N,N-disubstituierten 2-Nitro-anilinen gefunden; Die Belichtung führt entweder zu Benzimidazolen oder zu den davon abgeleiteten N-Oxiden[5]:

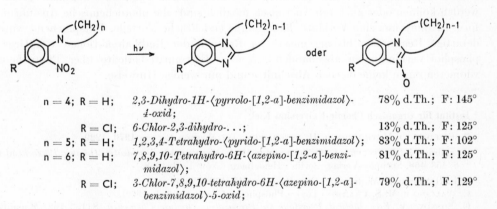

n = 4; R = H;   *2,3-Dihydro-1H-⟨pyrrolo-[1,2-a]-benzimidazol⟩-4-oxid*;   78% d.Th.; F: 145°
      R = Cl;   *6-Chlor-2,3-dihydro-...*;   13% d.Th.; F: 125°
n = 5; R = H;   *1,2,3,4-Tetrahydro-⟨pyrido-[1,2-a]-benzimidazol⟩*;   83% d.Th.; F: 102°
n = 6; R = H;   *7,8,9,10-Tetrahydro-6H-⟨azepino-[1,2-a]-benzimidazol⟩*;   81% d.Th.; F: 125°
      R = Cl;   *3-Chlor-7,8,9,10-tetrahydro-6H-⟨azepino-[1,2-a]-benzimidazol⟩-5-oxid*;   79% d.Th.; F: 129°

2-Nitro-1-morpholino-benzol geht entsprechend in *3,4-Dihydro-1H-⟨1,4-oxazino-[4,3-a]-benzimidazol⟩-10-oxid* über (55% d.Th.; F: 130°). 3-Nitro-2-pyrrolidino-pyridin ergibt bei Belichtung *2,3-Dihydro-1H-⟨pyrrolo-[2',1':2,3]-imidazo-[4,5-b]-pyridin⟩-*

[1] R. J. POLLITT, Chem. Commun. **1965**, 262.
[2] D. J. NEADLE u. R. J. POLLITT, Soc. [C] **1967**, 1764.
[3] D. J. NEADLE u. R. J. POLLITT, Soc. [C] **1969**, 2127.
[4] O. METH-COHN, Tetrahedron Letters **1970**, 1235.
[5] R. FIELDEN, O. METH-COHN u. H. SUSCHITZKY, Tetrahedron Letters **1970**, 1229.

4-oxid als Hydrochlorid (78% d.Th.; F: 182°) neben *7-Chlor-2,3-dihydro-1H-⟨pyrrolo-[2′, 1′ :2,3]-imidazo-[4,5-b]-pyridin⟩* (7% d.Th.)[1]:

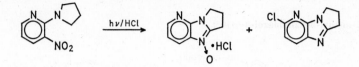

V. von anderen Element-organischen Verbindungen

a) am Kohlenstoff-Phosphor- und Kohlenstoff-Arsen-System

bearbeitet von

Prof. Dr. GÜNTER PAULUS SCHIEMENZ*

An dem Aufschwung sowohl der Photochemie als auch der Organo-phosphor-Chemie seit 1950 haben Photoreaktionen phosphororganischer Verbindungen nur einen bescheidenen Anteil. Noch weniger wurden Verbindungen des Arsens und der höheren Elemente der V. Hauptgruppe untersucht; beim Phosphor treten präparative Beiträge hinter mechanistischen Studien ganz zurück. In vielen Fällen werden nebeneinander in jeweils unbefriedigender Ausbeute mehrere oft schwer trennbare Produkte gebildet, die anderweitig meist besser zugänglich sind. Zum Teil ansprechende Ausbeuteangaben vermitteln nicht immer ein richtiges Bild, indem sie sich häufig auf verbrauchtes Ausgangsmaterial bei unvollständigem, nicht selten geringem Umsatz beziehen. Die Literatur ist reich an Kurzmitteilungen ohne experimentelle Details, so daß Einzelheiten oft nicht greifbar sind. In vielen Fällen handelt es sich um Radikal-Kettenreaktionen, die ebenso durch zugesetzte Radikale gestartet werden können oder auch rein thermisch möglich sind; die photochemische Ausführungsform ist dann nur eine Variante, häufig ohne ersichtliche Vorteile. Entsprechend wurden derartige Reaktionen bislang meist[2] im Rahmen der Radikalreaktionen von Organophosphor-Verbindungen abgehandelt[3]. Neuere Fortschrittsberichte über Photochemie[4] widmeten ihnen keine eigenen Abschnitte und nur wenige Hinweise.

---

* Institut für Organisch Chemie Universität Kiel.

[1] R. FIELDEN, O. METH-COHN u. H. SUSCHITZKY, Tetrahedron Letters **1970**, 1229.

[2] Ausnahme: A. SCHÖNBERG, G. O. SCHENCK u. O. A. NEUMÜLLER, *Preparative Organic Photochemistry*, S. 453–458, Springer-Verlag, Berlin · Heidelberg · New York 1968.

[3] J. F. HARRIS u. F. W. STACEY, Org. Reactions **13**, 150 (1963).
C. WALLING u. M. S. PEARSON, Topics Phosphorus Chemistry **3**, 1 (1966).
G. SOSNOVSKY, *Free Radical Reactions in Preparative Organic Chemistry*, S. 153–192, Macmillan, New York · London 1964.
A. J. KIRBY u. S. G. WARREN, *The Organic Chemistry of Phosphorus*, Elsevier Publishing Company, S. 158–183, Amsterdam · London · New York 1967.
W. G. BENTRUDE, Ann. Rev. phys. Chem. **18**, 283, 305–320 (1967).
J. I. G. CADOGAN, Adv. Free Radical Chem. **2**, 203 (1968).
R. S. DAVIDSON, Organophosphorus Chemistry **1**, 246 (1970); **2**, 221 (1971); **3**, 230 (1972); **4**, 236 (1973); **5**, 228 (1974).
K. U. INGOLD u. B. P. ROBERTS, *Free-Radical Substitution Reactions*, Kap. 6, Wiley-Interscience, New York 1971.

[4] *Photochemistry*, A Specialist Periodical Report, **1** (1970); **2** (1971); **3** (1972); **4** (1973); **5** (1974), Teil III· Kap. 6 (The Chemical Society, London).

Relativ wenigen Beispielen präparativ brauchbarer photochemischer Reaktionen am Phosphor steht eine größere Zahl von Umsetzungen gegenüber, in denen die Elektronen-anregung – in der phosphororganischen Molekel oder ihrem Reaktionspartner – an einer anderen funktionellen Gruppe erfolgt und der Phosphor nur als Substrat oder gar nicht beteiligt ist. Das phosphorhaltige Edukt enthält oft keine P–C-Bindungen, ist also im engeren Sinne nicht phosphororganisch. Zum Teil werden jedoch P–C-Bindungen geknüpft; in anderen Fällen bleibt der Phosphor rein „anorganisch", ist jedoch zuweilen von einem phosphor-freien, organischen Produkt begleitet, dem das präparative Interesse gilt. Für rein oder überwiegend anorganische und biochemische Aspekte sowie Effekte durch γ- und Röntgenstrahlen sei auf die Diskussion an anderer Stelle verwiesen[1].

[1] M. Halmann, Topics Phosphorus Chemistry 4, 49 (1967) und dort angegebene Literatur.

T. Ueda, K. Inukai u. H. Muramatsu, Bl. chem. Soc. Japan 42, 1684 (1969).

K. Terauchi, Y. Aoki u. H. Sakurai, Tetrahedron Letters 1969, 5073.

P. K. Wong u. A. O. Allen, J. phys. Chem. 74, 774 (1970).

W. Nelson, G. Jackel u. W. Gordy, J. Chem. Physics 52, 4572 (1970).

S. Subramanian, M. C. R. Symons u. W. H. Wardale, Soc. [A] 1970, 1239.

A. Begum, S. Subramanian u. M. C. R. Symons, Soc. [A] 1970, 1334; 1971, 700.

A. Begum u. M. C. R. Symons, Soc. [A] 1971, 2065.

A. Begum, A. R. Lyons u. M. C. R. Symons, Soc. [A] 1971, 2290, 2388.

H. Shakaá, Dissertation, Universität Bochum, 1971.

F. Williams u. C. M. L. Kerr, J. phys. Chem. 75, 3023 (1971).

C. M. L. Kerr, K. Webster u. F. Williams, J. phys. Chem. 76, 2848 (1972).

M. Yamagami, R. Nakao, T. Fukumoto u. J. Tsurugi, Nippon Kagaku Kaishi 1972, 1991.

K. V. S. Rao u. M. C. R. Symons, Soc. (Faraday II) 1972, 2081.

A. R. Lyons, G. W. Neilson u. M. C. R. Symons, Chem. Commun. 1972, 507.

E. I. Babkina u. I. V. Vereshchinskii, Radiats. Khim. 1972, 95; C. A. 79, 92334 (1973).

E. I. Babkina, L. S. Vinogradskaya, E. I. Dobrova u. N. A. Gureva, Ž. obšč. Chim. 43, 2084 (1973); C. A. 80, 3591 (1974).

A. Begum u. M. C. R. Symons, Soc. (Faraday II) 1973, 43.

D. J. Whelan, Austral. J. Chem. 26, 1357 (1973).

F. S. Ezra u. W. A. Bernhard, J. Chem. Physics 59, 3543 (1973).

S. A. Fieldhouse, H. C. Starkie u. M. C. R. Symons, Chem. Phys. Letters 23, 508 (1973); C. A. 80, 89251 (1974).

A. R. Lyons u. M. C. R. Symons, Am. Soc. 95, 3483 (1973).

S. P. Mishra u. M. C. R. Symons, Soc. (Dalton) 1973, 1494.

I. S. Ginns, S. P. Mishra u. M. C. R. Symons, Soc. (Dalton) 1973, 2509.

C. M. L. Kerr, K. Webster u. F. Williams, Mol. Phys. 25, 1461 (1973).

T. Gillbro, C. M. L. Kerr u. F. Williams, Mol. Phys. 28, 1225 (1974).

B. W. Fullam, S. P. Mishra u. M. C. R. Symons, Soc. (Dalton) 1974, 2145.

S. P. Mishra, K. V. S. Rao u. M. C. R. Symons, J. phys. Chem. 78, 576 (1974).

L. Ginet u. M. Geoffroy, Helv. chim. Acta 57, 1761 (1974).

M. Geoffroy, L. Ginet u. E. A. C. Lucken, Mol. Phys. 28, 1289 (1974).

T. Gillbro u. F. Williams, Am. Soc. 96, 5032 (1974).

1. Knüpfung und Lösung von P-C- bzw. As-C-Bindungen

α) Reaktionen photochemisch erzeugter Phosphor- bzw. Arsen-Radikale

α_1) *Knüpfung von P–C- bzw. As–C-Bindungen durch Addition*

P–H-Bindungen unterliegen bei UV-Einstrahlung sensibilisiert[1] oder unsensibilisiert der Homolyse[2]. Phosphin[3], primäre[4] und sekundäre[5] Phosphine, phosphorige Säure[6] und ihre Diester[7], Thiophosphorigsäure-O,O-diester[8], Phosphonigsäure-monoester[9] und sekundäre Phosphinsulfide[10] lagern sich auf diese Weise an C=C-Doppelbindungen von

---

[1] Brit. P. 660918 (1951); Holl. P. 69357 (1952), N. V. de Bataafsche Petroleum Maatschappij; C. A. **46**, 8145 (1952); **47**, 143 (1953).
US. P. 2724718 (1955), Shell Development Co., Erf.: A. R. Stiles u. F. F. Rust; C. A. **50**, 10124 (1956).

[2] S. K. Wong, W. Sytnyk u. J. K. S. Wan, Canad. J. Chem. **49**, 994 (1971).
W. B. Farnham, R. K. Murray Jr. u. K. Mislow, Chem. Commun. **1971**, 605.
D. Griller u. B. P. Roberts, J. Organometal. Chem. **42**, C 47 (1972).
Vgl. D. Hellwinkel, Ang. Ch. **78**, 985 (1966).

[3] A. R. Stiles, F. F. Rust u. W. E. Vaughan, Am. Soc. **74**, 3282 (1952).
Brit. P. 673451 (1952), N. V. de Bataafsche Petroleum Maatschappij; C. A. **47**, 5426 (1953).
US. P. 2584112 (1952), Standard Oil Co. of Indiana, Erf.: H. C. Brown; C. A. **46**, 9580 (1952).
US. P. 2803597 (1957), Shell Development Co., Erf.: A. R. Stiles, F. F. Rust u. W. E. Vaughan; C. A. **52**, 2049 (1958).
G. M. Burch, H. Goldwhite u. R. N. Haszeldine, Soc. **1963**, 1083.
R. Fields, H. Goldwhite, R. N. Haszeldine u. J. Kirman, Soc. [C] **1966**, 2075.
R. L. Whistler, C.-C. Wang u. S. Inokawa, J. Org. Chem. **33**, 2495 (1968).

[4] DBP. 1103590 (1961), Bataafsche Petroleum Maatschappij N. V., Erf.: K. Gutweiler u. H. Niebergall; C. A. **55**, 24102 (1961).
G. M. Burch, H. Goldwhite u. R. N. Haszeldine, Soc. **1963**, 1083.
R. L. Whistler, C.-C. Wang u. S. Inokawa, J. Org. Chem. **33**, 2495 (1968).
P. Tavs, Ang. Ch. **81**, 742 (1969).
H. Karlsson u. C. Lagercrantz, Acta Chem. Scand. **24**, 3411 (1970).

[5] Brit. P. 925721 ≡ DBP. 1118781 (1959); Brit. P. 925722 ≡ DBP. 1113827 (1961), Koppers Co., Inc., Erf.: H. Niebergall; C. A. **56**, 11622, 14475 (1962).
H. Niebergall, Makromol. Ch. **52**, 218 (1962).
Fr. P. 1488936 (1967), Shell Internationale Research Maatschappij N. V.; C. A. **69**, 36252 (1968).
P. Tavs, Ang. Ch. **81**, 742 (1969).
R. Fields, R. N. Haszeldine u. J. Kirman, Soc. [C] **1970**, 197.
R. Fields, R. N. Haszeldine u. N. F. Wood, Soc. [C] **1970**, 744, 1370.
H. Karlsson u. C. Lagercrantz, Acta Chem. Scand. **24**, 3411 (1970).

[6] C. E. Griffin u. H. J. Wells, J. Org. Chem. **24**, 2049 (1959).
H. Karlsson u. C. Lagercrantz, Acta Chem. Scand. **24**, 3411 (1970).

[7] Brit. P. 660918 (1951); Holl. P. 69357 (1952), N. V. de Bataafsche Petroleum Maatschappij; C. A. **46**, 8145 (1952); **47**, 143 (1953).
Brit. P. 694772 (1953), United States Rubber Co.; C. A. **49**, 4705 (1955).
US. P. 2724718 (1955), Shell Development Co., Erf.: A. R. Stiles u. F. F. Rust; C. A. **50**, 10124 (1956).
A. R. Stiles, W. E. Vaughan u. F. F. Rust, Am. Soc. **80**, 714 (1958).
A. N. Pudovik u. I. V. Konovalova, Ž. obšč. Chim. **29**, 3342 (1959); engl.: 3305; C. A. **54**, 15224 (1960).
H. Karlsson u. C. Lagercrantz, Acta Chem. Scand. **24**, 3411 (1970).

[8] A. N. Pudovik u. I. V. Konovalova, Ž. obšč. Chim. **30**, 2348 (1960); engl.: 2328; C. A. **55**, 8326 (1961).
K. Kumamoto, Y. Yoshida, T. Ogata u. S. Inokawa, Bl. chem. Soc. Japan **42**, 3245 (1969).

[9] L. P. Reiff u. H. S. Aaron, Am. Soc. **92**, 5275 (1970).
H. P. Benschop u. D. H. J. M. Platenburg, Chem. Commun. **1970**, 1098.
G. R. van den Berg, D. H. J. M. Platenburg u. H. P. Benschop, Chem. Commun. **1971**, 606.

[10] H. Niebergall, Makromol. Ch. **52**, 218 (1962).
Brit. P. 1101334 (1968), Monsanto Co.; C. A. **69**, 3004 (1968).

Olefinen[1], Halogenolefinen[2], ungesättigten Zuckern[3], Carbonsäureestern mit endständiger Doppelbindung[4], Acrylnitril[5], Vinyl- und Allyl-silanen[6] sowie verwandten Verbindungen[7] an. Mit unsymmetrischen Olefinen entstehen überwiegend (z. T. praktisch allein) die aus den stabileren Intermediärradikalen resultierenden Produkte[8]; die Anlagerung von optisch aktivem Benzolphosphonigsäure-äthylester und Methanphosphonigsäure-menthylester[9] an Äthylen führte unter Retention am Phosphor zu optisch reinem *Äthyl-phenyl-phosphinsäure-äthylester* bzw. *Methyl-äthyl-phosphinsäure-menthylester* und belegt den stereospezifischen Verlauf der Addition[10]. Befinden sich P–H-Gruppe und

[1] A. R. STILES, F. F. RUST u. W. E. VAUGHAN, Am. Soc. **74**, 3282 (1952).
  Brit. P. 660918 (1951); 673451 (1952); Holl. P. 69357 (1952), N. V. de Bataafsche Petroleum Maatschappij; C. A. **46**, 8145 (1952); **47**, 143, 5426 (1953).
  US. P. 2584112 (1952), Standard Oil Co. of Indiana, Erf.: H. C. BROWN; C. A. **46**, 9580 (1952).
  Brit. P. 694772 (1953), United States Rubber Co.; C. A. **49**, 4705 (1955).
  US. P. 2724718 (1955), Shell Development Co., Erf.: A. R. STILES u. F. F. RUST; C. A. **50**, 10 124 (1956).
  US. P. 2803597 (1957), Shell Development Co., Erf.: A. R. STILES, F. F. RUST u. W. E. VAUGHAN; C. A. **52**, 2049 (1958).
  A. R. STILES, W. E. VAUGHAN u. F. F. RUST, Am. Soc. **80**, 714 (1958).
  C. E. GRIFFIN u. H. J. WELLS, J. Org. Chem. **24**, 2049 (1959).
  A. N. PUDOVIK u. I. V. KONOVALOVA, Ž. obšč. Chim. **29**, 3342 (1959); engl.: 3305; **30**, 2348 (1960); engl.: 2328; C. A. **54**, 15224 (1960); **55**, 8326 (1961).
  R. FIELDS, R. N. HASZELDINE u. J. KIRMAN, Soc. [C] **1970**, 197.
  L. P. REIFF u. H. S. AARON, Am. Soc. **92**, 5275 (1970).
  H. P. BENSCHOP u. D. H. J. M. PLATENBURG, Chem. Commun. **1970**, 1098.
  G. R. VAN DEN BERG, D. H. J. M. PLATENBURG u. H. P. BENSCHOP, Chem. Commun. **1971**, 606.
[2] G. M. BURCH, H. GOLDWHITE u. R. N. HASZELDINE, Soc. **1963**, 1083.
  R. FIELDS, H. GOLDWHITE, R. N. HASZELDINE u. J. KIRMAN, Soc. [C] **1966**, 2075.
  R. FIELDS, R. N. HASZELDINE u. J. KIRMAN, Soc. [C] **1970**, 197.
  R. FIELDS, R. N. HASZELDINE u. N. F. WOOD, Soc. [C] **1970**, 744, 1370.
[3] R. L. WHISTLER, C.-C. WANG u. S. INOKAWA, J. Org. Chem. **33**, 2495 (1968).
  K. KUMAMOTO, Y. YOSHIDA, T. OGATA u. S. INOKAWA, Bl. chem. Soc. Japan **42**, 3245 (1969).
[4] R. SASIN, W. I. OLSZEWSKI, J. R. RUSSELL u. D. SWERN, Am. Soc. **81**, 6275 (1959).
[5] Brit. P. 1101334 (1968), Monsanto Co.; C. A. **69**, 3004 (1968).
[6] DBP. 1103590 (1961), Bataafsche Petroleum Maatschappij N. V., Erf.: K. GUTWEILER u. H. NIEBERGALL; C. A. **55**, 24 102 (1961).
  Brit. P. 925721, 925722 ≡ DBP. 1118781 (1959), 1113827 (1961); Koppers Co., Inc., Erf.: H. NIEBERGALL; C. A. **56**, 11 622, 14475 (1962).
  H. NIEBERGALL, Makromol. Ch. **52**, 218 (1962).
[7] A. R. STILES, F. F. RUST u. V. E. VAUGHAN, Am. Soc. **74**, 3282 (1952).
  Brit. P. 673451 (1952), N. V. de Bataafsche Petroleum Maatschappij; C. A. **47**, 5426 (1953).
  US. P. 2803597 (1957), Shell Development Co., Erf.: A. R. STILES, F. F. RUST u. V. E. VAUGHAN; C. A. **52**, 2049 (1958).
[8] A. R. STILES, F. F. RUST u. W. E. VAUGHAN, Am. Soc. **74**, 3282 (1952).
  Brit. P. 660918 (1951); 673451 (1952); Holl. P. 69357 (1952), N. V. de Bataafsche Petroleum Maatschappij; C. A. **46**, 8145 (1952); **47**, 143, 5426 (1953).
  US. P. 2724718 (1955), Shell Development Co., Erf.: A. R. STILES u. F. F. RUST; C. A. **50**, 10 124 (1956).
  US. P. 2803597 (1957), Shell Development Co., Erf.: A. R. STILES, F. F. RUST u. W. E. VAUGHAN; C. A. **52**, 2049 (1958).
  R. SASIN, W. I. OLSZEWSKI, J. R. RUSSELL u. D. SWERN, Am. Soc. **81**, 6275 (1959).
  A. N. PUDOVIK u. I. V. KONOVALOVA, Ž. obšč. Chim. **29**, 3342 (1959); engl.: 3305; **30**, 2348 (1960); engl.: 2328; C. A. **54**, 15 224 (1960); **55**, 8326 (1961).
  R. L. WHISTLER, C.-C. WANG u. S. INOKAWA, J. Org. Chem. **33**, 2495 (1968).
  R. FIELDS, R. N. HASZELDINE u. J. KIRMAN, Soc. [C] **1970**, 197.
  R. FIELDS, R. N. HASZELDINE u. N. F. WOOD, Soc. [C] **1970**, 744, 1370.
[9] Zur Nomenklatur vgl. ds. Handb., Bd. XII/1, S. 1–13.
[10] H. P. BENSCHOP u. D. H. J. M. PLATENBURG, Chem. Commun. **1970**, 1098.
  W. B. FARNHAM, R. K. MURRAY, Jr., u. K. MISLOW, Chem. Commun. **1971**, 146, 605.
  G. R. VAN DEN BERG, D. H. J. M. PLATENBURG u. H. P. BENSCHOP, Chem. Commun. **1971**, 606.
  vgl. L. P. REIFF u. H. S. AARON, Am. Soc. **92**, 5275 (1970).

C=C-Doppelbindung in der gleichen Molekel, so entstehen tertiäre Cyclophosphine, je nach Abstand 5-, 6- und 7-Ringe[1]. Die Primärprodukte aus Phosphin und primären Phosphinen enthalten ihrerseits noch P–H-Bindungen und sind deswegen zur weiteren Addition befähigt; namentlich aus Phosphin entstehen Produktgemische[2], die zusammen mit den unangenehmen Eigenschaften des Phosphins und der dadurch bedingten aufwendigen Arbeitstechnik[3] den präparativen Wert mindern. Ergiebiger und methodisch bequemer ist dagegen die doppelte Addition primärer Phosphine an Diolefine. Zum Beispiel erhält man mit Divinyläther 1,4-Oxaphosphorinane, die Phosphor-Analoga des Morpholins[4]. Die analoge Reaktion von Phenylphosphin mit Dimethyl-diallyl-silan führt allerdings zu Polymeren[5]. Beziehungen und Unterschiede zu anderen Formen der Addition von P–H-Verbindungen an Olefine sind an anderer Stelle zusammengefaßt[6]. Die Synthese von *1-Hydroxy-3-methyl-butan-1-phosphonsäure-diphenylester* aus Diphenylphosphit und 3-Methyl-butanal[7] repräsentiert die entsprechende, auch durch Peroxide ausgelöste Addition an O=C-Doppelbindungen:

$$(H_5C_6O)_2P{\overset{H}{\underset{O}{\big<}}} \;+\; (H_3C)_2CH-CH_2-CHO \;\xrightarrow{h\nu}\; (H_3C)_2CH-CH_2-\overset{OH}{\underset{}{C}}H-\overset{O}{\underset{}{P}}(OC_6H_5)_2$$

Bis-[1,1,2,2-tetrafluor-äthyl]-phosphin[8]: 3,40 g (25,4 mMol) (1,1,2,2-Tetrafluor-äthyl)-phosphin und 2,42 g (24,2 mMol) Tetrafluoräthylen werden in einem zugeschmolzenen Quarzrohr bei anfänglich 3 Atm. Innendruck 85 Stdn. mit einer Hanovia UV-S 500-Lampe bestrahlt [0,98 g (41%) Tetrafluoräthylen werden zurückgewonnen]. Die fraktionierte Destillation des Phosphin-Gemisches liefert nach 1,45 g (43%) nicht umgesetzten (1,1,2,2-Tetrafluor-äthyl)-phosphins 2,78 g Bis-[1,1,2,2-tetrafluor-äthyl]-phosphin (81% d.Th.; bez. auf verbrauchtes primäres Phosphin); Kp_{760}: 91–93°.

Analog den P–H-Bindungen können As–H-[9], As–As-, As-Halogen-[10], P–P-[11,12] und P-Halogen-Bindungen[13] photolysiert und entsprechend Tetrafluor-biphosphin, Tetramethyl-biphosphin und Tetrakis-[trifluormethyl]-biphosphin an Alkene und Fluoralkene[12,14],

---

[1] Fr. P. 1488936 (1967), Shell Internationale Research Maatschappij N. V.; C. A. **69**, 36 252 (1968).
[2] A. R. Stiles, F. F. Rust u. W. E. Vaughan, Am. Soc. **74**, 3282 (1952).
　　Brit. P. 673451 (1952), N. V. de Bataafsche Petroleum Maatschappij, C. A. **47**, 5426 (1953).
　　US. P. 2584112 (1952); Standard Oil Co. of Indiana, Erf.: H. C. Brown; C. A. **46**, 9580 (1952).
　　US. P. 2803597 (1957), Shell Development Co., Erf.: A. R. Stiles, F. F. Rust u. W. E. Vaughan; C. A. **52**, 2049 (1958).
[3] A. R. Stiles, F. F. Rust u. W. E. Vaughan, Am. Soc. **74**, 3282 (1952).
　　G. M. Burch, H. Goldwhite u. R. N. Haszeldine, Soc. **1963**, 1083.
[4] P. Tavs, Ang. Ch. **81**, 742 (1969).
[5] DBP. 1103590 (1961), Bataafse Petroleum Maatschappij N. V., Erf.: K. Gutweiler u. H. Niebergall; C. A. **55**, 24102 (1961).
[6] Ds. Handb., Bd. XII/1, S. 25.
[7] US. P. 2593213 (1952), Shell Development Co., Erf.: A. R. Stiles; C. A. **46**, 11 228 (1952).
[8] G. M. Burch, H. Goldwhite u. R. N. Haszeldine, Soc. **1963**, 1083.
[9] U. Schmidt, K. Kabitzke, K. Markau u. A. Müller, B. **99**, 1497 (1966).
[10] J. R. Preer, F.-D. Tsay u. H. B. Gray, Am. Soc. **94**, 1875 (1972).
[11] S. K. M. Wong u. J. K. S. Wan, Spectroscopy Letters **3**, 135 (1970).
　　S. K. M. Wong, W. Sytnyk u. J. K. S. Wan, Canad. J. Chem. **49**, 994 (1971).
[12] K. W. Morse u. J. G. Morse, Am. Soc. **95**, 8469 (1973); Inorg. Chem. **14**, 565 (1975).
[13] G. F. Kokoszka u. F. E. Brinckman, Chem. Commun. **1968**, 349; Am. Soc. **92**, 1199 (1970).
　　T. Kennedy u. R. S. Sinclair, J. Inorg. & Nuclear Chem. **32**, 1125 (1970).
　　T. Kennedy, R. S. Sinclair u. T. J. Sinclair, J. Inorg. & Nuclear Chem. **33**, 2369 (1971).
[14] R. Fields, R. N. Haszeldine u. N. F. Wood, Soc. [C] **1970**, 744.
　　P. Cooper, R. Fields u. R. N. Haszeldine, Soc. [C] **1971**, 3031.

Phosphor(III)-chlorid und -bromid an Olefine[1] und Thiophosphorylchlorid an Cyclohexen[2] angelagert werden. Hexafluorbutin-(2) addiert Chlor-dimethyl-arsin zu *Hexafluor-2-chlor-3-dimethylarsino-buten-(2)*[3]. Ferner setzt sich Phenylacetylen beim Belichten in Gegenwart von Azoisobuttersäure-dinitril mit Tetramethyl-, Tetraäthyl- und (bei längeren Reaktionszeiten und weniger ergiebig) Tetraphenyl-biphosphin zu einem Gemisch *cis/trans*-isomerer *1,2-Bis-[dimethyl-* (bzw. *-diäthyl-*; bzw. *-diphenyl*)-*phosphino]-1-phenyl-äthylene* um; mit Tetramethyl- bzw. Tetraphenyl-biarsin wird entsprechend *1,2-Bis-[dimethyl-* (bzw. *-diphenyl*)-*arsino]-1-phenyl-äthylen* erhalten[4]. Bei Einsatz äquimolarer Mengen kommt es dabei offenbar nicht zu einer Reaktion des Produkts mit noch vorhandenem Biphosphin oder Biarsin. Mit Tetrafluoräthylen reagiert Tetramethyl-biarsin zu einem telomeren 1:4-Addukt[5].

Ausnahmsweise werden auch P–CF$_3$-Bindungen gespalten, so erhält man z. B. aus Bis-[trifluormethyl]-äthyl-phosphin und Äthylen das seinerseits offenbar nicht mehr reaktive *Trifluormethyl-äthyl-(3,3,3-trifluor-propyl)-phosphin*[6]. Beim Tetrakis-[trifluormethyl]-biphosphin öffnen sich sowohl P–P- als auch P–CF$_3$-Bindungen, diese jedoch möglicherweise erst durch Angriff von Bis-[trifluormethyl]-phosphino-Radikalen; die Additionsprodukte leiten sich allein von der P–P-Photolyse her[7]. Analog verhält sich Tetramethyl-biarsin in Gegenwart von Tetrafluoräthylen[5]; neben dem Telomerisationsprodukt (s. Tab. 187, S. 1351) entsteht dadurch in geringen Mengen Trimethylarsin.

Diene addieren die Photolyseprodukte von Cyclopentaphosphinen und -arsinen als Zweiereinheiten in 1,4-Stellung zu 1,2-Diphospha- bzw. 1,2-Diarsa-cyclohexenen-(4)[8]. Cyclopentadien und Cyclohexadien-(1,4) liefern so die entsprechenden bicyclischen Ringsysteme, im letzten Fall allerdings infolge von Dehydrierung weiterer Cyclohexadiens-(1,4) durch das Primärprodukt als 2,3-Diphospha-bicyclo[2.2.2]octan:

2,3-Diäthyl-2,3-di-phospha-bicyclo[2.2.2] octan; 51% d.Th.

Die Cycloaddition läßt sich zwar auch thermisch durchführen, steht dann jedoch in Konkurrenz mit dem Einbau von R–P-Bruchstücken: Neben den Diphosphacyclohexenen entstehen die entsprechenden Phospholine. Photochemisch kommt die Cycloaddition einer R–P-Einheit bei der Reaktion von Pentaphenyl-cyclopentaphosphin mit Benzil zum Zuge: Der Phosphor lagert sich zweimal an die Enden des O=C–C=O-Systems an und liefert

[1] US. P. 2510699 (1950), United States Rubber Co., Erf.: E. C. LADD u. J. R. LITTLE; C. A. **44**, 7348 (1950).
  J. R. LITTLE u. P. F. HARTMAN, Am. Soc. **88**, 96 (1966).
  B. FONTAL u. H. GOLDWHITE, Chem. Commun. **1965**, 111.
[2] U. SCHMIDT u. A. ECKER, Ang. Ch. **82**, 444 (1970).
[3] W. R. CULLEN, D. S. DAWSON, N. K. HOTA u. G. E. STYAN, Chem. & Ind. **1963**, 983.
[4] A. TZSCHACH u. S. BAENSCH, J. pr. **313**, 254 (1971).
[5] W. R. CULLEN u. N. K. HOTA, Canad. J. Chem. **42**, 1123 (1964).
[6] R. FIELDS, R. N. HASZELDINE u. N. F. WOOD, Soc. [C] **1970**, 1370.
[7] P. COOPER, R. FIELDS u. R. N. HASZELDINE, Soc. [C] **1971**, 3031.
[8] U. SCHMIDT u. I. BOIE, Ang. Ch. **78**, 1061 (1966).
  U. SCHMIDT, I. BOIE, C. OSTERROHT, R. SCHRÖER u. H. F. GRÜTZMACHER, B. **101**, 1381 (1968).

2,3,5,7,8-Pentaphenyl-1,4,6,9-tetraoxa-5-phospha-spiro[4.4]nonadien, das auch in Dunkelreaktionen, z. B. aus Dichlor-phenyl-phosphin, Zink und Benzil, zugänglich ist[1]:

$$(H_5C_6P)_5 \ + \ 10 \ H_5C_6{-}CO{-}CO{-}C_6H_5 \ \xrightarrow{h\nu} \ 5 \quad$$

Mutmaßlich der Homolyse einer O–C-Bindung wie bei der Photo-Michaelis-Arbusov-Reaktion (vgl. S. 1368) und der Addition eines durch Isomerisierung entstandenen Dialkyl-phosphit-Radikals an eine C=C-Doppelbindung verdankt das beim Belichten von 3,4-Dioxo-1,2-diphenyl-cyclobuten mit überschüssigem Trimethylphosphit in Benzol oder Tetrahydrofuran gebildete *1-Dimethoxyphosphono-3,4-dioxo-1,2-diphenyl-cyclobutan* seine Entstehung[2]:

Die Reaktion ist insofern bemerkenswert, als der Vierring des 3,4-Dioxo-1,2-diphenyl-cyclobutens selbst photolabil ist[3]. Bei den durch Photolyse der S–H-Bindung von Dithio-phosphorsäure-O,O-dialkylestern entstehenden $(RO)_2PS^\bullet$-Radikalen kommt es mangels eines Elektronenpaars am Phosphor zu keiner derartigen Isomerisierung[4]. Ebenso ist der Phosphor durch Quarz bestrahlter Dimethylphosphinsäure-ester ungesättigter Alkohole kein geeigneter Reaktionspartner für die C=C-Doppelbindungen, die überdies nicht polymerisieren[5].

α_2) Knüpfung von P–C- bzw. As–C-Bindungen durch Substitution

Aus Phosphor-Verbindungen mit P–H-Bindungen werden phosphorhaltige Radikale auch mit Hilfe photolytisch erzeugter Chloratome gebildet. So führt die Reaktion von Cyclohexan mit Phosphorigsäure-diestern zu **Cyclohexan-phosphonsäure-diestern**, von Alkan- bzw. Aren-phosphonigsäure-mono-estern zu **Alkyl(Aryl)-cyclohexyl-phosphinsäure-estern** und von sekundären Phosphinoxiden zu **Cyclohexyl-phosphinoxiden**[6]. Die Ausbeuten liegen bei P–$C_{arom.}$-Verbindungen um 30%, sonst (auch bei Arylestern) zwischen 72 und 84%. Die gleichen Produkte entstehen in Ausbeuten zwischen 50 und 84%, wenn die entsprechenden P–Cl-Verbindungen in Cyclohexan photolysiert werden. Die Reaktion versagt allerdings bei P–Cl-Verbindungen mit P–$C_{arom.}$-Bindungen. Phosphorsäure-ester-dichloride und Phosphonsäure-dichloride geben analog 48–71% **Phosphinsäureester** bzw. **tertiäre Phosphinoxide** neben 4–14% Mono-Produkt. Ein Nachteil ist die kurzwellige Absorption der Phosphor-Komponenten ($\lambda < 220$ nm)[7], die die Verwendung von Deuteriumlampen notwendig macht. Ihre geringe Strahlungsintensität bedingt sehr große Belichtungszeiten. Hierin sind Phosphor-Schwefel-Halogenide günstiger, die um 260 nm absorbieren und daher den Einsatz von Hg-Nieder-

[1] U. Schmidt, I. Boie, C. Osterroht, R. Schröer u. H. F. Grützmacher, B. **101**, 1381 (1968).

[2] P. R. Ortiz de Montellano u. P. C. Thorstenson, Tetrahedron Letters **1972**, 787.

[3] O. L. Chapman, C. L. McIntosh u. L. L. Barber, Chem. Commun. **1971**, 1162.

[4] M. Sato, M. Yanagita, Y. Fujita u. T. Kwan, Bl. chem. Soc. Japan **44**, 1423 (1971).

[5] H. Reinhardt, D. Bianchi u. D. Mölle, B. **90**, 1656 (1957).

[6] E. Müller u. H. G. Padeken, B. **100**, 521 (1967).

[7] Vgl. M. Halmann, Soc. **1963**, 2853.
　　M. Halmann u. I. Platzner, Soc. **1965**, 1440.
　　H. Benderly u. M. Halmann, J. phys. Chem. **71**, 1053 (1967).

Tab. 187. Addition von Organo-phosphor- bzw. -arsen-Verbindungen
an C–C-Mehrfachbindungen

Organo-phosphor-Komponente	Olefin-Komponente	Produkt	Ausbeute[a] [% d.Th.]	Kp [°C]	[Torr]	Literatur
$HF_2C-CH_2-PH_2$	$H_2C=CF_2$	*Bis-[2,2-difluor-äthyl]-phosphin*	92	109–110	235	1
$H_{25}C_{12}-PH_2$	$H_2C=CH-O-CH=CH_2$	*4-Dodecyl-1,4-oxaphosphorinan*	57	155–157	0,5	2
$H_5C_6-PH_2$		*5,6-Didesoxy-1,2-O-isopropyliden-6-phenylphosphinyl-α-D-xylohexanofuranose*	75	(F:147 –147°)		3
$(CH_3)_2PH$	$H_2C=CH_2$	*Dimethyl-äthyl-phosphin*	80	73	754	4
	$H_2C=CHF$	*Dimethyl-(1-fluor-äthyl)- und -(2-fluor-äthyl)-phosphin*	97	103–104	770	5
	$FHC=CF_2$	*Dimethyl-(1,1,2- und 1,2,2-tri-fluor-äthyl)-phosphin*	67	96,7 bzw.88	b	6
	$F_2C=CF_2$	*Dimethyl-(1,1,2,2-tetrafluor-äthyl)-phosphin*	69	89	758	4
	$F_3C-CH=CF_2$	*cis- und trans-1,3,3,3-Tetrafluor-1-dimethylphosphino-propen*	98	cis: 89,3 trans: 112,3	b	5
$(F_3C)_2PH$	$H_2C=CH_2$	*Bis-[trifluormethyl]-äthyl-phosphin*	97	62–63	763	4
	$H_2C=CF_2$	*Bis-[trifluor-methyl]-(2,2-difluor-äthyl)-phosphin*	93	71,8	b	5
	$FHC=CF_2$	*Bis-[trifluormethyl]-(1,1,2- und 1,2,2-trifluor-äthyl)-phosphin*	91	66,5	b	6
	$F_2C=CF_2$	*Bis-[trifluormethyl]-(1,1,2,2-tetrafluor-äthyl)-phosphin*	98	61	755	4

[a] In vielen Fällen bezogen auf umgesetztes Edukt bei unvollständigem Umsatz.
[b] Isoteniscop.

1 G. M. BURCH, H. GOLDWHITE u. R. N. HASZELDINE, Soc. **1963**, 1083.
2 P. TAVS, Ang. Ch. **81**, 742 (1969).
3 R. L. WHISTLER, C.-C. WANG u. S. INOKAWA, J. Org. Chem. **33**, 2495 (1968).
4 R. FIELDS, R. N. HASZELDINE u. J. KIRMAN, Soc. [C] **1970**, 197.
5 R. FIELDS, R. N. HASZELDINE u. N. F. WOOD, Soc. [C] **1970**, 1370.
6 R. FIELDS, R. N. HASZELDINE u. N. F. WOOD, Soc. [C] **1970**, 744.

Tab. 187 (1. Fortsetzung)

Organo-phosphor-Komponente	Olefin-Komponente	Produkt	Ausbeute[a] [% d. Th.]	Kp [°C]	Kp [Torr]	Literatur
$(F_3C)_2PH$	$H_3C-CH=CH_2$	*Bis-[trifluormethyl]-propyl-phosphin*	99	85	748	1
$(H_5C_2)_2PH$	$(H_3C)_2Si(CH=CH_2)_2$	*Dimethyl-bis-[2-diäthylphosphino-äthyl]-silan*[b]	96 82	155–160	3	2 3
	$(H_3C)_2Si(CH_2-CH=CH_2)_2$	*Dimethyl-bis-[3-diäthylphosphino-propyl]-silan*[b]	97	170–171	4	2
	$Si(CH=CH_2)_4$	*Tetrakis-[2-diäthylphosphino-äthyl]-silan*[b]	95	224,5–228	2	2
	$Cl_2Si(CH=CH_2)_2$	*Dichlor-bis-[2-diäthylphosphino-äthyl]-silan*[b]	71 81	165–170	3	2 4
$(H_5C_6)_2PH$	$Si(CH=CH_2)_4$	*Tetrakis-[2-diphenylphosphino-äthyl]-silan*[b]	62	(F: 208–211°)		2
	$(H_5C_2O)_3Si-CH=CH_2$	*Triäthoxy-[2-diphenylphosphino-äthyl]-silan*[b]	96	178–179	2	2
$H_5C_6-PH-(CH_2)_2-CH=CH_2$		*1-Phenyl-phospholan*	38	125	14	5
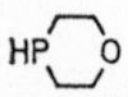	$H_3C-(CH_2)_5-CH=CH_2$	*4-Octyl-1,4-oxaphosphorinan*	68	[c]		6
$H_5C_2-P(CF_3)_2$	$H_2C=CH_2$	*Trifluormethyl-äthyl-(3,3,3-trifluor-propyl)-phosphin*	65	92	[d]	7
$(H_3C)_2P-P(CH_3)_2$	$H_2C=CH_2$	*1,2-Bis-[dimethylphosphino]-äthan*	68	183–184	752	8
	$FHC=CF_2$	*1,1,2-Trifluor-1,2-bis-[dimethyl-phosphino]-äthan*	89	[c]		9
	$H_3C-CH=CH_2$	*1,2-Bis-[dimethylphosphino]-propan*	78	80–81	18	8
	$H_5C_6-C\equiv CH$	*1,2-Bis-[dimethylphosphino]-1-phenyl-äthylen*[e]	62	112	2,5	10

[a] In vielen Fällen bezogen auf umgesetztes Edukt bei unvollständigem Umsatz.
[b] Anlagerungsrichtung nicht bewiesen.
[c] Nicht angegeben.
[d] Isoteniscop.
[e] Belichtung unter Zusatz von Azoisobuttersäure-dinitril; überwiegend *trans*-Produkt.

[1] R. FIELDS, R. N. HASZELDINE u. J. KIRMAN, Soc. [C] **1970**, 197.
[2] H. NIEBERGALL, Makromol. Ch. **52**, 218 (1962).
[3] Brit. P. 925721; DBP. 1118781 (1959), Koppers Co., Inc., Erf.: H. NIEBERGALL; C. A. **56**, 11622 (1962).
[4] Brit. P. 925722; DBP. 1113827 (1961), Koppers Co., Inc., Erf.: H. NIEBERGALL; C. A. **56**, 14475 (1962).
[5] Fr. P. 1488936 (1967), Shell Internationale Research Maatschappij N. V.; C. A. **69**, 36252 (1968).
[6] P. TAVS, Ang. Ch. **81**, 742 (1969).
[7] R. FIELDS, R. N. HASZELDINE u. N. F. WOOD, Soc. [C] **1970**, 1370.
[8] P. COOPER, R. FIELDS u. R. N. HASZELDINE, Soc. [C] **1971**, 3031.
[9] R. FIELDS, R. N. HASZELDINE u. N. F. WOOD, Soc. [C] **1970**, 744.
[10] A. TZSCHACH u. S. BAENSCH, J. pr. **313**, 254 (1971).

Tab. 187 (2. Fortsetzung)

Organo-phosphor-Komponente	Olefin-Komponente	Produkt	Ausbeute[a] [% d.Th.]	Kp [°C]	[Torr]	Literatur
(F$_3$C)$_2$P–P(CF$_3$)$_2$	H$_2$C=CH$_2$	*1,2-Bis-[bis-(trifluormethyl)-phosphino]-äthan*	73	[b]		1
	H$_3$C–C=C–CH$_3$ (H, H)	*2,3-Bis-[bis-(trifluormethyl)-phosphino]-butan*	89	169	[c]	1
(H$_5$C$_2$)$_2$P–P(C$_2$H$_5$)$_2$	H$_5$C$_6$–C≡CH	*1,2-Bis-[diäthylphosphino]-1-phenyl-äthylen[d]*	49	210–215	2,5	2
(S)$_P$–(Menthyl–O–)P–H, O, CH$_3$	H$_2$C=CH$_2$	*Äthyl-methyl-phosphinsäure-(R)$_P$-menthylester*	98	(F:80–81°)		3
H$_5$C$_2$–P–OCH$_3$, O, H	(Cyclohexan)	*Äthyl-cyclohexyl-phosphinsäure-methylester*	40[e]	126–127	11	4
(S)$_P$–H$_5$C$_6$–P–OC$_2$H$_5$, O, H	H$_2$C=CH$_2$·	*(S)$_P$-Äthyl-phenyl-phosphinsäure-äthylester*	[b]	[b]		5
H$_5$C$_6$–P–OC$_2$H$_5$, O, H	H$_3$C–(CH$_2$)$_7$–CH=CH$_2$	*Decyl-phenyl-phosphinsäure-äthylester*	71[e]	199–200	5,5	4
(H$_5$C$_6$)$_2$PH, S	(H$_5$C$_2$O)$_3$Si–CH=CH$_2$	*Triäthoxy-(2-diphenylthio-phosphinyl-äthyl)-silan[f]*	94	137–140	2	6
(H$_3$CP)$_5$	H$_2$C=CH–CN	*(2-Cyan-äthyl)-diphenyl-phosphinsulfid*	98	(F: 119–124°)		7
(H$_5$C$_2$)$_2$PH, S	H$_3$C, CH$_3$, H$_2$C=C–C=CH$_2$	*1,2,4,5-Tetramethyl-3,6-dihydro-λ³-1,2-diphosphorin*	53	100	8	8,9

[a] In vielen Fällen bezogen auf umgesetztes Edukt bei unvollständigem Umsatz.
[b] Nicht angegeben.
[c] Isoteniscop.
[d] Belichtung unter Zusatz von Azoisobuttersäure-dinitril; überwiegend *trans*-Derivat.
[e] Die Partner wurden sowohl photochemisch als auch in Gegenwart von Dibenzoylperoxid zur Reaktion gebracht. Auf welche Variante sich die angegebenen Ausbeuten beziehen, wurde nicht mitgeteilt.
[f] Anlagerungsrichtung nicht bewiesen.

[1] P. COOPER, R. FIELDS u. R. N. HASZELDINE, Soc. [C] 1971, 3031.
[2] A. TZSCHACH u. S. BAENSCH, J. pr. 313, 254 (1971).
[3] H. P. BENSCHOP u. D. H. J. M. PLATENBURG, Chem. Commun. 1970, 1098.
W. B. FARNHAM, R. K. MURRAY, Jr., u. K. MISLOW, Chem. Commun. 1971, 605.
G. R. VAN DEN BERG, D. H. J. M. PLATENBURG u. H. P. BENSCHOP, Chem. Commun. 1971, 606.
[4] A. N. PUDOVIK u. I. V. KONOVALOVA, Ž. obšč. Chim. 30, 2348 (1960); engl.: 2328; C. A. 55, 8326(1961).
[5] G. R. VAN DEN BERG, D. H. J. M. PLATENBURG u. H. P. BENSCHOP, Chem. Commun. 1971, 606.
[6] H. NIEBERGALL, Makromol. Ch. 52, 218 (1962).
[7] Brit. P. 1101334, Monsanto Co.; C. A. 69, 3004 (1968).
[8] U. SCHMIDT u. I. BOIE, Ang. Ch. 78, 1061 (1966).
[9] U. SCHMIDT, I. BOIE, C. OSTERROHT, R. SCHRÖER u. H.-F. GRÜTZMACHER, B. 101, 1381 (1968).

Tab. 187 (4. Fortsetzung)

Organophosphor-Komponente	Olefin-Komponente	Produkt	Ausbeute[a] [% d.Th.]	Kp		Literatu
				[°C]	[Torr]	
$(H_5C_2P)_5$	H_3C CH_3 / $H_2C=C-C=CH_2$	4,5-Dimethyl-1,2-diäthyl-3,6-dihydro-λ^3-1,2-diphosphorin	65	78–80	0,4	1
	⬡	2,3-Diäthyl-2,3-diphospha-bicyclo[2.2.2]octan	51	73–77	0,5	1
$(H_3C)_2As-Cl$	$F_3C-C\equiv C-CF_3$	Hexafluor-2-chlor-3-dimethyl-arsino-buten-(2)		80	50	2
$(H_3C)_2As-As(CH_3)_2$	$F_2C=CF_2$	Hexadecafluor-1,8-bis-[dimethyl-arsino]-octan	99	110–125	10^{-3}	3
	$H_5C_6-C\equiv CH$	1,2-Bis-[dimethylarsino]-1-phenyl-äthylen[b]	84	123–126	2	4
$(H_3CAs)_5$	H_3C CH_3 / $H_2C=C-C=CH_2$	1,2,4,5-Tetramethyl-1,2-diarsa-cyclohexen-(4)	95	70–72	0,25	1

[a] In vielen Fällen bezogen auf umgesetztes Edukt bei unvollständigem Umsatz.

[b] Belichtung unter Zusatz von Azoisobuttersäure-dinitril; überwiegend *trans* Produkt.

druckbrennern gestatten. Die Reaktion gelingt mit Thiophosphorylchlorid und Cycloalkanen; z. B. erhält man aus Thiophosphorylchlorid und Cyclododecan *Cyclododecan-thiophosphonsäure-dichlorid* (44% d.Th.)[5]. Im Toluol reagiert die Methyl Gruppe[5]. Dagegen ist die Ausbeute bei der Reaktion von Paraffinen mit Phosphor(III)-chlorid und Sauerstoff zu Alkanphosphonsäure-dichloriden nicht von Belichtung abhängig[6]. Vinylisch gebundenes Fluor wird bei der Licht- (und Dunkel)- Reaktion von Dimethyl-phosphin mit 1,1,3,3,3-Pentafluor-propen substituiert (man erhält ein 2:1-Gemisch von *cis*- und *trans-1,3,3,3-Tetrafluor-1-dimethylphosphino-propen*), mit dem jedoch Phosphin und Bis-[trifluormethyl]-phosphin überhaupt nicht (auch nicht im Sinne der Addition) reagieren[7].

Beim Belichten einer Lösung weißen Phosphors in Tetrachlormethan kommt neben der Photopolymerisation zu rotem Phosphor in geringem Maße eine Reaktion mit dem Solvens zu Phosphor(III)-chlorid und *Dichlor-trichlormethyl-phosphin* zum Zuge. Die schon durch sichtbares Licht ausgelöste Reaktion sollte mit einer Photolyse von P–P-Bindungen beginnen, da nur der Phosphor die langwellige Strahlung absorbiert[8]. Ungeklärt, aber im Falle von Kettenreaktionen wenig relevant ist der Ort der Photolyse bei einigen Umsetzungen zwischen Trifluor-jod-methan und Verbindungen mit P–P- und As–As-Bindungen. So reagiert Tetraphenyl-biphosphin thermisch oder UV-initiiert zu *Trifluormethyl-diphenyl-phosphin* und *Jod-diphenyl-phosphin*[9], Tetraphenyl-cyclotetraphosphin zu *Bis-[trifluormethyl]-phenyl-phosphin*[10] und Hexaphenyl-cyclohexaarsin zu *Bis-[trifluormethyl]-phenyl-*,

[1] U. Schmidt, I. Boie, C. Osterroth, R. Schröer u. H.-F. Grützmacher, B. 101, 1381 (1968).

[2] W. R. Cullen, D. S. Dawson, N. K. Hota u. G. E. Styan, Chem. & Ind. 1963, 983; C. A. 59, 5195 (1963).

[3] W. R. Cullen u. N. K. Hota, Canad. J. Chem. 42, 1123 (1964).

[4] A. Tzschach u. S. Baensch, J. pr. 313, 254 (1971).

[5] U. Schmidt u. A. Ecker, Ang. Ch. 82, 444 (1970).

[6] J. O. Clayton u. W. L. Jensen, Am. Soc. 70, 3880 (1948).

[7] R. Fields, R. N. Haszeldine u. N. F. Wood, Soc. [C] 1970, 1370.

[8] D. Perner u. A. Henglein, Z. Naturf. 17 b, 703 (1962).

[9] M. A. A. Beg u. H. C. Clark, Canad. J. Chem. 40, 283 (1962).

[10] M. A. A. Beg u. H. C. Clark, Canad. J. Chem. 39, 564 (1961).

Jod-trifluormethyl-phenyl- und *Dijod-phenyl-arsin*[1]. Hierher gehört auch die Bildung von *Tris-[trifluormethyl]-phosphin* aus Tetrakis-[trifluormethyl]-biphosphin[2] und von *Trimethyl-arsin* aus Tetramethyl-biarsin[1], die selbst in Gegenwart von Olefinen neben der Addition zum Zuge kommt.

Um die Photolyse einer P–CO-Bindung mit anschließender radikalischer Substitution aromatischen Wasserstoffs dürfte es sich bei der Bildung von *Benzol-phosphonsäure-dimethylester* bei der Belichtung von 1-Oxo-äthan-phosphonsäure-dimethylester in Benzol handeln; die Reaktion tritt dann hinter einer intramolekularen Dehydrierung zurück, wenn die Alkyl-Reste der Estergruppierung nicht-primären Wasserstoff tragen[3].

α_3) *Abbau von Organo-phosphor- bzw. -arsen-Verbindungen*

Werden photolabile Phosphor-Verbindungen in Abwesenheit additions- oder substitutionsbereiter Substrate bestrahlt, so tritt Abbau ein. Dieser ist präparativ uninteressant, weil die Produkte anderweitig besser zugänglich sind, und spielt eher eine Rolle als störende Nebenreaktion bei sonst synthetisch nützlichen Verfahren (vgl. S. 1366). P–C-Bindungen öffnen sich jedoch, sofern überhaupt spaltbar[4], in der Regel erst unter drastischen Bedingungen (Einstrahlung durch Quarz), so daß Photoreaktionen in anderen (selbst eng benachbarten) Bereichen der phosphororganischen Molekeln oder an anderen, gemeinsam mit der Organophosphor-Komponente belichteten Verbindungen häufig glatt durchgeführt werden können, ohne daß es zu einer Photolyse von P–C-Bindungen kommt.

Lösungen von Tetraphenyl-biphosphin in wasserfreien Alkoholen geben beim Erhitzen oder 18 stdg. Bestrahlen bei Raumtemperatur mit einer 450 Watt-Hg-Mitteldruck-Lampe durch Pyrex-Glas infolge einer thermischen oder photolytischen Spaltung der P–P-Bindung *Diphenylphosphin* und *Diphenylphosphinigsäure-alkylester*, der in einer Sekundärreaktion zu *Diphenylphosphinsäure-alkylester* oxidiert wird. Die Produkte der auch mit Phenol in Benzol erfolgreichen Reaktion waren im Falle des Benzylalkohols von viel Toluol und etwas 1,2-Diphenyl-äthan begleitet; tert. Butanol liefert ebenfalls in hoher Ausbeute *Diphenylphosphin*, jedoch anstelle des Esters *Diphenylphosphinsäure* sowie eine Spur Aceton[5]. Der Wasserstoff des Diphenylphosphins soll der H–O-, nicht einer (im Phenol und tert. Butanol fehlenden) α–C–H-Bindung des eingesetzten Alkohols entstammen; entsprechend verläuft die Reaktion mit optisch aktivem Octanol-(2) hochgradig unter Retention [*Diphenyl-phosphinigsäure-octyl-(2)-ester*][6]. Andererseits sollen die durch Blitzlicht-photolyse oder 6–12 stdg. Dauerbelichtung mit einem 200 Watt-Hg-Hochdruckbrenner durch Quarz aus Tetraphenyl-biphosphin, Diphenyl- und Triphenyl-phosphin in Methanol erzeugten Diphenylphosphino-Radikale das Solvens bevorzugt an den α–C–H-Bindungen dehydrieren[7]. Aus Triphenylphosphin, das bei Einstrahlung in die Hauptbande auch im Kristallverband an der P–$C_{arom.}$-Bindung gespalten wird[8,9], entstehen in Methanol *Benzol*, *Phenyl-* und *Diphenyl-phosphin*, *Diphenyl-* und *Triphenyl-phosphinoxid*[7,8] sowie durch Reaktion der Phenyl-Radikale mit dem Edukt *Tetraphenyl-phosphonium-Salz*[8,9].

---

[1] W. R. Cullen u. N. K. Hota, Canad. J. Chem. **42**, 1123 (1964).

[2] P. Cooper, R. Fields u. R. N. Haszeldine, Soc. [C] **1971**, 3031.

[3] Y. Ogata u. H. Tomioka, J. Org. Chem. **35**, 596 (1970).

[4] A. N. Hughes u. C. Srivanavit, Canad. J. Chem. **49**, 874 (1971).

[5] R. S. Davidson, R. A. Sheldon u. S. Trippett, Soc. [C] **1966**, 722.

[6] R. S. Davidson, R. A. Sheldon u. S. Trippett, Chem. Commun. **1966**, 99, 284.

[7] S. K. Wong, W. Sytnyk u. J. K. S. Wan, Canad. J. Chem. **49**, 994 (1971).

[8] L. Horner u. J. Dörges, Tetraheoron Letters **1965**, 763.

[9] W. T. Cook, J. S. Vincent, I. Bernal u. F. Ramirez, J. Chem. Physics **61**, 3479 (1974).

Die Salzbildung kommt in Isopropanol weniger[1], in Äthanol/Benzol nur noch in Gegenwart von Alkalimetallhalogeniden[2] und in 1,4-Dioxan nicht mehr[1] zum Zuge. In Benzol entstehen *Diphenylphosphin* und *Biphenyl*, daneben etwas Tetraphenyl-biphosphin und Terphenyl, aus Tris-[4-methyl-phenyl]-phosphin die entsprechenden p-Methyl-Verbindungen (*Bis-[4-methyl-phenyl]-phosphin*, *4-Methyl-biphenyl* und *4,4'-Dimethyl-biphenyl*)[2]. Bemerkenswert ist die Bildung von *Bis-[4-methyl-phenyl]-phosphin* und *Phenyl-bis-[4-methyl-phenyl]-phosphin* aus Diphenyl-(4-methyl-phenyl)-phosphin wegen der Knüpfung neuer P–C-Bindungen. Diese wird auch bei der Reaktion von Triphenylphosphin in Benzol/Äthanol zu *Diphenylphosphin* und *Äthyl-diphenyl-phosphin* deutlich[2]. P–P-, P–S- und P–C-Bindungen werden bei der Belichtung von Tetramethyl-biphosphin-disulfid in Gegenwart von Chlor gespalten; eigenartig ist der Befund, daß nach 1stdg. Reaktion die Abspaltung von einer der beiden Methyl-Gruppen am Phosphor vollständig ist (100 % *Tetrachlor-methyl-phosphoran*), nach 6 Stdn. dagegen ein Produktgemisch vorliegt, das auch ein Dimethyl-phosphinsäure-Derivat enthält (11 % *Trichlor-bis-[trichlormethyl]-phosphoran*)[3].

Andererseits zeigt Tab. 187 (S. 1351), daß die P–C-Bindungen von Phosphinen, Phosphinoxiden, Phosphin- und Phosphonsäureestern gegen Belichtung weitgehend resistent sind. Als äußerst empfindlich offenbar selbst gegen glasgefiltertes Tageslicht wurden Diphenyl-(4-dimethylamino-phenyl)-phosphin sowie sein Oxid und Sulfid beschrieben[4], jedoch wurde dieser angesichts der UV-Spektren überraschende Befund anderweitig nicht bestätigt[5]. In Gegenwart äquimolarer Mengen 10-Diazo-anthron wird auch Triphenylphosphin bei der Belichtung mit einem Hanovia 450 Watt-Hg-Brenner durch Quarz in Benzol nicht mehr gespalten; die Diazo-Verbindung entbindet Stickstoff, und das gebildete Carben gibt mit dem Phosphin *10-Triphenylphosphoranyl-anthron*[6]. Diese Bildung eines unter den Belichtungsbedingungen offenbar stabilen Ylids konkurriert erfolgreich mit der thermischen Reaktion des 10-Diazo-anthrons mit Triphenylphosphin zum photostabilen *10-(Triphenylphosphoranyl-hydrazono)-anthron*, während sich aus 4-Diazo-1-oxo-2-methyl-1,4-dihydro-naphthalin und Triphenylphosphin in Benzol auch bei Belichtung lediglich *4-(Triphenylphosphoranyl-hydrazono)-1-oxo-2-methyl-1,4-dihydro-naphthalin* bildet:

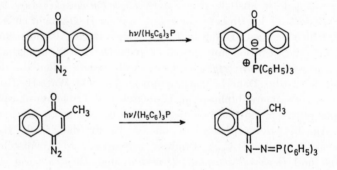

1,2-Bis-[diphenylphosphino]-3,4-dioxo-cyclobuten und 2-Diphenylphosphino-3,4-dioxo-1-phenyl-cyclobuten erleiden beim Belichten in Äthanol die für 1,2-disubstituierte 3,4-Dioxo-cyclobutene typische[7] Ringöffnung zu den isomeren Diketenen; Addition des Solvens

[1] L. Horner u. J. Dörges, Tetrahedron Letters **1965**, 763.
[2] M. L. Kaufman u. C. E. Griffin, Tetrahedron Letters **1965**, 769.
[3] H. Reinhardt, D. Bianchi u. D. Mölle, B. **90**, 1656 (1957).
[4] H. Goetz, Habilitationsschrift, TU Berlin 1962.
[5] G. P. Schiemenz, B. **98**, 65 (1965).
[6] J. C. Fleming u. H. Shechter, J. Org. Chem. **34**, 3962 (1969).
[7] O. L. Chapman, C. L. McIntosh u. L. L. Barber, Chem. Commun. **1971**, 1162.

führt zu einem Gemisch stereoisomerer *2,3-Bis-[diphenylphosphino]*- bzw. *2-Diphenyl-phosphino-3-phenyl-bernsteinsäure-diäthylester* (s. a. S. 1350)[1]:

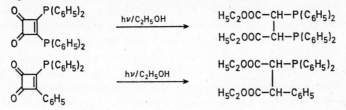

Der analoge, aber offenkettige 2,3-Bis-[diphenylphosphino]-maleinsäure-dimethylester ist nicht lichtempfindlich[2] und zeigt derart, daß der 3,4-Dioxo-cyclobuten-Ring die wesentliche Rolle spielt; eine Beteiligung des Phosphors ist nur insofern zu erkennen, als bei der Mono-diphenylphosphino-Verbindung die Lichtempfindlichkeit durch Komplexierung des Phosphor-Elektronenpaars mit einer $Cr(CO)_5$- oder $Mo(CO)_5$-Gruppe verloren geht[3]. In Benzol erfolgt beim 1,2-Bis-[diphenylphosphino]-3,4-dioxo-cyclobuten Decarbonylierung; anstelle des substituierten Cyclopropenons fallen Polymere an[4].

Auch bei einigen Phospholen und Phosphorinen erwiesen sich die P–C-Bindungen als resistent gegen UV-Strahlung; die Verbindungen reagieren entweder überhaupt nicht (bzw. bei sehr langer Bestrahlung unter tiefgreifender Zersetzung[5]) oder in anderen Molekelbereichen. So dimerisiert 1,2,5-Triphenyl-phosphol in einer reversiblen [2+2]-Cycloaddition[6]; sein P-Oxid (I) bildet in 1,4-Dioxan (auch in Gegenwart von Diazoessigsäuremethylester) ebenfalls ein Dimeres oder Polymeres und reagiert in 1,4-Dioxan/Diäthyläther mit Diazomethan bei Einstrahlung durch Pyrex-Glas zu *3,4,5-Triphenyl-4-phosphabicyclo[3.1.0]hexen-(2)-4-oxid* (II)[7], das beim längeren Belichten eine Ringerweiterung und Dimerisierung zum *1,1',2,2',6,6'-Hexaphenyl-4,4'-bi-[phosphorinyliden]-1,1'-dioxid* (III) erfährt[5]:

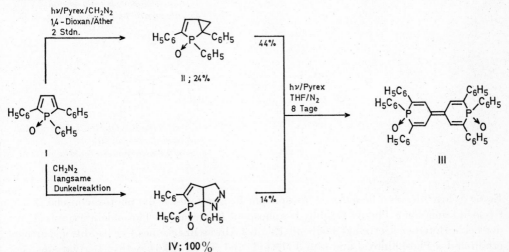

---

[1] D. Fenske, Dissertation, Universität Münster, 1973.
  Vgl. D. Fenske, H. J. Becher u. E. Langer, XXIVth IUPAC Congress, Kurzreferate der Vorträge, Hamburg 1973, S. 418.
[2] H. J. Becher, D. Fenske u. E. Langer, B. 106, 177 (1973).
[3] D. Fenske u. H. J. Becher, B. 107, 117 (1974).
[4] D. Fenske, Dissertation, Universität Münster 1973.
  Vgl. H. J. Becher, D. Fenske u. E. Langer, B. 106, 177 (1973).
[5] A. N. Hughes u. C. Srivanavit, Canad. J. Chem. 49, 874 (1971).
[6] T. J. Barton u. A. J. Nelson, Tetrahedron Letters 1969, 5037.
[7] I. G. M. Campbell, R. C. Cookson, M. B. Hocking u. A. N. Hughes, Soc. 1965, 2184.

III entsteht auch durch Photolyse des aus I und Diazomethan im Dunklen ergiebig zugänglichen 3,3a,6,6a-Tetrahydro-5,6,6a-triphenyl-⟨phospholo[2,3-c]pyrazol⟩-6-oxids (IV, S. 1357)[1].

Die analoge Reaktion des durch eine [3+2]-Cycloaddition aus Bicyclo[2.2.1]hepten und α-Diazo-phenylmethan-phosphonsäure-dimethylester thermisch zugänglichen α-phosphono-substituierten Pyrazolins bleibt auf der Cyclopropan-Stufe des *Tricyclo[3.2.1.0²,⁴]octan-phosphonsäure-dimethylesters* stehen[2]. Bei den durch thermische Cycloaddition von α-Diazo-phenylmethan-phosphonsäure-dimethylester an Propiolsäure-methylester und Acetylen-dicarbonsäure-dimethylester entstehenden 3H-Pyrazolen unterbleibt sogar die entsprechende Cyclopropen-Bildung, weil eine thermische sigmatrope [1.5]-Verschiebung der $(CH_3O)_2P$(O)-Gruppe an den Stickstoff der Photofragmentierung zuvorkommt; es entstehen so photostabile 1-Dimethoxyphosphoryl-pyrazole[3] (vgl. a. S. 1224ff.):

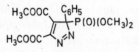 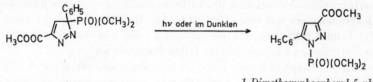

1-Dimethoxyphosphoryl-5-phenyl-3-methoxycarbonyl-pyrazol; 100% d. Th.

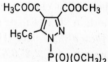

1-Dimethoxyphosphoryl-5-phenyl-3,4-dimethoxycarbonyl-pyrazol; 100% d. Th.

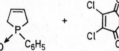 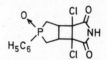

cis- und trans-6,7-Dichlor-3-oxi-3-phenyl-3-phospha-bicyclo[3.2.0]heptan-6,7-dicarbonsäureimid

Erster Schritt der Synthese des λ^5-Phosphepin-Ringsystems ist die photochemische [2+2]-Cycloaddition von 1-Phenyl-2,5-dihydro-phosphol-1-oxid an Dichlormaleinsäure-imid, bei der beide Heterocyclen intakt bleiben[4]. Erst bei Abwesenheit eines Cycloadditionspartners erfahren das Phosphinoxid und sein 3-Methyl- und *cis, cis*-2,5-Dimethyl-Derivat eine photochemische Fragmentierung zu den (nicht immer isolierbaren) Dienen und der Spezies H_5C_6-PO, die anwesende Alkohole zu Benzol-phosphonigsäure-monoestern addieren [z. B. *2-Methyl-butadien-(1,3)* und 70% d. Th. *Benzol-phosphonigsäure-monomethylester* aus 3-Methyl-1-phenyl-2,5-dihydro-phosphol-1-oxid]. Analog verhält sich bei direkter Belichtung

[1] A. N. Hughes u. C. Srivanavit, Canad. J. Chem. **49**, 874 (1971).
[2] H. J. Callot u. C. Benezra, Canad. J. Chem. **50**, 1078, 3086 (1972).
[3] A. Hartmann u. M. Regitz, Phosphorus **5**, 21 (1974).
[4] G. Märkl u. H. Schubert, Tetrahedron Letters **1970**, 1273.

das Dimere des 1-Phenyl-phosphol-1-oxids, während an der durch Aceton sensibilisierten Photoreaktion wiederum lediglich die C=C-Doppelbindungen beteiligt sind:

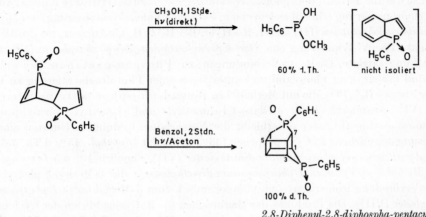

2,8-Diphenyl-2,8-diphospha-pentacyclo
[5.3.0.0³,⁶.0⁴,¹⁰.0⁵,⁹]decan-2,8-bis-oxid;
100% d.Th.

Auch 2,3-Dihydro-phosphole erfahren keine Ringöffnung. Beim Belichten von 4-Methyl-1-phenyl-2,3-dihydro-phosphol durch Quarz in Gegenwart von Alkoholen wird – wohl durch Protonierung des UV-angeregten Zustands in 5-Stellung – überwiegend die C=C-Doppelbindung in die exocyclische Position verschoben; daneben führt die Addition des Alkohols an die 4-Stellung zum alkoxy-substituierten Phospholan-Ring (z. B. 54% d.Th. *3-Methylen-1-phenyl-phospholan* und 20% d.Th. stereoisomerer *3-Methoxy-3-methyl-1-phenyl-phospholane* aus 4-Methyl-1-phenyl-2,3-dihydro-phosphol und Methanol). Das entsprechende Phosphinoxid wird beim Belichten in Isopropanol zu einem Gemisch stereoisomerer 3-Methyl-1-phenyl-phospholan-1-oxide reduziert[1]. Im 9-Phenyl-9-phospha-bicyclo[4.2.1]nonatrien und seinem P-Oxid reagieren die C=C-Doppelbindungen zwar zum Teil anders als im Bicyclo[4.2.1]nonatrien, jedoch lediglich miteinander, ohne die P–C-Bindungen einzubeziehen[2].

Nicht in, sondern erst als Folge einer Photoreaktion, an der er selbst nicht beteiligt ist, verliert der Phosphor eine Phenyl-Gruppe bei der Wolff-Umlagerung von α-Diazo-phosphinoxiden. Diese ist in einer Reihe von Fällen die Hauptreaktion der durch photochemische Stickstoff-Entbindung freigesetzten phosphinyl-substituierten Carbene[3] und dominiert bei (1-Diazo-2-oxo-alkyl)-diphenyl-phosphinoxiden (I) meist sogar über die analoge Wanderung[3] des carbonylständigen Rests R, tritt jedoch zuweilen hinter Carben-

[1] H. Tomioka u. Y. Izawa, Tetrahedron Letters **1973**, 5059.
  H. Tomioka, Y. Hirano u. Y. Izawa, Tetrahedron Letters **1974**, 1865, 4477.
[2] T. Katz, J. C. Carnahan, Jr., G. M. Clarke u. N. Acton, Am. Soc. **92**, 734 (1970).
[3] M. Regitz, Ang. Ch. **82**, 224 (1970); engl.: **9**, 249 (1970).
  M. Regitz, H. Scherer u. W. Anschütz, Tetrahedron Letters **1970**, 753.
  M. Regitz, A. Liedhegener, W. Anschütz u. H. Eckes, B. **104**, 2177 (1971).
  M. Regitz, W. Anschütz, W. Illger u. H. Scherer, XXIVth IUPAC Congress, Kurzreferate der Vorträge, Hamburg 1973, S. 422.
  M. Regitz, H. Scherer, W. Illger u. H. Eckes, Ang. Ch. **85**, 1115 (1973); engl.: **12**, 1010 (1973).

Insertions-Reaktionen zurück[1-4] und kann durch zugesetzte Carbenfänger unterdrückt werden. Bei der Photolyse von (1-Diazo-2-oxo-alkyl)-diphenyl-phosphinoxiden (I) entstehen in Gegenwart von Dimethylsulfid überwiegend Dimethylsulfonio-methanide[5] und analog aus den Diazomethyl- bzw. (α-Diazo-benzyl)-diphenylphosphinoxiden (II) mit Benzol ebenso wie aus α-Diazo-phosphonsäure-estern[2,4,6,7] 7-substituierte Norcaradiene. Der Cyclopropanierung schließt sich in einem Falle eine Valenzisomerisierung zum *Diphenylphosphinyl-cycloheptatrien* (III) an (II, R=H)[3,7]. Bei R=C_6H_5 konkurriert mit ihr die intramolekulare Phenyl-Wanderung zum *Oxo-diphenylmethylen-phenyl-phosphoran* (IV), an das sich α,β-ungesättigte Carbonyl-Verbindungen zu Phospha-oxetanen (V) anlagern. Diese sind faßbar, aber photolabil und unterliegen einer Photofragmentierung zu Dienen und der Spezies $H_5C_6PO_2$, die mit Methanol zu Benzol-phosphonsäure-monomethylester (VI) abreagiert[8]. Beim 3-Diazo-1,1-dimethyl- und -1-methyl-1-phenyl-propen-3-phosphonsäure-dimethylester unterbleibt die Norcaradien-Bildung zu Gunsten einer Isomerisierung der Carbene zu Cyclopropenen [33% d.Th. *3,3-Dimethyl-*, 45% d.Th. *3-Methyl-3-phenyl-cyclopropen-1-phosphonsäure-dimethylester* (VII), daneben 4% *3,3-Dimethyl-* bzw. 7% *3-Methyl-3-phenyl-allen-1-phosphonsäure-dimethylester*]; die 3-Methyl-3-phenyl-cyclopropen-Verbindung isomerisiert sich photochemisch zum *3-Methyl-inden-1-phosphonsäure-dimethylester* (VIII). Die Produkte der thermischen [3+2]-Cycloaddition der Cyclopropen-phosphonsäure-ester an Diphenyl-diazomethan entbinden beim Belichten in Benzol Stickstoff und bilden Bicyclo[1.1.0]butan-phosphonsäure-ester (IX)[9]:

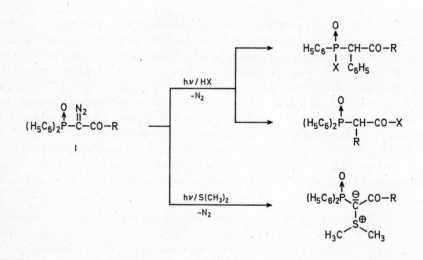

[1] M. REGITZ, W. ANSCHÜTZ, W. BARTZ u. A. LIEDHEGENER, Tetrahedron Letters 1968, 3171.

[2] M. REGITZ, Ang. Ch. 82, 224 (1970); engl.: 9, 249 (1970).

[3] M. REGITZ, H. SCHERER u. W. ANSCHÜTZ, Tetrahedron Letters 1970, 753.

[4] M. REGITZ, A. LIEDHEGENER, W. ANSCHÜTZ u. H. ECKES, B. 104, 2177 (1971).

[5] W. ILLGER, A. LIEDHEGENER u. M. REGITZ, A. 760, 1 (1972).

[6] M. REGITZ, H. SCHERER u. A. LIEDHEGENER, Ang. Ch. 83, 625 (1971); engl.: 10, 581 (1971).
H. GÜNTHER, B. D. TUNGGAL, M. REGITZ, H. SCHERER u. T. KELLER, Ang. Ch. 83, 585 (1971); engl.: 10, 563 (1971).
H. SCHERER, A. HARTMANN, M. REGITZ, B. D. TUNGGAL u. H. GÜNTHER, B. 105, 3357 (1972).

[7] M. REGITZ, H. SCHERER, W. ILLGER u. H. ECKES, Ang. Ch. 85, 1115 (1973); engl.: 12, 1010 (1973).

[8] H. ECKES u. M. REGITZ, Tetrahedron Letters 1975, 447.

[9] A. HARTMANN, W. WELTER u. M. REGITZ, Tetrahedron Letters 1974, 1825.

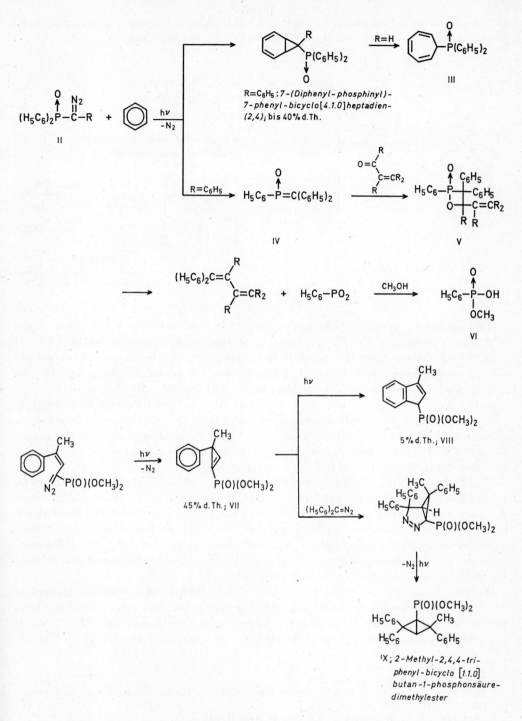

Die mit den α-Diazo-phosphor-Verbindungen isoelektronischen Phosphinsäure-azide verhalten sich entsprechend und erleiden beim Belichten unter Stickstoff-Abspaltung eine dem Curtius-Abbau analoge Bindungsverschiebung. So bilden methyl-substituierte 1-Azido-phosphetan-1-oxide in Methanol bei Einstrahlung durch Quarz Nitrene, die einerseits in bescheidenem Maße eine der Methyl-Gruppen dehydrieren, andererseits als Hauptreaktion sich zu Phosphazolin-1-oxiden stabilisieren. Diese sind als reale Zwischen-produkte aufzufassen, addieren aber das Solvens an die P=N-Bindung[1]:

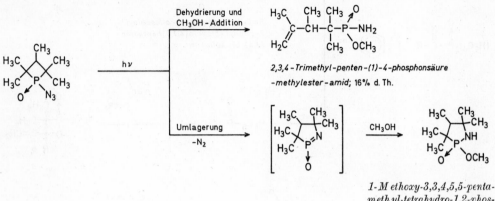

2,3,4-Trimethyl-penten-(1)-4-phosphonsäure-methylester-amid; 16% d. Th.

1-Methoxy-3,3,4,5,5-penta-methyl-tetrahydro-1,2-phos-phazol-1-oxid; 60% d. Th.

Intermolekular kommt die Dehydrierung von C–H-Bindungen durch den Nitren-Stick-stoff bei der Belichtung von Phosphorsäure-diester-aziden in Gegenwart von Kohlenwas-serstoffen zum Zuge; es werden durch C–H-Insertion Phosphorsäure-diester-alkyl-amide und daneben durch Wasserstoff-Abstraktion Phosphorsäure-diester-amide, aus den Aziden und tert. Butanol außerdem durch O–H-Insertion Hydroxylamin-Derivate gebildet[2]. Bei der Photoreaktion des in siedendem Benzol gegen UV-Bestrahlung resisten-ten[3] Phosphorsäure-bis-[dimethylamid]-azids mit Cyclohexan tritt die C–H-Insertion zu Gunsten der Bildung eines Hydrazin-Derivats durch Wanderung einer Dimethylamino-Gruppe vom Phosphor zum Nitren-Stickstoff zurück[2]. Phosphorsäure-bis-[benzylamid]-azid ließ sich in Pentan und in o-Xylol nicht photolysieren[4].

Ähnlich wie die N–N-Bindung in den Phosphinyl- und Phosphoryl-aziden wird die O–O-Bindung im Bis-[diphenylphosphinyl]-peroxid photolysiert; in der wohl radikalischen Reaktion wandert dann ein Phenyl-Rest vom Phosphor an den Sauerstoff. Die Rekom-bination einer umgelagerten mit einer unveränderten Spezies führt unter vollständiger Äquilibrierung aller Sauerstoff-Atome zum gemischten Anhydrid der *Diphenylphosphin-säure* und des *Benzolphosphonsäure-monophenylesters*, das ergiebiger (und nach einem ande-ren Mechanismus) auch thermisch zugänglich ist[5].

Die P–C-Bindungen von Phosphinen scheinen dann leichter photolysierbar zu werden, wenn die Elektronendichte am Kohlenstoff erniedrigt wird. Dies zeigt sich außer beim Bis-[trifluormethyl]-äthyl-phosphin (vgl. S. 1349) auch beim Kohlensäure-bis-[diphenyl-phosphid], das thermisch[6], bedeutend schneller aber bei UV-Einstrahlung in Kohlen-

[1] M. J. P. Harger, Chem. Commun. **1971**, 442.
  F. H. Westheimer, C. Clapp u. J. Wiseman, XXIVth IUPAC Congress, Kurzreferate der Vorträge, Hamburg 1973, S. 410.
  J. Wiseman u. F. H. Westheimer, Am. Soc. **96**, 4262 (1974).
  M. J. P. Harger, Soc. (Perkin I) **1974**, 2604.
[2] R. Breslow, A. Feiring u. F. Herman, Am. Soc. **96**, 5937 (1974).
[3] H.-J. Vetter, Z. Naturforsch. **19b**, 168 (1964).
[4] R. J. W. Cremlyn, B. B. Dewhurst u. D. H. Wakeford, Soc. [C] **1971**, 3011.
[5] R. L. Dannley u. K. R. Kabre, Am. Soc. **87**, 4805 (1965).
  R. L. Dannley, R. L. Waller, R. V. Hoffman u. R. F. Hudson, J. Org. Chem. **37**, 418 (1972).
[6] H. J. Becher u. E. Langer, Ang. Ch. **85**, 910 (1973); engl.: **12**, 842 (1973).

monoxid und das seinerseits photolabile[1] *Tetraphenyl-biphosphin* zerfällt[2]. Auch die Bis-[diphenylphosphide] der Oxalsäure und Phthalsäure sind sehr, das Diphenylphosphid des Oxalsäure-monoäthylesters merklich lichtempfindlich, jedoch entsteht aus dem Halbester-phosphid in Äthanol kein Diphenylphosphin[3]. Bei der Belichtung von α-Oxo-phosphon-säure-estern kommen in der Regel andere Reaktionen zum Zuge (vgl. S. 1355, 1373).

Ein chirales, partiell aromatisches tertiäres Arsin wurde selbst bei Einstrahlung durch Quarz nicht abgebaut, sondern lediglich racemisiert; hierzu reichte bei Sensibilisierung durch Ketone bereits Strahlung mit $\lambda > 300$ nm aus[4]. Andererseits traten bei Bestrahlung gefrorener Lösungen von 1,2-Bis-[dimethylarsino]-benzol (z. B. in Äthanol) bei $-177°$ mit einer Xenon-Hochdrucklampe (210 nm $< \lambda <$ 450 nm) durch Quarz nicht nur solche Solvens- und Organo-arsin-Radikale auf, die einem Elektronenübergang vom Arsin zum Solvens zugeordnet wurden, sondern auch arsenhaltige Spezies, die durch Bruch einer As–C-Bindung entstanden[5]. Ähnlich verhielten sich andere Arsine; Triphenylphosphin gab, derart behandelt, keine ESR-spektroskopisch faßbaren Organo-phosphor-Radikale, jedoch legt ein Solvens-ESR-Signal einen analogen Elektronenübergang nahe, während es an Kriterien für den Bruch einer P–C-Bindung fehlt. Zu einem solchen kommt es jedoch beim Triphenylphosphin (nicht beim Trimethylphosphin), wenn es in Gegenwart von 2-Methyl-2-nitroso-propan belichtet wird[6].

As–CF$_3$-Bindungen sind offenbar ebenso wie P–CF$_3$-Bindungen[7] relativ leicht spaltbar: Tris-[trifluormethyl]-arsin zerfällt in elementares Arsen und *Hexafluor-äthan* (unter Wasser-stoff bevorzugt Fluoroform), in Gegenwart von Methyljodid außerdem *Trifluor-jod-methan* und *Methyl-bis-[trifluormethyl]-arsin*, das jedoch schlecht abtrennbar und anderweitig besser zugänglich ist[8]. Ähnlich verhält sich Triphenylwismut; es entstehen elementares Wismut und Phenyl-Radikale[9], die zur Arylierung von ^{14}C-markiertem Benzol[10], Toluol, tert.-Butyl-benzol und Pyridin[9] verwendet werden konnten.

Quartäre Phosphoniumsalze, selbst photochemisch zugänglich, werden ebenfalls gespalten, z. B. Triphenyl-benzyl-phosphoniumchlorid in Äthanol/Benzol zu *Biphenyl*, *Diphenylmethan, 1,2-Diphenyl-äthan, Diphenyl-* und *Triphenylphosphin* sowie wohl auch Äthyl-diphenyl-phosphin durch Reaktion mit dem Solvens[11]. Tetraphenyl-phosphonium-chlorid gab analog Biphenyl, Diphenyl- und Triphenylphosphin[11]. Bei Äthoxycarbonyl-methyl-triphenyl-phosphonium-Salzen wurden ebenfalls P–C$_{\text{arom.}}$-Bindungen, bevorzugt jedoch die P–CH$_2$-Bindung gespalten und *Triphenylphosphin, (Diphenylphosphino)-essig-säure-äthylester, Biphenyl, Bernsteinsäure-äthylester* sowie Benzol, Halogenbenzol, Essig-säure- und Phenylessigsäure-äthylester gebildet; die Reaktion ist stark von der Natur des

---

[1] R. S. DAVIDSON, R. A. SHELDON u. S. TRIPPETT, Soc. [C] **1966**, 722; Chem. Commun. **1966**, 99, 284. S. K. WONG, W. S. SYTNYK u. J. K. S. WAN, Canad. J. Chem. **49**, 994 (1971).

[2] D. FENSKE, Universität Münster, persönl. Mitteil. vom 24. 9. 1973.

[3] H. J. BECHER, D. FENSKE u. E. LANGER, B. **106**, 177 (1973).

[4] L. HORNER u. W. HOFER, Tetrahedron Letters **1966**, 3323.

[5] J. R. PREER, F.-D. TSAY u. H. B. GRAY, Am. Soc. **94**, 1875 (1972).

[6] H. KARLSSON u. C. LAGERCRANTZ, Acta Chem. Scand. **24**, 3411 (1970).

[7] R. FIELDS, R. N. HASZELDINE u. N. F. WOOD, Soc. [C] **1970**, 1370.

[8] H. J. EMELÉUS, R. N. HASZELDINE u. E. G. WALASCHEWSKI, Soc. **1953**, 1552.

[9] D. H. HEY, D. A. SHINGLETON u. G. H. WILLIAMS, Soc. **1963**, 5612.

[10] G. A. RAZUVAEV, G. G. PETUKHOV, V. A. TITOV u. O. N. DRUSHKOV, Ž. obšč. Chim. **35**, 481 (1965); C. A. **63**, 629 (1965).

[11] C. E. GRIFFIN u. M. L. KAUFMAN, Tetrahedron Letters **1965**, 773.

Anions abhängig und wurde deswegen (außer beim Tetrafluoroborat) mit einem Elektronen-übergang vom Anion zum Kation formuliert[1]:

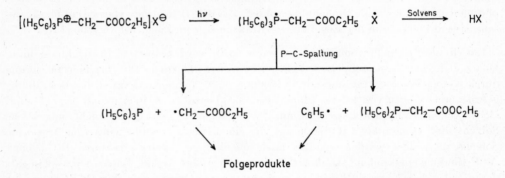

Der Homolyse von Pentaphenyl-phosphoran[2] schließt sich der Zerfall von Pentaphenyl-wismut in *Benzol* zu *Triphenyl-wismut*, *Bi-* und *Quaterphenyl* an[3]. Auch 9,9,9-Triphenyl-9-phospha-pentacyclo [4.3.0.0^{2,5}.0^{3,8}.0^{4,7}]nonan (I) spaltet sowohl beim Erhitzen als auch bei Belichtung durch Pyrex-Glas (in Hexadeuterobenzol oder Dichlormethan) *Triphenyl-phosphin* ab; aus dem aliphatischen Molekelteil entsteht in mäßiger Ausbeute *syn-Tri-cyclo [4.2.0.0^{2,5}]octadien-(3,7)*, das nur bei der thermischen Reaktion mit dem Folgeprodukt *Cyclooctatetraen* verunreinigt ist[4]:

Die Reaktion gilt als cheletrop, d. h. die beiden reagierenden C–P–σ-Bindungen sollen synchron geöffnet werden[5]. Das analoge 9,9,9-Trimethyl-Derivat ist infolge einer überraschenden Absorption im UV-Bereich zur gleichen Reaktion befähigt[6].

tert.-Butylperoxy-tetraphenyl-antimon erlebt bei der UV-Bestrahlung im aromatischen Solvens eine Homolyse sowohl von Sb–C$_{arom}$.- als auch von O–O-Bindungen und bildet als Hauptprodukt *Triphenyl-stibinoxid*; in Chlorkohlenwasserstoffen löst sich, offenbar durch Eingriff des Solvens, bevorzugt die Sb–O-Bindung, so daß sich das Tetra-phenyl-stibonium-Kation zurückbildet, aus dem die tert. Butylperoxy-Verbindung in einer Dunkelreaktion hergestellt wird[7].

Auch Ylide sind photolabil. In Cyclohexen durch Glas belichtet, zerfällt Triphenyl-diphenylmethylen-phosphoran u. a. in *Triphenylphosphin*, *1,1,2,2-Tetraphenyl-äthan* und *Diphenylmethan*[8]. Beim Arbeiten in Quarz sinkt die Ausbeute an Triphenylphosphin

[1] Y. Nagao, K. Shima u. H. Sakurai, Tetrahedron Letters **1971**, 1101; Bl. chem. Soc. Japan **45**, 3122 (1972).

[2] C. Walling u. M. S. Pearson, Topics Phosphorus Chemistry **3**, 1, 44, 45 (1966).

[3] Kei-wen Shen, W. E. McEwen u. A. P. Wolf, Am. Soc. **91**, 1283 (1969).

[4] T. J. Katz u. E. W. Turnblom, Am. Soc. **92**, 6701 (1970).
E. W. Turnblom u. T. J. Katz, Am. Soc. **95**, 4292 (1973).

[5] Vgl. R. B. Woodward u. R. Hoffmann, Ang. Ch. **81**, 797, 858; engl: **8**, 781 (1969).

[6] E. W. Turnblom u. T. J. Katz, Am. Soc. **93**, 4065 (1971); **95**, 4292 (1973).

[7] G. A. Razuvaev, T. I. Zinoveva u. T. G. Brilkina, Izv. Akad. SSSR **1969**, 2007; C. A. **72**, 21 757 (1970).
G. A. Razuvaev, T. I. Zinoveva, T. G. Brilkina u. E. P. Silkovskaya, Doklady Akad. SSSR **193**, 355 (1970); C. A. **73**, 130 436 (1970).

[8] H. Tschesche, B. **98**, 3318 (1965).
Y. Nagao, K. Shima u. H. Sakurai, Tetrahedron Letters **1970**, 2221.

zugunsten von *Diphenylphosphinsäure* (nach oxidativer Aufarbeitung) und *Benzol*[1]. Olefine mit terminaler Doppelbindung reagieren beim Belichten mit Triphenyl-diphenyl-methylen-phosphoran (nicht dagegen mit Triphenyl-methylen-phosphoran und analogen Yliden, die am anionischen C-Atom Cyan- und/oder Äthoxycarbonyl-Gruppen tragen) in Ausbeuten zwischen 40 und 80% d.Th. zu Cyclopropanen (z. B. 1,1-Diphenyl-äthylen zu 73% d.Th. *1,1,2,2-Tetraphenyl-cyclopropan*) sowie zu Triphenylphosphin. Beim Allen (48% d.Th. *2-Methylen-1,1-diphenyl-cyclopropan*) und Butadien-(1,3) (86% d.Th. *2-Vinyl-1,1-diphenyl-cyclopropan*) reagiert nur eine der beiden Doppelbindungen[2]. Nur in geringen Mengen treten daneben die Produkte von Wasserstoffabstraktion und Radikalkombination (vor allem 1,1,2,2-Tetraphenyl-äthan und Diphenyl-methan) auf, die bei Olefinen mit nicht-terminaler Doppelbindung die Cyclopropan-Bildung unterdrücken[2]. Jedoch bilden sich beim Belichten von Triphenyl-(cyan-phenyl-methylen)-phosphoran mit Cyclohexen durch Pyrex-Glas in 80 Min. 67% d.Th. *7-Phenyl-7-cyan-bicyclo[4.1.0]heptan*, 69% d.Th. Triphenylphosphin und daneben nur 22% d.Th. *Cyclohexen-(2)-yl-phenyl-acetonitril*[3]. Ähnlich gibt Triphenyl-(2-oxo-2-phenyl-äthyliden)-phosphoran mit Cyclohexen bei Einstrahlung mit einer 450 W-Quecksilber-Hochdrucklampe durch Pyrex außer Triphenylphosphin *7-Benzoyl-bicyclo[4.1.0]heptan* und daneben fast die gleiche Menge Acetophenon, dessen Ausbeute bei Sensibilisierung durch Michlers Keton auf Kosten der Cyclopropanierung stark ansteigt[4]. Triphenyl-isopropyliden-phosphoran, das mit kurzwelliger Strahlung ($\lambda < 300$ nm) an einer P–C$_{arom.}$-, mit Licht der Wellenlänge um 400 nm an der P–C$_{Ylid}$-Bindung gespalten wird und im letzteren Fall überwiegend Triphenylphosphin und *2,3-Dimethyl-buten-(2)* gibt, bildet mit 2-Methyl-propen kein 1,1,2,2-Tetramethyl-cyclopropan[5]. Äthoxycarbonylmethylen-triphenyl-phosphoran wird photochemisch anders als thermisch und im Gegensatz zum entsprechenden Phosphonium-Kation bevorzugt an der P–C$_{arom.}$-Bindung gespalten, jedoch nach dem Ausweis der Isolierung von Diphenylphosphinsäure in Konkurrenz mit dem Bruch der P–C$_{Ylid}$-Bindung[6]. Die abgespaltenen Gruppen finden sich als Benzol und (durch Reaktion mit dem Solvens) als *Cyclohexylessigsäure-äthylester* wieder; analog verhält sich 2-Oxo-propyliden-triphenyl-phosphoran[7].

Eine P–C-Bindung löst sich auch bei der thermischen und (meist weniger ergiebigen) photochemischen [5 → 3+2]-Cycloeliminierung von 5,5,5-Trimethoxy-4,4-bis-[trifluormethyl]-2-aryl-4,5-dihydro-1,3,5-oxazaphosphol zu Trimethylphosphat und Nitrilyliden, die entweder unter Dehydrierung zu *6,6,12,12-Tetrakis-[trifluormethyl]-6,12-dihydro-⟨dibenzo[c;h]-1,5-naphthyridinen⟩* dimerisieren[8] oder sich im Sinne einer [3+2]-Cycloaddition an C–C-Doppel- und -Dreifachbindungen anlagern[9]. Da die Edukte aus Trimethyl-phosphit hergestellt werden, kommt die Reaktionsfolge einer Oxidation am Phosphor gleich:

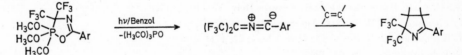

[1] Y. Nagao, K. Shima u. H. Sakurai, Tetrahedron Letters **1970**, 2221.
[2] A. Ritter u. B. Kim, Tetrahedron Letters **1968**, 3449.
    H. Shakaá, Dissertation, Universität Bochum, 1971.
[3] H. Hindermayr, Dissertation, Universität München, 1967.
[4] R. R. da Silva, V. G. Toscano u. R. G. Weiss, Chem. Commun. **1973**, 567.
[5] H. Dürr, D. Barth u. M. Schlosser, Tetrahedron Letters **1974**, 3045.
[6] Y. Nagao, K. Shima u. H. Sakurai, Bl. chem. Soc. Japan **43**, 1885 (1970).
[7] Y. Nagao, K. Shima u. H. Sakurai, Kogyo Kagaku Zasshi **72**, 236 (1969); C. A. **70**, 114 372 (1969).
[8] K. Burger, K. Einhellig, G. Süss u. A. Gieren, Ang. Ch. **85**, 169 (1973); engl.: **12**, 156 (1973).
    A. Gieren, K. Burger u. K. Einhellig, Ang. Ch. **85**, 171 (1973); engl.: **12**, 157 (1973).
[9] K. Burger u. J. Fehn, B. **105**, 3814 (1972); Tetrahedron Letters **1972**, 1263.
    K. Burger, J. Albanbauer u. F. Manz, B. **107**, 1823 (1974).

Die durch Photolyse von 2-Methyl-3-phenyl-, 2,2-Dimethyl-3-phenyl- und 2,3-Diphenyl-2H-azirin zugänglichen fluorfreien Nitrilylide addieren analog Triphenyl-vinyl-phosphonium-bromid, jedoch verliert das nicht isolierte Primärprodukt basenkatalysiert Triphenylphosphin und gibt den phosphorfreien 6π-Heterocyclus (*2-Methyl-5-phenyl-* bzw. *2,5-Diphenyl-pyrrol* aus den 2-monosubstituierten Azirinen)[1].

β) Reaktionen photochemisch erzeugter Radikale mit phosphorhaltigen Substraten

$β_1$) *Herstellung von quartären Phosphonium-Salzen*

Triphenylphosphin und Tribrommethan reagieren beim Belichten oder in Gegenwart von Dibenzoylperoxid in hoher Ausbeute zu *Dibrommethyl-triphenyl-phosphoniumbromid*[2]. Analog bilden durch Photolyse von Aryljodiden[3,4], Diaryl-jodoniumsalzen[5-7] oder tertiären Phosphinen (s. S. 1355) freigesetzte Aryl-Radikale mit tertiären Phosphinen **Aryl-phosphoniumsalze**, die jedoch ihrerseits photolabil sind[8] und gelegentlich neben sehr viel größeren Mengen des tertiären Phosphinoxids anfallen[4]. Wegen der mäßigen Ausbeuten und der gegenüber den Konkurrenzverfahren teuren Ausgangsstoffe ist die Aryljodid-Variante selbst für Tetraaryl-phosphoniumsalze nur dort interessant, wo die „Diazo-"[9], „Kobaltsalz-"[10] und „Komplexsalz-Methode"[11] versagen (vgl. Tab. 188, S. 1367).

Tetraphenyl-phosphoniumjodid[3]: Eine Lösung von je 19 mMol Triphenylphosphin und Jodbenzol in 65 *ml* Chlorbenzol wird unter Stickstoff in einem Vycor-Gefäß während 46 Stdn. bei 65° der ungefilterten Strahlung einer 100 W-Hanovia-Quecksilberresonanzlampe ausgesetzt. Das Salz fällt aus und wird aus Chloroform/Benzol umkristallisiert; Ausbeute: 22,5% d.Th.; F: 323–326°.

Ergiebiger ist zwar (bei kürzeren Belichtungszeiten) die Jodoniumsalz-Methode, die jedoch mit ähnlichem Erfolg, aber bequemer auch thermisch durchführbar ist[7] und andere Verfahren zwar in den Ausbeuten annähernd erreicht, aber von relativ aufwendig zugänglichen Verbindungen ausgeht. Überdies wird von den beiden Aryl-Resten nur einer – bei unsymmetrischen Jodoniumsalzen ausschließlich oder bevorzugt der elektronenärmere – genutzt (Tab. 188, S. 1367). Die Reaktion wurde – ausgehend von Diaryljodonium-tetrafluoroboraten – als Weg zu **Phosphonium-tetrafluoroboraten** empfohlen[6], die indessen bequemer in fast quantitativer Ausbeute aus den Chloriden und Bromiden durch Fällung mit Natrium-tetrafluoroborat aus den wäßrigen Lösungen gewonnen werden[12].

---

[1] N. GAKIS, H. HEIMGARTNER u. H. SCHMID, Helv. **57**, 1403 (1974).

[2] F. RAMIREZ u. N. MCKELVIE, Am. Soc. **79**, 5829 (1957).

[3] J. B. PLUMB u. C. E. GRIFFIN, J. Org. Chem. **27**, 4711 (1962).

[4] G. P. SCHIEMENZ, B. **98**, 65 (1965).

[5] O. A. PTITSYNA, M. F. TURCHINSKII, E. A. SIDELNIKOVA u. O. A. REUTOV, Izv. Akad. SSSR **1963**, 1527; C. A. **59**, 15 309 (1963).

[6] O. A. PTITSYNA, M. E. PUDEEVA, N. A. BELKEVICH u. O. A. REUTOV, Doklady Akad. SSSR **163**, 383 (1965); C. A. **63**, 11 611 (1965); Doklady Chem. **163**, 671 (1965).

[7] O. A. PTITSYNA, M. E. PUDEEVA u. O. A. REUTOV, Doklady Akad. SSSR **165**, 582, 838 (1965); C. A. **64**, 19660, 5129 (1966); Doklady Chem. **165**, 1128, 1158 (1965).

[8] C. E. GRIFFIN u. M. L. KAUFMAN, Tetrahedron Letters **1965**, 773.

[9] L. HORNER u. H. HOFFMANN, B. **91**, 45 (1958).

[10] L. HORNER u. H. HOFFMANN, B. **91**, 50 (1958).

[11] L. HORNER, G. MUMMENTHEY, H. MOSER u. P. BECK, B. **99**, 2782 (1966).

[12] G. P. SCHIEMENZ u. K. RÖHLK, B. **104**, 1219 (1971).

Tab. 188. Phosphoniumsalze

Phosphor-komponente	Halogen-komponente	Produkt	Ausbeute [% d. Th.]		F [°C]
			photo-chemisch	Komplex-salz-Methode[a]	
$(H_5C_6)_3P$	C_6H_5J	*Tetraphenyl-phosphoniumjodid*	22,5[1]	98[2]	323–326
	$4-H_3C-C_6H_4-J$	*Triphenyl-(4-methyl-phenyl)-phosphoniumjodid*	36[1]	97[2]	209–225
	$4-H_3CO-C_6H_4-J$	*Triphenyl-(4-methoxy-phenyl)-phosphoniumjodid*	18[1]	93[2]	217–218
	$4-HO-C_6H_4-J$	*Triphenyl-(4-hydroxy-phenyl)-phosphoniumjodid*	42[1]	b	255–289
	$[(H_5C_6)_2J^{\oplus}][BF_4]^{\ominus}$	*Tetraphenyl-phosphonium-tetrafluoroborat*	45[3] 85[4] 88[5]	98[2]	345
	$\left[\begin{smallmatrix}H_5C_6\\4-Cl-C_6H_4\end{smallmatrix}J\right]^{\oplus}[BF_4]^{\ominus}$	*Tetraphenyl-phosphonium-tetrafluoroborat*	40[6]	98[2]	350
		Triphenyl-(4-chlor-phenyl)-phosphonium-tetrafluoroborat	43[6]	c,d	198–199
	$\left[\begin{smallmatrix}H_5C_6\\3-H_5C_2OOC-C_6H_4\end{smallmatrix}J\right]^{\oplus}[BF_4]^{\ominus}$	*Triphenyl-(3-äthoxycarbonyl-phenyl)-phosphonium-tetrafluoroborat*	48[e 6]	f	191–192
	$\left[\begin{smallmatrix}4-H_3CO-C_6H_4\\3-O_2N-C_6H_4\end{smallmatrix}J\right]^{\oplus}[BF_4]^{\ominus}$	*Triphenyl-(3-nitro-phenyl)-phosphonium-tetrafluoroborat*	50[g 6]	c	192–193

[a] Zum Vergleich (Halogen-Komponente und Anion des Phosphoniumsalzes nicht identisch).

[b] Die Methoxy-Verbindung ist fast quantitativ zugänglich (s. o.), und 4-Methoxy-phenyl-phosphor-Verbindungen, auch Oniumsalze, können bequem in Ausbeuten von 70 bis fast 100% entmethyliert werden[7].

[c] In mindestens 40%iger Ausbeute zugänglich nach der Diazomethode[8].

[d] Nach der Komplexsalzmethode[2] entstehen aus 1,4-Dichlor-benzol 72% des Bis-Phosphoniumsalzes.

[e] Thermisch 20%[6].

[f] Das Triphenyl-(4-carboxy-phenyl)-phosphonium-Kation entsteht aus Triphenylphosphin und 4-Chlor-benzoesäure in 52%iger Ausbeute[2], das Triphenyl-(4-äthoxycarbonyl-phenyl)-phosphonium-Kation nach der Diazomethode in >40%iger Ausbeute[8].

[g] Thermisch 44%[6].

[1] J. B. Plumb u. C. E. Griffin, J. Org. Chem. 27, 4711 (1962).

[2] L. Horner, G. Mummenthey, H. Moser u. P. Beck, B. 99, 2782 (1966).

[3] O. A. Ptitsyna, M. F. Turchinskii, E. A. Sidelnikova u. O. A. Reutov, Izv. Akad. SSSR 1963, 1527; C. A. 59, 15 309 (1963).

[4] O. A. Ptitsyna, M. E. Pudeeva, N. A. Belkevich u. O. A. Reutov, Doklady Akad. SSSR 163, 383 (1965); C. A. 63, 11 611 (1965); Doklady Chem. 163, 671 (1965).

[5] O. A. Ptitsyna, M. E. Pudeeva u. O. A. Reutov, Doklady Akad. SSSR 165, 838 (1965); C. A. 64, 5129 (1966); Doklady Chem. 165, 1158 (1965).

[6] O. A. Ptitsyna, M. E. Pudeeva u. O. A. Reutov, Doklady Akad. SSSR 165, 582 (1965); C. A. 64, 19 660 (1966); Doklady Chem. 165, 1128 (1965).

[7] O. Neunhoeffer u. L. Lamza, B. 94, 2514, 2519 (1961).
L. Lamza, J. pr. N. F. 25, 294 (1964).

[8] L. Horner u. H. Hoffmann, B. 91, 45 (1958).

Tab. 188 (1. Fortsetzung)

Phosphor-komponente	Halogen-komponente	Produkt	Ausbeute [% d. Th.]		F]°C]
			photo-chemisch	Komplex-salz Methode[a]	
$(H_5C_6)_3P$	$\begin{bmatrix} H_5C_6 \\ 2\text{-}O_2N\text{-}C_6H_4 \end{bmatrix}^\oplus [BF_4]^\ominus$	*Triphenyl-(2-nitro-phenyl)-phosphonium-tetrafluoroborat*	26[1]	[b,c]	209–21(
$(H_9C_4)_3P$	C_6H_5J	*Tributyl-phenyl-phosphonium-jodid*	6,4[2]	75[3]	151–152,5
$[4\text{-}(H_3C)_2N\text{-}C_6H_4]_3P$	$4\text{-}(H_3C)_2N\text{-}C_6H_4\text{-}J$	*Tetrakis-[4-dimethylamino-phenyl]-phosphonium-trijodid*	2,5[4]	63[5]	239–24:

[a] Zum Vergleich (Halogen-Komponente und Anion des Phosphoniumsalzes nicht identisch.
[b] In mindestens 40%iger Ausbeute zugänglich nach der Diazomethode[6].
[c] Zur Diazomethode vgl. auch Lit.[7]

β_2) *Photochemische Michaelis-Arbusov-Reaktion und verwandte Reaktionen*

Die Isomerisierung von Trialkylphosphiten zu Diestern der Alkanphosphonsäuren[8] kann durch UV-Einstrahlung ausgelöst werden und verläuft dann radikalisch[9]. Präparativ ist die Reaktion neben der thermischen Variante ohne Bedeutung, zumal die Phosphite ebenso wie Triphenylphosphin[10] am Phosphor leicht photoxidiert werden[2,11] und deswegen Luftsauerstoff peinlich ausgeschlossen werden muß.

Die Schwierigkeiten scheinen daher zu rühren, daß die durch Photolyse von PO–C-Bindungen entstehenden Alkyl-Radikale gegenüber dem Phosphor vergleichsweise wenig reaktiv sind[12] und deswegen bevorzugt Sauerstoff zu Alkylperoxy-Radikalen addieren; diese greifen den Phosphor an. Bruch der O–O-Bindung[13] führt zum Phosphat[14] und Alkoxy-Radikalen, die mit weiterem Phosphit zu Tetraalkoxy-phosphoranyl-Radikalen reagieren. Diese zerfallen unter β-Spaltung in weiteres Phosphat und neue Alkyl-Radikale, die sich abermals an Sauerstoff anlagern, usw. (vgl. S. 1379).

[1] O. A. Ptitsyna, M. E. Pudeeva u. O. A Reutov, Doklady Akad. SSSR 165, 582 (1965); C. A. 64, 19660 (1966); Doklady Chem. 165, 1128 (1965).

[2] J. B. Plumb u. C. E. Griffin, J. Org. Chem, 27, 4711 (1962).

[3] L. Horner, G. Mummenthey, H. Moser u. P. Beck, B. 99, 2782 (1966).

[4] G. P. Schiemenz, B. 98, 65 (1965).

[5] L. Horner u. U.-M. Duda, Tetrahedron Letters 1970, 5177.

[6] L. Horner u. H. Hoffmann, B. 91, 45 (1958).

[7] G. P. Schiemenz, B. 99, 514 (1966).

[8] Ds. Handb., Bd. XII/1, S. 433.

[9] K. Terauchi u. H. Sakurai, Bl. chem. Soc. Japan 41, 1736 (1968); C. A. 70, 10889 (1969); Kogyo Kagaku Zasshi 72, 215 (1969); C. A. 70, 86 820 (1969).

[10] P. D. Bartlett, E. F. Cox u. R. E. Davis, Am. Soc. 83, 103 (1961).

[11] K. Smeykal, H. Baltz u. H. Fischer, J. pr. N. F. 22, 186 (1963).
J. I. G. Cadogan, M. Cameron-Wood u. W. R. Foster, Soc. 1963, 2549.

[12] P. J. Krusic, W. Mahler u. J. K. Kochi, Am. Soc. 94, 6033 (1972).

[13] G. B. Watts u. K. U. Ingold, Am. Soc. 94, 2528 (1972).

[14] E. Furimsky u. J. A. Howard, Am. Soc. 95, 369 (1973).

Die Isomerisierung scheint überdies auf rein aliphatische Ausgangsstoffe beschränkt und selbst hier nicht sonderlich ergiebig zu sein[1]. Höhere Ausbeuten liefert die Umsetzung von Phosphorigsäure-estern mit Tetrachlormethan zu Trichlormethan-phosphon-säure-estern[2], die sich jedoch auch strahlungslos realisieren läßt[3]. Triphenylphosphit wird andererseits durch Trichloracetaldehyd thermisch zum Phosphorsäureester[4] oxidiert. Vinyl-[5] und Aryl-halogenide[6] setzen sich photochemisch mit Phosphorigsäure-estern zu Äthylen- und Benzol-phosphonsäure-estern um; hier brachte die Photo-reaktion einen Fortschritt, da diese Halogenide nach älteren Verfahren schlecht[7] oder nicht[8] reagieren (vgl. Tab. 189, S. 1374). Bei der Bildung des *Benzolphosphonsäure-di-methylesters* ist die Rolle von Phenyl-Radikalen durch kinetische Studien gesichert[9].

trans-2-Chlor-äthylen-phosphonsäure-diäthylester[10]: 13,0 g (0,07 Mol) *trans*-2-Chlor-1-jod-äthylen und 34,0 g (0,20 Mol) Triäthylphosphit werden in einem Vycor-Gefäß 6 Stdn. bei 0° mit einer 100 W-Hanovia-Quecksilberresonanzlampe bestrahlt und das Gemisch dann fraktioniert destilliert. Feindestillation der Fraktion vom $Kp_{0,4}$: 60–67° über eine 40 cm lange Glaswendel-Kolonne gibt eine Fraktion vom $Kp_{0,2}$: 50–53°, die zu 95% aus *trans*-2-Chlor-äthylen-phosphonsäure-diäthylester besteht (19% d.Th.). Eine reine Probe wird durch Gaschromatographie erhalten.

Der Aryl-Rest kann in ortho-, meta- und para-Stellung zum Halogen elektronenziehende oder -spendende Substituenten, auch mit aktivem Wasserstoff (Hydroxy, Amino, Carboxy), tragen, jedoch keine Nitro-Gruppen, da diese photochemisch[11] (durch Anregung der Nitro-Komponente) oder auch thermisch[12] Verbindungen des dreiwertigen Phosphors oxidieren. Aus Trialkylphosphiten und Nitroaromaten entstehen über Arylnitrene Phosphor-säure-trialkylester-arylimide und (aus 2-Nitro-1-methyl-benzolen) 2-[1-(2-*Methyl-*

---

[1] R. B. LaCount u. C. E. Griffin, Tetrahedron Letters **1965**, 3071.

[2] C. E. Griffin, Chem. & Ind. **1958**, 415.
J. I. G. Cadogan u. W. R. Foster, Soc. **1961**, 3071.
Vgl. J. I. G. Cadogan u. J. T. Sharp, Tetrahedron Letters **1966**, 2733.
Ya. A. Levin, A. V. Il'yasov, E. I. Goldfarb u. E. I. Vorkunova, Izv. Akad. SSSR **1972**, 1673; C. A. **77**, 139192 (1972); Org. Magn. Res. **5**, 497 (1973).
Beispiel: s. ds. Handb., Bd. XII/1, S. 441.

[3] Ds. Handb., Bd. XII/1, S. 440.

[4] Beim Belichten entsteht ein Produkt mit einem ^{31}P-NMR-Signal bei +89 ppm, bei dem es sich um eine pentakovalente Verbindung handeln könnte;
D. B. Denney u. F. A. Wagner, Jr., Phosphorus **2**, 281 (1973).

[5] W. M. Daniewski, M. Gordon u. C. E. Griffin, J. Org. Chem. **31**, 2083 (1966).
R. K. Sharma u. N. Kharasch, Ang. Ch. **80**, 69 (1968); engl.: **7**, 36 (1968).

[6] J. B. Plumb u. C. E. Griffin, J. Org. Chem. **27**, 4711 (1962).
M. Gordon, V. A. Notaro u. C. E. Griffin, Am. Soc. **86**, 1898 (1964).
R. Obrycki u. C. E. Griffin, Tetrahedron Letters **1966**, 5049.
J. B. Plumb, R. Obrycki u. C. E. Griffin, J. Org. Chem. **31**, 2455 (1966).
C. E. Griffin, R. B. Davison u. M. Gordon, Tetrahedron **22**, 561 (1966).
R. Obrycki u. C. E. Griffin, J. Org. Chem. **33**, 632 (1968).
R. K. Sharma u. N. Kharasch, Ang. Ch. **80**, 69 (1968); engl.: **7**, 36 (1968).
W. G. Bentrude u. K. C. Yee, Tetrahedron Letters **1970**, 3999.

[7] Ds. Handb., Bd. XII/1, S. 437.

[8] Ds. Handb., Bd. XII/1, S. 441.

[9] W. G. Bentrude, J.-J. L. Fu u. C. E. Griffin, Tetrahedron Letters **1968**, 6033.
J.-J. L. Fu, W. G. Bentrude u. C. E. Griffin, Am. Soc. **94**, 7717 (1972).

[10] W. M. Daniewski, M. Gordon u. C. E. Griffin, J. Org. Chem. **31**, 2083 (1966).

[11] E. C. Taylor u. E. E. Garcia, J. Org. Chem. **30**, 655 (1965).
R. J. Sundberg, W. G. Adams, R. H. Smith u. D. E. Blackburn, Tetrahedron Letters **1968**, 777.
R. J. Sundberg, B. P. Das u. R. H. Smith, Jr., Am. Soc. **91**, 658 (1969).

[12] J. I. G. Cadogan, Quart. Rev. **1968**, 222; Synthesis 1, 11 (1969).

phenylimino)-äthyl]-pyridine, die hydrolytisch in 2-Acetyl-pyridine und 2-Methyl-
aniline zerlegt werden können[1]:

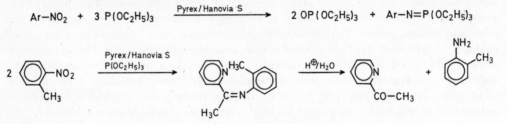

Die Ausbeuten schwanken stark und können, bezogen auf die umgesetzte Nitro-Verbindung,
~ 50% erreichen. Das Pyrrolo-[3,2-d]-pyrimidin-Gerüst ließ sich auf analoge Weise durch
lange Bestrahlung (besser allerdings – in noch immer nur mäßiger Ausbeute – thermisch)[2]
nach folgendem Schema erhalten:

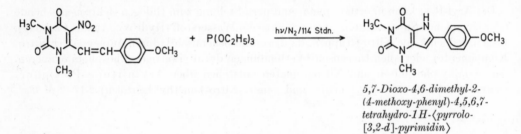

*5,7-Dioxo-4,6-dimethyl-2-
(4-methoxy-phenyl)-4,5,6,7-
tetrahydro-1 H-⟨pyrrolo-
[3,2-d]-pyrimidin⟩*

In Gegenwart von Essigsäure wird das Phenylnitren protoniert; der Nitrenium-Stickstoff macht den
Ring einer nukleophilen Substitution zugänglich: Mit Essigsäure entsteht *2-Acetamino-phenol,* durch
Reaktion mit überschüssigem Triäthylphosphit 16% eines Gemischs von *2-* und *4-Amino-benzol-phos-
phonsäure-diäthylester*[3]. Präparative Bedeutung dürfte diese Synthese von substituierten Benzol-
phosphonsäure-Derivaten nicht haben.

Durch die Photo-Michaelis-Arbusov-Reaktion sind auch Naphthalin-1-, Thiophen-
2- und Furan-2-phosphonsäure-ester zugänglich[4], während Trimethylphosphat
gegen Jodbenzol inert ist[5]. Zweckmäßig werden als Arylhalogenide die Jodide eingesetzt,
jedoch reagiert auch – mit geringerer Ausbeute als Jodbenzol – Brombenzol[6], nicht dagegen
Chlor- und Fluorbenzol[7]. Dihalogen-aromaten sind geeignet[6] und geben zunächst Halogen-
benzol-phosphonsäureester, bei verschiedenem Halogen unter Austritt des höheren
(Jod vor Brom und Chlor, Brom vor Fluor). Das verbleibende Halogen ist jedoch durch
die erste Phosphonsäureester-Gruppe gelockert, so daß aus Trimethylphosphit und 2-, 3-
und 4-Chlor- oder -Brom-1-jod-benzol und selbst 4-Brom-1-fluor-benzol bereits neben dem
Monosubstitutionsprodukt (*2-, 3-* bzw. *4-Chlor-* bzw. *4-Brom-* bzw. *4-Fluor-benzol-phosphon-
säure-dimethylester*) auch – zum Teil überwiegend – die *Benzol-1,2-, -1,3-* und *-1,4-bis-[phos-
phonsäure-dimethylester]* entstehen[7]. Die isolierten Brom- oder Chlorbenzolphosphonsäure-
diester gehen mit weiterem Trimethylphosphit ebenfalls in die Benzol-bis-[phosphonsäure-
dimethylester] über[7].

[1] R. J. SUNDBERG, B. P. DAS u. R. H. SMITH, Jr., Am. Soc. **91**, 658 (1969).
[2] E. C. TAYLOR u. E. E. GARCIA, J. Org. Chem. **30**, 655 (1965).
[3] R. J. SUNDBERG, R. H. SMITH, Jr. u. J. E. BLOOR, Am. Soc. **91**, 3392 (1969).
[4] J. B. PLUMB, R. OBRYCKI u. C. E. GRIFFIN, J. Org. Chem. **31**, 2455 (1966).
   R. OBRYCKI u. C. E. GRIFFIN, J. Org. Chem. **33**, 632 (1968).
[5] H. TEICHMANN u. M. JATKOWSKI, J. pr. **314**, 118 (1972).
[6] J. B. PLUMB, R. OBRYCKI u. C. E. GRIFFIN, J. Org. Chem. **31**, 2455 (1966).
[7] R. OBRYCKI u. C. E. GRIFFIN, Tetrahedron Letters **1966**, 5049.

Durch einen erheblichen Überschuß an Phosphit lassen sich die Ausbeuten wesentlich steigern[1]. Vor allem bei Trimethylphosphit kommt neben der Arylierung die Isomerisierung zum Alkanphosphonsäure-diester zum Zuge[1,2]. Nachteilig ist der Umstand, daß die Produkte unter den Synthesebedingungen nicht immer hinreichend photostabil sind[2]. Neben der Photo-vinylierung und -arylierung steht eine bequemere und meist ergiebige Dunkelreaktion zur Verfügung, die anstelle der Jodide von den billigeren Chloriden oder Bromiden ausgeht, allerdings bei Phenolen, Anilinen und – wie die Photoreaktion – bei Nitrobenzolen versagt. Hydroxybenzol-phosphonsäure-diester sind auf einem Umweg zugänglich[3]. Tab. 189 (S. 1374) informiert über die Leistungsfähigkeit der beiden Methoden. Bei der Photoreaktion lassen sich die Belichtungsdauer und die Strahlungsfrequenz herabsetzen und dennoch ausgezeichnete Ausbeuten erhalten, wenn man die Phosphorigsäuretriester durch die Kaliumsalze der Phosphorigsäurediester ersetzt[4]. Entsprechend reagieren die Diester mit den Spaltprodukten der Aceton-Photolyse u. a. zu Methan- und 1-Oxoäthan-phosphonsäure-diestern[5].

Methoxy-diphenyl-phosphin (Diphenylphosphinigsäure-methylester) reagiert mit photolytisch aus aliphatischen Azo-Verbindungen (R–N=N–R) freigesetzten Alkyl-Radikalen entsprechend zu den Alkyl-diphenyl-phosphinoxiden[6]. Das primär gebildete Phosphoranyl-Radikal wurde bei der analogen Reaktion von Azomethan mit Äthanphosphonigsäure-diäthylester nachgewiesen[7]. Das wenig reaktive tert. Butyl-Radikal bildet zwar noch mit Phosphor(III)-chlorid in mäßiger Ausbeute *Dichlor-tert.-butyl-phosphin* (neben Radikal-Dimerisierung und -Disproportionierung)[8], löst aber beim Methoxydiphenyl-phosphin nur noch eine Kettenreaktion aus, in der sich der Ester zum *Methyldiphenyl-phosphinoxid* isomerisiert; bei Benzyl-Radikalen kommt nur noch die Dimerisierung zu 1,2-Diphenyl-äthan zum Zuge[6]. Durch Einstrahlung durch Pyrex-Glas aus Azoäthan freigesetzte Äthyl-Radikale geben mit Trimethylphosphit ohne Solvens keinen Äthanphosphonsäure-dimethylester[9].

$$R-N=N-R \xrightarrow{h\nu} N_2 + 2\ R\cdot$$

$$R\cdot + (H_5C_6)_2P-OCH_3 \longrightarrow (H_5C_6)_2\overset{\displaystyle O}{\overset{\uparrow}{P}}-R + CH_3\cdot$$

$$CH_3\cdot + (H_5C_6)_2P-OCH_3 \longrightarrow (H_5C_6)_2\overset{\displaystyle O}{\overset{\uparrow}{P}}-CH_3 + CH_3\cdot$$

Ähnlich bewirken Dimethylamino-Radikale, durch Photolyse von Tetramethyl-tetrazen erzeugt, in geringen Konzentrationen die Isomerisierung von Diphenyl-phosphinigsäurealkylestern zu den Alkyl-diphenyl-phosphinoxiden; daneben entstehen erhebliche Mengen *Diphenylphosphinsäure-dimethylamid*. Dieses wird zum Hauptprodukt, wenn man die Konzentration an Dimethylamino-Radikalen durch Einsatz überstöchiometrischer Mengen Tetramethyl-tetrazen erhöht und die gebildeten Alkyl-Radikale durch Dimethyl-

[1] J. B. PLUMB, R. OBRYCKI u. C. E. GRIFFIN, J. Org. Chem. **31**, 2455 (1966).
[2] Vgl. F. A. J. ARMSTRONG, P. M. WILLIAMS u. J. D. H. STRICKLAND, Nature **211**, 481 (1966).
    R. A. LIBBY, Inorg. Chem. **10**, 386 (1971).
[3] P. TAVS, B. **103**, 2428 (1970).
    P. TAVS u. H. WEITKAMP, Tetrahedron **26**, 5529 (1970).
[4] J. F. BUNNETT u. X. CREARY, J. Org. Chem. **39**, 3612 (1974).
[5] YA. A. LEVIN, A. V. ILYASOV u. E. I. GOLDFARB, Izv. Akad. SSSR **1972**, 1676; C. A. **77**, 139179 (1972).
    YA. A. LEVIN, A. V. ILYASOV u. E. I. GOLDFARB u. E. I. VORKUNOVA, Org. Magn. Res. **5**, 487 (1973).
[6] R. S. DAVIDSON, Tetrahedron **25**, 3383 (1969).
[7] A. G. DAVIES, R. W. DENNIS, D. GRILLER u. B. P. ROBERTS, J. Organometal. Chem. **40**, C 33 (1972).
[8] L. DULOG, F. NIERLICH u. A. VERHELST, B. **105**, 874 (1972).
[9] W. G. BENTRUDE, J.-J. L. FU u. P. E. ROGERS, Am. Soc. **95**, 3625 (1973).

amin abfängt[1]. Im 2,5-Di-tert.-butyl- und im 5-tert.-Butyl-2-phenyl-1,3,2-dioxaphospho-
rinan öffnet sich dagegen nicht die O–C-Bindung (und damit der Ring), sondern das Dimethyl-
amino-Radikal verdrängt – überwiegend unter Inversion am Phosphor – den Alkyl- bzw.
Aryl-Rest vom Phosphor (>90% d.Th. *2-Dimethylamino-5-tert.-butyl-1,3,2-dioxaphospho-
rinan)*[2].

Bei der Photo- und Thermolyse von Benzolazo-triphenyl-methan entstehen Phenyl- und
Triphenylmethyl-Radikale, von denen die reaktiveren Phenyl-Radikale analog mit
Alkoxy-diphenyl-phosphinen *Triphenylphosphinoxid*[3] und mit Phosphor(III)-chlorid
Dichlor-phenyl-phosphin geben; hier scheint die thermische Variante[4] der Belichtung von
Jodbenzol in Gegenwart von Phosphor(III)-halogeniden[5] überlegen zu sein.

Auch bei der Perkow-Reaktion[6] ist eine (bislang unergiebige) photochemische
Variante bekannt. Phosphorigsäure-dimethylester-2-oxo-alkylester geben neben Phos-
phorigsäure-dimethylester wahrscheinlich infolge Carbonyl-Anregung und Angriff des dann
elektrophilen Carbonyl-Sauerstoffs am Phosphor ein heterocyclisches Zwischenprodukt,
das in ein Enolphosphat übergeht[7].

Die Ausbeuten schwanken stark, sind oft niedrig und bleiben selbst in den günstigsten
Fällen unter 50%; das Produkt verharzt z. T. während der Belichtung. Ähnlich geben
Chloraceton und Triäthylphosphit 6,6% *Phosphorsäure-diäthylester-isopropenylester* neben
17,4% des Michaelis-Arbusov-Produkts[8]; dieses dehydriert nach CO-Anregung das Solvens
Diäthyläther und geht in hoher Ausbeute in das entsprechende β-Hydroxyphosphonat
über[9].

[1] R. S. Davidson, Tetrahedron Letters **1968**, 3029.
[2] W. G. Bentrude, W. A. Khan, M. Murakami u. H.-W. Tan, Am. Soc. **96**, 5566 (1974).
[3] R. S. Davidson, Tetrahedron **25**, 3383 (1969).
[4] L. Dulog, F. Nierlich u. A. Verhelst, B. **105**, 874 (1972).
[5] R. K. Sharma u. N. Kharasch, Ang. Ch. **80**, 69 (1968); engl.: **7**, 36 (1968).
[6] Ds. Handb., Bd. XII/1, S. 491.
    F. W. Lichtenthaler, Chem. Reviews **61**, 607 (1961).
[7] C. E. Griffin, W. G. Bentrude u. G. M. Johnson, Tetrahedron Letters **1969**, 969.
[8] H. Tomioka, Y. Izawa u. Y. Ogata, Tetrahedron **24**, 5739 (1968).
[9] H. Tomioka, Y. Izawa u. Y. Ogata, Tetrahedron **25**, 1501 (1969).

Für das auch bei anderen aliphatischen Vertretern erfolgreiche Verfahren wurde präparative Bedeutung beansprucht; 2-Oxo-2-phenyl-äthan-phosphonsäure-diäthylester gibt indessen das entsprechende Pinakol[1]:

$$2 \; H_5C_6-CO-CH_2-\overset{\overset{O}{\uparrow}}{P}(OC_2H_5)_2 \xrightarrow{h\nu} \begin{matrix} \overset{OH}{\underset{|}{H_5C_6-C-CH_2-\overset{\overset{O}{\uparrow}}{P}(OC_2H_5)_2}} \\ \underset{\overset{|}{OH}}{H_5C_6-C-CH_2-\underset{\underset{O}{\downarrow}}{P}(OC_2H_5)_2} \end{matrix}$$

2,3-Dihydroxy-2,3-diphenyl-butan-1,2-bis-[phosphonsäure-diäthylester]

Ein entsprechender Unterschied scheint sich bei den 1-Oxo-alkanphosphonsäure-diestern anzudeuten: Oxo-[4-chlor-(bzw.-4-tert.-butyl)-phenyl]-methan-phosphonsäure-diäthylester geben ebenso wie Oxo-phenyl-methan-phosphonsäure-dibutylester Pinakole {*1,2-Dihydroxy-1,2-bis-[4-chlor- (bzw. -4-tert.-butyl)-phenyl]-äthan-1,2-bis-[phosphonsäure-diäthylester]* sowie *1,2-Dihydroxy-1,2-diphenyl-äthan-1,2-bis-[phosphonsäure-dibutylester]*}, und zwar auch im nicht dehydrierbaren Solvens[2]. Andererseits bevorzugt der n → π*-angeregte Carbonylsauerstoff des 1-Oxo-äthan-phosphonsäure-diäthylesters, -diisopropylesters und -dibutyl-(2)-esters eine intramolekulare Reaktion und dehydriert in einer der Alkoxy-Gruppen, und zwar vornehmlich tertiären Wasserstoff. Infolge einer sich anschließenden Umlagerung (vielleicht durch Wanderung des ursprünglichen Acyl-Restes vom Phosphor an das dehydrierte C-Atom und anschließende Michaelis-Arbusov-Verschiebung des so gebildeten Acylalkyl-Rests vom Sauerstoff zum Phosphor) entstehen in Ausbeuten bis ~ 90% die Halbester von 2-Oxo-alkan-phosphonsäuren[3]; z. B.:

$$H_3C-CO-\overset{\overset{O}{\uparrow}}{P}[OCH(CH_3)_2]_2 \xrightarrow{h\nu / C_6H_6} \overset{\overset{H_3C}{\underset{|}{}}}{H_3C-CO-\underset{\underset{H_3C}{|}}{C}-\overset{\overset{O}{\uparrow}}{\underset{\underset{OCH(CH_3)_2}{|}}{P}}-OH}$$

3-Oxo-2-methyl-butan-2-phosphonsäure-isopropylester

Mit der Dehydrierung konkurriert die Spaltung der P–C-Bindung (vgl. S. 1355, 1363), jedoch offenbar keine Pinacol-Bildung. Diese unterbleibt auffallenderweise auch beim Oxo-phenyl-methan-phosphonsäure-diäthylester, der zum *2,4,6-Triphenyl-2,4,6-tris-[diäthyl-phosphono]-1,3,5-trioxan* trimerisiert[2]. Beim Oxo-phenyl-methan-phosphonsäure-diiso-propylester ist in Cyclohexan bei 5 stdg. Bestrahlung mit einem 400 Watt-Hg-Hochdruck-brenner durch Pyrex-Glas die Pinacol-Bildung[2], in Benzol unter sonst fast identischen Bedingungen (4 Stdn., 400 Watt-Hg-Hochdruckbrenner, Pyrex oder Quarz) dagegen mit 75% Ausbeute die intramolekulare Dehydrierung und Umlagerung beschrieben[3]. Unterhalb –117° ist beim Oxo-phenyl-methan-phosphonsäure-diäthylester und seinem 4-Chlor-, 4-Methoxy- und 4-tert.-Butyl-Derivat die Bildung von Radikalen ESR-spektroskopisch gesichert[4].

---

[1] H. Tomioka, Y. Izawa u. Y. Ogata, Tetrahedron **25**, 1501 (1969).

[2] K. Terauchi u. H. Sakurai, Bl. chem. Soc. Japan **43**, 883 (1970).

[3] Y. Ogata u. H. Tomioka, J. Org. Chem. **35**, 596 (1970).

[4] K. Terauchi u. H. Sakurai, Bl. chem. Soc. Japan **42**, 2714 (1969).

Tab. 189. Äthylen- und Benzol-phosphonsäure-diester

Phosphor-komponente	Halogen-komponente	Produkt	Ausbeute [% d.Th.]	Ni-Salz-Dunkel-Reaktion[a] Ausbeute [% d.Th.]	Kp [°C]	Kp [Torr]
$P(OCH_3)_3$	C_6H_5J	*Benzol-phosphonsäure-dimethylester*	38[1] 40[3]	12[2]	d	
	$4\text{-}H_3C\text{-}C_6H_4\text{-}J$	*4-Methyl-benzol-phosphon-säuredimethylester*	79[4] 95[5]		106–106,5	1
	$3\text{-}H_3CO\text{-}C_6H_4\text{-}J$	*3-Methoxy-benzol-phos-phonsäure-dimethylester*	82[5]		116–117	0,1
	$4\text{-}H_2N\text{-}C_6H_4\text{-}J$	*4-Amino-benzol-phosphon-säure-dimethylester*	53[5]		(F: 107–108°)	
	$3\text{-}HO\text{-}C_6H_4\text{-}J$	*3-Hydroxy-benzol-phos-phonsäure-dimethylester*	65[5]		(F:91–92°)	
	$2\text{-}OHC\text{-}C_6H_4\text{-}J$	*2-Formyl-benzol-phosphon-säure-dimethylester*	34[5]		126–127	0,45
	$2\text{-}Br\text{-}C_6H_4\text{-}J$	*Benzol-1,2-diphosphon-säure-tetramethylester*	87[6]	14[b 2]	(F:80–81°)	
	$3\text{-}Br\text{-}C_6H_4\text{-}J$	*3-Brom-benzol-phosphon-säure-dimethylester*	57[6]		104–105	0,2
		+ *Benzol-1,3-diphosphon-säure-tetramethylester*	23[6]	73[c 2]	d	
	$3\text{-}Cl\text{-}C_6H_4\text{-}J$	*3-Chlor-benzol-phosphon-säure-dimethylester*	92[6]		109–110	0,5
	$4\text{-}Cl\text{-}C_6H_4\text{-}J$	*4-Chlor-benzol-phosphon-säure-dimethylester*	72[6]	19[c 2]	95–96	0,1
		+ *Benzol-1,4-diphosphon-säure-tetramethylester*	10[6]	39[c 2]	(F: 100–101°)	
	$3\text{-}Br\text{-}C_6H_4\text{-}\overset{O}{\overset{\uparrow}{P}}(OCH_3)_2$	*Benzol-1,3-diphosphon-säure-tetramethylester*	85[6]		d	
	⬡⬡-J (Naphthyl)	*Naphthalin-1-phosphon-säure-dimethylester*	81[5]		129–131	0,15
	⬡S-J (Thienyl)	*Thiophen-2-phosphon-säure-dimethylester*	32[5]	88[c 2]	101–103	0,3
$P(OC_2H_5)_3$	C_6H_5Br	*Benzol-phosphonsäure-diäthylester*	23[3]	91[2]	d	
	$2\text{-}H_3C\text{-}C_6H_4\text{-}J$	*2-Methyl-benzol-phosphon-säure-diäthylester*	73[5]	90[2]	105–107	0,3

[a] Zum Vergleich; mit Bromiden oder Chloriden als Halogen-Komponente.
[b] Aus Triäthylphosphit, isoliert als freie Säure.
[c] Äthylester, aus Triäthylphosphit.
[d] Nicht angegeben.

[1] J. B. Plumb u. C. E. Griffin, J. Org. Chem. **27**, 4711 (1962).
[2] P. Tavs, B. **103**, 2428 (1970).
[3] J. B. Plumb, R. Obrycki u. C. E. Griffin. J. Org. Chem. **31**, 2455 (1966).
[4] C. E. Griffin, R. B. Davison u. M. Gordon, Tetrahedron **22**, 561 (1966).
[5] R. Obrycki u. C. E. Griffin, J. Org. Chem. **33**, 632 (1968).
[6] R. Obrycki u. C. E. Griffin, Tetrahedron Letters **1966**, 5049.

Tab. 189. (1. Fortsetzung)

Phosphor-komponente	Halogen-komponente	Produkt	Ausbeute [% d. Th.]	Ni-Salz-Dunkel Reaktion[a] Ausbeute [% d. Th.]	Kp [°C]	Kp [Torr]
$P(OC_2H_5)_3$	$4-H_3C-C_6H_4-J$	4-Methyl-benzol-phosphon-säure-diäthylester	95[1]	83[2]	148–149	4
	$4-H_3CO-C_6H_4-J$	4-Methoxy-benzol-phos-phonsäure-diäthylester	70[1]	72[2]	177–178	0,4
	$2-HOOC-C_6H_4-J$	2-Carboxy-benzol-phos-phonsäure-diäthylester	b[3]		b	
	$4-H_5C_2OOC-C_6H_4-J$	4-Äthoxycarbonyl-benzol-phosphonsäure-diäthyl-ester	b[3]	72[2]	b	
	H͜C=C͜J Cl H	trans-2-Chlor-äthylen-phosphonsäure-diäthyl-ester	20[4]	21[5]	50–53	0,2
$P[OCH(CH_3)_2]_3$	C_6H_5 J	Benzol-phosphonsäure-di-isopropylester	26[6] 29[7]	86[2]	b	

[a] Zum Vergleich; mit Bromiden oder Chloriden als Halogenkomponente.
[b] Nicht angegeben.

Verwandt ist der photochemische Ringschluß der (1-Methoxy-2-oxo-2-aryl-äthyl)-diphenyl-phosphinoxide zu 3-Hydroxy-2-diphenylphosphinyl-3-aryl-oxetanen[8]:

X = H;   3-Hydroxy-2-diphenylphosphinyl-3-phenyl-oxetan; 57% d. Th.
X = Br;   3-Hydroxy-2-diphenylphosphinyl-3-(4-brom-phenyl)-oxetan; 35% d. Th.
X = OCH₃; 3-Hydroxy-2-diphenylphosphinyl-3-(4-methoxy-phenyl)-oxetan; 8% d. Th.

Die Rolle des (hier stets fünfwertigen) Phosphors beschränkt sich darauf, diese typischen Carbonyl-reaktionen nicht zu stören. Verbindungen des dreiwertigen Phosphors sind hingegen für die Anregungs-zustände von Ketonen Quencher, so daß Triphenylphosphin und Trimethylphosphit die Photoreduktion von Benzophenon behindern[9]; Dimethyl-phenyl-phosphin wird anders als das isoelektronische N,N-Dimethyl-anilin durch angeregtes Benzophenon nicht dehydriert[10]. Als Folge einer Anregung der PO-Gruppe dehydriert im Trichlormethanphosphonsäure-bis-[2-methyl-propylester] der an den Phosphor gebundene Sauerstoff den tertiären Kohlenstoff in einer der Alkyl-Gruppen; neben Isobuten entsteht *Trichlormethanphosphonsäure-mono-(2-methyl-propylester)* (11% d. Th.)[11].

[1] R. OBRYCKI u. C. E. GRIFFIN. J. Org. Chem. **33**, 632 (1968).
[2] P. TAVS, B. **103**, 2428 (1970).
[3] M. GORDON, V. A. NOTARO u. C. E. GRIFFIN, Am. Soc. **86**, 1898 (1964).
[4] W. M. DANIEWSKI, M. GORDON u. C. E. GRIFFIN, J. Org. Chem. **31**, 2083 (1966).
[5] P. TAVS u. H. WEITKAMP, Tetrahedron **26**, 5529 (1970).
[6] J. PLUMB u. C. E. GRIFFIN, J. Org. Chem. **27**, 4711 (1962)
[7] J. B. PLUMB, R. OBRYCKI u. C. E. GRIFFIN, J. Org. Chem. **31**, 2455 (1966)
[8] M. REGITZ, A. LIEDHEGENER, W. ANSCHÜTZ u. H. ECKES, B. **104**, 2177 (1971).
[9] R. S. DAVIDSON u. P. F. LAMBETH, Chem. Commun. **1969**, 1098.
[10] R. S. DAVIDSON, Chem. Commun. **1966**, 575.
[11] Y. OGATA, Y. IZAWA u. T. UKIGAI, Bl. chem. Soc. Japan **46**, 1009 (1973).

Die Photoreaktion der Phosphorigsäure-(2-oxo-alkylester) hat ein intermolekulares Gegenstück in der Reduktion von Chloranil mit Dimethylphosphit zu *Phosphorsäuredimethylester-(2,3,5,6-tetrachlor-4-hydroxy-phenylester)*, die sich bereits als Dunkelreaktion durchführen läßt und lediglich durch Belichten (360–370 nm) geringfügig beschleunigt wird[1]. Ebenfalls über eine Carbonyl-Anregung (und zwar n → π*) scheint die Reaktion von Benzophenon mit Triphenylphosphin zu laufen, bei der neben *Triphenylphosphinoxid Triphenyl-diphenylmethylen-phosphoran* entstehen soll, also eine neue P–C-Bindung geknüpft wird[2]. Das hier nicht mit Sicherheit identifizierte Phosphoran unterliegt jedoch seinerseits wieder der Photolyse[3] (vgl. S. 1364).

2. Knüpfung von P–O- und P–S-Bindungen

P–O-Bindungen bilden sich in einer Reihe von Photoreaktionen, deren Interesse jedoch häufig nicht in der Oxidation des dreiwertigen Phosphors liegt und die deswegen zum Teil bereits an anderer Stelle abgehandelt wurden (vgl. S. 1368). Die Ausbeuten der oxidierten Phosphor-Komponente sind vielfach sehr hoch. Die Photoxidation von Trialkylphosphiten gilt als ein ausgezeichnetes Verfahren zur Herstellung von Trialkylphosphaten im nichtwäßrigen Medium[4]. Die Reaktion wird z. B. durch Rose bengale sensibilisiert[5]. Wird Trimethyl- oder Triäthylphosphit in Gegenwart von Aromaten und Sauerstoff durch Pyrex-Glas belichtet, so entstehen neben den Phosphorsäureestern Phenole[6]. Die beim Belichten von Salpetrigsäureestern in Benzol entstehenden Alkoxy-Radikale addieren sich an Trialkylphosphite zu Phosphoranyl-Radikalen, die bevorzugt kleine Alkyl-Radikale abstoßen und sich so zu Trialkylphosphaten stabilisieren; gemischte Phosphorsäureester sterisch anspruchsvoller (z. B. Steroid-) Alkohole sind derart gut zugänglich[7]. In Wasser sind Phosphorsäureester ihrerseits photolabil und werden „photohydrolysiert"[8], häufig unter Spaltung von C–O-Bindungen[9] (s. a. S. 1382). Daneben werden, namentlich in Gegenwart von Sauerstoff, offenbar auch C–H-Bindungen angegriffen. Aus Trimethylphosphat entstehen so u. a. *Dimethylphosphat* und *Formaldehyd*[10]; auf ähnliche Weise wird Phosphorsäure-tris-[dimethylamid] am Stickstoff partiell entmethyliert[11]. Dinatrium-α-D-glucose-6-phosphat wird in Wasser unter Stickstoff und Sauerstoff von der Seite des C-Atoms 1 abgebaut[12] und erweist derart die Umgebung des P–O–C-Segments als nicht sonderlich strahlungsempfindlich. Phosphorsäure-triarylester geben in Äthanol bei Einstrahlung durch Quarz Phosphorsäure-monoarylester und in Ausbeuten zwischen 2 und 81% d.Th. Biaryle. An der Reaktion, die mit elektronenreichen Aryl-Resten am ergiebigsten ist, beteiligt sich das Solvens unter Bildung von Acetaldehyd. Unsymmetrische Phosphorsäure-triarylester geben außer den symmetrischen auch die unsymmetrischen Biaryle (Ar–Ar'); von den verschiedenen Aryl-Gruppen verlassen bevorzugt die elektronenreicheren die Phosphat-Molekel und finden sich entsprechend überstatistisch in den Biarylen wie-

[1] F. Ramirez u. S. Dershowitz, J. Org. Chem. **22**, 1282 (1957).
[2] L. D. Westcott, Jr., H. Sellers u. P. Poh, Chem. Commun. **1970**, 586.
[3] H. Tschesche, B. **98**, 3318 (1965).
Y. Nagao, K. Shima u. H. Sakurai, Tetrahedron Letters **1970**, 2221.
[4] J. I. G. Cadogan, Adv. Free Radical Chem. **2**, 203 (1968).
[5] P. R. Bolduc u. G. L. Goe, J. Org. Chem. **39**, 3178 (1974).
[6] R. Higgins, K. M. Kitson u. J. R. L. Smith, Soc. [B] **1971**, 430.
[7] D. H. R. Barton, T. J. Bentley, R. H. Hesse, F. Mutterer u. M. M. Pechet, Chem. Commun. **1971**, 912.
[8] E. Bamann, K. Gubitz u. H. Trapmann, Ar. **294**, 240 (1961).
[9] vgl. M. Sato, T. Katsu, Y. Fujita u. T. Kwan, Bl. chem. Soc. Japan **46**, 2875 (1973).
[10] H. P. Benschop u. M. Halmann, Soc. (Perkin II) **1974**, 1175.
[11] J.-Y. Gal u. T. Yvernault, Bl. **1972**, 839.
[12] C. Triantaphylides u. M. Halmann, Soc. (Perkin II) **1975**, 34.

der[1]. Bis-[2-phenyl-propyl-(2)]-peroxid und Triäthylphosphit geben bei UV-Bestrahlung fast quantitativ *Triäthylphosphat*, während *2,3-Dimethyl-2,3-diphenyl-butan* nur zu 45,5% d.Th. entsteht und besser thermisch gewonnen wird[2]:

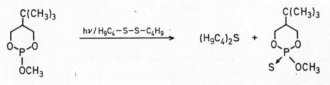

| | R = C₆H₅; | 45,5% | 98,5% |
| | R = CH₃; | 8 % | >100 % |

Di-tert.-butyl-peroxid reagiert bereits komplizierter[2].

Entsprechend bildet Dibenzyldisulfan mit Triäthylphosphit in einer langsamen Reaktion nur 26% *1,2-Diphenyl-äthan*, aber 82% *Thiophosphorsäure-O,O,O-triäthylester* neben 19% Toluol und 5% Dibenzylsulfid[3]. Die Entschwefelung zum Dialkylsulfid wird bei aliphatischen Disulfiden zur (sehr viel rascher ablaufenden) Hauptreaktion[4].

Thiophosphorsäure-O,O,O-triäthylester und Bis-[2-methyl-propyl]-sulfid[2]: 44,9 g (0,27 Mol) Triäthylphosphit und 37,2 g (0,21 Mol) Bis-[2-methyl-propyl]-disulfan werden in einem Pyrex-Kolben mit einer General Electric RS-Lampe in einem Abstand von ~ 15 cm während 72 Stdn. so bestrahlt, daß die Wärmeabstrahlung eine Temp. von 60° aufrecht erhält. Die Mischung wird bei 15 Torr über eine 30 cm lange Vigreux-Kolonne mit Vakuummantel fraktioniert destilliert. Nach kleinen Mengen Isobutan und Isobuten gehen 28 g (92% d.Th.) *Bis-[2-methyl-propyl]-sulfid* (n_D^{25} = 1,4437) und schließlich 44,0 g (106% d.Th.; bez. auf die Stöchiometrie der Sulfid-Bildung) *Thiophosphorsäure-O,O,O-triäthylester* (n_D^{25} = 1,4459) über.

cis- und *trans-*2-Methoxy-5-tert.-butyl-1,3,2-dioxa-λ^3-phosphorinan geben beim Belichten mit Dibutyldisulfan die entsprechenden Thiophosphorsäureester unter Retention am Phosphor[5]:

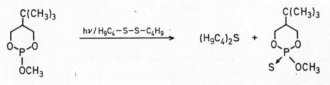

2-Methoxy-4-tert.-butyl-1,3,2-dioxa-λ^5-phosphorinan-2-sulfid

Mercaptane (jedoch nicht Thiophenol[6]) geben mit Trialkylphosphiten in hohen Ausbeuten die Kohlenwasserstoffe[7].

Octan und Thiophosphorsäure-O,O,O-triäthylester[7]: 83 g (0,5 Mol) Triäthylphosphit und 73 g (0,5 Mol) Octylmercaptan werden in einem Pyrex-Kolben mit einer 100-Watt-General Electric S-4-Lampe in 12 cm Entfernung 6¼ Stdn. bestrahlt. Destillation über eine 60 cm lange Kolonne gibt 50,3 g (88% d.Th.) *Octan* (Kp: 122–124,5°; n_D^{25} = 1,3951–1,3959) und 90,9 g (92% d.Th.) *Thiophosphorsäure-O,O,O-triäthylester* (Kp$_{0,5}$: 45°; n_D^{25} = 1,4461).

Analog sind Dialkylsulfide ihrerseits in Gegenwart von Trialkylphosphiten und -phosphinen photolabil; der Schwefel geht auf den Phosphor über, und die gebildeten Kohlenstoff-Radikale rekombinieren, zuweilen nach Umlagerung[8]. So bildet 9-Thia-bicyclo[3.3.1]nonan

---

[1] R. A. FINNEGAN u. J. A. MATSON, Am. Soc. **94**, 4780 (1972).
[2] C. WALLING u. R. RABINOWITZ, Am. Soc. **81**, 1243 (1959).
[3] C. WALLING u. R. RABINOWITZ, Am. Soc. **79**, 5326 (1957); **81**, 1243 (1959).
[4] C. WALLING u. R. RABINOWITZ, Am. Soc. **79**, 5326 (1957).
[5] W. G. BENTRUDE, J. H. HARGIS u. P. E. RUSEK, Jr., Chem. Commun. **1969**, 296.
[6] C. WALLING, O. H. BASEDOW u. E. S. SAVAS, Am. Soc. **82**, 2181 (1960).
[7] F. W. HOFFMANN, R. J. ESS, T. C. SIMMONS u. R. S. HANZEL, Am. Soc. **78**, 6414 (1956).
[8] E. J. COREY u. E. BLOCK, J. Org. Chem. **34**, 1233 (1969).

mit Phosphorigsäure-tris-[2,2,4-trimethyl-pentylester] in 47%iger Ausbeute ein Produkt-gemisch, das zu je 46% aus *cis-Bicyclo[3.3.0]octan* und *Cycloocten* sowie 8% *Cyclooctan* besteht:

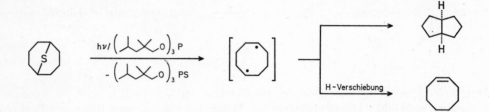

7-Thia-bicyclo[2.2.1]heptan gibt mit Phosphorigsäure-tris-[2,2,4-trimethyl-pentylester] und Tributylphosphin *Bicyclo[2.2.0]hexan*, das Produkt des nicht umgelagerten Diradikals, überhaupt nicht mehr, sondern als Hauptprodukt *Cyclohexen*. Dibenzylsulfid liefert mit Trimethylphosphit 59% 1,2-Diphenyl-äthan und Diallylsulfid mit Phosphorigsäure-tris-[2,2,4-trimethyl-pentylester] 38% *Hexadien-(1,5)*. Die Reaktion von Allyl-methallyl-sulfid zu *Hexadien-(1,5)*, *2-Methyl-hexadien-(1,5)* und *2,5-Dimethyl-hexadien-(1,5)* im Verhältnis 1:2:1 zeigt, daß die Radikale statistisch rekombinieren.

Auch Phosphinigsäureester reagieren beim Belichten mit Disulfanen. Die Reaktion von Diphenylphosphinigsäure-methylester mit Dibenzyldisulfan[1] ist stark solvensabhängig: In Benzol entstehen *Diphenyl-thiophosphinsäure-O-methylester* und 1,2-Diphenyl-äthan in ~30 bzw. 40%iger Ausbeute, in Methanol dagegen neben dem Thiophosphinsäureester auch Diphenylphosphinsäure-methylester und in hohen Ausbeuten *Methyl-benzyl-sulfid* und Toluol.

Verbindungen mit P–H-Bindungen reagieren anders. Unterphosphorige Säure überführt die S–S-Brücken des Cystins und verwandter Verbindungen in HS-Gruppen[2]. Ähnlich bildet Methan-phosphonigsäure-mono-isopropylester mit Diphenyldisulfan bei UV-Belichtung über eine relativ kurze Radikalkette 63% *Methan-thiophosphonsäure-O-iso-propylester-S-phenylester* und 45% *Thiophenol*[3]. Die Reaktion verläuft am Phosphor unter Retention[4]. (S)ₚ-Methan-phosphonigsäure-monomenthylester[5,6] gibt mit überschüssigem Dimethyldisulfan *Methan-thiophosphonsäure-O-menthylester-S-methylester* und *Methylmer-captan*, mit stöchiometrischen Mengen des Disulfans dagegen den O,S-Diester und Wasser-stoff[7]. Die Photoreaktion verläuft stereospezifisch, jedoch ist die Konfiguration des O,S-Diesters noch nicht sicher geklärt[5,6]. (R)ₚ- [und (S)ₚ-]Benzol-phosphonigsäure-mono-menthylester reagiert mit Dimethyldisulfan gleichartig (*Benzol-thiophosphonsäure-O-men-thylester-S-methylester*), und zwar unter Retention[8], jedoch wird das Produkt (nicht das Edukt) photoepimerisiert[5].

[1] R. S. Davidson, Soc. [C] **1967**, 2131.
[2] O. A. Swanepoel u. N. J. J. van Rensburg, Photochem. and Photobiol. **4**, 833 (1965).
[3] W. A. Mosher u. R. R. Irino, Am. Soc. **91**, 756 (1969).
[4] L. P. Reiff u. H. S. Aaron, Am. Soc. **92**, 5275 (1970).
[5] W. B. Farnham, R. K. Murray, Jr., u. K. Mislow, Chem. Commun. **1971**, 605.
[6] G. R. van den Berg, D. H. J. M. Platenburg u. H. P. Benschop, Chem. Commun. **1971**, 606.
[7] H. P. Benschop u. D. H. J. M. Platenburg, Chem. Commun. **1970**, 1098.
[8] J. Donohue, N. Mandel, W. B. Farnham, R. K. Murray, Jr., K. Mislow u. H. P. Benschop, Am. Soc. **93**, 3792 (1971).

In die vielfältigen Prozesse bei solchen Reaktionen gestattete die ESR-Spektroskopie detaillierte Einblicke. Photochemisch erzeugte Alkoxy- und Thiyl-Radikale bilden mit Phosphinen[1–6], Chlorphosphinen[7,8], Biphosphinen[2,9], Phosphinig-, Phosphonig-[4,6,8,10] und Phosphorigsäure-estern[1,2,11] ebenso wie mit einem cyclischen Phosphorigsäure-diester-amid[12] ESR-spektroskopisch oft faßbare Phosphoranyl-Radikale, die meist unter Bruch einer P–C- (bzw. P–P-) oder einer O–C- bzw. S–C-Bindung in Alkyl- (bzw. Phosphino-)Radikale und eine entsprechende oxidierte bzw. schwefelhaltige Phosphor-Komponente zerfallen[13]:

$$R^1\text{-O-O-}R^1 \xrightarrow{h\nu} 2\ R^1\text{-O}^{\bullet} \xrightarrow{2(R^2)_3 P} 2\ R^1\text{-O-}\overset{\bullet}{P}(R^2)_3 \xrightarrow{\beta\text{-Spaltung}}$$

$$2\ R^{1}{}^{\bullet} \ +\ 2\ OP(R^2)_3$$

$$\downarrow \alpha\text{-Spaltung}$$

$$2\ R^1\text{-O-P}(R^2)_2 \ +\ 2\ R^2{}^{\bullet}$$

$$\downarrow 2\ R^1 O^{\bullet}$$

$$2\ (R^1\text{-O-})_2 PR^2 \ +\ 2\ R^2_{\bullet} \ \longleftarrow\ 2\ (R^1\text{-O-})_2\overset{\bullet}{P}(R^2)_2$$

[1] J. K. Kochi u. P. J. Krusic, Am. Soc. **91**, 3944 (1969).
  A. G. Davies u. B. P. Roberts, Nature Physical Science **229**, 221 (1971).

[2] P. J. Krusic, W. Mahler u. J. K. Kochi, Am. Soc. **94**, 6033 (1972).

[3] A. G. Davies, D. Griller u. B. P. Roberts, J. Organometal. Chem. **38**, C 8 (1972).

[4] A. G. Davies, R. W. Dennis, D. Griller u. B. P. Roberts, J. Organometal. Chem. **40**, C 33 (1972).

[5] P. J. Krusic u. P. Meakin, Chem. Physics Letters **18**, 347 (1973).

[6] A. G. Davies, R. W. Dennis u. B. P. Roberts, Soc. (Perkin II) **1974**, 1101.

[7] D. Griller u. B. P. Roberts, Soc. (Perkin II) **1973**, 1339.

[8] A. G. Davies, M. J. Parrott u. B. P. Roberts, Chem. Commun. **1974**, 973.

[9] D. Griller, B. P. Roberts, A. G. Davies u. K. U. Ingold, Am. Soc. **96**, 554 (1974).

[10] G. Boekestein, E. H. J. M. Jansen u. H. M. Buck, Chem. Commun. **1974**, 118.

[11] A. Hudson u. H. A. Hussain, Soc. [B] **1969**, 793.
  A. G. Davies, D. Griller u. B. P. Roberts, Ang. Ch. **83**, 800 (1971); engl.: **10**, 738 (1971).
  G. B. Watts, D. Griller u. K. U. Ingold, Am. Soc. **94**, 8784 (1972).
  A. G. Davies, D. Griller u. B. P. Roberts, Soc. (Perkin II) **1972**, 993, 2224.
  A. G. Davies, M. J. Parrott u. B. P. Roberts, Chem. Commun. **1974**, 27.
  D. Griller u. K. U. Ingold, Am. Soc. **97**, 1813 (1975).

[12] R. W. Dennis u. B. P. Roberts, J. Organometal. Chem. **47**, C 8 (1973).
  vgl. R. W. Dennis u. B. P. Roberts, Soc. (Perkin II) **1975**, 140.

[13] K. U. Ingold u. B. P. Roberts, *Free-Radical Substitution Reactions*, S. 116–147, Wiley-Interscience, New York 1971.
  D. G. Pobedimskii, N. A. Mukmeneva u. P. A. Kirpichnikov, Uspechi Chim. **41**, 1242 (1972); C. A. **77**, 138975 (1972).

Die durch α-Spaltung gebildeten Phosphinigsäureester [R^1O–$P(R^2)_2$] können unter den Reaktionsbedingungen analog weiterreagieren[1-4], während die Produkte der β-Spaltung von weiteren Alkoxy-Radikalen ($R^1O\cdot$) in den Alkyl-Resten (R^2) dehydriert werden[5,6]; es bilden sich Kohlenstoff-Radikale, die auch durch die Addition von Phosphor-Radikalen an Olefine zugänglich sind[1,7]. Sauerstoff wird entsprechend zu Phosphoranylperoxy-Radikalen addiert[8]. Zu einer Wasserstoff-Abstraktion durch Alkoxy-Radikale ($R^1O\cdot$) kommt es auch bei P–H-Bindungen[1,2,7,9], während tert.-Butyloxy-Radikale eine am Phosphor stehende $(CH_3)_2P$-[2] und $(C_2H_5O)_2P$–O-Gruppe[1,10] zu substituieren vermögen.

Das C–O–P-Segment unterliegt zuweilen auch einer α-Spaltung[6]. Trialkyl-arsine[6,3,11], -stibine[6,11-13] und -bismutine[11] sowie Diphenylarsinigsäure-alkylester[14] sind ebenfalls der radikalischen Substitution von Alkyl- bzw. Phenyl-Resten durch photolytisch erzeugte tert.-Butyloxy-[6,11,12,14], Alkylthiyl-[3,11] und Dimethylamino-Radikale[11,13] zugänglich, ebenso Triphenylarsin[14], bei dem das zunächst gebildete Arsenanyl-Radikal wiederum gegenwärtigen Sauerstoff zum Arsenanylperoxi-Radikal addieren kann[15].

P–O-Bindungen werden auch bei der eosin-sensibilisierten Photoxidation des 2,4,6-Tritert.-butyl-λ^3-phosphorins geknüpft; es entstehen – mutmaßlich über ein Endoperoxid vom Ascaridol-Typ – eine Hydroxy-phosphinsäure und ihr Lacton:

1,4-Dihydroxy-2,4,6-tritert.-butyl-4H-λ^5-phosphorin-1-oxid; 15%

2,4,6-Tri-tert.-butyl-7-oxa-1-phospha-bicyclo[2.2.1]heptan-1-oxid; 15%

[1] A. G. Davies, D. Griller u. B. P. Roberts, Am. Soc. **94**, 1782 (1972).

[2] P. J. Krusic, W. Mahler u. J. K. Kochi, Am. Soc. **94**, 6033 (1972).

[3] A. G. Davies, D. Griller u. B. P. Roberts, J. Organometal. Chem. **38**, C 8 (1972).

[4] A. G. Davies, R. W. Dennis, D. Griller u. B. P. Roberts, J. Organometal. Chem. **40**, C 33 (1972).

[5] A. Hudson u. H. A. Hussain, Soc. B **1969**, 793.

[6] J. K. Kochi u. P. J. Krusic, Am. Soc. **91**, 3944 (1969).

[7] D. Griller u. B. P. Roberts, J. Organometal. Chem. **42**, C 47 (1972).

[8] G. B. Watts u. K. U. Ingold, Am. Soc. **94**, 2528 (1972).
   A. G. Davies, D. Griller u. B. P. Roberts, Soc. (Perkin II) **1972**, 993, 2224.

[9] D. Griller u. B. P. Roberts, Soc. (Perkin II) **1973**, 1416.
   R. A. Kaba, D. Griller u. K. U. Ingold, Am. Soc. **96**, 6202 (1974).
   Vgl. H. Karlsson u. C. Lagercrantz, Acta Chem. Scand. **24**, 3411 (1970).

[10] D. Griller, B. P. Roberts, A. G. Davies u. K. U. Ingold, Am. Soc. **96**, 554 (1974).

[11] A. G. Davies u. B. P. Roberts, Nature Physical Science **229**, 221 (1971).

[12] A. G. Davies u. B. P. Roberts, J. Organometal. Chem. **19**, P 17 (1969).

[13] A. G. Davies, S. C. W. Hook u. B. P. Roberts, J. Organometal. Chem. **22**, C 37 (1970).

[14] E. Furimsky, J. A. Howard u. J. R. Morton, Am. Soc. **95**, 6574 (1973).

[15] E. Furimsky, J. A. Howard u. J. R. Morton, Am. Soc. **94**, 5923 (1972); **95**, 988 (1973).

1,1-Dimethoxy-2,4,6-tri-tert.-butyl-λ^5-phosphorin geht in einer verwandten Reaktion in einen α-Hydroxy-phosphinsäure-methylester mit dem 7-Oxa-2-phospha-bicyclo[2.2.1]hepten-Gerüst über[1]:

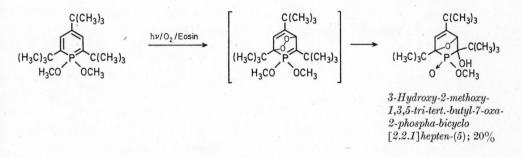

3-Hydroxy-2-methoxy-
1,3,5-tri-tert.-butyl-7-oxa-
2-phospha-bicyclo
[2.2.1]hepten-(5); 20%

Phosphor-Halogen-Bindungen entstehen beim Belichten von 2,4,6-Triphenyl-λ^3-phosphorin mit Chlor oder Brom[2].

3. Lösung von P–O- und P–N-Bindungen

2,2,2-Trimethoxy-4,5-dimethyl-1,3,2-dioxaphospholin zerfällt beim Belichten in Trimethylphosphit (und -phosphat) sowie Butandion, das weiterreagiert[3], z. B. mit dem Ausgangsmaterial zu *2,2,2-Trimethoxy-4,5-dimethyl-4,5-diacetyl-1,3,2-dioxaphospholan*, und zwar überwiegend dem *cis*-Produkt, das bei der thermischen Reaktion weniger stark begünstigt ist:

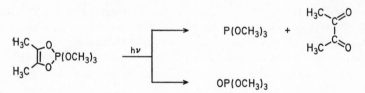

Die Reaktion soll über ein Oxetan verlaufen, das bei der entsprechenden (nur photochemisch realisierbaren[4]) Umsetzung des Phospholins mit Aceton NMR-spektroskopisch nachgewiesen wurde und sich thermisch zum acetyl-substituierten Phospholan umlagert[5]:

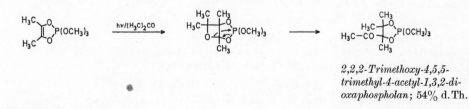

2,2,2-Trimethoxy-4,5,5-
trimethyl-4-acetyl-1,3,2-di-
oxaphospholan; 54% d.Th.

[1] K. DIMROTH, A. CHATZIDAKIS u. C. SCHAFFER, Ang. Ch. **84**, 526 (1972); engl.: **11**, 506 (1972).
[2] H. KANTER u. K. DIMROTH, Ang. Ch. **84**, 1145 (1972); engl.: **11**, 1090 (1972).
[3] W. G. BENTRUDE, Chem. Commun. **1967**, 174.
[4] W. G. BENTRUDE u. K. R. DARNALL, Tetrahedron Letters **1967**, 2511.
[5] W. G. BENTRUDE u. K. R. DARNALL, Chem. Commun. **1969**, 862.

Im Edukt öffnet sich der Heterocyclus gleichartig bei der photochemischen Umsetzung mit Trichlor-brom-methan[1]:

1,1,1-Trichlor-2-dimethoxy-phosphoryloxy-3-oxo-3-methyl-butan; 83% d.Th.

Ebenfalls unter Ausbildung einer Carbonyl-Gruppe verläßt ein Sauerstoff den Phosphor bei der Photolyse von 2,2,2-Triäthoxy-4,5-diphenyl-4,5-dicyan-1,3,2-dioxaphospholan, die bei 253,7 nm in Gegenwart von Olefinen zu Triäthylphosphat, *Phenyl-glyoxylsäure-nitril* und (durch Addition des mutmaßlich gebildeten Phenyl-cyan-carbens an das Olefin) *1-Phenyl-1-cyan-cyclopropanen* führt[2].

Phenole erfahren durch elektronische Anregung eine erhebliche Aciditätssteigerung; Phenolester bekommen deswegen beim Belichten den Charakter von Säureanhydriden und werden durch Wasser und Alkohole entsprechend leicht solvolysiert. So zerfallen die Anionen von Phosphorsäure-mono-(nitro-phenylestern) in Wasser beim Bestrahlen in die Nitrophenolate und Phosphat-Ionen[3]. Wasser und Methanol greifen das Dianion des Phosphorsäure-mono-(3-nitro-phenylesters) am Phosphor an und öffnen die ArO–P-Bindung, während Hydroxyl-Ionen und Methylamin den Aromaten nukleophil substituieren[4]. Die Bildung von Phosphorsäure-monomethylester (und nicht von 3,5-Dinitro-anisol) aus Phosphorsäure-mono-(3,5-dinitro-phenylester) in Gegenwart von Methanol zeigt, daß sich auch hier die P–O- (nicht die O–$C_{arom.}$-)Bindung öffnet[5]. Bei den Bis- und Tris-[3,5-dinitro-phenylestern][6], dem Mono-(3,5-dimethoxy-benzylester)[7] sowie aliphatischen Monoestern der Phosphorsäure löst sich dagegen wieder die O–C-Bindung. Aus der Äthyl-Gruppe in Wasser bestrahlten Monäthylesters bildet sich *Acetaldehyd*; daneben entsteht Wasserstoff, der je zur Hälfte aus der organischen Komponente und dem Solvens stammt[8]. Ähnlich verhalten sich Glycerin-1- und -2-phosphat[9]. 1,4-Bis-[dinatriumoxy-phosphoryloxy]-2-methyl-naphthalin erfährt bei der riboflavin-sensibilisierten Photoxidation eine oxidative Dephosphorylierung; es bildet sich Orthophosphat[10].

[1] W. G. Bentrude, Am. Soc. 87, 4026 (1965).

[2] P. Petrellis u. G. W. Griffin, Chem. Commun. 1968, 1099.

[3] E. Havinga, R. O. de Jongh u. W. Dorst, R. 75, 378 (1956).
E. Havinga u. R. O. de Jongh, Bull. Soc. chim. belges 71, 803 (1962); C. A. 58, 9783 (1963).
R. O. de Jongh u. E. Havinga, R. 87, 1318, 1327 (1968).

[4] E. Havinga, R. O. de Jongh u. M. E. Kronenburg, Helv. 50, 2550 (1967).
R. O. de Jongh u. E. Havinga, R. 87, 1318, 1327 (1968).

[5] A. J. Kirby u. A. G. Varvoglis, Chem. Commun. 1967, 405.

[6] A. J. Kirby u. A. G. Varvoglis, Chem. Commun. 1967, 406.

[7] V. M. Clark, J. B. Hobbs u. D. W. Hutchinson, Chem. Commun. 1970, 339.

[8] M. Halmann u. I. Platzner, Soc. 1965, 5380.

[9] J. Greenwald u. M. Halmann, Soc. (Perkin II) 1972, 1095.

[10] P.-S. Song u. T. A. Moore, Am. Soc. 90, 6507 (1968), und dort zitierte Literatur.

Bei der Belichtung von Triphenyl-phosphin-tert.-butylimin in Cyclohexen entstehen 42,5% *Triphenylphosphin*, 17% *tert. Butylamin*, 25,6% *Di-tert.-butylamin* und 50% *3-tert.-Butylamino-cyclohexen*, daneben Triphenylphosphinimin, Benzol, Stickstoff und andere Produkte[1]. Offenbar werden sowohl die P=N- als auch die N–C-Bindung, außerdem P–C-Bindungen gespalten. Triphenylphosphin entsteht auch aus Diphenylmethylenhydrazono-triphenyl-phosphoran[2]. Die Reaktion, die thermisch ähnlich verläuft, ist sehr empfindlich gegen Sauerstoff und H-Donatoren; Hauptprodukt ist *Triphenylphosphinoxid*. Dagegen scheinen sich beim Belichten von Triaryl-phosphin-(o-hydroxy-aryliminen) nicht P=N-Bindungen zu lösen, sondern phosphinimin-substituierte Aroxyl-Radikale zu bilden[3]. 1-Diphenoxyphosphoryl-3,5-diacetyl-1,4-dihydro-pyridin ist beim Belichten, vornehmlich unter Sauerstoff als Wasserstoff-Akzeptor, unter Bruch der P–N-Bindung ein ergiebiges Phosphorylierungsmittel für Alkohole; so entstehen in Äthanol 67% d.Th. *Phosphorsäure-äthylester-diphenylester* und 53% d.Th. *3,5-Diacetyl-pyridin*[4]. Photolytisch aus Di-tert.-butyl-peroxid gebildete tert. Butyloxy-Radikale bilden bei –120° mit 2-Dimethylamino-4,4,5,5-tetramethyl-1,3,2-dioxa-λ^3-phospholan Phosphoranyl-Radikale; bei dem in der 4- und 5-Stellung methylfreien Grundkörper belegen die bei –25° beobachteten $(CH_3)_2\overset{\cdot}{N}$-Radikale den Bruch einer P–N-Bindung[5]. Eine solche wird andererseits geknüpft, wenn die aus Verbindungen mit P–H-Bindungen erzeugten Radikale mit Nitroso-Verbindungen, Iminen und Nitrilen reagieren[6].

b) am Kohlenstoff-Silicium-System

bearbeitet von

Dr. ALFRED RITTER[*],[**]

Die im folgenden zu beschreibenden Photoreaktionen stellen entweder Reaktionsschritte an bereits bestehenden Organo-silicium-Verbindungen dar, oder sie dienen dazu, anorganische Silicium-Verbindungen durch photochemische Reaktionen mit Kohlenstoffverbindungen in Organo-silane zu überführen.

Zumeist sind die Photoreaktionen Alternativen zu konventionell auslösbaren Syntheseschritten. Es muß daher im Einzelfall durch Vergleich der Methoden abgewogen werden, welchem Reaktionstyp der Vorzug gegeben werden soll.

Die Maßnahmen zur Handhabung siliciumorganischer Verbindungen müssen sich nach dem jeweiligen Strukturtyp richten, da deren Empfindlichkeit gegenüber Luftsauerstoff und Feuchtigkeit sehr unterschiedlich ist. Prinzipiell gilt, daß dem Feuchtigkeitsausschluß im allgemeinen weit größere Be-

---

[*] **Institut für Strahlenchemie im MPI für Kohlenforschung, Mülheim/Ruhr.**

[**] Unter Mitwirkung von Dr. U. RITTER-THOMAS u. cand. chem. H. FRIEGE.

[1] H. ZIMMER u. M. JAYAWANT, Tetrahedron Letters **1966**, 5061.

[2] D. R. DALTON u. S. A. LIEBMAN, Tetrahedron **25**, 3321 (1969).

[3] H. B. STEGMANN, F. STÖCKER u. G. BAUER, A. **755**, 17 (1972).

[4] S. MATSUMOTO, H. MASUDA, K.-I. IWATA u. O. MITSUNOBU, Tetrahedron Letters **1973**, 1733.

[5] R. W. DENNIS u. B. P. ROBERTS, J. Organometal. Chem. **47**, C 8 (1973); vgl. Soc. (Perkin II) **1975**, 140.

[6] H. KARLSSON u. C. LAGERCRANTZ, Acta Chem. Scand. **24**, 3411 (1970).

R. A. KABA, D. GRILLER u. K. U. INGOLD, Am. Soc. **96**, 6202 (1974).

deutung zukommt als dem Schutz vor Luftsauerstoff. Bei photochemischen Umsetzungen, wie z. B. im Falle von Radikalkettenreaktionen, kann jedoch der Ausschluß von Luftsauerstoff eine der Bedingungen sein, die für den Syntheseerfolg unabdingbar sind.

Insbesondere muß Feuchtigkeit von solchen Organo-silicium-Verbindungen ferngehalten werden, die an Silicium gebundene Heteroatome wie Halogen, Stickstoff, Schwefel und – in etwas abgeschwächtem Maße – Sauerstoff enthalten.

Die Schutzmaßnahmen zum Fernhalten von Feuchtigkeit erfordern nur in seltenen Fällen den Aufwand, der z. B. bei metallorganischen Verbindungen von Elementen der ersten Perioden des Periodensystems üblich ist. Es ist im allgemeinen damit getan, wenn die Apparaturen, in denen Organo-silicium-Verbindungen reagieren sollen, mit Trockenrohren geschützt werden, die mit laborüblichen Trockenmitteln beschickt sind.

1. Spaltung einer Si—H-Bindung

α) unter Aufbau einer Si—Cl-Bindung

Organo-silicium-hydride setzen sich mit (ω-Chlor-alkyl)-silanen unter Austausch von Chlor und Wasserstoff zu den entsprechenden Organo-Silicium-chloriden um[1-3]:

$$R^2-\underset{\underset{R^1}{|}}{\overset{\overset{R^3}{|}}{Si}}-H \;+\; -\underset{|}{\overset{|}{Si}}-(CH_2)_n-Cl \;\xrightarrow{h\nu}\; R^2-\underset{\underset{R^1}{|}}{\overset{\overset{R^3}{|}}{Si}}-Cl \;+\; -\underset{|}{\overset{|}{Si}}-(CH_2)_n-H$$

$$R^1=R^2=R^3 = C_2H_5;\; C_3H_7;\; C_4H_9$$
$$R^1=R^2=Cl;\; R^3 = CH_3$$
$$R^1=R^2=R^3=Cl$$

Die Reaktion wird auch von Trichlorsilan und Alkyl-dichlor-silan gegeben.

Gleichzeitig vorhandene C–F-Bindungen bleiben bei der Reduktion der C–Cl-Bindung erhalten. Die Leichtigkeit, mit der Chlor abstrahiert wird, hängt von dessen relativer Stellung zum Silicium-Atom ab[2].

Eine präparativ wertvolle Anwendung dieser Reduktionsreaktion ergibt sich insbesondere durch die Möglichkeit, geminal dichlorierte Alkylsilane selektiv in Monochloralkyl-silane zu überführen[3]. Die Selektivität der Reaktion ist jedoch sowohl von den Reaktionsbedingungen als auch von den jeweils verwendeten Hydrogensilanen abhängig.

β) unter Aufbau einer Si–O-Bindung durch Addition an Carbonyl-Verbindungen

Aufgrund der gegenüber der C–H-Bindung erniedrigten Bindungsenergie der Si–H-Bindung und des Energiegewinns durch Aufbau einer Si-O-Bindung verlaufen die Photoadditionen von Carbonyl-Verbindungen an Silane sehr selektiv; das Silan muß mindestens eine Si-H-Bindung aufweisen. Die Umsetzungen mit Ketonen wurden am besten untersucht. Prinzipiell führen die Photoreaktionen von Ketonen mit Triorgano-silicium-

[1] R. N. Haszeldine u. J. C. Young, Soc. **1960**, 4503.

[2] D. Cooper, R. N. Haszeldine u. M. J. Newlands, Soc. [A] **1967**, 2098.

[3] B. Martel, J. Organomet. Chem. **21**, 311 (1970).

hydriden entweder zu Alkoxy-triorgano-silicium-Verbindungen oder zu O-Tri-
organosilyl-pinakolen:

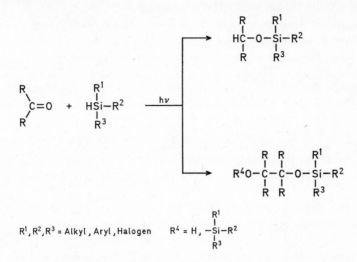

Der zu Alkoxy-triorgano-silicium führende Weg wird ausschließlich bei Verwendung
aliphatischer Ketone beschritten, während silylierte Pinakole nur über aromatische Ketone
entstehen[1]. Der Einfluß, den die Triorgano-silicium-hydride auf die Art der Endprodukte
ausüben, ist mehr ein gradueller denn ein prinzipieller. Inwieweit diese Feststellung auch
auf Halogen-silicium-hydride zutrifft, kann aus Mangel an geeigneten Beispielen nicht
entschieden werden.

Der Primärschritt der Reaktion liefert jeweils ein Radikalpaar[1]:

Das Si-Radikal geht anschließend eine Dunkelreaktion mit weiterem Keton ein:

Es hängt dann lediglich von der relativen Stabilität der zwei Kohlenstoff-Radikale I und II ab, ob
Dimerisation eintritt (R^1, R^2 = Aryl bzw. R^1 = Aryl, R^2 = Alkyl), oder ob sich das relativ instabile
Radikal II (R^1, R^2 = Alkyl) unter Wasserstoff-Aufnahme aus dem Substrat stabilisiert:

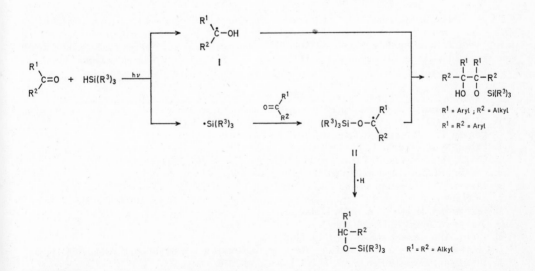

[1] M. Lindemann, Dissertation, Düsseldorf 1970.
  A. Ritter, M. Lindemann u. G. Behrens, unveröffentlicht.

Sowohl in der aromatischen als auch in der aliphatischen Reihe der Ketone können Substituenten mit Quencher-Eigenschaften für Ketone die Reaktion inhibieren (z. B. Naphthyl); das gleiche gilt für die Si–H-Verbindungen[1, vgl. 2–4].

Reaktionsbehindert sind auch solche Ketone, die Substituenten mit einem –I-Effekt tragen. So soll die Photoreaktion von Chlor- bzw. Acetoxy-aceton mit Trichlorsilan nicht durchführbar sein[5]. Hingegen ist die Häufung von Substituenten mit +I-Effekt – selbst wenn diese aufgrund ihrer Massierung sterisch ungünstige Verhältnisse schaffen – der Reaktion dienlich. Beispielsweise lassen sich 3-Oxo-2,2-dimethyl-butan bzw. 3-Oxo-2,2,4,4-tetramethyl-pentan mit Trichlorsilan glatt umsetzen.

β_1) zu Alkoxy-triorgano-silicium-Verbindungen

Die verschiedenartigsten aliphatischen Ketone lassen sich durch Belichten mit Triphenyl-silicium-hydrid (bzw. Trichlorsilan) in Alkoxy-triorgano-silicium (Trichlor-alkoxy-silicium) überführen.

Präparative Bedeutung besitzen allerdings nur die Umsetzungen mit Trichlorsilan[5–7]. So liefert z. B. die Umsetzung von Aceton mit Triäthyl-silicium-hydrid *Isopropyloxy-triäthyl-silicium* nur in Verbindung mit einer größeren Zahl von Nebenprodukten, die z. T. aus Sekundärphotolysen stammen[8] (*Isopropyloxy-triphenyl-silicium* entsteht zu 80% d.Th.)[9,10]. Noch ungünstiger liegen die Verhältnisse bei der Reaktion cyclischer Ketone, obwohl solche Umsetzungen als präparativ ergiebig beschrieben sind[7]. Cyclopentanon, Cyclohexanon und Cycloheptanon weichen der Reaktion mit Triäthyl- bzw. Triphenyl-silicium-hydrid durch bevorzugt ablaufende Ringöffnung[11,12] aus.

Mit Aldehyden liegen nur Erfahrungen mit Trichlorsilan als Silylierungsmittel vor[13].

β_2) zu O-Triorganosilyl-pinakolen[14]

Die Lichtreaktion von Benzophenon mit Triäthyl-, Triphenyl- bzw. optisch aktivem Methyl-(2,2-dimethyl-propyl)-phenyl-silicium-hydrid liefert die entsprechenden 2-Hydroxy-1-triorganosilyloxy-1,1,2,2-tetraphenyl-äthane. Entsprechend reagiert Acetophenon[14]. Die Umsetzungen mit dem optisch aktiven Silicium-hydrid verlaufen unter Racemisierung des Si-Zentrums.

2-Hydroxy-1-triphenylsilyloxy-1,1,2,2-tetraphenyl-äthan und 1,2-Dihydroxy-1,1,2,2-tetraphenyl-äthan[15]:
Eine Lösung von 13 g (0,05 Mol) Triphenyl-silicium-hydrid und 18 g (0,1 Mol) Benzophenon in 20 *ml* Benzol wird 72 Stdn. in einer wassergekühlten Belichtungsapparatur mit Solidex-Glasschacht[16] durch eine Quecksilber-Hochdruck-Lampe Typ HPK 125 W der Firma Philips bestrahlt. Danach wird das

[1] M. Lindemann, Dissertation, Düsseldorf 1970.

[2] J. G. Calvert u. J. N. Pitts, Jr., *Photochemistry*, S. 298, J. Wiley & Sons, Inc., New York 1966.

[3] W. M. Moore, G. S. Hammond u. R. D. Foss, Am. Soc. 83, 2789 (1961).

[4] G. Porter u. F. Wilkinson, Trans. Faraday Soc. 57, 1686 (1961).

[5] R. Calas, N. Duffaut u. C. Bardot, C. r. 249, 1681 (1959).

[6] R. Calas, M.-L. Josien, J. Valade u. M. Villanneau, C. r. 247, 2008 (1958).

[7] J. Valade, R. Calas u. J.-C. Miléo, C. r. 249, 1769 (1959).

[8] M. Lindemann, Dissertation S. 69, Düsseldorf 1970.

[9] N. Duffaut u. R. Calas, Rev. franc. des corps gras 5, 9 (1958); C. A. 52, 10869i (1958).

[10] M. Lindemann, Dissertation, S. 73, Düsseldorf 1970.

[11] G. Quinkert, Ang. Ch. 77, 229 (1965).

[12] M. Lindemann, Dissertation S. 75, Düsseldorf 1970.

[13] R. Calas, N. Duffaut u. M.-F. Menard, Rev. franc. des corps gras 6, 85 (1959); C. A. 53, 11281i (1959).

[14] M. Lindemann, Dissertation, S. 67, 71, 73, Düsseldorf 1970.

[15] M. Lindemann, Dissertation, S. 71, Düsseldorf 1970.

[16] G. O. Schenck, *Ullmanns Encyclopädie der technischen Chemie*, 3. Aufl., 1. Bd., S. 762, Urban & Schwarzenberg, München 1951.

Lösungsmittel i. Vak. entfernt und der zurückbleibende halbfeste Rückstand mit Äther versetzt, wobei 2,2 g *1,2-Dihydroxy-1,1,2,2-tetraphenyl-äthan* (12% bez. auf Benzophenon) ausfallen (farbloses Pulver); F: 186° (aus Petroläther/Benzol).

Die *2-Hydroxy-1-triphenylsilyloxy-1,1,2,2-tetraphenyl-äthan*-haltige Äther-Phase wird mit der Mutterlauge aus der Umkristallisation des Benzpinakols vereinigt, wonach sämtliche Lösungsmittel i.Vak. abgezogen werden. Den gelben Rückstand kocht man in 100 *ml* Äther auf, wobei bis auf einen kleinen Rest, der abgenutscht wird, alles in Lösung geht. Nach 12stdgm. Stehen werden die inzwischen ausgefallenen farblosen Kristalle (F: 129°) abgetrennt und nochmals umkristallisiert; Ausbeute: 16,4 g (52% d.Th.; bez. auf Benzophenon); F: 131°.

γ) unter Aufbau einer Si–N-Bindung durch Addition an Azo-Verbindungen

Die Photoaddition von Triphenyl-silicium-hydrid an Azodicarbonsäure-diäthylester in benzolischer Lösung ist das bislang einzige Beispiel der Hydrosilylierung einer N=N-Doppelbindung[1]:

$$(H_5C_6)_3SiH \;+\; H_5C_2OOC-N=N-COOC_2H_5 \;\xrightarrow{h\nu}\; \begin{array}{c} H_5C_2OOC \\[2pt] \diagdown \\ N-NH-COOC_2H_5 \\ \diagup \\ (H_5C_6)_3Si \end{array}$$

Triphenylsilyl-hydrazin-1,2-dicarbonsäure-diäthylester

Ohne peroxidischen Katalysator läuft die Lichtreaktion mit nur mäßiger Ausbeute ab. In Gegenwart von Di-tert.-butylperoxid werden hingegen 77% d.Th. erhalten.

δ) unter Aufbau einer Si–C-Bindung

δ_1) durch Addition an Olefine

Die nach dem Schema

$$R_3SiH \;+\; \begin{array}{c}\diagdown \\ C=C \\ \diagup\end{array} \;\longrightarrow\; R_3Si-\overset{\textstyle|}{\underset{\textstyle|}{C}}-\overset{\textstyle|}{\underset{\textstyle|}{C}}H$$

R = Alkyl, Aryl, Halogen

verlaufende Addition von Silicium-monohydriden des Typs R_3Si-H an Olefine stellt, was die Zahl der Untersuchungen anbelangt, eine der präparativ wichtigsten Reaktionen der Chemie der silicium-organischen Verbindungen dar. Prinzipiell läßt sie sich mittels peroxidischen Radikalstartern, Edelmetallkatalysatoren, γ-Strahlung, thermischer Energie und UV-Licht[2-4] durchführen.

Die photochemische Addition hat den Vorteil, daß sie bei vergleichsweise niedrigen Reaktionstemperaturen durchgeführt werden kann. Die Reaktionsgeschwindigkeiten sind jedoch gegenüber peroxidisch initiierten Umsetzungen, die in den meisten Fällen als Alternative in Frage kommen, verlangsamt[5].

Obwohl genauere Untersuchungen zum Mechanismus fehlen, dürfte es sich um eine radikalische Kettenreaktion handeln[2]; wobei die Additionen nach der Anti-Markownikow-Regel ablaufen:

$$R_3SiH \;\xrightarrow[-H\cdot]{h\nu}\; R_3Si\cdot \;\xrightarrow{\;C=C\;}\; R_3Si-\overset{|}{\underset{|}{C}}-\overset{|}{\underset{|}{C}}\cdot \;\xrightarrow[-R_3Si-C-CH]{R_3SiH}\; R_3Si\cdot$$

---

[1] K. H. LINKE u. H. J. GÖHAUSEN, Ang. Ch. **83**, 438 (1971).

[2] E. G. LUKEVITS u. M. G. VORONKOV, *Organic Insertion Reactions of Group IV Elements*; S. 16, 21ff., Consultants Bureau, New York 1966.

[3] C. EABORN, *Organosilicon Compounds*, S. 45f., Butterworths, London 1960.

[4] C. EABORN u. R. W. BOTT, in A. G. McDIARMID, *Organometallic Compounds of the Group IV Elements*, S. 213ff., Vol. 1, Part 1, Dekker, New York 1968.

[5] E. W. PIETRUSZA, L. H. SOMMER u. F. C. WHITMORE, Am. Soc. **70**, 484 (1948).

Der angenommene Mechanismus, bei dem eine unmittelbar durch UV-Licht bewirkte Dissoziation der Silicium-monohydride unterstellt wird, ist wegen der verwendeten Wellenlänge ($\lambda = 254$ nm) fraglich. In der Regel verlaufen diese Prozesse nur photosensibilisiert[1].

Die über Silyl-Radikale verlaufende Addition führt über eine *trans*-Addition überwiegend zu *cis*-konfigurierten Produkten; z. B.[2]:

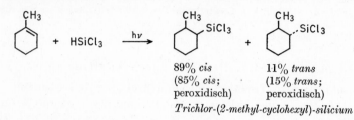

89% *cis*   11% *trans*
(85% *cis*;   (15% *trans*;
peroxidisch)   peroxidisch)

Trichlor-(2-methyl-cyclohexyl)-silicium

Bei einem nicht radikalischen Verlauf der Additionsreaktion (z. B. Addition an Acetylene unter Edelmetallkatalyse) tritt vorzugsweise[3] *cis*-Addition ein.
Die Additionen folgen der Anti-Markownikow-Regel.

Die photochemische Reaktivität der Si–H-Bindung hängt stark vom Substituenten R ab. Somit sind die Trihalogen-Derivate (voran das Tribrom-silicium-hydrid) Triorgano-silicium-hydriden überlegen. Da sich die Si–Hal-Bindung sehr leicht und mit meist sehr guter Ausbeute auf metallorganischem Wege gegen Organo-Gruppen austauschen läßt, ist die Kombination dieser beiden Verfahren in vielen Fällen die Methode der Wahl, um unsymmetrische Tetraorgano-silicium-Verbindungen zu synthetisieren.

Die Reaktivität von offenkettigen Olefinen gegenüber Trichlorsilan wurde eingehend untersucht[4]: geradkettige reagieren am besten, Olefine mit sperrigen Gruppen am Vinyl-C-Atom am schlechtesten.

Während die Ausbeute der Additionsreaktion von Triäthyl-silicium-hydrid an 1-Octen gering ist, erhält man mit Tribromsilan ~ 50% d.Th. *Tribrom-octyl-silicium*[4,5].

Trichlor-octyl-silicium[6, vgl. 7,8]: 22,4 g (0,2 Mol) 1-Octen und 81,3 g (0,6 Mol) Trichlorsilan werden in einen 500-*ml*-Quarzkolben gegeben, der mit Thermometer und Rückflußkühler versehen ist. Letzterer wird über eine mit Aceton-Trockeneis gekühlte Falle mit einem Quecksilber-Verschluß von 20 cm Höhe verbunden. Das System wird anschließend 30 Min. mit Stickstoff gespült und das Reaktandengemisch unter dem leichten, durch das Quecksilber verursachten Überdruck auf 46° erwärmt. Durch Bestrahlen von außen mit einer UV-Lampe wird die Reaktion im Temperaturbereich zwischen 46–52° 24 Stdn. in Gang gehalten. Nach Abdestillieren überschüssigen Trichlorsilans wird der Rückstand i. Vak. destilliert und anschließend bei Normaldruck redestilliert; Ausbeute: 15,3 g (31% d.Th.); Kp$_{728}$: 231–232°. Die Ausbeute kann durch längeres Bestrahlen verbessert werden.

Auf ähnlichem Weg erhält man mit

2-Methyl-buten-(2) $\xrightarrow{\text{HSiCl}_3}$ *3-Trichlorsilyl-2-methyl-butan*[6]; 64% d.Th.

1-Hepten $\xrightarrow{\text{HSiBr}_3}$ *Tribrom-heptyl-silicium*[5]; 75% d.Th.

Neben reinen Olefinen lassen sich auch ω-Halogen-1-alkene einsetzen.

---

[1] I. M. T. Davidson, Quarterly Rev. Chem. Soc. **25**, 111 (1971).

[2] T. G. Selin u. R. West, Am. Soc. **84**, 1860 (1962).

[3] R. A. Benkeser, M. L. Burrous, L. E. Nelson u. J. V. Swisher, Am. Soc. **83**, 4385 (1961).

[4] E. W. Pietrusza, L. H. Sommer u. F. C. Whitmore, Am. Soc. **70**, 484 (1948).

[5] A. V. Topchiev, N. S. Nametkin u. O. P. Solovova, Doklady Akad. SSSR **86**, 965 (1952); C. A. **47**, 10471ᵃ (1953).

[6] E. W. Pietrusza, L. H. Sommer u. F. C. Whitmore, Am. Soc. **70**, 484 (1948); Struktur ist nicht gesichert, lediglich die Bruttozusammensetzung!

[7] US. P. 2721873 (1955), Montclair Research Corp. and Ellis-Foster Co., Erf.: C. A. McKenzie, L. Spialter u. M. Schoffmann; C. A. **50**, 7844ᵈ (1956).

[8] US. P. 2524529 (1950), General Electric Co., Erf.: R. H. Krieble; C. A. **45**, 2016ᵉ (1951).

(3-Brom-propyl)-triphenyl-silicium[1]: Äquimolare Mengen Allylbromid und Triphenyl-silicium-hydrid werden in einem Quarzkolben auf 50° erwärmt und von außen mit einer UV-Quelle bestrahlt. Nach 25 Stdn. wird destillativ aufgearbeitet; Ausbeute: 42% d.Th.; F: 104°.

Auf ähnliche Weise erhält man aus

Allylbromid $\xrightarrow{(H_7C_3)_3SiH}$ *Tripropyl-(3-brom-propyl)-silicium*[1]; 32% d.Th.

11-Chlor-undecen-(1) $\xrightarrow{Cl_3SiH}$ *11-Chlor-1-trichlorsilyl-undecan*[2,3]; 93% d.Th.

Olefine mit Äther-, Ester- bzw. Carbonsäure-chlorid-Funktionen sind der Addition ebenfalls zugänglich; die Chlorcarbonyl-Funktion bleibt dabei erhalten[4].

11-Trichlorsilyl-undecansäure-chlorid[4]: 50 g (0,25 Mol) Undecen-(10)-säure-chlorid und 235 g (1,75 Mol) Trichlorsilan werden 50 Stdn. in einem Quarzkolben mit einer UV-Quelle bestrahlt und anschließend das überschüssige Silan durch Destillation entfernt; Ausbeute: 78 g (93% d.Th.); Kp_{16}: 192–193°; $n_D^{20} = 1,4712$.

Auf ähnliche Weise erhält man z. B. mit

Äthyl-vinyl-äther	→	*2-Äthoxy-1-trichlorsilyl-äthan*[5]; 53% d.Th.
Äthyl-allyl-äther	→	*3-Äthoxy-1-trichlorsilyl-propan*[5]; 84% d.Th.
Essigsäure-allylester	→	*3-Acetoxy-1-trichlorsilyl-propan*[6]
Decandisäure-methyl-ester-allylester	→	*Decandisäure-methylester-(3-trichlorsilyl-propylester)*[7]; 85% d.Th.

Bei der Umsetzung von Undecen-(10)-säure-methylester mit Diäthyl-silicium-chlorid-hydrid wird *11-(Chlor-diäthyl-silyl)-undecansäure-methylester* (40% d.Th.)[8,9] gewonnen.

Photoadditionen von Trichlor- bzw. Tribromsilan an Cycloolefine zeigten, daß Cyclohexen und Methyl-cyclopenten auffallend besser mit Tribromsilan als mit Trichlorsilan reagieren. (21% *Trichlor-* gegenüber 70% *Tribrom-cyclohexyl-silicium* bzw. 14% *2-Trichlorsilyl-* gegenüber 70% *2-Tribromsilyl-1-methyl-cyclopentan*)[10,11].

Über die Herstellung von *2-Trichlorsilyl-1-methyl-cyclohexan*[12,13] bzw. *3-Trichlorsilyl-4-methyl-1-isopropyl-cyclohexan*[14] s. Literatur.

1-Methyl-4-isopropenyl-cyclohexen (Limonen) addiert Trichlorsilan an beiden Doppelbindungen. Der Additionsprozeß in erster Stufe führt zu einem Gemisch von Monoaddukten

[1] G. SCHOTT u. E. FISCHER, B. **93**, 2525 (1960).

[2] N. DUFFAUT u. R. CALAS, Bl. **1957**, 283.

[3] N. DUFFAUT u. R. CALAS, Rev. franc. des corps gras **4**, 69 (1957); C. A. **51**, 9513[i] (1957).

[4] R. CALAS u. N. DUFFAUT, Rev. franc. des corps gras **3**, 5 (1956); C. A. **50**, 12890[e] (1956).

[5] R. CALAS, N. DUFFAUT u. J. VALADE, Bl. **1955**, 790.

[6] N. DUFFAUT u. R. CALAS, Bl. **1954**, 166.

[7] R. CALAS, N. DUFFAUT u. Y. DUCASSE, Rev. franc. des corps gras **1**, 387 (1954); C. A. **49**, 10855[a] (1955).

[8] R. CALAS u. N. DUFFAUT, Bl. **1953**, 792.

[9] R. CALAS u. N. DUFFAUT, Bull. mens. inform. ITERG **7**, 438 (1953); C. A. **48**, 11303[i] (1954).

[10] N. S. NAMETKIN, A. V. TOPCHIEV u. T. I. CHERNYSHEVA, Doklady Akad. SSSR **111**, 1260 (1956); engl.: 767; C. A. **51**, 9477[e] (1957).

[11] A. V. TOPCHIEV, N. S. NAMETKIN u. O. P. SOLOVOVA, Doklady Akad. SSSR **86**, 965 (1952); C. A. **47**, 10471[a] (1953).

[12] J. VALADE u. R. CALAS, Bl. **1955**, 1387.

[13] T. G. SELIN u. R. WEST, Am. Soc. **84**, 1860 (1962).

[14] Fr. P. 1188739 (1959), Rhône-Poulenc, Erf.: R. CALAS u. E. FRAINNET; C. A. **56**, 505[b] (1962).

(65% d.Th.), die nach längerer Bestrahlung in das Diadditionsprodukt *3-Trichlorsilyl-4-methyl-1-[1-trichlorsilyl-propyl-(2)]-cyclohexan* (75% d.Th.) übergehen[1,2]:

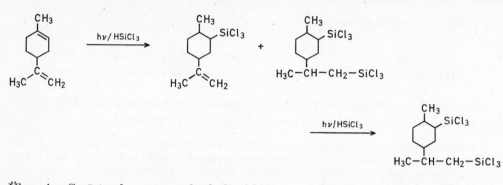

Über eine Gerüstumlagerung verläuft die Addition von Trichlorsilan an die exocyclische Doppelbindung des 6,6-Dimethyl-2-methylen-bicyclo[3.1.1]heptans (*β*-Pinens)[3-5]:

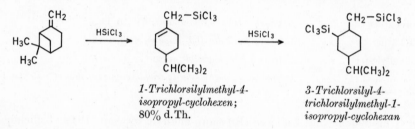

1-Trichlorsilylmethyl-4-isopropyl-cyclohexen; 80% d.Th.

3-Trichlorsilyl-4-trichlorsilylmethyl-1-isopropyl-cyclohexan

Eingehend untersucht wurde die Photoaddition an fluor- und fluor-chlor-substituierte Monoolefine (Tab. 190, S. 1391). Inhibierend wirkt ein unmittelbar an der C=C-Doppelbindung stehendes Chlor; ferner kann es zur Abspaltung von Chlorwasserstoff kommen[6]. Beim Tetrafluor-1,2-dijod-cyclobuten führt die photochemische Reaktion mit Triäthylsilicium-hydrid nicht zur Addition sondern ausschließlich zur Reduktion der Jodatome[7].

Die Additionsreaktionen an Fluorolefine sind mit z. T. beträchtlichem Überschuß an Si–H-Verbindungen durchgeführt worden, um Telomerisationsreaktionen der Olefine weitgehend zu unterdrücken.

Eine erhebliche Verbesserung der Ausbeute bei der Addition von Trimethyl-siliciumhydrid an Vinylfluorid läßt sich durch Quecksilber-Sensibilisierung erreichen (Ausbeutesteigerung von 11 auf 90% d.Th.)[8]:

$$H_2C=CHF + HSi(CH_3)_3 \xrightarrow{\langle Hg \rangle,\ h\nu} FH_2C-CH_2-Si(CH_3)_3$$

Trimethyl-(2-fluor-äthyl)-silicium

Durch Bis-[trimethylsilyl]-quecksilber bzw. Di-tert.-butyl-peroxid wird eine etwa gleichwertige Sensibilisierung der Photoaddition erzielt[9]. Besonders hervorstechend ist die Sensibilisationswirkung allerdings nur beim Trichlorsilan, soweit die bisher bekannt gewordenen Beispiele einen solchen Schluß zulassen. Beispielsweise ließ sich 1-Octen in

[1] R. CALAS, E. FRAINNET u. J. VALADE, Bl. **1953**, 793.
[2] J. VALADE u. R. CALAS, Bl. **1958**, 473.
[3] E. FRAINNET u. R. CALAS, C. r. **240**, 203 (1955).
[4] R. CALAS u. E. FRAINNET, C. r. **243**, 595 (1956).
[5] E. FRAINNET, Bl. **1953**, 792.
[6] E. T. McBEE, C. W. ROBERTS u. G. W. R. PUERCKHAUER, Am. Soc. **79**, 2326 (1957).
[7] J. D. PARK u. G. G. PEARSON. J. Fluorine Chem. **1**, 277 (1972).
[8] D. COOPER, R. N. HASZELDINE u. M. J. NEWLANDS, Soc. [A] **1967**, 2098.
[9] S. W. BENNETT, C. EABORN u. R. A. JACKSON, J. Organomet. Chem. **21**, 79 (1970).

Tab. 190. Organo-silizium-Derivate durch Photoaddition von Si–H-Verbindungen an Fluor-olefine

Olefin	Silan	Addukt	Ausbeute [% d.Th.]	Kp [° C]	Torr	Literatur
$F_3C–CH=CH_2$	$HSiCl_3$	3,3,3-Trifluor-1-trichlor-silyl-propan	66	112–114	760	1
		+ 5,5,5-Trifluor-1-tri-chlorsilyl-2-trifluor-methyl-pentan	13	171–172	760	
		3,3,3-Trifluor-1-trichlor-silyl-propan	91	113	760	2
	$HSiCl_2(CH_3)$	Methyl-(3,3,3-trifluor-propyl)-silicium-dichlorid	92	125	760	2
	H_2SiCl_2	(3,3,3-Trifluor-propyl)-silicium-dichlorid-hydrid	83	90–91	760	2
$F_3C–(CF_2)_2–CH=CH_2$	CH_3 | $HSi(OC_2H_5)_2$	Diäthoxy-methyl-(3,3,4,4,5,5,5-heptafluor-pentyl)-silicium	79	82–84	28	2
$H_2C=CHF$	$HSiCl_3$	2-Fluor-1-trichlorsilyl-äthan	91	118	760	3
	$HSiCl_2(CH_3)$	Methyl-(2-fluor-äthyl)-silicium-dichlorid	95	120	760	
$H_2C=CF_2$	$HSiCl_3$	2,2-Difluor-1-trichlorsilyl-äthan	59	110–111	760	1
$F–HC=CF_2$	$HSiCl_3$	1,2,2-Trifluor-1-trichlor-silyl-äthan	50	104	760	4
$F_2C=CF_2$	$HSiCl_3$	1,1,2,2-Tetrafluor-1-tri-chlorsilyl-äthan	61	84,5	760	5
	$HSiCl_2(CH_3)$	Methyl-(1,1,2,2-tetrafluor-äthyl)-silicium-dichlorid	98	96	760	6
	$(H_3C)_2SiH_2$	Dimethyl-(1,1,2,2-tetra-fluor-äthyl)-silicium-hydrid	83	62–64	760	7
	$(H_3C)_2SiH–CF_2$ | CF_2H	Dimethyl-bis-[1,1,2,2-tetra-fluor-äthyl]-silicium	90	120	760	

1 T. N. BELL, R. N. HASZELDINE, M. J. NEWLANDS u. J. B. PLUMB, Soc. 1965, 2107.
2 A. M. GEYER, R. N. HASZELDINE, K. LEEDHAM u. R. J. MARKLOW, Soc. 1957, 4472.
3 D. COOPER, R. N. HASZELDINE u. M. J. NEWLANDS, Soc. [A] 1967, 2098.
4 R. N. HASZELDINE u. J. C. YOUNG, Soc. 1960, 4503.
5 R. N. HASZELDINE u. R. J. MARKLOW, Soc. 1956, 962.
6 A. M. GEYER u. R. N. HASZELDINE, Soc. 1957, 3925.
7 A. M. GEYER u. R. N. HASZELDINE, Soc. 1957, 1038.

Gegenwart von Bis-[trimethylsilyl]-quecksilber zu 97% mit Trichlorsilan in *Trichloroctyl-silicium* überführen[1]:

$$H_2C=CH-(CH_2)_5-CH_3 + HSiCl_3 \xrightarrow{\langle[(H_3C)_3Si]_2Hg\rangle, h\nu} Cl_3Si-(CH_2)_7-CH_3$$

Die entsprechende Vergleichszahl für das Di-tert.-butyl-peroxid liegt bei 95%. Eine ähnliche Verbesserung der Ausbeute läßt sich auch bei der Addition von Trichlorsilan an Cyclohexen erreichen (*Trichlor-cyclohexyl-silicium*; 21 auf 80% d. Th.)[2].

Die Geschwindigkeit der Additionsreaktion ist bei Verwendung der Quecksilber-Verbindung vor allem im Anfangsstadium ~ 2mal so groß wie beim Di-tert.-butyl-peroxid.

Trimethyl-(2-fluor-äthyl)-silicium[3]: 22,2 g (300 mMol) Trimethylsilan und 2,3 g (50 mMol) Vinylfluorid werden frei von Sauerstoff in ein 360 *ml* fassendes Quarzrohr, welches mit einigen Tropfen Quecksilber beschickt ist, eingeschmolzen und unter Schütteln 300 Stdn. von außen mit einer Hanovia 500 W Quecksilber-Resonanz-Lampe bestrahlt. Bei der destillativen Aufarbeitung fällt neben nicht umgesetztem Ausgangsmaterial das Trimethyl-(2-fluor-äthyl)-silicium zu 90% d. Th. an (Kp: 70°).

Auch amino-substituierte Olefine sind der Addition zugänglich[4]:

$$(F_3C)_2N-CH=CH_2 + HSiR_3 \xrightarrow{h\nu} (F_3C)_2N-CH_2-CH_2-SiR_3$$

2-(Bis-[trifluormethyl]-amino)-1-trimethylsilyl-äthan[4]: Eine Mischung von 1,87 g (10,45 mMol) Bis-[trifluor-methyl]-vinyl-amin und 1,44 g (20,0 mMol) Trimethylsilan wird Sauerstoff-frei in ein Quarzrohr von 300 *ml* Inhalt eingeschmolzen und 48 Stdn. aus einer Entfernung von ~ 20 cm mit einer Hanovia S 500-Lampe bestrahlt. Die destillative Aufarbeitung ergibt 0,80 g (10,3 mMol = 51,5%) an zurückgewonnenem Trimethylsilan, welches mit einer kleinen Menge an ebenfalls wiedergewonnenem Vinylamin verunreinigt ist. Daran anschließend läßt sich das gewünschte Additionsprodukt erhalten; Ausbeute: 2,50 g (95% d. Th.); Kp$_{770}$: 118°.

δ_2) *durch Substitution von Aromaten*

Die Knüpfung von Si–C$_{arom.}$-Bindungen gelingt auch photochemisch durch Umsetzung der Aromaten mit Si–H-Verbindungen.

Die Aromaten müssen entweder halogensubstituiert sein, oder man muß bei reinen Aromaten während der photochemischen Synthese Chlor in das Reaktionsmedium einleiten. Bislang liegen nur Ergebnisse mit Benzol, Chlorbenzol[5] und Hexafluorbenzol[6] vor; es tritt fast ausschließlich Monosubstitution ein.

Die Umsetzung von Trichlorsilan mit Hexafluorbenzol liefert vorzugsweise (*Pentafluorphenyl*)-silicium-dichlorid-fluorid (65% d. Th.)[6]:

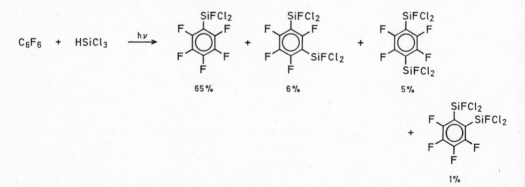

[1] S. W. BENNETT, C. EABORN u. R. A. JACKSON, J. Organomet. Chem. **21**, 79 (1970).
[2] N. S. NAMETKIN, A. V. TOPCHIEV u. T. I. CHERNYSHEVA, Doklady Akad. SSSR **111**, 1260 (1956); engl.: 767; C. A. **51**, 9477e (1957).
[3] D. COOPER, R. N. HASZELDINE u. M. J. NEWLANDS, Soc. [A] **1967**, 2098.
[4] E. S. ALEXANDER, R. N. HASZELDINE, M. J. NEWLANDS u. A. E. TIPPING, Soc. [A] **1970**, 2285.
[5] USSR. P. 162842 (1964), E. P. MIKHEEV; C. A. **61**, P 8340c (1964).
[6] J. M. BIRCHALL, W. M. DANIEWSKI, R. N. HASZELDINE u. L. S. HOLDEN, Soc. [C] **1965**, 6702.

Überraschend ist, daß in den Endprodukten nicht der $SiCl_3$- sondern der $SiFCl_2$-Substituent erscheint (zum Mechanismus s. Lit.[1]).

(Pentafluor-phenyl)-silicium-dichlorid-fluorid[1]: 20 g (0,108 Mol) Hexafluorbenzol und 14,0 g (0,103 Mol) Trichlorsilan werden in ein 300 *ml* fassendes Quarzrohr gegeben, welches nach Abschmelzen i. Vak. unter beständigem Schütteln 240 Stdn. mit einer 500 W Quecksilber-Lampe (Hanovia) bestrahlt wird. Dabei entstehen Spuren eines nicht kondensierbaren Gases ($\sim$ 0,7 mMol, $<$1%), welches vermutlich Wasserstoff darstellt und bei Raumtemp. flüchtige Produkte, welche i. Vak. fraktioniert kondensiert werden. Man erhält 5 g Hexafluorbenzol, 0,54 g (4%) Trichlorsilan und 3,4 g (94%, bez. auf umgesetztes Trichlorsilan) an Chlorwasserstoff. Das Hexafluorbenzol wird wieder mit den flüssigen Reaktionsprodukten vereinigt, die unter Stickstoff mit 5 *ml* trockenem Petroläther (Kp: $<$40°) aus dem Quarzrohr herausgespült werden. Destillation über eine Vakuummantel-Vigreuxkolonne (35 $\times$ 1 cm) ergeben 6,0 g (30% zurückgewonnenes Material) an Hexafluorbenzol (Kp: 81°), 13,0 g (61%, bez. auf umgesetztes Hexafluorbenzol) (Pentafluor-phenyl)-silicium-dichlorid-fluorid; Kp_{57}: 83°. Es bleiben 6 g eines öligen braunen Rückstandes zurück.

Beim Übergang von Trichlorsilan auf Trimethyl-silicium-hydrid ändert sich der Reaktionsverlauf wesentlich, da die Hälfte des Silans in Trimethyl-silicium-fluorid umgewandelt und Wasserstoff freigesetzt wird:

$$C_6F_6 \;+\; 2\,HSi(CH_3)_3 \;\xrightarrow{h\nu}\; \underset{53\%}{F_5C_6-Si(CH_3)_3} \;+\; \underset{56\%}{F-Si(CH_3)_3} \;+\; \underset{46\%}{H_2}$$

Trimethyl-(pentafluor-phenyl)-silicium[1]: 18,6 g (0,1 Mol) Hexafluorbenzol und 7,4 g (0,1 Mol) Trimethyl-silicium-hydrid werden 240 Stdn. in einem 300 *ml* fassenden Quarzrohr unter den für die Herstellung von (Pentafluor-phenyl)-silicium-dichlorid-fluorid (s. o.) genannten Bedingungen bestrahlt. Nach der Bestrahlung wird das Rohr auf $-196°$ gekühlt, geöffnet und das entweichende nicht kondensierbare Gas (Wasserstoff) nach Passieren von 4 auf $-196°$ gekühlten Fallen bei derselben Temp. an Aktivkohle adsorbiert. Fraktionierte Kondensation der verbleibenden flüchtigen Produkte i. Vak. liefert Hexafluorbenzol und 2,58 g (0,028 Mol) Trimethyl-silicium-fluorid. Das Hexafluorbenzol wird wieder mit den flüchtigen Produkten vereinigt, die über eine 35 cm Vigreux-Kolonne destilliert werden. Dabei erhält man 9,1 g (49%) Hexafluorbenzol (Kp: 80–82°), neben einer bei 93°/57 Torr übergehenden Fraktion (7,3 g) und einem Rückstand von 7,0 g. Die Redestillation bei Normaldruck der bei 93°/57 Torr siedenden Fraktion liefert 6,5 g (53%, bez. auf umgesetztes Hexafluorbenzol) gaschromatographisch reines Trimethyl-(pentafluor-phenyl)-silicium.

Wie auf S. 1384 erwähnt, gelingt die photochemische Silylierung von einfachen Aromaten in Gegenwart von Chlor[2]. Das Chlor fängt den bei der Reaktion freiwerdenden Wasserstoff als Chlorwasserstoff ab:

$$ArH + R_3SiH + Cl_2 \;\xrightarrow{h\nu}\; Ar-SiR_3 + 2\,HCl$$

Das Chlor kann jedoch Nebenreaktionen (Halogen-Addition an den Aromaten, Chlorierung der Si–H-Bindung) eingehen.

Phenyl-silicium-trichlorid[2]: In einen 4-Halskolben von 0,6 *l* Fassungsvermögen (versehen mit einem Gaseinleitungsrohr, einem Thermometer, einem Rückflußkühler mit zusätzlicher Aceton-Kohlendioxid-gekühlter Falle) werden 270,9 g Trichlorsilan und 156,2 g Benzol gegeben. Während des Bestrahlens der Flüssigkeit mit einer 100-Watt-Lampe leitet man 144 g Chlor mit einer Geschwindigkeit von 12 g pro Stde. ein. Bis zum Ende der Induktionsperiode (10–20 Min.) steigt die Temp. auf 30–35° an und erreicht beim Ende der Chlor-Zugabe 50–52°. Das 467 g wiegende Reaktionsgemisch wird in einer Kolonne rektifiziert, wobei 22,5 g Trichlorsilan, 145,1 g Silicium(IV)-chlorid, 89,5 g Benzol und 149,9 g (35,4%) Phenyl-silicium-trichlorid neben 40,2 g eines Gemisches von Hexachlor-cyclohexan und anderen hochsiedenden Bestandteilen erhalten werden.

---

[1] J. M. BIRCHALL, W. M. DANIEWSKI, R. N. HASZELDINE u. L. S. HOLDEN, Soc. [C] **1965**, 6702.
[2] USSR. P. 162842 (1964), E. P. MIKHEEV; C. A. **61**, P 8340^c (1964).

Analog erhält man *(Chlor-phenyl)-silicium-trichlorid* (27% d.Th.)[1].

Zur Umsetzung mit Hexafluorbenzol kann vorteilhaft als Silylierungsmittel Bis-[trimethylsilyl]-quecksilber eingesetzt werden. (Über die Umsetzung mit anderen Aromaten s. Lit. [2]):

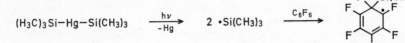

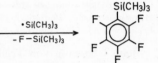

Trimethyl-(pentafluorphenyl)-silicium

Neben der Monosubstitution des Aromaten wird auch m- und p-Disubstitution beobachtet. Bei ~ 3–4fachem Überschuß an Hexafluorbenzol tritt letztere praktisch nicht mehr in Erscheinung. Trimethyl-(pentafluor-phenyl)-silicium kann unter diesen Bedingungen mit 88% Ausbeute erhalten werden[3].

ε) unter Aufbau einer Si-Metall-Bindung durch Umsetzung mit Metallcarbonylen

Die UV-Bestrahlung von Übergangsmetallcarbonylen bzw. deren π-Komplexen in Gegenwart von Si–H-Verbindungen stellt aufgrund der hierfür erforderlichen niedrigen Reaktionstemperatur (<25°) ein brauchbares Verfahren zur Synthese von **Silyl-Übergangsmetallhydriden** dar[4,5]. Photochemisch wird Kohlenmonoxid aus dem Übergangsmetallcarbonyl eliminiert; im zweiten fragmentstabilisierenden Schritt addiert sich die im Überschuß vorhandene Si–H-Verbindung an das Metallcarbonyl-Bruchstück:

$$M(CO)_n \xrightarrow[-CO]{h\nu} M(CO)_{n^2-1} \xrightarrow{R_3SiH} R_3Si{-}MH(CO)_{n^2-1}$$

Die Komplexe mit Trichlorsilyl-Substituenten sind leicht oxidabel, hingegen thermisch etwas stabiler als diejenigen mit Triphenylsilyl-Substituenten. Für die letzteren gilt das Umgekehrte.

Triphenylsilyl-tetracarbonyl-hydrido-eisen[5]: Als Reaktionsgefäß wird ein Pyrexgefäß verwendet, in welches über eine Schliffverbindung ein wassergekühlter Quarzschacht eingelassen ist, der die UV-Lichtquelle (Hanovia 450 W Quecksilber-Hochdruck-Brenner, Nr. 679 A) aufnimmt. Das Reaktionsgefäß steht über einen ölgefüllten Blasenzähler mit der Atmosphäre in Verbindung. Eine solchermaßen zusammengesetzte Apparatur wird für Ansätze mit einem Gesamtvol. zwischen 200–250 *ml* verwendet. Kleinere Ansätze (40–60 *ml*) werden in einem mit Rückflußkühler versehenen Quarzgefäß, das von einem Wasser-durchflossenen Kühlfinger gekühlt wird, durchgeführt. Die Bestrahlung hat in diesem Falle von außen in einer Entfernung von 15–20 cm zu erfolgen. Als UV-Lichtquelle hierfür eignet sich eine 100 W Lampe (Hanovia utility lamp, Nr. 616 A). Bei beiden Apparaturen muß die Wasserkühlung so ausgelegt sein, daß die Temp. im Reaktionsgefäß unter 25° bleibt.

Eine Mischung von 15 *ml* (22 g, 0,11 Mol) Pentacarbonyl-eisen und 25,5 g (0,098 Mol) Triphenylsilicium-hydrid, in 180 *ml* Heptan wird 22 Stdn. lang bestrahlt. Am Anfang entweicht ~ 1 Blase/Sek. Kohlenmonoxid, bei Erreichen der vorgegebenen Reaktionszeit ist sie praktisch zu Ende. Die Reaktionsmischung, die Spuren von Zersetzung zeigt, wird filtriert und die klare, schwach gelbe Lösung in einem

[1] USSR. P. 162842 (1964), E. P. MIKHEEV; C. A. **61**, P 8340[c] (1964).

[2] S. W. BENNETT, C. EABORN, R. A. JACKSON u. R. PEARCE, J. Organomet. Chem. **28**, 59 (1971).

[3] R. FIELDS, R. N. HASZELDINE u. A. F. HUBBARD, Soc. [C] **1970**, 2193.

[4] W. JETZ u. W. A. G. GRAHAM, Am. Soc. **91**, 3375 (1969).

[5] W. JETZ u. W. A. G. GRAHAM, Inorg. Chem. **10**, 4 (1971).

Kühlschrank langsam abgekühlt. Dabei scheidet sich eine große Menge eines farblosen, grob kristallinen Materials in einer Ausbeute >70% aus. Dieses läßt sich aus Pentan umkristallisieren; es zersetzt sich jedoch rasch beim Erhitzen in Lösung, die sich dabei dunkelgrün färbt.

Analog erhält man aus Trichlorsilan und

Benzol-tricarbonyl-chrom   →   *Trichlorsilyl-dicarbonyl-benzol-hydrido-chrom*; 90% d. Th.

Pentacarbonyl-eisen   →   *Trichlorsilyl-tetracarbonyl-hydrido-eisen*; 78% d. Th.

2. Spaltung einer Si-Cl-Bindung

Durch photochemische Umsetzung von Benzaldehyd mit Phenyl-silicium-trichlorid läßt sich in mäßiger Ausbeute *Tetrachlor-1,3-diphenyl-disiloxan* (17,3% d. Th.) herstellen[1]:

$$H_5C_6-CHO \;+\; 2\;H_5C_6-SiCl_3 \;\xrightarrow[-\,H_5C_6-CHCl_2]{h\nu}\; H_5C_6-\overset{\displaystyle Cl}{\underset{\displaystyle Cl}{Si}}-O-\overset{\displaystyle Cl}{\underset{\displaystyle Cl}{Si}}-C_6H_5$$

3. Spaltung von Si–O-Bindungen

Organosiloxane lassen sich mit Thionylchlorid photolytisch spalten[2]:

$$SOCl_2 \xrightarrow{h\nu} \cdot SO + 2Cl \cdot \xrightarrow{(R_3Si)_2O} 2\,R_3Si-Cl \;+\; SO_2$$

Trimethyl-silicium-chlorid[2]: 13,5 g Hexamethyl-disiloxan und 25 g Thionylchlorid werden in einem Quarzkolben unter Rückflußkochen 25 Stdn. mit einer PRK-4 Lampe bestrahlt; Ausbeute: 17,3 g (94% d. Th.); Kp: 57,9–58°.

Höhere Siloxane sollen sich ebenfalls spalten lassen, wobei die terminale Trialkylsilyl-Gruppierung zuerst angegriffen wird.

4. Spaltung von Si-Si-Bindungen

Dodecamethyl-cyclohexasilan(I) erleidet unter UV-Bestrahlung ($\lambda = 2537$ nm) Ringöffnung[3] unter Freisetzung von Dimethylsilylen [$(CH_3)_2\overline{Si}$] und Recyclisierung zu den niederen Ringhomologen *Decamethyl-cyclopentasilan*(II) und *Octamethyl-cyclotetrasilan*(III). Bedingt durch die Sauerstoffempfindlichkeit der ringoffenen Zwischenstufen reagiert ein geringer Teil zu *2,2,3,3,4,4,5,5-Octamethyl-1-oxa-2,3,4,5-tetrasilacyclopentan*(IV). Das Dimethylsilylen polymerisiert zu einem Polymeren unbekannter Zusammensetzung:

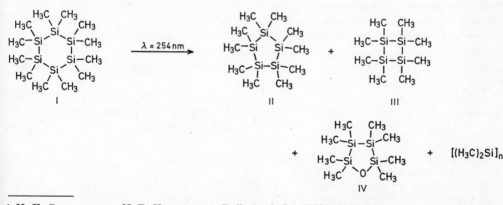

---

[1] N. E. GLUSHKOVA u. N. P. KHARITONOV, Bull. Acad. Sci. USSR **1966**, 535; C. A. **65**, 7207[h] (1966).

[2] E. V. KUKHASSKAYA u. YU. I. SKORIK, Ž. obšč. Chim. **34**, 2092 (1964); engl.: 2106; C. A. **61**, 7037[h] (1964).

[3] M. ISHIKAWA u. M. KUMADA, Chem. Commun. **1970**, 612.

Die Reaktion stellt eine präparativ akzeptable Quelle für das Decamethyl-cyclopentasilan dar.

Decamethyl-cyclopentasilan und Octamethyl-cyclotetrasilan[1]: Eine Lösung von 6 g Dodecamethyl-cyclohexasilan[2,3] in 200 ml trockenem Cyclohexan wird 20 Stdn. mit einer Niederdruck-Quecksilber-lampe in einem Vycorgefäß im Stickstoffstrom bei $\sim 45°$ bestrahlt. Die Destillation der Reaktions-mischung ergibt 3,1 g eines unter 150°/2 Torr sublimierbaren Produktes und 2,6 g polymeren Rückstand. Das Sublimat hat die gaschromatographisch ermittelte Zusammensetzung IV:III:II:I = 1:3:14:3 (S. 1395). Die Auftrennung des Reaktionsgemisches in die Einzelkomponenten erfolgt präparativ gas-chromatographisch. Octamethyl-cyclotetrasilan: F: 105–106° (farblos, ziemlich luftempfindlich und kristallin).

Wird die Photolyse in Gegenwart von trockenem Chlorwasserstoff durchgeführt, erhält man zu 72% d. Th. *Dimethyl-silicium-chlorid-hydrid*[4] (Chlorwasserstoff fängt das zunächst erzeugte Dimethylsilylen ab):

$$[(H_3C)_2Si]_6 \xrightarrow{h\nu} [(H_3C)_2Si_x^x] \xrightarrow{HCl} (H_3C)_2Si\begin{smallmatrix}H\\\diagup\\\diagdown\\Cl\end{smallmatrix}$$

Dimethyl-silicium-chlorid-hydrid[4]: Eine Lösung von 8,0 g Dodecamethyl-cyclohexasilan in 200 ml trockenem Cyclohexan wird bei $\sim 45°$ 40 Stdn. mit einer Quecksilber-Niederdruck-Lampe durch ein Vycor- oder Quarz-Filter bestrahlt, während trockener Chlorwasserstoff mit einer Geschwindigkeit von ~ 15 ml/Min. durch das Reaktionsgefäß geleitet wird. Dem Chlorwasserstoff wird Stickstoff beigemischt. Flüchtige Produkte, die während der Reaktion entstehen, werden in 2 Kühlfallen, die an die Photolyse-apparatur angeschlossen werden, aufgefangen. Nach Beendigung der Umsetzung wird das Kühlfallen-kondensat mit der Reaktionsmischung vereinigt und einer fraktionierten Destillation unterworfen; Ausbeute: 9.0 g (72% d. Th.; gaschromatographisch rein); Kp: 34–35°.

Einschubreaktionen des Dimethylsilylens in Si–OCH$_3$- und Si–Cl-Bindungen sind ebenfalls bekannt[5].

Mit Licht der Wellenlänge $\lambda = 254$ nm können auch lineare und verzweigte permethylierte Polysilane photolytisch unter Silylen-Eliminierung in niedere Homologe überführt werden[6,7]. Beispielsweise führt die Lichtreaktion von Decamethyl-tetrasilan (V) unter Eliminierung von Dimethylsilylen zu *Octamethyl-trisilan* (VI) und Poly-dimethylsilylen unbekannter Zusammensetzung:

$$H_3C-\left(\begin{smallmatrix}CH_3\\|\\-Si-\\|\\CH_3\end{smallmatrix}\right)_4-CH_3 \xrightarrow{\lambda\,=\,254\,nm} H_3C-\left(\begin{smallmatrix}CH_3\\|\\-Si-\\|\\CH_3\end{smallmatrix}\right)_3-CH_3 + -\left(\begin{smallmatrix}CH_3\\|\\-Si-\\|\\CH_3\end{smallmatrix}\right)_n-$$

V   VI

Ähnlich verlaufen die Photolysen von Dodecamethyl-pentasilan und Tetradecamethyl-hexasilan, da auch hier neben polymerem Dimethylsilylen *Octamethyl-trisilan* als einziges flüchtiges Produkt gebildet wird. Das Entstehen polymeren Materials kann bis auf Spuren unterdrückt werden, wenn das intermediär entstehende Dimethylsilylen durch Akzeptoren abgefangen wird. So erhält man z. B. aus Decamethyl-tetrasilan in Gegenwart von Methyl-diäthyl-silicium-hydrid *Octametyl-trisilan* und *2-Hydrido-1,2,2-trimethyl-1,1-diäthyl-disilan:*

$$H_3C-\left(\begin{smallmatrix}CH_3\\|\\-Si-\\|\\CH_3\end{smallmatrix}\right)_4-CH_3 + (H_5C_2)_2SiH \xrightarrow{\lambda\,=\,254\,nm} H_3C-\left(\begin{smallmatrix}CH_3\\|\\-Si-\\|\\CH_3\end{smallmatrix}\right)_3-CH_3 + (H_5C_2)_2\overset{\begin{smallmatrix}CH_3\\|\end{smallmatrix}}{Si}-\overset{\begin{smallmatrix}CH_3\\|\end{smallmatrix}}{Si}H$$

[1] M. ISHIKAWA u. M. KUMADA, Chem. Commun. **1970**, 612.
[2] C. A. BURKHARD, Am. Soc. **71**, 963 (1949).
[3] H. GILMAN u. R. A. TOMASI, J. Org. Chem. **28**, 1651 (1963).
[4] M. ISHIKAWA u. M. KUMADA, Chem. Commun. **1971**, 507.
[5] M. ISHIKAWA u. M. KUMADA, J. Organomet. Chem. **42**, 325 (1972).
[6] M. ISHIKAWA u. M. KUMADA, Chem. Commun. **1971**, 489.
[7] M. ISHIKAWA u. M. KUMADA, J. Organomet. Chem. **42**, 333 (1972).

In analoger Reaktion kann aus 2,3-Diphenyl-octamethyl-tetrasilan *Methyl-phenyl-silylen* erhalten werden[1].

2,3-Bis-[trimethyl-silyl]-octamethyl-tetrasilan zerfällt photochemisch zu *2-(Trimethylsilyl)-heptamethyl-trisilan* und *(Trimethyl-silyl)-methyl-silylen*,

$$(H_3C)_3Si-\left(\begin{array}{c}Si(CH_3)_3\\|\\Si\\|\\CH_3\end{array}\right)_2-Si(CH_3)_3 \xrightarrow{\lambda = 254\,nm} \quad (H_3C)_3Si-\begin{array}{c}Si(CH_3)_3\\|\\Si-Si(CH_3)_3\\|\\CH_3\end{array} \quad + \quad \left[\begin{array}{c}(H_3C)_3Si\\\diagdown\\Si_\times^\times\\\diagup\\H_3C\end{array}\right]$$

das in präparativ befriedigender Ausbeute von Methyl-diäthyl-silicium-hydrid als *1,2,3,3,3-Pentamethyl-1,1-diäthyl-trisilan* abgefangen wird:

$$\begin{array}{c}(H_3C)_3Si\\\diagdown\\Si_\times^\times\\\diagup\\H_3C\end{array} \quad + \quad (H_5C_2)_2\overset{CH_3}{\underset{}{SiH}} \longrightarrow \quad (H_5C_2)_2\overset{CH_3\,CH_3}{\underset{}{Si-SiH}}-Si(CH_3)_3$$

1,2,3,3,3-Pentamethyl-1,1-diäthyl-trisilan[2]: 4,0 g 2,3-Bis-[trimethyl-silyl]-octamethyl-tetrasilan werden in Cyclohexan gelöst und zusammen mit 20 g Methyl-diäthyl-silicium-hydrid 15 Stdn. bei Raumtemp. mit einer Hg-Niederdruck-Lampe in einem Quarzgefäß bestrahlt; Ausbeute: 3,4 g.
Ferner fallen 1,1 g 2-[Trimethylsilyl]-heptamethyl-trisilan an.

Zur analogen Reaktion von 2-(Trimethyl-silyl)-heptamethyl-trisilan s. Lit.[2].

5. unter Aufbau einer Si–Si-Bindung

Durch UV-Belichtung von Bis-[triäthyl-silyl]-quecksilber läßt sich in praktisch quantitativer Ausbeute *Hexaäthyl-disilan* erhalten:

$$(H_5C_2)_3Si-Hg-Si(C_2H_5)_3 \xrightarrow{h\nu} (H_5C_2)_3Si-Si(C_2H_5)_3 + Hg$$

Hexaäthyl-disilan[3]: 0,5314 g Bis-[triäthyl-silyl]-quecksilber werden unter Stickstoff in eine Molybdänglas-Ampulle eingeschmolzen und mit einer Lampe des Typs PRK-7 14 Stdn. im Abstand von 12 cm bestrahlt; Ausbeute: 0,288 g ($\sim$ 100% d.Th.); $n_D^{20} = 1,4719$.

Nach einem etwas abgewandelten Verfahren ist aus Bis-[trimethylsilyl]-quecksilber *Hexamethyl-disilan* herstellbar[4].

6. Spaltung einer Si–C-Bindung unter Aufbau einer Si–O-Bindung

Die Spaltung einer Si-C-Bindung gelingt in der Regel nur mit sehr kurzwelligem Licht (185 nm). Eine Ausnahme machen Acyl-silane, bei denen die für photochemische Reaktionen prädestinierte Carbonyl-Gruppe unmittelbar mit einer R_3Si-Einheit verbunden ist. Grundsätzlich können Acyl-silane auf zwei verschiedenen Wegen (Siloxy-carben-Bildung

---

[1] M. Ishikawa, M. Ishiguro u. M. Kumada, J. Organomet. Chem. **49**, C 71 (1973).

[2] M. Ishikawa u. M. Kumada, Chem. Commun. **1971**, 489.

[3] N. S. Vyazankin, G. A. Razuvaev u. E. N. Gladyshev, Doklady Akad. SSSR **155**, 830 (1964); engl.: 302; C. A. **61**, 1885^g (1964).

[4] S. W. Bennett, C. Eaborn, R. A. Jackson u. R. Pearce, J. Organomet. Chem. **28**, 59 (1971).

bzw. radikalische Spaltung der Si-C-Bindung) photochemisch reagieren, was nachstehendes Schema deutlich macht[1]:

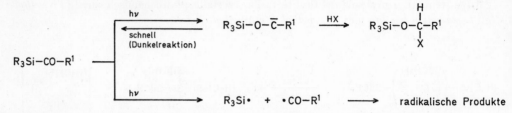

Welcher der beiden Wege beschritten wird, hängt sowohl von den Substituenten an den Acyl-silanen als auch von den Agentien ab, mit denen die reaktiven Zwischenstufen abgefangen werden (näheres s. Lit.[1]).

Als Fänger HX für die wegen ihres eindeutigen Verlaufs präparativ interessanten Abfangreaktionen der Siloxy-carbene sind Alkohole, Cyanwasserstoff, Chlorwasserstoff, Pyrrol, Thiophenol und Malonsäure-dinitril verwendet worden, welche sämtlich mit guten bis sehr guten Ausbeuten zu den entsprechenden Endprodukten führen.

Im Falle gemischter Acetale, wie sie bei Einwirkung von Alkoholen auf die Siloxy-carbene entstehen (Tab. 190, S. 1391), sind die cyclisch gebauten im allgemeinen stabiler als die acyclischen. Bei letzteren kann dies zu Schwierigkeiten bei der Isolierung führen.

7-Butyloxy-2,2-dimethyl-1,2-oxasilepan[1]:

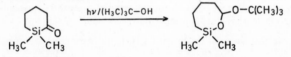

Eine Lösung von 2,0 g 2-Oxo-1,1-dimethyl-1-sila-cyclohexan in 20 ml trockenem tert.-Butanol, welche 1 Tropfen Pyridin zum Solvolyseschutz des zu synthetisierenden Acetals enthält, wird unter Stickstoff in einem Pyrex-Gefäß 15 Stdn. mit einer 100 W PAR 38 clear mercury lamp, ASA code H-34-4 GS (Fa. Westinghouse) bestrahlt. Nach Entfernen des Lösungsmittels (Rotationsverdampfer) wird fraktioniert; Ausbeute: 1,8 g (60% d.Th.); $Kp_{0,9}$: 44–45°; $n_D^{20} = 1,4376$.

Auf ähnliche Weise erhält man z. B. aus

Triphenyl-benzoyl-silicium	$\xrightarrow{\text{C}_2\text{H}_5\text{OH}; 7 \text{ Min.}}$	(α-Äthoxy-benzyloxy)-triphenyl-silicium; 100% d.Th.
2-Oxo-1,1-diphenyl-1-sila-cyclohexan	$\xrightarrow{\text{CH}_3\text{OH,hv, 30 Min.}}$	7-Methoxy-2,2-diphenyl-1,2-oxasilepan; 90% d.Th.; $Kp_{0,4}$: 130–132°

c) am Kohlenstoff-Bor-System

bearbeitet von

Dr. ALFRED RITTER*,**

Die Verwendung von Licht zur Synthese von Organo-bor-Verbindungen bzw. zu deren Umwandlung ist auf wenige Einzelfälle beschränkt.

---

* Institut für Strahlenchemie im MPI für Kohlenforschung, Mülheim/Ruhr.
** Unter Mitwirkung von Dr. U. RITTER-THOMAS und cand. chem. H. FRIEGE.
[1] J. M. DUFF u. A. G. BROOK, Canad. J. Chem. **51**, 2869 (1973).

Eine grobe Klassifizierung ergibt sich durch Zusammenfassung derjenigen Reaktionen, welche die Synthese bororganischer Verbindungen selbst zum Ziele haben und solcher, bei denen Bor die Rolle eines Synthesehilfsmittels spielt. Bei Reaktionen der letzteren Art wird der Hilfsstoff Bor in zweckentsprechender Weise im geeigneten Zeitpunkt vom Basismolekül abgetrennt, was photochemisch oder konventionell chemisch, z. B. durch Oxidation erfolgen kann.

1. Organo-bor-halogenide

Alkyljodide setzen sich mit Bortribromid mit schlechten Ausbeuten zu Alkyl-bor-dibromiden um[1], die jedoch nicht gefaßt werden können und als Boronsäure-Derivate isoliert werden. So erhält man z. B. aus Butyljodid über *Butyl-bor-dibromid Butan-1-boronsäure* (6% d.Th.) bzw. aus 1,10-Dijod-decan über *1,10-Bis-[dibrom-boryl]-decan Decan-1,10-diboronsäure* (12,5% d.Th.):

$$\text{Alkyl-J} + \text{BBr}_3 \xrightarrow{\;h\nu\;} \text{Alkyl-BBr}_2$$

Aryl-bor-dihalogenide lassen sich photochemisch durch Umsetzung von Aromaten[2,3] bzw. Halogenaromaten[1] mit Bortrihalogeniden herstellen:

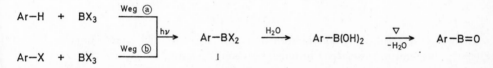

Weg (a): Ar–H = C_6H_6; X = J → *Phenyl-bor-dijodid*; 48% d.Th. (als Phenyl-bor-oxid)[3,4]
        Ar–H = Naphthalin; X = Br → *Naphthyl-(1)-bor-dibromid*; 36% d.Th. (als Naphthalin-2-boronsäure)[4]
Weg (b): Ar = C_6H_5; X = J → *Phenyl-bor-dijodid*; 64% d.Th. (als Phenyl-bor-oxid)[1]
        Ar = C_6H_5; X = Br → *Phenyl-bor-dibromid*; 25,5% d.Th. (als Phenyl-bor-oxid)[1]

Mit Ausnahme des *Phenyl-bor-dijodids*[4] wurden alle Aryl-bor-dihalogenide als Aren-boronsäuren isoliert.

Präparativ brauchbare Ausbeuten sind nur bei Verwendung von Bortribromid bzw. -trijodid zu erzielen.

Wegen der gegenüber dem Bortribromid schlechteren Handhabbarkeit des Bortrijodids wird dem ersteren trotz geringerer Reaktionsfähigkeit i. allg. der Vorzug zu geben sein. Eine optimale Ausbeute ist am ehesten durch die Kombination Aryljodid-Bortrijodid zu erwarten[4]. Lediglich das zu Phenyl-bor-dijodid führende System Jodbenzol-Bortrijodid ist so energiereich, daß es bereits unter Ausschluß von Licht in exothermer Reaktion Jod abspaltet und bei weiterem Erhitzen *Phenyl-bor-dijodid* liefert[4].

In Erweiterung der Photoreaktionen zwischen Jodbenzol und Bortrihalogeniden lassen sich die zunächst gebildeten Phenyl-bor-dihalogenide erneut phenylieren zu[1]:

$$\text{H}_5\text{C}_6\text{–J} + \text{H}_5\text{C}_6\text{–BCl}_2 \xrightarrow{\;h\nu\;} (\text{H}_5\text{C}_6)_2\text{BCl}$$
Diphenyl-bor-chlorid; 23% d. Th.

$$\text{H}_5\text{C}_6\text{–J} + \text{H}_5\text{C}_6\text{–BBr}_2 \xrightarrow{\;h\nu\;} (\text{H}_5\text{C}_6)_2\text{BBr}$$
Diphenyl-bor-bromid; 27% d. Th.

[1] R. A. BOWIE u. O. C. MUSGRAVE, Soc. [C] **1966**, 566.
[2] R. A. BOWIE u. O. C. MUSGRAVE, Pr. chem. Soc. **1964**, 15.
[3] R. A. BOWIE u. O. C. MUSGRAVE, Soc. [C] **1970**, 485.
[4] M. SCHMIDT, W. SIEBERT u. F. RITTIG, B. **101**, 281 (1968).

Phenyl-boroxid über Phenyl-bor-dibromid[1]: 10 g gereinigtes[2] Jodbenzol und 10 g Bortribromid werden 48 Stdn. in einem Quarzrohr (2 × 17 cm) unter Stickstoff bestrahlt. Das Quarzrohr ist mit einem Rückflußkühler verbunden. Die Innenwand des Quarzrohres muß während der Reaktion ständig mit einem Glaswattebausch[2] (an einem rotierenden Glasstab befestigt und durch die zentrale Öffnung des Kühlers eingeführt)[3] blankgerieben werden. Die Bestrahlung erfolgt durch eine Hanovia S 500 Hg-Mitteldruck-Lampe (3 cm Abstand), die gesamte Apparatur wird mit Aluminium-Folie eingehüllt.

Die Temp. im Reaktionsrohr hält man mittels Luftkühlung auf 110–130°. Die Destillation der dunklen Reaktionsmischung i. Vak. ergibt eine dunkelrote Flüssigkeit ($Kp_{0,4}$: 40–45°) sowie einen Rückstand. Beide werden separat mit Wasser und Äther geschüttelt und die ätherischen Extrakte i. Vak. zur Trockene verdampft. Der feste Rückstand, der aus der Hydrolyse des vorstehend erwähnten Destillates resultiert, kann aus Wasser umkristallisiert werden; man trocknet bei 110°; Ausbeute: 1,66 g (40% d. Th.); F: 220–222°.

Phenyl-bor-dijodid[4]: 12,2 g (0,031 Mol) Bortrijodid und 45,5 g (0,58 Mol) Benzol werden bei Raumtemp. 66 Stdn. der UV-Strahlung einer stabförmigen, in die Lösung tauchenden Quecksilber-Niederdruck-Lampe ausgesetzt. Die Destillation des Rückstandes nach Abziehen des Benzols liefert 5,78 g eines mit Jod verunreinigten Rohproduktes. Redestillation nach Entfernen des Jods durch Schütteln mit Quecksilber ergibt 2,17 g (20% d. Th.); $Kp_{0,1}$: 61–63°; F: 5–7°; $d_{20} = 2,30$.

Bei der Umsetzung von Isopropyl-benzol mit Bortribromid wird nach der Hydrolyse zu 73,6% d. Th. *4-Isopropyl-benzolboronsäure* erhalten[5].

2. Organo-bor-Stickstoff-Verbindungen

α) Borazole

(Hexaalkyl-borazol)-tricarbonyl-chrom-Derivate lassen sich mit hoher Ausbeute (80–90%, bez. auf umgesetztes Chromhexacarbonyl) photochemisch synthetisieren[6]:

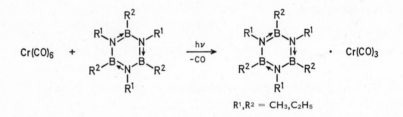

$R^1, R^2 = CH_3, C_2H_5$

Wesentlich für den Syntheseerfolg ist die möglichst rasche und vollständige Entfernung des photolytisch eliminierten Kohlenmonoxids (Arbeiten i. Vak.).

(Hexaalkyl-borazol)-tricarbonyl-chrom; allgemeine Arbeitsvorschrift: In einem 50-*ml*-Kölbchen mit seitlichem Hahnansatz und Rückflußkühler werden unter gereinigtem Stickstoff 1 g (4,5 mMol) Hexacarbonyl-chrom und 45–60 mMol Hexaalkyl-borazol durch schnelles magnetisches Rühren intensiv durchmischt. Im Abstand von 3 cm von der Kolbenwand befindet sich eine (Philips HPK 125 W) Quecksilber-Dampf-Lampe. Kölbchen und Lampe tauchen in ein Wasserbad von ~ 15 cm ⌀. Bei ~ 10^{-3} Torr wird bei einer Wasserbadtemp. von 20° mit der Bestrahlung begonnen. Die Lösung ist nach 1 Min. bereits deutlich gelb gefärbt. Nach 60 Min. Bestrahlung, wobei sich das Gemisch langsam

[1] R. A. Bowie u. O. C. Musgrave, Soc. [C] **1966**, 566.

[2] J. M. Blair, D. Bryce-Smith u. B. W. Pengilly, Soc. **1959**, 3174.

[3] Anmerkung des Verfassers: Diese experimentelle Schwierigkeit ließe sich bei Durchführung der Reaktion in einem der handelsüblichen Photoreaktoren, die für Beschlagfreiheit des Belichtungsgefäßes sorgen, umgehen.

[4] M. Schmidt, W. Siebert u. F. Rittig, B. **101**, 281 (1968).

[5] Y. Ogata et al., Tetrahedron **25**, 1817 (1969).

[6] K. Deckelmann u. H. Werner, Helv. **53**, 139 (1970).

auf ~ 50° erwärmt, wird abgebrochen und unumgesetztes Ausgangsprodukt im Wasserbad von 60°
i. Hochvak. abgezogen. Der Rückstand wird nach Waschen mit wenig kaltem Pentan wie folgt aufgearbeitet:

(1,3,5-Trimethyl-2,4,6-triäthyl-[1] bzw. *2,4,6-Trimethyl-1,3,5-triäthyl-borazol)-tricarbonyl-chrom*[2] werden
mit Cyclohexan herausgelöst, die Lösung filtriert, das Lösungsmittel i. Vak. entfernt und der Komplex
sublimiert.

β) Anilino-diarylborane

Durch oxidative Photocyclisierung in Gegenwart von Jod lassen sich (Methyl-anilino)-
diaryl-borane in *Dibenzo-1,2-borazine* überführen[3]; z. B.:

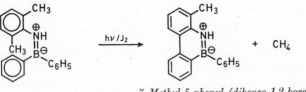

7-Methyl-5-phenyl-⟨dibenzo-1,2-borazin⟩

Die Verknüpfung der Brückenkopf-C-Atome erfolgt hierbei unter Abspaltung der reak-
tionsblockierenden Methyl-Gruppe als Methan.

Beim Anilino-bis-[2,4,6-trimethyl-phenyl]-boran (I) hingegen verläuft die Ringverknüp-
fung ganz überwiegend unter Verdrängung der behindernden Methyl-Gruppe an das benachbarte Kohlenstoff-Atom, wobei *1,2,4-Trimethyl-5-(2,4,6-trimethyl-phenyl)-⟨dibenzo-1,2-
borazin⟩* (II) entsteht. Zur Methyl-Abspaltung, die zu *2,4-Dimethyl-5-(2,4,6-trimethyl-
phenyl)-⟨dibenzo-1,2-borazin⟩* (III) führt, kommt es hierbei nur in untergeordnetem Maße.
Völlig unterdrückt ist diese schließlich beim Diphenylamino-bis-[2,4,6-trimethyl-phenyl]-
boran (IV), welches ausschließlich zu *1,2,4-Trimethyl-6-phenyl-5-(2,4,6-trimethyl-phenyl)-
⟨dibenzo-1,2-borazin⟩* (V) reagiert:

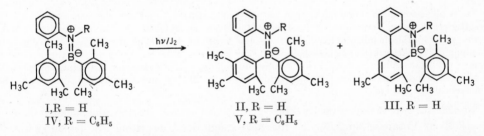

1,2,4-Trimethyl-6-phenyl-5-(2,4,6-trimethyl-phenyl)-⟨dibenzo-1,2-borazin⟩[3]: Eine Lösung von 2 g
Diphenylamino-bis-[2,4,6-trimethyl-phenyl]-boran und 1,3 g Jod in 600 *ml* Cyclohexan werden in einem
horizontalen Dünnfilm-Photoreaktor mit Quarzeinsatz[4] unter Stickstoff 16 Stdn. bestrahlt (als UV-
Quelle dient eine Hanovia 100 W 608 A-36 Lampe). Anschließend wird das Reaktionsgemisch mit drei
150-*ml*-Portionen folgender Stoffe in der angegebenen Reihenfolge extrahiert: Wasser, Natriumsulfit-
Lösung, Wasser, 10%-Natronlauge, Wasser. Die extrahierte Cyclohexan-Lösung wird mit Magnesiumsulfat getrocknet und zur Trockne verdampft. Der Rückstand wird durch absteigende Säulen-Chromato-
graphie gereinigt. Hierfür benutzt man eine Säule (2,5 × 30 cm), die mit einer 1:1-Mischung von Silica-
Gel GF-254 und Whatman Cellulose CF-11 beschickt ist. Als Elutionsmittel dient Ligroin. Es sind drei
Zonen isolierbar, wovon die erste Ausgangsmaterial, die zweite das gesuchte Derivat und die dritte Nebenprodukte enthält. Durch Umkristallisieren der Zone 2 aus Acetonitril resultieren 0,94 g (48% d.Th.);
F: 228–230°.

---

[1] H. WERNER et al. unveröffentlicht.

[2] H. WERNER, R. PRINZ u. E. DECKELMANN, B. **102**, 95 (1969).

[3] M. E. GLOGOWSKI, P. J. GRISDALE, J. L. R. WILLIAMS u. T. H. REGAN, J. Organometal. Chem. **54**,
51 (1973).

[4] J. L. R. WILLIAMS u. P. J. GRISDALE, Chem. & Ind. **1968**, 1477.

3. Triorgano-bor-Verbindungen

α) Photoreaktionen mit α,β-ungesättigten Carbonyl-Verbindungen

α₁) *zu alkyl-verzweigten Carbonyl-Verbindungen*

Trialkyl-borane addieren sich bemerkenswert schnell nach Art einer 1,4-Addition an α, β-ungesättigte Carbonyl-Verbindungen, soweit diese an der terminalen Methylen-Gruppe nicht verzweigt sind[1-5]:

$$R_3B \; + \; \overset{H_2C}{\underset{}{\diagup}}C\text{--}C\overset{}{\underset{O}{\diagdown}} \longrightarrow R\text{--}CH_2\text{--}\underset{}{C}=\underset{}{C}\text{--}O\text{--}BR_2 \overset{H_2O}{\longrightarrow} R\text{--}CH_2\text{--}\underset{}{CH}\text{--}C\overset{}{\underset{O}{\diagdown}}$$

R = Alkyl; Dialkyl-borinsäure-vinylester

Ist dies jedoch der Fall, so tritt die Addition nur ein, wenn in Gegenwart von Peroxiden[6], UV-Licht[6] oder Luftsauerstoff[7] gearbeitet wird.

Eingeleitet wird die radikalische Addition durch Spaltung einer B–C-Bindung; z. B.[6]:

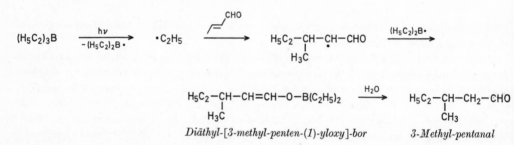

$$H_5C_2\text{--}\underset{H_3C}{\underset{|}{CH}}\text{--}CH=CH\text{--}O\text{--}B(C_2H_5)_2 \overset{H_2O}{\longrightarrow} H_5C_2\text{--}\underset{CH_3}{\underset{|}{CH}}\text{--}CH_2\text{--}CHO$$

Diäthyl-[3-methyl-penten-(1)-yloxy]-bor   *3-Methyl-pentanal*

Die Ausbeuten der photochemisch und der peroxidisch initiierten Reaktionen sind einander ähnlich und sehr hoch.

Da Trialkyl-borane im Bereich zwischen 280–400 nm transparent sind[6] und die eingesetzten α, β-ungesättigten Carbonyl-Verbindungen zwischen 311–320 nm absorbieren[6], besteht der photochemische Primärprozeß wahrscheinlich in einer elektronischen Anregung der Olefine, der die Homolyse der B–C-Bindung als Dunkelreaktion nachgeschaltet ist. Eine gute Stütze für die Annahme von Radikalkettenreaktionen bei der Addition von Trialkyl-boranen an α, β-ungesättigte Carbonylverbindungen liefert die bei der Reaktandenkombination Tricyclohexyl-boran-Buten-(2)-al gefundene Quantenausbeute[6] von 6 bei der Wellenlänge 313 nm.

Der Zusatz von Wasser zum Reaktionsgemisch – von Ausnahmen abgesehen – ist eine unerläßliche Voraussetzung für das Ingangkommen der Umsetzung[8]. So lassen sich z. B. 3-Oxo-cyclohexen bzw. Zimtaldehyd weder mit Triäthyl- noch mit Triisopropyl-boran ohne Wasser-Zusatz photochemisch zur Reaktion bringen. Umsetzungen mit Diäthyl-benzyl-boran hingegen kommen ohne Wasser aus.

Alkyl-verzweigte-Carbonyl-Verbindungen; allgemeine Arbeitsvorschrift[6]: Die Umsetzungen werden unter magnetischem Rühren in einem mit Rückflußkühler und Gaseinleitungsrohr für Stickstoff versehenen 25-*ml*-Kolben durchgeführt, der sich in einem Wasserbad befindet. Als Lichtquelle dient eine kommerziell erhältliche Sears 250 W-sunlamp, die von außen auf das Reaktionsgefäß gerichtet wird. Die Belichtungen müssen unter Stickstoff ausgeführt werden.

[1] A. Suzuki et al., Am. Soc. **89**, 5708 (1967).
[2] G. W. Kabalka et al., Am. Soc. **92**, 710 (1970).
[3] H. C. Brown et al., Am. Soc. **89**, 5709 (1967).
[4] H. C. Brown et al., Am. Soc. **90**, 4165 (1968).
[5] H. C. Brown et al., Am. Soc. **90**, 4166 (1968).
[6] H. C. Brown u. G. W. Kabalka, Am. Soc. **92**, 712 (1970).
[7] H. C. Brown u. G. W. Kabalka, Am. Soc. **92**, 714 (1970).
[8] H. J. Zimmermann, Dissertation, Universität Bochum 1971.

10 mMol Trialkyl-boran werden in 10 *ml* Isopropanol gelöst und 20 mMol α, β-ungesättigte Carbonyl-Verbindung nebst 0,18 *ml* (10 mMol) Wasser zugegeben. Die Reaktionsmischung wird bei Raumtemp. belichtet und der Fortgang der Reaktion gaschromatographisch verfolgt. So erhält man z. B. aus Tricyclohexyl-boran und

4-Oxo-penten-(2) → *2-Oxo-4-cyclohexyl-pentan*; 96% d.Th.; Kp$_{0,8}$: 64°

Buten-(2)-al → *3-Cyclohexyl-butanal*; 100% d.Th.; Kp$_2$: 62°

3-Oxo-cyclohexen → *2-Oxo-bicyclohexyl*; 100% d.Th.; Kp$_{0,8}$: 96°

3-Oxo-1-isopropyl-cyclohexan[1]: Eine Mischung von 14 g (100 mMol) Triisopropyl-boran (gaschromatographische Reinheit 98,9%), 50 *ml* gaschromatographisch reinem Isopropanol, 19,2 g (200 mMol) 3-Oxo-cyclohexen (gaschromatographische Reinheit 96,5%) und 1,8 g (100 mMol) Wasser wird 24 Stdn. in einer Standard-Photolyseapparatur mit Quarzschacht bei Raumtemp. mit einem Hg-Hochdruck-Brenner HPK 125 W der Firma Philips unter Argon belichtet. Bei der destillativen Aufarbeitung werden zunächst 28,2 g eines aus Isopropanol und Borverbindungen bestehenden Gemisches (Kp: 82°) erhalten. Nach Zugabe von 20 *ml* Isopropanol zum Destillationsrückstand wird weiter unter Normaldruck destilliert, wobei nochmals 13,8 g Destillat (Kp: 82°) anfallen. Der nun borfreie Rückstand wird i. Vak. rektifiziert. Man erhält neben 12 g Vorlauf (Kp$_{14}$: 80°) 11,9 g 3-Oxo-1-isopropyl-cyclohexan (78,1%ig); Kp$_{0,4}$: 42°.

α$_2$) *zu β-Hydroxy-β-alkyl-carbonyl-Verbindungen*

Enolisierbare β-Dicarbonyl-Verbindungen können ebenfalls mit Trialkyl-boranen photochemisch umgesetzt werden[2]:

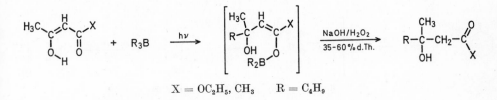

$$X = OC_2H_5, CH_3 \qquad R = C_4H_9$$

β) mit Thiocarbonyl-Verbindungen

Trialkyl-bor-Verbindungen vermögen Thioketone zu entschwefeln[3]. Durch photochemische Anregung von 4,4'-Bis-[dimethylamino]-thiobenzophenon in Gegenwart von Tributyl-boran läßt sich neben *Butylmercapto-dibutyl-boran* *Tetrakis-[4-dimethylaminophenyl]-äthylen* in praktisch quantitativer Ausbeute gewinnen:

2 (H₉C₄)₃B + 2 [(H₃C)₂N—◯—]₂C=S $\xrightarrow{h\nu}$

[(H₃C)₂N—◯—]₂C=C[—◯—N(CH₃)₂]₂ + 2 (H₉C₄)₂B—SC₄H₉

Tetrakis-[4-dimethylamino-phenyl]-äthylen[3]: 3–5tägiges Bestrahlen von 1,77 g (0,0063 Mol) 4,4'-Bis-[dimethylamino]-thiobenzophenon und 1,34 g (0,0073 Mol) Tributyl-boran in 50 *ml* Benzol in einem Pyrex-Gefäß unter Stickstoff im Sonnenlicht führt zum völligen Verschwinden des Thioketons. Nach Entfernen des Lösungsmittels resultiert ein festes und ein flüssiges Produkt. Durch saure Hydrolyse der Reaktionsmischung und anschließende Wasserdampfdestillation wird Dibutylborinsäure und Butylmercaptan erhalten. Beim Neutralisieren des sauren Hydrolysates fällt ein Niederschlag aus, der abfiltriert wird; Ausbeute: ~ 100% d.Th.; F: 310–315°[4].

---

[1] H. J. ZIMMERMANN, Dissertation, S. 185, Universität Bochum 1971.
[2] K. UTIMOTO, T. TANAKA u. H. NOZAKI, Tetrahedron Letters **1972**, 1167.
[3] M. INATOME u. L. P. KUHN, Tetrahedron Letters **1965**, 73.
[4] L. GALTERMANN, B. **28**, 2869 (1895).

γ) Cyclisierung von Dialkyl-(3-methyl-butadienyl)-bor

Bislang ein Einzelfall in der Photochemie von Organoboranen ist die unter der Einwirkung von UV-Licht verlaufende Cyclisierung von Dicyclohexyl-[3-methyl-*trans*-butadien-(1,3)-yl]-boran (I), zu *4-Methyl-1,2-dicyclohexyl-2,5-dihydro-borol* (II), das z. B. nach Spaltung mit alkalischem Hydroperoxid *1,4-Dihydroxy-3-methyl-1-cyclohexyl-cis-buten-(2)* (III) liefert[1]:

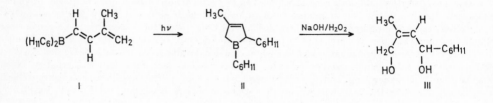

δ) Photoreaktionen mit Cycloalkenen

Die Fähigkeit der Trialkyl-borane zur sensibilisierten photochemischen Addition an die C=C-Doppelbindung von Cycloalkenen läßt sich präparativ zur Synthese von *cis-*2-Hydroxy-1-alkyl-cycloalkanen nutzen[2]:

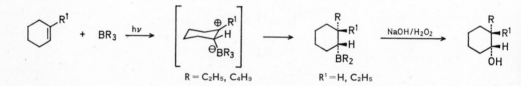

Die Reaktionen sind bisher lediglich mit Cyclohexen, Cyclohepten und 1-Äthyl-cyclohexen durchgeführt worden. 1-Alkyl-substituierte Cycloalkene werden in α,α'-substituierte Cycloalkanole umgewandelt. Als Sensibilisator dient in allen Fällen ein Benzol-p-Xylol-Gemisch.

cis-2-Hydroxy-1-alkyl-cycloalkane; allgemeine Arbeitsvorschrift: 15 mMol Cycloalken und 5 mMol Trialkyl-boran werden in 70 *ml* Benzol, welches 5 *ml* p-Xylol enthält, gelöst und in einem Quarzgefäß unter Stickstoff von außen mit einem 200 W Quecksilber-Hochdruck-Brenner bei 20° 48 Stdn. bestrahlt. Danach wird das Reaktionsgemisch mit 3 n Natronlauge/Wasserstoffperoxid behandelt und anschließend 2mal mit Äther extrahiert. Die vereinigten Äther-Extrakte wäscht man mit kochsalzhaltigem Wasser und trocknet über Natriumsulfat. Nach Entfernen des Lösungsmittels schließt sich eine chromatographische Reinigung über Silica-Gel an. Elution mit Benzol-Äther (1:1) liefert die rohen Cycloalkanole, die destillativ gereinigt werden.

U. a. erhält man auf diese Weise aus

Cyclohexen   + Triäthyl-boran → *cis-2-Hydroxy-1-äthyl-cyclohexan*; 86% d.Th.; Kp$_{20}$: 95–100°
1-Äthyl-cyclohexen + Triäthyl-boran → *2-Hydroxy-1,1-diäthyl-cyclohexan*; 71% d.Th.; Kp$_{20}$: 135–140°

ε) mit Diorgano-disulfanen

Trialkyl-borane reagieren mit Diorgano-disulfanen wie Diphenyl- bzw. Dimethyl-disulfan bereits bei 20° ohne gezielte Lichteinwirkung in langsamer Reaktion nach

$$R_3B + R^1\text{—}S\text{—}S\text{—}R^1 \longrightarrow R\text{—}S\text{—}R^1 + R_2B\text{—}S\text{—}R^1$$
$$R = \text{Alkyl};$$
$$R^1 = \text{Alkyl, Aryl}$$

[1] G. M. Clark, K. G. Hancock u. G. Zweifel, Am. Soc. **93**, 1308 (1971).
[2] N. Miyamoto, S. Isiyama, K. Utimoto u. H. Nozaki, Tetrahedron **29**, 2365 (1973).

In einem Bruchteil der Zeit verlaufen jedoch sauerstoff- oder -optimal-UV-initiierte Umsetzungen[1]. Hierbei werden überdies zwei Alkyl-Gruppen des Trialkyl-borans für die Synthese der ungleich alkylsubstituierten Sulfide verfügbar. Nebenreaktionen bei den photochemischen Umsetzungen entfallen nahezu völlig wenn statt Tetrahydrofuran Hexan als Lösungsmittel verwendet wird.

2-Methylmercapto-bicyclo[2.2.1]heptan[1]: Ein trockener 200-ml-Kolben mit Septum-Einlaß und magnetischem Rührstab wird mit Stickstoff gespült und anschließend mit 82 ml trockenem Tetrahydrofuran und 14,1 g (150 mMol) Bicyclo[2.2.1]hepten beschickt. Nach Kühlung auf 0° und Beibehaltung dieser Temp. tropft man 18,6 ml einer 2,68 m Lösung von Boran (150 mMol BH_3) in Tetrahydrofuran hinzu und rührt das Reaktionsgemisch 1 Stde. bei 20° weiter. Nun wird das Tetrahydrofuran i. Vak. entfernt und durch Hexan ersetzt, gefolgt von 9,4 g (100 mMol) Dimethyl-disulfan. Destillative Aufarbeitung nach 2 stdgr. Bestrahlung mit einer Sears 275-W sunlamp erbringt 10,6 g (75% d. Th.; bez. auf Dimethyl-disulfan); Kp_{23}: 90–92°.

4. Tetraarylboranate[2]

Die Photolyse von Natrium-tetraphenylboranat in wäßriger Lösung unter Luftausschluß liefert ein Gemisch aus *Natrium-diphenyl-borinat, 1-Phenyl-cyclohexadien-(1,4)* und *Biphenyl*:

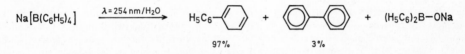

Die Art der entstehenden Kohlenwasserstoffe ist lösungsmittelabhängig, wie die Photolyse des Natrium-tetraphenylboranats in Isopropanol zeigt, bei welcher zusätzlich in kleiner Menge 3-Phenyl-cyclohexadien-(1,4) und 1-Phenyl-cyclohexadien-(1,3) entstehen.

5. Dicarbaclovododecaborane

Bei der photochemischen Chlorierung bzw. Bromierung von Dicarbaclovododecaboranen $(C_2B_{10}H_{12})$[3,4] werden bevorzugt die B–H-Bindungen gespalten. Die Halogen-Substitution am Kohlenstoffatom erfolgt erst, nachdem sämtliche Bor-Atome halogeniert worden sind und kann unter den angewandten Reaktionsbedingungen nur bis zum Ersatz einer CH-Bindung vorangetrieben werden[5].

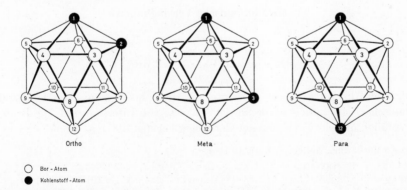

    Ortho   Meta   Para

○ Bor - Atom
● Kohlenstoff - Atom

[1] H. C. BROWN u. M. MARK MIDLAND, Am. Soc. **93**, 3291 (1971).
[2] J. L. R. WILLIAMS et al., Chem. Commun. **1967**, 109; Am. Soc. **90**, 53 (1968); **89**, 4538, 5153 (1967); J. Organometal. Chem. **14**, 63 (1968); J. Org. Chem. **36**, 544 (1971).
[3] R. KÖSTER u. M. A. GRASSBERGER, Ang. Ch. **79**, 197 (1967); haben zusammenfassend über Strukturen und Synthesen von Carboranen berichtet.
[4] In der russ. Literatur werden Carborane auch als Barene bezeichnet.
[5] H. SCHROEDER, T. L. HEYING u. J. R. REINER, Inorg. Chem. **2**, 1092 (1963).

Die Substitution des Wasserstoffs an den Bor-Atomen durch Chlor erfolgt stufenweise. Dank des differenzierten Löslichkeitsverhaltens der verschiedenen partialchlorierten Dicarbaclovododecaborane kann der Chlorierungsprozeß bei Erreichen eines bestimmten Chlor-Substitutionsgrades unterbrochen und so die Möglichkeit zur Abtrennung teil-chlorierter Derivate geschaffen werden[1]. Der Substitutionsselektivität sind jedoch Grenzen gesetzt, so daß stets neben den aufgrund der Stöchiometrie zu erwartenden teilchlorierten Produkten solche mit höherem und niedrigerem Chlorgehalt mit in Kauf genommen werden müssen[2].

Dieser Befund trifft für sämtliche drei isomeren Dicarbaclovododecaborane zu. Bezüglich der Reaktionsgeschwindigkeit der Photochlorierung des m- und p-Isomeren besteht ein geringer Unterschied. Letzteres reagiert etwas langsamer[3].

In gleicher Weise wie die unsubstituierten Dicarbaclovododecaborane läßt sich auch das mono C-phenyl-substituierte Derivat an den Boratomen partial- bzw. perchlorieren[4].

Sämtliche drei isomeren Dicarbaclovododecaborane sind in Gegenwart von Dibenzoyl-peroxid photobromierbar, jedoch kommt die Reaktion jeweils nach Substitution bereits einer B–H-Bindung zum Erliegen. Man erhält jeweils das 2-Brom-Derivat[2,5,6], welches infolge Austauschchlorierung mit dem Lösungsmittel Tetrachlormethan mit einer geringen Menge des 2-Chlor-Derivates verunreinigt ist.

Decachloro-1,2-dicarba-clovododecaboran[1]: In eine unter Rückfluß siedende Lösung von 17 g (0,118 Mol) 1,2-Dicarbaclovododecaboran in 1700 ml Tetrachlormethan wird unter UV-Bestrahlung Chlor eingeleitet, wobei nach einiger Zeit ein Niederschlag ausfällt, der bei weiterer Chlorgas-Zufuhr wieder in Lösung geht. Man setzt das Einleiten von Chlor fort, bis sich in der Lösung eine Trübung bemerkbar macht, wonach der Chlor-Strom noch für ~ 30 Min. weiter aufrecht erhalten wird. Nach Filtration der heißen Reaktionsmischung und Stehenlassen bei +5° fallen zunächst 42 g eines Gemisches verschieden hochchlorierter Dicarbaclovododecarborane an. Durch Eindampfen der Mutterlauge lassen sich weitere 13 g davon erhalten. Zur Isolierung des Decachloro-1,2-dicarba-clovododecarborans ist wiederholtes fraktioniertes Kristallisieren der vereinigten Rohprodukte erforderlich, wozu man für 1 g Rohprodukt 15–20 ml Tetrachlormethan verwendet. Die einzelnen dabei anfallenden Fraktionen müssen durch Schmelzpunkt und IR-Spektrum charakterisiert werden.

Kennzeichnend für das gewünschte an den Bor-Atomen perchlorierte Produkt ist das Fehlen der bei 3,92 µ auftretenden B–H-Bande. Die aus 5 Ansätzen der vorstehend beschriebenen Art gemittelte Ausbeute an reinem Decachloro-1,2-dicarba-clovododecaboran (F: 259°) beträgt 40 g (69% d.Th.).

d) am Kohlenstoff-Metall-System

1. Metallorganische Verbindungen

bearbeitet von

Dr. Donald Valentine, Jr.*

Der folgende Abschnitt befaßt sich nur mit den photo-chemischen Umwandlungen metallorganischer Verbindungen, die für die Synthese von Interesse sind. Die Besprechung wird auf metallorganische Verbindungen der Übergangsmetalle (mit Ausnahme von Metall-

---

* **Hoffmann-La Roche Inc., Nutley, N. J. 67110/USA.**

[1] H. Schroeder, T. L. Heying u. J. R. Reiner, Inorg. Chem. **2**, 1092 (1963).

[2] V. I. Stanko et al., Ž. obšč. Chim. **41**, 338 (1971); engl.: 332; C. A. **75**, 20470e (1971).

[3] L. I. Zakharkin, V. N. Kalinin u. L. S. Podvisotskaya, Izv. Akad. SSSR **1970**, 1297; engl.: 1227; C. A. **73**, 131066f (1970).

[4] L. I. Zakharkin, V. I. Stanko u. A. I. Klimova; Izv. Akad. SSSR **1964**, 771; engl.: 722; C. A. **61**, 3131h (1962).

[5] L. I. Zakharkin, V. I. Stanko u. A. I. Klimova, Izv. Akad. SSSR **1966**, 1946; engl.: 1882; C. A. **66**, 76054d (1967).

[6] V. I. Stanko, A. I. Klimova u. N. S. Titova, Ž. obšč. Chim. **38**, 2817 (1968); engl.: 2718; C. A. **70**, 87878j (1969).

carbonylen[1]), Metalle vor und Metalle nach dem Übergangszustand ausgedehnt. Auf einige ausführliche Übersichten sei verwiesen[2,3].

Photochemische Umsetzungen metallorganischer Verbindungen sind oft sehr komplexer Natur; dies erschwert die umfassende Aufklärung der Reaktionsmechanismen als auch die Verbesserung und Erweiterung des Anwendungsbereiches bekannter synthetischer Verfahren. Da die Metall-Komplexe in Lösung teilweise dissoziieren bzw. auch Di- und Polymere bilden können, sind die Spezies, die Licht absorbieren entweder Polymere oder Ligand-Spezies, die sich vom Metall gelöst haben oder koordinativ-ungesättigte Systeme, die von der Ausgangsverbindung stammen. Man unterscheidet vier Grundtypen photochemischer Umsetzungen:

① Photochemie, die auf Metalle beschränkt ist.

Sie umfaßt die Abstoßung von Liganden vom Koordinations-Wirkungsbereich[4] und die anschließende Umgruppierung des Koordinationsgerüstes ohne Änderung der Oxidationsstufe des Metalls. Hierzu gehören die *cis-trans*-Isomerisierung[5], *mer-fac*-Isomerie in oktaedrischen Systemen[6], Photoracemisierung[7], Photoauflösung[8] und Verknüpfungs-Isomerie. Die Reaktionen finden meistens durch Bestrahlung überwiegend metall-lokalisierter Übergänge statt.

② Elektronen-Übertragung vom Ligand auf das Metall.

Dieser Übergang hat die Oxidation eines Liganden oder des Lösungsmittels und Reduktion des Metalls zum Inhalt und wird besonders bei der Bestrahlung des Ligand-Metall-Komplexes beobachtet. Am häufigsten findet eine Ein-Elektron-Reduktion des Metalls statt, wobei freie Radikale entstehen, die aus dem Ligand stammen[9]. Der Ligand vermag auch zwei Elektronen an das Metall abzugeben[10].

③ Elektron-Übertragung vom Metall auf den Ligand oder vom Metall auf das Lösungsmittel.

In diesem Falle wird das Metall oxidiert und ein Elektron an das Lösungsmittel[11], an einen Liganden oder irgendein anderes Substrat abgegeben.

④ Umlagerungen am Ligand.

Die Umlagerungen treten entweder bei der direkten Bestrahlung auf (sie sind dann auf die Liganden beschränkt) oder aber es handelt sich um sekundäre Reaktionen primärer Photoprodukte. Eine große Vielfalt photochemischer Umwandlungen organischer Liganden ist bekannt wie z. B. Cycloadditionen, Isomerisierung, Valenz-Tautomerisierung und die teilweise Abspaltung von Liganden.

---

[1] vgl. S. 1415 ff.
[2] V. BALZANI u. V. CARASSITI, *Photochemistry of Coordination Compounds*, Academic Press, New York 1970.
  A. W. ADAMSON, W. L. WALTZ, E. ZINATO, D. W. WATTS, P. D. FLEISCHAUER u. R. D. LINDHOLM, Chem. Reviews **68**, 541 (1968).
  E. KOERNER VON GUSTORF u. F. W. GREVELS, Fortschr. Chem. Forsch. **13**, 366 (1969).
  M. WRIGHTON, Chem. Reviews **74**, 401 (1974).
  P. D. FLEISCHAUER u. P. FLEISCHAUER, Chem. Reviews **70**, 199 (1970).
[3] *Photochemistry*, Vol. 1, Soc. (1970) (und spätere Bände).
[4] Bezüglich Metallcarbonyle vgl. S. 1415 ff.
[5] z. B. in Platin(II)-Systemen vgl. V. BALZANI u. V. CARASSITI, *Photochemistry of Coordination Compounds*, S. 250–256, Academic Press, New York 1970.
[6] P. R. BROOKES u. B. L. SHAW, Chem. Commun. **1968**, 919.
[7] S. T. SPEES u. A. W. ADAMSON, Inorg. Chem. **1**, 531 (1962).
[8] K. L. STEVENSON u. J. F. VERDIECK, Am. Soc. **90**, 2974 (1968).
[9] z. B. Kobalt(III)-Systeme.
  V. BALZANI, L. MOGGI, F. SCANDOLA u. V. CARASSITI, Inorg. Chim. Acta Rev. **1**, 7 (1967).
  D. VALENTINE Jr., Adv. Photochem. **6**, 123 (1968).
[10] D. M. BLAKE u. C. J. NYMAN, Chem. Commun. **483**, 987 (1969); Am. Soc. **92**, 5359 (1970).
[11] Überblick: vgl. V. BALZANI u. V. CARASSITI, *Photochemistry of Coordination Compounds*, S. 378–379, Academic Press, New York 1970.

Bei der Beurteilung der Prozesse ist stets zu beachten, daß die Reaktionen elektronisch angeregter Systeme schneller verlaufen können als innere Umwandlungen angeregter Zustände. Entstehen primär äußerst reaktionsfähige Produkte, so gibt die Stöchiometrie nicht die Art der primären Photoprozesse wieder. Bei der Bestrahlung von Bis-[triphenyl-phosphin]-tricarbonyl-ruthenium(0) (366 nm) wird z. B. Kohlenmonoxid unter Bildung von *Bis-[triphenylphosphin]-dicarbonyl-ruthenium(0)* abgespalten; letzteres reagiert mit Wasserstoff unter Bildung von oktaedrischem *Bis-[triphenylphosphin]-dicarbonyl-dihydrido-ruthenat(II)* (Oxidation des Rutheniums).

Bei der Photochemie metallorganischer Verbindungen müssen zwei Dinge besonders beachtet werden:

① Die große Empfindlichkeit gegenüber Sauerstoff als auch Wasser während der Bestrahlungsdauer

② daher große Sorgfalt beim Trocknen und Entgasen der Lösungsmittel.

Es ist sehr vorteilhaft, stets die Vorschriften zur Behandlung luftempfindlicher Substanzen zu beachten[1].

Metallorganische photochemische Reaktionen sind manchmal mit Ablagerungen von Metallspiegeln begleitet. Es gibt kein wirksames Mittel, um die Wirkung der durch den Metallspiegel gebildeten Strahlungsquelle abzuschwächen. Die Spiegelbildung kann u. U. dadurch vermieden werden, daß man anregendes Licht geringerer Energie verwendet.

α) Metall-Olefin- (bzw. -Aromaten)Komplexe

α₁) *Herstellung*

Eine Anzahl von Metall-Olefin-Komplexen kann bequem nach dem photochemischen Verfahren von FISCHER[2] aus einem Metallhalogenid, einer Grignard-Verbindung und einem Olefin hergestellt werden {z. B. *Bis-[cyclooctadien-(1,4)-yl]-nickel(0)* und *Bis-[azulen]-eisen(0)*}:

$$MCl_x + x\,(CH_3)_2CH\text{–}MgBr + y\,\text{Olefin} \xrightarrow{h\nu,\ \text{Äther}} M(\text{Olefin})\,y + \frac{x}{2}\,(C_3H_8 + C_3H_6) + x\,MgBrCl$$

Auf ähnliche Weise wird *Dibenzol-chrom(0)*[3] aus Cyclohexadien-(1,3) und Chrom(III)-chlorid und *Bis-[6,6-diphenyl-fulven]-cobaltat(I)*, *-rhodinat(I)* bzw. *-iridat(I)* aus den entsprechenden Metallchloriden und 6,6-Diphenyl-fulven erhalten[4].

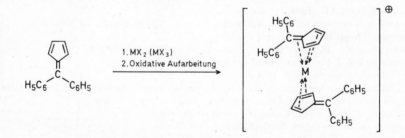

---

[1] D. F. SHRIVER, *The Manipulation of Air Sensitive Compounds*, McGraw-Hill, London 1969.
[2] Überblick: E. A. KÖRNER VON GUSTORF u. F. W. GREVELS, Fortschr. Chem. Forsch. **13**, S. 421–424 (1969).
[3] E. O. FISCHER u. P. KURZEL, Rev. Roumaine Chim. **7**, 827 (1962).
[4] E. O. FISCHER u. B.-J. WEIMANN, J. Organometal. Chem. **8**, 535 (1967); Z. Naturf. **21 b**, 84 (1966).

Komplexe, die zwei verschiedene Olefine enthalten, wurden sowohl durch Umsetzung von Metallchloriden mit zwei verschiedenen Olefinen als auch aus einem Komplex des Typs (Olefin)MCl_4 mit einem anderen Olefin hergestellt. So liefert sowohl die photochemische Reaktion von Ruthenium(III)-chlorid mit einer Mischung aus Cyclooctatrien-(1,3,5) und Cyclooctadien-(1,5) als auch von Cyclooctadien-(1,5)-ruthenium(II)-dichlorid und Cyclo-octatrien-(1,3,5) das *Cyclooctadien-(1,5)-cyclooctatrien-(1,3,5)-ruthenium(0)*[1,2]. Verwendet man Cyclohexadien-(1,3) als Olefin, so spaltet sich manchmal unter Bildung von Aren-Metall-Komplexen Wasserstoff ab, wie z. B. bei der photochemischen Umsetzung mit Eisen(III)-[3], Ruthenium(III)-[1] und Osmium(III)-chlorid[1], bei der *Cyclohexadien-(1,3)-benzol-eisen(0)*, *-ruthenium(0)* bzw. *-osmium(0)* und Wasserstoff entstehen [vgl. a. die Synthese von *Dibenzol-chrom(0)*, S. 1408]. Auch ein Olefin-Austausch kann eintreten, so ergibt z. B. die Photolyse von Bicyclo[2.2.1]heptadien-ruthenium(II)-dichlorid mit Cyclohexadien-(1,3) *Cyclohexadien-(1,3)-benzol-ruthenium(0)*[2]. Als Nebenreaktion kann ferner in Gegenwart von Eisen und Ruthenium Cyclooctatrien-(1,3,5) zum Bicyclo[4.2.0]octadien-(2,4) iso-merisiert werden[2].

Die Herstellung von *Bis-[acrylnitril]-platin(II)-chlorid* aus dem Tetrachloro-platinat(II)-Anion und Acrylnitril stellt eine photochemische Substitutionsreaktion dar[4]. Die Um-setzung entsprechender Carbonyl-Komplexe wird an anderer Stelle besprochen (s. S. 1415ff.).

α_2) Umwandlungen

Eine große Zahl photochemischer Umsetzungen von Olefin-Komplexen und/oder von Olefinen, die in Gegenwart von Metall-Komplexen bestrahlt werden, ist bekannt. Bei der Photolyse von Olefin-Metallkomplexen kann *cis-trans*-Isomerisierung des Olefins auftreten, das Olefin kann freigesetzt oder nicht-konjugierte Diene in konjugierte umgewandelt werden. Metallkomplexe können bei der Photolyse *cis-trans*-Isomerie und Stellungs-isomerie der Olefine katalysieren, Valenz-Tautomerie von Polyenen, Dimerisierung von Olefinen und Dienen hervorrufen sowie zur Bildung von Ketonen und verwandten Systemen führen. Im wesentlichen werden diese Reaktionen von Metall-carbonyl-Komplexen gegeben, die an anderer Stelle besprochen werden (s. S. 1415ff).

Olefine und Diene können photochemisch aus der Metall-Koordinationssphäre in Freiheit gesetzt werden; so erhält man bei der Bestrahlung von Cyclobutadien-tricarbonyl-eisen freies *Cyclobutadien*[5] (vgl. S. 1433).

Von größerem Interesse sind die photochemischen Reaktionen von Metallkomplexen mit Olefinen unter Valenz-Isomerosierung, Dimerisierung usw.

Während bei der Photodimerisation von Bicyclo[2.2.1]hepten in Gegenwart von Aceto-phenon die Cyclobutan-Derivate I und II im Verhältnis 88:12 entstehen (Quantenausbeute:

[1] E. O. FISCHER u. J. MÜLLER, B. **96**, 3217 (1963).

[2] J. MÜLLER u. E. O. FISCHER, J. Organometal. Chem. **5**, 275 (1966).

[3] E. O. FISCHER u. J. MÜLLER, Z. Naturf. **17**B, 776 (1962).

[4] YU. N. KUKUSHKIN, A. A. LIPOVSKII u. YU. E. VYAŹMENSKII, Zh. Neorg. Khim. **12**, 1090 (1967); Russ. J. Inorg. Chem. **12**, 573 (1967); C. A. **67**, 32789 (1967).

[5] W. J. R. TYERMAN, M. KATO, P. KEBARLE, S. MASAMUNE, O. P. STRAUSZ u. H. E. GUNNING, Chem. Commun. 497 (1967).

0,10, erhält man bei der Photolyse des entsprechenden Kupfer(I)-Komplexes I und II im Verhältnis 3:97 (Quanten-Ausbeute 0,07)[1,2]:

I   II

Pentacyclo[8.2.1.1^{4,7}.0^{2,9}.0^{3,8}]*heptadecan*

Die Photodimerisierung von 2-Methyl-bicyclo[2.2.1]hepten und *exo*-Tricyclo[5.2.1.0^{2,6}]decadien-(3,8) lieferte ähnliche Ergebnisse[1].

Bei der Bestrahlung einer ätherischen Lösung von *cis-cis*-Cyclooctadien-(1,5) in Gegenwart von Kupfer(I)-chlorid entsteht neben anderen Produkten[3] in guter Ausbeute *Tricyclo[3.3.0.0^{2,6}]octan*[4] (vgl. S. 231):

das auch zu 19% d.Th. durch Photolyse einer Suspension von kristallinem Bis-[chlor-*cis-cis*-cyclooctadien-(1,5)-kupfer] in Pentan neben 52% *cis-cis*-Cyclooctadien-(1,5) entsteht.

Dagegen erhält man das *Tricyclo[3.3.0.0^{2,6}]octan* zu 70% durch Bestrahlung von Bis-[chlor-*trans,trans*-cyclooctadien-(1,5)-kupfer][5]. Die Bestrahlung des analogen Rhodium-Komplexes liefert dagegen verschiedene Derivate[3]. Man erhält u. a. z. B. aus

cis-cis-Cyclooctadien-(1,5) $\xrightarrow{h\nu/CuCl}$ *cis-trans*-Cyclooctadien-*(1,5)*[6]

cis-Cycloocten $\xrightarrow{h\nu/CuCl}$ *trans*-Cyclooocten[6]

cis-trans-trans-Cyclododecatrien-(1,5,9) $\xrightarrow{h\nu/CuCl(od.\ RhCl)_3}$ *cis-trans-trans* + *trans-trans-trans*-Cyclododecatrien[7]

Auf ähnliche Weise erhält man aus 3-Oxo-tricyclo[3.3.0.0^{2,6}]octan *3-Oxo-cyclooctadien-(1,5)* durch Bestrahlung in Gegenwart von Kupfer(I)-chlorid[8].

Bei der Photolyse des Palladium-Komplexes III entstehen *exo-6-Acetoxy-endo-bicyclo [3.3.0]octen-(2)* und *exo-2-Acetoxy-endo-bicyclo[3.3.0]octan*[9]:

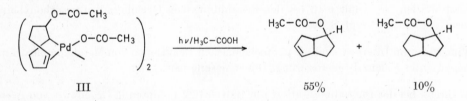

III   55%   10%

[1] D. J. TRECKER, J. P. HENRY u. J. E. McKEON, Am. Soc. **87**, 3261 (1965).
    D. J. TRECKER, R. S. FOOTES, J. P. HENRY u. J. E. McKEON, Am. Soc. **88**, 3021 (1966).
[2] R. G. SOLOMON u. J. K. KOCHI, Tetrahedron Letters **1973**, 2529; Am. Soc. **96**, 1137 (1974).
    R. G. SOLOMON, W. E. STREIB u. J. K. KOCHI, Am. Soc. **96**, 1144 (1974).
[3] J. MEINWALD u. B. KAPLAN, Am. Soc. **89**, 2611 (1967).
[4] R. SRINIVASAN, Am. Soc. **85**, 3084 (1963); **86**, 3318 (1964).
    I. HALLER u. R. SRINIVASAN, Am. Soc. **88**, 5084 (1966).
[5] G. M. WHITESIDES, G. L. GOE u. A. C. COPE, Am. Soc. **89**, 7136 (1967); **91**, 2608 (1969).
[6] J. A. DEYRUP u. M. BETKOUSHI, J. Org. Chem. **37**, 3561 (1972).
[7] C. J. ATTRIDGE u. S. J. MADDOEK, Soc. [C] **1971**, 2999.
[8] R. NOYONRI, H. INOUE u. M. KATÔ, Soc. [D] **1970**, 1695.
[9] C. B. ANDERSON u. B. J. BURRESON, Chem. & Ind. **1967**, 620.
    D. A. WHITE, Organometal. Chem. Reviews **3**, 497 (1968).

Bei der Bestrahlung von Butadien-(1,3) entstehen *Cyclobuten* und *Bicyclo[1.1.0]butan*; die Ausbeute des letzteren steigert sich um 5–6%, wenn die Photolyse in Gegenwart von Kupfer(I)-Salzen durchgeführt wird (vgl. S. 249)[1]. Die Photolyse von Butadien-(1,3) bei 25° in Gegenwart von Dinitroso-dicarbonyl-eisen liefert jedoch *4-Vinyl-cyclohexen*[2,3], welches auch das Hauptprodukt der thermischen Dimerisierung von Butadien-(1,3) ohne Katalysator bei höheren Temperaturen darstellt[4].

Bei der Bestrahlung des Platin-Komplexes VI in Gegenwart von Furan entsteht *Benzo-7-oxa-bicyclo[2.2.1]heptadien*[5]:

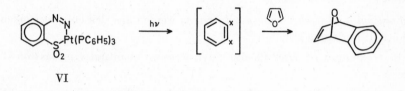

VI

Die Eisen-Komplexe VII und VIII zersetzen sich unter Photolyse zu den entsprechenden Bicyclo[2.2.1]heptadien-Derivaten[6]:

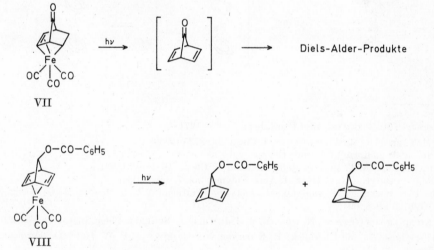

VII

VIII

---

[1] R. Srinivasan, Am. Soc. **85**, 4045 (1963).

[2] J. P. Candlin u. W. H. Janes, Soc. [C] **1968**, 1856.

[3] Die photosensibilisierte Dimerisierung von Butadien-(1,3) an der Butadien-Triplett-Zustände beteiligt sind, liefert unter ähnlichen Bedingungen neben 4-Vinyl-cyclohexen eine Mischung aus *cis*- und *trans-1,2-Divinyl-cyclobutan*; s.

   G. S. Hammond, N. J. Turro u. R. S. H. Liu, J. Org. Chem. **28**, 3297 (1963).

   G. S. Hammond, N. J. Turro u. A. Fischer, Am. Soc. **83**, 4674 (1961).

[4] H. W. B. Reed, Soc. **1951**, 685.

   E. Vogel, A. **615**, 1 (1958).

[5] T. L. Gilchrist, F. J. Graveling u. C. W. Rees, Chem. Commun. **1968**, 821.

   vgl. C. D. Cook u. G. S. Jauhal, Am. Soc. **90**, 1464 (1968).

[6] J. M. Landesberg u. J. Sieczkowski, Am. Soc. **91**, 2121 (1969).

β) Metallocene[1]

Ferrocen, in Dekalin, Methanol und Propanol kaum licht-empfindlich[2] (substituierte Ferrocene sind reaktionsfähiger[2]) reagiert photochemisch leicht mit Tetrachlormethan zu *Ferrocenium-tetrachloroferrat*(III) (~ 100% d.Th.)[3-7]. Die Bestrahlung[7] benzolischer Lösungen von Ferrocen und Isopren oder Pentadien-(1,3) mit Licht der Wellenlänge kleiner 320 nm, führt zur Dimerisierung von Isopren[8] bzw. *cis-trans*-Isomerisierung von Pentadien-(1,3)[9]. In Cyclohexan wirkt Ferrocen als Sensibilisator bei der Pentadien-Isomerisierung[10].

Bei der Photo-Fries-Umlagerung von Ferrocen-carbonsäure-phenylester entsteht (*4-Hydroxy-benzoyl*)-*ferrocen*; mit dem 4-Methyl-phenylester dagegen (*4-Methyl-phenyl*)-*ferrocen* und *Ferrocen-carbonsäure*[11].

Phenyl-benzoyl- und *Cyclohexyl-benzoyl-ferrocen* werden aus den entsprechenden (2-Oxo-2-phenyl-äthyl)-Derivaten erhalten[12].

Unter Bestrahlung wird (*cis-2*-Phenyl-vinyl)-ferrocen quantitativ in das *trans*-Isomere[13] umgelagert.

Die Photolyse von Ferrocen-sulfonsäure-azid führt über ein Nitren zum *1'-Amino-ferrocen-sulfonsäure-cycl.-amid*[14]:

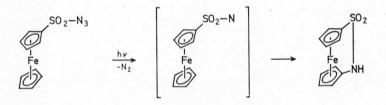

---

[1] Überblick: R. E. Bozak, Adv. Photochem. **7**, 227 (1971).

[2] A. M. Tarr u. D. M. Wiles, Canad. J. Chem. **46**, 2725 (1968).
Ferrocen als photostabilisierende Gruppe, vgl.:
    D. M. Wiles u. T. M. Suprunchuk, Canad. J. Chem. **46**, 1865 (1968).
    R. G. Schmitt u. R. C. Hirt, J. Appl. Polymer Sci. **7**, 1565 (1963).
    K. P. S. Kwei u. J. P. Luongo, Abstracts 153d National A. C. S. Meeting Miami Beach, April 1967,Blatt S. 094.

[3] E. Koerner von Gustorf, H. Köller, M.-J. Jun u. G. G. Schenck, Chem. Ingr. Techn. **35**, 591 (1963).

[4] Weitere Beispiele und Überblick: E. Koerner von Gustorf u. F. W. Grevels, Fortschr. Chem. Forsch. **13**, 424–430.

[5] A. J. Fry, R. S. H. Liu u. G. S. Hammond, Am. Soc. **88**, 4781 (1966).

[6] H. Werner u. J. H. Richards, Am. Soc. **90**, 4976 (1968).

[7] J. J. Dannenberg u. J. H. Richards, Am. Soc. **87**, 1626 (1965).
J. H. Richards, J. Paint Technol. **39**, 569 (1967).

[8] R. S. H. Liu, N. J. Turro jr. u. G. S. Hammond, Am. Soc. **87**, 3406 (1965).

[9] A. A. Lamola u. G. S. Hammond, J. Chem. Phys. **43**, 2129 (1965).

[10] J. P. Guillory, C. F. Cook u. D. R. Scott, Am. Soc. **89**, 6776 (1967).

[11] R. A. Finnegan u. J. J. Mattice, Tetrahedron **21**, 1015 (1965).

[12] R. E. Bozak, Chem. & Ind. **1969**, 24; Appl. Spectroscopy **23**, 642 (1969).
Die Oxo-Gruppe des Benzoyl-ferrocen wird in Isopropanol unter Bestrahlung nicht reduziert:
    Überblick: R. E. Bozak, Adv. Photochem. **7**, 239 (1971).

[13] J. H. Richards u. N. Pisker-Trifunac, Pro. Paint Res. Inst. **41**, 363 (1969).

[14] A. N. Nesmeyanov, V. A. Sazonova, V. I. Romanenko, N. A. Rodionova u. G. P. Zolnikova, Dokl. Akad. Nauk SSSR **149**, 1354 (1963); C. A. **59**, 3460 (1963).

Bei der Photolyse von Ferrocen-Derivaten in polaren Lösungsmittelsystemen finden nucleophile Verdrängungsreaktionen statt[1-3]:

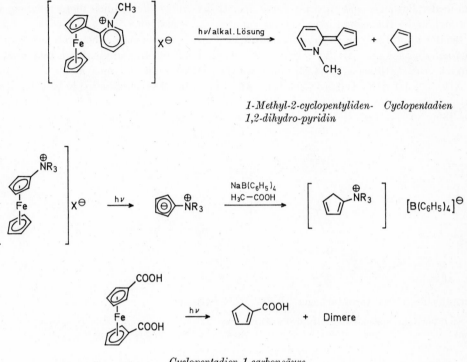

1-Methyl-2-cyclopentyliden-   *Cyclopentadien*
1,2-dihydro-pyridin

Cyclopentadien-1-carbonsäure

Bei der Photolyse des Bis-[benzol]-chrom(I)-Kations in wäßrig-kohlensauren Lösungen entstehen *Benzol* und Chrom(III)-Ionen[4] und aus dem Bis-[biphenyl]-chrom(I)-Kation in Methanol und in Gegenwart von 2,2′-Bipyridyl *Bis-[biphenyl]-chrom(0)*, *Biphenyl* und *Tris-[2,2′-bipyridyl]-chrom(II)-dichlorid*[5].

γ) Systeme mit Carbanionen

Wird das Cyclooctatetraen-Dianion in Lösungen von Tetrahydrofuran bestrahlt, so fängt es unter Bildung des Cyclooctatrienyl-Anions ein Proton ein. Dieses Anion kann weiter zum Cyclooctatrien protoniert werden oder es können ihm unter Rückbildung von Cyclooctatetraen Protonen entzogen werden. Als Protonen-Lieferanten werden schwache Carbonsäuren mit endständigen C≡C-Dreifachbindungen eingesetzt, mit denen das Cyclooctatetraen-Dianion selbst nicht reagiert (unter Bestrahlung erhöht sich die Basizität durch

[1] A. N. Nesmeyanov, V. A. Sazonova, V. I. Romanenko N. A. Rodionova u. G. P. Zolnikova, Dokl. Akad. Nauk SSSR **155**, 1130 (1964); Dokl. Chem. **160**, 131 (1965); C. A. **61**, 1891 (1964).

[2] A. N. Nesmeyanov, V. A. Sazonova u. V. I. Romanenko, Dokl. Acad. Nauk SSSR **152**, 1358 (1963); Proc. Akad. Sci. USSR Sect. Chem. **152**, 835 (1963); C. A. **60**, 1793 (1964).

[3] A. N. Nesmeyanov, V. A. Sazonova, J. I. Romanenko u. G. P. Zolnikova, Isv. Acad. Nauk SSSR Ser. Khim. **1965**, 1694; Bull. Akad. Sci. USSR Chem. Sci. **1965**, 1660; **64**, 2124 (1966).

[4] F. Scandola, O. Traverso u. V. Carassiti, Proc. 11. Konf. Coord. Chem. Haifa-Jerusalem, S. 88 (1967); Elsevier, Amsterdam 1968.
O. Traverso, F. Scandola, V. Balzani u. S. Valcher, Mol. Photochem. **1**, 289 (1969).

[5] F. Hein u. H. Scheel, Z. Anorg. Chem. **312**, 264 (1961); in Wasser treten die analogen Umsetzungen ein.

Elektronenanregung[1]). Ähnlich verstärkt sich die Basizität des Cyclononatetraenid-Ions[2]. Zur Photolyse von Cyclopentadienid-Ionen s. Lit.[3].

Im allgemeinen hat die Anhebung eines Moleküls in den angeregten Zustand Veränderungen in der Basizität und Acidität zur Folge. Es ist jedoch gewöhnlich nicht möglich, von vornherein die Richtung dieser Veränderungen vorauszusagen.

Bei der Photolyse von Phenyl-lithium/Anthracen-Mischungen in Äther treten *Anthracen-Radikal-Anionen* auf. Ähnliche Ergebnisse erhält man mit Biphenyl, Pyren und Phenanthren[4]. Aus Anthracen/Alkyl-lithium-Lösungen erhält man meistens in guter Ausbeute 9-Alkyl-9,10-dihydro-anthracen[5]. Alkyl-bis-[dimethylglyoximato]-kobalt(III)-Derivate werden photochemisch unter Bildung von Alkyl-Radikalen zersetzt. Kobalt-Komplexe des Typs XI zersetzen sich photochemisch nach folgendem Schema[6]:

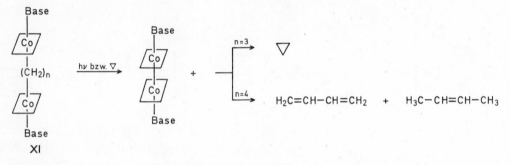

XI

Vitamin-B_{12}-Derivate unterliegen ähnlichen Reaktionen[7].

Setzt man Lösungen von (2-Hydroxy-äthyl)- bzw. (2-Hydroxy-propyl)-kobalt-äthioporphirine der Sonne aus, so erhält man unter Co–C-Spaltung *Acetaldehyd* bzw. *Aceton*[8].

δ) Komplexe mit einer Kohlenstoff-Metall-σ-Bindung

Die photochemische Umsetzung von Aryl-thallium(III)-bis-[trifluoracetat] in Benzol stellt eine gute Methode zur Herstellung unsymmetrischer Biphenyle dar[9]:

$$Ar–Tl(O–CO–CF_3)_2 \xrightarrow{\triangledown} Ar–Ar$$

$Ar = H_5C_6$;	*Biphenyl*; 90% d.Th.
$Ar = 4\text{-Cl-}C_6H_4$;	*4,4′-Dichlor-biphenyl*;
$Ar = 2\text{-Br-}4\text{-}CH_3\text{-}C_6H_5$;	87% d.Th.
	2,2′-Dibrom-4,4′-dimethyl-biphenyl;
	78% d.Th.

Aromatische Nitrile werden dagegen in wäßriger Kaliumcyanid-Lösung erhalten[10]:

$$Ar–Tl(O–CO–CF_3)_2 \xrightarrow{h\nu, KCN/H_2O} Ar–CN$$

2-Methoxymethyl-benzonitril[10]: Eine 1%ige wäßrige Lösung von (2-Methoxymethyl-phenyl)-thallium (III)-bis-[difluoracetat], die 25 Äquivalente Kaliumcyanid enthält, wird 150 Min. bestrahlt (Rayonet

[1] J. I. Brauman, J. Schwartz u. E. E. van Tamelen, Am. Soc. **90**, 5328 (1968).
[2] J. Schwartz, Soc. [D] **1969**, 833.
[3] E. E. van Tamelen, J. I. Brauman, L. E. Ellis, Am. Soc. **87**, 4964 (1965).
[4] H. J. S. Winkler u. H. Winkler, J. Org. Chem. **32**, 1695 (1967).
[5] H. J. Winkler, R. Bollinger u. H. Winkler, J. Org. Chem. **32**, 1700 (1967).
[6] G. N. Schrauzer u. R. N. Windgassen, Am. Soc. **88**, 3738 (1966).
[7] Überblick: D. Valentine, Jr., Annual Servey of Photochemistry, Vol. 2, S. 341 (1970).
[8] D. A. Clark, R. Grigg, A. W. Johnson u. H. A. Pinnock, Chem. Commun. **1967**, 309.
[9] E. C. Taylor, F. Kienzle u. A. McKillop, Am. Soc. **92**, 6088 (1970).
[10] E. C. Taylor, H. W. Altland, R. H. Danforth, G. McGillivray u. A. McKillop, Am. Soc. **92**, 3520 (1970).

photochemischer Reaktor mit 254 nm Lampen). Die orangefarbene Lösung wird mit Hexan extrahiert, die Lösung getrocknet und das Hexan verdampft; Ausbeute: 55% d.Th.

Aryl-metall-Komplexe zersetzen sich allgemein unter Lichteinwirkung zu Kohlenmonoxid und Alkyl- bzw. Aryl-metall-Komplexen[1].

ε) spezielle Reaktionen

Bei der Photolyse von Bis-[äthoxycarbonyl-diazomethyl]-quecksilber entsteht unter Verwendung von Vycor 7910 *Äthoxycarbonyl-methin* (XIV), bei Bestrahlung durch Pyrexglas bildet sich dagegen das *(Äthoxycarbonyl-diazomethylmercuri)-äthoxycarbonyl-carben*[2] (XV):

$$H_5C_2OOC-C\colon$$
$$|$$
$$:\dot{C}-COOC_2H_5 \qquad Hg$$
$$|$$
$$H_5C_2OOC-C=N_2$$

$$\text{XIV} \qquad\qquad \text{XV}$$

Diphenyl-quecksilber wird in Gegenwart von Isopropanol in *Benzol*, Quecksilber und *Aceton* überführt[3]; Bis-[4-methyl-phenyl]-quecksilber und Methanol ergeben in quantitativer Ausbeute *Toluol*, Quecksilber und *Formaldehyd*[4].

Die Herstellung von *3-Methyl-butin-(1)-yl-(3)-magnesium-bromid* aus Magnesium und 3-Brom-3-methyl-butin-(1) gelingt nur unter Lichteinwirkung[5].

2. Metallcarbonyle

bearbeitet von

Prof. Dr. WALTER STROHMEIER*

Im Rahmen dieses Abschnitts werden Reaktionen behandelt, bei denen eine organische Verbindung mit dem Metall-Atom eines Metallcarbonyls reagiert. Dabei ist es belanglos, wie viele Carbonyl-Gruppen am Metall gebunden sind oder wie viele Liganden durch andere Liganden ersetzt werden. Die häufigste Reaktion am $M(CO)_x$ oder $M(CO)_xL$, wobei L sowohl ein organischer, als auch ein anorganischer Ligand sein kann, ist die Substitution. Daneben treten Einschubreaktionen, Cycloadditionen, Dimerisierungen und Isomerisierungen auf.

α) Substitutionsreaktionen

α₁) allgemeine Hinweise

Metallcarbonyle und ihre Derivate spalten bei Bestrahlen mit Licht geeigneter Wellenlänge eine Carbonyl-Gruppe ab[6,7]:

$$Y_aM_b(CO)_x \xrightarrow{h\nu} \{Y_aM_b(CO)_{x-1}\} + CO$$

---

* Institut für physikalische Chemie der Universität Würzburg.

[1] E. KÖRNER VON GUSTORFF u. F. W. GREVELS, Fortschr. Chem. Forsch. **13**, 410–412 (1969).

[2] T. DoMINH, H. E. GUNNING u. O. P. STRAUSZ, Am. Soc. **89**, 6785 (1967).
O. P. STRAUSZ, T. DoMINH u. J. FOUT, Am. Soc. **90**, 1930 (1968).

[3] G. RAZUVAEV u. Y. OLDEKOP, Ž. obšč. Chim. **19**, 736 (1949); **43**, 8895 (1950).

[4] G. RAZUVAEV u. Y. OLDEKOP, Ž. obšč. Chim. **20**, 181 (1950); **44**, 5833 (1950).
Übersicht organischer Quecksilberverbindungen:
A. SCHÖNBERG, *Preparative Organic Photochemistry*, 2d Ed., Springer-Verlag, New York 1968.
s. a. ds. Handb., Bd. XIII/2b, Organo-quecksilber-Verbindungen.

[5] s. ds. Handb., Bd. XIII/2a, Kap. Organo-magnesium-Verbindungen, S. 94.

[6] DBP. 1146053 (1960); E. O. FISCHER u. H. P. KÖGLER

[7] W. STROHMEIER u. K. GERLACH, Z. Naturf. **15b**, 413 (1960).

Die Existenz des entstandenen Elektronen-Acceptors I (S. 1415) ist durch chemische[1] und spektroskopische[2] Untersuchungen gesichert. Bei Raumtemperatur liegt seine Halbwertszeit bei einigen Minuten[1]. Die Quantenausbeute des photochemischen Primäraktes ist eins[3]; die effektive Quantenausbeute sinkt jedoch mit fortschreitender Reaktion, da auch die Reaktionsprodukte Lichtquanten absorbieren. Aus den Carbonyl-Abspaltungskurven[4] ersieht man den Zusammenhang zwischen Mechanismus und Quantenausbeute[5] und wie viele Äquivalente Carbonyl unter den Reaktionsbedingungen abgespalten werden können.

Prinzipiell gibt es zwei Reaktionswege

① Die Bestrahlung des Metallcarbonyls kann in Anwesenheit eines Elektronen-Donators L ausgeführt werden. Dann lagert sich dieser in die Koordinationslücke des Acceptors ein:

$$\{Y_aM_b(CO)_{x-1}\} + L \longrightarrow Y_aM_b(CO)_{x-1}L$$

Im Prinzip handelt es sich hierbei um eine photochemisch erzwungene S_N1-Reaktion.

② Das Metallcarbonyl kann zunächst in Tetrahydrofuran bis zur Abspaltung von einem Äquivalent Carbonyl bestrahlt werden. Man erhält einen instabilen Tetrahydrofuran-Komplex, der leicht das Tetrahydrofuran gegen den nach der Bestrahlung zugesetzten Liganden (äquivalente Menge) austauscht:

$$Y_aM_b(CO)_x \xrightarrow{h\nu / THF} Y_aM_b(CO)_{x-1}THF \xrightarrow[-THF]{L} Y_aM_b(CO)_{x-1}L$$

Diese sog. „indirekte Methode" liefert hohe Ausbeuten und reine Produkte[6],[7]. Sie muß angewendet werden, wenn der Donator L photochemisch nicht stabil ist. Ungeeignet ist diese Methode, wie die experimentelle Erfahrung zeigte, zur Herstellung der Substitutionsprodukte folgender Metallcarbonyle:

$$Mo(CO)_6 \qquad Fe(CO)_5 \qquad H_6C_6Cr(CO)_3 \qquad H_5C_5V(CO)_4$$

Bei 366 nm besitzen Metallcarbonyle und ihre Derivate bereits einen genügend großen molaren Extinktionskoeffizienten[8]. Deshalb verwendet man für die Bestrahlung am günstigsten einen Quecksilber-Hochdruck-Brenner. Die Verwendung einer Quecksilber-Tauchlampe ohne Quarzglaskühlmantel ist nicht ratsam, da sich durch die Wärmeentwicklung die Reaktionsprodukte zersetzen. Es scheidet sich an der Oberfläche der Lampe Metall ab.

Da die Metallcarbonyl-Derivate mehr oder minder sauerstoffempfindlich sind, müssen alle Operationen unter Stickstoff oder Argon als Schutzgas durchgeführt werden. Aus dem Reaktionsgefäß treibt man das freigewordene Kohlenmonoxid mit Stickstoff durch eine Kühlfalle (mitgerissene Lösungsmittel bleiben zurück) in eine Meßapparatur zur Bestimmung des Kohlenmonoxid-Gehaltes[9]. Außerdem zeigt die Erfahrung, daß die bestrahlten Lösungen sofort aufgearbeitet werden sollten, da längeres Stehen die Ausbeute an analysenreinem Produkt vermindert.

Die Methode der Isolierung des Reaktionsproduktes hängt von seinen Eigenschaften ab. Es gelten die folgenden Faustregeln:

① Monosubstitutionsprodukte des Typs: $Y_aM_b(CO)_{x-1}L$

Sie sind im allgemeinen in aliphatischen Kohlenwasserstoffen bei Raumtemp. schlecht bis mäßig, in der Wärme mäßig bis gut und in aromatischen Kohlenwasserstoffen gut löslich. Je nach Typ des Liganden L und des Metallcarbonyls kommen folgende Methoden der Isolierung aus dem Rohprodukt in Frage:

[1] W. STROHMEIER u. K. GERLACH, B. 94, 398 (1961).
[2] I. W. STOLZ, G. R. DOBSON u. R. K. SHELINE, Am. Soc. 84, 3589 (1962); 85, 1013 (1963).
[3] W. STROHMEIER u. D. VON HOBE, B. 94, 761, 2031 (1961); Z. phys. Chem. 34, 393 (1962).
[4] W. STROHMEIER, D. VON HOBE, G. SCHÖNAUER u. H. LAPORTE, Z. Naturf. 17b, 502 (1962).
[5] W. STROHMEIER, Ang. Ch. 75, 1024 (1963); engl.: 3, 691 (1963).
[6] W. STROHMEIER u. F. J. MÜLLER, B. 102, 3608 (1969).
[7] W. STROHMEIER et al., B. 99, 3419 (1966).
[8] W. STROHMEIER u. K. GERLACH, Z. physik. Chem. 27, 439 (1961).
[9] Vgl. ds. Handb., 4. Aufl., Bd. II, S. 772.

ⓐ Sublimation i. Hochvak. bei 30–80°

ⓑ Umkristallisieren aus heißem Heptan oder aus Heptan/Benzol-Gemischen

ⓒ Aufnehmen des Rohproduktes in Heptan oder Heptan/Benzol, chromatographieren an Aluminiumoxid und anschließendes Umkristallisieren nach ⓑ.

② Disubstitutionsprodukte des Typs: $Y_aM_b(CO)_{x-2}L_2$

Diese Verbindungen sind in aliphatischen Kohlenwasserstoffen schwer löslich. Fast immer fallen sie während ihrer Herstellung aus. Sie können meist aus Benzol durch Zugabe von Heptan umkristallisiert werden.

③ Trisubstitutionsprodukte des Typs: $Y_aM_b(CO)_{x-3}L_3$

Da das Trisubstitutionsprodukt bevorzugt den Liganden L und nicht die Carbonyl-Gruppe photochemisch abspaltet, ist ihre Herstellung auf photochemischem Weg nicht zufriedenstellend. Die Trisubstitutionsprodukte sind noch schwerer löslich als die Disubstitutionsprodukte.

In Tab. 191 sind bisherige Erfahrungen zur Wahl des Lösungsmittels zusammengestellt. Genauere Hinweise sind der Literatur[1] zu entnehmen.

Tab. 191. Lösungsmittel für Photoreaktionen

Donatoren	$M(CO)_6$	$Fe(CO)_5$	Aromaten-$Cr(CO)_3$	Cyclopentadienyl-$M(CO)_x$
N-Verbindungen	CH_3OH; THF		Benzol; THF	THF; CH_3OH
S-Verbindungen	Benzol		Benzol	Benzol
P-Verbindungen	Benzol; THF	Heptan; Benzol	Benzol; THF	THF; Benzol
Nitrile	Benzol		Benzol	Benzol
π-Donatoren			THF	THF

α_2) *durch n-Donatoren*

Die funktionellen Atome der n-Donatoren sind fast ausschließlich Atome der V. und VI. Gruppe des Periodensystems. Diese Verbindungen gehören daher formal zur Anorganischen Chemie. Aus diesem Grunde sollen ihre Substitutionsreaktionen mit n-Donatoren hier nicht abgehandelt werden. Zahlreiche Literaturhinweise sind in zusammenfassenden Arbeiten zu finden[2–4].

α_3) *durch π-Donatoren*

Analog zu den n-Donatoren können photochemisch nach der direkten oder indirekten Methode auch mit π-Donatoren (z. B. Olefine, Oligoolefine, Acetylene und andere ungesättigte Verbindungen) Metallcarbonyl-Derivate hergestellt werden. In diesen Fällen wird in die Koordinationslücke des photochemisch gebildeten Primärproduktes die Doppel- bzw. Dreifachbindung des π-Donators eingelagert, Beispiele enthält Tab. 192 (S. 1418).

Alle Handlungen müssen unter Stickstoff als Schutzgas durchgeführt werden, da alle Metallcarbonyl-Derivate mit π-Donatoren sauerstoffempfindlich sind. In Ampullen unter Stickstoff eingeschmolzen, sind sie haltbar. Als Reinigungsmethode kommt nur die Um-

---

[1] W. STROHMEIER u. F. J. MÜLLER, B. **100**, 2812 (1967); **102**, 3608, 3613 (1969).

[2] W. STROHMEIER, Ang. Ch. **75**, 1024 (1963); engl.: **3**, 691 (1963).

[3] E. KÖRNER VON GUSTORF u. F. W. GREVELS, Fortschr. chem. Forsch. **13**, 366 (1969).

[4] M. WRIGHTON, Chem. Reviews **74**, 401 (1974).

Tab. 192. Metallcarbonyl-Verbindungen mit π-Donatoren durch Substitution

Metallcarbonyl	Donator	Produkt	Ausbeute [% d.Th.]	F [°C]	Literatur
$H_5C_5Nb(CO)_3P(C_6H_5)_3$	$H_5C_6-C\equiv C-C_6H_5$	Bis-[diphenyl-acetylen]-carbonyl-cyclopentadienyl-niob	40	135	1
$Cr(CO)_6$	$H_2C=CH-CN$	Acrylnitril-pentacarbonyl-chrom	54	47	2
$H_6C_6Cr(CO)_3$	$H_2C=CH_2$	Äthylen-benzol-dicarbonyl-chrom	47	–	3
		Benzol-dicarbonyl-maleinsäure-anhydrid-chrom	20–50	–	4
	$H_5C_6-C\equiv C-C_6H_5$	Benzol-dicarbonyl-(diphenyl-acetylen)-chrom	51	–	3
$[1,4-(H_3COOC)_2-H_4C_6]Cr(CO)_3$	$H_2C=CH-CN$	Acrylnitril-dicarbonyl-(phthal-säure-dimethylester)-chrom	40	114–116	2
		Dicarbonyl-maleinsäureanhydrid-(phthalsäure-dimethyl-ester)-chrom	20–50	–	4
$[1,3,5-(H_3C)_3-H_3C_6]Cr(CO)_3$	$H_2C=CH_2$	Äthylen-dicarbonyl-(1,3,5-tri-methyl-benzol)-chrom	55	~100 (Zers.)	5
	$H_2C=CH-CN$	Acrylnitril-dicarbonyl-(1,3,5-trimethyl-benzol)chrom	46	~100 (Zers.)	2
		Cyclopenten-dicarbonyl-(1,3,5-trimethyl-benzol)-chrom	42	–	3

[1] A. N. Nesmeyanov et al., Izv. Akad. SSSR. Ser. Khim. 1968, 2814; C. A. 70, 78089 (1969).

[2] J. F. Guttenberger u. W. Strohmeier, B. 100, 2807 (1967).

[3] W. Strohmeier u. H. Hellmann, B. 98, 1598 (1965); dort zahlreiche weitere Beispiele.

[4] M. Herberhold u. Ch. Jablonski, J. Organometal. Chem. 14, 457 (1968).

[5] E. O. Fischer u. P. Kuzel, Z. Naturf. 16b, 475 (1961).

Tab. 192 (1. Fortsetzung)

Metallcarbonyl	Donator	Produkt	Ausbeute [% d.Th.]	F [°C]	Literatur
$(H_3C)_6C_6Cr(CO)_3$	[Cyclohepten-Ring]	*Cyclohepten-dicarbonyl-(hexamethyl-benzol)-chrom*	49	(Zerfall an Luft)	1
	$H_5C_6-C\equiv CH$	*Dicarbonyl-(phenyl-acetylen)-(hexamethyl-benzol)-chrom*	65	–	1
	$H_5C_2OOC-C\equiv C-COOC_2H_5$	*(Acetylen-dicarbonsäure-diäthylester)-dicarbonyl-(hexamethyl-benzol)-chrom*	55	108	
$[H_5C_5Cr(CO)_3]_2$	$H_2C=CH-CH=CH_2$	*Cyclopentadien-[butadien-(1,3)]-dicarbonyl-chrom*	15	–	2
$H_6C_6Cr(CO)_2NO$	[Cycloocten-Ring]	*Benzol-dicarbonyl-cycloocten-nitroso-chrom*	53	(Zers. ab 75° an Luft)	3
$W(CO)_6$	$H_2C=CH-CN$	*Acrylnitril-pentacarbonyl-wolfram*	49	76	4,5
$W(CO)_5 \cdot THF$	$(H_5C_6)_3P=C=P(C_6H_5)_3$	$[OC]_5W-C{\overset{\ominus}{\underset{P(C_6H_5)_3}{<}}}{\overset{P(C_6H_5)_3}{\oplus}}$ $\downarrow HCl$ $\{[OC]_5W-CH[P(C_6H_5)_3]_2\}^{2\oplus} 2\,Cl^{\ominus}$ *(Bis-[triphenylphosphino]-methyl)-pentacarbonyl-wolfram-dichlorid*	5–10	140–141	6
$(H_3C)_3SiMn(CO)_5$	$F_2C=CF_2$	*(cis-1,2-Difluor-äthylen)-pentacarbonyl-mangan* + *Pentacarbonyl-dimangan*	27 / 14,5		7, vgl. a. 8

1 W. STROHMEIER u. H. HELLMANN, B. 98, 1598 (1965); dort zahlreiche weitere Beispiele.
2 E. O. FISCHER, H. P. KÖGLER u. P. KUZEL, B. 93, 3006 (1960).
3 M. HERBERHOLD u. H. ALT, J. Organometal. Chem. 42, 407 (1972).
4 J. F. GUTTENBERGER u. W. STROHMEIER, B. 100, 2807 (1967).
5 A. G. MASSEY, J. Inorg. & Nuclear Chem. 24, 1172 (1962).
6 W. C. KASKA, D. K. MITCHELL u. R. F. REICHELDERFER, J. Organometal. Chem. 47, 391 (1973).
7 H. C. CLARK u. T. L. HAUW, J. Organometal. Chem. 42, 429 (1972).
8 M. GREEN, N. MAYNE u. F. G. A. STONE, Soc. [A] 1968, 902.

Tab. 192 (2. Fortsetzung)

Metallcarbonyl	Donator	Produkt	Ausbeute [% d.Th.]	F [°C]	Literatur
H₅C₅Mn(CO)₃	Cycloolefine; Benzol	z. B. *Cycloalken- (bzw. Benzol)-cyclopentadienyl-dicarbonyl-mangan*	—	—	1, 2
	(Furan)	*Cyclopentadienyl-dicarbonyl-(4,5-dihydro-furan)-mangan*	58	62–63	3
	(Bicyclo-anhydrid)	*{Bicyclo[2.2.1]hepten-(2)-5,6-dicarbonsäureanhydrid}-cyclo-pentadienyl-dicarbonyl-mangan*	22	~185 (Zers.)	3
	trans-NC–CH=CH–COOH	*(Butendisäure-nitril)-cyclopenta-dienyl-dicarbonyl-mangan*	15	>100 (Zers.)	4
	(Maleinsäureanhydrid)	*Cyclopentadienyl-dicarbonyl-maleinsäureanhydrid-mangan*	41	~115 (Zers.)	3
	H₂C=CH–CH=CH₂	*[Butadien-(1,3)]-cyclopentadien-yl-dicarbonyl-mangan*	25	140 (Zers.)	5, 6
	(Inden)	*Cyclopentadienyl-dicarbonyl-inden-mangan*	57	110 (Zers.)	3
	(Acenaphthylen)	*Acenaphthylen-cyclopentadienyl-dicarbonyl-mangan*	35	139–140 (Zers.)	
	H₅C₆–C≡C–C₆H₅	*Cyclopentadienyl-dicarbonyl-(diphenyl-acetylen)-mangan*	34	104–105	7
	F₃C–C≡C–CF₃	*Cyclopentadienyl-dicarbonyl-[hexafluor-butin-(2)]-mangan*	~50	68	8

[1] E. O. FISCHER u. M. HERBERHOLD, *Essays in Coordination Chemistry*, Exper. Suppl. IX, Birkhäuser-Verlag, Basel 1964.

[2] W. STROHMEIER, J. F. GUTTENBERGER u. H. HELLMANN, Z. Naturf. **19b**, 353 (1964).

[3] M. HERBERHOLD u. Ch. R. JABLONSKI, B. **102**, 767 (1969).

[4] M. HERBERHOLD u. H. BRABATZ, B. **103**, 3896 (1970).

[5] M. L. ZIEGLER u. R. K. SHELINE, Inorg. Chem. **4**, 1230 (1965).

[6] E. O. FISCHER, H. P. KÖGLER u. P. KUZEL, B. **93**, 3006 (1960).

[7] W. STROHMEIER u. D. von HOBE, Z. Naturf. **16b**, 402 (1961).

[8] J. L. BOSTON, S. O. GRIM u. G. WILKINSON, Soc. **1963**, 3468.

Tab. 192 (3. Fortsetzung)

Metallcarbonyl	Donator	Produkt	Ausbeute [% d.Th.]	F [°C]	Literatur
$(H_3C-H_4C_5)Mn(CO)_3$	$H_5C_6-C≡C-C_6H_5$	*Dicarbonyl-(diphenyl-acetylen)-(methyl-cyclopentadienyl)-mangan*	11	70–72	[1]
$H_5C_5Re(CO)_3$		*1,2-Bis-[cyclopentadienyl]-1,2-carbonylen-1,1,2,2-tetra-carbonyl-dirhenium*	20	138–140	[2]
$Fe(CO)_5$	Halogen-äthylene	*(Halogen-äthylen)-tetracarbonyl-eisen*	–	–	[3]
	$H_3C-CO-O-CH=CH_2$	*(Acetoxy-äthylen)-tetracarbonyl-eisen*	49	–10	[4]
	$H_2C=C(CH_3)-COOCH_3$	*(2-Methyl-acrylsäure-methyl-ester)-tetracarbonyl-eisen*	54	$(Kp_{10^{-3}} : 25°)$	[5]
		(Maleinsäureanhydrid)-tetra-carbonyl-eisen	–	147–148 (Zers.)	
$Fe_2(CO)_9$	$R^1R^2C=CR^3R^4$ $R^1,R^2,R^3,R^4=H,F,Cl,$ Br, CF_3		max. 57	25	[6]

[1] W. STROHMEIER, H. LAPORTE u. D. VON HOBE, B. **95**, 455 (1962).
[2] A. S. FOUST, J. K. HOYANO u. W. A. G. GRAHAM, J. Organometal. Chem. **32**, C 65 (1971).
[3] E. KOERNER VON GUSTORF, F. W. GREVELS u. J. C. HOGAN, Ang. Ch. **81**, 918 (1969).
[4] E. KOERNER VON GUSTORF, M. J. JUN u. G. O. SCHENCK, Z. Naturf. **18b**, 503 (1963).
[5] G. O. SCHENCK, E. KOERNER VON GUSTORF u. M. J. JUN, Tetrahedron Letters **23**, 1059 (1962).
[6] R. FIELDS, G. L. GODWIN u. R. N. HASZELDINE, J. Organometal. Chem. **26**, C 70 (1971).

kristallisation in Frage, da sich die meisten Metallcarbonyl-Derivate mit π-Donatoren als Liganden bei der Hochvakuum-Sublimation zersetzen.

Dicarbonyl-(hexamethyl-benzol)-cyclohepten-chrom[1] **(direkte Methode):** 200 mg (0,67 mMol) (Hexamethyl-benzol)-tricarbonyl-chrom werden mit 100 mg Cyclohepten in 25 ml Tetrahydrofuran bis zur Abspaltung von 0,67 mMol Kohlenmonoxid bestrahlt, wobei die anfangs gelbe Lösung rot wird. Die Reaktionslösung wird dann in 50 ml Wasser gegossen und das Tetrahydrofuran bei 30°/40 Torr im Rotationsverdampfer abgezogen, wobei sich rote Kristalle abscheiden, die nach dem Abfiltrieren im Vakuum-Exsikkator getrocknet werden. Die Substanz wird in wenig warmem Benzol gelöst, filtriert, durch Zugabe von kaltem Heptan ausgefällt und die Kristallisation durch 5 stdg. Aufbewahren im Eisschrank vervollständigt; Ausbeute: 120 mg (49% d.Th.).

Cyclopentadienyl-dicarbonyl-maleinsäureanhydrid-mangan[2] **(indirekte Methode):** 612 mg (3 mMol) Cyclopentadienyl-tricarbonyl-mangan, gelöst in 70 ml Tetrahydrofuran, werden bis zur Abspaltung von 2,6 mMol Kohlenmonoxid bestrahlt, dann werden 1,47 g (15 mMol) Maleinsäureanhydrid dazugegeben, 2 Stdn. bei 40° gerührt, die Lösung filtriert und zur Trockene gebracht. Aus dem Rückstand wird i. Hochvak. bei 40° die nicht umgesetzte Ausgangsverbindung herausfublimiert. Der Rückstand wird aus Benzol umkristallisiert; Ausbeute: 167 mg (20,3% d.Th.).

α_4) *durch bi-und mehrfunktionelle Donatoren*

Donatoren mit zwei oder mehreren Doppel- oder Dreifachbindungen können als Brückenliganden fungieren und so zwei- oder mehrkernige Substitutionsprodukte bilden:

$$2 \; YM(CO)_x \; + \; D{-}R{-}D \; \xrightarrow{h\nu} \; YM(CO)_{x-1}D{-}R{-}D(OC)_{x-1}MY \; + \; 2\;CO$$

Die wichtigsten Verbindungen dieses Typs sind Diene und Tetraene. Daneben bilden jedoch auch eine ganze Reihe anderer mehrfunktioneller Donatoren einkernige Substitutionsprodukte. Bei ihnen gilt etwa folgendes Reaktionsschema:

$$M(CO)_x \; + \; R_2C{=}CH{-}CH{=}CR_2 \; \xrightarrow{h\nu} \; R_2C \overset{M(CO)_{x-2}}{\underset{CH-HC}{<}} CR_2$$

Tab. 193. Metallcarbonyl-Verbindungen mit bi- und mehrfunktionellen Donatoren

Metallcarbonyl	Donator	Produkt	Ausbeute [% d.Th.]	F [°C]	Literatur
$H_5C_5V(CO)_4$	$H_2C{=}CH{-}CH{=}CH_2$	[*Butadien-(1,3)]-cyclopentadienyl-dicarbonyl-vanadin*	27	–	3
	(cyclohexadiene)	[*Cyclohexadien-(1,3)]-cyclopentadienyl-dicarbonyl-vanadin*	26		
$Cr(CO)_6$	$H_2C{=}N{-}N{=}CH_2$	(*Bis-[methylen]-hydrazin)-tetracarbonyl-chrom*	–	–	4
	(benzocyclobutadien dibromide)	$Cr(CO)_4$ *Benzocyclobutadien-tetracarbonyl-chrom*	10	–	5

[1] W. STROHMEIER u. H. HELLMANN, B. **98**, 1598 (1965).
[2] M. HERBERHOLD u. C. R. JABLONSKI, B. **102**, 767 (1969).
[3] E. O. FISCHER, H. P. KÖGLER u. P. KUZEL, B. **93**, 3006 (1960).
[4] H. BOCK u. H. T. DIECK, Ang. Ch. **78**, 549 (1966).
[5] J. S. WARD u. R. PETTIT, Chem. Commun. **1970**, 1419.

Tab. 193 (1. Fortsetzung)

Metallcarbonyl	Donator	Produkt	Ausbeute [% d.Th.]	F [°C]	Literatur
$H_5C_5Mn(CO)_3$	(Cyclohexadien)	Bis-[cyclopentadienyl-dicarbonyl-mangan]-cyclohexadien-(1,3)	19	>120(Zers.)	1
		+ [Cyclohexadien-(1,3)]-cyclopentadienyl-dicarbonylmangan	2	80–81	
$Fe(CO)_5$	$H_2C=CH–CH=CH_2$ (in Benzol)	[Butadien-(1,3)]-tricarbonyleisen	65	–	2
	(aryl-substituted diene structure with R^1–R^6)	(products with $Fe(CO)_4$ and $Fe(CO)_3$)	1–30	–	3
	(1,4-cyclohexadiene)	[Cyclohexadien-(1,4)]-tricarbonyl-eisen	56	($Kp_{0,4}=66°$)	4
	(1,3-cyclohexadiene)	[Cyclohexadien-(1,3)]-tricarbonyl-eisen	10	leicht zersetzlich)	5
	(tetradeuterio-cyclohexadiene, D D / D D)	[2,5,5,6-Tetradeuterio-cyclohexadien-(1,3)]-tricarbonyleisen	46	($Kp_{0,8}=77°$)	6
	(cyclooctatetraene)	Cyclooctatetraen-tricarbonyleisen	72	94–95	7,8
	(bicyclic nonatriene structure)	(products $Fe(CO)_3$ + $Fe(CO)_3$ +)	35 + 6	–	9
		($(OC)_3Fe$ / $(OC)_3Fe$ structure, $Fe(CO)_3$)	15 + 1		
		Cyclononatetraen- + Bicyclo-[4.2.0]octatrien-(2,4,7)- + Bicyclo[6.1.0]nonatrien-(2,4,6)-tricarbonyl-eisen + (Hexacarbonyl-dieisen)-bicyclo[6.1.0]nonatrienyl			

1 E. O. Fischer u. M. Herberhold, Z. Naturf. 16b, 841 (1961).
2 E. Koerner von Gustorf, Z. Pfajfer u. F. W. Grevels, Z. Naturf. 26b, 66 (1971).
3 R. Victor, R. Ben-Shoshan u. S. Sarel, J. Org. Chem. 37, 1930 (1972).
4 A. J. Birch, B. E. Cross, J. Lewis, D. A. White u. S. B. Wild, Soc. [A] 1968, 332.
5 R. B. King, T. A. Manuel u. F. G. A. Stone, J. Inorg. & Nuclear Chem. 16, 233 (1961).
6 H. Alper, P. C. Le Port u. S. Wolfe, Am. Soc. 91, 7553 (1969).
7 M. D. Rausch u. G. N. Schrauzer, Chem. Ind. 1959, 957.
8 M. Brookhart, N. M. Lippman u. E. J. Reardon, J. Organometal. Chem. 54, 247 (1973).
9 E. J. Reardon u. M. Brookhart, Am. Soc. 95, 4311 (1973).

Tab. 193 (2. Fortsetzung)

Metallcarbonyl	Donator	Produkt	Ausbeute [% d. Th.]	F [°C]	Literatur
Fe(CO)₅		dimeres *Propenyliumthio-tricarbonyl-eisen*	30	28	1
	R¹, R¹ (in Benzol)	R¹=R=H; R=CH₃; R¹=H; R=R¹=C₆H₅ *(Thiophenylium-1,1-dioxid)-tricarbonyl-eisen-Derivate*	60 90 50	189–190 140–148 232	2
		Cyclobutadienyl-tricarbonyl-eisen + 2H-Pyron-tricarbonyl-eisen	zus. 10–15	–	3
		(1-Benzooxepin)-tricarbonyl-eisen	22,4		4
		μ-(2,2-Diphenyl-vinyliden)-octacarbonyl-dieisen			5
		1-Tricarbonyleisen-1,1,1-tricarbonyl-ferrol			6
	H₂C=CH–CH=CH₂ (in Pentan)	*Bis-[butadien-(1,3)]-carbonyl-eisen*	21	–	7

¹ K. Takahashi et al., Am. Soc. **95**, 6113 (1973).
² Y. L. Chow, J. Fossey u. R. A. Perry, Chem. Commun. **1972**, 501.
³ M. Rosenblum u. C. Gatsonis, Am. Soc. **89**, 5074 (1967).
  M. Rosenblum u. B. North, Am. Soc. **90**, 1060 (1968).
⁴ E. O. Fischer, C. G. Kreiter, H. Rühle u. K. E. Schwarzhaus, B. **100**, 1905 (1967).
⁵ O. S. Mills u. A. D. Redhouse, Soc. [A] **1968**, 1282.
⁶ F. H. Schubert u. R. K. Sheline, Inorg. Chem. **5**, 1071 (1966).
⁷ E. Koerner von Gustorf, Z. Pfajfer u. F. W. Grevels, Z. Naturf. **26b**, 66 (1971).

Tab. 193 (3. Fortsetzung)

Metallcarbonyl	Donator	Produkt	Ausbeute [% d.Th.]	F [°C]	Literatur
$(H_3C)_3M-Fe(CO)_2$ M=Sn, Pb	$H_2C=CH-CH=CH_2$	$(H_3C)_3M-Fe(CO)(OC)Fe-M(CH_3)_3$ $CH_2=CH--CH=CH_2$ *Bis-[carbonyl-trimethylstannyl (bzw. -trimethylplumbyl)- eisen]-butadien-(1,3)*	13–20	–	1
$(H_5C_6)_3M-Fe(CO)_2$ M= Ge, Sn, Pb		$(H_5C_6)_3M-Fe$ $H_2C=CH-CH=CH_2$ *[Butadien-(1,3)]-cyclopenta- dienyl-[triphenylgermanyl (bzw. -stannyl; -plumbyl)]- eisen*	40–60	–	
$H_3C-Ge-Fe(CO)_2$ (Cl, Cl)		$H_3C-Ge-Fe$ (Cl, Cl) $H_2C=CH-CH=CH_2$ *[Butadien-(1,3)]-cyclopenta- dienyl-(dichlor-methyl- germanyl)-eisen*	75	–	
$Co_2(CO)_8$	$H_2C=CH-CH=CH_2$	$[Co(CO)_2(H_2C=CH-CH=CH_2)]_2$ dimeres *[Butadien-(1,3)]-di- carbonyl-cobalt*	20	118 (Zers.)	2
		Cycloheptatrien-tricarbonyl- cobalt	30	$(Kp_{0,5}=40°)$	3
$H_5C_5Co(CO)_2$		*Cyclobutadien-cyclopenta- dienyl-cobalt*	–	88,5	4
		1-Cyclopentadienyl-(cyclo- pentadienyl-cobalt)-cobaltol	54	–	5
$Ru_3(CO)_{12}$		*Cyclooctatetraen-tricarbonyl- ruthenium*	60	–	6

1 A. N. Nesmeyanov et al., Doklady Akad. SSSR, Ser. Khim. **195**, 368 (1970); Chem. Inform. **1971**, 11–43.
2 E. O. Fischer, P. Kuzel u. H. P. Fritz, Z. Naturf. **16b**, 138 (1961).
3 R. B. King u. M. B. Bisnette, Inorg. Chem. **3**, 785 (1964).
4 M. Rosenblum u. B. North, Am. Soc. **90**, 1060 (1968).
5 M. Rosenblum et al., J. Organometal. Chem. **28**, C 17 (1971).
6 M. I. Bruce, M. Cooke u. M. Green, J. Organometal. Chem. **13**, 227 (1968).

Tab. 193 (4. Fortsetzung)

Metallcarbonyl	Donator	Produkt	Ausbeute [% d.Th.]	F [°C]	Literatur
[(H₃CO)₃P]₂ Ru(CO)₃	$F_3C-C\equiv C-CF_3$ im Überschuß	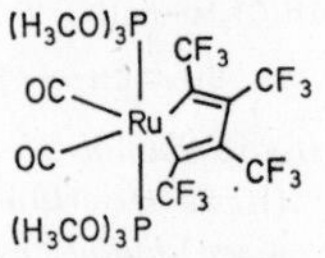 *1,1-Bis-[trimethoxy-phosphin]-1,1-dicarbonyl-2,3,4,5-tetrakis-[trifluormethyl]-ruthenol*	27	227	1
H₅C₅Rh(CO)₂	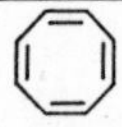	*Cyclooctatetraen-cyclopentadienyl-rhodium*	90	(Subl.p.₋₀,₀₁: 50°)	2
		Bis-[cyclopentadienyl-rhodium]-cyclooctatetraen	62	312–315 (Zers.)	3

α_5) *intramolekulare Substitution mit* π-*Donatoren*

Intramolekulare Substitutionsreaktionen sind dadurch gekennzeichnet, daß eine Doppelbindung des Liganden eines Metallcarbonyl-Derivates bei Bestrahlung eine Carbonyl-Gruppe eliminiert unter Ringbildung[4]:

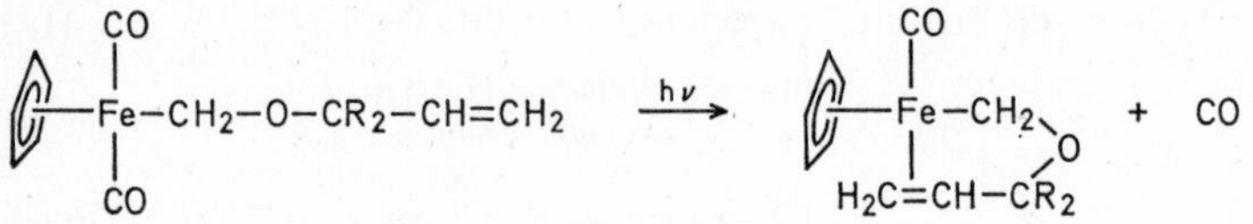

oder unter Ausbildung einer π-Allylbindung[5]:

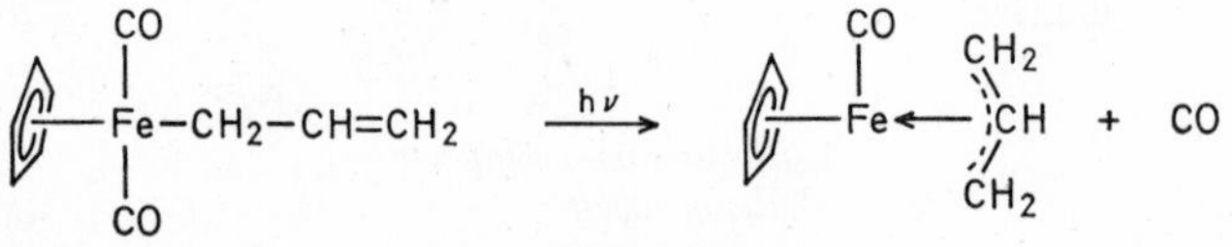

π-Benzyl-cyclopentadienyl-dicarbonyl-molybdän[6]: 10 g (30 mMol) σ-Benzyl-cyclopentadienyl-tricarbonyl-molybdän werden in 200 *ml* Hexan gelöst und 5 Tage bestrahlt. Es bildet sich ein rotvioletter Niederschlag [C₅H₅Mo(CO)₃]₂, der abfiltriert wird. Er wird mit 50 *ml* Hexan gewaschen. Das Filtrat und die Waschlösung werden vereinigt und ~16 Stdn. auf −78° gekühlt. Das ausgefallene π-Benzyl-Derivat wird abfiltriert, getrocknet und dann 4mal mit 15 *ml* Benzol extrahiert. Die vereinigten Extrakte werden an Aluminiumoxid mit Benzol chromatographiert. Die gelbe Fraktion enthält 14% des Ausgangsproduktes. Die rote Fraktion wird bei ~25°/30 Torr eingeengt, die roten Kristalle werden mit Pentan gewaschen, getrocknet und sublimiert (80°/0,1 Torr); Ausbeute: 0,492 g (5,4% d.Th.); F: 83–85°.

1 R. Burt, M. Cooke u. M. Green, Soc. [A] **1970**, 2981.
2 A. Davison et al., Soc. **1962**, 4821.
3 K. S. Brenner et al., B. **96**, 2632 (1963).
4 M. L. H Green, M. Ishag u. R. N. Whitebey, Soc. [A] **1967**, 1508.
5 M. L. H. Green u. P. L. I. Nagy, Soc. **1963**, 189.
6 R. B. King u. A. Fronzaglia, Am. Soc. 88, 709 (1966).

Tab. 194. Metallcarbonyl-Derivate mit Donatoren aus dem eigenen Molekül

Metallcarbonyl	Produkt	Ausbeute [% d.Th.]	F [°C]	Literatur
$H_5C_5Mo(CO)_3(H_2C-CH=CH_2)$	$H_5C_5(OC)_2Mo \leftarrow \begin{smallmatrix} CH_2 \\ CH \\ CH_2 \end{smallmatrix}$ *Allyl-cyclopentadienyl-dicarbonyl-molybdän*	50	134	1
$H_5C_6-CH_2-Mo(CO)_3C_5H_5$	$\rightarrow Mo(CO)_2C_5H_5$ *Cyclopentadienyl-dicarbonyl-[5-methylen-cyclohexadien-(1,3)-6-ylium]-molybdän*	5,4	83–85	2
$\overset{S}{\diagup}-CH_2-Mo(CO)_3C_5H_5$	$S \rightarrow Mo(CO)_2C_5H_5$ *Cyclopentadienyl-dicarbonyl-(2-methylen-thienylium)-molybdän*	–	–	3
$H_5C_5W(CO)_3(H_2C-CH=CH_2)$	*Allyl-cyclopentadienyl-dicarbonyl-wolfram*	–	–	4
$H_5C_5Fe(CO)_2(H_2C-CH=CH_2)$	*Allyl-carbonyl-cyclopentadienyl-eisen*	80	~ 65 (Zers.)	5
$H_5C_5Fe(CO)_2(CH_2-CH=CH-CH_3)$	*[Butadien-(1,3)]-carbonyl-cyclopentadienyl-eisen*	80	$(Kp_{0,3}:40°)$ (Zers.p.:60° an Luft)	
$CH_2-Fe(CO)_2C_5H_5$ S	$CH_2 \rightarrow Fe(CO)C_5H_5$ *Carbonyl-cyclopentadienyl-(3-methylen-thienylium)-eisen*	–	–	3
$H_3C \diagup O \diagdown CH-CH(CH_3)_2$ $H_3C \diagup O \diagdown Fe(CO)_4$	$H_3C \diagup O \diagdown CH-CH(CH_3)_2$ $H_3C \diagup O \diagdown Fe(CO)_3$ *[4,6-Dioxo-2,2-dimethyl-5-(2-methyl-propyliden)-1,3-dioxan]-tricarbonyl-eisen*	24	66–68	6

[1] M. COUSINS u. M. L. H. GREEN, Soc. **1963**, 889.
[2] R. B. KING u. A. FRONZAGLIA, Am. Soc. 88, 709 (1966).
[3] R. B. KING u. R. N. KAPOOR in M. I. BRUCE u. F. G. A. STONE *Progress in Organometallic Chemistry*, Proc. 4th Int. Conf. Organometal. Chem., K 3, Bristol 1969.
[4] M. L. H. GREEN u. A. N. STEAR, J. Organometal. Chem. 1, 230 (1964).
[5] M. L. H. GREEN u. P. L. I. NAGY, Soc. **1963**, 189.
[6] E. KOERNER VON GUSTORF, O. JAENICKE u. O. E. POLANSKY, Z. Naturf. 27 b, 575 (1972).

Tab. 195. Carbonyl-(perfluor-alkyl)-metall-Verbindungen

Metallcarbonyl	Donator	Produkt	Ausbeute [% d.Th.]	F [°C]	Literatur
$HMn(CO)_5$	$F_2C=CFCl$	$ClFHC-CF_2-Mn(CO)_5$ $HCF_2-CFCl-Mn(CO)_5$ *Pentacarbonyl-(1,1,2-trifluor-2-chlor-vinyl)- + Pentacarbonyl-(1,2,2-trifluor-1-chlor-äthyl)-mangan*	30		1
$H_3CMn(CO)_5$	$F_2C=CF_2$	$H_3C-CF_2-CF_2-Mn(CO)_5$ *Pentacarbonyl-(1,1,2,2-tetrafluor-propyl)-mangan*	100	53–54	2
	$F_2C=FC-CF=CF_2$	$H_3C-CF_2-CF=CF-CF_2-Mn(CO)_5$ *[1,1,2,3,4,4-Hexafluor-penten-(2)-yl]-pentacarbonyl-mangan*	16	(Subl.p.$_{0,001}$: 45°)	3
$H_5C_6Mn(CO)_5$	$F_2C=CF_2$	$H_5C_6-F_2C-CF_2-Mn(CO)_5$ *Pentacarbonyl-(tetrafluor-2-phenyl-äthyl)-mangan*	46	36–37	1
$(H_3C)_3Si-Mn(CO)_5$	$F_2C=CF_2$	$(H_3C)_3Si-CF_2-CF_2-Mn(CO)_5$ *Pentacarbonyl-(tetrafluor-2-trimethylsilyl-äthyl)-mangan*	15	35	4
$(H_3C)_3Ge-Mn(CO)_5$	$F_2C=CF_2$	$(H_3C)_3Ge-CF_2-CF_2-Mn(CO)_5$ *Pentacarbonyl-(tetrafluor-2-trimethyl-germanyl-äthyl)-mangan*	gering	32	5
	$F_2C=CF-CF=CF_2$	$(H_3C)_3Ge-CF_2-CF_2-\overset{F}{\underset{F}{C}}=\overset{Mn(CO)_5}{\underset{F}{C}}$ *[Hexafluor-4-trimethylgermanyl-buten-(trans-1)-yl]-pentacarbonyl-mangan*	gering	—	6

1 J. B. Wilford, P. M. Treichel u. F. G. A. Stone, J. Organometal. Chem. **2**, 119 (1964). — 4 H. C. Clark u. T. L. Hauw, J. Organometal. Chem. **42**, 429 (1972).

2 J. B. Wilford, P. M. Treichel u. F. G. A. Stone, Proc. chem. Soc. **1963**, 218. — 5 H. C. Clark, J. D. Cotton u. J. H. Tsai, Inorg. Chem. **5**, 1582 (1966).

3 P. J. Craig et al., J. Organometal. Chem. **12**, 548 (1968). — 6 M. Green, N. Mayne u. F. G. A. Stone, Soc. [A] **1968**, 902.

Tab. 195 (1. Fortsetzung)

Metallcarbonyl	Donator	Produkt	Ausbeute [% d.Th.]	F [°C]	Literatur
$(H_3C)_3Sn-Mn(CO)_5$	$F_2C=CF_2$	$(H_3C)_3Sn-CF_2-CF_2-Mn(CO)_5$ Pentacarbonyl-(tetrafluor-2-trimethyl-stannyl-äthyl)-mangan	4	57,5	1,2
$(H_5C_6)_3Sn-Mn(CO)_5$	$F_3C-C\equiv C-CF_3$	Pentacarbonyl-{5-triphenylstannyl-tetrakis-[trifluormethyl]-cyclobuten-(2)-yl}-mangan	–	–	3
$(H_3C)_3Si-Fe(C_5H_5)(CO)_2$	$F_3C-C\equiv CH$	$(H_3C)_3Si-CH=C-Fe(C_5H_5)(CO)_2$ Cyclopentadienyl-dicarbonyl-[3,3,3-trifluor-1-trimethylsilyl-propenyl-(2)]-eisen	–	–	4
$(H_3C)_3Ge-Fe(C_5H_5)(CO)_2$	$F_3C-C\equiv CH$	$(H_3C)_3Ge-CH=C-Fe(C_5H_5)(CO)_2$ Cyclopentadienyl-dicarbonyl-[3,3,3-trifluor-1-trimethylgermanyl-propenyl-(2)]-eisen	–	–	
$(H_3C)_3Sn-Co(CO)_4$	$F_2C=CF_2$	$(H_3C)_3Sn-CF_2-CF_2-Co(CO)_4$ Tetracarbonyl-(tetrafluor-2-trimethyl-stannyl-äthyl)-cobalt	gering		5

1 H. C. CLARK u. J. H. TSAI, Chem. Commun. 1965, 111.
2 H. C. CLARK u. J. H. TSAI, Inorg. Chem. 5, 1407 (1966).
3 R. E. J. BICHLER, M. R. BOOTH u. H. C. CLARK, Inorg. Nucl. Chem. Letters 3, 71 (1967); C. A. 66, 95163 (1967).
4 R. E. J. BICHLER u. H. C. CLARK in M. I. BRUCE u. F. G. A. STONE, Progress in Organometallic Chemistry, Proc. 4th Int. Conf. Organometal. Chem. O 4, Bristol 1969.
5 A. D. BEVERIDGE u. H. C. CLARK, J. Organometal. Chem. 11, 601 (1968).

α_6) *spezielle Substitutionsreaktionen*

Außer dem vorab behandelten Typen von Substitutionen gibt es noch zahlreiche spezielle photochemische Substitutionsreaktionen, welche in einer zusammenfassenden Arbeit nachzulesen sind[1].

β) Einschubreaktionen

Fluor-äthylene, Fluor-acetylene und Fluor-butadien-(1,3) können photochemisch in einer Einschubreaktion zwischen Metall-Atom und einem Ligand des Metallcarbonyls eingebaut werden. Die Reaktionen verlaufen jedoch nicht alle nach dem gleichen Schema. So reagieren, wie die Tab. 195 (S. 1428) zeigt, z. B. Tetrafluor-, Trifluor-chlor- und Trifluor-äthylen verschieden.

Pentacarbonyl-(tetrafluor-äthylen)-trimethylstannyl-mangan[2]: 3,3 g (9,2 mMol) Pentacarbonyl-trimethylstannyl-mangan und 3,3 g (33 mMol) Tetrafluor-äthylen in 6 *ml* Pentan werden in einem zugeschmolzenen Quarzrohr 4 Stdn. bei 50° bestrahlt. Von dem ausgefallenen farblosen Produkt wird die Flüssigkeit i. Vak. abgezogen, der Rückstand mehrmals mit 1 *ml* Pentan ausgezogen (alle Operationen unter Stickstoff!), von den vereinigten Pentan-Extrakten das Pentan abgezogen und das zurückbleibende Öl an Florisil mit Pentan chromatographiert (2 × 50 cm). Je 5 *ml* Eluat werden IR-spektroskopisch auf die Lage der $\bar{\nu}_{co}$-Wellenzahl untersucht (1800–2000 cm^{-1}). Alle Eluate mit der gleichen Lage der $\bar{\nu}_{co}$-Bande werden vereinigt und das Pentan bei −10°/100 Torr abgezogen. Die erste Fraktion enthält das Ausgangsmaterial, die zweite Fraktion das Produkt, die dritte Fraktion (Nonafluor-pentenyl)-pentacarbonyl-mangan und die vierte Fraktion nach Sublimation (25°; 10^{-2} Torr) Pentacarbonyl-(trifluoracryloyl)-mangan. Nach Abziehen des Lösungsmittels gibt die 2. Fraktion farblose Kristalle, die aus Cyclohexan umkristallisiert werden; Ausbeute 0,6 g (4% d.Th.); F: 57,5°.

γ) Cycloadditionen und Dimerisationen von Olefinen und Acetylenen mit Metallcarbonylen

Ein weiterer Reaktionstyp, dem eine gewisse präparative Bedeutung zukommt, ist die photochemische Cycloaddition von Olefinen und Acetylenen mit Metallcarbonylen. Es entstehen dabei in vielen Fällen Strukturisomere.

In der Tab. 196 (S. 1431) sind die typischen Reaktionen, welche bisher auf diesem Gebiete durchgeführt wurden, zusammengestellt. In der Spalte „Produkte" sind jeweils nur die Hauptprodukte angegeben. Aus der Originalliteratur ist zu ersehen, daß bei einigen der photochemischen Cycloadditionen 10 und mehr Produkte entstehen. Nach dem bisherigen Stand der Kenntnisse sind besonders Eisencarbonyle und deren Derivate für Cycloadditionen geeignet. Im Vergleich zu den vielen bekannten thermischen Cycloadditionen ungesättigter Verbindungen mit Metallcarbonylen sind nur wenige analoge photochemische Reaktionen bekannt, so daß es derzeit nicht möglich ist, eindeutig einen Vorzug der photochemischen Reaktionen bereits aufzuzeigen. Versuche zur thermischen und photochemischen Dimerisation von Butadien-(1,3) mit Dicarbonyl-dinitroso-eisen als Katalysator zeigten jedoch wieder, daß bei der photochemischen Dimerisation bereits bei 20° die gleichen Ausbeuten erhalten werden, welche die thermische Reaktion erst bei 100° ergab[3].

Aus der Woodward-Hoffmann-Regel folgt, daß bei Cycloadditionen die sterischen Konsequenzen aus thermischer oder photochemischer Reaktionsführung verschieden sind. Inwieweit dies auch für die photochemischen Cycloadditionen mit an Metallcarbonylen komplexgebundenen ungesättigten Verbindungen zutrifft, kann erst entschieden werden, wenn mehr experimentelles Material vorliegt.

---

[1] E. KOERNER VON GUSTORF u. F. W. GREVELS, Fortschr. chem. Forsch. **13**, 366 (1969); 581 Literaturhinweise.

[2] H. C. CLARK u. J. H. TSAI, Chem. Commun. **1965**, 111; Inorg. Chem. **5**, 1407 (1966).

[3] J. P. CANDIN u. W. H. JANES, Soc. [C] **1968**, 1856.

Tab. 196. Organo-metall-carbonyle aus Metallcarbonylen und Olefinen bzw. Acetylenen

Metallcarbonyl	Donator	Produkt	Ausbeute [% d. Th.]	F [°C]	Literatur
Fe(CO)$_5$	H$_3$C–C≡C–CH$_3$	(*Tetramethyl-1,4-benzochinon*)-*tricarbonyleisen*	–	50 (Zers.)	1
	H$_5$C$_6$–C≡C–C$_6$H$_5$	*1,1,1,1,1-Pentacarbonyl-2,3,4,5-tetraphenyl-(tricarbonyl-eisen)-ferrolium*	(13)^a	208 (Zers.)	2
		2,3,4,5-Tetraphenyl-1,1,1-tricarbonyl-(tricarbonyl-eisen)-ferrolium	(42)^a	174–178 (Zers.)	
		(*Oxo-tetraphenyl-cyclopentadienyl*)-*tricarbonyl-eisen*	(45)^a	174 (Zers.)	
	F$_5$C$_6$–C≡C–C$_6$F$_5$	*2,3,4,5-Tetrakis-[pentafluor-phenyl]-1,1,1-tricarbonyl-(tricarbonyl-eisen)-ferrolium*	21	200 (Zers.)	3

^{a} Verhältnis zueinander.

1 H. W. STERNBERG, R. MARKBY u. I. WENDER, Am. Soc. 80, 1009 (1958).
2 G. N. SCHRAUZER, Am. Soc. 81, 5307 (1959).
3 J. M. BIRCHALL et al., Soc. [A] 1967, 747.

Tab. 196 (1. Fortsetzung)

Metallcarbonyl	Donator	Produkt	Ausbeute [% d.Th.]	F [°C]	Literatur
Fe(CO)$_5$		 {Pentacyclo[9.3.2.0^{2,14}.0^{3,10}.0^{4,9}]hexadecatetraen-(5,7,12,15)}-tricarbonyl-eisen + {Tetracyclo[8.6.0.0^{2,9}.0^{11,16}]hexadecatrien-(3,5,7)-12,13,14,15-ylium}-tricarbonyl-eisen		118 172	1
		 Heptacyclo[6.6.0.0^{2,6}.0^{4,14}.0^{5,12}.0^{7,11}.0^{9,13}]tetra-decan (I) bzw. Heptacyclo[7.4.1.0^{2,8}.0^{3,7}.0^{4,12}.0^{6,11}.0^{10,13}]tetradecan (II)	2–3	165	2
[H$_5$C$_6$(H$_3$C)$_2$P]$_2$FeCO$_3$	F$_3$C–C≡C–CF$_3$	 Dicarbonyl-(dimethyl-phenyl-phosphin)-(4-oxo-1,2,3,5-tetrakis-[trifluor-methyl]-cyclopenten-3,5-diyl)-eisen	70	163–164	3
(OC)$_3$Fe H$_2$C=C...CH$_2$ CH$_2$ CH$_2$	H$_3$C–(CH$_2$)$_3$–CH$_3$	 1,4-Bis-[methylen]-cyclo-hexan + 6-Methyl-3-methylen-cyclohexen + p-Xylol	6, 6, 20 (insges. 20 Produkte)	–	4
		 3-Methylen-bicyclo[3.2.1]octen-(6)	23 (insges. 16 Produkte)	–	

¹ G. N. SCHRAUZER u. P. W. GLOCKNER, Am. Soc. **90**, 2800 (1968).
² D. M. LEMAL u. K. S. SHIM, Tetrahedron Letters **1961**, 368.
³ R. BURT, M. COOKE u. M. GREEN, Soc. [A] **1970**, 2981.
⁴ A. C. DAY u. J. T. POWELL, Chem. Commun. **1968**, 1241.

Tab. 196 (2. Fortsetzung)

Metallcarbonyl	Donator	Produkt	Ausbeute [% d.Th.]	F [°C]	Literatur
	X–CF=CF₂				1
	X = F, R = H	*1-σ–5,6-π-[1,1,2,2-Tetra-fluor-hexen-(6)-diyl]-tricarbonyl-eisen*	–	83	
	X = CF₃, R = CH₃	*1-σ–5,6-π-[1,1,2-Trifluor-5-methyl-2-trifluormethyl-hexen-(5)-diyl]-tricar-bonyleisen*	–	97	
	H₃COOC–C≡C–COOCH₃ [(C₂H₅)₂O, 20°]	*Phthalsäure-dimethylester*	17	–	2
		Dicarbonyl-{tricyclo[4.4.1.0²,⁵]undecatrien-(3,7,9)}-eisen	20	–	3
	F₂C=CF₂ (Hexan, UV)		II: 20	I: 120 II: 100	4
	F₂C=CF–X X = F X = CF₃		– –	148–150 123	5
	F₃C–C≡C–CF₃		–	62	
	F₂C=CF–CF=CF₂		37–47	–	6
	F₂C=CF–R² R² = F; CF₃		27–93	–	

¹ A. BOND et al., Chem. Commun. **1971**, 1230.
² W. J. R. TYERMANN et al., Chem. Commun. **1967**, 497.
³ J. S. WARD u. R. PETTIT, Am. Soc. **93**, 262 (1971).
⁴ A. BOND, M. GREEN u. S. H. TAYLOR, Chem. Commun. **1973**, 112.
⁵ A. BOND u. M. GREEN, Chem. Commun. **1971**, 12.
⁶ A. BOND u. M. GREEN, Soc. (Dalton Trans.) **1972**, 763.

Tab. 196 (3. Fortsetzung)

Metallcarbonyl	Donator	Produkt	Ausbeute [% d.Th.]	F [°C]	Literatur
$H_5C_5Co(CO)_2$	$H_3C-C\equiv C-CH_3$	*Cyclopentadienyl-(oxo-tetramethyl-cyclopenta-dien)-cobalt*	80	178–180	1
	$F_3C-C\equiv C-CH_3$		–	–	2
	$H_5C_6-C\equiv C-C_6H_5$	*Cyclopentadienyl-(oxo-tetraphenyl-cyclopenta-dien)-cobalt*	80	327	1
$[(H_3CO)_3P]_2Ru(CO)_3$	$F_3C-C\equiv C-CF_3$ 1 Mol	*1,1-Bis-[trimethoxy-phosphin]-2,3-bis-[trifluormethyl]-1,1-dicarbonyl-2-oxo-ruthet*	25	112–114	3
	$F_3C-C\equiv C-CF_3$	*Dicarbonyl-(1,2,3,4,5,6-hexakis-[trifluormethyl]-cyclohexen-3,6-diyl)-dicarbonyl-(trimethoxy-phosphin)-ruthenium*	20	78–79	
$Os_3(CO)_{12}$	(UV, 20°, 72 Stdn.)	*[Cyclooctadien-(2,4,7)-1-yl-4,5,6-ylium]-tricarbonyl-osmium*	–	69	4

[1] R. MARKBY, H. W. STERNBERG u. I. WENDER, Chem. & Ind. **1959**, 1381.
[2] R. S. DICKSON u. P. J. FRASER, Austral. J. Chem. **23**, 2403 (1970).
[3] R. BURT, M. COOKE u. M. GREEN, Soc. [A] **1970**, 2981.
[4] M. I. BRUCE, M. COOKE u. M. GREEN, Ang. Ch. **80**, 662 (1968).

Tab. 197. Isomerisierung ungesättigter Verbindungen

Metallcarbonyl	ungesättigte Verbindung	Belichtungs-zeit [Stdn.]	Isomere				Litera-tur
Fe(CO)$_5$	3-Phenyl-propen	14	*1-Phenyl-propen* *cis/trans* = 5 : 95				1
	3-(Pentafluor-phenyl)-propen	14	*1-(Pentafluor-phenyl)-propen* *cis/trans* = 2 : 98				
	3-Phenoxy-propen	2,5	*1-Phenoxy-propen* *cis/trans* = 52 : 48				
	4-Methoxy-buten-(1)	35	*1-Methoxy-buten-(1)* *cis/trans* = 34 : 41				
	5-Methoxy-penten-(1)	3	*1-Methoxy-penten-*				2
			-(1)	*-(2)*	*-(3)*	*-(4)*	
			85	5	9	1	
	1-Methoxy-hexen-(1)	1	*1-Methoxy-hexen-*				
			-(1)	*-(2)*	*-(3)*	*-(4)*	
			84	6	9	1	
	Octen-(1)	2	*Octen-*				3
			-(1)	*-(2)*	*-(3)*	*-(4)*	
			7,4	8,6	4,4	2,4 *cis*	
			–	34	29,4	13,8 *trans*	
(3 Mol)	H$_2$C=CH–CH–C$_5$H$_{11}$ | OH	1	*3-Oxo-octan* (70% d. Th.)				4
(3 Mol)	3-Hydroxy-cyclohexen	4	*Cyclohexanon* (40% d. Th.)				4
	3-Methoxy-cyclohexen	6	*-Methoxy-cyclohexen-(1)*				2
			1-	*3-*	*4-*		
			93,5	2,9	3,6		
	4-Methoxy-cyclohexen	5	95	2,0	3,0		
	cis,trans-Cyclodecadien-(1,5)	1	*Cyclodecadien-(1,6)* (36% d. Th.) *cis,cis/trans,trans* = 84 : 16				5
Fe$_3$(CO)$_{12}$	Octen-(1)	–	*Octen-*				6
			-(4)	*-(3)*	*-(2)*		
			7	100	23	*cis*	
			59	19	97	*trans*	

1 P. W. JOLLY, F. G. A. STONE u. K. MACKENZIE, Soc. **1965**, 6416.
2 R. DAMICO, J. Org. Chem. **33**, 1550 (1968).
3 F. ASINGER, B. FELL u. K. SCHRAGE, B. **98**, 381 (1965).
4 R. DAMICO u. T. J. LOGAN, J. Org. Chem. **32**, 2356 (1967).
5 P. HEIMBACH, Ang. Ch. **78**, 604 (1966).
6 M. D. CARR, V. V. KANE u. M. C. WHITING, Proc. chem. Soc. **1964**, 408.

δ) Isomerisierungen mit Metallcarbonylen

Eisencarbonyl allein isomerisiert Olefine[1]; bei gleichzeitiger UV-Bestrahlung wird dieser Effekt außerordentlich verbessert. In der Tab. 197 (S. 1435) sind einige bisher bearbeitete Systeme zusammengestellt. Wie die Untersuchungen zeigten, werden ungesättigte Verbindungen in Gegenwart von Eisencarbonylen unter UV-Bestrahlung stets isomerisiert. Dagegen stellen Hexacarbonyl-chrom, -molybdän, -wolfram, Tetracarbonyl-nickel sowie Decacarbonyl-dimangan keine Isomerisierungs-Katalysatoren für Undecen-(1)[2] dar. Ob diese Einschränkung auf Monoolefine beschränkt ist oder für alle ungesättigten Verbindungen gilt, müßte untersucht werden.

Isomerisierung von Decen-(9)-ol[3]: Eine Lösung von 5 g (0,032 Mol) Decen-(9)-ol und 0,31 g (1,6 mMol) Pentacarbonyl-eisen in 125 *ml* Pentan, wird mit einem Quecksilber-Hochdruck-Brenner bei 20° bestrahlt. In Abständen von 1 Stde. werden 5 *ml* Proben entnommen und durch IR-Spektroskopie und Gaschromatographie auf den Gehalt an Isomeren untersucht (Ergebnisse s. Tab. 197, S. 1435).

a) Reaktionen unter Wasserstoff-Aufnahme (Photoreduktion)

bearbeitet von

Prof. Dr. JAQUES STREITH*

Im vorliegenden Beitrag werden nur solche Photoreduktionen abgehandelt, die unter Addition von Wasserstoff ablaufen. Dabei kann der Wasserstoff dem Lösungsmittel entzogen oder direkt eingesetzt werden. Alle anderen unter Reduktion zu verstehenden Photoreaktionen sind unter den betreffenden Stoffklassen verstreut abgehandelt.

1. Photoinduzierte Reduktion von olefinischen Doppelbindungen

α) mit isolierten C=C-Doppelbindungen

Ihrem photochemischen Verhalten entsprechend können Verbindungen mit olefinischen Doppelbindungen in drei Gruppen eingeteilt werden[4]:

① sechs- und sieben-gliedrige cyclische Monoolefine, die etwa die konformationelle Beweglichkeit von Cyclohexen und von Cyclohepten besitzen: Sie können photoprotoniert und zum Teil auch photoreduziert werden.

② Cyclische Olefine, deren konformationelle Beweglichkeit beschränkt ist, wie z.B. Cyclopenten oder Norbornen: Sie können nur durch radikalisch-induzierte Photoreaktionen reduziert werden.

③ Exocyclische und acyclische Olefine oder olefinische Doppelbindungen, die in größere Ringe eingebaut sind: Sie lassen sich nicht photochemisch reduzieren, weisen aber eine *cis-trans*-Isomerie auf.

In diesem Abschnitt werden daher nur Verbindungen, die den zwei ersten Gruppen angehören, besprochen.

---

* **Ecole Superieure de Chemie de Mulhouse/Mulhouse Cedex/Frankreich.**

[1] F. A. MANUEL, J. Org. Chem. **27**, 3941 (1962).
[2] F. ASINGER, G. FELL u. K. SCHRAGE, B. **98**, 372 (1967).
[3] R. DAMICO u. T. J. LOGAN, J. Org. Chem. **32**, 2356 (1967).
[4] P. J. KROPP, Pure Appl. Chem. **24**, 585 (1970).

Elektronisch angeregte Olefine reagieren meist aus ihrem Triplett-Zustand heraus; da nicht konjugierte Olefine im üblichen UV-Bereich transparent sind, zieht man Photosensibilisatoren heran, deren Triplett-Energie sehr hoch liegt. Bei dem Äthylen liegt z. B. der erste Triplett-Zustand der planaren Konformation bei 82 Kcal/Mol[1], so daß nur aromatische Sensibilisatoren, wie z. B. Benzol ($E_T = 84$ Kcal/Mol), für Energieübertragungen in Frage kommen. In alkoholischen Lösungsmitteln überwiegen meist ionische oder radikalische Additionsreaktionen und Doppelbindungsverschiebungen, in gewissen Fällen auch Umlagerungen. Die photoinduzierten Reduktionen sind dagegen selten[2].

α_1) offenkettige Olefine

Wenn offenkettige und exocyclische Olefine sowie höhergliedrige Ringolefine durch Pyrex oder Vycor Glas mit hochenergetischen Sensibilisatoren bestrahlt werden, so tritt keine Photoreduktion ein. Das orthogonale spannungsfreie $\pi\pi^*$-Triplett gibt in Lösung leicht Energie ab und desaktiviert schnell zu *cis* und *trans* Olefin, so daß intermolekulare Prozesse wie z. B. Proton- oder Wasserstoff-Abstraktion vom Lösungsmittel nicht eintreten können[3]. Jedoch zeigen offenkettige Olefine, mit dem Licht eines Quecksilber Hochdruckbrenners durch Quarzglas bestrahlt, spezielle Reaktionen z. B. auch Photoreduktionen[4].

So erhält man bei der Bestrahlung von 2,3-Dimethyl-buten(2) in Diäthyläther neben 37% *2-Methoxy-2,3-dimethyl-butan* (III) unerwarteterweise auch *3-Methoxy-2,3-dimethyl-buten-(1)* (II; 30%). *2,3-Dimethyl-butan* (I) wird nur zu 16% d.Th. erhalten. Danach läßt sich folgender Mechanismus formulieren[4]:

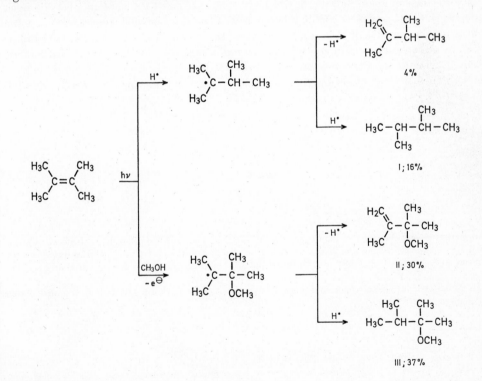

[1] Triplettzustand des orthogonalen Äthylens ~ 60 Kcal/Mol; J. A. MARSHALL, Science 170, 137 (1970).
[2] J. A. MARSHALL, Science 170, 137 (1970).
[3] P. J. KROPP, Am. Soc. 89, 3650 (1967).
[4] E. J. REARDON u. P. J. KROPP, Am. Soc. 93, 5593 (1971).

α_2) cyclische Olefine

$\alpha\alpha$) von Cyclohexenen und Cycloheptenen

Cyclohexene und Cycloheptene können in protischen Lösungsmitteln leicht photoprotoniert werden. Die entstehenden Kationen werden, ihrem chemischen Charakter zufolge, auf verschiedene Weisen stabilisiert: durch Wasserstoff-Verschiebung, Umlagerung, nukleophile Addition von Lösungsmittel, Entprotonierung oder Hydrid-Anlagerung.

Von 1-Methyl-cyclohexen ausgehend erhält man, durch Photosensibilisierung mit Xylol oder Benzol in Methanol, ein Gemisch von *Methylen-cyclohexan, 1-Methoxy-1-methyl-cyclohexan* und nur geringe Mengen *Methyl-cyclohexan*[1].

Bei einem Radikal-Mechanismus hätten die durch Anlagerung des Radikals HO–$\overset{\bullet}{C}H_2$ an die C=C-Doppelbindung Alkohole entstehen müssen[2]. Da dies nicht der Fall ist, kommt ein ionischer Mechanismus in Frage.

Der ionische Mechanismus wurde durch Photolyse in Methanol-O-d/Xylol bewiesen. Die erhaltenen deuterierten Produkte III, IV und V werden durch Stabilisierung eines intermediär auftretenden tertiären Carboniumions II erklärt[3]:

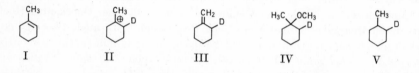

I   II   III   IV   V

Es wird angenommen, daß die flexiblen Cyclohexene und Cycloheptene über die hochenergetischen orthogonalen $\pi\pi^*$-Tripletts[4] bzw. über die fast gleich-energiereichen und nicht-planaren *trans*-Olefine[4] protoniert werden. Das 6-Methyl-bicyclo[4.4.0]decen-(1) kann aus sterischen Gründen kaum *cis-trans* isomerisiert werden; auch wird in tert.-Butanol/Xylol keine Photoprotonierung und folglich auch keine Doppelbindungsverschiebung beobachtet. Dagegen tritt relativ leicht eine **stereospezifische Photoreduktion** zu *10-Methyl-cis-dekalin* in Isopropanol ein[5]:

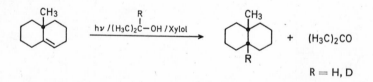

R = H, D

10-Methyl-cis-dekalin[5]: Eine Isopropanol/Xylol-Lösung von 6-Methyl-bicyclo[4.4.0]decen-(1) wird durch Vycor-Glas mit einem 450 W Quecksilber-Hochdruck-Brenner bestrahlt. Nachdem das Ausgangsmaterial aufgebraucht ist, wird 10-Methyl-*cis*-dekalin in 50%iger Ausbeute gaschromatographisch isoliert.

Als Nebenprodukte erhält man u. a. 9-Isopropyloxy-10-methyl-dekalin (10%) und Aceton-Kondensationsprodukte (40%).

---

[1] P. J. Kropp u. H. J. Krauss, Am. Soc. **89**, 5199 (1967).

[2] G. Sosnovsky, *Free Radical Reactions*, in Preparative Organic Chemistry, S. 121–125, The Macmillan Co. New York 1964.

[3] J. A. Marshall, Acc. Chem. Res. **2**, 33 (1969).

[4] P. J. Kropp, C. Ouannes u. R. Beugelmans, *Photochimie d'Olefines: Photoprotonation* in P. Courtot, Eléments de Photochimie Avancée, S. 229, Hermann, Paris 1972.

[5] J. A. Marshall u. A. R. Hochstetler, Chem. Commun. **1968**, 296.

In 2-Deuterio-isopropanol erhält man spezifisch das *9-Deuterio-10-methyl-cis-decalin*. Die Stereochemie der Addition ergibt sich einwandfrei aus folgender Reaktion (ionische Reaktion):

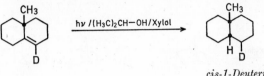

cis-1-Deuterio-10-methyl-cis-dekalin

Cholesten-(4) (VI) und -(5), wenn in Isopropanol/Benzol Lösung bestrahlt, ergeben in stereospezifischer Reaktion neben 20% *Koprostan* (VII), 20% *5β-Isopropyloxy-cholestan* (VIII) sowie ein Gemisch aus *5α-* und *5β-Hydroxy-cholestan*[1]:

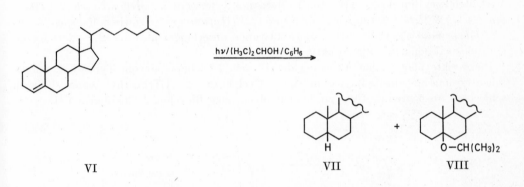

VI　　　　　　　　　　　VII　　　　　　　　　VIII

Allgemein werden jedoch die C=C-Doppelbindungen unsubstituierter Cyclohexene und Cycloheptene nicht nennenswert photoprotoniert bzw. photoreduziert[2]. Cyclohexen zum Beispiel führt lediglich, in Methanol/Xylol, zu Dimerisierungsprodukten. Führt man jedoch Schwefelsäure zu, so erhält man vorwiegend Methoxy-Derivate, jedoch keine Photoreduktion[2].

ββ) von Cyclopentenen und Bicyclo[2.2.1]heptenen

Cyclopentene und Bicyclo[2.2.1]heptene weisen eine weit geringere konformationelle Flexibilität als Cyclohexen und Cyclohepten auf. So ist ein elektronisch angeregtes „orthogonales" Olefin ausgeschlossen. Der Triplettzustand der quasi-planaren C=C-Doppelbindung besitzt deshalb eine längere Lebensdauer und kann leichter intermolekulare Reaktionen eingehen[3,4]. Anstelle polarer Zwischenstufen sind Radikale vorherrschend.

Belichtet man 1-Methyl-cyclopenten in Methanol/Xylol, so erhält man neben *Methylen-cyclopentan* (24%), *Methyl-cyclopentan* als Hauptprodukt (46%); das einem ionischen Additionsmechanismus entsprechende Methoxy-cyclopenten wird nicht gefunden. Photoprotonierung tritt nicht ein, wie die Bestrahlung von 1-Methyl-cyclopenten in Methanol-O-d/Xylol beweist; Deuterium wird weder in Methylen-cyclopentan, Methyl-cyclopentan noch im zurückerhaltenen Ausgangsmaterial eingebaut[3].

[1] H. C. DE MARCHEVILLE u. R. BEUGELMANS, Tetrahedron Letters 1901 (1969).
[2] P. J. KROPP, Am. Soc. **91**, 5783 (1969).
[3] P. J. KROPP, Am. Soc. **89**, 3650 (1967).
[4] P. J. KROPP, Pure Appl. Chem. **24**, 585 (1970).

Photoreduktion zum *Bicyclo[2.2.1]heptan* (III) ist die Hauptreaktion bei der Umsetzung von Bicyclo[2.2.1]hepten in Methanol/Xylol oder Isopropanol/Xylol. Zuzüglich werden [$2\pi + 2\pi$]-Dimere und *2-Hydroxymethyl-bicyclo[2.2.1]heptan* (IV) erhalten sowie *2,2'-Bi-(bicyclo[2.2.1]heptyl)*(V);

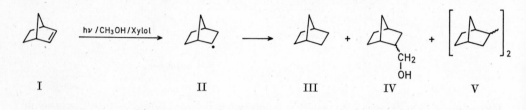

I II III IV V

Die Hydroxymethyl-Derivate IV sprechen eindeutig für einen Radikal-Mechanismus.

2-Methyl-bicyclo[2.2.1]hepten-(2) unterscheidet sich etwas in seinem photochemischen Verhalten vom Bicyclo[2.2.1]hepten. In Methanol/Xylol werden *2-Methyl-bicyclo[2.2.1]heptan* (24%), *3-Methyl-2-hydroxymethyl-bicyclo[2.2.1]heptan* (40%) sowie *2-Methylen-bicyclo[2.2.1]heptan* (6%) erhalten. Die Methyl-Gruppe unterbindet also die [$2\pi + 2\pi$]-Cycloadditionsreaktion sowie die reduktive Dimerisierung.

Die direkte photonische Anregung der Bicyclo[2.2.1]heptene vom Typ VI in aprotischen Lösungsmitteln (z. B. Aceton, Äther, Cyclohexan, 2,2,4-Trimethyl-pentan) führt in schlechten Ausbeuten (5–16%) zu den entsprechenden Bicyclo[2.2.1]heptanen VII[1]:

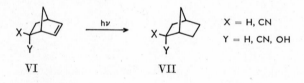

X = H, CN
Y = H, CN, OH

VI VII

Der Triplett-Zustand des angeregten Olefins ist offensichtlich in der Lage, Wasserstoff-Atome von den Lösungsmitteln zu abstrahieren.

Ein analoger Mechanismus scheint im Falle des *exo/endo*-Tetracyclo[6.2.1.1³,⁶.0²,⁷]dodecen-(4) (VIII) aufzutreten; als Hauptprodukt erhält man bei der Bestrahlung in Aceton das tetracyclische Isomere IX[2,3]:

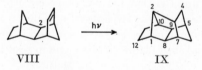

VIII IX

Pentacyclo[6.4.0.0²,¹⁰.0³,⁷.0⁵,⁹]dodecan[2]: 160 g *exo/endo*-Tricyclo[6.2.1.1³,⁶.0²,⁷]dodecen-(9) (IX) werden in 1300 *ml* Aceton gelöst und bei Raumtemp. 200 Stdn. mit einem Q 700 Hanau Quecksilber-Hochdruck-Brenner bestrahlt. Nach Beendigung der Bestrahlung wird das Aceton von der Lösung abgedampft und der Rückstand (160 g) zur Trennung auf eine Silikagel-Säule gegeben. Die mit Cyclohexan eluierten Kohlenwasserstoffe werden in Methanol mit Mercapto-bernsteinsäure unter Zusatz von Dibenzoylperoxid geschüttelt. Nach Abdampfen des Methanols wird der Rückstand auf eine Silikagel-

---

[1] R. R. SAUERS, W. SCHINSKI u. M. M. MASON, Tetrahedron Letters **1967**, 4763.
[2] H. D. SCHARF, Tetrahedron **23**, 3057 (1967).
[3] H. D. SCHARF, Fortschr. Chem. Forsch. **11**, 216 (1969).

Säule gegeben und mit Cyclohexan eluiert. Durch Feindestillation wird das Pentacyclododecan als farblose Flüssigkeit gewonnen; Ausbeute: 45–50 g (30% d. Th.); Kp_{10}: 85°; $n_D^{20} = 1,5300$.

α) mit einem konjugierten bzw. homokonjugierten Dien- bzw. Heteradien-System

Konjugierte Doppelbindungen absorbieren im üblichen UV-Bereich ($\lambda > 220$ nm) und können so direkt, d. h. ohne Sensibilisatoren, bestrahlt werden.

β_1) Enone

αα) konjugierte

Konjugierte Cyclohexenone, deren photochemisches Verhalten besonders in der Steroid-Reihe intensiv untersucht wurde, photoisomerisieren oft und können zu Umlagerungsreaktionen führen; photoinduzierte Reduktionen wurden selten beobachtet.

So erhält man aus 17β-Acetoxy-3-oxo-androsten-(4) in tert.-Butanol lediglich Umlagerungsprodukte. Wird dagegen die Reaktion bei hoher Verdünnung (0,006 m) in Äthanol ausgeführt, so entsteht zu 20% d. Th. *17β-Acetoxy-5α-androstan*[1]:

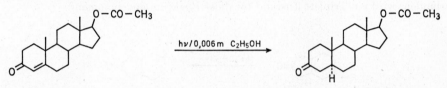

1-Oxo-1H-phenalen, in Isopropanol oder Methanol und ohne Sensibilisator bestrahlt, liefert zu 13% d. Th. *1-Oxo-2,3-dihydro-1H-phenalen* (in Diphenylmethan erhält man es als Hauptprodukt). Während der Photoreduktion tritt eine tiefgrüne Färbung auf (Radikal)[2].

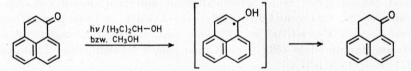

Eine analoge, jedoch sensibilisierte Photoreduktion wird beim 1,4-Dioxo-1,4-diphenyl-buten-(2) beobachtet; so erhält man in Gegenwart von Tributyl-zinn-hydrid als Wasserstoff-Donator[3], in Isopropanol zu 100% d. Th. *1,4-Dioxo-1,4-diphenyl-butan*[4].

Eine interessante Photoreduktion geht 3β-Acetoxy-17β-acetyl-androstadien-(5,16) ein. In kurzer Zeit wird durch UV-Bestrahlung in 50%iger Ausbeute *3β-Acetoxy-20-oxo-pregnen-(5)* erhalten[5] (in tert.-Butanol oder 1,4-Dioxan wird erwartungsgemäß keine Reduktion beobachtet). 3β-Acetoxy-16-methyl-17-acetyl-androstadien-(5,16) wird in Isopropanol sogar quantitativ und stereospezifisch zum *3β-Acetoxy-20-oxo-16β-methyl-pregnen-(5)* (F: 147–148°; $[\alpha]_D = -22,2°$) reduziert:

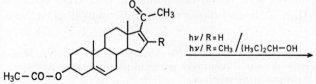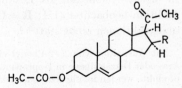

---

[1] B. NANN et al., Helv. **46**, 2473 (1963).
[2] H. KOLLER, Pr. chem. Soc. **1964**, 332.
[3] G. S. HAMMOND u. P. A. LEERMAKERS, Am. Soc. **84**, 207 (1962)
[4] G. W. GRIFFIN u. E. J. O'CONNELL, Am. Soc. **84**, 4148 (1962).
[5] I. A. WILLIAMS u. P. BLADON, Tetrahedron Letters **1964**, 2576.

ββ) homokonjugierte

In einigen wenigen Fällen werden homokonjugierte Enone photochemisch reduziert. Die direkte Bestrahlung von 2-Oxo-tricyclo[3.3.2.0]decen-(9) [λ_{max} = 307 nm (ε:100)] in Dichlormethan durch Corex-Glas führt in 35%iger Ausbeute zum 1,1,2,2-Tetrachloräthan und zu *2-Oxo-tricyclo[3.3.2.0^{1,5}]decan*[1]:

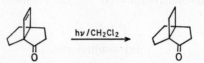

Es konnte bewiesen werden, daß keine intermolekulare Sensibilisation stattfindet; als für die Photoreduktion verantwortliche Spezies wird deshalb der n → π*-Übergang angenommen[1].

8-Oxo-bicyclo[4.3.0]nonen-(1[6]) wird auf analoge Weise in 2,2,4-Trimethyl-pentan bzw. Dichlormethan zu einem Gemisch aus *8-Oxo-cis-* und *-trans-bicyclo[4.3.0]nonan* (3:1) (26% d.Th.) reduziert. Da sowohl Sauerstoff als auch Pentadien-(1,3) die Photoreduktion unterbinden, wird ein Triplett-Zustand für diese Reaktion angenommen[2]:

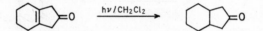

β₂) *Photoreduktion von speziellen Verbindungen*

αα) von Stilben-Analogen

Während Stilben selbst keiner Photoreduktion unterliegt, lassen sich Aza-stilbene photoreduzieren. So wird *trans*-1,2-Dipyridyl-(4)-äthylen (I) in Isopropanol (Quecksilber-Mitteldruck-Lampe, Pyrex-Glas) in 39%iger Ausbeute zu *1,2-Dipyridyl-(4)-äthan* (II) reduziert; als Hauptprodukt (52%) erhält man jedoch 1-Isopropyloxy-1,2-dipyridyl-(4)-äthan [III; R = O–CH(CH₃)₂]:

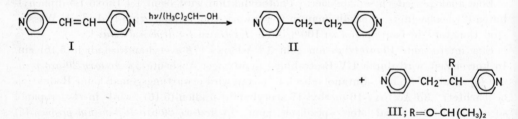

In Methylcyclohexan als Lösungsmittel wird neben der normalen Reduktion ebenfalls Addition beobachtet (III; R = C₇H₁₃). In Benzol dagegen finden die radikalischen Additionsreaktionen nicht statt[3, 4].

Mit Ausnahme von 2-(2-Phenyl-vinyl)-pyridin [~ 40% *2-(2-Phenyl-äthyl)-pyridin*] werden andere Aza- oder Diazastilbene in Isopropanol entweder nur schlecht oder gar nicht photoreduziert. Als Nebenprodukte werden häufig Aza- oder Diazaphenanthrene erhalten.

[1] R. L. Cargill, J. D. Damewood u. M. M. Cooper, Am. Soc. 88, 1330 (1966).
[2] P. S. Engel u. H. Ziffer, Tetrahedron Letters 1969, 5181.
[3] D. G. Whitten u. Y. L. Lee, Am. Soc. 92, 415 (1970).
[4] Y. L. Lee, D. G. Whitten u. L. Pedersen, Am. Soc. 93, 6331 (1971).

Ein energiearmer $n\pi^*$-Zustand scheint für die Photoaddition und die Photoreduktion verantwortlich zu sein; demgemäß wurde ein radikalischer Mechanismus vorgeschlagen[1]:

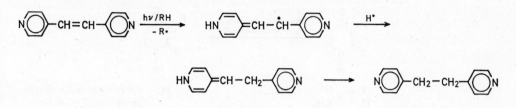

$\beta\beta$) Photoreduktion von Zinn(IV)-porphyrinen

Der Zinn(II)-chlorid-Komplex von Octaäthyl-porphyrin I wird in Pyridin-Wasser über das Dihydro-Derivat II zum *Octaäthyl-tetrahydro-porphyrin-zinn(II)-Komplex* III (*Bacterio-chlorin-zinn(II)-Komplex*) photoreduziert:

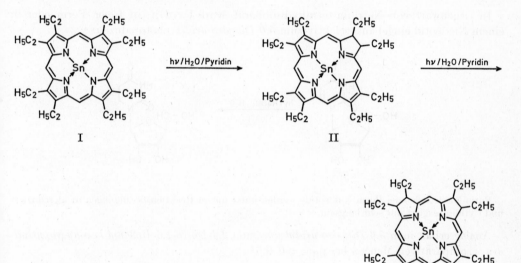

Als Mechanismus kommt hier ein Elektrontransfer von $Sn^{2\oplus}$ auf das im Triplett-Zustand angeregte Porphyrin und eine darauffolgende Protonierung des erzeugten Dianions in Frage[2].

Bacteriochlorin-zinn(II)-Komplex[1]: Zu einer Lösung von 60 mg Octaäthyl-porphyrin in 120 *ml* Pyridin wird Zinn(II)-chlorid-Dihydrat bis zur Sättigung der Lösung zugegeben; der erhaltene Zinn(II)-Komplex wird durch Erhitzen der Lösung synthetisiert und direkt durch Pyrex-Glas ~ 3 Wochen dem Sonnenlicht ausgesetzt. 120 *ml* Chloroform werden zugegeben und die Lösung mit 5%iger Salzsäure und mit Wasser behandelt. Die entstehende Chloroform-Lösung wird über Natriumsulfat getrocknet und das Lösungsmittel i. Vak. verdampft; der Rückstand wird mehrmals aus Aceton/Hexan umkristallisiert.

β_3) *von 2,4-Dioxo- bzw. 2-Oxo-4-thiono-1,2,3,4-tetrahydro-pyrimidin-Derivaten*

$\alpha\alpha$) ohne Zusatz von komplexen Metallhydriden

2,4-Dihydroxy-pyrimidin (I; Uracil, S. 1444) und 2,4-Dioxo-1,3-dimethyl-1,2,3,4-tetra-hydro-pyrimidin (II) können in Isopropanol bzw. Methionin/Wasser oder mit Äthylendia-

---

[1] D. G. WHITTEN u. Y. J. LEE, Am. Soc. **94**, 9142 (1972).
[2] D. G. WHITTEN, J. C. YAU u. F. A. CARROLL, Am. Soc. **93**, 2291 (1971).

min-tetraessigsäure/Wasser zu den entsprechenden Hexahydro-Derivaten photoreduziert werden[1]:

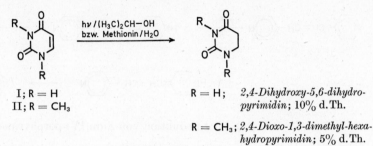

I; R = H
II; R = CH₃

R = H; *2,4-Dihydroxy-5,6-dihydropyrimidin*; 10% d.Th.

R = CH₃; *2,4-Dioxo-1,3-dimethyl-hexahydropyrimidin*; 5% d.Th.

ββ) unter Zusatz von Natrium-tetrahydridoborat

In Gegenwart von Natrium-tetrahydridoborat wird Uridin, in freier Form oder in einem Nukleotid eingebaut, selektiv zum *5,6-Dihydro-uridin* photoreduziert[2]:

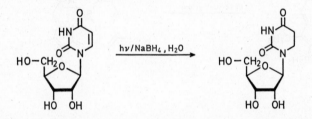

Purin-Nukleoside oder Purin-Nukleotide werden unter diesen Reaktionsbedingungen nicht reduziert und Cytidin reagiert nur sehr langsam.

Analog erhält man *5,6-Dihydro-uridylsäure* und *2,4-Dioxo-1,3-dimethyl-hexahydropyrimidin* in präparativen Mengen bei $p_H = 9,0-9,5$[3]:

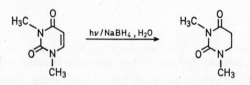

2,4-Dioxo-1,3-dimethyl-hexahydropyrimidin[3]: Eine Lösung von 280 mg 2,4-Dioxo-1,3-dimethyl-1,2,3,4-tetrahydro-pyrimidin und 185 mg Natrium-tetrahydridoborat in 1 *l* Wasser wird bei 254 nm mit einer Hanovia Niederdruck-Lampe durch Quarzglas während 12 Stdn. bestrahlt. Die Lösung wird dann über eine Amberlite IRC–50 (H⊕-Form) Säule geführt und lyophilisiert. Der Rückstand wird über eine Silikagel-Säule mit Chloroform chromatographiert; anschließend wird aus Äther, Petroleum und nochmals aus Äther umkristallisiert; F: 54–55°.

Thymidin unterscheidet sich in seinem photochemischen Verhalten von Uridin und Uracil. Das zunächst entstehende 5,6-Dihydro-Derivat wird in einer Dunkelreaktion mit

---

[1] D. ELAD u. I. ROSENTHAL, Chem. Commun. 879 (1968).

[2] P. CERUTTI, K. IKEDA u. B. WITKOP, Am. Soc. 87, 2505 (1965).

[3] Y. KONDO u. B. WITKOP, Am. Soc. 91, 5264 (1969).

Natrium-tetrahydridoborat hydrogenolytisch zum *N-(3-Hydroxy-2-methyl-propyl)-N-(2-desoxy-ribosyl)-harnstoff* gespalten[1, 2]:

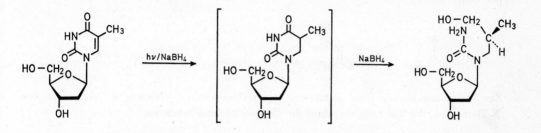

Obwohl 4-Thio-uridin mit Natrium-tetrahydridoborat bereits in einer Dunkelreaktion in *2-Oxo-1-ribosyl-hexahydropyrimidin* übergeht[2], verläuft die Reaktion in Gegenwart von UV-Licht wesentlich schneller[3]:

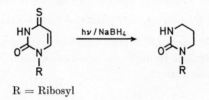

R = Ribosyl

Gleiches gilt für 2-Hydroxy-4-mercapto-pyrimidin (4-Thio-uracil), das zum *2-Oxo-hexahydropyrimidin* reduziert wird. Wird dagegen 4-Hydroxy-2-mercapto-pyrimidin(2-Thio-uracil) eingesetzt, so tritt Ringspaltung ein:

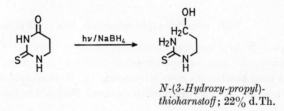

N-(3-Hydroxy-propyl)-thioharnstoff; 22% d.Th.

2-Oxohexahydropyrimidin[4]: Eine Lösung von 6,4 g 4-Thio-uracil (2-Hydroxy-4-mercapto-pyrimidin) in Wasser wird mit überschüssigem Natrium-tetrahydridoborat (10facher Überschuß) bei Zimmertemp. mit einer Quecksilber-Hochdruck-Lampe bestrahlt. Die Lösung wird anschließend an Kieselgel chromatographiert; Ausbeute: 1 g (20% d.Th.).

Die Photoreduktion – in Gegenwart von Natrium-tetrahydridoborat – von, in Nukleotiden eingebauten, Uridin und Thymidin ist somit eine der wenigen selektiven Reaktionen in den RNA- und DNA-Reihen, die für die molekularen Biochemiker für spezifische Abbaureaktionen von Wert sein sollten[2].

---

[1] G. BALLE, P. CERUTTI u. B. WITKOP, Am. Soc. **88**, 3946 (1966).

[2] B. WITKOP, Photochem. Photobiol. **7**, 813 (1968).

[3] P. CERUTTI, J. M. HOLT u. N. MILLER, J. Mol. Biol. **34**, 505 (1968).

[4] E. SATO u. Y. KANAOKA, Tetrahedron Letters **1969**, 3547.

2. Photoreduktion von C=N- bzw. N=N-Doppelbindungen

In diesem Abschnitt werden die photoinduzierten Reduktionen folgender Verbindungs-typen besprochen:

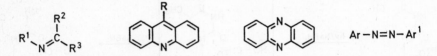

Zur Diskussion stehen photoinduzierte Reduktionen von C=N-Gruppen zu gesättigten C–N-Derivaten, die auf zwei verschiedene Weisen verlaufen können:

① Hydrierung der Doppelbindung
② reduktive Alkylierung oder Dimerisierung

Die N=N-Doppelbindung wird dagegen in der Regel gespalten.

α) von C=N-Doppelbindungen in Iminen

α₁) *Hydrierung und reduktive Dimerisierung*

In Lösungsmitteln, die Wasserstoff-Atome abgeben können und in Gegenwart gewisser Triplett-Sensibilisatoren werden Imine I zu den entsprechenden[1] Aminen II und (oder) Dihydro-Dimeren III photoreduziert:

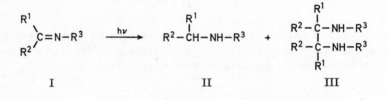

αα) von Benzophenon-imin- bzw. -alkyliminen

N-Alkyl- und N-Aryl-benzophenonimine werden durch UV-Licht in Isopropanol in hohen Ausbeuten zu den entsprechenden Aminen reduziert, gleichzeitig wird Aceton gebildet. Gibt man bestimmte Sensibilisatoren[2], z. B. Benzophenon, Aceton oder Xanthon, der Imin-Lösung zu, so wird die photoinduzierte Reduktion beschleunigt[3, 4]:

$$(H_5C_6)_2C=N-R \xrightarrow{\;h\nu\,/\,\langle Sens.\rangle\,/\,(H_3C)_2CH-OH\;} (H_5C_6)_2CH-NH-R$$

R = H   (5,5 Stdn.); *Diphenylmethylamin*[3]; 61% d.Th.
R = CH₃   (3 Stdn.); *Methyl-diphenylmethyl-amin*[3]; 90% d.Th.
R = C₄H₉ (3 Stdn.); *Diphenylmethyl-butyl-amin*[3]; 90% d.Th.
R = C₆H₁₁ (3 Stdn.); *Diphenylmethyl-cyclohexyl-amin*[3]; 67% d.Th.

Die C=N-Doppelbindung wird jedoch in diesen Reduktionsreaktionen elektronisch nicht angeregt. Es tritt auch kein sensibilisierter Triplett-Triplett-Transferprozeß ein. Man hat hier eine sogenannte „chemische Sensibilisation" vor sich, ein Prozeß, bei dem das

[1] A. Padwa, W. Bergmark u. D. Pashayan, Am. Soc. **91**, 2653 (1969).
[2] M. Fischer, B. **100**, 3599 (1967).
[3] M. Fischer, Tetrahedron Letters **1966**, 5273.
[4] Bestrahlungen wurden mit einem 450 W Hanovia Quecksilber-Hochdruckbrenner in einer Tauch-apparatur durchgeführt.

Ausgangsmaterial den Grundzustand nie verläßt[1,2]. Der Sensibilisator wird photonisch in seinem Triplett-Zustand angeregt; das Triplett ist dann in der Lage, ein Wasserstoff-Atom vom Lösungsmittel abzuspalten, und das so entstandene Ketyl-radikal reagiert mit dem Imin im Grundzustand. Der Mechanismus kann wie folgt zusammengefaßt werden[2]:

$$(H_5C_6)_2CO \xrightarrow{h\nu} {}^3(H_5C_6)_2CO^*$$

$${}^3(H_5C_6)_2CO^* + (H_3C)_2CH-OH \longrightarrow (H_5C_6)_2\overset{\bullet}{C}-OH + (H_3C)_2\overset{\bullet}{C}-OH$$

$$(H_5C_6)_2\overset{\bullet}{C}-OH + (H_5C_6)_2C=N-CH_3 \longrightarrow (H_5C_6)_2CO + (H_5C_6)_2\overset{\bullet}{C}-NH-CH_3$$

$$(H_3C)_2\overset{\bullet}{C}-OH + (H_6C_5)_2C=N-CH_3 \longrightarrow (H_3C)_2CO + (H_5C_6)_2\overset{\bullet}{C}-NH-CH_3$$

$$2\,(H_5C_6)_2\overset{\bullet}{C}-NH-CH_3 \longrightarrow (H_5C_6)_2CH-NH-CH_3 + (H_5C_6)_2C=N-CH_3$$

Methyl-diphenylmethyl-amin[2]: Eine Lösung von 2,0 g Benzophenon-methylimin und 100 mg Benzophenon in 500 *ml* wasserfreiem Isopropanol wird während 7 Stdn. mit einer 450 W Hanovia Quecksilber-Mitteldruck-Tauchlampe bestrahlt. Das Lösungsmittel wird i. Vak. verdampft und der Rückstand in Hexan umkristallisiert; Ausbeute: 1,8 g (90% d.Th.); F: 38–39°.

Bei der Belichtung von Benzophenon-imin in Isopropanol werden zusätzlich 11% d.Th. *Diphenylmethyl-diphenylmethylen-amin* (I) erhalten:

$$2\,(H_5C_6)_2\overset{\bullet}{C}-NH_2 \longrightarrow (H_5C_6)_2C=NH + (H_5C_6)_2CH-NH_2 + (H_5C_6)_2C=N-CH(C_6H_5)_2$$

$$I$$

Benzophenon-imin wird teilweise zu Benzophenon hydrolisiert, das dann mit dem Diphenylmethylamin zu I kondensiert[3].

$\beta\beta$) Benzaldehyd-alkylimine

Im Gegensatz zu Benzophenon-iminen werden Benzaldehyd-alkylimine, durch photochemisch-erzeugte Ketyl-Radikale in 95%igem Äthanol, reduktiv zu 1,2-Bis-[alkylamino]-1,2-diaryl-äthanen dimerisiert, die gewöhnlich in der *d,l*- und *meso*-Form vorliegen[2]:

$$Ar-CH=N-R \xrightarrow{h\nu/C_2H_5OH\ (95\%\text{-ig})} \begin{array}{c} Ar-CH-NH-R \\ | \\ Ar-CH-NH-R \end{array}$$

z. B.: $Ar=C_6H_5$; $R=CH_2-C_6H_5$;   *1,2-Bis-[benzylamino]-1,2-diphenyl-äthan*; 95% d.Th.; F: 151–152°

$Ar=C_6H_5$; $R=C(CH_3)_3$;   *1,2-Bis-[tert.-butylamino]-1,2-diphenyl-äthan*; 80% d.Th.; F: 129–130°

$Ar=2\text{-}CH_3-C_6H_4$; $R=CH_2-C_6H_5$;   *1,2-Bis-[benzylamino]-1,2-bis-[2-methyl-phenyl]-äthan*; 95% d.Th.; F: 120–122°

$Ar=4\text{-}OCH_3-C_6H_4$; $R=CH_2-C_6H_5$;   *1,2-Bis-[benzylamino]-1,2-bis-[4-methoxy-phenyl]-äthan*; 90% d.Th.; F: 172–173°

$Ar=4\text{-}(CH_3)_2N-C_6H_4$; $R=CH_2C_6H_5$;   *1,2-Bis-[benzylamino]-1,2-bis-[4-dimethylamino-phenyl]-äthan*; 25% d.Th.; F: 178–180°

In wasserfreiem Isopropanol, das ein weit besserer Wasserstoff-Donator als Äthanol ist, findet die reduktive „Photodimerisierung" nicht statt. Führt man jedoch der Lösung etwas Wasser zu, so erhält man wiederum in guten Ausbeuten die entsprechenden Äthane. Hierzu

[1] M. FISCHER, B. **100**, 3599 (1967).

[2] A. PADWA, W. BERGMARK u. D. PASHAYAN, Am. Soc. **91**, 2653 (1969).

[3] E. S. HUYSER, R. H. S. WANG u. W. T. SHORT, J. Org. Chem. **33**, 4323 (1968).

nimmt man an, daß in Gegenwart von Wasser die Benzaldehyd-imine teilweise hydrolisiert werden; die so entstehenden Benzaldehyde werden dann photonisch angeregt (Ketyl-Radikale). Die reduktive Dimerisierung tritt in wasserfreiem Isopropanol nur in Gegenwart von Sensibilisatoren (z. B. Benzophenon, Benzaldehyd, Acetophenon oder Xanthon), die Ketyl-Radikale liefern, ein. Mit Benzophenon in Isopropanol dimerisiert das nach dem auf S. 1447 formulierten Mechanismus entstehende Amino-aryl-methyl-Radikal:

$$2 \ Ar-\overset{\bullet}{C}H-NH-R \longrightarrow \begin{array}{c} Ar-CH-NH-R \\ | \\ Ar-CH-NH-R \end{array}$$

meso-1,2-Bis-[benzylamino]-1,2-bis-[4-methyl-phenyl]-äthan[1]: Eine Lösung von 1,0 g 4-Methyl-benzaldehyd-benzylimin wird mit einer 450 W Hanovia Quecksilber-Mitteldruck-Tauchlampe in 500 *ml* 95%igem Äthanol während 16 Stdn. bestrahlt. Das Lösungsmittel wird i. Vak. abdestilliert und der Rückstand umkristallisiert; Ausbeute: 910 mg (92% d. Th.); F: 143–144°.

Auch wenn die Alkyl-Gruppe im Benzaldehyd-alkylimin eine weitere funktionelle Gruppe enthält, die mit der C=N-Doppelbindung im angeregten Zustand reagieren könnte, tritt Dimerisierung ein[2]:

$$H_5C_6-CH=N-R \xrightarrow{h\nu / C_2H_5OH \ (95\%-ig)} \begin{array}{c} H_5C_6-CH-NH-R \\ | \\ H_5C_6-CH-NH-R \end{array}$$

R= –(CH₂)₂–CN;	*meso-1,2-Bis-[2-cyan-äthylamino]-*	63% d.Th.
R= –(CH₂)₂–CH=CH₂;	*1,2-Bis-[buten-(3)-ylamino]-*	62% d.Th.
		(33% meso; 21% d,l)
R= –(CH₂)₃–NH–CO–C₆H₅;	*meso-1,2-Bis-[3-benzoylamino-propylamino]-*	*-1,2-diphenyl-äthan* 50% d.Th.

Es ist also nicht anzunehmen, daß die C=N-Doppelbindung photochemisch angeregt wird.

meso-1,2-Bis-[2-cyan-äthylamino]-1,2-diphenyl-äthan[2]: Eine Lösung von 131 mg Benzaldehyd-(2-cyan-äthylimin) in 425 *ml* 95%igem Äthanol wird unter Stickstoff während 6 Stdn. mit einer 450 W Hanovia-L-Tauchlampe durch Quarzglas bestrahlt. Die Reaktionslösung wird bis zu einem Vol. von 5 *ml* konzentriert und abgekühlt, wobei das farblose Äthan-Derivat auskristallisiert; Ausbeute: 83 mg (63% d.Th.); F: 106–106,5°.

In wasserfreiem Isopropanol und in Gegenwart von Benzophenon erhält man ähnliche Resultate. So werden z. B. Benzaldehyd-methylimin bzw. -cyclohexylimin durch Pyrex-Glas in guten Ausbeuten zu *1,2-Bis-[methylamino]-* bzw. *1,2-Bis-[cyclohexylamino]-1,2-diphenyl-äthan* photochemisch reduziert[3].

Konkurrenzreaktionen zwischen der photoinduzierten Reduktion der C=N-Doppelbindung und der reduktiven Dimerisierung wurden kaum beobachtet, und wenn, dann nur bei speziellen Reaktionsbedingungen, die für die präparative organische Chemie nicht von Wert sind[4].

Werden dagegen die Imine in Gegenwart von Methanol photoreduziert, so erhält man durch anschließende Reaktion der Diamine mit dem aus Methanol entstandenen Formaldehyd Imidazolidine (vgl. S. 1107)[5].

---

[1] A. PADWA, W. BERGMARK u. D. PASHAYAN, Am. Soc. **91**, 2653 (1969).
[2] P. BEAK u. C. R. PAYET, J. Org. Chem. **35**, 3281 (1970).
[3] G. BALOGH u. F. C. DE SCHRYVER, Tetrahedron Letters **1969**, 1371.
[4] B. FRASER-REID, A. MCLEAN u. E. W. USHERWOOD, Canad. J. Chem. **47**, 4511 (1969).
[5] P. CERUTTI u. H. SCHMID, Helv. **47**, 203 (1964).

$\gamma\gamma$) Benzophenon-acylimine

Das photochemische Verhalten der Benzophenon-acylimine unterscheidet sich grundsätzlich von dem der Alkylimine. So werden z. B. Benzophenon-acetylimin und -benzoylimin in Isopropanol quantitativ zu *Essigsäure*- bzw. *Benzoesäure-diphenylmethylamid* photoreduziert; Isopropanol geht dabei teilweise in Aceton über[1,2]:

$$(H_5C_6)_2C=N-CO-R \xrightarrow{h\nu/(H_3C)_2CH-OH/H_2O} (H_5C_6)_2CH-NH-CO-R$$

Benzoesäure-diphenylmethylamid[1]: Eine Lösung von 1,0 g Benzophenon-benzoylimin in 70 *ml* Isopropanol wird unter Stickstoff 50 Stdn. durch Pyrex-Glas mit einer 200 W Quecksilber-Hochdruck-Lampe bestrahlt. Die Reaktionslösung wird i. Vak. eingeengt; Ausbeute: 1 g (100% d.Th.); F: 170–171°.

Auch hier handelt es sich um eine ,,chemische Sensibilisation"[3–5]; somit sind photochemisch-induzierte Ketyl-Radikale für die Reduktion der C=N-Doppelbindung verantwortlich. Die Quantenausbeute ist in Isopropanol sehr klein (10^{-8}), wird aber in Gegenwart von Benzophenon oder Acetophenon oder durch Zugabe von Wasser drastisch erhöht.

Da die Phosphoreszenz von Benzophenon in EPA bei 77° K in Gegenwart von Benzophenon-acetylimin bzw. -benzoylimin nicht abgebremst wird, kommt ein Triplett-Triplett Energie-transfer Mechanismus für die Reduktion nicht in Frage. Hochenergetische Sensibilisatoren, z. B. Triphenylen oder Triphenylamin, die in Alkohol nicht photoreduziert werden, induzieren die Reduktion ebenfalls nicht[3]. Erwähnt sei, daß die aus Tetraphenyl-glykol thermisch erzeugten Radikale die Reduktion in einer Dunkelreaktion erwirken[3].

α_2) *Spezielle Reduktionen*

$\alpha\alpha$) von 3H-Indolen

3H-Indole des Typs I ergeben bei der Bestrahlung mit einer Quecksilber-Niederdruck-Lampe/Quarzmantel in Methanol vorwiegend radikalische Methanol-Additionsprodukte II. Die photoinduzierte Hydrierung zu 2,3-Dihydro-indol-Derivaten des Typs III tritt nur in schwachem Ausmaß ein[6]:

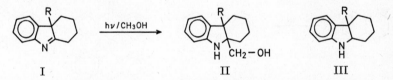

I   II   III

Die Photoreaktion ist stark von den Wellenlängen des UV-Lichts abhängig, wie das folgende Beispiel zeigt. 4a-Methyl-1,2,3,4-tetrahydro-4aH-carbazol (I, R=CH$_3$) in Isopropanol mit einem Quecksilber-Hochdruckbrenner bestrahlt, führt in 45%iger Ausbeute zu *4a-Methyl-1,2,3,4,4a,9a-hexahydro-carbazol* (III; R=CH$_3$). Durch Sauerstoff wird die Reaktion erwartungsgemäß gehemmt.

$\beta\beta$) von 3,4-Dihydro-isochinolinen (s. S. 1117)

$\gamma\gamma$) von 4-(4-Dimethylamino-phenylimino)-5-oxo-3-methyl-1-phenyl-4,5-dihydro-pyrazol

Einen besonderen Fall stellt die photoinduzierte Reduktion des 4-(4-Dimethylamino-phenylimino)-5-oxo-3-methyl-1-phenyl-4,5-dihydro-pyrazol zum *4-(4-Dimethylamino-ani-*

---

[1] T. Okada et al., Tetrahedron Letters **1969**, 927.
[2] T. Okada et al., Tetrahedron **26**, 3661 (1970).
[3] A. Padwa u. M. Dharan, Tetrahedron Letters **1972**, 1053.
[4] M. Fischer, Tetrahedron Letters **1966**, 5273.
[5] M. Fischer, B. **100**, 3599 (1967).
[6] P. Cerutti u. H. Schmid, Helv. **45**, 1992 (1962).

lino)-5-hydroxy-3-methyl-1-phenyl-pyrazol dar. In Gegenwart von Benzophenon und Diphenylcarbinol unter Stickstoff wird in hohen Ausbeuten das Pyrazol-Derivat erhalten[1]. Elektronisch-angeregtes Benzophenon ergibt mit Diphenylcarbinol das Diphenylketyl-Radikal, das sodann den Farbstoff in einer Dunkelreaktion reduziert[2,3]:

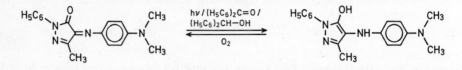

β) von C=N-Doppelbindungen in Heteroaromaten

β_1) von Acridinen

Acridine werden in Lösungsmitteln photochemisch reduziert[4-6]. Die Struktur der Photoprodukte sowie die von den Reaktionsbedingungen abhängige Produktverteilung wurden erst relativ spät erkannt[7-9].

Analog den Iminen (vide supra)[10] unterscheidet man auch bei den Acridinen drei Reaktionstypen:

① photoinduzierte Hydrierung zu 9,10-Dihydro-acridinen II

② photoinduzierte reduktive Dimerisierung zu 9,9′,10,10′-Tetrahdyro-9,9′-bi-acridyl-Derivaten III

③ photoinduzierte Anlagerungsreaktionen von Lösungsmitteln, die zu 9-substituierten 9,10-Dihydro-acridinen IV führen.

Im Unterschied zu den Iminen tritt bei den Acridinen eine photoinduzierte 1,4-Additionsreaktion ein:

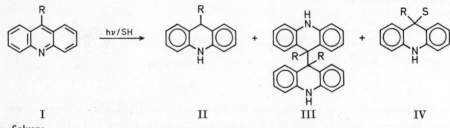

SH = Solvens

αα) in alkoholischer Lösung

Beim Bestrahlen von Acridin in Methanol durch Quarzglas erhält man neben *9,9′,10,10′-Tetrahydro-9,9′-bi-acridyl* (45% d.Th.) 8,5% d.Th. *9-Hydroxymethyl-9,10-dihydro-acridin* sowie 2,6% d.Th. *9,10-Dihydro-acridin*[8]. In Äthanol erhält man u.a. 7% d.Th. *9-(1-*

---

[1] W. F. SMITH u. B. W. ROSSITER, Am. Soc. **89**, 717 (1967).

[2] W. M. MOORE, G. S. HAMMOND u. R. P. FOSS, Am. Soc. **83**, 2789 (1961).

[3] J. A. BELL u. H. LINSCHITZ, Am. Soc. **85**, 528 (1963).

[4] V. ZANKER u. P. SCHMID, Z. physik. Chem. **17**, 11 (1958).

[5] A. KELLMANN, J. Chim. physique Physico-Chim. biol. **56**, 574 (1959).

[6] V. ZANKER u. H. SCHNITH, B. **92**, 2210 (1959).

[7] F. MADER u. V. ZANKER, B. **97**, 2418 (1964).

[8] H. GOTH, P. CERUTTI u. H. SCHMID, Helv. **48**, 1395 (1965).

[9] R. NOYORI et al., Tetrahedron **25**, 1125 (1969).

[10] s. S. 59.

Hydroxy-äthyl)-9,10-dihydro-acridin. Bestrahlt man 9-Methyl-acridin in Methanol mit Licht der Wellenlängen unterhalb 320 nm, so ändert sich die Produktverteilung drastisch, und man erhält 15% d.Th. *9-Methyl-9-hydroxymethyl-9,10-dihydro-acridin,* 8% *9-Methyl-9,10-dihydro-acridin* sowie 1% d.Th. *9,9'-Dimethyl-9,9',10,10'-tetrahydro-9,9'-bi-acridyl*[1].

9,9',10,10'-Tetrahydro-9,9'-bi-acridyl[1]: Eine Lösung von 1,1 g Acridin in 1 l Methanol (c=6 × 10⁻³m) wird in einer Umwälzapparatur mit einem Philips-HPK-125 Hochdruck-Brenner unter Argon 4 Stdn. bestrahlt. Es entsteht ein kristalliner Niederschlag, der mehrmals mit Aceton gekocht und dann bei Raumtemp. unter 0,1 Torr getrocknet wird; Ausbeute: 500 mg (46% d.Th.); F: 216–262° (Zers.).

Das Filtrat und die Aceton-Waschflüssigkeiten werden i. Vak. eingedampft und der gelbbraune Rückstand in Dichlormethan auf Kieselgel chromatographiert. Es werden sukzessiv 29 mg (2,6% d.Th.) *9,10-Dihydro-acridin* (F: 189–190°) und 110 mg (8,5% d.Th.) *9-Hydroxymethyl-9,10-dihydro-acridin* (F: 135–136°) eluiert.

$\beta\beta$) in Cyclohexan- bzw. 1,4-Dioxan-Lösungen

Wird Acridin in 1,4-Dioxan oder in Cyclohexan durch einen Quecksilber-Hochdruck-Brenner in einem Schlenk-Rohr aus einfachem Glas (unter 333 nm nicht transparent) bestrahlt, so erhält man neben *9,9',10,10'-Tetrahydro-9,9'-bi-acridyl* *9-(1,4-Dioxanyl)-* (30% d.Th.; F: 211°) bzw. *9-Cyclohexyl-9,10-dihydro-acridin* (13% d.Th.; F: 205°)[2] (vgl. S. 591).

$\gamma\gamma$) in Alkansäure-Lösungen

Werden äquimolare Mengen Acridin und Alkansäuren in Benzol durch Pyrex-Glas bestrahlt, so erhält man neben dem erwarteten *9,9',10,10'-Tetrahydro-9,9'-bi-acridyl* unter Kohlendioxid-Abgabe 9-Alkyl-9,10-dihydro-acridine (s. S. 1005).

Gewisse Acridin-Farbstoffe können durch blaues Licht in gepufferten p_H = 4,0 wäßrigen Lösungen, in Gegenwart von N-Allyl-thioharnstoff und unter Argon, in ihre Dihydro-Derivate (Leuko-Form) reduziert werden[3]. Leitet man jedoch Sauerstoff durch die Lösung, so erhält man die Acridin-Farbstoffe sofort zurück.

Bei der Photochemie[4] der Acridine spielt die chemische Sensibilisation, außer vielleicht in Gegenwart von Benzophenon, keine Rolle. Mechanistisch betrachtet, scheint es also keine Analogie zu geben zwischen dem photochemischen Verhalten von Iminen einerseits, und Acridinen andererseits. Es wird angenommen, daß zwei Mechanismen – ein radikalischer und ein molekularer – parallel ablaufen[5]:

Molekulare Mechanismen:

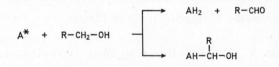

[1] H. Goth, P. Cerutti u. H. Schmid, Helv. **48**, 1395 (1965).

[2] F. Mader u. V. Zanker, B. **97**, 2418 (1964).

[3] F. Millich u. G. Oster, Am. Soc. **81**, 1357 (1959).

[4] F. Mader u. V. Zanker, B. **97**, 2418 (1964).
  A. Kellmann u. J. T. Dubois, J. Chem. Physics **42**, 2518 (1966).
  F. Wilkinson u. J. T. Dubois, J. Chem. Physics **48**, 2651 (1968).
  M. Koizumi, Y. Ikeda u. T. Iwaoka, J. Chem. Physics **48**, 1869 (1968).
  M. Hoshino u. M. Koizumi, B. Chem. Soc., Japan **45**, 2988 (1972).

[5] K. Tokumura, K. Kikuchi u. M. Koizumi, B. Chem. Soc. Japan **46**, 1309 (1973).

Radikalische Mechanismen:

$$A^* \ + \ R-CH_2-OH \ \longrightarrow \ AH^\cdot \ + \ R-\overset{\cdot}{C}H-OH$$

Dismutation in Äthanol

ⓐ $2\ AH^\cdot \ \longrightarrow \ AH_2 \ + \ A$ oder in Methanol

ⓑ $AH^\cdot \ + \ R^1-\overset{\cdot}{\underset{OH}{C}}-R^2 \ \longrightarrow \ AH_2 \ + \ R^1-CO-R^2$

A = Acridin
AH_2 = 9,10-Dihydro-acridin

β_2) von Phenazin

Phenazin wird photochemisch in Wasserstoffdonator-Lösungsmitteln unter Ausschluß von Sauerstoff in guter Ausbeute zu *5,10-Dihydro-phenazin* reduziert; beim Durchleiten von Sauerstoff erfolgt augenblickliche Rückbildung zum Phenazin[1,2]:

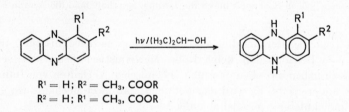

Präparativ ist diese photoinduzierte Reduktion von geringem Wert, da die 5,10-Dihydrophenazine durch Hydrosulfit-Reduktion aus Phenazinen leicht zugänglich sind[3]. 1- bzw. 2-Substituierte Phenazine wurden in Isopropanol mit Sonnenlicht i. Vak. quantitativ, in sehr kleinen Mengen (einige mg), zu den entsprechenden 5,10-Dihydro-phenazinen reduziert[2]:

R^1 = H; R^2 = CH$_3$, COOR
R^2 = H; R^1 = CH$_3$, COOR

Während des photoinduzierten Reduktionsprozesses treten blaue und violette Zwischenprodukte auf, die in kristallinem Zustand isoliert werden können. Es handelt sich dabei um Phenazin 5,10-Dihydrophenazin-Komplexe unterschiedlicher Stöchiometrie (blaue: 1:1; violette: 3:1)[2].

Über den Mechanismus der Photoreduktion von Phenazinen s. Lit. [4-6].

γ) von N=N-Doppelbindungen in Diaryl-diazenen

Die photoinduzierte Reduktion der N=N-Doppelbindung zum Hydrazin-Derivat führt zur Bleichung des Azofarbstoffs.

---

[1] C. Dufraisse, A. Etienne u. E. Toromanoff, C. r. **235**, 759 (1952).
[2] E. Toromanoff, A. ch. **1**, 115 (1956).
[3] R. Scholl, M. **39**, 231 (1918).
[4] D. N. Bailey, D. K. Roe u. D. M. Hercules, Am. Soc. **90**, 6291 (1968); in Essigsäure/Natriumacetat/Methanol bzw. stark saurer Lösung.
[5] S. Wake et al., Tetrahedron Letters **1970**, 2415; stark sauer keine Reduktion, sondern Addition.
[6] G. A. Davis, J. D. Gresser u. P. A. Carapellucci, Am. Soc. **93**, 2179 (1971); in Isopropanol bzw. Triäthylamin oder Tributyl-zinn-hydrid.

Nicht-ionische Azoaromaten werden in organischen Lösungsmitteln (z. B. Isopropanol) unter Ausschluß von Sauerstoff gebleicht[1]. In stark-sauren Lösungen tritt dagegen oxidative Cyclisierung zu Benzo-[c]-cinnolinen ein[2].

Anionische Azoaromaten (z. B. Salze von Sulfonsäuren) werden in Wasser, in Gegenwart von organischen Wasserstoff-Donatoren, gebleicht[3]. Sauerstoff hemmt jedoch fast vollkommen diesen Reduktionsprozeß der N=N-Doppelbindung; z. B.[3]:

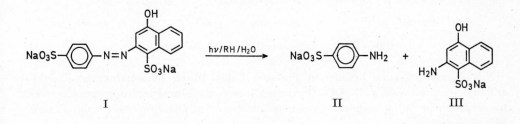

Bestrahlt man eine wäßrige Lösung des Azofarbstoffs I unter Stickstoff in Gegenwart von Wasserstoff-Donatoren mit einem Philips-HPK-125 W Quecksilber-Hochdruckbrenner durch Quarzglas, so erhält man *4-Amino-benzolsulfonat* (II) und *Natrium-2-amino-4-hydroxy-naphthalin-1-sulfonat* (III). Das zu erwartende Hydrazin-Derivat wird nicht isoliert (bestimmte N,N'-Diaryl-hydrazine unterliegen einer thermischen bzw. photochemischen Disproportionierung)[4].

Als Wasserstoffdonatoren kommen in Frage: Methanol, Essigsäure, Aceton, Malonsäure, Phenylglykolsäure (Mandelsäure) und ganz allgemein Substrate, in denen die aktiven C–H-Wasserstoff-Atome in α-Stellung zu Phenyl- und Carbonyl-Gruppen stehen.

Die Wellenlängen des eingestrahlten Lichts spielen eine entscheidende Rolle; wird z. B. der Azofarbstoff durch gewöhnliches Glas bestrahlt, so bleibt die Reduktion aus. Um die N=N-Doppelbindungen photochemisch zu reduzieren, müssen also zwei Bedingungen erfüllt sein, die zumeist jedoch nicht gegeben sind:

① die Wellenlänge des eingestrahlten Lichts muß unterhalb 300 nm liegen;

② es darf kein Sauerstoff zugegen sein.

Eine mit Azofarbstoff gefärbte Textilfaser sollte dennoch keine aktiven C–H-Wasserstoffdonator-Gruppen enthalten; andererseits sollte ein guter und tiefgreifender Luftkontakt gewährleistet sein.

Der Mechanismus der photoinduzierten Reduktion anionischer Azoaromaten wurde, in Gegenwart von *d,l*-Mandelsäure, durch kinetische Messungen[5] (hier besonders durch Flash-Photolyse[6]) eingehend untersucht. Durch Flash-Photolyse konnte unter anderem gezeigt werden, daß die Konzentration des Azofarbstoffs rasch abnimmt, der Farbstoff sich

[1] B. E. BLAISDELL, J. Soc. Dyers Col. **65**, 618 (1949).

[2] G. E. LEWIS u. R. J. MAYFIELD, Austral. J. Chem. **19**, 1445 (1966); s. a. dort zitierte Literatur.

[3] H. C. A. VAN BEEK u. P. M. HEERTJES, J. Soc. Dyers Col. **79**, 661 (1963).

[4] P. F. HOLT u. B. P. HUGUES, Soc. **1953**, 1666; **1955**, 98.

[5] H. C. A. VAN BEEK u. P. M. HEERTJES, J. phys. Chem. **70**, 1704 (1966).

[6] H. C. A. VAN BEEK et al., J. Soc. Dyers Col. **87**, 87 (1971).

aber dann zur Hälfte wieder zurückbildet. Man nimmt folgende Sequenz für die verschiedenen Prozesse an:

$$RH \xrightarrow{h\nu} RH^*$$

$$RH^* \longrightarrow R^{\bullet} + H^{\bullet}$$

$$Ar^1-N{=}N-Ar^2 + H^{\bullet} \longrightarrow Ar^1-\overset{\bullet}{N}-NH-Ar^2$$

$$2\,Ar^1-\overset{\bullet}{N}-NH-Ar^2 \longrightarrow Ar^1-NH-NH-Ar^2 + Ar^1-N{=}N-Ar^2$$

$$2\,Ar^1-NH-NH-Ar^2 \longrightarrow Ar^1-NH_2 + Ar^2-NH_2 + Ar^1-N{=}N-Ar^2$$

$$RH = \text{Wasserstoffdonator (z. B. } d,l\text{-Mandelsäure)}$$

N,N'-Diaryl-hydrazine können in gewissen Fällen durch photoinduzierte Reduktion erhalten werden. Wird z. B. 4-Diäthylamino-4'-nitro-azobenzol in Isopropanol bestrahlt, so erhält man in schlechten Quantenausbeuten *2-(4-Diäthylamino-phenyl)-1-(4-nitrophenyl)-hydrazin*:

$$O_2N-\langle\!\bigcirc\!\rangle-N{=}N-\langle\!\bigcirc\!\rangle-N(C_2H_5)_2 \xrightarrow{h\nu/RH} O_2N-\langle\!\bigcirc\!\rangle-NH-NH-\langle\!\bigcirc\!\rangle-N(C_2H_5)_2$$

Benzol und Naphthalin sensibilisieren die Reduktion nicht; dagegen sind Benzophenon oder Aceton in Isopropanol bzw. Diphenylcarbinol ausgezeichnete Sensibilisatoren[1, 2] (vermutlich handelt es sich um eine chemische Sensibilisation; die photochemisch erzeugten Ketyl-Radikale bewirken die Reduktion[2]).

In Butylamin wird die Nitro-Gruppe zum Hydroxylamin reduziert[3, 4]:

$$HO-NH-\langle\!\bigcirc\!\rangle-N{=}N-\langle\!\bigcirc\!\rangle-N(C_2H_5)_2$$

4-Diäthylamino-4'-hydroxylamino-azobenzol

3. reduktive Substitution von Halogen in Halogen-aromaten bzw. -heteroaromaten

Ganz allgemein wird angenommen, daß die photoinduzierte Spaltung der C–Hal-Bindung eine Funktion deren Stärke ist[5, 6]; demnach sollte die Reaktivität von den Chlor-aromaten zu den Jod-Derivaten ansteigen. Fluor-aromaten sind meist thermisch wie auch photochemisch stabil.

Bei den einfachen Aryl-halogeniden ist der erste Schritt meist eine homolytische Spaltung der C–Hal-Bindung. Die so entstehenden aromatischen Radikale können dann auf verschiedene Weise weiterreagieren und z. B. dem Lösungsmittel ein Wasserstoff-Atom entreißen. Die Reaktionen können aber auch heterolytisch ablaufen: in Gegenwart von Anionen tritt oft nukleophile Substitution ein, so daß photoinduzierte Reduktionen, Substitutionen und Kupplungen zwischen aromatischen Radikalen miteinander konkurrieren.

Die photoreduktive C–Hal-Spaltung hängt vom Lösungsmittel und von der Wellenlänge des eingestrahlten Lichtes ab.

---

[1] G. Irick u. J. G. Pacifici, Tetrahedron Letters **1969**, 1303.

[2] J. C. Pacifici u. G. Irick, Tetrahedron Letters **1969**, 2207.

[3] J. C. Pacifici, G. Irick u. C. G. Anderson, Am. Soc. **91**, 5654 (1969).

[4] s. S. 1460.

[5] R. K. Sharma u. N. Kharasch, Ang. Ch. **80**, 69 (1968).

[6] V. I. Stenberg, *Photo-Fries Reactions* in O. L. Chapman, *Organic Photochemistry*, Bd. 1, S. 127, Marcel Dekker Inc., New York 1967.

α) in Alkoholen

Jod wird in Jod-aromaten, in Methanol, aber auch in Cyclohexan, photochemisch leicht, und in guten Ausbeuten, durch Wasserstoff ersetzt[1,2]:

$$Ar-J \longrightarrow Ar-J^* \longrightarrow Ar^{\bullet} + J^{\bullet}$$

$$Ar^{\bullet} + CH_3OH \longrightarrow ArH + {}^{\bullet}CH_2OH$$

$${}^{\bullet}CH_2OH + J^{\bullet} \longrightarrow [J-CH_2-OH] \longrightarrow HJ + CH_2O$$

$$CH_3OH + HJ \longrightarrow CH_3J + H_2O$$

$$CH_2O + 2\,CH_3OH \longrightarrow H_2C(OCH_3)_2 + H_2O$$

Diese Photoreduktionen ermöglichen die Herstellung spezifisch-markierter Deuterium-Verbindungen; zum Deuterium-Austausch wird am besten Perdeuterioaceton eingesetzt.

Präparativ interessante Resultate werden mit ortho- und para-substituierten Halogen-aromaten erzielt, die in Isopropanol, mit einer Quecksilber-Mitteldruck-Lampe unter Stickstoff und durch Quarzglas bestrahlt werden[3]. So erhält man z. B. aus:

Jod-Benzol	$\xrightarrow{\text{12 Stdn.}}$	*Benzol*; 82% d. Th.
4-Chlor-phenol	$\xrightarrow{\text{3,5 Stdn.}}$	*Phenol*; 93% d. Th.
4-Brom-phenol	$\xrightarrow{\text{6 Stdn.}}$	*Phenol*; 89% d. Th.
4-Jod-phenol	$\xrightarrow{\text{5,5 Stdn.}}$	*Phenol*; 98% d. Th.
2-Jod-phenol	$\xrightarrow{\text{3,5 Stdn.}}$	*Phenol*; 98% d. Th.
2-Chlor-1-methoxy-benzol	$\xrightarrow{\text{8 Stdn.}}$	*Methoxy-benzol*; 95% d. Th.

Konkurrenzreaktionen zwischen photoinduzierten Reduktionen und Substitutionen treten bei 3-Halogen-phenolen bzw. -1-methoxy-benzolen auf[4] (Konkurrenz zwischen einem ionischen und radikalischen Mechanismus:

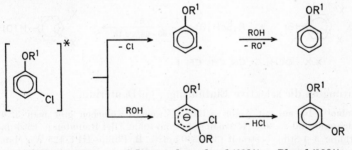

R=(H₃C)₂CH; R¹=H;   *3-Isopropyloxy-phenol* (62%) + *Phenol* (19%)
R¹=CH₃;   *3-Methoxy-1-isopropyloxy-benzol* (9%) + *Methoxy-benzol* (75%)
R=CH₃; R¹=CH₃;   *Methoxy-benzol* (63%) + *1,3-Dimethoxy-benzol* (28%)

β) in Benzol

In Benzol werden Halogen-aromaten photochemisch kaum reduziert. Als Hauptprodukte treten Biphenyle auf. Nur im Falle von 2-Chlor-1,3,5-trimethyl-benzol erhält man in guter Ausbeute (40%) *1,3,5-Trimethyl-benzol* als einziges Reaktionsprodukt[5].

[1] R. K. SHARMA u. N. KHARASCH, Ang. Ch. **80**, 69 (1968).
[2] W. WOLF u. N. KHARASCH, J. Org. Chem. **26**, 283 (1961); **30**, 2493 (1965).
[3] J. T. PINHEY u. R. D. G. RIGBY, Tetrahedron Letters **1969**, 1267.
[4] J. T. PINHEY u. R. D. G. RIGBY, Tetrahedron Letters **1961**, 1271.
[5] G. E. ROBINSON u. J. M. VERNON, Soc. [C] **1971**, 3363.

γ) in Gegenwart von Aminen

Halogen-benzol wird, in Methanol und in Gegenwart von N,N-Dimethyl-anilin und Triäthylamin als Wasserstoffüberträger durch Pyrex-Glas bestrahlt, in *Benzol, Biphenyl* und *2-* bzw. *4-Dimethylamino-biphenyl*[1] umgewandelt.

Man nimmt an, daß angeregte Ladungs-Transfer-Komplexe, aus angeregtem N,N-Dimethyl-anilin und Halogen-benzol (im Grundzustand), entstehen[1,2].

Wird 4-Chlor-biphenyl in Gegenwart von Triäthylamin in Acetonitril durch Quarzglas mit einem Quecksilber-Niederdruck-Brenner bestrahlt, so erhält man *Biphenyl* in 7%iger Ausbeute[3].

Die photoinduzierte Enthalogenierung von 4-Brom-2-methoxy-pyrimidin in Methanol zum *2-Methoxy-pyrimidin*, wird in Gegenwart von Diäthylamin nicht nur beschleunigt, sondern läuft auch mit höheren Ausbeuten (bis zu 34% d.Th.) ab[4]:

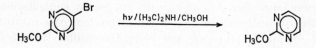

δ) in Gegenwart von Hydroxyl-, Cyanid- oder Nitrit-Ionen

In Gegenwart von Hydroxy-, Cyanid- oder Nitrit-Ionen werden Halogen-aromaten zumeist photochemisch nucleophil substituiert[5]. Die Substitution von Halogen wird durch Elektronendonator-Substituenten gefördert. Elektron-anziehende Gruppen fördern dagegen die photoinduzierte C–X-Reduktion[6].

ε) in Gegenwart von Trialkyl-zinn-hydriden

Brombenzole werden bei Raumtemp. mit Triäthyl-zinn-hydrid photochemisch glatt enthalogeniert[7]:

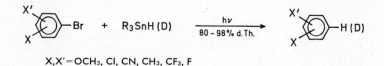

X,X' = OCH₃, Cl, CN, CH₃, CF₃, F

Von Bedeutung ist die selektive Einführung von Deuterium.

4-Deuterio-toluol[7]: In ein mit Argon gefülltes Zweihals-Kölbchen gibt man 32,6 *ml* (200 mMol) Triäthyl-zinn-deuterid und 25,66 g (150 mMol) 4-Brom-toluol. Bei Raumtemp. wird unter Rühren mit einem Magnetrührer 3–4 Stdn. bestrahlt (300–340 nm; z. B. Philips-HPL-125 W). Man prüft auf Vollständigkeit der Umsetzung (Kontrolle des Hydrids mit Dichloressigsäure, potentiometrische Titration von Triäthyl-zinn-bromid) und destilliert das 4-Deuterio-toluol ab. Wurden Spuren von Hydrid mitgerissen, wird nochmals über eine kleine Kolonne fraktioniert; Reinausbeute: 72% d.Th.; Kp₇₆₀: 110,6° (95,5% Deuterierungsgrad).

---

[1] T. TOSA, C. PAC u. H. SAKURAI, Tetrahedron Letters **41**, 3635 (1969).

[2] T. LATOWSKI, Z. Naturf. **23**a, 1127 (1968).

[3] M. OHASHI, K. TSUJIMOTO u. K. SEKI, Chem. Commun. **384** (1973).

[4] J. NASIELSKI et al., Chem. Commun. **1970**, 302.

[5] K. OMURA u. T. MATSUURA, Chem. Commun. **1969**, 1394.

[6] A. V. ELTSOV, O. V. KULLITSKAYA u. A. N. FROLOV, Ž. Org. Chim. **8**, 76 (1971); C. A. **77**, 113471ⁿ (1972).

[7] W. P. NEUMANN u. H. HILLGARTNER, Synthesis **1971**, 537.

4. reduktive Substitution der Hydroxy-Gruppe in Hydroxymethyl-pyridinen bzw. -chinolinen

Wird 4-Hydroxymethyl-2-phenyl-chinolin bzw. 3-(α-Hydroxy-benzyl)-chinolin in Methanol bestrahlt, so erhält man in 95%iger Ausbeute *4-Methyl-2-phenyl-chinolin*[1] bzw. 44% d.Th. *3-Benzyl-chinolin*[2]:

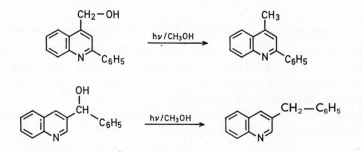

Benzylalkohol selbst wird nicht reduziert. Somit scheint ein Stickstoff als Heteroatom im aromatischen Ring für die photoinduzierte Reaktion notwendig zu sein[2].

In der Chinkona-Alkaloid-Reihe wurde diese spezielle Photoreduktion mehrfach angewandt[3]. So wurden Chinin(I), Chinchonidin(III), Chinidin(V) und Chinchonin(VII) photochemisch zu den entsprechenden Deoxy-Derivaten in guten Ausbeuten reduziert:

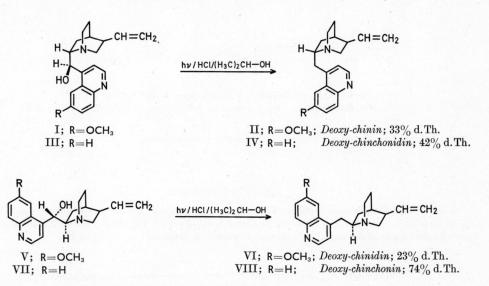

I; R=OCH₃
III; R=H

II; R=OCH₃; *Deoxy-chinin*; 33% d.Th.
IV; R=H; *Deoxy-chinchonidin*; 42% d.Th.

V; R=OCH₃
VII; R=H

VI; R=OCH₃; *Deoxy-chinidin*; 23% d.Th.
VIII; R=H; *Deoxy-chinchonin*; 74% d.Th.

Die photoinduzierten Reduktionen verlaufen am besten in 2 n Chlorwasserstoff/Isopropanol-Lösungen, in denen die zwei Stickstoff-Atome und der Sauerstoff protoniert sind. Höhere Ausbeuten an Deoxy-Derivaten wurden in Gegenwart von Benzophenon erzielt.

Deoxy-chinchonin(VIII)[3]: Eine Lösung von 580 mg Chinchonin(VII) und 200 mg Benzophenon in 130 *ml* Isopropanol/2n Salzsäure (50:50) wird in einem Rayonet-Reaktor mit Licht der Wellenlänge 350 nm 5 Stdn. unter Stickstoff bestrahlt. Das Isopropanol wird i. Vak. abgedampft, die wäßrige Lösung mit 6 n Natriumhydroxid-Lösung gewaschen und mit Chloroform extrahiert. Die Chloroform-Extrakte

---

[1] M. B. RUBIN u. C. FINK, Tetrahedron Letters **1970**, 2749.

[2] A. C. PLASZ, E. V. BROWN u. H. H. BAUER, Chem. Commun. **1972**, 527.

[3] V. I. STENBERG u. E. F. TRAVECEDO, J. Org. Chem. **35**, 4131 (1970).

werden über eine Aluminiumoxid-Säule chromatographiert (Elutionsmittel: Benzol/Chloroform); Ausbeute: 410 mg (74% d. Th.).

2-, 3- und 4-Hydroxymethyl-pyridine werden photochemisch anf analoge Weise, allerdings mit schlechten Ausbeuten, zu den entsprechenden Methyl-pyridinen reduziert[1].

5. Reduktion am Stickstoff in Nitro- und Nitroso-Verbindungen

Die „Photoreduktionen" von Nitroso- und vor allem von Nitro-Verbindungen sind komplexe Prozesse, deren Mechanismen oft mehrere, sowohl photochemische als auch thermische Stufen aufweisen. Da die erste Stufe jedoch photochemischer Natur ist, werden diese Reduktionen an dieser Stelle besprochen.

Im Gegensatz zur aromatischen Reihe liefern aliphatische Nitro- und Nitroso-Verbindungen keine interessanten Reduktionsprodukte.

α) in Nitroso-Verbindungen

α_1) Nitroso-alkane

Geminale Chlor-nitroso-Verbindungen werden photochemisch zu den entsprechenden Oximen reduziert:

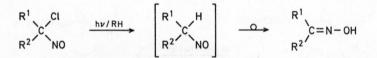

R¹=R²=C_3H_7 (in Heptan); *4-Hydroximino-heptan*[2]; 21% d. Th.
R¹=R²= –(CH₂)₅– (in Cyclohexan); *4-Hydroximino-cyclohexan*[3]; 16% d. Th.

Auch Äther bzw. Methanol können als Lösungsmittel dienen.

β_2) Nitroso-aromaten

Belichtet man Nitrosobenzol in hoher Verdünnung in Isopropanol mit Licht der Wellenlänge 313 nm, so erhält man in analytischem Maßstab *N-Phenyl-hydroxylamin*[4]. Für diese Photoreduktion wird ein $n\pi^*$-Triplett-Zustand der angeregten Nitroso-Gruppe angenommen:

$$^3(H_5C_6-NO)^* + (H_3C)_2CH-OH \longrightarrow H_5C_6-\overset{\cdot}{N}-OH + (H_3C)_2\overset{\cdot}{C}-OH$$

$$H_5C_6-\overset{\cdot}{N}-OH + (H_3C)_2\overset{\cdot}{C}-OH \longrightarrow H_5C_6-NH-OH + (H_3C)_2CO$$

Die Photochemie von Nitrosoaromaten scheint weder in mono- noch in polychromatischem Licht für die präparative Chemie geeignet zu sein. Über ältere Befunde s. Lit.[5-7].

[1] V. I. Stenberg u. E. F. Travecedo, Tetrahedron 27, 513 (1971).
[2] E. Müller, H. Metzger u. D. Fries, B. 87, 1449 (1954).
[3] S. Mitchell, K. Schwarzwald u. S. Simpson, Soc. 1941, 602.
[4] K. Pak u. A. C. Testa, J. phys. Chem. 76, 1087 (1972).
[5] E. Bamberger, B. 35, 1606 (1902).
[6] K. Maruyama, R. Tanikaga u. R. Goto, Bl. chem. Soc. Japan 37, 1893 (1964).
[7] R. Tanikaga, Bl. chem. Soc. Japan 42, 210 (1968).

β) in Nitro-Verbindungen

β₁) *Nitro-alkane*[1]

In der Gasphase wird Nitromethan photolytisch gespalten, und die entstandenen Radikale führen zu einer Reihe von Verbindungen[2]. In flüssiger Phase ist *Methyl-nitrit* das Hauptprodukt.

In wäßriger Lösung erhält man aus 2-Nitro-2-methyl-propanol das Nitroxid-Radikal[3]; in organischen Lösungsmitteln werden die *Bis-[1-hydroxy-2-methyl-propyl]-* und *(1-Hydroxy-äthyl)-[1-hydroxy-2-methyl-propyl-(2)]-nitroxide* erhalten:

$$(H_3C)_2C \underset{CH_2-OH}{\overset{NO_2}{\diagdown}} \xrightarrow{h\nu/C_2H_5OH} [(H_3C)_2C-\overset{OH}{\underset{|}{CH_2}}-]_2N-\overset{\bullet}{O} + (H_3C)_2\overset{CH_2-OH}{\underset{|}{C}}-N-\overset{CH-CH_3}{\underset{|}{OH}}$$

Nitromethan liefert demgemäß *Methyl-(1-hydroxy-äthyl)-* und *Bis-[1-hydroxy-äthyl]-nitroxid*:

$$H_3C-NO_2 \xrightarrow{h\nu/C_2H_5OH} H_3C-\overset{}{\underset{\underset{O^\bullet}{|}}{N}}-\overset{OH}{\underset{|}{CH}}-CH_3 + (H_3C-\overset{OH}{\underset{|}{CH}}-)_2N-\overset{\bullet}{O}$$

Trifluor-nitro-methan führt in Tetrahydrofuran, nach Sauerstoff-Übertragung von Lösungsmittel zu dem intermediär auftretenden Radikal[4]:

$$F_3C-N\underset{\diagdown O^\bullet}{\overset{\diagup OH}{}}$$

β₂) *Nitroaromaten*

Nitroaromaten, mit UV-Licht bestrahlt, abstrahieren oft Wasserstoff vom Lösungsmittel. In speziellen Fällen, wie z. B. beim 2-Nitro-benzaldehyd, wird die photoinduzierte Wasserstoff-Abspaltung intramolekular erwirkt[5]. Primäre und sekundäre Alkohole, sekundäre Amine sowie Äther und Kohlenwasserstoffe sind die üblichen Wasserstoff-Donatoren. Nur in wenigen speziellen Fällen ist die photoinduzierte Reduktion von Nitroaromaten von präparativem Wert. Es wird allgemein angenommen, daß der für die Reduktion verantwortliche spektroskopische Zustand ein $n\pi^*$-Übergang mit Triplett Multiplizität ist[6-8], der eine radikalische Wasserstoff-Abspaltung vom Lösungsmittel induziert.

αα) Nitrobenzol und Nitro-hydroxy-naphthalin

Verschiedene Lösungsmittel oder Lösungsmittelgemische sowie Lewis- und Protonensäuren wurden in der Photoreduktion von Nitrobenzol und Nitro-hydroxy-naphthalin verwendet.

---

[1] Zu photochemischen Primärprozessen s.: S. PASZYC, J. Photochem. **2**, 183 (1973/1974).
[2] R. E. REBBERT u. N. SLAGG, Bull. Soc. chim. belges **71**, 709 (1962).
[3] C. CHACHATY u. A. FORCHIONI, Tetrahedron Letters **1968**, 1079.
[4] J. L. GERLOCK u. E. G. JANZEN, Am. Soc. **90**, 1653 (1968).
[5] A. SCHÖNBERG, *Preparative Organic Photochemistry*, S. 267–270, Springer-Verlag, Berlin 1968.
[6] R. HURLEY u. A. C. TESTA, Am. Soc. **88**, 4330 (1966).
[7] K. OBI, J. W. BOTTENHEIM u. I. TANAKA, Bl. chem. Soc. Japan **46**, 1060 (1973).
[8] K. PAK u. A. C. TESTA, J. phys. Chem. **76**, 1087 (1972).

αα₁) in Isopropanol

Nitrobenzol, in Isopropanol mit UV-Licht bestrahlt, führt zu *Anilin, N-Phenyl-hydroxylamin, Azobenzol* und *Azoxy-benzol*; intermediär wird Nitrosobenzol gebildet:

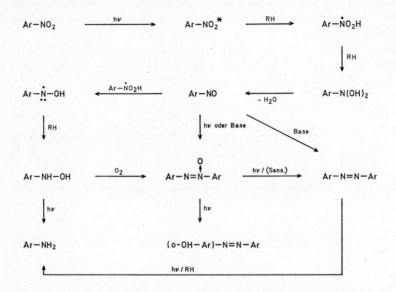

Gibt man einer Nitrobenzol/Isopropanol-Lösung Chlorwasserstoff zu, verändert sich das Reaktionsbild, da außer Reduktion Photosubstitutionen eintreten können. So wird z. B. in einer Salzsäure/Isopropanol-Lösung Nitrobenzol photochemisch zu 43% d.Th. in *2,4-Dichlor-anilin* umgewandelt; als Nebenprodukt wird u. a. *4,4′-Dichlor-azoxybenzol* (12% d.Th.) erhalten. Nitrosobenzol führt unter diesen Reaktionsbedingungen zur analogen Produktaufteilung (Nitrosobenzol tritt also auch hier intermediär auf)[1].

Da die Photoreduktion von Nitrobenzol in Gegenwart von Schwefelsäure unterbunden wird, wird ein Elektrontransfer vom Chlor-Anion auf die angeregte Nitro-Gruppe angenommen. N-Phenyl-hydroxylamin wird nicht isoliert, da es in einer Dunkelreaktion von Salzsäure in *Anilin* übergeführt wird[2].

1-Nitro-naphthalin wird in Isopropanol/Salzsäure und in Gegenwart von Dinatriumanthrachinon-2,6-disulfonat in 70%iger Ausbeute zu *1-Amino-naphthalin* photoreduziert[3].

αα₂) in Diäthylamin

In Diäthylamin verläuft die Photoreduktion von Nitro-benzol einfacher und führt in präparativen Mengen zu *Anilin* (36% d.Th.) und zu *2-Hydroxy-azobenzol* (1,9% d.Th.)[4].

αα₃) in Cyclohexan/Bortrichlorid

Der Nitrobenzol-Bortrichlorid-Komplex, wenn unter Ausschluß von Sauerstoff in Cyclohexan mit 366 nm Licht bestrahlt, führt zu Nitrobenzol und Chlorcyclohexan[5]. Diese interessante Reaktion wurde nicht in präparativem Maßstab mit polychromatischem Licht durchgeführt.

---

[1] G. G. Wubbels, J. M. Jordan u. N. S. Mills, Am. Soc. **95**, 1281 (1973).
[2] S. Hashimoto et al., Bl. chem. Soc. Japan **41**, 1249 (1968).
[3] S. Hashimoto, H. Fujii u. J. Sunamoto, J. chem. Soc. Japan, ind. Chem. Sect. **70**, 316 (1967); C. A. **67**, 81675ᵍ (1967).
[4] J. A. Barltrop, N. J. Bunce u. A. Thomson, Soc. [C] **1967**, 1142.
[5] W. Trotter u. A. C. Testa, J. phys. Chem. **75**, 2415 (1971).

$\beta\beta$) substituierte Nitroaromaten

$\beta\beta_1$) in Alkoholen, Äthern, Eisessig oder Wasser

i$_1$) 4-Nitro-anilide

4-Nitro-anilide werden in Äthanol photochemisch zu 4-Amino-1-acetylamino-benzolen reduziert[1]; z. B.:

$$O_2N-\underset{}{\bigcirc}-NH-CO-C_6H_5 \xrightarrow[R-CH_2-OH]{h\nu/} R-CO-NH-\underset{}{\bigcirc}-NH-CO-C_6H_5$$

R=CH$_3$;   *4-Acetylamino-1-benzoylamino-benzol*; 18% d.Th.
R=C$_2$H$_5$;   *4-Propanoylamino-1-benzoylamino-benzol*; 22% d.Th.; F: 244–245°
R=C$_3$H$_7$;   *4-Butanoylamino-1-benzoylamino-benzol*; 15% d.Th.; F: 234–235°

n Gegenwart von Sauerstoff bleibt die Photoreduktion aus.

4-Acetylamino-1-benzoylamino-benzol[1]: 5 mMol Benzoesäure-4-nitro-anilid in 1 *l* Äthanol wird Stdn. unter Stickstoff bei Zimmertemp. mit einer 400 W Quecksilber-Hochdruck-Lampe bestrahlt.)as Lösungsmittel wird i. Vak. verdampft, und der Chloroform-unlösliche Rückstand wird aus Methanol/ Vasser umkristallisiert; Ausbeute: 18% d.Th.; F: 238–239°.

i$_2$) 4-Nitro-benzoesäureester

4-Nitro-benzoesäure-äthylester wird photochemisch in Äthanol in 32%iger Ausbeute zu *4-Amino-benzoesäure-äthylester* reduziert:

$$O_2N-\underset{}{\bigcirc}-COOC_2H_5 \xrightarrow{h\nu/C_2H_5OH} H_2N-\underset{}{\bigcirc}-COOC_2H_5$$

Analog erhält man aus 4-Nitro-benzoesäure-tert.-butylester zu 52% d.Th. *4-Amino-benzoesäure-tert.-butylester.* 4-Nitro-benzoesäure-phenylester wird dagegen nach der Umesterung durch Äthanol zu *4-Amino-benzoesäure-äthylester* reduziert[2]. Die erwartete Photo-Fries-Umlagerung tritt hier nicht ein[3]. Als Nebenprodukte wurden lediglich die entsprechenden 4,4'-disubstituierten Azoxybenzole isoliert.

i$_3$) 1,2-Dinitro-tetramethyl-benzol

Beim 1,2-Dinitro-tetramethyl-benzol(I) wird photochemisch in Äther selektiv nur eine Nitro-Gruppe reduziert, und man erhält zu 25% d.Th. *2-Amino-1-nitro-tetramethyl-benzol* (II):

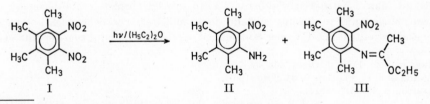

I   II   III

¹ O. Hoshino, Chem. Commun. **1971**, 1572.
² R. A. Finnegan u. D. Knutsen, Am. Soc. **90**, 1670 (1968).
³ R. A. Finnegan u. J. J. Mattice, Tetrahedron **21**, 1015 (1965).

Als interessantes Nebenprodukt fällt *Essigsäure-äthylester-(2-nitro-tetramethyl-phenyl imid)* (III) an; es ist das erste Beispiel einer Kopplung zwischen einem Nitro-Radikal und dem Lösungsmittel-Radikal[1]:

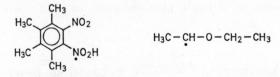

2-Amino-1-nitro-tetramethyl-benzol[1]: 400 mg 1,2-Dinitro-tetramethyl-benzol in 130 *ml* wasserfreiem Äther werden unter Stickstoff durch Vycor-Glas mit einer 450 W Hanovia-L Lampe bestrahlt. Nach ∼ 1,5 Stdn. ist das Ausgangsmaterial aufgebraucht. Das Lösungsmittel wird i. Vak. verdampft und der Rückstand auf einer Aluminiumoxid-Säule mit Chloroform/Benzol (1:9) chromatographisch getrennt. Als erstes Produkt erhält man *Essigsäure-äthylester-(2-nitro-tetramethyl-phenylimid)* (5% d.Th.; F 80–81°). Anschließend fällt *2-Amino-1-nitro-tetramethyl-benzol* (25% d.Th.; F: 115–116°) an.

i₄) 2,4-Dinitro-benzolsulfensäure-chlorid

2,4-Dinitro-benzolsulfensäure-chlorid in Eisessig/Wasser mit Sonnenlicht oder mit einer UV-Lampe bestrahlt, liefert in guter Ausbeute *2-Amino-4-nitro-benzolsulfonsäure*[2, 3]:

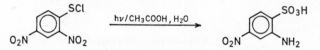

2-Amino-4-nitro-benzolsulfonsäure[4]: 10 g 2,4-Dinitro-benzolsulfensäure-chlorid in 200 *ml* Essigsäure (97,5%ig), wird einige Tage bei 30° durch Quarz-Glas dem Sonnenlicht ausgesetzt. Es bildet sich ein fester Niederschlag, der mit Wasser behandelt wird; der wasserlösliche Teil wird umkristallisiert. Ausbeute: 5,39 g (58% d.Th.); F: 300° (Zers.).

i₅) substituierte Nitrobenzole in Isopropanol

Die systematischen Untersuchungen (2 · 10⁻³ m Lösungen unter Stickstoff mit Licht der Wellenlänge 366 nm bestrahlt) über die photoinduzierte Reduktion von substituierten Nitroaromaten in Isopropanol zeigten folgende Resultate[5,6]. Nitrobenzole mit Elektronenakzeptor-Gruppen in meta oder para Stellung (4-Nitro-, 3- und 4-Cyan-, 3- und 4-Äthoxycarbonyl-, 4-Isopropyloxycarbonyl, 3-Carboxy) werden zu den entsprechenden Anilinen reduziert. Nitrobenzole mit Elektronendonator-Gruppen in para-Stellung (4-Methyl, 4-Methoxy) liefern die entsprechenden N-Phenyl-hydroxylamine. Dagegen werden weder 4-Nitro-aniline noch 4-Nitro-phenol in Isopropanol photochemisch reduziert.

Aus der linearen Korrelation zwischen den Logarithmen der relativen Quantenausbeute und der Hammet Konstanten ($\varrho = +1,5$) läßt sich schließen, daß die Wasserstoff-Abspaltung elektrophil durch die elektronisch angeregte Nitro-Gruppe verläuft.

i₆) Photoreduktion des Nitrazepams[7]

Bestrahlt man 7-Nitro-2-oxo-5-phenyl-2,3-dihydro-1H-⟨benzo-[e]-1,4-diazepin⟩ (I, Nitrazepam, Mogadan®) in Lösungsmitteln, deren Moleküle photochemisch übertragbaren Wasserstoff enthalten, mit UV oder Sonnenlicht, so tritt Photoreduktion der Nitro-Gruppe

---

[1] H. Hart u. J. W. Link, J. Org. Chem. **34**, 758 (1969).
[2] G. Ciamician u. P. Silberg, B. **34**, 2040 (1901).
[3] P. Karrer, B. **47**, 1783 (1914).
[4] F. Kaluza u. G. W. Perold, J. S. African Chem., Inst. **13**, 89 (1960); C. A. **55**, 11346 (1961).
[5] S. Hashimoto u. K. Kano, Tetrahedron Letters **1970**, 3509.
[6] S. Hashimoto u. K. Kand, Bl. chem. Soc. Japan **45**, 549 (1972).
[7] H. J. Roth u. M. Adomeit, Ar. **306**, 889 (1973).

ur Amino-Gruppe und photoreduktive Dimerisierung zu Azo- und Azoxy-Derivaten des Nitrazepams ein. Als Photoprodukte werden die Derivate II–IV isoliert.

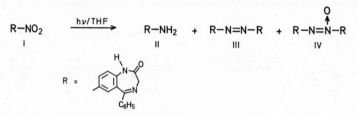

In Tetrahydrofuran sind die Ausbeuten wie folgt:
II, F: 76° (10% d.Th.); III, F: 310° (Zers.) (25% d.Th.); IV, F: 290° (Zers.) (11% d.Th.)

$\beta\beta_2$) in Gegenwart von nucleophilen Substanzen

Auf S.1460 wurde bereits auf den Einfluß von Salzsäure auf die Photoreduktion von Nitroaromaten in Alkohol-Lösungen eingegangen. Recht interessante Resultate wurden auch mit Cyanid-Ionen, Triäthylphosphit und Natrium-tetrahydridoborat erzielt. In Gegenwart von nucleophilen Reagenzien und von Wasserstoff-Donatoren verläuft die Photoreduktion von Nitroaromaten je nach Art der Substituenten am aromatischen Ring unterschiedlich[1, 2]. Als erste Annäherung können die Nitroaromate in zwei Klassen eingeteilt werden:

① Nitroaromaten mit Substituenten ohne nennenswerte Elektronendonator-Eigenschaften. Hier erfolgt der Angriff direkt an der Nitro-Gruppe, und es tritt zumeist Reduktion ein.

② Nitroaromaten mit Substituenten mit Elektronendonatoreigenschaften. Hier treten nucleophile Substitutionen und/oder Additionen ein, Reduktionen treten allgemein nicht auf.

Für die Photoreduktion der Nitroaromaten nach ① wird ein $n\pi^*$-Übergang, für die Photosubstitution oder Addition der Nitroaromaten nach ② dagegen ein $\pi\pi^*$-Übergang angenommen[2].

i_1) in Gegenwart von Cyanid-Ionen

Nitrobenzol und 4-Brom-1-nitro-benzol werden in hoher Verdünnung in Gegenwart von Kaliumcyanid zu den entsprechenden Nitroso-Derivaten photoreduziert:

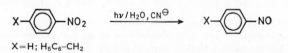

$X = H; H_5C_6-CH_2$

Nitrosobenzol[2]: Eine Lösung von 100 mg Nitrobenzol und 11 g Kaliumcyanid in 1200 ml Wasser wird, durch Vycor-Glas und unter Stickstoff, 30 Min. mit einer 450 W Hanovia Quecksilber-Hochdruck-Lampe bestrahlt; Ausbeute: 50 mg (83% d.Th.; 31 mg Nitrobenzol werden zurückgewonnen).

[1] J. A. J. VINK, J. CORNELISSE u. E. HAVINGA, R. **90**, 1333 (1971).
[2] W. C. PETERSEN u. R. L. LETSINGER, Tetrahedron Letters **1971**, 2197.

i₂) in Gegenwart von Triäthylphosphit

Die photoinduzierten Sauerstoff-Abspaltungen aus Nitrobenzolen in Triäthylphosphit wurden ausführlich untersucht[1,2]. In allen Fällen werden Triäthylphosphat, Phosphorsäure-triäthylester-arylimide und Aniline in schwachen bis mäßigen Ausbeuten erhalten:

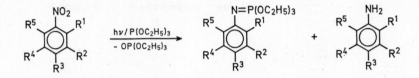

In Gegenwart von Diäthylamin erhält man zusätzlich die Azepine I und II; Phenylnitren wird als Intermediär-Produkt angenommen[3,4].

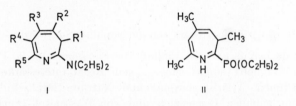

2-Diäthylamino-3H-azepin[2]: Eine Lösung von 12,3 g (100 mMol) Nitrobenzol und 29,2 g (400 mMol) Diäthylamin in 155 *ml* Triäthylphosphit werden durch Pyrex-Glas mit einer 200 W Hanovia-S Tauchlampe 12 Stdn. unter Stickstoff bestrahlt. Das überschüssige Diäthylamin wird i. Vak. abgedampft und Triäthylphosphit bei 0,1 Torr durch eine Vigreux-Kolonne abdestilliert. Der Rückstand wird i. Vak. fraktioniert; Ausbeute: 2,2 g (23% d.Th.).

i₃) in Gegenwart von Natrium-tetrahydridoborat

Natrium-tetrahydridoborat kann in einer thermischen Reaktion die Nitro-Gruppe teilweise, jedoch nicht bis zur Amino-Stufe reduzieren; der Ersatz der Nitro-Gruppe durch Wasserstoff ist nicht möglich. Dagegen gelingt es unter Photolyse Nitroaromaten zu Aminen bzw. den entsprechenden aromatischen Kohlenwasserstoffen zu reduzieren. So erhält man z. B.[5,6] aus

1-Nitro-2-hydroxy-naphthalin in Wasser/Acetonitril (5:95) → *2-Naphthol*; 60% d.Th.

1-Nitro-pyren in Wasser/Acetonitril (6:4)   → *Pyren*; 30% d.Th.

Nitrobenzol in Wasser/Butanol (85:15)   → *Anilin*; 48% d.Th.

β₃) *Nitro-heteroaromaten*

Photochemisch wird 4-Nitro-pyridin in Isopropanol nicht direkt reduziert; gibt man jedoch Salzsäure zu, so wird neben *4,4'-Azoxypyridin* das *4,4'-Azopyridin* erhalten.

Da das Stickstoff-Atom protoniert ist, scheint nur ein $\pi\pi^*$ angeregter Zustand für diese Photoreduktion in Frage zu kommen[7]. Die Quantenausbeute steigt mit der Salzsäure-Konzentration an. Als Zwischenprodukt konnte auch 4-Hydroxylamino-pyridin festgestellt werden, das durch Salzsäure in 4,4'-Azoxypyridin überführt wird[8].

[1] R. J. SUNDBERG et al., Tetrahedron Letters **1968**, 777.
[2] R. J. SUNDBERG, B. P. DAS u. R. H. SMITH, Am. Soc. **91**, 658 (1969).
[3] R. HUISGEN u. M. APPL, B. **91**, 12 (1958).
[4] W. VON E. DOERING u. R. A. ODUM, Tetrahedron **22**, 81 (1966).
[5] C. SWANEWICK u. W. W. WATERS, Chem. Commun. **1970**, 63.
[6] W. C. PETERSEN u. R. L. LETSINGER, Tetrahedron Letters **1971**, 2197.
[7] S. HASHIMOTO, K. KANO u. K. UEDA, Bl. Chem. Soc. Japan **44**, 1102 (1971).
[8] A. CU u. A. C. TESTA, J. phys. Chem. **77**, 1487 (1973).

4,4′-Azoxypyridin und 4,4′-Azopyridin[1]**:** Eine Lösung von 620 mg 4-Nitro-pyridin, 2,5 ml konz. Salzsäure in 1 l Isopropanol wird unter Stickstoff 10 Stdn. mit einer 130 W Quecksilber-Hochdruck-Tauchlampe bestrahlt. Nach dem Neutralisieren mit Natriumcarbonat wird mit Chloroform extrahiert, die Chloroform-Lösung getrocknet und i. Vak. verdampft. Der Rückstand wird aus Wasser umkristallisiert; Ausbeute: 120 mg (24% d.Th.) *4,4′-Azoxypyridin* (F: 125–126,5°).

Behandelt man die Reaktionslösung mit 300 ml 33%igem Natriumhydroxid und verdampft den größten Teil des Lösungsmittels, so verbleibt ein roter Rückstand, der aus Wasser umkristallisiert werden kann; Ausbeute: 150 mg (32% d.Th.) *4,4′-Azopyridin* (F: 109–110,5°).

Daß angeregte Nitropyridinium-Ionen im vorangehenden Beispiel die photoaktive Spezies sind, scheint durch die leichte Photoreduktion von 4-Nitro-pyridin-N-oxiden bestätigt zu sein. In den untersuchten Fällen erhält man die jeweiligen Hydroxylamino-Derivate in quantitativen Ausbeuten[2] (die bekannte Photoisomerisierung[3] bleibt aus):

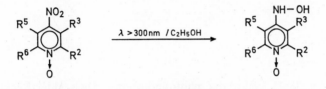

z. B. $R^2 = R^3 = R^5 = R^6 = H$; *4-Hydroxylamino-pyridin-N-oxid*
$R^3 = R^5 = R^6 = H$; $R^2 = CH_3$; *4-Hydroxylamino-2-methyl-pyridin-N-oxid*
$R^2 = R^6 = H$; $R^3 = R^5 = CH_3$; *4-Hydroxylamino-3,5-dimethyl-pyridin-N-oxid*
$R^3 = R^5 = H$; $R^2 = R^6 = CH_3$; *4-Hydroxylamino-2,6-dimethyl-pyridin-N-oxid*

In Gegenwart von Sauerstoff, besser noch mit Eisen(III)-chlorid, werden die Hydroxylamin-Derivate zu 4,4′-Azoxypyridin-N,N′-bis-oxiden oxidativ gekuppelt[4, 5].

Die durch Butandion photosensibilisierten Reaktionen ($\lambda = 400$ nm) führen ebenfalls zu den 4-Hydroxylamino-Derivaten. Aus diesen und anderen spektroskopischen Befunden kann man den Schluß ziehen, daß ein $\pi\pi^*$-Zustand mit Triplett-Multiplizität für die Photoreduktion verantwortlich ist[6].

Erwähnt sei eine flashphotolytische Untersuchung, aus der hervorgeht, daß die Wasserstoff-Abstraktion durch ein im Triplett-Zustand befindlichen Molekül ausgelöst wird[7].

4-Hydroxylamino-pyridin-N-oxid[8]**:** Eine Lösung von 1 g 4-Nitro-pyridin-N-Oxid in 600 ml abs. Äthanol wird unter Stickstoff mit einer 450 W Hanovia Quecksilber-Tauchlampe durch Pyrex-Glas 2,5 Stdn. bestrahlt. Die Lösung wird i. Vak. konzentriert, wobei 4-Hydroxylamino-pyridin-N-oxid in praktisch quantitativer Ausbeute auskristallisiert; F: 219° (Zers.); $\lambda_{max}^{C_2H_5OH} = 290$ (log $\varepsilon = 4,31$).

b) Reaktionen unter Sauerstoffaufnahme (Photooxidation)

bearbeitet von

Dr. William R. Adams*

Die Oxidation organischer Verbindungen mit Sauerstoff unter Lichteinwirkung in Gegenwart eines Farbstoffes als Sensibilisator ist eine milde und äußerst spezifische Methode zum Einbau von molekularem Sauerstoff in die entsprechenden Substanzen. Diese Oxi-

* **Sun Chemical Corp., Carlstadt, N. J. (USA).**
[1] S. Hashimoto, K. Kano u. K. Ueda, Bl. Chem. Soc. Japan **44**, 1102 (1971).
[2] C. Kaneko et al., Tetrahedron Letters **1966**, 4729.
[3] C. C. Spence, E. C. Taylor u. O. Buchardt, Chem. Rev. **70**, 231 (1970).
[4] N. Hata, E. Okutsu u. I. Tanaka, Bl. chem. Soc. Japan **41**, 1769 (1968).
[5] N. Hata, I. Ono u. I. Tsuchiya, Bl. chem. Soc. Japan **45**, 2386 (1972).
[6] I. Ono u. N. Hata, Bl. chem. Soc. Japan **45**, 2951 (1972).
[7] N. Hata u. I. Ono, Bl. chem. Soc. Japan **46**, 3363 (1973).
[8] C. Kaneko, S. Yamada u. I. Yokoe, Tetrahedron Letters **1966**, 4729.

dationsreaktionen laufen unter schonenden Bedingungen ab und werden wegen ihrer hohen Ausbeuten präparativ angewandt. Aufgrund von eindeutigen Beweisen entsteht bei der sensibilisierten Photooxidation elektronisch angeregter molekularer Sauerstoff (Singulett-Zustand) als reaktionsfähiges Zwischenprodukt. Einen besonders eindrucksvollen Beleg hierfür liefern Reagenzien[1] die Singulett-Sauerstoff bilden und die die gleichen Reaktionen auslösen wie die Farbstoff-sensibilisierten Photooxidationen.

Die Reaktion von **Singulett-Sauerstoff** mit organischen Molekülen kann auf drei verschiedenen Wegen erfolgen. Akzeptoren wie Diene, Heterocyclen mit Dien-Struktur und polycyclische Aromaten addieren Sauerstoff unter Bildung bicyclischer Endoperoxide; z. B.:

$$\text{Benzol-Ring} + O_2 \xrightarrow{h\nu\ \langle\text{Sens.}\rangle}$$

2,3-Dioxa-bicyclo[2.2.2]octen

Die Umsetzung verläuft analog der photo-induzierten Diels-Alder-Reaktion und es bestehen zwischen beiden Reaktionstypen enge Parallelen. Akzeptoren, die leicht Diels-Alder-Reaktionen eingehen, sind im allgemeinen auch gegenüber Singulett-Sauerstoff reaktiver.

Die zweite und wahrscheinlich am genauesten untersuchte Art der Photooxidation ist die Reaktion von Singulett-Sauerstoff mit Olefinen, die mindestens ein Wasserstoff-Atom in Allyl-Stellung enthalten, wobei Allyl-hydroperoxide entstehen; z. B.:

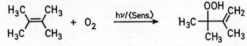

3-Hydroperoxy-2,3-dimethyl-buten

Diese Reaktion besitzt eine formale Ähnlichkeit mit der En-Reaktion, bei der Sauerstoff auf der gleichen Seite des Moleküls eingeführt wird, von welcher der Wasserstoff unter Verschiebung der Doppelbindung abgespalten wird.

Der Anwendungsbereich von Reaktionen mit Singulett-Sauerstoff wurde auf elektronen-reiche Olefine erweitert, die mit Singulett-Sauerstoff durch 1,2-Cycloaddition relativ in-

[1] Singulett-Sauerstoff ist auch auf nicht-photochemischem Wege zugänglich:
① durch Zersetzung von Ozoniden:
R. W. MURRAY u. M. L. KAPLAN, Am. Soc. **90**, 537, 4161 (1968); **91**, 5358 (1969).
R. W. MURRAY, J. W. P. LIN u. M. L. KAPLAN, Ann. N. Y. Acad. Sci. **171**, 121 (1970).
R. W. MURRAY, W. C. LUMA u. J. W. P. LIN, Am. Soc. **92**, 3205 (1970).
E. WASSERMAN et al., Am. Soc. **90**, 4160 (1968).
② durch Zerfall von Endoperoxiden:
H. H. WASSERMAN u. J. R. SCHEFFER, Am. Soc. **89**, 3073 (1967).
H. H. WASSERMAN, J. R. SCHEFFER u. J. L. COOPER, Am. Soc. **94**, 4991 (1972).
③ durch Umsetzung von Natriumhypochlorit mit Wasserstoffperoxid:
C. S. FOOTE u. S. WEXLER, Am. Soc. **86**, 3879 (1964).
C. S. FOOTE, Accounts Chem. Res. **1**, 104 (1968).
④ durch elektrische Entladungen:
S. N. FONER u. R. L. HUDSON, J. Chem. Physics **25**, 601 (1956).
J. F. NOXON, Canad. J. Physics **39**, 1110 (1961).
E. J. COREY u. W. C. TAYLOR, Am. Soc. **86**, 3881 (1964).
J. R. SCHEFFER u. M. DI, Tetrahedron Letters **1970**, 223.

stabile 1,2-Dioxetane bilden; diese reaktiven Zwischenprodukte zerfallen im allgemeinen thermisch zu Carbonylverbindungen:

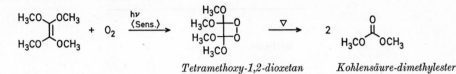

Tetramethoxy-1,2-dioxetan   *Kohlensäure-dimethylester*

In neuerer Zeit wurde zum ersten Mal ein 1,2-Dioxetan isoliert[1,vgl. a. 2].

Farbstoff-sensibilisierte Photooxidationen unterscheiden sich deutlich von den durch Radikale initiierten Autoxidationen. Diese Autoxidationen werden im allgemeinen nur durch die sehr energiereichen Photonen des UV-Lichtes ausgelöst. Auf diese Weise werden z. B. Alkohole, Ketone, Aldehyde, Carbonsäuren und Kohlenwasserstoffe zu Peroxiden und Hydroperoxiden oxidiert[3].

Die Farbstoff-sensibilisierte Photooxidation, bei der der Farbstoff die energieärmeren Photonen des sichtbaren Lichtes absorbiert, ist dagegen keine Kettenreaktion. Nach einem allgemein anerkannten Reaktionsmechanismus[4] überträgt der Triplett-Sensibilisator Energie auf den Sauerstoff, der dadurch in elektronisch angeregtem molekularen Singulett-Sauerstoff übergeht, der dann mit einem geeigneten Akzeptor ein Peroxid oder Hydroperoxid bildet.

Die Energieübertragung vom Triplett-Sensibilisator auf Triplett-Sauerstoff ist ein erlaubter Prozeß der zur Bildung von zwei elektronisch angeregten Singulett-Sauerstoff-Zuständen führt. Der $^1\Delta$g-Zustand besitzt eine Energie, die um 22 kcal größer als die des Grundzustandes ist, während die Anregungsenergie von $^1\Sigma$g$^+$ noch beträchtlich höher liegt.

Tab. 198. Elektronenzustände und Konfigurationen des Sauerstoff-Moleküls

Zustand	Besetzung der höchsten Orbitale		Energie [kcal]
$^1\Sigma$g$^+$	↑	↓	37
$^1\Delta$g	↓↑	—	22
$^3\Sigma$g$^-$	↑	↑	Grundzustand

Mißt man die integrierten Absorptionskoeffizienten dieser Übergänge, so erhält man für den $^1\Delta$g-Zustand eine Strahlungs-Lebensdauer von 45 Min.[5,6] und für den $^1\Sigma$g$^+$-Zustand[7,8] von 7–12 Sek. In kondensierten Phasen ist jedoch die Lebensdauer im allgemeinen infolge von Zusammenstößen mit anderen Molekülen geringer. So wurde z. B. die Lebensdauer des $^1\Delta$g-Zustandes spektrometrisch in Lösungsmitteln gemessen, die gewöhnlich für Photooxidationen verwendet werden[9]. Wie Tab. 199 (S. 1468) zeigt, steigt z. B. die Lebensdauer auf das Hundertfache an, wenn man Schwefelkohlenstoff anstelle von Wasser als Lösungsmittel verwendet.

[1] H. A. O'NEIL u. W. H. RICHARDSON, Am. Soc. 92, 6553 (1970).
[2] C. S. FOOTE, Accounts Chem. Res. 1, 104 (1963).
[3] Über die Photooxidation von Aldehyden zu Persäuren s. z. B.:
    M. NICLAUSE, J. LEMAIRE u. M. LETORT, Adv. Photochem. 4, 25 (1966).
[4] H. KAUTSKY u. H. DE BRUIJN, Naturwiss. 19, 1043 (1931).
[5] R. M. BADGER, A. C. WRIGHT u. R. F. WHITLOCK, J. Chem. Physics 43, 4345 (1965).
[6] R. W. NICHOLLS, Canad. J. Chem. 47, 1847 (1969).
[7] W. H. J. CHILDS u. R. MECKE, Z. Physik 68, 344 (1931).
[8] L. WALLACE u. D. M. HUNTEN, H. Geophys. Res. 73, 4813 (1968).
[9] P. B. MERCEL u. D. R. KEARNS, Am. Soc. 94, 1029 (1972).

Tab. 199. Einfluß des Lösungsmittels auf die Lebensdauer von $^1\varDelta$g

Lösungsmittel	τ ($^1\varDelta$g) [μ Sek.]
Wasser	2
Methanol	7
Benzol	24
Aceton	26
Schwefelkohlenstoff	200

Beide elektronisch angeregten Zustände bilden sich intermediär bei Photooxidationen[1,2]

Dieser Beitrag beschreibt ausführlich die verschiedenen Methoden zur Erzeugung von Singulett-Sauerstoff und seine präparative Anwendung unter besonderer Berücksichtigung der Substrate und der gebildeten Produkte.

Zahlreiche Übersichtsartikel über den Mechanismus und Anwendungsbereich von Photooxidationen[3-15] sind erschienen.

Die gleichzeitige Einwirkung von Licht und Sauerstoff auf eine geeignete Sensibilisator/Akzeptor-Mischung ist wahrscheinlich das einfachste Verfahren zur Umsetzung von Singulett-Sauerstoff im präparativen Maßstab. Photochemische Reaktoren können leicht mit üblichen Mitteln zusammengestellt werden und bestehen im allgemeinen aus einer mit Wasser gekühlten Pyrex-Immersion und einer Tauchschacht-Apparatur mit Rückflußkühler und Fritte zur Einführung von Luft oder Sauerstoff (s. S. 69ff.). Es gibt ausführliche Beschreibungen von einfachen und zweckmäßigen Apparaturen, die sowohl für präparative als auch für kinetische Zwecke verwendet werden[4,11].

Als Lichtquellen werden im allgemeinen Wolfram-Glühlampen, Quecksilber- und Xenon-Mitteldruck- bis Hochdruck-Lampen eingesetzt. Um unerwünschte Nebenreaktionen auf ein Mindestmaß herabzusetzen, empfiehlt sich der Gebrauch eines Monochromators oder von Farbfiltern.

Die Struktur des Substrates ist bei Photooxidationen von entscheidender Bedeutung.

[1] D. R. Kearns et al., Am. Soc. **89**, 5455 (1967).
[2] D. R. Kearns et al., Am. Soc. **89**, 5456 (1967).
[3] K. Gollnick u. G. O. Schenck in J. Hamer, *1,4-Cycloaddition Reactions*, S. 225, Academic Press, New York 1967.
[4] K. Gollnick in W. A. Noyes, Jr., G. S. Hammond u. J. N. Pitts, Jr., *Ad. Photochem.*, S. 1, Vol. 6, Wiley-Interscience, New York 1968.
[5] K. Gollnick u. G. O. Schenck, Pure Appl. Chem. **9**, 507 (1964).
[6] C. S. Foote, Accounts Chem. Res. **1**, 104 (1968).
[7] Y. A. Arbuzov, Russ. Chem. Rev. (engl.) **34**, 558 (1965).
[8] R. Livingston in W. O. Lundberg, *Autoxidation and Antioxidants*, S. 249, Vol. 1, Wiley-Interscience, New York 1961.
[9] E. J. Bowen in W. A. Noyes, Jr., G. S. Hammond u. J. N. Pitts, Jr., *Ad. Photochem.*, S. 23, Vol. 1, Wiley-Interscience, New York 1963.
[10] W. Bergman u. M. J. McLean, Chem. Rev. **28**, 367 (1941).
[11] W. R. Adams in R. L. Augustine u. D. J. Trecker, *Oxidation*, S. 65, Vol. 2, Marcel Dekker Inc., New York 1971.
[12] D. R. Kearns, Chem. Rev. **71**, 395 (1971).
[13] D. R. Kearns u. A. U. Khan, Photochem. Photobiol. **10**, 193 (1969).
[14] D. R. Kearns, Am. Soc. **91**, 6554 (1969).
[15] T. Wilson u. J. Hastings in A. C. Giese, *Photophysiology*, S. 49, Vol 5, Academic Press. New York 1970.

Gemessen wurden die relativen Geschwindigkeiten der mit Methylenblau sensibilisierten Photooxidation mehrerer Olefine[1]. So wird das am stärksten substituierte Olefin, 2,3-Dimethyl-buten-(2), $5,5 \times 10^3$ mal schneller als Cyclohexen oxidiert. Enthält z. B. ein Molekül eine tri- und eine tetra-substituierte C=C-Doppelbindung, so reagiert bevorzugt letztere, während eine mono- oder di-substituierte C=C-Doppelbindung sich praktisch nicht umsetzt.

Die relativen Reaktivitäten[2] einer Reihe von Akzeptoren erstrecken sich über einen Bereich von 5 Zehnerpotenzen, wobei von den untersuchten Substraten 2,5-Dimethyl-furan am reaktionsfähigsten ist (Tab. 200).

Tab. 200. Relative Reaktivitäten von Akzeptoren

Akzeptor	Photooxidation k (relativ)
2,5-Dimethyl-furan	2,4
Cyclopentadien	1,2
2,3-Dimethyl-buten-(2)	(1,00)
Cyclohexadien-(1,3)	0,08
1-Methyl-cyclopenten	0,05
trans-3-Methyl-penten-(2)	0,04
cis-3-Methyl-penten-(2)	0,03
2-Methyl-penten-(2)	0,024
1-Methyl-cyclohexen	0,0041
cis-4-Methyl-penten-(2)	0,00026
Cyclohexen	0,000048

Die Photooxidation von 5,6-Dimethoxycarbonyl-cyclohexadien-(1,3) zeigt deutlich den Einfluß der Elektronendichte auf die Reaktivität. In Einklang mit dem elektrophilen Charakter des Singulett-Sauerstoff steht die Tatsache, daß sich nur mit 5,6-Dimethoxycarbonyl-cyclohexadien-(1,3) das entsprechende Endoperoxid {endo-7,endo-8-Dimethoxycarbonyl-2,3-dioxa-bicyclo[2.2.2]octen-(5)} bildet, während 2,3-Dimethoxycarbonyl-cyclohexadien-(1,3) nicht reagiert[3]:

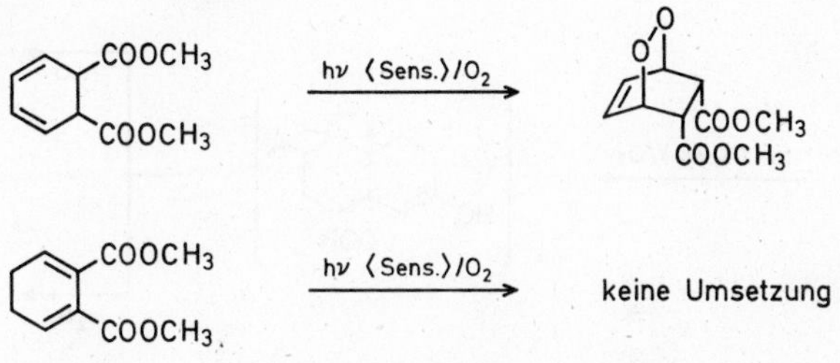

Nebenreaktionen, wie z. B. die radikalische Oxidation, treten dagegen besonders bei Substraten mit Doppelbindungen auf, die gegenüber Singulett-Sauerstoff relativ reaktionsträge sind. In solchen Fällen empfiehlt es sich zur Lösung vor der Belichtung einen Radikalfänger zuzusetzen (Hydrochinon).

[1] K. R. KOPECKY u. H. J. REICH, Canad. J. Chem. **43**, 2265 (1965).
[2] C. S. FOOTE, Accounts Chem. Res. **1**, 104 (1968).
[3] G. O. SCHENCK, A. **584**, 156 (1953).

Als Sensibilisatoren werden bei diesen Photooxidationen im allgemeinen aromatische Ketone wie Benzophenon und Xanthon und organische Farbstoffe verwendet. Für synthetische Zwecke sind wahrscheinlich Xanthen-Farbstoffe (z. B. Fluorescein, Eosin, Erythrosin B und Bengalrosa), Phenothiazin-Farbstoffe (z. B. Methylenblau) und bestimmte Porphyrine die wirksamsten Sensibilisatoren. Alle diese Verbindungen zeigen eine starke Absorption im sichtbaren Spektralbereich und erzeugen langlebige Triplett-Zustände.

Für die Oxidation von Lävopimarsäure werden verschiedene Farbstoff-Sensibilisatoren verwendet[1]:

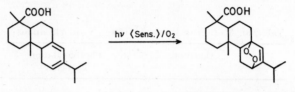

6,14-Endoperoxy-6,14-dihydro-lävopimarsäure

Die Umsetzung verläuft bei vollständigem Umsatz am schnellsten mit Bengalrosa, während Farbstoffe wie Thymolblau, Kristallviolett, Rosanilin und Phenolphthalein-Farbstoffe keine sensibilisierende Wirkung zeigen (Tab. 201).

Tab. 201. Einfluß des Sensibilisators auf die Photooxidation von Lävopimarsäure

Sensibilisator	Reaktionszeit [Stdn.] (vollständige Reaktion)
Bengalrosa	3,5
Methylenblau	4,5
Erythrosin	4,8
Eosin	7,7
Chlorophyll	72
2,5-Dimethyl-p-benzochinon	100

Die sensibilisierte Photooxidation von 3β-Hydroxy-cholesten-(4) liefert nur zwei Produkte, das *4α,5α-Epoxy-3-oxo-cholestan* und das *3-Oxo-cholesten-(4)*[2]:

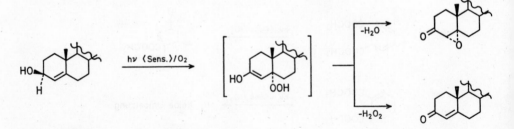

Das Verhältnis Enon zu Epoxy-keton hängt dabei stark von der Art des Sensibilisators ab[3]. Verwendet man z. B. einen Sensibilisator mit niedriger Triplett-Energie wie z. B. Methylenblau (34 kcal/Mol), so ist das Verhältnis[3] Enon/Epoxy-keton 1:3. Bei Verwendung von Sensibilisatoren mit hoher Triplett-Energie (>50 kcal/Mol) wie Fluorescein und Eosin Y erhält man genau das umgekehrte Verhältnis, d. h. Enone/Epoxy-ketone = 3:1.

[1] R. N. Moore u. R. J. Lawrence, Am. Soc. 80, 1438 (1958).
[2] A. Nickon u. W. L. Mendelson, Am. Soc. 85, 1894 (1963); 87, 3921 (1965).
[3] D. R. Kearns et al., Am. Soc. 89, 5455f. (1967).

Es scheint jedoch keine einfache Beziehung zwischen der Triplett-Energie eines bestimmten Sensibilisators und ihrem Einfluß auf die Produktverteilung zu bestehen. Die Photooxidation von (+)-Limonen in Gegenwart von verschiedenen Sensibilisatoren, deren Triplett-Energien zwischen 34,0 kcal/Mol (Methylenblau) und 68,5 kcal/Mol (Benzophenon) liegen, liefert fast identische Alkohol-Mischungen (Tab. 202)[1]. Eine unterschiedliche Produktverteilung erhält man nur mit dem $^3(n,\pi^*)$-Sensibilisator Benzophenon, der fast die gleiche Triplett-Energie wie Triphenylen hat. Dies steht im Einklang mit der Fähigkeit von Benzophenon zur Abstraktion von Wasserstoff und Begünstigung der radikalischen Oxidation:

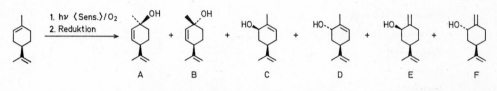

A   B   C   D   E   F

6-Hydroxy-6-methyl-3-   6-Hydroxy-1-methyl-4-   2-Hydroxy-4-isopropenyl-
isopropenyl-cyclohexen   isopropenyl-cyclohexen   1-methylen-cyclohexan

Tab. 202. Sensibilisierte Photooxidation von (+)-Limonen in Methanol bei 20°

Sensibilisator	Triplett-Energie [kcal/Mol]	Alkohole aus (+)-Limonen (%)[a]					
		A	B	C	D	E	F
Benzophenon	68,5	27	27	7	18	8	13
Triphenylen	66,5	38	10	3	8	20	21
Chinolin	62,0	33	12	4	10	20	21
Pyren	48,7	36	9	4	9	20	22
Bengalrosa	39,5–42,2	34	10	5	10	21	20
Methylenblau	34,0	36	10	4	9	21	19

[a] Produktverteilung nach Reduktion der Hydroperoxid-Mischung

Da diese Sensibilisatoren hohe Extinktionskoeffizienten besitzen, ist nur eine geringe Menge Farbstoff erforderlich um Photooxidationen auszulösen. So genügen für präparative Zwecke 50–100 mg Farbstoff/110 g Substrat. Da die Farbstoffe im intensiven Licht instabil sind und ausbleichen, muß häufig während der Umsetzung weiterer Sensibilisator zugegeben werden. Neben der Energieübertragung zur Erzeugung von Singulett-Sauerstoff können die Sensibilisatoren, je nach ihrer Struktur, durch Wasserstoffübertragung mit dem Akzeptor in Wechselwirkung treten oder mit Sauerstoff selbst reagieren, wobei Peroxide oder Hydroperoxide entstehen können. Diese Konkurrenzreaktionen werden um so stärker, je geringer die Reaktivität des Akzeptors gegenüber Singulett-Sauerstoff ist.

Die Wahl des Lösungsmittels wird durch die Löslichkeit von Substrat und Sensibilisator im Reaktionsmedium bestimmt. Folgende Lösungsmittel werden im allgemeinen benutzt: Aceton, Alkohole (Methanol, Äthanol und Isopropanol), Tetrahydrofuran, Wasser Pyridin, Chloroform, Dichlormethan und Schwefelkohlenstoff. Zum Einfluß des Lösungsmittels auf die Geschwindigkeit der Sauerstoff-Aufnahme und die anschließende Peroxid-Bildung s. Lit.[2] sowie Tab. 203 (S. 1472).

[1] K. GOLLNICK et al., Ann. N. Y. Acad. Sci. 171, 89 (1970).
[2] C. DUFRAISSE u. M. BADOCHE, C. r. 200, 929, 1103 (1935).

Tab. 203. Einfluß des Lösungsmittels auf die Photooxidation von Rubren zum 5,12-Endoperoxy-5,12-dihydro-rubren

Lösungsmittel	Rel. Geschw. der Peroxid-Bildung
Schwefelkohlenstoff	9
Chloroform	3
Methyljodid	1
Benzol	1
Aceton	1
Diäthyläther	0,5
Pyridin	0,25
Nitrobenzol	0,1
Schwefelkohlenstoff (75%) und Diäthyläther (25%)	2

Die Lebensdauer von Singulett-Sauerstoff hängt stark von der Art des Lösungsmittels ab[1]. Tab. 204 zeigt, daß zwischen der Viskosität bzw. Dielektrizitätskonstante und der Lebensdauer keine Beziehung besteht.

Tab. 204. Einfluß des Lösungsmittels auf die Lebensdauer $^1\Delta g$

Lösungsmittel	Viskosität [cP]	Dielektrizitäts-konstante	$e^1\Delta g$ [μ Sek.]
Wasser	0,80	80	2
Methanol	0,51	33	7
Benzol	0,56	2,2	24
Aceton	0,29	~20	26
Schwefelkohlenstoff	0,35	2,6	200

Wegen der Unlöslichkeit wirksamer Sensibilisator-Farbstoffe in Schwefelkohlenstoff wurde ein Lösungsmittelsystem verwendet, das noch die Vorteile von Schwefelkohlenstoff zeigt[2]: Schwefelkohlenstoff/Methanol/Äther (14:1:1,5). Mit diesem System erhält man im allgemeinen größere Reaktionsgeschwindigkeiten und höhere Ausbeuten als mit anderen Lösungsmitteln.

---

[1] P. B. Merkel u. D. R. Kearns, Am. Soc. 94, 1029 (1972).
[2] E. J. Forbes u. J. Griffiths, Chem. Commun. 1967, 427.

Außer der Oxidationsgeschwindigkeit und den Ausbeuten kann das Lösungsmittel auch den Verlauf der Oxidation entscheidend beeinflussen[1-5]. So liefert z. B. die Photooxidation von Pyrrol[6,7] in Methanol *5-Methoxy-2-oxo-2,5-dihydro-pyrrol* (A) und *Maleinsäureimid* (B), während in wäßriger Lösung unter ähnlichen Bedingungen ausschließlich *5-Hydroxy-2-oxo-2,5-dihydro-pyrrol* (C) entsteht[1]:

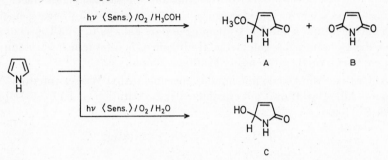

Tab. 205. Photooxidation von Pyrrol in Abhängigkeit von Lösungsmittel

Lösungsmittel	Belichtungsdauer [Stdn.]	Photolysiertes Pyrrol in % (g/Vol.)	Isolierte Derivate		
			B (%)	A(%)	C (%)
CH₃OH	0,75	0,1	1	13	0
CH₃OH	2,0	0,1	2	16	0
CH₃OH	4,0	0,1	3	14	0
H₂O	0,75	0,1	0	0	28
H₂O	4,0	0,1	0	0	31

Durch Photolyse von [2.2](2,5)Furanophan (I) in einer mit Luft durchspülten Methanol-Lösung entsteht in 42%iger Ausbeute *4,7-Dioxo-13-oxa-tetracyclo[8.2.1.0¹,⁵.0⁶,¹⁰]tridecen-(11)* (II)[8]:

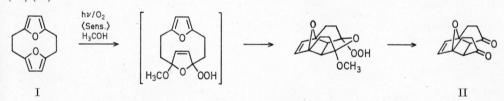

In Dichlormethan verläuft dagegen die Photooxidation unter ausschließlicher Bildung des *1,12;4,5;6,7;10,11-Tetrakis-[epoxi]-13,14-dioxa-tricyclo[8.2.1.1⁴,⁷]tetradecan*[3]:

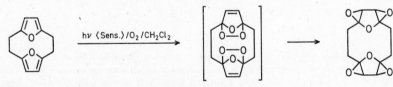

[1] G. B. QUISTAD u. D. A. LIGHTNER, Chem. Commun. 1971, 1099.
[2] H. H. WASSERMAN u. E. DRUCKREY, Am. Soc. 90, 2440 (1968).
[3] H. H. WASSERMAN u. R. KITZING, Tetrahedron Letters 1969, 5315.
[4] T. MATSUURA u. I. SAITO, Tetrahedron 25, 549 (1969).
[5] T. MATSUURA u. I. SAITO, Tetrahedron Letters 1968, 3273.
[6] F. BERNHEIM u. J. E. MORGAN, Nature 144, 290 (1939).
[7] P. deMAYO u. S. T. REID, Chem. & Ind. 1576 (1962).
[8] H. H. WASSERMAN u. A. R. DOUMAUX,Jr., Arch. Soc. 84, 4611 (1962).

1. Photooxidation von Alkenen

α) von Mono-alkenen und nichtkonjugierten Dienen

Die 1,3-Cycloaddition von Singulett-Sauerstoff an acyclische und cyclische Alkene unter Bildung von Allyl-hydroperoxiden wurde am eingehendsten untersucht und stellt eine leistungsfähige, selektive und stereospezifische Methode zur Einführung einer Hydroxy-Gruppe in ein Olefin unter milden Bedingungen dar. Falls es für die Umsetzung des Substrats bzw. die Isolierung des gebildeten Hydroperoxids erforderlich ist, kann die Photooxidation bei tiefen Temperaturen durchgeführt werden.

Photooxidiert werden Alkene mit mindestens einem Allyl-Wasserstoffatom. Wie bereits erwähnt, nimmt die Reaktivität mit abnehmender Substitution an der C=C-Doppelbindung stark ab (s. S. 1469):

Tetra- > Tri- ≫ Di-substitution

Mono-substituierte Olefine reagieren im allgemeinen nicht [vgl. hierzu auch die Umsetzung von (+)-Limonen S. 1471].

Tab. 206 zeigt die Unterschiede zwischen der radikalischen Autoxidation einerseits und der chemischen sowie photochemischen Oxidation andererseits. Die Resultate machen ferner klar, daß bei der Photooxidation jeder Mechanismus ausgeschlossen werden muß, bei dem der Entzug von Wasserstoff den Initiierungsschritt darstellt.

Tab. 206. Produktverteilungen der Photooxidation, chemischen Oxidation und radikalischen Autoxidation von 1,2-Dimethyl-cyclohexen[1]

Produkt	Photooxidation [% d.Th.]	Chemische Oxidation $CuCl^{\oplus}/H_2O_2$ [% d.Th.]	Radikalische Autoxidation [% d.Th.]
2-Hydroxy-2-methyl-1-methylen-cyclohexan	89	91	6
3-Hydroxy-2,3-dimethyl-cyclohexen	11	9	39
3-Hydroxy-1,2-dimethyl-cyclohexen	0	0	54

Die durch Umsetzung mit Singulett-Sauerstoff gebildeten Produkte besitzen eine C=C-Doppelbindung die gegenüber der Doppelbindung in der Ausgangsverbindung verschoben ist, während bei der Autoxidation als Hauptprodukt ein ungesättigter Alkohol mit unverschobener C=C-Doppelbindung entsteht.

Der Mechanismus der Addition von Singulett-Sauerstoff an Olefine wurde eingehend untersucht und ein Zweistufen-Mechanismus nach dem intermediär ein 1,2-Dioxetan I

---

[1] C. S. Foote, Accounts Chem. Res. 1, 104 (1968).

bzw. Peroxiran II entstehen soll, postulliert[1]:

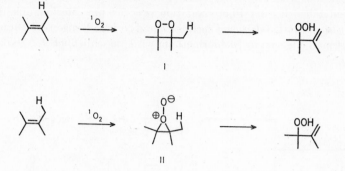

Zumeist jedoch wird die „konzertierte" Addition von Singulett-Sauerstoff an das Olefin analog dem Mechanismus der „En-Reaktion"[2,3] vorgezogen; der Übergangszustand hierzu wird durch folgende Formel beschrieben:

Dieser Mechanismus erklärt die recht strengen geometrischen Anforderungen an die Photooxidation der Cycloolefine und ungesättigten Steroide. Die starren Systeme bedingen eine *cis*-Beziehung zwischen der gespaltenen C–H-Bindung und der gebildeten C–O-Bindung. Diese Beziehung geht eindeutig aus der Photooxidation von *3β-Hydroxy-7α-deuterio-cholesten-(5)* zu *3β-Hydroxy-5α-hydroperoxy-cholesten-(6)* hervor (es enthält nur 8,5% vom ursprünglichen Deuterium). Geht man dagegen von dem *7β*-Deuterio-Derivat aus, so beträgt der Deuterium-Gehalt im Hydroperoxy-Endprodukt 95%[4].

R^1=H; R^2=D
R^1=D; R^2=H

Bei der Photooxidation von Alkenen bzw. Cycloalkenen oder entsprechend nichtkonjugierter Diene können die resultierenden Hydroperoxide direkt, bzw. nach Reduktion die Alkohole[5,6] oder nach Dehydratisierung mit Raney-Nickel, isoliert werden[7--10].

[1] D. B. SHARP, Abstracts 139th National Meeting of the Amer. Chem. Soc., N. Y., Sept., 1960, S. 79. W. FENICAL, D. R. KEARNS u. P. RADLICK, Am. Soc. **91**, 3396, 7771 (1969). N. HASTY et al., Tetrahedron Letters **1972**, 49.

[2] K. GOLLNICK, D. HITISCH u. G. SCHADE, Am. Soc. **94**, 1747 (1972).

[3] C. S. FOOTE, T. T. FUJIMOTO u. Y. C. CHANG, Tetrahedron Letters **1972**, 45.

[4] A. NICKON u. J. F. BAGLI, Am. Soc. **83**, 1498 (1961); **81**, 5330 (1959).

[5] A. NICKON u. J. F. BAGLI, Am. Soc. **83**, 1498 (1961); mit Natriumjodid. N. FURMTACHI, Y. NAKADAIRA u. K. NAKANISHI, Chem. Commun. **1968**, 1625.

[6] C. W. JEFFORD et al., Helv. **56**, 2649 (1973); mit Triphenylphosphin bzw. Natriumboranat.

[7] A. NICKON u. J. F. BAGLI, Am. Soc. **83**, 1498 (1961).

[8] K. GOLLNICK, D. HITISCH u. G. SCHADE, Am. Soc. **94**, 1747 (1972); mit 2,3-Dimethyl-buten-(2).

[9] N. FURMTACHI, Y. NAKADAIRA u. K. NAKANISHI, Chem. Commun. **1968**, 1625; mit 5-Oxo-2-methyl-hexen-(2).

[10] P. J. DUNPHY, Chem. Ind. **1971**, 731; mit 1-Acetoxy-3,7-dimethyl-octadien-(2,6) (Geranylacetat).

Die Art der bei der Umsetzung von Singulett-Sauerstoff mit 1,2-Diphenyl-cyclobuten gebildeten Reaktionsprodukte hängt äußerst stark vom Lösungsmittel ab. In Methanol oder Aceton entstehen bei der Photooxidation ($\lambda = 520$ nm; Methylenblau) mit 95%iger Ausbeute *3-Hydroperoxy-2,3-diphenyl-cyclobuten* und geringe Mengen *1,4-Dioxo-1,4-diphenyl-butan*. Oxidiert man dagegen in Dichlormethan, wird ausschließlich *1,4-Dioxo-1,4-diphenyl-butan* erhalten[1]:

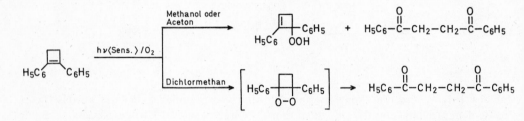

Die Bildung des Hydroperoxids kann durch 1,3-Cycloaddition, die des Diketons durch 1,2-Cyclo-addition von Singulett-Sauerstoff an die Ausgangsverbindung mit anschließendem Zerfall des intermediären 1,2-Dioxetans, erklärt werden.

1,4,5,8-Tetrahydro-naphthalin verbraucht infolge einer 1,4- und 1,3-Cycloaddition zwei Mole Sauerstoff, wobei sich *6-Hydroperoxy-9,10-dioxa-tricyclo[6.2.2.0^{1,6}]dodecadien-(3,11)* bildet[2]:

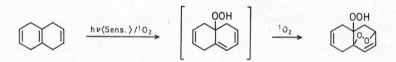

Zur Überführung ungesättigter Steroide in die entsprechenden Hydroperoxide diene folgendes Beispiel.

3β-Hydroxy-5α-hydroperoxy-cholesten-(6)[3]: Eine Lösung von 1,923 g Cholesterin und 32,5 mg Hämotoporphyrin in 600 *ml* Pyridin wird mit einer Hanovia 200 W Lampe unter Verwendung eines Pyrex-Filters 24 Stdn. bestrahlt. Während dieser Zeit wird Sauerstoff durchgeleitet. Man engt i. Vak. auf 50 *ml* ein und gibt 50 *ml* Äther und 75 mg Holzkohle zu. Anschließend rührt man 30 Min., filtriert und zieht das Lösungsmittel ab. Das zurückbleibende Öl wird in 50 *ml* Benzol gelöst, aus dem bei längerem Stehen das Oxidationsprodukt auskristallisiert; Ausbeute: 1,552 g (74,5% d.Th.); F: 148–150°.

Auf ähnliche Weise wird aus 3β-Acetoxy-cholesten-(6) *3α-Acetoxy-7α-hydroperoxy-cholesten-(5)* (F: 142–142,5°) gewonnen[4].

Photolysiert man (+)-Caren-(3) mit einem Quecksilber-Hochdruck-Brenner (Osram HgH 1000) in Methanol bei 18–20° in Gegenwart von Bengalrosa und Sauerstoff und reduziert die Reaktionslösung nach Beendigung der Bestrahlung mit Natriumsulfit, so erhält man als Hauptprodukt (–)-*trans-4-Hydroxy-caren-(2)* {*4-Hydroxy-4,7,7-trimethyl-bicyclo[4.1.0]hepten-(2)*; I; 29% d.Th.; Kp$_{1,5}$ = 74–76°}, (+)-*trans-3-Hydroxy-caren-(4)* {*4-Hydro-xy-3,7,7-trimethyl-bicyclo[4.1.0]hepten-(2)*; II; 22% d.Th.; Kp$_3$ = 93–94°} und (–)-*trans-3-*

[1] A. G. Schultz u. R. H. Schlessinger, Tetrahedron Letters **1970**, 2731.
[2] K. Gollnick u. G. O. Schenck in J. Hamer, *1,4-Cycloaddition Reactions*, S. 255, Academic Press, New York 1967.
[3] M. J. Kulig u. L. L. Smith, J. Org. Chem. **38**, 3639 (1973).
[4] A. Nickon u. J. F. Bagli, Am. Soc. **83**, 1498 (1961).

Hydroxy-caren-(4^{10}) *{4-Hydroxy-7,7-dimethyl-3-methylen-bicyclo[4.1.0]heptan*; III; 21% d. Th.; F: 56–57°}[1]:

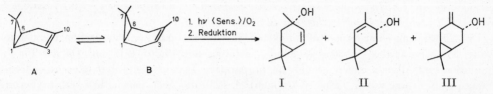

A   B

I   II   III

Die Produktverteilung wird durch die Annahme erklärt, daß zwischen den Konformeren A und B ein Gleichgewicht besteht und daß nur die geschlossene Wannenform B reagiert. Deshalb nehmen die Allyl-Wasserstoffatome an C–2 und C–5 nur dann eine axial-Stellung, wenn sie in *cis*-Stellung zum Cyclopropan-Ring stehen (nach früheren Untersuchungen an Steroiden werden pseudo-axiale Wasserstoffatome im Vergleich zu pseudo-äquatorialen Wasserstoffatomen bevorzugt entfernt[2]). In B stehen sie jedoch in *trans*-Stellung zum Cyclopropan-Ring und da nur *trans*-Alkohole gebildet werden, behindert der sperrige 7,7-Dimethyl-cyclopropan-Ring offensichtlich den Angriff des Sauerstoffs in *cis*-Stellung.

Obwohl Bicyclo[2.2.1]hepten selbst nicht mit Singulett-Sauerstoff reagiert[3], erhält man bei der sensibilisierten Photooxidation von 5-Äthyliden-bicyclo[2.2.1]hepten-(2) (450W Quecksilber-Hochdruck-Bogenlampe; in Methanol; Bengalrosa; unter Luft-Zufuhr) nach Reduktion mit Natriumsulfit als Hauptprodukte: *exo-5-Hydroxy-endo-5-vinyl-* (35%), *endo-5-Hydroxy-exo-5-vinyl-bicyclo[2.2.1]hepten-(2)* (12%) und *2-(1-Hydroxy-äthyl)-bicyclo[2.2.1]heptadien-(2,5)* (23%)[4]. Die bevorzugte Bildung des *exo-2*-Hydroxy-Epimeren steht im Einklang mit dem Angriff des Singulett-Sauerstoffs von der leichter zugänglichen *exo*-Richtung her. Die analoge Photooxidation von 2-Methyl-bicyclo[2.2.1]hepten-(2) erfolgt ausschließlich aus der *exo*-Richtung und man erhält nach der Reduktion *exo-3-Hydroxy-2-methylen-bicyclo[2.2.1]heptan* (82% d.Th.; Kp_{40}: 100–104°)[2]:

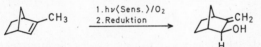

Mit unbefriedigenden Ausbeuten verläuft dagegen die Oxidation mit anschließender Reduktion von Cyclooctadien-(1,5)[5] zu *6-Hydroxy-cyclooctadien-(1,4)* (16% d.Th.; Kp_2: 80°) und *5-Hydroxy-3-oxo-cyclohexen* (12% d.Th.; Kp_2: 120°) bzw. von Cycloocten[5] zu *3-Hydroxy-cyclooocten* (44% d.Th.; Kp_2: 80°).

Bei der Bestrahlung von 1,3,3-Trimethyl-2-[1-hydroxy-buten-(2)-yl]-cyclohexen (*β*-Damascol) mit einem Quecksilber-Hochdruck-Brenner (Typ Philips HPK 125 W) in Methanol und in Gegenwart von Bengalrosa/Natriumacetat unter reinem Sauerstoff tritt ein anderer Reaktionstyp in den Vordergrund. Nach Reduktion mit Natriumsulfit werden folgende Reaktionsprodukte erhalten[6]:

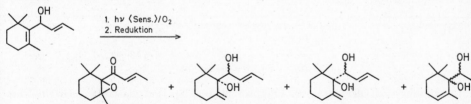

1,2-Epoxy-2,6,6-trimethyl- *1-[buten-(2)-oyl]-cyclohexan;* 48% d.Th.; $Kp_{0,5}$: 80°   *threo-* (30% d.Th.) *2-Hydroxy-3,3-dimethyl-2-[1-hydroxy-buten-(2)-yl]-1-methylen-cyclohexan*   *erythro-* (6% d.Th.)   4% d.Th.

[1] K. GOLLNICK et al., A. **687**, 14 (1965).
[2] G. O. SCHENCK et al., B. **96**, 509 (1963).
[3] D. R. KEARNS, Chem. Reviews **71**, 395 (1971).
[4] W. R. ADAMS u. D. J. TRECKER, Tetrahedron **28**, 2361 (1972).
[5] T. MATSUURA et al., Tetrahedron **27**, 3095 (1971).
[6] K. H. SCHULTE-ELTE, B. L. MÜLLER u. G. OHLOFF, Helv. **54**, 1899 (1971).

Ähnliche Ergebnisse erhält man bei der Photooxidation von 1,3,3-Trimethyl-2-[1-hydroxy-buten-(3)-yl]- bzw. 1,3,3-Trimethyl-2-(1-hydroxy-butyl)-cyclohexen[1]; hier betragen die Ausbeuten an *1,2-Epoxy-2,6,6-trimethyl-1-[1-hydroxy-buten-(3)-yl]*- bzw. *1,2-Epoxy-2,6,6-trimethyl-1-(1-hydroxy-butyl)-cyclohexen* 42% bzw. 50% d.Th.

Die Einführung einer Sauerstoff-Funktion in Allyl-Stellung zur olefinischen Doppelbindung desaktiviert das Substrat-Molekül gegenüber der Photooxidation. Da die Photooxidation von Allylalkoholen erhebliche präparative Bedeutung besitzt (stereospezifische Einstufen-Synthese von α,β-Epoxy-ketonen)[2,3], stellt die Acetylierung bzw. Benzoylierung der Hydroxy-Gruppe eine nützliche Methode dar, um den Allylalkohol zu schützen, wenn das Molekül an einer anderen Stelle photooxidiert werden soll. So erhält man z. B. durch sensibilisierte Photooxidation von *3β-Hydroxy-cholesten-(4)* *4α,5-Epoxy-3-oxo-5α-cholestan* und *3-Oxo-cholesten-(4)*[3]:

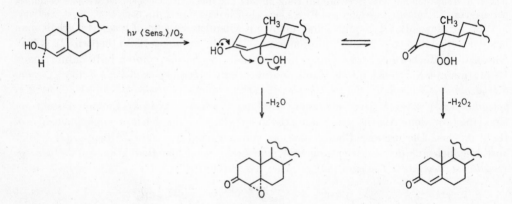

Beide Produkte sind als Sekundärprodukte aufzufassen, die aus dem intermediär gebildeten instabilen Hydroperoxid entstehen.

4α,5-Epoxy-3-oxo-5α-cholestan und 3-Oxo-cholesten-(4)[3]: Eine Lösung aus 0,36 g 3β-Hydroxy-cholesten-(4) und 5 mg Hämatoporphyrin in 75 *ml* Pyridin wird mit vier 15 W-Fluoreszenz-Röhren 72 Stdn. in Gegenwart von Sauerstoff belichtet. Anschließend wird das Pyridin entfernt und es hinterbleibt ein klares Öl (0,34 g), dessen Hydroperoxid-Test sehr schwach bis negativ ausfällt. Es wird in Petroläther gelöst und mit Benzol/Petroläther (1:3) über eine Säule (Sorptionsmittel: 18 g Aluminiumoxid) eluiert; das Eluat enthält *4α,5-Epoxy-3-oxo-5α-cholestan*; Ausbeute: 0,18 g (49% d.Th.); F: 123° (aus Äthanol).

Elution mit Benzol/Petroläther (2:1–3:1) liefert *3-Oxo-cholesten-(4)*, das aus Aceton/Methanol umkristallisiert wird; Ausbeute: 0,045 g (13% d.Th.); F: 78,5–79°.

Durch analoge Arbeitsweise erhält man z. B. aus[3]:

3α-Hydroxy-cholesten-(4)   → *4β,5β-Epoxy-3-oxo-cholesten*: F: 116–118°
                                                             + *3-Oxo-cholesten-(4)*

3β,7β-Dihydroxy-cholesten-(5) → *3β-Hydroxy-5α,6α-epoxy-7-oxo-cholestan*; 53–56% d.Th.; F: 160–164°
                                                             + *3β-Hydroxy-7-oxo-cholesten-(5)*

Zur Epoxierung von Oleanolsäure[4], Erythrodiol[4] und Spergulagensäure[5] s. Original-Lit.

Bei einer Ausgangsverbindung mit zwei oder mehreren C=C-Doppelbindungen bestimmen deren Reaktivitäten die Reaktionsprodukte. So werden z. B. bei der Photooxidation von 3-Methyl-1-[2,6,6-trimethyl-cyclohexen-(1)-yl]-butadien-(1,3) in Methanol und durch

[1] K. H. Schulte-Elte, B. L. Müller u. G. Ohloff, Helv. **54**, 1899 (1971).
[2] A. Nickon u. W. L. Mendelson, Am. Soc. **85**, 1894 (1963).
[3] A. Nickon u. W. L. Mendelson, Am. Soc. **87**, 3921 (1965).
[4] I. Kitagawa, K. Kitazawa u. I. Yosioka, Tetrahedron **28**, 907 (1972).
[5] I. Kitagawa et al., Tetrahedron **28**, 923 (1972).

Bengalrosa sensibilisiert nach anschließender Reduktion mit Natriumboranat u. a. ein Allen-Derivat erhalten[1]:

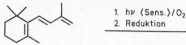

1. hν ⟨Sens.⟩/O₂
2. Reduktion

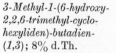

3-Methyl-1-(6-hydroxy-2,2,6-trimethyl-cyclo-hexyliden)-butadien-(1,3); 8% d.Th.	*1,7,7-Trimethyl-4-iso-propenyl-2,3-dioxa-bicyclo[4.4.0]decen-(5);* 61% d.Th.	*3-Methyl-1-(1-hydroxy-6,6-dimethyl-2-methylen-cyclohexyl)-butadien-(1,3);* 27% d.Th.	*3-Methyl-1-[1-hydroxy-2,6,6-tri-methyl-cyclohexen-(2)-yl]-butadien-(1,3);* 4% d.Th.

Auch bei der Photooxidation von β-Ionol bildet sich ein Allen[2]:

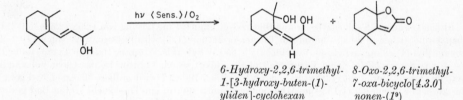

hν ⟨Sens.⟩/O₂

6-Hydroxy-2,2,6-trimethyl-1-[3-hydroxy-buten-(1)-yliden]-cyclohexan   *8-Oxo-2,2,6-trimethyl-7-oxa-bicyclo[4.3.0]nonen-(1⁹)*

β) von aktivierten Alkenen

Die Umsetzung aktivierter Olefine mit Singulett-Sauerstoff verläuft über eine [2+2]-Cycloaddition unter Bildung von 1,2-Dioxetanen und stellt eine dritte Art der Reaktion mit Singulett-Sauerstoff dar. Beweis hierfür ist Photooxidation von *cis-* und *trans*-1,2-Di-äthoxy-äthylen[3,4] und Tetramethoxy-äthylen[5] (vgl. a. S. 1467).

cis-3,4-Diäthoxy-1,2-dioxetan[3]:

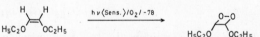

hν ⟨Sens.⟩/O₂ / −78

Eine Lösung von 0,211 g *cis*-1,2-Diäthoxy-äthen und 10⁻⁴ Mol Tetraphenylporphin in 7 *ml* Fluor-trichlor-methan wird in einem Dewargefäß, das mit Aceton/Trockeneis gefüllt ist und ein Fenster aus Pyrexglas hat, auf −78° gekühlt. Die Lösung wird durch einen UV-Filter 25 Min. mit einer 500 W Lampe in einem Sauerstoffstrom belichtet. Nach 15–20 Min. bilden sich farblose Kristalle, die bald das Reaktionsgefäß füllen und mit Hilfe einer Glasfritte i. Vak. abgesaugt werden.

Das Derivat schmilzt und **explodiert** bei 20°.

Beim Erwärmen einer benzolischen Lösung des 1,2-Dioxetans über 50° bildet sich Ameisensäure-äthylester.

Die Konfiguration ändert sich während der Umsetzung nicht, wodurch eine schrittweise biradikalische Addition von Singulett-Sauerstoff ausgeschlossen ist[3].

---

[1] C. S. Foote u. M. Brenner, Tetrahedron Letters **1968**, 6041.
[2] S. Isoe et al., Tetrahedron Letters **1968**, 5561.
[3] P. D. Bartlett u. A. P. Schaap, Am. Soc. **92**, 3223 (1970).
[4] s. a.: A. P. Schaap u. N. Tontapanisch, Chem. Commun. **1972**, 490.
[5] S. Mazur u. C. S. Foote, Am. Soc. 3226 (1970).

Ein relativ stabiles 1,2-Dioxetan wird durch mit Methylenblau sensibilisierter Photo-oxidation von Bi-adamantyliden erhalten[1], das bei 240° **explosions**artig in *2-Oxo-adamantan* übergeht:

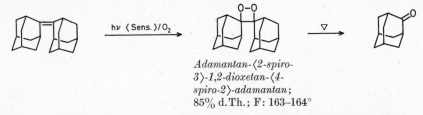

Adamantan-⟨2-spiro-3⟩-1,2-dioxetan-⟨4-spiro-2⟩-adamantan; 85% d.Th.; F: 163–164°

Mit 2,5-Dinaphthyl-(1)-thiophen als Sensibilisator können Tetrakis-[alkyl(aryl)thio]-äthene über die instabilen intermediären 1,2-Dioxetane zu **Disulfanen** und Dithiooxalsäure-S,S′-diestern oxidativ umgesetzt werden:

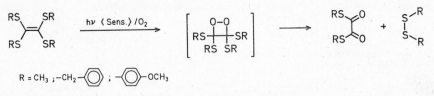

Dithiooxalsäure-S,S′-dibenzylester und Dibenzyl-disulfan[2]: Eine Lösung von 1,29 g (2,5 mMol) Tetrakis-[benzylthio]-äthen in 20 ml Chloroform/Tetrachlormethan (1:3) wird in Gegenwart von 4 · 10⁻⁶ Mol 2,5 Dinaphthyl-(1)-thiophen bei –30° mit einer DVY 650 W Sylvania-Wolfram-Halogen-Lampe unter Durchleiten von Sauerstoff in einem Pyrexgefäß photooxidiert. Nach 12 Stdn. ist das Olefin vollständig verbraucht. Das Rohprodukt (1,27 g, 93% d.Th.) wird bei 100°/2 Torr destilliert (Benzaldehyd geht über), das zurückbleibende Öl (1,16 g) in Äther aufgenommen und in ein Trockeneis/Aceton-Bad gestellt. Es scheiden sich schwach gelbe Kristalle ab, die aus Äthanol umkristallisiert werden; Ausbeute: 0,258 g (34% d.Th.) *Dithiooxalsäure-S,S-dibenzylester*; F: 83–85°.

Aus der Mutterlauge wird durch Entfernen des Lösungsmittels ein braunes Öl (0,83 g) isoliert, das mit Tetrachlormethan über Kieselgel eluiert wird; das Eluat wird vom Lösungsmittel befreit und der Rückstand aus Methanol umkristallisiert; Ausbeute: 0,201 g (34% d.Th.) *Dibenzyl-disulfan*; F: 66–68°.

Durch analoge Photooxidation erhält man z. B. aus:

Tetrakis-[methylthio]-äthen   → *Dithiooxalsäure-S,S′-dimethylester*; 28% d.Th.; F: 81–81,5°
Tetrakis-[4-methoxy-phenylthio]-äthen → *Dithiooxalsäure-S,S′-bis-[4-methoxy-phenylester]*; 38% d.Th.;
                                      F: 185–187°
                  + *Bis-[4-methoxy-phenyl]-disulfan*; 40% d.Th.; F: 41–42°

Ebenfalls über 1,2-Dioxetane verlaufen die photochemischen Singulett-Sauerstoff-Oxidationen von En-aminen (s. Tab. 207, S. 1481).

γ) von konjugierten Dienen

Die Umsetzung zwischen *cisoiden* 1,3-Dienen und Singulett-Sauerstoff verläuft nach einem [2+4]-Cyclo-Additionsmechanismus und liefert ähnlich wie bei Diels-Alder-Reaktionen **bicyclische Peroxide**. In Übereinstimmung mit den Woodward-Hoffmann-Sektionsregeln[3] für thermische und photochemische Cycloaddition verläuft die Addition von Singulett-Sauerstoff nach einem konzertierten [2+4]-Cycloadditionsmechanismus.

---

[1] J. H. Wieringa, J. Strating u. H. Wynberg, Tetrahedron Letters **1972**, 169.
[2] W. Adam u. J.-C. Liu, Am. Soc. **94**, 1206 (1972).
   Zu ähnlichen Ergebnissen gelangen:
     W. Adam u. J.-S. Liu, Chem. Commun. **1972**, 73.
     W. Ando et al., Chem. Commun. **1972**, 477.
[3] R. Hoffmann u. R. B. Woodward, Am. Soc. **87**, 2046 (1965).

Tab. 207. Photooxidation aktivierter Alkene mit Singulett-Sauerstoff

Alken	Reaktionsbedingungen	Reaktionsprodukte	Ausbeute [% d.Th.]	F [°C]	Literatur
$R^1 = R^2 = CH_3$	Benzol, Zink-tetra-phenyl-porphin, Sauerstoff	*Aceton* + *1-Formyl-piperidin*	96 / 100	– / –	[1]
$R^1 = R^2 = C_6H_5$	Benzol, Zink-tetra-phenyl-porphin, Sauerstoff	*Benzophenon* + *1-Formyl-piperidin*	90 / 90	– / –	
	Dimethyl-formamid, Bengalrosa, Sauerstoff	*Cyclohexanon* + *4-Formyl-morpholin*	– / –	– / –	[2]
	Isopropanol, Eosin-natrium, Luft	*2-Oxo-1,3,3-trimethyl-2,3-dihydro-indol*	10	54–55	[3]
	Isopropanol, Eosin-natrium, Luft	*2-Oxo-1,3-dimethyl-3-(4-oxo-butyl)-2,3-dihydro-indol*	21	($Kp_{0,001}$ = 90–100°, Kugelrohr)	[3]
	Isopropanol, Eosin-natrium, Luft	*4a-Methyl-1-(1-oxo-4a-methyl-1,2,3,4,4a,9a-hexahydro-carbazo-linomethylen)-9-for-myl-1,2,3,4,4a,9a,-hexahydro-carbazol*	–	160–165	[3]
	Dimethyl-formamid, Bengalrosa, Sauerstoff	*Progesteron*	~100	126–128	[2]

[1] C. S. FOOTE u. I. WEI-PING HIN, Tetrahedron Letters 1968, 3267.
[2] J. E. HUBER, Tetrahedron Letters 1968, 3271.
[3] K. PFOERTNER u. K. BERNAUER, Helv. 51, 1787 (1968).

Während [2+4]-Cycloadditionen an offenkettigen konjugierten Dienen Einzelreaktionen[1] darstellen, besitzt die photochemische Oxidation der cyclischen 1,3-Diene große Bedeutung.

Die Addition von Singulett-Sauerstoff an Cyclopentadien und 1,3-Cyclohexadien stellt eine präparativ brauchbare und stereospezifische Methode zur Herstellung von ungesättigten und gesättigten *cis*-1,4-Diolen dar.

Wird frisch destilliertes Cyclopentadien, das Bengalrosa enthält, mit einer Philips SO 140 W Lampe in einem kontinuierlichen Sauerstoffstrom bei –100° belichtet, so bildet sich in hoher Ausbeute *2,3-Dioxa-bicyclo[2.2.1]hepten* (F: –30°)[2,3], das oberhalb 0° explosionsartig zerfällt.

Im Temperaturbereich zwischen 10–25° verläuft die Photooxidation unter Bildung von *cis-4,5-Epoxy-penten-(2)-al* und *cis-1,2;3,4-Bis-[epoxy]-cyclopentan*[4,5]. *5-Hydroxy-3-oxo-cyclopenten*, das früher als Isomerisierungsprodukt des 2,3-Dioxa-bicyclo[2.2.1]hepten-(5) isoliert wurde[2,3], bildet sich nicht unter diesen Reaktionsbedingungen. Photooxidiert man jedoch in verdünnter alkalischer Lösung bei 20°, so läßt sich mit 20%iger Ausbeute das *5-Hydroxy-3-oxo-cyclopenten* isolieren[5]:

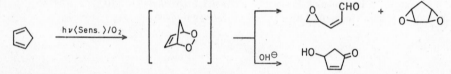

cis-1,2;3,4-Bis-[epoxy]-cyclopentan und cis-4,5-Epoxy-penten-(2)-al[4]: Eine Lösung aus 50,0 g (0,76 Mol) Cyclopentadien und 0,5 g Bengalrosa in 500 *ml* Methanol wird in einem Pyrex Immersionsgefäß bei 18–25° (Kühlung mit Kochsalz-Lösung im Kühlmantel und fließendem Wasser in der Kühlschlange) mit einer 450 W Lampe (Typ Hanovia) bestrahlt. Während der Belichtung wird ständig Luft (Fließgeschwindigkeit: 960 *ml*/Min.) durch die Lösung geleitet. Der Verbrauch von Cyclopentadien bzw. die Bildung des Epoxi-aldehyds wird gaschromatographisch verfolgt [Säulenlänge: 3,66 m, ∅ : 0,3 mm; Sorptionsmittel: Apiezon M (10%) auf Chromasorb G bei 120°]. Als innerer Standard wird 1,2-Dichlorbenzol verwendet. Nach 150 Min. ist das Dien vollständig verbraucht (Gaschromatographisch werden 71% Epoxi-aldehyd gefunden). Das Lösungsmittel wird i. Vak. abgezogen und der flüssige Rückstand bei 50–51°/0,5 Torr destilliert; Ausbeute: 30,1 g (43% d.Th.) *cis-4,5-Epoxi-penten-(2)-al*.

Die Ausbeute an *cis-1,2;3,4-Bis-[epoxi]-cyclopentan* (5–10% d.Th.) hängt von der Temp. ab.

Spiro[2.4]heptadien-(4,6) wird bei Bestrahlung unter Sauerstoff-Atmosphäre mit einer 500 W Wolframlampe (2 Stdn.; 0–5°) mit besseren Ausbeuten zu entsprechenden Oxiranen oxidiert[6]:

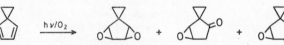

4,5;6,7-Bis-[epoxy]-spiro[2.4]heptan; 48% d.Th.	*6,7-Epoxy-4-oxo-spiro[2.4]heptan;* 48% d.Th.	0,6% d.Th.

[1] s. z. B.:
K. KONDO u. M. MATSUMOTO, Chem. Commun. **1972**, 1332.
G. RIO u. J. BERTHELOT, Bl. **1969**, 1664, 2938.
[2] G. O. SCHENCK u. D. E. DUNLAP, Ang. Ch. **68**, 248 (1956).
G. O. SCHENCK, Ang. Ch. **64**, 12 (1952).
[3] W. D. WILLMUND, Dissertation, Universität Göttingen 1953.
[4] W. R. ADAMS u. D. J. TRECKER, Tetrahedron **27**, 2631 (1971).
[5] K. H. SCHULTE-ELTE, B. WILLHALM u. G. OHLOFF, Ang. Ch. **81**, 1045 (1969).
[6] H. TAKESHITA, H. KANAMORI u. T. HATSUI, Tetrahedron Letters **1973**, 3139.

Wird die Reaktion bei 20° durchgeführt, so wird als einziges Derivat *4-Hydroxy-7-oxo-spiro[2.4]hepten-(5)* (24% d. Th.) erhalten.

1,4-Diphenyl-cyclopentadien liefert ein stabileres Peroxid[1] [*1,4-Diphenyl-2,3-dioxa-bicyclo[2.2.1]hepten-(5)*]:

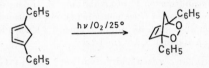

Das stark fluoreszierende 1,4-Diphenyl-cyclopentadien kann direkt photooxidiert werden; in Gegenwart von Sensibilisatoren erhöht sich die Peroxid-Ausbeute beträchtlich. Neben ihrer Fähigkeit, Energie zu übertragen, wirken die Sensibilisatoren als Lichtfilter und schützen so das Endoperoxid vor Zerfall infolge Absorption von Licht.

Das aus 1,2,3,4-Tetraphenyl-cyclopentadien analog zugängliche *1,4,5,6-Tetraphenyl-2,3-dioxa-bicyclo[2.2.1]hepten-(5)* kann thermisch zu *1,2;3,4-Bis-[epoxy]-1,2,3,4-tetraphenyl-cyclopentan* isomerisiert werden[2]:

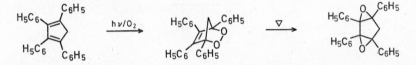

Über die Isolierung von weiteren Peroxiden aus entsprechenden Phenyl-substituierten Cyclopentadienen s. Original-Lit.[3,4].

Fulvene reagieren bei der Photooxidation nicht einheitlich. Während man aus 1,2,3,4-Tetraphenyl-fulven über das instabile Peroxid *1,2;3,4-Bis-[epoxy]-5-isopropyliden-1,2,3,4-tetraphenyl-cyclopentan*[5] erhält, ergibt 6,6-Dimethyl-fulven (500 W Quecksilber-Hochdruck-Immersionslampe, Durchleiten von Sauerstoff in methanolischer Lösung) mit 19%iger Ausbeute *2-Oxo-3,3-dimethyl-2,3-dihydro-oxepin*[6]:

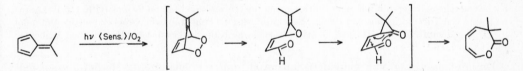

Tetraphenyl-cyclopentadienon (Tetracyclon) zerfällt nach der Aufnahme von ein Mol Sauerstoff sofort unter Decarbonylierung in *cis-* und *trans-1,4-Dioxo-1,2,3,4-tetraphenyl-buten-(2)*[7].

cis-1,4-Dioxo-1,2,3,4-tetraphenyl-buten-(2)[8]: Eine Lösung von 2 g Tetraphenyl-cyclopentadienon in 400 *ml* Benzol wird mit einer Lösung von 0,1 g Methylenblau in Dichlormethan versetzt. Die Mischung ist mit einem Filterbad aus ges. Natriumnitrit-Lösung umgeben und wird bis zum vollständigen Umsatz

[1] G. O. SCHENCK, W. MÜLLER u. H. PFENNIG, Naturwiss. **41**, 374 (1954).

[2] C. DUFRAISSE, G. RIO u. J. J. BASSELIER, C. r. **246**, 1640 (1958).

[3] C. RIO u. M. CHARIFI, C. r. **268**, 1960 (1969); Bl. **1970**, 3585.
  J. J. BASSELIER u. J. P. LE ROUX, C. r. **268**, 970 (1969).

[4] C. DUFTRAISSE, C. RIO u. A. LIBERLES, C. r. **256**, 1873 (1963); das aus 5-Hydroxy-1,2,3,4-tetraphenyl-cyclopentadien zugängliche *7-Hydroxy-1,4,5,6-tetraphenyl-2,3-dioxa-bicyclo[2.2.1]heptan* zerfällt thermisch zu Tetraphenyl-furan und Benzoesäure.

[5] C. DUFRAISSE, G. RIO u. J. J. BASSELIER, C. r. **246**, 1640 (1958).
  C. DUFRAISSE, A. ETIENNE u. J. J. BASSELIER, C. r. **244**, 2209 (1957).

[6] N. HARADA et al., Am. Soc. **94**, 1777 (1972).

[7] C. DUFRAISSE, A. ETIENNE u. J. AUBRY, C. r. **239**, 1170 (1954).
  N. M. BIKALES u. E. I. BECKER, J. Org. Chem. **21**, 1405 (1956).

[8] C. F. WILCOX, Jr., u. M. P. STEVENS, Am. Soc. **84**, 1258 (1962).

dem Sonnenlicht ausgesetzt [Farbänderung von tief purpurschwarz nach schwachblau (Methylenblau)]. Im intensiven Sonnenlicht erfordert die Umsetzung 3 Tage. Nach Entfernung des Lösungsmittels wird die zurückbleibende feste Substanz aus Äthanol umkristallisiert und durch Zugabe von Holzkohle das Methylenblau entfernt; Ausbeute: 65% d.Th.; F: 215–216°.

Wird das Filterbad nicht verwendet, so erhält man *trans-1,4-Dioxo-1,2,3,4-tetraphenyl-buten-(2)*.

Bei der mit Methylenblau sensibilisierten Photooxidation von Inden, die nur *2-(Formylmethyl)-benz-aldehyd* liefert, wird im Gegensatz zu den Cyclopentadienen ein intermediäres 1,2-Dioxetan gebildet[1]. Neuere Untersuchungen machen aber auch die Bildung eines 1,4-Cycloadduktes wahrscheinlich[2]. Über Bestrahlungen von substituierten Indenen s. Original-Lit.[3].

Die photochemische Oxidation von Cyclohexadien-(1,3) in Gegenwart eines Sensibilisators (Methylenblau) liefert *2,3-Dioxa-bicyclo[2.2.2]octen-(5)* (F: 88,5°)[4]. Auf dem Gebiet der Naturstoffe[5] haben die Oxidationen von substituierten Cyclohexadienen große präparative Bedeutung erlangt. 4-Methyl-1-isopropyl-cyclohexadien-(1,3) (α-Terpinen) wird so in Gegenwart von Bengalrosa in *Ascaridol*, einem natürlich vorkommenden Endoperoxid, umgewandelt[6],[7]:

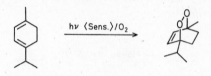

6,7,7-Trimethyl-1-[buten-(2)-oyl]-2,3-dioxa-bicyclo[2.2.2]octen-(5)   (3,6-Endoperoxy-α-damascan)[8]:

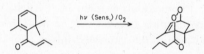

Eine methanolische Lösung von 19 g β-Damascenon und 150 mg Bengalrosa wird bei ~ 15° unter Durchleiten von reinem Sauerstoff mit einer zentral angeordneten wassergekühlten Philips HPK 115 W Lampe bestrahlt. Nach der Aufnahme von 1950 *ml* Sauerstoff wird die Belichtung abgebrochen und das Methanol i. Vak. abgedampft. Aus dem Rückstand kristallisiert in der Kälte das gewünschte Peroxid aus; Ausbeute: 14 g (70% d.Th.); F: 88–90°.

Durch Umsetzung von Singulett-Sauerstoff mit α-Phellandren[2-Methyl-5-isopropyl-cyclohexadien-(1,3)] entstehen zwei Peroxide; die Isopropyl-Gruppe beeinträchtigt in diesem Fall die Addition von Sauerstoff[7] nicht:

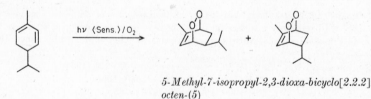

5-Methyl-7-isopropyl-2,3-dioxa-bicyclo[2.2.2] octen-(5)

[1] W. Fenical, D. R. Kearns u. P. Radlick, Am. Soc. **91**, 3396 (1969).

[2] C. S. Foote et al., Am. Soc. **95**, 586 (1973).

[3] P. A. Burns u. C. S. Foote, Am. Soc. **96**, 4339 (1974).

[4] G. O. Schenck, Ang. Ch. **64**, 12 (1952).

[5] Als Teilschritt der Cantharidin-Synthese: G. O. Schenck u. R. Wirtz, Naturwiss. **40**, 581 (1953).

[6] DRP 752437 (1941), G. O. Schenck u. K. Ziegler.

[7] G. O. Schenck u. K. Ziegler, Naturwiss. **32**, 157 (1944); A. **584**, 125 (1953).

[8] K. H. Schulte-Elte, M. Gadola u. G. Ohloff, Helv. **56**, 2028 (1973).

Andererseits zwingt bei der Lävopimarsäure die angulare Methyl-Gruppe infolge sterischer Abschirmung den Sauerstoff zur stereospezifischen Addition, wobei nur ein Endoperoxid entsteht[1, 2]:

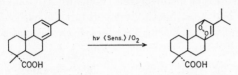

6,14-Endoperoxy-$\Delta^{7(8)}$-dihydro-abietinsäure[1]: Eine mit Luft durchspülte Lösung aus 0,06 Mol Natriumlävopimarat und 2,5 g Methylenblau in 400 *ml* Äthanol (95%ig) wird 25,3 Stdn. mit einer 200 W Glühlampe belichtet. Danach wird die Lösung i. Vak. eingeengt, der Rückstand wird mit Wasser verdünnt, mit Äther extrahiert, mit Essigsäure angesäuert und erneut mit Äther extrahiert. Der Äther wird verdampft, der Rückstand in 50 *ml* Äthanol (95%ig) gelöst und durch Zugabe von 2-Amino-2-methyl-propanol das Ammonium-Salz der Endverbindung ausgefällt. Das Salz wird erneut in Äther aufgeschlämmt und mit 3n Essigsäure, Wasser, 0,01 m Natriumhydrogencarbonat-Lösung und schließlich nochmals mit Wasser gewaschen. Der Äther wird anschließend abgedampft und der Rückstand aus Äthanol/Wasser umkristallisiert; Ausbeute: 6,15 g (33% d. Th.); F: 156–158° (Zers.).

Zur analogen Endoperoxid-Bildung bei Steroiden s. Lit.[3].

Cycloheptadien-(1,3) wird in einer mit Eosin sensibilisierten Reaktion zu *6,7-Dioxa-bicyclo[3.2.2]nonen-(8)* photooxidiert[4].

6,7-Dioxa-bicyclo[3.2.2]nonen-(8)[4]: Eine Lösung aus 4,2 g Cycloheptadien-(1,3) und 0,3 g Eosin in 950 *ml* abs. Äthanol wird unter Sauerstoffzufuhr (Glasfritte) 44 Stdn. mit zwei Wolfram-Glühlampen (Gesamtleistung: 350 W) belichtet. Fenster aus Pyrexglas werden zwischen den Lampen und dem Kolben gesetzt, damit die Temp. der Reaktionsmischung nicht über 39° steigt. Obwohl der Kolben mit einem Rückflußkühler ausgerüstet ist, muß man zur Aufrechterhaltung des ursprünglichen Vol. regelmäßig abs. Äthanol zur Mischung geben. Durch Verfolgung der Abnahme der UV-Absorption von Cycloheptadien-(1,3) von 1-*ml*-Proben Reaktionslösung bei 264 nm (Wellenlänge bei maximaler Absorption) wird der Umsatz bestimmt. Nach 144 Stdn. sind 84% Cycloheptadien-(1,3) verbraucht.

Die Reaktionsmischung wird dann wegen **Explosions**gefahr des Endoperoxids in zwei Teilen aufgearbeitet. Äthanol wird i. Vak. abdestilliert, wobei die Temp. des Wasserbades bei 35–40° liegen soll. Der hellrote kristalline Rückstand wird durch Sublimation (0,3 Torr/40°) auf einem mit Trockeneis gekühlten Finger gesammelt; Ausbeute: 1,65 g (29% d.Th.).

Der Primärschritt der Photooxidation von Cycloheptatrien besteht in einer $[6\pi + 2\pi]$-Cycloaddition, wobei sich intermediär *7,8-Dioxa-bicyclo[4.2.1]nonadien-(2,4)* bildet, das zu *1-Hydroxy-3-oxo-cycloheptan* reduziert werden kann[5].

7-Methoxycarbonyl-cycloheptatrien wird mit Methylenblau als Sensibilisator dagegen zu einem stabilen Endoperoxid umgesetzt[6]:

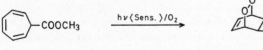

3-Methoxycarbonyl-6,7-dioxa-tricyclo
[3.2.2.0²,⁴]nonen-(8); F: 95°

Über Peroxid-Bildung des Tropons[7] und Tetra-O-methyl-purpurogallin[8] s. Original-Lit.

[1] R. N. MOORE u. R. V. LAWRENCE, Am. Soc. **80**, 1438 (1958).
[2] R. N. MOORE u. R. V. LAWRENCE, Am. Soc. **81**, 458 (1959).
[3] W. BERGMANN, F. HIRSCHMANN u. E. L. SKAN, J. Org. Chem. **4**, 29 (1939).
    M. MAUMY u. J. RIGAUDY, Bl. **1974**, 1487.
[4] A. C. COPE, T.A. LISS u. G. W. WOOD, Am. Soc. **79**, 6287 (1957).
[5] A. S. KENDE u. J. Y. C. CHU, Tetrahedron Letters **1970**, 4837.
[6] A. RITTER et al., A. **1974**, 835.
[7] M. ODA u. Y. KITAHARA, Tetrahedron Letters **1969**, 3295.
[8] E. J. FORBES u. J. GRIFFITHS, Soc. **1968**, 572; **1967**, 601.

2. von Aromaten

Während Benzol und Naphthalin nicht unter den Bedingungen der Photooxidation reagieren, stellen die Farbstoff-sensibilisierten (Bengalrosa) Oxidantionen von 5-Methoxy-2,4-di-tert.-butyl-phenol und 4,5-Dimethoxy-1,2-di-tert.-butyl-benzol die ersten Beispiele für die Addition von Singulett-Sauerstoff an monocyclische aromatische Verbindungen dar[1]:

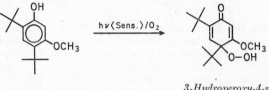

3-Hydroperoxy-4-methoxy-6-oxo-1,3-di-tert.-butyl-cyclohexadien-(1,4);
48% d.Th.; F: 151–153°[2].

Das entsprechende Hydroperoxid aus 2,6-Dihydroxy-1,3-di-tert.-benzol läßt sich nicht isolieren[2].

4-Hydroxy-5,6-epoxy-1-methoxy-3-oxo-4,6-di-tert.-butyl-cyclohexen[2]:

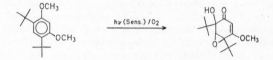

3 g 4,6-Dimethoxy-1,3-di-tert.-butyl-benzol in 500 ml Methanol werden mit 30 mg Bengalrosa versetzt und unter Durchleiten von Sauerstoff 5 Stdn. mit einer Wolfram-Brom-Lampe bestrahlt, bis 270 ml Sauerstoff verbraucht sind. Die Reaktionslösung wird mit Kohle behandelt und dann das Lösungsmittel abdestilliert. Der Rückstand wird aus Aceton umkristallisiert; Ausbeute: 2,2 g (70% d.Th.); F: 183°.

Die Photooxidation unter Bildung von Endoperoxiden gelingt auch in der Naphthalin-Reihe[3]. So wird 1,4,5-Trimethyl-naphthalin in Dichlormethan mit Methylenblau als Sensibilisator durch Bestrahlung mit einer 650 W G.E. DWY Quarz-Jod-Lampe mit 85% d.Th. zum *1,4,5-Trimethyl-⟨benzo-2,3-dioxa-bicyclo[2.2.2]octadien⟩* (F: 40°) umgewandelt[4] (zu den analogen Photooxidationen von substituierten Naphthalinen s. Original-Lit.[4,5]). Die gebildeten Peroxide unterscheiden sich stark in ihrer thermischen Stabilität. Je nach Substitutionsgrad werden bei 25° Lebensdauer von 5–290 Stdn. beobachtet[4]. Im Falle von 1,4-Dimethoxy-naphthalin[6] und 1,4-Dimethoxy-5,8-diphenyl-naphthalin[7] entstehen mit Benzanthron als Sensibilisator bei Bestrahlung in Äther zwar die entsprechenden Peroxide, die ihrerseits aber photolabil sind und in die entsprechenden Bis-epoxide übergehen. Als Beispiel hierfür sei die Photolyse von 1,4-Dimethyl-naphthalin in methanolischer Lösung in Gegenwart von Bengalrosa mit einer Philips SP 500 Lampe ($\lambda = 460$ nm) zum *1,4-*

[1] I. SAITO, S. KATO u. M. MATSUURA, Tetrahedron Letters **1970**, 239.
[2] I. SAITO et al., Tetrahedron **28**, 5131 (1972).
[3] J. RIGAUDY, Pure Appl. Chem. **16**, 169 (1968).
[4] H. H. WASSERMAN u. D. L. LARSEN, Chem. Commun. **1972**, 253.
[5] H. HART u. A. AKU, Chem. Commun. **1972**, 254.
[6] J. RIGAUDY, C. DELETANG u. J. J. BASSELIER, C. r. **268**, 344 (1969).
[7] J. RIGAUDY et al., C. r. [C] **267**, 1714 (1968).
Über Bestrahlung bei –50° s.: J. RIGAUDY, C. DELETANG u. J. J. BASSELIER, C. r. **263**, 1435 (1966).

Dimethyl-⟨benzo-2,3-dioxa-bicyclo[2.2.2]octadien⟩ (66% d.Th.; F: 84–85°) und *1,2;3,4-Bis-[epoxy]-1,4-dimethyl-tetralin* (60% d.Th.; F: 130–132°) genannt[1]:

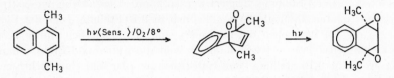

Wesentlich komplizierter verlaufen die photochemischen Oxidationen mit *anti*[2.2]Para-cyclonaphthanen[2]; z. B.:

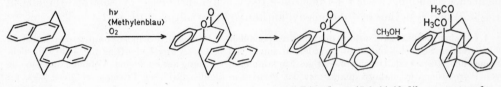

4,7-Dimethoxy-⟨5,6;11,12-dibenzo-pentacyclo [8.2.2.2^{1,10}.0^{4,16}.0^{7,15}]hexadecatrien-(5,11,13)⟩; 20% d.Th.; F: 209–210°

Das bemerkenswerte sauerstoffbeständige 1,6-Methano-[10]annulen wird bei der Bestrahlung mit einer Natriumdampf-Lampe in Gegenwart von Methylenblau und Sauerstoff (Dichlormethan; 10–15°) verhältnismäßig rasch oxidiert. Nimmt man die Aufarbeitung des Bestrahlungsansatzes unterhalb von 15° vor, so wird nur ein sterisch einheitliches Reaktionsprodukt (I) isoliert (∼ 25% d.Th. nach 12 Stdn.)[3]:

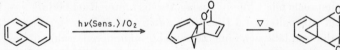

I; *9,10-Dioxa-tetracyclo[6.2.2.1^{2,7}.0^{2,7}] tridecatrien-(3,5,11)*; F: 139–140°

II; *7,8; 9,10-Bis-[epoxi]- tricyclo[4.4.1.0^{1,6}] undecadien-(2,4)*; F: 139–140°

Die Photooxidationen von polycyclischen Aromaten wie Anthracene, Tetracene, Penta-cene und Hexacene sind ebenfalls beschrieben[4]. Typisch für diese Verbindungsklassen ist die Photooxidation von Anthracen bei der in quantitativer Ausbeute *Dibenzo-2,3-dioxa-bicyclo[2.2.2]octadien* entsteht[5]:

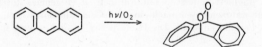

Das Endoperoxid zerfällt heftig beim Erhitzen i. Vak. und lagert sich beim Erhitzen in Lösung in 9,10-Anthrachinon um.

[1] J. Rigaudy, D. Maurette u. N. K. Cuong, C. r. [C] **273**, 1533 (1971).
[2] H. H. Wasserman u. P. M. Keehn, Am. Soc. **88**, 4522 (1966); s. a. **94**, 298 (1972).
[3] E. Vogel, A. Alscher u. K. Wilms, Ang. Ch. **86**, 407 (1974).
[4] W. Bergmann u. M. J. McLean, Chem. Rev. **28**, 367 (1941).
    K. Gollnick u. G. O. Schenck in J. Hamer, *1,4-Cycloaddition Reactions*, S. 255, Academic Press, New York 1967.
    K. Gollnick, Adv. Photochem. **6**, 1 (1968).
    J. Rigaudy, Pure Appl. Chem. **16**, 169 (1968).
[5] C. Dufraisse u. M. Gerard, C. r. **201**, 428 (1935).

Im Falle substituierter Anthracene ist durch eingehende Untersuchungen geklärt worden, unter welchen Bedingungen die normalerweise in der 9,10-Stellung stattfindende Epiperoxid-Bildung in die 1,4-Stellung dirigiert werden kann[1]. Dies ist von der elektronischen Natur der Substituenten abhängig. Ausschließlich in 9,10-Stellung geht die Epiperoxid-Bildung, wenn die 1,4-Positionen unsubstituiert sind. Befinden sich starke Elektronen-Donatoren als Substituenten in 1,4-Stellung, so geht die Epiperoxid-Bildung dann in die 1,4-Stellung, wenn die 9,10-Stellung keine Substituenten oder schlechte Elektronen-Donatoren als Substituenten tragen. Befinden sich auch in 9,10-Stellung Elektronen-Donatoren als Substituenten (wie im Falle von 1,4,9,10-Tetramethoxy- oder 1,4-Dimethoxy-9,10-dimethyl-anthracen), so wird wiederum die 9,10-Stellung bevorzugt. Eine Mittelstellung nehmen Verbindungen wie 1,4-Dimethyl-9,10-diphenyl-anthracen[2] (Verhältnis von 9,10 zu 1,4- 3:7) und 1-Methoxy-9,10-diphenyl-anthracen[3] (Verhältnis 9,10- zu 1,4- =1:2) ein.

1,4-Diphenyl-⟨dibenzo-2,3-dioxa-bicyclo[2.2.2]octadien⟩[4]: 100 mg 9,10-Diphenyl-anthracen, gelöst in 60 ml reinem Schwefelkohlenstoff, werden in einem 500 ml Gefäß aus Uviol-Glas für ~ 30 Min. dem Sonnenlicht ausgesetzt. Durch vorsichtiges Eindampfen der Lösung auf ein kleines Volumen und Zugabe von Petroläther wird nahezu quantitativ das Peroxid in kleinen farblosen Prismen erhalten; Zers. p.: ~ 200°.

5,8-Dimethoxy-1,4-diphenyl-⟨dibenzo-2,3-dioxa-bicyclo[2.2.2]octadien⟩[5]: Eine verd.. Lösung (2 g/l) von 1,4-Dimethoxy-9,10-diphenyl-anthracen in Äther wird bei −50° mit einem Quecksilber-Hochdruck-Brenner (Philips SP 500) bestrahlt und gleichzeitig Sauerstoff durch die Lösung geleitet. Das ausfallende Peroxid wird abfiltriert und mit Äther gewaschen; Ausbeute: 94% d.Th.; F: 180–185° (Zers.).

Analog erhält man aus 1-Dimethylamino-9,10-diphenyl-anthracen bei −60° *5-Dimethyl-amino-1,4-diphenyl-⟨dibenzo-2,3-dioxa-bicyclo[2.2.2]octadien⟩* (65% d.Th.; F: 136–138°)[6]. Der Einfluß der Stellung der Substituenten am Acen-Ring wurde eingehend untersucht, um die thermische Stabilität des gebildeten Peroxids zu ermitteln, das sich in den meisten Fällen in das entsprechende Chinon[7] umlagert oder unter Rückbildung des Kohlenwasser-stoffs Sauerstoff abspaltet. *1,6-Dimethoxy-⟨dibenzo-2,3-dioxa-bicyclo[2.2.2]octadien⟩* ist z. B. äußerst stabil und läßt sich ohne Zersetzung sublimieren, während das *5,8-Dimethoxy-1,4-diphenyl-Derivat* bei 80° quantitativ unter starker Lumineszenz in die Ausgangsverbindung und Sauerstoff zerfällt[5].

Unter gleichen photochemischen Bedingungen werden höher kondensierte Aromaten in Peroxide umgewandelt (s. Tab. 208, S. 1489). Der Zusatz eines Sensibilisators ist nicht erforderlich, da die Acene selbst nicht nur Substrate, sondern auch die Sensibilisatoren der Reaktion sind[8].

3. von Hetero-aromaten

α) von Furanen

Die Umsetzung von Singulett-Sauerstoff mit Furanen ist eingehend untersucht worden. Der erste Reaktionsschritt verläuft wahrscheinlich nach einer 1,4-Cycloaddition wobei, analog wie bei cyclischen Dienen, ein bicyclisches Peroxid entsteht. Die Photo-peroxide sind äußerst instabil und wurden nur in wenigen Fällen isoliert.

Furan, mit einer Philips HPK 125 W Lampe bei −85° in einem Gemisch von Methanol/Propanol/Aceton (2:2:1) in Gegenwart von Bengalrosa und Sauerstoff photolysiert, wird zu einem ozonidartigen Peroxid (*2,3,7-Trioxa-bicyclo[2.2.1]hepten*) umgesetzt, das bei

[1] J. Rigaudy, Pure Appl. Chem. **16**, 169 (1968).
[2] J. Rigaudy, J. Guillaume u. D. Maurette, Bl. **1971**, 144.
[3] J. Rigaudy, T. Gobert u. N. K. Cuong, C. r. [C] **274**, 541 (1972).
[4] C. Dufraisse u. A. Etienne, C. r. **201**, 260 (1935).
[5] C. Dufraisse et al., C. r. **260**, 5031 (1965).
[6] J. Rigaudy, A. Defoin u. N. K. Cuong, C. r. [C] **271**, 1258 (1970).
[7] C. Dufraisse u. R. Priou, C. r. **204**, 127 (1937); Bl. **6**, 1649 (1939).
[8] E. J. Bowen, Adv. Photochem. **1**, 23 (1963).

Tab. 208. Photochemische Peroxid-Bildung von kondensierten Aromaten

Aromat	Reaktionsprodukt	F [°C]	Literatur
$R^1 = CH_3$ $R^2 = R^3 = R^4 = H$	...-⟨dibenzo-2,3-dioxa-bicyclo[2.2.2] octadien⟩ 1-Methyl-	80 (Zers.)[a]	1
$R^1 = C_6H_{11}$ $R^2 = R^3 = R^4 = H$	1-Cyclohexyl-	170	2
$R^1 = C_6H_5$ $R^2 = R^3 = R^4 = H$	1-Phenyl-	155 (Zers.)[a]	3
$R^1 = R^2 = C_6H_5$ $R^3 = COOCH_3, R^4 = H$	1,4-Diphenyl-5-methoxycarbonyl-	220	4
$R^1 = R^2 = R^3 = R^4 = C_6H_5$	1,4,5,8-Tetraphenyl-	200–210 (Zers.)	5
$R^1 = R^2 = R^3 = R^4 = H$	...-⟨benzo-naphtho[2,3]-2,3-dioxa-bicyclo[2.2.2]octadien⟩	120	6
$R^1 = R^2 = C_6H_5$ $R^3 = R^4 = H$	9,14-Diphenyl-	160 (Zers.)	7
$R^1 = R^2 = R^3 = R^4 = C_6H_5$	1,4,9,14-Tetraphenyl-	190	8
	1,4-Dimethyl-⟨benzo-naphtho[1,2]-2,3-dioxa-bicyclo[2.2.2]octadien)	193–194	9
	Dinaphtho[2,3;2',3']-2,3-dioxa-bicyclo[2.2.2]octadien	320–330	10

[a] explosiv

[1] A. WILLEMART, Bl. **5**, 556 (1938).
[2] A. WILLEMART, Bl. **6**, 204 (1939).
[3] C. DUFRAISSE, L. VELLUZ u. L. VELLUZ, Bl. **4**, 1260 (1937).
[4] L. VELLUZ u. L. VELLUZ, Bl. **5**, 192 (1938).
[5] C. DUFRAISSE u. L. VELLUZ, C. r. **211**, 790 (1940).
[6] C. DUFRAISSE u. R. HORCLOIS, Bl. **3**, 1880 (1936).
[7] C. DUFRAISSE u. R. HORCLOIS, Bl. **3**, 1894 (1936).
[8] C. MOREAU, C. DUFRAISSE u. P. M. DEAN, C. r. **182**, 1440, 1584 (1926).
C. DUFRAISSE, Bl. **3**, 1857 (1936).
[9] J. W. COOK u. R. H. MARTIN, Soc. **1940**, 1125.
[10] E. CLAR u. F. JOHN, B. **63**, 2967 (1930).

Tab. 208 (1. Fortsetzung)

Aromat	Reaktionsprodukt	F [° C]	Literatur
(C₆H₅ ... N ... C₆H₅ structure)	*1,4-Diphenyl-⟨benzo-pyrido[2,3]-2,3-dioxa-bicyclo[2.2.2]octadien⟩*	212	1
(benzo acridine structure)	*Benzo-(benzo-[h]-chinolino)[2,3]-2,3-dioxa-bicyclo[2.2.2]octadien*	195–200	2
(R¹, R², N structure) R¹ = C₆H₅ R² = H	*. . . -⟨benzo-pyrimidino[4,5]-2,3-dioxa-bicyclo[2.2.2]octadien⟩ 1,4-Diphenyl-*	200	3
R¹ = C₆H₅ R² = OCH₃	*6,8-Dimethoxy-1,4-diphenyl-*	180	

~ −20° explosionsartig verpufft (Lösung). Unterhalb −100° kann das Peroxid (F: ~ −10°) kristallin isoliert werden[4]. In Methanol erhält man bei >−20° aus dem Peroxid *5-Methoxy-2-oxo-2,5-dihydro-furan*[4]:

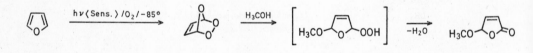

5-Methoxy-2-hydroperoxy-2,5-dimethyl-2,5-dihydro-furan[5]: Eine Lösung von 3 g 2,5-Dimethyl-furan und 0,024 g Bengalrosa in 250 *ml* Methanol wird mit einer 625 W Glühlampe (Sylvania Sungun) in einer mit Wasser gekühlten Immersionsapparatur belichtet, durch die Sauerstoff strömt. Dieser wird ständig wieder in die Apparatur zurückgeführt. Nach 5 Min. sind 686 *ml* Sauerstoff aufgenommen und die Reaktion hört abrupt auf. Nach Beseitigung des Lösungsmittels mit einem Rotationsverdampfer wird das Rohprodukt mit Äther und dann mit Petroläther gewaschen. Der feste Rückstand wird bei 63° (0,15 Torr) sublimiert; Ausbeute: 3,6 g (72% d.Th.); F: 75–76°.

[1] A. Étienne, Ann. Chim. (Paris) **1**, 5 (1946).

[2] A. Étienne u. A. Staehelin, Bl. **1954**, 748.

[3] M. Legrand, C. r. **237**, 822 (1953).

[4] E. Koch u. G. O. Schenck, B. **99**, 1984 (1966).

[5] C. S. Foote et al., Tetrahedron **23**, 2583 (1967).

s. a.: G. O. Schenck, A. **584**, 156 (1953); Ang. Ch. **56**, 101 (1944).

Über die Sensibilisierung mit Bilirubin s.:

R. Bonnett u. J. C. M. Stewart, Biochem. J. **130**, 895 (1972).

Analog werden oxidiert:

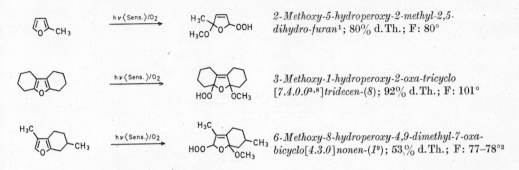

		2-*Methoxy-5-hydroperoxy-2-methyl-2,5-dihydro-furan*[1]; 80% d.Th.; F: 80°
		3-*Methoxy-1-hydroperoxy-2-oxa-tricyclo* [*7.4.0.0*^{3,8}]*tridecen-(8)*; 92% d.Th.; F: 101°
		6-*Methoxy-8-hydroperoxy-4,9-dimethyl-7-oxabicyclo[4.3.0]nonen-(1*^{9}); 53% d.Th.; F: 77–78°[2]

Wird Tetraphenyl-furan in Methanol in Gegenwart von Methylenblau photooxidiert, entsteht als Hauptprodukt *cis-1,4-Dioxo-1,2,3,4-tetraphenyl-buten-(2)*[3]. Verwendet man dagegen Aceton als Lösungsmittel, so werden *2,3-Diphenyl-2,3-dibenzoyl-oxiran* (45% d.Th.) und *1-Benzoyloxy-3-oxo-1,2,3-triphenyl-propen*[4] erhalten:

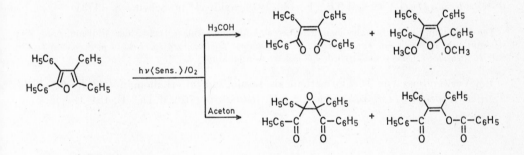

Benzo-kondensierte Furane werden ebenfalls photooxidiert.

So wird 1,3-Diphenyl-⟨benzo-[c]-furan⟩ in ein kristallines Endoperoxid {*1,4-Diphenyl-*⟨*benzo-2,3,7-trioxa-bicyclo[3.2.0]hepten-(5)*⟩} überführt, das einige Stunden bei −78° stabil ist. Jedoch bei > 20° sofort **explosionsartig** zerfällt. In Lösung erhält man bei 20° *1,2-Dibenzoyl-benzol*[5]. Das Ausgangsprodukt sensibilisiert in diesem Fall seine eigene Photooxidation. Über den Mechanismus der Zerfallsreaktion liegen keine erklärenden Untersuchungen vor. 2,3-Dimethyl-⟨benzo-[b]-furan⟩ wird durch sensibilisierte Photooxidation bei 20° zu *2-Acetoxy-acetophenon* umgesetzt[6]. Wird bei −78° oxidiert, so entsteht

[1] C. S. Foote et al., Tetrahedron 23, 2583 (1967).
s. a.: G. O. Schenck, A. 584, 156 (1953); Ang. Ch. 56, 101 (1944).
Über die Sensibilisierung mit Bilirubin s.:
R. Bonnett u. F. C. M. Stewart, Biochem. J. 130, 895 (1972).
[2] s. aber: G. O. Schenck u. C. S. Foote, Ang. Ch. 70, 505 (1957).
[3] H. H. Wasserman u. A. Liberles, Am. Soc. 82, 2086 (1960).
[4] R. E. Lutz et al., J. Org. Chem. 27, 1111 (1962).
[5] C. Dufraisse u. S. E. Cary, C. r. 223, 735 (1946).
Über eine analoge Reaktion s.:
F. Nahavandi, F. Razmara u. M. P. Stevens, Tetrahedron Letters 1973, 301.
[6] J. J. Basselier, J. C. Cherton u. J. Caille, C. r. 273, 514 (1971).

1,7-Dimethyl-⟨benzo-2,6,7-trioxa-bicyclo[3.2.0]hepten-(3)⟩, das sich thermisch zu *2-Acetoxy-acetophenon* isomerisiert:

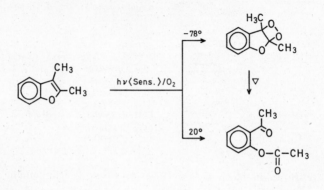

[2.2](2,5)Furanophan wird in einer mit Luft durchspülten äthanolischen Lösung in Gegenwart von Methylenblau mit einer 150 W-Lampe zu *4,7-Dioxo-13-oxa-tetracyclo[8.2.1.0^{1,5}. 0^{6,10}]tridecen-(11)* (II, 42% d.Th.; F: 186–187°) oxidiert[1] (s. Schema S. 1473).

Die Umsetzung verläuft wahrscheinlich über eine intramolekulare Diels-Alder-Addition vom Zwischenprodukt I, wobei ein Hydroperoxid II {*4-Methoxy-7-hydroperoxy-13,14-dioxa-pentacyclo[8.2.1.0^{1,5}. 0^{5,10}.1^{4,7}]tetradecen-(11)*} gebildet wird, das isoliert werden konnte[2].

Bei Verwendung von Dichlormethan als Lösungsmittel erhält man *1,12;4,5;6,7;10,11-Tetrakis-[epoxi]-13,14-dioxa-tricyclo[8.2.1.1^{4,7}]tetradecan* (75% d.Th.; F: 181–182°)[3]:

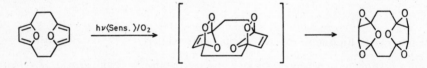

β) von Thiophenen

Im Gegensatz zu den entsprechenden Sauerstoff- und Stickstoff-Heteroaromaten reagieren Thiophen und Tetraphenyl-thiophen nicht mit Singulett-Sauerstoff[4,5]. Durch Belichtung einer Lösung von 2,3-Dimethyl-thiophen in Chloroform mit Licht der Wellenlänge 520 nm entstehen in hoher Ausbeute *5-Oxo-2-oxthiono-hexen-(3)* (I) und *2,5-Dioxo-hexen-(3)*[6,7]

[1] H. H. WASSERMAN u. A. R. DOUMAUX, Jr., Am. Soc. **84**, 4611 (1962).
[2] T. J. KATZ, V. BOLOGH u. J. SCHULMANN, Am. Soc. **90**, 734 (1968).
[3] H. H. WASSERMANN u. R. KITZING, Tetrahedron Letters **1969**, 5315.
[4] J. MARTEL, C. r. **244**, 626 (1957).
[5] G. O. SCHENCK u. C. H. KRAUCH, Ang. Ch. **74**, 510 (1962).
[6] H. H. WASSERMAN u. W. STREHLOW, Tetrahedron Letters **1970**, 891.
[7] C. N. SKOLD u. R. H. SCHLESSINGER, Tetrahedron Letters **1970**, 795.

(die Bildung von I erfolgt nach zwei unterschiedlichen Reaktionswegen)[1]:

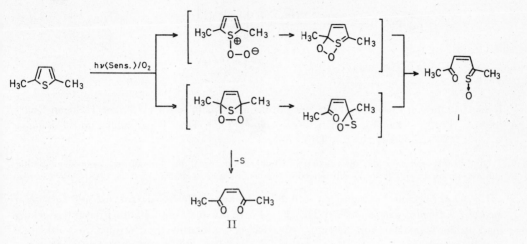

2,5-Dioxo-hexen-(3) (II) und 5-Oxo-2-oxthiono-hexen-(3) (I)[2]: Eine Lösung von 65 mg 2,5-Dimethyl-thiophen in 3 ml Chloroform wird mit Sauerstoff gesättigt und in Gegenwart von 2 mg Methylenblau 12 Stdn. mit einer 450 W Mitteldruck-Lampe (Typ Hanovia L), die mit einem Chrom(VI)-oxid-Filter ausgerüstet ist, belichtet. Anschließend wird das Lösungsmittel entfernt und der Rückstand an Silikagel (Elutionsmittel: Chloroform) aufgetrennt; zunächst erhält man I (56% d.Th.; F: 30°) danach II (28% d.Th.).

Wird in Methanol photooxidiert, so wird I zu 70% d.Th. und II zu 2% d.Th. erhalten.

Auf ähnliche Weise erhält man aus 2,3-Dimethyl-4,5,6,7-tetrahydro-⟨benzo-[b]-thiophen⟩ 10% d.Th. *8-Hydroxy-6-methoxy-8,9-dimethyl-7-thia-bicyclo[4.3.0]nonen-(1⁹)-S-oxid* (Kp$_{0,01}$: 40°)[3]:

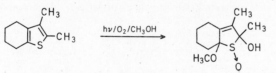

1,3-Diphenyl-⟨benzo-[c]-thiophen⟩ addiert dagegen ebenso wie 1,3-Diphenyl-⟨benzo-[c]-furan⟩ (s. S. 1491) bei Lichteinwirkung Sauerstoff unter Bildung von *1,2-Dibenzoyl-benzol*[4].

γ) von Pyrrolen

Bei der mit Eosin sensibilisierten Photooxidation (100 W Wolfram-Lampe) von Pyrrol in wäßriger Lösung konnte *5-Hydroxy-2-oxo-2,5-dihydro-pyrrol* (32% d.Th.; F: 102–102,5°) erhalten werden[1, s. a. 2, 3]:

[1] C. N. SKOLD u. R. H. SCHLESSINGER, Tetrahedron Letters **1970**, 795.

[2] R. H. SCHLESSINGER, Privatmitteilung.

[3] H. H. WASSERMAN u. W. STREHLOW, Tetrahedron Letters **1970**, 791.

[4] C. DUFRAISSE u. D. DANIEL, Bl. **4**, 2063 (1937).
    A. MUSTAFA, Soc. **1949**, 256.

[5] P. DE MAYO u. S. T. REID, Chem. Ind. **1962**, 1576.

[6] G. CIAMICIAN u. P. SIEBER, B. **45**, 1842 (1912).

[7] F. BERNHEIM u. J. E. MORGAN, Nature **144**, 290 (1939).

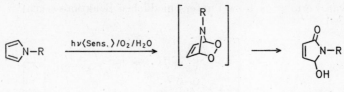

R = H, CH₃

In methanolischer Lösung und mit Bengalrosa als Sensibilisator (Wolfram-Halogen-Quarz-Lampe, 120 V, 1000 W) werden *Maleinimid* (2% d.Th.; F: 92–92,5°) und *5-Methoxy-2-oxo-2,5-dihydro-pyrrol* (16% d.Th.) isoliert[1].

Obwohl die Isolierung des intermediären Endoperoxids nicht beschrieben ist, kann seine Bildung anhand der analogen 1,4-Cycloaddition von Singulett-Sauerstoff an Furane (s. S. 1488) erklärt werden.

Unter ähnlichen Bedingungen erhält man aus 1-Methyl-pyrrol *5-Hydroxy-2-oxo-1-methyl-2,5-dihydro-pyrrol* (48% d.Th.; F: 84,5°)[2]. Zu mehreren Photo-Produkten gelangt man bei der Oxidation von C-mono-, -di- oder -per-substituierten Pyrrolen. So werden z. B. aus 2-Methyl-pyrrol in methanolischer Lösung (Bengalrosa) (Westinghouse, Wolfram-Halogen-Quarz-Lampe, 120 V, 500 W, No. 500 Q/LC bei 50 V gelaufen) nach 6stündiger Belichtung im Sauerstoffstrom *2-Hydroxy-5-oxo-2-methyl-2,5-dihydro-pyrrol* (15% d.Th.) und *2-Methoxy-5-oxo-2-methyl-2,5-dihydro-pyrrol* (20% d.Th.) isoliert[3].

Unter gleichen Photolyse-Bedingungen wird 2,4-Dimethyl-pyrrol[4] zu *2-Hydroxy-5-oxo-2,4-dimethyl-2,5-dihydro-pyrrol* (48% d.Th.; F: 134–135°) und *2-Methoxy-5-oxo-2,4-dimethyl-2,5-dihydro-pyrrol* (16% d.Th.; F: 106–107°) sowie 3,4-Diäthyl-pyrrol[1] zu *2,5-Dioxo-3,4-diäthyl-pyrrol* (34% d.Th.) und *2-Methoxy-5-oxo-3,4-diäthyl-2,5-dihydro-pyrrol* (33% d.Th.) oxidiert.

Die durch Farbstoffe sensibilisierte Photooxidation von 3-Methyl-pyrrol liefert infolge 1,4- und 1,2-Cycloaddition von Singulett-Sauerstoff eine Mischung von sechs Oxidationsprodukten[5]:

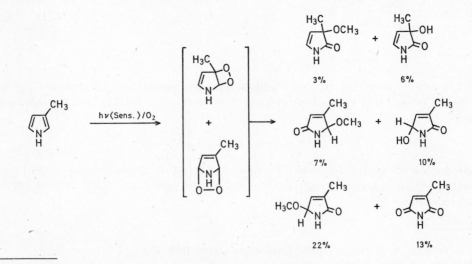

[1] G. B. Quistad u. D. A. Lightner, Chem. Commun. **1971**, 1099.
[2] F. Bernheim u. J. E. Morgan, Nature **144**, 290 (1939).
[3] D. A. Lighter u. L. K. Low, J. Heterocyclic Chem. **9**, 167 (1972).
[4] D. A. Lightner u. L. K. Low, J. Heterocyclic Chem. **9**, 167 (1972).
    s. a.: E. Höft, A. R. Katritzky u. M. R. Nesbit, Tetrahydron Letters **1967**, 3041; **1968**, 2028.
[5] D. A. Lighter u. L. K. Low, Chem. Commun. **1972**, 625.

Entalkylierte Produkte werden im Fall der Photooxidation von 2,5-Dimethyl[1]- und 2,5-Dimethyl-3,4-diäthyl-pyrrol[2] erhalten.

Die Bestrahlung von 2,5-Diphenyl-pyrrol in Äther, Chloroform oder Schwefelkohlenstoff bei −50° liefert *2-Hydroperoxy-2,5-diphenyl-2H-pyrrol* (50% d.Th.; F: 168–173°)[3,4], das wahrscheinlich durch Isomerisierung des intermediär gebildeten Endoperoxids entsteht, obwohl die Bildung eines 1,2-Cycloadditionsproduktes nicht vollkommen ausgeschlossen werden kann:

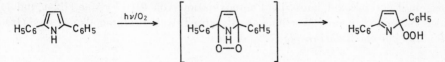

Stabile Hydroperoxide werden ebenfalls aus 2,5-Di-tert.-butyl-pyrrol und 2,3,5-Tri-tert.-butyl-pyrrol erhalten[5]:

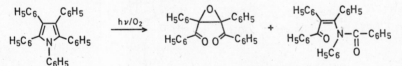

R[1] = R[3] = C(CH₃)₃; R[2] = H;   *2-Hydroperoxy-2,5-di-tert.-*
                                   butyl-2H-pyrrol; 60% d.Th.;
                                   F: 128–139°

R[1] = R[2] = R[3] = C(CH₃)₃;   *2-Hydroperoxy-2,4,5-tri-tert.-*
                                   butyl-2H-pyrrol; 66% d.Th.;
                                   F: 137°

2-Methoxy-3,4-epoxy-2,3,4,5-tetraphenyl-3,4-dihydro-2H-pyrrol (55% d.Th.; F: 164–165°) und *2-Benzoylamino-3-oxo-1,2,3-triphenyl-propan* (30% d.Th.; F: 191°) werden aus Tetraphenyl-pyrrol bei mit Methylenblau sensibilisierter Photooxidation in Methanol erhalten[6]. Über die Isolierung des *2-Hydroperoxy-2,3,4,5-tetraphenyl-2H-pyrrol* s. Original-Lit.[3].

Zur gleichzeitigen Abspaltung des Stickstoff-Atoms und des Phenyl-Restes kommt es dagegen bei der Oxidation von Pentaphenyl-pyrrol in Chloroform. Man erhält *cis-2,3-Diphenyl-2,3-dibenzoyl-oxiran* (F: 172–173°) und *1-(α-Benzoyl-anilino)-3-oxo-1,2,3-triphenyl-propen* (F: 225–226°)[7]:

Ähnliche Produkte entstehen durch Oxidation von 1-Methyl-2,3,5-triphenyl- und 1,2,3,5-Tetraphenyl-pyrrol[8].

Beim 1,2,3-Triphenyl-isoindol kann sogar durch Bestrahlung in Schwefelkohlenstoff unter Durchleiten von getrocknetem Sauerstoff das *1,4,9-Triphenyl-⟨benzo-2,3-dioxa-7-aza-bicyclo[2.2.1]hepten⟩* als farbloses Pulver erhalten werden[9]:

[1] L. K. Low u. D. A. Lighter, Chem. Commun. **1972**, 116.
[2] D. A. Lighter u. G. B. Quistad, Ang. Ch. 84, 216 (1972); engl.: **11**, 215 (1972).
[3] G. Rio et al., Bl. **1969**, 1667.
[4] C. Dufraisse et al., C. r. **261**, 3133 (1965).
[5] R. Rammasseul u. A. Rassat, Tetrahedron Letters **1972**, 1337.
[6] H. H. Wasserman u. A. Liberles, Am. Soc. 82, 2086 (1960).
[7] C. Dufraisse, G. Rio u. A. Ranjon, C. r. **265**, 310 (1967).
[8] H. H. Wasserman u. A. H. Miller, Chem. Commun. **1969**, 199.
[9] W. Theilacker u. W. Schmidt, A. **605**, 43 (1957).

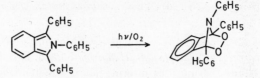

Das Peroxid kann unter Ausschluß von Feuchtigkeit einige Tage unzersetzt aufbewahrt werden. Zur Bestrahlung wird eine wassergekühlte Quecksilberdampf-Tauchlampe aus Quarz benutzt.

Über ein Endo-peroxid läuft die Photooxidation von 9H-⟨Pyrrolo-[1,2-a]-indol⟩ mit Singulett-Sauerstoff in einer Mischung aus Pyridin/Tetrahydrofuran/Wasser zu *3-Oxo-3,9a-dihydro-9H-⟨pyrrolo-[1,2-a]-indol⟩* (71% d. Th.)[1]:

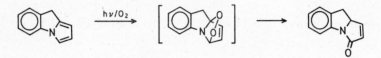

δ) von 1,3-Oxazolen und 1,2-Oxazolen

Substituierte 1,3-Oxazole sind der Farbstoff-sensibilisierten Photooxidation zugänglich. Wie bei anderen untersuchten heterocyclischen Dienen, wird das durch 1,4-Cycloaddition von Singulett-Sauerstoff gebildete Endoperoxid als Zwischenprodukt betrachtet. So wird z. B. 2-Methyl-5-phenyl-1,3-oxazol in Methanol in Gegenwart von Luft und Methylenblau zu *Benzoesäure* und *α-Acetamino-α-methoxy-acetophenon* photooxidiert:

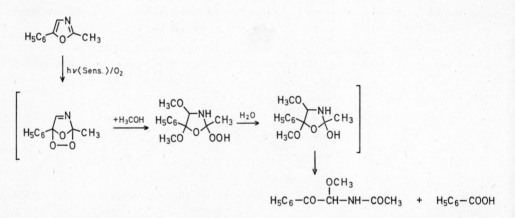

α-Acetamino-α-methoxy-acetophenon und Benzoesäure[2]: Eine Lösung von 1,59 g 2-Methyl-5-phenyl-1,3-oxazol in 1,6 l Methanol wird in Gegenwart von 5 mg Methylenblau unter Durchleiten eines langsamen Luftstroms mit einer 150 W Lampe 48 Stdn. bestrahlt. Nach Entfernung des Lösungsmittels i. Vak. wird der verbleibende Rückstand in 30 ml Äther gelöst und die Lösung rasch mit 40 ml gekühlter 10%iger Natriumcarbonat-Lösung extrahiert. Die wäßrige Phase wird mit einem Überschuß konz. Salzsäure angesäuert und 2mal mit jeweils 50 ml Äther extrahiert. Die vereinigten Extrakte werden getrocknet; nach Verdampfen des Äthers erhält man *Benzoesäure* (1,02 g; 83% d. Th.).

Die neutrale Äther-Phase der ursprünglichen Extraktion wird mit Wasser gewaschen und mit Natriumsulfat getrocknet. Nach Abdampfen des Äthers erhält man einen öligen Rückstand, der aus Benzol/Petroläther umkristallisiert wird; Ausbeute: 0,20 g (10% d. Th.) *α-Acetamino-α-methoxy-acetophenon*; F: 115–116° (aus Hexan/Essigsäure-äthylester).

---

[1] J. Auerbach u. R. W. Franck, Chem. Commun. **1969**, 991.
[2] H. H. Wasserman u. M. B. Floyd, Tetrahedron (Suppl.) **7**, 441 (1966).

Erfolgt die Photooxidation in Methanol/Pyridin, so wird als einziges neutrales Oxidations-produkt *Benzoesäure-methylester* (35% d.Th.) neben *Benzoesäure* (50% d.Th.) isoliert.

Unter ähnlichen Reaktionsbedingungen kann aus 2,4,5-Triphenyl-1,3-oxazol *Tri-benzoyl-amin* (55% d.Th.; F: 209–210°) neben geringen Mengen *Benzoesäure* und *Benzamid* erhalten werden[1]. Wird die Oxidation ($\lambda > 300$ nm) in Äther oder Benzol durchgeführt, so entstehen *Tribenzoyl-amin*, *Benzonitril* und *Benzoesäure-anhydrid*[2]. Die Triacyl-amin-Bildung wurde auch bei 2-Methyl-4,5-diphenyl- und 4-Methyl-2,5-diphenyl-1,3-oxazol aufgezeigt[1].

Die Umsetzung von Singulett-Sauerstoff mit 4,5-kondensierten 1,3-Oxazolen stellt eine brauchbare Methode zur Herstellung von ω-Cyan-alkansäuren dar[3]. Man bestrahlt mit einer 275 W Sonnenlampe 12–14 Stdn. unter Durchleiten von trockenem Sauerstoff (Lösungsmittel: Dichlormethan). Die Ausbeuten liegen zwischen 80–90% d.Th.:

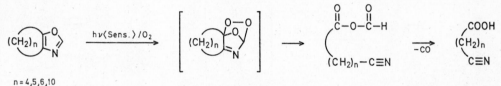

$n = 4,5,6,10$

3,4,5-Triphenyl-1,2-oxazol wird in Äther oder Benzol zu *Tribenzoyl-amin*, *Phthalsäure-anhydrid*, *Benzonitril* und *Phenyl-benzoyl-keten-phenylimin* photooxidiert ($\lambda > 300$ nm)[2].

ε) von 1,3-Thiazolen

2,4,5-Triphenyl-1,3-thiazol wird durch Photooxidation in Methanol in Gegenwart von Bengalrosa in *Benzil* und *Benzamid* umgewandelt. Arbeitet man dagegen in Chloroform und mit Methylenblau als Sensibilisator erhält man als einziges isolierbares Oxidations-produkt *Dibenzoyl-thiobenzoyl-amin*.

ζ) von Imidazolen

Unsubstituiertes Imidazol wird in methanolischer Lösung und Methylenblau als Sensibili-sator zu *4,5-Dimethoxy-2-oxo-tetrahydroimidazol* (30% d.Th.; F: 112–114°) photooxidiert[4]:

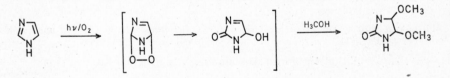

Durch analoge Reaktionsführung werden aus 4,5-Diphenyl-imidazol mit einer Gesamt-ausbeute von 45% d.Th. *5-Methoxy-2-oxo-4,5-diphenyl-2,5-dihydro-imidazol* und *4,5-Dimethoxy-2-oxo-4,5-diphenyl-tetrahydroimidazol*[4] erhalten.

Die Photooxidation von 2,4,5-Triphenyl-imidazol (Lophin) stellt das älteste Beispiel der Reaktion eines Imidazols mit Singulett-Sauerstoff dar. Durch Bestrahlung in Gegenwart

[1] H. H. WASSERMAN u. M. B. FLOYD, Tetrahedron (Suppl.) **7**, 441 (1966).

[2] D. W. KURTZ u. H. SHECHTER, Chem. Commun. **1966**, 689.

[3] H. H. WASSERMAN u. E. DRUCKREY, Am. Soc. **90**, 2440 (1968).

[4] H. H. WASSERMAN, K. STILLER u. M. B. FLOYD, Tetrahedron Letters **1968**, 3277.

von Methylenblau und Sauerstoff mit einer Sonnenlampe bei 18° werden *4-Hydroperoxy-2,4,5-triphenyl-4H-imidazol* (68% d.Th.; F: 110°) neben *N,N'-Dibenzoyl-benzamidin* erhalten[1]:

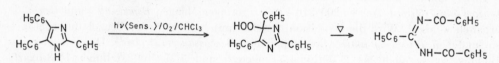

Die Photooxidation von 1,2,4,5-Tetraphenyl-imidazol in methanolischer Lösung liefert mit 97%iger Ausbeute *N-Phenyl-N,N'-dibenzoyl-benzamidin*[2]. Im Gegensatz zum bereits oben erwähnten Lophin entsteht hier kein Hydroperoxid. Die intermediäre Bildung eines 1,2-Dioxetans durch 1,2-Cycloaddition von Singulett-Sauerstoff erscheint dagegen wahrscheinlich:

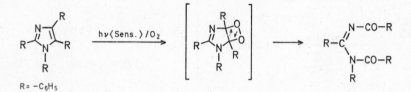

Geht man von kondensierten Imidazolen aus, läßt sich in Einzelfällen eine Umsetzung mit Sauerstoff photochemisch erreichen.

2,5-Dioxo-4-ureido-tetrahydroimidazol und N,N'-Bis-[aminocarbonyl]-harnstoff[3]:

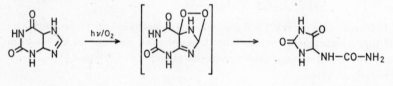

Eine Lösung von 1,0 g (6,6 mMol) Xanthin und 20 mg Bengalrosa in 150*ml* 0,022n Natronlauge (3,3 mMol) wird mit einer 100 W Quecksilber-Hochdruck-Lampe photolysiert. Nach Beendigung der Sauerstoff-Absorption (155 *ml*) wird die Reaktionslösung angesäuert (p_H = 2). Dabei wird Kohlendioxid freigesetzt. Die angesäuerte Mischung wird zur Entfernung von Bengalrosa mit Aktivkohle behandelt, dann i. Vak. auf 30 *ml* eingeengt, wobei *N,N'-Bis-[aminocarbonyl]-harnstoff* ausfällt; Ausbeute: 50 mg (5% d.Th.); F: 230–238° (aus Wasser).

Die Mutterlauge wird bis zur Trockne eingedampft und der Rückstand aus Wasser umkristallisiert; Ausbeute: 0,42 g (41% d.Th.) *2,5-Dioxo-4-ureido-tetrahydroimidazol*; F: 235–236°.

Über die Photooxidation von Purin-Abkömmlingen s. Original-Lit.[3].

η) von Phosphorinen

2,4,6-Tri-tert.-butyl-λ^3-phosphorin wird bei der Bestrahlung in wasserfreiem Cyclohexan und in Gegenwart von Eosin mit einer Quecksilber-Hochdruck-Lampe (45 Min.) über ein intermediäres Endoperoxid (?) zu *2,4,6-Tri-tert.-butyl-7-oxa-1-phospha(P^V)-bicyclo[2.2.1]*

[1] J. SONNENBERG u. D. M. WHITE, Am. Soc. **86**, 5684 (1964).
s. a.: E. H. WHITE u. M. J. C. HARDING, Am. Soc. **86**, 5685 (1964).
Ein Endo-peroxid als Reaktionsprodukt wird berichtet von:
C. DUFRAISSE, A. ETIENNE u. J. MARTEL, C. r. **244**, 970 (1957).
C. DUFRAISSE u. J. MARTEL, C. r. **244**, 3106 (1957).
[2] H. H. WASSERMAN, K. STILLER u. M. B. FLOYD, Tetrahedron Letters **1968**, 3277.
[3] T. MATSUURA u. I. SAITO, Tetrahedron **24**, 6609 (1968).

heptadien-(2,5)-1-oxid(I) (15% d.Th.; F: 152°) und *1,4-Dihydroxy-2,4,6-tri-tert.-butyl-1,4-dihydro-phosphorin(P^V)-1-oxid* (II) (15% d.Th.; F: 167°) umgesetzt[1]:

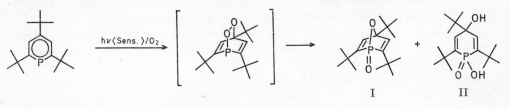

c) Photopolymerisation

bearbeitet von

Prof. Dr. GERHARD WEGNER*

Als Photopolymerisation kann jeder Prozeß bezeichnet werden, bei dem unter Einwirkung von Licht niedermolekulare Substanzen in hochmolekulare Produkte umgewandelt werden. Photopolymerisationen wurden schon lange vor der eigentlichen Grundlegung der Polymerchemie als präparative Methode zur Erzeugung von Polymeren erkannt[2,3].

Bei der Aufklärung des Mechanismus von Radikalketten-Reaktionen haben Photopolymerisationen schon frühzeitig eine bedeutende Rolle gespielt[4,5]. Mit der Entdeckung, daß sich aus synthetischen Polymeren mit photolabilen Grundbausteinen oder Seitengruppen Photoresist-Schichten erhalten lassen[6,7], hat das Gebiet den entscheidenden Anstoß zu seiner Entwicklung erhalten.

Im folgenden soll der Begriff Photopolymerisation etwas schärfer gefaßt werden und damit nur solche Reaktionen gemeint sein, bei denen eine monomere oder doch wenigstens niedermolekulare Substanz unter der Einwirkung von Licht zu Makromolekülen polymerisiert wird; z. B.:

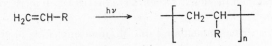

Davon zu unterscheiden sind Reaktionen an Polymeren, bei denen unter Einwirkung von Licht eine chemische Photovernetzung benachbarter Makromoleküle stattfindet:

$$\cdots -M-(M)_n-M- \cdots \qquad \xrightarrow{h\nu} \qquad \begin{array}{c} \cdots -M-(M)_n-M- \cdots \\ | \qquad\qquad | \\ \cdots -M-(M)_n-M- \cdots \end{array}$$

$$\cdots -M-(M)_n-M- \cdots$$

Ein typisches photovernetzendes Polymeres ist Polyvinyl-cinnamat, das ausführlicher auf S. 1518 besprochen ist.

Die Möglichkeit, solche Photovernetzungen in definierter Weise durchführen zu können, bildet die Grundlage der bereits erwähnten und technisch außerordentlich wichtigen Photoresist-Schichten sowie zahlreicher Prozesse der Druck- und Reproduktionstechnik.

* Institut für Makromolekulare Chemie der Universität Freiburg.

1 K. DIMROTH, A. CHATZIDAKIS u. O. SCHAFFER, Ang. Ch. 84, 526 (1972); engl.: 11, 506 (1972).
2 D. BLYTH u. A. W. HOFFMANN, A. 53, 292 (1845); Styrol zu Polystyrol.
3 D. BERTHELOT u. H. GAUDECHON, C. r. 150, 1169 (1900).
4 L. KÜCHLER, *Polymerisationskinetik*, S. 115f., Springer Verlag, Berlin 1951.
5 J. C. BEVINGTON, *Radical Polymerization*, Academic Press. Inc., New York 1961.
6 L. M. MINSK et al., J. Appl. Polymer Sci. 2, 302 (1959).
7 G. A. DELZENNE, J. Europ. Polymer Sci. 1969, 55.

Die Unterscheidung zwischen Photopolymerisation und Photovernetzung ist nicht immer eindeutig zu treffen. So ist z. B. die photochemisch initiierte Copolymerisation eines Vinylmonomeren mit einem bereits hochmolekular vorliegenden, ungesättigten Polyester ein Prozeß, bei dem ein vernetztes Polymeres resultiert. Eine andere Situation, die sich der klaren Einordnung entzieht, ist die photochemische Propf-copolymerisation eines Vinyl-monomeren mit einem Polymeren, das photolabile Seitengruppen trägt und somit als polymerer Initiator wirken kann[1].

Photopolymerisationen lassen sich sowohl unter präparativen als auch mechanistischen Gesichtspunkten einteilen in direkte Photopolymerisationen und photosensibilisierte Polymerisationen. Dabei sollen unter der Bezeichnung „direkte Photopolymerisation" solche Reaktionen verstanden werden, bei denen unter der Einwirkung von Licht oder UV-Strahlung Polymere nach einem speziellen, photochemischen Mechanismus gebildet werden. Im Gegensatz dazu stehen die „photosensibilisierten Polymerisationen", bei denen unter der Einwirkung von Licht und unter Beteiligung des zugesetzten Sensibilisators lediglich die eine Kettenreaktion auslösenden reaktiven Spezies gebildet werden, die Poly-merisation selbst aber nach den bekannten Mechanismen einer Radikalketten- oder ioni-schen Polymerisation abläuft. Die Bezeichnung „direkte Photopolymerisation" schließt also nicht aus, daß ein Sensibilisator bei der Durchführung der Reaktion zum Einsatz kommt, sondern bezieht sich lediglich auf den prinzipiell von den Schemata radikalischer oder ionischer Polymerisationen abweichenden Mechanismus.

Besonderheiten bei Polymerisationen in fester Phase

Unter den direkten Photopolymerisationen spielen die durch UV-Strahlung auslösbaren, sogenannten „Festkörperreaktionen" oder „Reaktionen im kristallinen Zustand" eine bedeutende Rolle[2-5]. Dieses Gebiet, das sich zur Zeit in rascher Entwicklung befindet, erhält sein Interesse aus der Tatsache, daß es zahlreiche organische Molekülkristalle gibt, in denen durch Belichtung Photopolymerisationen ausgelöst werden können. Durch Aus-nutzung dieses Phänomens erhofft man sich, zu neuen Methoden der Bildaufzeichnung zu gelangen[6]. Dabei entstehen in vielen Fällen kristalline Polymere mit einer wohldefinier-ten, morphologischen Struktur.

Bei solchen Festkörperreaktionen sind die Monomermoleküle in der Matrix, die durch den Kristallverband gebildet wird, bereits in einer für die Polymerisation geeigneten Weise vorgeordnet. Im Idealfall sind benachbarte Moleküle im Kristall so angeordnet, daß diese Anordnung dem Übergangszustand entspricht, den die Moleküle bei der Polymeri-sation im Stoßkomplex einnehmen müssen.

Daher sind Kristallstruktur und Textur zwei bedeutungsvolle Parameter für Fest-körperpolymerisationen. Insbesondere die Polymorphie spielt eine wichtige Rolle. Es sind nämlich zahlreiche Beispiele bekannt geworden, bei denen lediglich eine bestimmte kristalline Modifikation eines Monomeren und nur diese zur Polymerisation befähigt ist. Man muß daher bei der Untersuchung und Durchführung von Festkörperreaktionen sorg-fältig auf mögliche Polymorphien achten und deren Einfluß auf das Reaktionsverhalten in Betracht ziehen. Ferner muß darauf hingewiesen werden, daß Festkörperpolymerisatio-nen nicht ohne weiteres bei einer ganzen Klasse von homologen Verbindungen durchzu-führen sind. Da solche Polymerisationen nämlich durch die Packung der Monomermoleküle

[1] G. OSTER, Encyclopedia of Polymer Science and Technology, Vol. 10, S. 145, Interscience Publ., New York, N. Y., 1969.
[2] G. M. J. SCHMIDT in Reactivity of the Photoexited Organic Molecule, S. 227 f., J. Wiley, New York 1967.
[3] H. MORAWETZ, J. Polymer Sci. [C] 12, 79 (1966).
[4] C. H. BAMFORD u. G. C. EASTMOND, Quart. Reviews 23, 271 (1969).
[5] G. WEGNER, Chimia 28, 475 (1974).
[6] H. S. A. GILMOUR, The Photochemistry of the Organic Solid State in D. Fox, Physics and Chemistry of the Organic Solid State, Vol. I, Interscience Publ., New York 1963.

im Kristallgitter kontrolliert werden und diese Packung durch die Länge der Moleküle, durch die Raumerfüllung eines Substituenten oder durch Koordinationsbedingungen beeinflußt wird, kann die Generalisierung einer Reaktion, die nur auf ein oder zwei Beispielen aus einer homologen Reihe beruht, in höchstem Maße irreführend sein[1].

1. direkte Photopolymerisation

α) Polymerisation von Verbindungen mit C=C-Doppelbindung

Systematische Untersuchungen der direkten Photopolymerisation von Vinyl- und Acryl-Verbindungen, die gleichzeitig präparative Bedeutung besitzen, sind bisher nur in beschränktem Maße bekannt geworden. Die Literatur ist verstreut und nicht immer widerspruchsfrei. Es wird daher im folgenden versucht, vor allem auf die vom präparativen Standpunkt aus wichtige Beispiele einzugehen und dabei die mechanistischen Gesichtspunkte nur kurz zu streifen.

Acrylsäure polymerisiert im festen Zustand bei Belichtung mit einer Quecksilberdampflampe[2]. Da im Kristall der Abstand zwischen den C=C-Doppelbindungen benachbarter Moleküle lediglich 3,50 Å beträgt[3] und die Geometrie des Gitters für die Bildung eines cyclischen Dimeren im Gegensatz zu den Zimtsäuren[1] äußerst ungünstig ist, darf vermutet werden, daß die Reaktion zwischen zwei benachbarten C=C-Doppelbindungen zunächst zu einem offenkettigen Diradikal eines Dimeren führt, das dann die Polymerisation auslöst. Die Polymerisation findet jedoch nicht im Kristall selbst statt, sondern beginnt an Fehlstellen oder Versetzungen des Kristalls. Im Verlauf der Polymerisation wird das kristalline Monomere in amorphes Polymeres übergeführt. Die Orientierung der Monomermoleküle im Kristall spielt jedoch zumindest zu Beginn der Polymerisation eine Rolle, wie sich z. B. daraus ergibt, daß bei Einwirkung von polarisiertem UV-Licht[4] die Anfangsgeschwindigkeit der Reaktion von der Orientierung des Monomerkristalls zum Polarisator abhängt. Bei der Photopolymerisation von kristalliner 2-Methyl-acrylsäure wird ebenfalls nur amorphes Polymeres gebildet[5].

Dagegen scheint es möglich zu sein, Acrylsäure- und 2-Methyl-acrylsäure-amid nach einem speziellen Verfahren durch Photo-polymerisation in kristalline Polymere überzuführen[6]. Werden Kristalle von Acrylsäure-amid oder 2-Methyl-acrylsäure-amid in Gegenwart von gasförmigem Chlor bei 32° mit dem Licht einer Quecksilberdampflampe belichtet, so tritt Polymerisation ein, die an der Oberfläche der Kristalle beginnt und langsam in das Innere fortschreitet. Das dabei gebildete Polymere ist kristallin, aber unorientiert bezüglich der kristallographischen Achsen des Monomerkristalls. Wird das nicht umgesetzte Monomere absublimiert, so hinterbleiben die kristallinen Polymeren. Wird dagegen das nicht umgesetzte Monomere durch Extraktion mit z. B. Aceton entfernt, so entsteht ausschließlich amorphes Polymeres.

Von Pentadien-(2,4)-säure ist die thermische und durch Röntgenstrahlung ausgelöste Polymerisation bekannt[7], so daß die Möglichkeit für eine photochemische Polymerisation ebenfalls bestehen sollte. Hexadien-(trans-2, trans-4)-säure (trans-trans-Muconsäure) und einige ihrer Ester ergeben Polymere mit geringem Polymerisationsgrad, wenn man die kristallinen Substanzen mit UV-Licht bestrahlt[1,8]. Die Polymeren sind nicht einheitlich aufgebaut und enthalten neben isolierten Doppel-

[1] G. M. J. SCHMIDT in Reactivity of the Photoexited Organic Molecule, S. 227f., J. Wiley, New York 1967.
[2] C. H. BAMFORD, G. C. EASTMOND u. J. C. WARD, Pr. roy. Soc. [A] 271, 357 (1963).
[3] M. A. HIGGS u. R. L. SASS, Acta crystallogr. 16, 657 (1963).
[4] G. C. EASTMOND, E. HAIGH u. B. TAYLOR, Trans. Faraday Soc. 65, 2497 (1969).
[5] C. H. BAMFORD, A. BIBBY u. G. C. EASTMOND, Polymer 9, 629 (1968).
[6] T. MATSUDA, T. HIGASHIMURA u. S. OKAMURA, J. Macromol. Sci. A 4, 1 (1970).
[7] H. MORAWETZ u. I. D. RUBIN, J. Polymer Sci. 57, 697 (1962).
[8] M. LAHAV u. G. M. J. SCHMIDT, Soc. [B] 1967, 286.

bindungen auch α,β-ungesättigte Ester-Gruppen. Die Polymeren zeigen auch keine Kristallinität oder Orientierung relativ zum Gitter des Monomeren, so daß lediglich der Beginn der Polymerisation, nicht aber das Wachstum der Polymerketten durch das Kristallgitter kontrolliert sein kann.

3-Thienyl-(2)-*trans*-acrylsäure[1] existiert in zwei Modifikationen, von denen die thermodynamisch stabile bei Belichtung ausschließlich Polymere liefert, während die instabile Modifikation inaktiv ist.

Das UV-Spektrum der Polymeren (P $\sim$ 30) zeigt ein Maximum bei 2050 Å, das die Anwesenheit von Vinylthioäther-Gruppen und daher die Teilnahme des Thiophen-Ringes an der Polymerisation anzeigt.

Ähnliches gilt für die kristalline 3-Furyl-(2)-acrylsäure[1], die bei Belichtung ($\lambda > 3000$ Å) unter Beteiligung des Furan-Ringes ein Polymeres (P $\sim$ 30) liefert. Allerdings wird als Nebenprodukt mit $\sim$ 50% Ausbeute ein Dimeres gebildet, das ein Furan-Analoges der β-Truxinsäure darstellt.

Zimtsäuren und ihre Derivate polymerisieren im allgemeinen nicht, sondern ergeben cyclische Dimere. Diese Cyclomerisierung kann jedoch, wie auf S. 1507f. beschrieben, zum Aufbau definierter Polymerer ausgebaut werden.

Die Photopolymerisation von Maleinsäureimid (I) und dessen N-substituierten Derivaten II ist auch vom präparativen Gesichtspunkt aus näher untersucht worden[2-7]. Diese Monomeren sind sowohl in kristalliner Phase als auch im gelösten Zustand ohne Zusätze von Sensibilisatoren polymerisierbar[2]:

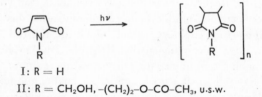

I: R = H

II: R = CH$_2$OH, –(CH$_2$)$_2$–O–CO–CH$_3$, u.s.w.

Bei der Polymerisation im kristallinen Zustand werden dabei z. T. kristalline Polymere erhalten, über deren Taktizität und Kristallstruktur keine Ergebnisse vorliegen[2] (die IR-Spektren der in Lösung und im festen Zustand hergestellten Polymeren unterscheiden sich nur wenig) oder es entstehen Dimere der Struktur III mit einer *endo*-Konfiguration und der Symmetrie[8] m. Bei substituierten Maleinsäure-imiden IV wird nur die Dimerisierung beobachtet:

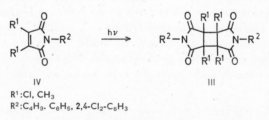

IV

R^1:Cl, CH$_3$

R^2:C$_4$H$_9$. C$_6$H$_5$, 2,4-Cl$_2$-C$_6$H$_3$

III

Poly-maleinsäureimide; allgemeine Arbeitsvorschrift[2]: 1,0 g fein gepulvertes monomeres Maleinsäure-imid-Derivat wird in eine Glasampulle gegeben, die sodann i. Vak. entgast, anschließend mit Stickstoff gespült und zugeschmolzen wird. Die Ampulle wird unter Rühren in einem Wasserbad bei 40° dem Licht einer 300 W Hg-Hochdruck-Lampe ausgesetzt, die sich in einem Abstand von 17,5 cm befindet. Nach

[1] G. M. J. SCHMIDT in *Reactivity of the Photoexited Organic Molecule*, S. 227, J. Wiley, New York 1967.

[2] M. YAMADA, J. TAKASE u. N. KOUTOU, J. Polymer Sci. [B] 8, 883 (1968).

[3] P. O. TAWNEY et al., J. Org. Chem. 25, 56 (1960).

[4] P. O. TAWNEY et al., J. Org. Chem. 26, 15 (1961).

[5] M. YAMADA et al., J. Soc. Org. Synth. Chem. Japan 23, 68 (1965).

[6] M. YAMADA u. J. TAKASE, J. Chem. Soc. ind. Chem. Sect. 71, 572 (1968).

[7] US. P. 2444536 (1968), N. E. SEARLE.

[8] N. BOENS, F. C. DE SCHRYVER u. G. SMETS, J. Polymer Sci. Polymer Chem. Ed. 13, 201 (1975).

Beendigung der Bestrahlung werden die Polymeren durch Extraktion mit kaltem Aceton, Methanol oder Essigsäure-äthylester von nicht umgesetztem Monomerem befreit.

In ähnlicher Weise kann auch die Polymerisation der Monomeren in Lösung durchgeführt werden. Hierbei werden 1,0 g der Monomeren in 6 *ml* Methanol gelöst und diese Lösung, in Ampullen eingeschmolzen, unter den gleichen Bedingungen, wie oben angegeben, bestrahlt. Im Verlauf der Reaktion scheiden sich die Polymeren an den Wänden der Ampullen ab. Die Polymeren können in Cyclohexanon gelöst und durch Umfällen gereinigt werden.

Ein Verfahren von großer Bedeutung zur Herstellung von Textilien sei im folgenden beschrieben[1]. Bringt man Zubereitungen von polymerisierenden und vernetzenden Monomeren in kristallin erstarrenden Lösungsmitteln, wie z. B. Wasser, Eisessig, 1,4-Dioxan, Harnstoff, auf einer kalten Fläche zum Erstarren, so kristallisiert das Lösungsmittel bevorzugt so aus, daß die Kristalle des reinen Lösungsmittels senkrecht auf der kalten Fläche stehen. Nach dem Erstarrungsprozeß sind die Monomeren in den die einzelnen Kristalle begrenzenden kapillaren Zwischenräumen konzentriert. Es wird dadurch ein Matrixgeber erhalten, der im molekularen Bereich nicht substratspezifisch arbeitet, dennoch aber die zu polymerisierende Substanz in faserförmiger Gestalt, die einzelnen Fasern jedoch räumlich getrennt, ordnet. Während der Auslösung und im Verlauf der Polymerisations- bzw. Vernetzungsreaktion muß dafür gesorgt werden, daß der Matrixgeber nicht schmilzt. Die Initiierung kann durch UV-Strahlung u. U. in Gegenwart eines Sensibilisators ausgelöst werden. Nach der Polymerisation bzw. Vernetzung wird über den Schmelzpunkt des Lösungsmittels erwärmt und dieses abgetrennt. Die Ausbeuten können bis nahe an den quantitativen Umsatz getrieben werden. Bringt man vor oder während des Kristallisationsprozesses einen Träger, z. B. ein nicht gewebtes Faservlies in die Lösung ein, so erhält man auf diesem Wege flächenförmige Gebilde mit textilen Eigenschaften.

β) Vierzentren-Photopolymerisation

β₁) *in fester Phase*

Die konsequente Übertragung des Mechanismus[2,3] der Dimerisierung der Zimtsäure und ihrer Derivate im kristallinen Zustand auf die Polymerchemie[4-13] führte zu einer Serie neuartiger, hochkristalliner Polymerer mit einer Cyclobutan-Struktur in der Haupt-

---

[1] C. H. KRAUCH u. A. SANNER, Naturwiss. **55**, 539 (1968).

[2] G. M. J. SCHMIDT in *Reactivity of the Photoexited Organic Molecule*, S. 227 f., J. Wiley, New York 1967.

[3] M. D. COHEN u. G. M. J. SCHMIDT in J. H. DEBOER *Reactivity of Solids*, S. 556, Elsevier Publ., Amsterdam 1961.

[4] M. HASEGAWA u. Y. SUZUKI, J. Polymer Sci. [B] **5**, 813 (1967).

[5] M. HASEGAWA, F. SUZUKI, H. NAKANISHI u. Y. SUZUKI, J. Polymer Sci. [B] **6**, 293 (1968).

[6] M. IGUCHI, H. NAKANISHI u. M. HASEGAWA, J. Polymer Sci. [A-1] **6**, 1055 (1968).

[7] M. HASEGAWA, Y. SUZUKI, F. SUZUKI u. H. NAKANISHI, J. Polymer Sci. [A-1] **7**, 743, 753 (1969).

[8] S. FUJISHIGE u. M. HASEGAWA, J. Polymer Sci. [A-1] **7**, 2037 (1969).

[9] F. SUZUKI, Y. SUZUKI, H. NAKANISHI u. M. HASEGAWA, J. Polymer. Sci. [A-1] **7**, 2319 (1969).

[10] F. NAKANISHI u. M. HASEGAWA, J. Polymer Sci. [A-1] **8**, 2151 (1970).

[11] M. HASEGAWA, Y. SUZUKI u. T. TAMASI, Bl. chem. Soc. Japan **43**, 3020 (1970).

[12] Y. SASADA, H. SHIMANOUCHI, H. NAKANISHI u. M. HUSEGAWA, Bl. chem. Soc. Japan, **42**, 1262 (1971).

[13] Zusammenfassende Darstellung: M. HASAGEWA et al., in K. IMAHORI u. S. MURAHASHI, *Progress in Polymer-Science Japan*, Vol. 5, S. 143, Halsted Press, New York 1973.

kette. Diese als „Vierzentren-Photopolymerisation" bezeichnete Reaktion verläuft nach folgender Gleichung:

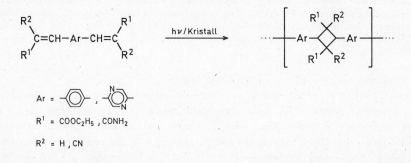

Der Polymerisationsverlauf wird durch das Gitter des Monomeren kontrolliert, d. h. die Stereochemie am Cyclobutan-Ring des Grundbausteins des Polymeren entspricht den Symmetrieeigenschaften des Monomerkristalls und die Wachstums- bzw. Kettenrichtung des Polymeren entspricht einer definierten kristallographischen Richtung im Monomerkristall. So gehören z. B. die Kristalle von 2,5-Bis-[2-phenyl-vinyl]-pyrazin (IV) und Poly-2,5-bis-[2-phenyl-vinyl]-pyrazin (V) der gleichen Raumgruppe an (Pbca)[1,2]:

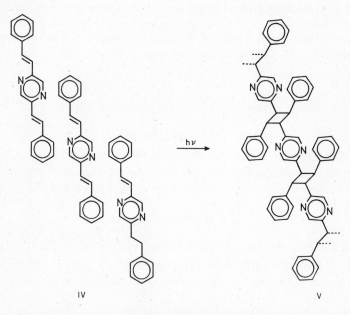

IV   V

Die stereochemische Anordnung der Substituenten am Cyclobutan-Ring des Polymeren entspricht der α-Truxillsäure im Fall der Zimtsäure-Dimerisierung[3,4].

Die Polymerketten wachsen ferner ausschließlich in Richtung der c-Achse der Monomerkristalle[2,5], so daß bei Bestrahlung von Einkristallen des Monomeren faserförmige Kristalle

[1] M. Hasegawa, Y. Suzuki u. T. Tamaki, Bl. chem. Soc. Japan 43, 3020 (1970).
[2] Y. Sasada, H. Shimanouchi, H. Nakanishi u. M. Hasegawa, Bl. chem. Soc. Japan, 44, 1262 (1971).
[3] G. M. J. Schmidt in Reactivity of the Photoexited Organic Molecule, S. 227 f., J. Wiley, New York 1967.
[4] M. D. Cohen u. G. M. J. Schmidt in J. H. deBoer Reactivity of Solids, S. 556, Elsevier Publ., Amsterdam 1961.
[5] M. Iguchi, H. Nakanishi u. M. Hasegawa, J. Polymer Sci. [A–1] 6, 1055 (1968).

des Polymeren mit der Struktur V erhalten werden. Es handelt sich demnach um eine stereospezifische Polymersynthese, wobei die Stereoselektivität der Reaktion dadurch bedingt ist, daß die einzelnen Reaktionsschritte topochemisch, d. h. durch die Packung und Orientierung der Monomermoleküle im Kristallgitter kontrolliert werden. Im Kristall des Monomeren VI sind die einzelnen Moleküle leiterartig und die Doppelbindungen antiparallel zueinander ausgerichtet[1]:

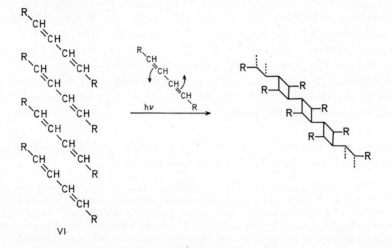

Die Polymerisation erfolgt unter sukzessiver Drehung jedes einzelnen Moleküls um seinen Schwerpunkt und gleichzeitiger Vierzentren-Photoaddition benachbarter, antiparalleler C=C-Doppelbindungen zum Cyclobutan-Ring. In Abhängigkeit von der Natur der Substituenten R und von den Kristallisationsbedingungen bei der Herstellung der Monomer-kristalle ist noch eine zweite, zur Polymerisation befähigte Anordnung der Monomer-moleküle erreichbar mit einer parallelen Anordnung benachbarter C=C-Doppelbindungen. Diese Anordnung ist in der folgenden Gleichung skizziert und führt zu Polymeren mit einer sterischen Anordnung am Cyclobutan-Ring, die der β-Truxinsäure entspricht[2,3]:

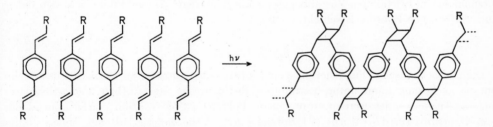

Voraussetzung für die Festkörperreaktionsfähigkeit von olefinischen Doppelbindungen ist die Anordnung der Substituenten an den C=C-Doppelbindungen in trans-Stellung[2]. Der bei der Dimerisierung der Zimtsäure und ihren Derivaten nachgewiesene Zusammenhang zwischen Kristallstruktur des Monomeren und Molekülsymmetrie des Dimeren[2] ist im Fall der Polymerreaktion erst für 2,5-Bis-[2-phenyl-vinyl]-pyrazin (IV, S. 1504) eindeutig bewiesen[1]. Es besteht jedoch kaum Zweifel, daß die für die Dimerisierung gültigen Gesetzmäßigkeiten vollständig auf die Polymerisation übertragbar sind.

[1] Y. Sasada, H. Shimanouchi, H. Nakanishi u. M. Hasegawa, Bl. chem. Soc. Japan **44**, 1262 (1971).
[2] G. M. J. Schmidt in *Reactivity of the Photoexcited Organic Molecule*, S. 227f., J. Wiley, New York 1967.
[3] M. D. Cohen u. G. M. J. Schmidt i. J. H. deBoer *Reactivity of Solids*, S. 556, Elsevier Publ., Amsterdam 1961.

Die Polymerisation erfolgt schrittweise[1-4]. Es werden zunächst Oligomere gebildet, die erst bei höheren Umsätzen in Polymere mit sehr großem Molekulargewicht umgewandelt werden. Die Oligomeren liegen kristallin vor, und zwar in einer Modifikation, die isomorph mit der Struktur des Monomeren und durch den besonderen Mechanismus der Reaktion „kinetisch erzwungen" ist. Wird das Oligomere isoliert und erneut kristallisiert, so gelingt es nicht, wieder eine Modifikation des Oligomeren zu erzeugen, die der weiteren Polymerisation zugänglich wäre[2,4]. Gelegentlich tritt auch spontane Entmischung des in den ersten Reaktionsschritten gebildeten Oligomeren auf, wenn die Polymerisationstemperatur relativ zum Schmelzpunkt des Monomeren zu hoch gewählt wird. So wird z. B. bei der Photo-polymerisation des kristallinen 1,4-Bis-[2-äthoxycarbonyl-vinyl]-benzol (F: 93–94°) bei 30° fast ausschließlich ein Gemisch von Oligomeren mit sehr geringem Polymerisationsgrad (2–5) gebildet, das sich bereits während der Entstehung vom nicht umgesetzten Monomeren abtrennt[3]. Dagegen wird aus den gleichen Monomerkristallen bei der Bestrahlung unterhalb 15° hochmolekulares Polymeres in quantitativer Ausbeute erhalten.

Bezüglich weiterer Einzelheiten sei auf die zusammenfassende Darstellung der präparativen und physikalisch-chemischen Aspekte verwiesen s. Lit.[4].

Die bei der Vierzentren-Photopolymerisation erhaltenen Polymeren von durchweg hohem Molekulargewicht sind kristallin und liegen in kinetisch erzwungenen Modifikationen vor. Nach dem Lösen und Rekristallisieren dieser Polymeren werden stets andere Modifikationen erhalten. Die Polymeren sind in einer begrenzten Anzahl von Lösungsmitteln löslich, z. B. in konzentrierter Schwefelsäure, Trifluoressigsäure und Dichloressigsäure. Sie zeigen alle hohe Schmelzpunkte und depolymerisieren im allgemeinen bereits vor Erreichen des Schmelzpunktes bei langsamen Aufheizgeschwindigkeiten.

Tab. 209 (S. 1507) gibt einen Überblick über Polymerisationsbedingungen und Eigenschaften der Polymeren für einige der diolefinischen Verbindungen. In gleicher Weise können auch die Zimtsäureester von geeigneten Diolen im festen Zustand polymerisiert werden[5].

Die in Tab. 209 (S. 1507) aufgeführten Verbindungen können in Lösung photochemisch nicht polymerisiert werden. Lösungen der Oligomeren oder Polymeren depolymerisieren bei Belichtung ihrer Lösungen mit Licht der gleichen Wellenlänge (3400 Å), bei der die Monomeren im kristallinen Zustand polymerisiert werden[2]. Dieser Effekt läßt sich daher zum Aufbau von Photoresistschichten auswerten[6].

β_2) in Lösung

Die photochemische Dimerisierung von Maleinsäureimiden zu Derivaten des Cyclobutans in Lösung kann unter bestimmten Bedingungen zum Aufbau hochmolekularer Substanzen verwendet werden. Eine solche Polymerisationsreaktion wurde anhand der 1,ω-Dimaleinimido-alkane (VI) durchgeführt[7-9]. Die dabei erhaltenen, linearen Polymeren weisen eine chemische Struktur auf, die durch andere Methoden der Polymerchemie nicht erzeugt werden kann.

[1] H. Nakanishi, Y. Suzuki, F. Suzuki u. M. Hasegawa, J. Polymer Sci. [A–1] 7, 753 (1969).
[2] M. Hasegawa, Y. Suzuki u. T. Tamaki, Bl. chem. Soc. Japan 43, 3020 (1970).
[3] G. Wegner, unveröffentlichte Ergebnisse.
[4] M. Hasagawa et al., in K. Imahori u. S. Murahashi, Four-Center Type Photopolymerization in the Crystalline State, Progress in Polymer Science Japan, Vol. 5, S. 143, Halsted Press, New York 1973.
[5] M. Miura, T. Kitami u. K. Nagakubo, J. Polymer Sci. [B] 6, 465 (1968).
[6] H. Takahashi, M. Sakuragi, M. Hasegawa u. H. Takahashi, J. Polymer Sci. [A-1] 10, 1397 (1972).
[7] F. C. deSchryver, W. J. Feast u. G. Smets, J. Polymer Sci. [A–1] 8, 1939 (1970).
[8] F. C. deSchryver, N. Boens u. G. Smets, J. Polymer Sci. [A-1] 10, 1687 (1972).
[9] N. Boens, F. C. deSchryver u. G. Smets, J. Polymer Sci., Polymer Chem. Ed. 13, 201 (1975).

Tab. 209. Vierzentren-Photopolymerisation[a] von Diolefinen im kristallinen Zustand

$$R-CH=CH-Ar-CH=CH-R \xrightarrow{h\nu}$$

Monomeres		Reaktionsbedingungen			Ausbeute [% d.Th.]	F [° C]	Polymeres η red[b]	Literatur
Ar	R	Licht-quelle	Reaktions-					
			dauer [Stdn.]	temp. [° C]				
N⟩-⟨N	C_6H_5	A	2	25	100	340	10[c]	1
N⟩-⟨	C_6H_5	C	9	25	90	340	2[c]	2
-⟨◯⟩-	COOH	B	27	25	100	290	0,12	3
	$COOCH_3$	A	1,5	25	100	415	25	4
		B	1,5	25	55	415	9	4
	$CO-NH_2$	A	10	25	100	405	1,5	4
-⟨◯⟩	$COOCH_3$	C	30	25	100	85–95	d	4

[a] Die Monomerkristalle wurden in einem Gemisch von Äthanol und Wasser (1:10) suspendiert und unter Rühren bestrahlt.
[b] Reduzierte Viskosität (c = 0,36 g/l) in konz. Schwefelsäure.
[c] in CF_3COOH.
[d] $M_n = 1040$

A: Hg-Hochdruck-Tauchlampe (100 W)
B: Hg-Hochdrucklampe (450 W)
C: Xenon-Lampe (500 W)

Für die Photoreaktion solcher Bis-maleinsäureimide gibt es mehrere Möglichkeiten:

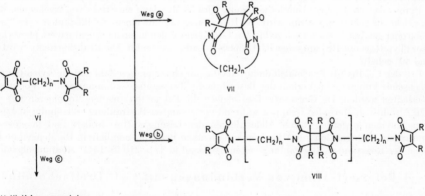

Unlösliches, vernetztes
Polymeres durch Poly-
merisation der Doppel-
bindungen

[1] R. Franke, B. 38, 3727 (1905).
[2] G. Drehfahl, G. Plötner u. G. Buchner, B. 94, 1824 (1961).
[3] P. Ruggli u. W. Teilheimer, Helv. 24, 899 (1941).
[4] F. Suzuki, Y. Suzuki, H. Nakanishi u. M. Hasegawa, J. Polymer Sci. [A-1] 7, 2319 (1969).

Der Reaktionsweg ⓐ (intramolekulare Cyclisierung zu VII) wird hauptsächlich dann beschritten, wenn die Zahl der Methylen-Gruppen zwischen 3 und 7 liegt und R=H ist[1]. Bei mehr als 7 Methylen-Gruppen zwischen den beiden Maleinsäureimid-Resten werden Polymere erhalten, die jedoch größtenteils unlöslich sind. Die Unlöslichkeit wird dadurch bedingt, daß am Kohlenstoff unsubstituierte Maleinsäureimide außerordentlich leicht im Sinne einer normalen Vinylpolymerisation reagieren[2]. Bei Chlor-maleinsäureimiden kann diese unerwünscht Nebenreaktion vermieden werden. Aus 1,ω-Bis-[dichlor-maleinimido]-alkanen (VI, R=Cl und 6 <n <13) werden daher durch photochemische Polycyclo-addition Polymere der allgemeinen Struktur VIII (R=Cl, 6 <n <13) mit dem Cyclobutan-Ring im Grundbaustein erhalten. Die stereochemische Anordnung der Substituenten am Cyclobutan-Ring ist nicht bekannt. Polymere von besonders hohem Molekulargewicht werden bei einer Länge der Polymethylenkette von 9 bzw. 11 Einheiten erhalten. Die Polymerisation kann durch Benzophenon sensibilisiert werden und erfolgt nach dem Mechanismus eines schrittweisen Aufbaus des Makromoleküls über Dimere, Trimere usw.[3,4]. Lösungen der Polymeren können zu transparenten, zähen Filmen vergossen werden, die aufgrund ihres hohen Chlor-Gehaltes unbrennbar sind und sich erst oberhalb 300° zersetzen. Einige Bis-[maleinsäureimide] können im festen, kristallinen Zustand polymerisiert werden[5].

Polymere VIII (S. 1507) aus 1,ω-Bis-[dichlor-maleinimido]-alkanen:

1,ω-Bis-[dichlor-maleinimido]-alkane[6,7]: 0,5 Mol 1,ω-Diamino-alkan und 1 Mol 2,3-Dichlor-maleinsäureanhydrid werden jeweils in möglichst wenig Eisessig gelöst. Die Lösungen werden vereint und langsam zum Rückfluß erwärmt. Es wird 2 Stdn. am Rückfluß gekocht und sodann das 1,ω-Bis-[dichlor-maleinimido]-alkan mit Eiswasser ausgefällt. Das Rohprodukt wird auf einem Filter gesammelt und mit Eiswasser frei von Essigsäure gewaschen.
Nach dem Trocknen i. Vak. wird es in Chloroform gelöst und chromatographisch an Florisil (Fluka, 60–100 mesh) gereinigt; Ausbeute: ~ 80–90% d.Th.; farblose kristalline Substanzen.
1,7-Bis-[dichlor-maleinimido]-heptan, das sehr schwer zu reinigen ist, erhält man in niedrigerer Ausbeute. Diese Verbindung wird am besten durch Chromatographie einer Lösung in Toluol an Aluminiumoxid (Merck, Aktivitätsstufe 1, neutral) gereinigt; Ausbeute: 57% d.Th.
Für eine erfolgreiche Polymerisation der Monomeren ist die bestmögliche Reinheit erforderlich. Monomere, die lediglich durch Umkristallisieren und nicht chromatographisch gereinigt sind, können nicht photopolymerisiert werden.
Photopolymerisation[6]: Das Monomere und Benzophenon werden in Methylchlorid in einem zylindrischen Pyrex-Glasgefäß gelöst. Durch die Lösung wird 30 Min. lang ein Strom von trockenem, sauerstoff-freiem Stickstoff geblasen, sodann wird das Reaktionsgefäß mit einem Schliffstopfen verschlossen. Die farblosen oder gelegentlich schwach gelblichen Lösungen werden in einem präparativen, photochemischen Reaktor (Typ Rayonet RS) mit einer RUL–3500–Å-Lampe bestrahlt. Die Reaktionstemp. wird zwischen 30° und 40° gehalten.
Im Fall der 1,ω-Bis-[dichlor-maleinimido]-alkane mit einer geraden Zahl von Methylen-Gruppen fällt das wachsende Polymere im Verlauf der Bestrahlung teilweise aus, so daß nur geringe Polymerisations-grade erhalten werden. Im Gegensatz dazu bleiben die Polymeren aus den Monomeren mit einer un-geraden Anzahl von Methylen-Gruppen während der gesamten Bestrahlung vollständig in Lösung. Die gelösten Polymeren werden durch Abdestillieren des Lösungsmittels isoliert und in einer Soxhlet-Apparatur durch Extraktion mit Äther von anhaftendem Benzophenon befreit. Die Mengen und Konzen-trationen der Reaktanden, Bestrahlungszeiten usw. sind in Tab. 210 (S. 1511) zusammengefaßt.

γ) Polymerisation von Verbindungen mit C≡C-Dreifachbindung

Die Photopolymerisation von kristallinen Monomeren mit konjugierten C≡C-Drei-fachbindungen stellt ein breit anwendbares Syntheseprinzip für Polymere dar, die eine

[1] F. C. deSchryver, I. Bhardwai u. J. Put, Ang. Ch. **81**, 224 (1969); engl.: **8**, 213 (1969).
[2] Y. Nakayama u. G. Smets, J. Polymer Sci. [A–1] **5**, 1619 (1967).
[3] F. C. deSchryver, N. Boens u. G. Smets, J. Polymer Sci. [A-1] **10**, 1687 (1972).
[4] F. C. deSchryver, Pure Appl. Chem. **34**, 213 (1973).
[5] N. Boens, F. C. deSchryver u. G. Smets, J. Polymer Sci., Polymer Chem. Ed. **13**, 201 (1975).
[6] F. C. deSchryver, W. J. Feast u. G. Smets, J. Polymer Sci. [A–1] **8**, 1939 (1970).
[7] E. L. Martin, C. L. Dickinson u. J. R. Rolands, J. Org. Chem. **26**, 2032 (1961).

Hauptkette aus aufeinander folgenden Dreifach-, Einfach- und Doppelbindungen besitzen und somit über eine völlig konjugierte Hauptkette verfügen[1-13]. Die Substituenten sind stets in *trans*-Stellung bezogen auf die Doppelbindung angeordnet:

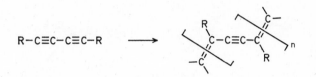

Die Polymerisation der farblosen Monomerkristalle kann in der Regel auch durch energiereiche Strahlung oder thermisch unterhalb des Schmelzpunktes der Monomeren bewirkt werden. In Schmelze oder Lösung tritt keine Polymerisation ein.

Die Struktur der Polymeren wird durch Röntgenstrukturanalyse[7-11] und Ramanspektroskopie[12-14] belegt. In vielen Fällen gelingt es, aus Einkristallen des Monomeren ebensolche Einkristalle der Polymeren zu erzeugen, da es sich um eine homogene Polymerisation handelt, bei der die Makromoleküle unabhängig voneinander in der Matrix des Monomerkristalls in kristallographisch ausgezeichneter Richtung wachsen[15,16].

Die Kristalle der Polymeren sind tief rot bis blau-schwarz gefärbt. Je nach Art der Substituenten an der Hauptkette lösen sich die Polymeren in hochsiedenden polaren oder unpolaren Lösungsmitteln mit tief roter Farbe und fallen in der Kälte wieder mikrokristallin aus. Die meisten Polymeren schmelzen nicht, sondern zersetzen sich bei Temperaturen oberhalb von 250°. Sie sind elektrische Halbleiter und zeigen interessante spektroskopische Eigenschaften, die sie als „eindimensionale Metalle" ausweisen[17-20].

---

[1] G. WEGNER, Z. Naturf. **24 b**, 824 (1969).

[2] G. WEGNER, Makromol. Chem. **154**, 35 (1972).

[3] G. WEGNER, J. Polymer Sci. [B] **9**, 133 (1971).

[4] J. KIJI, J. KAISER, R. C. SCHULZ u. G. WEGNER, Polymer (London) **14**, 433 (1973).

[5] G. WEGNER, Chimia **28**, 475 (1974).

[6] R. H. BAUGHMAN u. K. C. YEE, J. Polymer Sci., Polymer Chem. Ed. **12**, 2476 (1974).

[7] E. HÄDICKE et al., Ang. Ch. **83**, 251 (1971).

[8] D. KOBELT u. H. PAULUS, Acta Cryst. [B] **30**, 232 (1974).

[9] E. HÄDICKE, K. PENZIEN u. W. SCHNELL, Ang. Ch. **83**, 1024 (1971).

[10] R. H. BAUGHMAN, J. Appl. Phys. **43**, 4362 (1972).

[11] A. W. HANSON, Acta Cryst. B **31**, 831 (1975).

[12] A. J. MELVEGER u. R. H. BAUGHMAN, J. Polymer Sci. [A-2] **11**, 603 (1973).

[13] R. H. BAUGHMAN, J. D. WITT u. K. C. YEE, J. Chem. Phys. **60**, 4755 (1974).

[14] R. H. BAUGHMAN, G. J. EXHARHOS u. W. M. RISEN, J. Polymer Sci., Polymer Phys. Ed. **12**, 2189 (1974).

[15] J. KAISER, G. WEGNER u. E. W. FISCHER, Israel J. Chem. **10**, 157 (1972).

[16] R. H. BAUGHMAN, J. Polymer Sci., Polymer Phys. Ed. **12**, 1511 (1972).

[17] W. SCHERMAN u. G. WEGNER, Makromol. Chem. **160**, 349 (1972).

[18] G. WEGNER u. W. SCHERMANN, Kolloid Z. Polymere **252**, 655 (1974).

[19] D. BLOOR, D. J. ANDO, F. H. PRESTON u. G. C. STEVENS, Chem. Phys. Letters **24**, 407 (1974).

[20] E. G. WILSON, J. Phys. [C] Solid State Phys. **8**, 727 (1975).

Der Mechanismus der Polymerisation weist einige formale Ähnlichkeiten zu der auf S. 1503f. behandelten „Vierzentren-Photopolymerisation" von Diolefinen auf[1]:

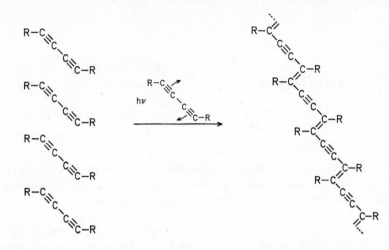

Die konjugierten Dreifachbindungen geeigneter Monomerer sind im Kristall leiterartig zueinander angeordnet. Durch sukzessive Drehung jeder Sprosse oder durch Scherung der gesamten Leiter tritt Polymerisation unter 1,4-Verknüpfung benachbarter Dreifachbindungen ein. Es wird vermutet, daß die Reaktion über aktive Kettenenden mit carbenoider Struktur verläuft[2].

Die Photopolymerisation läuft im gesamten Bereich des Absorptionsspektrums der Monomeren ab, bevorzugt jedoch bei Bestrahlung im Bereich der Absorption der konjugierten Dreifachbindungen ($\lambda < 300$ nm). Das sich bildende, tief farbige Polymere wirkt nicht sensibilisierend. Bei der Durchführung der Polymerisation ist zu beachten, daß viele Monomere in mehreren Modifikationen auftreten können, je nach Lösungsmittel und Bedingungen, die bei der Kristallisation zur Anwendung kommen. Reaktive Modifikationen werden insbesondere bei solchen Diinen beobachtet, deren Substituenten polare Gruppen enthalten, die zur Ausbildung gerichteter Wechselwirkung befähigt sind, wie z. B. Hydroxy-, Carboxy-, Amid- oder Urethan-Gruppierungen. Das Vorhandensein solcher Gruppen ist jedoch keine unabdingbare Voraussetzung für die Polymerisierbarkeit von Diinen. So besitzt z. B. das völlig unpolare Octacosadiin-(13,15) eine photoreaktive Tieftemperaturmodifikation, die sich erst oberhalb 15° in die nahezu inaktive, stabile Hochtemperaturmodifikation umwandelt, die bei 36° schmilzt[3].

Triine polymerisieren ebenfalls unter Verknüpfung der Monomeren in 1,4-Stellung, wobei im Polymeren ein Grundbaustein mit seitenständiger Äthinyl-Gruppe entsteht[3]:

Auch cyclische Di- und Polyine ergeben bei Belichtung tief farbige polymere Produkte. Die genaue Struktur der Polymeren ist jedoch nur im Fall der Polymerisation von Glutar-

[1] K. TAKEDA u. G. WEGNER, Makromol. Chem. **160**, 349 (1972).
[2] G. WEGNER, Chimia **28**, 475 (1975).
[3] J. KIJI, J. KAISER, R. C. SCHULZ u. G. WEGNER, Polymer (London) **14**, 433 (1973).

säure-1,4-diphenyl-butadiin-2,2'-cycl.-ester aufgeklärt worden, aus dem ein *trans-trans-*Polymeres der angegebenen Struktur entsteht[1]:

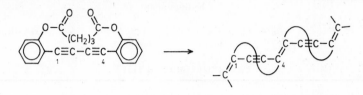

Tab. 210. Polymere VIII (S. 1507) durch Polymerisation von 1,ω-Bis-[dichlor-malein-imido]-alkanen durch Photocycloaddition[a]

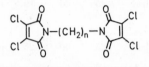

Monomeres n	F [° C]	Polymerisationsbedingungen			Ausbeute [% d.Th.]	$\overline{P}_n$	Schmelz-bereich [° C]
		Monomeres [Mol/l]	Benzo-phenon [Mol/l]	Be-strahlungs-zeit [Stdn.]			
7	120,3	0,195	0,137	121	100	10	222–280
8	133,5	0,068	0,055	112	86	5[b]	201–247
9	85,3	0,20	0,12	120	98	66	330[c]
10	134,5	0,043	0,007	111	48	6[b]	200–216
11	84,5	0,12	0,10	74	76	15	314[c]
12	126,2	0,183	0,183	115	63	[b]	185–237

[a] in Dichlormethan bei 30–40°, $\lambda = 3500$ Å.
[b] Polymeres fällt im Verlauf der Reaktion teilweise unlöslich aus. $\overline{P}_n$ bezieht sich lediglich auf diesen Anteil
[c] Zersetzung

Poly-1,6-bis-[anilinocarbonyloxy]-hexadien-(2,4) [2,3]:

1,6-Bis-[anilinocarbonyloxy]-hexadien-(2,4): 1,1 g sorgfältig getrocknetes Hexadiin-(2,4)-diol-(1,6) werden in 10 ml abs. Tetrahydrofuran gelöst und 5,0 ml frisch dest. Phenylisocyanat zugegeben. Nach Zugabe von 0,1 ml Triäthylamin und 50 mg Dibutyl-zinn-dioctanoat läßt man den Ansatz 3 Stdn. bei 50° stehen. Die Lösung wird in 100 ml Heptan eingegossen, filtriert und mit Heptan Isocyanat freigewaschen. Anschließend wird mehrmals aus wenig siedendem Äthanol umkristallisiert, um die letzten Spuren von u. U. gebildetem N,N'-Diphenyl-harnstoff zu entfernen, der bei der Polymerisation inhibierend wirkt; Ausbeute: 90–95%; F: 172°.
Bei der Kristallisation aus Äthanol entsteht die wenig reaktive Modifikation II (S. 1500).
Um die reaktive Modifikation zu erhalten, werden 1,5 g der aus Äthanol kristallisierten Verbindung in 150 ml 1,4-Dioxan gelöst. In die siedende Lösung werden langsam 200 ml heißes Wasser gegeben, wobei die Temp. nicht unter 90° sinken soll. Die klare Lösung wird im Dunkeln auf Raumtemp. gebracht. Nach 5–10 Stdn. haben sich farblose, lange Nadeln der Kristallmodifikation I gebildet, die sich am Licht schnell tief blau verfärben. Sie werden abfiltriert und i. Vak. getrocknet (F: 172°).
Polymerisation: Die Bedingungen für die Photopolymerisation dieser Verbindung sind in Tab. 210 (s. o.) angegeben.

[1] R. H. BAUGHMAN u. K. C. YEE, J. Polymer Sci., Polymer Chem. Ed. **12**, 2467 (1974).
[2] G. WEGNER, Z. Naturf. **24b**, 824 (1969).
[3] G. WEGNER, Makromol. Chem. **154**, 35 (1972).

Tab. 211. Photopolymerisation von konjugierten Diinen im kristallinen Zustand[a]

R–C≡C–C≡C–R			Reaktions-bedingungen			Polymeres		η_{sp}/c[b] [ml/g]	Lite-ratur
R	F [°C]	aus	Tem-pera-tur [°C]	Zeit [Min.]	Aus-beute [% d.Th.]	Farbe	Kristallform		
$-CH_2-CO-NH-C_6H_5$	172	1,4-Dioxan/H_2O	20	60	65	rot-violett	Nadeln	90[c]	1,2
$-CH_2-O-TOS$	96	Methanol	20	120	51	dunkelrot	flache	64[d]	3
			65	60	46	dunkelrot	Rauten	60[d]	
(ring, NH–CO–CH₃)	235[e]	Acetanhydrid	25	60	19	violett	Nadeln	un-löslich	4
(ring, NH–CO–CH₃)	252	Acetanhydrid	25	60	25	grün-blau	Nadeln	15	4
(ring, NH–CO–C₆H₅)	232	1,4-Dioxan/H_2O	25	60	3	violett	Blättchen	12	4
$-CH_2-O-CH_2-CH_2$ / CH_2-CH_2-O / $CO-NH-C_6H_5$	108,5	Äthanol	40	180	64	hellrot	Nadeln	49[f]	5

[a] Monomerkristalle in Mischung aus Propanol und Wasser (1:20) suspendiert und unter Rühren mit Hg-Hochdruck-Lampe (240 W) von der Oberfläche her bestrahlt. Abstand Lampe-Oberfläche der Suspension: 12 cm

[b] c = 1,0 g/l

[c] in Phosphorsäure-tris-[dimethylamid]

[d] in Nitrobenzol

[e] unter Zersetzung

[f] in Dimethylformamid

Poly-1,6-tosyloxy-hexadiin-(2,4)[3]:

1,6-Ditosyloxy-hexadien-(2,4): 11,0 g Hexadiin-(2,4)-diol-(1,6) werden in 100 ml Tetrahydro-furan gelöst und 50 g p-Toluolsulfonsäure-chlorid zugegeben. Unter Rühren und Eiskühlung wird eine Lösung von 20 g Kaliumhydroxid in 160 ml Wasser eingetropft. Die Mischung wird 6 Stdn. gerührt, die Temp. darf dabei nicht über 30° steigen. Anschließend werden 500 ml Eiswasser zugefügt und der kristallin ausgefallene p-Toluolsulfonsäureester abfiltriert. Man kristallisiert mehrmals aus siedendem Methanol um (farblose, nadelförmige Kristalle, die sich in Büscheln zusammenlagern; Ausbeute: 90% d.Th.; F: 96°).

Die Verbindung ist außerordentlich lichtempfindlich und färbt sich bereits im Verlauf der Kristal-lisation tief rot. Beim Arbeiten mit dieser Substanz ist größte Vorsicht geboten. Wenn sie mit der bloßen Haut in Kontakt kommt, können schwere **Allergien** auftreten.

Polymerisation: Die Polymerisationsbedingungen können Tab. 211 (s. o.) entnommen werden. Die Polymeren von hohem Molekulargewicht lösen sich bei 60–100° in z. B. Nitrobenzol, Butan-1,4-olid, Dimethylformamid, Phosphorsäure-tris-[dimethylamid] und ähnlichen Lösungsmitteln. Bei Abkühlung dieser Lösungen auf Raumtemp. kristallisieren die Polymeren wieder aus.

Näher untersucht wurden auch eine Reihe von im festen Zustand photoreaktiven, p-di-substituierten Diäthinyl-aromaten und deren Eignung als Substrate zur optischen Bildauf-

[1] G. Wegner, Z. Naturf. **24 b**, 824 (1969).
[2] G. Wegner, Makromol. Chem. **154**, 35 (1972).
[3] K. Takeda u. G. Wegner, Makromol. Chem. **160**, 349 (1972).
[4] G. Wegner, J. Polymer. Sci. [B] **9**, 133 (1971).
[5] G. Wegner, unveröffentlichte Ergebnisse.

zeichnung[1]. Prototyp dieser Verbindungen ist das 1,4-Diäthinyl-benzol, für dessen Polymerisation folgende Formulierung vorgeschlagen wurde:

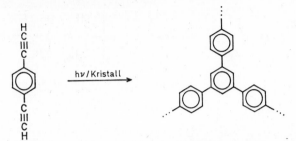

Die Polymeren sind röntgenamorph[1]. Andererseits ist bekannt, daß die Polymerisation topochemisch verläuft und kristalline Polymere nicht genau bekannter Struktur erhalten werden[2, 3].

Schließlich sei darauf hingewiesen, daß auch die Derivate des Butenins Reaktionsfähigkeit im festen Zustand zeigen können[4].

In diesem Zusammenhang muß noch erwähnt werden, daß die auf S.1511 bei den niedermolekularen Diinen skizzierte Polymerisation auch auf geeignete kristallisationsfähige Polymere übertragen werden kann[5–7].

So färbt sich z. B. das Polyurethan aus Hexadiin-(2,4)-diol-(1,6) und 1,6-Diisocyanato-hexan bei Belichtung mit UV-Licht unterhalb seines Schmelzbereiches tief rot und wird dabei unlöslich[5]. Die Reaktion kann durch Radikaldonatoren beschleunigt und durch Radikalfänger inhibiert werden. Die gelösten Polymeren zeigen keine Photoreaktivität. Die Verfärbungs- und Vernetzungsreaktion der kristallinen Polymeren kann in Analogie zu den Verhältnissen bei niedermolekularen Diinen als eine in den kristallinen Bereichen der Polymeren ablaufende Festkörperreaktion gedeutet werden, bei der unter 1,4-Addition an die konjugierten C≡C-Dreifachbindungen Quervernetzungen entstehen, die gleichzeitig als Chromophor für die tief-rote Farbe der vernetzten Polymeren verantwortlich sind.

δ) sonstige Photopolymerisationen

Die photochemische Reduktion und anschließende Kupplung von Ketonen zu Pinakolen ist seit langem bekannt[8] und an anderer Stelle dieses Bandes ausführlich besprochen (s. S. 813ff.). Diese Reaktion kann zum Aufbau von Polymeren Verwendung finden[9] und als „photoreduktive Polyrekombination" bezeichnet werden[9–13]. Man geht von Diarylketonen I aus, wobei Hochpolymere II nur aus den nicht-konjugierten Diketonen vom Typ des 2,2-Bis-[4-benzoyl-phenyl]-propan (Ia, S. 1514) oder von 1,6-Bis-[5-methyl-4-benzoyl-1,2,3-triazolino]-hexan (Ib) erhalten werden[11]. Konjugierte Diketone, wie z. B. 1,4-Dibenzoyl-benzol (Ic), ergeben nur Oligomere. Die Polymerisation erfolgt durch Belichtung in Gegenwart von Wasserstoffdonatoren wie z. B. Isopropanol oder Tetraphenyl-glykol. Es werden Polymere von sehr hohem Molekulargewicht mit ausgezeichneter Ausbeute erhalten. Aus Mischungen verschiedener Diketone entstehen statistische Copolymere[11]. Die Kinetik der

[1] W. Ried u. K. H. Wesselborg, J. pr. [4] 12, 306 (1961).
[2] M. N. Čerkašin et al., Isv. Akad. SSSR 1967, 2450.
[3] V. L. Broude et al., Vysokomol. Soed. 9B, 864 (1967); 15B, 197 (1973).
[4] A. C. Davis u. R. F. Hunter, J. appl. Chem. 9, 364 (1959).
[5] G. Wegner, Makromol. Chem. 134, 219 (1970).
[6] A. S. Hay, D. A. Bolon, K. R. Leimer u. R. F. Clark, J. Polymer Sci. [B] 8, 97 (1970).
[7] A. S. Hay, D. A. Bolon u. K. R. Leimer, J. Polymer Sci. [A–1] 8, 1022 (1970).
[8] A. Schönberg u. A. Mustafa, Chem. Reviews 40, 181 (1947).
[9] J. Higgins et al., J. Polymer Sci. [A–1] 8, 1987 (1970).
[10] D. E. Pearson u. P. D. Thiemann, J. Polymer Sci. [A-1] 8, 2103 (1970).
[11] F. C. deSchryver, Tran V. Thien, S. Toppet u. G. Smets, J. Polymer Sci., Polymer Chem. Ed. 13, 227 (1975).
[12] F. C. deSchryver, Tran V. Thien u. G. Smets, J. Polymer Sci. [B] 9, 425 (1971).
[13] F. C. deSchryver, Tran V. Thien u. G. Smets, J. Polymer Sci., Polymer Chem. Ed. 13, 215 (1975).

Polymerisation ist die einer Polykondensation, d. h. der Aufbau des Makromoleküls erfolgt schrittweise und die Molekulargewichte nehmen proportional zur Reaktionszeit zu[1].

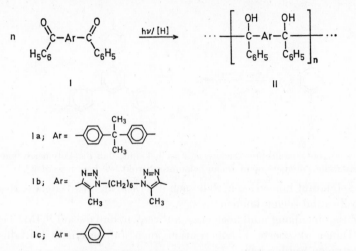

Ia; Ar =

Ib; Ar =

Ic; Ar =

Die lichtinduzierte Umlagerung von Benzoylaziden zu Phenylisocyanaten kann zu einer Photopolykondensation ausgebaut werden[2], wenn im Molekül gleichzeitig Gruppen vorhanden sind, die mit den bei Belichtung entstehenden Isocyanat-Gruppen reagieren können. So führt z. B. die Belichtung von kristallinem 4-Amino-benzoylazid zur Bildung eines Polyharnstoffes:

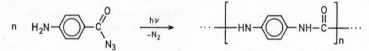

Die Belichtung von 1,ω-Bis-[anthracenoyloxy-(9)]- bzw. 1,ω-Bis-[anthryl-(9)-methoxycarbonyl]-alkane III führt bei geeigneter Wahl der Brücke zwischen der 9,9′-Position zu Polymeren von hohem Molekulargewicht[3]. Lösungen der Esters IIIa in Dichlormethan polymerisieren bei Bestrahlung mit Licht der Wellenlänge $\lambda = 350$ nm unter Cyclisierung in 9,10-Stellung mit Kopf-Schwanz-Verknüpfung aufeinander folgender Einheiten. Die Molekulargewichte betragen $30\text{--}50 \cdot 10^3$. Das Monomere IIIb reagiert lediglich unter Bildung von Oligomeren. Sauerstoff wirkt stark inhibierend, da sich in seiner Gegenwart die entsprechenden *endo*-Peroxide bilden.

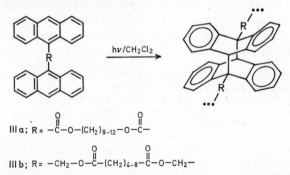

IIIa; R = $-\overset{O}{\overset{\|}{C}}-O-(CH_2)_{9-12}-O-\overset{O}{\overset{\|}{C}}-$

IIIb; R = $-CH_2-O-\overset{O}{\overset{\|}{C}}-(CH_2)_{4-8}-\overset{O}{\overset{\|}{C}}-O-CH_2-$

Die erhaltenen Polymeren sind photolabil und zersetzen sich im kurzwelligen UV ($\lambda < 300$ nm) unter Rückbildung der Monomeren.

[1] F. C. DESCHRYVER, TRAN V. THIEN u. G. SMETS, J. Polymer Sci.. Polymer Chem. Ed. **13**, 215 (1975).

[2] US. P. 3143423 (1964), G. A. REYNOLDS, J. A. VAN ALLEN u. D. G. BORDEN.

[3] F. C. DESCHRYVER, L. ANAND u. G. SMETS, J. Polymer Sci. [B] **9**, 777 (1971).

2. Sensibilisierte Polymerisation

Als präparative Methode kommt der sensibilisierten Photo-polymerisation[1-5] große Bedeutung für die Druck- und Reproduktionstechnik sowie allgemein auch zur Speicherung von Informationen mittels chemischer Reaktionen zu[6]. Damit ist ein spezielles Interesse und eine so außerordentlich umfangreiche Literatur angesprochen, daß in diesem Zusammenhang auf Spezialwerke verwiesen werden muß[7]. Im folgenden sollen daher nur einige Hinweise auf die allgemeine Bedeutung dieser Art der Polymerisation und ihre präparativen Aspekte gebracht werden.

Fast alle sensibilisierten Photopolymerisationen von Vinyl- oder Acryl-Verbindungen laufen nach einem radikalischen Mechanismus ab. Einige wenige Beispiele sind bekannt, bei denen ionische Spezies an der Initiierung von photochemisch ausgelösten Polymerisationen beteiligt sind[8-12]. Infolgedessen kann die Photopolymerisation von Vinyl- oder Acryl-Verbindungen im Normalfall als einfacher Beweis für den radikalischen Charakter eines photochemischen Prozesses benutzt werden. Da Polymerisationen Kettenreaktionen sind, können geringste Mengen freier Radikale in bequemer Weise durch die Bildung hochmolekularer Produkte nachgewiesen werden. Die Quantenausbeuten (berechnet als die Zahl der Monomereinheiten, die pro absorbiertes Lichtquant in Polymeres überführt worden sind) können sehr hohe Werte bis zur Größenordnung von einigen 10^{13} erreichen.

Da Photopolymerisationen nach Wunsch durch einfache Manipulation der Lichtquelle gestartet oder gestoppt werden können, bietet sich die Gelegenheit nicht-stationäre Zustände bei der Polymerisationskinetik zu studieren. Ferner kann durch Variation der Lichtintensität Molekulargewicht und Verteilung kontrolliert beeinflußt werden. Daher wurden Photopolymerisationen besonders im Hinblick auf die Kinetik von Radikalkettenreaktionen untersucht und um die Wachstums-, Übertragungs- und Abbruchskonstanten solcher Reaktionen unabhängig voneinander zu bestimmen.

Die Möglichkeit, Photopolymerisationen zur Erzeugung von Bildern zu nutzen, ist bereits erwähnt worden. Da die photo-chemische Erzeugung von Radikalen praktisch temperaturunabhängig ist, können Photopolymerisationen im Gegensatz zu den durch thermischen Zerfall von Radikaldonatoren ausgelösten Polymerisationen auch bei sehr tiefen Temperaturen durchgeführt werden. Kettenübertragungen, die zu Molekülverzweigungen führen und bevorzugt bei höheren Temperaturen ablaufen, lassen sich daher unterdrücken. Außerdem wird ein erhöhter Gehalt an syndiotaktischen Einheiten bei Polymeren beobachtet, die auf diese Weise bei tiefen Temperaturen erzeugt wurden[13]. Schließlich gibt es Monomere, die aufgrund der Lage der Ceiling-Temperatur ausschließlich bei tiefen Temperaturen erzeugt werden können, wozu die Photopolymerisation ein brauchbares Verfahren sein kann.

Die Technik der sensibilisierten Photopolymerisation unterscheidet sich in keiner Weise von der Art, in der Photoreaktionen im niedermolekularen Bereich durchgeführt

[1] G. A. DELZENNE, J. Europ. Polymer Sci. Suppl. **1969**, 55.
[2] G. OSTER, *Encyclopedia of Polymer Science and Technology*, Vol. 10, S. 145, Interscience Publ., New York, N. Y., 1969.
[3] G. OSTER u. NAN-LOH YANG, Chem. Reviews **68**, 125 (1968).
[4] J. L. R. WILLIAMS, Fortschr. chem. Forsch. **13**, 227 (1969).
[5] K. MAAS, *Themen zur Chemie der Reproduktionsverfahren*, Hüthig Verlag, Heidelberg 1974.
[6] J. BULLOFF, Polymer Eng. Science **11**, 405 (1971).
[7] J. KOSAR, *Light Sensitive Systems*, J. Wiley, New York 1965.
[8] S. TASUKE, M. ASAI, S. IKEDA u. S. OKAMURA, J. Polymer Sci. [B] **5**, 453 (1967).
[9] S. TASUKE, M. ASAI u. S. OKAMURA, J. Polymer Sci. [A-1] **6**, 1809 (1968).
[10] M. YAMAMOTO et al., Macromolecules **3**, 706 (1970).
[11] M. SAKAMOTO, K. HAYASHI u. S. OKAMURA, J. Polymer Sci. [B] **3**, 205 (1965).
[12] N. G. GAYLORD, J. Polymer Sci. [D] **4**, 234 (1970).
[13] T. G. FOX et al., J. Polymer Sci. **31**, 173 (1958).

werden. Die freien Radikale, die zum Kettenstart der Polymerisation nötig sind, können photochemisch aus einer großen Anzahl der verschiedenartigsten Substanzen erzeugt werden. Zunächst kann die Photolyse der Monomeren selbst zur Erzeugung von freien Radikalen führen, und zwar in den Fällen, in denen das Absorptionsspektrum der Monomeren im Spektralbereich der anregenden Strahlung liegt. So wurde z. B. die „nicht sensibilisierte" Photopolymerisation von Acrylnitril näher untersucht[1,2]. Bei dieser Polymerisation sind die Reaktionsgeschwindigkeiten außerordentlich gering und es muß für sorgfältigen Ausschluß von Sauerstoff gesorgt werden, damit überhaupt eine Polymerisation eintritt. Im Verlauf der Polymerisation fällt das Polymere aus, und es werden interessante Nachpolymerisationseffekte beobachtet. Das ausgefallene Polymere enthält noch occludierte Radikale, die über einige Stunden hinweg stabil sind und zur Polymerisationsauslösung für neu zugesetztes Monomeres dienen können. Ähnliche Nachpolymerisationseffekte zeigt auch 2-Methyl-acrylsäure-methylester[3].

Die unsensibilisierte Photopolymerisation wurde ferner u. a. bei Styrol[4], Acetoxy-äthylen[5] und Acrolein[6] untersucht.

Als Sensibilisatoren kommen aliphatische und aromatische Carbonyl-Verbindungen, Peroxide, Azo-Verbindungen, halogensubstituierte Kohlenwasserstoffe (z. B. Chloroform und Tetrachlormethan), Zinkoxid, Silberhalogenide, lösliche anorganische Redox-Systeme, wie z. B. $Fe^{2\oplus}/Fe^{3\oplus}$-Komplexe, Metallcarbonyle/Tetrachlormethan in Frage[7]. Für die Anwendbarkeit dieser Sensibilisatoren bei den verschiedenen Monomeren s. Lit.[8-10].

Von großer Bedeutung für die technische Anwendbarkeit von Photopolymerisationen ist die Verwendung von Farbstoffen als Sensibilisatoren. Sie erlauben eine Initiierung von Photopolymerisationen durch Einstrahlung von sichtbarem Licht. Als besonders geeignet hat sich Riboflavin erwiesen, das bereits innerhalb von wenigen Millisekunden Belichtungszeit einen sehr hohen Umsatz bewirkt[11]. Riboflavin und ähnlich aufgebaute Farbstoffe unterliegen einer Photoreduktion[12,13], bei der freie Radikale als Zwischenprodukte auftreten.

Poly-acrylamid durch sensibilisierte Photopolymerisation[11]: Eine 10%ige Lösung von Acrylamid, die 0,005% Riboflavin enthält, wird bei Raumtemp. mit einer 400 W Wolfram-Lampe belichtet. Der Abstand zwischen Probe und Lampe beträgt $\sim$ 50 cm. Zwischen Lampe und Reaktionsgefäß wird ein Blaufilter angebracht, so daß nur Licht der Wellenlänge $\lambda = 4360$ Å die Probe erreicht. Nach einer Induktionszeit von $\sim$ 5 Min. wird das Monomere mit konstanter Geschwindigkeit polymerisiert. Die Viskosität der Lösung steigt sehr stark an und nach 30 Min. hat sich ein steifes Gel gebildet. Die Quantenausbeute der Polymerisation beträgt 4250.

Höhere Quantenausbeuten können durch Anwendung höherer Monomerkonzentrationen und durch Verringerung des Sauerstoff-Gehaltes der Reaktionslösung erreicht werden. Bei vollständiger Entfernung von Sauerstoff findet jedoch keine Polymerisation statt.

Nach 15 Min. Belichtungszeit beträgt das Molekulargewicht $8{,}32 \cdot 10^6$. Das Polymere wird auf die übliche Weise durch Fällen mit Methanol isoliert.

[1] C. H. BAMFORD u. A. D. JENKINS, Pr. roy. Soc. [A] **216**, 513 (1953).
[2] C. H. BAMFORD z. A. D. JENKINS, J. Pol. Sci. **20**, 405 (1956).
[3] B. ATKINSON u. G. R. COTTEN, Trans. Faraday Soc. **54**, 877 (1958).
[4] O. H. WHEELER u. C. B. COVARRUBIAS, Canad. J. Chem. **40**, 1224 (1962).
[5] H. W. MELLVILLE, Pr. roy. Soc. [A] **237**, 149 (1956).
[6] F. E. BLACET, G. H. FIELDING u. J. G. ROOF, Am. Soc. **59**, 2375 (1937).
[7] W. STROHMEIER u. H. GRÜBEL, Z. Naturf. **22**b, 98, 115 (1967).
    W. STROHMEIER u. P. HARTMANN, Z. Naturforsch. **24 b**, 939 (1969).
[8] G. OSTER, *Encyclopedia of Polymer Science and Technology*, Vol. 10, S. 145, Interscience Publ., New York, N. Y., 1969.
[9] G. OSTER u. NAN-LOH YANG, Chem. Reviews **68**, 125 (1968).
[10] K. MAAS, *Themen zur Chemie der Reproduktionsverfahren*, Hüthig Verlag, Heidelberg 1974.
[11] G. OSTER, Nature **173**, 300 (1954).
[12] G. OSTER, J. S. BELLIN u. B. HOLMSTRÖM, Experientia **18**, 249 (1962).
[13] G. OSTER, J. chim. Phys. **55**, 899 (1958).

Der bereits erwähnte (s. S. 1499) und präparativ wichtige Gesichtspunkt, daß sensibilisierte Photopolymerisationen bei tiefen Temperaturen durchgeführt und daher Übertragungsreaktionen unterdrückt werden können, wurde z. B. zur Herstellung von Copolymeren aus Allylalkohol- und Acrylnitril ausgenutzt[1]. Monomere mit Allyl-Struktur polymerisieren normalerweise außerordentlich schlecht und ergeben allenfalls Oligomere. Durch farbstoffsensibilisierte Photopolymerisation von Mischungen aus Allylalkohol und Acrylnitril in Wasser konnten jedoch hochmolekulare Copolymere erhalten werden. Dabei wurde Acriflavin als Sensibilisator und Ascorbinsäure als Reduktionsmittel verwendet. Die Polymerisation wurde durch Licht der Wellenlänge $\lambda = 4400$ Å ausgelöst [Copolymerisationsparameter $r_1 = 3{,}96$ (Acrylnitril) und $r_2 = 0{,}11$ (Allylalkohol)].

Ein Beispiel für eine sensibilisierte Photopolymerisation, die nach einem ionischen Mechanismus abläuft, ist die Polymerisation von N-Vinyl-carbazol, die in polaren Lösungsmitteln durchgeführt wird[2].

N-Vinyl-carbazol neigt zur Ausbildung von Charge-Transfer-Komplexen mit geeigneten Partnern. Bei der Photopolymerisation unter Beteiligung dieser Komplexe kann der Initiierungsschritt nach zwei unterschiedlichen Mechanismen stattfinden. Entweder reagiert ein angeregtes Monomermolekül innerhalb seiner Lebenszeit mit einem Akzeptor, wodurch ein angeregter Charge-Transfer-Komplex entsteht. Durch Dissoziation eines solchen Komplexes entsteht dann die polymerisationsauslösende, ionische Spezies, z. B. Photopolymerisation in Gegenwart von Nitrobenzol, Nitrostyrol, Acrylnitril u. ä.[3-5].

Die zweite Möglichkeit besteht in der Bildung eines Initiators durch photochemische Anregung des Grundzustandes eines Charge-Transfer-Komplexes, wie es z. B. bei der Photopolymerisation in Gegenwart von 2,4,7-Trinitro-9-oxo-fluoren beobachtet wird[1].

Ein typischer Polymerisationsansatz enthält z. B. 0,5 Mol/l N-Vinyl-carbazol, 10^{-3} Mol/l 2,4,7-Trinitro-9-oxo-fluoren in Nitrobenzol als Lösungsmittel. Bei einer Reaktionstemp. von 20° beträgt der Umsatz $\sim 5\%$/Stde. und es werden Molekulargewichte von $\sim 1{,}5 \cdot 10^5$ erhalten. Wasser inhibiert die Polymerisation.

Da bei der Bestrahlung von Charge-Transfer-Komplexen intermediär ionische Spezies gebildet werden können, liegt es nahe, diese Komplexe zur Photopolymerisation von oxacyclischen Monomeren zu verwenden, die sonst nur ionisch polymerisierbar sind. So läßt sich z. B. β-Propiolacton in Gegenwart von Uranyl-nitrat photopolymerisieren[6,7]:

Die photoinitiierte Polymerisation (50 W Wolfram-Lampe, $\lambda < 5000$ Å) verläuft auch in Gegenwart von Luftsauerstoff gut und die Reaktionsgeschwindigkeit ist dem Sauerstoffgehalt der Reaktionslösung proportional.

Unter ähnlichen Bedingungen wirkt Uranylnitrat auch als Photosensibilisator für die Polymerisation anderer Lactone, wie z. B. Hexan-6-olid, 3-Methyl-butan-3-olid, Diketon sowie von cyclischen Äthern (z. B. 1,3,5- Trioxan und Tetroxan).

3. Photovernetzende Polymere

Photovernetzende Polymere sind Makromoleküle, die photo-reaktive Gruppen tragen, welche bei Belichtung zu einer chemischen Vernetzung der einzelnen Makromoleküle Veranlassung geben. Ein typisches Beispiel ist Poly-(3-phenyl-acryloyloxy)-

[1] G. Oster u. Y. Mizutani, J. Polymer Sci. 22, 173 (1956).
[2] M. Yamamoto et al., Macromolecules 3, 706 (1970).
[3] S. Tazuke u. T. Yamane, J. Polymer Sci. [B] 9, 327, 331 (1971).
[4] M. Asai et al., J. Polymer Sci. [B] 9, 247 (1971).
[5] S. Tazuke u. S. Okamura, J. Polymer Sci. [A-1] 6, 2907 (1968).
[6] M. Sakamoto, K. Hayashi u. S. Okamura, J. Polymer Sci. [B] 3, 205 (1965).
[7] N. G. Gaylord, J. Polymer Sci. [D] 4, 234 (1970).

äthylen oder Copolymere mit dem 3-Phenyl-acryloyloxy-Rest in der Seitenkette. Bei Belichtung solcher Polymerer reagieren je zwei Zimtsäure-Seitengruppen im Sinne einer Vierzentren Cycloaddition zu Derivaten des Cyclobutans:

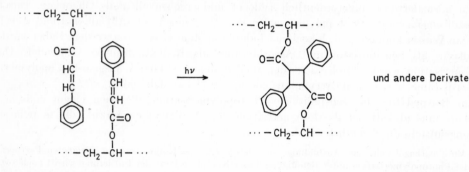

Als photosensitive Gruppen können eine große Anzahl chemisch verschiedener Strukturen dienen, wie z. B. α, β-ungesättigte Oxo- oder Ester-Gruppen, Diazoketone, Azide, Diazonium-salze usw. Die Photovernetzung kann durch verschiedene Zusätze, wie Radikaldonatoren oder Farbstoffe, sensibilisiert werden. Für eine ausführliche Darstellung muß auf die Spezialliteratur verwiesen werden[1-9].

Poly-(2-phenyl-acryloyloxy)-äthylen[5]: 11 g Poly-vinylalkohol werden in 100 *ml* trockenem Pyridin suspendiert und unter Ausschluß von Feuchtigkeit über Nacht auf einem Dampfbad erwärmt. Weitere 100 *ml* Pyridin werden zugegeben und die Mischung auf 50° gekühlt. Sodann werden 50 g Zimtsäure-chlorid unter gelegentlichem Umschütteln in kleinen Portionen zugegeben. Es bildet sich ein Nieder-schlag des Komplexes aus Pyridin und Zimtsäure-chlorid. Die Mischung wird nun 5 Stdn. bei 50° gerührt. Man erhält einen viskosen Sirup und einen kristallinen Niederschlag. Der viskose Sirup wird mit der 4 fachen Menge Aceton verdünnt, durch ein Glasfilter gesaugt und unter Rühren in Wasser eingegossen, um das Polymere auszufällen.

Das faserartige Produkt wird mit dest. Wasser chloridfrei gewaschen und in einem Exsiccator vor Licht geschützt zur Gewichtskonstanz getrocknet.

Lösungen dieses Polymeren können zu photoempfindlichen Filmen vergossen werden. Durch Sensi-bilisierung mit geeigneten Farbstoffen können solche oder ähnlich aufgebaute Filme für den UV- oder sichtbaren Bereich des Spektrums sensibilisiert werden. Das Interesse an solchen photovernetzenden Polymeren beruht auf der Möglichkeit ihrer Anwendung zu photographischen, bildformenden Prozessen. Derartige Abbildungsmethoden finden ihre Anwendung bei der Herstellung von „Photoresist-Schichten" für gedruckte Schaltungen, Photolitographie und chemische Gravur[1].

Im allgemeinen wird die Vernetzung der photovernetzenden Polymeren nicht durch Sauerstoff inhibiert. Wird ein solcher Film durch eine Maske belichtet, so verharzen die vom Licht getroffenen Stellen und werden damit unlöslich. An den unbelichteten Stellen bleibt der Polymerfilm dagegen löslich und kann beim nachfolgenden Baden der belichteten Platte in einem Lösungsmittel für das Polymere wieder weggelöst werden. Die belichteten Stellen bleiben auf der Platte als Bild der Maske zurück[10].

[1] G. A. Delzenne, J. Europ. Polymer Sci. Suppl. **1969**, 55.
[2] G. Oster, *Encyclopedia of Polymer Science and Technology*, Vol. 10, S. 145, Interscience Publ., New York, N. Y., 1969.
[3] J. L. R. Williams, Fortschr. chem. Forsch. **13**, 227 (1969).
[4] J. Kosar, *Light Sensitive Systems*, J. Wiley, New York 1965.
[5] L. M. Minsk et al., J. Appl. Polymer Sci. **2**, 302 (1959).
[6] G. A. Delzenne, J. Macromolecular Sci.-Rev. D **1**, 185 (1971).
[7] H. Tanaka u. Y. Sato, J. Polymer Sci., Polymer Chem. Ed. **10**, 3279 (1972).
[8] A. Ravve et al., J. Polymer Sci., Polymer Chem. Ed. **11**, 1733 (1973).
[9] C. D. de Boer, J. Polymer Sci., Polymer Letters **11**, 25 (1973).
[10] K. Maas, *Themen zur Chemie der Reproduktionsverfahren*, Hüthig Verlag, Heidelberg 1974.

d) Photochromie[1]

bearbeitet von

Prof. Dr. HERBERT MEIER*

Tritt eine Substanz rein oder in Lösung in zwei oder mehr in ihrer elektronischen Absorption unterschiedlichen Formen auf, die sich reversibel ineinander umlagern, wobei wenigstens eine Reaktionsrichtung durch Licht induziert wird, so spricht man von Phototropie oder besser Photochromie. Der häufigste Gebrauch dieses Begriffs schließt die zusätzliche Bedingung ein, daß wenigstens eine Species im Bereich des sichtbaren Lichts absorbiert. Die Reversibilität der Umwandlung ist eine unabdingbare Voraussetzung, wenngleich ihre Vollständigkeit häufig durch gleichzeitig auftretende photochemische oder thermische Nebenreaktionen eingeschränkt wird.

Zumeist besteht die Funktion des Lichtes darin, den stabilen Zustand des photochromen Systems in einen energetisch höheren, metastabilen Zustand überzuführen. Die Energie der dazu notwendigen Strahlung ist im allgemeinen viel größer als die Energiedifferenz der beiden Zustände[2]. Hand in Hand mit der Änderung der Absorption variieren auch andere physikalische und chemische Eigenschaften wie Schmelzpunkt, Löslichkeit, optisches Drehvermögen, photoelektrischer Effekt, Leitfähigkeit, magnetische Susceptibilität, Empfindlichkeit gegen Luftsauerstoff und Feuchtigkeit etc.

Insgesamt gibt es sehr viele anorganische und organische Substanzen bzw. Substanzgemische, die photochrome Eigenschaften besitzen. Ihre technische Anwendung[3] erstreckt sich von der Datenverarbeitung bis zur Kosmetik. Ein relativ neues und besonders interessantes Gebiet[4] ist die Dotierung von Kunststoffen und Gläsern mit photochromen Farbstoffen, deren Lichtdurchlässigkeit sich der Helligkeit des Tageslichts anpaßt.

Im folgenden werden die wichtigsten Typen photochromer, organischer Systeme anhand der ihnen zugrunde liegenden Mechanismen diskutiert.

---

* Chemisches Institut der Universität Tübingen

[1] In diesem Beitrag wird ein kurzer Abriß über die Photochromie gegeben. Als ausführlichere Darstellungen sei verwiesen auf:

S. DÄHNE, Z. wiss. Phot. **62**, 183 (1968).

R. DESSAUER u. J. P. PARIS, *Advances in Photochemistry*, Bd. 1, S. 275ff., Interscience Publishers 1963.

R. EXELBY u. R. GRINTER, Chem. Reviews **1965**, 247.

G. WETTERMARK, Kem. Tidskr. **82**, 48 (1970).

I. PEYCHES, Chim. et Ind. **103**, 2611 (1970).

M. KOKADO u. I. SHIMIZU, J. Appl. Phys. **39**, 1039 (1970).

G. H. BROWN, "*Technique of Organic Chemistry*", Vol. III, *Photochromism*, Wiley-Interscience, New York 1971.

[2] H. STOBBE, Ber. Verhandl. sächs. Akad. Wiss. Leipzig **74**, 161 (1922); C. A. **17**, 3029 (1923).

G. LINDEMANN, Z. Wiss. Phot. **50**, 347 (1955); C. A. **50**, 8335 (1956).

M. PADOA u. B. FORESTI, Atti Accad. Naz. Lincei, Mem. Classe Sci. Fis. Mat. e Nat., Sez. I, **23**, 95 (1914); C. A. 8, 2098 (1914).

[3] W. J. TOMLINSON et al., Appl. Optics **11**, 533 (1972).

Y. TOMODA, Yuki Gosei Kagaku Kyokei Shi **28**, 1008 (1971).

[4] R. J. ARAIYO et al., Ch. Z. **96**, 571 (1972).

K. G. HEGLA, IEEE Intern. Conv. Digest **1972**, 1966.

1. Triplett-Photochromie

Das einfachste photochrome System besteht aus Molekülen im stabilen Grundzustand und in einem metastabilen angeregten Zustand. Der Unterschied der Absorptionsspektren und die Reversibilität eines solchen Systems ist offenkundig; die Schwierigkeit besteht jedoch darin, daß für die Lichtabsorption des angeregten Zustandes dessen stationäre Besetzung im allgemeinen zu klein ist. Angeregte Singulettzustände scheiden wegen ihrer Kurzlebigkeit (vgl. S. 17) aus; es kommen also nur angeregte Triplettzustände mit einer mittleren Lebensdauer $> 10^{-3}$ Sek. in Frage. Dazu muß die betreffende Molekülart nach der mit hoher Intensität erfolgten Lichtanregung ($S_0 \to S_1$) mit einer so großen Quantenausbeute durch "intersystem crossing" ($S_1 \to T_1$) in den untersten Triplettzustand übergehen, daß die Fluoreszenz ($S_1 \to S_0$) und die strahlungslose Desaktivierung ($S_1 \leadsto S_0$) unterdrückt werden. Unter günstigen Voraussetzungen ist dann eine Triplett-Triplett-Absorption zu beobachten:

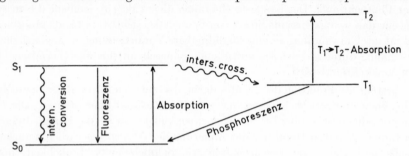

Für diesen Vorgang sind 2 Techniken möglich:

① Das Arbeiten bei tiefen Temp. in einer Lösungsmittelmatrix[1].

② die Blitzlichtphotolyse mit 2 kurz aufeinander folgenden Blitzen, wobei der erste zum „optischen Pumpen" in den untersten Triplettzustand dient, und der zweite die Triplett-Triplett-Absorption analysiert[2].

Als explizite Beispiele seien die Photochromie des *Fluoresceins* in einer Borsäure-Matrix[3] und in einem Polymerfilm eingebettetes *Picen*[4] genannt, das sich bei UV-Bestrahlung purpurrot färbt. Beim anschließenden Erwärmen emittiert das entstandene Triplett-Picen ein gelbgrünes Phosphoreszenzlicht und die auf die Triplett-Triplett-Absorption zurückgehende Rotfärbung verschwindet[4].

2. Photochromie durch Isomerisierung

α) cis-trans-Isomere

Wie auf den S. 189ff., 1104f., 1131ff., beschrieben, beobachtet man bei der direkten oder sensibilisierten Anregung von Doppelbindungssystemen in Olefinen, Azomethinen und Azo-Verbindungen reversible *cis-trans*-Isomerisierungen. *Cis*- und *trans*-Konfiguration unterscheiden sich in Lage und Intensität der Elektronenbanden. Von besonderem Interesse ist die *cis-trans*-Photochromie beim *Retinal* im Sehpigment des Auges und bei den technisch wichtigen Azofarbstoffen, wo sie insbesondere in der vom *4-Amino-azobenzol* abgeleiteten basischen Reihe auftritt[5].

[1] D. S. McClure, J. Chem. Phys. **19**, 670 (1951).
[2] G. Porter u. M. W. Windsor, J. Chem. Phys. **21**, 2088 (1953).
[3] G. N. Lewis et al., Am. Soc. **63**, 3005 (1941).
[4] U.S. P. 3214382 (1965), TRW Inc., Erf.: M. W. Windsor.
[5] W. R. Brode, J. H. Gould u. G. M. Wyman, Am. Soc. **74**, 4641 (1952); **75**, 1856 (1943).
  M. G. Horowitz u. J. M. Klotz, Am. Soc. **77**, 5011 (1955).
  G. S. Hartley, Soc. **1938**, 633.
  E. J. Stearns, J. Opt. Soc. Am. **32**, 282 (1942).
  S. B. Hendricks et al., Am. Soc. **58**, 1991 (1936).
  L. von Mechel u. H. Stauffer, Helv. **24**, 151 (1941).

Während alle Versuche, den in der *trans*-Konfiguration vorliegenden Indigo zu isomerisieren, bisher fehlschlugen[1], läßt sich bei dem nicht durch Wasserstoffbrücken stabilisierten *Thioindigo* neben der in benzolischer Lösung purpurroten *trans*-Form auch die gelb-orange gefärbte *cis*-Form isolieren[2]:

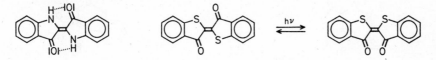

Im Vergleich zu den sehr instabilen *cis*-Azo-Verbindungen hat der *cis*-Thioindigo eine langsame Rate für die thermische Rückisomerisierung[2]. Analog verhält sich der Selenoindigo[3]. Neuere Untersuchungen von photochromen *cis-trans*-Gleichgewichten wurden an den Enolestern I[4],

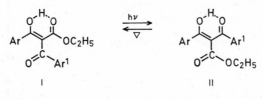

den 1,2-Dithiolen III[5] und Systemen mit partiellem Doppelbindungscharakter wie den Nitroso-alkyl-aryl-aminen IV[6] durchgeführt:

III; X = O,S,NR

IV

β) Valenzisomere

Da reversible Valenzisomerisierungen, wie am Beispiel des *1,4-Diphenyl-cyclohexadiens-(1,3)*[7] erläutert, immer mit einer Änderung des Absorptionsspektrums verbunden sind, fällt in diesen Abschnitt eine große Anzahl von photochromen Systemen:

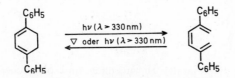

Beschränkt man sich auf die Photochromie im sichtbaren Spektralbereich, so gibt es hier vor allem drei gut untersuchte Substanzklassen: die Fulgide, höhere peri-kondensierte Aromaten bzw. Chinone und α-Spiro-pyrene.

---

[1] W. R. Brode, E. G. Pearson u. G. M. Wyman, Am. Soc. **76**, 1034 (1954).
   W. Lüttke u. M. Klessinger, B. **97**, 2342 (1964).
[2] G. M. Wyman u. W. R. Brode, Am. Soc. **73**, 1487 (1951); J. Res. Natl. Bur. Std. **47**, 170 (1951).
   D. A. Rogers, J. D. Margerum u. G. M. Wyman, Am. Soc. **79**, 2464 (1957).
[3] D. L. Ross, J. Blonc u. F. J. Matticoli, Am. Soc. **82**, 5750 (1970).
   D. L. Ross, Appl. Optics **10**, 571 (1971).
[4] P. Courtot u. J. le Saint, Tetrahedron Letters **1973**, 33.
[5] Calzaferri et al., Helv. **56**, 597, 2584 (1973).
[6] M. Hoshino, H. Kokuzun u. M. Koizumi, Bl. Chem. Soc. Japan, **43**, 2796 (1970).
[7] P. Court et al., Bl. **1968**, 3401.

Die Fulgide, substituierte Bis-[methylen]-bernsteinsäureanhydride, und die ihnen entsprechenden Imide, Dicarbonsäuren, Diester, Alkalimetall- und Erdalkalimetall-Salze geben häufig bei Belichtung eine Farbvertiefung[1], der folgende Reaktionen zugrunde liegen:

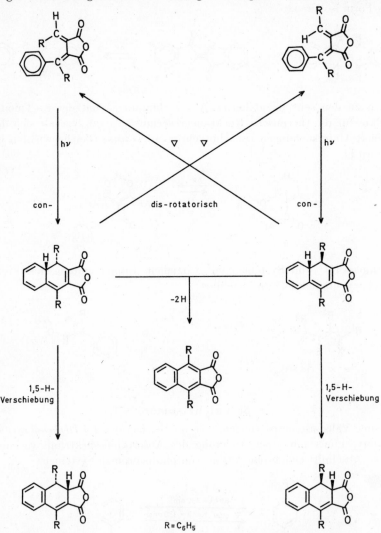

R = C₆H₅

Aus dem photochromen System der thermischen und photochemischen Valenzisomerisierungen heraus führen die 1,5-H-Verschiebungen und die Dehydrierung.

Die gefärbten Pyren-Derivate I[2] und III[3] zeigen eine „inverse" Photochromie, d. h. bei Bestrahlung mit sichtbarem Licht gehen sie in die farblosen Metacyclophan-Derivate II und IV über. Die Rückreaktion kann als thermische Dunkelreaktion oder durch UV-Licht induziert ablaufen[2,3]. Ein ähnliches Verhalten zeigt das Azapyren V und sein Hydrochlorid[4].

[1] A. Santiago u. R. S. Becker, Am. Soc. **90**, 3654 (1968).
    M. Stobbe, Z. Bl. Ch. **14**, 473 (1908); A. **359**, 1 (1908); **380**, 1 (1911); Ber. Verhandl. Sächs. Akad. Wiss. Leipzig **74**, 161 (1922).
    L. Hänel, Naturwiss. **37**, 91 (1950).
    R. J. Hart, H. G. Heller u. K. Salisbury, Chem. Commun. **1968**, 1627.
    R. J. Hart u. H. G. Heller, Soc. (Perkin I) **1972**, 1321.
[2] V. Boekelheide u. J. B. Phillips, Am. Soc. **89**, 1695 (1957).
[3] C. E. Ramey u. V. Boekelheide, Am. Soc. **92**, 3682 (1970).
[4] V. Boekelheide u. W. Pepperdine, Am. Soc. **92**, 3684 (1970).

Die dabei ablaufenden Valenzisomerisierungen entsprechen der Bildung des *9,10-Dihydro-phenanthrens* aus dem *cis*-Stilben (vgl. S. 342).

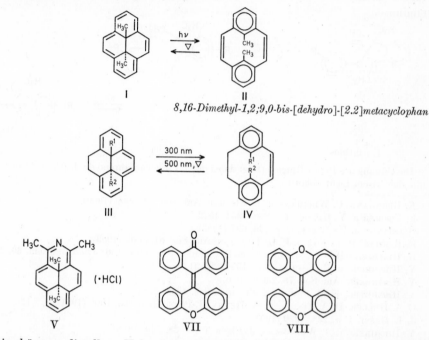

8,16-Dimethyl-1,2;9,0-bis-[dehydro]-[2.2]metacyclophan

Im Prinzip können dieselben Valenzisomerisierungen beim 10,10'-Dioxo-9,9',10,10'-tetrahydro-9,9'-bi-anthryliden(VI), 10-[10-Oxo-9,10-dihydro-anthryliden-(9)]-9H-xanthen (VII), 10,10'-Bi-xanthenyliden(VIII) und verwandten Systemen ablaufen[1]. Eine reversible photochrome Reaktivität läßt sich jedoch zumeist bei diesen Verbindungen nur bei −70 bis −100° beobachten. Bei Raumtemperatur verlaufen die Belichtungen durch eintretende Dehydrierungen irreversibel; z. B.[2]:

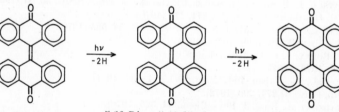

7,16-Dioxo-7,16-dihydro-
⟨dibenzo-[a;o]-perylen⟩

7,14-Dioxo-7,14-dihydro-⟨phenan-threno-[1,10,9,8-o,p,q,r,a]-perylen⟩

[1] Y. Hirshberg u. E. Fischer, Soc. **1953**, 629.
L. J. Dombrowski et al., J. Phys. Chem. **73**, 3481 (1969).
T. Bercovici, G. Fischer u. E. Fischer, Israel J. Chem. 8, 277 (1970).
R. Korenstein, K. A. Muszkat u. E. Fischer, Israel J. Chem. 8, 273 (1970); Helv. **53**, 2102 (1970); Mol. Photochem. **3**, 373 (1972).
G. Kortüm u. W. Zoller, B. **103**, 2062 (1970).
I. Wurster u. D. Feibig, Melliand Textilber. **51**, 1197 (1970).
R. S. Becker u. C. E. Earhart, Am. Soc. **92**, 5049 (1970).
R. Korenstein, K. A. Muszkat u. S. Sharafy-Ozeri, Am. Soc. **85**, 6177 (1973).
T. Bercovicin u. E. Fischer, Helv. **56**, 1114 (1973).
E. W. Förster u. E. Fischer, Chem. Commun. **1972**, 1315.
K. M. Gschwind u. U. P. Wild, Helv. **56**, 809 (1973).
[2] H. Meier, R. Bondy u. A. Eckert, M. **33**, 1447 (1912).
A. Schönberg u. K. Junghans, B. **98**, 2539 (1949).

Eine besonders gut untersuchte Klasse von photochromen Valenzisomeren sind die 1,3,3-Trimethyl-2,3-dihydro-indol-⟨2-spiro-2⟩-2H-⟨benzo-[b]-pyrane⟩ und verwandte Verbindungen[1]:

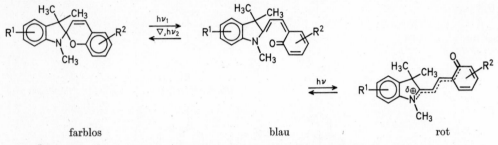

farblos   blau   rot

Die Öffnung des Pyran-Ringes erfolgt dabei mit UV-Licht, während die Rücksreaktion thermisch oder mit sichtbarem Licht abläuft.

[1] E. BERGMANN, C. WEIZMANN u. E. FISCHER, Am. Soc. **72**, 5009 (1950).

E. FISCHER u. Y. HIRSHBERG, Soc. **1952**, 4522.

O. CHANDÉ u. P. RUMPF, C. r. **236**, 697 (1953).

E. BERMAN, R. E. FOX u. F. D. THOMSON, Am. Soc. **81**, 5605 (1959).

R. HEILIGMAN-RIM, Y. HIRSHBERG u. E. FISCHER, Soc. **1961**, 156; J. Phys. Chem. **66**, 2465 (1962).

Y. HIRSHBERG u. E. FISCHER, Soc. **1954**, 297 3129.

Y. HIRSHBERG, Am. Soc. **78**, 2304 (1956).

Y. HIRSHBERG, E. M. FREI u. E. FISCHER, Soc. **1953**, 2184.

C. A. HELLER, D. A. FINE u. R. A. HENRY, J. Phys. Chem. **65**, 1908 (1961).

J. L. MASSE, C. r. **238**, 1320 (1954).

Y. HIRSHBERG u. J. WEISSMANN, J. Chem. Phys. **28**, 739 (1958).

J. B. FLAMERY, Am. Soc. **90**, 5660 (1968).

R. GAUTRON, Bl. **1970**, 4255.

N. W. TYER u. R. S. BECKER, Am. Soc. **92**, 1289 (1970).

J. K. CRENDALL u. R. J. SEIDEWAND, J. Org. Chem. **35**, 697 (1970).

K. G. DZHAPARIDZE, Z. M. ELASHOILI u. L. V. DEVADZE, Soobshch Akad. Nauk. Gruz. S.S.R. **57**, 77 (1970).

V. A. KRONGANSZ u. A. A. PARSHATKIN, Photochem. a. Photobiol. **15**, 503 (1972).

K. G. DZHAPARIDZE, I. Y. PAVLENISHVILI, M. T. GUGAVA u. D. P. MAISUREDZE, Ž. fiz. Khim. **44**, 582 (1970).

E. G. AKHALKATSI u. L. P. SHISHKIN, Soobshch Akad. Nauk. Gruz. S.S.R. **55**, 81 (1969).

J. GERVAIS u. R. GUGIELMETTI, C. r. [C], **271**, 110 (1970).

L. V. LEVADZE et al., Soobshch. Akad. Nauk. Gruz. S.S.R. **58**, 585 (1970).

C. BALNY et al., C. r. [C] **270**, 1559 (1970).

M. MOSSE u. C. BOLNY, C. r. [C] **270**, 2035 (1970).

R. GANTRON, Bl. **1970**, 4255.

M. NAKAZAWA et al., Soc. Japan (Ind. Chem. Sect.) **74**, 137 (1971).

J. J. ROBILLARD, C. r. [B] **274**, 396 (1972).

A. G. DZHEPARIDZE et al., Russ. J. Phys. Chem. **44**, 325 (1970).

E. G. AKHALKETSI u. L. P. SHISHKIN, Soobshch. Akad. Nauk. Gruz. S.S.R. **61**, 337 (1971).

P. M. VAN LEWYER u. G. SMETS, J. Polymer. Sci. [A-1] Polymer Chem. **8**, 2361 (1970).

M. B. GORDIN u. M. A. GALBERSHTAM, Chim. geteroc. Soed. **1971**, 1159; Kinetika i. Katakiz **12**, 774 (1970).

J. KOLC u. R. S. BECKER, Photochem. a. Photobiol. **12**, 383 (1970).

E. INOUE et al., Bl. Chem. Soc. Japan **45**, 1951 (1972).

A. SAMAT, R. GUGLIELMETTI u. J. METZGER, Helv. **55**, 1782 (1972).

A. SAMAT et al., J. Phys. Chem. **76**, 3554 (1972).

C. BALNY et al., Photochem. a. Photobiol. **16**, 69 (1972).

M. A. GALBERSHTAM, L. M. MIKHEEVA u. N. P. SAMOILOVA, Chim. geteroc. Soed. **1972**, 1534.

D. A. REEVES u. F. WILKINSON, Soc. (Faraday II) **69**, 1381 (1973).

B. S. LUKJANOW et al., Tetrahedron Letters **1973**, 2007.

V. I. PONTSGRUYI u. M. A. GALBERSHTAM, Chim. geteroc. Soed. **5**, 659 (1973).

R. GUGLIELMETTI, R. MEYER u. C. DUPUY, J. Chem. Educ. **59**, 413 (1973).

P. APPRION u. R. GUGLIELMETTI, Bl. **1974**, 510.

A. N. FLEROVA et al., Chim. geteroc. Soed. **1973**, 1631.

R. M. GITINA et al., Chim. geteroc. Soed. **1973**, 1639.

E. R. ZAKHS et al., Chim. geteroc. Soed. **1973**, 1618.

Arbeitet man in einer hochpolaren Cyclohexan-Silicagel-Matrix, so ist die offene Merocyanin-Form stabiler, d. h. die Richtung der thermischen Dunkelreaktion dreht sich um[1]. Im sauren Milieu läßt sich bei den Pyranspiranen eine „inverse" Photochromie beobachten: Die Farbsalze werden durch Licht ausgebleicht[2].

Analog zur Ringöffnungs-Ringschluß-Valenzisomerisierung der Pyrane bzw. Chromene ist die Photochromie der 1,2-Dihydro-chinoline[3]:

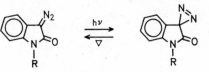

Relativ neu sind die Untersuchungen der Photochromie bei Aziridinen[4], Diazirinen[5]

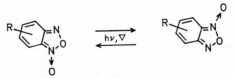

und Benzofuroxanen[6]

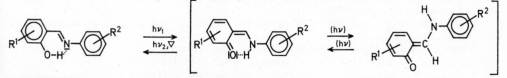

γ) Tautomere

Bei der Belichtung verschieden substituierter Phenylimine des Salicylaldehyds oder Hydroxy-formyl-naphthalins im kristallinen Zustand tritt eine Verschiebung der Absorption vom UV- in den sichtbaren Bereich ein[7,8]. Dieser beim Auflösen der gefärbten Kristalle in organischen Solventien rückläufige Effekt wurde zunächst mit intermolekularen Tautomerien im Kristallgitter erklärt[8]. Versuche in einer Lösungsmittelmatrix und Blitzlicht-Photolyse-Experimente ergaben jedoch, daß es sich dabei um intramolekulare Protonen-Wanderungen handeln muß[9]. Die bathochrome Absorptionsverschiebung geht auf die Umwandlung der benzoiden in eine o-chinoide Struktur zurück. Bei der thermischen Rückisomerisierung sind dimere Strukturen maßgeblich[9]:

[1] P. A. LEERMAKERS et al., Am. Soc. **89**, 5060 (1967).

[2] T. NAKAYAMA et al., Bull. Chem. Soc. Japan **43**, 2244 (1970).

[3] J. KOLC u. R. S. BECKER, Soc. (Perkin II) **1972**, 17; Am. Soc. **91**, 6513 (1969).

[4] T. DOMINH u. A. M. TROZZOLO, Am. Soc. **94**, 4046 (1972).

[5] E. VOIGT u. H. MEIER, Ang. Ch. **87**, 109 (1975).

[6] G. CALZAFERRI et al., Ang. Ch. **86**, 52 (1974).

[7] M. D. COHEN u. G. M. J. SCHMIDT, J. Phys. Chem. **66**, 2442 (1962).

A. SENIER u. F. G. SHEPHEAD, Soc. **95**, 1943 (1909); **101**, 1950 (1912).

S. S. BHATNAGAR u. P. L. KAPUR, Z. El. Ch. **45**, 373 (1939).

G. LINDEMANN, Z. wiss. Phot. Photophysik Photochem. **50**, 347 (1955); C. A. **50**, 8335 (1956).

E. HADJONDIS u. E. HAYON, J. Phys. Chem. **74**, 3184 (1970).

M. KAMIYA u. Y. AKAHORI, Chem. a. Pharm. Bull. (Japan) **18**, 2183 (1970).

B. TINLAND, Tetrahedron **26**, 4795 (1970).

R. ROSENFIELD, M. OTTOLENGHI u. A. Y. MEYER, Mol. Photochem. **5**, 39 (1973).

[8] V. DE GAOUCK u. R. J. W. LE FÈVRE, Soc. **1939**, 1457.

[9] R. POTASHNIK u. M. OTTOLENGHI, J. Chem. Phys. **51**, 3671 (1969).

M. D. COHEN, Y. HIRSHBERG u. G. M. J. SCHMIDT, Soc. **1964**, 2051, 2060.

M. D. COHEN, G. M. J. SCHMIDT u. S. FLAVIAN, Soc. **1964**, 2041.

Die Hydroxy-Gruppe kann durch Amino-, Methyl- oder Carboxy-Gruppen ersetzt werden[1]. Ähnliche Photochromien geben Phenylhydrazone[2] von aromatischen Aldehyden, Ketonen und α-Diketonen und bestimmte Semicarbazone[3]. Besonders merkwürdig verhält sich das *Semicarbazon* des *Zimtaldehyds*[4], das im Tageslicht zwar farblos bleibt, bei anschließender Aufbewahrung im Dunkeln gelb wird und bei erneuter Belichtung sich wieder entfärbt.

Substituierte 2-Nitro-toluole zeigen häufig im kristallinen Zustand oder in Lösung (bei tiefen Temperaturen) eine Photochromie, die auf der tautomeren Bildung der aci-Nitro-Verbindungen beruht[5]:

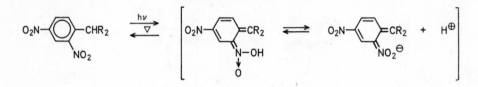

---

[1] E. HADJONDIS, Mol. Crystals Liquid Crystals **13**, 233 (1971).
   Vgl. a. M. MIRAI, Chem. Commun. **1971**, 1424.
[2] C. V. GHEORGHIU u. V. MATEI, Bl. **6**, 1324 (1939).
   F. GRAZIANI, Atti accad. Lincei **19** II, 190 (1910); **22** I, 623 (1913); II, 32 (1913).
   F. D. CHATTAWAY, Soc. **89**, 462 (1906).
   M. PADRA u. F. GRAZIANI, Atti accad. Lincei **18** II, 559, 269 (1909); **19** I, 489; II 193 (1910).
   M. PADOA u. L. SANTI, Atti accad. Lincei **20** II, 196 (1911); **21** II, 192 (1912).
   M. PADOA u. F. BORINI, Atti accad. Lincei **20** II, 712 (1911).
   F. GRAZIANI u. F. BOVINI, Atti accad. Lincei **22** II, 32 (1913).
   C. V. GHEORGHIU, Rev. Sttint. "C. Adamachi", **32**, 255 (1946); C. A. **42**, 1238 (1948).
   H. STOBBE, Ber. Verhandl. Sächs. Akad. Wiss. Leipzig, **74**, 161 (1922).
   V. MATEI, Ann. Sci. Univ. Jassy **29** I, 17 (1943); C. A. **42**, 3743 (1948).
   J. L. WONG u. F. N. BRUSCATO, Tetrahedron Letters **1968**, 4593.
   Vgl. a. R. M. ELLAM et al., Chem. Ind. **1974**, 74.
[3] J. M. HEILBRON, H. E. HUDSON u. D. M. HUISH, Soc. **123**, 2273 (1923).
   J. M. HEILBRON u. F. J. WILSON, Soc. **101**, 1482 (1912); **103**, 1504 (1913).
   W. O. WILLIAMSON, Mineral. Mag. **25**, 513 (1940).
   F. J. WILSON, J. M. HEILBRON u. M. M. SUTHERLAND, Soc. **105**, 2892 (1914).
   C. V. GHEORGHIU, Bl. **1**, 97 (1934).
   C. V. GHEORGHIU u. B. ARRVENTIEU, Bl. [4] **47**, 195 (1930); Ann. Sci. Univ. Jassy **16**, 536 (1931);
      C. A. **26**, 4804 (1932).
   C. V. GHEORGHIU u. V. MATEI, Bl. **6**, 1324 (1939); G. **73**, 65 (1943).
   V. MATEI, Ann. Sci. Univ. Jassy, **29** I, 17 (1943); C. A. **32**, 3743 (1948).
[4] F. J. WILSON, J. M. HEILBRON u. M. M. SUTHERLAND, Soc. **105**, 2892 (1914).
[5] W. C. CLARK u. G. F. LOTHIAN, Trans. Faraday Soc. **54**, 1790 (1958).
   H. S. GUTOWSKY u. R. L. RUTLEDGE, J. Chem. Phys. **29**, 1183 (1958).
   B. M. KUINDSHI et al., Opt. Spectry. (UdSSR) **12**, 118 (1962).
   A. J. NUNN u. K. SCHOFIELD, Soc. **1952**, 583.
   K. SCHOFIELD, Soc. **1949**, 2408.
   A. E. TSCHITSCHIBABIN, B. M. KUINDSHI u. S. W. BENEWOLENSKAJA, B. **58**, 1580 (1925).
   J. D. MAGERUM et al., J. Phys. Chem. **66**, 2434 (1962).
   A. L. BLUHM, J. WEINSTEIN u. J. A. SOUSA, J. Org. Chem. **28**, 1989 (1963).
   R. HARDWICK u. H. S. MOSHER, J. Chem. Phys. **36**, 1402 (1962).
   Y. HIRSHBERG u. E. FISCHER, Soc. **1953**, 629.
   R. HARDWICK, H. S. MOSHER u. P. PASSAILAINE, Trans. Faraday Soc. **56**, 44 (1960).
   H. S. MOSHER, C. SOUERS u. R. HARDWICK, J. Chem. Phys. **32**, 1888 (1960).
   J. A. SOUSA u. J. WEINSTEIN, J. Org. Chem. **27**, 3155 (1962).
   Vgl. a. V. I. DANILOVA u. A. G. TUROVETS, Izv. Vyshh. Ucheb. Zaved., Fiz. **13**, 741 (1970).
   A. G. TUROVETS u. V. I. DANILOVA, Vyssh. Ucheb. Zaved., Fiz. **14**, 154 (1971); **15**, 68 (1972).
   D. BEN-HUR u. R. HARDWICK, J. Chem. Phys. **57**, 2240 (1972).
   B. TINLAND, Tetrahedron Letters **1971**, 2467.
   A. G. TUROVETS u. V. I. DINILOVC, Izv. Vyssh. Ucheb. Zaved., Khim. i Khim. Tekhnol. **15**, 68 (1972).

3. Photochromie durch Dissoziation

α) Radikal-Bildung

Eine Reihe substituierter Chinole zeigt in Tetrachlormethan bei Zimmertemperatur gelöst oder in einer Matrix bei tiefen Temperaturen photochrome radikalische Dissoziation[1]:

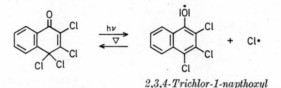

2,3,4-Trichlor-1-napthoxyl

Je eines der beiden Dimeren des Octaphenyl-1,1'-bi-pyrrolyls und des Hexaphenyl-1,1'-bi-imidazolyls dissoziiert im UV-Licht reversibel in die gefärbten Monomeren I und II[2]:

I; *2,3,4,5-Tetraphenyl-1-dehydro-pyrrol-Radikal*   II; *2,4,5-Triphenyl-1-dehydro-imidazol-Radikal*

β) Ionenbildung

Triaryl-acetonitrile dissoziieren bei Belichtung in polaren Lösungsmitteln mit einer Quantenausbeute von ungefähr 1 in ein Cyanid-Anion und *Triarylmethyl-Kationen*[3,4]:

$$Ar_3C-CN \;\underset{}{\overset{h\nu}{\rightleftarrows}}\; Ar_3C^{\oplus} \;+\; CN^{\ominus}$$

Der Mechanismus ist komplizierter als die Gleichung ausdrückt und schließt die Bildung von Radikal-Zwischenstufen ein[4,5].

Eine intramolekulare ionische Bindungsspaltung beobachtet man bei der Photolyse von *2,2,3,3-Tetramethyl-1,4-diphenyl-5-oxa-bicyclo[2.1.0]pentan*[6]:

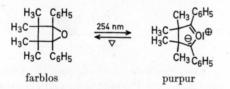

farblos   purpur

[1] F. FEICHTMAYR u. G. SCHEIBE, Z. Naturf. **13b**, 51 (1958).
   F. WEIGERT, Z. El. Ch. **23**, 357 (1917); **24**, 222 (1918).
   W. MARCKWALD, Z. Physik. Chem. **30**, 140 (1899).
   E. INQUE, H. KOKADO u. S. OHNO, Koggo Kagaku Zasshi **73**, 435 (1970).
[2] S. M. BLINDER et al., J. Chem. Phys. **36**, 540 (1961).
   K. MAEDA, A. CHINONE u. T. HAYASHI, Bl. Chem. Soc. Japan **43**, 1431 (1970).
   K. MAEDA u. T. HAYASHI, Bl. Chem. Soc. Japan **42**, 3509 (1969).
   A. L. PROKHODA u. V. A. VRONGANZ, Khim. vgsok. Energii **5**, 262 (1971).
   K. MAEDA, A. CHINONE u. T. HAYASHI, Bl. Chem. Soc. Japan **43**, 1431 (1970).
[3] E. WEYDE, W. FRANKENBURGER u. W. ZIMMERMANN, Z. physik. Chem. B. **17**, 276 (1932).
   G. H. BROWN, S. R. ADISESH u. J. E. TAYLOR, J. Phys. Chem. **66**, 2426 (1962).
   L. HARRIS, J. KAMINSKY u. R. G. SIMARD, Am. Soc. **57**, 1151 (1935).
   J. CALVERT u. H. J. L. RECHEN, Am. Soc. **74**, 2101 (1952).
   E. WEYDE u. W. FRANKENBURGER, Trans. Faraday Soc. **27**, 561 (1931).
[4] A. H. SPORER, Trans. Faraday Soc. **57**, 983 (1961).
[5] Zur Radikalionen-Bildung bei der Photochromie von Amin-Molybdaten vgl.:
   F. ARNAND-NEU u. M.-J. SCHWING-WEILL, Bl. **1973**, 2325, 3233 3239.
[6] D. R. ARNOLD u. L. A. KARNISCHKY, Am. Soc. **92**, 1404 (1970).

Im Gegensatz zu den Spiropyranen (vgl. S. 1520) ist hier ein Ladungsausgleich nicht möglich, da das Sauerstoff-Oktett nicht überschritten werden darf.

γ) spezielle Spaltungen

Eliminierungs-Additionsreaktionen sind häufig die Grundlage für photochromes Verhalten; z. B.[1]:

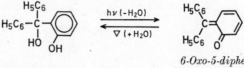

6-Oxo-5-diphenylmethylen-
cyclohexadien-(1,3)

Relativ neu ist die Verwendung von photochromen Dimeren aus polycyclischen, aromatischen Kohlenwasserstoffen wie Anthracenen oder Heterocyclen wie Thymin, 2-Aminopyridin, Acridizinium- und Benzacridizinium-Salzen[2]. Dimerisierung und Spaltung in die Monomeren sind sehr wirksam, wenn man das photochrome Material in eine feste Matrix einbettet.

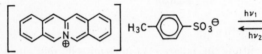

⟨Dibenzo-[b;g]-chinolizinium⟩-p-toluolsulfonat

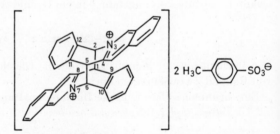

9,10;11,12-Dibenzo-3,4;7,8-diisochinolino(2,2;2′,3′)-
3,7-diazonia-tricyclo[4.2.2.2²,⁵]dodecatetraen-(3,7,9,11)-
bis-p-toluolsulfonat

Verwandt damit ist die Photochromie bei der Spaltung von Charge-Transfer-Komplexen. Die Rolle des Sauerstoff wird dabei am Phenothiazin verdeutlicht[3]; z. B.:

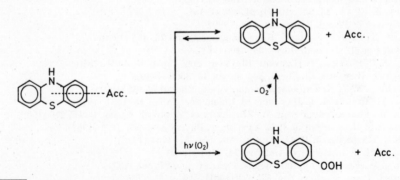

[1] S. Hamai u. M. Kokubun, Bl. Chem. Soc. Japan **47**, 2085 (1974).
[2] W. J. Tomlinson et al., Appl. Optics **11**, 533 (1972).
[3] R. Knoesel, B. Debud u. J. Parrod, Bl. **1971**, 4471.

4. Redox-Photochromie

Reversible photochrome Redoxpaare sind in der organischen Chemie relativ selten. Ein gut untersuchtes Beispiel ist das System Methylenblau/Eisensulfat[1]. Ein angeregtes, vermutlich als Triplett vorliegendes Methylenblau-Molekül $(M^{\oplus})^*$ nimmt vom $Fe^{2\oplus}$-Ion ein Elektron auf. Das dabei gebildete Semichinon-Radikal M disproportioniert in den Farbstoff $M^{\oplus}$ und seine Leukoverbindung $M^{\ominus}$. Die entstandenen $Fe^{3\oplus}$-Ionen oxidieren die Semichinon-Zwischenstufe und außerdem in einer vergleichsweise langsamen Reaktion das Leukomethylenblau selbst:

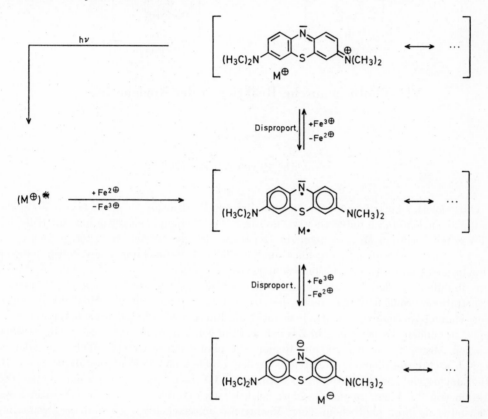

Andere photochrome Redoxsysteme sind Thionin/Eisensulfat[2] und Chlorophyll a[3] dessen „Photobleichung" in sauerstoff-freien Solventien oder Gläsern proportional zur Quadratwurzel aus dem Quotienten von absorbierter Lichtintensität und Konzentration ist[4]. Ein genauer Mechanismus dafür ist noch nicht bekannt[5].

[1] C. A. PARKER, J. Phys. Chem. **63**, 26 (1959).
[2] E. RABINOWITCH, J. Phys. Chem. 8, 551, 560 (1940).
[3] D. PORRET u. E. RABINOWITCH, Nature **140**, 321 (1937).
  J. McBRADY u. R. LIVINGSTON, J. Phys. Chem. **50**, 177 (1946).
  J. KNIGHT u. R. LIVINGSTON, J. Phys. Chem. **54**, 703 (1950).
  R. LIVINGSTON u. V. RYAN, Am. Soc. **75**, 2176 (1953).
  R. LIVINGSTON u. D. STOCKMAN, J. Phys. Chem. **66**, 2533 (1962).
  H. LINSCHITZ u. J. RENNERT, Nature **169**, 193 (1952).
  E. W. ABRAHAMSEN u. H. LINSCHITZ, J. Chem. Phys. **23**, 2198 (1955).
  G. PORTER, Pr. chem. Soc. [A] **200**, 284 (1950).
  J. D. KNIGHT u. R. LIVINGSTON, J. Phys. Colloid. Chem. **54**, 703 (1950).
[4] J. J. McBRADY u. R. LIVINGSTON, J. Phys. Colloid Chem. **52**, 662 (1948).
[5] vgl. dazu R. LIVINGSTON, G. PORTER u. M. WINDSOR, Nature **173**, 485 (1954).

Als letztes Beispiel einer Redoxphotochromie sei das *trans-1,2-Bis-[chinolyl-(4)]-äthylen-dioxalat* genannt[1]:

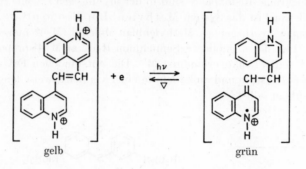

gelb   grün

VII. Photochemische Reaktionen der Nucleinsäuren

bearbeitet von

Prof. Dr. PETER A. CERUTTI*

Ultraviolettes Licht ist zu einem der nützlichsten Werkzeuge zur selektiven Modifikation von Nucleinsäuren unter in vivo und in vitro Bedingungen geworden. Mit Hilfe der „UV-Sonde" wurden Mechanismen zur Reparatur des genetischen Materials in Bakterien entdeckt und weitgehend aufgeklärt und ähnliche Untersuchungen an Zellen höherer Organismen sind im Gange. Besonders attraktive Eigenschaften des UV-Lichtes als Agens zur Modifikation der Nucleinsäuren in der lebenden Zelle sind dessen ungehindertes Penetrationsvermögen durch nicht-absorbierendes Medium und die Möglichkeit durch Verwendung von monochromatischem Licht die Energie der Photonen nach Wunsch festlegen zu können. Es besteht kein Zweifel, daß die Nucleinsäuren, teilweise aufgrund ihrer starken Absorption in der 260 nm Region, die photochemisch empfindlichsten und biologisch wichtigsten Zellkomponenten darstellen, obschon andere Zellbestandteile, wie z. B. die Enzyme und ihre Cofaktoren, ebenfalls durch UV-Licht verändert werden können. Die Aktion von UV-Licht ist auch insofern selektiv, als sich die verschiedenen Nucleinsäure-Bausteine in ihrer photochemischen Reaktivität unterscheiden. So sind die Pyrimidin-Basen (Thymin, Uracil, Cytosin) erheblich reaktiver als die Purin-Basen (Adenin, Guanin) und die Zuckerphosphat-Reste. Allerdings sind die photochemischen Reaktionen, die in einer Nucleinsäure auftreten, vielfältiger als ursprünglich angenommen wurde, und es ist auch kaum gerechtfertigt, die Veränderungen, die an den Purin-Basen hervorgerufen werden, vollständig zu ignorieren.

Eine wichtige Voraussetzung zum Fortschritt in der Photobiologie ist eine möglichst vollständige chemische Charakterisierung des ganzen Spektrums von Photoreaktionen, die in einem Polynucleotid auftreten können. Erst dann wird es möglich sein, die photochemischen Veränderungen in den Nucleinsäuren und die resultierenden biologischen Effekte miteinander zu korrelieren.

Bis auf wenige Ausnahmen wird in der Photochemie der Nucleinsäuren mit äußerst kleinen Substanzmengen, oft in µg Quantitäten, gearbeitet. Ein Teil der Photoprodukte sind dazu recht unbeständig und können sogar bei tiefer Temperatur nur für kurze Zeit

* The J. Hillis Miller Health Center, University of Florida, Gainesville, Florida.

[1] U. KUHNES u. H. GÜSTEN, Z. Naturf. **29 b**, 137 (1974).

aufbewahrt werden. In der Photochemie der Nucleinsäuren fehlen daher im allgemeinen präparative Methoden im Sinne der organischen Chemie. An deren Stelle wurden spezielle Arbeitstechniken entwickelt, die organische, biochemische und physikalisch-chemische Methoden einschließen und die eine Behandlung dieses Spezialgebietes im Rahmen dieses Buches als wünschenswert erscheinen ließ. Wir haben uns in dieser Zusammenfassung auf die Photochemie der Nucleinsäure-Bausteine und synthetischer Polynucleotide in wäßrigem Milieu beschränkt. Auf eine Diskussion des umfangreichen Gebietes der Photochemie natürlicher Nucleinsäuren mußte aus Platzgründen verzichtet werden. In den letzten Jahren sind Publikationen erschienen, die andere Teilgebiete der Photochemie und Photobiologie der Nucleinsäuren zusammenfassen[1–5].

a) apparative Hilfsmittel und Dosologie

Der Wellenlängenbereich von 230–290 nm ist von besonderer Bedeutung für die Photochemie der Nucleinsäuren. Die üblichen Quecksilberniederdruck- und Quecksilberhochdruck-Brenner, kombiniert mit Absorptions- und Interferenzfiltern, finden in diesem Bereich als Strahlungsquellen vor allem für präparative Zwecke Verwendung und sind an verschiedenen Stellen dieses Bandes eingehend beschrieben. Schwierigkeiten treten dann auf, wenn eine bestimmte Wellenlänge besonders im kurzwelligen Bereich (z. B. 235–240 nm) verwendet werden soll und wenn genaue Dosierung nötig ist. Die Verwendung eines Hochintensitätsmonochromators hat in einem solchen Falle große Vorteile. Die Mengen eines bestimmten Photoproduktes, die mit Hilfe eines solchen Instrumentes dargestellt werden können, sind allerdings im allgemeinen durch den relativ geringen Quantenstrom eines Monochromators beschränkt. Oft ist es aber möglich, dank der Fortschritte in der Nucleinsäuren-Biochemie (z. B. Verwendung spezifischer Enzymsysteme, Verwendung von radioaktiv markierten Ausgangsmaterialien usw.) mit recht geringen Substanzmengen zu arbeiten. Es folgt eine kurze Beschreibung des Hochintensitätsmonochromators, der in unserem Laboratorium verwendet wird und der nun auch kommerziell erhältlich ist. Ein anderes Instrument wurde in der Literatur eingehend beschrieben[6].

1. Hochintensitätsmonochromator

Der Schöffel-Hochintensitätsmonochromator[7] besteht aus vier Hauptteilen: einem Lampengehäuse, einem Bausch and Lomb Gitter-Monochromator ausgerüstet mit Quarzlinsensystemen zur Fokussierung des Lichtstrahls, einem thermostatisierbaren Halter für das Bestrahlungsgefäß, einem hochempfindlichen Thermoelement und Voltmeter zur Messung des Quantenstromes (Abb. 70, S. 1532). Als Lichtquelle wird ein 2500 W-Hochdruck-Brenner vom Typ Hanovia 975 C-98 verwendet. Xenon-Brenner zeigen im allgemeinen geringere Emissionsfluktuationen als Quecksilberhochdruck-Brenner. Der Brenner ist im dickwandigen Lampengehäuse untergebracht und wird durch ein Gebläse luftgekühlt. Hinter dem Brenner befindet sich ein verstellbarer Reflektor und zu beiden Seiten sind Hitzeschilder angebracht. Im Ausgang des Lampengehäuses passiert der Strahl einen Kondensator (Suprasil) und ein verstellbares Vorprisma (Suprasil) zur Abtrennung von Infrarotstrahlung. Ein weiterer Teil des Infrarotlichtes wird am Eingang des Monochromators durch einen Hitzeschild abgetrennt. Beim Monochromator handelt es sich um einen Bausch & Lomb Gitter-Monochromator Typ 33-86-49 mit einer Gitterfläche von 100×100 mm, einer Brennweite von 500 mm und 1200 Strichen/mm. Die reziproke, lineare Dispersion ist 1,6 nm/mm. Am Ausgang des Monochromators befindet sich ein Konsendator (Suprasul) und ein Kollimator (Suprasil).

[1] J. G. Burr, Adv. Photochem. 6, 193 (1968).
[2] E. Fahr, Ang. Ch. 81, 581 (1969).
[3] R. B. Setlow, Progr. in Nucleic Acid and Molec. Biol. 8, 257 (1968).
[4] R. B. Setlow u. I. K. Setlow, Ann. Rev. Biophys. & Bioengineer 1, 293 (1972).
[5] P. Howard-Flanders, British Med. Bull. 29, 226 (1972).
[6] H. E. Johns u. A. M. Rauth, Photochem. Photobiol. 4, 673 und 693 (1965).
[7] Hergestellt von Schöffel Instrument-Co., 15 Douglas Street, Westwood, New Jersey, U.S.A.

Als Reaktionsgefäße werden Standardquarzküvetten von 1–10mm Schichtdicke verwendet. Während der Bestrahlung wird die Lösung mittels eines magnetischen Rührers kräftig durchgemischt. Bei der Verwendung von Mikrozellen mit 1-2 mm Schichtdicke kann befriedigende Durchmischung des Reaktionsgutes erreicht werden, indem ein magnetischer Rührer vertikal, auf und ab, durch die Lösung bewegt wird. Ein thermostatisierbarer Küvettenhalter erlaubt Bestrahlungen bei höheren und tieferen Temperaturen. Folgende Werte wurden bestimmt für den Strahlungsfluß dieses Instrumentes in der Reaktionsküvette bei einer spektralen Bandbreite von 8 nm: 320 nm, $2{,}1 \times 10^{16}$ Photonen/Sek.; bei 280 nm, $1{,}1 \times 10^{16}$ Photonen/Sek.; bei 240 nm, $8{,}3 \times 10^{14}$ Photonen/Sek.

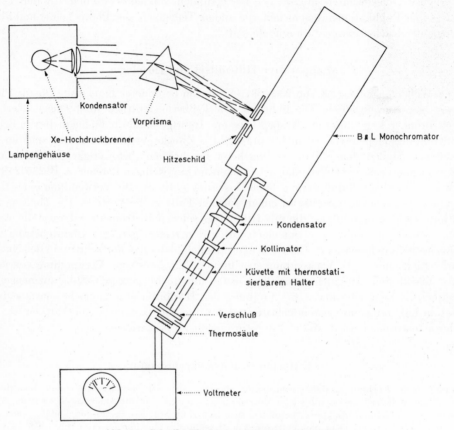

Abb. 70. Schöffel-Hochintensitätsmonochromator

2. Die photochemischen Einheiten

Während in der präparativen, organischen Photochemie die Angabe des Brenner-Typs, der Distanz zwischen Brenner und Reaktionsgut und die Bestrahlungsdauer oft genügt für die Wiederholung eines Experimentes, ist die genaue Kenntnis der verwendeten Strahlungs-energie von großer Bedeutung in der Photochemie und Photobiologie der Nucleinsäuren. In der Vergangenheit fehlten in vielen Fällen einheitliche Begriffsdefinitionen, und es ist oft schwierig, die quantitativen Aspekte älterer Studien zu vergleichen. Die Begriffe und Einheiten besonders zur Verwendung in der Nucleinsäurenchemie wurden neu definiert, indem man die in der Radiologie gebräuchlichen Definitionen für die Photochemie adaptiert hat[1]. Grundlage dieser Begriffsdefinition ist die Unterscheidung zwischen Strahlungsdosis, d. h. der Gesamtstrahlungsenergie, die von einer Photolyselösung absorbiert wird und der „mittleren photon fluence" oder "exposure", d. h. der Anzahl von Photonen, denen die

---

[1] H. E. Johns, *Methods in Enzymology*, Vol. XVI, S. 253–316, Academic Press, New York 1969.

Moleküle einer Photolösung im Mittel während einer bestimmten Bestrahlungsdauer ausgesetzt worden ist. Die Begriffe der „mittleren photon fluence", des Bildungsquerschnittes ("formation cross-section") und des Absorptionsquerschnittes ("absorption cross-section"), die sich für die Photochemie der Nucleinsäuren als besonders nützlich erwiesen haben, werden hier kurz erörtert. Um Unklarheiten zu vermeiden, wurde auf eine Übersetzung des Begriffs "photon fluence" ins Deutsche verzichtet.

α) "Incident photon fluence" (ΔL_i) und „mittlere photon fluence" ($\Delta \overline{L}$)

Als "incident photon fluence" ΔL_i wird die Anzahl von Photonen bezeichnet, die auf eine Flächeneinheit der Lösung während einer bestimmten Bestrahlungsdauer auftrifft. Die gebräuchlichste Einheit für ΔL_i ist

$$\mu E/cm^2 \qquad (1 \text{ Einstein} \equiv 1 \text{ Mol oder } 6{,}02 \times 10^{23} \text{ Photonen}).$$

Die Energie der Photonen wird also in diesem Begriff nicht berücksichtigt. Die Bestimmung von ΔL_i, oder genauer von ΔN_i, der Anzahl der Photonen die den Monochromator in einem gewissen Zeitintervall in einem fokussierten Strahl verlassen, erfolgt entweder mit Hilfe eines chemischen Aktinometers oder einer Thermosäule (s. S. 86). Ist die Schichtdicke, das Volumen sowie die Absorption der Photolyselösung bekannt und wird die Lösung während der Bestrahlung gut durchgemischt, so kann die „mittlere photon fluence", $\Delta \overline{L}$ berechnet werden. Verwendung von monochromatischem Licht ist Voraussetzung. Die „mittlere photon fluence" gibt die Zahl der Photonen an, die im Mittel nach einer bestimmten Bestrahlungsdauer, auf ein absorbierendes Molekül der Photolyselösung, aufgetroffen ist. Für Lösungen mittlerer optischer Dichte (A ≈ 0,1 - 2) gelten die folgenden Beziehungen:

$$\Delta \overline{L} = \Delta L_i \frac{1 - e^{-2{,}30\overline{A}}}{2{,}30\overline{A}} \qquad\qquad \Delta L_i = \frac{\Delta N_i}{(V/b_0)}$$

$\Delta \overline{L}$ = „mittlere photon fluence" [$\mu E/cm^2$]
ΔL_i = "incident photon fluence" [$\mu E/cm^2$]
$\overline{A}$ = mittlere Absorption der Lösung bei der Wellenlänge des einstrahlenden Lichtes
b_0 = Schichtdicke [cm]
V = Volumen der Photolyselösung [cm^3]

Wenn sich die Absorption der Lösung während der Bestrahlung nur relativ wenig verändert, wird der Mittelwert zwischen Ausgangs- und Endabsorption, $\overline{A}$, verwendet. Wiederholte Absorptionsmessungen während der Bestrahlung und Berechnung von ΔL als Summe mehrerer Bestrahlungsinkremente ist ein befriedigenderes Verfahren für photochemische Reaktionen, die mit starken Absorptionsänderungen einhergehen[1]. Bei den meisten Bestrahlungsapparaturen wird der monochromatische Strahl durch eine Sammellinse in das Zentrum des Bestrahlungsgefäßes fokussiert. Der Weg, der vom Strahl durch das Reaktionsgefäß zurückgelegt wird, ist demgemäß länger als die Schichtdicke. Die Abweichungen, die daraus resultieren, sind aber meistens gering und auf eine Korrektur kann im allgemeinen verzichtet werden. In speziellen Fällen kann ein Korrekturfaktor verwendet werden.

β) Der Bildungsquerschnitt ("formation cross-section")

Der Bildungsquerschnitt σ_B ist ein Ausdruck für die Wahrscheinlichkeit, daß ein Photon, das auf ein Einheitselement der Reaktionslösung auftrifft, die Bildung eines bestimmten

---

[1] I. H. Brown, K. B. Freeman u. H. E. Johns, J. Mol. Biol. **15**, 640 (1966).

Photoproduktes veranlaßt. Die Dimension von σ_B ist cm²/μE (eine alternative, äquivalente Definition des Bildungsquerschnittes mit der Dimension cm²/μMol kann ebenfalls verwendet werden). Es gilt also

$$\Delta N_B = \sigma_B \cdot N \cdot \Delta \overline{L}$$

wobei ΔN_B die Anzahl der Moleküle darstellt, die bei einer „mittleren photon fluence" $\Delta \overline{L}$ ins Photoprodukt B umgewandelt wurden; N ist die Anzahl der Moleküle der Ausgangssubstanz, die in einem Einheitselement der Reaktionslösung vorhanden sind und σ_B, der Bildungsquerschnitt, ist die Proportionalitätskonstante der Gleichung. In einer Darstellung der Bildung von Produkt B, N_B/N als Funktion von $\Delta \overline{L}$, entspricht σ_B der initialen Steigung der Kurve. Verläßliche Werte für den initialen Querschnitt für die Bildung eines bestimmten Photoproduktes in einem Polynucleotid können nur erhalten werden, wenn außerordentlich empfindliche analytische Methoden zur Verfügung stehen, die es erlauben, die Umsetzung weniger Nucleotid-Reste festzustellen[1]. Ein mathematisches Verfahren wurde zur Bestimmung des Bildungs-Querschnittes der Photoreaktionen von Polyuridylsäure entwickelt.

γ) Der Absorptionsquerschnitt (absorption cross-section)

Der Absorptionsquerschnitt, σ_A, ist ein Maß für die Wahrscheinlichkeit, daß ein Photon durch die Photolyselösung absorbiert wird, wobei nicht unterschieden wird, ob der Absorptionsprozeß zur Produktion eines Photoproduktes führt oder nicht. Der Absorptionsquerschnitt ist ein Charakteristikum der chemischen Verbindung(en), die in einer bestimmten Reaktionslösung vorhanden ist (sind). Es gilt die Beziehung

$$\Delta L = -\sigma_A \cdot L \cdot N$$

wobei ΔL denjenigen Teil der "photon fluence" darstellt, der durch Absorption in der Photolyselösung verloren geht. N ist die Anzahl der Moleküle pro Einheitselement. Die Dimension von σ_A ist cm²/μMol. Ist der molare Extinktionskoeffizient einer Lösung bekannt, so errechnet sich σ_A nach der folgenden Beziehung

$$\sigma_A = 2,3 \times 10^{-3}\, \varepsilon \; [\text{cm}^2/\mu\text{Mol}]$$

Der Quotient σ_B/σ_A entspricht der Quantenausbeute Φ_B für die Bildung von Photoprodukt B und ist dimensionslos.

b) Photochemie der Pyrimidin-Basen und ihrer Nucleosid- und Nucleotid-Derivate

Die Pyrimidin-Basen der Nucleinsäuren Thymin und Uracil und ihre Nucleosid-Derivate dimerisieren in einer Eismatrix oder bei Anwesenheit von Sensibilisatoren auch in Lösung unter UV-Bestrahlung in der Region ihrer Hauptabsorption bei 260 nm zu tricyclischen Cyclobutan-Derivaten. Die Reaktion verläuft mit hoher Quantenausbeute. Die Dimerisierung erfolgt an der 5,6-Doppelbindung, die in Konjugation mit der 4-Oxo-Funktion steht. Die Photocyclisierung von Thymin und Uracil kann zum mindesten formal als ein Spezialfall der gut bekannten Dimerisierung α, β-ungesättigter Ketone und Carbonsäuren betrachtet werden. Als Beispiele seien die Dimerisation von Zimtsäure zu Truxillsäure und Truxinsäure[2] (S. 315f., 369ff.) und die Reaktion von 3-Oxo-cyclopenten[3] und kristallinem Fumarsäure-dimethylester[4] zu den entsprechenden Cyclobutan-Derivaten

---

[1] Siehe z. B.: P. A. Cerutti, N. Miller, M. G. Pleiss, J. E. Remsen u. W. J. Ramsay, Proc. Natl. Acad. Sci. **64**, 731 (1969).
S. a. H. E. Johns, *Methods in Enzymologie*, Vol. XVI, S. 253–316, Academic Press, New York 1969.
[2] C. N. Riber, B. **35**, 2908 (1902).
[3] P. E. Watson, Am. Soc. **84**, 2344 (1962).
[4] G. W. Griffin, A. F. Vellturo u. K. Furukawa, Am. Soc. **83**, 2725 (1961).

erwähnt (S. 280ff.). Die Bildung von vier Isomeren ist möglich. Da die Hauptisomeren der Cyclobutan-Dimeren von Uracil und Thymin recht stabil sind, konnten sie in Milligramm-Quantitäten, teilweise in kristalliner Form, hergestellt werden. Der Mechanismus der Dimerisation der Pyrimidin-Basen und ihrer Derivate ist nicht mit Sicherheit festgelegt. Anhaltspunkte, daß es sich beim angeregten Zustand um ein Triplet handelt, sind vor allem für die Uracil-Dimerisation erhalten worden[1,2]. Die Cyclobutan-Dimeren sind thermisch nicht reversibel, werden aber durch kurzwelliges UV-Licht in der Region ihrer Hauptabsorption bei 230–240 nm ins Ausgangsprodukt zurückverwandelt. Die photochemische Rückreaktion, die mit einem entsprechenden Gewinn in der Absorption bei 260 nm verbunden ist, wird oft als diagnostisches Hilfsmittel zur Identifizierung der Cyclobutan-Dimeren verwendet. Dimerisation von Cytosin und seinen Derivaten erfolgt nur mit geringer Ausbeute.

Die zweite Hauptreaktion der Pyrimidin-Basen und ihrer Nucleosid- und Nucleotid-Derivate in wäßriger Lösung ist die photochemische Addition eines Moleküls Wasser an die 5,6-Doppelbindung unter Bildung von 6-Hydroxy-5,6-dihydro-pyrimidin-Derivaten. Die Wasseranlagerungsprodukte sind im Gegensatz zu den Cyclobutan-Dimeren instabil bei erhöhter Temperatur und bei hohem und tiefem p_H. Sie werden unter Eliminierung von Wasser ins Ausgangsmaterial zurückverwandelt. Die Wasseranlagerungsprodukte sind hingegen nicht photoreversibel. Die Stabilität der Wasseranlagerungsprodukte nimmt zu von der freien Base zum Nucleosid, zum Nucleotid und zum Polynucleotid. Die Stabilität nimmt ab von Uracil zu Cytosin zu Thymin und deren Derivaten. Nur im Falle von Uracil und seinen Derivaten ist das Wasseradditionsprodukt stabil genug, um ohne größere Schwierigkeiten als definierte Verbindung isoliert und charakterisiert werden zu können. Über den Mechanismus der Wasseranlagerungsreaktion ist nur wenig bekannt. Es wird im allgemeinen angenommen, daß die Reaktion über einen Singlet-Zustand verläuft[3]. Verwandte Reaktionen in der organischen Photochemie sind die Addition von Alkoholen an α,β-ungesättigte, cyclische Ketone[4] und von Wasser an Buten-(2)-säure[5].

1. Photodimerisierung zu Cyclobutan-Derivaten

α) Thymin und seine Derivate

Thymin (2,4-Dihydroxy-5-methyl-pyrimidin) reagiert unter Bestrahlung bei 253,7 nm in gefrorener, wäßriger Lösung (Eismatrix) zum *cis-syn* Isomeren des Cyclobutan-Dimeren I in 48–50% Ausbeute (*2,4,5,7-Tetrahydroxy-4a,4b-dimethyl-4a,4b,8a,8b-tetrahydro-⟨cyclobuta-[1,2-d;4,3-d']-bis-pyrimidin⟩*).

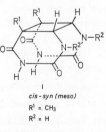

I
cis-syn (meso)
R^1 = CH$_3$
R^2 = H

[1] Siehe z. B.: C. L. Greenstock, I. H. Brown, J. W. Hunt u. H. E. Johns, Biochem. Biophys. Res. Commun. **27**, 431 (1967).

[2] L. Snyder, R. Shulman u. D. Neumann, J. Chem. Phys. **53**, 256 (1970).

[3] J. G. Burr u. M. D. Sevilla, Rad. Res. **36**, 610 (1969).

[4] B. J. Ramsay u. P. D. Gardner, Am. Soc. **89**, 3949 (1967).
    H. Nozaki, M. Jurita u. R. Noyori, Tetrahedron Letters **2025** (1968).

[5] R. Stoermer u. E. Roberts, B. **55 B**, 1030 (1922).

Es wird angenommen, daß die Vororientierung der Thymin-Reste in der Eismatrix die rapide Dimerisierung ermöglicht. Eine Quantenausbeute von 1 wurde erhalten[1]. Die Ausbeute kann auf 83–90% erhöht werden, wenn das Reaktionsgut während der Bestrahlung mehrmals geschmolzen und erneut zum Gefrieren gebracht wird[1,2]. Dimerisation zu I wird auch beobachtet, wenn Thymin auf Filterpapier bestrahlt wird[3]. Die Struktur von I wurde durch NMR-[4], IR-Spektroskopie[5] und durch chemischen Abbau[6] bewiesen. Bestrahlung von Thymin in gefrorener Lösung führt in einer Nebenreaktion auch zum „Addukt"[7]. Eine wichtige Reaktion der Cyclobutan-Dimeren des Thymins ist deren Rückverwandlung ins Ausgangsmaterial durch Bestrahlung in neutraler, wäßriger Lösung[8]. Die Tatsache, daß diese Reaktion mit hoher Quantenausbeute verläuft (0,5–1,0)[9], ist wahrscheinlich der Hauptgrund für das Ausbleiben der Photodimerisation von Thymin in wäßriger Lösung bei Zimmertemperatur[10]. Das Aktionsspektrum für die photochemische Spaltung der Thymin-Dimeren wurde gemessen[11]. Resultate, die für die Bildung eines instabilen, thermisch reversiblen Wasseradditionsprodukten von Thymin und seinen Derivaten sprechen, sind von verschiedenen Forschern erhalten worden[12,13]. Die Photoaddition von Methanol unter Bildung von *2,4-Dihydroxy-6-methoxy-5-methyl-5,6-dihydro-pyrimidin* in einer gefrorenen, wäßrigen Methanol-Lösung konnte andererseits eindeutig nachgewiesen werden[14]. Bestrahlung einer Thymin-Lösung mit hohen UV-Dosen (253,7 nm) führt unter anderem zu *2,4-Dihydroxy-*, *2,4,5-Trihydroxy-* und *2,4-Dihydroxy-5-formyl-pyrimidin*[15]. Die Bedeutung dieser Produkte für die Photobiologie ist fraglich.

Während Thymin in gefrorener Lösung ausschließlich zum *syn-cis* Stereoisomeren I ($R^1 = CH_3$; $R^2 = H$, S. 1535) reagiert, führt Cyclodimerisation des Nucleosids Thymidin (2,4-Dioxo-5-methyl-1-deoxyribosyl-hexahydropyrimidin) unter analogen Bedingungen zu den 3 Stereoisomeren I–III ($R^1 = CH_3$; $R^2 = $ Deoxyribosyl; *4,6,9,11-Tetraoxo-7,8-dimethyl-3,12-bis-[deoxyribosyl]-3,5,9,11-tetraaza-tricyclo[6.4.0.0^{2,7}]dodecan*; I; *4,6*,

[1] W. Fuchtbauer u. P. Mazur, Photochem. Photobiol. **5**, 323 (1966).

[2] K. C. Smith, Photochem. Photobiol. **2**, 503 (1963).

[3] H. Ishihara, Photochem. Photobiol. **2**, 455 (1963).

[4] R. Anet, Tetrahedron Letters 3713 (1965).

[5] H. Ishihara, Photochem. Photobiol. **2**, 455 (1963).
   D. Weinblum u. H. E. Johns, Biochim. Biophys. Acta **114**, 450 (1966).

[6] G. M. Blackburn u. R. J. H. Davies, Chem. Commun. 215 (1965); Tetrahedron Letters 4471 (1966).

[7] A. I. Varghese u. S. Y. Wang, Science **160**, 186 (1968).
   I. L. Karle, S. Y. Wang u. A. I. Varghese, Science **164**, 183 (1969).

[8] H. E. Johns, S. A. Rapaport u. M. Delbrück, J. Mol. Biol. **4**, 104 (1962).
   R. Beukers u. W. Berends, Biochim. Biophys. Acta **49**, 181 (1961).

[9] R. B. Setlow, Biochim. Biophys. Acta **49**, 237 (1961).

[10] J. G. Burr u. E. H. Park, Abstr. Radiation Res. Soc. Meeting 15th, (1967).

[11] P. A. Swenson u. R. B. Setlow, Photochem. Photobiol. **2**, 419 (1963).

[12] E. Fahr, R. Kleber u. E. Boebinger, Naturforsch. **21b**, 219 (1966).
   N. Miller u. P. A. Cerutti, Proc. Natl. Ac. Sci. **59**, 34 (1968).
   Y. Kondo u. B. Witkop, Am. Soc. **90**, 764 (1968).
   Téoule et al., Privatmitteilung 1970.
   G. I. Fisher u. H. E. Johns, Photochem. Photobiol. **18**, 23 (1913).

[13] Vgl. M. Daniels u. A. Grimison, Nature **197**, 484 (1963).

[14] S. Y. Wang, Nature **184**, 184 (1959).

[15] R. Alcantara u. S. Y. Wang, Photochem. Photobiol. **4**, 473 (1965).

10,12-Tetraoxo-1,7-dimethyl-3,9-bis-[deoxyribosyl]-3,5,9,11-tetraaza-tricyclo [6.4.0.0²,⁷]dode-can; II; III)[1]:

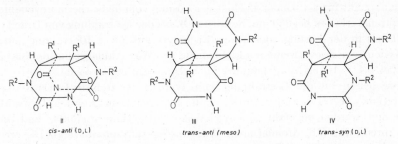

II
cis-anti (D,L)

III
trans-anti (meso)

IV
trans-syn (D,L)

Die Anordnung der Thymidin-Reste in der Eismatrix scheint deshalb im Vergleich zu Thymin weniger geordnet zu sein. Zur Strukturaufklärung wurden die Zucker-Reste hydrolytisch entfernt. Die dimerisierten Basenteile wurden verglichen mit dem authentischen Thymin-Dimeren I und den Dimeren II, III ($R^1 = CH_3$; $R^2 = H$), die durch Hydrolyse von bestrahlter DNS und des Dinucleotids TpT erhalten werden. Bei der Bestrahlung von Thymidin in tert.-Butanol, in der Anwesenheit von Aceton als Sensibilisator, werden alle 4 Stereoisomeren I–IV gebildet ($R^1 = CH_3$; $R^2 = $ Deoxyribosyl)[2]. Die Photochemie der Thymidylsäure ist bis heute nicht eingehend studiert worden.

Photodimerisierung von Thymin und Uracil auf Filterpapier[3]: Eine Lösung von Thymin oder Uracil (1,2 g in 600 *ml* dest. Wasser) wird gleichmäßig auf 18 Bogen Filterpapier aufgetragen (z. B. Whatman 3 MM, 25 × 35 cm). Die Filterbogen werden an der Luft getrocknet und dann zu Zylindern von 9 cm ∅ gerollt. Bestrahlung der einzelnen Filterbogen erfolgt mit einem Quecksilberniederdruck-Brenner (15 Watt), der im Zentrum der Zylinder angebracht wird (Lichtintensität ungefähr 2,7 × 10⁴ erg/cm², Sek.). Die bestrahlten Filterbogen werden in Stücke geschnitten und 3mal mit 1 *l* heißem Wasser für 20 Min. eluiert. Die kombinierten Eluate werden i. Vak. bei 50° zur Trockne eingedampft. Zur Extraktion von Ausgangsmaterial wird im Falle von Thymin mit 500 *ml* abs. Äthanol und im Falle von Uracil mit 85% wäßrigem Äthanol versetzt und am Rückfluß für 15 Min. zum Sieden erhitzt. Der bräunliche Äthanol-unlösliche Rückstand, der die Photoprodukte enthält, wird in 500 *ml* heißem Wasser gelöst und durch Behandlung mit Tierkohle entfärbt. Die farblose Lösung wird im Dampfbad eingeengt. Beim Stehenlassen in der Kälte kristallisieren die Photoprodukte spontan. Man kristallisiert aus Wasser, 95% wäßrigem Äthanol und abs. Äthanol um. Unter diesen Bedingungen werden bei einer Bestrahlungsdauer von 4 Stdn. 400 mg Thymin-Dimers und 135 mg Uracil-Dimere erhalten (Ausbeute nach einmaliger Umkristallisierung aus Wasser).

β) Uracil und seine Derivate

Uracil (2,4-Dihydroxy-pyrimidin) dimerisiert unter UV-Bestrahlung in gefrorener, wäßriger Lösung zu Cyclobutan-Dimeren (*2,4,5,7-Tetrahydroxy-4a,4b,8a,8b-tetrahydro-⟨cyclobuta-[1,2-d;4,3-d']-bis-[pyrimidin]⟩*) in analoger Weise wie Thymin (S. 1535). Daneben stellt jedoch im Falle von Uracil und seinen Derivaten die photochemische Wasseraddition zu 6-Hydroxy-5,6-dihydro-pyrimidin-Derivaten eine Hauptreaktion dar. Die relativen Mengen, die von beiden Hauptprodukten gebildet werden, variieren mit der Wellenlänge des eingestrahlten Lichtes und der Bestrahlungsdosis. Im allgemeinen gilt, daß hohe UV-Dosen und niedrige Substratkonzentration die Wasseraddition fördern. Beide Reaktionen führen zum Verlust der Absorption von Uracil und seinen Derivaten in der 260 mµ Region. Derjenige Anteil der Absorption, der durch Er-

---

[1] D. Weinblum u. H. E. Johns, Biochim. Biophys. Acta **114**, 450 (1966).
  S. a. D. Weinblum, F. P. Ottensmeyer u. G. F. Wright, Biochim. Biophys. Acta **155**, 24 (1968).
  D. P. Hollis u. S. Y. Wang, J. Org. Chem. **32**, 1620 (1967).
  M. Khattak u. S. Y. Wang, Tetrahedron **28**, 945 (1972).
[2] E. Ben-Hur, D. Elad u. R. Ben-Ishai, Biochim. Biophys. Acta **149**, 355 (1967).
[3] H. Ishihara, Photochem. Photobiol. **2**, 455 (1963).
  D. Weinblum u. H. E. Johns, Biochim. Biophys. Acta **114**, 450 (1966).

hitzen der Photolyselösung (z. B. 1 Stde. bei 86°, p$_H$ 8,4) zurückgewonnen werden kann, entspricht ungefähr dem Gehalt an Wasseranlagerungsprodukt. Entsprechend erhält man einen Anhaltspunkt für den Dimerengehalt der Lösung vom nicht-thermoreversiblen Anteil des Absorptionsverlustes bei 260 nm. So wird z. B. bei der Bestrahlung von Uracil (Konzentration 10^{-3}m) in der Lösung oder in der Eismatrix mit 8,6 × 10^5 erg/mm^2, unabhängig von der Wellenlänge des verwendeten Lichtes, nur das Wasseranlagerungsprodukt erhalten, während bei 5,4 × 10^4 erg/mm^2 hauptsächlich Dimerisation beobachtet wird[1]. Ähnliche Verhältnisse gelten für die Bestrahlung von Uridin (β-D-Ribofuranosidouracil; 2,4-Dihydroxy-1-ribosyl-pyrimidin) in wäßriger Lösung. Nach Bestrahlung mit 7 × 10^4 erg/mm^2 werden ungefähr gleichviel Wasseranlagerungsprodukte[2] und Dimere gefunden, während ungefähr dreimal mehr Wasseranlagerungsprodukte als Dimere erhalten werden nach 6 × 10^5 erg/mm^2. Dimerisation von Uridylsäure in Lösung ist wahrscheinlich aufgrund elektrostatischer Effekte fast vollständig unterdrückt[3, 4].

Bei der Dimerisation von Uracil in der Eismatrix wird, wie durch NMR-Spektroskopie am methylierten Photoprodukt[5], chemischen Abbau[6] und Röntgenstrukturanalyse[7] gezeigt werden konnte, vorwiegend das *cis-syn* Isomere I (s. S. 1535, R^1 = R^2 = H) erhalten. Die Struktur des Photoproduktes wurde weiter gesichert durch direkten Vergleich mit authentischen Präparaten der Dimeren I–IV (S. 1535ff., R^1 = R^2 = H), die auf nichtphotochemischem Wege synthetisiert wurden[8]. Das *cis-syn* Isomere I und die beiden Antipoden des *cis-anti*-Dimeren II (R^1=R^2=H) wurden nach hydrolytischer Abspaltung des Zucker-Restes bei der Bestrahlung bei 253,7 nm von Uridin in gefrorener Lösung erhalten[9].

2. Photochemische Wasser-Addition

α) Photochemische Wasser-Addition an Uracil und seinen Derivaten

Neben der Reaktion zu Cyclobutan-Dimeren bilden Uracil, Uridin und Uridylsäure bei Bestrahlung mit UV-Licht (230–300 nm) hitze-, säure- und alkali-labile Wasser-Additionsprodukte[10]. Als ungefähres Maß für den Gehalt einer Reaktionslösung an Wasser-Additionsprodukten von Uracil (2,4-Dihydroxy-pyrimidin) und seinen Derivaten wird oft die Rückverwandlung der Photoprodukte ins Ausgangsmaterial benützt, die beim Erhitzen unter Elimination von Wasser beobachtet wird. Der Gewinn der Absorption bei 260 nm ist ein direktes Maß für die Rückreaktion. Die Wasser-Addition erfolgt an der 5,6-Doppel-

---

[1] A. Wacker, D. Weinblum, L. Träger u. Z. H. Moustafa, J. Mol. Biol. **3**, 790 (1961).
   A. Wacker, J. Chem. Phys. 58, 1041 (1961).
[2] K. C. Smith, Photochem. Photobiol. **2**, 503 (1963).
   A. Wacker, D. Weinblum, L. Träger u. Z. H. Moustafa, J. Mol. Biol. **3**, 790 (1961).
   A. Wacker, L. Träger u. D. Weinblum, Ang. Ch. **73**, 65 (1961).
[3] E. Fahr, H. Gattner, G. Dörhofer, R. Kleber u. H. Popp, Z. Naturforsch. **22 b**, 1256 (1967).
   V. H. Schuster, Z. Naturforsch. **19 b**, 815 (1964).
[4] R. L. Sinsheimer, Rad. Res. **1**, 505 (1954).
[5] G. M. Blackburn u. R. J. H. Davies, Tetrahedron Letters **1966**, 4471.
[6] K. H. Dönges u. E. Fahr, Z. Naturforsch. **21 b**, 87 (1966).
   E. Fahr, Ang. Ch. **81**, 581 (1969).
[7] E. Adam, M. P. Gordon u. L. H. Jensen, Chem. Commun. **1968**, 1019.
[8] P. Richter u. E. Fahr, Ang. Ch. **81**, 188 (1969).
   G. Dörhofer u. E. Fahr, Tetrahedron Letters **1966**, 4511.
   E. Fahr, Ang. Ch. **81**, 581 (1969).
[9] E. Fahr, G. Fürst u. R. Pastille, Z. Naturforsch. **23 b**, 1387 (1968).
   E. Fahr, Ang. Ch. **81**, 581 (1969).
[10] R. L. Sinsheimer u. R. Hastings, Science **110**, 525 (1949).

bindung des Pyrimidin-Rings unter Bildung von *2,4,6-Trihydroxy-5,6-dihydro-pyrimidin* und seinen Derivaten (Struktur s. [1-4]).

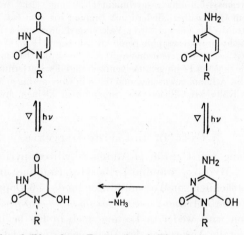

R=H, Ribosyl-(Phosphat), Deoxyribosyl-(Phosphat)

Da die Dimerisation von Uridylsäure in Lösung stark zurückgedrängt ist, läßt sich das Wasser-Additionsprodukt in diesem Falle durch Gefriertrocknen der Photolyselösung in 90% Reinheit gewinnen[5].

Über den Mechanismus der Wasser-Additionsreaktion ist nur wenig bekannt. Die p_H-Abhängigkeit der Reaktion von Uracil deutet darauf hin, daß die Reaktion über einen protonierten angeregten Zustand verläuft[6]. Protonierung der 4-Hydroxy-Funktion von Uracil erscheint am wahrscheinlichsten. Ein ähnlicher Mechanismus wurde für die Photoaddition von Alkoholen an Olefine vorgeschlagen[7]. Die Beobachtung, daß Distickstoffoxid die Wasser-Addition von Uracil stark zurückdrängt, läßt es möglich erscheinen, daß hydratisierte Elektronen an der Reaktion teilnehmen[8].

Die Wasser-Additionsprodukte von Uracil, Uridin und Uridylsäure (und Polyuridylsäure) unterscheiden sich in ihrer Stabilität gegenüber Erhitzen, Säuren und Basen und im Anteil des Produktes der maximal ins Ausgangsmaterial zurückverwandelt werden kann.

Im allgemeinen gilt für die thermische Stabilität der Produkte: freie Base < Nucleosid < Nucleotid < Polynucleotid[9].

---

[1] Uracil-Wasser-Addukt:
  A. M. MOORE u. C. H. THOMPSON, Science 122, 594 (1955).
  S. Y. WANG, M. APICELLA u. B. R. STONE, Am. Soc. 78, 4180 (1956).
  S. Y. WANG, Am. Soc. 80, 6196 (1958).
  H. GATTNER u. E. FAHR, A. 670, 84 (1963).
  E. FAHR, H. GATTNER, G. DÖRHOFER, R. KLEBER u. H. POPP, Z. Naturforsch. 22 b, 1256 (1967).
[2] Uridin-Wasser-Addukt:
  N. MILLER u. P. CERUTTI, Proc. Natl. Acad. Sci. 59, 34 (1968).
  P. A. CERUTTI, N. MILLER, M. G. PLEISS, J. F. REMSEN u. W. J. RAMSAY, Proc. Natl. Acad. Sci. 64, 731 (1969).
  S. Y. WANG, Photochem. Photobiol. 1, 37 (1962).
[3] W. J. WECHTER u. K. C. SMITH, Biochemistry 7, 4064 (1968); NMR-Spectren vom Uridin-Wasser-Addukt.
[4] R. W. CHAMBERS, Am. Soc. 90, 2192 (1968); NMR-Spektren vom Uridylsäure-Wasser-Addukt.
[5] H. GATTNER u. E. FAHR, A. 670, 84 (1963).
  E. FAHR et al., Z. Naturforsch. 22 b, 1256 (1967).
[6] J. G. BURR, B. R. GORDON u. E. H. PARK, Adv. in Chemistry 81, 418 (1968); Photochem. Photobiol. 8, 73 (1968).
[7] J. A. MARSHALL u. M. J. WURTH, Am. Soc. 89, 6789 (1967).
[8] J. G. BURR u. E. H. PARK, Abstr. Radiation Res. Soc. Meeting 15th (1967).
[9] H. GATTNER u. E. FAHR, Z. Naturforsch. 19 b, 74 (1964).
  s. a. D. M. LOGAN u. G. F. WHITMORE, Photochem. Photobiol. 5, 143 (1966).

Besonders in Alkali werden neben der Rückreaktion ins Ausgangsmaterial wichtige Nebenreaktionen beobachtet[1,2]. Ein interessanter Unterschied in der Stabilität und im Verhalten gegenüber Säuren und Basen wurde für die stereoisomeren Wasseradditionsprodukte von Deoxyuridin gefunden[3].

2,4,6-Trihydroxy-1-deoxyribosyl-5,6-dihydro-pyrimidin[3]: 40 mg (10^{-3} m wäßrige Lösung) von Deoxyuridin wird mit einem Quecksilber-Niederdruck-Brenner bis zum fast vollständigen Verlust der Absorption bei 262 nm bestrahlt. Die Lösung wird i. Vak. eingedampft und der Rückstand durch wiederholte, präparative Dünnschichtchromatographie gereinigt (Silicagel HF_{254}, Chloroform-Methanol 85:15, v/v; Rf-Wert für das relative stabile Stereoisomere, 0,22). Nach der Elution des Produktes von den Chromatogrammen mit dem gleichen Lösungsmittelgemisch und der Entfernung des Lösungsmittel wird der Rückstand mit wenig abs. Äthanol gewaschen und dann in einer geringen Menge abs. Äthanol gelöst. Beim Stehenlassen in der Kälte kristallisiert die Substanz in kleinen, hygroskopischen Plättchen; Ausbeute: 20 mg.

β) Cytosin und seine Derivate

Ultraviolett-Bestrahlung von Cytosin (4-Amino-2-hydroxy-pyrimidin), Cytidin (1-β-D-Ribofuranosidocytosin; 2-Hydroxy-4-amino-1-ribosyl-pyrimidine) und Cytidylsäure in wäßriger Lösung führt hauptsächlich zur Wasseraddition an die 5,6-Doppelbindung des Pyrimidin-Rings unter Bildung von *4-Amino-2,6-dihydroxy-5,6-dihydro-pyrimidin* und seinen Derivaten. Photodimerisation wird weder in Lösung noch in Eis beobachtet[4]. Während der Bestrahlung verschwindet die Absorption des Ausgangsmaterials bei 270 mμ, und ein neues Absorptionsmaximum bildet sich bei 240 nm[5,6]. Die Wasser-Additionsprodukte sind relativ unbeständig und reagieren hauptsächlich unter Elimination von Wasser zurück zum Ausgangsmaterial. Die Halbwertzeiten für die Rückbildung des Ausgangsmaterials liegen bei Raumtemperatur zwischen 1 Min. und 4 Stdn. im p_H-Bereich[7] von 2–12. Die Absättigung der 5,6-Doppelbindung führt zur Labilisierung der exocyclischen Amino-Funktion in Cytosin, und partielle Deaminierung der Wasser-Additionsprodukte zu den entsprechenden Uracil-Derivaten wird beobachtet (s. S. 1538).

Die p_H-abhängige **Quantenausbeute**[8] für die Wasser-Additionsreaktion ist für Cytosin in ungepufferter, neutraler Lösung bei 253,7 nm 1,3 Mole/Einstein $\times 10^3$, für Cytidin 10 Mole/Einstein $\times 10^3$ und für 2'(3')-CMP 11,5 Mole/Einstein $\times 10^3$. Für Cytidin und Cytidylsäure ist der Wert höher in alkalischem als in saurem Milieu[9]; z. B. nimmt die Quantenausbeute für 3'-CMP um einen Faktor 8 zu, wenn das p_H von 4 auf 5 erhöht wird[9].

Die Rückreaktion der Wasser-Additionsprodukte zum Ausgangsmaterial verdient einige weitere Kommentare. Der Anteil der Absorption bei 270 nm, der durch Erwärmen der Photolyselösung zurückgewonnen werden kann, ist verschieden für Cytosin, Cytidin und Cytidylsäure und hängt von den Bestrahlungsbedingungen ab. Wenigstens 96% Cytidin oder Cytidylsäure können zurückgewonnen werden nach einer UV-Dosis, die zu 90% Verlust der Absorption bei 270 nm geführt hat, wenn die Bestrahlung bei 0° und bei jenem p_H ausgeführt wird, bei dem die Photolyse mit maximaler Quantenausbeute verläuft[7]. Unter analogen Bedingungen ist die maximale Rückgewinnung von Cytosin 89%. Bei den nicht reversiblen Komponenten handelt es sich wahrscheinlich um die durch Deaminierung entstandenen, relativ stabilen Wasser-Additionsprodukte von Uracil und seinen Derivaten.

[1] V. H. Schuster, Z. Naturforsch. **19b**, 815 (1965).

[2] M. Fikus u. D. Shugar, Acta Biochem. Polon. **13**, 39 (1966).

[3] I. Pietrzykowska u. D. Shugar, Biochem. Biophys. Res. Commun. **37**, 225 (1969).

[4] K. C. Smith, Photochem. Photobiol. **2**, 503 (1963).

P. V. Hariharan u. H. E. Johns, Photochem. Photobiol. **8**, 11 (1968).

[5] R. L. Sinsheimer, Radiation Res. **6**, 121 (1957).

A. M. Moore, Canad. J. Chem. **41**, 1937 (1963).

[6] A. D. McLaren u. D. Shugar, in *Photochemistry of Proteins and Nucleic Acids*, Pergamon Press, New York 1964.

[7] G. deBoer, O. Klinghoffer u. H. E. Johns, 14th Annual Meeting of the American Biophysical Society, Baltimore 1970; Abstr. FAM-M6.

[8] K. L. Wierzchowski u. D. Shugar, Photochem. Photobiol. **1**, 325 (1962).

[9] H. Becker, J. C. leBlanc u. H. E. Johns, Photochem. Photobiol. **6**, 733 (1967).

Der maximale Anteil des Wasser-Additionsproduktes von 3'-CMP, der durch Deaminierung ins entsprechende Uridylsäure-Derivat übergeht, variiert von 2,5–14 % im p_H-Bereich von 3–10. Der minimale Wert von 2,5 % wird bei p_H 5 gefunden[1]. Besonders im Falle von Cytosin ist die Einhaltung genauer Versuchsbedingungen eine Voraussetzung für hohe Reversibilität[2]. Der Wert für die Geschwindigkeitskonstante der Rückbildung von Cytidin, 3'-CMP und 5'-CMP geht durch ein Maximum zwischen p_H 4 und 6 und nimmt dann mit steigendem p_H zu[1,3]. (Die Geschwindigkeitskonstante für die Rückbildung von 3'-CMP bei p_H 5 und 25° z. B. ist $1,6 \times 10^{-2}$ min^{-1}). Die Regeneration des Ausgangsmaterials bei p_H 7 erfolgt 5–6mal schneller in 80 % wäßrigem Dimethylformamid oder Glykol relativ zum wäßrigen Puffer[4]. Diese Bedingungen haben sich als vorteilhaft erwiesen für die milde Rückverwandlung der Wasser-Additionsprodukte von Cytidin in Polynucleotiden.

c) Photochemie der Purin-Basen

Die photochemische Reaktivität der Purin-Basen ist erheblich geringer als diejenige der Pyrimidine. Die Quantenausbeuten für den Abbau von Adenin und Guanin ist ungefähr 10^{-4} bei 254 nm. Es wird im allgemeinen angenommen, daß diese Reaktionen für die Photo-Biologie nicht von Bedeutung sind. Nur wenige Arbeiten sind auf diesem Gebiete ausgeführt worden. Ammoniak und Harnstoff wurden als photochemische Abbau-Produkte der Purin-Basen gefunden[5,6]. Zur photochemischen Addition von einfachen Alkanolen an Purin s. Lit.[7]. Die Reaktion erfolgt zwischen der α-Position des Alkohols und dem Kohlenstoff 6 des Purin-Ringsystems. Eine ähnliche Reaktion wurde kürzlich für DNS beschrieben[8].

d) Photochemie der Dinucleotide und Polynucleotide

Ein wichtiges Ziel in der Photochemie der Nucleinsäuren-Bausteine, die in den vorangehenden Abschnitten besprochen wurde, ist, zu einem besseren Verständnis der Photochemie und Photobiologie der natürlichen Polynucleotide zu gelangen. Allerdings können die Resultate, die am Monomeren erhalten wurden, nicht immer ohne weiteres auf das Polymere übertragen werden. Gründe dafür sind in den starken sterischen und elektronischen Interaktionen zu suchen, die zwischen den heterocyclischen Basen in einem Polynucleotid auftreten. So hat es sich herausgestellt, daß nicht nur die Nucleotid-Sequenz, sondern auch die Sekundärstruktur einer Nucleinsäure, deren photochemische Reaktivität beeinflußt. Aus Untersuchungen an synthetischen Polynucleotiden geht hervor, daß die Photodimerisierung zu Cyclobutan-Derivaten und in noch ausgesprochenerem Maße die Wasser-Additionsreaktion der Pyrimidine in einem doppelsträngigen, helischen Polynucleotid wesentlich langsamer verlaufen als in einem denaturierten, vorwiegend einzelsträngigen Polymeren. Entsprechend ist zu erwarten, daß die lokale Störung in der geordneten Konformation einer doppelsträngigen Nucleinsäure, die durch die Einführung eines Photoproduktes verursacht wird, zur Erhöhung der photochemischen Reaktivität der unmittelbar benachbarten Pyrimidin-Reste und folglich zur ungleichmäßigen Verteilung

[1] H. E. Johns, J. C. leBlanc u. K. B. Freeman, J. Mol. Biol. 13, 849 (1965).
   K. L. Wierzchowski u. D. Shugar, Acta Biochim. Polon. 8, 219 (1961).
   M. Fikus, K. L. Wierzchowski u. D. Shugar, Photochem. Photobiol. 325 (1962).
[2] Vgl. K. L. Wierzchowski u. D. Shugar, Biochim. Biophys. Acta 25, 335 (1957).
   E. Fahr, R. Kleber u. E. Boebinger, Z. Naturforsch. 21 b, 219 (1966).
   I. H. Brown, Dissertation, University of Toronto, Canada 1968.
[3] G. deBoer, O. Klinghoffer u. H. E. Johns, 14 th Annual Meeting of the American Biophysical Society, Baltimare 1970; Abstr. FAM-M6.
[4] J. Vanderhoek u. P. Cerutti, Biochem. Biophys. Res. Commun. 52, 1156 (1973).
[5] A. Cannzanelli, R. Guild u. D. Rapport, Am. J. Physiol. 167, 364 (1951).
[6] M. Kland u. L. Johnson, Am. Soc. 79, 6187 (1957).
[7] J. Connolly u. H. Linschitz, Photochem. Photobiol. 7, 791 (1968).
[8] R. Ben-Ishai, M. Green, E. Graff, D. Elad, H. Stemmons u. J. Solomen, Photochem. Photobiol. 17, 155 (1973).

der Photoprodukte im Polymeren führen kann. Experimentelle Anhaltspunkte für die Richtigkeit dieser Annahme sind erhalten worden. Des weiteren wird das photochemische Verhalten eines Polynucleotids durch den Hydratationszustand maßgebend beeinflußt. So wird z. B. anstelle der Cyclobutan-Dimeren in DNS in gefrorener Lösung, in trockenen DNS-Filmen und in Bakterien-Sporen ein anderer Dimeren-Typ gebildet, das sogenannte Sporen-Produkt[1].

Aus dem Gesagten geht hervor, daß ein volles Verständnis der Photochemie der Polynucleotide im Vergleich zu den Mononucleotiden um vieles schwerer zu erreichen sein wird. Im Hinblick auf ihre strukturelle Komplexität stehen die Dinucleotide (und Oligonucleotide[2]) zwischen den Mono- und Polynucleotiden. Es ergab sich deshalb in natürlicher Weise, die Photochemie von Dinucleotiden als Vorstufe zum Studium der Polynucleotide zu untersuchen. In der Tat haben sich solche Untersuchungen als besonders wertvoll erwiesen. Entsprechend wird in diesem Abschnitt die Photochemie der Dinucleotide zuerst diskutiert und dann auf die Photochemie synthetischer Polynucleotide eingegangen. Aus Platzmangel kann auf das umfangreiche Gebiet der Photochemie natürlicher Nucleinsäuren hier nicht eingegangen werden.

1. Photochemie der Pyrimidin-Dinucleotide

α) Thymidylyl-(3′→5′)-Thymidin (TpT)

Die Photochemie von TpT und des 5′-phosphorylierten Derivates $pTpT$ in wäßriger Lösung wurde eingehend untersucht[3-5]. Durch die Verwendung von radioaktiv markierter Ausgangssubstanz T³²pT war es möglich, die Bildung von vier Photoprodukten ($\widehat{TpT}^5$, $\widehat{TpT}^2$, TpT^3, TpT^4) als eine Funktion der "photon fluence" bei 225 nm und 289 nm zu verfolgen[3]. Die Photoprodukte wurden papierchromatographisch getrennt und durch Autoradiographie auf den Chromatogrammen lokalisiert und quantitativ bestimmt. Aufgrund ihrer Photo-Reversibilität und basierend auf den Resultaten eines chromatographischen Vergleichs der Hydrolyseprodukte mit den Thymin-Dimeren[6] wurden $\widehat{TpT}^1$ und $\widehat{TpT}^2$ als das *cis-syn* und *trans-syn*-Cyclobutan-Dimere identifiziert (das *cis-syn*-Isomere stellt das Hauptprodukt dar).

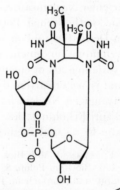

Abb. 71. Die Struktur von $\widehat{TpT}^1$

[1] A. I. Varghese, Biochem. Biophys. Res. Commun. **38**, 484 (1970).
[2] Nur wenige Arbeiten sind über die Photochemie von Oligonucleotiden erschienen; z. B.:
  R. B. Setlow, W. L. Carrier u. F. J. Bollum, Proc. Natl. Acad. Sci. **53**, 1111 (1965).
  D. M. Logan u. G. F. Whitmore, Photochem. Photobiol. **5**, 143 (1966).
[3] H. E. Johns, M. L. Pearson, J. C. leBlanc u. C. W. Helleiner, J. Mol. Biol. **9**, 503 (1964).
[4] R. A. Deering u. R. B. Setlow, Biochim. Biophys. Acta **68**, 526 (1963).
[5] R. O. Rahn, In R. F. Reinisch, *Photochemistry of Macromolecules*, S. 15, Plenum Press, New York 1970.
[6] D. Weinblum u. H. E. Johns, Biochim. Biophys. Acta **114**, 450 (1966).

Zwischen Dimerisation und Dimeren-Spaltung stellt sich ein photostationärer Gleich-gewichtszustand ein. Bei der Bestrahlung mit langwelligem UV-Licht liegt das Gleich-gewicht auf der Seite der dimerisierten Dinucleotide $\widehat{TpT^1}$ und $\widehat{TpT^2}$ (total 95% bei 289 nm), während bei 225 nm nur 2,5% $\widehat{TpT^1}$ und $\widehat{TpT^2}$ festgestellt werden können (Der Querschnitt zur Bildung von $\widehat{TpT^1}$ bei 289 nm ist 0,085 cm²/Mol, für die Spaltung von $\widehat{TpT^1}$ 0,0035 cm²/ Mol; der Querschnitt zur Bildung von $\widehat{TpT^1}$ bei 230 nm ist 0,128 cm²/Mol, für die Spaltung von $\widehat{TpT^1}$ 6,40 cm²/Mol.)

Die Struktur von TpT^3 und TpT^4 ist nicht mit Sicherheit bekannt. Bestrahlung von TpT^4 mit Licht bei 313 nm führt zur Bildung von TpT^3, während Bestrahlung von TpT^3 bei 240 nm zu TpT^4 zurückführt.

β) Deoxyuridylyl-(3′→5′)-Deoxyuridin (d-UpU) und Uridylyl-(3′→5′)-Uridin (UpU)

Die Photochemie der Uridin-Dinucleotide ist dadurch kompliziert, daß neben der Dimerisation zu photoreversiblen Produkten nun auch photoirreversible Wasser-Addition auftritt. So bildet d-UpU zwei hitzestabile, photoreversible Dimere, $d\text{-}\widehat{UpU^1}$ und $d\text{-}\widehat{UpU^2}$, und das hitzelabile einfache und doppelte Wasser-Additionsprodukt $d\text{-}(UpU)^*$ und $dU\overset{*}{p}U^{*1}$.

Die Identifizierung der Photoprodukte basiert auf wenigen Eigenschaften, und eine sichere Struktur-zuordnung war nicht möglich. Die ³²P-markierten Dinucleotide wurden eingesetzt, die Bestrahlung erfolgte mit monochromatischem Licht in der Region von 230–290 nm, die Photoprodukte wurden papierchromatographisch getrennt und ihre Radioaktivität bestimmt.

Ein Vergleich zur Photochemie von TpT ist aufschlußreich. Die Ausbildung eines photo-stationären Gleichgewichtszustandes ist charakteristisch für TpT, wobei die Zusammen-setzung des Gleichgewichtsgemisches von der Wellenlänge des eingestrahlten Lichtes ab-hängt. Im Falle von d-UpU (und UpU) stellt sich kein photostationärer Zustand ein. Die Photoreversibilität der Dimeren und die Stabilität der Wasser-Additionsprodukte gegen-über UV-Bestrahlung hat zur Folge, daß sich bei zunehmenden UV-Dosen der Anteil der Wasser-Additionsprodukte auf Kosten der Dimeren ständig vergrößert. So ist die maximal erreichbare Ausbeute bei der Bestrahlung bei 280 nm 12% für $d\text{-}\widehat{UpU^1}$ verglichen zu 95% für $\widehat{TpT^1}$ und $\widehat{TpT^2}$.

Analoge, detaillierte Untersuchungen wurden auch am Ribo-Dinucleotid UpU aus-geführt[2]. Die Bildung und die photochemische Rückverwandlung von drei hitzebeständigen Photoprodukten, $\widehat{UpU^1}$, $\widehat{UpU^2}$ und $\widehat{UpU^3}$, wurde als eine Funktion der Wellenlänge des eingestrahlten Lichtes und der "photon fluence" studiert (Abb. 72, S. 1544). Aufgrund ihrer Photoreversibilität und aufgrund ihrer Resistenz gegenüber der Aktion hydrolytischer Enzyme (Ribonuclease A, Schlangengiftdiesterase, Phosphodiesterase der Milz) wird an-genommen, daß es sich um isomere Cyclobutan-Dimere handelt. Wie zu erwarten, tritt zusätzlich photochemische Wasseraddition auf. Auf eine Trennung der einfachen $(UpU^*; U\overset{*}{p}U)$ vom doppelten Wasser-Additionsprodukt $(U\overset{*}{p}U^*)$ wurde verzichtet. Der Anteil von UpU ,der maximal zu Dimeren reagiert, ist bei Bestrahlung bei 225 nm 4,4%, bei 254 nm 30% und bei 280 nm 33%. Wie bei d-UpU ist der Wert für maximale Dimerisa-tion bei 280 nm viel tiefer als für TpT (95%, $\widehat{TpT^1}$ + $\widehat{TpT^2}$). Der Hauptgrund dafür ist wiederum die Bildung der photostabilen Wasser-Additionsprodukte. Bei einer „mittleren

---

[1] C. W. Helleiner, M. L. Pearson u. H. E. Johns, Proc. Natl. Acad. Sci. **50**, 761 (1963).
[2] I. H. Brown, K. B. Freeman u. H. E. Johns, J. Mol. Biol. **15**, 640 (1966).

photon fluence" bei 280 nm von 6,4 μE/cm², die zu 33% Photodimeren führt, enthält das Reaktionsgemisch 45% Wasser-Additionsprodukte. Die photochemischen Querschnitte für die Bildung und Spaltung der wichtigsten Dimeren von UpU, d-UpU und TpT und für die

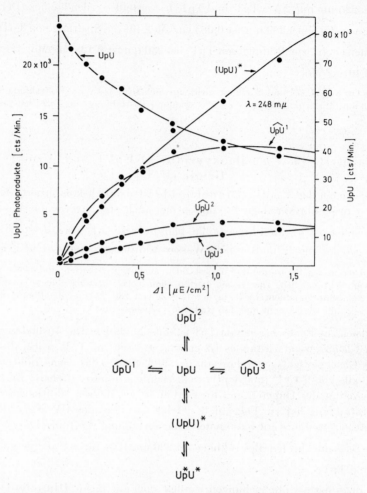

Abb. 72. Kinetik und Reaktionsschema[1] der Hauptphotoreaktionen von *UpU*

Wasseraddition von UpU, d-UpU und CpC bei 240, 254 und 280 nm sind in Tab. 212 (S. 1546) wiedergegeben. Die scheinbar geringfügigen strukturellen Unterschiede zwischen TpT, d-UpU und UpU, d. h. das Vorhandensein oder die Abwesenheit einer Methyl-Gruppe an C_5 des Uracil-Ringes oder einer Hydroxy-Gruppe an C_2' des Pentose-Restes, beeinflussen die photochemische Reaktivität dieser Dinucleotide in maßgebender Weise. Unterschiede in der Elektronendichteverteilung von Thymin und Uracil und vor allem Unterschiede in der räumlichen Struktur der drei Dinucleotide scheinen hauptsächlich für das verschiedene photochemische Verhalten verantwortlich zu sein.

γ) Cytidylyl-(3′ → 5′)-Cytidin (CpC)

Bestrahlung von *CpC* mit UV-Licht führt zur Bildung der einfachen ($C\widehat{p}C$ und CpC^*) und doppelten ($C\widehat{p}C^*$) Wasser-Additionsprodukte, deren Deaminierungsprodukten ($U\widehat{p}C$

[1] I. H. Brown, K. B. Freeman u. H. E. Johns, J. Mol. Biol. **15**, 640 (1966).

und CpU^*) und zu zwei Dimeren ($\widehat{CpC^1}$ und $\widehat{CpC^2}$) und deren Deaminierungsprodukten ($\widehat{UpC}$, $\widehat{CpU}$, $\widehat{UpU}$):

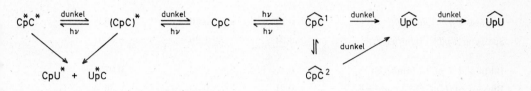

Die Deaminierungsreaktionen und die Transformation von $\widehat{CpC^1}$ zu $\widehat{CpC^2}$ sind Dunkelreaktionen. Die Strukturanordnungen basieren auf wenigen charakteristischen Eigenschaften der Photoprodukte wie thermische oder lichtkatalysierte Reversibilität und können nicht als eindeutig bewiesen angesehen werden. Wie in den oben beschriebenen Studien an UpU, d-UpU und TpT wurde auch hier das radioaktiv markierte Dinucleotid, $C^{32}pC$, als Ausgangsmaterial verwendet. Eine spezielle Methodik zur schnellen Trennung und quantitativen Bestimmung der teilweise recht unstabilen Produkte wurde entwickelt[1].

Die einfachen Wasser-Additionsprodukte $(CpC)^*$, ein Gemisch der Isomeren $\overset{*}{C}pC$ und CpC^*, und das doppelte Wasser-Additionsprodukt $\overset{*}{C}pC^*$ eliminieren Wasser unter Rückbildung der Ausgangssubstanz und deaminieren teilweise zu $U\overset{*}{p}C$ und CpU^* unter milden Bedingungen. Die Stabilität von $(CpC)^*$ und $\overset{*}{C}pC^*$ ist am niedrigsten bei $p_H = 4{,}5$ und am höchsten bei $p_H = 8$. Die Werte der Geschwindigkeitskonstanten für die Elimination von Wasser von $\overset{*}{C}pC^*$, $\overset{*}{C}pC$ und CpC^* bei $0°$ und $p_H = 4{,}5$ sind 0,26, 0,145 und 0,35 Stdn.$^{-1}$, die Werte bei $0°$ und $p_H = 8$ 0,024, 0,011 und 0,091 Stdn.$^{-1}$. Das Ausmaß der Deaminierung zu $U\overset{*}{p}C$ und CpU^* ist p_H-abhängig und schwankt zwischen 2–10% des ursprünglich vorhandenen Wasser-Additionsproduktes, wobei der Maximalwert von 10% bei $p_H = 8$ gefunden wird[2].

Nur das Dimere $\widehat{CpC^1}$ wird photochemisch gebildet, während $\widehat{CpC^2}$ in einer reversiblen Dunkelreaktion aus $\widehat{CpC^1}$ entsteht. Beide Dimeren, $\widehat{CpC^1}$ und $\widehat{CpC^2}$, sind photoreversibel. Die Geschwindigkeit der Überführung von $\widehat{CpC^1}$ und $\widehat{CpC^2}$ ist p_H-abhängig. Die Geschwindigkeitskonstanten variieren im p_H-Bereich von 2,7–8,4 von 0,05–0,4 Stdn.$^{1-3}$. Beide Dimeren deaminieren teilweise unter milden Bedingungen zu UpC und UpU.

Die Querschnitte und die Quantenausbeuten für die Bildung von $(CpC)^*$ und CpC wurden im Wellenlängenbereich von 230–270 nm bestimmt (s. Tab. 212, S. 1546)[4]. Die Dimerisationsquerschnitte sind ungefähr 3 mal größer als die Wasser-Additionsquerschnitte. Die Dimerisationsquerschnitte für CpC und TpT sind vergleichbar, während die Querschnitte für die Dimeren-Spaltung mehr als 6 mal größer sind für $\widehat{CpC^1}$ als für $\widehat{TpT^1}$.

[1] P. V. Hariharan, G. Poole u. H. E. Johns, J. Chromatogr. **32**, 356 (1968).

[2] P. V. Hariharan u. H. E. Johns, Photochem. Photobiol. **7**, 239 (1968).

[3] P. V. Hariharan u. H. E. Johns, Photochem. Photobiol. **8**, 11 (1968).

[4] P. V. Hariharan u. H. E. Johns, Canad. J. Biochem. **46**, 911 (1968).

Tab. 212. Photochemische Querschnitte in cm²/μE für die Dimerisation, Dimeren-Spaltung und Wasser-Addition der Pyrimidin-Dinucleotide

	Wellenlänge [nm]			Literatur
	240	254	280	
Bildung $\widehat{TpT}$[1] [cm²/μE]	0,159	0,365	0,263	1
Spaltung $\widehat{TpT}$[1] [cm²/μE]	3,34	1,26	0,020	
Bildung $d\text{-}\widehat{UpU}$[1] [cm²/μE]	0,40	0,85	0,072	2
Bildung $(d\text{-}UpU)^{*+}$ [cm²/μE]	0,21	0,53	0,26	
Bildung $\widehat{UpU}$[1] [cm²/μE]	0,260	0,485	0,113	
Spaltung $\widehat{UpU}$[1] [cm²/μE]	2,16	0,70	0,022	3
Bildung $(UpU)^{*++}$ [cm²/μE]	0,172	0,375	0,160	
Bildung $\widehat{CpC}$[1] [cm²/μE]	0,36	0,39	0,84	
Spaltung $\widehat{CpC}$[1] [cm²/μE]	20	14	1,7	4
Bildung $(CpC)^{*}$ [cm²/μE]	0,14	0,16	0,27	

[+] Querschnitte für die Bildung der einfachen Wasser-Additionsprodukte $(UpU)^{*}$ und $(CpC)^{*}$.

[++] Querschnitte für die Bildung der einfachen und doppelten Wasser-Additionsprodukte $UpU^{*} + U\overset{*}{p}U + U\overset{*}{p}U^{*}$.

δ) Deoxycytidin in Oligonucleotiden

Die Stabilität des photochemischen Wasser-Additionsproduktes von Deoxycytidin (4-Amino-2,6-dihydroxy-1-deoxyribosyl-5,6-dihydro-pyrimidin) in den Oligonucleotiden dpApCpA (5'-Phosphoryl-deoxyadenylyl-deoxycytidylyl-deoxyguanosin) und MeOdpTp-CpA (5'-Methoxy-phosphoryl-thymidylyl-deoxycytilylyl-deoxyadenosin) wurde untersucht. Die Geschwindigkeitskonstanten für die Rückreaktion zu Deoxycytidin durch Elimination von Wasser bei p$_H$ 8,1 und 20° waren von ähnlicher Größe (Halbwertszeiten für dpApCpG 128 Min., für MeOdpTpCpA 152 Min.) für beide Oligonucleotide. Die Stabilität des Wasser-Additionsproduktes von Deoxycytidin in natürlicher DNS hingegen war wesentlich geringer (Halbwertszeit ungefähr 50 Min.)[5].

2. Photochemie synthetischer Polynucleotide

α) Polyuridylsäure, Wasseraddition und Dimerisation

Die Photochemie von ungeordneter Polyuridylsäure (PolyU) und von PolyU im doppelsträngigen, helischen Komplex mit Polyadenylsäure (PolyA) ist in den letzten Jahren eingehend studiert worden[6,7]. Besonders die Verwendung von mit radioaktivem Phosphor (^{32}P) markierter PolyU, die Entwicklung von Methoden zum milden, enzymatischen Abbau

[1] H. E. Johns et al., J. Mol. Biol. 9, 503 (1964).
vgl. auch R. A. Deering u. R. B. Setlow, Biochim. Biophys. Acta 68, 526 (1963).
[2] C. W. Helleiner, M. L. Pearson u. H. E. Johns, Proc. Natl. Acad. Sci. 50, 761 (1963); ungefähre Werte, abgelesen von Abb. 2 (S. 1544).
[3] I. H. Brown, K. B. Freeman u. H. E. Johns, J. Mol. Biol. 15, 640 (1966).
[4] P. V. Hariharan u. H. E. Johns, Canad. J. Biochem. 46, 911 (1968).
[5] J. Vanderhoek u. P. Cerutti, Biochem. Biophys. Res. Commun. 52, 1156 (1973).
[6] P. A. Swenson u. R. B. Setlow, Photochem. Photobiol. 2, 419 (1963).
[7] G. deBoer, M. Pearson u. H. E. Johns, J. Mol. Biol. 27, 131 (1967); dort weitere Literaturzitate.

der bestrahlten Polymere und zur chromatographischen Trennung, Identifizierung und quantitativen Bestimmung der radioaktiven Photoprodukte hat zu signifikanten Fortschritten auf diesem Gebiete geführt[1].

Die Hauptphotoprodukte, die in PolyU gebildet werden, sind hitze-reversible Wasseradditionsprodukte (U^*) und photoreversible Dimere ($\widehat{UpU}$). Beim Abbau von bestrahlter PolyU mit Ribonuclease A werden folgende Produkte erhalten: $\widehat{UpU}pUp$, $\widehat{UpU}pU^*_p$, U^*_p, Up und mehrere Dimere enthaltende Oligonucleotide (z. B. $\widehat{UpU}p\widehat{UpU}pUp$).

Die Phosphodiester-Bindungen innerhalb der Dimeren und auf der 3′-Seite zwischen Dimeren und dem benachbarten Nucleotid werden also von Ribonuclease A nicht gespalten. Die Trennung des Hydrolysegemisches kann durch Papierchromatographie in zwei Dimensionen erreicht werden. Die Produkte werden durch Autoradiographie lokalisiert, von den Chromatogrammen eluiert und ihre Radioaktivität in Lösung bestimmt (siehe unten).

Zur Charakterisierung der Photoprodukte enthaltenden Oligonucleotide wurde deren Verhalten gegenüber einer Anzahl spezifischer hydrolytischer Enzyme studiert[1] (s. Abb. 73).

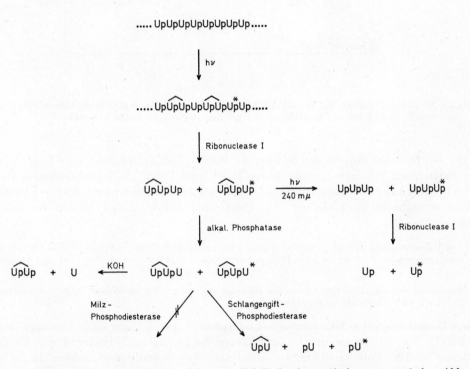

Abb. 73. Charakterisierung der Photoprodukte von PolyU durch spezifischen enzymatischen Abbau[1]

Im weiteren wurden die klassischen Kriterien der Photoreversibilität und der Hitzereversibilität der Photoprodukte untersucht. Es wurde dabei festgestellt, daß zwei Typen von Photodimeren in PolyU gebildet werden. Ein Vergleich mit den Photoprodukten von UpU hat gezeigt, daß es sich bei den Dimeren um $\widehat{UpU}^1$ und $\widehat{UpU}^3$ des Dinucleotids handelt.

---

[1] M. Pearson u. H. E. Johns, J. Mol. Biol. **19**, 303 (1966).

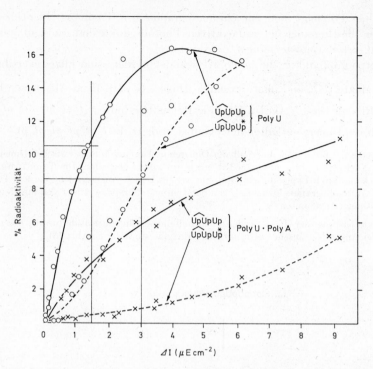

Abb. 74. Kinetik der Dimere und Wasser-Additionsprodukte enthaltenden Trinucleotide in PolyU und PolyU · PolyA bei der Bestrahlung bei 280 nm. (^{32}P-PolyU wurde verwendet)[1]

In Abb. 74 ist die Kinetik der Bildung der Wasser-Additionsprodukte und Dimeren bei der Bestrahlung von freier, ungeordneter PolyU und PolyU im doppelsträngigen Helix (PolyU · PolyA) mit monochromatischem Licht bei 280 nm wiedergegeben. Die folgenden Hauptunterschiede im Verhalten von *PolyU* und *PolyU · PolyA* können festgestellt werden:

① Die Wasseraddition erfolgt ungefähr 10 mal schneller in PolyU als in PolyU · PolyA; in weniger ausgesprochenem Maße ist auch die Photodimerisation in PolyU relativ zu PolyU · PolyA beschleunigt.

② Mit fortschreitender Reaktion nimmt der Bildungs-Querschnitt für die Wasser-Additionsreaktion in PolyU · PolyA, aber nicht in PolyU zu.

Diese Resultate wurden folgendermaßen interpretiert: Die Bildung eines Photoproduktes in PolyU · PolyA führt zu einer lokalen Störung der geordneten Struktur, womit die Einführung weiterer Photoprodukte, vor allem von Wasser-Additionsprodukten, in die unmittelbare Nachbarschaft erleichtert wird. Zusätzlich zur Bildung von $\widehat{UpUp}Up$ und $\widehat{UpUp}Up^*$ werden in PolyU und PolyU · PolyA in ungefähr gleichem Ausmaß mehrere Dimere enthaltende Sequenzen (z. B. $\widehat{UpUp}\widehat{UpUp}Up$ usw.) gebildet. Qualitativ ähnliche Resultate wie für PolyU · PolyA wurden auch für den tripelsträngigen Komplex 2 PolyU · PolyA erhalten[2]. Eine quantitative Beschreibung dieser Resultate ist in Tab. 213 (S. 1549) gegeben, die die photochemischen Querschnitte für die Bildung der Hauptphotoprodukte in ungeordneter PolyU und in PolyU · PolyA bei der Bestrahlung bei 240 und 280 nm

[1] M. Pearson u. H. E. Johns, J. Mol. Biol. **20**, 215 (1966).
[2] G. deBoer, M. Pearson u. H. E. Johns, J. Mol. Biol. **27**, 131 (1967); dort weitere Literaturzitate.

enthält. Zur Bestimmung der Bildungsquerschnitte aus den experimentellen Daten wurde ein mathematisches Annäherungsverfahren entwickelt[1].

Tab. 213. Bildungsquerschnitte σ (in $cm^2/\mu E$) für die Wasseraddition und Dimerisation in Polyuridylsäure, bei $20°$[2]

Wellenlänge [$m\mu$]	Material	Wasseraddition σ	Dimerisation σ
240	PolyU	0,090	0,235
	PolyU · PolyA	0,007	0,010
	PolyU	0,085	0,082
280	PolyU · PolyA	0,008	0,018
	2 PolyU · PolyA	0,011	0,014

Hauptphotoprodukte von PolyU[2]: ^{32}P-markierte PolyU (5 mg PolyU enthaltend $2,5 \times 10^6$ cts/Min. in 20 *ml* 5×10^{-3} Ammoniumacetat-Puffer $p_H = 5$) wird in einem Quarzgefäß mit einem Hochintensitätsmonochromator mit UV-Licht von 280–290 nm unter guter Durchmischung bestrahlt, bis die ursprüngliche Absorption bei 260 nm von 2,5 auf 0,5 abgesunken ist. Aliquote von 100 μl (ungefähr 10^4 cts/Min.) werden als Funktion der Bestrahlungsdauer entfernt und mit 10 μl (3,3 mg/*ml*) Ribonuclease A in 0,5 m Ammoniumacetat-Puffer ($p_H = 5$) für 2 Stdn. bei 23° incubiert. Die Trennung des Hydrolysegemisches erfolgt durch zwei-dimensionale Papierchromatographie. Das Hydrolysegemisch wird auf Ionenaustauschpapier Whatman DE 81 aufgetragen und das Chromatogramm in absteigender Richtung mit 0,25 m Ammoniumacetat-Puffer ($p_H = 4,5$) für 2 Stdn. zur Trennung der Mono- und Trinucleotide entwickelt. Das Ionenaustauschpapier wird dann direkt auf einen Bogen Whatman 3 MM Filterpapier aufgenäht und in der zweiten Richtung für 16 Stdn. mit Ammoniumsulfat/Isopropanol/0,1 m Ammoniumacetat-Puffer ($p_H = 4,5$) im Volumenverhältnis 79:2:19 entwickelt[3]. Nach der Lokalisierung der radioaktiven Substanzen durch Autoradiographie werden die radioaktiven Flecke ausgeschnitten, ihre Radioaktivität bestimmt und die einzelnen Produkte mit Hilfe chemischer und biochemischer Methoden charakterisiert (s. Abb. 74, S. 1548).

β) Photoreduktion von Polyuridylsäure

In der Anwesenheit von Natriumboranat werden Uridin[4], Uridylsäure und Uridin-Reste in PolyU[5] (oder RNS) in wäßriger Lösung in einer licht-katalysierten Reaktion zu 5,6-Dihydro-uridin und seinen Derivaten reduziert. Die partielle photochemische Reduktion von PolyU ist bis jetzt der einzige Weg zur Herstellung von Copolymeren von Dihydrouridin und Uridin, da die enzymatische Synthese mit Polynucleotidphosphorylase versagt. Im Falle von PolyU treten drei Hauptphotoreaktionen miteinander in Wettbewerb (S. 1550):

① Reduktion zum 5,6-Dihydro-uracil-Derivat (I)

② Wasseraddition zum 6-Hydroxy-5,6-dihydro-uracil-Derivat (II)

③ Dimerisation zu Dimeren des Cyclobutan-Typs (III) (und möglicherweise auch zu Dimeren anderer Struktur)

Bei Bestrahlung bei 253,7 nm steht die Photoreduktion im Vordergrund. Wird die Reaktionslösung für längere Zeit den reduktiven Bedingungen ausgesetzt, so werden die Photoprodukte in Dunkelreaktionen weiter abgebaut. Der Dihydrouracil-Ring wird dabei unter Bildung von 3-Ureido-propanol (IV) gespalten[6], das Wasser-Additionsprodukt II

---

[1] H. E. JOHNS, M. PEARSON u. I. H. BROWN, J. Mol. Biol. **20**, 231 (1966).

[2] M. PEARSON u. H. E. JONES, J. Mol. Biol. **19**, 303 (1966).

[3] M. A. MOSCARELLO, B. G. LANE u. C. S. HANES, Canad. J. Biochem. Physiol. **39**, 1755 (1961).

[4] P. CERUTTI, Z. KONDO, W. B. LANDIS u. B. WITKOP, Am. Soc. **90**, 771 (1968).

[5] P. CERUTTI, *Methodes in Enzymology*, Vol. XII, Part B, S. 461, Academic Press, New York 1968.

[6] P. CERUTTI u. N. MILLER, J. Mol. Biol. **26**, 55 (1967).

wird zu Harnstoff und 1,3-Propandiol (V) abgebaut[1], während die Cyclobutan-Dimeren zu den entsprechenden ringoffenen Amino-cyclobutan-Derivaten (VI) reagieren[2]:

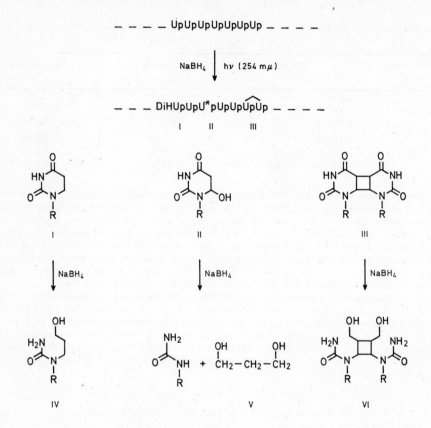

Zur Herstellung von Copolymeren von Dihydrouridin und Uridin mit Hilfe der Photoreduktionsreaktion ist es notwendig, die photochemischen Nebenreaktionen und die Sekundärreaktionen mit Natriumboranat möglichst zu unterdrücken. Folgende Bedingungen haben sich zu diesem Zwecke als optimal erwiesen:

① die Reaktion wird zur Unterdrückung der Wasseraddition bei $p_H = 9$–10 und bei erhöhter Temperatur (z. B. 50°) ausgeführt

② die Photolyse wird beendet, wenn maximal 30% der Uridin-Reste reagiert haben, und überschüssiges Reduktionsmittel wird gleich nach Beendigung der Photolyse durch Zugabe von Säure zerstört.

Im Gegensatz zu Uridin ist die N-glykosidische Bindung in Dihydrouridin säurelabil. Ein ungefähres Maß für die Zusammensetzung von photoreduzierter PolyU kann deshalb durch die colorimetrische Bestimmung der durch Säurebehandlung freisetzbaren Ribose und Bestimmung des Absorptionsverlustes bei 262 nm (p_H=2) erhalten werden[3]. Verläßlichere Resultate werden durch enzymatischen Abbau der Copolymeren und chromatographische Trennung des Hydrolysegemisches erhalten (Für eine detaillierte Arbeitsvorschrift zur Herstellung von partiell photoreduzierter PolyU, s. Lit.[3]).

[1] P. Cerutti, N. Miller, M. G. Pleiss, J. F. Remsen u. W. J. Ramsay, Proc. Natl. Acad. Sci. **64**, 731 (1969).
[2] T. Kunieda u. B. Witkop, Am. Soc. **89**, 4232 (1967).
[3] P. Cerutti, *Methods in Enzymology*, Vol. XII, Part B, S. 461, Academic Press, New York 1968.

γ) Polycytidylsäure und Polydeoxycytidylsäure

Das photochemische Verhalten von einzelsträngiger Polycytidylsäure (*PolyC*) und Polydeoxycytidylsäure (*PolydC*) scheint in vielen Beziehungen recht ähnlich zu PolyU zu sein, aber detaillierte Studien in der Art, wie sie für PolyU ausgeführt wurden, fehlen. Die meisten Untersuchungen basieren auf UV-spektroskopischen Messungen, die wegen der Hypochromizität dieser Polymeren als unsicher angesehen werden müssen. Thermoreversible Wasseraddition der Cytosin-Reste unter Bildung von 6-Hydroxy-5,6-dihydro-cytosin steht im Vordergrund, während Cyclodimerisation nur in geringem Maße beobachtet wird[1].

In den geordneten, doppelsträngigen Komplexen mit Poly(Deoxy)Inosin-säure, PolyC · PolyI und PolydC · PolydI ist andererseits die photochemische Wasseraddition an die Pyrimidin-Reste stark zurückgedrängt[2]. Wiederum beruht dieser Schluß lediglich auf dem Fehlen einer thermoreversiblen Komponente im UV-Spektrum der bestrahlten Polymeren-Komplexe. Die Bildung von photoreversiblen Cyclobutan-Dimeren stellt die Hauptreaktion dar. Auch unter milden Bedingungen deaminieren die Dimeren zu den korrespondierenden Uracil-Derivaten (Halbwertszeit bei 37°: 2–3 Stdn.) und können als solche papierchromatographisch nachgewiesen werden.

D. Bibliographie

1. Allgemeine Übersichten

A. SCHÖNBERG, *Präparative organische Photochemie*, Springer-Verlag, Berlin 1958.

L. J. HEIDT, R. S. LIVINGSTON, E. RABINOWITCH u. F. DANIELS, *Photochemistry in the Liquid and Solid States*, Wiley and Sons, Inc., New York 1960.

W. A. NOYES, Jr., G. S. HAMMOND u. J. N. PITTS, Jr., *Advances in Photochemistry*, Wiley-Interscience, New York 1963; Bd. 1 und folgende Bände.

F. DANIELS, *Direct Use of the Sun's Energy*, Yale University Press, New Haven 1964.

A. D. MCLAREN u. D. SHUGAR, *Photochemistry of Proteins and Nucleic Acids*, Pergamon Press, Oxford 1964.

H. H. SELIGER u. W. D. MCELROY, *Light, Physical and Biological Action*, Academic Press, New York 1965.

W. FOERST, *Optische Anregung organischer Systeme*, Verlag Chemie, Weinheim 1966.

A. E. S. GREEN, *The Middle Ultraviolett, its Science and Technology*, Wiley and Sons, Inc., New York 1966.

R. O. KAN, *Organic Photochemistry*, McGraw-Hill Book Co., New York 1966.

J. G. CALVERT u. J. N. PITTS, Jr., *Photochemistry*, 2. Auflage, John Wiley and Sons, Ic , New York 1967.

O. L. CHAPMANN, *Organic Photochemistry*, Marcel Dekker Inc., New York 1967; Bd. 1 und folgende Bände.

F. S. DANTON, P. G. ASHMORE u. T. M. SUGDEN, *Photochemistry and Reaction Kinetics*, University Press, Cambridge 1967.

D. C. NECKERS, *Mechanistic Organic Photochemistry*, Reinhold Publ. Corp., New York 1967.

N. J. TURRO, *Molecular Photochemistry*, W. A. Benjamin, Inc., New York · Amsterdam 1967.

A. SCHÖNBERG, *Preparative Organic Photochemistry*, Springer-Verlag, Berlin · Heidelberg · New York 1968.

B. ALBERTSON, *Photochemical Processes*, Noyes Development Cooperation, Parkridge 1969.

A. A. LAMOLA u. N. J. TURRO, *Energy Transfer ans Organic Photochemistry*, Wiley-Intersience, New York 1969.

M. MOUSSERON-CANET u. J. MANI, *Photochimie et Réactions Moléculaires*, Dunod, Paris 1969.

V. BALZANI u. V. CARASSITI, *Photochemistry of Coordination Compounds*, Academie Press, New York 1970.

E. BLOCK, *Photochemistry of Organic Sulfur Compounds*, Intra-Science Research Foundation, Santa Monica 1970.

R. F. REINISCH, *Photochemistry of Macromolecules*, Plenum, New York 1970.

N. J. TURRO, G. S. HAMMOND, J. N. PITTS, Jr. u. D. VALENTINE, Jr., *Annual Survey of Photochemistry*, Wiley-Interscience, New York · London · Sydney · Toronto 1969; und folgende Bände.

G. H. BROWN, *Photochroism*, in A. WEISBERGER, *Techniques of Chemistry*, Bd. 3, Wiley-Interscience, New York 1971.

R. SRINIVASAN, *Organic Photochemical Synthesis*, Wiley-Interscience, New York 1971.

---

[1] J. ONO, R. G. WILSON u. L. GROSSMAN, J. Mol. Biol. **11**, 600 (1965).

[2] R. B. SETLOW, W. L. CARRIER u. F. J. BOLLUM, Proc. Natl. Acad. Sci. **53**, 1111 (1965).

P. Courtot, *Eléments de Photochimie Avancée*, Hermann, Paris 1972.

C. Depuy u. D. Chapman, *Molecular Reactions and Photochemistry*, Prentice-Hall, Englewood Cliffs 1972.

S. T. Henderson u. A. M. Marsden, *Lamps and Lighting*, Crane, Russak and Co., 2. Aufl., New York 1972.

C. H. J. Wells, *Introduction to Molecular Photochemistry*, Chapman and Hall, London 1972.

S. L. Murov, *A Handbook of Photochemistry*, Dekker, New York 1973.

D. R. Arnold, N. C. Baird, J. R. Bolton, J. C. D. Brand, P. W. M. Jacobs, P. de Mayo u. W. R. Wave, *Photochemistry*, Academic Press, New York · London 1974.

C. Sandorfy, P. J. Ausloos u. M. B. Robin, *Chemical Spectroscopy and Photochemistry in the Vacuum-Ultraviolet*, D. Reidel Publishing Company, Dordrecht-Holland 1974.

2. Photophysikalische, photochemische Grundlagen; Apparative Hilfsmittel

W. Davis, *The Gas-Phase Photochemical Decomposition of the Simple Aliphatic Ketones*, Chem. Reviews **40**, 201 (1947).

A. Schönberg u. A. Mustafa, *Reactions of Non-Enolizable Ketones in Sunlight*, Chem. Reviews **40**, 181 (1947).

W. A. Noyes, G. B. Porter u. J. E. Jouey, *The Primary Photochemical Process in Simple Ketones*, Chem. Reviews **56**, 49 (1956).

B. L. van Duuren, *Effects of the Environment on the Fluorescence of Aromatic Compounds in Solution*, Chem. Reviews **63**, 325 (dort S. 342) 1963.

W. G. Dauben u. W. T. Wipke, *Photochemistry of Dienes*, Pure Appl. Chem. **9**, 539 (1964).

W. L. Dilling, *Intramolecular Photochemical Ccycloaddition Reactions of Nonconjugated Olefins*, Chem. Reviews **66**, 373 (1966).

F. Dörr, *Zur Spektroskopie mit polarisiertem Licht*, Ang. Ch. **78**, 457 (1966).

S. K. Lower u. M. A. El-Sayed, *The Triplet State and Molecular Electronic Processes in Organic Molecules*, Chem. Reviews **66**, 199 (1966).

D. Bellus u. P. Hrdlovic, *Photochemical Rearrangement of Aryl, Vinyl, and Substituted Vinyl Eesters and Amides of Carboxylic Acids*, Chem. Reviews **67**, 599 (1967).

D. Elad, *Some Aspects of Photoalkylation Reactions*, Fortschr. chem. Forsch. **7**, 528 (1967).

E. Fischer, *Photochromie und reversible Photoisomerisierung*, Fortschr. chem. Forsch. **7**, 605 (1967).

M. Pape, *Die Photooximierung gesättigter Kohlenwasserstoffe*, Fortschr. chem. Forsch. **7**, 559 (1967).

R. Steinmetz, *Photochemische Carbocyclo-Additionsreaktionen*, Fortschr. chem. Forsch. **7**, 445 (1967).

A. W. Adamson et al., *Photochemistry of Transition-Metal Coordination Compounds*, Chem. Reviews **68**, 541 (1968).

W. L. Dilling, *Photochemical Cycloaddition Reactions of Nonaromatic Conjugated Hydrocarbon Dienes and Polyenes*, Chem. Reviews **69**, 845 (1969).

L. B. Jones u. V. K. Jones, *Photochemical Reactions of Cycloheptatrienes and Related Compounds*, Fortschr. chem. Forsch. **13**, 307 (1969).

E. Koerner von Gustorf u. F. W. Grewels, *Photochemistry of Metal Carbonyls, Metallocenes, and Olefin Complexes*, Fortschr. chem. Forsch. **13**, 366 (1966).

A. J. Merer u. R. S. Mulliken, *Ultraviolet Spectra and Excited States of Ethylene and its Alkyl Derivatives*, Chem. Reviews **69**, 639 (1969).

M. B. Rubin, *Photochemistry of o-Quinones and α-Diketones*, Fortschr. chem. Forsch. **13**, 251 (1969).

H.-D. Scharf, *Zur Photochemie von Olefinen in flüssiger Phase*, Fortschr. chem. Forsch. **11**, 216 (1969).

C. von Sonntag, *Strahlenchemie von Alkoholen*, Fortschr. chem. Forsch. **13**, 333 (1969).

L. M. Stephenson u. G. S. Hammond, *Die Desaktivierung angeregter Zustände*, Ang. Ch. **81**, 279 (1969).

J. L. R. Williams, *Photopolymerization and Photocrosslinking of Polymers*, Fortschr. chem. Forsch. **13**, 227 (1969).

H. E. Zimmermann, *Mechanistische organische Photochemie*, Ang. Ch. **81**, 45 (1969).

G. G. Spence, E. C. Taylor u. O. Buchardt, *The Photochemical Reactions of Azoxy Compounds, Nitrones and Aromatic Amine N-Oxides*, Chem. Reviews **70**, 231 (1970).

E. H. White u. D. F. Roswell, *The Chemiluminescence of Organic Hydrazides*, Accounts Chem. Res. **3**, 54 (1970).

P. de Mayo, *Enone Photoannelation*, Accounts Chem. Res. **4**, 41 (1971).

M. A. El-Sayed, *Phosphorecence Microwave Multiple Resonance. Studies in Determining the Radiative and Nonradiative Properties of the Triplet State*, Accounts Chem. Res. **4**, 23 (1971).

A. Padwa, *Photochemical Transformations of Small-Ring Carbonyl Compounds*, Accounts Chem. Res. **4**, 48 (1971).

K. F. Freed, *The Theory of Radiationless Processes in Polyatomic Molecules*, Fortschr. chem. Forsch. **31**, 105 (1972).

H. Suhr, *Organische Synthesen im Plasma von Glimmentladungen und ihre präparativen Anwendungen*, Ang. Ch. **84**, 876 (1972).

H. Suhr, *Organic Synthesis in glow and corona discharges*, Fortschr. chem. Forsch. **36**, 39 (1972).

N. J. Turro u. P. Lechtken, *Thermal and Photochemical Generation of Electronically Excited Organic Molecules, Tetramethyl-1,2-dioxetane and Naphthalene*, Pure Appl. Chem. **33**, 363 (1973); 4th IUPAC-symposium on Photochemistry 16–22 July 1972 (Baden-Baden), Plenary Lecture.

3. Substitutionsreaktionen

L. Orthner, *Die Einführung von Sulfo-Gruppen in Alkane mittels Schwefeldioxid und Sauerstoff (Sulfoxidation)*, Ang. Ch. **62**, 302 (1950).

P. A. George, M. Prober u. J. R. Elliott, *Carbon-Functional Silicones*, Chem. Reviews **56**, 1065 (1956).

P. A. George, M. Prober u. J. R. Elliott, *Carbon-Functional Silicones, Properties of Chloromethyl Derivatives*, Chem. Reviews **56**, 1108 (1956).

E. Müller et al., *Photo-Nitrosierung und -Oximierung gesättigter Kohlenwasserstoffe*, Ang. Ch. **71**, 229 (1959).

B. Fell u. L. H. Kung, *Monochlorheptan-Isomerenbildung bei der Chlorierung von n-Heptan mit Trichlormethansulfochlorid*, Ang. Ch. **75**, 165 (1963).

M. Pape, *Die Photooximierung gesättigter Kohlenwasserstoffe*, Fortschr. chem. Forsch. **7**, 559 (1966/67).

E. Müller, *Mechanism of the Tübingen Photooximation Reaction*, Pure and Appl. Chem. **16**, 153 (1968).

T. Sato, *Photoaryl Coupling Reactions*, J. Soc. Org. Synth. Chem. Japan **27**, 715 (1969).

4. C-C-Isomerisierungen

A. Mustafa, *Dimerization Reactions in Sunlight*, Chem. Reviews **51**, 1 (1952).

G. M. Wyman, *The Cis-Trans Isomerisation of Conjugated Compounds*, Chem. Reviews **55**, 625 (1955).

P. de Mayo u. S. T. Reid, *Photochemical Rearrangements and Related Transformation*, Quart. Rev. **15**, 393 (1961).

L. Zechmeister, *Cis-Trans Isomeric Carotinoids, Vitamin A and Arylpolyenes*, Springer-Verlag, Wien 1962.

W. L. Dilling, *Intramolecular Photochemical Cycloadditions Reaction of Nonconjugated Olefins*, Chem. Reviews **66**, 373 (1966).

H. Prinzbach, *Photochemical Reactions with Nonconjugated Dienes*, Pure Appl. Chem. **16**, 17 (1966).

W. R. Roth, *Intramolekulare Wasserstoffverschiebungen*, Chimia **20**, 229 (1966).

R. Srinivasan, *Photochemistry of Conjugated Dienes and Trienes*, Adv. Photochem. **4**, 113 (1966).

R. Steinmetz, *Photochemische Carbocyclo-Additionsreaktionen*, Fortschr. chem. Forsch. **7**, 445 (1967).

J. A. Berson, *The Stereochemistry of Sigmatropic Rearrangements, Tests of the Predictive Power of Orbital Symmetry Rules*, Accounts Chem. Res. **1**, 152 (1968).

G. B. Gill, *The Application of the Woodword-Hoffmann Orbital Symmetry Rules to Concerned Organic Reactions*, Quart. Rev. **22**, 338 (1968).

R. Hoffmann u. R. B. Woodward, *The Conversation of Orbital Symmetry*, Accounts Chem. Res. **1**, 17 (1968).

D. Seebach, *Die Woodword-Hoffmann-Regeln, Orbitalsymmetriebetrachtungen bei synchron ablaufenden Valenzisomerisierungen und Cycloadditionen*, Fortschr. chem. Forsch. **11**, 177 (1968).

W. L. Dilling, *Photochemical Cycloaddition Reactions of Nonaromatic Conjugated Hydrocarbon Dienes and Polyenes*, Chem. Reviews **69**, 845 (1969).

L. B. Jones u. V. K. Jones, *Photochemical Reactions of Cycloheptatrienes and Related Compounds*, Fortschr. chem. Forsch. **13**, 307 (1969/70).

G. M. Sanders, J. Pot u. E. Havinga, *Some Recent Results in the Chemistry and Stereochemistry of Vitamin D and Its Isomeres*, Fortschr. Ch. org. Naturstoffe **27**, 131 (1969).

H.-D. Scharf, *Zur Photochemie von Olefinen in flüssiger Phase*, Fortschr. chem. Forsch. **11**, 216 (1969).

K. J. Crowley u. P. H. Mazzochi, *Photochemistry of Olefins*, in Chemistry of Alkenes, Bd. 2, S. 267, Interscience, London 1970.

H.-J. Hansen u. H. Schmid, *Aromatische sigmatropische H-Verschiebungen und Claisen-Umlagerungen*, Chimia **24**, 89 (1970).

P. G. Sammes, *Photochemical Reactions in Natural Product Synthesis*, Quart. Rev. **24**, 37 (1970).

R. B. Woodward u. R. Hoffmann, *Die Erhaltung der Orbitalsymmetrie*, Verlag Chemie, Weinheim 1970.

Nguyen Trong Anh, *Die Woodward-Hoffmann-Regeln und ihre Anwendung*, Verlag Chemie, Weinheim 1972.

T. L. Gilchrist u. R. C. Storr, *Organic Reactions and Orbital Symmetry*, University Press, Cambridge 1972.

P. Wieland u. H. Kaufmann, *Die Woodward-Hoffmann-Regeln, Einführung und Handhabung*, Birkhäuser Verlag, Basel 1972.

W. G. DAUBEN et al., *Steric Aspects of the Photochemistry of Conjugated Dienes and Trienes*, Pure Appl. Chem. **33**, 177 (1973).

N. D. EPIOTIS, *Allgemeine Theorie pericyclischer Reaktionen*, Ang. Ch. **86**, 825 (1974).

W. C. HERNDON, *Substituent Effects in Photochemical Ccyloaddition Reactions*, Fortschr. chem. Forsch. **46**, 141 (1974).

5. Reaktionen an C-C-Mehrfachbindungen einschl. Heteroaromaten

R. S. MULLIKEN u. C. C. J. ROOTHAN, *The Twisting Frequency and the Barrier Height for Free Rotation in Ethylene*, Chem. Reviews **41**, 219 (1947).

A. MUSTAFA, *Dimerization Reactions in Sunlight*, Chem. Reviews **51**, 1 (1952).

G. M. WYMAN, *The Cis-Trans Isomerization of Conjugated Compounds*, Chem. Reviews **55**, 625 (1955).

P. DE MAYO u. S. T. REID, *Photochemical Rearrangements and Related Transformations*, Quart. Rev. **15**, 393 (1961).

D. A. BOHM u. P. I. ABELL, *Stereochemistry of Free Radical Additions to Olefins*, Chem. Reviews **62**, 599 (1962).

G. O. SCHENCK et al., *Vierringsynthesen durch Photosensibilisierte symmetrische und gemischte Cyclo-Additionen*, B. **95**, 1642 (1962).

O. L. CHAPMAN, *The Vocabulary of Photochemistry*, Adv. Photochem. **1**, 323 (1963).

O. L. CHAPMAN et al., *Photochemistry of Unsaturated Nitrocompounds*, Pure Appl. Chem. **9**, 585 (1964).

W. G. DAUBEN u. W. T. WIPKE, *Photochemistry of Dienes*, Pure Appl. Chem. **9**, 461 (1964).

W. G. DAUBEN u. W. T. WIPKE, *Photochemistry of Dienes*, Pure Appl. Chem. **9**, 539 (1964).

R. EXELBY u. R. GRINTER, *Phototropy (or Photochromism)*, Chem. Reviews **65**, 247 (1965).

H. GÖTH, H. TIEFENTHALER u. W. DÖRSCHELN, *Photoisomerisierung von Benzpyrazolen u. Pyrazolen* Chimia **19**, 596 (1965).

R. STEINMETZ, W. HARTMANN u. G. O. SCHENCK, *Vierringsynthesen durch photosensibilisierte Cyclo-addition von Maleinsäureanhydrid an halogenierte Olefine*, B. **98**, 3854 (1965).

W. L. DILLING, *Intramolecular Photochemical Cycloaddition Reactions of Nonconjugated Olefins*, Chem. Reviews **66**, 373 (1966).

H. PRINZBACH, *Photochemical Reactions with Nonconjugated Dienes*, Pure Appl. Chem. **16**, 17 (1966).

G. O. SCHENCK, J. KUHLS u. C. H. KRAUCH, *Photosensibilisierte Carbocycloadditionen von Philodienen an Konjugene zu Cyclobuten-Derivaten und exo-Diels-Alder-Addukten*, A. **693**, 20 (1966).

R. SRINIVASAN, *Photochemistry of Conjugated Dienes and Trienes*, Adv. Photochem. **4**, 113 (1966).

E. VOGEL et al., *Eine neue Synthese des Bullvalen-Systems*, Ang. Ch. **78**, 599 (1966); engl.: **5**, 590 (1966).

O. L. CHAPMAN u. G. LENZ, *Photocycloaddition Reactions*, Org. Photochem. **1**, 283 (1967).

G. J. FONKEN, *Photochemistry of Olefins*, Org. Photochem. **1**, 197 (1967).

W. SCHÄFER u. H. HELLMANN, *Hexamethyl-Dewar-Benzol (Hexamethylbicyclo[2.2.0]hexa-2,5-dien)*, Ang. Ch. **79**, 566 (1967).

G. SCHRÖDER u. J. F. M. OTH, *Neues aus der Bullvalen-Chemie*, Ang. Ch. **79**, 458 (1967).

R. STEINMETZ, *Photochemische Carbocyclo-Additionsreaktionen*, Fortschr. chem. Forsch. **7**, 445 (1967).

F. R. STERNMITZ, *The Photocyclization of Stilbenes*, Org. Photochem. **1**, 247 (1967).

P. D. BARTLETT, R. HELGESON u. O. A. WESSEL, *Singlet and Triplet States in Cycloaddition to Conjugated Dienes*, Pure Appl. Chem. **16**, 187 (1968).

J. G. BURR, *Photochemistry of Nucleic Acid Derivatives*, Adv. Photochem. **6**, 193 (1968).

D. BRYCE-SMITH, *Photoaddition and Photoisomerization Reactions of the Benzene Ring*, Pure Appl. Chem. **16**, 47 (1968).

R. C. COOKSON, *The Photochemistry of Some Allylic Compounds*, Quart. Rev. **22**, 423 (1968).

G. B. GILL, *The Application of the Woodward-Hoffmann Orbital Symmetry Rules to Concerted Organic Reactions*, Quart. Rev. **22**, 338 (1968).

E. HAVINGA u. M. E. KRONENBERG, *Some Problems in Aromatic Photosubstitution*, Pure Appl. Chem. **16**, 137 (1968).

R. HUISGEN, *Cycloadditionen – Begriff, Einteilung und Kennzeichnung*, Ang. Ch. **80**, 329 (1968).

H. PRINZBACH, *Photochemical Reactions with Nonconjugated Dienes*, Pure Appl. Chem. **16**, 17 (1968).

A. SCHÖNBERG, G. O. SCHENCK u. O. A. NEUMÜLLER, *Preparative Organic Photochemistry*, 2. Aufl., S. 1ff.; 70ff.; 109ff., Springer Verlag, Berlin 1968.

D. SEEBACH, *Die ,,Woodward-Hoffmann-Regeln"*, Fortschr. chem. Forsch. **11**, 177 (1968).

R. SRINIVASAN, *Mercury ($^3P_1$) Sensitized Photoreactions of Furan; Details of the Primary Processes*, Pure Appl. Chem. **16**, 65 (1968).

L. M. STEVENSON u. G. S. HAMMOND, *Fate of the Excitation Energy in the Quenching of Fluorescence by Conjugated Dienes*, Pure Appl. Chem. **16**, 125 (1968).

P. BEAK u. W. MESSER, *The Photochemistry of Heteroaromatic Nitrogen Compounds*, Org. Photochem. **2**, 117 (1969).

E. V. BLACKBURN u. C. J. TIMMONS, *The Photocyclisation of Stilbene Analogues*, Quart. Rev. **23**, 482 (1969).

W. L. Dilling, *Photochemical Cycloaddition Reactions of Nonaromatic Conjugated Hydrocarbon Dienes and Polyenes*, Chem. Reviews **69**, 845 (1969).

J. P. duBois u. H. Labhart, *Untersuchungen zur Photochemie von 2-Methylindazol*, Chimia **23**, 109 (1969).

D. Elad, *Photochemical Additions to Multiple Bonds*, Org. Photochem. **2**, 168 (1969).

H. M. R. Hoffmann, *Die En-Reaktion*, Ang. Ch. **81**, 597 (1969).

L. B. Jones u. V. K. Jones, *Photochemical Reactions of Cycloheptatrienes and Related Compounds*, Fortschr. chem. Forsch. **13**, 307 (1969/70).

E. Koerner von Gustorf u. T. W. Grevels, *Photochemistry of Metal Carbonyls, Metallocenes, and Olefin Complexes*, Fortschr. chem. Forsch. **13**, 366 (1969).

G. M. Sanders, J. Pot u. E. Havinga, *Some Recent Results in the Chemistry and Stereochemistry of Vitamin D and Its Isomers*, Fortschr. Ch. org. Naturst. **27**, 131 (1969).

H.-D. Scharf, *Zur Photochemie von Olefinen in flüssiger Phase*, Fortschr. chem. Forsch. **11**, 216 (1969).

D. J. Trecker, *Photodimerizations*, Org. Photochem. **2**, 36, 63 (1969).

J. L. R. Williams, *Photopolymerization and Photocrosslinking of Polymers*, Fortschr. chem. Forsch. **13**, 227 (1969).

R. B. Woodward u. R. Hoffmann, *Die Erhaltung der Orbitalsymmetrie*, Ang. Ch. **81**, 797 (1969).

Y. Yamada et al., *Ein neuer synthetischer Zugang zum Corrinsystem*, Ang. Ch. **81**, 301 (1969).

J. B. Birks, *Excimers*, S. 301 ff., in *Photophysics of Aromatic Molecules*, Wiley-Interscience, New York 1970.

E. V. Blackburn u. C. J. Timmons, *Photochemical Methods*, S. 194 ff., in *Modern Reactions in Organic Synthesis*, Reinhold Co., London 1970.

K. J. Crowley u. P. H. Mazzochi, *Photochemistry of Olefins*, in S. Patai: *Chemistry of Alkenes*, Bd. 2, S. 267, Interscience, London 1970.

J. Jortner, *Electronic Relaxation Processes in Large Molecules*, Pure Appl. Chem. **24**, 165 (1970).

H. Labhart, W. Heinzelmann u. J. P. Dubois, *On the Search for the Mechanism of Photoreactions of Some Heterocyclic Compounds*, Pure Appl. Chem. **24**, 495 (1970).

J. Meinwald et al., *Photochemical Transformations of Divinyl Arenes*, Pure Appl. Chem. **24**, 509 (1970).

P. G. Sammes, *Photochemical Reactions in Natural Product Synthesis*, Quart. Rev. **24**, 37 (1970).

H. Ulrich et al., *The Photodimerization of Substituted Stilbenes*, J. Org. Chem. **35**, 1121 (1970).

R. B. Woodward u. R. Hoffmann, *Die Erhaltung der Orbitalsymmetrie*, Verlag Chemie, Weinheim 1970.

M. J. S. Dewar, *Aromatizität und pericyclische Reaktionen*, Ang. Ch. **83**, 859 (1971).

K. Fukui, *Recognition of Stereochemical Paths by Orbital Interaction*, Accounts Chem. Res. **4**, 57 (1971).

G. Kaupp et al., *Ein kinetisches Verfahren zum Nachweis kurzlebiger Photozwischenprodukte*, Ang. Ch. **83**, 361 (1971).

G. M. J. Schmidt, *Photodimerization in the Solid State*, Pure Appl. Chem. **27**, 647 (1971).

D. Seebach, *Photochemische [2+2]-Cycloadditionen*, ds. Handb. Bd. IV/4, S. 317 ff.

R. Srinivasan, *Organic Photochemical Synthesis*, Vol. 1, Wiley-Interscience, New York 1971.

Nguyen Trong Anh, *Die Woodward-Hoffmann-Regeln und ihre Anwendung*, Verlag Chemie, Weinheim 1972.

T. L. Gilchrist u. R. C. Storr, *Organic Reactions and Orbital Symmetry*, University Press, Cambridge 1972.

B. D. Kramer u. P. D. Bartlett, *The Photosensitized Cycloaddition of the cis- and trans-2-Butenes to Cyclopentadiene*, Am. Soc. **94**, 9334 (1972).

H. Sauter u. H. Prinzbach, *Das vinyloge Fulvalen: Synthese und elektrocyclische Reaktion*, Ang. Ch. **84**, 297 (1972).

L. T. Scott u. M. Jones, Jr., *Rearrangements and Interconversions of Compounds of the Formula* $(CH)_n$, Chem. Reviews **72**, 181 (1972).

E. E. van Tamelen, *Valence Bond Isomers of Aromatic Systems*, Accounts Chem. Res. **5**, 186 (1972).

P. Wieland u. H. Kaufmann, *Die Woodward-Hoffmann-Regeln, Einführung und Handhabung*, Birkhäuser Verlag, Basel 1972.

M. D. Cohen et al., *Topochemistry*, Soc. (Perkin II) **1973**, 1095.

W. G. Dauben et al., *Steric Aspects of the Photochemistry of Conjugated Dienes and Trienes*, Pure Appl. Chem. **33**, 197 (1973).

G. Kaupp, *Quantenausbeuten zur Aufklärung von Photomechanismen*, A. **1973**, 844.

J. Saltiel et al., *The cis-trans Photoisomerization of Olefins*, Org. Photochem. **3**, 1 (1973).

H.-D. Scharf et al., *Stereochemie der [2+2]-Cycloaddukte von Dichlorvinylencarbonat an Cycloolefine und Benzol*, B. **106**, 1695 (1973).

N. D. Epiotis, *Allgemeine Theorie pericyclischer Reaktionen*, Ang. Ch. **86**, 825 (1974).

W. C. Herndon, *Substituent Effects in Photochemical Cycloaddition Reactions*, Fortschr. chem. Forsch. **46**, 141 (1974).

G. Kaupp, *Orientierung bei photochemischen Cyclobutanspaltungen: cis-Effekt*, Ang. Ch. **86**, 741 (1974).

G. Kaupp, *The Woodward-Hoffmann-Rules and Thereafter*, Universität Freiburg, 1975.

6. Photochemie an der C-Hal- bzw. C-O-R-Bindung

B. G. GOWENLOCK u. W. LÜTTKE, *Structure and Properties of C-Nitroso-Compounds*, Quart. Rev. **12**, 321 (1958).

P. GRAY u. A. WILLIAMS, *The Thermochemistry and Reactivity of Alkoxyl Radicals*, Chem. Reviews **59**, 239 (1959).

G. O. PHILLIPS, *Photochemistry of Carbohydrates*, Adv. Carbohydrate Chem. **18**, 9 (1963).

M. AKHTAR, *Photochemical Reactions of Sulfur and Nitrogen Heteroatomic Organic Compounds*, Adv. Photochem. **2**, 63 (1964).

W. G. DAUBEN u. W. T. WIPKE, *Photochemistry of Dienes*, Pure Appl. Chem. **9**, 539 (1964).

D. E. HOARE u. G. S. PEARSON, *Gaseous Photooxidation Reactions*, Adv. Photochem. **3**, 83 (1964).

O. JEGER, K. SCHAFFNER u. H. WEHRLI, *Photochemical Transformations of α,β-Epoxyketones and Related Carbonyl Systems*, Pure Appl. Chem. **9**, 555 (1964).

C. WALLING u. J. P. SIMONS, *Photochemical Processes in Halogenated Compounds*, Adv. Photochem. **2**, 137 (1964).

M. NICLAUSE, J. LAMAIRE u. M. LETORT, *The Kinetics and Mechanism of Photochemical Oxidation of Aldehydes by Molecular Oxygen*, Adv. Photochem. **4**, 25 (1966).

R. J. GRITTER, in S. PATAI: *The Chemistry of the Ether Linkage*, Interscience, New York 1967.

A. PADWA, *Photochemical Transformations of Small-Ring Carbonyl Compounds*, Org. Photochem. **1**, 91 (1967).

V. I. STENBERG, *Photo-Fries Reaction and Related Rearrangements*, Org. Photochem. **1**, 127 (1967).

K. GOLLNICK, *Type II Photooxygenation Reactions in Solution*, Adv. Photochem. **6**, 1 (1968).

E. HAVINGA u. M. E. KRONENBERG, *Some Problems in Aromatic Photosubstitution*, Pure Appl. Chem. **16**, 137 (1968).

R. H. HESSE, *The Barton Reaction*, Adv. Free Radical Chem. **3**, 83 (1968).

K. SCHAFFNER, *Cyclic Ketones: Photolytic Eliminations and Reductions*, Pure Appl. Chem. **16**, 75 (1968).

P. J. WAGNER u. G. S. HAMMOND, *Properties and Reactions of Organic Molecules in their Triplet States*, Adv. Photochem. **5**, 21 (1968).

D. ELAD, *Photochemical Additions to Multiple Bonds*, Org. Photochem. **2**, 168 (1969).

J. A. MARSHALL, *Photosensitized Ionic Additions to Cyclohexenes*, Accounts Chem. Res. **2**, 33 (1969).

O. C. MUSGRAVE, *The Oxidation of Alkyl Aryl Ethers*, Chem. Reviews **69**, 499 (1969).

F. PIETRA, *Mechanisms for Nucleophilic and Photonucleophilic Aromatic Substitution Reactions*, Quart. Rev. **23**, 504 (1969).

C. VON SONNTAG, *Strahlenchemie von Alkoholen*, Fortschr. chem. Forsch. **13**, 333 (1969).

O. JEGER u. K. SCHAFFNER, *On Photochemical Transformations of Steroids*, Pure Appl. Chem. **21**, 247 (1970).

P. J. KROPP, *Photochemistry of Alkenes in Solution*, Pure Appl. Chem. **24**, 585 (1970).

D. SWERN: *Organic Peroxides*, Bd. 1-3, Wiley-Interscience, New York 1970-1972.

D. SWERN, *Organic Peroxides*, Bd. 1-3, Wiley-Interscience, New York 1970-1972.

P. G. SAMMES, in S. PATAI: *The Chemistry of the Carbon Halogen Bonds*, Bd. 2, S. 747, John Wiley and Sons, London 1973.

7. Photochemie der Carbonyl-Verbindungen

A. SCHÖNBERG u. A. MUSTAFA, *Reactions of Non-Enolizable Ketones in Sunlight*, Chem. Reviews **40**, 181 (1947).

O. L. CHAPMAN, *Photochemical Rearrangements of Organic Molecules*, Adv. Photochem. **1**, 323 (1963).

W. A. NOYES, Jr., G. S. HAMMOND u. J. N. PITTS, Jr., *Photochemical Rearrangements of Organic Molecules*, Adv. Photochem. **1**, 323 (1963).

R. SRINIVASAN, *Photochemistry of the Cyclic Ketones*, Adv. Photochem. **1**, 83 (1963).

H. E. ZIMMERMANN, *A New Approach to Mechanistic Organic Photochemistry*, Adv. Photochem. **1**, 183 (1963).

G. PORTER u. P. SUPPAN, *Reactivity of Excited States of Aromatic Ketones*, Pure Appl. Chem. **9**, 499 (1964).

G. QUINKERT, *Photochemistry of Non-conjugated Ketones in Solution*, Pure Appl. Chem. **9**, 607 (1964).

K. SCHAFFNER, *Photochemische Umwandlungen ausgewählter Naturstoffe*, Fortschr. Ch. org. Naturst. **22**, 1 (1964).

H. E. ZIMMERMANN, *Report on Recent Photochemical Investigations*, Pure Appl. Chem. **9**, 493 (1964).

G. QUINKERT, *Lichtinduzierte Säurebildung aus cyclischen Ketonen*, Ang. Ch. **77**, 229 (1965); Intern. Ed. Engl. **4**, 211 (1965).

K. F. KOCH, *Photochemistry of Tropolones*, Adv. Alicycl. Chem. **1**, 257 (1966).

P. J. KROPP, *Photochemical Transformations of Cyclohexadienones and Related Compounds*, Org. Photochem. **1**, 1 (1966).

A. PADWA, *Photochemical Transformations of Small-Ring Carbonyl Compounds*, Org. Photochem. **1**, 91 (1966).

D. J. PASTO, *Photochemistry of Troponoid Compounds*, Org. Photochem. **1**, 55 (1966).

J. N. PITTS, Jr. u. J. K. S. WAN, in S. PATAI: *The Chemistry of the Carbonyl Group*, Bd. 1, S. 823, Interscience, London 1966.

K. SCHAFFNER, *Photochemical Rearrangements of Conjugated Cyclic Ketones: The Present State of Investigations*. Adv. Photochem. **4**, 81 (1966).

D. BELLUS u. P. HRDLOVIC, *Photochemical Rearrangements of Aryl, Vinyl, and Substituted Vinyl Eesters and Amides of Carbocyclic Acid*, Chem. Reviews **67**, 599 (1967).

J. M. BRUCE, *Light-induced Reactions of Quinones*, Quart. Rev. **21**, 405 (1967).

P. J. KROPP, *Photochemical Transformations of Cyclohexadienones and Related Compounds*, Org. Photochem. **1**, 1 (1967).

G. PFUNDT u. G. O. SCHENCK, in J. HAMER: *1,4-Cycloaddition Reaction*, Academic Press, New York 1967.

V. I. STENBERG, *Photo-Fries Reactions and Related Rearrangements*, Org. Photochem. **1**, 127 (1967).

D. R. ARNOLD, *The Photocycloaddition of Carbonyl Compounds to Unsaturated Systems: The Syntheses of Oxetanes*, Adv. Photochem. **6**, 301 (1968).

P. E. EATON, *Photochemical Reactions of Alicyclic Enones*, Account Chem. Res. **1**, 50 (1968).

P. J. WAGNER u. G. S. HAMMOND, *Properties and Reactions of Organic Molecules in their Triplet State*, Adv. Photochem. **5**, 21 (1968).

P. YATES, *Photochemistry of Cyclic Ketones in Solution*, Pure Appl. Chem. **16**, 93 (1968).

G. S. HAMMOND, *Reflections on Photochemical Reactivity*, Adv. Photochem. **7**, 373 (1969).

L. B. JONES u. V. K. JONES, *Photochemical Reactions of Cycloheptatrienes and Related Compounds*, Fortschr. chem. Forsch. **13**, 307 (1969).

M. B. RUBIN, *Photochemistry of 0-Quinones and α-Diketones*, Fortschr. chem. Forsch. **13**, 251 (1969).

H. E. ZIMMERMANN, *Mechanistische organische Photochemie*, Ang. Ch. **81**, 45 (1969).

P. G. BAUSLAUGH, *Photochemical Cycloaddition Reactions of Enones to Alkenes, Synthetic Applications*, Synthesis **1970**, 287.

P. DeMAYO, *Enone Photoannelation*, Accounts Chem. Res. **4**, 41 (1971).

B. M. MONROE, *The Photochemistry of α-Dicarbonyl Compounds*, Adv. Photochem. **8**, 77 (1971).

N. J. TURRO et al., *Molecular Photochemistry of Alkanones in Solution: α-Cleavage, Hydrogen Abstraction, Cycloaddition, and Sensitization Reactions*, Accounts Chem. Res. **5**, 92 (1972).

O. L. CHAPMAN u. D. S. WEISS, *Photochemistry of Cyclic Ketones*, Org. Photochem. **3**, 197 (1973).

H. HART, *The Photochemistry of Cycloheptadienones*, Pure Appl. Chem. **33**, 247 (1973).

S. S. HIXSON, P. S. MARIANO u. H. E. ZIMMERMANN, *The Di-π-methane and Oxa-di-π-methane Rearrangements*. Chem. Reviews **73**, 531 (1973).

G. QUINKERT, *Photochemistry of linearly conjugated Cyclohexadienones in Solution*, Pure Appl. Chem. **33**, 285 (1973).

D. R. MORTON u. J. N. TURRO, *Solution Phase Photochemistry of Cyclobutanones*, Adv. Photochem. **9**, 197 (1974).

W.-D. STOHRER et al., *Das sonderbare Verhalten elektronenangeregter 4-Ring-Ketone*, Fortschr. chem. Forsch. **46**, 181 (1974).

W. G. DAUBEN, G. LODDER u. J. IPAKTSCHI, *Photochemistry of β,γ-Unsaturated Ketones*, Fortschr. chem. Forsch. **54**, 73 (1975).

P. YATES u. R. O. LOUTFY, *Photochemical Ring Expansion of Cyclic Ketones via Cyclic Oxacarbenes*, Accounts Chem. Res. **8**, 209 (1975).

8. Photochemie der Schwefel-Verbindungen

N. KHARASCH u. A. J. KHODAR, in A. V. TOBOLSKY: *The Chemistry of Sulfides*, Interscience, New York 1968.

K. SCHAFFNER, *Cyclic Ketones: Photolytic Eliminations and Reductions*, Pure Appl. Chem. **16**, 75 (1968).

9. Photochemie der Stickstoff-Verbindungen

W. KIRMSE, *Reaktionen mit Carbenen und Iminen als Zwischenstufen*, Ang. Ch. **71**, 537 (1959).

W. KIRMSE, *Neues über Carbene*, Ang. Ch. **73**, 161 (1961).

E. CHINOPOROS, *Carbenes, Reactive Intermediates Containing Divalent Carbon*, Chem. Reviews **63**, 235 (1963).

J. I. G. CADOGAN u. M. J. PERKINS, in S. PATAI: *The Chemistry of Alkenes*, S. 633, Wiley-Interscience, New York 1964.

W. B. DE MORE u. S. W. BENSON, *Preparation, Properties, and Reactivity of Methylene*, Adv. Photochem. **2**, 219 (1964).

J. HINE, *Divalent Carbon*, Ronald Press, New York 1964.

A. D. McLaren u. D. Shugar, in *Photochemistry of Proteins and Nucleic Acids*, Pergamon Press, New York 1964.

W. E. Parham u. E. E. Schweizer, *Halocyclopropanes from Halocarbenes*, Org. Reactions 13, 55 (1964).

B. J. Herold u. P. P. Gaspar, *Entwicklung und präparative Möglichkeiten der Carben-Chemie*, Topics Curr. Chem. 5, 89 (1965).

W. Kirmse, *Zwischenstufen der α-Eliminierung*, Ang. Ch. 77, 1 (1965).

G. Köbrich, *Chemie stabiler Lithium-α-halogencarbonyle und Mechanismus carbenoider Reaktionen*, Ang. Ch. 79, 15 (1967).

J. G. Burr, *Advances in the Photochemistry of Nucleic Acid Derivatives*, Ad. Photochem. 6, 193 (1968).

R. B. Setlow, Progr. in Nucleic Acid and Molecular Biol. 8, 257 (1968).

A. M. Trozzolo, *Electronic Spectroscopy of Arylmethylenes*, Accounts Chem. Res. 1, 329 (1968).

E. Fahr, *Chemische Untersuchungen über die molekularen Ursachen biologischer Strahlenschäden*, Ang. Ch. 81, 581 (1969).

T. L. Gilchrist u. C. W. Rees, *Carbenes, Nitrenes, and Arynes*, Nelson, London 1969.

W. Kirmse, *Carbene, Carbenoide und Carben-Analoge*, Verlag Chemie, Weinheim 1969.

W. Kirmse, *Carbene Chemistry*, Academic Press, New York 1971.

D. Bethell, in S. P. Manns: *Organic React. Intermediates*, Academic Press, New York 1973.

H. Dürr, *Reactivity of Cycloalkenecarbenes*, Topics Curr. Chem. 40, 103 (1973).

M. Jones, Jr. u. R. A. Moss, *Carbenes*, John Wiley & Sons, New York 1973.

A. P. Marchand u. N. Mc Brockway, *Carbalkoxycarbenes*, Chem. Reviews 74, 431 (1974).

H. Dürr, *Triplett-Intermediates from Diazo-Compounds (Carbenes)*, Topics Curr. Chem. 55, 87 (1975).

H. Meier u. K. P. Zelter, *Die Wolff-Umlagerung von α-Diazocarbonyl-Verbindungen*, Ang. Ch. 87, 52 (1975).

10. Photochemie anderer Element-organischer Verbindungen

A. W. Adamson et al., *Photochemistry of Transition-Metal Coordination Compounds*, Chem. Reviews 68, 541 (1966).

D. Valentine, Jr., *The Photochemistry of Cobalt(III) and Chromium(III) Complexes in Solution*, Adv. Photochem. 6, 123 (1968).

E. A. Koerner von Gustorf u. F. W. Grevels, *Photochemistry of Metal Carbonyls, Metallocenes, and Olefin Complexes*, Fortschr. chem. Forsch. 13, 366 (1966).

V. Bolzani u. V. Carassiti, *Photochemistry of Coordination Compounds*, Academic Press, New York 1970.

11. Photooxidation, -polymerisation und Photochromie

A. Schönberg u. A. Mustafa, *Reactions of Non-Enolizable Ketones in Sunlight*, Chem. Reviews 40, 181 (1957).

K. Gollnick u. G. O. Schenck, *Mechanism and Stereoselectivity of Photosensitized Oxygen Transfer Reactions*, Pure Appl. Chem. 9, 507 (1964).

K. Gollnick u. G. O. Schenck in J. Hamer, *1,4-Cycloaddition Reactions*, Academic Press, New York 1967.

G. M. J. Schmidt, in *Reactivity of the Photoexcited Organic Molecule*, S. 227, Wiley & Sons, New York 1967.

V. I. Stenberg, *Photo-Fries Reactions*, Org. Photochem. 1, 127 (1967).

C. S. Foote, *Photosensitizied Oxygenations and the Role of Singlet Oxygen*, Accounts Chem. Res. 1, 104 (1968).

K. Gollnick, *Type II Photooxygenation Reactions in Solution*, Adv. Photochem. 6, 1 (1968).

G. Oster u. Nan-Loh Yang, *Photopolymerization of Vinyl Monomers*, Chem. Reviews 68, 125 (1968).

J. Rigaudy, *Photooxydation des Dérivés Aromatiques*, Pure Appl. Chem. 16, 169 (1968).

C. H. Bamford u. G. C. Eastmond, *Solid-phase Addition Polymerization*, Quart. Rev. 23, 271 (1969).

H. D. Scharf, *Zur Photochemie von Olefinen in flüssiger Phase*, Fortschr. chem. Forsch. 11, 216 (1969).

R. P. Wayne, *Singlet Molecular Oxygen*, Adv. Photochem. 7, 311 (1969).

J. L. R. Williams, *Polymerization and Photocrosslinking of Polymers*, Fortschr. chem. Forsch. 13, 227 (1969).

Synthesen organischer Verbindungen mit Hilfe von elektrischen Entladungen

bearbeitet von

Prof. Dr. HARALD SUHR

Chemisches Institut der Universität Tübingen

Mit 9 Abbildungen
und 7 Tabellen

_____

Literatur berücksichtigt bis 1975.

Inhalt

Organische Synthesen mit Hilfe von elektrischen Entladungen

A. Grundlagen

Die Energie, die erforderlich ist, um eine chemische Reaktion einzuleiten, kann den Molekülen auf verschiedene Weise zugeführt werden. Die hierzu verwendeten Verfahren unterscheiden sich deutlich durch die im Einzelprozeß übertragene Energiemenge (Abb. 1). Bei den konventionellen Verfahren zur Energieübertragung wird den Molekülen durch Stöße mit Neutralteilchen Energie zugeführt. Selbst bei zentralem Stoß ist die übertragene Energie im allgemeinen gering und erst durch eine größere Anzahl solcher Stöße kann einem Molekül die für die Reaktion erforderliche Energie zugeführt werden. Solche stufenweise „Aufheizung" der Moleküle, die typisch für die klassischen Energieübertragungsverfahren ist, führt zu Homolysen oder zur Überwindung der Aktivierungsenergie bei bimolekularen Prozessen. Sie reicht aber nicht aus, um den Molekülen wesentlich mehr Energie zuzuführen als zum Bruch einer Bindung erforderlich ist. Um eine höhere Anregung oder eine Ionisierung zu erzielen, müssen den Molekülen in den einzelnen Anregungsprozessen größere Energiemengen zugeführt werden. Dies gelingt z. B. durch Absorption von Photonen oder durch Elektronenstöße. Da die Energien der stoßenden Elektronen in sehr weiten Bereichen variiert werden können, ermöglichen Elektronenstöße unter anderem Anregungen wie bei konventionellen oder photochemischen Verfahren. Es bestehen jedoch zwischen den Verfahren eine Reihe von prinzipiellen Unterschieden. Plasmareaktionen[1] und konventionelle Gasreaktionen unterscheiden sich in der Desaktivierung der Reaktionsprodukte. Bei den üblichen Hochtemperaturreaktionen ist ein beträchtlicher Anteil der Moleküle in schwingungsangeregten Zuständen. Im Nicht-

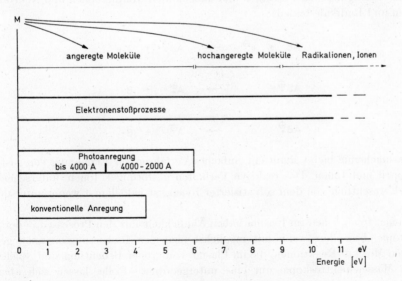

Abb. 1. Anregungsprozesse bei verschiedenen Energien

---

[1] Plasma ist ein teilweise oder ganz ionisiertes Gas.

gleichgewichtsplasma („kaltem Plasma") sind dagegen fast alle Teilchen im Schwingungsgrundzustand. Nur einzelne von Elektronen getroffene Moleküle werden kurzzeitig auf ein höheres Schwingungsniveau angehoben und können reagieren. Die möglicherweise noch angeregten Reaktionsprodukte werden anschließend durch Stöße mit den nichtangeregten Nachbarmolekülen sofort wieder desaktiviert. Der Abschreckmechanismus im Plasma verläuft somit wesentlich rascher als der von konventionellen Reaktionen. Somit sollte es möglich sein, bei temperaturempfindlichen Produkten durch Plasmareaktionen höhere Ausbeuten zu erzielen als mit konventionellen Verfahren.

Anregungsprozesse, die denen der Photochemie entsprechen, können im Plasma durch Elektronenstöße oder durch Rekombinationsprozesse erzielt werden. Unterschiede bestehen darin, daß bei der Photonenabsorption nur bestimmte, dem Abstand der Elektronenenergieniveaus entsprechende Energiemengen übertragen werden und die Energieaufnahme durch chromophore Gruppen erfolgt. Durch Elektronenstöße werden dagegen sehr verschiedene Energiemengen übertragen, weil die Elektronen selbst eine Energieverteilung haben und beim Stoß unterschiedliche Anteile dieser Energie übertragen werden. Auch bei Rekombinationen wird die freiwerdende Energie in unterschiedlichen Anteilen auf die Stoßpartner verteilt. Ferner ist die Energieaufnahme nicht auf bestimmte Gruppen beschränkt.

Stoßende Elektronen können zwar die gleichen Reaktionen auslösen wie Photonen, besitzen aber eine wesentlich geringere Selektivität. Trotzdem sind in bestimmten Fällen Plasmareaktionen den Photoreaktionen überlegen. Stark fluoreszierende Moleküle gehen nur schwer oder gar nicht photochemische Reaktionen ein, lassen sich aber in Entladungen leicht umsetzen.

Energiebeträge von 6–10 eV können durch konventionelle oder photochemische Anregungen nicht übertragen werden, wohl aber durch Elektronenstöße und Rekombinationsprozesse. Diese Energiebeträge führen zu hochangeregten Molekülen, deren reaktives Verhalten noch weitgehend unbekannt ist, weil bisher Verfahren zur Erzeugung solcher Spezies fehlen.

Werden Moleküle von Elektronen getroffen, deren Energie 10 eV übersteigt, so kann Ionisation eintreten. Die primär entstehenden Radikalionen können, wenn genügend Energie zur Verfügung steht, zerfallen und dabei andere Radikalionen und Neutralteilchen oder Ionen und Radikale bilden:

$$AB + e^{\ominus} \longrightarrow AB^{\oplus}_{\bullet} + 2\,e^{\ominus}$$

$$AB^{\oplus}_{\bullet} \longrightarrow A^{\oplus}_{\bullet} + B$$

$$AB^{\oplus}_{\bullet} \longrightarrow A^{\oplus} + B\bullet$$

Die Plasmachemie bietet somit ein einfaches Verfahren zur Erzeugung von gasförmigen Radikalionen und Ionen. Das reaktive Verhalten gasförmiger Ionen unterscheidet sich vermutlich wesentlich von dem solvatisierter Ionen, ist jedoch erst wenig untersucht worden.

Reaktionen freier Ionen im Plasma haben Ähnlichkeit mit den Prozessen in der Massenspektroskopie, besonders wenn mit möglichst niedrigen Ionisierungsenergien gearbeitet wird. Ionen-Molekül-Reaktionen, die im Plasma von großer Bedeutung sind, spielen in der normalen Massenspektroskopie nur eine untergeordnete Rolle, lassen sich aber durch Spezialtechniken wie Hochdruckmassenspektroskopie[1], Chemical-, Ionisation-, Massen-

[1] F. H. Field, P. Hamlet u. W. F. Libby, Am. Soc. **91**, 2839 (1969).

spektroskopie[1] oder Ionencyclotronresonanz[2] untersuchen. Die spektroskopischen Verfahren unterscheiden sich von der Plasmachemie dadurch, daß sie nur Ionen anzeigen, während im Plasma alle geladenen Teilchen vor der Isolierung und Identifizierung neutralisiert werden.

Bei der Neutralisation der Ionen werden Energien von $\sim 10\,eV$ freigesetzt. Da diese Energiebeträge wesentlich größer sind als Bindungsenergien organischer Moleküle, erhebt sich die Frage, ob organische Moleküle Neutralisationsvorgänge ohne Strukturänderungen überstehen können. Die Überlebenschance der Moleküle hängt von der Art der Rekombinationsprozesse ab. Findet die Rekombination an der Wand oder durch Dreierstoß im Volumen statt, so übernimmt ein dritter Partner (Wand, Ion, Neutralteilchen oder Elektron) einen Teil der freiwerdenden Energie.

$$M^{\oplus} + e^{\ominus} + W = M^* + W \qquad \text{(1)}$$

Bei Molekülen, die leicht negative Ionen oder Ionen-Molekül-Komplexe bilden, treten noch weitere Neutralisationsmechanismen hinzu. Bei der Vereinigung entgegengesetzt geladener Ionen oder beim Elektroneneinfang durch einen Ion-Molekül-Komplex wird die freiwerdende Energie auf zwei Partner verteilt:

$$A^{\ominus} + B^{\oplus}_{\bullet} = A^* + B^* \qquad \text{(2)}$$

$$AB^{\oplus}_{\bullet} + e^{\ominus} = A^* + B^* \qquad \text{(3)}$$

Ein Neutralisationsmechanismus, bei dem nur wenig Energie freigesetzt wird, ist die Ladungsübertragung:

$$A^{\ominus} + B = A + B^{\oplus}$$

Bei den Prozessen (1)–(3) wird die Neutralisationsenergie auf zwei Neutralteilchen verteilt. Handelt es sich dabei um größere Moleküle, so können sie über ihre verschiedenen Schwingungsmöglichkeiten relativ viel Energie aufnehmen. Es ist daher anzunehmen, daß zumindest ein Teil der Moleküle die Rekombination ohne Strukturänderungen übersteht kann, während andere ihre Überschußenergie durch chemische Reaktionen abbauen. Bei der Neutralisation durch Ladungsübertragungsprozesse treten wegen der geringen freiwerdenden Energien vermutlich keine Strukturänderungen auf.

Im Plasma sind ferner negative Ionen vorhanden, deren Bedeutung für die Plasmachemie noch nicht völlig geklärt ist. Die bei der Anlagerung langsamer Elektronen an Moleküle freiwerdenden Energien reichen nicht aus, um kovalente Bindungen zu brechen. Bei höherenergetischen Elektronen sind dissoziative Anlagerungen möglich[3],

$$AB + e^{\ominus} = A^{\ominus} + B^{\bullet}$$

jedoch ist der Wirkungsgrad solcher Prozesse vermutlich gering. Dies wird deutlich an den Massenspektren negativer Ionen[4], die neben dem Molekularpeak kaum Fragmentsignale aufweisen.

---

[1] F. H. Field, Accounts Chem. Res. 1968, I, 42.

[2] J. D. Baldeschwieler u. S. S. Woodgate, Accounts Chem. Res. 4, 114 (1971).

[3] A. v. Engel, *Ionized Gases*, 2. Aufl., S. 86, Clarendon Press, Oxford 1965.

[4] M. v. Ardenne, K. Steinfelder u. R. Tümmler, *Elektronenanlagerungs-Massenspektrographie organischer Substanzen*, Springer-Verlag, Berlin 1971.

B. Durchführung von Plasma-Reaktionen

Das Plasma kann in vielfältigen Erscheinungsformen auftreten. In Plasmen mit hohem Ionisierungsgrad gleicht sich die Temperatur der Neutralteilchen wegen der häufigen Wechselwirkung der Temperatur der Elektronen an (Gleichgewichtsplasma). Derartige Plasmen wie z. B. die von Lichtbogenentladungen kommen wegen der hohen Temperatur nur für die Synthese thermisch besonders stabiler Substanzen in Frage. In der organischen Chemie sind solche Entladungen auf die Herstellung von *Acetylen, Dicyan, Blausäure* beschränkt[1-5], auf deren Beschreibung hier nicht eingegangen werden soll. Für die Synthese der übrigen organischen Verbindungen sind Plasmen mit hoher Elektronentemperatur, aber niederer Neutralgastemperatur erforderlich (Nichtgleichgewichtsplasmen). Nichtgleichgewichtsplasmen können durch Hochspannungs-, Hochfrequenz-, Mikrowellen- oder Corona-Entladungen erzeugt werden[6].

I. Corona-Entladungen

Corona-Entladungen, die auch als stille Entladungen oder Ozonisatorentladungen bezeichnet werden, haben als charakteristisches Merkmal eine Begrenzung des Entladungsstromes durch ein oder zwei Widerstandsschichten aus Glas, Quarz oder Keramik, die zwischen den Elektroden liegen. Der hohe Widerstand dieser Materialien bewirkt neben der Strombegrenzung eine für die Reaktion günstige gleichmäßige Verteilung des Stromflusses über die Oberfläche. Allerdings machen die geringen Stromdichten Reaktoren mit sehr großer Oberfläche erforderlich.

Die meisten apparativen Ausführungen für Corona-Entladungen arbeiten mit coaxialen Rohren (Abb. 2), bei denen die Innenseite des inneren und die Außenseite des äußeren Rohres durch Metallelektroden oder leitende Flüssigkeiten mit der Hochspannungsversorgung verbunden ist. Die Entladungen werden normalerweise mit 50–60 Hz durchgeführt und erfordern somit neben dem Reaktor lediglich einen Hochspannungstransformator. In einigen Fällen sind bei Frequenzen bis zu einigen kHz bessere Ausbeuten erzielt worden[7].

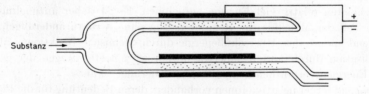

Abb. 2. Versuchsanordnung für stille Entladungen

[1] C. P. BEGUIN, J. B. EZELL, A. SALVEMINI, J. C. THOMPSON, D. G. VICKROY u. J. L. MARGRAVE in R. F. BADDOUR u. R. S. TIMMINS, *The Application of Plasmas to Chemical Processing*, Pergamon Press, Oxford 1967.

[2] R. S. TIMMINS u. P. R. AMMANN in R. F. BADDOUR u. R. S. TIMMINS, *The Application of Plasmas to Chemical Processing*, Pergamon Press, Oxford 1967.

[3] J. T. CLARKE in R. F. BADDOUR u. R. S. TIMMINS, *The Application of Plasmas to Chemical Processing*, Pergamon Press, Oxford 1967.

[4] C. S. STOKES in M. VENUGOPALAN, *Reactions under Plasma Conditions*, Vol. I u. II, Wiley-Interscience, New York 1971.

[5] F. VURSEL u. L. POLAK in M. VENUGOPALAN, *Reactions under Plasma Conditions*, Vol. I u. II, Wiley-Interscience, New York 1971.

[6] M. M. SHAHIN in M. VENUGOPALAN, *Reactions under Plasma Conditions*, Kap. 5, Wiley-Interscience, New York 1971.

[7] T. RUMMEL, *Hochspannungsentladungschemie und ihre industrielle Anwendung*, S. 34, R. Oldenburg, München 1951.

Anordnungen mit nur einer Widerstandsschicht und mit einer ungeschützten Metall-elektrode sind nur für solche Reaktionen verwendbar, bei denen keine katalytischen Effekte an der Metalloberfläche auftreten können. Bei vielen organischen Reaktionen treten weitere Störungen auf, weil sich Reaktionsprodukte an den Reaktorwänden niederschlagen und dann durch die fortwährende Einwirkung der Entladung zerstört und in hochmolekulare, stark vernetzte Materialien umgewandelt werden.

II. Niederfrequenz-Glimmentladungen

Anordnungen für Glimmentladungen mit Gleichstrom oder Niederfrequenz sind durch Metallelektroden im Innern des Reaktors gekennzeichnet. Die erforderliche Spannung hängt von Druck und Gasart ab und beträgt bei 1 Torr ~ 10–100 Volt pro cm Elektroden-abstand. Der Entladungsstrom wird durch einen Widerstand in der Spannungsversorgung (z. B. im Primärkreis des Hochspannungstransformators) sowie durch die Oberfläche der Elektroden begrenzt. Bei geringen Strömen ist nur ein Teil der Elektroden mit einer Glimm-schicht bedeckt. Eine Stromerhöhung bei annähernd konstanter Spannung ist nur so lange möglich, bis die Elektroden vollständig von der Glimmschicht überzogen sind. Eine weitere Steigerung des Stromes erfordert dann eine starke Spannungserhöhung.

Die Elektroden werden häufig als Hohlkathoden ausgebildet, weil diese einen höheren Stromfluß ermöglichen[1]. Für einfache Laboratoriumsanordnungen verwendet man zweck-mäßig konische, in Normschliffhülsen passende Edelstahlelektroden (Abb. 3). Bei Leistungs-aufnahmen bis zu 50 Watt ist eine Kühlung der Elektroden nicht erforderlich.

Werden organische Verbindungen in derartigen Anordnungen umgesetzt, so überziehen sich die Elektroden rasch mit polymerem Material. Dadurch wird meistens ein unregel-mäßiges Brennen der Entladung verursacht. Die Polymerenbildung kann unterbunden werden, wenn die Elektroden durch einen schwachen Inertgasstrom vom reagierenden Gas abgetrennt werden[2,3].

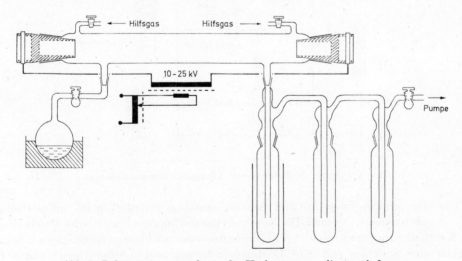

Abb. 3. Laboratoriumsanordnung für Hochspannungsglimmentladungen

[1] G. Francis in S. Flügge, *Handbuch der Physik, Encyclopedia physics*, Bd. XXII, S. 97, Springer-Verlag, Göttingen 1956.

[2] H. Schüler u. E. Lutz, Z. Naturf. **12a**, 334 (1957).

[3] H. Schüler u. M. Stockburger, Z. Naturf. **14a**, 229 (1959).

III. Hochfrequenz-Glimmentladungen

Bei Frequenzen oberhalb von 0,5 MHz ist ein direkter Kontakt zwischen Elektroden und Plasma nicht mehr erforderlich und die Energie kann durch außerhalb des Reaktionsgefäßes liegende Elektroden übertragen werden. Die Elektroden bilden dabei einen Kondensator mit dem Plasma als Dielektrikum (kapazitive Einkopplung). Die Energie kann auch durch eine Induktivität an das Plasma übertragen werden, wenn das Reaktionsgefäß in der Achse der Schwingkreisspule liegt. Normalerweise treten bei der „elektrodenlosen Entladung" Mischkopplungen auf, bei denen der kapazitive Wirkungsmechanismus überwiegt.

Elektrodenlose Entladungen können in einem weiten Frequenzbereich durchgeführt werden, jedoch sind die Schwingkreiselemente bei hohen Frequenzen sehr klein. Da Induktivitäten von weniger als einer Spulenwindung und Kapazitäten von der Größenordnung der parasitären Kapazitäten schwierig zu handhaben sind, liegt aus praktischen Gründen eine obere Grenze für elektrodenlose Entladungen bei etwa 150 MHz. Besonders günstig ist der Bereich von 5–50 MHz, in dem auch die Industriefrequenzen liegen, die für wissenschaftliche Experimente zugelassen sind.

Die Generatoren für Hochfrequenz-Entladungen arbeiten im allgemeinen mit feststehender Frequenz und veränderlicher Leistung und müssen so dimensioniert sein, daß sie im fehlangepaßten Betrieb keine Schäden durch Überhitzung erleiden. Bei Generatoren mit nur einem aktiven Element (Röhre, Transistor, Magnetron) hängt die Frequenz- und Leistungsstabilität von der Last ab. Im einfachsten Fall wird ein selbsterregter Sender mit nur einer Röhre verwendet und das Reaktionsgefäß in der Achse der Schwingkreisspule oder zwischen den Platten des Resonanzkondensators angeordnet. Aus Sicherheitsgründen sollten nur solche Sender verwendet werden, bei denen der Resonanzkreis frei von Hochspannung ist, wie z. B. beim Colpitts-Oszillator (Abb. 4).

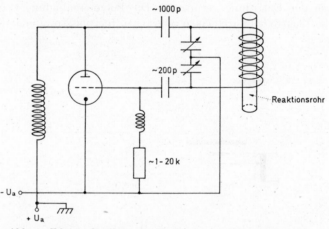

Abb. 4. Colpitts-Oszillator für Hochfrequenz-Glimmentladungen

Wenn eine größere Frequenz- und Leistungsstabilität erforderlich ist, müssen mehrstufige Sender eingesetzt werden. Die Konstruktionsmerkmale solcher Sender ähneln denen von Kurzwellenamateurgeräten[1-3]. Für die Anwendung bei Plasmaexperimenten kommen lediglich eine stufenlos regelbare Leistungseinstellung sowie Schutzvorrichtungen für extreme Fehlanpassung hinzu.

[1] H. Sobotka, *HF-Industriegeneratoren für induktive Erwärmung*, 1962, Philips Techn. Bibliothek, N. V. Philips Gloeilampenfabr. Eindhoven.

[2] H. Meinke u. F. Gundlach, *Taschenbuch der HF-Technik*, 1968, Springer-Verlag, Berlin · Heidelberg · New York.

[3] H. Koch, *Transistorsender*, 2. Aufl., Francis Verlag, München 1970.

a) Messungen der Leistungsabgabe

Die Voraussetzung für die Kontrolle und die Reproduzierbarkeit von Plasma-reaktionen ist eine genaue Messung der vom Plasma aufgenommenen Leistung, die sich aus der Differenz zwischen der vom Generator abgestrahlten und der reflektierten Leistung ergibt. Die Absolutwerte der in beiden Richtungen laufenden Leistungen sind meistens von untergeordnetem Interesse. Bei einstufigen Sendern, bei denen das Plasma unmittelbar die Elemente des Schwingkreises beeinflußt, ist eine Leistungsmessung schwierig. Näherungs-werte lassen sich aus der Leistungsaufnahme des Senders berechnen, wenn der Wirkungs-grad des Senders bekannt ist. Bei Generatoren, die das Auskoppeln der Hochfrequenz-Energie erlauben, ist eine Leistungsmessung einfach durchzuführen, indem ein Wattmeter zwischen Generator und Arbeitsschwingkreis geschaltet wird. Solche Wattmeter sind für bestimmte Impedanzen geeicht. Wenn ihre Impedanz mit der von Generatorausgang und Arbeitsschwingkreiseingang übereinstimmt, zeigen sie die genauen Werte von vor- und rücklaufender Leistung an. Abweichungen in den Impedanzen verfälschen die Absolutwerte, beeinflussen jedoch nicht die Differenz von vorwärts- und rückwärtslaufender Leistung, auf die es beim Plasmaexperiment ankommt.

b) Anpassung

Um möglichst wirtschaftlich zu arbeiten, und um zu verhindern, daß zu viel rücklaufende Leistung den Generator überhitzt und beschädigt, wird bei plasmachemischen Experimen-ten angestrebt, daß ein möglichst großer Teil der angebotenen Leistung vom Plasma auf-genommen wird. Geringe rücklaufende Leistungen lassen sich nur erreichen, wenn Generator und Arbeitsschwingkreis aufeinander und auf die Übertragungselemente (Steckverbindun-gen, Koaxialkabel usw.) abgestimmt werden. Dazu sind Transformationsschaltungen wie z. B. das Collinsfilter (Abb. 5) erforderlich, bei dem der Kondensator mit der kleineren

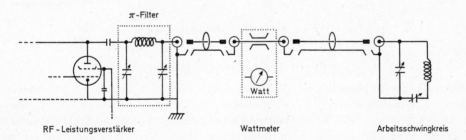

Abb. 5. Anpassung von Leistungsverstärker und Arbeitsschwingkreis mit Hilfe von Collins-Filtern

Kapazität parallel zu derjenigen Eingangs- oder Ausgangsverbindung liegt, die die höhere Impedanz hat. In einer weiteren einfachen Möglichkeit (Abb. 6, S. 1570) wird eine Anpas-sung des Generators an das Wattmeter und den Arbeitsschwingkreis durch Änderung des Windungsverhältnisses der beiden Spulen L_1, L_2 und durch Variation des kleinen Kon-densators C erreicht. Der Einkoppelpunkt für die Hochfrequenz-Leistung liegt im Arbeits-schwingkreis nahe dem „kalten" Spulenende. Durch Transformation entstehen so die zum Zünden der Entladung erforderlichen hohen Spannungen.

Bei plasmachemischen Experimenten werden recht häufig Fehler gemacht, weil die Bedeutung guter Anpassungen unterschätzt wird. Bei schlechten Anpassungen gelingt es trotz des Einsatzes von leistungsstarken Sendern nicht, dem Plasma genügend Energie zuzuführen. Schon eine geringe Fehlanpassung kann dazu führen, daß von 100 Watt abgegebener Hochfrequenz-Leistung nur 10 Watt an das Plasma abgeführt werden und 90 Watt zurücklaufen. Als Maß für die Fehlanpassung wird das Stehwellenverhältnis verwendet. Unter optimierten Bedingungen lassen sich leicht SWR-Werte von 1,5 erreichen.

c) Arbeitsschwingkreise

Aus Sicherheitsgründen sollte die Hochfrequenz-Energie frei von Hochgleichspannung ausgekoppelt werden und unter Anpassung einem Arbeitsschwingkreis zugeführt werden. Das energieliefernde Element dieses Schwingkreises (Spule oder Kondensator) ändert seine Eigenschaften, wenn das Plasma gezündet wird. Zunächst ist zum Zünden eine hohe Hochfrequenz-Spannung erforderlich, die dadurch erreicht wird, daß der Arbeitsschwingkreis auf den Generator abgestimmt wird. Beim Zünden des Plasmas ändert sich die Güte und die Eigen-Frequenz des Arbeitsschwingkreises, wodurch eine erneute, meist nur geringe Nachstimmung erforderlich wird. Bei einem Arbeitsschwingkreis mit fester Fußpunktkopplung (Abb. 6) wird der Einkopplungspunkt an der Spule als Kompromiß zwischen den Impedanzen vor und nach der Zündung gewählt.

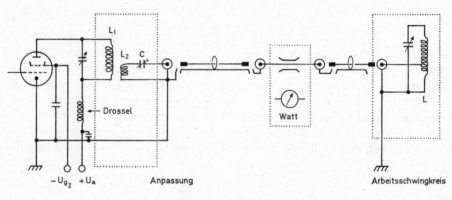

Abb. 6. Angepaßter Arbeitsschwingkreis

IV. Mikrowellen-Entladungen

Beim Einsatz für plasmachemische Umsetzungen wird die Mikrowellenenergie von einem Generator (Magnetron oder Klystron) einem Hohlraumresonator zugeführt, der das Reaktionsrohr umschließt. Im einfachsten Fall ist dieser Resonator ein Rechteck-Hohlleiter mit Abschlußschieber, der $\sim \lambda/4$ vom Hohlleiterabschluß entfernt Bohrungen zur Aufnahme des Reaktionsrohres aufweist. Weitere Hohlraumresonatoren mit zum Teil wesentlich besserem Wirkungsgrad sind in der Literatur beschrieben[1].

Bei Plasmareaktionen in Mikrowellenentladungen treten oft Schwierigkeiten auf, weil die Durchmesser der Reaktionsgefäße von der gleichen Größenordnung wie die Wellenlängen sind und daher innerhalb des Reaktors keine einheitlichen Feldstärken herrschen.

V. Reaktoren

Für Plasmaumsetzungen sind Reaktionsgefäße sowie Vorrichtungen zum Dosieren der Substanzzufuhr und zum Auffangen der Reaktionsprodukte und des nichtumgesetzten Materials erforderlich. Als Reaktoren für Hochfrequenz-Entladungen im Laboratoriumsmaßstab sind Glasrohre von ~ 3 cm $\varnothing$ geeignet. Wenn hochsiedende oder leicht kristalli-

---

[1] F. C. Fehsenfeld, K. M. Evenson u. H. P. Broida, Rev. Sci. Instr. **36** [3], 294 (1965).

sierende Substanzen eingesetzt werden oder bei der Reaktion entstehen, sollte das Reaktionsrohr senkrecht stehen und heizbar sein. Die Heizung kann mit Heißluft erfolgen oder bei doppelwandigen Gefäßen mit einer thermostatisierten unpolaren Flüssigkeit.

Die Zufuhr von Gasen erfolgt über Feindosierventile. Niedrigsiedende Flüssigkeiten werden zweckmäßig in thermostatisierten Gefäßen unter Rühren verdampft und ebenfalls über Feindosierventile eingelassen. Bei hochsiedenden Flüssigkeiten kann der Dampfdruck durch die Temperatur im Verdampfungsgefäß eingestellt werden. Zum Auffangen der Reaktionsprodukte dienen Kühlfallen, deren Temperatur dem Siedpunkt der eingesetzten oder entstehenden Materialien angepaßt werden muß.

Eine vielseitig verwendbare Laboratoriumsanordnung mit getrennter Temperaturregelung für Verdampfungsgefäß und Reaktionsrohr zeigt (Abb. 7). Verdampfungsgefäß und Reaktionsrohr sind durch einen Teflonstopfen getrennt, der zur Druckregulierung dient und darüber hinaus die Zufuhr einer weiteren Substanz ermöglicht.

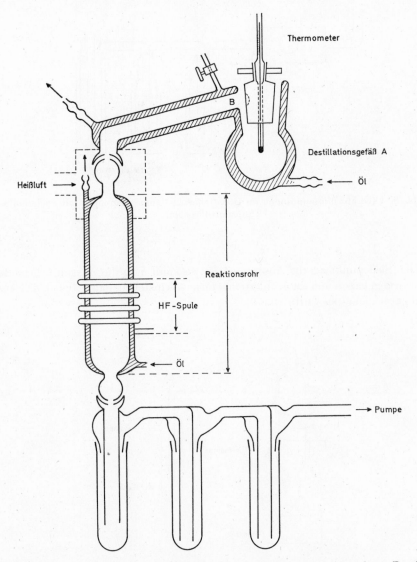

Abb. 7. Laboratoriumsanordnung für Hochfrequenz-Glimmentladungen mit einmaligem Durchlauf der Substanz

Für Synthesen höhersiedender Verbindungen aus niedrigsiedenden Substanzen sind Anordnungen verwendbar, bei denen die Dämpfe im Reaktor zirkulieren und nur die höhersiedenden Substanzen ausgefroren werden (Abb. 8). Haben umgekehrt die Produkte einen

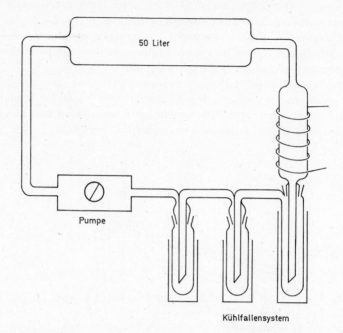

50 Liter

Pumpe

Kühlfallensystem

Abb. 8. Laboratoriumsanordnung für Hochfrequenz-Glimmentladungen mit wiederholtem Substanzdurchlauf

niedrigeren Siedepunkt als die Ausgangsstoffe, so kann man die Ausgangsverbindung am Rückfluß sieden lassen und die Kühlertemperatur so einstellen, daß lediglich das Ausgangsmaterial zurückgehalten wird (Abb. 9).

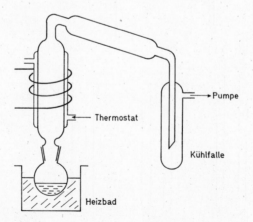

Pumpe

Thermostat

Kühlfalle

Heizbad

Abb. 9. Laboratoriumsanordnung für Hochfrequenzglimmentladungen, bei der das Ausgangsmaterial am Rückfluß siedet

Die Energieübertragung durch eine den Reaktor umgebende Spule ist besonders wirksam, mit kapazitiven Einkopplungen lassen sich schärfer begrenzte Plasmazonen erreichen[1]. Reaktoren mit kapazitiven Einkopplungen sind besonders zur Erzeugung gleichmäßiger Filme geeignet. Die günstigsten Ergebnisse werden erzielt, wenn das zu überziehende Material zentral auf einer möglichst großen Kondensatorfläche liegt.

Durch die schärfere Begrenzung der Plasmazone bei kapazitiver Einkopplung können die Plasmazonen sehr klein gehalten werden. Dadurch verkürzen sich die Verweilzeiten der Moleküle im Plasma, was vor allem bei thermisch empfindlichen Substanzen von Vorteil ist. Bei Verwendung kleiner Plasmazonen sind Umsetzungen bei wesentlich höheren Energiedichten und beträchtlich höheren Drucken möglich, ohne daß Zerstörung der organischen Substanz eintritt[2].

Für bestimmte Plasmareaktionen ist eine spezielle Behandlung der Reaktionswände günstig. Zum Beispiel katalysieren bei Umsetzungen mit atomarem Wasserstoff die Gefäßwände die Rekombination der Atome. Die katalytische Aktivität von Glas läßt sich durch eine Feuchtigkeitsschicht oder noch wirkungsvoller durch Überzüge aus Phosphorsäure oder Behandeln mit Trimethylchlorsilan oder Dimethyldichlorsilan erheblich vermindern[3].

VI. Arbeitsbedingungen

Die Ergebnisse von Plasmareaktionen hängen von den Versuchsparametern wie Druck, Feldstärke, Elektronendichte usw. ab. Systematische Untersuchungen solcher Abhängigkeiten liegen jedoch für organische Verbindungen nicht vor, weil diagnostische Messungen an reagierenden Systemen schwierig und unsicher sind. Es läßt sich daher im gegenwärtigen Zeitpunkt noch nicht entscheiden, welche Versuchsparameter einen großen und welche einen geringfügigen Einfluß auf Plasmareaktionen ausüben.

Die Optimalwerte der verschiedenen Versuchsparameter hängen von der Reaktorgeometrie ab. Bestimmte qualitative Regeln gelten jedoch für alle Reaktoren.

Das übliche Verfahren zur Bestimmung von Elektronenenergien durch Sondenmessungen ist in reagierenden Gasen schwierig. Die Elektronenenergien können näherungsweise aus den Messungen von Elektronendichten, Stoßfrequenzen und Feldstärken berechnet werden[4].

Bei konstantem Rohrdurchmesser und Druck sind die Elektronenenergien der Feldstärke proportional. Je höher die Feldstärke, umso mehr Energie können die Elektronen zwischen zwei Stößen aufnehmen. Die zum Zünden der Entladung erforderliche hohe Feldstärke fällt nach dem Zünden auf einen niedrigeren Wert ab, der im Bereich von etwa 10^{-3}–10^{-1} Å konstant bleibt.

Eine Erhöhung des Druckes verkürzt die mittlere freie Weglänge der Elektronen und vermindert somit die Energie, die die Elektronen zwischen zwei Stößen aufnehmen können. Ferner steigert eine Druckerhöhung die Geschwindigkeit von Rekombinationsprozessen, Stoßdesaktivierungen und bimolekularen chemischen Reaktionen. Welche dieser Wirkungen vorherrscht, hängt von der Art des reagierenden Systems ab.

Die Elektronenenergien werden durch die Geometrie des Reaktors beeinflußt. Bei zylindrischen Reaktoren bewirkt eine Verringerung des Rohrradius eine Erhöhung der Elektronentemperatur[5]. Einschnürungen der Plasmazone führen im Bereich der Verengungen zu einer wesentlichen Steigerung der Elektronenenergien (SESER-Experimente)[6,7].

[1] H. Suhr et al., noch unveröffentlichte Ergebnisse.
[2] G. Kruppa, Dissertation, Universität Tübingen 1974.
[3] F. K. McTaggart, *Plasma Chemistry in Electrical Discharges*, S. 105, Elsevier, Amsterdam 1967.
[4] G. Janzen, W. Staib, G. Kruppa, U. Schücker u. H. Suhr, Z. El. Ch. **79**, 63 (1975).
[5] K. G. Müller, Chemie Ing. Technik **45**, 122 (1973).
[6] J. G. Andrews u. R. H. Varey, Nature **225**, 270 (1970).
[7] J. G. Andrews u. J. E. Allen, Pr. Roy. Soc. **320**, 459 (1971).

Zur Unterdrückung von Folgereaktionen sollten die Verweilzeiten der Moleküle in der Plasmazone möglichst kurz gehalten werden. Dies gelingt durch hohe Strömungsgeschwindigkeiten und kurze Plasmazonen.

Die meisten der in den folgenden Abschnitten beschriebenen Umsetzungen wurden mit zylindrischen Reaktionsrohren von 3 cm $\varnothing$, Drucken von 1–3 Torr, Strömungsgeschwindigkeiten von $\sim$ 10 m/Sek., Leistungen von 10–200 W (absorbierte Leistung) und Umsatzraten von $\sim$ 30% durchgeführt. Unter diesen Bedingungen betragen für die meisten organischen Verbindungen die Elektronendichten 1–5×10^{10} Elektronen/cm^3 und die Feldstärken 20–40 V/cm [1,2].

C. Chemische Umsetzungen im Plasma

Schon frühzeitig wurde versucht, das Plasma für organische Reaktionen einzusetzen [3-5]. Obwohl sich dabei interessante Umsetzungen zeigten, hatten die Ergebnisse keinerlei präparative Bedeutung, weil die Ausbeuten zu klein und die Reaktionsprodukte stark mit polymeren oder teerartigen Substanzen verunreinigt waren. Erst durch den Einsatz schneller Analysenmethoden, wie der Gaschromatographie, ist es in jüngster Zeit gelungen, auch organische Plasmareaktionen so zu optimieren, daß sie selektiv und mit hohen Ausbeuten verlaufen [6-10]. Seither ist eine größere Zahl von Verbindungen untersucht worden. In seltenen Fällen haben plasmachemische Umsetzungen zu neuen Verbindungen geführt. Meistens entstehen bei Plasmareaktionen bekannte Verbindungen und nur der Syntheseweg ist neu und oft einfacher als konventionelle Verfahren. Bisher sind Plasmareaktionen meistens an relativ einfachen Modellsystemen untersucht worden, jedoch ist anzunehmen, daß die Ergebnisse auch für kompliziertere Moleküle gelten.

I. Isomerisierungen

a) cis-trans-Isomerisierung

Die Isomerisierung von Olefinen wurde am Beispiel des Stilbens näher untersucht [11]. *Trans*-Stilben liefert bei geringem Umsatz das *cis*-Isomere als einziges Reaktionsprodukt. Mit zunehmendem Umsatz gewinnt die Cyclisierung zu *Phenanthren* an Bedeutung und kann schließlich zur Hauptreaktion werden (Tab. 1, S. 1575). Als Nebenprodukte entstehen geringe Mengen an Benzol, Styrol, Phenylacetylen und Diphenylacetylen. Dihydrophenanthrene und 1,2,3,4-Tetraphenyl-cyclobutan, die bei der Photoisomerisierung von Stilben auftreten [12,13], wurden im Plasma nicht beobachtet. Da die isomeren Stilbene leicht zu trennen sind [14], ist die Plasmaisomerisierung zur Herstellung von *cis-Stilben* gut geeignet. Die in Tab. 1 (S. 1575) angegebenen Ausbeuten in g/kWh sind auf die Leistungsaufnahme

[1] G. Janzen, W. Staib, G. Kruppa, U. Schücker u. H. Suhr, Z. El. Ch. 78, 440 (1974).
[2] G. Janzen, W. Staib, G. Kruppa, U. Schücker u. H. Suhr, Z. El. Ch. 79, 63 (1975).
[3] M. Berthelot, C. r. 67, 1141 (1869); 82, 1283 (1876).
[4] P. Thenard u. A. Thenard, C. r. 78, 219 (1874).
[5] P. de Wilde, B. 7, 352 (1874).
[6] M. M. Shahin in M. Venugopalan, *Reactions under Plasma Conditions*, Kap. 5, Wiley-Interscience, New York 1971.
[7] P. L. Spedding, Chem. Eng. 1969, 17.
[8] B. D. Blaustein u. Y. C. Fu, *Organic Reactions in Electrical Discharges* in A. Weisberg u. B. Rossiter, *Physical Methods of Chemistry*, Vol. 1, Part. 1 B, Kap. XI, Wiley, New York 1971.
[9] H. Suhr, Ang. Ch. 84, 876 (1972); engl.: 11, 781 (1972).
[10] H. Suhr, Fortschr. d. chem. Forschg. 36, 39 (1973).
[11] H. Suhr u. U. Schücker, Synthesis 1970, 431.
[12] E. V. Blackburn u. C. J. Timmons, Quart. Rev. 23, 482 (1969).
[13] J. Saltiel u. E. D. Megarity, Am. Soc. 91, 1265 (1969).
[14] L. Zechmeister u. W. H. McNeely, Am. Soc. 64, 1919 (1942).

Tab. 1. Reaktionsprodukte bei der Umsetzung von *trans*- und *cis*-Stilben[1]

Stilben	Leistung [Watt]	Umsatz [%]	Produkte [Gew.-%]						g/kWh[a]	
			Benzol	Phenyl-acetylen	Styrol	Stilben	Di-phenyl-acetylen	Phenan-thren	Stilben	Phenan-thren
trans	21	20	–	–	–	95 *cis*	–	5	27,5 *cis*	1,5
	64	25	0,1	0,6	0,6	85 *cis*	0,1	13	16,7 *cis*	2,6
	71	58	6	2	5	52 *cis*	1	32	12,8 *cis*	8,0
	86	71	3	2	6	30 *cis*	6	46	11,4 *cis*	17,3
	154	77	14	3	7	18 *cis*	4	48	8,3 *cis*	22,3
cis	64	49	–	–	–	79 *trans*	–	14	39,2 *trans*	5,1
	144	46	0,5	2	22	60 *trans*	–	14	37,3 *trans*	4,4

[a] bez. auf die Leistungsaufnahme eines Einstufensenders.

eines einstufigen Push-pull-Generators bezogen. Bezieht man die Ausbeuten auf die vom Plasma tatsächlich absorbierte Leistung, so liegen die Werte etwa zwei bis dreimal so hoch.

Eine analoge Isomerisierung wurde am 2-(*trans*-2-Phenyl-vinyl)-pyridin gefunden[2], das sich bis zu 70% in das *2-(cis-2-Phenyl-vinyl)-pyridin* überführen läßt. Ebenso ist beim *trans-Zimtsäure-nitril* mit ~ 66% die Isomerisierung die vorherrschende Reaktion. Daneben entsteht zu ~ 20% *2-Vinyl-benzonitril*.

Bei manchen Olefinen tritt die Isomerisierung hinter anderen Reaktionen zurück. So wird bei der Fumarsäure wegen der leichten Decarboxylierung oder beim *trans*-Buten-(2)-säure-nitril wegen der Polymerisationsfreudigkeit die Isomerisierung zur unbedeutenden Nebenreaktion.

b) Ring-Ketten-Isomerisierungen

Bei Untersuchungen an Stickstoffheteroaromaten wurde eine große Empfindlichkeit gegen Elektronenstoß und eine überraschend leichte Ringöffnung beobachtet (Tab. 2, S. 1577)[2,3]. Da dabei polymerisationsfähige ungesättigte Nitrile entstehen, werden bei Plasmareaktionen von Stickstoffheteroaromaten meistens mehr oder weniger große Mengen an polymerem Material gefunden. Der umgekehrte Reaktionsverlauf, die Cyclisierung von ungesättigten Nitrilen zu Heteroaromaten, ließ sich bisher nicht nachweisen.

Recht übersichtlich ist der Reaktionsverlauf bei den fünfgliedrigen Ringen. Pyrrol liefert bis zu 60% *Buten-(2)-säure-nitril*(I), Indol zu ~ 25% d. Th. *Phenyl-acetonitril*(II):

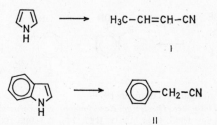

$$H_3C-CH=CH-CN$$

I

$$CH_2-CN$$

II

---

[1] H. SUHR u. U. SCHÜCKER, Synthesis **1970**, 431.
[2] U. SCHÖCH, Dissertation, Universität Tübingen 1971.
[3] H. SUHR u. U. SCHÖCH, A. (im Druck).

Daneben isomerisiert Indol auch zu *2-Methyl-benzonitril*. Das 2-Methyl-phenylisonitril, das als Primärprodukt der Ringöffnung zu erwarten wäre, wurde nicht beobachtet. Von den Sechsring-Heteroaromaten bilden Pyridin und die Methyl-pyridine nur braune polymere Massen. Die durch Ring-Ketten-Isomerisierung entstehenden 1-Cyan-butadiene-(1,3) konnten nicht nachgewiesen werden. Aus Chinolin und Isochinolin entstehen im Plasma *Zimtsäure-nitril* (40-50% d.Th.; III) und *2-Äthinyl-benzonitril* (30-35% d.Th.; IV) in vergleichbaren Mengen. Chinolin und Isochinolin zeigen ein annähernd gleiches Produktspektrum. Eine Umwandlung der Verbindungen ineinander unter dem Einfluß von Elektronenstößen konnte nicht mit Sicherheit nachgewiesen werden[1, 2]:

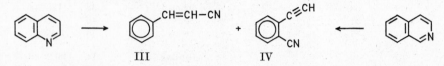

III   IV

Eine ähnliche Ring-Ketten-Isomerisierung wurde beim Anilin beobachtet. Neben höhermolekularem Material liefert diese Verbindung im Plasma als Hauptprodukt *Hexadien-(2,4)-säure-nitril (Sorbinsäure-nitril)*.

c) Ringverengungen und Ringerweiterungen

Cycloolefine mit mehr als sechs Ringgliedern stabilisieren sich im Plasma leicht unter Ringverengung zu Alkyl-aromaten[1, 3]. So liefert Cycloheptatrien nahezu quantitativ *Toluol*. Die umgekehrte Reaktion, eine Ringerweiterung von Benzyl-Verbindungen zum Cycloheptatrien-System, wie sie im Massenspektrum von Benzyl-Verbindungen gefunden wird, wurde im Plasma bisher nicht beobachtet.

In ähnlicher Weise reagiert Cyclooctatetraen fast vollständig zum *Styrol*. In diesem System ist offenbar eine Reaktionsumkehr möglich, denn in den Plasmaansätzen von Styrol finden sich bei raschem Abschrecken der Reaktionsprodukte einige Prozent Cyclooctatetraen[3].

Plasmareaktionen, die unter Einbau von Methyl-Gruppen zu einer Ringerweiterung führen, wurden bisher nur beim 2-Methyl- und 3-Methyl-indol beobachtet. Beide Verbindungen gehen im Plasma in *Chinolin* über[1]. Die Reaktion verläuft vermutlich über ein Dihydrochinolin, das jedoch nicht nachgewiesen werden konnte.

d) Wanderung von Substituenten

Bei der Umsetzung von Benzol-Derivaten im Plasma treten Wanderungen von Substituenten häufig als Nebenreaktionen auf. In einigen Fällen werden derartige Isomerisierungen zum vorherrschenden Reaktionsweg.

Werden Aryläther einer Glimmentladung ausgesetzt, so erfolgt eine Umlagerung der Moleküle zu ortho- und parasubstituierten Phenolen[4-6]. Das o/p-Verhältnis der Reaktionsprodukte ist praktisch unabhängig von den experimentellen Bedingungen und beträgt für die meisten Verbindungen ~ 1,5. Metasubstituierte Verbindungen machen nur ~ 1% der Reaktionsprodukte aus:

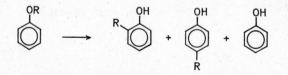

[1] U. Schöch, Dissertation, Universität Tübingen 1971.
[2] R. Bittman, *Studies of Microwave Discharge Reactions of Heterocyclic Compounds*, Ph. D. Thesis, Univ. of California, Berkeley 1966, Diss. Abstr. **B 27**, 744-B (1966/1967)
[3] G. Rosskamp, Dissertation, Universität Tübingen 1971.
[4] H. Suhr, G. Rolle u. B. Schrader, Naturwiss. **55**, 168 (1968).
[5] H. Suhr u. R. I. Weiss, Z. Naturf. **25 b**, 41 (1970).
[6] H. Suhr u. R. I. Weiss, A. **760**, 127 (1972).

Tab. 2. Isomerisierung aromatischer Äther in Glimmentladungen

Äther	Umsatz [%]	Phenol	Ausbeute [% d. Th.]	Alkyl-phenol	Ausbeute [% d. Th.]	Literatur
C_6H_5—OCH$_3$	38	Phenol	21	2-Methyl-phenol +4-Methyl-phenol	41 23	[1—3]
C_6H_5—OC$_2$H$_5$	18	Phenol	39	2-Äthyl-phenol +4-Äthyl-phenol +Methyl-phenole	33 21 7	[1—3]
C_6H_5—O—CH(CH$_3$)$_2$	42	Phenol	45	2-Propyl-phenol +4-Propyl-phenol +Methyl-phenole	27 22 6	[1—3]
CH$_3$-substituierter Aromat—OCH$_3$ (2-Methylanisol)	17	2-Methyl-phenol	32	2,6-Dimethyl-phenol +2,4-Dimethyl-phenol	20 44	[1—3]
H$_3$C-substituierter Aromat—OCH$_3$ (3-Methylanisol)	25	3-Methyl-phenol	19	2,5-Dimethyl-phenol +2,3-Dimethyl-phenol +3,4-Dimethyl-phenol	28 25 26	[1—3]
H$_3$C—C_6H_4—OCH$_3$ (4-Methylanisol)	15	4-Methyl-phenol	54	2,4-Dimethyl-phenol	31	[1—3]
2,6-Dimethylanisol (CH$_3$, OCH$_3$, CH$_3$)	22	2,6-Dimethyl-phenol	65	2,4,6-Trimethyl-phenol	34	[1—3]
Naphthalin-1-OCH$_3$	13	1-Naphthol	5	1-Hydroxy-2-methyl-naphthalin +4-Hydroxy-1-methyl-naphthalin	48 35	[1—3]
Naphthalin-2-OCH$_3$	21	2-Naphthol	30	2-Hydroxy-1-methyl-naphthalin	47	[1—3]

[1] H. SUHR, G. ROLLE u. B. SCHRADER, Naturwiss. 55, 168 (1968).
[2] H. SUHR u. R. I. WEISS, Z. Naturf. 25 b, 41 (1970).
[3] H. SUHR u. R. I. WEISS, A. 760, 127 (1972).

Parallel zur Umlagerungsreaktion tritt ein Abbau der Äther zum Phenol ein, dessen Ausmaß von der Sendeleistung abhängt. Am Anisol wurde bei geringen Leistungen ein *Kresol/Phenol*-Verhältnis von 4:1, bei hohen Leistungen ein Wert von 1:1 gefunden.

Bei der Umlagerung von n-Alkyläthern tritt als Nebenreaktion eine teilweise Fragmentierung des wandernden Alkyl-Restes auf. Beim Diphenyläther cyclisiert ein Teil des entstehenden *2-Hydroxy-biphenyls* (42% d.Th.) zum *Dibenzofuran* (5% d.Th.)[1], daneben entstehen 15% *Phenol* und 18% *4-Hydroxy-biphenyl*:

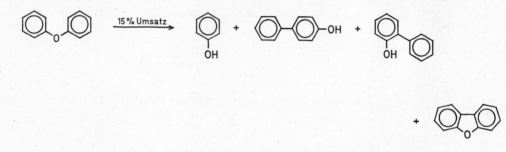

Substituierte Aryläther verhalten sich wie Anisol. Bei den methyl-substituierten Anisolen nimmt mit steigender Zahl der Methyl-Gruppen der Anteil der Isomerisierungsreaktion ab. Methoxy-naphthaline isomerisieren in guten Ausbeuten (s. Tab. 2, S. 1577).

Tab. 3. Isomerisierung von Anilinen durch Glimmentladung

Anilin	Umsatz [%]	Isomerisierungsprodukte	[Gew.-%]	Literatur
⬡—NH—CH₃	20	2-Methyl-anilin + 4-Methyl-anilin + Anilin + N-Methylen-anilin	10 3 43 29	2,3
⬡—N(CH₃)CH₃	16	2-Methylamino-1-methyl-benzol + 4-Methylamino-1-methyl-benzol + N-Methyl-anilin + N-Methylen-anilin	22 13 41 19	2,3
H₃C—⬡—N(CH₃)CH₃	3	4-Methylamino-1,3-dimethyl-benzol + 4-Methylamino-1-methyl-benzol + 4-Methylenamino-1-methyl-benzol	16 70 8	2,3

Eine ähnliche Isomerisierung wie die aromatischen Äther zeigen auch Vinyläther; z. B.:

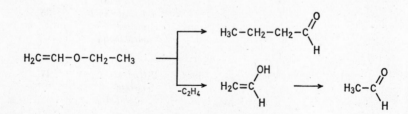

---

[1] R. I. Weiss, Dissertation, Universität Tübingen 1971.
[2] R. I. Weiss u. H. Suhr, A. **1973**, 301.
[3] H. Suhr, U. Schöch u. G. Rosskamp, B. **104**, 674 (1971).

Die gleichen Umlagerungen werden bei den analogen Stickstoffverbindungen beobachtet[1]. N,N-Dimethyl-anilin isomerisiert zum *2-* und *4-Methylamino-1-methyl-benzol* oder fragmentiert zum *N-Methyl-anilin* (Tab. 3, S. 1578). Bei der Reaktion von Diphenylamin[2] wird nur wenig *2-Amino-biphenyl* (1% d.Th.) erhalten; als Hauptprodukt erhält man *Carbazol* (30% d.Th.), das möglicherweise über das 2-Amino-biphenyl entstanden ist.

II. Eliminierungen

Durch Elektronenstöße können kleine Gruppen oder Atome aus dem Molekülverband herausgelöst werden, ohne daß die übrige Struktur verändert wird.

a) Dehydrierungen

Die Abspaltung von Wasserstoff ist eine sehr häufig vorkommende Plasmareaktion. Sie kann bei bestimmten Verbindungen zur vorherrschenden oder zur ausschließlichen Reaktion werden, ist aber auch häufig Begleiterscheinung anderer Plasmaumsetzungen. Die meistens im Plasma vorhandenen Atome oder Radikale stabilisieren sich vorwiegend durch Wasserstoff-Abstraktion. Das Plasma wirkt also dehydrierend, selbst wenn molekularer Wasserstoff im Überschuß (z. B. als Trägergas) vorhanden ist. Die bei dieser Reaktion entstehenden radikalischen Fragmente liefern durch Disproportionierung Olefine oder stabilisieren sich durch Dimerisierung.

Die Ausbeuten bei der Plasmadehydrierung sind je nach Verbindungsklasse sehr verschieden. Durchströmen aliphatische Kohlenwasserstoffe ein Plasma, so entstehen stets mehr oder weniger große Mengen an *Olefinen*[3, 4]. Wenn alle C–C- und C–H-Bindungen etwa gleich stark sind und daher mit annähernd gleich großer Wahrscheinlichkeit angegriffen werden, entstehen Gemische aus verschiedenen Olefinen, Umlagerungsprodukten usw. Übersichtlicher verlaufen Dehydrierungen von Molekülen, deren Bindungsenergien sich stark unterscheiden.

Beim Äthyl-benzol

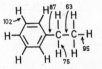

Bindungsenergien in kcal/Mol[5, 6]

ist die aliphatische C–C-Bindung die schwächste im Molekül und sie wird im Plasma bevorzugt gespalten. Die dabei entstehenden Radikale abstrahieren von intakten Molekülen des

[1] R. I. Weiss u. H. Suhr, A. **1973**, 301.
[2] H. Suhr, U. Schöch u. G. Rosskamp, B. **104**, 674 (1971).
[3] B. D. Blaustein u. Y. C. Fu in A. Weissberger u. B. W. Rossiter, *Organic Reactions in Electrical Discharges, Techniques of Chemistry*, Interscience-Wiley, New York 1971.
[4] N. S. Pechuro, *Organic Reactions in Electrical Discharges, Consultants Bureau*, New York 1968.
[5] T. L. Cottrell, *The Strength of Chemical Bonds*, Butterworth, London 1958.
[6] S. W. Benson, J. Chem. Educ. **42**, 502 (1965).

Ausgangsmaterials α-ständigen Wasserstoff. Die so gebildeten Benzyl-Radikale stabilisieren sich schließlich durch Disproportionierung oder Dimerisierung[1]:

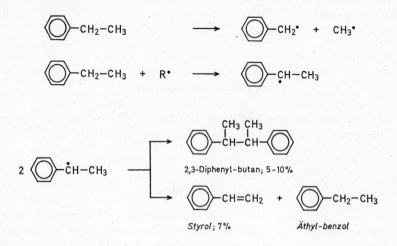

Eine Reihe von Verbindungen wie 1,2-Diphenyl-äthan, Acenaphthen oder Indan lassen sich im Plasma leicht und in guten Ausbeuten dehydrieren (Tab. 4). Häufig bleibt die Dehydrierung nicht auf der olefinischen Stufe stehen, sondern verläuft weiter zu aromatischen oder acetylenischen Systemen. So gehen Tetralin und Tetrahydrochinolin[2] direkt in *Naphthalin* (60% d.Th.) bzw. *Chinolin* (47% d.Th.) über und die Dihydroverbindungen lassen sich nicht nachweisen. Bei der Umsetzung von Äthylbenzol oder 1,2-Diphenyl-äthan werden sowohl olefinische (Styrol bzw. Stilben) als auch acetylenische (Phenylacetylen bzw. Diphenylacetylen) Verbindungen isoliert[1]. Wird von Stilben ausgegangen, so sind die vorherrschenden Reaktionswege die *cis/trans*-Isomerisierung und die dehydrierende Cyclisierung, während die Dehydrierung zu Diphenylacetylen nur in untergeordneten Mengen eintritt. Styrol läßt sich im Plasma zu *Phenylacetylen* (40% d.Th.) dehydrieren[3].

Tab. 4. Dehydrierungen im Plasma

Ausgangsverbindungen	dehydrierte Verbindung	Ausbeute [% d.Th.]	Literatur
⬡–CH$_2$–CH$_2$–⬡	*Stilben* + *Diphenyl-acetylen*	28 9	2–4
(Indan)	*Inden*	80	2–4
(Indolin)	*Indol*	30	2–4
(Acenaphthen)	*Acenaphthylen*	90	2–4

[1] H. Suhr, Z. Naturf. **23b**, 1559 (1968).
[2] U. Schöch, Dissertation, Universität Tübingen 1971.
[3] G. Rosskamp, Dissertation, Universität Tübingen 1971.
[4] H. Suhr et al., unveröffentlichte Ergebnisse.

Der Reaktionsverlauf der Dehydrierung ist oft unübersichtlich, weil unter dem Einfluß von Elektronenstößen sowohl Ausgangsmaterial wie Reaktionsprodukt leicht polymerisieren können.

b) andere Eliminierungen

Neben der Dehydrierung sind andere Eliminierungen erst an wenigen Beispielen untersucht worden. Die Wasser-Abspaltung aus 1-Phenyl-äthanol und die Dehydro-bromierung von 2-Brom-1-phenyl-äthan führen in hohen Ausbeuten zu *Styrol* (70 bzw. 80% d.Th.). Beim Übergang von Tetrachlormethan in *Tetrachlor-äthylen* (80% d.Th.) entsteht vermutlich durch α-Eliminierung zunächst ein Dichlorcarben, das sich dann durch Dimerisierung stabilisiert[1].

c) Decarbonylierungen

Die Decarbonylierung ist eine besonders leicht verlaufende Plasmaeliminierung. Obwohl die Reaktion in zwei Stufen verläuft, lassen sich die intermediär auftretenden Acyl-Radikale nur selten anhand der Reaktionsprodukte nachweisen:

$$
\underset{R}{\overset{O}{\underset{|}{\overset{\|}{C}}}}-R^1 \longrightarrow R-CO^\bullet + R^1 \longrightarrow R^\bullet + R^{1\bullet} + CO
$$

Die Decarbonylierung von Aldehyden wurde ausführlich am Beispiel des Benzaldehyds untersucht[2,3]. Als Hauptprodukt wird stets *Benzol* gefunden. Mit steigendem Umsatz nimmt der Anteil an *Biphenyl* zu. Unter schonenden Reaktionsbedingungen (geringe Energie, geringe Umsatzraten) entstehen auch *Benzophenon* und *Benzil* in nennenswerten Mengen[4]. In analoger Weise erhält man aus 2-Formyl-pyridin sowohl *Pyridin* als auch *2,2'-Bipyridyl*[2,5]. Thiophen-2-aldehyd decarbonyliert bei geringen Sendeleistungen quantitativ zu *Thiophen*. Bei höheren Leistungen entstehen unter Abspaltung von Schwefel zahlreiche, teilweise polymere Substanzen[3]. Unter schonenden Reaktionsbedingungen läßt sich 2,2'-Bithienyl und Dithienyl-(2)-keton unter den Reaktionsprodukten nachweisen. Furan-2-aldehyd liefert im Plasma neben *Furan* nur spurenweise das 2,2'-Bifuryl.

Die Decarbonylierung von Ketonen führt bei symmetrischen Ausgangsverbindungen zu einheitlichen Kohlenwasserstoffen, bei unsymmetrischen Ketonen zu Produktgemischen:

$$
R-CO-R \longrightarrow R-R + CO
$$

$$
R-CO-R^1 \longrightarrow R-R + R-R^1 + R^1-R^1
$$

So entsteht aus Acetophenon *Toluol*, *Biphenyl* und *Äthan*, während das symmetrische Benzophenon vorwiegend *Biphenyl* liefert. In einer Nebenreaktion cyclisiert Benzophenon zu *Fluorenon* und liefert auch dessen Folgeprodukt *Biphenylen*. Die zweifache Decarbonylierung von Benzil verläuft zum *Biphenyl* nahezu quantitativ (Tab. 5, S. 1582).

---

[1] H. Suhr, G. Rolle u. B. Schrader, Naturwiss. **55**, 168 (1968).
[2] G. Kruppa, Dissertation, Universität Tübingen 1974.
[3] H. Suhr u. G. Kruppa, A. **744**, 1 (1971).
[4] W. Honefeld u. H. Suhr, Veröffentl. in Vorbereitung.
[5] U. Schöch, Dissertation, Universität Tübingen 1971.

Tab. 5. Decarboxylierung von Carbonyl-Verbindungen bzw. Phenolen im Plasma

Carbonyl-Verbindung	Umsatz [%]	Endprodukte	Ausbeute [Gew.-%]	Literatur
a) Aldehyde				
C₆H₅—CHO	60	*Benzol* + *Biphenyl*	81 16	[1]
	20[a]	*Benzol* + *Biphenyl* + *Benzophenon* + *Benzil*	68 8 17 9	[1,2]
	85[b]	*Benzol* + *Biphenyl* + *Benzophenon* + *Benzil* + *Toluol*	14 31 15 15 15	[1]
Furan-CHO	4	*Furan*	98	[1]
Thiophen-CHO	7	*Thiophen*	100	[3]
	7[b]	*Thiophen* + *2,2-Bithienyl* + *Dithienyl-(2)-keton*	20 5 3	[1]
Pyridin-CHO	24	*Pyridin* + *2,2′-Bipyridyl*	67 23	[4]
	56[b]	*Pyridin* + *2,2′-Bipyridyl* + *Dipyridyl-(2)-keton* + *1,2-Dioxo-1,2-dipyridyl-(2)-äthan*	64 13 12 6	[2,4]
b) Ketone				
H₃C—CO—C₆H₅	32	*Toluol*	57	[3]
C₆H₅—CO—C₆H₅	3	*Biphenyl*	70	[3]
C₆H₅—CO—CO—C₆H₅	18	*Biphenyl*	98	[3]
Fluorenon	20	*Biphenylen*	99	[5]

[a] Hochspannungsentladung.
[b] gepulste Hochfrequenzentladung.

[1] G. Kruppa, Dissertation, Universität Tübingen 1974.
[2] W. Honefeld u. H. Suhr, Veröffentlichung in Vorbereitung.
[3] H. Suhr u. G. Kruppa, A. **744**, 1 (1971).
[4] U. Schöch, Dissertation, Universität Tübingen, 1971.
[5] H. Suhr u. R. I. Weiss, Ang. Ch. **82**, 295 (1970).

Tab. 5 (1. Fortsetzung)

Carbonyl-Verbindung bzw. Phenol	Umsatz [%]	Endprodukte	Ausbeute [Gew.-%]	Literatur
	70	*Fluoranthen*	95	1
	29	*1,5,5-Trimethyl-bicyclo[2.1.1]hexan*	57	2
	4	*1-Oxo-3a,7a-dihydro-inden*	60	1
	18	*1-Oxo-indan* + *Phenyl-acetylen*	43 36	1
	~40	*Fluorenon* + *Biphenylen* + *Acenaphthylen*	15 17 32	1
	~40	*Fluorenon* + *Biphenylen* + *Acenaphthylen*	45 21 18	1
c) Phenole	20	*Cyclopentadien*	73	3
	50	*Inden*	76	3
	40	*Inden*	92	3
	77	*Fluoren*	77	3
	30	*2-Oxo-inden*	26	3

[1] A. Szabo u. H. Suhr, Veröffentlichung in Vorbereitung.
[2] H. Suhr u. G. Kruppa, A. **744**, 1 (1971).
[3] H. Suhr u. A. Szabo, A. **1975**, 342.

Tab. 5 (2. Fortsetzung)

Phenol	Umsatz [%]	Endprodukte	Ausbeute [Gew.-%]	Literatur
	50	7-Hydroxy-inden + 9-Hydroxy-inden	20 10	1
	14	5- + 6-Methyl-inden	43	1
	75	2-Cyan-inden	44	1

Eine Reihe interessanter Umsetzungen wurden an cyclischen Carbonyl-Verbindungen gefunden[2]. Einfache Cycloketone weichen der Decarbonylierung oft durch andere Nebenreaktionen aus. So liefert Cyclohexanon vorwiegend *Phenol*. Bicyclische und tricyclische Ketone decarbonylieren dagegen in sehr guten Ausbeuten. So liefert 2-Oxo-1,7,7-trimethyl-bicyclo[2.2.1]heptan (Norcampher) und Campher mit Ausbeuten bis zu 60% d.Th. *Bicyclo[2.2.1hexan* bzw. *1,5,5-Trimethyl-bicyclo[2.2.1]hexan*.

Ungesättigte Cycloketone reagieren besonders übersichtlich. So decarbonyliert Fluorenon zu *Biphenylen* in Ausbeuten bis zu 98% d.Th.[3]. Bei hohen Energien kann sich das Reaktionsprodukt teilweise in *Acenaphthylen* umlagern. Die Decarbonylierung von Fluorenon gelingt mit besonders hohen Ausbeuten (63 g/kWh), wenn das Ausgangsmaterial am Rückfluß siedet und nur *Biphenylen* abdestilliert wird[4].

Die Decarbonylierung von Chinonen verläuft unter Abspaltung von einem oder zwei Molekülen Kohlenmonoxid. Bei der Umsetzung von p-Benzophenon entsteht aus zwei Molekülen Ausgangsmaterial unter Verlust von insgesamt drei Molekülen Kohlenmonoxid 1-Oxo-3a,7a-dihydro-inden in Ausbeuten bis zu 40% d.Th.[2]. 1,4-Naphthochinon decarbonyliert zu *Indenon* und *Phenylacetylen*, Anthrachinon und Phenanthrenchinon zu *Fluorenon* und *Biphenylen*. Aus Acenaphthenchinon entsteht *Perylen* nach Verlust von zwei Molekülen Kohlenmonoxid und Dimerisierung der verbleibenden Reste[5].

Im Plasma verhalten sich Phenole wie die tautomeren Oxocyclohexadiene. In der gleichen Reihenfolge wie die Tautomerisierungstendenz zunimmt (Phenol, Naphthole, 9-Anthrol), steigen auch die Ausbeuten an Decarbonylierungsprodukten (in g/kWh) an[1]. Konkurrierend zur Decarbonylierung tritt ein Austausch von Hydroxy-Gruppen gegen Wasserstoff auf. Bei substituierten Phenolen und Naphtholen sind die Ausbeuten der Plasmadecarbonylierung geringer als bei den Grundkörpern. Dihydroxy-Verbindungen

[1] H. Suhr u. A. Szabo, A. **1975**, 342.

[2] H. Suhr u. G. Kruppa, A. **744**, 1 (1971).

[3] H. Suhr u. R. I. Weiss, Ang. Ch. **82**, 295 (1970).

[4] R. I. Weiss, Dissertation, Universität Tübingen 1971.

[5] A. Szabo u. H. Suhr, Veröffentlichung in Vorbereitung.

zeigen eine Eliminierung von ein oder zwei Carbonyl-Gruppen sowie den Austausch von ein bzw. zwei Hydroxy-Gruppen gegen Wasserstoff. Am Hydroxy-anthrachinon lassen sich Produkte der einfachen, zweifachen und dreifachen Decarbonylierung nachweisen.

d) Decarboxylierung

Carbonsäuren und Carbonsäureester zerfallen im Plasma unter Abspaltung von Kohlendioxid. Die verbleibenden Reste dimerisieren oder stabilisieren sich durch die üblichen Radikalreaktionen wie Wasserstoff-Abstraktion oder Diproportionierung[1]. Carbonsäureanhydride verlieren im Plasma Kohlendioxid und Kohlenmonoxid. Bei cyclischen Anhydriden stabilisieren sich die Restmoleküle durch Ausbildung von Mehrfachbindungen[1]:

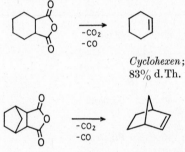

Die Addukte von Maleinsäureanhydrid an Diene zerfallen im Plasma zu Cycloolefinen. Parallel dazu verläuft eine Rückspaltung (Retro-Diels-Alder-Reaktion), die häufig zur Hauptreaktion wird. Die Zersetzung von gesättigten bicyclischen oder tricyclischen Carbsäureanhydriden liefert die entsprechenden Cyclo- oder Bicycloalkene in befriedigenden Ausbeuten[1]; z. B.:

Cyclohexen;
83% d.Th.

Bicyclo[2.2.1]hexen;
38% d.Th.

e) Cyclisierungen

Plasmareaktionen verlaufen häufig unter Öffnung von carbocyclischen und heterocyclischen Ringen. Die umgekehrte Reaktion, die Cyclisierung, gelingt nur bei Verbindungen mit bestimmten geometrischen Voraussetzungen. Sie erfolgt unter Eliminierung kleiner Gruppen wie Wasserstoff, Wasser, Halogenwasserstoff oder Methan[2–7] (vgl. Tab. 6 u. 7, S. 1586, 1589).

Verbindungen wie Diphenylmethan, Diphenyläther, Diphenylamin und zum Teil auch Benzophenon (s. S. 1586) bilden unter Wasserstoff-Abspaltung Fünfringe:

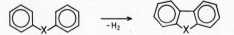

[1] A. Szabo u. H. Suhr, Veröffentlichung in Vorbereitung.
[2] H. Suhr et al., noch unveröffentlichte Ergebnisse.
[3] U. Schöch, Dissertation, Universität Tübingen 1971.
[4] R. I. Weiss, Dissertation, Universität Tübingen 1971.
[5] H. Suhr, U. Schöch u. G. Rosskamp, B. **104**, 674 (1971).
[6] H. Suhr u. G. Kruppa, A. **744**, 1 (1971).
[7] W. Reck, Diplomarbeit, Universität Tübingen 1974.

Konkurrierend zur Cyclisierung isomerisieren Diphenyläther und Diphenylamin teilweise zu 2- bzw. 4-Hydroxy- bzw. -Amino-biphenyl. Von den Umlagerungsprodukten können die ortho-Isomeren wieder durch Wasserstoff-Abspaltung in *Dibenzofuran* bzw. *Carbazol* übergehen. Möglicherweise verlaufen die Cyclisierungen von Diphenyläther und Diphenylamin stets über eine Umlagerung. Da aber Diphenylmethan und Benzophenon, von denen keine Umlagerungen bekannt sind, ebenfalls cyclisieren, ist offenbar eine direkte Fünfringbildung möglich.

Besonders gute Ausbeuten an Fünfringsystemen erhält man aus ortho-substituierten Biphenylen wie 2-Methyl-, 2-Hydroxy- und 2-Amino-biphenyl[1].

Cyclisierungen von Verbindungen mit nur einem aromatischen Rest wie N-Äthyl-anilin[2] oder Acetoxy-benzol[3] verlaufen mit geringen Ausbeuten. Über die Bildung von Fünfringen durch Methan-Abspaltung s. u.

Ausgangsmaterialien mit zwei durch eine Zweierkette verbundenen Phenyl-Ringen wie 1,2-Diphenyl-äthan oder Stilben cyclisieren im Plasma zu Sechsringen. Meistens verlaufen diese Ringschlüsse mit geringeren Ausbeuten als die Synthesen von Fünfringen. Bestehen in einem Molekül alternative Eliminierungen, die einmal zum Fünfring, einmal zum Sechs-

Tab. 6. Fünfring- und Sechsring-Systeme durch Plasmareaktionen

Ausgangsverbindung	Umsatz [%]	Endprodukt	Ausbeute [% d.Th.]	Literatur
⬡–CH$_2$–⬡	30	*Fluoren*	26	4,5
⬡–CO–⬡	68	*Fluorenon*	27	6
⬡–NH–⬡	40	*Carbazol*	30	1,2
H$_3$C⬡–⬡	45	*Fluoren*	91	6
HO⬡–⬡	22	*Dibenzofuran*	62	3
H$_2$N⬡–⬡	24	*Carbazol*	82	1,2
⬡–CH$_2$–CH$_2$–⬡	30	*9,10-Dihydro-phenanthren*	12	7
⬡–CH=CH–⬡	77	*Phenanthren*	48	8

[1] H. Suhr, U. Schöch u. G. Rosskamp, B. **104**, 674 (1971).
[2] U. Schöch, Dissertation, Universität Tübingen 1971.
[3] R. I. Weiss, Dissertation, Universität Tübingen 1971.
[4] H. Suhr et al., noch unveröffentlichte Ergebnisse.
[5] W. Reck, Diplomarbeit, Universität Tübingen 1974.
[6] H. Suhr u. G. Kruppa, A. **744**, 1 (1971).
[7] H. Suhr, Z. Naturf. **23b**, 1559 (1968).
[8] H. Suhr u. U. Schücker, Synthesis **1970**, 431.

ring führen, so wird meistens der Reaktionsweg zum Fünfringsystem bevorzugt. So gibt Phenyl-(2-methyl-phenyl)-amin vergleichbare Mengen an *Carbazol* und *Acridin*, während Phenyl-(2-amino-phenyl)-amin mehr *Carbazol* als *Phenazin* liefert[1, 2].

Aus Phenyl-(2-methyl-phenyl)-äther wird ebenfalls bevorzugt *Dibenzofuran* gebildet[2]:

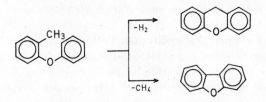

Aus Phenyl-(2-methyl-phenyl)-methan wird über das Dihydroanthracen *Anthracen* erhalten[2]. Bei Ausgangsmaterialien mit nur einem aromatischen Ring ist ebenfalls Sechsringbildung möglich, wie die Cyclisierung von 2-Acetoxy-1,3-dimethyl-benzol zu *2-Oxo-7-methyl-2,3-dihydro-⟨benzo-[b]-furan⟩* (17% d.Th.) zeigt[3]:

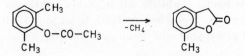

III. Erzeugung reaktiver Spezies im Plasma

a) atomare Gase

Das Plasma eröffnet neue Wege, um reaktive Teilchen zu erzeugen und für chemische Synthesen einzusetzen. Von den verschiedenen Möglichkeiten sind die Herstellung und Umsetzung von atomaren Gasen am besten untersucht[4-7].

Durch Glimmentladungen wird molekularer Wasserstoff, Sauerstoff oder Stickstoff in Atome gespalten. Die Rekombination der Atome erfolgt so langsam, daß es möglich ist, die atomaren Gase abzuleiten und außerhalb der Entladung zur Reaktion zu bringen. Materialien, die die Rekombination katalysieren (z. B. Metalle) müssen dabei sorgfältig ausgeschlossen werden. Ebenso ist es vorteilhaft, die katalytische Aktivität der Quarz- oder Glaswände durch einen Feuchtigkeitsfilm, durch Phosphorsäure oder durch Behandeln mit Halogenmethyl-silanen herabzusetzen.

Atomarer Wasserstoff reagiert mit gesättigten Verbindungen unter Wasserstoff-Abstraktion, mit ungesättigten unter Wasserstoff-Anlagerung. In beiden Fällen entstehen somit Radikale, die sich auf verschiedene Weise stabilisieren können.

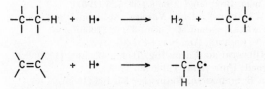

[1] U. Schöch, Dissertation, Universität Tübingen 1971.
[2] W. Reck, Diplomarbeit, Universität Tübingen 1974.
[3] R. I. Weiss, Dissertation, Universität Tübingen 1971.
[4] J. C. Devins u. M. Burton, Am. Soc. **76**, 2618 (1954).
[5] D. Savage, J. Dep. Chem. Eng. Univ. Newcastle Upon Tyne, No. 5, p33 (1969).
[6] F. Kaufman, *Chemical Reactions in Electrical Discharges*, Advances in Chemistry 80, A. C. S. 1969, S.29.
[7] F. K. McTaggert, *Plasma Chemistry in electrical Discharges*, S. 105, Elsevier, Amsterdam 1967.

Atomarer Stickstoff reagiert mit organischen Verbindungen unter völliger Zerstörung der Moleküle zu Blausäure, Dicyan, Ammoniak und niederen Kohlenwasserstoffen[1-3]. Die Umsetzung mit Äthylen verläuft nahezu quantitativ und wird als Bestimmungsmethode für atomaren Stickstoff angewendet[4]. Nur in Ausnahmefällen ist es gelungen, atomaren Stickstoff in organische Moleküle einzubauen. So entsteht aus Butadien und atomarem Stickstoff neben Blausäure auch *Pyrrol, Buten-(2)-säure-* und *Pentadien-(2,4)-säure-nitril*[5].

Atomarer Sauerstoff reagiert mit gesättigten Verbindungen unter Wasserstoff-Abstraktion. Mit ungesättigten Verbindungen bildet es Oxirane, die sich unter den Reaktionsbedingungen teilweise zu Carbonyl-Verbindungen isomerisieren. Bei der Umsetzung von Propen mit Sauerstoff wurden verschiedene Arbeitsweisen verglichen[6]. Die höchsten Ausbeuten (30%) wurden bei Versuchen erzielt, bei denen Propen und Sauerstoff gemeinsam die Entladungszone passierten. Aus Sicherheitsgründen können derartige Umsetzungen nur außerhalb der Explosionsgrenze, d. h. mit sehr sauerstoffreichen oder sehr propenreichen Mischungen durchgeführt werden.

b) Radikale

Im Plasma entstehen häufig Radikale, oft in Nebenreaktionen, teilweise auch im vorherrschenden Reaktionsweg. Besonders einheitlich ist die Radikal-Bildung, wenn alle Bindungen im Molekül gleich sind oder wenn eine Bindung leicht gespalten wird:

$$CH_4 \longrightarrow H\cdot + \cdot CH_3$$

$$C_6H_6 \longrightarrow H\cdot + \left[\bigcirc \right]^{\cdot}$$

$$H_5C_6-CH_2-CH_3 \longrightarrow \cdot CH_3 + H_5C_6-\overset{\cdot}{C}H_2$$

So entstehen aus Methan Methyl-Radikale, die sich vorwiegend (bis zu 50%) zu *Äthan* stabilisieren. Daneben verlaufen verschiedene radikalische Aufbau- und Abbaureaktionen, die zu einer Vielzahl von Produkten führen[7]. In ähnlicher Weise liefert Tetrachlormethan neben dem Hauptprodukt *Hexachloräthan* noch weitere Halogenwasserstoffe[8]. Aus Benzol entstehen Phenyl-Radikale, die zu *Biphenyl* abreagieren oder bei höheren Umsatzraten auch *Terphenyl* und polymeres Material bilden[9-13].

Bei der Umsetzung von Toluol wird die schwächste Bindung im Molekül, die benzylische CH—Bindung, besonders leicht gespalten. Toluol reagiert daher vorwiegend unter Bildung von *1,2-Diphenyl-äthan*[8,12,14]. In ähnlicher Weise liefern Polymethyl-benzole 1,2-Diaryl-

[1] G. G. Mannella, Chem. Reviews **63** 1 (1963).
[2] O. K. Fomin, Russ. Chem. Rev. (engl. Übers.) **36**, 725 (1967).
[3] A. N. Wright u. C. A. Winkler, *Active Nitrogen*, Academic Press, New York 1968.
[4] R. Kelly u. C. A. Winkler, Canad. J. Chem. **37**, 62 (1959).
[5] A. Tsukamoto u. N. N. Lichtin, Am. Soc. **84**, 1601 (1962).
[6] R. Weisbeck u. R. Hüllstrung, Chem. Ing. Techn. **42**, 1302 (1970).
[7] U. Schöch, Diplomarbeit, Universität Tübingen 1969.
[8] H. Suhr, G. Rolle u. B. Schrader, Naturwiss. **55**, 168 (1968).
[9] R. I. Weiss, Dissertation, Universität Tübingen 1971.
[10] R. Weisbeck, Chem. Ing. Techn. **43**, 721 (1971).
[11] H. Schüler, K. Prchal u. E. Kloppenburg, Z. Naturf. **15a**, 308 (1960).
[12] C. Boelhouwer u. H. I. Waterman, Research 9, Supp. S. 11 (1956).
[13] M. W. Ranney u. W. O'Connor, *Chemical Reaction in Electrical Discharges*, Advances in Chemistry 80, A. C. S. **1969**, S. 297.
[14] F. J. Dinan, S. Fridman u. P. J. Schirmann, *Chemical Reaction in Electrical Discharges*, Advances in Chemistry 80, A. C. S. **1969**, S. 289.

äthane, jedoch gehen die Ausbeuten mit zunehmender Zahl der Methyl-Gruppen zurück. Elektronenanziehende Gruppen steigern die Ausbeute, wie die Ergebnisse bei Methyl-naphthalinen und Methyl-benzonitril zeigen (Tab. 7). Benzylalkohol und Benzylhalogenide zeigen einen ähnlichen Reaktionsverlauf und bilden vorwiegend 1,2-Diphenyl-äthan.

Homologe Alkylbenzole reagieren ebenfalls unter Homolyse der schwächsten Bindung im Molekül, d. h. der Bindung zwischen den α- und β-Kohlenstoff-Atomen, n-Alkyl-aromaten reagieren zu 1,2-Diaryl-äthanen und Alkyl-aromaten mit verzweigten Resten liefern vicinale Diphenyl-paraffine.

Die im Plasma auftretenden Radikale können durch Zusätze abgefangen werden. So konnten in Cyclohexanplasmen Cyclohexyl-Radikale durch Stickoxid-Zusätze in *Nitroso-cyclohexan* überführt werden[1].

Tab. 7. Plasmadimerisierungen unter Abspaltung von Wasserstoff

Ausgangs-verbindung	Endprodukt	Ausbeute [% d. Th.]	Literatur
	Biphenyl	40	2,3
	1,2-Diphenyl-äthan	90	2,4
	1,2-Bis-[4-methyl-phenyl]-äthan	90	5,2
	1,2-Bis-[2,4,5-trimethyl-phenyl]-äthan	77	5
	2,3-Diphenyl-butan	90	2
	2,3-Dimethyl-2,3-diphenyl-butan	90	2
	1,2-Dinaphthyl-(1)-äthan	48	5
	1,2-Bis-[4-cyan-phenyl]-äthan	90	6

[1] J. H. WAGENKNECHT, Ind. Eng. Chem. Prod. Res. Dev. **10**, 184 (1971).
[2] H. SUHR, G. ROLLE u. B. SCHRADER, Naturwiss. **55**, 168 (1968).
[3] R. I. WEISS, Dissertation, Universität Tübingen 1971.
[4] H. SUHR, Z. Naturf. **23b**, 1559 (1968).
[5] H. SUHR et al., unveröffentlichte Ergebnisse.
[6] H. SUHR, U. SCHÖCH u. U. SCHÜCKER, Synthesis **1971**, 426.

c) spezielle Zwischenprodukte

Bei manchen Plasmareaktionen treten Carbene und Nitrene als Zwischenprodukte auf. Da aus den verschiedenen Halogenparaffinen im Plasma vorwiegend Tetrahalogenäthylen entsteht[1], sind die vorherrschenden Zwischenprodukte vermutlich Dihalogencarbene. Bei der Plasmaumsetzung von Isocyanaten bilden sich durch Decarbonylierung intermediär Nitrene. So entsteht aus Phenylisocyanat bei niederen Energien als überwiegendes Reaktionsprodukt *Azobenzol*, bei höheren Energien wird auch *Diphenylamin* gefunden[2]. Beide Produkte machen das intermediäre Auftreten von Phenylnitren wahrscheinlich.

Bei der Umsetzung aromatischer Verbindungen tritt Dehydrobenzol häufig als Zwischenprodukt auf. In Abwesenheit anderer Stoffe stabilisiert sich Dehydrobenzol zu *Biphenylen*, *Triphenylen* oder polymerem Material:

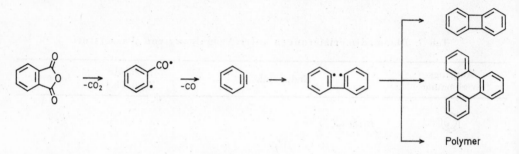

Durch Zusatz verschiedener Verbindungen gelingt es, das Dehydrobenzol und andere Zwischenprodukte abzufangen[3]. Wird Wasserstoff zusammen mit Phthalsäureanhydrid durch die Plasmazone geleitet, so geht die Ausbeute an Biphenylen zurück und es entsteht stattdessen *Benzol* und *Biphenyl*. Mit Acetylen-Zusätzen wird als Hauptprodukt *Phenylacetylen* isoliert. Die bei der Zersetzung von Schwefelkohlenstoff entstehenden Schwefel-Radikale reagieren mit dem Diphenyl-Diradikal unter Bildung von *Dibenzothiophen*. Mit Ammoniak lassen sich Benzoyl-Radikale, Dehydrobenzol und das Biphenyl-Diradikal anhand der Abfangprodukte Aminobenzaldehyd, Benzamid, Anilin und Carbazol nachweisen.

IV. Polymerisationen und Oberflächenmodifikationen

Polymerisationsfähige Substanzen, wie z. B. Olefine, können durch Kontakt mit einem Plasma polymerisiert werden. Die Polymerisation erfolgt dabei in der Gasphase oder an der Gefäßwand und kann zu Pulvern oder festhaftenden Filmen an den Wänden oder an in den Entladungsraum gebrachten Gegenständen führen. Ob Filme oder Pulver anfallen, hängt vom Druck und der Leistungsdichte ab, jedoch liegen lediglich für die Äthylen-Plasmapolymerisation systematische Untersuchungen vor[4].

Plasmapolymerisationen sind nicht auf die konventionellen Monomeren beschränkt. Durch Elektronenstöße können die meisten organischen Verbindungen in polymerisierbare Materialien umgewandelt werden. Die Elementarzusammensetzung der so entstehenden Polymeren hängt von den Versuchsbedingungen ab. Substanzen, die empfindlich gegen Elektronenstoß sind, wie z. B. Stickstoffheterocyclen (s. S. 1575f.) werden schon bei geringen Energien unter Beibehaltung der Elementarzusammensetzung polymerisiert. Weniger empfindliche Substanzen, wie z. B. Benzol, führen im allgemeinen zu Polymeren mit

[1] H. Suhr, G. Rolle u. B. Schrader, Naturwiss. **55**, 168 (1968).
[2] H. Suhr u. G. Kruppa, A. **744**, 1 (1971).
[3] H. Suhr u. A. Szabo, A. **752**, 37 (1971).
[4] H. Kobayashi, A. T. Bell u. M. Shen, J. Appl. Polymer Sci. **17**, 885 (1973).

geringerem Wasserstoffgehalt. Vielfach werden vor der Polymerisation besonders stabile Gruppen abgespalten. So entsteht aus Phthalsäureanhydrid ein nahezu sauerstofffreies Polymeres.

Plasmapolymerisationen haben zu mechanisch stabilen Filmen mit hoher elektrischer Durchschlagsfestigkeit, optischer Durchlässigkeit oder Semipermeabilität geführt[1-10].

Werden organische Festkörper einem Plasma ausgesetzt, so entstehen auf der Oberfläche reaktive Zentren, die zu einer stärkeren Vernetzung der Festkörperoberfläche führen und Oberflächeneigenschaften wie Kratzfestigkeit, Löslichkeit oder Entflammbarkeit verändern. Die Oberflächen können auch dadurch modifiziert werden, daß auf die reaktiven Zentren andere Polymere aufgepfropft werden.

D. Bibliographie

T. RUMMEL, *Hochspannungsentladungschemie und ihre industrielle Anwendung*, R. Oldenburg und H. Reich Verlag, München 1951.

Ion-Molecule Reactions in the Gas Phase, Advances in Chemistry Series 58, Americ. Chem. Soc. Washington, D. C. 1966.

N. S. PECHURO, *Organic Reactions in Electrical Discharges*, Russ. Original: Nauk Press Moskau 1966; engl. Translation: Consultats Bureau New York 1968.

R. F. BADDOUR u. R. S. TIMMINS, *The Application of Plasmas to Chemical Processing*, Pergamon, Oxford 1967.

F. K. TAGGART, *Plasmachemistry in Electrical Discharges*, Elsevier, Amsterdam · New York · London 1967.

Chemical Reactions in Electrical Discharges, Advances in Chemistry Series 80, Americ. Chem. Soc. Washington, D. C. 1969.

B. D. BLAUSTEIN u. Y. C. FU in A. WEISSBERGER u. B. W. ROSSITER, *Organic Reactions in Electrical Discharges, Techniques of Chemistry in Physical Methods of Chemistry*, Part II, Interscience Wiley, New York 1970.

M. VENUGOPALAN, *Reactions under Plasma Conditions*, Vol. I, II, Wiley-Interscience, New York 1971.

H. SUHR, *Organische Synthesen im Plasma von Glimmentladungen und ihre präparativen Anwendungen*, Ang. Ch. **84**, 876 (1972); engl.: **11**, 781 (1973).

H. SUHR, *Syntheses of Organic Compounds in Glow- and Corona Discharges*, Fortschr. chem. Forschg. **36**, 39 (1973).

J. R. HOLLAHAN u. A. T. BELL, *Techniques and Applications of Plasma Chemistry*, J. Wiley, New York 1974.

H. SUHR, *Application of Nonequilibrium Plasma to Organic Chemistry* in J. R. HOLLAHAN u. A. T. BELL, *Techniques and Application of Plasma Conditions*, Vol. I, II, J. Wiley, New York 1974.

H. SUHR, *Organic Syntheses under Plasma Conditions*. J. pure and appl. Chem. **39**, 395 (1974).

[1] M. W. RANNEY u. W. O'CONNOR, *Chemical Reaction in Electrical Discharges*, Advances in Chemistry **80**, S. 297, A. C. S. 1969.

[2] L. V. GREGOR, I.B.M. J. Res. Devel. **12**, 140 (1968).

[3] A. M. MEARNS, Thin Solid Films **3**, 201 (1969).

[4] A. BRADLEY, Ind. Engl. Chem. Proc. Res. Develop. **9**, 101 (1970).

[5] J. R. HOLLAHAN u. R. P. McKEEVER, *Chemical Reactions in Electrical Discharges*, Advances in Chemistry **80**, S. 272, A.C.S. 1969.

[6] D. D. NEISWENDER, *Chemical Reactions in Electrical Discharges*, Advances in Chemistry **80**, S. 338, A.C.S. 1969.

[7] M. HUDIS, *Techniques and Applications of Plasmachemistry*, Kap. 3, Wiley, New York 1974.

[8] A. E. PAVLATH, *Techniques and Applications of Plasmachemistry*, Kap. 4, Wiley, New York 1974.

[9] M. MILLARD, *Techniques and Applications of Plasmachemistry*, Kap. 5, Wiley, New York 1974.

[10] T. WYDEVEN u. J. R. HOLLAHAN, *Techniques and Applications of Plasmachemistry*, Kap. 6, Wiley, New York 1974.

Autorenregister

Aaron, H. S., vgl. Reiff, L. P. 1346, 1347, 1378
Aaronson, A. M., vgl. Odum, R. A. 1268
Abad, A., et al. 1049
Abell, P. I., vgl. Bohm, B. A. 454, 1554
–, u. Bohm, B. A. 456
–, u. Chiao, C. 455, 456
–, vgl. Goering, H. L. 456
Abrahamson, E. W., vgl. Japar, S. M. 845
–, u. Linschitz, H. 1529
Abraitys, V. Y., vgl. Arnold, D. R. 282, 289
Abram, I. I., et al. 1140
Abramovitch, R. A., Azogu, C. I.,
–, u. Sutherland, R. G. 1282
–, u. Challand, S. R. 1271
–, u. Davis, B. A. 1260
–, u. Kyba, E. P. 1260, 1263
–, u. Roy, J. 1228, 1242
–, u. Sutherland, R. G. 1281
Abramson, A. S., Spears, K. G., u. Stuart, S. A. 16
Achenbach, H. 333
–, Karl, W., u. Schaller, E. 333
Acton, N., vgl. Katz, T. J. 473
Adam, E., Gordon, M. P., u. Jensen, L. H. 1538
Adam, G. 711, 903, 1101, 1103
–, u. Schreiber, K. 1325
–, u. Voigt, B. 1007
Adam, J., Gosselain, P. A., u. Goldfinger, P. 139, 140
Adam, W., u. Duran, N. 704
–, u. Liu, J.-C. 1480
–, u. Rucktäschel, R. 709
–, Sanabia, J. A. de, u. Fischer, H. 986
Adams, J. Q. 703, 704
Adams, W. R. 1468
–, vgl. Chapman, O. L. 316, 363, 364, 366, 1003
–, u. Trecker, D. J. 1477, 1482
Adamson, A. W., et al. 2, 1407, 1552, 1558
–, vgl. Spees, S. T. 1407
–, vgl. Wegner, E. 87
Addor, R. W., vgl. Newman, M. S. 112
Adembri, G., Carlini, F. M., Sarti-Fantoni, P. u. Scotton, M. 311
Adhikary, P., vgl. Severin, T. 1201
Adisesh, S. R., vgl. Brown, G. H. 1527
Adkins, H., vgl. Waddle, H. M. 120, 124
Adler, T., u. Albert, A. 1198

Adomeit, M., vgl. Roth, H. J. 1462
Agata, I., vgl. Kawashima, K. 1275
Ager, E., Chivers, G. E., u. Suschitzky, H. 1292
Agosta, W. C. 817
–, et al. 742, 750
–, u. Herron, D. K. 760, 798, 829
–, u. Lowrance, W. W. 914, 918, 929
–, u. Schreiber, W. L. 757
–, u. Smith, A. B. 750
–, vgl. Smith, A. B. 802
Agostino, J. T. de, s. D'Agostino, J. T.
Agre, C. L. 450, 452
–, u. Hilling, W. 450, 452
Ahlgren, G., u. Åkermark, B. 391, 405, 406, 1140
–, –, u. Dahlquist, K.-J. 1140
Ahmed, M. T., u. Swallow, A. J. 181, 182
Aimard, L., vgl. Velluz, L. 262
Ainsworth, C. 572
–, vgl. Jones, R. G. 572
Akasaki, Y., vgl. Mukai, T. 297, 794
–, vgl. Ohno, A. 1072
–, vgl. Tezuka, T. 902
Åkermark, B., vgl. Ahlgren, G. 391, 405, 406, 1140
–, u. Johansson, N.-G. 803
–, –, u. Sjoeberg, B. 805
Akeroyd, E. J., u. Norrish, R. G. W. 88
Akhalkatsi, E. G., u. Shishkin, L. P. 1524
Akhookh, Y., vgl. Tadros, W. 640
Akhtar, M. 717, 1555
–, et al. 724, 731, 732
–, vgl. Barton, D. H. R. 717, 721, 722, 725, 728, 729, 732
–, u. Barton, D. H. R. 715
–, u. Pechet, M. M. 725
–, vgl. Shoppee, C. W. 1013
Aktipis, S., vgl. Cohen, S. G. 1010
Aku, A., vgl. Hart, H. 1486
Albanbauer, J., vgl. Burger, K. 1365
Albert, A. 592
–, vgl. Adler, T. 1198
Albini, A., et al. 610
–, Bettinetti, G. F., u. Pietra, S. 1316
Alcantara, R., u. Wang, S. Y. 1536
Alden, C. K., vgl. Claisse, J. A. 235

Alder, K., et al. 1241
–, u. Brachel, H. v. 257
Alemagna, A., vgl. Bacchetti, T. 1091
Alexander, E., vgl. Padwa, A. 819, 897
Alexander, E. S., et al. 1392
Alexander, J. E., vgl. Pappas, S. P. 809
Alford, J. A., vgl. Dilling, W. L. 245
Al Holly, M. M., vgl. Hobson, J. D. 756
Alink, R. J. H., vgl. Jonge, J. de 1155
Alkaitis, A., u. Calvin, M. 1290, 1293
Allan, J. A. van, et al. 1278
–, vgl. Williams, J. L. R. 332
Allen, A. O. 1
–, vgl. Wong, P. K. 1345
Allen, J., et al. 726
Allen, J. A. van, vgl. Reynolds, G. A. 1514
Allen, J. E., vgl. Andrews, J. G. 1573
Allen, L. C., vgl. Harrison, J. F. 1163
Allen, R. G., vgl. Skell, P. S. 139, 455
Allen, W. F., vgl. Gibbons, W. A. 283
Allied Chem. Corp. 99, 846
Allinger, N. L., vgl. Newton, M. G. 1190
–, u. Walter, T. 1190
Allison, C. G., et al. 602
Allmand, A. J., u. Webb, W. W. 88
Allred, E. L., u. Beck, B. R. 244, 246
–, –, u. Voorhees, K. J. 493
–, u. Hinshaw, J. C. 1145
–, –, u. Johnson, A. L. 1148
–, u. Smith, R. L. 1148
Almer, J., vgl. Roth, H. J. 805
Alper, H., Le Port, P. C., u. Wolfe, S. 1423
Alscher, A., vgl. Vogel, E. 1487
Alston, T. G., u. Schaeffer, W. D. 170
Alt, H., vgl. Herberhold, M. 1419
Altenburger, E., Wehrli, H., u. Schaffner, K. 792, 807
Altmann, H.-J., vgl. Winterfeldt, E. 550
Altmann, J., Czismadia, I. G., u. Yates, K. 1163
Altshuller, A. P., Cohen, I. R., u. Purcell, T. C. 705

Blacet, F. E., Fielding, G. H., u. Roof, J. G. 1516
–, MacDonald, G. D., u. Leighton, P. A. 88
–, u. Miller, A. 757
–, vgl. Strachan, A. N. 635
Black, D. S. C., vgl. Bapat, J. B. 1285
Black, J. F. 165, 170–172
–, u. Baxter, E. F. 170, 172
Black, L. L., vgl. Franz, J. E. 578, 1005
Blackburn, E. V., Loader, C. E., u. Timmons, C. J. 512, 513, 518–520, 531, 535
–, vgl. Tanner, D. D. 145, 146
–, u. Timmons, C. J. 278, 340, 511, 512, 514, 516, 521, 1554, 1555, 1574
Blackburn, G. M., u. Davies, R. J. H. 1536, 1538
–, Fenwick, R. G., u. Thompson, M. H. 605
Blackman, A. J. 572, 573
–, Carithers, R., u. McCullagh, L. 573
Blackwell, J. E., vgl. Pappas, S. P. 809
Bladon, P., McMeekin, W., u. Williams, J. A. 761, 762, 851
–, vgl. Williams, J. A. 1441
Blair, J. M., vgl. Angus, H. F. J. 473
–, Bryce-Smith, D., u. Pengilly, B. W. 72, 73, 1400
Blaisdell, B. E. 1453
Blake, D. M., u. Nyman, C. J. 1407
Blake, J., vgl. Vermont, G. B. 487
Blake, N. W., vgl. McClure, D. S. 15
Blanc, J. C. le, vgl. Becker, H. 1540
–, vgl. Johns, H. E. 1541
Blanke, E., vgl. Quinkert, G. 740–742, 745, 746
Blaschke, H., vgl. Huisgen, R. 573, 1280
Blattman, H. R., et al. 269
Blaustein, B. D., u. Fu, Y. C. 1574, 1579, 1591
Blind, A., vgl. Streith, J. 778, 782
Blinder, S. M., et al 1527
Bloch, J. C. 1128
Block, E. 278, 557, 1009, 1053, 1059, 1060, 1557
–, vgl. Corey, E. J. 1008, 1019, 1377
–, u. Corey, E. J. 241, 359, 1016
–, u. Orf, H. W. 227
Blomquist, A. T., u. Connolly, D. J. 1226
–, u. Heins, C. F. 1128
–, u. Schlaefer, F. W. 1188
Blomstrom, D. C., Herbig, K., u. Simmons, H. E. 628, 652
Blone, J., vgl. Ross, D. L. 1521
Bloomfield, J. J., Irelan, J. R. S., u. Marchand, A. P. 886
–, vgl. Owsley, D. C. 393–395, 405, 915, 918
–, u. Owsley, D. C. 239, 349

Bloor, D., et al 1509
Bloor, J. E., vgl. Sundberg, R. J. 1370
Bloothoofd-Kruisbeek, A. M., u. Lugtenburg, J. 262
Bluestein, B. A. 131
Bluhm, A. L., Weinstein, J., u. Sousa, J. A. 1526
Blum, J., u. Zimmerman, M. 532
Blume, H., vgl. Schulte-Frohlinde, D. 198, 1154
Blumenfeld, L. A., vgl. Fomin, G. V. 1044
Blumm, T., vgl. Perkampus, H. H. 514
Bly, R. K., vgl. Cristol, S. J. 425
Blyth, D., u. Hoffmann, A. W. 1499
Blythin, D. J., vgl. Schuster, D. I. 207, 937
Boar, R. B. 723
Boccaccio, G., vgl. Casals, P. G. 908
Bock, H., u. Dieck, H. T. 1422
Bock, L. A., vgl. Anet, F. A. L. 213
Bockemüller, W. 162
–, u. Hoffmann, F. W. 450
Bocker, H. J., u. Strating, J. 215
Bockhorn, G. H., vgl. Kreher, R. 1272, 1274, 1281
Bodem, H., vgl. Ried, W. 157
Bodforss, S. 675
Bodor, N., u. Dewar, M. J. S. 1163
–, –, u. Wasson, J. S. 1163, 1205, 1222
Boebinger, E., vgl. Fahr, E. 1536, 1541
Böhme, E. H. W., Valenta, Z., u. Wiesner, K. 920, 921, 930
Böhme, H., u. Schneider, E. 164
Böhme, P., vgl. Sieglitz, A. 670
Boekelheide, V., u. Goldman, M. 148, 157
–, vgl. Gray, R. 1019
–, vgl. Masson, C. R. 88
–, u. Pepperdine, W. 1522
–, u. Phillips, J. B. 269, 1522
–, vgl. Ramey, C. E. 528, 534, 1522
–, Reingold, I. D., u. Tuttle, M. 1019
Boekestein, G., Jansen, E. H. J. M., u. Buck, H. M. 1379
Boelhouwer, C., u. Waterman, H. J. 1588
Böll, W., vgl. Closs, G. L. 1149, 1150, 1200
Boens, N., vgl. Schryver, F. C. de 1506, 1508
–, Schryver, F. C. de, u. Smets, G. 1502, 1508
Boer, de, s. De Boer
Bössler, H. H., u. Schulz, R. C. 1270
Böttcher, A. E., vgl. Müller, E. 180
Böttcher, H., u. Becker, H. G. O. 1156
–, Elcov, A. V., u. Rtiščev, N. J. 1155

Boettcher, R. J., vgl. Zimmerman, H. E. 416
Bognár, R., vgl. Zemplén, G. 151
Bogri, T., vgl. Bagli, J. F. 914
Bohlmann, F., vgl. Inhoffen, H. H. 196, 212
Bohm, B. A., vgl. Abell, P. I. 456
–, u. Abell, P. I. 454, 1554
Bohm, H., vgl. Moon, S. 757, 832
Bohning, J. J., u. Weiss, K. 948, 952
Boie, I., vgl. Schmidt, U. 1349, 1353
Boikess, R. S., vgl. Dalta, P. 294
Boire, B. A., vgl. Scheffer, J. R. 210, 349, 938
Boldebuck, E. M., vgl. Elliott, J. R. 131
Bolduc, P. R., u. Goe, G. L. 1376
Boleij, J., vgl. Bos, H. J. T. 871, 873
Boley, J. S. M., vgl. Bos, H. J. T. 959
–, u. Bos, H. J. T. 959
Bolivar, R. A., vgl. Rivas, C. 844, 867
Bolkess, R. S., vgl. Datta, P. 257, 299
Bollinger, J. M., vgl. Arnett, E. M. 474
Bollinger, R., vgl. Winkler, H. J. 1414
Bollum, F. J., vgl. Setlow, R. B. 1542, 1551
Bolny, C., vgl. Mosse, M. 1524
Bologh, V., vgl. Katz, T. J. 1492
Bolon, D. A., vgl. Hay, A. S. 1513
Bolt, R. O., u. Caroll, J. G. 1
Bolzani, V., u. Carassiti, V. 1558
Bonafede, J. D., vgl. Orazi, O. O. 159
Bond, A., et al. 1433
–, u. Green, M. 1433
Bond, F. T., Jones, H. L., u. Scerbo, L. 936
Bondy, R., vgl. Meier, H. 534, 1523
Bonnett, R., u. Stewart, J. C. M. 1490, 1491
Bono, M. de, s. De Bono, M.
Booth, G. H., u. Norrish, R. G. W. 1078
Booth, M. R., vgl. Bichler, R. E. J. 1429
Borch, R. F., u. Fields, D. L. 1195
Borden, D. G., vgl. Reynolds, G. A. 1514
Borden, G. W., et al. 219, 273
–, vgl. Chapman, O. L. 273, 882, 883
Borden, N. T., et al. 310
Borden, W. T., et al. 251
–, Sharpe, L., u. Reich, I. L. 309
Bordwell, F. G., et al. 1040
–, u. Hewitt, W. A. 1012
–, Laudris, P. S., u. Whittney, G. S. 1013
–, vgl. Neureiter, N. P. 455
Borini, F., vgl. Graziani, F. 1526
–, vgl. Padoa, M. 1526

Bucheck, D. J., vgl. Wagnêr, P. J. 603

Buchholz, G., Martens, J., u. Präfke, K. 1072

Buchman, E. R., et al. 395

Buchner, G., vgl. Drehfahl, G. 1507

Buchschacher, P., et al. 806

Buck, H. M., vgl. Boekestein, G. 1379

Buckley, N. C., vgl. Richey, H. G. 234

Buckwalter, G. R., vgl. Barnes, R. A. 157

Budzinski, E. E., vgl. Box, H. C. 1010, 1014

Büchi, G. 462
–, et al. 873, 924
–, vgl. Ayer, D. E. 489
–, u. Ayer, D. E. 1337
–, u. Burgess, E. M. 756, 933, 938
–, u. Goldman, I. M. 932
–, Inman, C. G., u. Lipinsky, E. S. 838, 842, 843, 846
–, Kauffmann, J. M., u. Loewenthal, H. J. E. 784
–, Perry, C. W., u. Robb, E. W. 462, 463, 464
–, u. Yang, N. C. 206, 207, 210

Büchi, P. F. 88

Bücking, H. W., vgl. Kirmse, W. 1167, 1172

Büshi, G., u. Feairheller, S. H. 999

Buettner, A. V. 591

Buhr, G., vgl. Quinkert, G. 741, 746, 826, 887, 891

Bujnoch, W., vgl. Dürr, H. 1223

Bullimore, B. K., vgl. Mc Owie, J. F. 1043

Bullock, E., u. Gregory, B. 203

Bulloff, J. 1515

Bun, N. T., u. Edward, J. T. 1253

Bunau, G. von, vgl. Potzinger, P. 280

Bunbury, D. L., u. Wang, C. T. 817, 876

Bunce, N. J., vgl. Barltrop, J. A. 648, 653, 1333, 1334, 1335, 1336, 1460

Bunnett, J. F., u. Creary, X. 1371

Buoe, S., u. Srinivasan, R. 553

Burch, G. M., Goldwhite, H., u. Haszeldine, R. N. 1346, 1347, 1348, 1351

Burckhardt, C. A., vgl. Benoze, W. L. 810, 816, 818, 819

Burckhardt, U., vgl. Stiles, M. 227, 230

Burdett, K. A., et al. 215
–, Yates, D. H., u. Swentan, J. S. 215, 274

Burger, A., vgl. Bennet, W. B. 737

Burger, K., et al. 1365
–, Albanbauer, J., u. Manz, F. 1365
–, u. Fehn, J. 1365
–, vgl. Gieren, A. 1365
–, Thenn, W., u. Müller, E. 1115

Burgess, E. M., vgl. Büchi, G. 756, 933, 938
–, Carithers, R., u. McCullagh, L. 569, 572
–, u. Lavanish, J. M. 1324
–, u. McCullagh, L. 1259
–, u. Milne, G. 1259

Burgstahler, A. W., et al. 258
–, Ziffer, H., u. Weiss, U. 258

Burk, D., u. Warburg, O. 87

Burka, L. T., vgl. Patterson, J. M. 547, 548

Burkhard, C. A. 1396

Burkhart, R. D., u. Merrill, J. C. 1139

Burkinshaw, G. F., Davis, B. R., u. Woodgate, P. D. 779

Burkoth, T. L., vgl. Tamelen, E. E. van 248, 276, 434, 435

Burnelle, L. 193
–, Lahiri, J., u. Detrano, R. 479

Burns, M. E., vgl. Battiste, M. A. 326, 343, 344

Burns, P. A., u. Foote, C. S. 1484

Burr, J. G. 603, 1531, 1554, 1558
–, vgl. Goodspeed, F. C. 965
–, Gordon, B. R., u. Park, E. H. 1539
–, u. Park, E. H. 1536, 1539
–, u. Sevilla, M. D. 1535

Burreson, B. J., vgl. Anderson, C. B. 1410

Burt, R., Cooke, M., u. Green, M. 1426, 1432

Burt, W. E., vgl. Ecke, G. G. 449

Burton, M., vgl. Davis, T. W. 1141
–, vgl. Devins, J. C. 1587

Busch, P., u. Story, P. R. 710

Buschhoff, M., vgl. Kirmse, W. 1167, 1205

Bushey, D. F., vgl. Peet, N. P. 920

Bushnell, P., vgl. Cox, R. J. 1154

Bussey, R. J., u. Neuman jr., R. C. 1167

Butcher, M., vgl. Brown, R. F. C. 643

Butenandt, A., et al. 906, 911
–, Friedrich, W., u. Poschmann, L. 738
–, u. Poschmann, L. 738
–, u. Wolff, A. 911
–, –, u. Karlson, P. 738

Buttery, R. G., vgl. Badger, G. M. 1319

Buu, N. T., u. Edward, J. T. 1192

Buu-Hoi, N. P. 156, 158
–, u. Demerseman, P. 156
–, u. Lecocq, J. 148, 157

Buzbee, L. R., vgl. Ecke, G. G. 449

Byers, G. W., vgl. Turro, N. J. 880, 886

Caccamese, S., vgl. Montando, G. 906

Cadman, P., Meunier, H. M., u. Trotman-Dickenson, A. F. 1144

Cadogan, J. I. G. 1344, 1369, 1376
–, Cameron-Wood, M., u. Foster, W. R. 1368
–, u. Foster, W. R. 1369
–, u. Perkins, M. J. 1165, 1558
–, u. Sharp, J. T. 1369

Caille, J., vgl. Basselier, J. J. 1491

Caine, D., et al. 777
–, u. Dawson, J. B. 781
–, u. Debardeleben jr., J. F. 782, 785
–, u. Tuller, F. N. 782

Calas, R., et al. 1386
–, vgl. Duffaut, N. 1386, 1389
–, u. Duffaut, N. 1389
–, –, u. Bardot, C. 1386
–, –, u. Ducasse, Y. 1389
–, –, u. Ménard, M. F. 1386
–, –, u. Valade, J. 1389
–, vgl. Faugère, J.-G. 479
–, vgl. Frainnet, E. 1390
–, u. Frainnet, E. 1389, 1390
–, –, u. Valade, J. 1390
–, vgl. Lalande, R. 479, 481
–, vgl. Lapouyade, R. 480
–, vgl. Valade, J. 1386, 1389, 1390

Caldwell, R. A. 193
–, vgl. Creed, D. 362
–, u. Fink, P. M. 894, 1007
–, u. James, S. P. 201
–, vgl. Schwerzel, R. E. 198
–, u. Schwerzel, R. E. 198
–, u. Smith, L. 490
–, Sovocool, G. W., u. Gajewski, R. P. 846

Callear, A. B., u. Lee, H. K. 546

Callomon, J. H., u. Ramsay, D. A. 461

Callot, H. J., u. Benezra, C. 1358

Calvert, J. G., vgl. Dingledy, D. P. 1141
–, vgl. Gruver, J. T. 892
–, vgl. Kerr, J. A. 1141
–, vgl. Lee, W. E. 1154, 1156
–, vgl. McMillan, G. R. 892
–, vgl. Morganroth, W. E. 1141
–, u. Pitts, J. N. 36, 37, 38, 39, 40, 65, 82, 87, 654, 702, 735, 1009, 1053, 1140, 1164, 1386, 1551
–, u. Rechen, H. J. L. 88, 1122, 1527
–, vgl. Slater, D. H. 1141
–, vgl. Sleppy, W. C. 1141
–, vgl. Thomas, S. S. 1139

Calvin, M., vgl. Alkaitis, A. 1290, 1293
–, vgl. Barltrop, J. A. 1058
–, vgl. Bernstein, W. J. 519, 521, 522, 523
–, u. Ono, H. K. 1284, 1285
–, vgl. Splitter, J. 1268, 1283, 1284, 1286, 1321, 1342
–, vgl. Whitney, R. B. 1058 1058

Calvo, C., vgl. McCullough, J. J. 490

Calzaferri, G., et al. 1521, 1525

Cambell, I. D., u. Eglington, G. 642

Dilling, W. L. 2, 189, 226, 278, 292, 379–381, 1552–1554
–, et al. 913
–, vgl. Alford, J. A. 245
–, u. Kroening, R. D. 381
–, –, u. Little, J. C. 348, 349, 381
–, u. Little, J. C. 381
–, Plepys, R. A., u. Alford, J. A. 245
–, –, u. Kroening, R. D. 245
–, u. Reineke, L. E. 245
–, –, u. Plepys, R. A. 243, 245
Dilthey, W., vgl. Pütter, R. 614, 676
–, u. Quint, F. 626
–, –, u. Heinen, J. 626
–, –, u. Stephan, H. 626
Dimroth, K., Chatzidakis, A., u. Schaffer, C. 1381, 1499
–, vgl. Kanter, H. 1381
–, vgl. Perst, H. 753, 771
–, Wolf, K., u. Kroke, H. 613, 614
Dimroth, O., u. Hilcken, V. 972
Dinan, F. J., Fridman, S., u. Schirmann, P. J. 1588
Dinda, J. F., vgl. Scheiner, P. 574, 580, 581
Dine, G. W. van, vgl. Hoffmann, R. 1163
Dinerstein, R. J., vgl. Keana, J. F. W. 1283
Dingledy, D. P., u. Calvert, J. G. 1141
Dingwall, J. G., vgl. Barlow, M. G. 583
Dinilovc, V. I., vgl. Turovets, A. G. 1526
Dinjaski, K., vgl. Wesseley, F. 622
Dinné, E., vgl. Vogel, E. 259, 261
Dinwoodie, A. H., u. Haszeldine, R. N. 1321, 1324
Dirania, M. K. M. 635
–, vgl. Arora, J. S. 691
–, vgl. Collier, J. R. 689, 690, 837
–, u. Hill, J. 689, 837
Disch, K.-H., vgl. Vogel, E. 352
Dittmer, D. C., Levy, G. C., u. Kuhlmann, G. E. 1037
Divisia, B., vgl. Cauquis, G. 1246
Dixon, C. J., u. Grant, D. W. 1057
D'Jakonov, I. A., u. Vitenberg, J. M. 1230
Djerassi, C. 155, 726
–, u. Roller, P. 723
–, u. Zeeh, B. 805
Do, P. B., vgl. Nowacki, S. D. 1144, 1145
Dobis, O., Pearson, J. M., u. Szwarc, M. 1141
Dobson, G. R., vgl. Stolz, I. W. 1416
Dobson, R. C., Hayes, D. M., u. Hoffmann, R. 1205
Dodson, R. M., u. Zielske, A. G. 366
Dönges, K. H., u. Fahr, E. 1538
Doenges, R., vgl. Hafner, K. 299

Doepker, R. D., u. Ausloos, P. 281
Döpp, D. 1336, 1337, 1339–1342
–, u. Brugger, E. 1339–1341
–, u. Müller, D. 1336
–, –, u. Sailer, K.-H. 1335, 1336
–, u. Sailer, K.-H. 1336, 1339, 1341, 1342
–, vgl. Zimmerman, H. E. 772
Dörges, J., vgl. Horner, L. 1014, 1272–1274, 1355, 1356
Dörhofer, G., u. Fahr, E. 1538
Doering, W. v. E., et al. 1205, 1206, 1226, 1240
–, u. Flamme, P. la 1225
–, u. Jones jr., M. A. 442, 1235
–, u. Knox, L. H. 1209, 1210
–, –, u. Detert, F. 1239
–, Mayer, J. R., u. De Puy, C. H. 1239
–, u. Mole, T. 1227, 1247, 1248
–, u. Odum, R. A. 1268, 1270, 1464
–, u. Pomerantz, M. 1202
–, u. Prinzbach, H. 1224
–, vgl. Rando, R. R. 998, 999
–, u. Rosenthal, J. W. 248, 432–434
Doerr, A. B., vgl. Schaffer, G. W. 897
Dörr, F. 2, 9, 14, 1552
Dörscheln, W., et al. 1117, 1118
–, vgl. Göth, H. 560
Dolan, E., vgl. Becker, R. S. 612
Dolbier jr., W. R. 1318
–, u. Williams, W. M. 1317, 1318
Dolce, D., vgl. Miller, R. D. 244, 245
Doldouras, G., vgl. Kollonitsch, J. 126, 127
Dolling, M. H., vgl. Moss, R. A. 1227
Dolou, R., vgl. Pfau, M. 665, 666
Domaschke, L., vgl. Baganz, H. 109
Domb, S., et al. 764, 834
Dombrowski, L. J., et al. 1523
Do Minh, T., Gunning, H. E., u. Strausz, O. P. 1238, 1415
–, vgl. Strausz, O. P. 1161, 1179, 1183, 1217, 1238, 1415
–, Strausz, O. P., u. Gunning, H. E. 1183
–, u. Trozzolo, A. M. 1084, 1525
Dominy, B., vgl. Johnson, C. K. 675, 676
Doner, L. W., vgl. Whistler, R. L. 1262
Donnay, G., vgl. Eanes, E. D. 315
Donohue, J. 1378
Dooley, K. C., vgl. Scheffer, J. R. 349
Doolittle, R. E., u. Bradsher, C. K. 595
Doomes, E., vgl. Cromwell, N. H. 1086
–, u. Cromwell, N. H. 1086
Dopper, J. H., vgl. Neckers, D. G. 375, 558, 559
Doppler, T., Hauser, H.-J., u. Schmid, H. 567, 1268

Dorcas, M. J., vgl. Suppell, G. C. 79
Dorer, F. H. 1144
–, vgl. Loper, G. L. 1144
–, vgl. Nowacki, S. D. 1144, 1145
Dorfman, L. M., u. Salsburg, Z. W. 702
–, u. Sheldon, Z. D. 88
Dorn, J., vgl. Cargill, R. L. 929
Dorst, W., vgl. Havinga, E. 733, 1582
Dose, K. 1057
–, u. Rajewsky, B. 551
Doskocilova, D., vgl. Petranek, J. 975
Dotsenko, L. A., vgl. Temnikova, T. I. 673, 674
Douckt, E. van der, s. Van der Douckt, E.
Dougherty, R. C. 21
Dougherty, T. J. 892
Doumaux jr., A. R., vgl. Wasserman, H. H. 1473, 1492
Dow Chemical Co. 458
Dow Corning Corp. 154
Dowd, P. 1149
–, Gold, A., u. Sachdev, K. 865
–, u. Sachdev, K. 880
Doyle, T. D., et al. 513
Drehfahl, G., Plötner, G., u. Buchner, G. 1507
Dreiding, A. S., vgl. Rey, M. 438
Dresia, W. F., vgl. Leighton, P. A. 968
Drewer, R. J., vgl. Badger, G. M. 516, 1134, 1135
Driel, H. van, vgl. Wynberg, H. 555, 556
Dröscheln, W., vgl. Göth, H. 1554
Drost, W., vgl. Havinga, E. 716
Droste, W., vgl. Scharf, H.-D. 411
Druckrey, E., vgl. Prinzbach, H. 218, 236
–, vgl. Wasserman, H. H. 1473, 1497
Dubinski, V. Z., vgl. Gurman, V. S. 629
Dubois, J. P., vgl. Labhart, H. 561, 1555
–, u. Labhart, H. 561, 1554
Dubois, J. T., vgl. Kellmann, A. 591, 1451
–, vgl. Wilkinson, F. 1451
–, u. Wilkinson, F. 591
Duc, L., et al. 914
Ducasse, Y., vgl. Calas, R. 1389
Duda, U.-M., vgl. Horner, L. 1368
Dürr, H. 342, 345, 668, 786, 787, 1128, 1165, 1200, 1205, 1216, 1223, 1224, 1229, 1558
–, et al. 1242–1246
–, Barth, D., u. Schlosser, M. 1365
–, vgl. Benz, W. 668
–, u. Bujnoch, W. 1223
–, u. Fuchs, V. 1250
–, u. Halberstadt, I. 1243, 1283
–, u. Heitkämper, P. 787

Fish, A. 699
Fish, R. H., Chow, L. C., u.
Caserio, M. C. 1076
Fisher, A., vgl. Hammond, G. S.
249
Fisher, G., Muszkat, K. A., u.
Fischer, E. 198
Fisher, G. I., u. Johns, H. E.
1536
Fitton, A. O., et al. 1072
Flaig, W., Ploetz, T., u. Küllmer,
A. 941, 942
Flamery, J. B. 1524
Flamme, P. la, vgl. Doering, W.
v. E. 1225
Flanagan, P. W., vgl. Miller, D.
B. 314
Flavian, S., vgl. Cohen, M. D.
1525
Flechtner, T. W., vgl. Zimmer-
man, H. E. 185
Fleischauer, P., vgl. Fleischauer,
P. D. 1407
Fleischauer, P. D., u. Fleischauer,
P. 1407
Fleischhauer, J., vgl. Scharf,
H.-D. 2, 6, 7, 10, 18
Fleming, G., et al. 737
Fleming, J. C., u. Shechter, H.
1214, 1256, 1356
Flerova, A. N., et al. 1524
Fletcher, F. J., vgl. Cundall, R. B.
195
Flood, M. E., Herbert, R. B., u.
Holliman, F. G. 612
Flores, H., vgl. Mateos, J. L.
1186, 1187
Flowerday, P., u. Perkins, I. 1260
Floyd, J. C., vgl. Plank, D. A.
773
Floyd, M. B., vgl. Wasserman,
H. H. 1496–1498
Flügel, W., vgl. Zanker, V. 650
Foerst, W. 1551
Förster, E. W., u. Fischer, E.
1523
–, u. Grellmann, K. H. 541
Foerster, G., vgl. Stoermer, R.
319
Förster, T. 11, 14, 19, 198
–, u. Kasper, K. 14
Foffani, A., vgl. Sorriso, S. 1174
Fokin, A. V., et al. 458
Fokin, E. P., vgl. Denisov, V. Y.
981
–, u. Prudchenko, E. P. 980
Foltz, C. M. 638
Fomin, G. V., Gurziyan, L. M.,
u. Blumenfeld, L. A. 1044
Fomin, O. K. 1588
Foner, S. N., u. Hudson, R. L.
1466
Fonken, G. J. 189, 252, 255, 257,
265, 275, 516, 533, 1554
–, vgl. Garett, J. M. 251
–, u. Mehrotra, K. 259
–, vgl. Nebe, W. J. 256
–, vgl. Shumate, K. M. 211, 224,
255
Fontaine, M.-C., vgl. Demaré, G.
R. 294

Fontal, B., u. Goldwhite, H.
1349
Foote, C. S. 1466–1469, 1474,
1558
–, et al. 1484, 1490, 1491
–, u. Brenner, M. 1479
–, vgl. Burns, P. A. 1484
–, Chang, Y. C., u. Denny, R. W.
212
–, Fujimoto, T. T., u. Chang, Y.
C. 1475
–, vgl. Mazur, S. 1479
–, vgl. Schenck, G. O. 1491
–, u. Wei-Ping Hin, I. 1481
–, u. Wexler, S. 1466
Foote, R. S., vgl. Trecker, D. J.
287, 288, 996
Forbes, A. I., u. Wood, J. 1209
Forbes, E. J. 934
–, u. Griffiths, J. 1472, 1485
–, –, u. Ripley, R. A. 938
Forbes, G. S., u. Brachet jr.,
F. P. 88
–, Cline, J. E., u. Bradshaw, B.
C. 87
–, u. Heidt, L. J. 88
–, Kristiakowsky, G. B., u. Heidt,
L. J. 88
–, vgl. Leighton, P. A. 88, 968
Forbes, W., u. Shilton, R. 737
Forbes, W. F., Rivett, D. E., u.
Savige, W. E. 1057
–, u. Savige, W. E. 1014, 1017,
1057
Forchioni, A., vgl. Chachaty, C.
1459
Ford, M. C., u. Waters, W. A.
97
Foresti, B., vgl. Padoa, M. 1519
Forrester, J. M., vgl. Bedford, C.
T. 1000
Forster, J. M., u. Boys, S. F. 1163
Forster, L. S. 737
Fort, J., vgl. Czizmadia, I. G.
1176
Forward, G. C., u. Whiting, D.
A. 906
Foss, R. P., vgl. Moore, W. M.
443, 813, 814, 837, 1386, 1450
Fossey, J., vgl. Chow, Y. L. 1424
Foster, R., vgl. Julian, D. R. 375
Foster, W. R., u. Cadogan, J.
I. G. 1368, 1369
Foulger, B. E., vgl. Bryce-Smith,
D. 360, 495
Fournier, F., vgl. Kim Cuong,
N. 613
Foust, A. S., Hoyano, J. K., u.
Graham, W. A. G. 1421
Fout, J., vgl. Strausz, O. P. 1161,
1238, 1415
Fowler, F. W., vgl. Hassner, A.
1264–1266
Fowler, J. S., vgl. Meek, J. E.
1265
Fowles, P., et al. 1018
Fox, J. E., Scott, A. I., u. Young,
D. W. 699
–, u. Young, D. W. 1230
Fox, J. R., vgl. Hammond, G. S.
1141

Fox, J. R., u. Hammond, G. S.
1110, 1141
Fox, L. 1322
Fox, M., Nichols, W. C. jr., u.
Lemal, D. M. 628
Fox, R. E., vgl. Berman, E. 1524
Fox, T. G., et al. 1515
Fox, W. B., u. Franz, G. 707
–, vgl. Vanderkool, N. 704
Fozard, A., u. Bradsher, C. K.
649
Fräter, G., u. Havinga, E. 1338
–, u. Schmid, H. 669, 670
–, u. Strausz, O. P. 1176
Frainnet, E. 1390
–, vgl. Calas, R. 1389, 1390
–, u. Calas, R. 1390
Francis, G. 1567
Francis, J. E., u. Leitch, L. C.
454
Franck, R. W., vgl. Auerbach, J.
1496
Franck-Neumann, M. 1147
Franich, R. A., Lowe, G., u.
Parker, J. 1142
Frank, G., vgl. Schröder, G. 299
Franke, R. 1507
Frankel, J. J., vgl. Cookson, R. C.
942, 943
Frankel, M., vgl. Fischer, E. 1132
–, Wolovsky, R., u. Fischer, E.
1133
Frankenburger, W., vgl. Weyde,
E. 87, 1527
Franklin, W. E., vgl. Bertonıere,
N. R. 322
Franz, G., vgl. Fox, W. B. 707
Franz, J. E., u. Black, L. L. 578,
1005
Franzen, V. 813, 1176, 1188, 1215
–, u. Fikentscher, L. 1206, 1219
–, u. Kuntze, H. 1210, 1221
–, vgl. Schlubach, H. H. 835
Fraser, P. J., vgl. Dickson, R. S.
1434
Fraser, R. R., Gurudata, H., u.
Haque, K. E. 579, 580
Fraser-Reid, B., McLean, A., u.
Usherwood, E. W. 1448
Frass, W., vgl. Vogel, E. 277
Fray, G. I., vgl. Bryce-Smith, D.
488, 960
Fredericks, P. S., vgl. Anson, P.
C. 143
–, u. Tedder, J. M. 99, 145, 146
Frederiksen, E., u. Liisberg, S.
178
Freed, E. H., vgl. Schauble, J. H.
314
Freed, K. F. 10, 1552
Freedman, L. D., vgl. Philips, J.
P. 1104
Freedman, M., et al. 321
Freeman, G. R., vgl. Schutte, R.
295
Freeman, K. B., vgl. Brown, I. H.
1532, 1543, 1544, 1546
–, vgl. Johns, H. E. 1541
Freeman, P. K., u. Balls, D. M. 444
–, u. Johnson, R. C. 1129
–, u. Kuper, D. G. 1191

Grady, J. M., vgl. Coombes, G. E. A. 1331

Gränacher, C., vgl. Geiger, M. 114

Graf, A. 172, 174, 183

Graf, R. 170, 171, 181, 183

–, u. Gruschke, H. 169

Graff, B. A. de, s. De Graff, B. A.

Graham, D. M., u. Sic, B. K. 1014

Graham, R. E., et al. 641

Graham, W. A. G., vgl. Foust, A. S. 1421

–, vgl. Jetz, W. 1394

Grandclaudon, P., u. Lablache-Combier, A. 557

Grant, D. W., vgl. Dixon, C. J. 1057

Grassberger, M. A., vgl. Köster, R. 1405

Grassmann, D., vgl. Kirmse, W. 1200

Graul, E. H., vgl. Kaindl, K. 1, 30

Gravel, D., vgl. Cavalieri, E. 354, 1093

–, u. Gauthier, J. 763

Graveling, F. J., vgl. Gilchrist, T. L. 1411

Graven, W. M., vgl. Volman, D. H. 702

Gray, H. B., vgl. Preer, J. R. 1348, 1363

–, vgl. Wrighton, M. 197, 205, 217

Gray, P. 717

–, u. Herod, A. A. 1141

–, u. Williams, A. 717, 730, 732, 1555

Gray, R., u. Boekelheide, V. 1019

Graziani, F. 1526

–, u. Bovini, F. 1526

–, vgl. Padra, M. 1526

Graziano, M. L., Scarpati, R., u. Fattorusso, E. 1173

Gream, G. E., Mular, M., u. Paice, J. C. 832, 833, 857, 858, 860

–, Paice, J. C., u. Ramsay, C. C. R. 708

Grebe, L. R., vgl. Anderson, H. H. 153, 163

Greeley, R. H., vgl. Baldwin, J. E. 231

–, vgl. Tamelen, E. E. van 276, 434, 435

Green, B., vgl. Kuhlberg, M. P. 723

Green, B. S. 373

–, vgl. Elgavi, A. 307, 373

–, u. Heller, L. 333, 340

–, Lahav, M., u. Schmidt, G. M. J. 303–307

Green, J. 262

Green, J. A., u. Singer, L. A. 1252

Green, M., vgl. Bond, A. 1433

–, vgl. Bruce, M. I. 1425

–, vgl. Burt, R. 1426, 1432

–, Mayne, N., u. Stone, F. G. A. 1419, 1428

Green, M. L. H., vgl. Cousins, M. 1427

Green, M. L. H., Ishag, M., u. Whitebey, R. N. 1426

–, u. Nagy, P. L. I. 1426, 1427

–, u. Stear, A. N. 1427

Greene, F. D. 479, 480, 712, 1338

–, et al. 712–714

–, vgl. Hecht, S. S. 1318

–, Misrock, S. L., u. Wolff jr., J. R. 479, 481

–, vgl. Weinshenker, N. M. 886

Greenfeld, D., vgl. Wang, S. Y. 605

Greenlee, W. J., vgl. Gassman, P. G. 1147

Greenstock, C. L., et al. 1535

Greenwald, J., u. Halmann, M. 1383

Gregor, L. V. 1591

Gregory, B., vgl. Bullock, E. 203

Grellmann, K. H., vgl. Foerster, E. W. 541

–, vgl. Linschitz, H. 541

–, u. Tauer, E. 1071, 1117, 1323

Grenn, A. E. S. 1551

Gresser, J. D., vgl. Davis, G. A. 1452

Grevels, F. W., vgl. Koerner von Gustorf, E. 2, 197, 217, 1407, 1408, 1412, 1415, 1417, 1421, 1423, 1424, 1430, 1552, 1554, 1558

Grewe, R. 934

–, u. Wulf, W. 934

Grider, R. O., vgl. Hancock, K. G. 794

Griehl, W., Schulze, W. I., u. Fürst, H. 117–120

Griesbaum, K., Oswald, A. A., u. Hall, D. N. 458

Griffin, C. E. 1363

–, vgl. Bentrude, W. G. 1369

–, Bentrude, W. G., u. Johnson, G. M. 1372

–, vgl. Daniewski, W. M. 1369, 1375

–, Davison, R. B., u. Gordon, M. 1369, 1374

–, vgl. Fu, J.-J. L. 1369

–, vgl. Gordon, M. 1369, 1375

–, vgl. Kaufman, M. L. 1356

–, u. Kaufman, M. L. 1363, 1366

–, vgl. LaCount, R. B. 1040, 1369

–, vgl. Obrycki, R. 1369, 1370, 1374, 1375

–, vgl. Plumb, J. B. 1366–1371, 1374, 1375

–, u. Wells, H. J. 1346, 1347

Griffin, D. M., vgl. Park, J. D. 110

Griffin, G. W. 351

–, et al. 185, 418, 420, 421, 470

–, Barinski, J. E., u. Peterson, L. I. 351, 353

–, –, u. Vellturo, A. F. 351

–, vgl. Brightwell, N. E. 684

–, vgl. Dietrich, H. 673, 1208

–, u. Heep, U. 325

–, vgl. Kristinsson, H. 673, 674, 684, 843, 873

–, vgl. Meyer, E. 1321

–, u. O'Connell, E. J. 1441

Griffin, G. W., vgl. Petrellis, P. C. 673, 674, 1382

–, vgl. Smith, R. L. 1005

–, vgl. Thap, M. D. 673

–, u. Veber, D. F. 351, 482

–, Vellturo, A. F., u. Furukawa, K. 351, 352, 1534

Griffin, R. N. 37

Griffith, R. C., vgl. Anastassiou, A. G. 186, 277

Griffiths, I. 1131, 1132

Griffiths, J., vgl. Forbes, E. J. 938, 1472, 1485

–, u. Hart, H. 753, 770

–, u. Lockwood, M. 1195

Griffiths, J. E., vgl. Gesser, H. 1078

Griffiths, P. A., vgl. Cundall, R. B. 293

Griller, D., et al. 1379

–, vgl. Davies, A. G. 1379, 1380

–, u. Ingold, K. U. 1379

–, vgl. Kaba, R. A. 1380, 1383

–, u. Roberts, B. P. 1346, 1379, 1380

–, vgl. Watts, G. B. 1379

Grim, S. O., vgl. Boston, J. L. 1420

Grimison, A., vgl. Daniels, M. 1536

Grimme, W., Riebel, H. J., u. Vogel, E. 248

–, vgl. Vogel, E. 259, 261

Grinter, R., vgl. Exelby, R. 613, 1519, 1554

Grisdale, P. J., vgl. Williams, J. L. R. 1401

Griswald, A. A.

Gritter, R. J. 672, 1556

–, u. Sabatino, E. C. 672, 1020

Grobe, J., vgl. Fritz, G. 130

Groen, M. B., vgl. Kellogg, R. M. 555, 558

–, vgl. Wynberg, H. 340

Groen, S. H., et al. 542, 543

Groos, N., vgl. Deglise, X. 705

Groot, A. de, Ondman, D., u. Wynberg, H. 886

Gross, A., vgl. Horner, L. 152, 1177–1180, 1264, 1270, 1271

Gross, E. von, vgl. Helferich, B. 948

Gross, H. 107, 108, 110

–, vgl. Rieche, A. 107

Grosse, A. von, u. Ipatieff, V. N. 143, 144

Grossman, H., vgl. Schenck, G. O. 664

Grossman, L., vgl. Ono, J. 1551

Grossweiler, L. I., vgl. Zwicker, E. F. 795

Grossweiner, L. I., u. Zwicker, E. F. 551

Grotewold, J., et al. 799

Groth, W. 87

Groudie, R. S., u. Preston, P. N. 1004

Grovenstein, E., u. Rao, D. V. 500

Grovenstein jr., E., Campbell, T. C., u. Shibata, T. 432

Groves, J. T., vgl. Breslow, R. 709

Growley, K. J., Schneider, R. A., u. Meinwald, J. 739

Grubb, P. W., vgl. Robson, R. 361, 391, 392, 399

Gruber, G. W., u. Pomerantz, M. 274

Gruber, R., vgl. Padwa, A. 1019, 1058, 1087, 1089

Grübel, H., vgl. Strohmeier, W. 1516

Gruen, H., u. Schulte-Frohlinde, D. 1138

Grüner, H., vgl. Criegee, R. 234, 438

Grundmann, C., vgl. Kuhn, R. 149

Grunewald, G. L., vgl. Zimmerman, H. E. 422

Grunewald, J. O., vgl. Zimmerman, H. E. 772, 786

Grunwell, J. R., Marron, N. A., u. Hanhan, S. I. 1016

–, vgl. Willett, J. D. 1025, 1026

Gruschke, H. 169

–, vgl. Graf, R. 169

Grussdorf, J., vgl. Lüttke, W. 374

Grutzner, J. B., vgl. Ferree, W. I. 361, 495

Gruver, J. T., u. Calvert, J. G. 892

Gryaznov, G. V., vgl. Topchiev, A. V. 171, 172

Grychtol, K., Musso, H., u. Oth, J. F. 1180

Grzonka, J., vgl. Bryce-Smith, D. 500

Gschwind, K. M., u. Wild, U. P. 1523

Guarino, A., u. Wolf, A. P. 1168

Gubelt, G. 176

–, vgl. Saus, A. 176

Gubitz, K., vgl. Bamann, E. 1376

Gueldner, R. C., Thompson, A. C., u. Hedin, P. A. 393

Günther, H., et al. 1360

Guermonprez, R., vgl. Santus, R. 551

Güsten, H., u. Klasinc, L. 192, 198, 512

–, vgl. Kuhnes, U. 1530

–, vgl. Schulte-Frohlinde, D. 198

–, u. Ullman, E. F. 1292

Guglielmetti, R., vgl. Apprion, P. 1524

–, vgl. Gervais, J. 1524

–, Meyer, R., u. Dupuy, C. 1524

–, vgl. Somat, A. 1524

Guha, P. C., vgl. Asolkar, G. V. 137

Guhn, G., vgl. Hoffmann, R. W. 578, 1158

Guiard, B., vgl. Kossanyi, J. 850

Guild, R., vgl. Cannzanelli, A. 1541

Guillaume, J., vgl. Rigaudy, J. 1488

Guillemonat, A., vgl. Partchamazad, I. 104

Guillory, J. P., Cook, C. F., u. Scott, D. R. 1412

Gull, P., Wehrli, H., u. Jeger, O. 797

Gummitt, O., u. Christoph, F. J. 208

Gundel, L., vgl. Jorgenson, M. J. 999

Gundlach, F., vgl. Meinke, H. 1568

Gunning, H. E., vgl. DoMinh, T. 1183, 1238, 1415

–, vgl. Gibbons, W. A. 283

–, vgl. Kantro, D. L. 281

–, vgl. Knight, A. R. 1061

–, vgl. Sidhu, K. S. 283, 284

–, u. Steacie, E. W. R. 203

–, vgl. Strausz, O. P. 1060, 1061, 1139, 1183, 1217

Gupta, D. N., vgl. White, J. D. 229, 913

Gupta, P., vgl. Collins, P. M. 671

Gurman, V. S., Dubinski, V. Z., u. Kovalev, G. N. 629

Gurudata, H., vgl. Fraser, R. R. 579, 580

Gurvich, I. A., et al. 1006

Gurziyan, L. M., vgl. Fomin, G. V. 1044

Guseva, L. N., vgl. Kuzmin, M. G. 648, 653, 694

Guthrie, J. P., McIntosh, C. L., u. Mayo, P. de 1000

Guthrie, R. W., Valenta, Z., u. Wiesner, K. 931

Gutowsky, H. S., u. Rutledge, R. L. 1526

Gutsche, C. D., et al. 1170

–, u. Armbruster, C. W. 745, 882

–, Bachmann, G. L., u. Coffey, R. S. 1170, 1208, 1226, 1240

–, vgl. Baer, T. A. 1170

–, u. Baum, J. W. 745

–, u. Braun, J. W. 888

–, u. Johnson, H. E. 1171, 1201

Gutschik, E., u. Prey, V. 163, 1031, 1032

Guttenberger, J. F., u. Strohmeier, W. 1418–1420

Guttmann, M., vgl. Rennert, J. 943, 968

Gutweiler, K., u. Niebergall, H. 1346–1348

Guy, R. G., vgl. Bacon, R. G. R. 176, 177

Guyot, A., u. Catel, J. 554

Haag, W. O., u. Heiba, E. I. 145, 152

Haard, P. M. M. v., Thijs, L., u. Zwanenburg, B. 1173

Haas, A., u. Oh, D. Y. 1031

Habel, D., vgl. Fritz, G. 130

Haddadin, M. J., u. Issidorides, C. H. 1315

Haddon, R. C., vgl. Dewar, M. J. S. 1163, 1205

Hadjondis, E. 1526

–, u. Hayon, E. 1525

Hadley, S. G., vgl. Volman, D. H. 1010

Hädicke, E., et al. 1509

–, Penzien, K., u. Schnell, W. 1509

Haefeli, Th., vgl. Suter, R. 1154

Hänel, L. 1522

Haenel, M. W. 1019

Hafez, M. S., vgl. Awad, W. I. 973

Haffley, P. G., vgl. Russell, G. A. 94–96

Hafner, K., vgl. Bauer, W. 1264

–, Doenges, R., Goedecke, E., u. Kaiser, R. 299

–, u. König, C. 1280

–, vgl. Puttner, R. 1274

–, Zinser, D., u. Moritz, K.-L. 1280

Hageman, H. J. 687, 943, 978, 981, 986, 988, 994, 996, 1005

–, u. Huysmans, W. G. B. 688, 942, 943, 978

–, Louwerse, H. L., u. Mijs, W. J. 687

Hagen, A. W., vgl. Finnegan, R. A. 990

Hagen, R., Heilbronner, E., u. Straub, P. A. 1044

Hagens, G., et al. 743

–, vgl. Yates, P. 760

Hagiwara, T., vgl. Ando, W. 1184

–, vgl. Mukai, T. 297, 794

Hahn, R. C., u. Rothman, L. J. 430, 431

Hai, S. M. A., u. Lwowski, W. 1271, 1273, 1279, 1281

Haines, W. E., et al. 559

–, Cook, G. L., u. Ball, J. S. 559

Hájek, J., vgl. Černý, O. 92, 93, 135, 136, 138

Hajo, K., vgl. Masamune, S. 276

Halberstadt, I., vgl. Dürr, H. 1233, 1243

Hall, C. R., vgl. Smith, D. J. H. 1043

Hall, D. N., vgl. Griesbaum, K. 458

Hall, G. E., u. Ubertini, F. M. 109

Hall, R. A., vgl. Plummer, B. F. 490

Hallé, J. C., u. Backès, M. 143

Hallensleben, M. L. 365

Haller, I., u. Srinivasan, R. 1410

Haller, J. 475

Haller, W. S., vgl. Cantrell, T. S. 575, 578, 916–918, 926, 929

Halley, K., vgl. Sullivan, J. F. 1137

Halmann, M. 1345, 1350

–, vgl. Benderly, H. 1350

–, vgl. Benschop, H. P. 1376

–, vgl. Greenwald, H. P. 1383

–, u. Platzner, I. 1350, 1383

–, vgl. Triantaphylides, C. 1376

Halpern, J., Brady, G. W., u. Winkler, C. A. 1131

Halton, B., et al. 470

Hamadma, N., vgl. Crosby, D. G. 642

Hamai, S., u. Kokubun, M. 1528

Hamana, M., u. Noda, H. 599

Hameka, H. F. 7

Hamer, J., vgl. Muller, L. L. 838

–, vgl. Pfundt, G. 1557

Hamer, N. K., vgl. Bishop, R. 804, 809, 858

–, u. Samuel, C. J. 809

–, u. Stubbs, M. 439, 440

Hamid, A. M., u. Trippet, S. 1071

Hamilton, C., vgl. Padwa, A. 1081

Hamilton, G. A., vgl. Giacin, J. R. 1256

Hamilton, J. B., vgl. Rabideau, P. W. 425

Hamilton, L., vgl. Padwa, A. 1081, 1082, 1085, 1118

Hamlet, P., vgl. Field, F. H. 1564

Hamlow, H. P., vgl. Baggiolini, E. 810, 878, 879

Hammer, R. B., vgl. Anastassiou, A. G. 1078–1080

Hammick, D. L., vgl. Brown, B. R. 105

Hammond, G. S. 1557

–, et al. 194, 198, 201, 203, 205, 232, 1032, 1174, 1175, 1206

–, Baker, W. P., u. Moore, W. M. 813

–, vgl. Bradshaw, J. S. 476, 477

–, vgl. Carrol, F. A. 689

–, u. Cole, R. S. 189

–, vgl. Cooke, R. S. 1032, 1033

–, vgl. Deboer, C. D. 293

–, u. Deboer, C. D. 293

–, vgl. Denkeleire, D. 204

–, vgl. Eaton, D. F. 1147

–, vgl. Fox, J. R. 1110, 1141

–, u. Fox, J. R. 1141

–, vgl. Fry, A. J. 1412

–, vgl. Gotthardt, H. 868, 875, 876

–, u. Hardham, W. M. 485

–, vgl. Herkstroeter, W. G. 795

–, vgl. Hyndman, H. L. 205

–, vgl. Jones, L. B. 1132

–, vgl. Kopecky, K. 1205, 1223

–, vgl. Kristinsson, H. 421, 470

–, vgl. Lam, E. Y. 662, 908

–, vgl. Lamola, A. A. 1412

–, u. Leermakers, P. A. 795, 811, 815, 816, 1441

–, vgl. Liu, R. S. H. 4, 226, 229, 239, 293, 294, 378, 1412

–, u. Liu, R. 249

–, vgl. Meyer, J. W. 988

–, vgl. Monroe, B. M. 830

–, vgl. Moore, W. M. 443, 813, 814, 837, 1386, 1450

–, u. Moore, W. M. 813

–, vgl. Murov, S. L. 232

–, vgl. Noyes, jr., W. A. 775, 778, 1551, 1557

–, u. Saltiel, J. 194, 198

–, vgl. Stephenson, L. M. 2, 1552, 1554

–, vgl. Stevenson, L. M. 295

–, vgl. Turro, N. J. 249, 295

–, u. Turro, N. J. 2, 866

–, –, u. Fisher, A. 232, 249, 1411

Hammond, G. S., Turro, N. J., u. Leermakers, P. A. 815

–, –, u. Liu, R. S. H. 293–296, 1411

–, vgl. Valentine, D. 198, 295, 296, 916

–, vgl. Wagner, P. J. 707, 892, 893, 1556, 1557

–, vgl. Wrighton, M. 197, 205, 217

–, vgl. Ziegler, G. R. 237, 686

Hammond, H. A., et al. 185

Hamon, D. P. G., Lewis, G. E., u. Mayfield, R. J. 1138

Hampson, G. C., vgl. Ingham, C. E. 1334

Hance, C. R., vgl. Hauser, C. R. 154, 158

Hancock, K. G., vgl. Clark, G. M. 1404

–, u. Grider, R. O. 794

–, u. Northington, D. J. 794

–, vgl. Zimmerman, H. E. 187, 767

Hand, C. R., vgl. Pews, R. G. 939

Hand, E. S., vgl. Yates, P. 616

Hanes, C. S., vgl. Moscarello, M. A. 1549

Hanhan, S. I., vgl. Grunwell, J. R. 1016

Hanifin, J. W., u. Cohen, E. 374, 619, 620, 624, 852, 853, 870

Hannum, C. W., vgl. Kharasch, M. S. 455

Hansen, H.-J., vgl. Doppler, T. 567

–, vgl. Märky, M. 574

–, u. Schmid, H. 213, 1553

–, vgl. Ulrich, L. 254

Hansen, K. P., vgl. Hjeds, H. 1285, 1322

Hanson, A. W. 1509

Hanson, J. R. 719

–, vgl. Barton, D. H. R. 719

Hanst, P. L., vgl. McClure, D. S. 15, 814

Hantata, R. R., vgl. Wubbels, G. W. 1333

Happ, J. W., McCall, M. T., u. Whitten, D. G. 655

Haque, K. E., vgl. Chow, Y. L. 1122

–, vgl. Fraser, R. R. 579, 580

Hara, M., Odaira, Y., u. Tsutsumi, S. 698, 858, 860, 864

Harada, N., et al. 1483

Haraldson, L., et al. 1055

Hardham, W. M., vgl. Hammond, G. S. 485

–, vgl. Pfundt, G. 985

Harding, M. J. C., vgl. White, E. H. 1498

Hardwick, R., vgl. Ben-Hur, D. 1526

–, vgl. Mosher, H. S. 1526

–, u. Mosher, H. S. 1526

–, –, u. Passailaine, P. 1526

Hardy, J. C., vgl. Rio, G. 518, 527

Harger, M. J. P. 1362

Hargis, J. H., vgl. Bentrude, W. G. 1377

Hariharan, P. V., u. Johns, H. E. 1540, 1545, 1546

–, Poole, G., u. Johns, H. E. 1545

Harkness, A. L., vgl. Wilzbach, K. E. 493, 602

Harpp, D. N., u. Heitner, C. 375, 557, 558

Harries, C., u. Krützfeld, H. 149, 152

Harris, J. F. 843, 846

–, vgl. Coffman, D. D. 846

–, u. Coffman, D. D. 843, 846

–, u. Stacey, F.-W. 458, 1344

Harris jr., J. F., vgl. Stacey, F. W. 457

–, u. Stacey, F. W. 458

Harris, L., u. Kaminsky, J. 87, 88, 1122

–, –, u. Simard, R. G. 88, 1121, 1527

Harrison, A. J., vgl. Lake, J. S. 737

–, vgl. Tannenbaum, E. 1077

Harrison, A. M., vgl. Jones jr., M. 1164, 1236, 1237, 1246

Harrison, J. F., u. Allen, L. C. 1163

Harrit, N., vgl. Buchardt, O. 1288, 1291, 1296

Hart, D. J., vgl. Bastiani, P. J. 754

Hart, H. 911, 933, 937, 1557

–, et al. 437, 438, 770

–, u. Aku, A. 1486

–, vgl. Bastiani, P. J. 754

–, vgl. Collins, P. M. 770

–, Collins, P. M., u. Waring, A. J. 439

–, vgl. Griffiths, J. 753, 770

–, u. Kuzuya, M. 240

–, u. Lange, R. 753

–, u. Lankin, D. C. 776

–, u. Link, J. W. 1462

–, vgl. Murray, R. K. 891

–, u. Murray, R. K. 891

–, u. Murray jr., R. K. 771, 790

–, u. Naples, A. F. 937

–, vgl. Rodgers, T. R. 777

–, u. Swatton, D. W. 437

–, vgl. Tabata, T. 439, 440

–, u. Takino, T. 933

–, Verma, M., u. Wang, I. 676

–, u. Vrieze, J. D. de 439

–, u. Waring, A. J. 770

Hart, R. J., u. Heller, H. G. 1522

–, –, u. Salisbury, K. 536, 1522

Hartenstein, J., vgl. Prinzbach, H. 232

Hartley, G. S. 1131–1133, 1520

Hartman, P. F., vgl. Little, J. R. 1349

Hartman, R., vgl. Padwa, A. 615, 617, 676

Hartmann, A., u. Regitz, M. 1358

–, Welter, W., u. Regitz, M. 1173, 1360

Hartmann, I.-M., Hartmann, W., u. Schenck, G. O. 483

Ishido, Y., vgl. Matsumura, K. 845

Ishiguro, M., vgl. Ishikawa, M. 1397

Ishihara, H. 1536, 1537

Ishihara, T., vgl. Izawa, Y. 637

Ishikawa, M., et al. 325, 1292, 1294, 1295, 1303, 1310

–, Ishiguro, M., u. Kumada, M. 1397

–, vgl. Kaneko, C. 1297, 1299, 1304, 1305, 1309, 1310, 1316

–, Kaneko, C., u. Yamada, S. 1308, 1309

–, u. Kumáda, M. 1395–1397

–, vgl. Yamada, S. 1310

–, Yamada, S., u. Kaneko, C. 1294

Ishino, J., vgl. Ogata, Y. 545

Islam, A. M., vgl. Aly, O. M. 948

–, vgl. Mustafa, A. 341, 948, 983

Ismail, A. F., u. El-Shafei, Z. M. 625

–, vgl. Schönberg, A. 625

Isoe, S., et al. 1479

Isomura, K., Kobayashi, S., u. Taniguchi, H. 1265, 1266

–, Okada, M., u. Taniguchi, H. 1265

Issidorides, C. H., vgl. Haddadin, M. J. 1315

Itenberg, A. M., vgl. Ushakov, S. N. 153

Itoh, K., u. Kanaoka, Y. 595, 995

Itoh, M., et al. 999, 1002

Itoh, T., vgl. Ogata, Y. 637

Ivanchev, S. S., et al. 707

–, Konokova, V. V., u. Gak, Y. V. 700

Ivanoff, N., vgl. Lahmani, F. 601, 602

Ivin, K. J., vgl. Dainton, F. S. 164, 171

Iwakuma, T., et al. 638, 639

–, Hirao, K., u. Yonemitsu, O, 638, 639, 939

Iwamura, H., u. Yoshimura, K. 426

–, vgl. Zimmerman, H. E. 275

Iwaoka, T., vgl. Koizumi, M. 591, 1451

Iwasaki, S., u. Schaffner, K. 1028, 1047

Iwata, C., vgl. Horii, Z. 645

Izawa, H., Mayo, P. de, u. Tabata, T. 1322

Izawa, Y., Ishihara, T., u. Ogata, Y. 637

–, vgl. Ogata, Y. 91, 92, 170, 171, 180, 459, 637, 877, 1375

–, u. Ogata, Y. 356

–, vgl. Tomioka, H. 215, 656, 811, 819, 1359, 1372, 1373

Izzo, P. T., vgl. Kende, A. S. 756

–, u. Kende, A. S. 998

Jablonski, A. 10

Jablonski, C. R., vgl. Herberhold, M. 1418, 1420, 1422

Jackel, G., vgl. Nelson, W. 1345

Jacknow, B. B., vgl. Walling, C. 135, 138, 142

Jackson, B., et al. 1113, 1114, 1115

Jackson, G., u. Porter, G. 21

Jackson, R. A., vgl. Bennett, S. W. 1390, 1392

Jacobi, C. 934

Jacobs, R. L., u. Eche, G. G. 686

Jacobson, B. M. 247

–, vgl. Bartlett, P. D. 385

–, u. Bartlett, P. D. 386

Jacox, M. E., u. Milligan, D. E. 1247

Jacquier, R., u. Saulier, J. 787

Jaeckel, D., vgl. Breitenbach, M. 1154

Jaenicke, O., vgl. Koerner von Gustorf, E. 1427

Jaffe, A. B., Skinner, K. J., u. McBride, J. M. 1123

Jaffé, H. H., u. Orchin, M. 190, 472, 628, 735, 737, 1027, 1028, 1077

Jahn, F. P., vgl. Davis, T. W. 1141

Jahnke, H., vgl. Inhoffen, H. H. 151

Jainz, J., vgl. Kupfer, W. 175

Jakopćié, K., vgl. Karminsky-Zamola, G. 201

Jakobs, P., vgl. Quinkert, G. 825

Jakonov, J. A. de, s. D'Jakonov, J. A.

James, A. N., vgl. Dewar, M. J. S. 1214

James, D. G. L., u. Suart, R. D. 1141

James, D. R., vgl. Paquette, L. A. 939

James, F. C., vgl. Davies, W. 557

James, S. P., vgl. Caldwell, R. A. 201

Jamieson, N. C., vgl. Badger, G. M. 1135

–, u. Lewis, G. E. 1135

Jammaer, G., Martens, H., u. Hoornaert, G. 901

Jander, J., u. Haszeldine, R. N. 1324

Janes, W. H., vgl. Candlin, J. P. 1411, 1430

Janetzky, E. F. J., u. Verkade, P. E. 149

Jan-Kwei Ko, s. Ko, Jan-Kwei

Jansen, E. H. J. M., vgl. Boeke-stein, G. 1379

Janzen, E. G., vgl. Gerlock, J. L. 1459

Janzen, G., et al. 1573, 1574

Japar, S., vgl. Rennert, J. 943, 968

Japar, S. M., Davidson, J. A., u. Abrahamson, E. W. 845

Jappy, J., u. Preston, P. N. 1263

Jarvis, B. B. 221

Jatkowski, M., vgl. Teichmann, H. 1370

Jauhal, G. S., vgl. Cook, C. D. 1411

Jaunin, R., u. Germano, A. 100, 136, 137

Jayawant, M., vgl. Zimmer, H. 1383

Jefcoate, C. R. E., Smith, J. R. L., u. Norman, R. O. C. 506

Jefford, C. W., et al. 235, 1475

–, u. Delay, F. 256

Jeger, O., vgl. Baggiolini, E. 810

–, vgl. Dutler, H. 778, 792

–, vgl. Gloor, J. 698, 739

–, vgl. Gull, P. 797

–, vgl. Iriarte, J. 762, 801, 806

–, vgl. Lehmann, C. 677, 678, 679

–, vgl. Marti, F. 698

–, vgl. Ruzicka, L. 793

–, vgl. Schaffner, K. 1044

–, u. Schaffner, K. 677, 681, 682, 1556

–, –, u. Wehrli, H. 675–677, 682, 1556

–, vgl. Warszawski, R. 793

Jen, T., u. Wolff, M. E. 717, 721

Jenkins, A. D., vgl. Bamford, C. H. 1516

Jenner, E. L. 714

Jennings, W., u. Hill, B. 284

Jenny, W., vgl. Bruhin, J. 1019

Jensen, B., vgl. Buchardt, O. 1297, 1301, 1302, 1304, 1305, 1314

Jensen, E. V., vgl. Kharasch, M. S. 630, 631

Jensen, K. G., vgl. Brehm, L. 1285

Jensen, L. H., vgl. Adam, E. 1538

Jensen, W. L., vgl. Clayton, J. O. 1354

Jerchel, D., u. Fischer, H. 579

–, vgl. Hausser, J. 579, 1125

–, vgl. Kuhn, R. 579

Jerina, D. M., et al. 684

–, Boyd, D. R., u. Daly, J. W. 1293

Jerslev, B. 1285

–, vgl. Brehm, L. 1285

–, vgl. Hjeds, H. 1285, 1322

Jesson, J. P., vgl. Krusic, P. J. 703

Jetz, W., u. Graham, W. A. G. 1394

Jewell, J. S., vgl. Horton, D. 1025, 1026

Job, B. E., u. Littlehailes, J. D. 489

Johansson, N.-G., vgl. Akermark, B. 803, 805

John, F., vgl. Clar, E. 1489

Johns, H. E. 1532, 1533

–, et al. 1542, 1546

–, vgl. Becker, H. 1540

–, Blanc, J. C. le, u. Freeman, K. B. 1541

–, vgl. Brown, I. H. 1532, 1543, 1544, 1546

–, vgl. DeBoer, G. 1540, 1541, 1546, 1548

–, vgl. Fisher, G. I. 1536

–, vgl. Hariharan, P. V. 1540, 1545, 1546

–, vgl. Helleiner, C.W. 1543, 1546

–, vgl. Pearson, M. 1547, 1548, 1549

Masamune, S. 1202, 1275
–, et al. 248, 261, 276, 300, 433, 434, 1148, 1169
–, Baker, P. M., u. Hajo, K. 276
–, u. Castelluci, N. T. 1190
–, u. Fukumoto, K. 1190
–, u. Kato, M. 1128, 1168
–, vgl. Seidner, R. T. 434
–, u. Seidner, R. T. 276, 434, 435
Masamune, T., vgl. Suginome, H. 717, 723, 727, 728, 729, 730
Masetti, F., vgl. Favaro, G. 198
Mason, M. M., vgl. Sauers, R. R. 850, 1440
Mason, T. J., vgl. Baker, R. 499
Massaldi, H. A., Maymò, J. A., u. Zuccarelli, R. 117
Masse, J. L. 1524
Massey, A. G. 1419
Masson, C. R., Boekelheide, V., u. Noyes, W. A. 88
Massot, F., vgl. Vidal, M. 1248
Masui, T., Komatsu, A., u. Moroe, T. 804
Masure, D., vgl. Rio, G. 518
Mataga, N., vgl. Taniguchi, Y. 357
Matchard, C. G., vgl. Parker, C. A. 88
–, u. Parker, C. A. 88
Mateer, R., vgl. Kristinsson, H. 684
Matei, V. 1526
–, vgl. Gheorghiu, C. V. 1526
Mateos, J. L., Chao, O., u. Flores, H. 1186, 1187
Matheshwari, K. K., u. Berchtold, G. A. 1020
Mathews, H., u. Dewey, L. M. 88
Mathieu, J., vgl. Muller, G. 1186
Matsno, T., vgl. Ohga, K. 204
Matso, M., u. Sakaguchi, T. 198
Matson, J. A., vgl. Finnegan, R. A. 1377
Matsubara, A., vgl. Mukai, T. 575
Matsuda, G. 551
Matsuda, H., vgl. Hirai, K. 1017
Matsuda, T., Higashimura, T., u. Okamura, S. 1501
Matsui, H., vgl. Okuba, I. 333
Matsui, K., et al. 688
–, vgl. Mori, T. 804
Matsumoto, H., vgl. Ogata, M. 566, 567, 1106
Matsumoto, M., et al. 1121
–, vgl. Kondo, K. 1482
–, vgl. Yonezawa, T. 1121
Matsumoto, S., et al. 1383
Matsumoto, T., Shirahama, H., u. Ichihara, A. 928, 931
Matsumura, K., Araki, Y., u. Ishido, Y. 845
Matsunaga, K., vgl. Kawanisi, M. 507
Matsunaga, T., vgl. Matsuo, T. 640
Matsuo, T., vgl. Ohga, K. 350
–, Tanone, Y., u. Matsunaga, T. 640

Matsuoka, H., vgl. Nishiwaki, T. 565
Matsushima, R., u. Sakuraba, S. 197, 198
Matsuura, M., vgl. Saito, I. 1486
Matsuura, T. 704, 774
–, et al. 475, 670, 784, 1477
–, T., Banba, A., u. Ogura, K. 863
–, vgl. Kitaura, Y. 799, 1333, 1334, 1335, 1337, 1339, 1342
–, u. Kitaura, Y. 796, 799, 810, 811, 816, 876
–, –, u. Nakashima, R. 817
–, vgl. Ogura, K. 773, 802
–, u. Ogura, K. 662, 769, 770, 773, 774, 788, 983
–, vgl. Omura, K. 506, 642, 643, 1456
–, u. Omura, K. 506, 642, 643, 1154
–, u. Saito, I. 564, 1473, 1498
Matteson, D. S. 1012
–, u. Liedtke, J. D. 455
Mattews, B. W., vgl. Ziffer, M. 908
Matthaeus, H., vgl. Wilucki, I. v. 603, 604, 856
Matthinson, B. J. H., vgl. Haszeldine, R. N. 1324
Mattice, J. J., vgl. Finnegan, R. A. 1412, 1460
Matticoli, F. J., vgl. Ross, D. L. 1521
Mattingly jr., T. W., Lancaster, J. E., u. Zweig, A. 471
–, vgl. Lwowski, W. 1278, 1280, 1281
–, u. Zweig, A. 694
Matumura, T., vgl. Kanda, Y. 737, 941
Maulding, D. R. 538
Maumy, M., u. Rigaudy, J. 1485
Maurette, D., vgl. Rigaudy, J. 1487, 1488
Mauser, H. 2, 21, 23, 27, 31
–, u. Hezel, U. 2, 1132
–, vgl. Niemann, H.-J. 2
–, u. Niemann, H. J. 1132
Mautale, R. R., Dawes, K., u. Turro, N. J. 864
Maxfield, P. L., vgl. Kwivila, H. G. 895
May, E. L., vgl. Ong, H. H. 637, 639
Mayahi, M. F., vgl. Walling, C. 92
Maycock, A. L., u. Berchtold, G. A. 1024
Mayer, C. F., vgl. Crandall, J. K. 194, 757
Mayer, J. R., vgl. Doering, W. v. E. 1239
Mayer, K. K., vgl. Sauer, J. 577, 580, 1091
Mayer, R., vgl. Laban, G. 1063
Mayer, W., vgl. Prinzbach, H. H. 444
Mayfield, R. J., vgl. Hamon, D. P. G. 1138
–, vgl. Lewis, G. E. 1134, 1138, 1453

Maymò, J. A., vgl. Massaldi, H. A. 117
Maymon, T., vgl. Rubin, M. B. 922
Mayne, N., vgl. Green, M. 1419, 1428
Mayo, F. R. 312, 315, 449, 454
–, vgl. Kharasch, M. S. 143, 144, 147, 455
–, u. Walling, C. 454, 1553
Mayo, P. de 2, 613, 898, 900, 924, 935, 1552
–, et al. 1051
–, vgl. Amin, J. H. 1322
–, vgl. Barton, D. H. R. 755, 776, 784, 789
–, vgl. Challand, B. D. 899
–, vgl. Charlton, J. L. 249, 1051, 1338
–, vgl. Cox, A. 391
–, vgl. Guthrie, J. P. 1000
–, vgl. Hikino, M. 924, 925, 926
–, vgl. Izawa, H. 1322
–, vgl. Jolly, P. W. 832
–, vgl. Koonis, G. 924
–, vgl. Küsters, W. 1073
–, vgl. Lange, G. 925, 926
–, vgl. Lapouyade, R. 1061
–, vgl. Loutly, R. O. 913
–, vgl. McIntosh, C. L. 1040
–, u. Nicholson, A. A. 1063
–, Pete, J.-P., u. Tchir, M. 898, 905, 913
–, u. Reid, S. T. 189, 850, 1473, 1493, 1553, 1554
–, –, u. Yip, R. W. 391
–, u. Shizuka, H. 1063, 1065
–, u. Stoessl, A. 831, 1028
–, Stothers, J. B., u. Templeton, W. 830, 845
–, –, u. Yip, R. W. 206
–, u. Takeshita, H. 857, 924, 925, 926
–, –, u. Satter, A. 924, 925, 926
–, u. Yip, R. W. 617
Mayor, R. H.
Mazur, P., vgl. Fuchtbauer, W. 1536
Mazur, S., u. Foote, C. S. 1479
Mazur, Y., vgl. Feldkimel-Gorodetsky, M. 356, 991
–, vgl. Gorodetsky, M. 188, 356, 991
–, vgl. Kogan, D. 188
–, vgl. Libman, J. 635, 991, 992
–, vgl. Yogev, A. 356, 991
Mazzocchi, P. H. 442
–, vgl. Crowley, K. J. 189, 1553, 1555
–, u. Lustig, R. S. 185
–, vgl. Meinwald, J. 254, 255
–, u. Rao, M. P. 642
–, u. Thomas, J. J. 1090
Mazzucato, U., vgl. Bartocci, G. 198
–, vgl. Favaro, G. 198
Meakin, P., vgl. Krusic, P. J. 1379
Mearns, A. M. 1591
Mechel, L. von, u. Stauffer, H. 1520

Mechonlam, R., vgl. Shani, A. 669

Mecke, R., vgl. Brockmann, H. 1097

–, vgl. Childs, W. H. J. 1467

Meek, J. E., u. Fowler, J. S. 1265

Meerwein, H., et al. 1206, 1239, 1251, 1252

–, Rathjen, H., u. Werner, H. 1217, 1219

Megarity, E. D., vgl. Saltiel, J. 198, 1574

Mehdi Nafissi-V, M., vgl. Sheehan, J. C. 1079, 1083, 1085

Mehrotra, K., vgl. Fonken, G. J. 259

Meier, H. 209, 577, 1177

–, Bondy, R., u. Eckert, A. 534, 1523

–, u. Kolshorn, H. 869

–, u. Menzel, I. 570, 1129

–, vgl. Müller, E. 242, 334

–, vgl. Voigt, E. 1525

–, vgl. Zeller, K.-P. 577, 1192

–, u. Zeller, K.-P. 1165, 1558

Meijere, A. de, Kaufmann, D. u. Schallner, O. 444

Meinke, H., u. Gundlach, F. 1568

Meinwald, J. 240

–, et al. 254, 1555

–, u. Aue, D. H. 1279

–, u. Chapmann, R. A. 759, 760, 798

–, u. Klingele, H. O. 811

–, u. Crandall, J. K. 1187, 1189

–, Curtis, G. G., u. Gassman, P. G. 1186

–, Eckell, A., u. Erickson, K. L. 265, 913

–, u. Gassman, P. G. 1189

–, vgl. Growley, K. J. 739

–, u. Kaplan, B. 1410

–, u. Knapp, S. 1052

–, Lewis, A., u. Gassman, P. G. 1187

–, u. Mazzochi, P. H. 254, 255

–, Samuelson, G. E., u. Ikeda, M. 485, 486

–, u. Schneider, R. A. 744, 932

–, –, u. Thomas, A. F. 744

–, u. Seeley, D. A. 254

–, u. Smith, G. W. 227, 283, 419

–, u. Wiley, G. A. 430

–, u. Young, J. W. 335, 336

Meisinger, R. H., vgl. Paquette, L. A. 1043

Meites, L., u. Meites, T. 413, 414, 422

Meites, T., vgl. Meites, L. 413, 414, 422

Melby, L. R., vgl. Ellingboe, E. K. 112

Melchior, G. K. 551

Mellier, D., Pete, J. P., u. Portella, C. 1049

Mellor, J. M., vgl. Knott, P. A. 794

Mellows, S. M., u. Sammers, P. G. 796

Mellville, H. W. 1516

Meloy, G. K., vgl. Kaplan, F. 1174

Melveger, A. J., u. Baughman, R. H. 1509

Member, J. R. de, s. DeMember, J. R.

Menard, M.-F., vgl. Calas, R. 1386

Menczel, J. H., vgl. Shaw, H. 1139

Mende, U., vgl. Maier, G. 888

Mendelson, W. L. vgl. Nickon, A. 1470, 1478

Mendum, W. C., vgl. Conant, J. B. 877

Mensah, I. A., vgl. Baxter, I. 984

Mentzel, W., vgl. Hummel, D. O. 170

Menzel, I., vgl. Meier, H. 570, 1129

Menzie, G. K., vgl. Ryan, J. W. 133

Mercel, P. B., u. Kearns, D. R. 1467

Merer, A. J., u. Mulliken, R. S. 2, 1552

–, u. Travis, D. N. 1159

Merck, u. Co. 105

Merck, u. Co. Inc. 127

Merkel, P. B., u. Kearns, D. R. 1472

Mermet-Bouvier, R. 262

Merrill, J. C., vgl. Burkhart, R. D. 1139

Merritt, V. Y., vgl. Cornelisse, J. 493

–, Cornelisse, J., u. Srinivasan, R. 283

–, vgl. Srinivasan, R. 493

Mertens, H. J., vgl. Schenck, G. O. 82

Merz, H., vgl. Horner, L. 963

Meseri, J., vgl. Orazi, O. O. 155, 159, 160

Messer, W. R., vgl. Beak, P. 560, 562, 1104, 1554

Mester, L. 1195, 1196

Metcalf, W. S. 1101

Metcalfe, J., u. Lee, E. K. C. 187

Meter, J. P. van, vgl. Cava, M. P. 1040, 1042

Meth-Cohn, O. 1004, 1343

–, vgl. Fielden, R. 1343, 1344

–, vgl. Lynch, J. 981

Methews, C. W. 1159

Metts, L., vgl. Saltiel, J. 205, 209, 1040, 1041

Metzger, H. 718, 719

–, vgl. Müller, E. 179, 1458

Metzger, J., et al. 648

–, vgl. Somat, A. 1524

Metzler, D. E., vgl. Song, P. S. 1100

Metzner, W. 324, 325, 376

–, u. Hartmann, W. 374, 375, 376

–, vgl. Krauch, C. H. 324, 355, 374, 554, 604, 620, 621, 865, 867

–, Partale, H., u. Krauch, C. H. 376, 377

–, vgl. Schenck, G. O. 946

Metzner, W., vgl. Wendisch, D. 375

–, u. Wendisch, D. 323, 324, 325

Meuche, D., vgl. Schaltegger, H. 473

Meunier, H. M., vgl. Cadman, Ph. 1144

Meyer, A. von, vgl. Benrath, A. 966

Meyer, A. Y., vgl. Rosenfield, R. 1525

Meyer, E., u. Griffin, G. W. 1321

Meyer, J. W., u. Hammond, G. S. 988

Meyer, M., vgl. Darzens, G. 149

Meyer, R., vgl. Guglielmetti, R. 1524

Meyer, W. L., u. Levinson, A. S. 1275

Meyer-Delium, M., vgl. Kröhnke, F. 1342

Meyers, A. I., u. Singh, P. 366, 588, 938

Meystre, C., et al. 715, 716

Miana, G. A., vgl. Bachelor, F. W. 1182

Michael, A., u. Garner, W. 116, 118

Michael, J. V., u. Noyes jr., W. A. 892

Michael, K. W., Bank, H. M., u. Speier, J. L. 153, 154

Michaelis, K., vgl. Treibs, W. 126

Michejda, C. J. 1151

Michel, E., Raffi, J., u. Troyanowski, C. 634

Michl, J., vgl. Becker, R. S. 612

–, vgl. Kolc, J. 257

–, vgl. Labrum, J. M. 257

Middleton, W. J., vgl. Gale, D. M. 273, 1239

–, Howard, E. G., u. Sharkey, W. H. 1062

–, u. Lindsey jr., R. V. 818

Midgley, J. M., Parkin, J. E., u. Whalley, W. B. 723, 731

Midland, Mark, M., s. Mark Midland, M.

Miesel, J. L., vgl. Beak, P. 560, 562, 1107, 1108

Migata, M. 820

Migger, L. S., vgl. Stedmann, R. J. 243

Miginiac, P. 1165

Migiricyan, E., u. Leach, S. 275

Migita, T., et al. 1216

–, vgl. Ando, W. 1184, 1216, 1228, 1231, 1255, 1279

–, Kosugi, M., u. Nagai, Y. 99

Mihailovic, M. L., et al. 851

Mijovic, M. V., vgl. Cohen, S. D. 513, 518

Mijs, W. J., vgl. Hageman, H. J. 687

Mikhailova, A. K., vgl. Gershenovich, A. J. 181

Mikheev, E. P. 131, 1392, 1393, 1394

–, u. Asoskova, E. M. 130

–, Popov, A. F., u. Filimonova, N. P. 132

Moore, T. A., vgl. Song, P.-S. 1383
Moore, W. M., vgl. Hammond, G. S. 813
–, Hammond, G. S., u. Foss, R. P. 443, 813, 814, 837, 1386, 1450
–, Morgan, D. D., u. Stermitz, F. R. 512
Moosmayer, A., vgl. Müller, E. 1254
Moradpour, A., et al. 519, 521
Morawetz, H. 1500
–, u. Rubin, I. D. 1501
Morduchowitz, A., vgl. Yang, N. C. 801
More, W. B. de, u. Benson, S. W. 1165, 1558
Moreau, C., Dufraisse, C., u. Dean, P. M. 1489
Morgan, D. D., Horgan, S. W., u. Orchin, M. 209, 512, 514, 516, 521
–, vgl. Moore, W. M. 512
–, Morgan, S. W., u. Orchin, M. 514, 515
Morgan, J. E., vgl. Bernheim, F. 1473, 1493, 1494
Morgan, L. R., vgl. Barton, D. H. R. 1260, 1261, 1262, 1266
Morgan, S. W., vgl. Morgan, D. D. 514, 515
Morganroth, W. E., u. Calvert, J. G. 1141
Mori, T., et al. 810, 818, 851
–, Matsui, K., u. Nozaki, H. 804
–, vgl. Ninomiya, I. 540, 997
–, vgl. Nozaki, H. 745
Moriarty, R., et al. 1243
Moriarty, R. M. 1148
–, u. Kliegmann, J. M. 580, 1263
–, –, u. Desai, R. B. 578
–, –, u. Shovlin, C. 580, 1263
–, u. Mukuerjee, R. 578
–, u. Rahman, M. 1260, 1261, 1262
–, u. Reardon, R. C. 1260, 1261
–, u. Serridge, P. 1263
Moriconi, E. J., Misner, R. E., u. Brady, T. E. 1042, 1043
–, u. Murray, J. J. 1164, 1177, 1204, 1216, 1218, 1236
Morikawa, A., Brownstein, S., u. Cvetanović, R. J. 493
Morimoto, H., Imada, I., u. Goto, G. 977
Morita, K., vgl. Ochiai, M. 607, 608
Morita, T., vgl. Sato, T. 514
Moritani, I., et al. 527, 1164, 1217, 1234, 1235
–, Hosakawa, T., u. Obata, N. 1150
–, vgl. Murahashi, S. 1164, 1217, 1230, 1235, 1236, 1237
–, vgl. Obata, N. 342
–, u. Toshima, N. 537
–, Yamamoto, Y., u. Murahashi, S. J. 1223, 1230
Moritz, K.-L., vgl. Hafner, K. 1280

Morizur, J. P., Furch, B., u. Kossanyi, J. 897
Moroe, M., vgl. Yamakawa, K. 203
Moroe, T., vgl. Masui, T. 804
Moroz, E., vgl. Cava, M. P. 1186
Morren, G., vgl. Martin, R. H. 519, 532
Morris, M. R., u. Waring, A. J. 753, 770
Morrison, H. 195, 850
–, et al. 195
–, vgl. Brainard, R. 1007
–, Brainard, R., u. Richardson, D. 1007
–, u. Comtet, M. 195
–, Feeley, A., u. Kloepfer, R. 1096
–, vgl. Ferree, W. J. 195, 361, 495
–, u. Ferree, W. J. 195, 495
–, vgl. Hoffman, R. 618
–, vgl. Kurowski, S. R. 848
–, vgl. Lippke, W. 471
–, Pajak, J., u. Peiffer, R. 195
–, u. Peiffer, R. 195
–, vgl. Rodriguez, O. 205
Morrison, H. A. 1329, 1333
Mors, J. E., u. Knapp, A. W. 88
Morse, A. T., vgl. Leitch, L. C. 455
Morse, J. G., vgl. Morse, K. W. 1348
–, u. Morse, K. W. 1348
Morse, K. W., vgl. Morse, J. G. 1348
–, u. Morse, J. G. 1348
Morse, R. L., vgl. Zimmerman, H. E. 768
Morton, C. J., vgl. McBee, E. T. 1216, 1229, 1233, 1235, 1237
Morton, D. R., et al. 824
–, vgl. Turro, N. J. 822, 824, 828
–, u. Turro, N. J. 823, 824, 828, 1557
Morton, J. R., vgl. Furimsky, E. 1380
–, vgl. Ingold, K. U. 700, 704
Morton, W. D., vgl. Barlow, M. G. 1258
Moscarello, M. A., Lane, B. G. u. Hanes, C. S. 1549
Moschel, A., vgl. Quinkert, G. 741, 746
Moscowitz, A., vgl. Rosenfield, J. S. 1008
Moser, C., vgl. Daudel, R. 5, 6
Moser, J. F., vgl. Ganter, C. 1021, 1032, 1033, 1034, 1036, 1038
Mosher, H. S., vgl. Hardwick, R. 1526
–, Souers, C., u. Hardwick, R. 1526
Mosher, W. A., u. Irino, R. R. 1378
Moss, R. A. 1142, 1143, 1165, 1211, 1224, 1229, 1235, 1237
–, vgl. Closs, G. L. 1160, 1226, 1230, 1236
–, u. Dolling, M. H. 1227
–, u. Funk, J. D. 1173
–, vgl. Jones jr., M. 1165, 1558

Moss, R. A. vgl. Jones, M. 1221
–, u. Mamatov, A. 1167
–, u. Przybyla, J. R. 442, 1224, 1229, 1232, 1237
Mosse, M., u. Bolny, C. 1524
Mostashari, A. J., vgl. Farnum, D. G. 315
Motsarev, G. V., et al. 508
–, Andrianov, K. A., u. Zetkin, V. I. 128
–, u. Rozenberg, V. R. 134
–, Tarasova, T. T., u. Inshakova, V. T. 449, 450
–, –, u. Rozenberg, V. R. 134
–, Yakubovich, A. Ya., u. Rozenberg, V. R. 503
Moubacher, R., vgl. Schönberg, A. 820, 973
Mousa, G. A., vgl. Schönberg, A. 973
Moussebois, C., u. Dale, J. 1059
Mousseron, M. 189
–, vgl. Mousseron-Canet, M. 206, 207
Mousseron-Canet, M., u. Chabaud, J. P. 260, 807
–, Mousseron, M., u. Legendre, P. 206, 207
Mowat, J. H. 149, 156
Mühlmann, E., vgl. Brockmann, H. 534
Mühlmann, R., vgl. Brockmann, H. 534
Mühlstädt, M., vgl. Scholz, M. 514, 520, 528, 529, 625
Müller, A., vgl. Schmidt, U. 1054
Müller, B. L., vgl. Schulte-Elte, K. H. 1477, 1478
Müller, D. 1336
–, vgl. Döpp, D. 1335, 1336
Müller, E. 180, 1318, 1319, 1320
–, et al. 179, 464, 466, 467, 468, 1553
–, Bauer, M., u. Rundel, W. 1220
–, u. Böttcher, A. E. 180
–, vgl. Burger, K. 1115
–, u. Fiedler, G. 180
–, u. Heinrich, P. 1179
–, Heiss, J., u. Sauerbier, M. 466
–, u. Heuschkel, U. 179
–, u. Huber, H. 183, 184
–, Meier, H., u. Sauerbier, M. 242, 334
–, u. Metzger, H. 179
–, –, u. Fries, D. 1458
–, Moosmayer, A., u. Rieker, A. 1254
–, u. Padeken, H. G. 180, 1350
–, u. Rundel, W. 1217, 1220
–, Sauerbier, M., u. Heiss, J. 464, 466, 470
–, –, –, u. Zountsas, G. 465, 466
–, u. Schmidt, E. W. 163, 164
–, vgl. Zeller, K.-P. 577, 1292
–, u. Zountsas, G. 465
Müller, F. J., vgl. Strohmeier, W. 1416, 1417
Müller, G., Huynh, C., u. Mathieu, J. 1186
Müller, J., vgl. Fischer, E. O. 1409

Paufler, R. M., vgl. Zimmerman, H. E. 423

Paulson, D. R., Korngold, G., u. Jones, G. 672, 683–685

–, Tang, F. Y. N., u. Sloan, R. B. 200, 672

Paulus, H., vgl. Kobelt, D. 1509

Pauly, K. H. 1244

Pauson, P. L., vgl. Horspool, W. M. 669, 989

Pavlath, A. E. 1591

Pavlis, R. R., vgl. Skell, P. S. 456

Payet, C. R., vgl. Beak, P. 1448

Payo, E., et al. 236, 237

–, vgl. Rivas, C. 866

Payo-Subiza, E., vgl. Gagnaire, F. 867

Pazhenchevsky, B., vgl. Fuchs, B. 939

–, u. Fuchs, B. 939

Peace, B. N., u. Wulfman, D. S. 1227

Pearce, R., vgl. Brook, A. G. 828, 829

Pearson, D. E., u. Thiemann, P. D. 1513

Pearson, E. G., vgl. Brode, W. R. 199, 200, 1521

Pearson, G. G., vgl. Park, I. D. 1390

Pearson, G. S., vgl. Hoare, D. E. 702, 1556

Pearson, J. M., vgl. Chakravorty, K. 1141

–, vgl. Dobis, O. 1141

Pearson, M., vgl. DeBoer, G. 1546, 1548

–, vgl. Johns, H. E. 1549

–, u. Johns, H. E. 1547–1549

Pearson, M. L., vgl. Helleiner, C. W. 1543, 1546

Pearson, M. S., vgl. Walling, C. 1344, 1364

Pearson, R. E., u. Martin, J. C. 139

Pease, W. P., vgl. Walling, C. 167

Pechet, M. M., vgl. Akhtar, M. 725

–, vgl. Hesse, R. H. 724

Pechuro, N. S. 1579, 1591

Pedersen, C. L. 1287

–, vgl. Buchardt, O. 1288, 1291

–, vgl. Kumler, P. L. 896

Pedersen, C. T., u. Lohse, C. 211

Pedersen, L., vgl. Lee, Y. L. 198, 1442

Peet, N. P., u. Cargill, R. L. 920, 921, 930

–, –, u. Bushey, D. F. 920

–, –, u. Crawford, J. W. 217

Peiffer, R., vgl. Morrison, H. 195

Pelc, B., u. Kodicek, E. 262

Pelletier, S. W., u. McLeish, W. L. 203

Peltzer, B., vgl. Roth, W. R. 231, 275, 294, 299, 417

Pengilly, B. W., vgl. Blair, J. M. 72, 73, 1400

Pennwalt Corp. 458

Penzien, K., vgl. Hädicke, E. 1509

Pepperdine, W., vgl. Boekelheide, V. 1522

Perez, C., vgl. Nakano, T. 866

Pergofit Società per Azioni 101

Perkampus, H. H., et al. 751

–, u. Blumm, T. 514

–, u. Kassebeer, G. 593–595

–, –, u. Müller, P. 593–595

–, Sandeman, I., u. Timmons, C. J. 326

–, u. Senger, P. 593–595

Perkins, I., vgl. Flowerday, P. 1260

Perkins, M. J., vgl. Atkinson, D. I. 1230

–, vgl. Cadogan, J. I. G. 1165, 1558

–, vgl. Hey, D. H. 645, 791

Perkins, W. C., vgl. De Boer, C. 343

Perlmann, P., vgl. Bäckström, H. L. J. 814

Perner, D., u. Henglein, A. 1354

Perold, G. W., vgl. Kaluza, F. 1462

–, u. Ourisson, G. 1006

Perotti, E., et al. 179

Perry, C. W., vgl. Büchi, G. 462, 463, 464

Perry, R. A., vgl. Chow, Y. L. 1424

Perst, H. 770, 774

–, u. Dimroth, K. 753, 771

Perveev, F. Ya., Statsevich, V. Ya., u. Gavryuchenkova, L. P. 557

Pestemer, M., vgl. Coenen, M. 202

Pete, J.-P., vgl. Mayo, P. de 898, 905, 913

–, vgl. Mellier, D. 1049

–, vgl. Villaume, M. L. 677, 680

Peters, C. A. 204

Petersen, H., vgl. Zeller, K.-P. 541

Petersen, W. C., u. Letsinger, R. L. 1463, 1464

Peterson, L. I., vgl. Griffin, G. W. 351, 353

Peterson, R. V., vgl. Coyle, D. J. 671, 893

Petit, G., vgl. Velluz, L. 262

Petranek, J., Ryba, O., u. Dosko-cilova, D. 975

Petrellis, P. C., et al. 1168

–, Dietrich, H., u. Griffin, G. W. 673, 674

–, u. Griffin, G. W. 673, 674, 1382

Petrellis, P. G., et al. 846

Petrov, A. D., et al. 132, 133, 503

–, vgl. Mironov, V. G. 452

–, vgl. Mironov, V. F. 133

–, Mironov, V. G., u. Glukhov-zev, V. G. 133

–, vgl. Ponomarenko, V. A. 132

Petrova, R. G., vgl. Nesmeyanov, A. N. 450

Petrow, V., vgl. Mills, J. S. 715

Petterson, R. C. 1103

–, et al. 1155, 1156

–, vgl. Dietrich, H. 673, 1208

–, u. Wambsgans, A. 139, 1103

Pettit, R., vgl. Barborak, J. C. 244

–, vgl. Ward, J. S. 1422, 1433

Petzer, B., vgl. Roth, W. R. 261

Pews, R. G., u. Evans, T. E. 1050

–, Roberts, C. W., u. Hand, C. R. 939

Peyches, I. 1519

Pfajfer, Z., vgl. Koerner von Gustorf, E. 1423, 1424

Pfau, M. 664

–, vgl. Dulou, R. 664

–, Dolou, R., u. Vilkas, M. 665, 666

–, vgl. Heindel, N. D. 795

–, Sarver, E. W., u. Heindel, N. D. 796, 799, 835

–, vgl. Taylor, E. C. 1120, 1310

Pfeffer, P. E., vgl. Closs, G. L. 225

Pfennig, H., vgl. Schenck, G. O. 1483

Pfenninger, E., et al. 769

Pfoertner, K. 262

–, u. Bernauer, K. 1481

–, u. Weber, J. P. 262

Pfordte, K., u. Leuschner, G. 586

Pfundt, G., vgl. Farid, S. 960–963

–, u. Farid, S. 948, 952

–, u. Hardam, W. M. 985

–, u. Schenck, G. O. 941, 948, 985

–, –, u. Hamer, J. 1557

Philippossian, G., vgl. Prinzbach, H. 238, 445

Philippsborn, W. v., et al. 434

Philips, J. P., Freedman, L. D., u. Craig, J. C. 1104

Phillips, B., vgl. Heywood, D. L. 705

Phillips, G. O. 671, 1555

Phillips, J. B., vgl. Boekelheide, V. 269, 1522

Phillips Petroleum Co. 100, 348, 457–459

Piasek, E. J., vgl. Filler, R. 311

Pichon, R., vgl. Courtot, P. 266

Pickard, R. H., vgl. Hunter, H. 717

Pickett, L. W., et al. 1092

Pieck, R., u. Jungers, I. C. 91

Piek, H. J. 966

–, vgl. Krauch, C. H. 573

Pierce, J. B., vgl. Brook, A. G. 829

Pierce, O. R., vgl. McBee, E. T. 106

Piers, E., u. Cheng, K. F. 782

Pietra, F. 603, 646, 1556

–, vgl. Albini, A. 1316

Pietrusza, E. W., Sommer, L. H., u. Whitmore, F. C. 1387, 1388

Pietrzykowska, I., u. Shugar, D. 1540

Piette, L. H., u. Landgraf, W. C. 700

Seffl, R. J., vgl. Park, J. D. 360, 628, 639, 640

Seiber, R. P., vgl. Stermitz, F. R. 599, 1117

Seidel, M., vgl. Huisgen, R. 580

Seidewand, R. J., vgl. Crandall, J. K. 758, 828, 1524

Seidl, H., vgl. Dürr, H. 1248, 1249, 1250

Seidler, H., vgl. Scharf, H.-D. 358, 359, 411

Seidner, R. T., vgl. Masamune, S. 276, 434, 435

–, Nakatsuka, N., u. Masamune, S. 434

Seiler, P., u. Wirz, J. 634

Seitz, G., vgl. Müller, R. 130

Seki, K., vgl. Ohashi, M. 1456

Sekine, Y., Ikeda, K., u. Arai, Y. 104

Seliger, H. H., u. McElroy, W. D. 1551

Seliger, M. M., vgl. Lee, J. 88, 89

Selin, T. G., u. West, R. 1388, 1389

Selinger, B. K., vgl. Christie, J. 476

–, vgl. Sterns, M. 476

–, u. Sterns, M. 476

Sellers, H., vgl. Westcott jr., L. D. 1376

Selley, D. B., vgl. Kwiatkowski, G. T. 311, 312

Selvarajan, R., vgl. Boyer, J. H. 569, 570

–, u. Boyer, J. H. 1097, 1173, 1269

Semenov, V. P., et al. 1273

–, vgl. Oglobin, K. A. 1273

Semenova, L. O., vgl. Temnikova, T. I. 674

Senger, P., vgl. Perkampus, H. H. 593–595

Sen Gupta, A. K., vgl. Kaufmann, H. P. 301, 302

Senier, A., u. Shephead, F. G. 1525

Serebryakow, E. P., vgl. Barton, D. H. R. 1005

–, vgl. Kostochka, L. M. 665

–, Kostochka, L. M., u. Kucherov, V. F. 665, 930

Sergio, R., vgl. Dürr, H. 1161, 1233

Sernagiotto, E. 932

Serridge, P., vgl. Moriarty, R. M. 1263

Servé, M. P., vgl. Rosenberg, H. M. 322, 364, 366, 370

–, u. Rosenberg, H. M. 366

Servé, P., vgl. Rosenberg, H. M. 364

Servis, K. L., u. Fang, K.-N. 536

Seter, J., vgl. Gassman, P. G. 1190

Setlow, I. K., vgl. Setlow, R. B. 1531

Setlow, R. B. 1531, 1536, 1558

–, Carrier, W. L., u. Bollum, F. J. 1542, 1551

–, vgl. Deering, R. A. 1542, 1546

–, u. Setlow, I. K. 1531

Setlow, R. B., vgl. Swenson, P. A. 1536, 1546

Setlow, R. E., vgl. Levin, G. 1315

Setser, D. W., et al. 1215

–, Robinovitch, B. S., u. Placzek, D. W. 280

Setz, P. 262

Severin, T., Krämer, H., u. Adhikary, P. 1201

Severson, R. G., et al. 158

Sevilla, M. D., vgl. Burr, J. G. 1535

Seyfarth, H. E., Hesse, A., u. Pastohr, H. 695, 696

Seyferth, D., u. Ernin, A. B. 235

Shafei, Z. M. el, s. El-Shafei, Z. M.

Shafer, J., et al. 1183

Shaffer, G. W. 1330

Shafic, M., vgl. Barton, D. H. R. 755, 776, 784, 789

Shahin, M. M. 1566, 1574

Shaikhrazieva, V. S., et al. 485, 487

–, Enikeev, R. S., u. Tolstikov, G. A. 355, 401, 406, 407

–, Talvinskii, E. V., u. Tolstikov, G. A. 485, 488

Shakaá, H. 1345, 1365

Shalaby, A. F. A. M., vgl. Mustafa, A. 948, 973, 984

Shand, A. J., u. Thomson, R. H. 978

Shani, A. 208, 211, 241, 938

–, u. Mechonlam, R. 669

–, vgl. Yang, N. C. 193, 528, 894, 990, 996

Shannon, J. S., Silberman, H., u. Sternhell, S. 1117

Shapiro, R., u. Tomer, K. 1049

Sharafy, S., u. Muszkat, K. A. 512

Sharafy-Ozeri, S., vgl. Korenstein, R. 1523

–, vgl. Muszkat, K. A. 514

Sharkey, W. H., vgl. Middleton, W. J. 1062

Sharma, R. K., vgl. Kharasch, N. 642, 643, 653

–, u. Kharasch, N. 644, 1369, 1372, 1454, 1455

Sharp, D. B. 1475

Sharp, J. T., vgl. Cadogan, J. I. G. 1369

Sharpe, L., vgl. Borden, W. T. 309

Sharrkey, W. H., vgl. Anderson, J. L. 451

Shaw, B. L., vgl. Brookes, P. R. 1407

Shaw, H., Menczel, J. H., u. Toby, S. 1139

Shaw, R. A., vgl. Eaborn, C. 158

Shcheglova, N. A., Shigorin, D. N., u. Gorelik, M. V. 942

Shealer, S. E., vgl. Farid, S. 376, 854

Shechter, H., vgl. Bailey, R. J. 1173

–, vgl. Bossenbroek, B. 467, 470

Shechter, H., vgl. Cantrell, T. S. 483

–, vgl. Fleming, J. C. 1214, 1256, 1355

–, vgl. Friedman, L. 1168

–, vgl. Kurtz, D. W. 565, 1109, 1170, 1497

–, Link, W. J., u. Tiers, G. V. D. 327

–, vgl. Miller, D. B. 314

–, vgl. Roberts, T. D. 1003

Sheehan, J. C., u. Beeson, J. H. 1083

–, u. Lengyel, I. 1083, 1248, 1252

–, u. Mehdi Nafissi-V, M. 1079, 1083, 1085

–, u. Wilson, R. M. 797

–, –, u. Oxford, A. W. 797

Shefter, E., vgl. Padwa, A. 765, 1022

Shekhtman, R. I., vgl. Dashunin, V. M. 204

–, Kronganz, V. A., u. Prilezhaeva, E. N. 201

Sheldon, R. A., vgl. Davidson, R. S. 1355, 1363

–, vgl. Kochi, J. K. 1005

Sheldon, Z. D., vgl. Dorfman, L. M. 88

Sheline, O. K., vgl. Schubert, F. H. 1424

Sheline, R. K., vgl. Stolz, I. W. 1416

–, vgl. Ziegler, M. L. 1420

Shell Development Co. 454, 455, 1346–1348

Shell Internationale Research Maatschappij N. V. 1346, 1348, 1352

Shelton, J. R., u. Champ, A. 703

–, u. Henderson, J. N. 703

Shemyakin, M. M., et al. 1319

–, Maimind, V. I., u. Vaichunaite, B. K. 1319

Shen, K.-W., McEwen, W. E., u. Wolf, A. P. 219, 1364

Shen, M., vgl. Kobayashi, H. 1590

–, vgl. Worman, J. J. 1070

Shen, Y. H., vgl. Jones jr., M. 1238

Shephead, F. G., vgl. Seniev, A. 1525

Sheppard, J. W., vgl. Henne, A. L. 98

Sheridan, J. B., vgl. Brember, A. R. 239, 272

–, vgl. Gorman, A. A. 272

Shermann, W. V., vgl. Cohen, S. G. 813, 1010

–, u. Cohen, S. G. 1010

Shevlin, P. B., u. Wolf, A. P. 1168, 1238

Shiba, T., vgl. Kato, H. 573, 574

Shibata, T., vgl. Grovenstein jun., E. 432

Shida, S., vgl. Tanaka, J. 275

–, vgl. Yamazaki, H. 275

Shields, J. E., Gavrilovic, D., u. Kopecký, J. 485

–, vgl. Kopecký, J. 346, 347, 368, 369

Spangler, R. J., u. Sutton, J. C. 310, 748

Sparrow, L. G., vgl. Cooke, R. G. 978

Spasskaya, I. F., Etlis, V. S., u. Razuvaev, G. A. 121

–, vgl. Razuvaev, G. A. 106, 113

Speakman, P. R. H., vgl. Robson, P. 1076

Spears, K. G., vgl. Abramson, A. S. 16

Spector, R. H., u. Joullié, M. M. 562

Spedding, P. L. 1574

Spees, S. T., u. Adamson, A. W. 1407

Speier, J. 144, 176

Speier, J. L. 131, 153, 154, 504

–, vgl. Michael, K. W. 153, 154

–, vgl. Ryan, J. W. 133

Spence, G. G., vgl. Taylor, E. C. 587, 617, 1310, 1311

–, Taylor, E. C., u. Buchardt, O. 2, 1286, 1288, 1322, 1342, 1465, 1552

Spialter, L., vgl. McKenzie, C. A. 1388

Spietschka, E., vgl. Horner, L. 1173, 1177, 1178, 1179, 1180, 1187, 1191, 1194, 1195, 1271

Spinks, J. W. T., u. Woods, R. J. 1

Spittler, E. G., u. Klein, G. W. 281

Spitzer, W. A., vgl. Dauben, W. G. 660

Splitter, J. S., et al. 1284, 1285

–, u. Calvin, M. 1268, 1283, 1286, 1342, 1321, 1342

–, Ono, H., u. Calvin, M. 1283, 1284

Spoerke, R. W., vgl. Wagner, P. J. 757

Spoerri, P. E. vgl. Parker, C. O. 511

Spokes, G. N., vgl. Berry, R. S. 1158

Sporer, A. H. 1527

Sprangler, C. W. 257

Sprecher, M., vgl. Libman, J. 635, 991, 992

Spurlock, S., vgl. Radlick, P. 399

Squire, R. H., vgl. Eckroth, D. R. 1287

Srinivasan, R. 189, 209, 218, 227, 231, 233, 248, 249, 254, 257, 264, 271, 278, 288, 293, 356, 492, 552, 660, 740, 757, 760, 850, 879, 892, 894, 1410, 1411, 1551, 1553–1555, 1557

–, vgl. Buoe, S. 553

–, u. Carlough, K. H. 227, 419

–, vgl. Cornelisse, J. 493

–, vgl. Cremer, S. 763, 887

–, vgl. Haller, I. 1410

–, u. Hill, K. A. 227, 231, 285, 286, 492, 875

–, vgl. Hiraoka, H. 552, 553

–, u. Hiraoka, H. 553

–, u. Hsu, J. N. C. 512

–, vgl. Merritt, V. Y. 283

Srinivasan, R., Merrit, V. Y., u. Subrahmanyam, G. 493

–, u. Sonntag, F. I. 97, 227, 248, 293

Srivanavit, C., vgl. Hughes, A. N. 1355, 1357, 1358

Staab, H. A., vgl. Ipaktschi, J. 467

–, u. Ipaktschi, J. 467, 468, 749, 750

Stacey, F. W., vgl. Harris Jr., J. F. 457, 458, 1344

–, u. Harris, J. H. 454, 458

–, vgl. McKusick, B. C. 183

Staedel, W. 99

Staehelin, A., vgl. Etienne, A. 592, 1490

Staemmler, V. 1163

Stahlke, K. R., Heine, H. G., u. Hartmann, W. 345, 527

–, vgl. Scharf, H.-D. 352, 353

Staires, J. C., vgl. Jones, G. 843

Staley, S. W., u. Henry, T. J. 300

Stallings, I. P., vgl. Rosen, I. 92

Stammers, A. D., vgl. Osborn, T. W. B. 87

Stampa, G., vgl. Kharasch, M. S. 687, 688

Standard Oil Co. of Indiana 1346–1348

Standke, O., vgl. Klinger, H. 969, 970

Stanko, V. I., et al. 1406

–, Klimova, A. I., u. Titova, N. S. 1406

–, vgl. Zakharkin, L. I. 1406

Stankorb, J. W., u. Conrow, K. 938

Stanley, J. W., vgl. Warner, P. F. 458

Stanovnik, B. 1270

Stansbury, H. A., vgl. Heywood, D. L. 705

Starkey, R. A., vgl. Heathcock, C. A. 241

Starkie, H. C., vgl. Fieldhouse, S. A. 1345

Starkovsky, N. A., vgl. Baddar, F. G. 622

Starnes, W. H. 983

–, vgl. Plank, D. A. 773

Staros, J. V., vgl. Lemal, D. M. 475

Starr, J. E., u. Eastmann, R. H. 887–889

Starrat, A. N., vgl. Barton, D. H. R. 1260

Statsevich, V. Y., vgl. Perveev, F. Y. 557

Staudinger, H. 1111, 1178

–, u. Bereza, St. 787

Stauffer, H., vgl. Mechel, L. von 1520

Steacie, E. W. 628

–, vgl. Ausloos, T. 1141

–, vgl. Gunning, H. E. 203

–, vgl. Jones, M. H. 1141

–, vgl. Kutschke, K. O. 88

–, vgl. McElcheran, D. E. 1121

Stear, A. N., vgl. Green, M. L. H. 1427

Stearns, E. J. 1520

Stechl, H. H. 285, 1200

Stedmann, R. J., u. Migger, L. S. 243

Steel, C., vgl. Engel, P. S. 1139

–, vgl. Hutton, R. F. 1139

–, vgl. Solomon, B. S. 1147

–, vgl. Thomas, T. F. 1147

Steele, B. R., vgl. Haszeldine, R. N. 99, 449, 450, 452, 455

Steer, R. P., Kalra, B. L., u. Knight, A. R. 1010, 1015

–, u. Knight, A. R. 1010, 1011

Steeryr, A., vgl. Bäckström, H. L. J. 814

Stefani, A. P., vgl. Park, J. D. 459

Stefanovic, R. T., u. Stojiljkovic, R. A. 1195

Steffan, G. 359, 404, 956

–, u. Schenck, G. O. 359, 360, 401, 404, 855, 856, 955

Steffen, M., vgl. Walter, W. 707

Stegemeyer, H. 198, 327

–, vgl. Goedicke, C. 512–514, 520, 528

Stegen, G. H. D. van der, et al. 650

Stegmann, H. B., Stöcker, F., u. Bauer, G. 1383

Stein, N., vgl. Cohen, S. G. 811

Steinberger, F. K., vgl. Stobbe, H. 201, 202

Steiner, P. R., vgl. Davidson, R. S. 1004, 1336

Steinfelder, K., vgl. Ardenne, M. v. 1565

Steinheimer, T. R., vgl. Wulfman, D. S. 1261

Steinmanns, H., vgl. Elad, D. 564

Steinmetz, R. 2, 189, 278, 294, 296, 588, 1552–1554

–, vgl. Gotthardt, H. 868, 875, 876

–, vgl. Hartmann, W. 358, 401, 404

–, Hartmann, W., u. Schenck, G. O. 395, 396, 401, 402, 404, 405, 1554

–, vgl. Schenck, G. O. 193, 243, 295, 402–405, 484, 485, 558, 559, 665, 666, 866, 867, 1241

Stella, L., vgl. Surzur, J. M. 1102

Steller, K. E., vgl. Letsinger, R. L. 693

–, u. Letsinger, R. L. 1338

Stenberg, V. I. 687, 985, 1454, 1556–1558

–, vgl. Elad, D. 992, 993

–, vgl. Rao, D. V. 992

–, vgl. Travecedǒ, E. F. 597, 1457, 1458

Stepanov, F. N., vgl. Yurchenko, A. G. 284

Stepanov, J. P., Ikonopistseva, O. A. u. Temnikova, T. J. 843

–, vgl. Temnikova, T. I. 673, 674

Stephan, H., vgl. Dilthey, W. 626

Sachregister

Wegen der Kompliziertheit vieler Verbindungen wurde das Sachregister nach Stammverbindungen geordnet. Entstehende Verbindungen wurden grundsätzlich aufgenommen. Substituenten werden in der Reihenfolge nach Beilstein benannt. Dicarbonsäure-anhydride bzw. -imide sind als Substituenten, selten als zusätzliches Ringsystem registriert. Allen cyclischen und spirocyclischen Verbindungen sind Strukturformeln vorangestellt.

Bei der Einordnung der Verbindungen innerhalb der Punkte B—L hat der kleinste Ring Vorrang vor den größeren, der weniger komplizierte vor dem komplizierteren. Somit wird z. B. Cyclohexyl-cyclopropan nur beim Cyclopropan registriert.

Fettgedruckte Seitenzahlen weisen auf Vorschriften hin. Wegen der Kompliziertheit der Ausgangsverbindungen wurde in diesem Sachregister bei den Arbeitsvorschriften auf nähere Erläuterungen verzichtet.

Inhalt

Cyclische Verbindungen werden nach dem Ring-Index[1] benannt.

Die sterischen Gegebenheiten um eine C=C-Doppelbindung wurden im vorliegenden Bd. mit *cis* und *trans* bzw. bei substituierten C=C-Doppelbindungen[2] mit (Z) und (E) gekennzeichnet.

Die *cisoiden* oder *transoiden* Konformationen z. B. eines Hexatriens-(1, 3, 5) wurde folgendermaßen präzisiert: *s-cis* bzw. *s-trans*, wobei u. U. die Ziffer des niedrigeren Kohlenstoff-Atoms der betreffenden C–C-Einfachbindung mit angeführt werden kann.

s-2-cis,cis,s-4-trans-Hexatrien-(1,3,5)

ⓐ Beschreibung von stereoisomeren substituierten Monocyclen

   1. Bei an 2 verschiedenen Kohlenstoff-Atomen substituierten Monocyclen wurde die räumliche Beziehung der Substituenten mit *cis* und *trans* gekennzeichnet, bei 3 und 4 verschiedenen Substituenten mit (E) und (Z) entsprechend der Sequenz-Regel.

   2. Für Monocyclen, die an mehr als 2 Kohlenstoff-Atomen substituiert sind, wurde ein Vorschlag der IUPAC[3] aufgenommen: Die Lage über oder unterhalb der Ringebene wird durch *c-* oder *t-* in Relation zu einer Bezugsgruppe *r* angegeben. Diese Abkürzungen für *cis*, *trans* und *reference* werden kursiv mit Bindestrich der Stellungsziffer des Substituenten am Ring vorangestellt.

   Bezugsgruppe ist der Substituent, der als Suffix dem Cyclus nachgestellt wird, oder, wenn dies nicht eintrifft, der Substituent mit der niedrigsten Stellungsziffer.

   Ergeben sich 2 gleichwertige Zählweisen, rechts oder links herum, so wird diejenige genommen, bei der die beiden niedrigsten Substituenten *cis*-ständig sind.

   Bei 2 verschiedenen Substituenten am gleichen C-Atom wird der mit der höheren Ordnung entsprechend der Sequenz-Regel zur räumlichen Lagebezeichnung herangezogen. Der andere Substituent wird nicht ausgezeichnet.

ⓑ Bi- und höhercyclische Verbindungen

   1. Die Festlegung des Verbindungsnamens erfolgt durch den größten Hauptring, die längstmögliche Hauptbrücke, die den Hauptring möglichst symmetrisch teilen soll, und Sekundärbrücken zwischen Kohlenstoff-Atomen mit möglichst niedrigen Stellungsziffern nach dem allgemein üblichen Schema[4]. Angestrebt wurde

---

[1] *The Ring Index*, American Chemical Society, Washington 1960.
[2] IUPAC Tentative Rules for the Nomenclature of Organic Chemistry, J. Org. Chem. **35**, 2852, 2866 (1970).
[3] J. Org. Chem. **35**, 3854 (1970).
[4] Nomenclature of Organic Chemistry, s. 31 ff., Butterworth, London 1969.

den Heteroatomen oder Doppelbindungen möglichst niedrige Stellungsziffern zu geben, was jedoch nicht immer „optimiert" werden kann.

Bei benzokondensierten verbrückten Verbindungen wurde die Kranz-Bezifferung streng parallel zur Kern-Bezifferung festgelegt.

2. Zur Beschreibung der räumlichen Struktur des Kohlenstoff-Skeletts wurden *exo, endo, syn-, anti, cis* und *trans* benutzt und direkt dem Polycyclus vorangestellt, ungeachtet von Heteroatomen oder ankondensierten Aromaten. Dabei wurden folgende Zuordnungen getroffen:

exo- und *endo* kennzeichnen die Lage eines endständigen Ringes an einem (mindestens) Bicyclus ([k. l. m] mit m ⧺ 0), wobei dessen Hauptring als Bezugsbasis genommen wird:

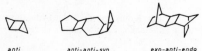

| exo | endo | endo |

syn und *anti* beschreiben die Lage eines Ringes, der an 2 Seiten mit Cyclen verbunden ist:

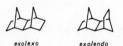

| anti | anti–anti–syn | exo–anti–endo |

Außerdem zeichnet *syn* und *anti* Strukturisomere aus, z. B.:

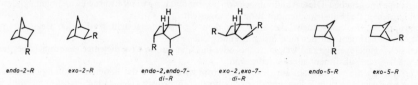

| syn | anti | syn | anti | syn | anti |

Sind 2 Bicyclen ([k.l.m] wobei m ⧺ 0) durch eine gemeinsame Kante verbunden, so werden die räumlichen Verhältnisse mit *exo/exo, exo/endo* oder *endo/endo* symbolisiert:

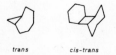

| exo/exo | exo/endo |

cis und *trans* beschreibt die *cis-* oder *trans*-ständige Beziehung eines Hauptring-Zweiges zu den Brücken-kopf-Atomen

| trans | cis–trans |

3. Die räumliche Lage von Substituenten an bi- und höhercyclischen Verbindungen wird mit *exo, endo, syn* und *anti* ausgedrückt und mit Bindestrich der Stellungsziffer des betreffenden Substituenten vorangestellt.

exo kennzeichnet in Analogie zum Norbornan den nach unten, unter den Hauptring zeigenden Substituenten – auch bei Bicyclo[k.l.0]alkanen! *endo* weist in die entgegengesetzte Richtung

| endo–2–R | exo–2–R | endo–2,endo–7– di–R | exo–2,exo–7– di–R | endo–5–R | exo–5–R |

syn und *anti* beschreibt die Lage von Substituenten an einer Hauptbrücke, die bei unsymmetrisch geteiltem Hauptring auf dessen größeren Ring, bei symmetrisch geteiltem Hauptring auf einen weiteren Substituenten bezogen wurden. Auch isomere substituierte Dispiro-Verbindungen wurden hier eingeordnet.

| syn–10–R | anti–10–R | syn–7–R | anti–7–R | syn | anti |

Die stereochemischen Verhältnisse von substituierten *cis-trans*-verknüpften Tricyclen wurde folgendermaßen präzisiert:

c-2,t-8-di-R-r-1-H-c-7-H   t-2,t-8-di-R-r-1-H-t-7-H

Wegen der nicht immer eindeutigen Zählweise bei den *Spiro-Verbindungen* wurde deren Nomenklatur in Anlehnung an die Azo-Nomenklatur gewählt.

I*

A. Offenkettige Verbindungen

Dimethyl-[cyclohexadien-(2,5)-yl]-   510
Dimethyl-(4-nitro-phenyl)-   694
(2,4-Dinitro-phenyl)-(5-jod-pentyliden)-   **729**
Diphenyl-   994, 1277, 1590
(1,2-Diphenyl-äthyliden)-cyan-   1079
Diphenylmethyl-   1446
Diphenylmethyl-acetyl-   1449
Diphenylmethyl-benzoyl-   **1449**
Diphenylmethyl-butyl-   1446
Diphenylmethyl-cyclohexyl-   1446
Diphenylmethyl-diäthyl-   1221
Diphenylmethyl-diphenylmethylen-   1263, 1447
Diphenylmethylen-   1127, 1262
[1,1,1,3,3,3-Hexafluor-propyl-(2)]-(α-äthoxy-benzyli-
    den)-   1115
[1,1,1,3,3,3-Hexafluor-propyl-(2)]-(4-chlor-α-methoxy-
    benzyliden)-   1115
[1,1,1,3,3,3-Hexafluor-propyl-(2)]-(α-methoxy-benzyli-
    den)-   1115
Hexanoyl-   1274
(4-Hydroxy-phenyl)-benzoyl-   646
(5-Jod-pentyl)-benzoyl-   1005
Methansulfonyl-   1282
(2-Methoxy-benzyl)-benzyliden-   1119
Methoxycarbonyl-   1279
Methoxymethyl-benzyliden-   1119
(4-Methoxy-phenyl)-benzyliden-   1090
[2-Methoxy-propyl-(2)]-benzyliden-   1119
Methoxysulfuryl-phenyl-   1281
Methyl-acetoxymethyl-acetyl-   707
Methyl-[2-(bzw. 4)-acetyl-phenyl]-   994
Methyl-butyliden-(2)-   1262
Methyl-carboxymethyl-   1183
Methyl-(4-chlor-pentanoyl)-   **1103**
Methyl-cyan-   586
Methyl-(2-cyan-phenyl)-   561
(1-Methyl-cyclohexylmethylen)-tert.-butyl-   1085
Methyl-diäthyl-
Methyl-diphenylmethyl-   1446, **1447**
Methylen-   1130
Methyl-{2-[1-methyl-indolyl-(3)]-äthyl}-[4-cyan-bu-
    tadien-(1,3)-yl]-   1293
Methyl-phenyl-   994, 1181, 1578, 1579
Methyl-phenyl-phenylacetyl-   1182
Methyl-(2-phenyl-vinyl)-acetyl-   202
Methyl-(2-phenyl-vinyl)-benzoyl-   202
(2-Methyl-propenyliden)-benzoyl-   577
Methyl-thiobenzoyl-   578
Nitroso-butyl-(4-chlor-butyl)-   1101
(2-Nitro-tetramethyl-phenyl)-(2-äthoxy-äthyli-
    den)   1462
Nonanoyl-   1001
Octanoyl-   1001
Octyl-   1260
Octyliden-   1260
(3-Oxo-1,3-diphenyl-propyl)-cyclohexyliden-   1081,
    1082
Phenyl-   570, 1047, 1072, 1120, 1127, 1460, 1464, 1578
Phenyl-acetyl-   571, 994
Phenyl-[2-(bzw.-4)-acetyl-phenyl]-   994
Phenyl-äthoxycarbonyl-   1072, 1088
Phenyl-benzyl-   1085, 1116
Phenyl-benzyliden-   1088
Phenyl-(4-brom-phenyl)-   1156
Phenyl-(4-chlor-phenyl)-   1156
Phenyl-cyan-   586
Phenyl-dibenzoyl-   1120
Phenyl-diphenylmethylen-   1090, 1092, 1253
Phenyl-(2,2-diphenyl-vinyliden)-   569
Phenyl-isopropyloxycarbonyl-   1088

Phenyl-(2-methoxy-benzyliden)-   1089
Phenyl-methylen-   1088, 1578
Phenyl-(3-oxo-2,3-diphenyl-propenyliden)-   565, 1497
Phenyl-phenylacetyl-   1180
Phenyl-(1-phenyl-propyliden)-   1259
Propyliden-   1261
Propyl-[3-oxo-2-methyl-buten-(1)-yl]-   997
Propyl-penten-(4)-yl-   1103
Tribenzoyl-   1497
Tris-[1,2,2,2-tetrachlor-äthyl]-   **127**
Undecanoyl-   1002

Antimon
Triphenyl- ; -oxid   1364

Arsen
Bis-[trifluormethyl]-phenyl-   1354
Dijod-phenyl-   1355
Dimethyl-[hexafluor-2-chlor-buten-(2)-yl-(3)]-   1349,
    1354
Jod-trifluormethyl-phenyl-   1355
Methyl-bis-[trifluormethyl]-   1363
Trimethyl-   1355

Arsonsäure
2-Nitroso-benzol-   1332

Azobenzol   1287, 1590
cis-   **1133**
trans-   1111, 1126
4-Äthoxy-   1133
4-Amino-   1520
4,4'-Bis-[aminosulfonyl]-   1049
4-Brom-   1133
4-Chlor-   1133, 1138
5,5'-Dibrom-6-hydroxy-2,2'-bis-[1-hydroxy-2-methyl-
    propyl-(2)]-   1341
4,4'-Dimethoxy-   1270
2,2'-Dimethyl-   1334
4,4'-Dimethyl-   1133
3,3'-Dinitro-   1333
2,2'-Diphenyl-   1269
4,4'-Diphenyl-   1270
2-Hydroxy-   1460
2-Hydroxy-*trans-*   **1320**
6-Hydroxy-2,2'-bis-[1-hydroxy-2-methyl-propyl-(2)]-
    1341
6-Hydroxy-2,2'-bis-[1-hydroxy-2-methyl-propyl-(2)]-5,
    5'-di-tert.-butyl-   1341
2-Hydroxy-2',4-(bzw. -2',6)-dimethyl-   **1320**
2'-Hydroxy-2,6-dimethyl-   1334
4-Hydroxy-2,2'-dimethyl-   **1320**
4-Hydroxymethyl-   1126
4-Jod-   1133
4-Methyl-   1133
3-Nitro-   1133
2,2',6,6'-Tetrakis-[2-hydroxy-propyl-(2)]-4,4'-diisopro-
    pyl-   **1335**

4,4'-Azochinolin
-1,1'-dioxid   1299

1,1'-Azonaphthalin
cis-   1133

2,2'-Azonaphthalin
3,3'-Dinitro-   1269

2,2'-Azopyridin
cis-   1133

3,3'-Azopyridin
cis-   1133

Bor

Brom-diphenyl- 1399
Butylmercapto-dibutyl- 1403
Chlor-diphenyl- 1399
Dibrom-aryl- 505
Dibrom-butyl- 1399
Dibrom-naphthyl-(1)- 1399
Dibrom-phenyl- 1399, **1400**
Dibutyloxy-(2-brom-äthyl)- 455
Dibutyloxy-(2-hexylmercapto-phenyl)- 1012
Dihydroxy-butyl- 1399
Dihydroxy-[2-(bzw.-3; bzw.-4)-methyl-phenyl]- 506
Dijod-phenyl- 1399, **1400**
Hydroxy-diphenyl- ; -Natriumsalz 1405
[3-Methyl-penten-(1)-yloxy]-diäthyl- 1402
Phenyl- ; -oxid **1400**

Butadien-(1,2) 248, 552

1-(2-Äthyl-phenyl)- 270
3-Methyl-4,4-diphenyl- 1247
3-Phenyl- ; -1-phosphonsäure-dimethylester 1360

Butadien-(1,3) 552, 895, 1142, 1168, 1200

cis-(bzw. trans)-1-(2-Äthyl-phenyl)- 270
Bis-[carbonyl-trimethylplumbyl-eisen]- 1425
Bis-[carbonyl-trimethylstannyl-eisen]- 1425
4-Chlor-2,3-dimethyl- 1167
1-Cyclohexen-(1)-yl- 259
2,3-Dimethyl-1,1-diphenyl- 863, 872
cis,cis-(bzw. cis,trans-;trans,trans)-1,4-Diphenyl- 208
2,3-Diphenyl- 343
2-Methyl- 1358
3-Methyl-1-(1-hydroxy-6,6-dimethyl-2-methylen-cy-
    clohexyl)- 1479
3-Methyl-1-[1-hydroxy-2,6,6-trimethyl-cyclohexen-
    (2)-yl]- 1479
3-Methyl-1-(6-hydroxy-2,2,6-trimethyl-cyclohexyli-
    den)- 1479
3-Methyl-1-(2-methyl-phenyl)- 271
3-Methyl-1-[2,6,6-trimethyl-cyclohexen-(1)-yl]-4-cy-
    an-cis- 208
Pentachlor-1-isocyanato- 1292
cis-1-Phenyl- 208, 434
4-Phenyl-1-pyridyl-(4)-cis,trans-(bzw. -trans,trans)-
    209
1,1,4,4-Tetrakis-[4-methoxy-phenyl]- 640

Butadien-(2,3)-säure

-nitril 553

Butadiin

1,4-Diphenyl- 642

Butan 280

3-Äthoxy-2-oxo- **183**
2-Alkoxy-2,3-dimethyl- **654**
1-Amino-1-hydroximino- **1325**
4-Amino- ; -1-sulfochlorid-Hydrochlorid **168**
4-Amino- ; -2-sulfochlorid-Hydrochlorid **168**
2-Anilino-2-methyl- 581
2,3-Bis-[bis-(trifluormethyl)-phosphino]- 1353
2,3-Bis-[butylmercapto]- 1025
1,4-Bis-[hydroximino]- **730**
-1-boronsäure 1399
threo-(bzw. erythro)-3-Brom-2-deuterio- 455
2-Brom-2,3-dimethyl- 144
1-(bzw. 3)-Brom-2-oxo- 160
2-Brom-3-oxo-2-methyl- 160
2-Brom-3-oxo-1-(2,2,6-trimethyl-cyclohexyl)- **149**
3-Brom-2,2,3-trimethyl- **144**
1-Butylimino- 1110
1-Chlor- 712

2-Chlor-2-brom- 146
threo-(bzw. erythro)-3-Chlor-2-brom- 146, 455
4-Chlor-1-butylamino- **1101**
1-Chlor-2,3-dimethyl- 93, 142
2-Chlor-2,3-dimethyl- 93, 141, 142
4-Chlor-1-hydroxy- 142, 712, **714**
3-Chlor-1-(1-hydroxy-cyclohexyl)- 713
2-Chlor-2-methyl- 1215
4-Chlor-2-methyl- ; -1-sulfochlorid 167
1-(bzw. 3)-Chlor-2-oxo- 114
4-Chlor-1-tetrahydrofuranyloxy-(2)- 142
Decachlor-3-oxo-2-methyl- **114**
D,L-(bzw. meso)-2,3-Dibrom- 146, 455
d,l-(bzw. meso)-2,3-Dibrom-1,4-dihydroxy- 453
2,3-Dibrom-2,3-dimethyl- 144
(-)-1,2-Dibrom-2-methyl- 145
2,3-Dibrom-1,1,4,4-tetramethoxy- 152
1-Dibutylamino-1-cyclohexadien-(2,5)-yl- 510
1,1-(bzw. 1,2-; bzw. 1,3-; bzw. 1,4)-Dichlor- 142
1-(Dichlor-methyl-silyl)-3,4,4-trifluor-3,4-dichlor-1-
    jod- 631
3,3-Difluor-1-(bzw. -2)-chlor- 98
2,3-Dihydroxy-2,3-bis-[4-hydroxy-3,5-di-tert.-butyl-
    phenyl]- **816**
meso-(bzw. d,l)-2,3-Dihydroxy-2,3-dinaphthyl-(2)- 821
2,3-Dihydroxy-1,4-dioxo-2,3-dicyclopropyl-1,4-diphe-
    nyl- 818
2,3-Dihydroxy-1,4-dioxo-1,2,3,4-tetracyclopropyl-
    818
2,3-Dihydroxy-2,3-diphenyl- 818
2,3-Dihydroxy-2,3-diphenyl- ; -1,2-bis-[phosphonsäu-
    re-diäthylester] 1373
2,3-Dihydroxy-2,3-dipyridyl-(2)- 819
2,3-Dihydroxy-2,3-dipyridyl-(3)- 816
2,3-Dihydroxy-2-methyl- 837
2,3-Dihydroxy-1,2,3,4-tetraphenyl- 819
1,2-(bzw. 2,3)-Dijod- 456
1,4-Dimercapto- 1058
2,3-Dimethyl- 654, 1205, 1437
meso-2,3-Dimethyl-1,4-bis-[4-methoxy-phenyl]- 315
2,3-Dimethyl-1-(bzw. -2)-cyclopentadienyl- 1211
2,2-Dimethyl-2,3-diphenyl- 706, 1589
2,3-Dimethyl-2,3-diphenyl- 706, 1055, 1377
2,3-Dimethyl- ; -1-sulfochlorid 167
1,4-Dioxo-1,4-diphenyl- 682, 896, 1089, 1441, 1476
1,3-Dioxo-2-methyl-1-phenyl- 675
1,3-Dioxo-1-phenyl- **991**
1,4-Dioxo-2,2,3,3-tetramethyl-1,4-dicyclohexyl- 1036
1,4-Dioxo-1,2,3,4-tetraphenyl- 1040
2,3-Diphenyl- 1589
1-Fluor-2-brom-2-methyl- 146
4-Fluor-2-oxo- 162
Hexachlor-3-oxo-2,2-bis-[trichlormethyl]- 114
1,1,1,4,4,4-Hexafluor-2,3-dibrom- 453
1,1,1,4,4,4-Hexafluor-2,3-dichlor- 450
Hexafluor-4,4-dichlor-1,2-dibrom- 453
Hexafluor-1,4-dichlor-2,3-dibrom- 453
Hexafluor-2,3-dihydroxy-2,3-bis-[trifluormethyl]-
    818
Hexafluor-1,2,3,4-tetrabrom- 453
Hexafluor-1,2,3,4-(bzw. -2,2,3,3)-tetrachlor- 451
1,1,1,4,4,4-Hexafluor-2,2,3-tribrom- 453
1,2,2,3,4,4-Hexafluor-1,3,4-trichlor-1-jod- 630
2-Hydroximino- **1324**
3-Hydroximino-2-oxo- **1324**
1-Hydroxy- 712
2-Hydroxy-3-äthoxy-1-cyclobuten-(2)-yl- 759
2-Hydroxy-2-methyl- 1217
1-Hydroxy-3-methyl- ; -1-phosphonsäure-
    diphenylester 1348

Propan
1,1,3-Trichlor-2-oxo- 106, 114, **115**
1-Trichlorsilyl-3-acetoxy- 1389
1-(bzw. -2)-Trichlorsilyl-2-brom- 154
1-Trichlorsilyl-1-(bzw. -2-; bzw. -3)-chlor- 133
2-Trichlorsilyl-1-(bzw. -2)-chlor- 133
2-Trichlorsilyl-1-(bzw. -2-; bzw. -3)-chlor-2-methyl-
  133
1-Trichlorsilyl-2,2-dibrom- 154
1-Trichlorsilyl-3,3,3-trichlor-1-brom- 632
3-Trichlorsilyl-1,1,1-trifluor- 1391
1-Trichlorsilyl-3,3,3-trifluor-1-chlor- 129
1-Trichlorsilyl-3,3,3-trifluor-1,2-dichlor- 129
1-Trichlorsilyl-3,3,3-trifluor-1-jod- 631, **632**
3,3,3-Trifluor-1-brom- 455
3,3,3-Trifluor-1-brom-2-trifluormethyl- 455
3,3,3-Trifluor-1-chlor- 98, 633
3,3,3-Trifluor-1-chlor-1-jod- 633
3,3,3-Trifluor-1,2-dibrom- 452
3,3,3-Trifluor-1,1-dichlor- 98, 450
2,3,3-Trifluor-1,1,1,2,3-pentachlor- 98
3,3,3-Trifluor-1,1,2-(bzw.-1,2,2)-tribrom- 452
2,3,3-Trifluor-1,1,2-trichlor- 450
3,3,3-Trifluor-1,1,1-trichlor- 98
3,3,3-Trifluor-1,1,2-(bzw.-1,2,2)-trichlor- 450
3,3,3-Trifluor-1,1,1-trichlor-2-trifluormethyl- 98
1,2,3-Trihydroxy- 457
1-Trimethylsilyl-3,3-difluor-1,3-dibrom- 631
3-Trimethylsilyl-1,1,1-trichlor-3-brom- **632**
3-Triphenylsilyl-1-brom- 1389
3-Tripropylsilyl-1-brom- 1389

Propanal
3-{Bicyclo[2.2.1]hepten-(2)-yl-(2)}- 761
3-[Buten-(3)-yl-mercapto]- 1023
2-Chlor-2-methyl- **113**
2,2-Dichlor- 113
3,3-Dichlor-2,3-dibrom- 149
2,2-Dimethyl- 1327
3-[2,2-Dimethyl-cyclobuten-(3)-yl]- 897
2-Methyl- 824
3-[1-Methyl-2-methylen-cyclohexyl]- 668
3-[2-Methyl-propen-(1)-yl-mercapto]-2,2-dimethyl-
2-Oxo-1,1-dimethyl-2-phenyl- 1038   [1023
3-Oxo-3-phenyl- 990
2,2,3-Trichlor- 113

Propansäure
3-Acetoxy-3-phenyl- ; -methylester 1182
3-Äthoxy- ; -nitril 184
3-Äthylmercapto- ; -tert.-butylester 1023
2-Amino- 1017, 1057
2-Amino-3-hydroxy- 1017
2-Amino-3-hydroxy-2-benzyloxymethyl-3-(4-nitro-
  phenyl)-;-äthylester 834
2-Amino-3-mercapto- 1014, 1057
2-Amino-3-methylsulfin- 1017
2-Amino-3-sulfino- 1014, 1057
2-Amino-3-sulfo- 1014, 1057
2-Amino-3-sulfurylthio- 1057
2-Amino-3-thiosulfo- 1057
2-Benzoyl- ; -äthylester 1191
2-Benzoyl- ; -nitril 1265
-2-benzylamino-phenylester 563
3-Butylmercapto- ; -tert.-butylester 1023
2-(bzw. 3)-Chlor- 116
3-Chlor-2-amino- 127
3-Chlor-2,2-bis-[chlormethyl]- ; -methylester 1213
2-(bzw. 3)-Chlor-2-methyl- 117
2-(bzw. 3)-Chlor- ; -methylester 122
2-(bzw. 3)-Chlor-2-methyl- ; -nitril 125

2-(bzw. 3)-Chlor- ; -nitril 125
3,3-Dichlor-2-oxo- 106, 113
3,3-Dichlor-2-oxo- ; -2-hydroxy-propylester 106
2,3-Dimethoxy- ; -nitril 184
2,2-Dimethyl- ;-amid 1272
2,2-Dimethyl- ; -cyclohexen-(2)-ylamid 1272
2,2-Dimethyl- ; -cyclohexylamid 1272
2-[2-Fluorenyl-(9)-phenyl]- ; -methylester 427
3-Fluor- ; -fluorid 162
2-(6-Hydroxy-3-äthyl-phenyl)- 691
2-Hydroxy-2-cyclohexen-(2)-yl- ; -äthylester 832
2-[2-(bzw. -4)-Hydroxy-phenyl]- 691
2-[3-Hydroxy-tetrahydrothiapyranyl-(2)]- ; -ester
  1021
3-Hydroxy-2,3,3-triphenyl- 834
2-Jod-3-p-tosyl- ; -nitril 1050
2-(Methoxy-dimethyl-silyl)- ; -äthylester 1184
erythro-(bzw. *threo*)-3-Methoxy-2,3-diphenyl- ; -
  methylester 1194
2-Methyl-2-[2-(bzw. -4)-hydroxy-phenyl]- 691
2-Methyl- ; -methylester 824, 890
2-Methyl- ; -nitril 1123
2-Methyl-2-phenyl- ; -nitril 1097
2-(2-Methyl-propenylidenamino)-2-methyl- ; -nitril
  1123
3-(2-Methyl-propylmercapto)- ;-tert.-butylester
  1023
2-Oxo- 894
2-Oxo- ; -äthylester 156, **697**
2-Oxo- ; -butylester 697
3-Oxo-2,3-diphenyl- ; -äthylester 1075
3-Oxo-2-methyl-3-phenyl- ; -äthylester 1075
3-Phenyl- ; -äthylester **696**
3-Phenyl- ; -äthylthioester 1182
3-Phenyl- ; -propylester **696**
3-Propylmercapto- ; -tert.-butylester 1023
3-[2,2,3-Trimethyl-cyclopenten-(3)-yl]- 1191
2-(2,2,3-Trimethyl-cyclopentyl)- ; -cyclohexylamid
  741
2,3,3-Trichlor-3-brom- ; -äthylester 1215
3,3,3-Triphenyl- 1181

Propen 892, 1167, 1203, 1205
1-(α-Benzoyl-anilino)-3-oxo-1,2,3-triphenyl- 1495
1-Benzoylimino-2-methyl- 577
1-Benzoyloxy-3-oxo-1,2,3-triphenyl- 1491
3-Benzylidenhydrazono-1-phenyl- 1126
(Z)-1-tert.-Butylamino-3-oxo-1,3-diphenyl- 1086
3-Chlor- 1167
1-Chlor-2-cyclopropyl- 1169
cis-(bzw. *trans*)-1,3-Dichlor- 139
3,3-Dichlor- 633
(Dimethyl-äthyl-silyl)-3,3,3-trichlor-1-brom- 631
(Dimethyl-phenyl-silyl)-3,3,3-trichlor-1-brom- 632
1,1-Diphenyl- 1065
cis-1,2-Diphenyl- 203, 418, 1171
trans-1,2-Diphenyl- 203, 1171
1,3-Diphenyl-3-oxo- 1019
2-Formylamino-1-acetylamino- 1312
2-Formylamino-1-(2-hydroxy-phenyl)- 1307
1-Hydroxy-3-(4-aminosulfonyl-phenylimino)-1,3-di-
  phenyl- 805
1-Hydroxy-3-phenylimino-1,3-diphenyl- **803**
2-(2-Hydroxy-phenyl)- ; -1-sulfonsäure-methylester
  1051
3-Imino-2-phenyl- 1266
2-Methoxy- 706, 1251
3-Methoxy- 1167
1-Methoxy-3-oxo-2,3-diphenyl-1-(4-cyan-phenyl)- 872
1-Methoxy-3-oxo-2,3-diphenyl-1-(4-methoxycarbonyl-
  phenyl)- 872

B. Monocyclische Verbindungen

H₂Si—SiH₂
$H_2Si-SiH_2$
│ │
$H_2Si-SiH_2$

2-Hydroxy-5-oxo-2,4-dimethyl-2,5-dihydro-   1494
2-Hydroxy-5-oxo-1-methyl-2,5-dihydro-   1494
2-Hydroxy-5-oxo-2-methyl-2,5-dihydro-   1494
2-Methoxy-5-oxo-3,4-diäthyl-2,5-dihydro-   1494
2-Methoxy-5-oxo-2,5-dihydro-   1473,1494
2-Methoxy-5-oxo-2,4-dimethyl-2,5-dihydro-   1494
2-Methoxy-5-oxo-2-methyl-2,5-dihydro-   1494
1-(4-Methoxy-phenyl)-*trans*-2,3,4,5-tetramethoxycar-
   bonyl-2,5-dihydro-   1081
1-Methyl-   1094
4-Methyl-5-cyancarbonyl-2-cyan-   1292
2-Methyl-5-phenyl-   1366
1-Phenyl-   1090
2-Phenyl-   546,1265
2-(bzw. 3)-(1-Phenyl-äthyl)-   547
3-Phenyl-1-tert.-butyl-   797
2,3,4,5-Tetraphenyl-   1212
2,3,4,5-Tetraphenyl- ; -Radikal   548
2,3,4,5-Tetraphenyl-1-dehydro- ; -Radikal   1527

2H-Pyrrol

2,2-Bis-[trifluormethyl]-5-(4-methyl-phenyl)-   1115
2,2-Bis-[trifluormethyl]-5-(4-methyl-phenyl)-3,4-dihy-
   dro-   1115
2,2-Bis-[trifluormethyl]-5-phenyl-3,4-dimethoxycar-
   bonyl-   1115
2,2-Bis-[trifluormethyl]-5-phenyl-3,4-dimethoxycar-
   bonyl-3,4-dihydro-   1115
2,5-Dimethyl-2-(1-phenyl-äthyl)-   548
cis-2,5-Diphenyl-3-methoxycarbonyl-3,4-dihydro-
   1112
2-Hydroperoxy-2,5-di-tert.-butyl-   1495
2-Hydroperoxy-2,5-diphenyl-   1495
2-Hydroperoxy-2,3,4,5-tetraphenyl-   1495
2-Hydroperoxy-2,4,5-tri-tert.-butyl-   1495
2-Methoxy-3,4-epoxi-2,3,4,5-tetraphenyl-3,
   4-dihydro-   1495
(Z)-[bzw. (E)]-3-Methyl-2,5-diphenyl-3-carboxy-3,
   4-dihydro-   1112
4-Methyl-5-phenyl-4-carboxy-3,4-dihydro-   1112
5-Phenyl-3-cyan-3,4-dihydro-   **1112**
5-Phenyl-3-methoxycarbonyl-3,4-dihydro-   1112
5-Phenyl-3,3,4,4-tetracyan-3,4-dihydro-   1112

Pyrrolidin

2-Chlormethyl-1-propyl-   1103
2-Methyl-1-propyl-   1103
2-Oxo-1-äthyl-   1173
5-Oxo-2-äthyl-   1274
2-Oxo-1-(2-phenyl-vinyl)-   202
2-Phenyl-   1262

Phospholan

3-Alkoxy-1-phenyl-3-methyl-   656
3-Methoxy-3-methyl-1-phenyl-   1359
3-Methylen-1-phenyl-   1359
1-Phenyl-   1352
1-Phenyl-3-methylen-   215,656

III*

Borol

4-Methyl-1,2-dicyclohexyl-2,5-dihydro-   1404

Ferrol

1-Tricarbonyleisen-1,1,1,1,1-pentacarbonyl-2,3,4,5-te-
   traphenyl-   1431
Tricarbonyleisen-1,1,1-tricarbonyl-   1424
Tricarbonyleisen-1,1,1-tricarbonyl-2,3,4,5-tetraphenyl-
   1431

1,3-Dioxol

2,2-Dimethyl-5-trifluormethyl-4-äthoxycarbonyl-
   1253,**1254**

1,3-Dioxolan

2-Äthoxycarbonylamino-   1280
4-Chlor-2-oxo-   111,**112**
4,5-Dichlor-2-oxo-   **112**
2-Decyl-   697
2-Heptyl-   697
Hexafluor-   890
2-Methylen-   1167
2-Octyl-   697
4,4,5,5-Tetrachlor-2-oxo-   112
2,2,4,4-Tetramethyl-   1251

1,2-Oxazol

5-Äthoxy-3-methyl-4-anilinocarbonyl-   1253
3,5-Diphenyl-   566,**896,1109**
5-(4-Methoxy-phenyl)-3-(4-methyl-phenyl)-   **896**
4-Methyl-5-phenyl-   1265
5-Phenyl-3-(4-brom-phenyl)-   **896**
3-Phenyl-5-(4-chlor-phenyl)-   **896**
5-Phenyl-3-(4-methoxy-phenyl)-   1109
3-Phenyl-5-naphthyl-(1)-   1109
3,4,5-Triphenyl-   1170

1,3-Oxazol

5-Äthoxy-2,4-diphenyl-5-cyan-2,5-dihydro-   1112
5-Äthoxy-2-methyl-4-anilinocarbonyl-   1253
2,2-Dimethyl-5-äthyl-4-phenyl-2,5-dihydro-   1114
2,2-Dimethyl-4,5-diphenyl-2,5-dihydro-   1114
5,5-Dimethyl-2,4-diphenyl-2,5-dihydro-   1113
2,2-Dimethyl-5-isopropyl-4-phenyl-2,5-dihydro-
   1112
2,2-Dimethyl-4-phenyl-5,5-diäthoxycarbonyl-2,5-dihy-
   dro-   1114
2,2-Dimethyl-4-phenyl-5-(4-methyl-phenyl)-2,5-dihy-
   dro-   1114

1-Oxa-2,3,4,5-tetrasilacyclopentan
2,2,3,3,4,4,5,5-Octamethyl-   1395

Cyclopentasilan
Decamethyl-   1395, **1396**

1,4-Dithiin
Tetraphenyl-   568

1,4-Dithian
5-Äthoxy-2,2,3,3-tetraphenyl-   1066
cis-(bzw. *trans*)-2,5-Diisopropyl-   1015
Octafluor-   1018
2,2,3,3,5-Pentaphenyl-   1066
5,5,6,6-Tetraphenyl-2-(4-chlor-phenyl)-   1066
5,5,6,6-Tetraphenyl-2-(4-cyan-phenyl)-   1066
5,5,6,6-Tetraphenyl-2-(4-methoxy-phenyl)-   1066
5,5,6,6-Tetraphenyl-2-(4-methyl-phenyl)-   1066

Pyridazin
6-Chlor-3-oxo-4,5-dimethyl-1,2-dihydro-   609
3,6-Dichlor-4,5-dimethyl-   609
3,6-Dichlor-4-methyl-   609
4,6-Dioxo-3,3,5,5-tetraphenyl-hexahydro-   1178
3,6-Diphenyl-   1311
Tetraphenyl-   134, 1311
Tetraphenyl- ; -N-oxid   1311

Pyrimidin   601
4-Amino-2,6-dihydroxy-5,6-dihydro-   1540
6-Amino-2,4-dimethyl-   **608**
6-Amino-2,4-dimethyl-5-aminomethyl-   608
6-Amino-2,4-dimethyl-5-cyan-   608
4-Amino-2-hydroxy-6-methyl-   **608**
5-Brom-2-methoxy-4-hydroxymethyl-   608
5-Brom-2-methoxy-4-methyl-   608
6-Chlor-4-brom-2-methyl-5-brommethyl-   147
2,6-Diamino-4-methyl-5-cyan-   608
4,6-Dichlor-2-methyl-5-brommethyl-   159
2,4-Dihydroxy-5,6-dihydro-   1444
2,4-Dihydroxy-5-formyl-   1536
2,4-Dihydroxy-6-methoxy-5-methyl-5,6-dihydro-   1536
2,5-(bzw. 2,6-; bzw. 4,5-; bzw. 4,6)-Dimethyl-   602
2-Dimethylamino-6-hydroxy-5-(4-brom-phenylsulfo-
    nyl)-   1048
2-Dimethylamino-6-hydroxy-5-(4-chlor-phenylsulfo-
    nyl)-4-methyl-   1048
2-Dimethylamino-6-hydroxy-5-methylsulfonyl-   **1049**
2-Dimethylamino-6-hydroxy-5-methylsulfonyl-4-me-
    thyl-   1048
2-Dimethylamino-6-hydroxy-5-(2,4,6-trimethyl-phe-
    nylsulfonyl)-4-methyl-   1048
2,4-Dioxo-1,3-dimethyl-hexahydro-   **1444**
2,4-Dioxo-1,5-dimethyl-1,2,3,4-tetrahydro-   605
2,4-Dioxo-1-ribosyl-   1444
4-Hydroxy-2,6-diphenyl-   546
6-Hydroxy-2,4-dioxo-1-carboxymethyl-hexahydro-
    606

3-Hydroxy-2,4-dioxo-1,3-dimethyl-hexahydro-   606
6-Hydroxy-2,4-dioxo-1-methyl-hexahydro-   606
5-Hydroxy-2,6-dioxo-5-methyl-4-[2-hydroxy-5-me-
    thyl-pyrimidinyl-(4)]-hexahydro-   606
2-Methoxy-   . 608, 1456
2-Methoxy-4-hydroxymethyl-   608
2-Methoxy-methyl-   608
2-(bzw. 4)-Methyl-   602
5-Methyl-   602, 1311
2-Morpholino-6-hydroxy-5-äthylsulfonyl-4-methyl-
    1048
2-Morpholino-6-hydroxy-5-butylsulfonyl-4-methyl-
    1048
2-Morpholino-6-hydroxy-5-(3-chlor-propylsulfonyl)-
    4-methyl-   1048
2-Morpholino-6-hydroxy-5-(4-methoxy-phenylsulfo-
    nyl)-4-methyl-   1048
2-Morpholino-6-hydroxy-5-(4-methyl-phenyl-
    sulfonyl)-4-methyl-   1048
2-Morpholino-6-hydroxy-5-methylsulfonyl-4-
    methyl-   1048
2-Morpholino-6-hydroxy-5-phenylsulfonyl-4-
    methyl-   1048
2-Oxo-hexahydro-   **1445**
2-Oxo-1-ribosyl-hexahydro-   1445
2-(2-Phenyl-vinyl)-4,6-diphenyl-   202
2-Piperidino-6-hydroxy-5-(2,5-dimethyl-phenylsulfo-
    nyl)-4-methyl-   1048
2-Piperidino-6-hydroxy-5-methylsulfonyl-4-methyl-
    1048
2-Pyrrolidino-6-hydroxy-5-(2,5-dimethyl-phenylsulfo-
    nyl)-4-methyl-   1048
2-Pyrrolidino-6-hydroxy-5-methylsulfonyl-4-methyl-
    1048
2,4,6-Trihydroxy-1-deoxyribosyl-5,6-dihydro-   **1540**
2,4,6-Trihydroxy-5,6-dihydro-   1539
2,4,5-Trihydroxy-5-formyl-   1536
2,5,6-Trihydroxy-5-methyl-4-diphenylmethyl-4,5-dihy-
    dro-   604
2,4,6-Triphenyl-   547

Pyrazin
2,5-Di-tert.-butyl-   1265
2,5-Diphenyl-   1312
2-Oxo-3,6-dimethyl-1,2-dihydro-   1312
3-(2-Phenyl-vinyl)-2,5-diphenyl-   1084
3-(2-Phenyl-vinyl)-2,5-diphenyl-2,3-dihydro-   1684
Tetraphenyl-   1083
2,3,5,6-Tetraphenyl-2,3-dihydro-   1083
cis-2,3,5-Triphenyl-2,3-dihydro-   1083, 1108

1,2-Diarsa-cyclohexen-(4)
1,2,4,5-Tetramethyl-   1354

λ³-1,2-Diphosphorin
4,5-Dimethyl-1,2-diäthyl-3,6-dihydro-   1354
1,2,4,5-Tetramethyl-3,6-dihydro-   1553

Oxepin
2-Oxo-3,3-dimethyl-2,3-dihydro-   1483

Thiepan
4-Oxo-   1020

1H-Azepin
1-Acetyl-4,5-dimethoxycarbonyl-   1094
1-Äthoxycarbonyl-   299, 585, 1280
5-Chlor-2-oxo-3-benzoyl-3-chlorcarbonyl-2,3-
   dihydro-   1106
1-[5-Cyan-pentadien-(2,4)-oyl]-   576
1-Tosyl-4,5-dimethoxycarbonyl-   **1094**

2H-Azepin
2-Oxo-3-trifluormethyl-1,3-dihydro-   1269
2-(2,4,6-Trimethyl-phenyl)-   1268

3H-Azepin
2-Amino-   **1268**
2-Anilino-   1268
5-Chlor-2-methoxy-3-benzoyl-   566
6-Chlor-2-methoxy-3-formyl-   566
2-Cyclohexylamino-   1321
2-Diäthylamino-   1268, 1321, **1464**
2-Diäthylamino-3-phenyl-   1268
2-Dimethylamino-5-methoxy-   1268
2-Methoxy-3-acetyl-   566, 1268
2-Piperidino-3-(bzw. 7)-acetyl-   1268

Phosphepin
1-Oxo-1-phenyl-   398
1-Oxo-1-phenyl-2,7-dihydro-   398
1-Oxo-1-phenyl-4,5-dimethoxy-carbonyl-2,7-dihydro-
   398

1,3-Oxazepin
2,4-Dicyan-   **1292**
6-Methyl-2,4-dicyan-   1291
2,4,5,6-Tetraphenyl-   1291
2,4,5,7-Tetraphenyl-   1291
2,3,5,7-Tetraphenyl-6-(4-brom-phenyl)-   1291
2,4,6-Triphenyl-   1290

1,2-Oxasilepan
7-Butyloxy-2,2-dimethyl-   1398
7-Methoxy-2,2-diphenyl-   **828**, 1398

1H-1,2-Diazepin
1-Äthoxycarbonyl-   584, 586
1-Äthoxycarbonyl-3-cyan-   585
1-Benzoyl-   586
1,4-Diäthoxycarbonyl-   585
3,5-(bzw. 3,6-; bzw. 3,7-; bzw. 4,5-; bzw. 4,6)-Dimethyl-
   1-äthoxycarbonyl-   585
5-Dimethylamino-1-äthoxycarbonyl-   585
3,7-Diphenyl-4,5,6,7-tetrahydro-   1153
3-(bzw. 4-; bzw. 5-; bzw. 6)-Methyl-1-äthoxycarbonyl-
1-(4-Methyl-phenylsulfonyl)-   586   [585
5-Phenyl-1-äthoxycarbonyl-   585

Cyclooctatetraen   244, 423, 890, 1171, 1364
Bis-[cyclopentadienyl-rhodium]-   1426
2,3-Diäthyl-1-cyan-   **500**
2,3-Dibutyl-1-cyan-   500
2,3-Dimethoxycarbonyl-   500
Methoxycarbonyl-   500
2-Methoxycarbonyl-1-phenyl-   500
Octachlor-   396
Octaphenyl-   462
Phenyl-   500
1,3,5,7-Tetramethyl-   617
1,2,4,7-Tetraphenyl-   615, 617, 676

Cyclooctatrien-(1,3,5)   222
cis,cis,trans-7-Oxo-   756

cis,cis   cis,trans

Cyclooctadien-(1,3)
cis,cis-   211
cis,trans-   207, 211

Cyclooctadien-(1,4)
6-Hydroxy-   1477

cis,cis   trans,trans

Cyclooctadien-(1,5)   293, 1153
cis,cis-(bzw. *trans,trans*)-   204
cis,trans-   1410

Cycloundecan
Carboxy- 1188
Oxo- 1323

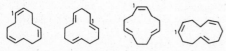

cis,cis,cis   *trans,trans,trans*   *cis,trans,trans*   *cis,cis,trans*

Cyclododecatrien-(1,5,9)
all-cis- 194
all-trans- 194, 211, 1410
cis,cis,trans-(bzw. *cis,trans,trans*)- 194, 211

Cyclododecadien-(1,5) 211
10-(2-Oxo-propyl)-9-acetyl- 925

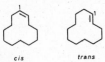

cis   *trans*

Cyclododecen
cis-(bzw. *trans*)-3-Oxo- 204

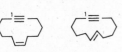

cis   *trans*

Cyclododecen-(7)-in-(1)
cis-(bzw. *trans*) 226

Cyclododecan
2-Oxo-1-hydroximino- 1323
-thiophosphonsäure-dichlorid 1354

1-Aza-cyclotridecahexaen-(2,4,6,8,10,12)
1-Äthoxycarbonyl- 299

Cyclopentadecan 711
3-Methyl-1-methoxycarbonyl- 745

[16]-Annulen 277, 298

Cycloheptadecaoctaen 298

[18]-Annulen
2-Fluor-1-chlor- 277

C. Bicyclische Verbindungen

Bicyclo[1.1.0]butan 222, 249, 1200, 1411
1-Cyan- 249
4-Methyl-2,2,4-triphenyl- ; -1-phosphonsäure-
    dimethylester 1361
2,2,4,4-Tetramethyl-1,3-dimethoxycarbonyl- 1147

1-Aza-bicyclo[1.1.0]butan
3-Phenyl- 1266

Bicyclo[2.1.0]penten-(2) 256, 296

Bicyclo[2.1.0]pentan (Hausen) 419, 1147, 1225
*endo-*2,*endo-*3-(bzw. *exo-*2,*exo-*3)-Dichlor-5,5-dime-
    thyl- 1147
*exo-*2,*exo-*3-(*endo-*2,*endo-*3)-Dideuterio- 1147
5,5-Dimethyl-*exo-*3-phenyl-2-isopropyliden- 230
*endo-*2,*endo-*3-(bzw. *endo-*2,*exo-*3; bzw. *exo-*2,*exo-*3)-
    Diphenyl- 228
endo-(bzw. *exo*)-2-Methoxy- 1148
1-Methoxycarbonyl- 1147
1-Methyl- 419
2-Oxo-1,3-di-tert.-butyl-5-*endo-*(bzw. *-exo*)-(2,2-
    dimethyl-propanoyl)- 773, 774
2,2,5,5-Tetraphenyl-1,3-dideuterio- 416

5-Oxa-bicyclo[2.1.0]pentan
(*E*)-2-Hydroxy-1,2-diphenyl- 682

6-Oxa-1-aza-bicyclo[3.1.0]hexan
trans-2,2-Dimethyl-3,5-diphenyl- **1285**
trans-2,2-Dimethyl-3-phenyl-5-pyridyl-(3)- 1285
trans-2,2,3-Trimethyl-5-phenyl- 1285

1,3-Diaza-bicyclo[3.1.0]hexen-(3)
endo-2,*exo*-6-(bzw. *exo*-2,*exo*-6)-Dimethyl-4,5-
 diphenyl- 1115
4,5-Diphenyl- **1115**
2,2,6,6-Tetramethyl-4,5-diphenyl- 1115
endo-2,4,5,*exo*-6-(bzw. *exo*-2,4,5; *exo*-6)-Tetraphenyl-
 1115

Cyclopropabenzol
1,1-Dimethyl-3-methoxycarbonyl- 1151
Tetraphenyl-1,1-dimethoxycarbonyl- 1250

Bicyclo[4.1.0]heptadien-(2,4)
7-Dimethoxyphosphono-7-phenyl- 1241
7,7-Dicyan- 584, 1240
7-(Diphenyl-phosphinyl)-7-phenyl- 1361
2,5,7-Triphenyl- 274

Bicyclo[4.1.0]hepten-(2)
4-Hydroxy-3,7,7-(bzw. -4,7,7)-trimethyl- 1476
5-Oxo-4,4,6,6-tetramethyl- 794
4-Oxo-3,7,7-trimethyl- 933

Bicyclo[4.1.0]hepten-(3) 1147
7,7-Dimethoxycarbonyl- 1231
2,5-Dioxo-3,7,7-trimethyl- 1218

Bicyclo[4.1.0]heptan 1167, 1200, 1206, 1226
exo-(bzw. *endo*)-7-Äthoxycarbonyl- 1231, 1237
7-Benzoyl- 1074, 1175, 1365
exo-(bzw. *endo*)-7-Chlor- 652, 1226
7,7-Dimethyl-3-methylen- 215
4-Hydroxy-7,7-dimethyl-3-methylen- 1477
exo-(bzw. *endo*)-3-Methoxy-3,7,7-trimethyl- 658
7-Phenyl-7-cyan- 1365
7-Phenyl- ; -*exo*-7-phosphonsäure-diäthylester 1229

7-Oxa-bicyclo[4.1.0]hepten-(2)
5-Hydroxy-2-methoxy-4-oxo-1,5-di-tert.-butyl- 1486

IV*

7-Oxa-bicyclo[4.1.0]heptan
2,2,6-Trimethyl-1-butenoyl- 1477
2,2,6-Trimethyl-1-[1-hydroxy-buten-(3)-yl]- 1478
2,2,6-Trimethyl-1-(1-hydroxy-butyl)- 1478

3-Aza-bicyclo[4.1.0]hepten-(4)
2-Oxo-7-benzoyl- 1106

7-Aza-bicyclo[4.1.0]heptan
7-Äthoxycarbonyl- **1281**
7-(2,2-Dimethyl-propanoyl)- 1272
7-Ferrocen-sulfonyl- 1282

2-Oxa-7-aza-bicyclo[4.1.0]heptan
7-(4-Brom-phenyl)- 1258

Bicyclo[5.1.0]octadien-(2,5) (Homotropyliden)
 418

Bicyclo[5.1.0]octen-(1⁷)
8,8-Dimethyl- 1151

Bicyclo[5.1.0]octan
4-Carboxy-*trans*- 1190

cis   *trans*

Bicyclo[6.1.0]nonatrien-(2,4,6)
trans- 276
9-Chlor-*cis*- 277
exo-9-Cycloheptatrienyl-(7)-*cis*- 227
-tricarbonyl-eisen 1423

cis   *trans*

Bicyclo[6.1.0]nonan
cis- 888
3-Hydroxy-3-(1-äthoxy-äthyl)- 832
2-Oxo-*trans*- 759

1,2-Diaza-bicyclo[3.2.0]hepten-(6)
4-Hydroxy-2,5-dimethyl-6-phenyl- 1125
4-Hydroxy-5-methyl-6-phenyl- 1125
4-Hydroxy-5-methyl-6-phenyl-2-acetyl- 125
4-Hydroxy-5-methyl-6-phenyl-2-benzoyl- 1125
5-Methyl-6-phenyl-2,4-diacetyl- 1125
4-Oxo-2,5-dimethyl-6-phenyl- 1125
4-Oxo-5-methyl-6-phenyl- 1125
4-Oxo-5-methyl-6-phenyl-2-acetyl- **1125**
4-Oxo-5-methyl-6-phenyl-2-benzoyl- 1125

2,3-Diaza-bicyclo[3.2.0]heptadien-(3,6)
5-Methoxy-1-äthoxycarbonyl- 585

6,7-Diaza-bicyclo[3.2.0]hepten-(6)
1,5-Diphenyl- ; -6-oxid 1317

2,4,6-Trioxa-bicyclo[3.2.0]heptan
3-Oxo-7,7-diphenyl- 856
3-Oxo-7-phenyl-7-benzoyl- 856, **858**, 859

6-Oxa-2,4-diaza-bicyclo[3.2.0]heptan
3-Oxo-1,5-dimethyl-7,7-diphenyl-2,4-diacetyl- 855
3-Oxo-1,5-dimethyl-7-phenyl-2,4-diacetyl- 855
3-Oxo-7,7-diphenyl-2,4-diacetyl- 855

Benzocyclobuten
1-Brom- 158
1-Carboxy- **1185**
6-Chlor-3-methyl-1-carboxy- 1185
3,5-Dimethyl-1-(2,4,6-trimethyl-phenyl)- 1203
1,2-Dioxo- **749**
cis-1,2-Diphenyl- **881**
trans-1,2-Diphenyl- **881**, 1042
(Z)-1,2-Diphenyl-1,2-dideuterio- **881, 882**
2-Hydroxy-3,5-dimethyl- **799**
1-Hydroxy-4-methyl-1-tert.-butyl- **799**
2-Hydroxy-2,3,5-trimethyl- 799
6-Methoxy-1,1-dimethyl-3,5-di-tert.-butyl- 802
3-Methyl-1-carboxy- 1185
2-Oxo-1-methoxycarbonyl- 1193
1-Propyl- 1170

Bicyclo[4.2.0]octatrien-(2,4,7) 1423

Bicyclo[4.2.0]octadien-(1⁶,3) 251
3-Methyl- 251

Bicyclo[4.2.0]octadien-(2,4)
7-Cyan- **489**
syn-7,syn-8-(bzw. anti-7,anti-8)-Dichlor-7,8-
carbonyldioxy- 490, 491
7,7,8-Trimethyl-6-cyan- **489**

Bicyclo[4.2.0]octadien-(2,7) 231, 275, 418
2-Methoxy-cis- 663
4-Methylen-5-chlormethylen- 276
5-Methylen-4-chlormethylen- 276
5-Oxo- 938

Bicyclo[4.2.0]octadien-(3,7) 231, 418
1-Methoxy-2,5-dioxo-7,8-dimethyl- 960
1-Methoxy-2,5-dioxo-7,8-diphenyl- 960
1-Methoxy-2,5-dioxo-7-methyl-8-phenyl- 960
1-Methoxy-2,5-dioxo-8-phenyl- 960

Bicyclo[4.2.0]octen-(1⁶) 251
5,5-Dimethyl-7-(2-oxo-propyl)- 849
2,2,5,5-Tetramethyl-7-[3,3-dimethyl-buten-(1)-yl-(2)]-
268
2,2,5,5-Tetramethyl-7-isopropenyl- 268
2,2,5,5-Tetramethyl-7-vinyl- 267

cis   trans

Bicyclo[4.2.0]octen-(2)
8,8-Dichlor- 387
exo-7,exo-8-Dichlor- ; -7,8-dicarbonsäure-anhydrid
388
cis-7,8-Dichlor-trans- ; -7,8-dicarbonsäure-anhydrid
388
7,7-Difluor-8,8-dichlor- 387
exo-7,exo-8-(bzw. endo-7,endo-8)-Dimethyl- ; -7,8-
dicarbonsäure-anhydrid 384
cis-7,8-Dimethyl-trans- ; -7,8-dicarbonsäure-
anhydrid 384
2,3,4,4,7,8-Hexamethyl- ; -7,8-dicarbonsäure-
anhydrid 390
3,4,5,5,7,8-Hexamethyl- ; -7,8-dicarbonsäure-
anhydrid 389
7,7,8,8-Tetrachlor- 388
6,exo-7,exo-8-Trimethyl-3-isopropenyl- ; -7,8-
dicarbonsäure-anhydrid 389
2,endo-5,endo-6-Trimethyl-8-isopropyl- ; -5,6-
dicarbonsäure-anhydrid 389
6,endo-7,endo-8-Trimethyl-3-isopropyl- ; -7,8-
dicarbonsäure-anhydrid 389

cis   *trans*

Bicyclo[4.2.0]octen-(3)
endo-7,*endo*-8-Dimethyl-*cis*- ; -7,8-dicarbonsäure-
anhydrid-   403
7,8-Dimethyl-*trans*- ; -7,8-dicarbonsäure-anhydrid
403
2,5-Dioxo-1,4,7-trimethyl-7-isopropenyl-   985
1,3,4,6-Tetrachlor-2,5-dioxo-7-vinyl-   957

Bicyclo[4.2.0]octen-(7)   231, **255**, 256
5-Oxo-1-äthoxycarbonyl-   929
5-Oxo-7,8-dimethyl-1-äthoxycarbonyl-   929

cis   *trans*

Bicyclo[4.2.0]octan   882
7-Acetoxy-2-oxo-   915
6-Acetoxy-2-oxo-7,7-dimethyl-*trans*-   926
8-Acetoxy-5-oxo-2,4-dimethyl-2-pyridyl-(2)-   919
7-(bzw. 8)-Acetoxy-5-oxo-1-methyl-   916
8-Äthoxy-5-oxo-1-methyl-   916
8-Äthoxy-5-oxo-4-methyl-1-isopropyl-*cis*-(bzw.-*trans*)-
918
8-Äthoxy-5-oxo-1-phenyl-*cis*-   917
7-Benzylmercapto-2-oxo-   916
7-Benzyloxy-2-oxo-   915
8-Benzyloxy-5-oxo-1-methyl-   916
1-Chlor-*exo*-7,*exo*-8-dicarboxy-*cis*-   402
1-Chlor-*cis*- ; -*exo*-7,*exo*-8-dicarbonsäure-anhydrid
402
-1,6-dicarbonsäure-anhydrid   405
-7,8-dicarbonsäure-anhydrid   399
exo-7,*exo*-8-(bzw. *endo*-7,*endo*-8)-Dicarboxy-*cis*-   399
cis-7,8-Dicarboxy-*trans*-   399
cis-7,8-Dichlor-7,8-carbonyldioxy-*trans*-   411
exo-7,*exo*-8-(bzw. *endo*-7,*endo*-8)-Dichlor-7,8-
carbonyldioxy-*cis*-   411
7,8-Dichlor-2-oxo-1,6-dideuterio-   916
endo-7,*endo*-8-(bzw. *exo*-7,*endo*-8)-Dichlor-5-oxo-1-
methyl-*cis*-   916
endo-7,*exo*-8-(bzw. *exo*-7,*exo*-8; bzw. *endo*-7,*endo*-8)-
Dicyan-   932
7,8-Dimethoxycarbonyl-   391
7,7-Dimethoxy-2-oxo-*cis*-   928
7,7-Dimethoxy-2-oxo-*trans*-   **927**, 928
8,8-Dimethoxy-5-oxo-2,2-dimethyl-*cis*-(bzw. *trans*)-
929
8,8-Dimethoxy-5-oxo-4-methyl-1-isopropyl-*cis*-(bzw.
trans)-   929
7,7-Dimethoxy-5-oxo-1-phenyl-*cis*-   929
8,8-Dimethoxy-1-phenyl-   373
7,8-Dimethyl- ; -7,8-dicarbonsäure-anhydrid   403
2,7-Dioxo-   927
r-1-Hydroxy-*c*-3,*c*-6-dimethyl-7-methylen-   804
8-Hydroxy-8-methyl-7-acetyl-   857
cis-(bzw. *trans*)-1-Hydroxy-3-methyl-7-methylen-
804
3-Jod-2-hydroxy-*cis*-7,8-dimethyl-*trans*- ; -7,8-
dicarbonsäure-lacton   384
7-Methoxy-2-oxo-   915
1-Methyl-7,8-diphenyl-   364
trans-8-Nitro-7-phenyl-   369
2-Oxo-*cis*-   915

5-Oxo-1-äthoxycarbonyl-   918
5-Oxo-1-äthyl-   918
5-Oxo-1-cyan-   918
2-Oxo-7,7-dimethyl-*cis*-(bzw.-*trans*)-   899, 915
2-Oxo-8,8-dimethyl-   915
2-Oxo-8,8-dimethyl-*cis*-   899, 915
2-Oxo-8,8-dimethyl-*trans*-   915
5-Oxo-7,7-(bzw.-8.8)-dimethyl-1-cyan-   918
5-Oxo-8,8-dimethyl-1-phenyl-*cis*-   917
5-Oxo-2,2,7,7,8,8-hexamethyl-*trans*-   918
5-Oxo-1-methyl-   916
5-Oxo-1-methyl-*endo*-(bzw. -*exo*)-7-cyan-*cis*-   916
5-Oxo-7-methylen-   **927**
5-Oxo-7-methylen-*cis*-   928
5-Oxo-7,7,8,8-tetramethyl-1-phenyl-*cis*-   917
5-Oxo-1,3,3-trimethyl-   918
5-Oxo-1,7,7-trimethyl-   916
7,7,8,8-Tetramethyl-*cis*-   887

Bicyclo[3.1.1]hepten-(2)
7-Oxo-2,6,6-trimethyl-   **739**

Bicyclo[3.1.1]heptan
6,6-Dimethyl-2-methylen-   229
(2R,6S)-2-Hydroxy-6-methyl-6-hydroximinomethyl-
721
exo-(bzw. *endo*)-6-Methoxycarbonyl-   **1188**

2-Oxa-bicyclo[4.2.0]octen-(4)
5-Methoxy-3-oxo-1-[*trans*-2-(3-methoxy-4-methoxy-
methoxy-phenyl)-vinyl]-7-(3-methoxy-4-methoxy-
methoxy-phenyl)-8-[4-methoxy-2-oxo-2H-pyra-
nyl-(6)]-   333

cis   *trans*

2-Oxa-bicyclo[4.2.0]octan
8,8-Dimethoxy-5-oxo-3,3-dimethyl-*cis*-(bzw. *trans*)-
929
3,5-Dioxo-4,4,7,7,8,8-hexamethyl-   919
7,7-Diphenyl-   370
exo-7,*exo*-8-(bzw. *exo*-7,*endo*-8)-Diphenyl-   **364**
5-Oxo-3,3-dimethyl-7,7-bis-[difluorchlormethyl]-
919
5-Oxo-3,3,8,8-tetramethyl-*cis*-(bzw. -*trans*)-   919

3-Oxa-bicyclo[4.2.0]octan
2-Oxo-6-methyl-   393

7-Oxa-*cis*-bicyclo[4.2.0]-octen-(2)
endo-(bzw. *exo*)-8-Äthyl-   862

7-Oxa-bicyclo[4.2.0]octen-(3)
2-Oxo-5-(hydroxy-diphenyl-methyl)-8,8-diphenyl-
855

7-Oxa-bicyclo[4.2.0]octan
8,8-Dimethyl- 845
8,8-Diphenyl- 847
8-Methyl-8-methoxycarbonylmethyl- 857
8-Methyl-8-phenyl- 846
8-Phenyl- 843

6-Oxa-bicyclo[3.1.1]heptan 847

Benzo-[b]-thiet
2-Oxo- 1025

7-Thia-bicyclo[4.2.0]octen-(4)
2-Methyl-5-isopropyl-8,8-diphenyl- 1067

Benzo-[b]-azet
1-Oxyl-2,2-dimethyl-3,5,6-triisopropyl-1,2-dihydro-
1335
1-Phenyl-1,2-dihydro- 1259

1-Aza-bicyclo[4.2.0]octan
7-Hydroxy-8-oxo-7-methyl- 805
7-Hydroxy-8-oxo-7-phenyl- 805
8-Oxo-*endo*-(bzw.-*exo*)-7-methoxycarbonyl- 1193

2-Sila-bicyclo[2.1.1]hexan
2,2,4-Trimethyl-3-methylen- 239

2,7-Dioxa-bicyclo[4.2.0]octan
4,5-Diacetoxy-8,8-dimethyl-3-acetoxymethyl- 845

2,4-Diaza-bicyclo[4.2.0]octan
3,5-Dioxo-6-methyl-7-cyan- 604
3,5-Dioxo-1-carboxy-7-cyan- 604

7-Oxa-2,4-diaza-bicyclo[4.2.0]octan
3,5-Dioxo- 603
3,5-Dioxo-6-methyl-8,8-diphenyl- 856

Bicyclo[5.2.0]nonadien-(2,4)
-8,9-dicarbonsäure-anhydrid 383

Bicyclo[5.2.0]nonadien-(2,8)
1,2,8,9-Tetraphenyl- 266

cis   *trans*
Bicyclo[5.2.0]nonen-(8) 255

Bicyclo[5.2.0]nonan
9,9-Dimethoxy-1-phenyl- 373
1,7-Dimethyl- 888

2-Oxa-bicyclo[5.2.0]nonatrien-(3,5,8) 685

Bicyclo[6.2.0]decatetraen-(1⁸,2,4,6) 251

Bicyclo[6.2.0]decatetraen-(2,4,6,9) 433

trans-**Bicyclo[6.2.0]decadien-(2,9)** 266

trans-**Bicyclo[6.2.0]decadien-(4,9)** 399

***trans*-Bicyclo[6.2.0]decen-(4)**
-9,10-dicarbonsäure-anhydrid   399

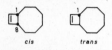

Bicyclo[6.2.0]decen-(9)   395

Bicyclo[6.2.0]decan
cis-(bzw. *trans*)-;-9,10-dicarbonsäure-anhydrid   395
9,9-Dimethoxy-7-oxo-   929
10,10-Dimethoxy-1-phenyl-*cis*-   373
1-Hydroxy-9-hydroximino-   1323
1-Hydroxy-2-oxo-   802

9-Oxa-bicyclo[6.2.0]decatrien-(3,5,1^{10})   685

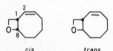

9-Oxa-bicyclo[6.2.0]decen-(2)
10,10-Dimethyl-*cis*-(bzw. *trans*)-   864

9-Oxa-bicyclo[6.2.0]decen-(4)
10,10-Diphenyl-   861

9-Oxa-bicyclo[6.2.0]decan   845
10,10-Dimethyl-   845

9-Aza-*trans*-bicyclo[6.2.0]decan
3,3,7,7-Bis-[äthylendioxy]-10-oxo-5,5-dimethyl-
   1275

Bicyclo[7.2.0]undecan
1-Hydroxy-*cis*-(bzw. -*trans*)-   804

Bicyclo[8.2.0]dodecan
1-Hydroxy-   801, 804

Bicyclo[10.2.0]tetradecan
cis-13,14-Dichlor-13,14-carbonyldioxy-*trans*-   **411**
endo-13,*endo*-14-(bzw. *exo*-13,*exo*-14)-Dichlor-13,14-
   carbonyldioxy-*cis*-   411

Pentalen   299

Bicyclo[3.3.0]octadien-(1,4)
3-Carboxy-   1196

Bicyclo[3.3.0]octen-(2)
exo-6-Acetoxy-   1410

Bicyclo[3.3.0]octan
cis-   1378
exo-2-Acetoxy-   1410
2-Methoxy-3-oxo-*cis*-   663

Bicyclo[2.2.1]heptadien-(2,5)
2-Alkoxy-   1241
2-(1-Hydroxy-äthyl)-   1477

Bicyclo[2.2.1]hepten-(2)   632
-*endo*-6-Amino-*exo*-5-hydroxy-;-*endo*-2-carbonsäure-
   lactam   1277
5,5-Dichlor-   380, **381**
endo-5,*endo*-(bzw. *exo*-5,*exo*-6; bzw. trans)-6-
   Dichlor-   380
6,6-Difluor-5,5-dichlor-   580
endo-5,*endo*-6-(bzw. *endo*-5,*exo*-6-; bzw, *exo*-5,*exo*-6;
   bzw. *exo*-5,*endo*-6)-Dimethyl-   378
endo-5,*endo*-6-(bzw. *exo*-5,*exo*-6)-Dimethyl-;-5,6-
   dicarbonsäure-anhydrid   385
endo-5,*endo*-6-Diphenyl-   **883**
2-(2-Formyl-äthyl)-   761
endo-5-Halogen-*exo*-6-phenylsulfonyl-   1050
endo-(bzw. *exo*)-5-Hydroxy-*exo*-(bzw. -*endo*)-5-vinyl-
6-Oxo-1,7,7-trimethyl-   933   [1477
7-Oxo-1,5,5-trimethyl-   933

exo-(bzw. endo)-2-Phenyl- 656
3-Phenylmercapto-2-methyl- 1012
5,5-endo-6-Trichlor- 387
Trioxo- 1488
5-Vinyl- 379

7-Oxa-bicyclo[2.2.1]heptan
endo-5,exo-6-(bzw. endo-5,endo-6)-Dibrom- ; -exo-
   2,exo-3-dicarbonsäure-anhydrid 452
2,3-Diphenyl- 883

Bicyclo[2.2.1]heptan 632, 1440, 1585
exo-2-Aminocarbonyl- 1001
exo-(bzw. endo)-2-Brom- **144**
1-(bzw. 2)-Chlor- 714
exo-(bzw. endo)-2-Chlor- 97
endo-3-Chlor-exo-2-p-tosyl- 1050
2-Cyclohexylmercapto- 178
trans-(bzw. exo)-2,3-Dibrom- 456
endo-5,exo-6-(bzw. endo-5,endo-6)-Dibrom- ; -exo-2,exo-
   3-dicarbonsäure-anhydrid 452
3,3-Dimethyl-2-methylen- 1045, 1128
3-Hydroxy-2-methylen- 1477
2-(bzw. 3)-Hydroxy-3-oxo-1,7,7-trimethyl- 829, 830
endo-2-(bzw. -3)-Hydroxy-3-oxo-1,7,7-trimethyl- 811
2-(bzw. 3)-Hydroxy-3-oxo-1,7,7-trimethyl-2-
   hydroxymethyl- 830
d,l-exo-3-Hydroxy-2-oxo-1,7,7-trimethyl-endo-3-[2-
   bzw. -4)-methyl-benzyl]- 830
1-[2-Hydroxy-propyl-(2)]- 714
exo-2-Methoxy-2-phenyl- 656
2-Methyl- 1440
2-Methylen- 895, 1440
3-Methyl-2-hydroxymethyl- 1440
2-Methylmercapto- 1405
exo-2-(2-Oxo-propyl)- 288
2-Oxo-1,7,7-trimethyl-(Campher) 1323
2-Phenylmercaptomethylen- 1012
3-Phenylmercapto-2-methylen- 1012

2-Thia-bicyclo[2.2.1]hepten-(5)
3,3-Diphenyl- 1067

1H,3H-⟨Furo-[3,4-c]-furan⟩
3,6-Dioxo-1,1,4,4-tetramethyl-3a,4,6,6a-tetrahydro-
666

2,3-Dioxa-bicyclo[2.2.1]hepten-(5) 1482
1,4-Diphenyl- 1483
1,4,5,6-Tetraphenyl- 1483

2-Oxa-bicyclo[3.3.0]octadien-(5,7)
4-Benzoylimino-3,3-dimethyl- 571

2,7-Dioxa-bicyclo[2.2.1]heptan
3,3-Dimethyl-6-isopropyliden- 823

7-Oxa-1-phospha(P^V)-bicyclo[2.2.1]heptadien-(2,5)
2,4,6-Tri-tert.-butyl- ; -1-oxid 1498

2-Oxa-bicyclo[3.3.0]octen-(7)
endo-(bzw. exo)-3-Methoxy-4,4,8-trimethyl- 827

7-Oxa-1-phospha-bicyclo[2.2.1]heptan
2,4,6-Tri-tert.-butyl- ; -1-oxid 1381

3-Oxa-bicyclo[3.3.0]octen-(6)
2-Methoxy-4,4-dimethyl- 827
exo-4-Methoxy-2,2,6-trimethyl- 827

7-Oxa-2-phospha-bicyclo[2.2.1]hepten-(5)
3-Hydroxy-2-methoxy-1,3,5-tri-tert.-butyl- 1381

Thieno-[3,2-b]-thiophen
2,3,5,6-Tetraphenyl- 1062

2-Oxa-bicyclo[2.2.1]heptan
5-Oxo-2-methyl- 802
6-Oxo-3-methyl- 802

2,3,7-Trioxa-bicyclo[2.2.1]hepten 1488

Cyclopentatriazol
1-Methyl-4-carboxy-1,4-dihydro- 1198

Imidazo-[4,5-d]-imidazol
1,6-Dihydro- 1122

Inden 1043, 1173, 1580, 1583
3-(1-Äthoxy-äthoxy)-2-oxo-1,1-diphenyl-2,3-dihydro-
   833
2-Äthyl-2,3-dihydro- 1170
1-Carboxy- 1197
1,1-Dimethyl-2-isopropenyl-2,3-dihydro- 254
2,2-Dimethyl-1-isopropenyl-2,3-dihydro- 254
1,2-Dimethyl-3-phenyl- 1247
1,2-Diphenyl- 342
7-(bzw. 9)-Hydroxy- 1584
2-Hydroxy-2,3-dihydro- 811, 881
2-Hydroxy-1-methoxy-1-methyl-2-phenyl-2,3-dihy-
   dro- 615
3-Hydroxy-2-oxo-3-(1-äthoxy-äthyl)-1,1-diphenyl-2,3-
   dihydro- 833
1-Hydroxy-2-oxo-3,3-dimethyl-1-benzyl-2,3-dihydro-
   833
1-Hydroxy-2-oxo-3,3-dimethyl-1-cyclohexen-(2)-yl-2,
   3-dihydro- 833
2-Hydroxy-3-oxo-1,1-dimethyl-2,3-dihydro- 811
1-Hydroxy-2-oxo-3,3-diphenyl-1-benzyl-2,3-dihydro-
   833
2-Hydroxy-1-oxo-2-methoxycarbonyl-2,3-dihydro-
   686
2-Hydroxy-1-oxo-2-methyl-2,3-dihydro- 809
3-Hydroxy-2-(α-phenylimino-benzyl)- 805
1-Isopropenyl-2,3-dihydro- 254
2-Isopropenyl-2,3-dihydro- 254
6-Methoxy-2-äthoxycarbonylmethyl- 901
1-Methoxycarbonylaminomethylen- 1095
(Z)-5-Methoxy-1-oxo-2-benzyliden-2,3-dihydro-
   204
6-Methoxy-1-oxo-2-methyl- 901
5-(bzw. 6)-Methyl- 1548
1-Methyl-3-phenyl- 1247
3-Methyl- ; -1-phosphonsäure-dimethylester 1360
1-Oxo- 1584
1-Oxo-2,3-dihydro 1583
2-Oxo-2,3-dihydro- 684, 1076, 1173, 1584
1-Oxo-2-methylmercapto-2,3-dihydro- 1024
1-Phenyl-2,3-dihydro- 418
2-Phenyl-2,3-dihydro- 1171, 1201
3-Phenyl-1,2-dimethoxycarbonyl- 1149
anti-(bzw. syn)-1-Piperidino-2-hydroximino-2,3-
   dihydro- 1328

2H-Inden
2-Cyan- 1584
1-Formylmethyl- 761

Bicyclo[4.3.0]nonatrien-(2,4,7)
cis- 276
9-Oxo- 1583

Bicyclo[4.3.0]nonadien-(1,6)
8-Oxo-2,7-dimethyl- 777
8-Oxo-2-methyl- 777

Bicyclo[4.3.0]nonadien-(1⁹,7)
cis-2,6-Dimethyl- 886

trans-Bicyclo[4.3.0]nonadien-(2,4) 259

Bicyclo[4.3.0]nonadien-(3,7) 379

Bicyclo[4.3.0]nonen-(1^9)
9-Methoxy-5α-acetoxy-8-oxo-5β-methyl- 782
9-Methoxy-5α-acetoxy-8-oxo-5β-methyl-5β-isopropyl-
   782

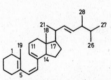

9,10-Seco-ergostatetraen-(5^{10},6,8,22)
3β-Hydroxy- 262

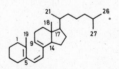

9,10-Seco-cholestatrien-(5^{10},6,8)
1α,3β-Diacetoxy- 263

Bicyclo[4.3.0]nonan
cis- 888
endo-(bzw. endo)-9-Methoxy-8-oxo- 663
8-Oxo-cis-(bzw. -trans)- 1442

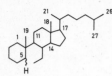

5,6-Seco-5ξ-cholestan
3β-Acetoxy- ; -6-säure-cyclohexylamid   745
3β-Hydroxy- ; -6-säure   742
3β-Methoxy- ; -6-säure   745

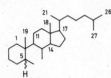

7,8-Seco-5-cholestan
3β-Acetoxy- ; -7-säure   746
3β-Acetoxy- ; -7-säure-cyclohexylamid   746

5,6-Seco-pregnan
5α-Hydroxy-3,3,20,20-bis-[äthylendioxy]-11α-acet-
oxy-5,6-dioxo-   1261

Bicyclo[3.2.1]octadien-(2,6)
4-Oxo-   1191

Bicyclo[3.2.1]octen-(6)
3-Methylen-   1432

Bicyclo[3.2.1]octan
exo-(bzw. endo)-2-(bzw. -3)-tert.-Butyloxy-   657
exo-(bzw. endo)-2-(bzw. -3)-Methoxy-   657

Benzo-[b]-furan   670, 690
5-Benzolsulfonylamino-2,2-dimethyl-2,3-dihydro-
984
5-Hydroxy-2,2-dimethyl-6-tert.-butyl-2,3-dihydro-
975
5-Hydroxy-2,2-dimethyl-7-tert.-butyl-2,3-dihydro-
974, **975**
5-Hydroxy-3-methyl-   976, **977**
5-Hydroxy-2-oxo-2,3-dihydro-   982

5-Hydroxy-3-oxo-6,7-dimethyl-2,3-dihydro-   977
cis-3-Hydroxy-2-phenyl-2,3-dihydro-   809
5-Hydroxy-2-phenyl-2,3-dihydro-   976
6-Methoxy-2,3-diphenyl-   809
(Z)-6-Methoxy-3-oxo-2-benzyliden-2,3-dihydro-
204
3-Methyl-   1312
2-Methyl-2,3-dihydro-   669
3-Oxo-2,3-dihydro-   636
2-Oxo-4,6-dimethyl-2,3-dihydro-   691
2-Oxo-7-methyl-2,3-dihydro-   1587
2-Vinyl-2,3-dihydro-   1201

7-Oxa-cis-bicyclo[4.3.0]nonatrien-(2,4,8)   685

7-Oxa-bicyclo[4.3.0]nonen-(1⁶)
8-Oxo-2,2,6-trimethyl-   1479

7-Oxa-bicyclo[4.3.0]nonen-(1⁹)
6-Methoxy-8-hydroperoxy-4,9-dimethyl-   1491

7-Oxa-bicyclo[4.3.0]nonen-(3)
8-Oxo-3,7-dimethyl-4-[4-carboxy-buten-(2)-yl-(2)]-
754

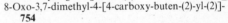

7-Oxa-bicyclo[4.3.0]nonan
8-Oxo-9-methyl-5-(2-carboxy-äthyliden)-4-isopropyli-
den-   754
8-Oxo-9-methyl-5-(2-phenoxycarbonyl-äthyliden)-4-
isopropyliden-   754

Benzo-[c]-furan
3-Äthoxy-1-oxo-1,3-dihydro-   749
1,3-Dihydro-   300
4,7-Dioxo-3-methyl-1-(1,2-dimethoxy-2-formyl-vinyl)-
4,7-dihydro-   979
4,7-Dioxo-3-methyl-1-(2-formyl-vinyl)-4,7-dihydro-
979
4,7-Dioxo-3-methyl-1-[3-oxo-buten-(1)-yl]-4,7-dihy-
dro-   979
4,7-Dioxo-3-methyl-1-[4-oxo-buten-(2)-yl]-4,7-dihy-
dro-   554
4,7-Dioxo-3-methyl-1-[4-oxo-2-methyl-buten-(2)-yl]-4,-
7-dihydro-   554
4,7-Dioxo-3-methyl-1-[4-oxo-penten-(2)-yl]-4,7-dihy-
dro-   554, 579
1,3-Diphenyl-   1313
3-Oxo-1-[2-methoxy-propyl-(2)]-1,3-dihydro-   662

3-Oxa-bicyclo[4.3.0]nonen-(4)
2-Hydroxy-8-acetoxy-7-methyl-5-methoxycarbonyl-
    925
2-Hydroxy-*endo*-8-acetoxy-*endo*-9-methyl-5-methoxy-
    carbonyl- 925
2-Hydroxy-*exo*-8-acetoxy-*exo*-9-methyl-5-methoxy-
    carbonyl- 925
2-Hydroxy-8-tetrahydropyranyl-(2)-oxy-5-methoxy-
    carbonyl- 924

2-Oxa-bicyclo[3.2.1]octen-(3)
1,8,8-Trimethyl- 760

6-Oxa-bicyclo[3.2.1]octen-(2)
3,*endo*-7,8-Trimethyl- 849

8-Oxa-bicyclo[3.2.1]octen-(6)
3-Oxo-2,2,4,4-tetramethyl- 880

Benzo-[b]-thiophen
4-Amino- 1270
4-Amino-5-diäthylamino- 1270
4-Amino-5-diäthylamino-2-äthoxycarbonyl- 1270
4-Amino-5-morpholino- 1270
4-Amino-5-piperidino-2-äthoxycarbonyl- 1270
2-Isopropyl- 1036
2-Methyl- 1020
3-Oxo-2,2-dimethyl-2,3-dihydro- 1038
3-Oxo-5-methyl-2-phenyl-2,3-dihydro- 1038
2-(bzw. 3)-Phenyl- 543

7-Thia-bicyclo[4.3.0]nonen-(1⁹)
8-Hydroxy-6-methoxy-8,9-dimethyl- ; -S-oxid   1493

Benzo-[c]-thiophen
1,3-Dihydro- 1026

Indol   570, 1100, 1300, 1341, 1580
1-Acetyl- 1294, 1295
6-Acetylamino-1-hydroxy-2-oxo-3,3-dimethyl-2,3-di-
    hydro- 1341
Äthoxy-2-oxo-1-methyl-2,3-dihydro- 1218
5-Brom-2-hydroxy-1-formyl-2,3-dihydro- 1303
6-Brom-1-hydroxy-2-oxo-3,3-dimethyl-2,3-dihydro-
    1340
3-Carboxy- 1198
4-Carboxymethyl-3-(2-amino-2-carboxy-äthyl)- ; -
    lactam 638
3-Chlor-2-hydroxy-1-formyl-2,3-dihydro- 1302
3-Cyclohexyl-2-phenyl- 1212
2,3-Dimethyl- 570
1,3-Dimethyl-2-äthyl-2,3-dihydro- 544
4,6-Dinitro-1-hydroxy-2-oxo-3,3,5,7-tetramethyl-2,3-di-
    hydro- 1341
2,3-Diphenyl- 569
5-Fluor-2-hydroxy-1-formyl-2,3-dihydro- 1302
2-Formyl- 1300
3-Formyl- 1300
3-Formyl-2-deuterio- 1299
2-Hydroxy-1-acetyl-2,3-dihydro- 1295, **1296**
2-Hydroxy-1-benzoyl-2,3-dihydro- 1301
2-Hydroxy-1-deuterioformyl-2,3-dihydro- 1299
2-Hydroxy-1-formyl-2,3-dihydro- **1296**
2-Hydroxy-5-methoxy-1-acetyl-2,3-dihydro- 1303
1-Hydroxy-6-methoxy-2-oxo-3,3-dimethyl-2,3-dihy-
    dro- 1340
2-Hydroxy-3-methyl-1-benzoyl-2,3-dihydro- 1302
2-Hydroxy-3-methyl-1-formyl-2,3-dihydro- 1300
2-Hydroxy-5-methyl-1-formyl-2,3-dihydro- 1300
1-Hydroxy-2-oxo-6-cyan-3,3-dimethyl-2,3-dihydro-
    1341
1-Hydroxy-2-oxo-2,3-dihydro- 1339
1-Hydroxy-2-oxo-3,3-dimethyl-6-tert.-butyl-2,3-dihy-
    dro- 1340, **1341**
1-Hydroxy-2-oxo-3,3-dimethyl-6-carboxy- 1340
1-Hydroxy-2-oxo-3,3-dimethyl-5,7-di-tert.-butyl-2,3-
    dihydro- 1341
1-Hydroxy-2-oxo-3,3-dimethyl-2,3-dihydro- 1340
1-Hydroxy-2-oxo-3,3-dimethyl-5-(bzw.-6)-phenyl-2,3-
    dihydro- 1340
3-Methyl- 570, 1300, 1312
1-Methyl-2-phenyl-2,3-dihydro- 544
6-Nitro-1-hydroxy-2-oxo-3,3-dimethyl-2,3-dihydro-
    1340
4-Nitro-1-hydroxy-2-oxo-3,3,5,6,7-pentamethyl-2,3-di-
    hydro- 1341
2-Oxo-3-(α-anilino-benzyliden)-2,3-dihydro- 1110
2-Oxo-5,7-diäthyl-2,3-dihydro- 1339
2-Oxo-3,3-dimethyl-5,7-di-tert.-butyl-2,3-dihydro-
    1341
2-Oxo-1,3-dimethyl-3-(4-oxo-butyl)-2,3-dihydro-
    1481
3-Oxo-2,2-diphenyl-2,3-dihydro- 1252
2-Oxo-3-(2-hydroximino-propyliden)-2,3-dihydro-
    549, 1331
2-Oxo-7-phenyl-2,3-dihydro- 643
2-Oxo-1,3,3-triphenyl-2,3-dihydro- 1481
2-(bzw. 3)-Phenyl- 569
3-Phenyl-2-formyl- **1297**
3-Phenyl-1-formyl-2,3-dihydro- 1297
1,3,3-Trimethyl-2-{2-[6-thiono-cyclohexadien-(2,4)-yl-
    iden]-äthyliden}-2,3-dihydro- 612

3H-Indol
3-Cyclohexen-(1)-yl-2-phenyl-   1212
3,3-Dimethyl-5,7-di-tert.-butyl-   1342
3,3-Dimethyl-5,7-di-tert.-butyl- ; -1-oxid   1341
3-Oxo-2-phenyl- ; -1-oxid   1342
2-Phenyl-3-cycloocten-(2)-yl-   1235

1H-Isoindol
3-Hydroxy-4,6-dimethyl   1316
1,1,3-Triphenyl-   1131

2H-Isoindol
3-Hydroxy-4,6-dimethyl-   577

8-Aza-bicyclo[4.3.0]nonen
7,8,9-Triphenyl-   1081

Benzo-1,3-dioxol
4,5,6,7-Tetrachlor-2,2-dimethyl-   1254

Benzo-[d]-1,2-oxazol (1,2-Benzisoxazol)   1323

Benzo-[c]-1,2-oxazol
3-Äthyl-   1315
3-Methyl-   1312, 1315
3-Phenyl-   1315

Benzo-1,3-oxazol   566, 1123, 1323
6-Anilino-5-hydroxy-4-acetyl-   980
6-Dimethylamino-5-hydroxy-3,4,7-trimethyl-2,3-dihy-
    dro-   979, **980**
2-Hydroxy-   577
5-(bzw. 6-; bzw. 7)-Methyl-   566
6-Methylamino-5-hydroxy-3,4,7-trimethyl-2,3-dihy-
    dro-   980
2-Phenyl-   1117
4,5,6,7-Tetrachlor-2-methyl-   **1254**

Furo-[2,3-b]-pyridin
4-Chlor-2-phenyl-   1106

Benzo-1,3-oxathiol
4,5,6,7-Tetrachlor-2-phenylimino-   1254

Benzo-1,3-thiazol
2-Äthoxy-   1072
2-Phenyl-   1071, 1117

1H-Indazol   1123
6-Chlor-   1219
6-Chlor-3-phenyl-   1212
5-Chlor-3-phenyl-1-acetyl-   **1314**
1-Methyl-   1123
3-Methyl-   1312
3-Phenyl-   1212, 1315

2H-Indazol
2-Phenyl-   1126

Benzimidazol   573, 1123
2-Äthoxycarbonyl-   1091
2-(2-Äthoxy-phenyl)-   **562**
2-Äthyl-1-benzyl-   563, 1287
6-Benzolsulfonylamino-5-dimethylamino-1-methyl-
    984
1-Benzyl-   561
6-Chlor-1-methyl-   561
5,7-Di-tert.-butyl-   561
1,3-Dimethyl-   564
1,5-(bzw. 1,7)-Dimethyl-   561
1,2-Diphenyl-   580
2-Hydroxy-1-phenyl-   581
1-Methyl-   **561**, 564, 1072
2-Methyl-   561
5-Nitro-2-butyl-(2)- ; -3-oxid   **1343**
5-Nitro-2-hydroxymethyl- ; -3-oxid   **1343**
5-Nitro-1-(bzw. -2)-methyl- ; -3-oxid   **1343**
5-Nitro-2-(2-methyl-propyl)- ; -3-oxid   **1343**
5-Nitro- ; -3-oxid   **1343**
2-Oxo-3-äthyl-1-benzyl-2,3-dihydro-   563, 1287
2-Oxo-1,3-dibenzoyl-2,3-dihydro-   1315
2-Oxo-1-phenyl-   1277
2-Phenyl-   **562**, 575, 1091, 1117, 1263

9-Isopropyliden-2,4,5-trimethoxycarbonyl- 446
4-Phenyl-9-isopropyliden-2-methoxycarbonyl- 446

8-Oxa-bicyclo[5.3.0]decatrien-(2,4,6)
10,10-Dimethyl- 903
9,9,10,10-Tetramethyl- 903

5H-⟨Imidazo-[1,2-a]-azepin⟩
5-Äthoxy-2,3-diphenyl-6,7,8,9-tetrahydro- 1108
2,3-Diphenyl-6,7,8,9-tetrahydro- 1108

7-Aza-bicyclo[4.2.1]nonan
8-Oxo- 1275

7,8-Dioxa-bicyclo[4.2.1]nonadien-(2,4) 1485

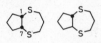

cis   trans

2,6-Dithia-bicyclo[5.3.0]decan
cis-(bzw. anti)- 1026

3aH-⟨Cyclopenta-cycloocten⟩
1,3-Diphenyl- 1245
4,6,8-Trimethyl-1,3-diphenyl- 1245
1,2,3-Triphenyl- **1245**

Bicyclo[6.3.0]undecatetraen-(1,3,5,7)
2-Methyl- 471

9aH-⟨Cyclopenta-[c]-azocin⟩
1,3-Dimethyl-7,8,9-triphenyl- 1245, 1246

Naphthalin 433, 1580
1-Amino- 1460
2-Amino-3-nitro- 1269

8-Benzyl-1-benzoyl- 1037
8-Benzyl-1-formyl- 1037
2,3-Bis-[brommethyl]- 158
4-Brom-1-brommethyl- 148
3-Brom-2-(2-oxo-propyloxy)-1,4-diacetoxy- 981
-1-carbaldehyd-1-methoxy-äthylimin 1119
1-Cyan- 1128
1,4-Dibrom- 157
1-Dibromboryl- 1399
1,4-Dibrom-2,3-dimethyl- 158
1,2-Dihydroxy- 889
1,4-Dihydroxy- 968
3,4-Dihydroxy-2-acetyl-1-cyan- 973
1,4-Dihydroxy- ; -2,3-dicarbonsäure-anhydrid **749**
2,4-Dihydroxy-1,3-dimethoxycarbonyl- 1194
3,4-Dihydroxy-2-propanoyl-1-cyan- 973
3-Fluor-4-methoxy-1-cyan- 647
2-Fluor-4-nitro-1-hydroxy- 647
1-Hydroxy- 648, 688, 1017, 1577
2-Hydroxy- 688, 1464, 1577
2-(1-Hydroxy-äthyl)- 811
3(4)-Hydroxy-4(3)-aroyloxy-1-cyan- 973
5-Hydroxy-1-carboxy- 634
1-Hydroxymethyl- 816
1-Hydroxy-2-methyl- 1577
2-(bzw. 4)-Hydroxy-1-methyl- 1577
1-Hydroxy-4-methyl-3-phenyl- 772
1-Isocyanato- 895
5-Methoxy-1-(2-methoxy-phenyl)- 530
7-Methoxy-1-(4-methoxy-phenyl)- 530
1-Hydroxy-4-phenoxy-2,3-diphenyl- 1020
1-Hydroxy-6,7,8-trimethoxy- **938**
2-Jod- 1005
2-Methoxy-1,4-diacetoxy- 981
3-Methoxy-1,4-diacetoxy-2-acetyl- 981
2-Methoxy-1-formyl- 1070
8-Methoxy-1-formyl- 1037
1-Methylamino-nitro- 1338
7-Methyl-1-(4-methyl-phenyl)- 530
Natrium-2-amino-4-hydroxy- ; -1-sulfonat 1453
4-Nitro-1,2-dimethoxy- 647
3-Nitro-1-hydroxy- 647
5-Nitro-2-hydroxy-3-methoxy- 694
3-Nitro-1-methoxy- 647
3-Nitro-1,2-sulfuryldioxy- 964
4-Oxo-3-methyl-1-(α-formyl-benzyliden)- 961
1-Phenyl- 307, 464, 644
2-Phenylazo-1-methoxy- 1133
1-Phenyl- ; -2,3-dicarbonsäure-anhydrid 530, 536
4-Phenyl-2,3-dimethoxycarbonyl- 795
2-(2-Phenyl-vinyl)- 202
-1-phosphonsäure-dimethylester 1374
1,2,3,4-Tetramethyl- 891
1,2,3,4-Tetraphenyl- **653**
-1-thiocarbonsäure-S-methylester 1070
4-Thiocyanato-1-methyl- 177
1-(bzw. 2)-Thiocyanomethyl- 177
1,3,4-Trichlor- ; -1-oxyl-Radikal 1527
1,2,3-Triphenyl- **463**

1,2-Dihydro-naphthalin 434
3-Allylamino-4-acetyl- 997
3-Butylamino-4-acetyl- 997
4-Hydroxy-3-[α-(4-methoxy-phenylimino)-benzyl]-
805

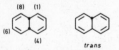

11,14-Cyclo-8,14-seco-oleantrien-(8,11,13) 260

cis   trans

Bicyclo[4.4.0]decan (Dekalin)
2-Amino-5,5-dimethyl-*trans*- ; -9-carbonsäure-
    lactam 1275
-*cis*-carbonsäure-chloride 182
4,4-Dimethyl-*trans*-9-aminocarbonyl- 1275
cis-2,6-Dimethyl-7-methylen-8-(3-methyl-2-methylen-
    butyliden)-2-carboxy-*cis*- 258, 269
1,6-Dimethyl-5-methylen-*cis*- 216
9-Hydroxy-*cis*- 809
9-Isocyanato-4,4-dimethyl-*cis*-(bzw. -*trans*)- 1275
6-Isopropyloxy-1-methyl- 1438
1-Methyl-*cis*- **1438**
4-Methyl-4-aminomethyl-*cis*-(bzw. -*trans*)- ; -9-
    carbonsäure-lactam 1275
6-Methyl-1-(bzw. -2)-deuterio-*cis*- 1439
1-Methyl-5-methylen-*cis*-(bzw. -*trans*)- 216
1-Methyl-4-methylen-3-deuterio-*trans*- 215

C-Nor-11,13-seco-5α-pregnen-(13^{18})
3,3; 20,20-Bis-[äthylen-(1,2)-dioxy]- ; -11-al 762

12,13-Seco-5α-pregnen-(13)
3β,20-Diacetoxy- ; -12-al **761**

Bicyclo[2.2.2]octadien-(2,5)
cis-7.8-Dichlor-7,8-carbonyldioxy- 491

Bicyclo[2.2.2]octen-(2)
-*exo*-5,*exo*-6-(bzw. *endo*-5,*endo*-6)-dicarbonsäure-
    anhydrid 383, **384**
6,6-Difluor-5,5-dichlor- 387
endo-5,*endo*-6-Dimethyl- ; -5,6-dicarbonsäure-
    anhydrid 384
5,5,6,6-Tetrachlor- 388

v*

Bicyclo[2.2.2]octan
1,4-Dibrom- 230
2-(2-Oxo-propyl)- 291

2H-Chromen 1043
3-Chlor-2-oxo-4-[2-oxo-2H-chromen-yl-(3)]- 619
3,4-Dihydro- 669
6-Hydroxy-7,8-dimethoxy-2,5-dimethyl-2-alkyl- 977
6-Hydroxy-2,2,7,8-tetramethyl- 977
2-Oxo-3-[1-chlor-idenyl-(2)]- 620, **621**

4H-Chromen
4-Oxo-2-[2,3-dimethyl-buten-(2)-yl]-2,3-dihydro-
    624
4-Oxo-2-[2,3-dimethyl-buten-(3)-yl-(2)]-2,3-dihydro-
    624

2-Oxa-bicyclo[4.4.0]decen-(1^6)
3-Oxo- 765

2-Oxa-bicyclo[4.4.0]decen-(1^{10})
3-Oxo- 765

2-Benzopyrylium
4-Oxi-3-methyl-1-phenyl- 615

1H-⟨2-Benzopyran⟩ 684
5,8-Dihydroxy-1,1,3,3-tetramethyl-3,4-dihydro- 976
5,8-Dioxo-1,1,3,3-tetramethyl-3,4,5,8-tetrahydro-
    976
1-Hydroxy-3-methoxycarbonyl- 686
1-Oxo-3-methyl-4-phenyl- 615

3H-⟨2-Benzopyran⟩
3-Oxo-1,4-diphenyl-1,4-dihydro- ; -1,4-
    eisentricarbonyl 627
3-Oxo-1,4-diphenyl- ; -7-eisentricarbonyl 627

9-Oxa-bicyclo[3.3.1]nonen-(2)
1-Hydroxy-6-mercapto- 1021

9-Oxa-bicyclo[3.3.1]nonan

4H-⟨1-Benzothiopyran⟩

1H-⟨2-Benzothiopyran⟩

4aH-⟨2-Benzothiopyran⟩

9-Thia-bicyclo[3.3.1]nonan

2-Thia-bicyclo[2.2.2]octen-(5)

Chinolin 599, 1300, 1576, 1580

Isochinolin
1-Äthyl- 598, 600
1-Cyan- 998
5,8-Dihydroxy-1,3,3-trimethyl-3,4-dihydro- 976
6,7-Dimethoxy-1-äthyl- 599
6,7-Dimethoxy-1-methyl- 599
1-Hydroxy-4-benzoyl- 998
8-Hydroxy-5-oxo-1,3,3-trimethyl-3,4,4a,5-tetrahydro-
 976
1-Methyl- 600, 1307
1-Oxo-2-methyl-1,2-dihydro- 1307

1-Aza-bicyclo[4.4.0]decan
4-Hydroxymethyl- 188

Chinuclidin 1102

2,3-Dioxa-bicyclo[4.4.0]decen-(5)
1,7,7-Trimethyl-4-isopropenyl- 1479

2H,4H-⟨1,3-Benzodioxin⟩
6-Hydroxy-2-phenyl- 982

1,4-Benzodioxin
5,6,7,8-Tetrachlor-2,3-diphenyl-2,3-dihydro- 951

2,3-Benzodioxin
1-Hydroxy-6,8-dimethyl-1-äthyl-1,4-dihydro- **796**

2,3-Dioxa-bicyclo[2.2.2]octen-(5) 1466, 1484
endo-7,8-Dimethoxycarbonyl- 1469
4-Methyl-1-isopropyl- (Ascaridol) 1484
5-Methyl-7-isopropyl- 1484
6,7,7-Trimethyl-1-[buten-(2)-oyl]- **1485**

2H,4H-⟨1,3-Benzoxathiin⟩
4-Oxo-*trans*-2-phenyl- ; -1-oxid 1034

4H-⟨3,1-Benzooxazin⟩
4,4-Dimethyl-6,8-di-tert.-butyl- 1342
4-Oxo-2-phenyl- 1287

2,5-Dithia-bicyclo[4.4.0]decan
3,3,4,4-Tetraphenyl- 1066

Cinnolin
4-Methyl- 1312

Chinazolin
2,4-Bis-[benzylamino]-6-brommethyl- 161
6,8-Dibrom-2,4-dioxo-3-phenyl-1,2,3,4-tetrahydro-
 1286
2,4-Dihydroxy- 547
2,4-Dioxo-3-phenyl-1,2,3,4-tetrahydro- 1286
2,4-Dioxo-1,2,3,4-tetrahydro- 1286
Hexafluor- 602
4-Hydroxy-2-phenyl- 547

Chinoxalin
2-(1-Äthoxy-äthyl)- 611
3-tert.-Butyl-2-[tetrahydrofuranyl-(2)]-1,2-dihydro-
 611
7-Chlor-3-methylamino-1-benzoyl-1,2-dihydro-
 1321, **1322**
2-Chlor- ; -4-oxid 1315
2,3-Dibenzyl- 1043
2,3-Dimethyl-2-[tetrahydrofuranyl-(2)]-1,2-dihydro-
 611
2-(1,4-Dioxanyl)- 611
2,3-Dioxo-1,2,3,4-tetrahydro- 1315
2-Oxo-1,2-dihydro- 1314
2-Oxo-1,2-dihydro- ; -4-oxid 1314
2-Oxo-3-phenyl-1,2-dihydro- ; -4-oxid 1314
2-Phenyl- 1314
2-Tetrahydrofuranyl-(2)- 611

Phthalazin
1,4-Diphenyl- 1313

2,3-Diphospha-bicyclo[2.2.2]octan
2,3-Diäthyl- 1349, 1354

2,4,7-Trioxa-bicyclo[4.4.0]decen-(8)
10-Oxo-3-phenyl-   671

2-Oxa-7,10-dithia-*trans*-bicyclo[4.4.0]decan
8,8,9,9-Tetraphenyl-   1066

Pteridin
2-Amino-4-hydroxy-   1098
2-Amino-4-hydroxy-6-carboxy-   1098

5H-⟨Benzocycloheptrien⟩   215, 274, 374,
5,7-Dimethyl-   274
5-Methoxy-6,7,8,9-tetrahydro-   661
1,2,3,4-Tetrachlor-   1244
6,7,8,9-Tetrahydro-   1170

7H-⟨Benzocycloheptrien⟩   1244
7-Äthoxycarbonyl-1,2,3,4-tetrahydro-   1241
1,4-Diphenyl-   1204, 1244
1,2,3,4-Tetrachlor-   1244
1,2,3,4-Tetraphenyl-   **1244**

Bicyclo[3.2.2]nonadien-(2,6)
-*endo*-8,*endo*-9-dicarbonsäure-anhydrid   383

1-Benzoxepin
7-Hydroxy-3,8,9-trimethyl-2,5-dihydro-   977

3-Benzoxepin   237, 686

6-Oxa-bicyclo[3.2.2]nonan
4-Hydroxy-7-oxo-5-methyl-   1277
4-Methoxy-7-oxo-5-methyl-   1277

2H-⟨3-Benzazepin⟩
8-Hydroxy-2-oxo-3-benzyl-1,3,4,5-tetrahydro-   638
8-Hydroxy-2-oxo-2-methyl-1,3,4,5-tetrahydro-   638
7-Hydroxy-2-oxo-1,3,4,5-tetrahydro-   637
8-Hydroxy-2-oxo-1,3,4,5-tetrahydro-   638
9-Hydroxy-2-oxo-1,3,4,5-tetrahydro-   637

3H-⟨3-Benzazepin⟩
3-tert.-Butyloxycarbonyl-   1095
3-Methoxycarbonyl-   1095
3-Tosyl-   1095
1,3,5-Trimethoxycarbonyl-   1095

3-Aza-bicyclo[3.2.2]nonan
3-(2-Hydroxyimino-cyclohexyl)- ; -Hydrochlorid
1328

6-Aza-bicyclo[3.2.2]nonan
4-Hydroxy-7-oxo-   1277
4-Methoxy-7-oxo-   1277

2H-⟨1,3-Benzodioxepin⟩
7-Hydroxy-2,2,4,4-tetramethyl-4,5-dihydro-   976

6,7-Dioxa-bicyclo[3.2.2]nonen-(8)   1485

Benzo-[f]-1,3-oxazepin   1308
2-Cyan-   1307
7-Hydroxy-2,4,4-trimethyl-4,5-dihydro-   976
4-Methyl-2-cyan-   **1307**
4-Methyl-2-phenyl-   **1306**
2-Phenyl-   1307

Benzo-[d]-1,3-oxazepin
7-Brom-2-(4-brom-phenyl)-   1303
2-(4-Brom-phenyl)-   1302
7-Brom-2-phenyl-   1303
5-Chlor-2-cyan-   1305
2-(4-Chlor-phenyl)-   1301

2-Cyan- 1304
5-Methoxy-2-cyan- 1297
7-Methoxy-2-cyan- 1305
7-Methoxy-5-methyl-2-cyan- 1305
4-(bzw. 5)-Methyl-2-cyan- 1304
7-Methyl-2-cyan- 1305
4-(bzw. 5-; bzw. 7)-Methyl-2-phenyl- 1302
2-Phenyl- **1297**, 1301
4-Phenyl- 1297

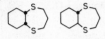

cis   trans

2,6-Dithia-bicyclo[5.4.0]undecan
cis-(bzw. trans)- 1026

Benzo-[f]-1,3,5-oxadiazepin
8-Chlor-4-methyl-2-phenyl- 1314

Benzo-[d]-1,3,6-oxadiazepin
2,4-Diphenyl- 1314
2-Phenyl- 1314

Benzo-cyclooctatetraen 424
7,8,9,10-Tetrafluor- 432

cis   trans

Bicyclo[6.4.0]dodecapentaen-(2,4,6,9,11) 276

Bicyclo[6.4.0]dodecatetraen-(1^8,2,4,6) 1043

Bicyclo[4.2.2]decatetraen-(2,4,7,9) 432 436, 437,
1148

cis,cis,cis

Bicyclo[4.2.2]decatrien-(cis-3,cis-7,cis-9) 472, 496
3,4-Dimethyl- 498
3,4-Dimethyl-7-cyan- 498
2,3,4-Trimethyl- 498

trans,cis,cis

Bicyclo[4.2.2]decatrien-(trans-3,cis-7,cis-9) 495
3-Methyl- 497

Bicyclo[6.4.0]dodecan
2,6-Dioxo-4,4-dimethyl- 926

1-Benzazocin
7-Chlor-5-hydroxy-3,3-dimethyl-3,4-dihydro- 544
5-Hydroxy-3,4-dihydro- 544
5-Hydroxy-3,3-dimethyl-3,4-dihydro- 544

3-Benzazocin
8-Hydroxy-2-oxo-3,6-dimethyl-1,2,3,4,5,6-
    hexahydro- 639
9-Hydroxy-2-oxo-1,2,3,4,5,6-hexahydro-
639

2-Aza-bicyclo[4.2.2]decatetraen
3-Methoxy- 1105

4H-⟨Benzo-[g]-1,3,6-oxadiazonin⟩
9-Chlor-5-methylamino-2-phenyl- 1321, 1322

1H-⟨Benzo-[b]-azonin⟩
7-Oxo-2,3,4,5,6,7-hexahydro- **995**, 1094

1-Benzazecin
8-Oxo-1,2,3,4,5,6,7,8-octahydro- 995, 495

Benzo-1-aza-cyclopentadecen-(2)
13-Oxo- 1094

Bicyclo[6.5.0]tridecatetraen-(1^8,2,4,6) 1043

12-Oxa-bicyclo[4.4.3]tridecatrien-(1,3,5) 268

12-Thia-bicyclo[4.4.3]tridecatrien-(1,3,5) 268
-12,12-dioxid 268

D. Tricyclische Verbindungen

Tricyclo[3.1.0.0^{2,4}]hexan
anti- 1145
1,2,3,3,6,6-(bzw. 1,3,3,4,6,6)-Hexamethyl-*anti-* 285
1,2,*endo*-3,4,5,*endo*-6-Hexaphenyl-*anti-* 342, **345**
1,2,*exo*-3,4,5,*exo*-6-Hexaphenyl-*anti-* 342, **345**
1,2,4,5-Tetraphenyl-*anti-* 343
1,2,4,5-Tetraphenyl-3,6-diacetyl- 342
1,2,4,5-Tetraphenyl-3,6-dimethoxy-carbonyl-*anti-*
  343

Tricyclo[2.1.0.0^{2,5}]pentan
3-Oxo-1,5-diphenyl- 1202

Tricyclo[3.2.0.0^{1,6}]heptan 250
3,3-Dimethyl- 250

Tricyclo[4.1.0.0^{2,4}]heptan
cis-(bzw. *trans*)- 1169

Benzvalen (Tricyclo[2.1.1.0^{5,6}]hexen) 472, 473
Hexakis-[trifluormethyl]- 475

Tricyclo[2.1.1.0^{5,6}]hexan 1201

6-Oxa-tricyclo[3.1.1.0^{1,5}]heptan
2,2-Dimethyl-7-isopropyl- 850

cis

3,7-Dioxa-tricyclo[4.1.0.0^{2,4}]hepten **1482**
5-Isopropyliden-1,2,4,6-tetraphenyl- 1483
1,2,4,6-Tetraphenyl- 1483

***anti*-Tricyclo[5.1.0.0^{4,6}]octen-(2)** 231, 418
5,8-Bis-[dimethoxyphosphono]-5,8-diphenyl- 1241

Tricyclo[4.2.0.0^{1,7}]octan 250

cis   *trans*

5,8-Dioxa-1,4-diaza-tricyclo[5.1.0.0^{4,6}]octan
cis-(bzw. *trans*)-2,2,3,3,6,7-Hexamethyl- 1285

cis

Tricyclo[5.2.0.0^{1,8}]nonan
cis- 250
9-Methyl-*cis*-(bzw. *trans*)- 250

Tricyclo[4.2.0.0^{2,4}]octen-(7) 231

Tricyclo[3.3.0.0^{2,4}]octen-(6) 231, 418

Tricyclo[3.3.0.0^{2,4}]octan
syn- 231

Tricyclo[3.2.0.0^{2,7}]hepten-(3)
5,7-Diphenyl-1-methoxycarbonyl-   233, 427
5,7-Diphenyl-4-methoxycarbonyl-   233, **427**

3-Oxa-tricyclo[4.2.0.0^{2,4}]octen-(7)   685

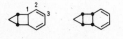

anti   syn

Tricyclo[4.3.0.0^{7,9}]nonadien-(2,4)
2,3,4,5-Tetrachlor-*anti*-(bzw. *syn*)-   1148

Tricyclo[4.2.0.0^{2,8}]octen-(3)   430
5,5-Dideuterio-   430

8-Oxa-tricyclo[4.3.0.0^{6,9}]nonan
1,9-Dimethyl-3-tert.-butyl-   848

Tricyclo[4.3.0.0^{1,5}]nonen-(2)
4-Oxo-3,6-dimethyl-   777
4-Oxo-5,6-dimethyl-   777
4-Oxo-6-methyl-   777

Tricyclo[2.2.1.0^{2,6}]heptan   1169
syn-7-Chlor-3-oxo-   1187
5-Halogen-3-phenylsulfonyl-   1050
3-Oxo-4,7,7-trimethyl-   1187
3-Phenylmercaptomethyl-   1012
1,7,7-Trimethyl-   1128

endo   exo

Tricyclo[3.2.1.0^{2,4}]octen-(6)
3,3-Dimethoxycarbonyl-*endo*-(bzw. -*exo*)-   1231
3,3-Diphenyl-*endo*-(bzw. -*exo*)-   1230

Tricyclo[3.2.1.0^{2,4}]octan
-3-phosphonsäure-dimethylester   1358

Tricyclo[3.3.0.0^{2,8}]octen-(3)   231, 275, 418, 472
6-(bzw. 7)-Äthoxy-   493
6-(bzw. 7)-Äthyl-   493
cis-(bzw. *trans*)-6,7-Dimethyl-   493
6-(bzw. 7)-Hexyl-   493
6-Methylen-7-chlormethylen-   276
7-Methylen-6-chlormethylen-   276
endo-(bzw. *exo*)-6-Methyl-6-isopropenyl-   489,
498
7-Methyl-7-vinyl-   497
6,6,7,7-Tetramethyl-   492, 493
7-Vinyl-   496

Tricyclo[3.3.0.0^{2,8}]octadien-(3,6) (Semibullvalen)   275,
423
1,5-(bzw. 2,3-; bzw. 4,5)-[trifluormethyl]-   431

3-Oxa-*exo*-tricyclo[3.2.1.0^{2,4}]octan
endo-6,*exo*-(bzw. *exo*-6,*exo*-7)-Diacetoxy-   685

endo   exo

8-Oxa-tricyclo[3.2.1.0^{2,4}]hepten-(6)   550
3-Formyl-   552

3-Aza-*exo*-tricyclo[3.2.1.0^{2,4}]octan
3-(4-Brom-phenyl)-   1258
3-Phenyl-   1258
3-Phenyl- ; -2,4-dicarbonsäure-anhydrid   1258

6,7-Diaza-tricyclo[3.2.1.0^{2,4}]octan
6,7-Dimethoxycarbonyl-   1148

Benzo-bicyclo[3.1.0]hexen-(2)   254, 271
1,6-(bzw. 6,6-; bzw. 6,8)-Dimethyl-   270
6-Methyl-   271
6-Oxo-1,7,8,8-tetramethyl-   771

Tricyclo[4.4.0.0^{1,5}]decen-(2)
4-Oxo-3,6-dimethyl-   **775**, 790
4-Oxo-5,6-(bzw. -6,10)-dimethyl-   778
4-Oxo-5,6-dimethyl-9-isopropenyl-   778
4-Oxo-6-methoxycarbonyl-   777

Tricyclo[4.4.0.0^{1,5}]decan
3-Oxo-1-methyl-   **769**
4-Oxo-6-hydroxymethyl-   769

Tricyclo[4.3.1.0^{1,6}]decan
8-Oxo-   794
7-Oxo-10-dimethoxymethyl-   698

Tricyclo[4.4.0.0^{2,4}]decen-(1^6)
4,7,7,10,10-Pentamethyl-   268
7,7,10,10-Tetramethyl-   267
7,7,10,10-Tetramethyl-4-tert.-butyl-   268

Tricyclo[3.2.1.0^{4,6}]octen-(2)   430
8,8-Dideuterio-   430

Tricyclo[3.2.1.0^{2,7}]octan
3-Oxo-   1191

Tricyclo[4.3.0.0^{2,9}]nonadien-(3,7)
5-Diphenylmethylen-2,8-dimethoxycarbonyl-   445
5-Diphenylmethylen-1,2,8-trimethoxycarbonyl-   445
5-Diphenylmethylen-2,8,9-trimethoxycarbonyl-   **446**
5-Isopropyliden-2,8-dimethoxycarbonyl-   446
5-Isopropyliden-1,2,8-trimethoxycarbonyl-   446
5-Isopropyliden-2,8,9-trimethoxycarbonyl-   446
8-Phenyl-5-isopropyliden-2-methoxycarbonyl-   446

Benzo-6-oxa-bicyclo[3.1.0]hexen-(2)
1-Methyl-7-phenyl-   615

Tricyclo[5.3.0.0^{2,10}]decen-(8)   266
1,7-Dimethyl-   266

Tricyclo[6.3.0.0^{2,11}]undecen-(9)   268

Benzo-bicyclo[4.1.0]heptadien-(2,4)   274
9-Carboxymethyl-   756
1,8-(bzw. 8,9)-Dimethyl-   274
9-Dimethylphosphono-9-phenyl-   1242
8-(bzw. 9)-Methoxycarbonyl-   274

Tricyclo[5.4.0.0^{2,4}]undecen-(1^{11})
10-Oxo-*trans*-3,7-dimethyl-   1006

Tricyclo[3.3.1.0^{4,6}]nonadien-(2,7) (Barbaralan)   445

Tricyclo[3.2.2.0^{2,4}]nonen-(6)
-*exo*-8,*exo*-9-dicarbonsäure-anhydrid   383

Tricyclo[4.4.1.0^{1,6}]undecadien-(2,4)
7,8;9,10-Bis-[epoxi]-   1487

Cyclopropa-[c]-[1]-benzopyran
1,1a,2,7b-Tetrahydro-   1201

9-Thia-tricyclo[3.3.1.0^{4,6}]nonadien-(2,7)   1019

9-Phospha-tricyclo[3.3.1.0^{4,6}]nonadien-(2,7)
9-Phenyl-   277

Bullvalen   298, 432, 435, 1148
Fluor-chlor-   436

2-Aza-tricyclo[3.3.2.0^{4,6}]decatrien-(2,7,9)
3-Methoxy-   1104

Tricyclo[4.2.0.0^{2,5}]octadien-(3,7)
syn-   1364
2,3,4,6,7-Hexamethyl-   888
Octamethoxycarbonyl-   352

Tricyclo[4.2.0.0^{2,5}]octan
anti-   285, 1153
1,2,5,6-Tetramethoxycarbonyl-*anti-*   352
1,2,5,6-Tetraphenyl-   343

3-Oxa-tricyclo[4.2.0.0^{2,5}]octan
1,8-Dichlor-2-amino- ; -8-carbonsäure-lactam   382
1,8-Dichlor-2-amino-5,6-dimethyl- ; -8-carbonsäure-
    lactam   382

Tricyclo[4.3.0.0^{2,5}]nonen-(3)   259

Tricyclo[4.3.0.0^{2,5}]nonen-(7)
2,5-Diphenyl-*anti-*   **366**

Tricyclo[3.2.2.0^{2,5}]nonan
2-Carboxy-   1189
endo-(bzw. *exo*)-6-Methoxycarbonyl-   1186

Tricyclo[3.2.0.0^{4,7}]heptan
6-Hydroxy-6-phenyl-   800

3-Thia-tricyclo[3.2.2.0^{1,5}]nonan   393

4-Aza-tricyclo[4.1.1.0^{3,7}]octan
5-Oxo-382

2-Aza-4,8-dioxa-tricyclo[5.2.0.0^{3,6}]nonan
5,5,9,9-Tetraphenyl-2-benzoyl-   863

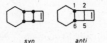

Benzo-bicyclo[2.2.0]hexen-(2)
*cis-*7,8-Dimethyl- ; -7,8-dicarbonsäure-methylimid
    628

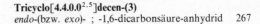

Tricyclo[4.4.0.0^{2,5}]decen-(3)
endo-(bzw. *exo*)- ; -1,6-dicarbonsäure-anhydrid   267

Tricyclo[4.4.0.0^{1,4}]decen-(2)   259

Dicyclobutano-[a;d]-benzol
1-Carboxy-   1186

Tricyclo[6.2.0.0^{3,6}]decan
2,7-Dioxo-4,5,9,10-tetramethoxycarbonyl-   905
1,3,6,8-Tetrachlor-2,7-dioxo-octamethyl-   945

Tricyclo[4.2.2.0^{1,6}]decan
2-Oxo-   919

***exo,cis-*Tricyclo[5.4.0.0^{8,11}]undecen-(9)**   268

Tricyclo[8.2.0.0^{4,7}]dodecadien-(1^{10},4^7)   251, 310

Tricyclo[5.3.0.0^{2,6}]decadien-(3,9)   295, **296**
*anti-*5,8-Dioxo-*anti-*   940

Tricyclo[5.3.0.0²·⁶]decen-(3)
3,7-Dimethyl-10-isopropyl-*anti*-   228
8-(bzw. 10)-Oxo-   914

anti   *syn*

Tricyclo[5.3.0.0²·⁶]decan
anti-   241, 282, **283**
syn-   283
1,2-(bzw. 1,6)-Diacetyl-*cis-anti-cis*-   907
6,7-Dihydroxy-5,8-dioxo-1,2-dimethyl-   907
6,7-Dimethyl-1,2-diacetyl-*cis-anti-cis*-   907
3,8-Dioxo-*anti*-   898
3,8-Dioxo-   **905**
3,10-Dioxo-*anti*-   898
3,10-Dioxo-*cis-anti-cis*-   **905**
3,8-Dioxo-1,6-dimethyl-*syn*-(bzw. *-anti*)-   904
5,8-Dioxo-1,2-dimethyl-*syn*-(bzw. *-anti*)-   904
5,8-Dioxo-1,2-diphenyl-*cis-anti-cis*-   907
3,8-Dioxo-5,5,10,10-tetramethyl-*cis-anti-cis*-   907
3,10-Dioxo-5,5,8,8-tetramethyl-*cis-anti-cis*-   907
Diphenyl-   322
1-Methyl-*syn*-(bzw. *-anti*)-   241
7-Methyl-10-isopropyl-3-methylen-*anti*-   241
3-Oxo-*anti*-   898, 913
3-Oxo-1,7-dimethoxycarbonyl-   914
3-Oxo-1,7-dimethyl-4-isopropyliden-*syn*-(bzw. *-anti*)-   938
5-Oxo-2-methyl-*syn*-(bzw. *-anti*)-   938
8-(bzw. 10)-Oxo-6-methyl-3-isopropyl-*anti*-   913
4,4,9,9-Tetramethoxy-*syn*-   241

Tricyclo[3.3.2.0¹·⁵]decen-(9)
2-Oxo-9,10-dimethyl-   929

Tricyclo[3.3.2.0¹·⁵]decan
2,6-Bis-[methylen]-   251
3-Oxo-   1442

Tricyclo[3.3.0.0²·⁷]octan
3-Oxo-1,2-dimethyl-   932
6-Oxo-1,2-dimethyl-   932, 935
3-Oxo-2-methyl-1-[4-methyl-penten-(3)-yl]-   936

Tricyclo[3.2.1.0³·⁶]octan
2-Hydroxy-3-methyl-2-phenyl-   800
2-*Oxo-endo*-(bzw. *-exo*)-4-(3-methoxycarbonyl-propyl)-*syn*-7-[3-hydroxy-octen-(1)-yl]-   935

7-Oxo-*endo*-4-(3-methoxycarbonyl-propyl)-2-[3-hydroxy-*trans*-octen-(1)-yl]-   935
4-Oxo-6,7,7-trimethyl-   1190

Tricyclo[4.2.1.0²·⁵]nonadien-(3,7)
exo-   284

Tricyclo[4.2.1.0²·⁵]nonen-(2⁵)   251

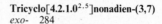

endo   *exo*

Tricyclo[4.2.1.0²·⁵]nonen-(3)   256
3-Chlor-*endo*-(bzw. *-exo*)-   256
3,4-Dichlor-*endo*-(bzw. *-exo*)-   256

endo   *exo*

Tricyclo[4.2.1.0²·⁵]nonan
endo-(bzw. *exo*)- ; *-anti*-3,*anti*-4-dicarbonsäure-anhydrid   400

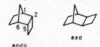

3-Oxa-*anti*-tricyclo[5.3.0.0²·⁶]decen-(4)
7-Phenyl-   373

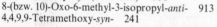

3-Oxa-tricyclo[5.3.0.0²·⁶]decan
7-Acetoxy-8-oxo-*anti*-   899
7-Acetoxy-8-oxo-*syn*-   899, 900

4-Oxa-tricyclo[5.3.0.0²·⁶]decan
3-Oxo-*anti*-   392, **393**

2-Oxa-tricyclo[3.3.0.0³·⁸]octan
1,*exo*-4,*exo*-7-Trimethyl-   849

2-Oxa-tricyclo[3.2.1.0³·⁷]octan
6,6,7-Trimethyl-   760

3-Oxa-tricyclo[4.2.1.0^{2,5}]nonen-(7)
4,4-Diphenyl- 862

endo   exo

3-Oxa-tricyclo[4.2.1.0^{2,5}]nonan
4-Chlormethyl-4-pyrazinyl- 847
4,4-Diäthoxycarbonyl-endo-(bzw. exo)- 858
4,4-Diphenyl-exo- 289, 841

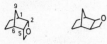

9-Phospha-endo-tricyclo[4.2.1.0^{2,5}]nonadien-(3,7)
9-Phenyl- ; -9-oxid 277

3,10-Dioxa-cis-trans-cis-tricyclo[5.3.0.0^{2,6}]decan
5,8-Dioxo-4,4,9,9-tetramethyl- 907

anti   syn

4,9-Dioxa-tricyclo[5.3.0.0^{2,6}]decan
3,8-Dioxo-anti- 350
3,10-Dioxo-syn-(bzw. anti)- **350**

3,8-Diphospha-tricyclo[5.3.0.0^{2,6}]decadien-(4,9)
2,3,4,7,8,9-Hexaphenyl- 309

3,8-Digermana-tricyclo[5.3.0.0^{2,6}]decadien-(4,9)
3,3,8,8-Tetramethyl-2,4,7,9-tetraphenyl- 309

anti   syn

3,8-Disila-tricyclo[5.3.0.0^{2,6}]decadien-(4,9)
3,3,8,8-Tetramethyl-2,4,7,9-tetraphenyl-syn-(bzw. anti)-
     308

4-Oxa-8,10-diaza-tricyclo[5.3.0.0^{2,6}]decan
3,5,9-Trioxo-8,10-diacetyl- 401, 404
3,5,9-Trioxo-2,6-dimethyl-8,10-diphenyl- 404

anti   syn

3,5,8,10-Tetraoxa-tricyclo[5.3.0.0^{2,6}]decan
1,2-Dichlor-4,9-dioxo-syn-(bzw. anti)- 358
1,6-Dichlor-4,9-dioxo-syn-(bzw. anti)- 358
4,9-Dioxo-syn-(bzw. anti)- 358
4,9-Dioxo-1,2,6,7-tetraphenyl-syn- 345
1,2,6,7-Tetrachlor-4,9-dioxo-syn-(bzw. anti)- 358,
     359

3,5,8,10-Tetraaza-tricyclo[5.3.0.0^{2,6}]decan
4,9-Dioxo-3,5,8,10-tetraacetyl- 359, **360**
4,9-Dioxo-3,5,8,10-tetraphenyl- 359

7H-⟨Cyclobuta-[a]-inden⟩
2-Cyan-2a,7a-dihydro- 502
7,7-Dicyan-2a,7a-dihydro- 275
1,7-Dimethyl-2a,7a-dihydro- 274
1-Methoxycarbonyl-2a,7a-dihydro- 274

2,3-Benzo-bicyclo[3.2.0]heptadien-(2,6)
6,6-Dicyan- 273
1,6,6,7,8,9-Hexamethyl- 891
3,4,5,9-Tetramethoxy-6-oxo- **938**

Benzo-bicyclo[3.2.0]hepten-(2)
anti-(bzw. syn)-9-Chlor- 374
7-Chlor- ; -exo-8,exo-9-dicarbonsäure-anhydrid 377
7-Chlor-endo-8,endo-9-dimethyl- ; -8,9-dicarbonsäure-
     anhydrid 377
exo-(bzw. endo)-9-Cyan- 376
-exo-8,exo-9-dicarbonsäure-anhydrid 375
8,9-Dichlor- 375, 376
9,9-Dichlor- 375
endo-8,endo-9-(bzw. exo-8,exo-9)-Dimethyl- ; -8,9-
     dicarbonsäure-anhydrid 376
7,8,8,9,9-Pentachlor- 375
8,8,9,9-Tetrachlor- 376
6,6,7-(bzw. 8,9,9)-Trichlor- 376

6,7-Benzo-bicyclo[3.2.0]heptadien-(2,6)
5-Hydroxy-4-oxo- 937

Benzo-2,7-dioxa-bicyclo[3.2.0]hepten-(3)
8,8-Diphenyl- **867**
8,8-Diphenyl-1-methoxycarbonyl- 866
8-Phenyl- 865

3,4-Benzo-2-oxa-7-aza-bicyclo[3.2.0]heptadien-(3,6)
8-Methyl-1-cyan- 1307

Benzo-7-oxa-2-aza-bicyclo[3.2.0]hepten-(3)
8,8-Diphenyl-2-acetyl- 866
8,8-Diphenyl-2-(4-chlor-benzoyl)- 886

Benzo-2,6,7-trioxa-bicyclo[3.2.0]hepten-(3)
1,4-Dimethyl- 1492
1,4-Diphenyl- 1491, 1492

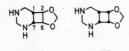

anti   syn

3,5-Dioxa-8,10-diaza-tricyclo[5.4.0.0²˒⁶]undecan
4,9,11-Trioxo-8,10-dimethyl-*syn*-(bzw. *anti*)- 604

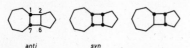

anti   syn

Tricyclo[5.5.0.0²˒⁶]dodecan
3-Oxo-*syn*-(bzw. *anti*)- 914
3-Oxo-*r*-1-H,*t*-2-H,*t*-6-H,*t*-7-H-(bzw. *r*-1-H,*c*-2-H,*c*-6-H,*t*-7-H)- 914

Tricyclo[5.3.2.0¹˒⁷]dodecen-(11)
2-Oxo-11,12-dimethyl- 929

Tricyclo[5.3.2.0¹˒⁷]dodecan
2-Oxo- 920

3-Oxa-*anti*-tricyclo[5.5.0.0²˒⁶]dodecen-(4)
7-Phenyl- 373

11-Oxa-*anti*-tricyclo[8.3.0.0²˒⁰]tridecen-(12)
2-Phenyl- 373

Cyclobuta-[a]-naphthalin
1-Cyan-1,2,2a,8b-tetrahydro- 490
syn-1-(bzw. -2)-Cyan-1,2,2a,8b-tetrahydro- 490
1,2-Diphenyl-2a,8b-dihydro- 502
trans-2a-Methoxy-2-cyan-1,2,2a,8b-tetrahydro- 490
anti-1-Phenoxy-*syn*-(bzw. *anti*)-2-methyl-8b-cyan-
   1,2,2a,8b-tetrahydro- 490

Cyclobuta-[b]-naphthalin
2a-Acetoxy-3,8-dioxo-1,2-diphenyl-2a,3,8,8a-tetrahy-
   dro- 961
3,8-Dioxo-2α,8α-dimethyl-1,2-diphenyl-2a,3,8,8a-tetra-
   hydro- 961
3,8-Dioxo-1,2a-dimethyl-2-phenyl-2a,3,8,8a-tetrahy-
   dro- 961
3,8-Dioxo-2,2a-dimethyl-1-phenyl-2a,3,8,8a-tetrahy-
   dro- 961
3,8-Dioxo-1,2-(bzw. 2,2a)-dimethyl-2a,3,8,8a-
   tetrahydro- 961
3,8-Dioxo-1,2-diphenyl-2a,3,8,8a-tetrahydro- 961
3,8-Dioxo-1-methyl-1-isopropenyl-1,2,2a,3,8,8a-hexa-
   hydro- 958
3,8-Dioxo-1-(bzw. -2)-methyl-2a,3,8,8a-
   tetrahydro- 961
3,8-Dioxo-2a-methyl-1-(bzw.-2)-phenyl-2a,3,8,
   8a-tetrahydro- 961
3,8-Dioxo-1-(bzw.-2)-phenyl-2a,3,8,8a-tetrahydro-
   961
3,8-Dioxo-1,2,2a,8a-tetramethyl-2a,3,8,8a-
   tetrahydro- 961
3,8-Dioxo-1,2a,8a-(bzw.-2,2a,8a)-trimethyl-2a,3,8,
   8a-tetrahydro- 961
trans-1,2-Diphenyl-1,2-dihydro- 1042
2a-Methoxy-3,8-dioxo-1,2-diphenyl-2a,3,8,8a-
   tetrahydro- 961, **962**

3,4-Benzo-bicyclo[4.2.0]octadien-(3,7)
2,7-Dioxo-8,9,10-triakyl- 962

Bicyclo[4.6.0.0³˒⁶]dodecadien-(4,10)
2,7-Dioxo-*anti*- 931

Biphenylen 1158, 1581, 1582, 1583, 1584, 1590
2-Dimethylamino- 1456
4-Dimethylamino- 1456

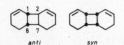

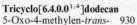

Benzo-2-oxa-bicyclo[4.2.0]octen-(3)
10,10-Dimethoxy-7-oxo- 624
7-Oxo-9,9,10,10-tetramethyl- 624

Benzo-3-oxa-bicyclo[4.2.0]octen-(4)
9,9-Diäthoxy-2-oxo- 620
2-Oxo-9,9,10,10-tetramethyl- 620

cis - syn - cis

3-Oxa-tricyclo[6.4.0.0^{2,7}]dodecan
4,6-Dioxo-2-methyl-5-(1-hydroxy-äthyliden)-*cis-syn-cis*- 919
4,6-Dioxo-*t*-2-methyl-5-(1-hydroxy-äthyliden)-*r*-1-H,*t*-7-H,*t*-8-H- 919

2-Oxa-tricyclo[6.4.0.0^{1,6}]dodecan
9-Oxo-11,11-dimethyl- 936

3,4-Benzo-2-thia-bicyclo[4.2.0]octadien-(3,7)
7-Oxo-1,9,10-triphenyl- 625

Naphtho-[1,8-b,c]-thiet 1052
-1,1-dioxid 1158

Benzo-2-aza-bicyclo[4.2.0]octen-(4)
9,9-Dichlor-3-oxo- 591
10,10-Dichlor-3-oxo- 591
3-Oxo-9,9-dimethyl- 590
3-Oxo-9,9,10,10-tetramethyl- 591

Benzo-3-aza-bicyclo[4.2.0]-octen-(4)
9-Acetoxy-2-oxo- 590
9-Butyloxy-2-oxo- 590
9,9-Dichlor-2-oxo- 590
9,9-Dimethoxy-2-oxo- **589**
syn-(bzw. *anti*)-9-Methoxy-2-oxo- 590
2-Oxo-*anti*-(bzw. *syn*)-9-cyan- 590

2-Oxo-9,9-diäthyl- 590
2-Oxo-9,9-dimethyl- 590
2-Oxo-9,9-diphenyl- 590
9,9,10,10-Tetrachlor-2-oxo- 590
2-Oxo-9,9,10,10-tetramethyl- 589

2-Aza-tricyclo[4.4.2.0^{1,6}]dodecan
3,7-Dioxo-12-äthoxycarbonyl- 921
3,7-Dioxo-12-methyl-2-benzyl-12-methoxycarbonyl- 921
3,7-Dioxo-2-methyl-11-methylen- 930
3,7-Dioxo-2-methyl-12-methylen- 930

endo   exo

7-Aza-tricyclo[4.2.0.0^{2,5}]decatrien-(3,7,9)
8-Methoxy- 1105

3,9-Dioxa-tricyclo[6.4.0.0^{2,7}]dodecadien-(4,10)
6,12-Dioxo-2,4,8,10-tetramethyl- 616

3,9-Dioxa-tricyclo[6.4.0.0^{2,7}]dodecan
4,6,10,12-Tetraoxo-2,8-dimethyl-5,11-diacetyl- 909

3,10-Dioxa-tricyclo[6.4.0.0^{2,7}]dodecadien-(5,11)
4,9-Dioxo-1,2,6,11-tetraphenyl- 617

3,11-Dioxa-tricyclo[6.4.0.0^{2,7}]dodecadien-(5,9)
4,12-Dioxo-2,6,8,10-tetramethyl- 617

3,12-Dioxa-tricyclo[6.4.0.0^{2,7}]dodecadien-(5,9)
4,11-Dioxo-1,2,6,9-tetraphenyl- 617

3,12-Dioxa-*cis-anti-cis*-tricyclo[6.4.0.0^{2,7}]dodecan
6,9-Dioxo-*r*-1,*t*-2,*c*-4,*t*-11-(bzw. *r*-1,*t*-2,*t*-4, *t*-11)-tetramethyl- 908
4,6,9,11-Tetraoxo-5,5,10,10-tetramethyl- 909

3,12-Dioxa-*cis-trans*-tricyclo[6.4.0.0^{2,7}]dodecan
6,9-Dioxo-*r*-1,*t*-2,*t*-4,*t*-11-tetramethyl- 908

3,9-Dithia-*anti*-tricyclo[6.4.0.0²,⁷]dodecadien-(4,10)
6,12-Dioxo-2,4,8,10-tetraphenyl- **616**

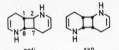

anti   syn

3,9-Diaza-tricyclo[6.4.0.0²,⁷]dodecadien-(4,10)
1,5,7,11-Tetraäthoxycarbonyl-*anti*-(bzw. -*syn*)- 354

Cyclobuta-[1,2-d;4,3-d′]-bis-pyrimidin
2,4,5,7-Tetrahydroxy-4a,4b-dimethyl-4a,4b,8a,8b-te-
trahydro-*syn*- 1535
2,4,5,7-Tetrahydroxy-4a,4b,8a,8b-tetrahydro- 1537

3,5,9,11-Tetraaza-*anti*-tricyclo[6.4.0.0²,⁷]dodecan
4,6,10,12-Tetraoxo-1,7-dimethyl- 604
4,6,10,12-Tetraoxo-1,7-dimethyl-3,9-bis-[deoxyribo-
syl]- 1537

3,5,10,12-Tetranza-*anti*-tricyclo[6.4.0.0²,⁷]dodecan
4,6,9,11-Tetraoxo-7,8-dimethyl- 604
4,6,9,11-Tetraoxo-1,2-dimethoxycarbonyl- 604
4,6,9,11-Tetraoxo-7,8-dimethyl-3,12-bis-[deoxyribo-
syl]- 1536

anti   syn

Tricyclo[6.6.0.0²,⁷]tetradecen-(11)
6-Oxo-5-methyl-2-isopropyl-*cis-syn-cis*-(bzw. -*cis-anti
cis*)- 918

Tricyclo[7.5.0.0²,⁸]tetradecan
trans-anti-trans- 287

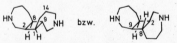

4,11-Diaza-tricyclo[7.5.0.0²,⁸]tetradecan
3,10-Dioxo-r-1,6,6,t-8,13,13-hexamethyl-c-2-H,c-9-H-
354
3,10-Dioxo-r-1,6,6,c-8,13,13-hexamethyl-c-2-H,t-9-H-
354

Tricyclo[8.6.0.0²,⁹]hexadecahexaen-(3,5,7,11,13,15)
anti- 297, **298**

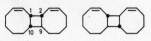

cis - trans   trans - trans

Tricyclo[8.6.0.0²,⁹]hexadecadien-(3,15)
8,11-Dioxo-*cis-trans*-(bzw.-*trans-trans*)- 909

endo   exo

Tricyclo[5.2.1.0²,⁶]decadien-(3,8) 295, **296**
8,9-Dimethyl-*syn*-(bzw. -*anti*)-10-carboxy-*endo*- 1189
5,10-Dioxo-*endo*- 938

endo-Tricyclo[5.2.1.0²,⁶]decen-(3)
5-Formylmethyl- 761

Tricyclo[3.3.0.0²,⁶]octan 231, 1410
1-(bzw. 4)-Methoxycarbonylamino- 1279

2-Oxa-tricyclo[4.3.0.0⁴,⁹]nonen-(7)
3,3-Diphenyl- 862

10-Oxa-tricyclo[5.2.1.0²,⁶]decen-(8) 552

2-Oxa-tricyclo[4.2.1.0⁴,⁸]nonan
3,3-Dimethyl- 714

Tricyclo[6.4.0.0²,⁶]dodecan
2,6-Dihydroxy-4,4-dimethyl- 926

Tricyclo[6.2.1.0²,⁷]undecatrien-(3,5,9)
3,6-Dimethyl-4,5-diphenyl- 884

Tricyclo[5.3.1.0¹,⁵]undecan
2,6,6-Trimethyl-8-methylen-9-[2,5-dioxo-3,4-dime-
thyl-tetrahydrofuranyl-(3)]- 403

Tricyclo[4.2.1.1²,⁵]decadien-(3,7)
9,10-Dioxo- 940

Tricyclo[5.3.0.0⁴,⁸]decatrien-(2,5,9) 433, 436, 1148

Tricyclo[3.3.1.0³,⁷]nonan
3,7-Dihydroxy- 818
anti-3,*anti*-4-Dimethoxycarbonyl-*endo*-(bzw. -*exo*)-
400
syn-3,*anti*-4-(bzw. *anti*-3,*anti*-4)-Dimethoxycarbonyl-
exo- 392

2-Oxa-cis-tricyclo[7.3.0.0⁴,⁸]dodecen-(3)
3-Methyl-1-acetyl- 907

Benzo-7-oxa-bicyclo[2.2.1]heptadien 1411

8-Oxa-tricyclo[5.2.1.0²,⁷]decan
3-Oxo-5,5-dimethyl- 936

3-Oxa-tricyclo[3.2.1.1²,⁶]nonan 657
4,4-Dimethyl- 657

Cyclopenta-[b]-indol
4-Methyl-1,2,3,3a,4,8b-hexahydro- 544

VI*

3H-⟨Pyrrolo-[1,2-a]-indol⟩
3-Oxo-9,9a-dihydro- 1496

1-Aza-tricyclo[6.2.1.0⁴,¹¹]undecen-(4)
11-Methoxy-6,10-dioxo- 638

1-Aza-tricyclo[6.2.1.0⁴,¹¹]undecen-(5)
4-Methoxy-2,7-dioxo- 638

3-Aza-tricyclo[5.3.0.0⁴,¹⁰]decatrien-(2,5,8)
3-Methoxy- 1105

Benzo-[2,3-a;3′,2′-c]-difuran 555

Thieno-[3,2-c]-furo-[2,3-a]-benzol 555

1H,3H-⟨1,3-Oxazolo-[3,4-a]-indol⟩
9,9-Dimethyl-9a-phenyl-9,9a-dihydro- 1092, 1118

Pyrrolo-[2,1-b]-benzo-1,3-oxazol
7-Pyrrolidino-6-hydroxy-5,8-dimethyl-1,2,3,8a-tetra-
hydro-

Indeno-[2,1-c]-pyrazol
1,3-Diphenyl-1,3a,8,8a-tetrahydro- 574

1H-⟨Pyrrolo-[1,2-a]-benzimidazol⟩
6-Chlor-2,3-dihydro- ; -4-oxid 1343
2,3-Dihydro- ; -4-oxid 1343
6-Nitro-2,3-dihydro- ; -4-oxid-Hydrochlorid 1343

Pyrrolo-[2,3-b]-indol
3a-Hydroxy-1,8-dimethyl-1,2,3,3a,8,8a-hexahydro-
1293

Benzo-2,3-dioxa-7-aza-bicyclo[2.2.1]hepten
1,4,9-Triphenyl- 1495

1,3-Thiazolo-[3,2-a]-benzimidazol 568

1H-⟨Pyrrolo-[2′,1′; 2,3]-1H-imidazo-[4,5-b]-pyridin⟩
7-Chlor-2,3-dihydro- 1344
2,3-Dihydro- ; -4-oxid 1343

3-Oxa-tricyclo[8.3.0.0²·⁶]tridecen-(1¹³)
9-Hydroxy-4,13-dioxo-5,9,13-trimethyl- **784**

Tricyclo[6.6.0.0³·⁷]tetradecadien-(1,4)
2,3,4,5,6,7-Hexafluor- 494

6,13-Dithia-tricyclo[9.3.0.0⁴·⁸]tetradecahexaen-(2,4,7, 9,11,14)
2,3,9,10-Tetraphenyl- 345

13,14-Dioxa-tricyclo[8.2.1.1⁴·⁷]tetradecan
1,12; 4,5; 6,7; 10,11-Tetrakis-[epoxi]- 1473, 1492

1H-⟨Benzo-[e]-inden⟩
1,2-Diphenyl-5-äthoxycarbonyl- 1250
1,2-Diphenyl-4,5-dimethoxycarbonyl- 1250
3-Phenyl-5-äthoxycarbonyl- 1250
2-Oxo-2,3-dihydro- 1046

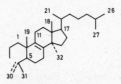

3,4-Seco-lanostadien-(4³⁰,8)
-3-säure 744

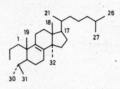

3,4-Seco-lanosten-(8)
-3-säure-cyclohexylamid 744

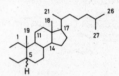

A-Nor-2,3-seco-androstadien-(1,3)
3-Hydroxy-17β-acetoxy-6-oxo- 681

2,3-Seco-5-cholestan
-5β- ; -3-säure 742

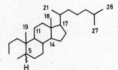

3,4-Seco-5-cholestan
-5β- ; -3-säure 742

3,4-Seco-18-nor-5α-cholan
20-Hydroxy-4,4,8β-trimethyl-5α,14α- ; -3,24-disäure-
lacton-(20,24) 746

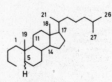

4,5-Seco-5-cholestan
6-Oxo-5β- ; -4-säure 680

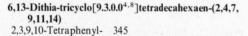

3,4-Seco-5α-lanostan
-3-säure **743**

Fluoren 1583, 1586
9-Brom- 148, 161
9-Brom-2-nitro- 161
9-Brom-9-trimethylsilyl- 158
-9-carboxy **1197**
9-Carboxymethyl-1-carboxy- 670
9-Chlor- 1217
9-Cyan- 1264
9-Cyclohexyl- 1211
4-(bzw. 9)-Deuterio- 1171
9-Dicarboxymethyl-1-carboxy- 670
9-(4-Dimethylaminophenyl-imino)- 1092
9-Hydroxy- 811
9-Isocyan- 1264
9-Isopropyliden- 869, 872, **876**
9-[2-(1-Methoxycarbonyl-äthyl)-phenyl]- 427
9-(2-Methoxymethyl-phenyl)- 426
9-Oxo- 1092, 1157, 1581, 1583, 1584, 1586
9-Phenyl- 572

Acenaphthylen 1580, 1583, 1584
-5,6-dicarbonsäure-anhydrid 751
-5,6-dicarbonsäure-dimethylester 751
1,2-Dihydro- ; -5,6-dicarbonsäure-anhydrid 751
(Z)-2-Hydroxy-1,2-diphenyl- 808
(Z)-2-Hydroxy-1,2-diphenyl-1,2-dihydro- 808
2-Hydroxy-1-oxo-2-methyl-1,2,2a,3,4,5-hexahydro-
    809
2-(2-Oxo-1,2-diphenyl-äthyl)- ; -1-sulfonsäure-
    methylester **1051**
6-Thiobenzoyloxy-1,2-diphenyl-5-benzoyl-1,2-dihy-
    dro- 626

Tricyclo[5.2.2.0²·⁶]undecatrien-(2⁶,3,8)
Dodecafluor- 221

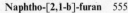

Tricyclo[5.2.2.0²·⁶]undecen-(8) 378

Naphtho-[2,1-b]-furan 555

Naphtho-[2,3-c]-furan
4,9-Dioxo-3-methyl-1-(2-formyl-vinyl)-4,9-dihydro-
    979
4,9-Dioxo-3-methyl-1-[3-oxo-buten-(1)-yl]-4,9-dihy-
    dro- 979
6,7-Methylendioxy-3-oxo-4-(3,4-methylendioxy-phe-
    nyl)-1,3-dihydro- 530

3-Oxa-tricyclo[7.4.0.0²·⁶]tridecadien-(1⁹,12)
4,11-Dioxo-5,10,10-trimethyl- 754

Dibenzofuran 541, 1578, 1586
9-Chlor-2-hydroxy- 978
2,7-Dimethoxy-1,4,6,9-tetramethyl- 692
2-Hydroxy- 978
2-Hydroxy-4-phenyl- **978**
cis-(bzw. trans)-1-Isoporpyloxy-3-oxo-8,9b-dimethyl-
    1,2,3,4,4a,9b-hexahydro- 662
1-Methoxy-3-oxo-8,9b-dimethyl-1,2,3,4,4a,9b-hexahy-
    dro- 662
6-Methoxy-3-oxo-9b-(2-methylamino-äthyl)-3,4,4a,
    9b-tetrahydro- ; -9-carbonsäure-lactam 646

2-Oxa-tricyclo[7.4.0.0³·⁸]tridecen-(8)
3-Methoxy-1-hydroperoxy- 1491

12-Oxa-tricyclo[4.4.3.0¹·⁶]tridecan
13-Methoxy-3-oxo- 698

Naphtho-[2,1-b]-thiophen 559
1-Methyl-2-phenyl-1,2-dihydro- 1016
2-Methyl-1-phenyl-1,2-dihydro- 1016

Dibenzo-thiophen 1590
2,8-Dimethyl- 541
1-Oxo-3,3-dimethyl-1,2,3,4-tetrahydro- 542
1,2,3,4-Tetrahydro- 542

2H-⟨Naphtho-[1,8,-b,c]-thiophen⟩
2-Phenyl- 1061

Carbazol 541, 542, 569, 994, 1268, 1269, 1127, 1128,
1137, 1579, 1586, 1587
1-(bzw. 3)-Acetyl- 994
9-Benzoyl- 1310
1,3-Dibrom- **1269**
1,8-(bzw. 3,6)-Dimethyl- 542
4a,9-Dimethyl-1,2,3,4,4a,9a-hexahydro-*trans*- 544
4a,9-Dimethyl-9a-hydroxymethyl-1,2,3,4,4a,9a-hexa-
hydro- 1118
2,7-Dinitro- 1269
9a-Hydroxymethyl-4a,9-diäthyl-1,2,3,4,4a,9a-hexahy-
dro- 1118
2-Methoxy- 1269
3-Methoxy-6-methyl- (Glycozolin) 542
1-Methyl- 542
4a-Methyl-1,2,3,4,4a,9a-hexahydro- 1449
9-Methyl-1,2,3,4,4a,9a-hexahydro-*cis*-(bzw. -*trans*)
543
4a-Methyl-1-(1-oxo-4a-methyl-1,2,3,4,4a,9a-hexa-
hydro-carbazolinomethylen)-9-formyl-1,2,3,4,4a,
9a-hexahydro- 1481
9-Methyl-1,2,3,4-tetrahydro- 543
4-Oxo-1,2,3,4-tetrahydro- 1298
4-Oxo-2,2,9-trimethyl-1,2,3,4-tetrahydro-
1,2,3,4-Tetrahydro- 570
1,3,6,8-Tetramethyl- 541

1H-⟨Cyclopenta-[b]-chinolin⟩
2,3-Dihydro- 1298

Pyrido-[1,2-a]-indol
9-Hydroxy- 597

Isoindolo-[2,3-a]-pyridinium-
6-(bzw. 8)-Brom- ; -bromid **649**
6-Isopropyl- ; -bromid 649
3-(bzw. 8)-Methyl- ; -bromid 649

Benzo-[c,d]-indol
5-Methoxy- 1267

2H-⟨Naphtho-[1,2-d]-1,3-dioxol⟩
4-Brom-5-acetoxy- 981

9H-⟨Indeno-[1,2-b]-1,4-dioxin⟩
9-Oxo-2,3-diphenyl-2,3-dihydro- 860

5H-⟨Furo-[3,2-g]-1-benzopyran⟩
9-Hydroxy-4-acetoxy-5-oxo-7-methyl- 972

Naphtho-[2,1-d]-1,3-oxazol
4-Chlor-5-hydroxy-2-methyl-3-phenyl-2,3-dihydro-
980

5H-⟨Pyrido-[3,2-b]-indol (δ-Carbolin) 597

9H-⟨Pyrido-[2,3-b]-indol⟩ (α-Carbolin)
572, **596**, 597
2-Methyl- 572

9H-⟨Pyrido-[3,4-b]-indol⟩ (β-Carbolin) 597
1-Methyl- **551**
1-Methyl-3-carboxy- 551

9H-⟨Pyrido-[4,3-b]-indol⟩ (γ-Carbolin) 597

Dipyrido-[1,2-a;2′,3′-d]-pyrrol
9-Hydroxy- 597

Pyrido-[1,2-a]-benzimidazol 572
1-Methyl- 572
1,2,3,4-Tetrahydro- 1343

9,10,12-Trioxa-tricyclo[6.3.1.0³·⁸]dodecadien-(3,6)
5-Oxo-6,7,11,11-tetramethyl- 977

Benzo-[b]-furano-[3,2-d]-pyrimidin
1,3-Dioxo-2,4-dimethyl-6-phenyl-1,2,3,4-tetrahydro-
651

1H-⟨1,4-Oxazino-[3,4-a]-benzimidazol⟩
3,4-Dihydro- ; -10-oxid   1343

9H-⟨Pyrrolo-[2,3-b;5,4-b′]-dipyridin⟩   597

10-Oxo-tricyclo[7.5.0.0^{3,7}]tetradecan
6-Acetoxy-11-oxo-7,14-dimethyl-2-tert.-butyloxycar-
bonylmethyl-   745
6-Acetoxy-11-oxo-7,14-dimethyl-2-carboxymethyl-
745

Cyclohepta-[b]-indol
5-Methyl-5,5a,6,7,8,9,10,10a-octahydro-*cis*-(bzw.
trans)-   544
1-Oxo-1,2,3,4,5,6-hexahydro-   1298
10-Oxo-5,6,7,8,9,10-hexahydro-   1305
1-Oxo-1,5a,6,10b-tetrahydro-   1308, **1309**

Benzo-2-aza-bicyclo[5.3.0]decen-(4)
3,8-Dioxo-   1090

1H-⟨Azepino-[1,2-a]-indol⟩
6-Chlor-1-oxo-2,3,4,5-tetrahydro-   1306
6-Cyan-5a,10b-dihydro-   1309
4,8-Dimethyl-6-cyan-5a,10b-dihydro-   1309
5a-Hydroxy-1-oxo-2,3,4,5,5a,6-hexahydro-   1297
5a-Hydroxy-1-oxo-6-methyl-2,3,4,5,5a,6-hexahydro-
1305
5a-Hydroxy-1-oxo-6-phenyl-2,3,4,5,5a,6-hexahydro-
1306
1-Oxo-6-methoxycarbonyl-2,3,4,5,5a,6-hexahydro-
1306
1-Oxo-6-methyl-2,3,4,5-tetrahydro-   1305

6H-⟨Azepino-[1,2-a]-benzimidazol⟩
3-Chlor-7,8,9,10-tetrahydro- ; -5-oxid   1343
7,8,9,10-Tetrahydro-   1343

Tricyclo[7.4.1.0^{2,8}]tetradecatetraen-(3,5,10,12)
7,14-Dioxo-   902

Anthracen   889, 1587
2-Amino-1,10-dioxo-9,10-dihydro-   1044
2,6-Diäthoxy-   513
9,10-Dihydro-   1586
9,10-Dihydroxy-   968
2,6-Dimethoxy-9,10-dioxo-9,10-dihydro-   694
9,10-Dioxo-9,10-dihydro-   1338
9,10-Dioxo-2,3-dimethyl-2,3-diisopropenyl-1,2,3,4,4a,-
9,9a,10-octahydro-   958
10-Hydroximino-9-oxo-9,10-dihydro-   1338
4-Hydroxy-2-acetoxy-9,10-dioxo-9,10-dihydro-   972
2-Hydroxy-9,10-dioxo-3-phenyl-9,10-dihydro-   1214
9-(4-Methylamino-phenyl)-9,10-dihydro-   510
9-(N-Methyl-anilino)-9,10-dihydro-   510
10-Oxo-9-benzyl-9,10-dihydro-   1214
10-Oxo-9-cyclohexen-(2)-yl-9,10-dihydro-   1214
9-Oxo-9,10-dihydro-   694
10-Oxo-9-(1-formyl-äthyliden)-9,10-dihydro-   962
10-Oxo-9-(α-formyl-benzyliden)-9,10-dihydro-   962
10-Oxo-9-[3-oxo-butyliden-(2)]-9,10-dihydro-   962
10-Oxo-9-(2-oxo-1,2-diphenyl-äthyliden)-9,10-dihy-
dro-   962
10-Oxo-9-triphenylphosphinyliden-9,10-dihydro-
1256, 1356
9-Oxo-10-(triphenylphosphinyliden-hydrazono)-
1356
-Radikal-Anionen   1414
9,9,10-Triphenyl-8a,9-(bzw. -9,10)-dihydro-   882

Phenanthren   328, 470, 512, 684, 1015, 1018, **1019**,
1574, 1575, 1586
9-Acetoxy-   470
9-Aminocarbonyl-   518
10-Benzoyl-9-carboxy-   518
1-(bzw. 2)-Bis-[2-phenyl-vinyl]-   516
3-Brom-   518
6-Brom-9-methoxycarbonyl-   539
9,10-Carbonyldioxy-   527
9-Carboxy-   518
1-(bzw. 3)-Chlor-   518
9-Cyan-   518, 560
3,6-Decandiyl-(1,10)-   518
-Derivate   **517**
3,6-Diäthoxy-   513

13,17-Seco-13α-androsten-(5)
3β-Acetoxy- ; -17-säure 742
3β-Acetoxy- ; -17-säure-cyclohexylimid **742**
3β-Hydroxy- ; -17-säure 745
3β-Methoxy-13β,16-dideuterio- ; -17-säure 740
3β-Methoxy- ; -17-säure 742

Tricyclo[8.4.0.0²,⁷]tetradecen-(5)
4,7-Endoperoxi-1,11-dimethyl-5-isopropyl-11-carb-
oxy- 1470, **1485**

15,16,17-Tri-nor-5-androsten-(13)
3β-Methoxy- 826
3β-Methoxy-5α- 891

Perhydro-phenanthren
7,7-Dimethoxy-4a-methyl-1-vinyl-2-methylen- 800
1β-Isocyanato-1α,4aβ-dimethyl- 1276
1α-Methyl-4aβ-aminomethyl-4bα,8aα- ; -lactam
1276

D-Nor-13,16-seco-5α-androstadien-(13¹⁸,15)
3β-11β-Diacetoxy- 807

13,17-Seco-pregnen-(13¹⁸)
3,3-Dimethoxy-20-oxo- 800

13,17-Seco-5α-androsten-(13¹⁸)
3β,11β-Diacetoxy- 807

Phenalen
2-Methyloxalylimino-9-hydroxy-6,7-methylendioxy-1-
oxo-3,5,8-trimethyl- 874
1-Oxo-2,3-dihydro- 1441

2,3-Benzo-bicyclo[2.2.2]octadien-(2,5)
9-Phenyl-7-acetyl-10-methoxycarbonyl- 492

Tricyclo[6.2.2.0²,⁷]dodecadien-(3,9)
exo- 295, 296

Adamantan
1,3-Dihydroxy- 810
2,2,4,4,6,6,8,8,9,9,10,10-Dodecachlor- 98
2-Oxo- 1480

Xanthen
9-(1-Äthoxycarbonyl-äthyliden)- 873
9-Äthoxycarbonylmethylen- 873
9-(1-Äthoxycarbonyl-propyliden)- 873
9-(Hydroxy-diphenyl-methyl)- 834
9-[9-Hydroxy-thioxanthenyl-(9)]- 834
9-(1-Methoxycarbonyl-äthyliden)- 873
9-(1-Methylmercapto-2-oxo-propyliden)- 873
9-Oxo-2,3,8-trihydroxy- 670

6H-⟨Dibenzo-[b;d]-pyran⟩
3-Chlor-1,4-dioxo-2-phenyl-1,4-dihydro- 981
1,4-Dioxo-6-methyl-2-phenyl-1,4-dihydro- 981
1,4-Dioxo-2-phenyl-1,4-dihydro- 981
1-Hydroxy-6,6-dimethyl-3-cyclopentyl-6a,7,8,10a-
tetrahydro- 669
6-Oxo- 990

Benzo-2-oxa-bicyclo[2.2.2]octadien-(5,7)
4-Methyl-1-phenyl-9,10-dimethoxycarbonyl- 901

Benzo-2-oxa-bicyclo[2.2.2]octen-(5)
9,10-Dichlor-4-methyl-1-phenyl- 901

Benzo-2-oxa-bicyclo[3.3.1]nonen-(3)
6-Hydroxy-1-methyl-8-isopropenyl-4-cyclopentyl-
669

Thioxanthen
9-Hydroxy-9-xanthenyl-(9)-   834
9-(1-Methoxycarbonyl-äthyliden)-   873
9-(1-Methylmercapto-2-oxo-propyliden)-   873

Acridin   1587
9-Äthyl-9,10-dihydro-   1005
9-Benzyl-9,10-dihydro-   1005
9-Butyl-9,10-dihydro-   1005
9-Cyclohexyl-9,10-dihydro-   592, 1451
9,10-Dihydro-   1450, 1451
9-(1,4-Dioxanyl)-9,10-dihydro-   592, 1451
9-(1-Hydroxy-äthyl)-9,10-dihydro-   1451
9-Hydroxymethyl-9,10-dihydro-   1450, 1451
5-Methoxycarbonyl-1,2,3,4-tetrahydro-   1306
9-Methyl-   600
9-Methyl-9,10-dihydro-   1005, 1451
9-Methyl-9-hydroxymethyl-9,10-dihydro-   1451
5-Methyl-1,2,3,4-tetrahydro-   1305
9-Oxo-9,10-dihydro-   650, 1260, 1310
9-(1-Phenyl-äthyl)-9,10-dihydro-   1005
5-Phenyl-1,2,3,4-tetrahydro-   1306
1,2,3,4-Tetrahydro-   1297

Benzo[f]-chinolin
7-Acetylamino-   593
3-Butyl-2-pentyl-   1117
2-Butyl-3-phenyl-   1117
6-Cyan-   593
2-Isopropyl-3-(2-methyl-propyl)-   1117
2-Isopropyl-3-phenyl-   1117
6-Methoxycarbonyl-   593
2-Methoxy-6-cyan-   593
3-(4-Methoxy-phenyl)-   1117
3-Methyl-   1117
2-Methyl-3-äthyl-   1117
2-Methyl-3-phenyl-   1117
2-Phenyl-   1117
5-Phenyl-   593

Benzo-[h]-isochinolin   593

Phenanthridin   645, 1116
5,6-Dihydro-   645, 1259
9-Dimethylamino-   1111, 1116
6-Hydroxy-   996
9-Hydroxy-   471
8,9-Methylendioxy-6-oxo-5,6-dihydro-   540
6-Oxo-5-benzyl-5,6,6a,7,8,9,10,10a-octahydro-*cis*-
   (bzw. *-trans*)-   545
6-Oxo-5,6-dihydro-   540, 1311
6-Oxo-5-diphenylmethyl-5,6-dihydro-   1310
6-Oxo-5-methyl-5,6,6a,7,8,9,10,10a-octahydro-*cis*-
   (bzw. *-trans*)-   545
6-Oxo-5-phenyl-5,6-dihydro-   1310
6-Oxo-5-(1-phenyl-propyl)-5,6-dihydro-   1310
6-Phenyl-   1310

Benzo-[c]-chinolizinium
-bromid   595

Naphtho-[2,3-b]-1,4-dioxin
2,5,5,10,10-Pentamethyl-2-isopropenyl-2,3,5,10-tetra-
   hydro-   860
trans-5,5,10,10-Tetramethyl-2,3-diphenyl-2,3,5,10-te-
   trahydro-   857

Dibenzo-1,4-dioxin
1,1,4,4-Tetramethyl-1,2,3,4,5a,6,7,8,9,9a-decahydro-
   858

2,9-Dioxa-tricyclo[8.4.0.0^{3,8}]tetradecen-(1^{10})
11,11,14,14-Tetramethyl-   832

Benzo-2,3-dioxa-bicyclo[2.2.2]octadien
1,4-Dimethyl-   1487
1,4,5-Trimethyl-   1486

9,10-Dioxa-tricyclo[6.2.2.0^{1,6}]dodecadien-(3,11)
6-Hydroperoxy-   **1476**

3,10-Dioxa-tricyclo[6.2.2.0^{2,7}]dodecadien-(5,11)
4,9-Dioxo-   617

4,10-Dioxa-tricyclo[6.2.2.0^{2,7}]dodecadien-(5,11)
3,9-Dioxo-   617

Thianthren   578

3H-Phenoxazin
2-Amino-3-oxo-4,6-dimethyl-1,9-dimethoxycarbonyl-
   1098

Benzo-[c]-cinnolin   1134, **1135**
3-Acetyl-   1135
2-Amino-   1135
4-Carboxy-   1136
4,7-Dicarboxy-   1136
1,8-(bzw. 1,10- ; bzw. 3,8)-Dimethyl-   1135
2-Dimethylamino-   1135, 1283
1-(bzw. 3- ; bzw. 4)-Methyl-   1135
3-Nitro-   1135

Benzo-[f]-chinoxalin
3,6-Diphenyl-5,6-dihydro-   1084

1,7-Phenanthrolin   594

1,8-Phenanthrolin   594

1,10-Phenanthrolin   594

2,5-Phenanthrolin
6-Oxo-5,6-dihydro-   595

2,7-Phenanthrolin   594

2,8-Phenanthrolin   594

2,9-Phenanthrolin   594, **595**
5,6-Dihydro-   595

2,10-Phenanthrolin   594

3,7-Phenanthrolin   994

3,8-Phenanthrolin   594

4,5-Phenanthrolin
6-Oxo-5,6-dihydro-   595

4,7-Phenanthrolin   594

Phenazin   611, 1587
1-Acetoxy-   611
1-Äthoxy-   611
5,10-Dihydro-   1452
1-Hydroxy-   611, 612
1-(bzw. 2)-(1-Hydroxy-äthyl)-   610
1-Hydroxy-5-methyl- ; -ium-Salz   612
1-Methoxy-   611
1-Oxy-5-alkyl- ; -Betain   611

Dibenzo-1,2-borazin   1401
2,4-Dimethyl-5-(2,4,6-trimethyl-phenyl)-   1401

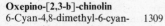

7,8-Benzo-bicyclo[4.2.2]decatrien-(3,7,9)
3-Methyl- **498**

anti-trans   syn-trans

3,7-Dioxa-tricyclo[4.2.2.2^{2,5}]dodecadien-(9,11)
4,8-Dioxo-2,6,9,11-tetraphenyl-*anti-trans*-   617
4,8-Dioxo-2,6,9,12-tetramethyl-*syn-trans*-   616

6H,12H-⟨Dibenzo-[b ; f]-1,5-dithiocin⟩
6,12-Dioxo-   1025

3,7-Diaza-*anti*-tricyclo[4.2.2.2^{2,5}]dodecatetraen-(3,7, 9,11)
4,8-Diamino- ; -Dihydrochlorid   586, **587**

3,7-Diaza-*anti*-tricyclo[4.2.2.2^{2,5}]dodecadien-(9,11)
4,8-Dioxo-   588
4,8-Dioxo-3,7-dimethyl-   587

Metacyclophan
8,16-Dimethyl-   1019
8,16-Dimethyl-1,2 ; 9,10-bis-[dehydro]-   269, 1523

[2]Paracyclo[3](2,5)pyridophan   1019

9,10-Dioxa-tricyclo[6.2.2.1^{2,7}]tridecatetraen-(2,4,6,11)
1487

Oxepino-[2,7-a,g]-benzo-[d]-1,3-oxazepin
10-Cyan-   1309
2,8-Dimethyl-10-cyan-   1309

Tricyclo[7.3.2.0^{2,8}]tetradecapentaen-(3,5,11,13)
11-Chlor-7,10-dioxo-   902
8,10-Dioxo-*cis*-   9028,10-Dioxo-*cis*-   902

cis   trans

Tricyclo[7.3.2.0^{2,8}]tetradecatetraen-(3,5,11,13)
11-Chlor-7,10-dioxo-*trans*-   902
8,10-Dioxo-*cis*-   902

anti-**Tricyclo[6.4.1.1^{2,7}]tetradecatetraen-(3,5,9,11))**
1,2-Dichlor-7,10-dioxo-   902
13,14-Dioxo-   902

trans-trans-**Tricyclo[6.3.2.1^{2,7}]tetradecatetraen-(3,5,9, 12)**
11,14-Dioxo-   902

E. Tetracyclische Verbindungen

Prisman
Hexakis-[trifluormethyl]-   475
Hexamethyl-   475

1-Aza-tetracyclo[2.2.0.0^{2,6}.0^{3,5}]hexan
Pentakis-[pentafluoräthyl]-   583

Tetracyclo[3.2.0.0^{2,7}.0^{4,6}]heptan (Quadricyclan)
232, **233**, 284, **1148**
3-Acetoxy-   234
1-Acetyl-   234
1-Alkoxycarbonyl-   1241
3-Äthoxy-   234
1-Äthoxycarbonyl-   234, 239
3-Benzyliden-1,5-dimethoxycarbonyl-   236
3-{Bicyclo[2.2.1]heptadien-(2,5)-yliden-(7)}-   236

8-Isopropyliden- **428**
3-(bzw. 4- ; bwz. 5- ; bwz.6)-Methyl-   429

Benzo-6-aza-tricyclo[3.2.0.0^{2,7}]hepten-(3)
4-tert.-Butyloxycarbonyl-   1095

4-Oxa-tetracyclo[4.2.1.0^{2,9}.0^{3,7}]nonan
5,5-Diphenyl-   862

2-Oxa-tetracyclo[7.6.0.0^{1,10}.0^{3,9}]pentadecan   848

2-Oxa-tetracyclo[8.7.0.0^{1,11}.0^{3,10}]heptadecan   848

Tetracyclo[6.3.0.0^{2,11}.0^{3,7}]undecen-(9)   493

Tetracyclo[6.3.0.0^{1,5}.0^{4,6}]undecen-(2)
7-Methyl-   495

Tetracyclo[4.3.0.0^{2,4}.0^{3,7}]nonan
8-(2-Oxo-propyl)-   291

exo-endo-**9-Oxa-tetracyclo[5.3.1.0^{2,6}.0^{8,10}]undecen-(3)**
5-Formylmethyl-   761

**3,4-Benzo-tricyclo[3.3.0.0^{2,8}]octadien-(3,6) (Benzo-
    semibullvalen)   424**
8,9-Dimethoxycarbonyl-   432
3,4,5,6-Tetrafluor-   431, 432

Tetracyclo[7.3.0.0^{2,12}.0^{3,8}]dodecen-(10)   493

Tetracyclo[5.4.0.0^{1,8}.0^{5,11}]undecen-(9)
6-Methyl-   495

Tetracyclo[5.4.0.0^{1,10}.0^{5,11}]undecen-(8)
6-Methyl-   495

Tetracyclo[4.4.0.0^{2,8}.0^{5,7}]decadien-(3,9)   436

3-Oxa-tetracyclo[7.4.0.0^{1,10}.0^{2,6}]tridecen-(12)
4,11-Dioxo-5,9,10-trimethyl-   776

Tetracyclo[6.6.0.^{2,4}.0^{3,7}]tetradecadien-(5,11)   493

Tetracyclo[6.6.0.0^{2,4}.0^{3,7}]tetradecen-(5)   493
2,3,4,5,6,7-Hexafluor-   494
2,3,4,5,6,7-Hexafluor-*syn-anti*-(bzw. *anti-anti*)-   494

Benzo-tricyclo[4.4.0.0^{1,5}]dodecen-(7)
4-Oxo-6-methyl-   769

Tetracyclo[6.2.2.0^{2,7}.0^{5,7}]dodecadien-(2,9)   268

Benzo-2-oxa-tricyclo[4.3.0.0^{5,7}]nonen-(3)
10-Oxo-5,8-dimethyl-   679

Tetracyclo[8.2.1.0^{2,9}.0^{3,8}]tridecen-(11)
4-Oxo-   916

Naphtho-[2,3-b]-bicyclo[2.1.1]hexen-(2)   240

2-Oxa-tetracyclo[4.3.1.0^{3,10}.0^{4,8}]decan   851

9-Oxa-tetracyclo[3.3.2.0.1^{3,7}]undecan   851

5-Aza-tetracyclo[5.5.0.0^{4,13}.0^{8,12}]dodecatrien-(2,5,10)
5-Methoxy-   257

Tetracyclo[10.2.1.0^{2,11}.0^{3,10}]pentadecan
exo-anti-   **412**

1,6-Diaza-tetracyclo[4.4.3.0^{3,9}.0^{4,8}]tridecan
2,5,7,10-Tetraoxo-   356

Cyclobuta-[a]-acenaphthylen
7-Brom-6b,7,8,8a-tetrahydro-*anti*-7,*anti*-8-dicarbon-
   säure-anhydrid   486
syn-(bzw. *anti*)-7-Cyan-6b,7,8,8a-tetrahydro-   490
7,8-Diphenyl-6b,7,8,8a-tetrahydro-   241
6b,7,8,8a-Tetrahydro-   240
6b,7,8,8a-Tetrahydro- ; -*anti*-7,*anti*-8-dicarbonsäure-
   anhydrid   **486**

Benzo-3-oxa-tricyclo[6.3.0.0^{2,7})]undecen-(4)
8-Oxo-

Benzo-9-oxa-tricyclo[5.4.0.0^{2,6}]undecen-(10)
8-Oxo-   620

Benzo-7-oxa-tricyclo[6.2.0.0^{1,4}]decen-(5)
5-Hydroxy-3,3,8-trimethyl-7-cyclopentyl-6-carboxy-
   243

2-Oxa-tetracyclo[5.2.1.0^{3,10}.0^{4,9}]decan
1-Methyl-   281, 849, 851
1-Phenyl-   851

Benzo-9-*anti*-tricyclo[5.4.0.0^{2,6}]undecen-(10)
9-Oxo-   590

2-Aza-tetracyclo[8.5.0.0^{1,6}.0^{11,15}]pentadecan   921

Cyclobuta-[b]-chinolino-[3,2-d]-furan
9-Cyan-2a,9b-dihydro-   1309
1,7-Dimethyl-9-cyan-2a,9b-dihydro-   1309

1H,6H-⟨Oxetano-[2,3-b]-chromeno-[6,7-d]-furan⟩
4-Methoxy-6-oxo-1-phenyl-1-benzoyl-2a,9b-dihydro-
   861

1H,8H-⟨Oxetano-[2,3-b]-chromeno-[6,7-d]-furan⟩
9-9-Methoxy-8-oxo-6-methyl-1-phenyl-1-benzoyl-
   2a,9b-dihydro-   861

2,5,7-Trioxa-tetracyclo[8.5.0.0^{3,8}.7^{11,15}]pentadecan
9-Oxo-6-phenyl-   921

7H-Benzo-[a]-cyclopenta-[3,4]-cyclobuta-[1,2-c]-
   cycloheptatrien
7-Acetamino-1,2,3,8,8-pentamethoxy-9-oxo-5,6,7,7b,8,
   9,10,10a-octahydro-   661

8,9-Benzo-tricyclo[5.5.0.0^{2,6}]dodecatrien-(1^7,4,8)
14-Acetylamino-4,8,9,10-tetramethoxy-3-oxo- 934

11,12-Benzo-tricyclo[5.5.0.0^{2,6}]dodecadien-(3,11)
4-Amino-8-acetamino-12,13,14-trimethoxy-5-oxo-
937

8,9-Benzo-tricyclo[5.5.0.0^{1,5}]dodecatrien-(2,6,8)
14-Acetylamino-3,8,9,10-trimethoxy-4-oxo- 935

A-Dinor-B(7a)-homo-androstan
17β-Acetoxy- 681

Tetracyclo[7.5.3.0.0^{2,8}]heptadecan
10-Oxo- 920

Tetracyclo[8.5.3.0.0^{2,9}]octadecen-(5)
11-Oxo- 920

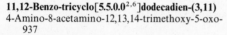

Cyclobuta-[l]-phenanthren
2-Äthoxy-2a-cyan-1,2,2a,10b-tetrahydro- 490
1,2-Bis-[2-phenyl-vinyl]-1,2,2a,10b-tetrahydro- 240
1,2-Dihydro- 251, 277
1,1-Dimethyl-1,2-dihydro- **538**
trans-1,2-Diphenyl-1,2-dihydro- 888
1,2-Diphenyl-2a,10b,dihydro- 501
1,2-Diphenyl-1,2,2a,10b-tetrahydro- 240, 336
2-Methoxy-2a-cyan-1,2,2a,10b-tetrahydro- 490
4-Methyl-1,2-diphenyl-2a,10b-dihydro- 501
1,2,2a,10b-Tetrahydro- ; -1,2-dicarbonsäure-
anhydrid **485**

Tetracyclo[8.6.0.0^{2,7}.0^{10,13}]hexadecan
14-Oxo-6-methyl-2-aminomethyl-12-methylen- ; -6-
carbonsäure-lactam 931
14-Oxo-2,6,6-trimethyl-12-methylen- 931

D-Nor-östratrien-(1,3,5^{10})
3-Methoxy-16-carboxy- 1186

D-Nor-androsten-(5)
3β-Hydroxy-16-carboxy- 1186

D-Nor-androstan
3β-Hydroxy-16-carboxy 1187

Naphtho-[1,8a,8-b,c]-bicyclo[3.1.1]hepten-(2) 240

Naphtho-[1,2-c]-2-oxa-bicyclo[4.2.0]octadien-(3,7)
9-Oxo-1,11,12-triphenyl- 625

9-Aza-tetracyclo[7.3.3.0^{1,10}.0^{5,10}]pentadecan
2,15-Dioxo-12-methylen- 931

Dibenzo-bicyclo[5.2.0]nonadien-(2,5)
6-Oxo-12,13-dimethyl- ; -12,13-dicarbonsäure-
anhydrid

Dibenzo-4-aza-bicyclo[5.2.0]octadien-(2,5)
6-Acetyl- ; -12,13-dicarbonsäure-methylimid 368
6-Acetyl- ; -12,13-dicarbonsäure-phenylimid 368

Tetracyclo[6.4.0.0^{3,12}.0^{6,11}]tridecen-(9)
-9,10-dicarbonsäure-anhydrid 247
9,9,10,10-Tetracyan- 247

B-Nor-androsten-(4)
17β-Acetoxy-3-oxo- 683

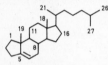

Benzo-11-aza-*anti*-tricyclo[6.6.0.0^{0,14}]tetradecen-(12)
11-Oxo- 590

endo/exo-Tetracyclo[6.2.1.1.^{3,6}.0^{2,7}]dodecadien-(4,9)
3,4,6,12,12,-Pentachlor- 641

Dibenzo-cis-bicyclo[3.3.0]octadien-(2,7)
endo-6-tert.-Butyloxy- 667
endo-8-Methoxy-*endo*-6-deuterio- 667

13-Oxa-tetracyclo[8.2.1.0^{1,5}.0^{6,10}]tridecen-(11)
4,7-Dioxo- 1473, 1492

Benzo-tricyclo[6.2.1.0^{1,5}]undecen-(3)
4,10-Dihydroxy-2-methyl-11-methylen-2-carboxy-
   1007
4,10-Dihydroxy-2-methyl-11-methylen-2-methoxycar-
   bonyl- **1006**

A-Nor-cholesten-(5)
3α-Äthoxymethyl- 660

2-Oxa-tetracyclo[6.6.1.0^{3,7}.0^{11,15}]pentadecen-(1^{15})
901

A-Nor-cholestan
2β-Carboxy- 1189
6-Oxo-5β- 680
3-Oxo-5α-(bzw.-β)-vinyl- **764**

1H,3H,4H-⟨1,3-Oxazolo-[4,3-k]-carbazol⟩
7a-Methyl-5,6,7,7a-tetrahydro- 1092, **1118**

11H-⟨Isoindolo-[2,1-a]-benzimidazol⟩ 603

A-Nor-androstan
17β-Acetoxy-3,6-dioxo- 681
17β-Acetoxy-3-oxo-5α-vinyl- 766

**9,10-Diaza-tetracyclo[6.2.2.1.^{3,6}.0^{2,7}]tridecadien-
   (4,11)**
1,8-Dimethyl-11,12-diphenyl- ; -9,10-dicarbonsäure-
   methylimid 884

A-Nor-östran
3α,6α-Epoxy-17β-acetoxy-5-isopropenyl- 762

Benzimidazolo-[2,1-b]-benzo-1,3-thiazol 568

B-Nor-cholestan
4-Oxo-5β- 680

Didehydro-benzotriazolo-[2,1-a]-benzotriazol 1270

VII*

B(7a)-Homo-A-*nor*-androsten-(1)
17β-Acetoxy-3,6-dioxo-   679
11α,17β-Diacetoxy-3,6-dioxo-17α-methyl-   679
17β-Hydroxy-3,6-dioxo-5β,17α-dimethyl-   678
17β-Hydroxy-3,6-dioxo-17α-methyl-   678

B(7a)-Homo-A-*nor*-androsten-(9a¹¹)

B(7a)-Homo-A-*nor*-androsten-(9a^{11})
17β-Acetoxy-3,6-dioxo-5β,17α-dimethyl-   678
17β-Acetoxy-3,6-dioxo-5α,17α-dimethyl-   678
17β-Acetoxy-3,7-dioxo-17α-methyl-   678
17β-Acetoxy-3,6-dioxo-5β-methyl-   680
17β-Acetoxy-3,6-dioxo-5α-methyl-   679

B(7a)-Homo-A-nor-androstan
17β-Acetoxy-3,6-dioxo-   677, 679, 1046
11α-Hydroxy-17β-acetoxy-3,6-dioxo-17α-methyl-
    679

B(9a)-Homo-A-nor-östren-(3)
9aα,17α-Dihydroxy-21-acetoxy-2,11,20-trioxo-9aβ-me-
    thyl-   **781**
9aα-Hydroxy-17β-acetoxy-2-oxo-3,9aβ-dimethyl-
    784
9aα-Hydroxy-17β-acetoxy-2-oxo-9aβ-methyl- ; -10α-
    780

Tetracyclo[8.7.0.0^{1,13}.0^{15,9}]heptadecen-(13)
6-Acetoxy-2,15-dioxo-5-methyl-   683
6-Hydroxy-2,15-dioxo-5-methyl   683

Tetracyclo[8.2.2.1^{4,7}.0^{3,8}]pentadeca-
    trien-(5,11,13)   496

11H-⟨Benzo-[a]-fluoren⟩
11-Phenyl-5-äthoxycarbonyl-   1250

11H-⟨Benzo-[b]-fluoren⟩
5,10-Diphenyl-   530

7H-⟨Benzo-[c]-fluoren⟩
7-Carboxy-   1198

1H-⟨Cyclopenta-[l]-phenanthren⟩
6-Chlor-1-oxo-2-phenyl-3-(4-chlor-phenyl)-   537
2,3-Dihydro-   527
2,3-Diphenyl-   **537**
1,3-Diphenyl-2,3-dihydro-   668
6-Methoxy-1-oxo-2-phenyl-3-(4-methoxy-phenyl)-
    537
2-Oxo-2,3-dihydro-   527
1-Oxo-2,3-diphenyl-   537
1-Oxo-2,3-diphenyl-2,3-dihydro-   **537**
1-Oxo-2-methyl-3-phenyl-   537

Fluoranthen   644, 1583

Östratrien-(1,3,5¹⁰)

Östratrien-(1,3,5^{10})
17β-Acetoxy-1-methyl-   780
2,17β-Diacetoxy-4-methyl-   792
3-Hydroxy-17β-acetoxy-   793
1-(bzw. 2)-Hydroxy-17β-acetoxy-4-methyl-   792
3-Hydroxy-17β-acetoxy-1-methyl-   792
4-Hydroxy-17β-acetoxy-2-methyl-   792
10β-Hydroxy-17β-acetoxy-4-methyl-   780

13α-Östratrien-(1,3,5^{10})
3-Hydroxy-17-oxo- (Lumi-östron)   **738**

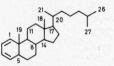

5β-Cholestadien-(1,3)   261

Pregnadien-(1,4)
9α-Fluor-18-jod-11β,17α-di-hydroxy-21-acetoxy-3,20-
dioxo-6α-methyl- 725
18-Jod-11β-hydroxy-17α,20 ; 20,21-bis-
[methylendioxy]-3-oxo- **725**

Androstadien-(1,4)
18-Brom-3,11,17-trioxo- 732

Östradien-(1¹⁰,3)
17α-Hydroxy-2,11-dioxo-5β-methyl-17β-acetoxyace-
tyl- (Neoprednisonacetat) 793

Cholestadien-(3,5)
6-Nitro- 1330

Pregnadien-(4,6)
11β-Hydroxy-21-acetoxy-3,8,20-trioxo- 724

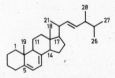

Ergstatrien-(5,7,22)
3β-Hydroxy-10α- 262
3β-Hydroxy-9α,10α- 263

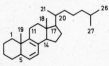

Cholestadien-(6,8)
3-Hydroxy-5β- 261

Androsten-(1)
17β-Acetoxy-3-oxo- 1046

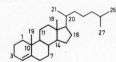

Cholesten-(4)
3β-Acetoxy-6α-(bzw. -6β)-nitro- 1331
3β-Acetoxy-6-oxo- 1330
3,6-Dioxo-4-methyl- 1148
3β-Hydroxy-6β-nitro- 1331
3β-Hydroxy-6-oxo- 1331
6β-Nitro-3β-acetoxy- 1330
3-Oxo- 1470, 1478
6-Oxo-3-hydroximino- 1331
2,2,4,6-Tetrabrom-12α-acetoxy-3-oxo- ; -24-säure-
methylester **151**
2,2,4-Tribrom-3-oxo- 151

Pregnen-(4)
3,20-Dioxo- (Progesteron) 1481
9α-Fluor-11β-hydroxy-17α,20 ; 20,21-bis-
[methylendioxy]-3-oxo-18-hydroximino- 724
11β-Hydroxy-21-acetoxy-3,20-dioxo-18-hydroximino-
724
17α-Hydroxy-20β-acetoxy-3-oxo- 727
11β-Hydroxy-17α,20 ; 20,21-bis-[methylendioxy]-3-
oxo-4-hydroximino- 724
20α-Hydroxy-3-oxo-18-hydroximino- **722**
17β,20-Oxido-3-oxo-16-hydroximino- 731

Androsten-(4)
17β-Acetoxy-3,7-dioxo- 682
17β-Acetoxy-3-oxo- 1046
17β-Acetoxy-3-oxo-6-acetyl- 991
3,17-Dioxo- **726**, 727

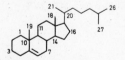

Cholesten-(5)
3α-Acetoxy-7α-hydroperoxy- 1478
3β-Hydroxy-7-oxo- 1478
3β-Hydroxy-7-thiocyanato- **178**
3α-Methoxy-3β-äthoxy- **660**

Pregnen-(5)
3,3,20,20-Bis-[äthylendioxy]-11α-acetoxy- 1261
11β,1,7α-Dihydroxy-3,3;20,20-bis-[äthylendioxy]-21-
acetoxy-18-hydroximino- 724
11β-Hydroxy-3,3;20,20-bis-[äthylendioxy]-21-
acetoxy-18-(bzw. -19)-hydroximino- 724
11β-Hydroxy-3,3;20,20-bis-[äthylendioxy]-18-(bzw.-
19)-hydroximino- 475

Androsten-(5)
3β-Acetoxy-16β-methyl-17β-acetyl- 1441
3β-Acetoxy-17β-[naphthyl-(1)-acetyl]- 1046
3β-Acetoxy-20-oxo- 1441
3β-Acetoxy-16-oxo-17β-acetyl- 681
17β-Acetoxy-3-oxo-4β-acetyl- 991
3,3-Äthylendioxy-17β-formyl- 727
3,3-Äthylendioxy-11β-hydroxy-17β-formyl- 727
3β-Hydroxy-7α-hydroperoxy-17β-acetyl- 701
17β-Hydroxy-3-oxo- **739**

Östren-(5)
3,3;17,17-Bis-[äthylendioxy]- 878
17β-Hydroxy-3,3-äthylendioxy- 878

Östron-(5¹⁰)
3,3;17,17-Bis-[äthylendioxy]- 878

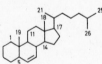

Cholesten-(6)
3β-Hydroxy-5α-hydroperoxy- 1475, **1476**

Androsten-(6)
7-Hydroxy-3,3-äthylendioxy-17-acetoxy-4,4-dimethyl-
7-(1,4-dioxanyl)- 834

18-Nor-östren-(9¹¹)
12-Oxo- 924

18-Nor-5α-pregnen-(13¹⁷)
3β-Acetoxy-20-oxo-16β-dimethoxymethyl- 698

18-Nor-androsten-(13¹⁷) 1322

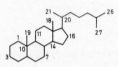

5ξ-Cholestan
5β- 1439
3β-Acetoxy-4β,6-[3,4-dihydro-1,2-oxazolo-(3,4,5)]-
1330
3α-(bzw. 3β)-Aminocarbonyl- 1126
5α-Chlor-6β,19-epoxy-3β-acetoxy- 732
5α-Chlor-6β-hydroxy-3β-acetoxy- 732
5α-Chlor-19-nitro-6β-hydroxy-3β-acetoxy- 732
3β,6β-(bzw. 3β,6α)-Dihydroxy-5α- 812
5α,6β-Dihydroxy-3β-acetoxy-19-hydroximino- 727
4,6-Dioxo- 680
4,6-Dioxo-5β- 680
3,6-Dioxo-4α,5α-cyclopropano- 1148, **1149**
1α,5α-Epoxy-3β-acetoxy- 851
1,5-Epoxy-3β-acetoxy-10- 851
5β-6β-Epoxy-3β-acetoxy- 732
4α,5α-Epoxi-3-oxo- 1470, **1478**
2α-(bzw. 2β)-Hydroxy- 457
3α-(bzw. 3β)-Hydroxy- 457, 742, 811
5α-(bzw. 5β)-Hydroxy- 1459
6β-Hydroxy-3α-acetoxy-19-hydroximino-5α- 720
3β-Hydroxy-5α,6α-epoxy-7-oxo- 1478
5-Isopropyloxy- 658
5β-Isopropyloxy- 1439
5-Methoxy- 658, 659
6β-19-Oxido-3β-acetoxy-5α- **725, 726**
3-Oxo-2-benzoyl- 991
3β-Pyrrolidino- 1120
3-Pyrrolidino-3-hydroxymethyl- 1118

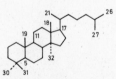

Lanostan
32-Nitrato-7α-hydroxy-3β-acetoxy-5α- **726**

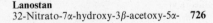

5ξ-Pregnan
3β-Acetoxy-18,20-oxido-20-methyl-5α- 715
5α-Brom-6β-hydroxy-3β-acetoxy-20-oxo-19-hydrox-
 imino- **722**
18-Chlor-20α-methylammonium-3β-trifluoracetoxy-1-
 1-oxo- ; -trifluoracetat 1102
3β,11α-Diacetoxy-20-oxo-5α- 716
12α,14α-Epoxy-3β,20-diacetoxy-5α- **761**
5α-Hydroxy-3,3,20,20-bis-[äthylendioxy]-11α-acetoxy-
 6-imino- 1261
20β-Hydroxy-3β,11α-diacetoxy-5α- ; -18-säure-
 lacton 716
18-Jod-3β,11α-diacetoxy-20-oxo-5α- **716**
18 -Methoxy-17β,18-methoxylenoxy-3β-acetoxy-20-
 oxo-5α- 698

Androstan
5α,14β- 188
17β-Acetoxy- 188
17β-Acetoxy-5α- 1441
17β-Acetoxy-4β,5β-epoxy-3-oxo- 677, 1046
3β-Acetoxy-17β-methoxycarbonyl- 188
3β-Acetoxy-17-oxo- 188
3β-Acetoxy-17-oxo-16-acetyl- 991
5α-Chlor-6β-hydroxy-3β-acetoxy-17-oxo-19-hydrox-
 imino- **721**
3α,17β-(bzw.3β,17β)-Diacetoxy- 188
3β,17β-Dihydroxy-6,19-oxido-6α-methyl-5α- 715
2β-Hydroxy-3α,17β-diacetoxy-19-hydroximino-5α-
 720, 727
3β-Hydroxy-17-oxo-13α-(Lumi-androsteron) 738
17β-Jod-3β,11α-diacetoxy- ; -5α- **716**
17-Oxo- 188

5ξ-Östran
3,3 ; 17,17-Bis-[äthylendioxy]-5β- 877
5β,17β-Dihydroxy-3-oxo-17α-methyl- 681

18-Nor-androstan
3α-Hydroxy-17β-acetoxy- 812

Phenanthro-[9,10-c]-furan
1-Acetoxy-3-oxo-1-phenyl-1,2-dihydro- 527
1-Hydroxy-3-oxo-1-phenyl-1,2-dihydro- 527
1-Methoxy-3-oxo-1-phenyl-1,2-dihydro- 527

16-Oxa-androstan
3β-Methoxy-17 -äthoxy- 826

17-Oxa-androstan
3β-Methoxy-16 -äthoxy- 826

Benzo-[b]-naphtho-[1,2-d]-thiophen 559

Benzo-[b]-naphtho-[2,1-d]-thiophen 559

Phenanthro-[9,10-b]-thiophen 556

Benzo-[a]-carbazol
11-Methyl-5,6,6a,11a-tetrahydro-cis-(bzw.-trans) 544

Phenanthro-[9,10-d]-1,3-dioxol
2-Oxo- 345
2-Phenyl-2-(2-benzoyl-phenyl)- 958

Phenanthro-[9,10-d]-1,3-oxazol 566
2-Methyl- 566
2-Phenyl- 566

10-Oxa-3-aza-tetracyclo[7.6.1.0^{1,11}.0^{5,16}]hexadecan
8-Methoxy-4,13-dioxo-3-methyl- 646

Phenanthro-[9,10-d]-1,3-thiazol
2-Methyl- 568

1H-⟨Phenanthro-[9,10-d]-imidazol⟩ 563
1,2-Diphenyl- 563
2-Phenyl- 563

7H-⟨Indolo-[2,3-c]-chinolin⟩
6-Hydroxy- 550
6-Oxo-5,6-dihydro- **550**

11H-⟨Indolo-[3,2-c]-chinolin⟩
6-Hydroxy- 550
6-Oxo-5,6-dihydro- **550**

7H-⟨Pyrido-[3,2-c]-carbazol⟩
6-Cyan- **549**

7H-⟨Pyrido-[3,4-c]-carbazol⟩
6-Cyan- 549

Indolo-[3,4-f,g]-chinolin
10b-Hydroxy-4-methyl-2-alkoxycarbonyl-1,2,3,4,4a,
   5,7,10b-octahydro- 457

Phenanthridino-[6,5-b]-1,3,4-thiadiazolium
2-Thiolo- 578

5H-⟨1,3-Oxazolo-[4,5-b]-phenoxazin⟩
9,11-Dimethyl-2-äthyl-4,6-dimethoxycarbonyl- 1098
11a-Hydroxy-2,2,9,11-tetramethyl-4,6-dimethoxycar-
   bonyl-2,3-dihydro- 1098
2,9,11-Trimethyl-4,6-dimethoxycarbonyl- 1098

Pyrido-[3,2-c]-tetrazolo-[2,3-a]-cinnolinium
2-Phenyl- ; -Nitrat **579**

B(7a)-Homo-östradien-(1^{10},9^{11})
3β-Dimethylamino-16α-hydroxy-4,4,13α-trimethyl-
   -17β-(2-acetylamino-äthyl)- 217

B(7b)-Homo-östradien-(5^{10},9^{11})
3β-Dimethylamino-16α-hydroxy-4,4,13α-trimethyl-
   17β-(2-acetylamino-äthyl)- 217

Tetracyclo[7.7.1.0^{1,12}.0^{4,8}]heptadecen-(12)
5-Acetoxy-14,17-dioxo-4-methyl- 683

Naphthacen (Tetracen)
7-Brom-4-dimethylamino-3,10,12a-trihydroxy-1,11,12-
   trioxo-2-aminocarbonyl-1,4,4a,5,5a,6,11,11a,12,
   12a-decahydro- 635
6,11-Dihydroxy-5,12-dioxo-5,12-dihydro- 749
4-Dimehtylamino-3,10,11,12a-tetrahydroxy-1,12-
   dioxo-2-aminocarbonyl-1,4,4a,5,12,12a-hexa-
   hydro- 635
5,12-Endoperoxi-5,6,11,12-tetraphenyl-5,12-dihydro-
   1472

Chrysen   517, 519, 533, 535
11-Buten-(3)-yl-1,2,3,4-tetrahydro-   535
3-Chlor-   533
3-Cyan   533
3,9-Dichlor-   533
3,9-Dicyan-   533
3,9-Difluor-   533
3,9-Dimethoxy-   533
1,3-Dimethyl-   535
1,7-Dimethyl-   519, 533
3,9-Dimethyl-   533
3-Fluor-   533
3-Methoxy-   533
3-Methyl-   533
6-Methyl-   519

3,4-Seco-α-amyrandien-(4²⁹,12)
-3-säure   744

3,4-Seco-β-amyrandien-(4²⁹,12)
-3-säure   744

3,4-Seco-α-amyren-(12)
-3-säure-cyclohexylamid   744

3,4-Seco-β-amyren-(12)
-3-säure-cyclohexylamid   744

3,4-Seco-friedelin
-3-säure-äthylester   746

Benzo-[c]-phenanthren   520
3-Brom-2-methyl   520
2,4-Dimethyl-   535
5-Fluor-   520
6-Fluor-   520, 525
6-Methyl-   520

Triphenylen   **526,** 527, 644, 1158, 1590
2-Brom-   527
2-Fluor-   527
2-Methoxy-   527
1-Phenyl-   517
2-Phenyl-   527

4H-Benzo-[d,e]-anthracen
4-Oxo-7-acyl-   962
4-Oxo-5-methyl-7-acyl-   962

Pyren   539, 1464
4,5-Dihydro-   534, 539, 528
2,7-Dimethyl-4,5,9,10-tetrahydro-   539
4,9-Diphenyl-4,5,9,10-tetrahydro-   336
4-Phenyl-   516, 532
4,5,9,10-Tetrahydro-   538, **539**

Dibenzo-bicyclo[2.2.2]octadien-(2,5)
12-Chlor-11-dichlormethylen-   221
11-Vinyl-   498

Benzo-tricyclo[4.2.2.2²ꞏ⁵]dodecatrien-(3,7,9)
syn-(bzw.*anti*)-   499

Benzo-[b]-acridin
6,11-Dioxo-6,11-dihydro-   592

Dibenzo-[b;g]-chinolizinium
-p-toluolsulfonat 1528

Benzo-[c]-acridin
7-Hydroxy 567

8H-⟨Dibenzo-[a;g]-chinolizin⟩
8-Oxo-5,6-dihydro- 996
2,3,10-Trimethoxy-11-acetoxy-8-oxo-5,6-dihydro-
545

Benzo-[c]-phenanthridin 596
2.3-Dimethoxy- 596
2,3,8,9-Tetramethoxy- 596
596

Benzo-[i]-phenanthridin 596
5-Oxo-6-methyl-4b,5,6,10b,11,12-hexahydro- 545

Benzo-[a]-phenanthridin 596
5-Oxo-6-alkyl-5,6,6a,7,8,12b-hexahydro-*trans*- 540
5-Oxo-6-allyl-5,6,6a,7,8,12b-hexahydro- 998
5-Oxo-6-butyl-5,6,6a,7,8,12b-hexahydro- 998
5-Oxo-6-methyl-5,6,6a,7,8,12b-hexahydro- 998

17a-Aza-D-homo-östratrien-(1,3,5^{10})
17a-Hydroxy-3-methoxy-17-oxo-13α- **729**

17a-Aza-D-homo-androsten-(4)
17a-Hydroxy-3,17-dioxo- 729

4H-⟨Naphtho-[1,8-f,g]chinolin⟩
6,6-Dimethyl-5,6-dihydro- 593

4H-⟨Dibenzo-[d,e;g]-chinolin⟩
1,2-Dimethoxy-6-äthoxycarbonyl-5,6-dihydro- 528
1,2,10,11-Tetramethoxy-6-äthoxycarbonyl- 528
1,2,10-Trimethoxy-6-äthoxycarbonyl 528
1,2,9-Trimethoxy-7-phenyl-6-äthoxycarbonyl-5,6-di-
hydro- 528

Naphtho-[2,1,8-d,e,f]-chinolin
5-Phenyl- 596

**11,12-Benzo-8-aza-tricyclo[5.3.3.0^{1,6}]tridecatrien-(2,5,
11)**
11-Hydroxy-3,12-dimethoxy-4-oxo-8-methyl- 645

Benzo-[b]-naphtho-[2,3-e]-1,4-dioxin
6,6,11,11-Tetramethyl-1,2,3,4,4a,6,11,12a-octahydro-
857

**5,6-Benzo-2,9-dioxa-tricyclo[8.4.0.0^{3,8}]tetradecadien-
(3^8,5)**
5,5,9,9-Tetramethyl- 833

Phenanthro-[9,10-b]-1,4-dioxin
(Z)-[bzw. (E)]-2-Äthyliden-2,3-dihydro- 959
2-Äthylmercapto-2,3-dihydro- 952
2-Chlor-2,3-dihydro- 942
2,2-Dichlor-2,3-dihydro- **948**
2,3-Dimethyl-2,3-dihydro- 951
2,3-Diphenyl-2,3-dihydro- 952
3-(N-Methyl-N-benzoyl-amino)-2-phenyl-2,3-dihydro-
956
3-Methyl-2-methylen-2,3-dihydro- 959
2,2,3,3-Tetramethyl-2,3-dihydro- 951

7H-⟨Phenaleno-[1,2-b]-1,4-dioxin⟩
7-Oxo-9,10-diphenyl-9,10-dihydro-   860

[2]-Benzopyrano-[4,3-c]-[2]-benzopyran
6,12-Dioxo- 6,12-dihydro-   750

Dibenzo-2,3-dioxa-bicyclo[2.2.2]octadien   1487
1-Cyclohexyl-   1489
1,4-Dimethoxy-   1488
5,8-Dimethoxy-1,4-diphenyl-   1488
1,4-Diphenyl-   **1488**
1,4-Diphenyl-5-methoxycarbonyl-   1489
1-Methyl-   1489
1-Phenyl-   1489
1,4,5,8-Tetraphenyl-   1489

7H-⟨Benzo-[a]-phenoxalin⟩
12a-Hydroxy-5-oxo-5,12a-dihydro-   980

Naphtho-[1,2-c]-cinnolin   1135

Benzo-[c]-[2,8]-phenanthrolin   596

Dibenzo-[c;h]-1,5-naphthyridinen
6,6,12,12-Tetrakis-[trifluormethyl]-6,12-dihydro-
1365

Dibenzo-[c ; h]-2,6-naphthyridin   1116

Phenanthro-[9,10-d]-pyrimidin
1,3-Dioxo-2,4-dimethyl-1,2,3,4-tetrahydro-   651

Benzo-pyrido[2,3]-2,3-dioxa-bicyclo[2.2.2]octadien
1,4-Diphenyl-   1490

Naphtho-[1,2-e]-1,4-dioxino-[b]-1,4-dioxin
2,3,4a,12a-Tetrahydro-   951

Benzo-pyrimido[4,5]-2,3-dioxa-bicyclo[2.2.2]octadien
6,8-Dimethoxy-1,4-diphenyl-   1490
1,4-Diphenyl-   1490

3H-Cyclohepta-[l]-phenanthren   1204

Benzo-[5,6]-cyclohepta-[1,2,3-d,e]-naphthalin (Pleiaden)   257

Benzo-3,11-diaza-tricyclo[6.3.3.0^{2,8}]tetradecen-(6)
6-(bzw.8)-Hydroxy-4-oxo-12-methyl-   637

Dibenzo-2-oxa-9,11-diaza-bicyclo[5.4.0]undecatrien-(1^7,3,5)
12,14-Dioxo-13,15-dimethyl-   650

[2]-Benzoxepino-[3,2,1-b,c]-[3,1]-benzoxazepin
12-Methyl-   1310

F. Pentacyclische Verbindungen

Pentacyclo[5.2.0.0²,⁹.0³,⁵.0⁶,⁸]nonan
1,7-Bis-[trifluormethyl]-   238
1.7-Dimethoxycarbonyl-   238
1,7-Dimethoxycarbonyl-4-cyan-   238

4-Oxa-pentacyclo[5.2.0.0²,⁹.0³,⁵.0⁶,⁸]nonan
1,7-Dimethoxycarbonyl-   238

Pentacyclo[5.3.0.0²,¹⁰.0³,⁵.0⁶,⁸]decan
1,7-Dimethoxycarbonyl-   444
1,4,7-Tetramethoxycarbonyl-   444

Pentacyclo[6.2.0.0²,¹⁰.0³,⁶.0⁸,⁹]decen-(4)   238
1,8-Dimethoxycarbonyl-   238

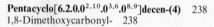

Pentacyclo[7.5.0.0²,⁸.0⁴,⁶.0¹¹,¹³]tetradecan
(+)-3,10-Dioxo-c-1,5,5,t-8,12,12-hexamethyl-r-2-H,
   c-9-H-   909

Pentacyclo[4.3.0.0²,⁴.0³,⁸.0⁵,⁷]nonan
4,5-Dicarboxy-   **444**
4,5-Dimethoxycarbonyl-   444

12-Oxa-pentacyclo[4.4.3.0¹,⁶.0²,¹⁰.0⁵,⁷]tridecadien-
(3,8)   248

Benzo-tetracyclo[3.3.0.0²,⁷.0⁶,⁸]octen-(3)
4,5-Diphenyl-   501
9,10-Diphenyl-   241
6-(bzw.7)-Methoxy-4,5-diphenyl-   **502**

Benzo-tetracyclo[4.4.0.0⁴,⁸.0⁵,⁷]decadien-(2,9)   240

Pentacyclo[8.3.3.0²,⁹.0³,⁸.0¹³,¹⁴]hexadecatetraen-
(4,6,12,15)   298

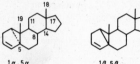

1α,5α   1β,5β

1,5-Cyclo-androsten-(3)
17β-Acetoxy-2-oxo-   792
17β-Acetoxy-2-oxo-1β,3-dimethyl-1α,5α-   **776**
17β-Acetoxy-2-oxo-3-methyl-1α,5-   778
17β-Hydroxy-2-oxo-1β-methyl-1α,5-   778
17β-Acetoxy-2-oxo-1β-methyl-1β,5β-   **776**

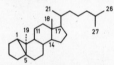

1β,5-Cyclo-5β,10α-cholestan
2-Oxo-(Lumicholestan)   **769**

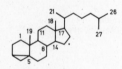

3,5-Cyclo-5α-cholestan
6β-Äthoxy-   660

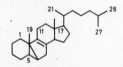

6,10-Cyclo-cholesten-(8)
3β-Acetoxy-7-oxo-4,4-dimethyl-   778

8,11-Cyclo-5α,9 -pregnen-(14)
11-Hydroxy-3,3,20,20-bis-[äthylen-(1,2)-dioxy]-   797

5,6-Cyclopropa-A-nor-androstan
17β-Acetoxy-3,7-dioxo-5α,5α-dimethyl-5α,6α-(bzw.-5β,
   6β)-   **764**

3,5-Cyclo-4,6-cyclo-3,4-seco-östran
17β-Acetoxy-3-oxo-4,4-dimethyl- 766

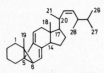

5,9;6,10-Dicyclo-9,10-seco-ergostatrien-(7,9¹¹,22)
3β-Acetoxy- 269

Dibenzo-tricyclo[3.3.0.0²,⁸]octadien-(3,6) 425
1-(bzw.2-;bzw.5)-Methoxycarbonyl- 426

Naphtho-[2,3-c]-tricyclo[3.3.0.0²,⁸]octadien-(3,6)
425

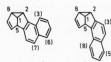

anti   *syn*

Naphtho-[1,2-c]-tricyclo[3.3.0.0²,⁸]octadien-(3,6)
424

1,9a-Cyclo-B-homo-A-nor-19-nor-androsten-(2)
17β-Acetoxy-5,9a-dimethyl- 269

Benzo-tetracyclo[6.6.0.0²,⁴.0³,⁷]tetradecen-(5) 494

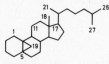

5β,19-Cyclo-cholestan
3β-Acetoxy-6-oxo- **725**

5β,19-Cyclo-pregnan
syn-(bzw. *anti*)-11β-Hydroxy-21-acetoxy-3,20-dioxo-4-
  hydroximino- 724
anti(bzw.*syn*)-11β-Hydroxy-17α,20;20,21-bis-[methy-
  lendioxy]-3-oxo-4-hydroximino- 724, 732

19α,5α-Cyclo-A-nor-androstan
17β-Hydroxy-2-oxo- 794

**Pentacyclo[4.2.0²,⁴.0³,⁸.0⁴,⁷]octan
(Cuban)**
4,5-Bis-[trimethylsiloxy]- 244
9-Carboxy- 1184
1,8-Diphenyl-2,3,4,5-tetramethoxycarbonyl- 244
Octaphenyl- 244
1,2,3,8-Tetrachlor-9,9-dimethoxy- 244

9-Oxa-pentacyclo[4.3.0.0²,⁵.0³,⁸.0⁴,⁷]nonan
1,6,7,8-Tetramethyl-2,3,4,5-tetrakis-[trifluormethyl]-
  245
2,3,4,5-Tetrakis-[trifluormethyl]- 245

9-Phospha-pentacyclo[4.3.0.0²,⁵.0³,⁸.0⁴,⁷]nonan
9-Oxo-9-phenyl- 245

Pentacyclo[4.4.0.0²,⁵.0³,¹⁰.0⁴,⁷]decan
2,3,-Bis-[trimethylsiloxy]- 245
-8,9-dicarbonsäure-anhydrid 383

Pentacyclo[4.4.0.0²,⁵.0³,⁹.0⁴,⁸]decan
7,10-Dioxo- 939
7,10-Dioxo-1,6,8,9-tetramethyl-2,3,4,5-tetraphenyl-
  939

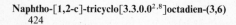

7,10-Dioxa-pentacyclo[4.4.0.0^{2,5}.0^{3,9}.0^{4,8}]decan
Octamethyl- **243**

4,9-Dithia-*eko*-pentacyclo[5.3.2.2^{2,6}.0^{1,7}.0^{2,6}]tetra-decan 352

Dibenzo-tricyclo[2.2.2.0^{1,4}]octadien-(2,5)
11-Vinyl- 498

Pentacyclo[5.3.0.0^{2,5}.0^{3,9}.0^{4,8}]decan 243
6-[Äthylen-(1,2)-dioxy]-10-oxo- 939
5,9-Dibrom-6-[äthylen-(1,2)-dioxy]-10-oxo- 941
6,10-Dioxo- 938
6,10-Dioxo-1,5,7,9-tetramethyl-2,3,4,8-tetraphenyl-
  939
1,2,3,6,9,10,10-Heptachlor- 246
1,2,3,9,10,10-Hexachlor- 246
6-Hydroxy- 243, 245
endo-10-Hydroxy- 245
6-Hydroxy-6-deuterio- 245
6-Hydroxy-6-methyl- 245
10-Hydroxy-6-oxo-1,5-dimethyl-2,3,4,8-tetraphenyl-
  939
6-Oxo- 941
10-Oxo-1,9-dimethyl-2,3-diphenyl-6-isopropyliden-
  246

2,8-Diphospha-pentacyclo[5.3.0.0^{3,6}.0^{4,10}.0^{5,9}]decan
2,8-Diphenyl- ; -2,8-bis-oxid 1359

Pentacyclo[4.4.2.0^{2,5}.0^{3,9}.0^{4,8}]dodecen-(11) 246

6,8,13,15-Tetraoxa-pentacyclo[9.5.0.0^{4,10}.0^{5,9}.0^{12,16}]
  hexadecen-(2) 491
5,9,12,16-Tetrachlor-7,14-dioxo-*anti-anti-anti-* 491
5,9,12,16-Tetrachlor-7,14-dioxo-*syn-anti-anti-* 491
5,9,12,16-Tetrachlor-7,14-dioxo-*syn-anti-syn-* 491

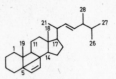

5,8-Cyclo-ergostadien-(6,22)
3β-Hydroxy- 263
3β-Hydroxy;9α,10α- 263

Pentacyclo[6.4.0.0^{2,7}.0^{3,11}.0^{6,9}]dodecan
7,12-Bis-[2,2-dimethyl-propionyl]-3,10-di-tert.-butyl-
  940

Pentacyclo[6.4.0.0^{2,5}.0^{3,10}.0^{4,9}]dodecan
7,12,Diacetoxy-6,11-dioxo-2,5,7,9,10,12-hexamethyl-
  939
7,12-Dihydroxy-6,11-dioxo-5,7,10,12-tetramethyl-
  939
6,11-Dioxo-2,3,4,7,7,9,12,12-octamethyl- 393
6,11-Dioxo-5,7,10,12-tetramethyl-7,12-benzyl- 939

Pentacyclo[6.4.0.0^{2,7}.0^{4,11}.0^{5,10}]dodecan
-1,2,5,10-tetracarbonsäure-1,2 ; 5,10-dianhydrid 405
-1,2,5,10-tetracarbonsäure-tetramethylester 405
3,6,9,12-Tetraoxo-1,5,7,11-tetramethyl- 943

Pentacyclo[7.5.0.0^{2,8}.0^{5,13}.0^{6,12}]tetradecadien-(3,10)
  296, **297**

3,9-Dioxa-pentacyclo[6.4.0.0^{2,7}.0^{4,11}.0^{5,10}]dodecan
6,12-Dioxo-2,4,8,10-tetraäthyl- 616
6,12-Dioxo-2,4,8,10-tetramethyl- 616
6,12-Dioxo-2,4,8,10-tetraphenyl- 616

3,9-Diaza-pentacyclo[6.4.0.0^{2,7}.0^{4,11}.0^{5,10}]decan
1,5,7,11-Tetraäthoxycarbonyl- 353

Pentacyclo[8.6.0.0^{2,9}.0^{4,8}.0^{11,15}]hexadecahexaen-(3,5,
  7,11,13,15) 299

Pentacyclo[8.6.0.0²,⁹.0⁴,⁸.0¹²,¹⁶]hexadecahexaen-(3,5, 7,10,12,15) 299

Pentacyclo[5.4.0.0²,⁶.0³,¹⁰.0⁵,⁹]undecan
2,3,5,6-Tetrabrom-4,4-dimethoxy-8,11-dioxo-   939
2,3,5,6-Tetrachlor-4,4-dimethoxy-8,11-dioxo-   939
4,8,11-Trioxo-2,6-diphenyl-   939

Pentacyclo[8.2.1.1⁴,⁷.0²,⁹.0³,⁸]tetradecadien-(5,11)
exo-anti-exo-(bzw. *exo-anti-endo*- ; bzw. *endo-anti-
endo*)- **284**

Pentacyclo[8.2.1.1⁴,⁷.0²,⁹.0³,⁸]tetradecan
exo-anti-endo-   287, 288, 1410
exo-anti-exo-   287, 288
2,3-(bzw. 3,9)-Dimethyl-   289

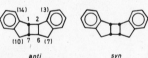

Cyclobuta-[1,2-a ; 4,3-a′]-diinden
9,10-Dioxo-4b,4c-diphenyl-4b,4c,9,9a,9b,10-hexahy-
dro-   910

Dibenzo-*anti*-tricyclo[5.3.0.0²,⁶]decadien-(3,9)   323,
324
8-Chlor-   374
1,2-Dichlor-   325
7,7,10,10-Tetramethyl-   325

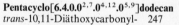

Cyclobuta-[1,2-a ; 3,4-a′]-diinden
5,10-Dioxo-4b,9b-diphenyl-4b,4c,5,9b,9c,10-hexahy-
dro-   910

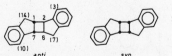

Dibenzo-*anti*-tricyclo[5.3.0.0²,⁶]decadien-(3,8)
323, **324**
1,2-(bzw. 1,8)-Dichlor-   325
7,7,14,14-Tetramethyl-   325

Naphtho-[1,8a,8-c,d]-tricyclo[5.3.0.0²,⁶]decadien-(3, 8)   499
5-Brom-   499

Naphtho-[1,8a,8]-tricyclo[5.3.0.0²,⁶]decen-(3)   242

Pentacyclo[9.7.0.0²,¹⁰.0⁵,¹⁰.0¹¹,¹⁶]octadecan
9,12-Dioxo-   909

Benzo-tetracyclo[8.2.1.0¹,⁸.0⁵,⁸]tridecen-(11)
15-Acetamino-2-hydroxy-12-methoxy-7-acetoxy-9-
oxo-5-methyl-   921

Pentacyclo[6.2.2.0²,⁷.0⁴,¹³.0⁵,¹²]dodecen-(9)
3,6-Dioxo-   888

Pentacyclo[6.4.0.0²,⁷.0⁴,¹².0⁵,⁹]dodecan
trans-10,11-Diäthoxycarbonyl-   247

Dibenzo-3,10-dioxa-tricyclo[5.3.0.0²,⁶]decadien-(4,8)
anti-(bzw. *syn*)-   554

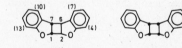

**Dibenzo-3,8-dithia-*anti*-tricyclo[5.3.0.0²,⁶]decadien-
(4,9)**
-3,3,8,8-tetroxid   557, 558

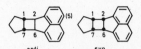

**Dibenzo-3,10-dithia-*anti*-tricyclo[5.3.0.0²,⁶]decadien-
(4,8)**
-3,3,10,10-tetroxid   557, 558

4,5-Diaza-pentacyclo[6.4.0.0²,⁷.0³,¹¹.0⁶,¹⁰]dodecan
-4,5-dicarbonsäure-phenylimid   247

Pentacyclo[12.2.1.1⁴,⁷.0²,¹¹.0³,¹⁰]octadecadien-(8,12)
6,15-Dicyan-   296

17,18-Diaza-*anti*-pentacyclo[12.2.1.1⁴,⁷.0²,¹¹.0³,¹⁰]octadecatetraen-(5,8,12,15)
17,18-Dicyan-   297, **298**

1β,2α-Cyclobutano-androstan
1a,1a-Dichlor-17β-acetoxy-3-oxo-5α-methyl-   922

4,5-Cyclobutano-pregnen-(6)
17β-Hydroxy-4b,4b-diäthoxy-3-oxo-4α,5β-(bzw.
   4β,5β)- ; -21-carbonsäure-lacton   932
17β-Hydroxy-4b,4b-dimethyl-3-oxo-4α,5β-(bzw.
   4β,5β)- ; -21-carbonsäure-lacton   922
17β-Hydroxy-3-oxo-4α,5β- ; -21-carbonsäure-lacton
   922

4,5-Cyclobutano-pregnen-(16)
9α-Fluor-11β-hydroxy-3,20-dioxo-4α,5α-   923

4,5-Cyclobutano-pregnan
17β-Acetoxy-3-oxo-4α,5α-(bzw. 4β,5α)-   922

4,5-Cyclobutano-androsten-(6)
17β-Hydroxy-3-oxo-4b,4b-dimethyl-4α,5α-(bzw. 4α,5β
   ; bzw. 4β,5β)- ; -21-carbonsäure-lacton   922

4α,5α-Cyclobutano-androstan
17β-Acetoxy-3-oxo-   922, 923

6β,7β-Cyclobutano-androsten-(4)
17β-Acetoxy-3-oxo-   922

11,19-Cyclo-pregnen-(5)
11α-Hydroxy-3,3 ; 20,20-bis-[äthylendioxy]-   806
11α-Hydroxy-3,3 ; 20,20-bis-[äthylendioxy]-4,4-
   dimethyl   806

11β,19-Cyclo-5-pregnan
11α-Hydroxy-3,3 ; 20,20-bis-[äthylen-(1,2)-dioxy]-5α-
   (bzw. 5β)-   **801**

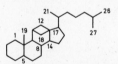

11,18-Cyclo-cholestan
11α-Hydroxy-3-oxo-4,4-dimethyl-   807

16α,17α-Cyclobuta-pregnadien-(5,16a)
3β-Acetoxy-20-oxo-   931
3β-Acetoxy-20-oxo-16a-acetyl-16α,17α-   923

16β,17β-Cyclobutano-pregnen-(5)
3β-Acetoxy-20-oxo-16α,17α-(bzw. 16β,17β)-   923
3β,16bα-Diacetoxy-20-oxo-16aα-acetyl-16α,17α-   923
3β,16bβ-Diacetoxy-20-oxo-16aβ-acetyl-16α,17α-   923
9α-Fluor-11β-hydroxy-3,3-äthylendioxy-21-acetoxy-
   20-oxo-16α,17α-   923
16a,16a,16b,16b-Tetrafluor-3β-acetoxy-20-oxo-16α,17-
   α-(bzw. -16β, 17β)-   923
3β-Acetoxy-16a-methylen-   931
3β-Acetoxy-16b-methylen-   931

16,17-Cyclobutano-androsten-(5)
3β-Acetoxy-17β-acetyl-16α,17α-   921

18,20-Cyclo-pregnen-(5)
20-Hydroxy-3β-acetoxy-   806
20-Hydroxy-3,3-äthylendioxy-   806
20α-Hydroxy-3,3-äthylendioxy-11α-acetoxy-   807

18,20-Cyclo-pregnan
20-Hydroxy-3β-acetoxy-5α-   806
20α-(bzw. 20β)-Hydroxy-3β,11β-diacetoxy-5α-   807
20-Hydroxy-3,3-dimethoxy-   800

6H-⟨Cyclobuta-[1]-cyclopenta-[d,e,f]-phenanthren⟩
1,2-Diphenyl-2a,9b-dihydro-   501

Naphtho-[2,3-c]-[1]benzofurano-[2,3-a]cyclobutan
6,11-Dioxo-5a,5b,6,11,11a,11b-hexahydro-   946

Dibenzo-9-oxa-tricyclo[5.4.0.0²,⁶]undecadien-(3,10)
8-Chlor-10-oxo-   620
10-Oxo-   620

**Naphtho-[2,3-c]-[1]benzothiopheno-[2,3-a]-cyclobu-
tan**
6,11-Dioxo-5a,5b,6,11,11a,11b-hexahydro-   946

5H-⟨Naphtho-[2,3-c]-indolo-[2,3-a]-cyclobutan⟩
6,11-Dioxo-5a,5b,6,11,11a,11b-hexahydro-   946

15-Aza-pentacyclo[11.3.1.0¹,¹².0²,⁹.0⁶,⁹]pentadecan
5,14-Dioxo-13-methyl-7-methylen-   931

**2H-⟨Benzocyclobuta-[1,2-d]-[1]-benzpyrano-[7,6-b]-fu-
ran⟩**
2,6,9-Trioxo-5c,7,8,9a-tetramethyl-5b,5c,6,9,9a,9b-he-
xahydro-   **624**

Dibenzo-[a ; g]-biphenylen
6,12-Dioxo-5,5,11,11-tetramethyl-5,6,6a,6b,11,12,12a,
   12b-octahydro-*anti*-   910

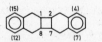

Cyclobuta-[1,2-a ; 4,3-a′]-dinaphthalin
6,7-Dioxo-5,5,8,8-tetramethyl-5,6,6a,6b,7,8,12b,12c-oc-
   tahydro-*anti*-(bzw. *syn*)-   910

Dibenzo-tricyclo[6.4.0.0²,⁷]dodecadien-(4,10)
1,2-Dimethyl-3,8,11,16-tetraoxo-   944
1,9-Dimethyl-3,8,11,16-tetraoxo-   944
3,8,11,16-Tetraoxo-   943
syn-(bzw. *anti*)-3,8,11,16-Tetraoxo-   **944**

Dibenzo-*anti*-tricyclo[6.4.0.0²,⁷]dodecadien-(5,9)   324

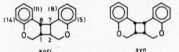
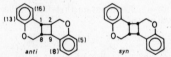

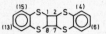

2-Oxa-pentacyclo[10.6.1.0³,⁸.0³,¹¹.0¹⁵,¹⁹]nonadecen-(1¹⁹)
4-(bzw. 11)-Oxo-   909

Dibenzo-9,10-dioxa-tricyclo[4.2.1.1²,⁵]decadien-(3,7)
Tetraphenyl-   554

Indolo-[3,2-b]-carbazol
5,11-Dihydro-   550

Acenaphtho-[1,2-a]-azulen
12-Phenyl-   **467**
1,3,5-Trimethyl-12-(2,4,6-trimethyl-phenyl)-   **468**

Benzo-[a]-fluoranthen (Benzo-[a]-aceanthrylen)   426
8,12b-Dihydro-   426

Benzo-[j]-aceanthrylen (Cholanthren)
1-Thiocyanato-3-methyl-   178

Benzo-[k]-fluoranthen
7-Phenyl-   467

13H-⟨Indeno-[1,2-l]-phenanthren⟩
13-Methoxycarbonyl-   469, 470

8,9;10,11-Dibenzo-tricyclo[5.2.2.0²,⁶]undecatrien-(3,8, 10)   499

VIII*

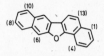

Dinaphtho-[1,2-b;2,3-d]-furan
13-Hydroxy-4,10-dimethoxy-6,11-dioxo-2,8-dimethyl-3,9-diacetyl-6,11-dihydro-   978
11-Hydroxy-6,13-dimethyl-   978
13-Hydroxy-6,11-dioxo-6,11-dihydro-   977, **978**

9H-⟨Dibenzo-[a;c]-carbazol⟩
3,6-Dimethoxy-   **550**

Anthraceno-[2,1-d]-pyrido-[1,2-a]-imidazol
8,13-Dioxo-5-acetyl-1,2,3,4,4a,5,8,13-octahydro-   981

8H-⟨Imidazo-[5,1-a ; 4,3-a′]-diisochinolin⟩
meso-(bzw. *d,l*)-15b,15c-Dimethyl-5,6,10,11,15b,15c-hexahydro-   1119

Phenanthro-[9,10-e]-furo-[2,3-b]-1,4-dioxin
3a,13a-Dihydro-   953

1H-⟨Phenanthro-[9,10e]-imidazolo-[3,4-b]-1,4-dioxin⟩
2-Oxo-1,3-diphenyl-2,3,3a,13a-tetrahydro-   956
2-Oxo-3a-methyl-1,3-diacetyl-2,3,3a,13a-tetrahydro-   955

2,3;13,14-Dibenzo-tricyclo[7.5.0.0⁴,⁸]dodecatrien-(2, 4⁸,13)
7,14-Dioxo-9,9,12,12-tetramethyl-   911

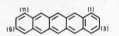

7,8;9,10-Dibenzo-tricyclo[4.2.2.1^{2,5}]undecatrien-(3,7,9)   499

Pentacen
6-Methylen-6,13-dihydro-   218

Dibenzo-[a;h]-anthracen
7,14-Dimethyl-   532

Dibenzo-[a;j]-anthracen   514
2-Methyl-   521

Picen   334, 515, 520, 532, 533, 1520

Ursen-(12)
23-Amino-3α-acetoxy-4-carboxy- ; -lactam   1276

Oleanen-(12)
11α-Hydroxy-1-hydroximino- **721**

8H-⟨Dibenzo-[a;d,e]-anthracen⟩
3-Brom-8-oxo-   528
1-(bzw. 3)-Chlor-8-oxo-   528
1-(bzw. 3)-Methoxy-8-oxo-   528
3-Methyl-8-oxo-   528
8-Oxo-13-acetyl-   963
8-Oxo-13-benzoyl-   963
3-Oxo-13-formyl-   963
6-Oxo-13-phenyl-   526

Benzo-[a]-pyren
6-[2,6-Dihydroxy-5-methyl-pyrimidyl-(4)]-   605
6-Carboxymethyl-   1013, **1014**

Benzo-[e]-pyren   **526**, 529, 532
1-Phenyl-   529

Perylen   1584

Dibenzo-[b;g]-phenanthren
2-Methyl-   521

Benzo-[c]-chrysen   335, 514, 516, 520, 521, 532
11-Methyl-   521
14-Methyl-   520
7-Phenyl-   532

Dibenzo-[c;g]-phenanthren   514, 520
10b,10c-Dihydro-   513

Dibenzo-[a;c]-anthracen
9-Phenyl-   **468**

Benzo-[g]-chrysen   644
13-Methyl-   521

9,10;11,12-Dibenzo-tricyclo[6.2.2.0²,⁷]dodecatrien-(3,9,11) 499

14H-⟨Dibenzo-[a;j]-xanthen⟩
14-Phenyl- 626

Dibenzo-[a;i]-acridin
8,13-Dioxo-8,13-dihydro-

Dibenzo-[b;h]-acridin
-8,13-endoperoxid 592

Dibenzo-[c;i]-phenanthridin 1116

Dibenzo-[c;k]-phenanthridin 596

Phenanthro-[9,10,1-d,e,f]-chinolin 596

Benzo-naphtho[1,2]-2,3-dioxa-bicyclo[2.2.2]octa-dien
1,6-Dimethyl- 1489

Benzo-naphtho[2,3]-2,3-dioxa-bicyclo[2.2.2]octa-dien
9,14-Diphenyl- 1489
1,4,9,14-Tetraphenyl- 1489

Dibenzo-[a;h]-thianthren 1056

Phenanthro-[9,10-e]-1,4-dioxino-1,4-dioxin
2,3,4a,14a-Tetraphenyl-4a,14a-dihydro- 955

7,8;9,10-Dibenzo-tricyclo[4.2.2.2²,⁵]decatrien-(3,7,9)
499

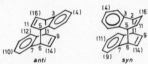

anti   *syn*

3,4;7,8-Dibenzo-tricyclo[4.2.2.2²,⁵]dodecatetraen-(3,7,9,11)
13,15-Dicyan- 477
13,15-Dimethoxy-*anti*- 476, 477

17,19-Diaza-pentacyclo[8.6.2.2²,⁹.0¹,¹².0⁴,⁹]eicosa-dien-(3,11)
18,20-Dioxo- 588

9,10;11,12-Dibenzo-tricyclo[6.2.2.1²,⁷]tridecatetraen-(3,5,9,11) 499

3,4;11,12-Dibenzo-*syn*-tricyclo[6.4.1.1²,⁷]tetradecate-traen-(3,5,9,11)⟩
9,10-Diphenoxy-17,18-dioxo- 903

8,9;10,11-Dibenzo-tricyclo[5.2.2.2^{2,6}]tridecatetraen-(3.8.10,12) 500

5,6;12,13-Dibenzo-*syn*-tricyclo[6.3.2.1^{2,7}]tetradecate-traen-(3,5,10,12)
3,12-Diphenoxy-11,18-dioxo-   903

G. Hexacyclische Verbindungen

Hexacyclo[5.2.0.0^{2,9}.0^{3,5}.0^{6,8}]nonan
8,9-Dimethoxycarbonyl-   445

Hexacyclo[5.3.0.0^{2,10}.0^{3,5}.0^{4,9}.0^{6,8}]decan   444

3,5;4,6-Dicyclo-cholestan   250

Hexacyclo[5.3.0.0^{2,10}.0^{3,6}.0^{4,9}.0^{5,8}]decan   244

2,3;5,6-Dibenzo-tetracyclo[5.4.1.0^{4,12}.0^{8,12}]dodecate-traen-(2,5,9,11)   426

Hexacyclo[6.4.0.0^{2,11}.0^{3,6}.0^{7,10}.0^{9,12}]dodecen-(9)
246

Benzo-pentacyclo[4.4.0.0^{2,5}.0^{3,10}.0^{4,7}]decen-(8)   246

Hexacyclo[6.4.0.0^{2,7}.0^{3,6}.0^{4,12}.0^{5,9}]dodecan
-10,11-dicarbonsäure-anhydrid   247
10,10,11,11-Tetracyan-   248

10,11-Diaza-hexacyclo[6.4.0.0^{2,7}.0^{3,6}.0^{4,12}.0^{5,9}]dode-can
10,11-Dimethoxycarbonyl-   246

Hexacyclo[6.6.0.0^{2,7}.0^{4,10}.0^{5,9}.0^{11,14}]tetradecan
3,6-Dioxo-2,4,5,7-tetramethyl- ; -12,13-dicarbonsäure-anhydrid   476

Benzo-pentacyclo[6.4.0.0^{2,7}.0^{3,12}.0^{6,9}]dodecen-(4)
499

Benzo-pentacyclo[4.4.2.0^{2,9}.0^{5,8}.0^{7,10}]dodecen-(3)
246

Hexacyclo[10.2.1.1^{5,8}.0^{2,11}.0^{3,10}.0^{4,9}]hexadecadien-(6,13)
3,10-Diphenyl-   367

16α,17α-Cyclobutano-18,20-cyclo-pregnen-(5)
20α-(bzw. 20β)-Hydroxy-3β-acetoxy-   807

Pentacyclo[7.2.1.0²,⁸.0³,⁷.0⁴,¹¹.0⁶,¹⁰]dodecan 243

Hexacyclo[6.3.3.0³,⁶.0⁴,¹¹.0⁵,⁹.0¹⁰,¹³]tetradecan
2,7-Dioxo- 940

**Hexacyclo[5.4.4.0¹,⁷.0²,⁶.0³,¹⁵.0⁵,¹⁴]pentadecadien-
(8,10)**
12,15-Dioxo- 495

Hexacyclo[6.5.1.0²,⁷.0³,¹¹.0⁴,⁹.0¹⁰,¹⁴]tetradecan
5,6,12,13-Tetramethoxycarbonyl- 248
5,5,6,6,12,12,13,13-Octacyan- 248

**5,6,12,13-Tetraaza-
hexacyclo[6.5.1.0²,⁷.0³,¹¹.0⁴,⁹.0¹⁰,¹⁴]tetradecan**
-5,6,12,13-tetracarbonsäure-5,6,12,13-diphenylimid
247

1,11-Cyclo-glycerethinsäure
11-Hydro- ; -methylester 807

**2,3;10,11-Dibenzo-tetracyclo[10.3.0.0¹,⁶.0⁷,¹²]penta-
decatrien-(2,4,10)** 478

4β,5β-(Bicyclo[4.2.0]octa-[7,8])-pregnan
17β-Hydroxy-3-oxo-21-carboxy-17α-; -lacton 922

11,25-Cyclo-oleanen-(12)
11-Hydroxy-3β-acetoxy- 808

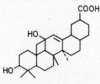

11,25-Cyclo-glycerethinsäure
11-Hydro- ; -methylester 807

16α, 20α-Cyclo-oleanen-(12)
16β,20β-Dihydroxy-3β,21α,22-triacetoxy-23-dime-
thyl 808
16β-Hydroxy-3β,20β,21α,22-tetraacetoxy-23-dime-
thyl- 808

**syn-Dibenzo-tetracyclo[3.3.3.1⁴,⁹.0⁸,¹⁰]dodecadien-
(2,6)**
13-Methoxy-15-oxo- 476

**Dibenzo-[1,2,3,4-b,c,d ; 1′,2′,3′,4′-m,n,o]-naphtho-
[1,8a,8-h,i]-bicyclo[15.2.0]nonadecaheptaen-2,4,6,
8,11,13,15)** 242

Acenaphtho-[1,2-a]-acenaphthylen
cis-6b,12b-dihydroxy-6b,12b-dihydro- 817

Dibenzo-tetracyclo[6.3.1.0²,⁷.0⁵,⁹]dodecadien-(3,10)
8,16-Dioxo- 694

**6,7;10,11-Dibenzo-tetracyclo[7.2.2.2⁵,⁸.0¹,⁵]pentade-
catetraen-(6,10,12,14)** 478

5H-⟨Indeno-[2,3-e]-phenanthro-[9,10-b]-1,4-dioxin⟩
5a-Chlor-5a,15a-dihydro- 952

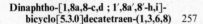

Dinaphtho-[1,8a,8-c,d ; 1′,8a′,8′-h,i]-
  bicyclo[5.3.0]decatetraen-(1,3,6,8) 257

Benzo-[g]-phenanthro-[9,10-c]-2,5,9-trioxa-bicy-clo[4.2.1]nonadien-(3,7)
1,12-Diphenyl- 958

Dibenzo-[c;l]-chrysen
3,11-Dimethyl- **531**

Phenanthro-[3,2-c]-phenanthren 521

Hexahelicen (Phenanthreno-[3,4-c]-phenanthren)
  519, 521
7-Deutero- 522
2-(bzw. 4)-Halogen- 522
2-(bzw. 4)-Methyl- 522

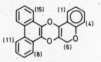

8H-⟨Phenanthro-[4,3,2-d,e]-anthracen⟩
8-Oxo- 529

Dibenzo-[b;d,e,f]-chrysen 533

Naphtho-[1,2-e]-pyren 529, 533

Dibenzo-[f,g;o,p]-naphthacen **531**, 533
1-Phenyl- 529

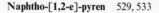

Benzo-[g,h,i]-perylen 514, 531, 532

Dinaphtho[2,3;2′,3′]-2,3-dioxa-bicyclo[2.2.2]octa-dien 1489

6H-⟨Phenanthro-[9,10-e]-1-benzopyrano-[3,4-b]-1,4-di-oxin⟩
  6,6-Dimethyl-6a,16a-dihydro- 954

Benzo-(benzo-[h]-chinolino)[2,3]-2,3-dioxa-bicy-clo[2.2.2]octadien 1490

H. Heptacyclische Verbindungen

Dibenzo-4-oxa-pentacyclo[5.5.0.0^{1,3}.0^{2,6}.0^{5,7}]dodeca-dien-(8,11) 237

Dibenzo-4-thia-pentacyclo[5.5.0.0^{1,11}.0^{7,9}.0^{8,12}]dode-cadien-(2,5)
-6,6-dioxid 235

Dibenzo-4,10-dioxa-pentacyclo[5.5.0.0^{1,3}.0^{2,6}.0^{5,7}]-dodecadien-(8,11)
3,5-Dimethyl- 237

Dibenzo-4-oxa-10-thia-pentacy-clo[5.5.0.0^{1,3}.0^{2,6}.0^{5,7}]dodecadien-(8,11)
-12,12-dioxid 237

4,15-Diaza-heptacyclo[10.8.2.0^{1,9}.0^{7,21}.0^{10,12}.0^{11,20}.0^{18,22}]docosan
5,8,16,19-Tetraoxo- 638
5,8,16,19-Tetraoxo-4,15-dibenzyl- 638
5,8,16,19-Tetraoxo-4,15-dimethyl- 638

Heptacyclo[12.2.1.1^{6,9}.0^{2,13}.0^{3,12}.0^{4,11}.0^{5,10}]octadeca-dien-(7,15)
3,4,11,12-Tetraphenyl-*endo-syn-endo*- 344, **345**
3,4,11,12-Tetraphenyl-*endo-anti-endo*-(bzw.*exo-syn-exo-*; bzw.*exo-anti-exo*)- 344

syn-13,14;15,16-Dibenzo-pentacy-clo[6.4.2.0^{2,7}.0^{1,8}.0^{2,7}]hexadecahexaen-(3,5,9,11,13,15) 476

Dibenzo-pentacyclo[6.4.0.0^{2,7}.0^{3,12}.0^{6,9}]dodecadien-(4,10)
2,10-Dimethoxycarbonyl- 477
3,4,11,12-Tetramethoxycarbonyl- 477

Dibenzo-pentacyclo[8.4.0.0^{4,7}.0^{5,13}.0^{6,12}]tetradeca-dien-(2,8)
16,17-Diphenoxy-15,18-dioxo- 903

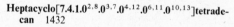

Heptacyclo[7.4.1.0^{2,8}.0^{3,7}.0^{4,12}.0^{6,11}.0^{10,13}]tetradecan 1432

Dinaphtho-[1,8-bc;1′,8′-ij]-tricyclo[10.2.0.0^{5,8}]-tetra-decadien-(2,9)
9,10,19,20-Tetraphenyl- 335, **336**

4,13-Diaza-heptacy-clo[8.8.2.2^{1,10}.0^{7,19}.0^{9,22}.0^{16,20}.0^{18,21}]docosan
5,8,14,17-Tetraoxo- 638
5,8,14,17-Tetraoxo-4,13-dibenzyl- 638
5,8,14,17-Tetraoxo-4,13-dimethyl- 638

5,15-Diaza-heptacy-
clo[9.9.2.2^{1,10}.0^{8,21}.0^{10,24}.0^{18,22}.0^{20,23}]tetracosan
6,9,16,19-Tetraoxo-   639

Heptacyclo[11.5.1.1^{4,10}.0^{2,12}.0^{3,11}.0^{5,9}.0^{14,18}]eicosa-
dien-(6,16)
exo-exo-anti-exo-exo-(bzw. *exo-exo-anti-endo-exo*)-
289
endo-exo-anti-exo-endo-   290

Dibenzo-13,14-dioxa-*exo-anti-exo-*
pentacyclo[8.2.1.1^{4,7}.0^{2,9}.0^{3,8}]tetradecadien-(5,11)
291

Cyclobuta-[1,2-a;3,4-a′]-di-acenaphthylen
6b,6c-(bzw.6b,12c)-Dicarboxy-6b,6c,12b,12c-tetrahy-
dro-*syn-*   483
6c,12c-Dicyan-6b,6c,12b,12c-tetrahydro-*syn-*(bzw.-
anti)-   483
6c,12c-Dimitro-6b,6c,12b,12c-tetrahydro-*syn-*(bzw.-
anti)-   482, **483**
6b,6c,12b,12c-Tetrahydro-*syn-*(bzw.-*anti*)-   482, **483**

Heptacyclo[16.2.1.1^{2,17}.1^{9,14}.1^{10,13}.0^{5,16}.0^{6,15}]tetraco-
satetraen-(3,7,11,19)
22,23-Dioxo-*exo-anti-exo-*   297

Acenaphtheno-[1,2-a]-phenanthro-[9,10-c]-cyclobu-
tadien
8b,8c,14b,14c-Tetrahydro-   242

Benzo-[a]-pyreno-[4,5-a]-cyclobuta-[3,4-d]-pyrimi-
din
4-Amino-6-hydroxy-3b,3c,7a,7b-tetrahydro-   605

Bis-[furo-[3,2-g][1]-benzopyrano][3,4-a;4′,3′-c]-cy-
clobutan
4,9-Dimethyl-6,7-dioxo-6,6a,6b,7,13b,13c-hexahydro-
trans-   621

Tetrabenzo-tricyclo[7.5.0.0^{2,8}]tetradecatetraen-
(3,6,10,13)
anti-   369
cis,anti,cis-   346, **347**
7,18-Dimethylen-*anti-*   369
7,18-Dioxo-*anti-*   369
7,18-Dioxo-*cis-anti-cis-*   346, **347**
7-Methylen-*anti-*   369
7-Oxo-*anti-*   369
18-Oxo-7-methylen-*anti-*   369

Heptacyclo[16.2.2.2^{10,13}.1^{2,17}.1^{9,14}.0^{5,16}.0^{6,15}]hexaco-
satetraen-(3,7,11,19)
23,24-Dioxo-*exo-anti-exo-*   297

Tetrabenzo-5,12-diaza-tricyclo[7.5.0.0^{2,8}]tetradecate-
traen-(3,6,10,13)
7,18-Bis-[chloracetyl]-   346
7,18-Diacetyl-   **347**
7,18-Diäthoxycarbonyl-   346
7,18-Diaminocarbonyl-   346
7,18-Dibenzoyl-   346
7,18-Dipropanoyl-   346

Heptacyclo[6.6.0.0^{2,6}.0^{4,14}.0^{5,12}.0^{7,11}.0^{9,13}]tetrade-
can   1432

Dibenzo-pentacyclo[8.2.2.2^{1,10}.0^{4,16}.0^{7,15}]hexadeca-
trien-(5,11,13)
4,9-Dimethoxy-   1487

Phenanthro-[4,3-b]-chrysen
1-Methyl-   523

Phenanthro-[3,2-c]-chrysen   522

Phenanthro-[2,3a]-triphenylen   522

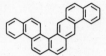

Benzo-[g]-anthraceno-[2,1-c]-phenanthren   521, 522

Benzo-[h]-anthraceno-[1,2-a]-anthracen   521

Benzo-[f]-hexahelicen   523

Benzo-[c]-naphtho-[1,2-g]-chrysen   522

Benzo-[c]-hexahelicen   524
13-Methyl-   523

Benzo-[i]-hexahelicen   524

Dinaphtho-[1,2-a ; 2′,1′-j]-anthracen
6-Methyl-   523

Heptahelicen   521, 522
6-Methyl-   523

4H-⟨Benzo-[d,e]-hexahelicen⟩
5,6-Dihydro-   522

Dibenzo-[a ; o]-perylen
7,16-Dioxo-7,16-dihydro-   529, 534, 1523

Tetrabenzo-tricyclo[4.2.2.2^{2,5}]dodecapentaen-(1,3,7,9, 11)   886

Tetrabenzo-tricyclo[4.2.2.2^{2,5}]dodecatetraen-(3,7,9, 11)   478, **479**, 499
1,7-Diamino-   481
-7,8-dicarbonsäure-anhydrid   479
-4,10-(bzw. -5,10)-dicarbonsäure-nonadiyl-(1,9)-
    diester   480
1,7-Dicyan-   481
1,7-Diformyl-   **481**
1,8-Dimethoxy-2,7-dimethyl-   481
2,7-Dimethyl-1-cyan-   481
1,7-Dinitro-   480

16H-⟨Benzo-[4,5]-phenaleno-[1,2,3-k,l]-xanthen⟩
16-Oxo-   625

16cH-⟨Benzo-[a]-phenanthro-[1,10,9-j,k,l]-xanthen⟩
-16c-carbonium-Salze 626

16H-⟨Benzo-[4,5]-phenaleno-[1,2,3-k,l]-thioxanthen⟩
16-Oxo- 625

Diphenanthro-[9,10-b ; 9′,10′-e]-1,4-dioxin 948

Benzo-[1,2,3-k,l ; 4,5,6-k′,l′]-di-xanthen 625

Xantheno-[9,10-a,b]-thioxantheno-[10,9-c,d]-ben-zol 625

Benzo-[1,2,3-k,l ; 4,5,6-k′,l′]-di-thioxanthen 625

***anti*-9,10 ; 11,12-Dibenzo-dipyridio-[1,2-c ; 1′,2′-g]-3,7-diazol-tricyclo[4.2.2.2^{2,5}]dodecatetraen-(3,7,9,11)**
Dibromid 592

I. Octacyclische Verbindungen

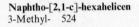

Tetrabenzo-tetracyclo[6.2.2.2^{4,7}.0^{1,4}]tetradecatetraen-(5,9,11,13)
2,3-Dihydroxy- 821

Naphtho-[2,1-c]-hexahelicen
3-Methyl- 524

Octahelicen 526

(Benzo-[c]-phenanthreno-[1,2-a])-pyren
12-(⟨Benzo-[c]-phenanthren⟩-2-yl)- 525

Benzo-[e]-naphtho-[1,2,3,4-g,h,i]-perylen 534

Phenanthro-[1,8,9,10-f,g,h,i,j]-picen 534

Phenaleno-[4,3a,3,2,1-o,p,q,r]-picen 531

Phenanthro-[1,10,9,8-o,p,q,r,a]-perylen
7,14-Dihydroxy-7,14-diphenyl-7,14-dihydro- 529
7,14-Dioxo-7,14-dihydro- 534, 636, 1523
7,14-Diphenyl- **538**
1,6,8,10,11,13-Hexahydroxy-7,14-dioxo-3,4-dimethyl-7,-14-dihydro- 530

J. Nona- und polycyclische Verbindungen

Nonacy-
clo[9.7.0.0²,¹⁰.0³,⁸.0⁴,⁶.0⁵,⁹.0¹²,¹⁶.0¹³,¹⁸.0¹⁵,¹⁷]oc-
tadecan   291

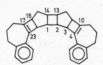

5,6 ; 21,22-Dibenzo-
heptacyclo[12.10,0.0²,¹³.0³,¹¹.0⁴,¹⁰.0¹⁶,²⁴.0¹⁷,²³]te-
tracosatetraen-(4¹⁰,5,17²³,21)
11,20-Diacetylamino-5,6,7,15,16,24,25,26-octameth-
oxy-14,17-dioxo- ; (α-Lumicolchicin)   911

Dibenzo-heptacyclo[5.5.2.2¹,⁷.0⁴,¹⁴.0⁴,¹⁵.0¹⁰,¹³.0¹⁰,¹⁶]
hexadecadien-(13,8)   477

Nonacy-
clo[12.6.1.1⁴,¹¹.1⁶,⁹.1¹⁶,¹⁹.0²,¹³.0³,¹².0⁵,¹⁰.0¹⁵,²⁰]
tetracosadien-(7,17)
exo/endo-exo-anti-exo-endo/exo-   290

Nonacy-
clo[12.6.1.1⁴,¹¹.1⁶,⁹.1¹⁶,¹⁹.0²,¹³.0³,¹².0⁵.¹⁰.0¹⁵,²⁰]
tetracosan
exo/endo-exo-anti-exo-endo/exo-   290

Nonacy-
clo[12.6.2.2⁴,¹¹.1⁶,⁹.1¹⁶,¹⁹.0.²,¹³.0³,¹².0⁵,¹⁰.0¹⁵,²⁰]
hexacosan
exo/endo-exo-anti-exo-endo/exo-   291

Bis-[cholesten-(6)-yliden-(4,5 ; 5′,4′)]
3,3′-Dioxo-   911

Bis-[androstanyliden-(4,5 ; 5′,4′)]
cis-(bzw. *trans*)-3,3′-Dioxo-   911

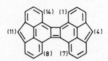

Bis-[androsten-(5⁶)-yliden]-(3,4 ; 4′,3′)]
7,7′,17,17-Tetraoxo-   912

Cyclobuta-[1,2-k ; 3,4-k′]-bis-(cyclopenta-[d,e,f]-
phenanthren)
4,7b,7c,11,14b,14c-Hexahydro-   482

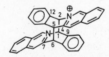

Nonahelicen   523

9,10 ; 11,12-Dibenzo-3,4 ; 7,8-(bis-isochinolinio-[2,3 ;
2′,3′])-3,7-diazonia-tricyclo[4.2.2.2²,⁵]dodecate-
traen-(3,7,9,11)
-bis-p-toluolsulfonat   1528

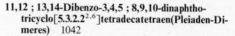

11,12 ; 13,14-Dibenzo-3,4,5 ; 8,9,10-dinaphtho-
tricyclo[5.3.2.2²,⁶]tetradecatetraen(Pleiaden-Di-
meres)   1042

anti-**Undecacyclo[10.8.0.0²,¹¹.0³,⁶.0⁴,⁹.0⁵,⁸.**
.0⁷,¹⁰.0¹³,¹⁶.0¹⁴,¹⁹.0¹⁵.¹⁸.0¹⁷,²⁰]eicosan   292

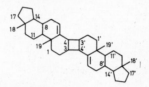

Diphenanthro-[3,4-c ; 3′,4′-l]chrysen 525

Diphenanthro-[4,3-a ; 3′,4′-o]-picen **525**

Hexaheliceno-[3,4-c]-hexahelicen 525

Tridecahelicen 532

Pentaheliceno-[1,2-c]-hexahelicen 524

3,4 ; 7,8 ; 11,12 ; 15,16 ; 17,18 ; 21,22 ; 23,24 ; 27,28-
Octabenzo-heptacy-
clo[8.6.6.6^{2,9}.0^{5,26}.0^{6,25}.0^{13,20}.0^{14,19}]octacosade-
caen-(1,3,7,9,11,15,17,21,23,27) 346

1,2-Dicarba-clovodecaboran
Decachlor- 1406

K. Symm. Biaryl- bzw. Biheteroaryl-Verbindungen

Bi-cyclopropyl
2,2-Dimethyl-1-methoxycarbonyl- 1228

Bi-cyclobutyl 281

5,5′-Bi-cyclopentadienyliden
1,1′,4,4′-Tetraphenyl- 1204

3,3′-Bi-cyclopentenyl 282, **284**
2,2′-Diphenyl- 367

Bi-cyclopentyl 282

2,2′-Bi-tetrahydrofuranyl 184

4,4′,5,5′-Tetrahydro-4,4′-bi-furanyliden
5,5′-Dioxo-2,2′-diphenyl-*cis* 211

2,2-Bi-thienyl 1582

3,3′-Bi-thienyl 556

4,4′-Bi-1,3-dioxolan
2-Hydroxy-2-(2-nitroso-phenyl)-2′-(2-nitro-phenyl)-
1332

Biphenyl 569, 642ff., 1024, 1035f., 1156, 1363f.,
1405, 1413f., 1456, 1581f., 1588ff.
2-Acetyl- 571
2-Amino- 570, 1268, 1579
2-Benzoyl- 571
2-Benzoylamino- **571**, 645

4-Carboxy- 643
4-(4-Chlor-benzyl)- 643
5-(bzw. 6)-Chlor-2-methylamino- **570**
2,2'-Dibrom-4,4'-dimethyl- 1414
4,4'-Dichlor- 1414
3,5-Dichlor-4-hydroxy- 1213
2,2'-Dicyan- 576
4-Dicyanmethyl- 1214
4,4'-Dimethyl- 1356
4,4'-Diphenyl- 1364
2-(1,2-Diphenyl-äthyl)- 1264
2-Hydroxy- 642, 643, 1578
4-Hydroxy- 642, 643, 687, 1212, 1214, 1578
4'-Hydroxy-2-äthylaminocarbonyl- 646
2-Hydroxy-2'-benzoylamino- 1310
4-(α-Hydroxy-benzyl)- 812
5-Hydroxy-4,6-diäthyl-2-phenyl- **786**
4-Hydroxy-3,5-di-tert.-butyl- 643, 1214
4-Hydroxy-3,5-dimethyl- 1214
5-Hydroxy-2,4-diphenyl- 765
4-Hydroxy-2-methyl- 1246
4-Hydroxy-4'-methyl- 1214
3-Hydroxy-2-phenyl-4'-cyan- 786
6-Hydroxy-5-phenyl-3-cyan- 643
4-Methoxycarbonyl- 643
4-Methyl- 709, 1356
2-Naphthyl-(1)- 644
4-Phenyl- 643, 674, 1588
4-Phenylamino- 1214
3-Phenyl-4,5-dipyridyl-(2)- 668
2,3,4,5-Tetrachlor- 889
2,4,5-Triphenyl- 342

Diphenochinon
2,2',6,6'-Tetra-tert.-butyl- 643

3,3'-Bi-cyclohexenyl 391, 392, 830

Bi-cyclohexyliden 886

Bi-cyclohexyl
1,1'-Dicyan- 1110
2-Oxo- **1403**
2-Oxo-2'-acetyl- 926

4,4'-Bi-4H-thiopyranyliden
2,2',6,6'-Tetraphenyl- 1069

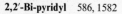

2,2'-Bi-pyridyl 586, 1582

2,3'-Bi-pyridyl 1158

3,3'-Bi-pyridyl 1158

1,1',4,4'-Tetrahydro-4,4'-bi-[phosphorinyliden]
1,1',2,2',6,6'-Hexaphenyl- ; -1,1'-dioxid 1357

5,5'-Bi-pyrimidinyl
5,5'-Dihydroxy-2,2',4,4',6,6'-hexaoxo-dodecahydro-
   818

1,1'-Bi-cycloheptatrienyl 220

1,7'-Bi-cycloheptatrienyl 220

2,2'-Bi-bicyclo[2.2.1]heptyl 288

2,2'-Bi-indenyl 374
2,2'-Dihydroxy-1,1',3,3'-tetraoxo-2,2',3,3'-tetrahydro-
   820

1,1'-Bi-⟨benzo-[c]-furan⟩-yl
3,3'-Dioxo-1,1'-diphenyl-1,1',3,3'-tetrahydro- 817

1,1',3,3'-Tetrahydro-1,1'-bi⟨benzo-[c]-furan⟩-yliden
3,3'-Dioxo- 750

2,2′-Bi-⟨benzo-[b]-thiophen⟩-yl 559

**2,2′,3,3′-Tetrahydro-2,2′-bi-⟨benzo-[b]-thiophen⟩-yli-
den** 1521
3,3′-Dioxo-cis-(cis-Thioindigo) 200, **201**

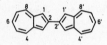

2,2′,3,3′-Tetrahydro-3,3′-bi-indolyliden
1,1′-Dimethyl- 1204

2,2′-Bi-azulenyl
3,3′,8,8′-Tetramethyl-5,5′-diisopropyl- **1044**

1,1′-Bi-naphthyl
1,1′-Dihydroxy-1,1′,2,2′,3,3′,4,4′-octahydro- 820

4,4′Bi-1H-2-benzothiopyranyl
4,4′-Dihydroxy-3,3′,4,4′-tetrahydro- ; -2,2,2′,2′-
tetroxid 820

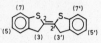

4,4′-Bi-4H-1-benzothiopyranyl
4,4′-Dihydroxy-2,2′-dimethoxy-2,2′,3,3′-tetrahydro- ;
-1,1,1′,1′-tetroxid 821
4,4′-Dihydroxy-2,2′-dimethyl-2,2′,3,3′-tetrahydro- ;
-1,1,1′,1′-tetroxid 820
4,4′-Dihydroxy-3,3′-(bzw.-8,8′)-dimethyl-2,2′,3,3′-
tetrahydro- ; -1,1,1′,1′-tetroxid 821
4,4′-Dihydroxy-2,2′,3,3′-tetrahydro- ; -1,1,1′,1′-
tetroxid 820

3,4′-Bi-chinolyl
8,8′-Dimethyl-1′,4′-dihydro- **598**

3,3′-Bi-bicyclo[4.2.2]decadien-(7,9)-yl
4′-Methyl-4-methylen- **497**

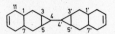

4,4′-Bi-tricyclo[5.4.0.0³,⁵]undecen-(9)-yl
2,2′,6,6′-Tetraoxo- 930

9,9′-Bifluorenyl 1211
9,9′-Dichlor- 1216
9,9′-Dihydroxy- 821
9,9′-Diphenyl- 634

9,9′-Bi-fluorenyliden 1092, 1204

9,9′-Bi-carbazolyl 1137

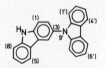

3,9′-Bi-carbazolyl 1137

9,9′-Bi-9H-⟨cyclopenta-[1,2-b:4,3-b′]-dipyridin⟩-yl
9-Hydroxy- **831**

9,9′-Bi-anthryl
10,10′-Dioxo-9,9′,10,10′-tetrahydro- 480, 636, 1055,
1338

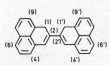

2,2′-Bi-phenalenyl
2,2′-Dihydroxy-1,1′,3,3′-tetraoxo-2,2′,3,3′-tetrahydro-
  821

6,6′-Bi-phenanthridinyl
5,5′,6,6′-Tetrahydro- 645

9,9′-Bi-xanthenyl
9,9′-Dihydroxy- 821
9-Hydroxy- 834

3,3′-Bi-tetracyclo[3.2.0.0^{2,7}.0^{4,6}]heptyliden 236

9,9′,10,10′-Tetrahydro-9,9′-bi-acridinyliden 591, 592,
650, 1450, **1451**
9,9′-Dimethyl- 1451

2,2′-Bi-hexahelicenyl 525

L. Monospiro-Verbindungen

Cyclopropen-⟨3-spiro-5⟩-cyclopentadien

1,2-Diäthyl-	-tetraphenyl- 1249
1,2-Dimethoxycarbonyl-	-tetrachlor- 1249
1,2-Dimethoxycarbonyl-	-tetraphenyl- 1248
1,2-Dimethyl-	-tetrachlor- 1249
1,2-Dimethyl-	-tetraphenyl- 1249
1-Methoxycarbonyl-	-tetrachlor- 1249
1-Methoxycarbonyl-	-tetraphenyl- 1249

Cyclopropen-⟨3-spiro-1⟩-1,3-dihydro-⟨benzo-[c]-furan⟩

1,2-Diphenyl-	-3-oxo- **750**

Cyclopropen-⟨3-spiro-3⟩-cyclohexadien-(1,4)

1,2-Dimethyl-	-6,6-dimethyl- 1251
1,2-Dimethyl-	-6-oxo-1,5-di-tert.-butyl- 1251

Cyclopropen-⟨3-spiro-9⟩-fluoren

1,2:Dimethoxycarbonyl-	— 1148, **1249**

Cyclopropen-⟨3-spiro-1⟩-inden 1201

1,2-Diäthyl-	-2,3-diphenyl- 1249
1,2-Dimethoxycarbonyl-	-2,3-diphenyl- 1249
1,2-Dimethyl-	-2,3-diphenyl- 1249
1-Methoxycarbonyl-	-2,3-diphenyl- 1249

Cyclopropen-⟨3-spiro-9⟩-9,10-dihydro-anthracen

2-Phenyl-1-äthoxy-carbonyl-	-7-brom-10-oxo- 1251
2-Phenyl-1-methoxy-carbonyl-	-7-brom-10-oxo- 1251
2-Phenyl-1-methoxy-carbonyl-	-10-oxo- 1251

Cyclopropan-⟨1-spiro-2⟩-thiiran

2,2,3,3-Tetramethyl-   — 828

Cyclopropan-⟨1-spiro-1⟩-cyclobutan

—	-2,3-carbonyldioxy- 410
	-2-hydroxy-3-vinyl- 758

Cyclopropan-⟨1-spiro-5⟩-cyclopentadien

2-tert.-Butyl-	— 1235
2,3-Diäthyl-	— 1249
cis-(bzw. trans)-2,3-Di-methoxy-	-tetrachlor- 1232
2,2-Dimethyl-	— 441
2,3-Dimethyl-	— 1249
2,2-Dimethyl-	-1,2,3-trimethyl- 440
3-Hydroxy-2-phenyl-	— 1233
2-Methoxycarbonyl-	-tetrachlor- 1232
cis-(bzw. trans)-3-Methyl-2-äthyl-	-1,2,3,4-tetrachlor- 1235
cis-3-Methyl-2-isopropyl-	-1,2,3-triphenyl- **1232**
syn-(bzw. anti)-2-Phenyl-	-2-phenyl- 440
Tetramethyl-	— 1229
2,2,3-Trimethyl-	-1,2,3,4-tetraphenyl- 1235

Cyclopropan-⟨1-spiro-1⟩-cyclopentan

—	-2,3;4,5-bis-[epoxi]- 1482
—	-4,5-epoxi-2-oxo- 1482
—	-2-hydroxy-5-oxo- 1483

Cyclopropan-⟨1-spiro-3⟩-tetrahydrofuran

2,2-Dimethyl-	-cis-(bzw. trans)-2-methoxy- 826
2,2-Dimethyl-	-cis-(bzw. trans)-2-methoxy-5,5-dimethyl- 826

Cyclopropan-⟨1-spiro-3⟩-cyclohexadien-(1,4)

cis-2,3-Dimethyl-	-6-oxo-1,5-di-tert.-butyl- 442
trans-2,3-Dimethyl-	-6-oxo-1,5-di-tert.-butyl- 187, 442
2,2,3,3-Tetramethyl-	-6-oxo-1,5-di-tert.-butyl- 1234
2-Vinyl-	-6,6-dimethyl- 1236

Cyclopropan-⟨1-spiro-1⟩-cyclohexan

2,2-Dimethoxycarbonyl-cis-(bzw. trans)-2,3-Dimethyl-	-2-methylen- 1231
	-2-oxo- 1175
2-Vinyl-	— 419

Cyclopropan-⟨1-spiro-3⟩-tetrahydropyran

—	-2-methoxy- 758, 828

Cyclopropan-⟨1-spiro-1⟩-cycloheptan

—	-3-methylen- 889

Cyclopropan-⟨1-spiro-7⟩-1,2-oxasilepan

trans-2,3-Diäthoxy-carbonyl-	-2,2-diphenyl- 829

Cyclopropan-⟨1-spiro-1⟩-1,3-dihydro-⟨benzo-[c]-furan⟩

2-Äthoxy-	-3-oxo- 750
2,2-Dimethyl-	-3-oxo- 750
2-Methyl-	-3-oxo- 750
2-Methyl-2-isopropenyl-	-3-oxo- 750
2-Vinyl-	-3-oxo 750

Cyclopropan-⟨1-spiro-3⟩-dihydro-indol

2,2-Diphenyl-	-2-oxo-1-methyl- 1236

Cyclopropan-⟨1-spiro-1⟩-1,2,3,4-tetrahydro-naphthalin

—	-2-methylen- 886

Cyclopropan-⟨1-spiro-9⟩-fluoren

2,2-Dicyclopropyl-	—	1224
cis-(bzw. trans)-2,3-Di-	—	1235
äthoxycarbonyl-		
2,3-Dimethyl-	—	1249
cis-(bzw. trans)-3-Methyl-	—	1235
2-äthyl-		
3-Phenyl-2-methoxy-	—	1249
carbonyl-		

Cyclopropan-⟨1-spiro-9⟩-9,10-dihydro-anthracen

2-Phenyl-	-10-oxo-	1236
2,2-Diphenyl-	-10-oxo-	1236

Cyclopropan-⟨1-spiro-5⟩-5H-dibenzo-[a:d]-cycloheptatrien

cis-2,3-Dimethyl-	—	1236

Cyclopropan-⟨1-spiro-9⟩-9H-tribenzo-[a;c;e]cycloheptatrien

cis-2,3-Dimethyl-	—	1236

Cyclopropan-⟨1-spiro-3⟩-tetracyclo[3.2.0.0^{2,7}0^{4,6}]heptan

—	-1,5-dimethoxycarbonyl-236	

Cyclopropan-⟨1-spiro-7⟩-tetracyclo[3.3.0.0^{2,8}0^{4,6}]octan

—	anti-3,5-tricarboxy- **443**
—	-1,anti-3,5-trimethoxycarbonyl-443

Cyclopropan-⟨1-spiro-8⟩-⟨benzo-tricyclo[3.2.0.0^{2,7}]hepten-(3)⟩ 428

Oxiran-⟨2-spiro-3⟩-tetrahydrofuran

—	-syn-(bzw. anti)-5-methoxy-2,2,4,4-tetramethyl- 826

Thiiran-⟨2-spiro-3⟩-tetrahydrofuran

—	-anti-(bzw. syn)-5-methoxy-2,2,4,4-tetramethyl- 828

Fluoren-⟨9-spiro-2⟩-2H-azirin 1264

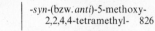

Cyclobutan-⟨1-spiro-1⟩-cyclobutan

—	-2,3-carbonyldioxy- 410

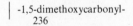

Cyclobutan-⟨1-spiro-2⟩-oxetan

—	-3-vinyl- 865
Hexafluor-	-3,4,4-trifluor-3-trifluor-methyl-846
3-Methylen-	-cis-(bzw. trans)-4-methyl-3-vinyl-865
3-Methylen-	-3-propenyl- 865
3-Methylen-	-3-vinyl- 865

Cyclobutan-⟨1-spiro-3⟩-bicyclo[4.2.0]octen-(1^{6})

2-Methylen-	—	309

Cyclobutan-⟨1-spiro-9⟩-fluoren

3-Oxo-2,2,4,4-tetra-methyl-	—	875, **876**

Oxetan-⟨2-spiro-2⟩-oxetan

3,3-Dimethyl-4,4-di-phenyl-	-3,3-dimethyl-4,4-di-phenyl- 868
3,3,4,4-Tetramethyl-	-2,2,4,4-(bzw. -3,3,4,4)-tetramethyl- 868
3,3,4-Trimethyl-4-phenyl-	3,3,4-trimethyl-4-phenyl- 868

Oxetan-⟨2-spiro-3⟩-oxetan

3,3-Dimethyl-4-,4-diphenyl-	-2,2-diphenyl- 868
3,3-Dimethyl-4,4-diphenyl-	-4,4-dimethyl-2,2-di-phenyl- 868
4,4-Diphenyl-	-2,2-diphenyl- **868**
4,4-Diphenyl-	-4,4-dimethyl-2,2-di-phenyl- 868

Cyclopenten-⟨3-spiro-2⟩-oxetan

5-Oxo-	-3,3-(bzw. -4,4-)-dimethyl- 853
5-Oxo-4,4-dimethyl-	-4,4-dimethyl- 854
5-Oxo-4,4-dimethyl-	-3,3,4,4-tetramethyl- 854

Cyclopentan-⟨1-spiro-2⟩-oxetan

—	
	-3,4-dicarbonsäure-anhydrid 855
—	-4-methyl-4-cyan- 846

Cyclopentan-⟨1-spiro-3⟩-oxetan

—	
	-2-phenyl- 843

Cyclohexadien-(1,4)-⟨3-spiro-3⟩-oxetan

6-Methyl-6-trichlor-methyl-	-3,3-dimethyl- 853
6-Methyl-6-trichlor-methyl-	-3,3,4-trimethyl- 853
6-Oxo-	-3-hexyl- 945
6-Oxo-	-4-methyl-3-pentyl- 945
6-Oxo-tetramethyl-	-4-phenoxy-3-phenyl- 946
1,2,4,5-Tetrachlor-6-oxo-	-tetramethyl- 945

Cyclohexan-⟨1-spiro-2⟩-oxetan

—	-3,4-dicarbonsäure-anhydrid 855
—	-trans-3,4-dicyan- 846
—	-4-methyl-4-cyan- 846

Inden-⟨1-spiro-2⟩-oxetan

2-Oxo-3,3-dimethyl-2,3-dihydro-	-trans-3,4-diphenyl- 860

Bicyclo[2.2.1]heptan-⟨2-spiro-2⟩-oxetan

3-Oxo-4,7,7-trimethyl-	-vinyl- 860

1,2,3,4-Tetrahydro-naphthalin-⟨2-spiro-2⟩-oxetan

3-Oxo-1,1,4,4-tetra-methyl-	-trans-3,4-diphenyl- 857

Oxetan-⟨2-spiro-4⟩-4H-1-benzopyran

3,3,4,4-Tetramethyl-	— 624

Oxetan-⟨2-spiro-7⟩-⟨benzo-2-oxa-bicyclo[4.2.0]octen-(3)⟩

3,3-Dimethoxy-	-10,10-dimethoxy- 624, 853
3,3,4,4-Tetramethyl-	-9,9,10,10-tetramethyl- 852

Fluoren-⟨9-spiro-2⟩-oxetan

—	-4-cyclohexylimino-3,3-dimethyl- 842, 868
—	-3,3-dimethyl-4-isopropyliden **876**
—	-4-[2-cyan-propyl-(2)-imino]- 871

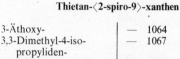

Thietan-⟨2-spiro-9⟩-xanthen

3-Äthoxy-	—	1064
3,3-Dimethyl-4-isopropyliden-	—	1067
3-Methoxycarbonyl-	—	1064
3-Methoxy-4-methylen-	—	1067

Cyclopentadien-⟨5-spiro-7⟩-cycloheptatrien

—	-hexafluor- 1243	
Tetrachlor-	— **1243**	
Tetrachlor-	-1,3-bis-[trifluormethyl]- **1243**	

9,10-Dihydro-anthracen-⟨9-spiro-2⟩-oxetan

—	-3,3-dimethyl- 847

Cyclopentadien-⟨5-spiro-6⟩-bicyclo[3.1.0]hexan

1,2,3-Triphenyl-	— **1232**

9,10-Dihydro-phenanthren-⟨9-spiro-2⟩-oxetan

10-Oxo-	-3,4-carbonyldioxy- 955
10-Oxo-	-3-chlor- **948**
10-Oxo-	-3,3-dichlor- **952**

Cyclopentadien-⟨5-spiro-7⟩-bicyclo[4.1.0]heptadien-(2,4)

—	— **1243**	
Tetrachlor-	— **1243**	
Tetrachlor-	-1,3-bis-[trifluormethyl]- **1243**	

Cyclopentadien-⟨5-spiro-7⟩-bicyclo[4.1.0]heptan-(3)

Tetrachlor-	— 1233

Oxetan-⟨2-spiro-9⟩-xanthen

3,3-Dimethyl-4-isopropyliden-	— 868

Cyclopentadien-⟨5-spiro-7⟩-bicyclo[4.1.0]heptan

1,2,3,4-Tetrachlor-	— **1233**

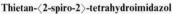

Thietan-⟨2-spiro-2⟩-tetrahydroimidazol

3-Äthoxy-	-4,5-dioxo-1,3-dimethyl-	1072
3-Äthoxy-	-4,5-dioxo-1,3-diphenyl-	1072

Cyclopentadien-⟨5-spiro-8⟩-bicyclo[5.1.0]octadien-(2,5)

1,4-Diphenyl-	—	1233
1,2,3,4-Tetrachlor-	—	1233
Tetraphenyl-	—	1233

Cyclopenten-⟨3-spiro-3⟩-cyclohexen

5-Oxo-	-5-benzoyloxy-2,4,4-tri-methyl- 780

Cyclopenten-⟨3-spiro-1⟩-cyclohexan

5-Oxo-	-c-6-hydroxy-r-2,t-6-dimethyl- 780
5-Oxo-	-t-6-hydroxy-r-2,c-6-dimethyl- 780
5-Oxo-1-methyl-	-2-hydroxy-2-methyl **785**
5-Oxo-1-methyl-	-2-methoxy-2-methyl- 790

1,5-Cyclo-1,10-seco-10α-androsten-(3)
10β-Hydroxy-17β-acetoxy-2-oxo- 780

Cyclopentan-⟨1-spiro-6⟩-bicyclo[3.1.0]hexen-(2)

—	-4-oxo-2,5-dimethyl-775, 791
-5-Oxo-2,5-dimethyl-	775
-5-Oxo-3,6-dimethyl-	775

Cyclopentan-⟨1-spiro-3⟩-2,3,4,5,6,7-hexahydro-⟨cyclopenta-[b]-pyran⟩

5-Oxo-4,4-dimethyl-	-2,4-dioxo-6,6-dimethyl-1192, **1193**

Cyclopentan-⟨1-spiro-3⟩-1,2,3,4-tetrahydro-chinolin

—	-2,4-dioxo- 1306
—	-4-methoxy-2-oxo- 1298
—	-4-methoxy-2-oxo-methoxy carbonyl 1306
—	-4-methoxy-2-oxo-2-methyl 1305
—	-4-methoxy-2-oxo-2-phenyl- 1306

Cyclopentan-⟨1-spiiro-9⟩-9,10-dihydro-phenanthren

-10-Oxo-1,2,3,4,5,6,7,8-octahydro	- **776**

Cyclopentan-⟨1-spiro-9⟩-9,10-dihydro-acridin

1005

Cyclopentan-⟨1-spiro-14⟩-tetracyclo[7.4.1.0^{1,9}.0^{2,7}] tetradecen-(2^{7})

—	-8-oxo- 776

2,5-Dihydro-furan-⟨2-spiro-9⟩-⟨benzo-6-oxa-bicyclo[3.2.0]hepten-(2)⟩

anti-(bzw. anti)-5-Oxo-3,4-dimethyl-	854

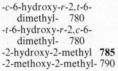

Cyclohexadien-(1,3)-⟨5-spiro-2⟩-tetrahydrofuran

—	-3-isopropyliden- 823

Tetrahydrofuran-⟨2-spiro-5⟩-8-oxa-bicyclo[5.3.0]decan

2-Hydroxy-	-6,9-dioxo-4-methyl-7,10-bis-[methylen]- 761

Tricyclo[5.4.0.0^{2,6}]undecan-⟨11-spiro-2⟩-1,3-dioxolan

2-Acetoxy-5-oxo-6 methyl-	926
6-Acetoxy-3-oxo-2-methyl-	926

Cyclohexadien-(1,4)-⟨3-spiro-6⟩-5,6-dihydro-2H-pyran

6-Oxo-	— 950
6-Oxo-	-3,4-dimethyl- **950**
6-Oxo-	-3-(bzw.4)-methyl- 950

Cyclohexadien-(1,4)-⟨3-spiro-8⟩-7-oxa-bicy-clo[4.2.0]octan

| 6-Oxo- | — 945 |

Cyclohexadien-(1,4)-⟨3-spiro-10⟩-9-oxa-bi-cyclo[6.2.0]decen-(4)

| 6-Oxo- | 945 |

Cyclohexadien-(1,4)-⟨3-spiro-10⟩-9-oxa-bi-cyclo[6.2.0]decan

| 6-Oxo- | — 945, **946** |

Cyclohexadien-(1,4)-⟨3-spiro-2⟩-2,3-dihydro-⟨benzo-[b]-furan⟩

| (±)-6-Methoxy-6-oxo-2-methyl- | -7-chlor-4,6-dimethoxy-3-oxo- [(±)-Dehydro-griseofulvin] **738** |

Cyclohexadien-(1,4)-⟨3-spiro-1⟩-1H-isoindol

| 6-Hydroxy- | -3-oxo-2-äthyl-2,3-dihydro- 646 |
| 6-Oxo- | -3-oxo-2-methyl-2,3-dihydro- 646 |

Cyclohexadien-(1,4)-⟨3-spiro-8⟩-7-oxa-bicyclo[4.2.2] decatrien-(2,4,9)

| 6-Oxo- | — 957 |

Cyclohexadien-(1,4)-⟨3-spiro-11⟩-9,10,12-trioxa- trans-bicyclo[6.4.0] dodecatrien-(2,4,6)

| 6-Oxo- | 957 |

Cyclohexadien-(1,4)-⟨3-spiro-4⟩-3-oxa-tricyclo [4.2.1.0²,⁵]nonen-(7)

| 6-Oxo- | 945 |

Cyclohexadien-(1,4)-⟨3-spiro-1⟩-1,2,2a,3,4,5-hexa - hydro-⟨cyclopenta-[i,j]-isochinolin⟩

| 6-Hydroxy- | -7,8-dimethoxy-3-methyl- 645 |

Cyclohexadien-(1,3)-⟨5-spiro-1⟩-1H-isoindol

| 6-Oxo- | -3-oxo-2-methyl-2,3-dihydro- 791 |

1,2,3,4-Tetrahydro-chinolin-⟨2-spiro-5⟩-cyclohexa-dien-(1,3)

| 1-Phenyl- | -1,2,3,4-tetrahydro-6-phenyl imino- **1004** |

6,19-Cyclo-5,6-seco-östradien-(2,4)

17β-Acetoxy-1-oxo-3-methyl- 792

Cyclohexan-⟨1-spiro-3⟩-2,4,7-trioxa-bicyclo[3.3.0] octan

| | -6-(trans-2,trans-3-(bzw. cis-2, cis-3)-carbonyldioxycyclo-butyl)- 410 |

Cyclohexan-⟨1-spiro-2⟩-⟨1,3-benzodioxol⟩

—   │   -4,5,6,7-tetrachlor- **1254**

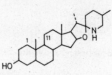

Saladulcidin 1325

Cyclohexan-⟨1-spiro-8⟩-7,9-dithia-bicyclo [4.3.0]nonan

5-Oxo-3,3-dimethyl-   │   -5-oxo-3,3-dimethyl- 1056

1,3-Dioxan-⟨5-spiro-5⟩-1,3-dioxan

2-Hydroxy-2-(2-nitroso-   │   -2-(2-nitro-phenyl)- 1332
phenyl)-

Cyclohexan-⟨1-spiro-9⟩-9,10-dihydro-acridin 1005

4,10;5,9-Dicyclo-9,10-seco-östren-(2)

17β-Acetoxy-3-oxo-1-methyl-   778, 792
10-Acetoxy-4-oxo-1-methyl-   778

1,4-Dihydro-naphthalin-⟨1-spiro-6⟩-5,6-dihydro-2H-pyran

—   │   -3,4-dimethyl- 958

4,10;5,9-Dicyclo-9,10-seco-pregnen-(1)

17α-Hydroxy-21-acetoxy-4.11,20-trioxo-1-methyl-
(Lumiprednisonacetat) **793**

12,13-Seco-5α-25S-spirosten-(13)

3β-Acetoxy-13-oxo- (Lumihecogenin-acetat) 762

Bicyclo[4.1.0]heptan-⟨7-spiro-1⟩-1,3-dihydro-⟨benzo-[c]-furan⟩

—   │   -3-oxo-   750

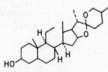

12,13-Seco-hecogenin

-12-säure   746

Bicyclo[4.1.0]heptan-⟨7-spiro-3⟩-2-oxa-bicyclo [3.2.1]octan

—   │   -1,8,8-trimethyl- 829

5α,25S-Spirostan

12α,14α-Epoxy-3β-acetoxy- (Photohecogeninacetat)
762, 851

Bicyclo[5.1.0]octadien-(2,5)-⟨8-spiro-1⟩-inden

—   │   -2,3-diphenyl-
1234

Bicyclo[6.1.0]nonatrien-(2,4,6)-⟨9-spiro-9⟩-fluoren
1234

Bicyclo[6.1.0]nonan-⟨9-spiro-1⟩-1,3-dihydro-⟨benzo-[c]-furan⟩

— | -3-oxo- **750**

Bicyclo[6.1.0]nonan-⟨9-spiro-3⟩-3H-indol

— | -2-phenyl- 1235

9,10-Dihydro-phenanthren-⟨9-spiro-2⟩-2H-⟨furo-[3,2-b]-oxet

10-Oxo- | -2a,5a-dihydro-
                                               953

Acenaphthen-⟨1-spiro-7⟩-2,4,6-trioxa-bicyclo[3.2.0]heptan

2-Oxo- | -3-oxo- 856

Fluoren-⟨9-spiro-7⟩-6-oxa-2,4-diaza-bicyclo[3.2.0]heptan

— | -3-oxo-1,5-dimethyl-2,4-
                          diacetyl- 856

6-Oxa-2,4-diaza-bicyclo[3.2.0]heptan-⟨7-spiro-9⟩-xanthen

3-Oxo-2,4-diacetyl- | — **856**

Inden-⟨1-spiro-8⟩-7-oxa-bicyclo[4.2.0]octan

2-Oxo-3,3-dimethyl- | — 833, 857
2,3-dihydro-

9,10-Dihydro-anthracen-⟨9-spiro-10⟩-9-oxa-bicyclo[6.2.0]decen-(2)

10-Oxo- | — 958

9,19-Dihydro-anthracen-⟨9-spiro-10⟩-9-oxa-bicyclo[6.2.0]decan

10-Oxo- | — 947

Bicyclo[3.2.1]octadien-⟨4-spiro-1⟩-inden

— | -2,3-diphenyl- 1235

Bicyclo[4.3.0]nonan-⟨2-spiro-3⟩-tricyclo[4.4.0.0²·⁴]decen-(1⁶)

6-Methyl-7-[5,6-di- | -9-hydroxy-hepten-(3)-yl-
 methyl-   (2)]- 263

2,3-Dihydro-inden-⟨2-spiro-1⟩-1,3-dihydro-⟨benzo-[c]-furan⟩

1,3-Dioxo-3-oxo- | — 750

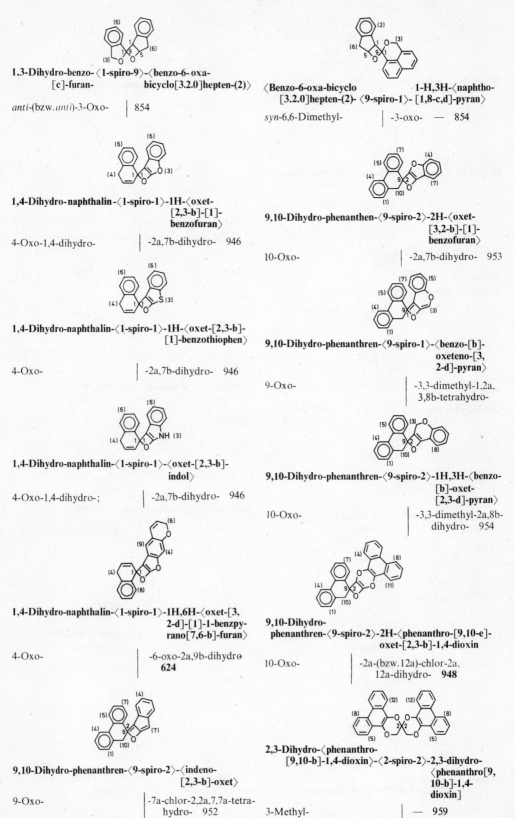

1,3-Dihydro-benzo-⟨1-spiro-9⟩-⟨benzo-6- oxa-[c]-furan- bicyclo[3.2.0]hepten-(2)⟩

anti-(bzw.*anti*)-3-Oxo- | 854

⟨Benzo-6-oxa-bicyclo [3.2.0]hepten-(2)- ⟨9-spiro-1⟩- 1-H,3H-⟨naphtho-[1,8-c,d]-pyran⟩

syn-6,6-Dimethyl- | -3-oxo- — 854

1,4-Dihydro-naphthalin-⟨1-spiro-1⟩-1H-⟨oxet-[2,3-b]-[1]-benzofuran⟩

4-Oxo-1,4-dihydro- | -2a,7b-dihydro- 946

9,10-Dihydro-phenanthen-⟨9-spiro-2⟩-2H-⟨oxet-[3,2-b]-[1]-benzofuran⟩

10-Oxo- | -2a,7b-dihydro- 953

1,4-Dihydro-naphthalin-⟨1-spiro-1⟩-1H-⟨oxet-[2,3-b]-[1]-benzothiophen⟩

4-Oxo- | -2a,7b-dihydro- 946

9,10-Dihydro-phenanthren-⟨9-spiro-1⟩-⟨benzo-[b]-oxeteno-[3,2-d]-pyran⟩

9-Oxo- | -3,3-dimethyl-1,2a,3,8b-tetrahydro-

1,4-Dihydro-naphthalin-⟨1-spiro-1⟩-⟨oxet-[2,3-b]-indol⟩

4-Oxo-1,4-dihydro-; | -2a,7b-dihydro- 946

9,10-Dihydro-phenanthren-⟨9-spiro-2⟩-1H,3H-⟨benzo-[b]-oxet-[2,3-d]-pyran⟩

10-Oxo- | -3,3-dimethyl-2a,8b-dihydro- 954

1,4-Dihydro-naphthalin-⟨1-spiro-1⟩-1H,6H-⟨oxet-[3,2-d]-[1]-1-benzpy-rano[7,6-b]-furan⟩

4-Oxo- | -6-oxo-2a,9b-dihydro **624**

9,10-Dihydro-phenanthren-⟨9-spiro-2⟩-2H-⟨phenanthro-[9,10-e]-oxet-[2,3-b]-1,4-dioxin⟩

10-Oxo- | -2a-(bzw.12a)-chlor-2a,12a-dihydro- **948**

9,10-Dihydro-phenanthren-⟨9-spiro-2⟩-⟨indeno-[2,3-b]-oxet⟩

9-Oxo- | -7a-chlor-2,2a,7,7a-tetra-hydro- 952

2,3-Dihydro-⟨phenanthro-[9,10-b]-1,4-dioxin⟩-⟨2-spiro-2⟩-2,3-dihydro-⟨phenanthro[9,10-b]-1,4-dioxin]

3-Methyl- | — 959

M. Di- und Trispiro-Verbindungen

Cyclobutan-⟨1-spiro-2⟩-cyclobutan-⟨1-spiro-1⟩-cyclobutan

anti-(bzw. *syn*)-2-Methylen- | — | -2-methylen- 309

Thieten-(2)-⟨4-spiro-2⟩-cyclobutan-⟨1-spiro-4⟩-thieten-(2)

anti-2-Phenyl- ; -1,1-dioxid- | — | -2-phenyl- ; -1,1-dioxid- **311**

Cyclopentan-⟨1-spiro-3⟩-cyclobutan-⟨1-spiro-1⟩-cyclopentan

anti-5-Oxo-4-benzyl- | *-trans*-2,4-diphenyl- | -5-oxo-4-benzyl- 906
anti-5-Oxo-4-[furyl-(2)-methylen]- | *-trans*-2,4-difuryl-(2)- | -5-oxo-4-[furyl-(2)-methylen]- 906

2,5-Dihydro-furan-⟨2-spiro-2⟩-cyclobutan-⟨1-spiro-2⟩-2,5-dihydro-furan

5-Oxo- | — | -5-oxo- (Anemonin) 310

2,5-Dihydro-1,3-oxazol-⟨2-spiro-3⟩-cyclobutan-⟨1-spiro-2⟩-2,5-dihydro-1,3-oxazol

anti-5-Oxo-4-phenyl- | -2,4-diphenyl- | -5-oxo-4-phenyl 311

anti syn

Benzocyclobuten-⟨1-spiro-2⟩-cyclobutan-⟨1-spiro-1⟩-benzocyclobuten

syn-(bzw. *anti*)-2-Methoxycarbonyl-methylen- | *-trans*-2,3-dimethoxycarbonyl- | -2-methoxycarbonylmethylen- 310

Cyclohexan-⟨1-spiro-4⟩-dithietan-⟨2-spiro-1⟩-cyclohexan

| 1025, 1026

Bicyclo[2.1.1]hexan-⟨2-spiro-3⟩-cyclobutan-⟨1-spiro-2⟩-bicyclo[2.1.1]hexan

— | -2,4-dioxo- | — 1180

1,3-Dihydro-⟨benzo-[c]-furan⟩-⟨1-spiro-2⟩-cyclobutan-⟨1-spiro-1⟩-1,3-dihysro-⟨benzo-[c]-furan⟩

| 3-Oxo- | *-trans*-3,4-diphenyl- | -3-oxo- | 340 |

1,3-Dihydro-⟨benzo-[c]-furan⟩-⟨1-spiro-3⟩-cyclobutan-⟨1-spiro-1⟩-1,3-dihydro-⟨benzo-[c]-furan⟩

| 3-Oxo- | *-trans*-2,4-diphenyl- | -3-oxo- | 340 |

2,3-Dihydro-indol-⟨2-spiro-2⟩-cyclobutan-⟨1-spiro-2⟩-2,3-dihydro-indol

syn-3-Oxo-1-benzyl-	*-trans*-3,4-bis-[2-chlorphenyl]-	-3-oxo-1-benzyl-	341
syn-3-Oxo-1-benzyl-	*-trans*-3,4-diphenyl-	-3-oxo-1-benzyl-	341
syn-3-Oxo-1-methyl-	*-trans*-3,4-bis-[2-(bzw. 4)-chlor-phenyl]-	-3-oxo-1-methyl-	341
syn-3-Oxo-1-methyl-	*-trans*-3,4-bis-[4-dimethyl-amino-phenyl-]-	-3-oxo-1-methyl-	341
syn-3-Oxo-1-methyl-	*-trans*-3,4-bis-[2-methoxy-phenyl]-	-3-oxo-1-methyl-	341
3-Oxo-1-methyl-	-3,4-diôhenyl-	-3-oxo-1-methyl-	907
syn-3-Oxo-1-methyl-	*-trans*-3,4-diôhenyl-	-3-oxo-1-methyl-	341

Adamantan-⟨2-spiro-4⟩-1,2-dioxetan-⟨3-spiro-2⟩-adamantan

| — | — | 1480 |

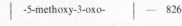

Cyclopentan-⟨1-spiro-4⟩-tetrahydrofuran-⟨2-spiro-1⟩-cyclopentan

| — | -5-methoxy-3-oxo- | — | 826 |

9,10-Dihydro-anthracen-⟨9-spiro-6⟩-1,2-dioxan-⟨3-spiro-9⟩-9,10-dihydro-anthracen

| 10-Oxo- | — | -10-oxo- | 983 |

9-Oxa-bicyclo[6.2.0]decan-⟨10-spiro-10⟩-9,10-dihydro-anthracen-⟨9-spiro-10⟩-9-oxa-bicyclo[6.2.0]decan

947

Trispiro[4.0.4.0.4.0]pendecan   885

N. Trivialnamen-Register

(Allgemein bekannte Trivialnamen sind unter den entsprechenden offenkettigen bzw. cyclischen Verbindungen aufgeführt. Gleiches gilt für die Steroide)

Abietinsäure
6,14-Endoperoxi-$\Delta^{1(8)}$-dihydro-   **1485**

Actinomycin C$_2$ 1097
Adenosin   1315
Anemonin   310
Ascaridol   1484
Bacteriochlorin
-zinn(II)-Komplex   1443

Barbaralan   445
Benzosemibullvalen   424
(±)α-**Bourbonen**   228
Bullvalen   298, 432, 435, 1148
Campher   1323
Cannabicyclolsäure   243
Cannabidiol
1α-Methoxy-dihydro-   669
1β-Methoxy-dihidro-   669

α-**Carbolin**   572, **546**, 597
β-**Carbolin**   597
γ-**Carbolin**   597
δ-**Carbolin**   597

Carotin
15,15'-cis-β--   196
all-trans-   196

β-**Carotin**
all-trans-   212

Chinchonidin
Desoxy-   1457

Chinchonin
Desocy-   **1457**

Chinidin
Desoxy-   1457

Chinin
Desoxy-   1457

Crocetin
all-trans;-dimethylester   212

11,14-Cyclo-8,14-seco-oleantrien-(8,11,13)
3α,30α-Diacetoxy-   260
3α,30α-Dihydroxy-   260

Dehydrogriseofulvin   **738**
Dewar-Benzol   473
Dewar-Pyridin   583

Epilupinin   188
Ergosterol   262

α-**Farnesen**   211

Ferrocen

1-Amino- ; -1-sulfonsäure-lactam   1282, 1412
Benzoyl-   1218
-carbonsäure   1412
Cyclohexyl-benzoyl-   1412
(4-Hydroxy-benzoyl)-   1412
(4-Methyl-phenyl)-   1412
Phenyl-benzoyl-   1412
(trans-2-Phenyl-vinyl)-   204
-sulfonsäure-amid   1282

Ferrocenium
-tetrachloroferrat(III)   1412

O. Allgemeine Begriffe

(Weitere Begriffe sind aus dem Inhaltsverzeichnis ersichtlich, S. XXXV bzw. XXXIII)